BOUQUINS

S0-BSC-280

COLLECTION DIRIGÉE PAR

GUY SCHOELLER

HISTOIRE ET DICTIONNAIRE DE PARIS

par
Alfred Fierro
*conservateur à la Bibliothèque historique
de la Ville de Paris*

ROBERT LAFFONT

Première édition 1996
Première réimpression 1996
Deuxième réimpression 1997
Troisième réimpression 2001

ISBN : 2-221-07862-4

Dépôt légal : août 2001. N° d'éditeur : L07862 (E 04).

Ce volume contient :

La majeure partie des ouvrages généraux consacrés à l'histoire de Paris ont tendance à privilégier l'action du pouvoir central au détriment de celle des Parisiens et à noyer la vie de la capitale dans le contexte élargi de l'histoire de France. Désireux d'échapper à cette tradition, je me suis efforcé de composer un livre dédié avant tout aux habitants de Paris, à leurs origines, leurs opinions, leurs activités, leur mode de vie, leur environnement au sens le plus large. J'ai évoqué leurs vies politique, administrative, économique, sociale, etc., dans les deux premières parties.

J'ai aussi constaté qu'il n'existe qu'un petit nombre de dictionnaires et qu'ils traitent à peu près exclusivement des rues et des monuments de la capitale. C'est la raison pour laquelle j'ai voulu innover et atténuer l'écrasante hégémonie de la pierre. J'ai donc renoncé à rédiger des articles par noms de rues ou de bâtiments pour composer un Dictionnaire comprenant exclusivement des entrées thématiques, le premier qui ait jamais été réalisé pour Paris et qui couvre tous les aspects de la vie parisienne : les institutions (avec des articles tels qu'Assistance publique, Brigade fluviale, Commission du Vieux Paris, Sergent de ville, Voyer...), la religion (Archevêché, Diocèse, Pèlerinage, Relique, Saint...), l'économie (Article de Paris, Vigne...), les métiers (Antiquaire, Vétérinaire, marchand de Vin...), les transports (Aéroport, Autobus, Chaise à porteurs, Tramway...), la santé (Barbier, Épidémie, Syphilis, Variole...), l'approvisionnement (Aqueduc, Gaz, Vin, Eau, Électricité...), l'alimentation (Arlequins, Échaudé, Fromage, Traiteur...), la vie quotidienne (commencement de l'Année, Week-end...), les mœurs (Apache, Argot, Gamin, Tout-Paris, Usage...), les fêtes (Bœuf gras, Carnaval, Entrée royale, Feu de la Saint-Jean...), l'urbanisme et l'architecture (Alignement, immeuble d'Angle, Lotissement, aspect, largeur et tracé de la Rue, Saillie, Toit...), la topographie générale (Altitude,

Zone…), le sol et le sous-sol (Argile, Fossile, Souterrain, Carrière, Égout…), la vie animale et végétale (Abeille, Animal, Arbre, Plante des rues, Volière…).

La Chronologie permet de suivre jour après jour les événements importants qui se sont déroulés dans Paris jusqu'à la fin du mois d'octobre 1995.

Le Guide de Recherches s'adresse à tous ceux qui s'intéressent au passé de la Ville, étudiants, chercheurs, curieux, amateurs, retraités, … Il s'efforce de répondre aux questions qui m'ont souvent été posées par de nombreux lecteurs alors que j'assurais le service public à la salle de lecture de la Bibliothèque historique de la Ville de Paris.

Une Bibliographie reprend les ouvrages cités en note dans les deux premières parties relatives aux « Événements » et aux « Activités des Parisiens ».

Ceux qui auront besoin de situer un lieu, un événement, une institution, se repéreront aisément grâce à un index très détaillé de noms de personnes, de lieux et de sujets.

La rédaction et la bibliographie ont été arrêtées au 30 juin 1995.

Introduction

Le hasard a peu de place en géographie humaine : Paris, Rome, Londres, Copenhague, Prague sont là pour le prouver : Rome au milieu de la botte italique et au centre du bassin méditerranéen, Londres au cœur du bassin géologique qui porte son nom et sur la Tamise vers laquelle confluent la plupart des cours d'eau, Copenhague au bord du Sund, clé de la Baltique, Prague au centre géométrique du quadrilatère de Bohême, sur la Vltava-Moldau qui draine l'essentiel du réseau fluvial tchèque et roule deux fois plus d'eau que l'Elbe.

L'importance de Paris est également dictée par sa situation. Si elle paraît excentrée vers le Nord, c'est que la capitale de la France est, en réalité, le centre géographique d'un ensemble excluant le bassin de la Garonne et la vallée du Rhône, mais comprenant la Belgique et la rive gauche allemande du Rhin ; Paris est à 308 kilomètres de Bruxelles, à 457 kilomètres de Cologne, à 456 kilomètres de Strasbourg, à 461 kilomètres de Lyon, à 375 kilomètres de Limoges, à 374 kilomètres de Nantes, à 592 kilomètres de Brest. Si la Manche ne constituait pas un réel obstacle, on pourrait ajouter Londres à cette liste, à moins de 400 kilomètres à vol d'oiseau de Paris. Cette aire d'environ 400 000 km^2 (100 000 de plus que les îles Britanniques ou l'Italie, autant que l'Espagne de langue castillane) correspond au bassin sédimentaire dit parisien et à ses marges au relief ancien, Massif armoricain, nord du Massif central dont les eaux s'écoulent vers la Loire et la Seine, Jura, Vosges, Ardennes et Eifel. Paris est le cœur d'une région constituée par les bassins fluviaux de la Loire, de la Seine et du couple Meuse/Rhin occidental, ouverte vers l'Atlantique, la Manche, l'Outre-Rhin et les Alpes.

C'est cette position centrale qui a permis à Paris d'accueillir les apports culturels ou économiques de l'Angleterre, de l'Allemagne, de l'Italie, dans une moindre mesure de l'Espagne plus lointaine, et de diffuser à son tour vers ces pays les inventions et les richesses françaises.

C'est dans cette région parisienne élargie qu'ont eu lieu les premiers échanges importants à l'échelle de l'Europe occidentale, les foires de Champagne où se rencontraient négociants flamands et italiens, c'est là qu'est né l'art gothique appelé à rayonner sur tout le continent. C'est de ce creuset qu'est sortie la langue française qui régnait à la fin du XIIIᵉ siècle sur l'Angleterre, la Flandre et même l'Italie : au moment même où Dante exalte la langue italienne, la *Description du monde* de Marco Polo est diffusée dans le texte français rédigé par Rusticien de Pise. Quatre siècles plus tard, l'absolutisme monarchique, le français, l'art et la littérature classiques se diffuseront depuis Versailles jusqu'à Saint-Pétersbourg, Stockholm et Lisbonne.

L'histoire de Paris est donc très largement une histoire de la France et de l'Europe, toutefois nous nous efforcerons ici de ne pas la diluer dans des généralités mais de la centrer sur la vie et l'action des Parisiens, leur contribution à la politique, la société, l'économie et la culture.

PREMIÈRE PARTIE

LES ÉVÉNEMENTS
(Des origines à nos jours)

CHAPITRE PREMIER

Des origines aux Francs (486)

LE SITE

C'est à la fin de l'ère secondaire et du crétacé (– 110 MA à – 65 MA) que le bassin parisien émerge des eaux sous forme d'un épais plateau crayeux. Il subit plusieurs submersions durant l'ère tertiaire (– 65 MA à – 2 MA), contrecoup des mouvements alpins : des mers chaudes et peu profondes l'enrichissent de nouveaux sédiments dont le lutécien qui atteint 30 à 35 mètres d'épaisseur au Quartier latin. Au pléistocène, début du quaternaire (– 2 MA), un changement climatique fait alterner des climats froids périglaciaires avec des temps plus cléments. Si les glaciers qui couvrent le centre et le nord de l'Europe n'atteignent pas le bassin parisien, leurs variations entraînent d'importants changements du niveau des océans et un intense travail d'érosion des fleuves. La Seine et ses affluents charrient et déposent des masses considérables d'alluvions. La dernière glaciation se traduit par un abaissement significatif du niveau de la mer et la Seine se creuse un lit plus étroit, traversant le site de Paris par deux bras, celui du sud correspondant à peu près au cours actuel du fleuve tandis que celui du nord longe les collines de Belleville, de Montmartre et de Chaillot, suivant approximativement le tracé du canal Saint-Martin (bassin de l'Arsenal et boulevard Richard-Lenoir), les rues du Château-d'Eau, des Petites-Écuries, Richer, de Provence, de la Pépinière, La Boétie, Marbeuf, avant de rejoindre le premier bras vers le pont de l'Alma. Ce bras septentrional subsistera à l'époque historique sous forme d'écoulement, le ruisseau de Ménilmontant, devenu le Grand Égout au XIVe siècle, dont la légende a fait une rivière souterraine, la Grange-Batelière.

Entre les deux bras se constitue un vaste marécage, ou marais, comportant quelques faibles hauteurs, ou monceaux, insubmersibles, monceaux Saint-Gervais, Saint-Jacques, Saint-Martin, Saint-Germain-l'Auxerrois, Saint-Roch… Plus abondant et plus rapide qu'aujourd'hui, mais aussi beaucoup plus large, le fleuve est encombré de nombreuses îles qui facilitent le franchissement et feront la fortune du site.

Sur la rive gauche, la Bièvre (« rivière des castors » selon l'étymologie gauloise), née près de Versailles dans le vallon des Bouviers, serpente à travers les communes de Buc, Jouy, Bièvres, Igny, Verrières, Antony, Fresnes, Bourg-la-Reine, Cachan, Arcueil et Gentilly. Elle entre dans Paris par la poterne des Peupliers, coule le long de la rue des Peupliers vers le Moulin-des-Prés, contourne à l'ouest la Butte-aux-Cailles pour revenir vers le sud jusqu'à la rue du Pot-au-Lait (actuelles rues Brillat-Savarin et Wurtz) qu'elle longe en laissant de nombreux étangs gelés l'hiver et fournissant de la glace aux Parisiens, d'où le toponyme de Glacière. Ses deux bras arrosaient ensuite les Gobelins et se rejoignaient par la rue Broca au pied de la rue Mouffetard avant d'emprunter les rues du Fer-à-Moulin et du Pont-Livault (Poliveau). A partir de cet endroit, le confluent avec la Seine a varié selon les époques. Aux temps préhistoriques, le cours de la Bièvre s'orientait vers l'ouest jusqu'au confluent du pont de l'Alma, utilisant l'actuel cours de la Seine. Elle s'est ensuite jetée dans le fleuve par la rue de Bièvre, puis au début du quai de la Tournelle et au niveau du pont d'Austerlitz.

Un fleuve imposant mais aisément franchissable grâce aux îles qui le parsèment, des marais d'où émergent quelques terrains insubmersibles, un demi-cercle de buttes d'une centaine de mètres de hauteur bornant l'horizon au nord, une autre butte au sud, la montagne Sainte-Geneviève à proximité immédiate du fleuve, tels sont les principaux caractères physiques du site où devait naître Paris.

LA PRÉHISTOIRE

La présence de l'homme préhistorique pratiquant chasse et cueillette est attestée dans le bassin parisien depuis 700 000 ans. Du matériel paléolithique ancien a été retrouvé à Paris, Clichy, Boulogne-Billancourt, Neuilly, Courbevoie, Levallois. Au mésolithique des traces de culture tardenoisienne (de Fère-en-Tardenois, dans l'Aisne) ont été signalées à Saint-Cloud, Meudon, Chaville… tandis que la culture montmorencienne apparaît non seulement à Montmorency, mais aussi à Piscop, Argenteuil, Bièvres…

Le néolithique et l'agriculture s'imposent vers 5000 av. J.-C. avec des populations dites danubiennes vivant dans de véritables villages aux maisons de bois ou en torchis, notamment à Meudon, Cormeilles-en-Parisis, Choisy-le-Roi…

La poussée démographique du néolithique moyen (4500-3500 av. J.-C.) et les conflits qui en découlent contraignent les villages à se doter de palissades, de talus, de fossés. Des traces de cette culture à la poterie rubanée ont été trouvées dans les jardins du Carrousel, place du Châtelet, porte de Vitry.

En septembre 1991, le chantier de Bercy a permis une mise au jour exceptionnelle : un arc de la période de Cerny (4500-4200 av. J.-C.) et trois pirogues monoxyles en chêne de l'époque chasséenne (4200-3400 av. J.-C.), accompagnés d'une foule d'outils (grattoirs, racloirs, burins, couteaux, flèches) et de céramiques (bouteilles, écuelles, coupes, bols, assiettes) prouvant l'existence d'un habitat permanent. On peut donc faire remonter les origines lointaines de Paris à 6 000 ans.

Le site paraît avoir été désormais habité à peu près en permanence. Le néolithique final (3400-1800 av. J.-C.) est attesté par des mégalithes : Pierre-au-Lay près du Châtelet, Pet-au-Diable derrière l'Hôtel de Ville, Pierre-au-Lard près de Saint-Merri, Gros-Caillou rue Saint-Dominique.

L'âge du bronze (1800-750 av. J.-C.), qui développe un alliage de cuivre et d'étain, fait de la Seine une artère capitale, la route de l'étain. Extrait des mines anglaises, l'étain traverse la Manche et remonte la Seine avant d'être acheminé vers les deux régions riches en cuivre de la Méditerranée (par la Saône et le Rhône) ou de l'Europe centrale (par la Marne, le Rhin, le Danube).

Avec le deuxième âge du fer (475-52 av. J.-C.) et la civilisation de la Tène apparaissent les Celtes. On peut situer au IIIe siècle l'installation des *Parisii* autour du confluent de la Seine et de la Marne, tandis qu'un groupe homonyme, sans doute une fraction du même peuple, s'établit Outre-Manche, dans le Yorkshire. Ces Gaulois possèdent des *oppida*, agglomérations à fonction urbaine de type primitif, situées dans des lieux aisément défendables ou fortifiés. L'*oppidum* de Saint-Maur-des-Fossés, parfaitement protégé par un méandre de la Marne, est attesté par de nombreuses découvertes archéologiques et correspond au type d'implantation d'un certain nombre d'autres *oppida* celtiques : Besançon, Berne, Altenburg-Rheinau, entre autres.

• *Lutèce*

L'*oppidum* principal des *Parisii*, dans une île de la Seine selon César, comme l'*oppidum* sénon de *Metlosedum* (Melun), situé traditionnellement dans l'île de la Cité, n'a, en revanche, livré aucun indice significatif d'occupation des lieux antérieure à la conquête romaine. C'est pourtant dans cet espace insulaire réduit, 8 hectares au maximum, qu'on place la Lutèce évoquée par César. Si l'on exclut les étymologies fantaisistes (« *Leucèce*, c'est-à-dire, en grec, *Blanchette*, pour les blanches cuisses des dames dudit lieu », écrit Rabelais dans *Gargantua*), les hypothèses les plus vraisemblables rapprochent ce nom d'un mot dérivé du latin *lutum*, « boue » (Camille Jullian) ou du celtique *luco-lugo*, « marais » (Strabon). Mais le prudent celtiste Holder, qui range Lutèce parmi les plus anciennes cités de la Gaule, se demande si le nom ne remonte pas à une langue préceltique.

En l'absence de vestiges archéologiques dans l'île de la Cité, il est difficile de dater la création de l'*oppidum*. Paul-Marie Duval[1] la situe vers 250-225 av. J.-C. Les premiers témoignages solides sur le rôle économique et la richesse du peuple des *Parisii* sont constitués par leur monnayage. On possède un nombre important de statères d'or répartis en sept classes selon la taille, le poids et l'aloi. Le droit représente le visage d'Apollon, le revers un cheval au galop. L'apparition de cette monnaie vers 100 av. J.-C. et la stabilité de la teneur en or témoignent du rôle commercial important des *Parisii*, peuple de marchands jouant un rôle de premier plan dans le commerce fluvial du bassin parisien.

LA CONQUÊTE ROMAINE (58 à 50 AV. J.-C.)

Avec César et ses *Commentaires*, Lutèce fait son entrée dans l'histoire écrite. Arrivé en Gaule comme proconsul en 58 av. J.-C. et désireux d'acquérir une gloire militaire, il profite de la pression des Germains pour intervenir dans les affaires de la Gaule indépendante. Ayant refoulé Arioviste et les Suèves au-delà du Rhin, il s'installe dans le pays, vainc les Belges (57 av. J.-C.), les Armoricains et les Aquitains (56 av. J.-C.), encerclant ainsi la Celtique. Mais les Éburons de la vallée de la Meuse se soulèvent (54 av. J.-C.) et entraînent d'autres peuples à la révolte, dont les Sénons. Au printemps de 53 av. J.-C., César convoque à Lutèce, voisine du pays sénon, l'Assemblée des Gaules réunissant chaque année les représentants des cités gauloises.

• *La bataille de Lutèce (52 av. J.-C.)*

Mais Lutèce ne reste pas longtemps dans l'obédience romaine. L'année suivante, les *Parisii* prennent part au soulèvement général de la Gaule. Tandis que Jules César fait campagne contre les Arvernes et marche sur Gergovie, il envoie Labienus avec quatre légions et une partie de la cavalerie s'assurer le contrôle du passage de la Seine afin d'empêcher les peuples de Belgique de faire leur jonction avec ceux de Celtique.

Parti de Sens, Labienus s'avance vers Lutèce en suivant la rive gauche de la Seine, mais il est arrêté par un marais défendu par le vieux chef aulerque Camulogène qui commande les forces réunies des *Parisii* et des Aulerques Éburovices (Évreux). On peut situer ce marais au confluent de la Seine et soit de l'Essonne, soit de l'Orge, soit plus vraisemblablement de la Bièvre.

Labienus rebrousse chemin jusqu'à *Metlosedum* (Melun), y franchit le fleuve et repart vers Lutèce par la rive droite. Les *Parisii* ayant incendié

---

1. P.-M. Duval, *Nouvelle Histoire de Paris. De Lutèce oppidum à Paris capitale de la France : vers 225 ?-500*, 1993.

Lutèce et les ponts de bois, il ne peut traverser la Seine et se trouve menacé par le soulèvement des Bellovaques (Beauvais), un des peuples gaulois les plus valeureux. Soucieux de sauver son armée prise entre les Bellovaques et Camulogène et de la ramener à son quartier général de Sens, Labienus élabore un stratagème. A la nuit, laissant cinq cohortes à la garde du camp devant Lutèce, il fait remonter le fleuve aux cinq autres cohortes de la légion, leur ordonnant de faire le plus grand bruit possible. Pendant ce temps, à la tête des trois autres légions, il traverse le fleuve sur des barques, profitant d'un orage qui masque son passage. A l'aube, constatant que l'armée romaine est divisée en trois corps, Camulogène répartit ses forces en trois groupes. La bataille est livrée dans la plaine de Grenelle : les Gaulois se font massacrer et Camulogène est tué au milieu de ses hommes.

Cette version, due à Paul-Marie Duval[1], est contestée par Anne Lombard-Jourdan et Michel Roblin qui inversent les rives. Labienus serait parti de Sens par la rive droite et le marais qui l'aurait arrêté ne serait autre que le bras nord ancien de la Seine, qui dessine un arc de cercle du bassin de l'Arsenal à Chaillot. Revenu à Melun et passé sur la rive gauche, il aurait franchi la Seine en aval de l'île aux Cygnes et livré bataille dans la plaine d'Auteuil. L'imprécision du texte de César, qui n'a pas assisté à cette campagne, ne permet pas de trancher en faveur de l'une ou l'autre interprétation.

LUTÈCE AU HAUT EMPIRE (Ier-IIIe SIÈCLES)

La Gaule indépendante disparaît avec la reddition de Vercingétorix à Alésia (52 av. J.-C.), malgré des renforts venus de toute la Gaule dont huit mille *Parisii* rescapés (?) de la défaite de Camulogène, et avec l'achèvement de la conquête par Jules César (50 av. J.-C.).

C'est sans doute dès la première moitié du Ier siècle de l'ère chrétienne que Lutèce est reconstruite sur le plan orthogonal classique des cités romaines, avec un quadrillage régulier de part et d'autre des deux axes principaux : le *cardo* (nord-sud), rue Saint-Jacques, et le *decumanus* (est-ouest) dont des vestiges ont été retrouvés dans l'île de la Cité, lors de fouilles, rue de Lutèce.

La rive droite restant à peu près inoccupée, la ville se développe pour l'essentiel sur la rive gauche, au flanc de la montagne Sainte-Geneviève, l'île abritant le port sur sa berge sud, sans doute le siège de l'administration romaine à l'emplacement du palais de justice, et, peut-être, un lieu de culte.

1. P.-M. Duval, *op. cit.*, p. 41-44. Voir aussi M. Roblin, *Le Terroir de Paris aux époques gallo-romaine et franque*, p. 106-107 de l'édition de 1951, et Anne Lombard-Jourdan, *Aux origines de Paris. La genèse de la rive droite jusqu'en 1223*, p. 19-23.

Cœur de la ville où se déroule la vie politique, où ont lieu les cérémonies du culte officiel, où se règlent les litiges judiciaires et où se
traitent les affaires commerciales, le forum date sans doute de la seconde
moitié du Ier siècle et se présente comme un vaste rectangle ceint d'un
mur de plus de 300 mètres de périmètre, entouré d'un portique intérieur
abritant des boutiques, un crypto-portique constituant au-dessous un
entrepôt de marchandises. A l'orient devait s'élever la basilique civile,
siège du tribunal, à l'occident un temple. D'autres boutiques devaient
s'appuyer au mur extérieur. Ce forum s'élevait au sommet de la
montagne Sainte-Geneviève, sous l'actuelle rue Soufflot, entre le
boulevard Saint-Michel et la rue Saint-Jacques.

Les Parisiens, comme les Romains, avaient soin de leur propreté
corporelle : on ne compte pas moins de trois thermes ou établissements
de bains. Un aqueduc de 46 kilomètres, suivant le cours de la Bièvre, les
approvisionnait avec l'eau captée dans les sources et les ruisseaux depuis
Wissous et Rungis. Les plus anciens, construits sans doute dans la
seconde moitié du Ier siècle, sont les thermes du sud dits du forum, édifiés
à l'angle des rues Gay-Lussac et Le Goff, quadrilatère de 60 mètres sur
40. Les thermes de l'est ou du Collège de France, à la bordure orientale
du *cardo* de la rue Saint-Jacques, étaient encore plus vastes, mesurant au
moins 68 mètres sur 75 à 80 et ont été construits à la charnière du Ier et
du IIe siècle. Les plus grands (100 mètres sur 65) et les mieux conservés,
les thermes du nord ou de Cluny, datent de la fin du IIe ou du début du
IIIe siècle, époque de l'apogée de la ville. Des consoles en forme de
proues de navires évoquaient sans doute la corporation des nautes, entrepreneurs de transport par eau ; on a retrouvé dans un mur de la cathédrale
Notre-Dame un pilier qui confirme que cette association jouait un rôle
politique, économique et social de premier plan à Lutèce.

L'esprit n'était pas davantage négligé que le corps dans la cité gallo-
romaine. L'amphithéâtre à scène, communément nommé «arènes de
Lutèce», rue Monge, combinait les jeux de l'arène (combats de gladia-
teurs, d'animaux…) et les représentations théâtrales. Construit peut-être
au IIe siècle, très vaste (130 mètres sur 100), il pouvait accueillir quinze
mille personnes. On a aussi retrouvé les restes d'un théâtre modeste sous
le lycée Saint-Louis, d'environ 72 mètres de diamètre, datant du début du
IIe siècle.

Couvrant une cinquantaine d'hectares, la cité gallo-romaine ne devait
guère compter plus de cinq mille à six mille habitants, l'équivalent d'une
sous-préfecture rurale du XIXe siècle. En dehors des nautes, on ignore
presque tout des activités des Parisiens à cette époque. Leur religion
combinait divinités romaines et gauloises auxquelles s'ajoutent, à la fin
du Ier siècle, des cultes orientaux sans doute introduits par des marchands
ou des soldats étrangers : des bronzes attestent le culte de Cybèle, d'Attis
et de Mithra. Selon la coutume romaine, les nécropoles se trouvaient à la

sortie de la cité, le long des routes. Il semble qu'il y en ait eu trois principales. Les nécropoles du sud, dite du faubourg Saint-Jacques, et du sud-ouest, dite de Vaugirard, ont été utilisées dès le Iᵉʳ siècle tandis que celle du sud-est ou de Saint-Marcel date du IVᵉ siècle et supplante les deux autres dès sa création.

LE BAS EMPIRE (FIN IIIᵉ - FIN Vᵉ SIÈCLE)

Cette ville modeste mais prospère grâce à la paix romaine commence à décliner dès le milieu du IIIᵉ siècle. L'insécurité, le brigandage débutent dans les campagnes avec la révolte des Bagaudes, mais les cités souffrent surtout des invasions germaniques. Franchissant le Rhin en 275, Alamans, Francs et autres peuples ravagent plus de soixante cités de la Gaule dont Lutèce. Les bâtiments de la montagne Sainte-Geneviève ayant été pillés, saccagés et incendiés, leurs occupants décimés, les survivants utilisent leurs pierres pour édifier un rempart ceignant l'île de la Cité. La rive gauche n'est pas totalement abandonnée, mais ses habitants, beaucoup moins nombreux qu'auparavant, vivent désormais dans une sécurité précaire, à l'ombre d'un forum maintenant fortifié. Sur la rive droite, Montmartre, grosse exploitation agricole dotée d'un temple de Mercure et peut-être d'un autre dédié à Mars, poursuit son existence de même que la poignée d'habitants des monceaux Saint-Gervais et Saint-Jacques, protégés par les marais.

Dépendant administrativement de Lyon puis, à la fin du IIIᵉ siècle, de Sens (Quatrième Lyonnaise), Lutèce adopte, à la fin du IIIᵉ ou au début du IVᵉ siècle, le nom du peuple dont elle est la capitale, les *Parisii*, et devient Paris.

La Cité, doublement protégée par les bras du fleuve et par son enceinte fortifiée, assume maintenant un rôle stratégique comme base arrière de l'armée romaine en Gaule, ce qui explique la présence dans ses murs de deux empereurs, Julien puis Valentinien, entre 358 et 366. C'est à Paris qu'en 360 Julien est proclamé empereur par ses troupes.

La même année, le christianisme s'affirme avec le premier concile tenu à Paris pour condamner l'arianisme. Cette religion, selon la tradition, y a été introduite par le premier évêque missionnaire, saint Denis, martyrisé vers 250. Une première église a sans doute existé dès le IVᵉ siècle, qui a pris plus tard le nom de saint Marcel (mort vers 435), neuvième évêque ; elle fut élevée près de la nécropole du même nom.

Le triomphe du catholicisme est illustré par Geneviève, née vers 420 à Nanterre. D'une piété fervente, elle acquiert vite une influence dominante sur la communauté chrétienne de Paris. Lorsque l'arrivée des Huns est annoncée, les habitants de la ville, terrorisés, s'apprêtent à fuir. L'intervention de Geneviève les en dissuade. Voyant les ponts et les murailles de la ville gardés, Attila repart vers l'est sans combattre. Il sera défait peu après, en 451, aux champs Catalauniques, près de Châlons-sur-Marne, par une armée composée de Francs, de Wisigoths et de Gallo-Romains.

La Gaule a cessé de faire partie d'un Empire romain en décomposition au milieu du Ve siècle. Les Wisigoths se sont emparés de Rome en 410 avant de s'installer en Espagne et de conquérir tout le sud-ouest de la Gaule jusqu'à la Loire. Les Burgondes sont établis dans le bassin du Rhône. Les Francs ont progressivement glissé vers le sud jusqu'à la Somme, les Alamans ont franchi le Rhin et occupé l'Alsace. Le pouvoir romain n'est plus représenté entre Somme, Meuse et Loire que par les généraux gallo-romains Aetius (425-454), Aegidius (454-464) et Syagrius (464-486). Les Francs se présentent les premiers devant Paris. Childéric élimine Aegidius en 464 et fait le blocus de Paris, mais Geneviève le rompt grâce à une flottille qui ravitaille la ville. En 476-477, les Francs entament un nouveau blocus. Il dure une dizaine d'années et, après l'assassinat de Syagrius (486) sur ordre de Clovis, fils de Childéric, Geneviève traite avec le vainqueur.

CHAPITRE II

Les siècles obscurs (486-987)

LA CAPITALE FRANQUE (486-613)

Converti au catholicisme par son épouse Clotilde, Clovis réunifie à peu près la Gaule, battant les Alamans à Tolbiac/Zülpich (496 ou 506), écrasant les Wisigoths à Vouillé (507). En 508, il reçoit les insignes consulaires de l'empereur romain d'Orient et choisit Paris pour capitale. Malgré de sanglants conflits pour le pouvoir entre ses successeurs, Paris demeure la capitale indivise du royaume des Francs jusqu'au début du VIIe siècle, et même au-delà si l'on considère le séjour dans le palais de Clichy comme une extension de Paris.

Cette ville reste dominée par l'île fortifiée de la Cité, mais les deux rives du fleuve commencent à se développer. Grâce à l'*Histoire des Francs* de Grégoire de Tours, on possède quelques connaissances de l'agglomération du VIe siècle. A l'église Saint-Marcel, près de la nécropole, se sont ajoutées la basilique des Saints-Apôtres (ou Saint-Pierre, plus tard Sainte-Geneviève, car c'est là que Geneviève a été inhumée vers 502 ainsi que Clovis en 511) au sommet de la montagne Sainte-Geneviève, édifiée sur ordre de Clovis, la cathédrale Saint-Étienne (à l'emplacement de Notre-Dame), bâtie vers 540-550, sous le règne de Childebert Iᵉʳ qui fonde Saint-Vincent (ou Sainte-Croix, future Saint-Germain-des-Prés), sur la rive droite, Saint-Gervais et, beaucoup plus au nord, sur la route de Senlis, Saint-Laurent. La lointaine Montmartre a été pourvue par Geneviève, peu après le reflux des Huns (entre 451 et 459), d'une basilique dédiée à saint Denis et édifiée à l'emplacement présumé de la tombe du martyr. Le testament de Bertrand, évêque du Mans, atteste l'existence, au début du VIIᵉ siècle, d'une basilique nouvelle construite par Chilpéric (539-584) et qui pourrait être Saint-Germain-le-Rond ou l'Auxerrois.

Le témoignage de l'archéologie permet aussi d'assigner à l'époque mérovingienne les églises basilicales Saint-Martin-des-Champs, Saint-Séverin, Saint-Benoît-le-Bétourné (alors Saint-Serge et Saint-Bacchus, à l'angle nord-est de l'actuelle Sorbonne), Saint-Étienne-des-Grés (au début de la rue Cujas), Saint-Symphorien-des-Vignes (à l'emplacement du collège Sainte-Barbe), Saint-Victor (à l'est des arènes), Saint-Médard, Notre-Dame-des-Champs. Au total, la capitale des Francs possède donc seize lieux de culte, Saint-Étienne dans la Cité, quatre églises sur la rive droite, onze sur la gauche. Cela confirme la thèse de Michel Roblin et Michel Fleury [1] qui estiment que la rive gauche, malgré l'insécurité, a continué à être habitée au Bas Empire et a repris son essor une fois devenue la capitale des Mérovingiens. L'incendie de 585, relaté par Grégoire, détruisit toutes les constructions de l'île sauf la cathédrale. Toutefois, l'archevêque de Tours ne mentionne pas que la vie de Paris en ait été interrompue, preuve de l'importance des rives gauche et droite. Divers calculs ont amené Michel Roblin à estimer la population à environ vingt mille âmes au début du IXᵉ siècle. Sans doute y en avait-il un peu moins au VIIᵉ.

La présence de commerçants juifs et syriens, indice d'une indéniable activité économique liée à la navigation fluviale, laisse deviner l'existence d'un ou de plusieurs ports situés soit sur la rive droite à l'École (près de Saint-Germain-l'Auxerrois) et/ou à la Grève, soit sur la rive sud de l'île de la Cité. Les fouilles ont montré que les ruelles de l'île étaient fort étroites, de 1,39 à 5,10 mètres avec une moyenne de 3 mètres de largeur, et s'ordonnaient en fonction du rempart et de son chemin de ronde ou de la voie centrale reliant les deux ponts du nord et du midi. La relation par Grégoire de Tours de l'arrestation du comte Leudaste fait apparaître des boutiques d'orfèvres près du Petit Pont ou pont méridional. La communauté juive était établie au même endroit, dans la rue des Juifs, près de la porte sud. La *Vie de saint Éloi* attribue à ce saint d'origine limousine la rénovation de l'orfèvrerie parisienne. Les fouilles

---

1. M. Roblin, *op. cit.*, et M. Fleury, «Lutèce sous le Bas-Empire», dans *Paris de la préhistoire à nos jours*, p. 44-47.

archéologiques ont révélé les imposantes dimensions de la cathédrale Saint-Étienne (36 mètres sur 72) et les vestiges d'un riche décor intérieur.

L'importance de Paris est aussi attestée par la tenue de conciles en 551 ou 552, 561 ou 562, 573, 577, 614. Le premier rassemble six métropolitains et vingt et un évêques, le dernier douze métropolitains et soixante-sept évêques, soit soixante-dix-neuf des cent évêques du royaume.

La ville est un gage ou un atout dans les luttes que se livrent les Mérovingiens. A la mort de Clotaire Ier (561), son fils Chilpéric Ier marche sur Paris mais ses frères lui imposent un partage qui attribue la ville à Caribert Ier, ses frères ayant pour capitale Soissons, Reims et Orléans. A la mort de Caribert (567), Paris devient, selon la formule de Robert-Henri Bautier, « une sorte de capitale commune d'un État mérovingien fictif[1] » et reste indivise entre les trois frères. A la mort de Sigebert Ier (575), sa veuve Brunehaut se réfugie à Paris, mais un an plus tard, Chilpéric s'empare de la ville, répare l'amphithéâtre antique et y donne des spectacles en 577. A sa mort (584), son frère Gontran conclut le pacte d'Andelot (587) avec Brunehaut, tutrice de Childebert II, qui lui cède son tiers de la ville. Gontran possède alors deux tiers de la ville contre un tiers à Clotaire II, fils mineur de Chilpéric Ier. La lutte pour Paris continue : Frédégonde, veuve de Chilpéric, s'en empare en 597 au nom de Clotaire II. Thierry II, fils de Childebert II, reprend la ville en 605, mais Clotaire II finit par rester seul souverain en 613.

UNE ROYAUTÉ ITINÉRANTE (614-751)

Quoiqu'il considère Paris comme sa capitale, Clotaire II n'y réside pas, préférant son palais de Clichy, à quelques kilomètres au nord-ouest, où il tient un concile en 626-627 et réunit une assemblée de grands de Neustrie et de Bourgogne en 628. Son fils Dagobert Ier et son petit-fils Clovis II (mort en 657) suivent son exemple.

Mais leurs successeurs, de plus en plus faibles, sous la dépendance d'aristocraties locales belliqueuses, partagés entre Neustrie, Austrasie et Bourgogne, se transforment en monarques itinérants, se déplaçant de palais en palais pour consommer la production locale de leurs domaines. Ce sont les rois dits à tort « fainéants ». La prépondérance de plus en plus accentuée de l'aristocratie austrasienne attire irrésistiblement ces souverains insignifiants vers la vallée de la Meuse. La victoire décisive du maire du palais d'Austrasie, Pépin, à Tertry (687), consacre le triomphe de cette région et l'abaissement de Paris et de la Neustrie.

---

1. R.-H. Bautier, « Quand et comment Paris devint capitale », dans le *Bulletin de la Société de l'histoire de Paris et de l'Île-de-France*, 1978, p. 21.

d'être partis avant mars 887. La somme est payée en mai 887, alors que les Normands campent à nouveau devant Paris après avoir étendu leur expédition jusqu'en Bourgogne.

Ils reviendront en 889, mais échoueront derechef sous les murs de Paris et continueront à ravager la France jusqu'au traité de Saint-Clair-sur-Epte (911) qui leur abandonne la région qui prendra le nom de Normandie. Encore faudra-t-il que les Parisiens organisent une expédition punitive contre eux dans le Roumois en 925 pour les obliger à arrêter leurs rapines dans le Noyonnais.

LES COMTES DE PARIS (886-987)

Eudes, comte de Paris, s'est distingué durant le siège de 885-886. C'est un des fils de Robert le Fort, fondateur de la dynastie robertienne puis capétienne. A sa mort, le comté passe à son frère Robert, puis au fils de celui-ci, Hugues le Grand, et à son petit-fils, Hugues Capet. La famille des Robertiens exerce son contrôle à diverses époques sur les comtés d'Anjou, du Maine, de Touraine, d'Autun, de Nevers, ce qui fait d'elle une réelle puissance dans la *Francia occidentalis*, France occidentale ou France tout court, la *Francia orientalis* ou orientale étant appelée à devenir le Saint Empire romain germanique en 962.

Cette importance explique sans doute que la couronne royale, à la déposition de Charles le Gros (888), soit confiée à Eudes (mort en 898). Les Carolingiens remontent alors sur le trône. Robert Ier, frère d'Eudes, le reprend en 922, mais meurt l'année suivante. C'est Raoul ou Rodolphe, duc de Bourgogne, gendre du défunt, qui devient alors roi.

Le fils de Robert Ier, Hugues le Grand, prend vers 943 le titre de duc de France. Le terme de France semble s'être appliqué au début des Mérovingiens à la Gaule du nord divisée en Neustrie et Austrasie. Le duché de France du Xe siècle est constitué des pays entre Seine et Loire : Île-de-France, Orléanais, Touraine, Maine et Anjou.

Maître de plusieurs comtés, Hugues le Grand délègue son pouvoir à Paris à un vicomte. Sont attestés au Xe siècle Grimaud, Thion et Alleaume. Comme les évêques, second pouvoir dans la ville, ils appartiennent à une aristocratie locale qui accapare les charges séculières et ecclésiastiques, l'abbatiat pouvant alors être conféré à des laïques. Ainsi sont jetées les bases d'une puissance politique et territoriale dans la mouvance des Robertiens. A la fin du Xe siècle, deux familles dominent Paris et le Parisis : celle des comtes de Melun et de Vendôme et celle des Le Riche qui s'intitulent parfois « de Paris ».

PARIS VERS L'AN MILLE

Si l'île de la Cité a été protégée par ses murailles et ses habitants en armes des saccages des Normands en 885-886, ces derniers ont presque totalement détruit les monuments et habitations construits sur les deux rives de la Seine. Un siècle plus tard, la plupart des ruines ont été remplacées par de nouveaux édifices. Quel est l'aspect de la ville lorsqu'elle devient le siège de la royauté française ?

La partie occidentale de l'île est occupée par le palais, celui de l'empereur Julien au IVe siècle, puis des rois mérovingiens, des comtes carolingiens de Paris, enfin du roi de France. C'est une forteresse située au point le plus vulnérable de l'enceinte. La partie orientale appartient à l'évêque et au chapitre. S'y dresse la cathédrale Notre-Dame qui, selon Jean Hubert, aurait remplacé Saint-Étienne, ruinée.

Notre-Dame est flanquée de l'ancien baptistère, Saint-Jean-le-Rond, au nord-est du parvis actuel. Au chevet de la cathédrale s'élève Saint-Denis-du-Pas, fondée au IXe siècle, d'abord simple oratoire, qui n'apparaîtra comme église qu'en 1164. C'est aussi le cas de Saint-Landry, située au nord de l'île, qui n'est mentionnée comme paroisse que vers 1150, sans doute également de Saint-Pierre-aux-Bœufs, au nord du parvis. Saint-Christophe, voisine de la cathédrale primitive, à l'ouest du parvis, aurait été un monastère de religieuses dès le VIIe siècle. Après le concile de 817, l'évêque l'aurait consacrée aux soins des malades.

Saint-Germain-le-Vieux et Sainte-Geneviève se trouvent de part et d'autre du Petit Pont. La première n'est qu'une chapelle où l'on aurait déposé le corps de saint Germain en 885, ce qui aurait amené la disparition de son nom primitif de Saint-Jean-Baptiste. La seconde aurait été édifiée au IXe siècle à l'emplacement d'une maison habitée par sainte Geneviève. Elle a d'abord porté le nom de Notre-Dame-la-Petite avant de devenir Sainte-Geneviève-des-Ardents après le miracle de la guérison des Ardents, malades atteints par une sorte de charbon pestilentiel, en 1129.

A l'est du Grand Pont, à l'emplacement de la première prison ou « chartre » de Paris, transférée au Châtelet, s'élève l'oratoire de Saint-Denis-de-la-Chartre, existant probablement dès l'époque carolingienne mais attesté seulement vers l'an mille. A l'ouest de la rue centrale reliant les deux ponts, se trouvent encore plusieurs sanctuaires : au nord, la plus proche du palais, sur l'emplacement du tribunal de commerce, Saint-Barthélemy, chapelle fondée par Eudes et où Hugues Capet transféra en 956 les reliques des saints Magloire et Samson ; à quelques mètres au sud-est, Saint-Pierre-des-Arcis, fondée en 926 par Thion, vicomte de Paris, devenue église paroissiale vers 1130 ; plus au sud, le monastère Saint-Éloi, fondé en 632-633, et Saint-Martial. La communauté israélite possédait une synagogue dans la rue de la Juiverie qui, avec la rue de la Lanterne, reliait le Petit Pont au Grand Pont.

Aux douze édifices religieux de la Cité s'ajoutent seize autres sur la rive gauche, soit cinq de plus qu'à l'époque mérovingienne. Il y aurait eu trois oratoires dépendant de Saint-Germain-des-Prés, Saint-Andéol, que certains ont, sans doute à tort, confondu avec Saint-André-des-Arts, Saint-Pierre ou Saint-Père et Saint-Sulpice, à l'emplacement de l'église homonyme. Dépendances de Saint-Marcel, les chapelles Saint-Martin et Saint-Hippolyte devaient desservir le grand cimetière.

La rive droite croît tout aussi modestement de quatre à six lieux de culte, Montmartre exclu, avec la chapelle Saint-Jacques (dite plus tard de la Boucherie), dépendance de Saint-Martin-des-Champs, et l'église Saint-Merri, édifiée à l'emplacement de la chapelle Saint-Pierre où saint Merri avait terminé son existence vers 700. Ainsi qu'on peut aisément le constater, la croissance s'est faite essentiellement dans la Cité protégée par ses murailles, les deux rives consacrant leurs ressources à la reconstruction des édifices détruits par les Normands et se bornant à leur adjoindre quelques dépendances de peu d'importance.

CHAPITRE III

La capitale de la France capétienne (987-1436)

LE REDRESSEMENT (987-1108)

La prééminence de Paris ne s'impose pas avec l'accession d'Hugues Capet à la couronne de France. Les Grands qui l'ont élu se sont réunis à Senlis et c'est à Noyon qu'il a été couronné, le 3 juillet 987. Le duc de France, qui possède Senlis, Paris, Étampes et Orléans, est mis en possession du reliquat des domaines carolingiens, Laon, Compiègne, Attigny, Verberie, Trosly, Reims, Chelles.

Le nouveau roi s'est démis de ses abbatiats laïques et de ses comtés, cédant à son ami, Bouchard, comte de Vendôme, les comtés de Melun et de Paris. Ce geste dangereux, libéralité envers un fidèle à toute épreuve ou concession à la puissante féodalité du duché de France, ne sera pas renouvelé et Bouchard le Vénérable sera le dernier comte de Paris. Son fils, Renaud, sera clerc et servira le roi Hugues comme chancelier avant d'être nommé évêque de Paris.

La ville de Laon, résidence privilégiée des derniers Carolingiens, protégée par de remarquables défenses naturelles, perd son importance en raison de sa position périphérique par rapport au noyau du domaine capétien. Hugues et ses successeurs se partagent entre Senlis, Paris, Étampes et Orléans. Le nouveau roi, à peine sur le trône, s'empresse d'en assurer la pérennité en y associant son fils Robert, qu'il fait sacrer, le 30 décembre 987, à Orléans et non à Paris ou Saint-Denis. Les séjours à Paris d'Hugues Capet semblent avoir été peu fréquents.

Robert le Pieux (roi de 996 à 1031) séjourne plus souvent à Paris, fait restaurer le palais de la Cité, sans doute précédemment occupé par le comte Bouchard, et y édifie une chapelle dédiée à saint Nicolas. L'enceinte formait un quadrilatère de 110 à 135 mètres de côté et comportait de nombreuses tours ainsi qu'un donjon. Le roi fait également restaurer ou rebâtir les abbayes de Saint-Germain-des-Prés et de Saint-Germain-l'Auxerrois, la première ayant servi de campement aux Normands durant le siège de 885-886. Elle va devenir un brillant centre d'enseignement religieux et une école d'enluminure s'y développe au début du XIe siècle.

Henri Ier (1031-1060) continue à protéger les abbayes et, l'abbatiat laïque ayant été aboli avec la réforme grégorienne, fait rendre gorge aux seigneurs qui s'étaient appropriés leurs biens. Ainsi le chevalier Guérin est-il contraint par le roi de restituer à l'abbé de Saint-Germain-des-Prés la *vicaria* ou viguerie d'Antony. Il contribue par ses largesses à relever de leurs ruines les abbayes de Saint-Marcel, Sainte-Geneviève, Saint-Martin-des-Champs, qui auront mis plus d'un siècle et demi à se remettre des ravages normands. Le roi est secondé dans cette œuvre par un évêque remarquable, Imbert ou Humbert de Vergy.

Le commerce fluvial semble favoriser la rive droite, plus facile à aborder, où le marché de la Grève est attesté au XIe siècle, et c'est sans doute sous le règne de Henri Ier que se développe le monceau Saint-Gervais dont l'église est agrandie par les comtes de Meulan, ses propriétaires, qui agrandissent aussi la chapelle de Saint-Jean-en-Grève où sont installés des moines de Saint-Nicaise de Meulan.

Signe vraisemblable de l'importance croissante de Paris, les actes royaux de Henri Ier datés de Paris commencent à être plus nombreux que ceux donnés à Orléans.

Philippe Ier (1060-1108) n'a que huit ans lorsqu'il devient roi et la régence est exercée par Baudouin, comte de Flandre, époux d'Adèle, sœur de Henri Ier. Or, l'évêque de Paris à partir de 1061 est Geoffroy, fils du comte de Boulogne et parent du comte de Flandre. Il exerce assurément un rôle important à Paris à cette époque, devient chancelier du royaume de 1075 à 1077 et de 1081 à 1085, avant d'être promu archi-chancelier.

C'est sous le règne de Philippe Ier qu'on peut commencer à dresser la carte des seigneuries ecclésiastiques qui occupent une grande partie du domaine foncier parisien. Jacques Boussard en donne la description : « A cette époque, le chapitre possédait sur la rive gauche de la Seine la justice sur une partie du faubourg Saint-Jacques, les deux côtés de la rue Galande et le côté ouest de la rue Saint-Jacques ; du côté de l'hôtel de Cluny, la partie orientale du carrefour Saint-Séverin, le côté ouest de la rue des Anglais, les rues du Plâtre, Saint-Séverin et Saint-Yves, la rue des Murs; près de la porte Saint-Victor, le côté sud de la rue de Versailles, la rue Traversine et le côté sud de la rue Saint-Victor; dans la Cité, l'Hôtel-Dieu et ses dépendances, plusieurs maisons sur la place du Parvis, les rues Saint-Pierre-aux-Bœufs et Sainte-Marine, tout l'espace compris entre la cathédrale, le port Notre-Dame et le port Saint-Landry, des maisons sur la rue de Glatigny et devant Saint-Denis-de-la-Chartre; sur la rive droite, tous les moulins du Grand Pont, des maisons dans les rues Jean-Pain-Mollet, Saint-Bon, Marivaux, des Arcis, de l'Écorcherie, tout le côté nord de la rue des Ménétriers, des maisons près de nos portes Saint-Martin et Saint-Denis, et entre cette porte et la Bastille [1].» Cela fait de la collégiale et de l'évêque le plus gros propriétaire foncier de Paris.

La richesse de l'abbaye de Saint-Germain-des-Prés est connue grâce au *Polyptyque* dressé sur ordre de l'abbé Irminon. Elle est surtout constituée de terres éparpillées tout autour de la capitale. Le territoire de Saint-Germain-l'Auxerrois s'étend de Saint-Merri à La Ville-l'Évêque. On ignore, en revanche, de quoi était constitué, à cette époque, le temporel des abbayes de Sainte-Geneviève et de Saint-Marcel.

Ainsi, à l'aube du XIIᵉ siècle, Paris est composée principalement de l'île de la Cité et de petites agglomérations sur les deux rives. Sur la droite se constituent trois bourgs autour de Saint-Germain-l'Auxerrois, de Saint-Gervais et de Saint-Martin-des-Champs. Sur la rive gauche, c'est seulement autour de Saint-Germain-des-Prés qu'a pu se reformer le bourg Saint-Germain, les abbayes de Saint-Marcel et de Sainte-Geneviève n'ayant pu encore totalement réparer les ruines causées par les Normands.

LA RENAISSANCE URBAINE (1108-1180)

Sous les règnes de Louis VI (1108-1137) et de Louis VII (1137-1180), Paris prend définitivement le pas sur Orléans et l'abbaye de Saint-Denis évince vers 1112 Saint-Benoît-sur-Loire comme principal monastère du royaume. C'est à Saint-Denis que Louis VI confie la couronne de son père et va chercher en 1124 la bannière abbatiale qu'il arborera pour affronter l'empereur Henri V. En 1111, les Parisiens ont l'occasion de manifester leur loyalisme: le comte de Meulan, Robert III, profite de l'absence du roi pour envahir la Cité, piller le palais. Pour empêcher le roi de pénétrer dans l'île, il fait couper les ponts. Ce sont les habitants eux-mêmes qui viendront à bout des envahisseurs.

---

1. J. Boussard, *Nouvelle Histoire de Paris. De la fin du siège de 885-886 à la mort de Philippe Auguste*, p. 102. Voir aussi R. Cazelles, *Nouvelle Histoire de Paris. De la fin du règne de Philippe Auguste à la mort de Charles V (1223-1380)*.

L'administration royale commence à se sédentariser dans le palais de la Cité et le Trésor est déposé au Temple. Le départ de Louis VII pour la croisade renforce l'implantation parisienne. Robert-Henri Bautier note : « La régence de Suger, en 1147, donne à Paris une fonction de capitale qui s'accentue au long du règne de Louis VII, au point qu'au moment du départ de Philippe Auguste pour la croisade, en 1190, le doute n'est plus possible quant à la primauté d'une ville qui détient les principaux organes du gouvernement : la justice et le Trésor. Le XIIIᵉ siècle et le début du XIVᵉ (saint Louis, Philippe le Bel et Philippe V) ne firent que renforcer toujours davantage ce qu'on peut déjà tenir pour un fait acquis dès la seconde moitié du XIIᵉ siècle [1]. »

A la fonction administrative embryonnaire s'ajoutent des activités économiques qui prennent une ampleur nouvelle.

Dans l'île de la Cité, le commerce semble en bonne partie concentré dans la rue de la Juiverie, prolongée par la rue de la Lanterne ou de la Vieille-Draperie, qui réunit le Grand Pont et le Petit Pont. Au centre de cette rue se trouve la halle au blé qui voisine avec la synagogue. Le parvis Notre-Dame sert de marché ainsi que les entrées des deux ponts. Entre le Petit Pont et la pointe orientale de l'île, on trouve encore le Sablon et le marché Palu, terrains alluviaux en bordure de Seine, occupés également par des étaux de marchands. Deux boucheries sont attestées : au Petit Pont et rue Massacre-Moyenne. Les juifs exerçaient vraisemblablement les professions de drapiers et pelletiers. Il y avait au moins trois ports dans l'île : le port aux œufs, à l'ouest de la rue Saint-Barthélemy, vers l'actuel boulevard du Palais, en aval du pont au Change d'aujourd'hui ; le port Saint-Landry, en face du port au blé de la Grève ; enfin le port des chanoines, un peu au nord de la pointe orientale de l'île, où l'on accédait par une ruelle serpentant derrière les jardins de l'évêché.

Sur la rive droite, le monceau Saint-Gervais, vraisemblablement protégé par une muraille, possède un port dit des Templiers, et celui de la Grève, en amont du Grand Pont, qui va prendre une importance considérable. L'autre point de peuplement riverain de la Seine s'est constitué autour de Saint-Germain-l'Auxerrois dont le bourg est attesté vers 1110, complété par un port. C'est entre ces deux bourgs, autour de la Grève, que va se constituer le cœur politique et économique de Paris. C'est à cette époque qu'apparaissent les marchands de l'eau : en 1121, Louis VI leur fait remise à perpétuité du droit de 60 sous qu'il percevait sur chaque bateau chargé de vin arrivant à Paris. En 1170, Louis VII confirme leurs coutumes et leur monopole du commerce par eau. Cette compagnie des marchands de l'eau possédait sa propre juridiction, à l'origine vraisemblablement de la municipalité parisienne. C'est en 1141 que le roi leur

---

1. R.-H. Bautier, *op. cit.*, p. 46.

accorde un emplacement pour un nouveau port, sur la place du Vieux-Marché, dite de la Grève. Aux bouchers de la Cité s'ajoutent ceux de la rive droite, près du Grand Pont. En 1153, la location de leurs étaux rapportait chaque année 30 livres parisis à l'abbaye de Montmartre qui en était propriétaire de même qu'elle possédait les emplacements des marchands de poissons. Les bouchers étaient installés à l'est du Châtelet, les poissonniers à l'ouest. Les limites de l'agglomération ne devaient pas dépasser le lieu-dit du Louvre à l'ouest, celui des Barres, un peu au-delà de Saint-Gervais, à l'est, tandis qu'au nord la ville s'arrêtait juste après les églises Sainte-Opportune et Saint-Merri. Au nord-ouest, le terrain des Champeaux était libre de toute habitation et appartenait sans doute à la censive du roi, deux raisons qui expliquent son choix pour la première extension officielle de la ville. C'est là, en effet, que Louis VI ordonne en 1137 d'installer un « marché neuf où pourraient se tenir les marchands et une partie des changeurs ». Ce choix aura une influence décisive sur l'avenir de la capitale et déterminera la suprématie de la rive droite.

A la périphérie de la ville commencent aussi à se développer des bourgs comme celui qui entoure, depuis longtemps déjà, l'abbaye de Saint-Martin-des-Champs et dont l'importance croissante entraîne la construction d'une église de Saint-Nicolas-des-Champs. Un autre bourg se crée au XIIe siècle, à l'est de Saint-Martin-des-Champs, celui du Temple. Créé en 1119, l'ordre des Templiers fonde une maison à Paris, mentionnée pour la première fois entre 1137 et 1147. Elle devait être importante puisqu'en 1147 il s'y tint une assemblée réunissant cent trente chevaliers de cet ordre et à laquelle assistèrent Louis VII et le pape Eugène III. L'enclos fortifié du Temple formait un grand trapèze dont le plus grand côté était formé par la rue du Temple, le second par la rue de la Corderie, le troisième par la rue de Picardie et le dernier par la rue de Bretagne. Au centre se trouvait l'église en rotonde bâtie vers 1140. Le donjon fut construit au plus tôt à la fin du XIIe siècle. Dans le dernier quart de ce siècle, une autre tour, dite « tour de César », fut élevée, sans doute pour abriter le trésor de Philippe Auguste. Une agglomération considérée comme distincte de Paris se forma très vite autour de l'enclos, sur laquelle les Templiers exerçaient le droit de haute justice.

Sur la rive gauche, les bourgs Saint-Marcel et Saint-Germain-des-Prés étaient aussi considérés comme des villes distinctes. Une charte de l'abbé Hugues de 1174-1175 affranchit les habitants du bourg Saint-Germain de la taille, de la corvée et de diverses redevances. Ce bourg est limité au nord par la Seine depuis la tour Philippe-Hamelin, plus tard dite « de Nesle », à l'emplacement de l'Institut, jusqu'à une borne séparant vers Grenelle les terres des abbayes de Saint-Germain-des-Prés et de Sainte-Geneviève. Une autre borne délimitait les deux domaines dans la rue de Vaugirard, à l'angle de la rue du Cherche-Midi. A l'est, l'abbaye s'étendait jusqu'à la rue Soufflot. Entre Saint-Germain-des-Prés et Saint-

Marcel, l'abbaye Sainte-Geneviève possédait un domaine de 25 hectares à la population clairsemée. On ignore si l'abbaye était fortifiée. Le petit bourg Saint-Médard dépendait aussi de cette abbaye. A moins de 500 mètres au sud de Saint-Médard s'élevait l'abbaye de Saint-Marcel entourée d'un bourg clos de palissades et de fossés. L'ensemble était délimité par la rue des Fossés-Saint-Marcel (formée des rues Le Brun, Censier, Buffon, du Fer-à-Moulin) au sud et à l'est, la ruelle des Gobelins (rue Berbier-du-Mets) à l'ouest, la Bièvre au nord, qui coulait entre les rues Censier et du Fer-à-Moulin. Le bourg ne paraît pas s'être constitué avant le milieu du XIIe siècle.

Alors que les bourgs de la rive droite ont des activités commerciales, ceux de la rive gauche semblent exclusivement ruraux. Autour de ces bourgs périphériques existait une autre ceinture formée de villages en relations étroites avec Paris, qui seront progressivement absorbés par la ville. Auteuil s'élève sur une petite hauteur, à 55 ou 60 mètres d'altitude, à l'abri des inondations. Ce hameau était possession de l'abbaye normande du Bec qui l'échangea avec l'abbaye de Sainte-Geneviève contre les biens qu'elle possédait à Vernon. Passy, un hameau insignifiant, appartient à un seigneur laïque, Renaud de Passy, mentionné vers 1179-1180. Encore plus haut placé qu'Auteuil, Passy a végété jusqu'à la fin du XVe siècle. Chaillot est aussi sur une éminence. C'est un petit village qui possède son église paroissiale Saint-Pierre dès le XIe siècle, dépendance du prieuré de Saint-Martin-des-Champs. La léproserie du Roule semble dater de 1200 seulement ; elle fut fondée par la corporation des monnayeurs, sur une butte d'une cinquantaine de mètres entourée de marais. Un village de lépreux visité par Louis VII en 1147 voisinait avec un prieuré, la léproserie Saint-Lazare. En 1131, Louis VI avait accordé au prieur le droit de tenir une foire annuelle, au lendemain de Toussaint. Elle sera rachetée par Philippe Auguste en 1181 ou 1183 pour être transférée aux Champeaux. Il n'est pas certain que Monceau et les Batignolles aient été habités aux XIIe et XIIIe siècles. En revanche, le village de Montmartre est attesté depuis l'époque gallo-romaine. En 1134, Louis VI y a établi une abbaye de femmes et la dote richement. Le succès est tel qu'en 1175, le roi est obligé de limiter à soixante le nombre des religieuses. La Chapelle Saint-Denis remonte vraisemblablement au XIe siècle et doit son existence à une chapelle dédiée à Sainte-Geneviève. La Villette se développe entre 1150 et 1175 comme dépendance de la léproserie de Saint-Lazare. Ce n'était, à l'origine, qu'une ferme. Belleville est très ancienne et attestée dès les Mérovingiens. Au XIIe siècle, elle porte le nom de Savies, au XIIIe celui de Poitronville, le nom de Belleville ne s'imposant qu'au XVIe siècle. Dépendant de Belleville, le hameau de Ménilmontant lui est contigu. Plus au sud, Charonne possède son église dès 1050, signe de l'importance de ce village. Il ne semble pas que Bercy ait été habité au XIIe siècle.

Sur la rive gauche existait une ferme à Lourcine, fief tenu de l'abbaye de Saint-Germain-des-Prés vers la fin du XIIe siècle par un certain Tibout. L'église Notre-Dame-des-Champs est issue d'un prieuré datant des Mérovingiens. La ferme de Saint-Germain-des-Prés, Vauboitron, deviendra Vaugirard au XIIIe siècle.

Deux abbayes, quoique relativement éloignées, entraient dans l'orbite de Paris, Saint-Denis et Saint-Maur-des-Fossés. Abbaye des rois de France, enrichie par de nombreuses donations et la foire de l'Endit ou du Lendit, Saint-Denis est inextricablement liée à l'histoire de Paris. Sa création date de Dagobert dont le fils, Clovis II, fonda Saint-Maur-des-Fossés, dans la boucle de la Marne.

Le centre urbain parisien se développait au milieu des campagnes, amenant progressivement dans sa sphère d'attraction les villages environnants, encore séparés par de vastes étendues de champs, de vergers et de vignes.

PARIS ET PHILIPPE AUGUSTE (1180-1223)

Le règne de Philippe Auguste marque un tournant dans l'histoire de Paris. Lorsque le jeune roi accède au trône, la ville est encore divisée par des pouvoirs féodaux juxtaposés et parfois enchevêtrés : le roi, l'évêque, le chapitre de la cathédrale se partagent et se disputent la justice et divers droits comme la taille, le guet, les droits d'aubaine et de criage.

Soucieux d'accroître les revenus de la monarchie, le roi favorise le développement de l'économie dans la capitale. Les corporations des bouchers, des drapiers, des pelletiers, des merciers bénéficient de sa sollicitude et c'est probablement pour les favoriser qu'il décide l'expulsion des juifs en 1182. Il attribuera notamment aux pelletiers les biens des proscrits dans la Cité, la synagogue sera convertie en église Sainte-Madeleine-en-la-Cité. Le départ des juifs entraîne un déclin économique très net de la Cité. La halle au blé, voisine de l'ex-synagogue, périclite au profit des nouvelles halles comme l'atteste le modeste cens demandé par le roi en 1217 à son échanson, Renaud l'Archer, pour la concession de cette halle.

Philippe Auguste confirme et renforce la compagnie des marchands de l'eau, lui accordant des droits nouveaux sur les bateaux abordant à Paris, à charge pour elle d'améliorer les installations portuaires. Devenue progressivement une véritable hanse, comparable, à une échelle beaucoup plus modeste, à celle des ports des mers Baltique et du Nord, la compagnie obtient en 1221 les crieries de Paris, avec le droit de nomination et de révocation des crieurs, la surveillance des mesures, le droit de basse justice, les lods et ventes.

Toutes ces mesures visent indéniablement à promouvoir la bourgeoisie naissante. Le testament rédigé par le roi en 1190, à la veille du départ pour la croisade, confirme son rôle. En l'absence du souverain, les baillis doivent placer à la tête de chaque prévôté quatre « loyaux hommes » sans lesquels les affaires de la cité ne peuvent être traitées. Le cas de Paris est particulier car la Ville possède six loyaux hommes : Thibaut Le Riche, Athon de Grève, Évrouin le Changeur, Robert de Chartres, Baudouin Bruneau et Nicolas Boucel. Le nom de la puissante famille des Le Riche est déjà bien connu et ce Thibaut ou Thibout pourrait avoir laissé son nom au Bourg-Tibourg, tandis que celui de Bruneau serait lié au Clos-Bruneau. Athon de Grève représente sans doute le puissant groupe des négociants de ce port, Évrouin celui des hommes d'argent, les changeurs du pont au Change, qui a remplacé le Grand Pont ; Nicolas Boucel apparaît un peu plus tard, en 1202-1203, comme trésorier des guerres du roi. La volonté de Philippe Auguste de faire appel à des représentants de la bourgeoisie plutôt qu'aux seigneurs de son entourage est évidente, même s'il confie la régence à la reine mère, Adèle de Champagne, et à son frère Guillaume, archevêque de Reims. Car c'est aux bourgeois de Paris que doivent être remis aux trois termes de la Saint-Remi, de la Purification et de l'Ascension, les revenus du domaine royal. Chaque bourgeois aura la clé de chacun des coffres placés au Temple et les Templiers disposeront d'une autre clé. C'est là une marque insigne de la confiance du souverain. Cette confiance est aussi attestée par la nomination à l'office de prévôt de Paris et à la charge aulique de pannetier de bourgeois parisiens alors que ces fonctions étaient jusque-là exercées par des nobles.

C'est sans doute à cette époque, mais les textes manquent pour le certifier, que se met en place la communauté des bourgeois-marchands et l'embryon de municipalité qui s'affirmera plus tard. Par exemple, le roi accorde en 1220 aux marchands hansés une censive qui est nommée en 1224 « censive des bourgeois de Paris », signe de l'existence d'une collectivité représentative des habitants de la capitale.

La sollicitude de Philippe Auguste s'étend des bourgeois à la ville, car son intention d'en faire le siège de la royauté est patente. N'est-ce pas au Temple qu'est conservé son Trésor ? N'est-ce pas au palais de la Cité qu'il ordonne de conserver ses archives, perdues en partie à la bataille de Fréteval en 1194, et de les copier en deux exemplaires dont un doit rester à Paris ?

Pour protéger la ville d'un ennemi éventuel, le duc de Normandie, roi d'Angleterre, dont le domaine débute à moins de 100 kilomètres à l'ouest avec la formidable forteresse de Château-Gaillard, le roi ordonne, avant de partir pour la croisade, en 1189 ou 1190, de clore Paris dans une solide enceinte. C'est la rive droite, le centre de l'activité commerciale, qui est fortifiée la première. La muraille englobe des champs, des vignes, des terrains en friche, ce qui favorisera l'urbanisation future. Apparaissent de nouvelles rues : Maudétour, Quincampoix, Aubry-le-Boucher, Trousse-vache, le bourg Thibout. Cette enceinte, dont les vestiges les mieux visibles longent les terrains de sport du lycée Charlemagne, commence en face de l'île Notre-Dame (aujourd'hui Saint-Louis), passe entre les rues Mahler et de Sévigné, puis oblique au sud de la rue des Francs-Bourgeois et au nord de celle des Blancs-Manteaux, suit la rue Rambuteau, franchit la rue Saint-Denis à l'angle de la rue de Turbigo et se continue le long de la rue Étienne-Marcel. Elle tourne ensuite au sud-ouest, entre les rues Coquillière et du Jour, puis rues Jean-Jacques-Rousseau et Saint-Honoré, pour aboutir au Louvre. Ce château rectangulaire, dont le donjon date à peu près de 1200, est construit pour faire face à la menace anglo-normande.

Sur la rive gauche, construite au début du XIIIᵉ siècle, l'enceinte part de la Seine, face au Louvre, avec la tour Hamelin, plus tard de Nesle, à l'emplacement de l'Institut, prend une direction nord-sud, coupant en deux le bourg de Saint-Germain-des-Prés, passe par l'impasse de Nevers, le passage et la rue Dauphine, puis la rue Monsieur-le-Prince jusqu'à l'église Saint-Jacques-du-Haut-Pas qu'elle inclut. Là, elle oblique vers le sud-est, englobant le bourg Sainte-Geneviève en passant entre le boulevard Saint-Michel et la rue Victor-Cousin, rue Soufflot et au sud de la place du Panthéon. Elle continue rues Descartes et Clovis et rejoint la Seine, en excluant l'abbaye de Saint-Victor, par les rues d'Arras et du Cardinal-Lemoine jusqu'à la jonction des quais de la Tournelle et Saint-Bernard.

Mais le roi ne se limite pas à la protection de Paris. Il embellit et enrichit la ville. En 1186, il décide le pavement des rues. Le dallage gallo-romain ayant disparu ou ayant été englouti sous les boues, immondices ou décharges successives, les rues présentent l'aspect de cloaques remplis d'une boue malodorante montant jusqu'aux chevilles des passants. Seules furent pavées les voies principales conduisant aux portes et aux ponts. Des vestiges de ce pavage ont été retrouvés rue Saint-Denis à 80 centimètres de profondeur.

La grande œuvre du règne demeure cependant la création d'un nouveau quartier sur l'emplacement des Champeaux, autour du marché qui allait devenir les Halles. En 1137, Louis VI avait déjà transféré le Vieux Marché de la place de Grève à cet endroit. Sous Philippe Auguste, les Champeaux se construisent et se transforment en quartier intermédiaire entre le bourg Saint-Germain-l'Auxerrois et la muraille qui l'englobe. Ce marché, primitivement en plein air, est pourvu en 1183 de deux grands bâtiments : ce sont les premières halles, qui lui donneront son nom, deux ans après l'acquisition par le roi et le transfert à cet endroit de la foire Saint-Lazare et un an après la confiscation des biens des juifs et la destruction des maisons qu'ils possédaient en ces lieux. Ces halles étaient entourées de murs et percées de portes fermées la nuit, ce qui permettait aux négociants d'y entreposer leurs marchandises à l'abri des intempéries et des voleurs. A proximité des Halles existe un cimetière, près de la chapelle des Saints-Innocents, succursale de Saint-Germain-l'Auxerrois, que le roi fait entourer d'un mur pour l'isoler du marché et le protéger des vagabonds, des prostituées et des bêtes qui erraient autour du marché.

Le bilan du règne de Philippe Auguste est remarquable. Désormais la plus grande ville du royaume, protégée par une vaste et solide enceinte, ornée d'une cathédrale nouvelle qui s'édifie peu à peu et pourvue d'une Université naissante, Paris est aussi une source de richesses pour la monarchie : en 1202-1203, les recettes du roi s'élèvent à 34 015 livres 7 sous dont 4 824 livres 18 sous proviennent de Paris, soit plus de 14 %. Nouveau César ramenant de sa victoire de Bouvines (1214) ses principaux ennemis prisonniers, Ferdinand ou Ferrand de Portugal, comte de Flandre, Renaud, comte de Boulogne, et Guillaume de Salisbury, Philippe Auguste fait une entrée triomphale dans la capitale, acclamé par un peuple en liesse qui lui fait fête durant sept jours et sept nuits, célébré par les chroniqueurs Rigord et Guillaume Le Breton qui se demandent « si le roi aimait plus son peuple ou s'il en était davantage aimé ». L'union de la royauté et de sa capitale est consacrée de manière éclatante.

LA PREMIÈRE VILLE D'EUROPE (1223-1328)

Avec Louis IX et les derniers Capétiens directs, Paris va connaître un essor extraordinaire. Désormais capitale incontestée du royaume de France, protégée par une vaste enceinte, la ville se peuple et s'étend. Au fief ecclésiastique ou bourgeois s'ajoutent le *vicus*, communauté d'habitants demeurant dans la même rue, liés par le voisinage, et la paroisse qui regroupe plusieurs *vicus* et constitue le centre de la vie religieuse. Il y en a vingt en 1300, qui débordent déjà de la muraille de Philippe Auguste. Il existe enfin des quartiers qui auraient une origine militaire ou policière, pour la défense éventuelle de la ville contre un ennemi extérieur et pour le maintien de l'ordre à l'intérieur du rempart. Ces quartiers auraient été portés de quatre à huit par Philippe Auguste. Leurs chefs sont nommés quartiniers et ont sous leurs ordres des cinquanteniers et des dizainiers. Ce début d'organisation qui se met en place dans la première moitié du XIIIᵉ siècle atteste de l'importance et la diversité de la vie urbaine.

Le roi résidant désormais principalement à Paris, les représentants les plus insignes de la féodalité s'y font bâtir des demeures princières : le frère de saint Louis, Alphonse de Poitiers, possède un hôtel non loin du Louvre qui sera vendu à sa mort au comte de Périgord puis au comte d'Alençon. Les comtes d'Artois et de Flandre, le duc de Bourgogne, le comte de Champagne habitent aussi sur la rive droite ou sur la gauche où il y a davantage d'espace disponible. Les grands personnages de l'Église les imitent. L'abbé de Cluny, l'archevêque de Rouen, l'évêque de Tournai possèdent de splendides hôtels où ils demeurent lors de leurs fréquents séjours auprès du roi. Si les maisons des riches et des puissants sont bâties en bonne pierre, la plupart des autres n'ont qu'une armature de pierre et sont constituées de remplage de moellon, de brique, voire de torchis. Cela n'empêche pas la ville de croître en hauteur, l'immeuble le plus fréquent semblant être la maison de rapport de deux à quatre étages louée par « chambre », « mansion » ou « étage », on dirait aujourd'hui appartement pour ces deux derniers termes. C'est là que s'entasse la grande majorité d'une population difficile à estimer — car on a peine à interpréter les registres de taille — mais qui semble avoisiner deux cent mille âmes en 1328, faisant de Paris la cité la plus peuplée d'Europe.

Sans devenir un Parisien sédentaire, le roi a tendance à se fixer dans la ville. Certes, il voyage beaucoup et les itinéraires qui ont pu être reconstitués pour les XIIIᵉ et XIVᵉ siècles montrent le souverain se déplaçant vers le nord, le Valois et la vallée de l'Oise, vers l'ouest où il privilégie Saint-Germain-en-Laye et Poissy, vers le sud à Nemours et Arpajon, vers l'est en Brie et à Fontainebleau. Son séjour extérieur favori paraît être Vincennes où s'édifie une vaste résidence fortifiée, mais il fréquente aussi Saint-Ouen et Bicêtre. A Paris même, il se partage entre le vieux palais de la Cité, le Louvre récent qui reste jusqu'à Charles V hors la capitale — le « Louvre-lez-Paris », dit-on alors —, l'hôtel de Nesle, le Temple et l'abbaye de Saint-Germain-des-Prés.

L'administration se détache progressivement du souverain itinérant pour se fixer dans la capitale. La *Curia regis*, la « cour du roi », se stabilise dans la ville, à proximité des archives, des documents comptables et des dossiers de justice. Cour des comptes et cour du Parlement constituent ainsi les premiers éléments d'une administration sédentaire, la première au Temple, la seconde au palais de la Cité qui sera dit de justice. Tout ce personnel loge à Paris et contribue à la fois à son essor démographique et à sa prospérité. On est encore très loin des effectifs d'une bureaucratie moderne. Robert Fawtier a estimé qu'en 1291 le nombre des officiers de l'hôtel de Philippe IV le Bel atteignait cent soixante-cinq, mais beaucoup de valets gravitent autour de ces personnages. Il faut y ajouter les deux cent deux membres de l'hôtel de la Reine ainsi que les quarante-deux de celui des Enfants de France. Les maisons des princes du sang sont considérables : le comte de Poitiers, futur Philippe V, emploie deux cent dix personnes, Jeanne de Bourgogne, son épouse, cent trente-trois. Tout ce monde loge dans Paris, de même que le pléthorique clergé de la capitale, les divers ordres religieux — un poème composé vers 1320 énumère quatre-vingt-huit « moutiers » ou couvents —, les maîtres et les milliers d'étudiants de l'Université. Une opulente bourgeoisie, favorisée par la protection royale, voisine avec les deux premiers ordres, occupe de confortables prébendes dans l'Église et intègre progressivement le second ordre à partir de 1319 en achetant des lettres de noblesse. Cette bourgeoisie fortunée tient un rang exceptionnel dans la société, l'économie et même dans les arts et les lettres par son action de mécénat.

Outre l'administration du royaume qui s'y installe progressivement, la ville possède sa propre administration, elle-même double. Le roi est représenté par son prévôt, dit prévôt de Paris, qui siège au Châtelet et possède de vastes attributions juridictionnelles, policières, militaires, ses pouvoirs financiers lui ayant, semble-t-il, été retirés en 1285 au profit d'un receveur de Paris. Toute une population de conseillers, auditeurs, examinateurs de justice, notaires, clercs hante le vaste et sombre Châtelet qui sert aussi de prison. La ville est gardée par le guet royal qui se superpose au guet des métiers exercé à tour de rôle par les bourgeois.

Car une administration purement bourgeoise s'est progressivement constituée à partir de la hanse des marchands de l'eau associée aux corporations les plus puissantes. Le premier prévôt des marchands apparaît en 1263, assisté de quatre échevins et d'un embryon de Conseil municipal de vingt-quatre « prud'hommes » assistant selon leur compétence et avec voix consultative aux séances du Parloir aux Bourgeois, tandis qu'une sorte de secrétariat général est exercé par le « clerc de la marchandise de l'eau » ou clerc du Parloir. Des sergents font exécuter les décisions du Parloir. A la fois édifice en bordure de Seine contigu au Châtelet et institution municipale, le Parloir aux bourgeois exerce aussi des fonctions de justice touchant la navigation sur la Seine et ses affluents et le commerce parisien.

LES POUVOIRS AFFRONTÉS (1328-1358)

• Le poids de l'impôt

Après avoir grandi de concert et en se soutenant l'un l'autre durant tout le XIIIᵉ siècle, la monarchie et la bourgeoisie entrent en conflit dès le début du XIVᵉ en raison des exigences fiscales de la royauté, des impôts ou tailles. Dans le cadre de la solidarité féodale, les sujets sont tenus de participer au paiement de la rançon du roi s'il est fait prisonnier — c'est le cas de Louis IX et de Jean le Bon —, de l'aider financièrement lors du départ pour la croisade, du mariage de sa fille aînée, de l'adoubement de son fils aîné. A ces aides s'ajoutent les maltôtes, impôts indirects frappant le transport des marchandises et les transactions commerciales. Ces taxes très impopulaires, car elles compliquent la tâche du négociant et renchérissent le coût de la vie, ont été rachetées par la municipalité contre un impôt de répartition levé par elle.

Ainsi Philippe le Bel impose-t-il à Paris une contribution de 100 000 livres tournois à payer en huit ans, de 1293 à 1300, sous forme d'une taxe de 2 deniers par livre, soit du cent vingtième. La ville la rachète contre une contribution annuelle de 10 000 livres parisis, ce qui permet d'estimer le commerce parisien à 1 200 000 livres parisis ou 1,5 million de livres tournois, un chiffre d'affaires considérable. Philippe le Bel semble aussi avoir introduit l'impôt sur le capital avec le prélèvement du centième ou du cinquantième de la fortune mobilière et immobilière. Outre cette taille de 1293 à 1300, le roi n'hésite pas à en exiger d'autres simultanément : prélèvement d'un centième en 1294, d'un cinquantième en 1295 touchant les nobles et les riches bourgeois, les membres du clergé étant frappés par des décimes. En 1303 et 1304, c'est un vingtième qui est demandé. Pour satisfaire des besoins financiers croissants, le roi change aussi la valeur des monnaies de compte. Ces mutations, succession de dévaluations entre 1295 et 1306, lèsent gravement les créanciers et possesseurs de cens, clergé, noblesse et bourgeoisie confondus dont une grande partie de la fortune est placée en maisons ou en rentes sur des maisons.

En 1306, la paix d'Athis ayant mis un terme à la guerre en Flandre, le roi décide de restaurer la valeur de la livre. Mais cette revalorisation entraîne des conséquences catastrophiques pour les catégories les moins aisées. Selon un contemporain, le chroniqueur de Saint-Victor, contraindre les locataires à payer en monnaie forte des loyers conclus en monnaie faible revient à un doublement et même à un triplement de leur montant réel. L'ordonnance royale du 4 octobre 1306 réglemente de façon trop imprécise la question des loyers et le bruit court avec insistance que les propriétaires étendent à leur avantage les dispositions de ce texte sur le conseil d'un ancien prévôt des marchands particulièrement riche, Étienne Barbette. L'émeute éclate le 30 décembre 1306 et une foule composée surtout de gens de métier prend d'assaut son manoir et son domaine, la Courtille Barbette. Situés à l'extérieur de l'enceinte entre la rue Vieille-du-Temple et les rues Oberkampf et de la Folie-Méricourt, ils sont saccagés et incendiés. Puis les émeutiers se dirigent vers son hôtel, rue Saint-Martin, et le dévastent avant de se rendre au Temple où déjeune le roi pour justifier leur action auprès de lui. Le prévôt de Paris, Firmin de Cocquerel, apaise la foule. La répression débute dès le lendemain. Vingt-huit Parisiens sont condamnés à mort et pendus le 5 janvier 1307, aux ormes situés aux principales entrées de la ville : sept à celui de la porte Saint-Denis, autant à celui de la porte Saint-Antoine, six à celui du Roule, porte Saint-Honoré, huit à celui de la porte Notre-Dame-des-Champs.

Dirigée contre la haute bourgeoisie parisienne, cette révolte marque une rupture temporaire entre elle et le peuple. Elle ne met pas en péril la royauté, mais elle est la manifestation d'un profond malaise économique et social lié à une pression fiscale de plus en plus forte et à des «remue-ments» monétaires excessivement nombreux. La haute bourgeoisie apeurée choisit d'abord de s'abriter derrière le pouvoir royal. En 1314, c'est Étienne Barbette en personne qui promet au roi que les Parisiens lui fourniront les moyens financiers de sa guerre contre les Flamands, sous forme d'une taxe de 6 deniers par livre, soit du quarantième, sur la vente des marchandises. En juillet 1315, la ville s'engage à payer quatre cents cavaliers et deux mille fantassins durant la campagne de Flandre. En échange, les Parisiens obtiennent l'abolition du monopole du commerce sur la Seine entre Rouen et la mer que détenaient les Rouennais. En 1324, ils acceptent de payer la solde de deux cents hommes d'armes envoyés en Gascogne contre les Anglais mais demandent que Charles IV leur accorde un droit d'octroi d'un denier par livre sur les marchandises péné-trant dans la ville. En 1328, Philippe VI de Valois, à peine intronisé, doit aller combattre les Flamands à nouveau révoltés. Les bourgeois s'obligent à verser la solde de quatre cents hommes d'armes à condition d'être détaxés d'ost et de chevauchée pour le ban et l'arrière-ban.

Cette bonne volonté de la bourgeoisie ne va pas sans frictions occa-sionnelles. A la fin de juillet 1321, le prévôt des marchands, Jean Gencien, et plusieurs notables, dont Étienne Barbette et Geoffroy de Dammartin, sont priés de contribuer au rachat par le roi du droit de battre monnaie que possédaient certains féodaux laïques ou ecclésiastiques, afin d'unifier les monnaies et mesures du royaume. La bourgeoisie, cette fois-ci, renâcle, car elle soupçonne l'oncle et principal conseiller de Philippe V, Charles de Valois, de vouloir détourner une partie de la somme pour payer la dot de sa fille. La monarchie menace alors de trans-férer le gouvernement du royaume à Orléans. La mort du roi, au début de 1322, met un terme à ce péril.

Les réticences de la bourgeoisie reparaissent avec le réveil du conflit franco-anglais, les défaites d'une guerre qui s'éternise et sera nommée guerre de Cent Ans. A partir de 1337, chaque année, le roi sollicite la bourse de ses sujets. La permanence de la guerre entraîne la permanence de l'impôt. Or, les bourgeois, dès 1337, ont fait savoir au roi qu'il était impossible de lever une taille dans la ville sans risque d'une révolte des Parisiens. Ils choisissent alors de faire appel à l'impôt indirect sur les ventes et à l'octroi. La nouvelle du désastre de Crécy, en août 1346, provoque une panique et un début d'émeute au sein d'une population exaspérée par l'inutilité de ses sacrifices financiers. La solidarité de la bourgeoisie et du petit peuple parisien se ressoude face à l'incurie mili-taire de la monarchie.

La royauté désargentée convoque des états généraux à Paris, le 30 novembre 1347, pour voter de nouveaux subsides. Ils consentent un effort exceptionnel pour lever une grande armée, équiper une flotte et envahir l'Angleterre. La prévôté et la vicomté de Paris s'engagent pour mille cinq cents hommes d'armes à cheval, soit 80 000 livres parisis ou 100 000 livres tournois. En 1349 et 1350, on en revient au système antérieur de taxe sur les transactions commerciales, à raison de 4 deniers par livre. En 1351, après une nouvelle réunion des états, elle passe à 6 deniers par livre et se trouve prorogée annuellement jusqu'en 1355. Cette année voit la reprise d'une guerre jusque-là fréquemment interrompue par des trêves.

• *Étienne Marcel*

C'est alors qu'apparaît un personnage exceptionnel. Issu d'une ancienne et riche famille pratiquant le double métier de changeur et de drapier, rue de la Pelleterie dans la Cité, Étienne Marcel est allié aux noms les plus illustres de la bourgeoisie parisienne, les Dammartin par sa première épouse, les Barbou et les Cocatrix par ses frères. Après la mort, en 1344, de sa femme, il se remarie avec Marguerite des Essars qui appartient à la plus haute bourgeoisie rouennaise présente à la Chambre des comptes du roi. Pierre des Essars, son beau-père, est un des plus grands financiers de l'époque, fréquemment consulté par le roi. Après la défaite de Crécy, pour apaiser une opinion publique qui lui reproche le désastre militaire et le gaspillage des fonds publics, Philippe VI a sacrifié certains de ses conseillers, accusés d'incompétence et de corruption, dont Pierre des Essars, emprisonné et frappé d'une énorme amende.

Sa position éminente et le sort de son beau-père ont sans doute contribué à pousser Étienne Marcel à profiter des circonstances pour entrer dans le jeu politique en se posant comme le chef d'un parti réformateur qui s'exprime par intermittence aux états généraux et dont son premier beau-père, Geoffroy de Dammartin, s'est aussi fait le porte-parole. Ce «parti réformateur» prône une réforme de la monarchie et évoque avec nostalgie l'âge d'or et la fiscalité légère du siècle précédent. A plusieurs reprises depuis 1315, des «réformateurs» ont été nommés par le roi, mais, membres du haut clergé ou de l'ancienne aristocratie, ils semblent n'avoir guère agi. Les relations commerciales d'Étienne Marcel avec la Flandre et le Brabant, d'où il fait venir des étoffes de luxe, ont peut-être aussi contribué à son engagement, ces régions fortement urbanisées ayant vigoureusement défendu les libertés communales contre la noblesse locale. Un dernier élément a pu contribuer à dresser les bourgeois parisiens contre le roi : en 1353, ceux-ci disparaissent des comptes de l'Argenterie, évincés des fournitures de la Cour au profit de commerçants flamands et brabançons. La rancœur de ces hommes d'affaires influents a pu les unir dans une alliance contre une monarchie en déroute qui avait cessé de leur passer des commandes.

C'est sans doute entre 1350 et 1354 qu'Étienne Marcel devient échevin, à l'âge de trente-cinq ans au moins. Dès 1354, il est prévôt des marchands. L'année suivante, pour faire face à la menace anglaise, Jean II le Bon convoque les états généraux à Paris, le 30 novembre 1355, pour leur demander une nouvelle aide financière. C'est Étienne Marcel qui prend la parole au nom des villes. A l'issue d'un mois de négociations, les états accordent au roi une taxe de 8 deniers par livre. En se séparant, ils laissent à Paris une commission de trois membres de chaque état, qualifiés de « généraux et superintendants du subside » et chargés de travailler en liaison avec le Conseil du roi. Les villes sont représentées par Étienne Marcel, son cousin Imbert de Lyon et son associé Jean de Saint-Benoît, tous bourgeois de Paris, ce qui donne au prévôt des marchands un rôle prépondérant de représentant de la bourgeoisie des villes. En mars 1356, comme prévu, s'ouvre une nouvelle session des états durant laquelle est décidé l'abandon de l'impôt indirect pour une imposition sur le revenu et sur le capital mobilier. La troisième session, ouverte le 8 mai suivant, semble n'avoir réuni que les « gens des bonnes villes de nostre royaume assemblés à Paris » et la bourgeoisie de la capitale paraît avoir dominé les débats. Mais les espoirs des réformateurs sont déçus : n'ayant pu recouvrer l'impôt à temps, le roi Jean reprend la funeste politique de « mutation » de la monnaie et dévalue à deux reprises la livre, le 26 juillet et le 3 août, rappelant auprès de lui les affairistes honnis. La première conséquence est le départ immédiat de l'armée des contingents fournis par Paris, Rouen et Amiens. Cette défection des troupes de la bourgeoisie ne suffit pas pour expliquer le désastre de Poitiers (19 septembre 1356) et la capture du roi, mais elle fait retomber sur la seule noblesse la responsabilité de la défaite et permet de proclamer que l'aristocratie seule est incapable de défendre le royaume.

La nouvelle réunion des états a lieu le 17 octobre 1356, dans la chambre du Parlement à Paris, en présence de huit cents députés dont quatre cents représentent les villes de langue d'oïl. Étienne Marcel laisse le premier rôle à Robert Le Coq, évêque de Laon, qui exige du Dauphin Charles la libération de Charles le Mauvais, roi de Navarre, l'institution d'un Conseil composé de quatre évêques, douze nobles et douze bourgeois, et la condamnation d'un certain nombre de conseillers du roi Jean. Le Dauphin refuse, dissout les états et quitte la capitale. Le 3 novembre, Robert Le Coq réunit les états au couvent des Cordeliers et obtient d'eux le refus de leur dissolution.

Le Dauphin, de retour à Paris, ayant décidé de revaloriser la monnaie, ordonne de mettre en marche les ateliers de frappe. Étienne Marcel, qui était jusque-là resté en coulisses, intervient le 19 janvier 1357 en émettant un avis défavorable dont Charles ne tient pas compte. Le prévôt des marchands ordonne la grève dans les ateliers et appelle le peuple à manifester dans les rues. Le 20 janvier, Charles revient sur sa décision, renonce à la monnaie nouvelle, accepte d'épurer son Conseil et d'y introduire des partisans des réformes et des états qui sont convoqués pour le

5 février. Ils délibèrent près d'un mois, jusqu'au 3 mars, et présentent au Dauphin une grande ordonnance qui institue un régime parlementaire : possibilité pour les états généraux de se réunir de plein droit au moins une fois par an sans devoir être convoqués par le roi, répartition, levée et distribution par les états eux-mêmes du subside qu'ils auront voté. Une commission de neuf réformateurs généraux est chargée de révoquer les mauvais officiers du roi. Au Conseil du Dauphin entrent des partisans des réformes.

Ayant conclu une trêve avec ses gardiens, Jean II recherche la paix avec l'Angleterre et annule la levée du subside votée par les états tout en désapprouvant le contenu de la grande ordonnance. A l'opposé, Étienne Marcel prend une position belliqueuse, fait entreprendre des travaux de fortification englobant les faubourgs, amorce de l'enceinte dite de Charles V, met Paris sur le pied de guerre, contraint le Dauphin à désavouer son père et réunit les états le 30 avril 1357. Jean riposte en interdisant la perception du subside, dont le rendement chute aussitôt au sixième du produit prévu, la population ne demandant pas mieux que de ne pas payer. Établi en Haute Normandie et dans le Vexin, le Dauphin a recouvré son indépendance mais ne peut gouverner, faute d'argent, et l'appareil d'État se trouvant dans la capitale. Des négociations s'engagent et Charles retourne à Paris au début d'octobre où il accepte de convoquer les états.

Ils se réunissent le 7 novembre au couvent des Cordeliers. L'évasion de Charles le Mauvais dans la nuit du 8 au 9, grâce à Jean de Picquigny et à la complicité des bourgeois d'Amiens, bouleverse les rapports politiques. Pour protester contre la venue du roi de Navarre à Paris, les députés de Bourgogne et de Champagne quittent les états. Il semble qu'Étienne Marcel compte sur Charles le Mauvais pour sauver le pays, le débarrasser des bandes de routiers qui le mettent au pillage et chasser les Anglais. Descendant direct de Philippe le Bel, il a autant de droits à la Couronne que les Valois. Mais il déçoit les Parisiens quand il s'installe dans sa ville de Mantes et prend contact avec les chefs de bandes armées pour tenter de les incorporer à ses troupes. L'insécurité croissante grossit la population parisienne de milliers de réfugiés des campagnes avoisinantes. Étienne Marcel fait soigneusement garder la ville et ordonne à ses partisans, pour éviter toute confusion et toute surprise, d'arborer des chaperons d'étoffe rouge et bleu, couleurs du parti réformateur qu'adoptent aussi d'autres cités comme Amiens ou Laon. Le prévôt des marchands est durement affecté par la défection du roi de Navarre, car il sait déjà ne pas pouvoir compter sur le roi ni sur son fils aîné.

Le 11 janvier 1358, le frère cadet du Dauphin, le duc de Normandie, harangue les Parisiens aux Halles et obtient un certain succès. Il rappelle que son aîné n'a rien reçu des subsides levés par les états, ce qui le prive de moyens pour faire la guerre, et demande que les états rendent des comptes sur les sommes qu'ils ont perçues. Le 14, les états se réunissent et décident, avant de se séparer, les 22 et 23 janvier, d'attribuer un cinquième des recettes futures au Dauphin. Sentant que l'opinion évolue en sa faveur, Charles tente de retrouver son pouvoir en profitant de l'assassinat, le 24 janvier, du bourgeois de Paris, changeur et trésorier du duché de Normandie, Jean Bouillet par un autre changeur, Perrin Marc. Poursuivi, ce dernier se réfugie dans l'église Saint-Merri espérant bénéficier de la protection du lieu saint. Le Dauphin attend la nuit pour agir, fait briser les portes de l'église par le maréchal de Normandie, Robert de Clermont, et le prévôt de Paris. Arrêté et conduit au Châtelet, Perrin Marc est pendu le lendemain. Furieux de cette atteinte à son droit, l'évêque de Paris, Jean de Meulan, excommunie le maréchal de Normandie et se fait remettre le corps du supplicié. Le 27 janvier, deux cortèges funèbres se déroulent dans la capitale : le duc de Normandie et les partisans du Dauphin rendent un dernier hommage au trésorier Jean Bouillet, tandis qu'Étienne Marcel prend la tête des obsèques de Perrin Marc. Le même jour arrive à Paris une délégation apportant les conditions de paix : cession au roi d'Angleterre de la majeure partie des domaines royaux dans le Sud-Ouest et rançon de 4 millions d'écus. S'estimant suffisamment fort pour imposer sa volonté, le Dauphin accepte le traité que rejettent le roi de Navarre, Étienne Marcel et l'Université — qui intervient pour la première fois en tant que corps constitué dans le conflit politique pour se poser en arbitre entre les deux Charles.

Le 11 février 1358, les états se réunissent une fois de plus aux Cordeliers, sans les représentants de la noblesse, et reprennent les dispositions de la grande ordonnance de 1357, qui maintiennent les révocations et les poursuites contre les officiers du roi et nomment trois « généraux élus » pour le contrôle des subsides, le receveur général étant le bourgeois de Paris Pierre Chapelu. L'hégémonie de la capitale est formellement stipulée dans un article affirmant que Paris est « la meilleure et la plus solennelle ville du royaume ». Le 22 février, Étienne Marcel réunit les gens des métiers au prieuré Saint-Éloi, près du palais où se trouve le Dauphin. Trois mille personnes en armes se rassemblent. Au moment de la réunion, Renaud d'Acy, avocat du roi et membre de la délégation venue présenter le traité de paix, est reconnu par la foule alors qu'il quitte le palais. Il est pris à partie et massacré. Peu après, Étienne Marcel envahit le palais avec ses partisans, entre dans la chambre du Dauphin et le somme de combattre les routiers et de rétablir l'ordre dans le royaume. Charles lui répond avec vivacité que les états ne lui donnent pas l'argent nécessaire pour cette entreprise. Sur un signe, semble-t-il, du prévôt des marchands, la foule met à mort les maréchaux de Champagne et de Normandie qui se trouvaient en compagnie du Dauphin.

Étienne Marcel prend celui-ci sous sa protection en le coiffant de son chaperon rouge et bleu tandis que lui-même arbore la coiffure du prince. Le meurtre des maréchaux signifie une rupture avec la noblesse et ses chefs militaires, responsables des récents désastres militaires aux yeux des bourgeois. Le 24, le Dauphin est contraint de se rendre dans la chambre du Parlement où Étienne Marcel exige qu'il respecte les ordonnances votées par les états et compose son Conseil sur ses indications. Sans défense, Charles accepte tout ce qu'on lui demande. Le prévôt des marchands envoie des lettres aux villes de langue d'oïl, les priant de porter les chaperons rouges et bleus en signe de ralliement à sa cause. Si Laon et Amiens obtempèrent, la plupart des autres municipalités se cantonnent dans une position d'attente. Ayant réussi à faire venir le roi de Navarre à Paris, Étienne Marcel impose un accord aux deux Charles qui ne satisfait ni l'un ni l'autre : Charles le Mauvais obtient de nouvelles possessions en Bigorre mais non en Normandie comme il le souhaitait, le Dauphin est nommé régent, ces décisions devant être avalisées par les députés de la noblesse absents des derniers états.

Les états du nord du royaume sont convoqués à Senlis pour le 25 mars. C'est là que le Dauphin reçoit un émissaire de son père lui apportant sans doute l'ordre de rompre avec Étienne Marcel. Le 6 avril, de Meaux, il enjoint au prévôt des marchands de détruire toutes les constructions susceptibles de gêner la défense de l'abbaye de Saint-Denis. Puis il se rend à Provins où il a réuni les états de Champagne et obtient leur soutien, la noblesse exigeant réparation pour le meurtre de son chef, Jean de Conflans, sénéchal de Champagne. Les troupes du Dauphin occupent Meaux et Montereau et y bloquent le ravitaillement de la capitale, mais ne peuvent s'emparer de l'artillerie du Louvre qu'Étienne Marcel fait transférer à l'Hôtel de Ville. Puis, Charles convoque pour le 4 mai les états à Compiègne, désaveu flagrant de la municipalité parisienne. Inquiet, le prévôt des marchands confie à l'Université une mission de conciliation. Le Dauphin exige qu'on lui livre les meneurs mais s'engage à épargner leur vie. Étienne Marcel rejette ces conditions humiliantes et reporte ses espoirs sur Charles de Navarre, venu à Paris le 4 mai. Mais, Charles de France ayant obtenu le soutien des états de Compiègne à condition que les réformes soient maintenues, la situation des Parisiens devient critique.

L'assaut contre la capitale est retardé par l'explosion de la Jacquerie, véritable insurrection des paysans contre les nobles à qui ils reprochent d'être incapables de les défendre contre les brigands et de se comporter eux-mêmes souvent comme des bandits de grand chemin. Elle éclate le 28 mai 1358 et embrase tout le Beauvaisis et ses alentours. Commandés par des chefs improvisés comme Guillaume Carle, paysan de Mello, les jacques agissent en ordre dispersé, s'en prenant aux châteaux, qu'ils pillent et incendient. Guillaume Carle sollicite le soutien d'Étienne

Marcel qui envoie trois cents hommes rejoindre les jacques à Ermenonville où le château de Robert de Lorris est détruit. Ils échouent en revanche avec les jacques du Multien devant la forteresse du marché de Meaux et sont massacrés, le 9 juin, par les troupes du captal de Buch et du comte de Foix. Le 10 juin, le roi de Navarre extermine la petite armée de Guillaume Carle et fait décapiter son chef, capturé par traîtrise.

Étienne Marcel se rallie alors au vainqueur, ouvre les portes de la ville à Charles le Mauvais, le 14 juin, et le fait nommer capitaine de Paris dès le lendemain. Le 28 juin, l'armée du Dauphin campe à Charenton. Jeanne d'Évreux, appuyée par l'Université, s'entremet entre les deux Charles, ses neveux. Ils se rencontrent tous trois, le 8 juillet, sous une tente dressée près de l'abbaye de Saint-Antoine. Un accord est conclu, mais Étienne Marcel refuse de l'entériner et prend à sa solde les mercenaires anglais du roi de Navarre. Charles le Mauvais rompt alors le traité et se rapproche des Parisiens. Le 11 juillet, un accrochage oppose les bourgeois de Paris et les troupes royales au Petit-Bercy. Le même jour, le prévôt des marchands écrit aux villes de Flandre pour leur demander une aide militaire. Mais les efforts renouvelés de Jeanne d'Évreux finissent par aboutir : après une nouvelle entrevue, le 19, sur le pont de Charenton, le Dauphin, conscient de la faiblesse de son armée, accepte de lever le blocus de Paris et se retire à Meaux.

La victoire d'Étienne Marcel paraît complète. Néanmoins, le 21 juillet, une rixe éclate entre des mercenaires anglais et des Parisiens. Elle prend tout de suite une ampleur exceptionnelle. Le peuple court aux armes, tue trente-quatre Anglais, en capture quarante-sept et en enferme quatre cents dans le Louvre. La population exaspérée exige le lendemain de Charles le Mauvais et d'Étienne Marcel qu'ils chassent les garnisons anglaises de Saint-Denis et de Saint-Cloud. Ils semblent y consentir, de mauvaise grâce cependant. Charles le Mauvais sort de Paris, mais s'arrête à Montmartre au lieu d'affronter la garnison de Saint-Denis, ce qui est considéré comme une trahison. Quant à la troupe de Parisiens partie pour Saint-Cloud, elle se fait tailler en pièces par les Anglais qui lui ont tendu une embuscade. Le 27 juillet, le prévôt des marchands se rend au Louvre et fait libérer les Anglais, faute psychologique grave qui lui aliène de nombreux Parisiens. De son côté, le roi de Navarre traite avec celui d'Angleterre et aboutit à un accord le 1er août. Ces événements renforcent dans la capitale le parti du Dauphin qui joue sur les forts sentiments anti-anglais de la population et fait peser sur Étienne Marcel la suspicion d'une collusion avec l'ennemi étranger. Le 31 juillet 1358, Étienne Marcel se rend à la bastide qui défend la porte Saint-Denis et demande à son capitaine, Jean Maillart, d'en remettre les clés à un bourgeois de Paris, trésorier du roi de Navarre. Jean Maillart refuse et accuse le prévôt des marchands de vouloir livrer la ville aux Navarrais et aux Anglais. Étienne Marcel se rend alors à la bastide Saint-Antoine, mais se heurte à un refus identique. Des partisans du Dauphin, notamment la puissante famille des Essars, brouillée avec Étienne Marcel à cause de la succession de Pierre des Essars, se rassemblent aux Halles et marchent à la rencontre du prévôt des marchands. Une rixe éclate, Étienne Marcel est tué avec deux de ses partisans.

Il faut éviter l'anachronisme qui ferait d'Étienne Marcel un révolutionnaire soucieux de justice sociale et désireux de l'instauration d'une démocratie parlementaire. Le prévôt des marchands appartient à la haute bourgeoisie et s'intéresse fort peu au sort des pauvres et des paysans. En revanche, il se fait une très haute idée de sa fonction et du rôle de la capitale. Il se veut le défenseur d'une gestion honnête et efficace des deniers de la monarchie et de l'intégrité territoriale du royaume. Il n'est pas, non plus, comme on l'a parfois écrit, un homme de «progrès», tourné vers l'avenir. C'est plutôt un nostalgique du passé, de l'âge d'or du XIIIe siècle, d'une époque où une vive expansion économique et démographique soutenait l'ascension de la grande bourgeoisie parisienne, alors que la peste et la guerre entraînent, sous ses yeux, le déclin de sa caste. La bourgeoisie parisienne ne retrouvera pas avant 1789 l'occasion d'imposer sa volonté.

UNE ÉPOQUE INSTABLE (1358-1436)

• *Reprise en main et collaboration (1358-1380)*

Revenu à Paris dès le 2 août 1358, le régent Charles pardonne à l'ensemble de la population mais crée une commission chargée de rechercher et de punir les traîtres et les rebelles. La répression est bénigne, se limitant à six exécutions, celles de Pierre Gilles, habitant de Montpellier, qui commanda l'attaque du marché de Meaux, de Gilles Gaillart nommé châtelain du Louvre par Étienne Marcel, des deux avocats Pierre de Puisieux et Jean Godart, de l'orfèvre Pierre Leblond et d'un inconnu nommé Jean Prévôt. Dès le 10 août, des lettres générales de rémission sont accordées à tous les habitants de la capitale, ce qui n'empêche pas les vengeances privées et les dénonciations. Issu d'une ancienne famille bourgeoise, le nouveau prévôt des marchands, Jean Culdoë, s'efforce de calmer des esprits encore méfiants — sinon hostiles — à l'égard du pouvoir royal.

Les Parisiens apportent très vite la preuve qu'ils ne sont nullement soumis et résignés. Le régent ayant fait arrêter vingt et un d'entre eux, un certain Jean Blondel demande au prévôt des marchands de requérir leur libération. Jean Culdoë n'ayant pas osé entreprendre cette démarche, c'est accompagné d'une foule imposante que Jean Blondel se présente au Louvre, le 25 octobre, et demande au prince Charles la délivrance des

vingt et un bourgeois. Charles répond en annonçant sa venue le lendemain à l'Hôtel de Ville. Il s'y présente et justifie les arrestations en
expliquant que les prisonniers sont des traîtres, mais fait interrompre
l'instruction du procès. Le 23 novembre, quatorze prisonniers sont libérés,
les autres, les jours suivants. Le pouvoir a reculé devant les Parisiens.

Le roi Jean ayant accepté un traité qui abandonne à la couronne
d'Angleterre la moitié occidentale du royaume et impose une rançon de
4 millions d'écus, Charles réunit les états de langue d'oc et de langue
d'oïl à Paris, preuve que cette ville a retrouvé sa confiance et conservé
son statut de capitale. La session s'ouvre le 25 mai 1359 et les états
refusent aussitôt de ratifier ce traité léonin, votant au contraire un subside
pour la continuation de la guerre. Paris s'engage à fournir la solde de six
cents «glaives» ou cavaliers, trois cents archers et mille «brigands» ou
mercenaires issus des bandes de routiers.

C'est à cette époque que Charles fait reprendre les travaux de défense
de la ville entrepris par Étienne Marcel : une nouvelle enceinte fortifiée,
dite de Charles V, est achevée en 1382. La plus importante des six
bastides qui jalonnent la nouvelle muraille est la Bastille, commencée en
1370. Son tracé correspond approximativement aux boulevards Bourdon,
Beaumarchais, des Filles-du-Calvaire, du Temple, Saint-Martin, Saint-
Denis, à la rue d'Aboukir prolongée jusqu'à la place Colette et à la Seine
un peu à l'est de l'actuel arc de triomphe du Carrousel ; la rive gauche
n'est pas concernée et on s'y borne à une remise en état de l'enceinte de
Philippe Auguste.

Étroitement associés au pouvoir royal, les bourgeois parisiens contribuent largement de leurs deniers : la ville verse 24 000 écus pour
retrouver la sécurité à ses portes. Le 13 mai 1360, le capitaine de Paris,
Renaud de Gouillons, appose son sceau au nom du régent sur une
convention de rachat au comte de Warwick et au captal de Buch de dix
places fortes gênant les communications de la capitale. A côté de son
sceau figurent ceux du prévôt des marchands, Jean Culdoë, de deux
échevins, Geoffroy Le Flament et Jean Cocatrix, et des bourgeois Simon
Bourdon, Gencien d'Hangest, Simon de Lille et Jean Le Voyer. La même
année, après la signature de la trêve de Brétigny, pour le premier
terme de la rançon du roi Jean, Paris s'engage à payer 100 000 des
600 000 écus, les quatre cinquièmes de cette somme étant versés par les
bourgeois et les gens de métiers, clergé et noblesse se bornant à payer
20 000 écus. Toujours en 1360, le Dauphin Charles manifeste sa prédilection pour la capitale en décidant d'acheter l'hôtel Saint-Pol et ses
environs pour s'y établir.

Devenu roi en 1364, Charles V organise en 1374 un conseil de
régence, au cas, prévisible, où il décéderait en laissant un héritier mineur.
Parmi ses cinquante membres, dix devront être choisis par la reine parmi
les plus notables bourgeois de Paris. Le roi compte, en effet, sur la bour-

geoisie parisienne pour protéger son jeune fils des appétits de ses oncles. Soucieux de consacrer la prééminence de celle qu'il nomme dans une ordonnance «notre cité royale de Paris qui est le chef de tout notre empire», Charles V demande en vain au pape Grégoire XI, en 1377, d'élever Paris au rang d'archevêché pour l'affranchir de Sens.

• *La crise (1380-1382)*

Si l'entente règne entre le monarque et la bourgeoisie parisienne, la majorité des habitants voit sa situation se dégrader sensiblement à la fin du règne de Charles V. La peste noire de 1348 a décimé la population et raréfié la main-d'œuvre, ce qui a favorisé la croissance des salaires. Mais, dès 1370, ceux-ci se stabilisent et les manouvriers et gens de métiers commencent à se plaindre de la stagnation de leur niveau de vie alors que les bourgeois aisés continuent à s'enrichir. En outre, le prévôt des marchands, émanation de la bourgeoisie la plus fortunée, préfère avoir recours à l'impôt indirect pour satisfaire les exigences fiscales de la royauté, plutôt qu'à l'impôt direct frappant la richesse. Or, sur son lit de mort, en septembre 1380, Charles V abolit les fouages ou impôts directs mais maintient les aides indirectes, taxes sur la consommation très impopulaires.

Âgé de douze ans, Charles VI fait son entrée dans Paris, le 11 novembre 1380, à son retour du sacre de Reims. Il se trouve face à des états généraux convoqués en hâte et qui lui demandent avec insistance de supprimer la dernière ressource fiscale de la monarchie, les aides ou impôts indirects, pour se contenter des seuls revenus du domaine royal. Soumis aux pressions des Parisiens unanimes, quelle que soit leur condition sociale, le prévôt des marchands, Jean Fleury, demande au roi, le 14 novembre, d'abolir toute imposition en temps de paix. Sa démarche est appuyée par une imposante manifestation populaire. Le 15 novembre, prudemment, le Conseil du roi cède à la pression de la rue et la foule tourne alors son mécontentement contre les usuriers juifs dont les maisons sont pillées.

Mais la monarchie ne peut plus vivre, comme au temps des premiers Capétiens, des seuls revenus du domaine royal. Le 20 décembre 1380, de nouveaux états, convoqués à la sauvette, acceptent de rétablir l'impôt pour un an à partir du 1er mars 1381. Le 24 décembre, lors du cortège funèbre de Charles V à Notre-Dame, les chanoines de la cathédrale et de la Sainte-Chapelle en viennent aux mains avec les membres de l'Université, dont le recteur veut prendre place près du cercueil à la même hauteur que l'évêque. Hugues Aubriot, prévôt royal depuis 1367, rétablit l'ordre avec énergie, mais l'Université porte plainte devant le Parlement contre la brutale répression. L'ancien protégé de Charles V, que son autorité désigne à la haine de l'Université, des turbulents étudiants, du clergé et des grands bourgeois de l'Hôtel de Ville, est condamné, le 17 mai 1381, par une cour ecclésiastique présidée par l'évêque. Il est accusé d'être « libertin, sodomite, fauteur de la perfidie judaïque », car il a protégé les juifs en les accueillant au Châtelet durant les émeutes de novembre. Il évite le bûcher en faisant amende honorable mais est condamné à l'emprisonnement à vie.

Au début de 1382, la question des finances de l'État se pose à nouveau et les oncles du roi la règlent en obtenant le rétablissement des aides indirectes des différentes assemblées provinciales. Ainsi les représentants des bourgeois de Paris sont-ils convoqués, métier par métier, à Vincennes où se trouve le roi, les 14 et 15 janvier 1382, et invités à accepter le rétablissement des taxes sur les marchandises. Le 17, le Conseil du roi décide, presque dans le secret, que les aides seront à nouveau perçues dans tout le royaume à partir du 1er mars.

Si les notables ont cédé, escomptant ainsi échapper à l'impôt direct qui les frappe beaucoup plus fortement, la majeure partie des Parisiens n'est pas décidée à payer des taxes qui renchérissent considérablement le coût de la vie. Quatre bourgeois sont arrêtés pour avoir publiquement proposé le refus du paiement des aides. Les Rouennais s'étant révoltés contre ces taxes, la tension monte à Paris où, le 28 février 1382, le rétablissement des aides est annoncé par le héraut aux principaux carrefours. Le 1er mars au matin, un fermier de l'impôt tente de lever la taxe des fruits et légumes sur une marchande de cresson aux Halles. C'est le signal d'une émeute qui gagne rapidement la ville entière. Les bandes qui parcourent les rues sont disparates : jeunes gens et étudiants cherchant avant tout à en découdre avec la police prévôtale, petits artisans, gens de métiers, valets, salariés de toutes sortes, chômeurs aussi sans doute. Le Florentin Buonacorso Pitti, témoin de l'insurrection, parle de *popolo minuto* (« petit peuple ») et assimile les émeutiers aux *Ciampi* insurgés à Florence en 1378. Les maisons des fermiers du fisc, des juifs, des bourgeois les plus opulents sont pillées, des agents du fisc, des prêteurs, des officiers royaux sont pris à partie et parfois massacrés.

Ayant envahi l'Hôtel de Ville, les meneurs s'emparent de deux à trois mille maillets de plomb, armes en réserve pour le cas d'une attaque anglaise, et les distribuent à la foule, ce qui vaudra à ce mouvement populaire le surnom de révolte des maillets ou des maillotins. Grossie par la pègre des voleurs professionnels et des hommes de main, l'émeute dégénère. On vole, tue et viole impunément un peu partout, on libère les criminels détenus au Châtelet, à Tiron, au For-l'Évêque, d'où l'on extrait Hugues Aubriot, l'ennemi des arrogants notables de l'Hôtel de Ville, des prétentieux maîtres de l'Université, des étudiants dissipés, d'un clergé et d'un évêque pleins de morgue. Il se voit proposer le commandement des révoltés mais préfère profiter de sa libération pour se réfugier sous la protection du pape en Avignon.

Les bourgeois et les gens de métiers, inquiets des pillages, des vols, des assassinats, réunissent leur milice et traitent avec des représentants du roi venus de Vincennes. Moyennant d'apparentes concessions d'un pouvoir qui doit aussi affronter les révoltes de Rouen et de Gand, les bourgeois parisiens et les oncles du roi se mettent d'accord avec la bénédiction d'une Université épouvantée par la libération d'Hugues Aubriot et d'un clergé qui redoute le pillage des trésors des églises et des abbayes. Malgré la proclamation d'une amnistie générale, le 13 mars, la répression est sévère et les exécutions se multiplient jusqu'à ce que le mécontentement des Parisiens et l'amorce d'une nouvelle émeute, le 25 mars, incitent le prévôt royal à faire grâce aux détenus.

Les notables parisiens demeurent cependant inquiets. Emmenés par Jean des Marès, avocat du roi au Parlement, représentant des ambitions du duc d'Anjou, l'avocat Martin Double, le conseiller Guillaume de Sens, le notaire Jean Filleul, le drapier Nicolas Le Flament, l'orfèvre Henriet de Pons, ils tiennent des réunions armées plus ou moins secrètes jusque dans les églises et à l'hôtel d'Anjou, prêtant sur des maillets un serment d'assistance mutuelle et de refus de l'impôt. Après l'échec de l'insurrection de Rouen, les bourgeois de Paris, par l'intermédiaire de Jean des Marès, ont promis 80 000 francs au Trésor royal mais ont refusé que leur milice dépose les armes. Tout ce monde escompte une résistance victorieuse des Gantois. Lorsqu'il apprend, le 1er décembre, la victoire de l'armée royale à Roosebecke et le sac de Courtrai, la négociation s'ouvre. Le 2 janvier 1383, le prévôt des marchands, Guillaume Bourdon, accompagné des échevins, se rend à Compiègne où se trouve la Cour, pour régler les modalités de l'entrée du roi dans sa capitale.

Le 11 janvier, Charles VI s'avance de Saint-Denis vers Paris à la tête de son armée victorieuse. Aux bourgeois venus le saluer à la hauteur de Montmartre, il répond : « Retournez à Paris, et quand je serai assis au lieu de justice, venez et demandez, et vous trouverez partie. » Le courroux du roi est encore accru par une démonstration de la milice venue exhiber ses arbalètes et ses maillets sur son passage. A son entrée par la porte Saint-Denis, il en fait symboliquement arracher les vantaux et gagne Notre-Dame où un *Te Deum* célèbre l'écrasement des Gantois pendant que l'armée occupe tous les points stratégiques. Le connétable de Clisson et le maréchal de Sancerre prennent le contrôle du Grand et du Petit Pont, des garnisons sont installées au Louvre, à la Bastille, à l'hôtel Saint-Pol, aux Innocents. Les défenses de la ville sont mises hors d'état : barrières incendiées, chaînes des rues brisées, portes principales sorties de leurs gonds. Une vague d'arrestations frappe « les principaux faisans et conseillans les rebellions et désobéissances ». Dès le 12 janvier, trois meneurs sont décapités. Six autres le sont le 19, dont Nicolas Le Flament. Les exécutions se succèdent jusqu'à la fin février, une des dernières victimes étant Jean des Marès. Au total, entre quarante et cent notables sont décapités ou pendus durant ces six semaines, des centaines d'autres ne sauvant leur vie qu'au prix d'amendes écrasantes proportionnelles à leurs richesses. Le 27 janvier 1383, en la grande salle du palais, en présence de tous ceux qui ont échappé au châtiment, notamment du prudent prévôt des marchands, Jean Fleury, une ordonnance réformatrice est promulguée qui supprime le peu d'autonomie dont disposait la capitale. La prévôté des marchands est unie à la prévôté de Paris et mise en la main du roi, l'échevinage est supprimé et le sceau de la ville déposé au trésor des Chartes du roi.

• *Sous tutelle (1383-1411)*

Le démantèlement des structures de la bourgeoisie parisienne est poussé encore plus loin. Toutes les juridictions professionnelles sont abolies et les corporations de métiers perdent le droit de se réunir hors de la présence du prévôt royal ou de ses représentants, sauf pour les cérémonies religieuses des confréries. Le domaine de la ville est saisi, les cens et rentes désormais collectés par le receveur du roi. L'organisation militaire est supprimée, quartiniers, cinquanteniers, diziniers disparaissant au profit d'une garnison royale. Comme le note Jean Favier, « un siècle d'efforts déployés pour la jouissance d'une autonomie et d'une certaine personnalité politique et civile était mis à néant. Le prévôt de Paris, dont le siège au Châtelet n'était qu'une forteresse, faisait de la Maison aux piliers sa résidence officielle : le prévôt dominait la place de Grève. Aubriot, que les Parisiens avaient libéré en 1382, n'aurait pas osé, dix ans plus tôt, rêver pareil triomphe [1]. »

De janvier 1383 à sa mort, le 25 janvier 1389, le prévôt de Paris, Audouin Chauveron, ancien bailli d'Amiens, fait lourdement sentir aux Parisiens l'autorité royale. Son remplacement marque un changement notable. Charles VI, s'étant enfin émancipé de la tutelle de ses oncles, a confié en 1388 le gouvernement du royaume aux anciens conseillers de son père. Ceux-ci veulent faire la preuve du changement qu'ils représentent et s'attirer la sympathie des Parisiens. Ils adjoignent au nouveau prévôt de Paris, Jean de Folleville, un personnage nommé par le roi mais choisi parmi les notables de la ville. Il est principalement chargé de la gestion de certaines affaires municipales, l'entretien de la voirie et le domaine immobilier de la ville. Leur choix se porte sur un brillant avocat, conseiller au Châtelet, Jean Jouvenel, allié avec les principales familles de la capitale par son mariage avec Michèle de Vitry, nièce de Jean Le Mercier, responsable des finances de Charles V et de Charles VI à partir de 1388. Ayant le titre de « garde de la prévôté des marchands pour le roi », Jean Jouvenel profite de sa position privilégiée à la Cour

---

1. J. Favier, *Nouvelle Histoire de Paris. Paris au XVᵉ siècle (1380-1500)*, p. 141.

pour se comporter comme un véritable prévôt des marchands et se poser en défenseur des bourgeois.

La force renaissante de la bourgeoisie parisienne ne tarde pas à être sollicitée par les oncles du roi qui se disputent le pouvoir depuis la crise de démence du souverain en 1392. Après avoir tenté de perdre Jean Jouvenel grâce à de faux témoignages, en 1393, Philippe le Hardi puis son fils, Jean sans Peur, se font ses avocats ainsi que les défenseurs d'une gestion sage et économe du royaume. Le prodigue Louis d'Orléans ayant réussi à imposer une forte contribution à son profit au printemps 1402, Philippe de Bourgogne proteste et prétend avoir refusé 100 000 écus de cet impôt, écus que le duc d'Orléans ne lui avait vraisemblablement jamais proposés.

Quand le conflit s'aggrave entre Orléans et Bourgogne, les bourgeois de Paris s'efforcent de garder une prudente neutralité. Mais les sympathies penchent nettement en faveur de Jean sans Peur : en août 1405, sous prétexte de réformer l'administration du royaume, il était arrivé devant la capitale à la tête d'une armée, et avait autorisé les bourgeois de la ville à s'armer et à tendre des chaînes à travers les rues pour éviter des troubles nocturnes. Si l'Université prend assez vite parti pour le duc de Bourgogne, les notables, malgré une inimitié évidente contre Louis d'Orléans, ne se départissent pas d'une prudente neutralité, protestant qu'ils sont avant tout de loyaux sujets du roi. Cela explique qu'une délégation de bourgeois, emmenée par le garde de la prévôté des marchands, participe aux tractations aboutissant à la paix de Chartres en mars 1409.

Mais l'habile Jean sans Peur finit par trouver la faille dans la bourgeoisie parisienne. Incapables de s'intégrer dans le groupe dominant des notables en raison de leur activité manuelle et, sans doute aussi, de fortunes insuffisamment importantes, les bouchers constituent un corps extrêmement fermé, pratiquant l'endogamie ; leur richesse cependant est bien supérieure à celle des autres catégories d'artisans. Disposant d'une masse de manœuvre considérable formée par leur personnel de valets et d'écorcheurs, ils peuvent et désirent jouer un rôle politique. Les libéralités du duc de Bourgogne achèvent de les convaincre de se ranger de son côté : en 1411, des futailles d'excellent vin de Bourgogne sont offertes à six bouchers au moins, dont trois membres de la famille Le Goix, et même à deux simples écorcheurs, dont Simon Le Coustelier, dit Caboche, appelé bientôt à jouer un rôle important.

En septembre 1411, la capitale bascule dans le camp bourguignon. La ville est mise en état de siège, l'organisation militaire par quartiers est rétablie, le roi doit nommer des partisans du duc de Bourgogne, le comte de Saint-Pol, capitaine de Paris, Pierre des Essarts, prévôt de Paris. Prenant la tête des bourgeois, les bouchers vont triomphalement à la rencontre de Jean sans Peur, le 23 octobre. Conduite par les maîtres bouchers, une armée parisienne prend part aux combats aux alentours de la ville, brûle le logis du duc de Berry à Bicêtre, détruit le pont de Corbeil, affronte les Armagnacs à Saint-Denis et à Saint-Cloud, perdant un de ses chefs, Thomas Le Goix, dans un combat. Tous les Parisiens, par sympathie ou par prudence, arborent la croix de Saint-André et le chaperon pers, signe distinctif des Bourguignons.

• *Restauration de la municipalité et guerre civile (1412-1420)*

La récompense d'un tel zèle ne tarde pas. Le 20 janvier 1412, une ordonnance royale lève la mainmise du roi sur les «prévôté des marchands, échevinage, clergie, maison de la ville, parloir aux bourgeois, juridiction, coercition, privilèges, rentes, revenus et droits appartenant d'ancienneté à icelle prévôté des marchands, échevinage et clergie de notre bonne ville de Paris». Sans attendre, ce même jour, une assemblée de bourgeois se réunissait et élisait prévôt des marchands le dernier garde de la prévôté, Pierre Gencien. Ce membre d'une des plus anciennes familles ne convient guère aux bouchers qui obtiennent sa révocation un an plus tard, sous la grave accusation d'altération des monnaies, et son remplacement par le changeur André d'Espernon. Sans jamais atteindre la prévôté, les bouchers vont placer plusieurs fois leurs représentants à l'échevinage : Denis de Saint-Yon en 1412, Garnier de Saint-Yon en 1413 et 1414, et obtenir deux des quatre titulaires en 1418 avec Michel Thibert et Marcelet Testard. Un autre élément favorisait l'influence bourguignonne : la prospérité de la capitale dépendait de relations économiques sûres avec Picardie, Artois, Flandre au nord, avec les régions arrosées par la haute Seine, l'Yonne et la Saône au sud-est, dans les deux cas des territoires appartenant au duc de Bourgogne. Un dernier point renforçait encore la popularité de Jean sans Peur, sa propagande pacifiste, les Armagnacs étant présentés comme des fauteurs de guerre et des pillards. C'est au cri de «Vive la paix!» que les milices parisiennes combattaient.

Réunis pour voter de nouveaux subsides, les états généraux de langue d'oïl siègent à partir du 30 janvier 1413 dans la grande salle de l'hôtel Saint-Pol. Venus peu nombreux, les provinciaux sont dominés par les Parisiens. Par les voix du théologien Benoît Gencien, parent du prévôt des marchands, puis du carme Eustache de Pavilly, sont dénoncés les officiers prévaricateurs de l'entourage royal. Le 24 février, le roi révoque la plupart des officiers de finance ainsi que le prévôt de Paris, Pierre des Essarts, qui s'enfuit, et le prévôt des marchands, Pierre Gencien. Une commission est constituée pour réformer le royaume. Plusieurs Parisiens y siègent, notamment l'échevin Jean de l'Olive et deux membres de l'Université, Jean Courtecuisse et Pierre Cauchon qui condamnera Jeanne d'Arc.

Le 27 avril, la crise se réveille lorsque les Parisiens apprennent que le Dauphin Louis a rappelé Pierre des Essarts et lui a confié le commandement de la Bastille. Le lendemain, malgré les efforts du prévôt des marchands, André d'Espernon, pour calmer les esprits et les tentatives des quartiniers et cinquanteniers, notables de quartier, pour obtenir le dépôt des armes, la foule, menée par les bouchers, assiège la Bastille. Pierre des Essarts ayant refusé de rendre la place, les meneurs entraînent leurs troupes vers l'hôtel Saint-Pol, tout proche, où le Dauphin refuse d'accepter la révocation et l'arrestation d'une cinquantaine de personnes de son entourage. Malgré les conseils de modération du duc de Bourgogne, les manifestants enfoncent les portes de l'hôtel et s'emparent de quinze Armagnacs notoires tandis que le Dauphin se réfugie dans la chambre du roi. Jean sans Peur obtient avec peine qu'ils lui soient livrés, mais, dans la soirée, la foule excitée s'adonne dans les rues à la chasse aux Armagnacs — ou présumés tels — et les massacre, par dizaines. Le 29, Pierre des Essarts accepte de livrer la Bastille au duc de Bourgogne qui le fait transférer au Châtelet en lui garantissant la vie sauve.

Dépassés par ces événements, la municipalité et les notables de Paris tentent de reprendre l'initiative en envoyant des lettres aux principales villes de langue d'oïl. Ils protestent de leur fidélité au roi et de leur attachement aux réformes en cours, soulignent que les arrestations ne visaient que ceux qui trahissaient la confiance du souverain. De son côté, le duc de Bourgogne pratique un jeu démagogique pour se rallier les notables en invitant une délégation de Gantois à l'Hôtel de Ville où, au cours d'un banquet, Gantois et Parisiens échangent leurs chaperons, claire allusion à la révolte manquée de 1382.

Mais le Dauphin Louis et la reine Isabeau ne tiennent aucun compte de la situation et multiplient les provocations. Le 10 mai, Eustache de Pavilly renouvelle ses accusations et ses demandes de réformes et présente au Dauphin une liste de soixante personnes accusées de corruption et de trahison. Le Dauphin, instruit des conséquences de son refus du 28 avril, prend la liste et annonce la désignation d'une commission d'enquête. Mais, le lendemain, une troupe d'émeutiers prend l'initiative d'arrêter les hommes dénoncés et obtient, sous la menace, la nomination de nouveaux officiers pour remplacer ceux qui viennent d'être emprisonnés. C'est ainsi que les écorcheurs Denis de Chaumont et Simon Caboche se retrouvent nommés capitaines des ponts de Saint-Cloud et de Charenton.

Dans une période de rémission, Charles VI a écrit au duc de Bretagne et aux Armagnacs pour leur demander d'intervenir et le Dauphin se propose de quitter Paris pour organiser une résistance armée. Persuadés qu'ils sont perdus si le Dauphin Louis prend la tête des Armagnacs, les Parisiens tentent une nouvelle manœuvre d'intimidation. Le 22 mai, une délégation est reçue par le roi tandis que la foule envahit l'hôtel Saint-Pol. Débordé, le duc de Bourgogne ne peut obtenir l'évacuation des cours et des salles par les émeutiers armés. Une nouvelle liste est présentée au roi, comprenant les plus grands noms de la Cour, le duc de Bavière, l'archevêque de Bourges, les dames et les gens de l'hôtel de la reine. De crainte de voir la chambre du roi envahie, Louis de Bavière se livre aux émeutiers qui arrêtent dans l'hôtel les personnes figurant sur la liste et les conduisent au Louvre et au Palais. Se sentant dépassé par les événements, le duc de Bourgogne se débarrasse des prisonniers qu'on lui avait remis les 28 et 29 avril en les livrant aux Parisiens.

Dans cette confusion, les plus modérés des notables parisiens quittent la ville, tandis que les réformateurs désapprouvent en silence les excès des Cabochiens et souhaitent la réconciliation des princes. La lecture de l'ordonnance réformatrice, les 26 et 27 mai, n'interrompt pas le cours de la violence : elle ne présente d'ailleurs qu'un caractère anodin, se bornant à demander le retour à d'anciennes pratiques oubliées ou négligées. Maîtres de la ville, les bouchers de Caboche font régner la terreur, multipliant les arrestations et les exécutions arbitraires. Excédés, les princes finissent par se réconcilier : le 28 juillet 1413, à Pontoise, les ducs de Bourgogne et de Berry parviennent à un accord. De retour à Paris, le 1er août, ils osent éconduire une délégation parisienne menée par Simon Caboche. Le Parlement, qui avait approuvé la paix dès le 13 juillet, avant même qu'elle fût conclue, est suivi par l'Université qui avalise l'accord le 3 août. Le 4 août, Jean Jouvenel prend la tête d'une troupe armée de notables, se rend à l'hôtel Saint-Pol, met le Dauphin à la tête de cette petite armée et se rend avec lui au Louvre et au Palais pour y délivrer les prisonniers. Les Cabochiens discrédités se dispersent et leurs chefs cherchent refuge dans les possessions du duc de Bourgogne.

Redoutant pour sa sécurité, Jean sans Peur s'enfuit à son tour, le 22 août. Il avait tenté d'entraîner avec lui le roi dément, mais Jean Jouvenel et le duc de Bavière le rattrapèrent dans le bois de Vincennes. Ayant triomphé des cabochiens, les notables parisiens remplacent les échevins compromis et s'efforcent d'éviter l'agitation populaire en interdisant les réunions publiques. Le 29 août, une amnistie est accordée aux émeutiers ; soixante-neuf personnes en sont exclues, dont les meneurs Simon Caboche, Thomas Le Goix, Jean de Troyes, Hélion de Jacqueville, Pierre Cauchon.

Mais les Armagnacs, maîtres de la cité, se comportent très maladroitement. Leurs chefs, Louis de Bavière et Bernard d'Armagnac, sont considérés comme des étrangers. Comme ils doivent faire la guerre contre l'Angleterre, ils se rendent encore plus impopulaires en aggravant la fiscalité. Ils s'aliènent ou éliminent les notables modérés qui les ont portés au pouvoir : Jean Jouvenel perd en octobre 1414 son office de chancelier de Guyenne pour avoir préconisé la réduction des dépenses. L'insécurité entretenue dans les environs par les bandes bourguignonnes aggrave une tension rapidement croissante entre les Armagnacs et les Parisiens qui se suspectent mutuellement. On retire les chaînes des rues, on interdit armes, épées, hachettes portées par les habitants, on multiplie les espions et les mouchards. Le désastre d'Azincourt, le 25 octobre 1415, ne fait qu'accroître le mécontentement des Parisiens et leurs doutes sur la capacité de l'armée royale à les protéger contre les Anglais.

Dès le début de 1416, l'hostilité des Parisiens est évidente. Le 18 avril, un complot bourguignon dans lequel ont trempé les anciens échevins Jean de l'Olive et Robert de Belloy est découvert. Les conjurés sont exécutés et la répression prend des dimensions excessives sous la direction de Bernard d'Armagnac. C'est un signe de l'inquiétude de ceux qui sont désormais considérés comme des occupants étrangers par les Parisiens. Le 13 mai suivant, une punition collective est infligée aux bouchers : sous prétexte de salubrité, la démolition de la Grande Boucherie est ordonnée et débute dès le lendemain. La corporation est dispersée entre cinq nouvelles boucheries dont elle est contrainte d'acheter les étaux aux enchères. La mort du Dauphin Jean de Touraine, le 4 avril 1417, d'un abcès à l'oreille, aggrave encore la situation. Ce décès paraît suspect à de nombreuses personnes car le nouveau Dauphin, Charles, élevé par sa belle-mère, Yolande d'Aragon, passe pour un Armagnac. A partir de la mi-septembre 1417, l'armée du duc de Bourgogne fait campagne autour de Paris et resserre progressivement son étreinte sur la capitale, où beaucoup sont à nouveau favorables à la cause de Jean sans Peur.

Le 14 mai 1418, l'échec des négociations entre les princes est attribué par les Parisiens à l'intransigeance de Bernard d'Armagnac. Un complot se forme pour ouvrir les portes de la ville aux Bourguignons. Dans la nuit du 28 au 29 mai, Perrinet Leclerc ouvre la porte Saint-Germain-des-Prés à Villiers de l'Isle-Adam dont les hommes se précipitent dans les rues au cri de « La paix ! » Le prévôt armagnac Tanguy du Châtel n'a que le temps de s'enfuir en emmenant le Dauphin, futur Charles VII. Cinq à six cents Armagnacs, ou soupçonnés de l'être, sont massacrés. Une nouvelle administration, acquise au duc de Bourgogne, se met en place avec Guy de Bar comme prévôt de Paris, Noël Marchand comme prévôt des marchands, quatre nouveaux échevins dont les deux bouchers Michel Thibert et Marcelet Testard. Le 31, Bernard d'Armagnac est découvert et arrêté dans la cave où il se cachait.

Mais ses partisans sont en nombre autour de la ville. Le 1er juin, le capitaine italien Luquin Ris tente un coup de main contre la Bastille. La peur et les difficultés d'approvisionnement exaspèrent les Parisiens. Le 12 juin, après une nouvelle alerte et un début de panique, une foule en armes se rassemble aux Halles, sur les places Maubert et de Grève, se rend dans les prisons du Petit Châtelet, du Grand Châtelet et du Palais, et y tue les prisonniers : Bernard d'Armagnac, mais aussi les évêques d'Évreux, de Lisieux, de Senlis, de Coutances, les humanistes Gontier Col et Jean de Montreuil, le chancelier Henri de Marle.

Entré à Paris, le 14 juillet, au côté de la reine Isabeau de Bavière, Jean sans Peur trouve une ville incontrôlée, où les bouchers, affaiblis depuis leur échec de 1413, ne maîtrisent plus la situation. C'est la lie de la société qui domine avec ses instincts de revanche sociale, de pillages et de meurtres. Ce n'est plus Simon Caboche qui l'entraîne mais le bourreau Capeluche qui ose appeler le duc de Bourgogne son «beau-frère». Le 20 août, à la suite d'une nouvelle alerte, au cri de «Tuez tout!» deux mille personnes sont assassinées dans les conditions les plus atroces par les éléments les plus marginaux. Jean sans Peur a tenté de calmer la foule et obtenu que les prisonniers soient conduits au Châtelet, mais le bourreau s'est chargé de les exécuter dès leur arrivée à la prison.

Excédé, le duc de Bourgogne s'assure l'appui des bourgeois modérés et entreprend la liquidation des éléments incontrôlés. Arrêté dans une taverne, le 23 août, Capeluche est exécuté par son propre valet à qui il explique longuement comment il faut procéder. Les meneurs éliminés, le reste de la tourbe urbaine est envoyé assiéger les Armagnacs dans Montlhéry, la milice bourgeoise reprenant le contrôle des rues. C'est une ville exsangue que Jean sans Peur contrôle, vidée d'un grand nombre de ses habitants qui ont fui les massacres, les difficultés de ravitaillement, le sous-emploi. Le duc mène simultanément la guerre et des négociations à la fois avec le roi d'Angleterre et le Dauphin Charles. Souhaitant prendre la tête de la résistance à l'envahisseur anglais, il accepte de rencontrer le Dauphin sur le pont de Montereau, le 10 septembre 1419. Il est assassiné sous les yeux et, sans doute, avec l'accord de Charles, par les Armagnacs.

Choqués, les Parisiens jurent de venger sa mort et assurent le nouveau duc de Bourgogne, Philippe, de leur soutien. Le *Journal* d'un bourgeois de Paris révèle la profonde désillusion et résignation des notables de la ville : «Le Dauphin ne tend à autre chose jour et nuit qu'à gâter tout le pays de son père à feu et à sang, et les Anglais d'un autre côté font autant de mal que les Sarrazins. Mais encore vaut-il trop mieux être pris des Anglais que du Dauphin ou de ses gens qui se disent Armagnacs.» Allié à Henri V, le duc de Bourgogne fait signer à Charles VI le traité de Troyes qui fait du roi d'Angleterre le régent et l'héritier de la couronne de France, au cours d'une cérémonie dans la cathédrale de cette ville, le 21 mai 1420. Le 30 mai, une assemblée de bourgeois et l'Université jurent de respecter ce traité. Des garnisons anglaises vont s'établir à la Bastille, au Louvre, à Vincennes. Le 1er décembre 1420, Henri V et Charles VI font leur entrée dans Paris par la porte Saint-Denis, Philippe de Bourgogne, en habit de deuil, se tenant légèrement en retrait.

• *La présence anglaise (1420-1436)*

L'enthousiasme apparent de l'accueil cache de sérieuses réserves chez beaucoup de Parisiens. Le chapitre de Notre-Dame a refusé de se rendre à la porte Saint-Denis et a attendu le cortège royal à l'Hôtel-Dieu, presque aux portes de la cathédrale. Le 17 décembre, le prévôt royal, Gilles de Clamecy, est remplacé par Jean du Mesnil. Contre la volonté du roi d'Angleterre, qui avait choisi Jean de La Roche-Taillée, c'est Jean Courtecuisse qui est élu évêque de Paris.

Officiellement capitale, avec Londres, du royaume anglo-français, Paris ne verra guère ses nouveaux maîtres. Henri V meurt le 31 août 1422, précédant Charles VI de cinquante jours. Né en décembre 1421, Henri VI ne résidera à Paris qu'un petit mois, en décembre 1431, à l'occasion de son sacre à Notre-Dame. Quant au duc de Bourgogne, Philippe III le Bon, il n'y passera que onze jours en janvier 1422, six mois en 1423-1424, une semaine en juillet 1429. Le véritable maître de la capitale est Jean de Lancastre, duc de Bedford, oncle d'Henri VI, jusqu'à sa mort en 1435.

Il règne sur une ville qui a perdu environ la moitié de ses habitants, que les notables ont souvent délaissée au prix de la confiscation de leurs biens tandis que les y ont remplacés les populations misérables des villages voisins, cherchant la sécurité des murailles et la maigre charité des établissements de bienfaisance. L'effondrement des loyers témoigne de l'abandon de la capitale et de la faiblesse des ressources de ceux qui l'habitent : une maison proche de la place de Grève, louée pour 20 livres en 1420, ne l'est que pour 14 en 1427, et nombreuses sont les demeures qui n'ont plus d'occupant.

Bien peu nombreux, cent à deux cents dans une cité de cent mille âmes, les Anglais laissent l'administration aux mains des Français : Simon Morhier, seigneur de Villiers, maître d'hôtel de la reine Isabeau de Bavière, exerce les fonctions de prévôt de Paris de 1422 à 1436 ; le lieutenant criminel, Jean l'Archer, reste en fonctions de 1418 à 1436 ; les prévôts des marchands sont Hugues Le Coq de 1420 à 1429 et de 1434 à 1436, Guillaume Sanguin de 1429 à 1431) et Hugues Rapiout de 1431 à 1434). La défense de la ville incombe exclusivement à la milice urbaine et ses servitudes pèsent sans doute lourdement à maint bourgeois qui préférerait dormir dans son lit plutôt que de monter la garde aux murailles.

Soucieux avant tout de leur sécurité et de leurs affaires, les notables ne semblent pas avoir adhéré vigoureusement à un camp quelconque. Comme le note Jean Favier, « ces gens ne choisissaient pas d'être anglais ou bourguignons, mais d'être parisiens ». Ainsi, le futur chef du « parti français » dans la capitale, le maître des comptes Michel de Laillier, est-il passé au service des Anglo-Bourguignons du seul fait qu'il a souscrit au traité de Troyes, alors que ses deux frères suivent le destin des Armagnacs en Picardie et au parlement de Poitiers. « Il n'est pas exclu que le souci de protéger leur patrimoine ait ainsi conduit certaines familles à se scinder délibérément », fait encore observer Jean Favier. Il n'empêche que les Parisiens s'accommodent de la présence des Anglais aussi longtemps que la position de ceux-ci est dominante. Il faut rappeler que ce n'est pas l'insignifiante garnison anglaise, mais la milice bourgeoise qui repousse et blesse Jeanne d'Arc à la porte Saint-Honoré, le 8 septembre 1429. Le bourgeois de Paris note dans son *Journal* que l'assaut fut conduit par « une créature qui était en forme de femme, qu'on nommait la Pucelle ; qui c'était, Dieu le sait ».

Pourtant, dès l'année suivante, l'opinion commence à évoluer rapidement, en raison, principalement, de l'échec militaire et politique de plus en plus évident des Anglo-Bourguignons. Le sacre d'Henri VI, le 16 décembre 1431, est un demi-succès et le peuple constate que le jeune roi anglais a dû se contenter de Notre-Dame, car ses troupes n'ont pu lui frayer un chemin jusqu'à Reims. La création d'une Université à Caen, un mois plus tard, déchaîne la fureur des maîtres parisiens et les rend définitivement hostiles à Bedford. Les complots se multiplient : on en recense huit entre 1422 et 1434, dont on ignore presque tout. En août 1432, on en découvre un qui visait l'ouverture de la porte Saint-Antoine aux troupes de Charles VII et l'abbesse de Saint-Antoine est arrêtée.

Après la réconciliation de Philippe de Bourgogne et de Charles VII, avec la paix d'Arras du 21 septembre 1435, la position des Anglais, privés de Bedford, mort à Rouen une semaine auparavant, devient désespérée. Le 28 février 1436, son armée ayant encerclé la capitale, occupé Pontoise, le pont de Charenton et Vincennes, Charles VII promet l'amnistie à tous les Parisiens compromis avec les Anglo-Bourguignons. Le ralliement de la ville n'est désormais qu'une question de jours. Le chef du « parti français », Michel de Laillier, après avoir fait avertir les troupes de Charles VII, déclenche une émeute populaire, à l'aube du 13 avril 1436, contraignant la maigre garnison anglaise à se replier vers la Bastille pendant qu'on ouvre la porte Saint-Jacques aux assiégeants. Le 15 avril, les soldats anglais et leurs partisans, les prévôts de Paris et des marchands notamment, Simon Morhier et Hugues Le Coq, sont autorisés à s'embarquer pour Rouen. Paris est revenu au roi de France, mais la ville est-elle redevenue la capitale de la France ?

CHAPITRE IV

Les éclipses de la monarchie (1436-1789)

LA RENAISSANCE URBAINE (1436-1528)

Ainsi que le note Jean Favier dans la *Nouvelle histoire de Paris*, « la modération de Charles VII, quelque peu contrainte par les clauses du traité d'Arras, permit au revirement des Parisiens de s'accomplir sans violence et sans honte. Chacun avait suivi la cause qu'il avait jugée juste. Tout était oublié, ou presque. Au reste, on était fatigué[1]. »

Toutefois, profondément marqué par les troubles qui ont jalonné son adolescence, Charles VII se méfie de Paris et se garde bien d'y séjourner durablement. C'est en Touraine que la Cour s'est installée. Sa présence est devenue si exceptionnelle à Paris qu'en août 1461, à l'occasion de l'entrée solennelle de Louis XI dans la ville, on ne sait où le loger et, malgré l'exemption du droit de gîte dont jouissent les Parisiens, il faut installer l'entourage du roi chez l'habitant.

Louis XI n'aime pas davantage la capitale que son père. Il manifeste le peu de cas qu'il fait de la bourgeoisie parisienne en multipliant révocations arbitraires et nominations abusives au Parlement et en imposant Henri de Livres comme prévôt des marchands jusqu'en 1466, puis de 1476 à 1484. En revanche, le roi exempte de guet les métiers les plus influents et verse la solde de la garnison de la ville : le fait que les troupes royales paient leur nourriture est noté comme une anomalie exceptionnelle par Jean de Roye dans sa *Chronique scandaleuse*. Capitale sans roi, ville soumise mais favorisée, Paris est une cité riche de sa fonction administrative, où les voies de la fortune passent par le service du souverain.

Le retour de la paix et de la sécurité suscite la croissance urbaine. La population augmente de moitié entre 1422 et 1500, passant de cent mille à cent cinquante mille âmes. La reprise du commerce y est pour beaucoup : la reconquête de Pontoise en 1441 et le déblocage de la route du Nord, la réouverture de la navigation sur la Seine entre Paris et Rouen à partir de 1450, redonnent à la capitale ses voies d'approvisionnement traditionnelles. Les troubles des décennies écoulées ont fait comprendre au pouvoir que le ravitaillement de la principale cité du royaume est vital. Quel qu'en soit le coût, le pain doit être assuré à bon marché aux Parisiens en toutes circonstances. Témoignent de ce souci les mesures prises par Louis XI après la mauvaise récolte de 1474 : tout transport de grain est interdit, mais la ville fait exception au régime commun et le blé saisi par les officiers royaux est acheminé vers la capitale. Dix ans plus tard, le procureur du roi rappelle devant le Parlement que nul n'a le droit d'empêcher le transport de vivres à destination de Paris.

L'essor démographique ne s'accompagne pas d'une véritable expansion économique. Au contraire, le déclin de la draperie parisienne s'avère irrémédiable : les trois cent soixante maîtres tisserands de 1300 ne sont plus que quarante-deux en 1481. Le développement de la soierie et de la teinturerie est loin de compenser cet effondrement. Le sous-emploi de la main-d'œuvre parisienne amène Louis XI à envoyer en 1471 une partie des ouvriers de la cité travailler aux fortifications des villes de la Somme.

---

1. J. Favier, *op. cit.*, p. 237.

La disparition de la clientèle de la Cour a largement contribué à l'affaiblissement du commerce de luxe. Le nombre des orfèvres, par exemple, se réduit inexorablement : il y en avait encore quatre sur le pont Notre-Dame en 1426, il n'y en a plus qu'un vingt ans plus tard. Les hommes d'affaires, changeurs et banquiers, désertent la ville et Paris n'est plus mentionnée parmi les places de change dans les manuels italiens. Alors que les changeurs comptaient pour 8,5 % parmi les cinq cents plus riches Parisiens en 1423, ils ne sont plus que 4,5 % en 1438 et l'année 1443-1444 voit pour la dernière fois un prévôt des marchands appartenant à cette profession. A partir de 1447, elle n'apparaît plus qu'occasionnellement dans l'échevinage.

Dépourvue de fonction économique importante, Paris devient une cité de fonctionnaires et d'avocats. La fortune de sa bourgeoisie s'investit dans les offices, instrument de promotion sociale et souvent, à terme, d'anoblissement. En juin 1467, lorsque s'assemblent, devant la porte Saint-Antoine, tous les Parisiens de seize à soixante ans, enrôlés dans la milice bourgeoise que vient de créer Louis XI, Jean de Roye constate dans sa *Chronique scandaleuse* la prééminence des fonctionnaires et des avocats, décrivant « les étendars et les guidons de la Cour de Parlement, de la Chambre des comptes, du Trésor, des généraux des Aides, des Monnaies, du Châtelet et de l'Hôtel de Ville, sous lesquels il se trouva autant et plus de gens de guerre que sous toutes les bannières des métiers [1] ».

LE RETOUR DU ROI ET LE CONFLIT RELIGIEUX (1528-1594)

Le 15 mars 1528, François Ier signifie à la municipalité parisienne son intention de s'installer dans la capitale : « Très chers et bien amez, pour ce que nostre intention est de doresnavant faire la plus part de nostre demeure et séjour en nostre bonne ville et cité de Paris et alentour plus qu'en aultre lieu du royaume ; cognoissant nostre chastel du Louvre estre le lieu le plus commode et à propos pour nous loger ; à ceste cause, avons délibéré faire réparer et mettre en ordre ledict chastel...[2]. » Après avoir successivement résidé à Loches, Plessis-lès-Tours, Amboise, Blois, Chambord, pendant près d'un siècle, la monarchie quitte officiellement le Val de Loire qu'elle avait commencé à délaisser au profit de Fontainebleau, de Saint-Germain-en-Laye et du château de Madrid, dans le bois de Boulogne, se rapprochant progressivement de Paris. Mesurant la puissance financière de la ville, qui n'a pas ménagé ses deniers pour l'aider à payer les désastreuses entreprises italiennes, appréciant la

---

1. Cité par J. Favier, *op. cit.*, p. 383.
2. Cité par J.-P. Babelon, *Nouvelle Histoire de Paris. Paris au XVIe siècle*, p. 45.

fidélité de sa bourgeoisie, le roi lui témoigne sa confiance en choisissant d'y réinstaller le siège de la monarchie.

La sombre forteresse du Louvre n'est guère digne du séjour du souverain. Le palais de la Cité est occupé par le Parlement. L'hôtel Saint-Paul, aménagé par Charles V, est à l'abandon. C'est donc aux Tournelles, près de la Bastille, où ont résidé ses prédécesseurs lors de leur passage à Paris, que le roi s'installe avant d'ordonner la rénovation du Louvre : le donjon est rasé pour donner davantage de lumière à la cour carrée ; les fenêtres sont agrandies et Pierre Lescot reçoit la mission d'édifier un palais moderne. Soucieux de donner aussi à la municipalité un cadre digne de la capitale de son royaume, François Ier confie en 1532 à Dominique de Cortone, dit le Boccador, la construction d'un Hôtel de Ville au goût du jour destiné à remplacer la Maison aux piliers.

Cette phase de constructions de prestige est vite compromise par le retour de la guerre. Les troupes de Charles Quint sont sur la Somme et Paris devient l'arsenal de l'armée du Nord. La municipalité est lourdement mise à contribution : 200 000 écus en 1542, 180 000 livres en 1544. A peine monté sur le trône, Henri II se montre aussi exigeant : 80 000 écus pour la solde de cinquante mille hommes de pied nouvellement levés. Presque chaque année, une imposition nouvelle, baptisée pudiquement emprunt, frappe les bourgeois, avec un maximum atteint en 1558 après le désastre de Saint-Quentin : 3 millions d'emprunt forcé sur les riches. La paix du Cateau-Cambrésis est célébrée par des fêtes fatales au souverain, mortellement blessé à l'œil durant une joute, rue Saint-Antoine.

La disparition d'Henri II offre à sa veuve, Catherine de Médicis, un pouvoir qu'elle exerce au nom de ses fils mineurs, François II (1559-1560), Charles IX (1560-1572), puis Henri III. A court d'argent, la reine mère convoque des états généraux à Orléans (1560) puis à Pontoise (1561). Les députés apprennent que le déficit de l'État atteint 43 millions, quatre fois le revenu annuel du royaume. Catherine reçoit fort mal les critiques de la gestion désastreuse des deniers publics, mais les états refusent de céder et de voter des impôts nouveaux, suggérant de faire payer le plus riche propriétaire du pays, le clergé, qui est contraint de voter un don de 17 millions payables en dix ans.

Mais ces questions d'argent sont vite éclipsées par les affrontements religieux. Dès 1520, les idées de Luther ont commencé à pénétrer dans Paris. Le premier de ses adeptes, Jean Vallière, y est brûlé le 8 août 1523. Sacrilèges et profanations se multiplient ainsi que les exécutions. Dans la nuit du 17 au 18 octobre 1534, à Paris, à Orléans et sur la porte de la chambre du roi à Amboise, un placard est affiché qui met en cause la messe. Une nouvelle hérésie, de souche française, se propage, celle de Jean Calvin. L'Église réformée voit le jour à Paris en 1555. La nouvelle confession compte les plus grands noms de la noblesse, Antoine de

Bourbon, roi de Navarre, son frère Condé, etc., contre lesquels Parlement et Sorbonne hésitent à sévir. En 1560, selon les estimations de certains historiens, les calvinistes ou huguenots représentent trois des vingt millions de Français. Dès le début de 1562, on commence à s'armer de part et d'autre et l'édit de tolérance du 17 janvier ne fait qu'accroître l'exaspération des catholiques.

Le massacre des protestants de Wassy, petite ville de Champagne, par les soldats du duc de Guise, le 1er mai 1562, déclenche la première guerre de Religion. Les historiens en ont recensé huit, entre 1562 et 1598, interrompues par de brèves périodes de paix boiteuse. Déçus par la politique modérée de la reine mère, les catholiques parisiens font un accueil triomphant à François de Guise, le 16 mars. Le 11 avril, Charles IX excepte Paris de l'édit de tolérance. Le 17 mai, il approuve la décision du prévôt des marchands d'organiser une milice bourgeoise réservée à ceux dont la foi catholique est avérée. Le 26 mai, les réformés sont sommés de quitter la capitale. Une confession de foi catholique est exigée des membres du Parlement le 9 juin, de la municipalité à partir du 24 juillet. Du 30 juin au 2 juillet, plus de soixante prisonniers calvinistes sont arrachés à leurs gardes armés, massacrés sur place et jetés dans la Seine par une populace exaspérée par la menace militaire protestante : Ablon, Athis, Mons, Orly, Vitry sont aux mains des troupes huguenotes et les habitants des faubourgs de la rive gauche ont fui pour se réfugier dans la capitale.

La mort d'Antoine de Bourbon, revenu au catholicisme, au cours du siège de Rouen, en novembre 1562, celle de François de Guise devant Orléans en février 1563, permettent à la reine mère, débarrassée de ces personnages gênants, de prendre la tête d'un parti catholique qui n'a plus de chef et de négocier une paix de compromis avec les protestants. L'édit d'Amboise du 19 mars 1563 interdit le culte public aux protestants parisiens mais leur garantit la liberté de conscience.

Afin d'assurer le trône et de consolider la pacification, Catherine, Charles IX et la Cour entreprennent de 1564 à 1566 un grand voyage à travers le royaume. Pour qu'aucun personnage important ne vienne perturber la vie politique de la capitale en son absence, Catherine nomme gouverneur le maréchal François de Montmorency et dresse « le roole particulier de ceulx que la royne ne veult entrer en sa ville de Paris jusques à son retour en ladicte ville[1] ». Henri de Guise, Aumale, Longueville, Nevers, Coligny, Andelot, La Rochefoucauld, etc., les meneurs des forces catholiques, aussi bien que protestantes, sont interdits de séjour. Cette trêve profite largement à la cause protestante et la prédication calviniste attire de nombreux Parisiens.

Cet équilibre précaire est rompu par l'insurrection des réformés des

---

1. Cité par J.-P. Babelon, *op. cit.*, p. 436.

Pays-Bas en août 1566 contre Philippe II d'Espagne, leur souverain. Des troupes espagnoles sont autorisées à traverser la France et les huguenots, craignant d'être attaqués, reprennent les armes. Le vieux connétable Anne de Montmorency est tué en les affrontant dans la bataille indécise de Saint-Denis, le 10 novembre 1567 ; les deux camps finissent par négocier. L'édit de Longjumeau, le 23 mars 1568, confirme celui d'Amboise.

Déçue par la révolte huguenote, poussée à la répression par l'ambassadeur d'Espagne, la reine mère multiplie les mesures contre les protestants. En août, le maréchal de Tavannes tente de capturer en Bourgogne les chefs protestants Condé, Coligny et d'Andelot, mais ils lui échappent et se retranchent dans La Rochelle. Le 25 septembre, une ordonnance exclut les réformés de tous les offices royaux, le 27, le chancelier Michel de L'Hospital est renvoyé. La troisième guerre débute et la répression s'aggrave à Paris. Le 30 juin 1569, Philippe et Richard de Gastines et leur beau-frère, Nicolas Croquet, riches bourgeois protestants, sont condamnés à la pendaison en place de Grève. A l'emplacement de leur maison rasée, au début de la rue Saint-Denis, est dressée une pyramide surmontée d'une croix. Après des succès divers, l'édit de Saint-Germain du 11 août 1570 scelle une nouvelle paix reconnaissant la liberté de conscience mais interdit l'exercice du culte protestant à Paris et dans un rayon de 10 lieues autour de la ville.

Ayant atteint sa vingtième année, désireux de s'affranchir de la tutelle maternelle et d'élaborer une politique personnelle, Charles IX prend ses distances avec l'Espagne. Il disgracie les Guise et réintègre au Conseil du roi l'amiral de Coligny qui s'empresse de faire appliquer l'édit de pacification. Une de ses clauses stipule la disparition des marques infamantes des condamnations pour fait de religion. La croix des Gastines de la rue Saint-Denis est l'une des plus notoires. Encouragés par l'or espagnol et l'action souterraine des Guise, des émeutiers empêchent à plusieurs reprises, en décembre 1571, la démolition du monument et le transfert de la croix au cimetière des Innocents, jusqu'à la victoire finale des soldats du gouverneur François de Montmorency. Ce dernier note dans un rapport l'inquiétante augmentation du nombre des gentilshommes partisans des Guise qui s'installent par petits groupes un peu partout dans la capitale.

Cette tension, déjà nettement perceptible, s'accroît encore à l'annonce de l'union de Marguerite de Valois, sœur de Charles IX, avec le roi protestant de Navarre, Henri de Bourbon. Ce mariage est voulu par les deux mères, Catherine de Médicis espérant ramener le jeune époux dans le giron catholique, et Jeanne d'Albret croyant que la mariée se fera l'avocate de la coexistence des deux religions auprès de sa mère et de son royal frère. L'arrivée d'une foule de gentilshommes protestants, accompagnés de leur suite en armes, venus assister au mariage, exaspère et inquiète les catholiques parisiens. Avec l'accord de Catherine de Médicis, les Guise tentent d'éliminer l'amiral de Coligny. Mais, le 22 août 1572, les balles de Maurevert ne font que le blesser. Charles IX accourt au chevet de la victime et promet de la venger. Le 23 au soir, Catherine de Médicis avoue au roi sa participation au complot et parvient à persuader son fils qu'il faut en finir avec les chefs protestants et profiter de leur réunion à Paris pour les exterminer. Dans la nuit du 23 au 24 août, le prévôt des marchands, Jean Le Charron, convoqué au Louvre, est informé d'une prétendue conspiration protestante ; il reçoit l'ordre de fermer les portes de la ville et de mettre sous les armes la milice bourgeoise. Créature de la reine et véritable chef de l'opération, l'ex-prévôt des marchands, Claude Marcel — qui avait résilié ses fonctions le 16 août, une semaine auparavant —, donne à ses partisans leur signe de reconnaissance, écharpe blanche au bras gauche, croix blanche au chapeau, et le signal de l'action : le tocsin de l'horloge du palais de la Cité.

En fait, le massacre débute le 24, à quatre heures du matin, dès que la cloche de Saint-Germain-l'Auxerrois annonce les matines de la fête de la Saint-Barthélemy, suivie de peu par l'horloge du palais. La canaille se joint aux hommes des Guise et aux soldats de la garde du roi. Dans l'enceinte du Louvre est exterminée la fine fleur du parti protestant : La Rochefoucauld, Caumont, Lavardin, Pardaillan, Renel, Soubise, etc. Dans leur lit sont égorgés un grand nombre de membres du Parlement, au Quartier latin sont massacrés professeurs, écoliers, libraires, médecins, au collège de Presles le grand savant Ramus. Le pillage des maisons des victimes aurait rapporté 1,5 million d'écus d'or selon le médecin de la reine, 2 millions d'après l'ambassadeur de Venise. Le carnage se poursuit jusqu'au 27. Le nombre des morts est évalué, selon les témoins, de deux mille à dix mille personnes. Outre la bourgeoisie parlementaire, les artisans, libraires, médecins parisiens, un grand nombre de gentils-hommes provinciaux et une foule d'étrangers, Anglais, Flamands, Allemands, Suisses et même Italiens, détestés quoique catholiques, ont été victimes du massacre. La communauté protestante de la capitale est décimée et cesse pour longtemps de jouer un rôle dans la vie politique et religieuse de la France.

Le massacre de la Saint-Barthélemy est le signal du début de la quatrième guerre de Religion. L'armée royale ayant échoué au siège de La Rochelle, une paix boiteuse est conclue le 1er juillet 1573. Mais la guerre se rallume dès avril 1575, sous la conduite du nouveau souverain, Henri III, un dévot marié à Louise de Vaudémont, de la maison de Lorraine, parente des Guise qui entourent le roi. La victoire d'Henri de Guise à Dormans est balancée par les succès huguenots dans le Midi et le souverain se résigne à terminer la cinquième guerre de Religion par l'édit de Beaulieu-lès-Loches du 6 mai 1576. Très favorable aux protestants, il leur accorde une série de nouvelles places de sûreté et la liberté de culte.

En réaction, les Guise organisent dès juin une ligue catholique. En décembre, les états généraux de Blois, dominés par les ligueurs, imposent l'abolition des mesures de l'édit de Beaulieu, ce qui provoque une sixième guerre. Mais les états refusent aussi d'accorder à Henri III les moyens financiers de la faire. Aussi le roi est-il contraint de signer, dès septembre 1577, la paix de Bergerac qui confirme l'édit de Beaulieu. De mai à novembre 1580 se déroule, surtout dans le Sud-Ouest, une septième guerre qui met en évidence Henri de Bourbon, roi de Navarre, comme chef militaire des huguenots. L'édit de Fleix y met fin, mais la paix reste précaire. Le pays est coupé en deux, les forces protestantes dominant au sud de la Loire.

Cette division politico-religieuse se double en 1584 d'un problème dynastique, après la mort de François, duc d'Anjou, frère du roi et dernier fils de Catherine de Médicis. L'homosexualité d'Henri III laisse présumer qu'il n'aura pas d'enfant. Or, son héritier présomptif, selon l'ordre de succession, n'est autre qu'Henri de Bourbon, chef des huguenots. Le 31 mars 1585, les Guise et la Ligue font connaître leur position : le seul héritier possible, à leurs yeux, est le cardinal de Bourbon. Henri III doit s'incliner. Désapprouvé par le Parlement que dominent les catholiques modérés dits « politiques », l'édit du 18 juillet 1585 déclare Henri de Navarre déchu de ses droits à la succession. Le 7 octobre, un nouvel édit ordonne aux réformés de quitter le royaume dans un délai de six mois. C'est le signal de la huitième guerre de Religion, la dernière et la plus longue.

Les caisses du Trésor royal étant vides, Henri III exige de la ville une contribution de 200 000 écus destinés à entretenir trois armées durant un mois. Quant aux magistrats du Parlement, ils sont fermement invités à renoncer à leurs gages en signe de solidarité. Mais les armées catholiques et royales s'avèrent incapables de triompher des protestants. Les conditions météorologiques déplorables et les récoltes désastreuses de l'été jettent des milliers de ruraux affamés dans la capitale. La population parisienne y était alors excitée par les Guise qui exploitaient la persécution contre les catholiques en Angleterre et montaient en épingle la décapitation, en février 1587, de Marie Stuart, veuve de l'éphémère roi de France François II. A la suite des protestations de l'ambassadeur d'Angleterre, le roi fait rechercher les plaques de cuivre des gravures de grand format représentant les atrocités commises outre-Manche et exposées par les ligueurs qui les commentent dans les rues. On finit par les trouver dans l'hôtel du duc de Guise.

Au printemps 1587, la Ligue commence à s'en prendre directement au roi. Compromis dans un complot pour s'emparer d'Henri III, que le prévôt de Paris a éventé, le frère d'Henri de Guise, Charles de Mayenne, doit fuir le 20 mars 1587. Les Guise font alors monter la pression en utilisant les curés : celui de Saint-Séverin, Jean Prévost, traite en chaire le

souverain de «tyran». Lorsque la police tente de l'arrêter, une émeute
l'en empêche. Craignant une insurrection générale, Henri III se résout à
quitter Paris le 12 septembre pour prendre la tête des armées. La défaite
et la mort de son favori, Anne de Joyeuse, face à Henri de Navarre, à
Coutras, le 20 octobre, livre tout le Sud-Ouest aux protestants et les
régions au nord de la Loire ne sont sauvées d'une armée de reîtres allemands marchant sur Paris que par la victoire d'Henri de Guise à Vimory
et à Auneau, le 26 octobre. De retour à Paris le 22 décembre 1587, le roi
est reçu avec dérision en vainqueur et un *Te Deum* célèbre à Notre-Dame
les succès inexistants de ses troupes.

Dès lors se prépare un affrontement voulu par la Ligue, unissant le
petit peuple entraîné par ses curés, encadré par les moines, les jésuites,
les théologiens de Sorbonne, à une partie de la bourgeoisie qui estime
excessifs les empiètements des officiers royaux sur le gouvernement de
la cité, et aux gentilshommes liés aux Guise. Une organisation révolutionnaire se met en place : les Seize, état-major ligueur formé des
représentants des seize quartiers de la capitale. Étudiés par Robert
Descimon[1], ces meneurs sont issus pour plus des deux tiers de la bourgeoisie moyenne, artisans, commerçants, hommes de loi. Le recrutement
de leurs partisans est beaucoup plus populaire, mais les Seize «avaient
plus en vue leur part de paradis que leur position sociale» et rêvaient
sans doute d'un retour aux origines conçues comme un âge d'or.
Philippe II leur apporte un puissant soutien financier, car il s'apprête à
faire appareiller l'Invincible Armada pour envahir l'Angleterre et
escompte que la victoire de la Ligue permettra à la flotte espagnole de
faire escale dans les ports de Picardie et à Boulogne.

Henri III a pris des mesures pour résister à la pression populaire. Le
duc d'Épernon a organisé sa garde des Quarante-Cinq et logé à Saint-
Denis quatre mille suisses nouvellement recrutés. Malgré l'interdiction
de se rendre dans la capitale qui lui a été signifiée par le roi, Henri de
Guise y fait une entrée triomphale le 9 mai 1588, suivi par des milliers de
ligueurs en armes. Le roi fait une scène au duc, l'accusant de trahison, et
réplique le jeudi 12 au matin en introduisant dans la ville deux mille
gardes françaises et les quatre mille suisses qui sont répartis aux endroits
stratégiques. En réaction, les ligueurs exaltent contre les suisses les sentiments xénophobes de la population qui se soulève : la ville se couvre de
barricades et les milices bourgeoises massacrent les suisses auxquels le
roi a interdit d'utiliser leurs armes à feu. Le 13 au matin, Catherine de
Médicis se rend auprès d'Henri de Guise pour tenter de négocier. Il
la renvoie en lui disant : «Madame, il est trop tard[2].» Le Parlement
s'entremet à son tour, mais se heurte au même refus de tout accommo-

---

1. R. Descimon, «Qui étaient les Seize?», dans *Paris et Île-de-France*, XXXIV (1983),
p. 7-300.
2. Cité par J.-P. Babelon, *op. cit.*, p. 479.

dement. En fin d'après-midi, le roi se résigne à fuir. Accompagné d'une poignée de gentilshommes et de conseillers, il gagne Saint-Cloud, Rambouillet, puis Chartres où il s'établit.

A Paris, la Ligue organise un nouveau pouvoir. Les partisans du roi dans l'administration municipale s'étant enfuis, des élections ont lieu les 18 et 20 mai. Le vote se fait à voix haute, ce qui permet de faire pression sur les électeurs non-ligueurs qui n'osent s'exprimer. C'est un familier du duc de Guise, le sire de Marchaumont, qui est choisi. Prudent, il se récuse en arguant qu'il n'est pas natif de Paris. Un nouveau scrutin consacre comme prévôt des marchands Michel de La Chapelle-Marteau, principal meneur de l'insurrection, qui prête serment entre les mains du duc de Guise, représentant le cardinal de Bourbon, héritier du trône. Les quatre échevins et le procureur de la ville sont aussi des ligueurs de la première heure.

Pour sauvegarder les apparences de son pouvoir, Henri III accepte de reconnaître le nouvel échevinage, mais il annonce aussi la convocation d'états généraux pour la réformation des abus dénoncés par la Ligue. En juillet, pour conforter son influence, la nouvelle municipalité organise des élections pour la milice : tous les notables sont éliminés au profit d'artisans, de cabaretiers, de marchands, d'hommes de loi issus de la petite et moyenne bourgeoisie. La force armée est désormais aux mains du peuple. Quant au Parlement, resté fidèle au roi à l'exception des présidents Barnabé Brisson et Jean Le Maistre, il subit régulièrement les avanies des ligueurs.

Toujours pour sauver l'apparence de son autorité, Henri III signe l'édit d'Union enregistré au Parlement le 21 juillet : il prend nominalement la tête de la Ligue tandis que le duc de Guise devient lieutenant général des armées. Mais le roi résiste à toutes les pressions, celles du duc de Guise, de la reine mère, de la nouvelle municipalité, venus successivement le prier de se réinstaller à Paris. Il ne pardonne pas l'insulte qui lui a été faite et achève de s'émanciper de sa mère, toujours favorable aux Guise. Le désastre de l'Invincible Armada à la fin de juillet le renforce dans son hostilité à l'encontre des ligueurs financés par une Espagne au prestige ébranlé. Décidé à remettre de l'ordre et à reconquérir toute son autorité, il renvoie tous les ministres et les remplace par des hommes neufs, sans aucune attache avec Catherine de Médicis.

Le 16 octobre 1588, les états généraux se réunissent à Blois, où réside le roi. Le tiers état, dominé par les ligueurs, a élu pour président le prévôt des marchands, La Chapelle-Marteau. Dans le clergé comme dans la noblesse, la Ligue compte aussi de nombreux partisans. Henri de Guise domine les débats et tente de dicter sa volonté au roi qui tergiverse longuement avant de se résoudre à ordonner à sa garde des Quarante-Cinq d'assassiner le duc, le 23 décembre. Les députés ligueurs de Paris sont incarcérés, ainsi que Pierre d'Épinac, archevêque de Lyon, le cardinal Charles de Bourbon, héritier de la Couronne désigné par la Ligue, et le cardinal Louis de Lorraine, frère d'Henri de Guise, qui est lui aussi assassiné.

A Paris, Charles d'Aumale, cousin des victimes, est nommé gouverneur le 26. Le Conseil municipal, amputé par les arrestations de Blois, est doublé par une nouvelle assemblée élue par les seize quartiers, le Conseil des Quarante. Des conseils de quartier de neuf membres sont constitués avec, à leur sommet, le Conseil des Seize. La milice est à nouveau épurée, des ligueurs bon teint sont nommés lieutenant civil et criminel du Châtelet. Occupée par la populace, la Sorbonne publie, le 7 janvier 1589, un décret relevant les Français de leur allégeance à Henri III. Le Parlement est envahi par une troupe armée qui arrête le premier président Achille de Harlay, ses collègues Nicolas Potier de Blancmesnil et Christophe de Thou. Le ligueur Barnabé Brisson prend la place de Harlay et le Parlement reconnaît comme roi de France, sous le nom de Charles X, le cardinal de Bourbon, captif d'Henri III, qui va mourir en prison en mai 1590.

Arrivé à Paris, le 12 février 1589, le frère cadet des Guise tués à Blois, Charles de Mayenne, modifie la composition du Conseil des Quarante en y ajoutant de grands personnages de l'Église et de la noblesse. Il constitue un Conseil d'État, un gouvernement, se fait octroyer le titre de « lieutenant général de l'Estat royal et couronne de France », négocie la libération des prisonniers de Blois contre celle des magistrats embastillés.

Le 3 avril, à Plessis-lès-Tours, les deux Henri, rois de France et de Navarre, s'allient contre la Ligue, puis marchent sur Paris. Le 18 mai, les ligueurs sont taillés en pièces à Bonneval. Le 3 juillet, Étampes tombe, l'étau se resserre autour de la capitale. Le 26 juillet, les deux Henri sont à Pontoise. L'effondrement de la Ligue est imminent. Mais, le 1er août, un moine dominicain du couvent de la rue Saint-Jacques, Jacques Clément, poignarde mortellement Henri III à Saint-Cloud. Avant de mourir, le roi désigne Henri de Navarre comme son successeur et demande à l'armée de le servir fidèlement.

Les Parisiens en liesse descendent dans les rues pour célébrer ce meurtre comme un miracle et assimilent l'assassin à un martyr de la foi. Mais Mayenne se fait battre en septembre par Henri IV à Arques et le Béarnais met le siège devant la capitale après s'être emparé des villages de la banlieue sud. Au prix de huit cents morts, la milice sauve la ville d'un assaut des troupes royales dans les faubourgs Saint-Jacques et Saint-Germain, le 1er novembre. Faute d'artillerie, le roi ne peut abattre la vétuste muraille de Philippe Auguste.

Mayenne vaincu une fois de plus à Ivry, le 14 mars 1590, le roi organise le blocus, affamant Paris tout en le bombardant depuis les buttes Montmartre et Montfaucon. La vingtaine de milliers de combattants de son armée est insuffisante pour prendre d'assaut une cité défendue par les quarante-huit mille hommes de la milice bourgeoise et plus de trois mille mercenaires suisses et allemands payés avec l'or de l'Espagne. Le 7 mai, un assaut des faubourgs Saint-Martin et Saint-Denis est repoussé. Prêtres et moines mobilisent la population en multipliant les processions. Mais la famine tue près de trente mille personnes et suscite des mouvements pacifistes en août aux cris de « la paix ou du pain ». L'arrivée de l'armée espagnole d'Alexandre Farnèse déloge le roi, le 11 septembre.

L'épreuve a été rude et la bourgeoisie fortunée, lasse des privations et des dangers, souhaite une solution pacifique. La mort du cardinal de Bourbon, le Charles X des ligueurs, affaiblit leur cause. Curés et moines dénoncent en chaire et pourchassent dans les rues les modérés, partisans de la paix, affublés du sobriquet de « maheutres ». Le 20 janvier 1591, dans la nuit, des hommes du roi, déguisés en paysans et menant des ânes chargés de farine, ont tenté vainement de s'emparer de la porte Saint-Honoré. Les Seize, emmenés par Michel de La Chapelle-Marteau et Jean Bussy-Leclerc, déçus par les louvoiements de Mayenne, s'appuient sur Philippe II et sollicitent l'infante Claire-Eugénie pour reine de France. Le 1er avril, ils épurent le Parlement, excluant une quinzaine de conseillers, et demandent au pape un nouvel évêque pour remplacer le « traître » Gondi. Le 6 éclate l'affaire Brigard : procureur du roi et de la ville, ce proche de Mayenne est accusé d'intelligence avec Henri IV et embastillé. A la fin d'octobre, le Parlement lui sauve la vie en le condamnant au bannissement. Excédés par cette indulgence, les Seize s'en prennent aux magistrats : le 16 novembre, ils font juger sommairement le président Brisson et deux conseillers, les pendent, puis exposent les corps en place de Grève.

Loin d'être réconfortés par ces exécutions, les Parisiens sont choqués qu'on s'en prenne aux représentants de la justice. Mayenne, également outré, entre dans la ville avec ses troupes, le 28 novembre, s'abouche avec les modérés, fait pendre quatre des Seize dans une salle du Louvre et dissout le Conseil général de l'Union. Les contacts avec Henri IV se multiplient et la Chambre des comptes décide en octobre 1592 l'envoi d'un députation au roi pour le sommer de se convertir au catholicisme.

Le 26 janvier 1593 se réunissent au Louvre des états généraux dominés par les représentants modérés du tiers état parisien. La morgue de l'ambassadeur d'Espagne, qui offre de distribuer 1,5 million d'écus aux députés acceptant d'attribuer la couronne à la fille de Philippe II, suscite un sentiment nationaliste de refus. En même temps, des délégués des états et de Mayenne négocient à Suresnes avec les représentants du roi. Le 16 mai 1593, Henri IV annonce sa décision de renoncer à la religion réformée. Le 25 juillet, il abjure solennellement à l'abbaye de Saint-Denis. Les jeux sont faits et les ralliements au roi converti se multiplient. Le 2 mars 1594, la Ligue ne peut réunir plus de trois cents personnes au couvent des carmes. Le 6, Mayenne fuit la ville avec sa famille, ses tapisseries, ses meubles, sa vaisselle, laissant comme gouverneur Charles de Cossé-Brissac, rallié secrètement aux royalistes, comme le prévôt des marchands Jean Luillier. Le 22 mars 1594, Henri IV fait son entrée sans combat dans la capitale que les troupes du roi d'Espagne évacuent. La Ligue est morte, la paix civile en voie de rétablissement après un tiers de siècle de guerres de religion.

LES BOURBONS ET PARIS (1594-1671)

L'entrée d'Henri IV dans Paris marque le début d'un demi-siècle de calme pour la ville. Le souverain se réconcilie avec l'Église catholique tout en accordant aux protestants les garanties de l'édit de Nantes, impose la paix à l'Espagne et à la Savoie, qui perd Bresse et Bugey.

Sans toucher aux organes administratifs de la cité, le roi tient la municipalité sous son étroit contrôle, imposant des prévôts des marchands obéissants mais énergiques et efficaces : François Miron de 1604 à 1606 — qui fut aussi lieutenant civil du Châtelet de 1596 à 1609 — et Jacques Sanguin de 1606 à 1612. C'est durant l'exercice de leur charge que débutent les premières entreprises parisiennes d'urbanisme : les créations de places sur le modèle italien, place Dauphine, place Royale (aujourd'hui des Vosges), place de France prévue mais non réalisée à proximité de l'enclos du Temple. Le Pont Neuf est achevé, le Louvre modifié et considérablement agrandi ; la ville se transforme.

Mais la pacification des esprits n'a pas atteint les fanatiques qui nient la sincérité de la conversion du souverain. Les appels au «tyrannicide» ne manquent pas et Rome, par l'intermédiaire des jésuites, tente vraisemblablement à plusieurs reprises d'armer le bras de déséquilibrés. La dix-huitième tentative d'assassinat réussit. Alors que le roi s'apprête à partir en guerre contre l'empereur Habsbourg, cousin du roi d'Espagne, il est opportunément poignardé par François Ravaillac pendant que son carrosse est bloqué dans un encombrement, rue de la Ferronnerie, le 14 mai 1610.

Régente, Marie de Médicis est entourée et conseillée par ceux qui avaient intérêt à la disparition de son époux : le nonce Ubaldini, le père jésuite Coton, confesseur du souverain défunt, Leonora Galigaï, dame d'atour de la reine, et son époux, Concini, Florentin comme Marie, qui prend la tête du gouvernement.

Exaspéré d'être exclu des réunions du Conseil de gouvernement alors qu'il a été déclaré majeur dès 1614, au début de sa quatorzième année, Louis XIII fait assassiner Concini au Louvre par le capitaine des gardes, le 24 avril 1617. Mais c'est pour confier le pouvoir à son favori, Charles d'Albert, duc de Luynes. Celui-ci fait des concessions aux grands seigneurs et persécute les protestants, provoquant un soulèvement dans le

Midi. Il meurt en décembre 1621 après avoir lamentablement échoué devant Montauban. Après avoir tâté de plusieurs ministres, Louis XIII se résigne à faire entrer au Conseil, en avril 1624, le protégé de la reine mère, le cardinal de Richelieu.

Son autorité implacable s'abat sur le royaume frappant aussi bien la haute noblesse que les réformés. Après la chute de La Rochelle en 1628, les huguenots sont dépouillés des garanties militaires et politiques accordées par Henri IV. Quant aux grands seigneurs, ils sont frappés sévèrement et parfois exécutés pour avoir comploté, tels Henri de Talleyrand-Périgord, comte de Chalais, Henri, duc de Montmorency et gouverneur du Languedoc, le maréchal Louis de Marillac, ou pour avoir enfreint l'interdiction des duels, comme François, comte de Montmorency-Boutteville, et son cousin, François de Rosmadec, comte Des Chapelles.

Tant que dure la paix, la capitale prospère. Quatre nouveaux ponts sont construits entre 1614 et 1635 : ponts Marie, de la Tournelle, au Double, Barbier. Concédées en 1614 à l'entrepreneur Christophe Marie, les îles Notre-Dame et aux Vaches sont réunies et loties pour devenir l'île Saint-Louis. Des quais en font le tour, bordés de somptueux hôtels rapidement bâtis. L'édification, à partir de 1615, du palais du Luxembourg pour la reine mère attire la noblesse au faubourg Saint-Germain qui se développe. De même, la construction par Richelieu d'un Palais-Cardinal (futur Palais-Royal), à partir de 1629, accélère le lotissement d'un nouveau quartier près de la porte Saint-Honoré, le quartier Richelieu, que protège une nouvelle enceinte fortifiée de médiocre qualité. Enfin, la noblesse de robe et les financiers se font bâtir de beaux hôtels au Marais, à proximité de la place Royale (des Vosges).

L'intervention militaire dans la guerre de Trente Ans, en 1635, ouvre une mauvaise période. Après la victoire des Espagnols à Corbie, le 15 août 1636, Paris est directement menacée jusqu'en octobre. Une fiscalité écrasante finance l'effort de guerre. L'impopularité de Richelieu rejaillit sur Louis XIII qui suit son favori dans la tombe à moins de six mois d'intervalle. Rédigé au lendemain de la mort du souverain, ce sonnet de Corneille traduit bien l'hostilité des Français au régime :

> *Sous ce marbre repose un monarque sans vice,*
> *Dont la seule bonté déplut aux seuls François*
> *Et qui, pour tout péché, ne fit qu'un mauvaix choix*
> *Dont il fut trop longtemps innocemment complice.*
>
> *L'ambition, l'orgueil, l'audace, l'avarice,*
> *Armés de son pouvoir nous donnèrent des lois :*
> *Et bien qu'il fût en soi le plus juste des rois*
> *Son règne fut toujours celui de l'injustice.*
>
> *Fier vainqueur au dehors, vil esclave en sa cour,*
> *Son tyran et le nôtre à peine perd le jour*
> *Que jusque dans sa tombe il le force à le suivre :*

Et par cet ascendant ses projets confondus
Après trente-trois ans sur le trône perdus
Commençant à régner il a cessé de vivre [1].

Le nouveau favori choisi par la régente Anne d'Autriche, le cardinal Mazarin, accroît encore les prélèvements de l'État et frappe particulièrement les Parisiens : l'édit du toisé de 1644 inflige de lourdes amendes à tous ceux qui ont construit à proximité des murailles ; la taxe des aisés sur les bourgeois en 1646 sert à lever un emprunt de 500 000 livres ; toujours en 1646, l'édit du tarif crée des droits d'octroi sur les produits maraîchers entrant dans la ville. En 1647, l'édit du rachat contraint les propriétaires d'immeubles édifiés sur des terrains dont le roi est le seigneur à racheter ses droits. En 1648, l'édit de la paulette arrivant à renouvellement, Mazarin avertit les membres de trois cours souveraines, Grand Conseil, Chambre des comptes, Cour des aides, que l'État ne leur versera pas de gages pendant quatre ans.

Quoiqu'épargné par cette mesure, le Parlement se déclare solidaire des autres cours. Le 13 mai 1648, par l'arrêt d'Union, il les invite à nommer des délégués qui se réuniront avec les siens dans la grande salle du palais, la Chambre Saint-Louis, pour travailler à « réformer les abus de l'État ». Cet acte remet en cause toute la structure du pouvoir monarchique. Comme le note l'historien Roland Mousnier, « convocation spontanée des représentants du royaume, connaissance de toutes affaires, lois votées sans le souverain, c'était ériger une assemblée distincte du roi, avec le pouvoir législatif, le contrôle de l'exécutif, c'était une ébauche de séparation imparfaite des pouvoirs [2] ». Il conclut : « l'attitude du Parlement était donc révolutionnaire ; c'était un bouleversement, une séparation par la pensée de deux éléments en réalité unis, inséparables et indispensables : roi et royaume, souverain et nation, un seul être. C'était une négation de la monarchie [3]. »

• *La Fronde (1648-1652)*

Deux personnages qui ont l'oreille des Parisiens les incitent à rallier la cause parlementaire, le duc de Beaufort, petit-fils d'Henri IV et de Gabrielle d'Estrées, surnommé « le roi des Halles », et Paul de Gondi, neveu et coadjuteur de l'archevêque. Mazarin plie devant la menace d'une insurrection et ratifie la plupart des propositions de la Chambre Saint-Louis. Mais il n'attend qu'une occasion favorable pour ressaisir le pouvoir. Le triomphe de Louis de Condé sur les Espagnols à Lens lui semble propice à un coup de force. Le 26 août, il déploie des troupes

1. Cité par R. Pillorget, *Nouvelle Histoire de Paris. Paris sous les premiers Bourbons (1594-1661)*, p. 215.
2. R. Mousnier, *La Plume, la faucille et le marteau*, p. 281-282.
3. *Ibid.*, p. 282.

dans Paris sur le chemin suivi par la régente et le jeune Louis XIV pour aller à Notre-Dame où est célébré le *Te Deum* de la victoire et, la cérémonie achevée, les maintient dans les rues et fait arrêter trois des meneurs du Parlement : les présidents Nicolas Potier de Blancmesnil et Louis Charton ainsi que le très populaire conseiller Pierre Broussel. Menées maladroitement, les arrestations sont aussitôt connues de la population qui s'émeut et occupe les rues. La nuit, loin de calmer les esprits, les échauffe encore et le 27 se transforme en «journée des barricades» : élevées dans l'île de la Cité, les quartiers de la Grève, des Halles, de l'Université et du faubourg Saint-Germain, elles sont au nombre de mille deux cent soixante. Des affrontements entre émeutiers et soldats font quelques victimes. En corps constitué, le Parlement se rend au Palais-Royal pour demander la libération des prisonniers. Anne d'Autriche y consent sous certaines conditions. Alors que les parlementaires retournent au palais de la Cité, la foule les arrête et les malmène au niveau de la Croix-du-Trahoir, les accusant de trahison. La régente consent alors à donner des lettres de cachet pour la libération des prisonniers. «Peuple et bourgeois les laissent alors passer, mais avec des imprécations, des serments de demeurer sous les armes, des menaces de tout saccager si la Cour et le Parlement s'entendent pour les tromper [1]», note Roland Mousnier. Dans la nuit du 27 au 28, l'insurrection s'étend et à plusieurs reprises des mouvements de foule mettent la Cour en péril. La réapparition de Broussel apaise les esprits. Le samedi 29, le calme revient.

Mais aucune des parties ne considère la lutte pour le pouvoir comme terminée. Enivré par sa popularité, le Parlement manifeste avec arrogance son hostilité à Mazarin et son désir de contrôler le royaume. Quant au cardinal, la conclusion de la paix de Westphalie lui permet de ramener des troupes vers Paris sous la conduite de Condé. Dans la nuit du 5 au 6 janvier 1649, la régente, Mazarin, Louis XIV et son frère quittent en cachette Paris et se réfugient à Saint-Germain-en-Laye. Le Parlement s'érige aussitôt en gouvernement, proclame Mazarin «ennemi public» et appelle les Parisiens à prendre les armes. Beaucoup de Grands se sont rangés du côté des parlementaires : les ducs de Beaufort et de Bouillon, le prince de Conti, frère de Condé, et sa sœur, la duchesse de Longueville. Le 18 janvier, Paul de Gondi fait nommer Armand de Gondi commandant en chef des troupes parisiennes. Celui-ci lève cinq compagnies de chevau-légers nommés «Corinthiens», car Gondi est archevêque de Corinthe *in partibus*. Mais l'aristocratie n'éprouve que mépris pour les Parisiens, «fourmilière de fripiers» selon Gondi, et s'inquiète de l'agitation des milieux populaires. Les Corinthiens se font étriller par les troupes royales qui établissent le blocus de la capitale et saccagent les

---

1. R. Mousnier, *op. cit.*, p. 276.

propriétés rurales des bourgeois. Le Parlement négocie une paix signée à Ruel le 11 mars 1649. Il renonce à réunir des assemblées « pour quelque cause, prétexte ou occasion que ce soit ».

Mazarin ne tarde pas à déclencher la répression contre les pamphlétaires qui l'ont accablé. C'est la police du Châtelet qui l'exerce avec sévérité. Claude Morlot, surpris alors qu'il imprimait un poème pornographique, est condamné à la pendaison sur la place de Grève. Le 5 juillet, jour de son supplice, la foule se soulève et le délivre. Le 19 septembre, l'Hôtel de Ville ne peut payer les rentes arrivées à échéance, ce qui provoque une émeute le 22. Les rentiers spoliés sont soutenus par une bonne partie des ex-frondeurs qui craignent la vengeance du cardinal. Celui-ci voit se dresser contre lui Condé, son sauveur, qui adopte une attitude insolente. Le 11 décembre, un attentat a lieu contre lui, lors d'une nouvelle émeute des rentiers. Gondi, Beaufort et le président Broussel sont mis en accusation par le procureur général du Parlement. Gondi se rapproche alors de Mazarin.

Le 18 janvier 1650, Condé, Conti et Longueville sont arrêtés au Palais-Royal et enfermés à Vincennes. A cette nouvelle, le peuple de Paris allume des feux de joie : il déteste ce grand seigneur hautain qui l'a affamé un an auparavant. Le 22, le Parlement lève l'accusation portée contre Gondi, Beaufort et Broussel. Le ralliement du parti de Retz est récompensé : le nouveau prévôt des marchands, Antoine Le Febvre, est un de ses amis, Louvière, fils de Broussel, est nommé gouverneur de la Bastille.

Mais au début juillet, au départ de Mazarin, de la reine mère et de la Cour pour une campagne en Guyenne contre la Fronde bordelaise, les intrigues reprennent de plus belle dans la capitale, conduites par de grandes dames à l'esprit romanesque, la Grande Mademoiselle ou Mademoiselle de Montpensier, fille de Gaston d'Orléans, la princesse Palatine, la duchesse de Chevreuse, suivies par le duc de Beaufort et l'oncle même du roi, Gaston d'Orléans. Estimant que son chapeau cardinalice n'arrive pas assez vite, Gondi rejoint les conjurés, entraînant avec lui Broussel et les anciens frondeurs du Parlement. Cette assemblée demande à la reine mère la libération de Condé ou sa mise en jugement. Le 30 janvier 1651, Anne d'Autriche s'y refuse. Le 4 février, les parlementaires votent des remontrances, exigeant la libération immédiate des princes et le renvoi de Mazarin.

Conscient que cette coalition disparate n'est unie que par l'hostilité à sa personne, le cardinal choisit de s'effacer provisoirement. Dans la nuit du 6 au 7 février, il quitte Paris sous un déguisement et passe par Le Havre, où il fait libérer Condé, avant de se réfugier auprès de l'archevêque de Cologne. A peine de retour à Paris, le 16 février, Condé s'aliène tout le monde par son arrogance et son exigence d'être le chef unique de la Fronde. Contestant au Parlement la direction du royaume, il prévoit la convocation d'états généraux à Tours en octobre. Grands seigneurs et magistrats se querellent de plus en plus violemment. Gondi, à qui les parlementaires refusent le cardinalat, se met au service d'Anne d'Autriche. La nouvelle filtre et on peut lire dans un libelle attaquant le coadjuteur de l'archevêque : « Un esprit qui ne fait que voltiger par tous les partis, qui se donne à prix d'argent, qui se laisse gagner par l'espérance d'un beau chapeau, qui met sa faveur à l'encan, qui est aujourd'hui frondeur, demain mazarin [1]. »

Condé s'en prend violemment à Gondi. Craignant un attentat, les deux hommes ne circulent plus qu'avec une escorte armée. Condé se ridiculise : le 5 juillet, dans la nuit, le bruit d'un charroi de vin réveille le prince qui, croyant qu'on vient l'arrêter, s'enfuit à son château de Saint-Maur. Le 21 août, le palais du Parlement est envahi par les partisans armés de Gondi et de Condé qui se disputent la préséance : Gondi échappe de peu à la mort, le duc de La Rochefoucauld lui ayant fortement serré la tête entre les deux battants d'une porte. Brouillé avec tout le monde, très impopulaire auprès des Parisiens, Condé se laisse persuader par ses partisans de rétablir sa position en jouant la province contre la capitale. Le 16 septembre 1651, il part prendre le commandement du gouvernement de Guyenne et y rassemble ses partisans en armes. La reine mère et la Cour le suivent dix jours plus tard et s'installent à Bourges pour mieux surveiller ses mouvements. Mais la monarchie n'a pas les moyens financiers d'entretenir une armée suffisante pour écraser la révolte princière. Mazarin commet l'erreur de venir à la rescousse vers la fin de décembre à la tête de sept ou huit mille mercenaires recrutés en Allemagne et soldés à ses frais.

Son arrivée relance une Fronde moribonde et divisée. Le 24 janvier 1652, devant le Parlement, un traité d'alliance est signé entre les partisans de Condé et de Gaston d'Orléans, gouverneur de Paris en l'absence du roi. Le 19 février, Paul de Gondi est enfin nommé cardinal par le pape, le roi lui adresse une lettre de félicitations qui le pousse à s'éloigner des frondeurs. Au début d'avril, dans une ville affamée et lasse de la guerre, des émeutes éclatent entre partisans et adversaires de la Fronde. Le Parlement et Retz semblent se rapprocher de la Cour tandis que Gaston d'Orléans, selon son habitude, tergiverse. Condé se décide alors à quitter la Guyenne pour Paris : la prise d'Orléans par la Grande Mademoiselle lui fait croire qu'il pourra s'emparer sans peine de la capitale. Laissant le gros de son armée dans le Midi, il y entre le 11 avril 1652 à la tête d'une poignée de fidèles. Mais l'armée royale, commandée par Turenne, est sur ses talons. Au début de mai, les frondeurs sont mis en déroute devant Étampes. Du 10 au 12, de durs combats sont livrés à

---

1. Cité par M. Allem, préface de l'édition des *Mémoires du cardinal de Retz*, p. XXXIV, et par R. Pillorget, *op. cit.*, p. 222.

Saint-Denis. Le Parlement refuse de laisser entrer dans Paris les forces de
Condé qui doivent cantonner à Saint-Cloud. La bataille s'engage le
2 juillet sous les murs de la Bastille, alors que Condé tente de gagner
Charenton. Sur le point d'être vaincu, il est sauvé par la Grande
Mademoiselle qui lui fait ouvrir la porte Saint-Antoine.

A peine installé dans la ville, Condé tente de lui imposer son autorité.
Le Parlement, la municipalité, Gaston d'Orléans ont une position conciliante : ils se déclarent prêts à se soumettre au roi, majeur depuis
septembre, s'il renvoie Mazarin. Cela ne fait pas l'affaire de Condé. Le
4 juillet, une assemblée se réunit à l'Hôtel de Ville, formée de délégués
du clergé de la ville, de membres du Parlement, de représentants de la
bourgeoisie choisis par les quartiers, et d'élus de l'élite marchande des
Six-Corps. Elle refuse de voter le projet d'alliance de la ville avec les
princes. Aussitôt après le départ de Gaston d'Orléans et de Condé, les
troupes de celui-ci envahissent l'Hôtel de Ville et massacrent une partie
de l'assemblée. Le lendemain, le prévôt des marchands démissionne,
Broussel le remplace tandis que le duc de Beaufort est proclamé
gouverneur de Paris, Condé devenant le général en chef des forces de la
Fronde. Le 20, sur proposition de Broussel, le Parlement doit recréer
pour Gaston d'Orléans le titre de lieutenant général du royaume. Ce
même jour, indice de la zizanie qui règne chez les frondeurs, Beaufort tue
Nemours en duel. Le 26, sous la responsabilité nominale d'un Parlement
terrorisé, les princes font organiser un Conseil présidé par Gaston
d'Orléans. Ce gouvernement se rend tout de suite impopulaire en tentant,
le 29, d'imposer de nouvelles taxes aux Parisiens qui se rebellent et
refusent de payer. Sans argent et sans troupes, les princes recherchent le
soutien de l'Espagne.

Le 6 août, Mazarin a ordonné le transfert du Parlement à Pontoise et de
nombreux magistrats lui ont obéi. A l'instigation du cardinal, ils ont
demandé son éloignement et, le 19, Mazarin, obéissant, s'est retiré à
Bouillon, dans les Ardennes. A Paris, la hausse des prix et les difficultés
d'approvisionnement accroissent la lassitude de la population. Les dames
de la Halle demandent à Condé de conclure la paix. Les loyalistes ne se
cachent plus et arborent sur leur vêtement un carré de papier blanc qui
supplante le nœud de paille des frondeurs. Le 10 septembre, Retz se rend
à Compiègne pour recevoir du roi la barrette de cardinal et négocier la
rentrée de la Cour à Paris. A son retour, il est hué par une foule déçue par
ses nombreux revirements. Le 17, le roi invite les Parisiens à prendre les
armes contre les princes factieux. Le 24, une grande manifestation au
Palais-Royal réclame le retour du roi et les Six-Corps contraignent
Broussel à donner sa démission de prévôt des marchands. Le 28,
ils envoient une délégation au roi pour lui demander de rentrer.
L'administration municipale refuse de nourrir les troupes de Condé qui,
sans solde depuis plusieurs mois, achèvent de se disloquer. Constatant

qu'il n'a plus aucune audience auprès d'une population chaque jour plus hostile, craignant pour son existence, Condé quitte Paris le 14 octobre et se place sous la protection des Espagnols à Namur. Le 22, sur le conseil de Retz, Gaston d'Orléans s'en va à son tour et Louis XIV tient au Louvre un lit de justice, interdisant au Parlement de s'immiscer dans les affaires de l'État et dans les finances royales. Le 19 décembre, Retz est enfermé à Vincennes et Mazarin rentre triomphalement à Paris le 3 février 1653.

• *Le départ de la monarchie*

En raison notamment de l'action de Condé et de Retz, la crise politique se prolonge jusqu'à la défaite de Condé et de son armée espagnole aux Dunes. La paix des Pyrénées en 1659 établit la victoire définitive de la France. Quant à Retz, qui prétend à la succession de l'archevêque de Paris, mort en mars 1654, il réussit à s'enfuir en août et se réfugie en Espagne puis à Rome. Désavoué par le pape moins d'un an plus tard, il se résigne à démissionner en 1662 seulement.

Gui Patin, bourgeois et médecin parisien, écrit à son ami lyonnais, Falconet, le 25 août 1660 : «C'est donc demain que se doit faire cette belle entrée du roi dans Paris, un 26 août, pareil jour que l'on fit les barricades de l'an 1648... Pensez-vous que l'on ne s'en souvienne pas encore au cabinet et au conseil d'en haut et que la démarche que feront demain MM. du Parlement à cette belle entrée ne soit pas pour eux une espèce d'expiation et d'amende honorable [1] ?»

En effet, le jeune roi n'a pas oublié les humiliations. Certes, il fait aménager le Louvre et les Tuileries où est installée une superbe salle de spectacle dite des «machines». Certes, il prend part au fastueux carrousel des 5 et 6 juin 1662. Mais, dès septembre 1663, Colbert reproche au souverain de négliger «le Louvre qui est assurément le plus superbe palais qu'il y ait au monde et le plus digne de la grandeur de Votre Majesté [2]». Le ministre se lamente : «Oh, quelle pitié que le plus grand roi de la terre fût mesuré à l'aune de Versailles. Et toutefois, il y a lieu de craindre ce malheur [3].» Car tout l'intérêt du monarque se concentre sur Versailles. Le projet de façade orientale du Louvre présenté par le Bernin reste dans les cartons et la froide colonnade de Perrault, qui a été préférée, ne s'élève que très lentement, faute d'argent.

La ferveur initiale des Parisiens pour le roi au début de son règne personnel, en 1660, est rapidement refroidie par l'affaire Foucquet. La partialité évidente du pouvoir, le désir patent de Colbert d'accabler

---

1. G. Patin, *Lettres*, III, p. 254, cité par G. Dethan, *Nouvelle Histoire de Paris. Paris au temps de Louis XIV (1660-1715)*, p. 17.
2. Cité par G. Dethan, *op. cit.*, p. 27.
3. *Ibid.*, p. 27.

l'ancien surintendant des Finances, finissent par susciter la sympathie de l'opinion publique pour un accusé devenu victime. Soucieux d'assurer au procès de Foucquet des formes juridiques irréprochables, Guillaume de Lamoignon, premier président du parlement de Paris, prolonge l'instruction durant plus de deux ans. Le rapporteur officiel, Olivier d'Ormesson, exaspéré par les pressions de Colbert, rendu perplexe par l'absence de preuves évidentes, manifeste de la sympathie pour l'accusé et conclut au bannissement en décembre 1664, suivi par la majorité des membres de la chambre de justice. Lorsque le roi commue cette peine en prison perpétuelle, l'opinion hésite à lui imputer cette sévérité excessive. Mme de Sévigné écrit à sa fille : « De telles vengeances rudes et basses ne sauraient partir d'un cœur comme celui de notre maître. On se sert de son nom et on le profane [1]. » Mais elle avoue son trouble, une semaine plus tard, dans une autre lettre : « Toutes les fois qu'à nos ballets, je regarde notre maître, ces vers du Tasse me reviennent à la tête : *In rigida sembienza, porge piu di timor che di speranza* ("son aspect sévère inspire plus de crainte que d'espérance") [2]. »

Les premières persécutions contre les jansénistes de Port-Royal, la volonté marquée du roi de briser toute velléité de résistance du Parlement, accroissent le malaise de la bourgeoisie et de la noblesse parisiennes, qui sont et font l'opinion publique. Nicolas de La Reynie, pour qui est créée le 15 mars 1667 la charge de lieutenant de police, a notamment dans ses attributions d'empêcher l'expression du moindre mécontentement : tout auteur ou propagateur de feuille de nouvelles ou gazette est passible du fouet, du bannissement, voire des galères. Cette sourde hostilité, mais surtout l'ennui qui le saisit à chacun de ses séjours à Paris, décident Louis XIV à abandonner la ville pour la nouvelle résidence de Versailles. Le 10 février 1671, il quitte définitivement les Tuileries pour Versailles. Durant les quarante-quatre années qui lui restent à régner, il ne viendra que vingt-quatre fois à Paris, pour quelques heures, à l'occasion de cérémonies officielles.

PARIS CONTRE VERSAILLES (1671-1789)

Deux sociétés se forment rapidement. Les grandes familles du royaume et les courtisans, frivoles papillons, ne jurent que par Versailles, telle la duchesse de Soubise « qui ne comprend pas qu'on puisse vivre ailleurs qu'à la Cour [3] », note Mme de Sévigné qui, pour sa part, refuse de devenir « le singe de la Cour ». Cependant, ainsi que l'écrit l'historien américain Orest Ranum, « aussi longtemps que Colbert vécut, le schisme entre la

---

1. Mme de Sévigné, lettre du 20 décembre 1664, citée par G. Dethan, *op. cit.*, p. 43.
2. *Id.*, lettre du 30 décembre 1664, citée par G. Dethan, *op. cit.*, p. 43.
3. *Id.*, lettre du 19 janvier 1680, citée par G. Dethan, *op. cit.*, p. 69.

capitale et la Cour n'apparut pas en plein jour. Colbert faisait souvent la navette entre Versailles et Paris, ce en quoi ses successeurs se gardèrent de l'imiter. Il maintenait ainsi des relations avec les magistrats, les marchands et les financiers de la capitale, dont il voulait toujours faire une cité modèle [1].» Après sa disparition, en 1683, l'absence du roi est ressentie par les Parisiens avec une amertume de plus en plus forte.

Pourtant l'empreinte royale n'est pas négligeable. Selon les calculs de Louis Hautecœur [2], Louis XIV aurait dépensé plus de 200 millions pour ses bâtiments, dont le dixième consacré à Paris : 10 millions pour le Louvre et les Tuileries, 3,5 pour les manufactures des Gobelins et de la Savonnerie, 2 pour la place Vendôme, un peu plus pour les Invalides. Colbert a inspiré les lettres patentes du 26 août 1672 qui donnent à la ville de nouvelles limites et une extension telle qu'il faudra attendre le règne de Louis XVI et l'enceinte de 1786, dite des «Fermiers généraux», pour que Paris remplisse l'espace qui lui avait été octroyé plus d'un siècle auparavant. Sous le règne du Roi-Soleil naît et se développe le faubourg Saint-Germain qui s'étend jusqu'aux Invalides.

La volonté de Louis XIV de dominer l'Europe est battue en brèche à partir de 1688 par le nouveau roi d'Angleterre, le protestant Guillaume d'Orange, qui a évincé le catholique Jacques II et organisé la ligue d'Augsbourg, coalition de tout le continent contre la France. Pour faire face, le gouvernement doit alourdir une fiscalité déjà écrasante. Appauvri, le royaume subit à partir de 1692-1693 une série de calamités naturelles. Les mauvaises récoltes sont accaparées par les spéculateurs qui provoquent le quintuplement des prix des grains et du pain. Car, ainsi que le note l'historien Pierre Goubert, «les prix demeurent l'essentiel. Disette et famine, ces mots trompeurs, signifient simplement "cherté" : il y avait de la farine et du pain pour tous, mais tous ne pouvaient pas l'acheter. La famine est strictement une calamité sociale ; seules les épidémies qui la suivent franchissent souvent les barrières de classe, bien que les riches fuient les centres de contamination pour se réfugier aux champs [3].»

Des voix osent s'élever pour signaler au souverain la misère de son peuple, notamment Vauban, Boisguilbert et Fénelon, qui écrit au roi, sans doute en 1695 : «Vos peuples, Sire, que vous devriez aimer comme vos enfants, et qui ont été jusqu'ici si passionnés pour vous, meurent de faim. La culture des terres est presque abandonnée ; les villes et les campagnes se dépeuplent ; tous les métiers languissent et ne nourrissent plus les ouvriers ; tout commerce est anéanti... Vous avez détruit la moitié des forces réelles du dedans de votre État pour faire et pour défendre de vaines conquêtes au-dehors [4].»

1. O. Ranum, *Les Parisiens du XVIIe siècle*, p. 312.
2. L. Hautecœur, *Histoire de l'architecture classique en France*, p. 421.
3. P. Goubert, *Louis XIV et vingt millions de Français*, p. 167.
4. Cité par P. Goubert, *op. cit.*, p. 169.

La Reynie tente d'éviter des émeutes en faisant construire en octobre 1693 une trentaine de grands fours dans la cour du Louvre pour y cuire chaque jour cent mille rations de pain vendu 2 sous la livre. La distribution débute le 20 octobre. La vente se fait de huit heures du matin à quatre heures de l'après-midi en cinq endroits : au Louvre, place des Tuileries, à la Bastille, au Luxembourg, rue d'Enfer. On se bat, on s'écrase pour acheter ce pain vendu à perte. Le 28, la femme d'un jaugeur de vins «ayant esté par curiosité, avec son mari et son fils, voir la distribution de pain», est piétinée et meurt étouffée tandis que son mari et son fils sont blessés. A la mi-novembre, le système est modifié : les curés reçoivent 120 000 livres par mois et sont chargés de répartir cet argent ou d'organiser des distributions de pain, de potage et de viande à partir de rôles des pauvres soigneusement dressés pour éviter les fraudes.

Le mémorialiste Robert Challes note que, durant l'hiver 1693-1694, «on voyait tous les jours quatorze à quinze cents personnes, de tout sexe et de tout âge, mourir à l'Hôtel-Dieu et d'autres, faute de lits, périr sur des tas de boue en pleine rue [1].» A la fin de mars 1694, la marquise de Sévigné écrit : «Il n'y a plus moyen de vivre au milieu de l'air et de la misère qui est ici [2].» A la mi-mai, elle se décide à abandonner sa ville tant chérie, «un lieu où tout le monde va mourir, si la sécheresse continue encore huit jours [3]». Durant les quatre dernières années de sa correspondance, la marquise ne mentionne plus une seule fois le nom du roi dont elle semble s'être détournée.

De son côté, le vieux monarque manifeste une hostilité réelle à Paris. Lorsque la duchesse de Berry, enceinte, doit s'arrêter chez son père, le duc d'Orléans, au Palais-Royal, et que son mari, petit-fils du roi, est autorisé à se rendre auprès d'elle, «le roi lui défendit avec colère de sortir du Palais-Royal pour aller nulle part [4]», remarque Saint-Simon.

La paix de Ryswick, en 1697, ramène les étrangers à Paris. L'un d'eux, le médecin anglais Lister, signale la misère omniprésente : «En voiture, à pied, dans une boutique, vous ne pouvez venir à bout de rien grâce au nombre et à l'importunité des mendiants. C'est lamentable d'entendre le récit de leurs misères et, si vous donnez à l'un d'eux, immédiatement tout l'essaim fondra sur vous… Bien contre leur gré, ils encensent tous les riches et, pour un morceau de pain, vous feront des saints de tout l'univers [5].»

La reprise de la guerre en 1701, à cause de la Succession d'Espagne, coïncide avec le début d'une série de huit années de bonnes récoltes. Mais la stabilité des prix agricoles ne saurait faire oublier l'énorme effort

1. R. Challes, *Mémoires*, p. 168.
2. Mme de Sévigné, lettre du 31 mars 1694, citée par G. Dethan, *op. cit.*, p. 118.
3. *Id.*, lettre du 10 mai 1694, citée par G. Dethan, *op. cit.*, p. 118.
4. Saint-Simon, *Mémoires*, éd. Y. Coirault, IV, p. 305.
5. M. Lister, *Voyage à Paris en 1698*, p. 134.

de guerre et la pression fiscale insupportable. Malgré le pain à bon marché, la misère semble se généraliser : l'argent fait défaut, le commerce et l'industrie sont paralysés.

La catastrophe a lieu en 1709, avec le « grand hiver ». Trop pluvieux, l'été 1708 n'a produit que de très médiocres récoltes. Alors que les autorités viennent de décider de faire venir des grains de l'étranger, une vague de froid paralyse les transports : le soir du 5 janvier 1709, un vent glacial fait chuter la température à moins vingt degrés à Paris. La Seine gèle profondément jusqu'à sa brusque débâcle, le 26, puis est à nouveau prise jusqu'à la mi-mars. La première cargaison de blé ne peut être débarquée dans la capitale que le 5 avril. La prolongation de phases de gel jusqu'à la mi-mai anéantit tout espoir de récolte de blé.

Le 6 août, une déclaration royale autorise la création de chantiers de terrassement pour employer les pauvres sans travail. Le premier est prévu à proximité de la porte Saint-Martin. Lorsqu'il s'ouvre, le 20 août à l'aube, six mille personnes se présentent dès quatre heures du matin. Les autorités en attendaient trois fois moins, en raison de la modicité du salaire proposé : 1,5 livre de pain par jour et 2 sous par tête. Les outils manquent ainsi que le pain promis. La déception puis la colère de la foule se traduisent par une émeute qui dure de sept heures à midi. La troupe doit faire usage de ses armes pour défendre le domicile du lieutenant de police. Quinze mille personnes armées de bâtons marchent sur les Halles lorsque le maréchal de Boufflers et son beau-père, le duc de Gramont, « accoururent pour apaiser le tumulte et, se mêlant à la canaille, empêchèrent les plus grands désordres, insinuant aux insurgés de s'en retourner dans leurs maisons et leur promettant qu'ils parleraient au roi, afin que fussent prises des mesures efficaces pour assurer leur subsistance ». Mocenigo, ambassadeur de Venise, qui relate cet acte de bravoure, ajoute : « Si, dans ce peuple de mécontents, se fût trouvé un seul des seigneurs irrités contre le présent gouvernement et qu'il se fût fait chef de la sédition, il se serait élevé une rébellion funeste [1]. »

Mousquetaires et autres gens d'armes occupent ensuite les rues de la ville et gardent les principaux points du centre jusqu'à ce que l'arrivée d'une abondante récolte d'orge et d'avoine permette d'atténuer la détresse des pauvres. Mais l'ambassadeur de Venise constate encore, le 6 septembre : « la misère augmente de telle sorte que des pauvres tombent dans les rues et meurent de faim [2] ». Et le 30 novembre, un correspondant écrit à un ami provincial : « Paris n'est plus qu'un théâtre d'horreur... Les pauvres nous assiègent de toutes parts, ils troublent le repos de la nuit par des cris et des sanglots qu'ils n'interrompent souvent le jour que pour expirer [3]. »

---

1. Lettre d'A. Mocenigo au Sénat de Venise, citée par G. Dethan, *op. cit.*, p. 160-161.
2. Cité par G. Dethan, *op. cit.*, p. 164.
3. *Ibid.*

Cette année terrible est aussi marquée par un réel ébranlement de l'autorité et du prestige du monarque. Saint-Simon note que ce qui a le plus irrité le roi en 1709, ce « fut l'inondation des placards les plus hardis et les plus sans mesure contre sa personne, sa conduite et son gouvernement, qui, longtemps durant, furent trouvés affichés aux portes de Paris, aux églises, aux places publiques, surtout à ses statues qui furent insultées de nuit en diverses façons dont les marques se trouvaient les matins et les inscriptions arrachées[1]. »

Ce même Saint-Simon reconnaît qu'à la mort du souverain, rongé par la gangrène sénile, le 1er septembre 1715, « le peuple ruiné, accablé, désespéré, rendit grâces à Dieu[2] ».

• L'éphémère retour de la Cour à Paris (1715-1722)

Au lendemain de la mort du roi, Philippe d'Orléans s'étant engagé à restituer au Parlement son droit de remontrances, les parlementaires cassent le testament de Louis XIV et investissent le duc d'Orléans de la régence. Le 12, Louis XV, enfant de cinq ans, vient à Paris présider le lit de justice validant les pouvoirs du Régent. Cette cérémonie est vécue par les contemporains comme des retrouvailles entre la royauté et les Parisiens. Suivant l'avis des médecins du jeune roi, le Régent attend le 30 décembre pour ramener solennellement Louis XV à Paris et l'installer aux Tuileries hâtivement réaménagées.

On a vu dans ce retour de la monarchie à Paris une revanche du Régent sur Louis XIV, une remise en cause de la politique du roi défunt. Mais, comme l'historien Jean Chagniot le déduit des *Mémoires* de Saint-Simon, « la concentration des services à Paris découle très normalement du coup d'État du 2 septembre 1715 au Parlement. Du moment qu'on a restitué le droit de remontrances aux cours souveraines, il faut être à même de contrecarrer instantanément leurs entreprises. C'est aux Tuileries, grâce au lit de justice du 26 août 1718, que le duc d'Orléans parviendra à triompher de toutes les oppositions, en neutralisant à la fois les magistrats parisiens, les princes légitimés et la faction espagnole. La réunion des conseils et de tous les bureaux dans la capitale présente en outre de grands avantages d'un point de vue pratique ; elle permet d'accélérer le travail administratif, à condition toutefois que la noblesse et les gens de plume qui collaborent dans les nouveaux conseils résistent aux tentations de la vie mondaine[3]. »

Il est également vrai que Philippe d'Orléans se donne et donne à Paris une revanche sur Versailles. Il dénonce les abus du règne précédent et

---

1. Saint-Simon, *op. cit.*, III, p. 477.
2. *Ibid.*, V, p. 618.
3. J. Chagniot, *Nouvelle Histoire de Paris. Paris au XVIIIe siècle*, p. 11-12.

ouvre largement les prisons. Les jansénistes retrouvent la liberté, sous les acclamations des parlementaires, du clergé parisien et de l'archevêque, le cardinal de Noailles. On libère aussi en grand nombre les gens du peuple incarcérés sans jugement sous prétexte d'agiotage ou d'infraction à la législation du commerce. En revanche, sont condamnés les policiers prévaricateurs et maîtres chanteurs, les entrepreneurs indélicats de fournitures militaires, etc. L'opinion publique se réjouit de voir tourner la roue de la Fortune et applaudit notamment au discrédit des financiers du gouvernement précédent.

Autre revanche du Régent et des Parisiens, cette fois sur l'hypocrite moralité de la Maintenon et du monarque sénile : la vie et ses plaisirs reprennent leurs droits. Mme de Maintenon avait fait chasser en 1697 les comédiens italiens pour avoir joué *La Fausse Prude*, en qui elle avait cru se reconnaître. Le Régent les rappelle et les accueille dans sa salle du Palais-Royal où ils donnent, le 18 mai 1716, leur première représentation. Il les installe ensuite au Théâtre-Italien de l'hôtel de Bourgogne, inauguré en sa présence le 1er juin suivant. Depuis novembre 1715, trois fois par semaine, dans la salle d'opéra du Palais-Royal, Philippe d'Orléans fait donner un bal. Le port obligatoire d'un masque favorise la confusion et la licence qui règnent sans problème, car les indésirables sont écartés par un droit d'entrée fort élevé de 4 livres. La fête galante peinte par Watteau est à l'honneur.

L'argent abondant, la forte activité économique contribuent à la popularité de la Régence, pourtant éclaboussée par le scandale de la banqueroute de Law. Le financier écossais John Law a fondé, le 2 mai 1716, une banque privée, la banque générale de dépôt, de change et d'escompte, société par actions au capital de 6 millions de livres, bientôt autorisée à émettre des billets ayant cours public. En août 1717, Law crée la Compagnie de l'Occident, dite le «Mississippi», société anonyme par actions destinée à la mise en valeur de la Louisiane. Le 4 décembre 1718, la banque de Law devient banque royale. Le «Système» de Law atteint son apogée entre avril et juillet 1719, quand son entreprise se transforme en Compagnie des Indes et obtient le monopole du commerce maritime et finalement la ferme générale des impôts. Le 5 janvier 1720, alors que ses actions commencent à baisser, Law est nommé contrôleur général des Finances. Le 24 mars, sa banque de la rue Quincampoix est incapable de rembourser les souscripteurs qui se présentent en grand nombre. C'est le début d'une chute très rapide : on s'écrase, on se bat pour échanger les billets contre du métal, certaines journées de juillet dégénèrent en émeutes. Le 10 octobre, c'est la fin : le Conseil du roi retire tout usage monétaire aux billets de Law, qui fuit le 12 décembre et se réfugie, ruiné, à Bruxelles. Le scandale ne ternit pas trop l'image de la Régence : le commerce parisien a largement bénéficié d'un afflux de capitaux de spéculateurs étrangers et l'inflation a permis aux personnes endettées de se libérer aisément.

Plus sérieuse est l'agitation autour des enlèvements d'enfants durant cette même année 1720. Déjà en 1663, 1675, 1701, avaient eu lieu des mouvements populaires provoqués par la rumeur que des enfants étaient enlevés pour peupler les territoires d'Amérique. En 1720, alors qu'il n'est question que de la colonisation de la Louisiane, il n'est pas étonnant que de tels bruits aient un nouveau crédit : « Il semble que l'on veuille faire sortir tous les Français de leur pays pour aller là [1] », écrit Mathieu Marais dans son journal. Or, cette rumeur n'est pas entièrement dépourvue de fondement : l'ordonnance royale du 10 mars 1720 prescrit d'arrêter les vagabonds dans la capitale et d'envoyer aux colonies ceux qui sont jeunes et en bonne santé. Une autre ordonnance, du 28 mars, menace de déportation aux colonies les gens sans aveu, artisans et domestiques qui continueraient de « s'assembler dans la rue Quincampoix pour négocier du papier ».

Dans son journal, Jean Buvat note que les archers du guet arrêtent non seulement les vagabonds mais aussi des enfants, « afin de profiter d'une pistole par personne que la Compagnie des Indes leur avait promise, outre les 20 sols par jour qu'ils avaient de gages [2] ». Le 27 avril, un convoi de six cents jeunes gens des deux sexes quitte Paris à destination de Rouen puis de La Rochelle, où ils doivent être embarqués pour le Mississippi. Jean Buvat écrit : « Les garçons marchaient à pied, enchaînés deux à deux, et les filles étaient dans des charrettes. Cette troupe était suivie de huit carrosses remplis de jeunes gens bien vêtus dont quelques-uns étaient galonnés d'or et d'argent. Et tous étaient escortés par une trentaine d'archers bien armés [3]. » Cette description fait penser au roman de l'abbé Prévost, paru en 1731, *Histoire du chevalier Des Grieux et de Manon Lescaut.*

Ému par ce spectacle, le peuple de Paris s'en prend aux exempts de la police et aux archers du guet au cours d'une sanglante émeute, les lundi 29 et mardi 30 avril : il y eut entre huit et dix archers tués et de nombreux autres blessés, surtout rue Saint-Antoine et sur le pont Notre-Dame. Greffier au parlement de Paris, De Lisle a laissé un récit détaillé de cette émeute, qu'il approuve, écrivant que le peuple « était acharné contre ces gens-là et avec raison, puisque c'était lui ôter la liberté publique de ne pouvoir sortir de chez soi sans être arrêté pour aller à Mississippi [4] ».

Le 3 mai, une nouvelle ordonnance modifie celle du 10 mars et rassure la population, car elle stipule que les archers préposés aux arrestations devront marcher « en brigade, revêtus de leurs habits uniformes et avec

---

1. M. Marais, *Journal et mémoires*, I, p. 332.
2. J. Buvat, *Journal de la Régence*, II, p. 78.
3. *Ibid.*, p. 40.
4. Cité par A. Farge et J. Revel, *Logiques de la foule. L'affaire de l'enlèvement des enfants, Paris, 1750*, p. 39.

leurs bandoulières, chaque brigade commandée par un exempt pour prévenir les abus et tenir la main à ce qu'aucun particulier ne soit arrêté que dans les cas portés par l'ordonnance ».

Lorsque le roi repart pour Versailles en juin 1722, ce n'est donc pas sous la pression des événements. L'obsession d'une nouvelle Fronde s'est évanouie, la crainte d'émeutes populaires ou de complots de la haute aristocratie n'est pas davantage justifiée, mais demeure toujours le souci de contrôler la noblesse en l'attirant à Versailles et le désir évoqué par Saint-Simon de rendre le monarque « plus vénérable en se dérobant aux yeux de la multitude [1] ».

• La montée des oppositions (1722-1774)

Le lointain et futile roi de Versailles, longtemps encore épargné par l'opposition, car il abandonne le soin et l'impopularité du gouvernement à ses ministres, va pourtant devoir peu à peu affronter une conjonction de forces hostiles, religieuses, politiques, intellectuelles et, finalement, populaires.

La question religieuse n'est évoquée ici que très superficiellement, car elle est traitée dans le chapitre consacré à la religion. Il s'agit surtout de l'opposition janséniste qui dispose du soutien d'une grande partie des curés parisiens, de la bourgeoisie et des membres du Parlement. Elle bénéficie des prétendus miracles accomplis sur la tombe d'un de ses zélateurs, le diacre Pâris, au cimetière Saint-Médard. Les scènes d'hystérie collective se succèdent de mai 1727 à la fermeture du cimetière par la police, le 29 janvier 1732. Une main subversive accroche alors à l'entrée ce placard :

De par le roi défense à Dieu
de faire miracle en ce lieu [2].

Les réunions de « convulsionnaires » se poursuivent en secret durant des années et le nombre des arrestations entre 1732 et 1760 est estimé à deux cent cinquante.

Au conflit janséniste s'ajoute la lutte du Parlement pour sauvegarder les traditions gallicanes contre les empiètements de Rome. Le 24 mars 1730, le Parlement a été contraint d'enregistrer la bulle *Unigenitus* comme loi de l'Église et de l'État, mais il continue à s'opposer par tous les moyens à l'ultramontanisme. Une foule de brochures circule parmi les Parisiens, leur dépeignant l'archevêque, les jésuites et la Sorbonne comme des suppôts de Satan complotant contre le royaume. Le mémorialiste Barbier note en 1752 que « la plus grande partie de Paris, le peuple, le bourgeois, et même dans ce qui est au-dessus, est janséniste [3] ».

---

1. Cité par J. Chagniot, *op. cit.*, p. 18.
2. *Ibid.*, p. 460.
3. E. Barbier, *Chronique de la Régence et du règne de Louis XV*, V, p. 226.

C'est d'ailleurs à la fin de cette année, le 15 décembre, que se produit un incident qui met en évidence cette tension : le curé et les vicaires de Saint-Médard sont contraints à la fuite par l'attitude menaçante de leurs paroissiens, outrés qu'ils aient osé refuser les derniers sacrements à une religieuse janséniste de la communauté des Filles de Sainte-Agathe. Le Parlement ordonne en vain leur arrestation, tandis qu'à l'opposé l'archevêque fait fermer le couvent et l'école des Filles de Sainte-Agathe, foyers de jansénisme. Le 1er janvier 1753, ce sont les pères de la Merci que l'archevêque interdit, pour cause de jansénisme. En mai, pour avoir exprimé de « grandes remontrances », le Parlement est exilé à Pontoise. Le pouvoir doit se résigner à le rappeler en octobre pour permettre l'enregistrement d'édits fiscaux.

L'opposition parlementaire n'a pas que des bases religieuses. Les cours souveraines revendiquent une place plus importante dans la discussion des affaires publiques. Leurs réticences et leurs critiques s'exercent notamment à propos de la fiscalité, des impôts nouveaux, de la mauvaise gestion des deniers de l'État. Le conflit s'aggrave en 1756, alors que le gouvernement vient de s'engager dans une difficile guerre contre l'Angleterre, dite plus tard de Sept Ans, car elle se termine en 1763 par la perte du Canada et de l'Inde. Bernis note dans ses *Mémoires* : « Toute l'année 1756 fut marquée par des actes qui trahissaient le mécontentement des Parlements et le murmure des peuples ; mais, à Paris surtout, le gouvernement était critiqué dans la société avec une indécence et une hardiesse de propos que le silence de la Cour semblait autoriser[1]. » Louis XV se décide à un coup de force. Le lit de justice du 13 décembre 1756 supprime deux des cinq Chambres des enquêtes. De nombreux conseillers des Enquêtes, des Requêtes et de la Grand-Chambre démissionnent en signe de protestation. La bourgeoisie et le peuple de Paris marquent leur soutien aux parlementaires. Les avocats notamment cessent leurs activités. Le 16 décembre, note d'Argenson, « l'un d'eux ayant paru hier au palais, avec sa robe, le peuple cria *Bas la robe* et il fallut la dépouiller sur-le-champ[2]. »

Un laquais sans emploi, Robert François Damiens, ancien serviteur de plusieurs conseillers au Parlement, exalté par les propos tenus autour de lui, se rend à Versailles et y frappe le roi d'un coup de couteau, le 5 janvier 1757. Après avoir suivi de près le procès, Barbier note dans son journal : « Il demeurera prouvé que Damiens était encore plus parlementaire que janséniste, mais surtout grand ennemi du clergé en général et principalement de M. l'archevêque et qu'il a cru faire un acte méritoire, non seulement pour la religion mais pour le bien public et pour l'État[3]. »

---

1. Cardinal de Bernis, *Mémoires*, éd. F. Masson, I, p. 327-328.
2. Marquis d'Argenson, *Journal et mémoires*, éd. E.J.B. Rathery, IX, p. 363-364.
3. E. Barbier, *op. cit.*, VI, p. 534.

Malgré l'émotion suscitée par cet acte régicide, le bras de fer se poursuit entre le roi et le Parlement jusqu'à l'élaboration d'une solution de compromis en septembre. Raffermi par ce demi-succès, le Parlement persévère dans ses tentatives de limitation du pouvoir absolu du monarque versaillais. D'un pouvoir affaibli par la défaite militaire puis contraint à une paix humiliante voire déshonorante, les parlementaires obtiennent en 1762-1763 l'expulsion des jésuites. Mais le gouvernement ne peut céder dans le domaine financier, car la dette colossale de l'État exige une fiscalité dévorante : triplement de l'impôt sur le revenu, le vingtième, augmentations incessantes des fermes ou impôts indirects. Pourtant hostile aux prétentions du Parlement, Barbier écrit en mars 1760 : « Le Parlement a raison de profiter des circonstances pour étendre son autorité, d'autant plus que les peuples accablés d'impôts et prévenus par les bruits et les plaintes sur l'administration comptent trouver quelque adoucissement par le moyen de la résistance du Parlement[1]. » Réclamant l'élaboration d'un budget régulier, la réforme de la gestion des finances publiques et des économies substantielles, le Parlement s'attire la riposte du pouvoir : le 3 mars 1766, Louis XV tient un lit de justice durant lequel il s'en prend violemment aux parlementaires, les fustigeant en paroles, d'où le nom de « séance de la flagellation » qui lui a été donné.

Mais la contestation ne cesse pas pour autant et, le 19 janvier 1771, le chancelier Maupeou fait un coup de force, exilant les magistrats du parlement de Paris et confisquant leurs charges. Il les remplace par les conseillers d'État et maîtres des requêtes du Conseil privé du roi. Un édit de février 1771 divise l'immense ressort du Parlement au profit de six conseils supérieurs établis à Arras, Blois, Châlons-sur-Marne, Clermont-Ferrand, Lyon et Poitiers. Entouré d'un imposant déploiement de forces, le nouveau Parlement est installé le 13 avril. Un seul membre de l'ancien Parlement, Omer Joly de Fleury, a accepté d'en faire partie, renié par toute sa famille. Médiocres pour la plupart, ces nouveaux magistrats font mauvaise impression. L'abbé de Véri déplore la hâte et la négligence avec laquelle ils ont été choisis : « Il inséra dans son nouveau tribunal de Paris une masse de gens méprisés par leur mauvaise réputation et par la bassesse de leur genre de vie précédent ou par la nullité de leurs talents[2]. » Maupeou lui-même avoue que la plupart des nouveaux parlementaires, « étrangers à l'esprit de corps, n'avaient pas encore su se donner ce caractère de dignité, cet air de grandeur qui se compose de la réputation ancienne du corps et de la réputation individuelle des membres[3] ». Pourtant partisan résolu des réformes du chancelier Maupeou,

---

1. E. Barbier, *op. cit.*, VII, p. 237.
2. Abbé de Véri, *Journal*, éd. J. de Witte, I, p. 73.
3. R.C. de Maupeou, cité par J. Flammermont, *Le Chancelier Maupeou et les parlements*, p. 633.

l'abbé de Véri exprime l'irritation de l'opinion publique : « Si le Français avait vu pour 15 ou 20 millions de retranchements par an, soit dans les dépenses superflues de la Maison du roi, soit dans d'autres départements, si le Français avait reconnu de la décence et de l'économie dans le gouvernement et des principes de justice dans les duretés nécessaires de la finance, il n'aurait pu faire aucun reproche à ceux qui en étaient les auteurs. Mais, d'une part, on retranchait aux créanciers de l'État une portion des intérêts qui leur étaient dus ; on réduisait les pensions alimentaires sans aucune distinction ; on surchargeait les terres de nouvelles taxes ; on augmentait les droits sur les consommations et le tout avec des traits continuels de mauvaise foi, de paroles manquées, de dépôts vidés, de concussions arbitraires dans l'extension des levées et, l'on peut dire le mot, de vol réel. D'autre part, la multitude des officiers de la Maison du roi, les fantaisies de pure légèreté, les courses, les bâtiments, les fêtes de la Cour, les prodigalités publiques de la maîtresse et de ses alentours, les appointements prodigieux des ministres et de leurs bureaux, les dons dirigés par la seule faveur frappaient tous les esprits qui se trouvaient assujettis à des duretés considérables [1]. »

Car l'opinion publique s'exprime de plus en plus ouvertement. Pourtant le pouvoir s'efforce d'empêcher l'expression de toute opposition. Le premier quotidien, sous l'étroite tutelle du gouvernement, le *Journal de Paris*, naît seulement le 1er janvier 1777, avec trois quarts de siècle de retard sur Londres. Quant à la *Gazette*, un mouchard de la police note dans son rapport du 3 novembre 1733, à propos d'un article sur la guerre de Pologne : « Ceux qui ont lu la *Gazette de France* disent qu'elle ne dit pas un mot de vérité [2]. » Pour mieux surveiller les imprimeurs, une déclaration royale du 10 mars 1728 a interdit l'emploi des presses à rouleaux, trop peu bruyantes et trop faciles à transporter à l'insu de la police. Cependant circulent de nombreux bulletins imprimés et surtout manuscrits, recopiés par des nuées de secrétaires dans des officines plus ou moins tolérées. Ces « gazetins » ou « nouvelles à la main » ont un énorme succès et la police préfère contrôler ces feuilles qu'en empêcher la vente.

Les défaites militaires, que le pouvoir souhaite dissimuler, entraînent une répression intense à partir de 1742, puis l'interdiction définitive des gazettes manuscrites par le Parlement, le 18 mai 1745. Mais les informateurs continuent leurs activités sous le manteau, malgré la traque des argousins et des mouchards, et le Parisien peut se maintenir au courant des dernières nouvelles grâce aux feuilles clandestines ou aux gazettes étrangères, de Cologne, de Leyde ou d'Utrecht. S'y ajoutent les publications des philosophes, les *Mémoires secrets* de Bachaumont, la

1. Abbé de Véri, *op. cit.*, I, p. 70.
2. Cité par J. Chagniot, *op. cit.*, p. 52.

Correspondance littéraire de Grimm, la *Correspondance secrète* de Mettra et cent autres écrits hostiles au gouvernement. Limonadiers, cafetiers, jardins du Temple, du Palais-Royal, des Tuileries ou du Luxembourg sont les lieux de rencontre des nouvellistes. Chansons, épigrammes, placards se multiplient malgré les sanctions féroces contre les coupables lorsqu'ils sont pris. Ancien directeur de la Librairie, chargé à ce titre de la censure, Malesherbes exalte pourtant la dignité et le droit à la critique des gens de lettres : « Il s'est élevé un tribunal indépendant de toutes les puissances, et que toutes les puissances respectent, qui apprécie tous les talents, qui prononce sur tous les genres de mérite ; et, dans un siècle éclairé, dans un siècle où chaque citoyen peut parler à la nation entière par la voie de l'impression, ceux qui ont le talent d'instruire les hommes et le don de les émouvoir, les gens de lettres, en un mot, sont au milieu du peuple dispersé ce qu'étaient les orateurs de Rome et d'Athènes au milieu du peuple assemblé [1]. »

Toutes ces oppositions ne représentent pas une force suffisante pour ébranler le régime. L'appui populaire leur est indispensable. Or, les Parisiens s'agitent de plus en plus : on a recensé soixante-treize émeutes entre 1711 et 1766. Plus de la moitié se situent entre 1747 et 1751 et la plus grave a pour cause à nouveau la rumeur d'enlèvements d'enfants. La disette de 1747-1748 a poussé vers Paris des milliers d'affamés, de mendiants, de désœuvrés. Ces marginaux sont pourchassés par la police qui les interne et les envoie parfois en Amérique. Mais les façons brutales des exempts dressent les Parisiens contre leur police. De décembre 1749 à avril 1750, une quinzaine d'« émotions violentes » secouent la capitale. Progressivement se développe la rumeur d'enlèvements d'enfants. Barbier note dans son journal, le 16 mai 1750 : « Depuis huit jours, on dit que des exempts de la police déguisés rôdent dans différents quartiers de Paris et enlèvent les enfants, filles et garçons, depuis cinq ou six ans jusqu'à dix ans et plus, et les mettent dans des carrosses de fiacres qu'ils ont tout prêts. Ce sont des petits enfants d'artisans et autres qu'on laisse aller dans le voisinage, qu'on envoie à l'église ou chercher quelque chose. Comme ces exempts sont en habits bourgeois et qu'ils tournent dans différents quartiers, cela n'a fait d'abord grand bruit [2]. »

Le 22 mai, six affrontements ont lieu dans six quartiers différents. Exaspérés, les Parisiens n'osent plus laisser les enfants sortir des maisons. Le samedi 23 mai, surpris alors qu'il tentait d'enlever un enfant sur le pont Marie, l'exempt Labbé est traqué et mis à mort par la foule malgré l'intervention du guet. L'enquête ordonnée par le pouvoir confirme les abus de pouvoir des exempts de la police, alléchés par les

---

1. J. Chagniot, *op. cit.*, p. 428.
2. E. Barbier, *op. cit.*, IV, p. 422.

primes offertes par le lieutenant général de police, Berryer, créature de la Pompadour, pour la capture de vagabonds présumés. On a ainsi la déposition d'un enfant de onze ans. Le 16 mai au matin, il a été interpellé « par un particulier qui était un exempt et qui lui a dit : viens avec nous en carrosse, nous te donnerons quelque chose, et on l'a mis dans le carrosse où il y avait huit autres enfants dont deux petites filles de cinq à huit ans [1] ».

Ces émeutes témoignent d'un divorce grandissant entre la population et sa police. Mais elles ne sont pas les seules et les troubles en liaison avec la disette ne doivent pas être négligés. Ils sont fréquents avec des paroxysmes en juillet-août 1725, en septembre 1740, en 1768-1769. Des placards attestent l'exaspération des pauvres. On lit sur l'un d'eux, le 21 septembre 1725 : « Ne vaut-il pas mieux mourir par le fer ou le feu que par la faim comme des lâches [2] ? » En novembre 1768, dans une église, au-dessus d'un bénitier, on peut lire : « Priez Dieu pour le roi qui est sourd, aveugle et muet. » A la fin de cette année, un autre placard affirme qu'on « n'a point de roi, car le roi est marchand de blé », et invite à suivre l'exemple du régicide Damiens.

• Louis XVI, le crépuscule de la monarchie absolue (1774-1789)

A la mort de Louis XV, comme le note l'historien Jean Chagniot, « l'ordre public ne paraissait pas devoir être troublé, du moment que l'État garantissait aux Parisiens leur sécurité et leurs moyens d'existence. L'essentiel était donc de veiller au ravitaillement en pain, de payer régulièrement les rentes à l'Hôtel de Ville, de refouler ou d'interner les vagabonds, de désarmer la population et d'éclairer les rues la nuit [3]. » Seul le marquis d'Argenson, ancien lieutenant de police, fait en 1751 la remarque que s'il se produisait des émeutes, tenteraient d'en profiter « le clergé et peut-être deux de nos princes du sang qui sont le plus de mise aujourd'hui, le prince de Conti et le duc de Chartres [4] ». Le prince de Conti, mort en 1776, et le clergé, divisé et surveillé de près, peuvent être éliminés, mais Chartres, devenu duc d'Orléans, et le Parlement ne sauraient être négligés.

A son avènement, Louis XVI jouit d'un large capital de sympathie. Il vient avec Marie-Antoinette à Longchamp et à Chaillot, le 22 mai 1774, et l'abbé Baudeau s'extasie de voir une vieille femme pleurer de joie en apercevant le jeune souverain : « Nous avons un bon roi à présent [5] », s'écrie-t-elle. La mode est alors aux bons sentiments et le roi, soucieux de s'attirer les grâces de l'opinion publique, juge opportun d'inaugurer

---

1. Cité par A. Farge et J. Revel, *op. cit.*, p. 94.
2. Cité par J. Chagniot, *op. cit.*, p. 63, 64, 66.
3. J. Chagniot, *op. cit.*, p. 36.
4. Cité par J. Chagniot, *op. cit.*, p. 39.
5. *Ibid.*, p. 68.

son règne par une capitulation : le Parlement supprimé est rétabli par un lit de justice, le 12 novembre 1774. Pour faire des économies, les ministres Malesherbes et Saint-Germain réduisent les effectifs de la Maison militaire du roi et suppriment les deux compagnies de mousquetaires de la garnison de Paris. Il est aussi question de réduire les gardes françaises de six à quatre bataillons et de réformer de nombreux officiers et sergents. Les agents de la force publique parisienne, menacés de perdre leur emploi, ne peuvent désormais qu'éprouver de la défiance pour un pouvoir si prompt à les sacrifier.

Louis XVI et Marie-Antoinette dilapident très vite le capital de sympathie dont ils disposaient. Le pouvoir royal donne l'impression d'être aux mains de la noblesse de Cour, des grandes familles de l'entourage de la reine. La licence et la prodigalité des grands seigneurs sont dénoncées dans d'innombrables pamphlets : la cantatrice Sophie Arnould, les danseuses la Guimard et la Dervieux se font construire de petits palais par leurs amants, le comte de Lauragais et le maréchal de Soubise, tandis que sont révélées au plus large public les frasques homosexuelles de la duchesse de Villeroi et du comte de Noailles.

L'opinion s'amuse et s'indigne à la fois des mésaventures du cardinal de Rohan, grand aumônier de France. Ce benêt a été dupé par des escrocs qu'il avait chargé de négocier l'achat d'un collier pour la reine et qui lui ont fait croire qu'ils lui avaient obtenu un rendez-vous nocturne avec Marie-Antoinette dans le bosquet de Vénus du parc de Versailles. Déjà fort compromise, la réputation de la reine est définitivement ruinée.

Quant au roi, ses hésitations, ses atermoiements, ses revirements révèlent très vite son peu d'aptitude à gouverner et le médiocre intérêt qu'il porte aux affaires de l'État. Deux questions déterminent son destin politique. La première, à l'échelle du royaume, est celle de la dette de l'État. La seconde, au niveau parisien, est celle de l'approvisionnement et du prix du pain. La conjonction des deux amène une situation révolutionnaire.

Le peu de caractère du roi apparaît bien vite. Turgot a entrepris de vastes réformes, réduisant les dépenses de l'État, instaurant la liberté du commerce des blés, abolissant la corvée royale, les corporations, maîtrises et jurandes. La spéculation sur les grains provoque le renchérissement du prix du pain et une grave émeute à Paris, le 3 mai 1775. Parlement et clergé s'en prennent à Turgot que soutiennent les philosophes. Après l'avoir mollement défendu, Louis XVI renvoie Turgot en mai 1776 et renonce à toute réforme en profondeur des institutions. Cependant, le ministre Ségur réorganise l'armée et prend une mesure portant en germe la ruine de la monarchie : en mai 1781, il est décidé que tout candidat officier devra faire la preuve qu'il possède au moins quatre degrés de noblesse. Tout avancement leur étant désormais interdit, les sous-officiers de naissance roturière, les Hoche, Jourdan, Marceau,

Masséna, Moncey, Soult, se rallieront avec enthousiasme à la Révolution, entraînant les soldats à leur suite.

L'imminence de la banqueroute incite toutefois Maurepas à confier la réforme des finances au banquier genevois Necker. La confiance que celui-ci inspire lui permet d'emprunter largement, mais il échoue dans ses tentatives pour réformer la comptabilité publique, limiter les pensions et les dépenses de la Maison du roi. Necker fait alors imprimer, en février 1781, un *Compte rendu au roi* qui a un énorme succès et se vend à plus de cent mille exemplaires. Mais le roi, poussé par une partie de la Cour et du ministère, refuse d'accepter le plan de réformes du banquier et le renvoie le 19 mai 1781.

Les ministres qui lui succèdent ont recours aux augmentations d'impôts, à l'emprunt, à des expédients divers, mais les dépenses de la guerre d'Indépendance américaine accroissent de façon catastrophique la dette de l'État. En 1788, la situation est devenue intenable : les dépenses ordinaires, plus de 317 millions de livres, excèdent les recettes de 55 millions. Si l'on y ajoute près de 30 millions de dépenses extraordinaires, 76,5 millions de remboursement de la dette publique, on arrive à un déficit dépassant 160 millions de livres : 262 millions de recettes contre 423 millions de dépenses.

Calonne, contrôleur général des finances, a réuni en février 1787 une assemblée de notables pour lui faire accepter l'institution d'une « subvention territoriale », impôt foncier frappant tous les Français, y compris la noblesse et le clergé qui n'étaient pas imposés. Issus presque tous de la haute aristocratie, prélats et grands seigneurs, les notables refusent de sacrifier leurs exemptions fiscales sous prétexte que cet impôt est mal conçu et insuffisamment justifié. Après avoir soutenu le contrôleur général des Finances durant deux mois, le roi se met à pleurer en public et, cédant à la pression d'une partie de son entourage, renvoie Calonne le 8 avril.

Loménie de Brienne, qui l'a remplacé, ne parvient pas davantage à arracher des concessions à l'assemblée des notables qui, au contraire, préalablement à l'instauration de tout impôt nouveau, exige qu'un comité recruté par cooptation contrôle étroitement les dépenses de l'État. Le roi refuse cette mise en tutelle et l'assemblée est renvoyée le 25 mai.

Le Parlement prend aussitôt la relève à la tête de l'opposition : lorsque Brienne lui présente un édit fiscal accroissant les droits de timbre, il exige communication des états de finances avant toute discussion. Sur le refus du roi, il déclare : « La nation représentée par les états généraux est seule en droit d'octroyer au roi des subsides dont le besoin serait évidemment démontré. » Le 13 août, il déclare nul et illégal le lit de justice tenu par le roi à Versailles le 6 août pour enregistrer les édits sur le timbre et la subvention territoriale. Le lendemain, Brienne exile le Parlement à Troyes. La Chambre des comptes et la Cour des aides se déclarent solidaires des exilés. Le 17 août, le comte d'Artois vient faire enregistrer les édits par ces deux assemblées. Le palais de justice, où elles siègent, est envahi par dix mille Parisiens qui conspuent le frère du roi. Le lendemain, la Cour des aides annule les édits, déclare l'établissement des impôts sans le consentement de la nation attentatoire au droit de propriété et demande la réunion d'états généraux. Le 21 août, le juriste Target note dans son journal : « Il y a de la fermentation dans le peuple ; on entend dire dans les marchés : Nous aurons donc la guerre civile. Eh bien ! nous nous battrons ! On projette une députation de quinze mille personnes pour aller à Versailles ; un abbé s'est offert comme chef. Dans le faubourg Saint-Marceau, on a affiché : Isabeau de Bavière, Madame Déficit[1]. »

Promu principal ministre, Brienne négocie un compromis avec les parlementaires exilés : les édits du timbre et de la subvention territoriale sont retirés et, en échange, le Parlement restauré enregistre, le 19 septembre, un édit rétablissant deux vingtièmes d'impôts directs qui doivent être perçus « sans aucune distinction ni exception quelle qu'elle pût être ». Mais, dans l'immédiat, le gouvernement a besoin d'argent frais pour parer aux dépenses courantes. Promettant de réunir les états généraux vers 1792, Brienne décide d'emprunter 420 millions en cinq ans. Pour forcer la main aux magistrats réticents, le roi tient une séance royale le 19 novembre 1787. Le duc d'Orléans ayant qualifié cet enregistrement forcé d'illégal, Louis XVI riposte : « C'est légal parce que je le veux. » Aussitôt le roi parti, les magistrats déclarent illégales les formes de l'enregistrement. Porté en triomphe par les Parisiens qui s'imaginent avoir trouvé en lui un chef pour l'opposition, Philippe d'Orléans est exilé par le roi à Villers-Cotterêts jusqu'en avril.

C'est l'époque que choisit le Parlement pour recommencer à manifester son opposition à la modification du mode de perception des vingtièmes votés en septembre. Le gouvernement prépare des représailles que dénonce au Parlement, le 3 mai 1788, le conseiller d'Eprémesnil. Le Parlement rend alors un arrêt proclamant notamment : « La France est une monarchie gouvernée par le roi suivant les lois. De ces lois, plusieurs qui sont fondamentales embrassent et consacrent : le droit de la nation d'accorder librement les subsides par l'organe des états généraux régulièrement convoqués... » Cette déclaration de guerre à la monarchie absolue exige une riposte énergique du gouvernement. La police et les gardes-françaises investissent le Parlement où se sont réfugiés d'Eprémesnil et Montsabert décrétés d'arrestation. Pendant trente heures, les 5 et 6 mai, la Grand-Chambre est assiégée, jusqu'à ce que les deux conseillers acceptent de se livrer.

---

1. Cité par J. Egret, *La Pré-Révolution française (1787-1788)*, p. 176. Voir aussi, du même auteur, *Louis XV et l'opposition parlementaire (1715-1774)*.

Le 8 mai, le roi réunit le Parlement en lit de justice à Versailles et prend des mesures extrêmes dans six édits qui bouleversent le système judiciaire : création de quarante-sept tribunaux d'appel, nommés grands bailliages, afin d'affaiblir les parlements, réduction du nombre des offices au parlement de Paris et mise en vacances de celui-ci. Pour une fois, c'est la province qui s'embrase plutôt que Paris : émeute à Rennes, journée des tuiles à Vizille. Les intendants, accoutumés aux palinodies et aux reculades du pouvoir, laissent les désordres se propager, n'osant se compromettre par une sévère répression. L'armée n'est d'ailleurs plus sûre et ne saurait être appelée sans risques au rétablissement de l'ordre. Outre les roturiers, exclus depuis 1781 de l'accès aux grades d'officiers, bon nombre de nobles sont devenus hostiles au gouvernement qui a promulgué, le 17 mars 1788, un règlement exigeant le passage par le grade de colonel pour parvenir à celui de général (alors nommé brigadier). Or, le grade de colonel n'est accessible qu'aux officiers assez fortunés pour acheter un régiment ou assez bien en cour pour se le faire offrir par le souverain.

A son tour, le clergé manifeste son opposition : réuni en assemblée du 5 mai au 5 juin 1788, il refuse de voter l'habituel don gratuit au roi et demande la convocation des états généraux. Abandonné par une partie de la noblesse, lâché par le clergé, le gouvernement croit trouver le salut de la monarchie absolue dans le tiers état. Le garde des Sceaux Lamoignon aurait déclaré : « Les privilégiés ont osé résister au roi ; avant deux mois, il n'y aura plus ni parlements, ni noblesse, ni clergé. » Le 5 juillet, un arrêt du Conseil annonce la convocation des états généraux mais ne fixe aucune date. Le 8 août, elle est décidée pour le 1er mai 1789. Mais, en attendant la réunion de ces états, la machine administrative doit pouvoir continuer à fonctionner. Or, les caisses sont vides. Le 16 août, faute de numéraire, les paiements de l'État sont suspendus et sont mis en circulation des billets servant à acquitter les dépenses les plus pressantes : solde des troupes, rentes et pensions. Méfiants, les porteurs de billets se précipitent à la Caisse d'escompte pour les convertir en espèces. C'est la banqueroute.

Le 25 août, Louis XVI se résigne à remplacer Loménie de Brienne par Necker. Paris accueille ce changement par une explosion de joie qui tourne à l'émeute. Les clercs de la basoche du palais de justice brûlent Brienne en effigie, manifestent sur la place Dauphine et le Pont Neuf, très vite rejoints par la foule des mendiants, des gens sans aveu ou sans travail. La garde intervient trop tard et maladroitement, le 28 août, chargeant les émeutiers sous une grêle de pavés pour dégager le Pont Neuf. Le lendemain, le chevalier du guet commet la bêtise d'éparpiller ses forces en postes de six fantassins éloignés les uns des autres. Les manifestants les attaquent les uns après les autres, commençant par incendier le poste de garde du Pont Neuf, détruisant ceux du marché de l'abbaye de

Saint-Germain-des-Prés, du Marché neuf, de la barrière des Sergents (rue Saint-Honoré), du port de la Grève, s'emparant des fusils abandonnés par les sentinelles. Les gardes-françaises doivent intervenir pour sauver les autres postes et reçoivent l'autorisation de tirer sur les émeutiers : ils en tueront sept ou huit sur le port au blé, près de l'Hôtel de Ville.

Le 14 septembre, le roi capitule une fois de plus devant le Parlement et demande sa démission au garde des Sceaux Lamoignon ; il renonce par là à toute réforme de la justice et relance par sa faiblesse l'agitation populaire. Le 16, deux groupes se forment sur le Pont Neuf et se dirigent, l'un vers les hôtels de Brienne et de Lamoignon au faubourg Saint-Germain pour tenter de les incendier, l'autre vers l'hôtel du chevalier du guet, rue Meslay, pour y brûler en effigie l'ex-garde des Sceaux. La police et la troupe se heurtent violemment aux manifestants qui comptent de nombreux morts et blessés dans leurs rangs. Les derniers troubles ont lieu le 28 septembre, faisant quelques victimes rue de la Harpe et entraînant la démission du chevalier du guet, Duboys, que remplace un Rulhière bien décidé à ne pas se compromettre.

Rappelé le 23 septembre, le Parlement perd très vite sa popularité en se prononçant contre le doublement de la représentation du tiers état et le vote par tête aux états généraux. De son côté, l'assemblée des notables, rappelée le 6 novembre pour se prononcer sur cette question, se déclare également hostile au doublement du tiers état. Un peu partout en France, cette question agite les esprits : les états généraux n'ont pas été réunis depuis 1614 et la procédure suivie à cette époque est remise en question. La représentation des trois ordres, clergé, noblesse et tiers état, avait été alors d'importance comparable et on avait délibéré et voté par ordre, la majorité exprimée dans chacune des assemblées d'ordres étant considérée comme une voix. Grâce à ce système, les privilégiés du clergé et de la noblesse étaient assurés de dominer les états avec deux voix sur trois. De leur côté, les porte-parole du tiers état, excipant du fait que celui-ci représente 90 % de la population, revendiquent le doublement des effectifs de sa représentation et le vote par tête, par député, qui lui permettrait, en disposant de la moitié des élus, de s'assurer le contrôle de l'assemblée.

Le médecin Guillotin, docteur régent de la faculté de Paris, présente une pétition en ce sens et la fait adopter par les représentants des six corps des marchands, le 10 décembre. Elle est déposée chez les notaires où les habitants de la capitale peuvent la signer. Plusieurs clubs viennent de se créer, exigeant aussi la remise en cause des privilèges : club constitutionnel d'Adrien Duport (rue des Archives), club de Valois de l'abbé Sieyès au Palais-Royal, club des Enragés au même endroit, club des Patriotes de La Fayette à la chancellerie d'Orléans (rue des Bons-Enfants). Le 27 décembre 1788, le Conseil du roi finit par décider que les députés du tiers état seront aussi nombreux que ceux du clergé et de la noblesse réunis.

De janvier à avril 1789, les élections se déroulent dans une atmosphère enfiévrée, qu'entretiennent des milliers de pamphlets et de journaux. Le publiciste Mallet du Pan rend bien compte de l'inflexion du conflit et du changement des esprits en janvier 1789 : « Le débat public a changé de face. Il ne s'agit plus que très secondairement du roi, du despotisme et de la Constitution ; c'est une guerre entre le tiers état et les deux autres ordres, contre lesquels la Cour a soulevé les villes. »

L'aggravation de la situation économique contribue à accroître les tensions. Le traité de commerce conclu en 1786 avec l'Angleterre a permis à celle-ci d'inonder le marché français des produits de ses manufactures, amenant le déclin ou la fermeture de nombreuses entreprises sur le continent. Des milliers d'ouvriers ont perdu leur travail et ceux qui l'ont gardé vivent difficilement avec des salaires qui n'augmentent pas alors que le prix des denrées s'accroît rapidement. En effet, sans aller jusqu'à dire que la Révolution a été déclenchée par le mauvais temps et les récoltes médiocres de l'année 1788, on doit souligner que la misère et la hausse des prix provoquées par des conditions atmosphériques exceptionnellement mauvaises ont certainement joué un rôle dans l'insurrection parisienne du 14 juillet 1789 et la Grande Peur des campagnes durant le même mois, époque où le prix des céréales a atteint son maximum. Le printemps 1788 avait été marqué par un déficit pluviométrique exceptionnel, de 40 % à 80 % selon les régions, aggravé par des températures élevées. L'hiver 1788-1789 se caractérise par un froid sans pareil, quatre-vingt-six jours de gelée à Paris, un « record » historique, des températures plongeant jusqu'à moins vingt et moins trente degrés. Entre ces deux calamités se situe un orage dont les dégâts peuvent être estimés à 50 millions de livres. Cet orage du 13 juillet 1788 frappe deux zones parallèles larges d'une quinzaine de kilomètres et longues de 450, orientées nord-est, s'étendant de la Touraine et de l'Orléanais au sud jusqu'à la Belgique actuelle au nord, la région entre Lille et Mons. Les destructions de récoltes affectent particulièrement la Beauce, la Brie, le Soissonnais, la Picardie orientale, greniers à blé de Paris. De 9 sous le 17 août 1788, le prix du pain de 4 livres a grimpé à 14 sous 6 deniers le 1er février 1789.

L'affaire Réveillon est symptomatique d'un autre élément de cette époque, le rôle joué par des provocateurs, peut-être à la solde du duc d'Orléans. Fabricant de papiers peints au faubourg Saint-Antoine, rue de Montreuil, Réveillon était un homme généralement estimé, payant mieux ses ouvriers que les concurrents. Le 23 avril une rumeur selon laquelle il aurait déclaré souhaiter revenir au bon vieux temps où on payait les ouvriers 15 sous par jour au lieu de 20 se répand à travers le faubourg, mais rien ne se produit avant le 27. Ce jour-là, vers trois heures de l'après-midi, un rassemblement de trois cents personnes se forme près de la Bastille, brûle Réveillon en effigie, grossit jusqu'à trois mille individus. La foule se rend à l'Hôtel de Ville et, priée de se disperser, fait demi-tour en direction de la manufacture. Mais la trouvant gardée par la troupe, elle se rabat sur la manufacture d'Henriot, accusé d'avoir tenu des propos semblables à ceux de Réveillon, et la met à sac. Le lendemain, l'agitation reprend de plus belle, des individus allant recruter dans les ateliers pour une manifestation qui prend une importance encore plus grande que la veille. Elle doit cependant s'arrêter devant une barricade gardée par la troupe. Le duc d'Orléans vient se montrer aux manifestants qui l'acclament. Était-il venu reconnaître le terrain? Toujours est-il que la duchesse d'Orléans se présente un peu plus tard dans son carrosse et exige qu'on défasse la barricade pour lui permettre de passer. La foule s'engouffre dans la brèche à la suite de la voiture et ravage la maison de Réveillon. La troupe ouvre le feu, faisant officiellement vingt-cinq morts et vingt-deux blessés, sans doute davantage. Parmi les morts et parmi les quarante-six émeutiers appréhendés ne figurait aucun des ouvriers de Réveillon. Les commissaires du Châtelet n'osèrent pas pousser trop loin leur enquête. Quant aux gardes-françaises, qui avaient compté douze morts et quatre-vingts blessés, très mécontents du rôle qu'on leur avait fait jouer, ils cessèrent d'être sûrs.

Auteur d'une thèse sur *Paris et l'armée au XVIIIᵉ siècle*, Jean Chagniot fait observer : « Le régiment des gardes-françaises, quant à lui, n'a pratiquement plus de relations avec ses officiers. Rossignol, témoin de l'affaire Réveillon, s'est étonné de voir que les soldats aux gardes n'étaient pas encadrés par leurs officiers, et qu'il n'y avait que des sergents pour commander cette troupe. En outre, alors que les soldats aimaient et respectaient le vieux maréchal de Biron, le duc Du Châtelet, leur nouveau colonel, est un maniaque des innovations tactiques et disciplinaires ; il lui paraît plus important de raffiner sur le règlement que de mettre sa troupe à la disposition des responsables de l'ordre public. Les cadres subalternes peuvent donc travailler à la conversion des soldats factionnaires en gardes nationaux. Jean-Joseph Cathol, un sergent aux gardes, évoquera avec fierté, en l'an II, sa mission d'éducateur politique : "Lorsque l'impression de la presse fut permise, je crois que c'est en 1788, j'achetais tous les papiers qui dévoilaient la coquinerie des prêtres et des nobles, je les faisais lire aux grenadiers pour les préparer à la Révolution." Un ancien officier du régiment, Izarn de Valady, vient débaucher les troupes consignées dans les casernes en leur distribuant de l'argent et en les invitant à boire à la santé du tiers état et du duc d'Orléans. La défection des gardes-françaises s'est produite le 23 juin. Le 30, la foule réunie au Palais-Royal va forcer les prisons de l'Abbaye pour délivrer une douzaine de soldats sous la conduite d'un agitateur, Claude Fournier, dit l'Américain. Cet acte hautement symbolique consacre

l'alliance entre le soldat patriote et la nation[1]. » Jean Chagniot ajoute :
« On sait que, pour maintenir l'ordre public sans prendre le risque d'une
fusillade, il était à cette époque indispensable de recourir à la cavalerie.
Mais, après la suppression des deux compagnies de mousquetaires, il ne
restait à demeure dans la ville que les cavaliers de la garde de Paris, qui
sont d'ailleurs passés du côté de la Révolution avec leur commandant, le
chevalier du guet Rulhière, dès qu'il fut question de créer une garde
nationale soldée[2]. »

C'est à Paris que se déroulent les dernières élections aux états
généraux, commencées en février dans le reste du pays. Le règlement du
23 avril 1789 a fixé à vingt-cinq ans et à 6 livres d'imposition directe les
conditions pour être électeur, ce qui élimine près de la moitié des chefs
de famille. Le vote se fait à deux degrés : 11 706 votants seulement —
alors qu'une cinquantaine de milliers de Parisiens remplissent les conditions d'âge et de cens — choisissent quatre cent sept électeurs chargés de
désigner les vingt députés du tiers état, le clergé et la noblesse en choisissant chacun dix en leur sein. Le premier député du tiers état parisien
n'est élu que le 12 mai, une semaine après l'ouverture des états généraux
à Versailles : c'est l'astronome Bailly. Le 19, le dernier élu est Sieyès,
pourtant célèbre grâce à sa brochure, *Qu'est-ce que le tiers état ?* Au
total, une majorité d'hommes de loi, cinq avocats, quatre notaires, un
conseiller et un procureur au Châtelet, et des représentants du commerce,
quatre négociants, deux consuls. Une fois élus les suppléants, l'assemblée des électeurs aurait dû se dissoudre, mais, dès le 10 mai, elle
estimait « nécessaire qu'elle se continuât pendant toute la tenue des états
généraux prochains pour correspondre avec ses députés ». Elle va rapidement se substituer à la municipalité légale, prévôt des marchands et
échevins, désignée par le roi.

Très vite, alors qu'à Versailles Louis XVI tergiverse, les élus de Paris
prennent en main la conduite des affaires. Le 3 juin, Bailly a été porté à
la présidence du tiers état. Le 23 juin, alors qu'on veut expulser les
députés du tiers état de la salle du Jeu de paume, il refuse, disant : « Une
nation assemblée ne peut recevoir d'ordres. » Cet acte de rébellion
consacre la défaite du roi : le 24 juin, la majorité du clergé vient siéger
avec le tiers que rejoint, le 25, un groupe de quarante-sept nobles dont le
duc d'Orléans. Deux jours plus tard, le souverain capitule et invite « son
fidèle clergé et sa fidèle noblesse », du moins ce qu'il en reste, à se
joindre au tiers état.

Mais le pouvoir a cédé trop tard. A Paris, l'effervescence est
incroyable. L'Anglais Young est surpris par l'agitation dans les cafés :
« Non seulement l'intérieur est comble mais il y a foule d'auditeurs aux

1. J. Chagniot, *Nouvelle Histoire de Paris. Paris au XVIIIᵉ siècle*, p. 528.
2. *Ibid.*

portes et aux fenêtres qui écoutent certains orateurs qui, montés sur des chaises ou des tables, ont chacun son petit auditoire. On ne saurait imaginer le tonnerre d'applaudissements qui accueille toute expression de hardiesse ou de violence contre le gouvernement. Je suis étonné que le ministère permette de tels nids et de tels foyers de sédition et de révolte[1].»

Pressé par son entourage, Louis XVI tente de rétablir son autorité. Il a besoin pour cela de l'armée et ordonne à une vingtaine de régiments casernés dans l'Est et le Nord de faire mouvement vers Paris. Il place à leur tête un septuagénaire, le maréchal de Broglie, assisté d'un noceur sexagénaire protégé de Marie-Antoinette, le baron de Besenval. Le 6 juillet a lieu la première échauffourée entre des hussards et des gardes-françaises. Le 11 juillet, le roi jette le masque, renvoie Necker et le remplace par Breteuil. A cette nouvelle, le dimanche 12, plusieurs mani-festations ont lieu à Paris et des affrontements avec les cavaliers du Royal-Allemand aggravent la tension. Dans la nuit, des armureries sont pillées.

Le 13, le comité permanent des électeurs, en liaison avec le prévôt des marchands, met en place une milice bourgeoise qui ne peut empêcher les pillages et l'incendie des barrières du mur des fermiers généraux. Le 14 juillet au matin, en quête d'armes, la foule parisienne s'empare de trente mille fusils et de quelques canons aux Invalides, puis marche sur la Bastille, dépôt d'armes et prison, symbole de l'absolutisme. Le gouver-neur de Launay hésite, s'affole, «ayant perdu la tête avant qu'on ne la lui coupât», suivant la jolie formule de Rivarol. Vers midi, plusieurs milliers d'émeutiers attaquent la Bastille que défendent mollement quatre-vingts invalides, renforcés par trente-deux suisses depuis le début du mois. Les assaillants parviennent à abaisser le pont-levis, mais subissent le feu de la garnison une fois entrés dans la cour, perdant une quarantaine d'hommes. L'assaut, conduit par Hulin, futur général, aboutit à la capitulation du gouverneur vers seize heures. Il est massacré sur le chemin de l'Hôtel de Ville et sa tête promenée au bout d'une pique. Le prévôt des marchands, Flesselles, subit le même sort pour n'avoir pas fourni à la milice bourgeoise les armes promises. C'est la fin de l'autorité municipale monarchique.

Une fois de plus, Louis XVI s'incline devant le fait accompli. Le 15, il annonce le retrait des troupes, le 16, il rappelle Necker et le 17, il se rend à l'Hôtel de Ville. Il y reçoit des mains de Bailly, acclamé maire de Paris et non plus prévôt des marchands, la cocarde tricolore, unissant les couleurs de Paris à celle de la monarchie. La milice bourgeoise, rebap-tisée garde nationale, a été placée sous le commandement de La Fayette.

---

1. Cité par J. Tulard, *Nouvelle Histoire de Paris. La Révolution*, p. 92.

Tandis que s'élaborent à Paris les nouvelles institutions municipales et à Versailles une Constitution pour la France, la Grande Peur soulève les campagnes.

Les réticences du roi, son refus de l'abolition de la féodalité, suscitent bien vite à nouveau l'inquiétude de ceux qui se nomment les « patriotes ». Ils bénéficient de la crise économique et des difficultés d'approvisionnement. L'historien Jean Tulard note : « A Paris, les queues s'allongeaient à la porte des boulangeries. L'approvisionnement était difficile. Malgré le décret du 29 août sur la libre circulation des grains, le blé restait dans les greniers par suite des calculs des spéculateurs et de la peur de manquer qui favorisait la constitution de stocks. Le pain était à treize sous et demi les quatre livres. Le numéraire était rare et le chômage frappait l'industrie de luxe comme le monde des domestiques. Les manifestations contre la cherté de la vie et pour une hausse des salaires se multipliaient [1]. »

Le 4 octobre, *L'Ami du peuple* et la *Chronique de Paris* dénoncent un complot aristocratique visant à affamer Paris. Au matin du 5, plusieurs centaines de femmes, venues des Halles et du faubourg Saint-Antoine, se rassemblent devant l'Hôtel de Ville pour réclamer du pain. N'ayant pu rencontrer le maire, elles décident de se rendre auprès du roi à Versailles. Une semblable marche avait déjà été décidée le 30 août au Palais-Royal, mais avait échoué, car la garde nationale des quartiers de l'ouest lui avait barré la route et avait appréhendé les meneurs. Mais le 5, les gardes nationaux des quartiers du centre se joignent aux femmes et La Fayette, encadré par deux commissaires de la municipalité, est chargé de les accompagner à Versailles et de ramener le roi.

Le cortège des femmes, arrivé à Versailles vers la fin de l'après-midi, envahit l'Assemblée nationale. La Fayette et la garde nationale n'arrivent qu'à dix heures du soir. Prêt à fuir vers la Normandie, Louis XVI est rassuré et se croit en sécurité. Mais, vers six heures du matin, après avoir festoyé toute la nuit, les manifestants, qui s'étaient installés devant le château, pénètrent dans la cour, massacrent deux gardes du corps et envahissent les appartements de la reine qui a tout juste le temps de se réfugier auprès du roi. On réveille La Fayette qui parvient à apaiser les émeutiers. La famille royale se montre au balcon. La foule crie : « A Paris ! » Louis XVI capitule une fois de plus et répond : « Mes amis, j'irai à Paris avec ma femme et mes enfants ; c'est à l'amour de mes bons et fidèles sujets que je confie ce que j'ai de plus précieux. »

Jean Tulard décrit ainsi le départ improvisé : « Le cortège se mit en route vers une heure. Des gardes nationaux ouvraient la marche, un pain à la baïonnette, suivis de chariots de blé, des forts de la halle, des gardes du corps désarmés, du régiment de Flandre et des suisses. Le carrosse royal venait ensuite, La Fayette chevauchant à côté, puis on remarquait

---

1. J. Tulard, J.-F. Fayard, A. Fierro, *Histoire et Dictionnaire de la Révolution*, p. 52.

les voitures de nombreux députés, d'autres gardes nationaux et, fermant la marche, la foule qui s'était portée à Versailles, criant qu'elle ramenait à Paris "le boulanger, la boulangère et le petit mitron". Ce cortège hétéroclite mit plusieurs heures, sous la pluie, pour gagner Paris. Louis XVI fut reçu à l'Hôtel de Ville par Bailly, puis, la nuit tombée, alla s'installer aux Tuileries [1]. »

Le 6 octobre 1789, autant sinon plus que le 14 juillet, est une date essentielle. Le roi est désormais prisonnier des Parisiens aux Tuileries. L'Assemblée nationale quitte Versailles dès le 19 pour siéger à l'archevêché puis au manège des Tuileries. Qui est maître de Paris se trouve désormais en position d'imposer sa volonté aux pouvoirs exécutif et législatif. La responsabilité de La Fayette a été rappelée récemment par l'historien Georges Carrot : « Beaucoup d'historiens n'ont vu dans les événements d'octobre que le spectacle ridicule d'un général courant après ses troupes et dormant quand il est attaqué. Quelques autres, et parmi eux des contemporains, ont noté que le responsable de la force publique avait accumulé trop de négligences, commis trop de fautes, pour ne pas avoir désiré, sans en avoir l'air, un tel aboutissement. Il demeurait le grand bénéficiaire de ces deux importantes journées. Le roi résidait désormais aux Tuileries sous la garde permanente de trois cents gardes nationaux, autant sentinelles que geôliers. L'Assemblée nationale, qui était venue à sa suite, s'était également placée sous la protection de la garde nationale parisienne. Tout cela fournissait à La Fayette de larges possibilités politiques [2]. »

CHAPITRE V

La revanche de Paris (1789-1815)

PARIS RÉVOLUTIONNAIRE (1789-1794)

• L'apaisement de la capitale (1789-1790)

La présence du roi et de l'Assemblée nationale à Paris, la bonne récolte de 1789 et l'apaisement de l'opinion publique contribuent au retour au calme. 1790 est l'année de la mise en place d'institutions nouvelles : départements, municipalités, lois constitutionnelles. La sécurité des Tuileries et de la ville est assurée par la garde nationale commandée par La Fayette, les pauvres et les indigents sont apaisés par le bas prix du

---

1. J. Tulard, *Nouvelle Histoire de Paris. La Révolution*, p. 119.
2. G. Carrot, *La Garde nationale*, p. 37.

pain et par la distribution de secours : selon les journaux, Paris compte cependant cent vingt mille indigents en février 1790, le cinquième de la population.

Si le calme règne apparemment, en profondeur la situation demeure malsaine. Dès le lendemain de la prise de la Bastille, les plus fortunés des aristocrates ont commencé à s'expatrier : le comte d'Artois, frère du roi, les princes de Condé et de Conti, les Polignac, le maréchal de Broglie, le baron de Breteuil... Le terme « émigrants », apparu dans *Le Moniteur* du 2 décembre 1789, est remplacé par celui d'« émigrés » dans le numéro du 25 mai 1790. La *Gazette de Leyde* du 12 novembre 1789 estime abusivement les départs entre quatre vingt mille et cent mille. Il y en a sans doute quatre à cinq fois moins. A l'Assemblée nationale toutefois, près de deux cents députés, un élu sur six, ont demandé leur passeport et leur défection renforce la majorité « patriote ». Mais, pour l'économie de la capitale, la disparition d'une partie de ses plus riches clients a de graves conséquences. Toutes les entreprises, toutes les professions vivant du luxe sont en plein marasme. Les commandes de mobilier, de vêtements de Cour, chutent vertigineusement. Laquais, femmes de chambre, perruquiers, tailleurs se trouvent brusquement en grand nombre sans emploi ou sans travail. Selon leur tempérament et leur réaction à la crise qui les frappe, ils fournissent des troupes, soit à la Contre-Révolution, soit aux sans-culottes.

Si l'agitation de la rue se calme, la vie politique demeure très active. Elle se concentre dans les clubs où se discutent et se préparent les débats de l'Assemblée nationale. Le Club des députés bretons constitué à Versailles se transforme en Société des amis de la Constitution, plus connue sous le nom de club des Jacobins, car il s'est installé tout près de l'Assemblée, dans le couvent des Jacobins (dominicains) de la rue Saint-Honoré. Formé à l'origine de deux cents députés, il s'ouvre à tous et devient un des lieux de prédilection des Parisiens passionnés par la politique. Le club des Feuillants naît d'une scission opérée le 15 juillet 1791, et doit aussi son nom à un couvent, dont le jardin jouxte la salle du manège des Tuileries. Plus sélective, exigeant un droit d'entrée élevé, 2 livres, la Société de 1789, « académie politique et salon plus que club » selon Mathiez, réunit au Palais-Royal des personnages influents soucieux de préserver les acquis de 1789, mais ne désirant pas aller plus loin dans le processus révolutionnaire, comme La Fayette, le maire Bailly, Mirabeau, Talleyrand. Le club des Impartiaux, réunissant les partisans de la monarchie absolue, a son siège à quelques centaines de mètres de l'Assemblée, au couvent des Grands-Augustins, puis rue de La Michodière. En avril 1790 se fonde, sur la rive gauche, la Société des amis des droits de l'homme et du citoyen, dite club des Cordeliers, du nom du couvent franciscain (entre les rues Racine et de l'École-de-Médecine) où elle s'est installée. Animé par Danton et Marat, le club des

Cordeliers a un recrutement populaire mais reste aux mains d'une bourgeoisie aisée qui pratique la démagogie et entretient l'agitation en faisant de la surenchère sur les jacobins.

Une presse pléthorique fournit des informations et surtout entretient les polémiques. Elle couvre toutes les nuances politiques, des partisans de la monarchie absolue, qui s'expriment dans *L'Ami du roi* de l'abbé Royou et *Les Actes des apôtres* de Rivarol, aux républicains encore masqués de *L'Ami du peuple* de Marat, en passant par le *Courrier de Paris* de Gorsas, *Le Patriote français* de Brissot, les *Révolutions de France et de Brabant* de Desmoulins. Entre 1789 et 1792 se créent quelque cinq cents journaux.

Le 21 mai 1790, l'administration de la Commune de Paris est définie et alignée sur le statut commun à toutes les municipalités françaises. En revanche, alors que la municipalité parisienne revendiquait un département suffisamment vaste pour assurer l'approvisionnement de la capitale, la solution préconisée par Sieyès est adoptée par l'Assemblée nationale : le département de Paris se limite à une auréole de 3 lieues (environ 12 kilomètres) de rayon autour de la ville, elle-même encerclée par le département de Seine-et-Oise. Foyers d'agitation, les soixante districts sont remplacés par quarante-huit sections dont la Commune espère moins de combativité. Mais l'administration n'a pas osé aller jusqu'au bout et réduire les sections à un rôle de circonscriptions strictement électorales. Les réunions de l'assemblée de section demeurent autorisées dès lors que cinquante citoyens actifs en font la demande. Ces assemblées possèdent le droit de rédiger des adresses et des pétitions. En outre, une assemblée générale des quarante-huit sections est prévue dès que huit d'entre elles le demandent. C'est grâce à ce mécanisme que le processus révolutionnaire parisien va pouvoir se développer, les sections multipliant les pétitions auprès de l'Assemblée nationale, mobilisant leurs membres et s'assurant par les armes le contrôle de la rue et de la ville entière.

Il faut aussi rappeler que le système électif naissant n'attire qu'une très faible partie des votants potentiels. Lorsque, le 2 août 1790, Bailly est réélu maire, il obtient une écrasante majorité de 12 550 voix sur 14 000 votants ; cependant il ne faut pas oublier que le corps électoral se compose d'environ 80 000 citoyens actifs. Les multiples élections qui vont se succéder jusqu'en 1794 se caractérisent toutes par un taux énorme d'abstentions et la vie politique de Paris et de la France entière va dépendre d'un groupe d'à peine plus de 10 000 personnes, moins de 15 % des électeurs parisiens. C'est donc un groupe de pression très minoritaire, les sans-culottes, qui va dicter sa volonté au reste du pays.

Mais, en 1790, les conditions ne sont pas encore réunies pour une dictature des sans-culottes. Au contraire, la fête de la Fédération, au Champ-de-Mars le 14 juillet 1790, est une cérémonie de réconciliation qui couronne une phase d'apaisement. Elle englobe les quatorze mille délégués des gardes nationales des quatre-vingt-trois départements nouvellement créés dans une immense célébration. Rassemblant trois cent mille personnes, elle se termine avec la prestation, par les gardes nationaux, du serment d'être «fidèle à la Nation, à la Loi et au Roi, de maintenir de tout leur pouvoir la Constitution décrétée par l'Assemblée nationale et acceptée par le Roi». La ferveur de cette cérémonie est attestée par de nombreux témoignages, dont cet extrait de la lettre d'un garde national de Coutances, venu à Paris : «Tout le monde s'est embrassé avec les marques de la plus grande joie. On a crié : "Vive le roi!", ils serait impossible de vous peindre l'ivresse dont tout le monde était pénétré[1].»

Mais cette communion ne saurait dissimuler la persistance de tensions en profondeur. Les contre-révolutionnaires se gaussent dans *Les Actes des apôtres* de cette fête sous des trombes d'eau :

> *Toujours de l'eau! Quel temps maudit!*
> *Disait, au Champ-de-Mars, Damis le démocrate.*
> *C'est fait exprès, je l'avais bien prédit,*
> *Que le Père éternel était aristocrate[2].*

Quant aux patriotes, ils s'inquiètent du regain de popularité du roi. Brissot écrit : «L'ivresse ne convient pas à des hommes libres», et Marat : «La fureur des spectacles et des nouveautés n'est pas un remède à la misère publique.»

Le 13 novembre, un double événement marque la fin de l'Ancien Régime et rappelle l'existence de tensions : alors que Bailly pose solennellement les scellés sur les bâtiments du Parlement, si populaire deux ans auparavant et désormais relégué dans l'oubli, la foule saccage l'hôtel du duc de Castries, qui a osé blesser en duel le député patriote Charles de Lameth.

• *Regain de tension (1791)*

Le détonateur de la crise est la question religieuse, elle-même liée à la question financière. Pour éteindre l'énorme dette de l'État, les Constituants ont décidé de nationaliser les biens de l'Église catholique et de les mettre en vente. Des assignats, bien vite transformés en papier-monnaie, servent à acheter aux enchères ces biens nationaux. L'État s'engage à indemniser le clergé, privé de ses ressources, par le biais de traitements payés à ses membres. Les ordres monastiques sont abolis, à l'exception des congrégations hospitalières et enseignantes à vœux simples. Quant au clergé séculier, on supprime de nombreuses paroisses

---

1. Cité par M. Reinhard, *Nouvelle Histoire de Paris. La Révolution (1789-1799)*, p. 184.
2. *Ibid.*, p. 185.

et on simplifie la carte des diocèses, ne laissant subsister d'une complexe hiérarchie qu'évêques, curés et vicaires. Devenus fonctionnaires, ils sont astreints, comme leurs homologues civils, à la prestation publique d'un serment solennel « de veiller avec soin sur les fidèles du diocèse, d'être fidèles à la Nation, à la Loi et au Roi, de maintenir de tout leur pouvoir la Constitution décrétée par l'Assemblée nationale et acceptée par le Roi». Ce serment est incompatible avec la soumission à Rome et, le 10 juillet 1790, Pie VI condamne la Constitution civile du clergé. Le nombre des ecclésiastiques qui prêtent serment, les «jureurs», est très limité. Les évêques refusent massivement : quatre-vingts sièges épiscopaux sur quatre-vingt-trois, plus de la moitié des cures, vingt mille, sont alors soumis à élection par les fidèles. Désormais deux clergés, «jureur» et «réfractaire», s'affrontent. A Paris, les jureurs sont particulièrement nombreux : vingt-quatre curés sur cinquante et trente-trois vicaires sur soixante-neuf. Profondément religieux, Louis XVI est tourmenté d'avoir ratifié la Constitution civile du clergé avant d'apprendre que le pape la condamnait.

Le 18 avril 1791, alors que la famille royale voulait se rendre à Saint-Cloud, son carrosse est arrêté à la sortie des Tuileries par la garde nationale qui refuse de la laisser passer. Le roi est ulcéré par cet incident. Malgré l'intervention de La Fayette et de Bailly, la foule ameutée interdit le passage. En effet, depuis longtemps déjà court la rumeur que le souverain veut s'enfuir de Paris. Le marquis de Favras, accusé d'avoir tenté d'enlever le roi, a été pendu le 19 février 1790 et l'on soupçonne Bouillé d'avoir la même intention.

C'est d'ailleurs lui qui, avec Fersen, organise l'évasion de la famille royale dans la nuit du 20 au 21 juin 1791. Mais la berline, très lourdement chargée, obligée de faire de nombreux arrêts pour satisfaire la boulimie du roi, prend du retard, manque les relais avec les cavaliers qui devaient l'escorter. Reconnu à Sainte-Menehould par le maître de poste Drouet, Louis XVI est arrêté à Varennes et ramené le 25 au matin à Paris où il est accueilli par une foule immense, silencieuse et hostile. Pétion relate ainsi le piteux retour des fugitifs : «Le concours du peuple était immense. Il semblait que tout Paris et ses environs étaient réunis. Les toits des maisons étaient couverts d'hommes, de femmes, d'enfants, les barrières en étaient hérissées, les arbres étaient remplis. Tout le monde avait le chapeau sur la tête. Le silence le plus majestueux régnait. La garde nationale portait le fusil la crosse en l'air [1]. »

L'idée républicaine est encore étrangère à la plupart des Français et seule une infime majorité songe à instaurer une République. Aussi l'Assemblée nationale décide-t-elle de maintenir la fiction d'un enlèvement du roi. Mais l'opinion publique n'est pas dupe et Choderlos de

---

1. Cité par J. Tulard, *Nouvelle Histoire de Paris. La Révolution*, p. 172.

Laclos, agent du duc d'Orléans, estime le moment opportun pour évincer Louis XVI et lui substituer éventuellement son protecteur, cousin du roi. Il présente au club des Jacobins une pétition déclarant que le roi a perdu son titre par sa fuite et qu'il ne saurait être rétabli que si la nation consultée acceptait ce rétablissement. En cas de refus, il serait remplacé par les moyens constitutionnels. Une partie des membres du club protestent et font scission des Jacobins pour fonder le club des Feuillants. Lue par Danton au club des Cordeliers, la pétition y est aussi rejetée. Soutenue par le Cercle constitutionnel de l'abbé Fauchet et plusieurs autres petites sociétés populaires, la pétition est présentée à la signature des Parisiens sur une estrade au Champ-de-Mars, le 17 juillet 1791, malgré l'interdiction de l'Assemblée nationale qui a confié à la munici-palité le maintien de l'ordre et prohibé tout rassemblement sur la voie publique. La loi martiale est proclamée et le drapeau rouge, qui la signifie, déployé sur l'Hôtel de Ville. Au Champ-de-Mars, des milliers d'hommes et de femmes, pour la plupart issus du bas peuple, crient : « A bas le drapeau rouge ! A bas les baïonnettes ! Point de roi ! » Deux indi-vidus cachés sous l'estrade sont massacrés par la foule qui les a pris pour des conspirateurs de l'aristocratie. La garde nationale ouvre le feu sur les manifestants en fin de journée. Un de ses officiers justifie l'absence de sommation : « Ils ont voulu nous accueillir à coups de pierres et de pistolets. Il vaut mieux tuer le diable que d'être tué par lui[1]. » L'ambassadeur des États-Unis confirme : « Si les miliciens avaient attendu les ordres, ils auraient été assommés avant[2]. » Une cinquantaine de personnes au moins sont tuées, de nombreuses arrestations ont lieu parmi les meneurs, Hébert, Momoro, Vincent, mais Danton, Desmoulins, Marat, Santerre parviennent à échapper à la police. Le drapeau rouge flotte jusqu'au 25 juillet, le club des Cordeliers est fermé jusqu'au 7 août. Garde nationale et bourgeoisie aisée pratiquent une répression qui divise les Parisiens. Bailly et La Fayette perdent ce qu'il leur restait de popu-larité auprès du peuple et les sans-culottes s'en prennent désormais aux bourgeois riches, traités de « riches aristocrates » ou d'« aristocratie des marchands ».

• *La guerre et la chute de la monarchie (1792)*

Il faut un an aux vaincus du Champ-de-Mars pour prendre leur revan-che. Les élections à l'Assemblée législative qui remplace la Constituante font apparaître deux blocs : modérés Feuillants à droite et, deux fois moins nombreuse, gauche jacobine, la moitié des députés appartenant à un centre opportuniste ou « marais ». Paris a élu le principal meneur des Jacobins, Brissot, et le républicain modéré Condorcet.

---

1. J. Tulard, *Nouvelle Histoire de Paris. La Révolution*, p. 175.
2. *Ibid.*

La faiblesse numérique des révolutionnaires à l'Assemblée nationale est largement compensée par leur installation à la tête de la Commune de Paris. Bouleversé par la fusillade du Champ-de-Mars, Bailly démissionne le 19 septembre 1791. Espérant lui succéder, La Fayette renonce au commandement de la garde nationale, incompatible avec la fonction de maire. La reine, farouchement hostile au «maire du palais», pratiquant la politique du pire, aurait fait voter pour le jacobin Pétion. Celui-ci recueille deux fois plus de suffrages que son adversaire, mais à peine un dixième des électeurs ont pris part au vote. Le renouvellement partiel de l'assemblée de la Commune, le 7 décembre, confirme la poussée de la gauche : Danton notamment est élu second substitut adjoint du procureur de la Commune Manuel, avec 1 162 suffrages sur 81 000 électeurs.

Le pouvoir du commandant général de la garde nationale parisienne a été considérablement amoindri grâce à un système de commandement à tour de rôle par chacun des six chefs de division. La partie la plus fortunée et la plus conservatrice de cette garde, les chasseurs, est supprimée en mai 1793 alors que les canonniers, sans-culottes pour la plupart, sont soustraits à l'autorité de l'état-major. Tandis que les républicains participent massivement et assidûment à leurs tâches au sein de la garde nationale, les citoyens aisés préfèrent payer des remplaçants pour échapper à ce qui leur semble souvent une corvée. Ainsi, après s'être emparés de l'autorité civile, les révolutionnaires investissent-ils aussi le pouvoir militaire parisien.

Les tensions s'aggravent. Les émigrés, de plus en plus nombreux et menaçants, massés non loin des frontières de l'est et du nord, font redouter une invasion armée. Les conflits entre prêtres jureurs et réfractaires empoisonnent la pratique de la religion et troublent les fidèles. La vie chère exaspère des pauvres qu'une municipalité désargentée est bien en peine d'assister. Conséquence de l'anarchie à Saint-Domingue, le sucre et le café se font rares. Les classes populaires, accoutumées à boire du café au lait chaque matin, ressentent fortement ce manque. A partir du 21 janvier 1792, des attaques organisées sont menées contre les entrepôts et les magasins des grossistes des faubourgs Saint-Antoine, Saint-Denis, Saint-Martin : les produits saisis sont vendus de force au prix que les manifestants jugent équitable. Les commissaires de police, même appuyés par la garde nationale, n'osent intervenir contre la foule et se contentent de mettre de l'ordre dans ces ventes forcées.

Deux cérémonies mettent en évidence le clivage des Parisiens. Le 15 avril 1792, les jacobins organisent une fête en l'honneur des suisses du régiment de Châteauvieux, condamnés aux galères après leur révolte contre leurs officiers aristocrates à Nancy en août 1790 et récemment réhabilités. Cent mille personnes assistent à un cortège mis en scène par David : les sans-culottes, le maire Pétion en tête, défilent armés des piques fabriquées en hâte dans les faubourgs pour armer le peuple et se rendent symboliquement de la Bastille au Champ-de-Mars. Les modérés Feuillants ripostent en célébrant, le 3 juin, une fête patronnée par l'Assemblée législative et dédiée à la mémoire de Simoneau, maire d'Étampes, massacré alors qu'il tentait d'empêcher le pillage d'un marché. La guerre va transformer cette tension en affrontement ouvert et décisif.

Louis XVI place tous ses espoirs dans une intervention militaire des autres souverains d'Europe, notamment de ses beaux-frères, les empereurs Léopold II et François II. De son côté, la gauche de l'Assemblée législative souhaite aussi la guerre, persuadée qu'elle amènera le roi à se démasquer et que les peuples étrangers, favorables aux idées révolutionnaires, se dresseront contre leurs souverains. Le 29 novembre 1791, Isnard déclare à la tribune de la Législative : « La France est devenue le peuple le plus marquant de l'univers ; il faut que sa conduite réponde à sa nouvelle destinée. Esclave, il fut intrépide et grand, libre serait-il faible et timide ? Un peuple en état de révolution est invincible, l'étendard de la liberté est celui de la victoire... Disons à l'Europe que les Français voudraient la paix, mais que, si on les force à tirer l'épée, ils en jetteront le fourreau bien loin et n'iront le chercher que couronnés des lauriers de la victoire. Disons à l'Europe que nous respecterons toutes les Constitutions des divers empires, mais que, si les cabinets des cours étrangères tentent de susciter une guerre des rois contre la France, nous leur susciterons une guerre des peuples contre les rois[1]. » Le 20 avril 1792, à l'unanimité moins sept voix, la guerre est déclarée à François II de Habsbourg, roi de Bohême et de Hongrie.

L'engrenage fatal à la monarchie est en mouvement. Privée de ses cadres — six mille des neuf mille officiers ont émigré —, de ses régiments étrangers, désagrégés par les irrégularités de la paye et les désertions, dépourvue de matériel en quantité suffisante et manquant d'argent, désorganisée et lancée dans une imprudente offensive à la frontière nord, l'armée française se débande aussitôt : le 29 avril, le général Dillon est massacré par ses troupes qu'il tentait d'empêcher de fuir. Seule l'invasion de la Pologne par la Russie retarde l'attaque de la Prusse et de l'Autriche désireuses de participer au partage de ce pays.

A Paris, la Législative siège en permanence. Le 7 mai, elle décrète la déportation des prêtres réfractaires sur simple dénonciation. Le 29, elle décide la dissolution de la garde constitutionnelle du roi. Le 8 juin, elle ordonne la création, aux portes de la capitale, d'un camp pour les vingt mille fédérés qui doivent venir de tous les départements pour la fête du 14 juillet. Le roi accepte de se priver de sa garde, mais refuse de signer les deux autres décrets. Profitant de la mésentente au sein du gouvernement entre le ministre de la Guerre Dumouriez et ses collègues,

---

1. Cité par J. Tulard, J.-F. Fayard, A. Fierro, *Histoire et Dictionnaire de la Révolution*, p. 88.

Louis XVI renvoie Servan le 12, Roland et Clavière le 13. Dumouriez démissionne le 15.

La Commune de Paris prend le parti des ministres girondins, appellation qui commence à remplacer celle de Brissotins. Le 20 juin, sous prétexte de célébrer l'anniversaire du serment du Jeu de paume par la plantation d'un arbre de la liberté sur la terrasse des Feuillants aux Tuileries, les représentants de la Commune et les sections en armes envahissent l'Assemblée et les Tuileries. Bousculé, coincé dans l'embrasure d'une fenêtre, Louis XVI doit se coiffer du bonnet rouge, boire un verre de vin à la santé de la nation, mais refuse de céder aux pressions de la foule qui crie : « Sanctionnez les décrets, rappelez les ministres patriotes, chassez vos prêtres ! »

La province est choquée par ce qui lui apparaît comme un outrage à la personne royale. La Fayette quitte son armée pour venir proposer au roi un coup de force militaire. « Mieux vaut périr que d'être sauvés par M. de La Fayette », tranche Marie-Antoinette. N'ayant pas su exploiter ce sursaut de sentiment monarchique, le roi est à la merci d'une nouvelle entreprise de la Commune. Celle-ci bénéficie de l'aggravation de la situation aux frontières. Le 11 juillet, la Législative a proclamé la patrie en danger. Après la fête de la Fédération du 14, les gardes nationaux provinciaux auraient dû quitter Paris pour le camp de Soissons, mais beaucoup sont restés dans la capitale, pris en charge par les jacobins, renforcés par l'arrivée des fédérés bretons le 25, puis marseillais le 30, qui introduisent à Paris le *Chant de guerre pour l'armée du Rhin*, autrement dit *La Marseillaise*. Les sections entretiennent l'agitation. Le 24 juillet, une pétition demandant la déchéance du roi est votée par 47 d'entre elles sur 48. Le 29 juillet, à la tribune du club des Jacobins, Robespierre demande la suspension du monarque et l'élection d'une Convention nationale chargée d'élaborer une nouvelle Constitution.

Le 1er août arrive à Paris la nouvelle du manifeste de Brunswick : le chef de l'armée prussienne menace de détruire Paris si la personne du roi est à nouveau menacée. La Commune prépare alors ouvertement son coup de force. Le soir du 9 août, peu avant minuit, Danton fait sonner la grosse cloche des Cordeliers, signal de l'insurrection. Les sections ont préalablement intimidé ou éliminé les membres jugés trop modérés du Conseil général de la Commune et désigné des commissaires qui se sont installés à l'Hôtel de Ville où ils constituent une Commune insurrectionnelle qui remplace la Commune légale et dirige l'insurrection. Le maire Pétion, que la Législative avait suspendu du 6 au 13 juillet à cause de son rôle dans l'émeute du 20 juin, s'est prudemment laissé neutraliser et assigner à domicile : si le coup de force réussit, il pourra dire qu'il y était favorable, s'il échoue, il prétendra n'avoir pu s'opposer à cet acte séditieux, étant prisonnier.

A six heures du matin, les sections en armes, renforcées par les fédérés de Brest et de Marseille, commencent leur marche vers les Tuileries. Celles-ci, entourées de ruelles sur trois côtés et bordées par la Seine sur le quatrième, sont faciles à défendre : il suffit de tenir les ponts et une extrémité de ces voies étroites. Bonaparte saura exploiter cette topographie favorable pour écraser l'insurrection du 13 vendémiaire an IV (5 octobre 1795). Le commandant de la garde nationale, Mandat, dispose de quatre mille hommes dont deux mille gardes nationaux peu sûrs, neuf cents gardes suisses et deux cents aristocrates volontaires.

Le procureur-syndic du département, Roederer, persuadé que toute résistance est inutile, convoque Mandat à l'Hôtel de Ville où il est assassiné. Réveillé, le roi est incité par ses proches à passer en revue les défenseurs du palais pour stimuler leur ardeur. Frénilly, un des gentilshommes venus se mettre à son service, note dans son journal : « Je le vois encore, passant devant notre front, muet, soucieux, se dandinant, semblant nous dire : tout est perdu [1]. » Une fois de plus, Roederer intervient et convainc le roi de se réfugier avec sa famille auprès de l'Assemblée qui siège tout près du palais, au manège. Le procureur-syndic se place à la tête d'un cortège formé des ministres et de la famille royale encadrés par les gardes nationaux, qui quitte les Tuileries vers huit heures.

A cet instant, celles-ci viennent d'être investies par les sans-culottes et les suisses se sont repliés à l'intérieur du palais. Tout combat est devenu inutile, le roi n'étant plus là. Mais les insurgés, mal encadrés, persuadés de triompher sans combat, et les suisses, laissés sans consignes, sont victimes d'un tragique malentendu. Ayant réussi à forcer les grilles du Carrousel, Parisiens, Brestois et Marseillais entrent en masse dans les cours du palais lorsque les gardes suisses ouvrent le feu sur eux. Les envahisseurs s'enfuient, laissant leurs canons aux mains des suisses. Toutefois, renforcés par les milliers d'hommes qui déferlent du faubourg Saint-Antoine, les insurgés repartent à l'assaut, profitant du désarroi des gardes suisses dont le commandant vient de recevoir un billet du roi lui ordonnant de déposer les armes.

Si les gentilshommes parviennent le plus souvent à prendre la fuite, les suisses, aisément reconnaissables à leur uniforme rouge, sont massacrés par la foule : les deux tiers des neuf cents gardes sont mis en pièces. Les insurgés ont compté près de trois cents morts et blessés, beaucoup de Marseillais et de nombreux ouvriers et artisans du meuble du faubourg Saint-Antoine, pour la plupart âgés de plus de trente ans et pères de famille. Ce sont donc bien les sans-culottes parisiens et leurs alliés brestois et marseillais qui ont livré bataille, ce sont eux qui exigent, d'une Assemblée législative terrorisée, la suspension du roi puis son incarcération au Temple, sous la surveillance de la Commune insurrectionnelle, ce sont eux aussi qui réclament la convocation d'une nouvelle assemblée,

---

1. Frénilly, *Souvenirs*, p. 167.

d'une Convention élue au suffrage universel et chargée de donner à la nation une nouvelle Constitution.

• *Le règne de la Commune (1792-1794)*

Au lendemain du 10 août, le pouvoir est réparti très inégalement entre trois forces : une Assemblée législative moribonde qui doit s'effacer sous quarante jours devant la Convention ; un Conseil exécutif provisoire faisant office de gouvernement avec Roland à l'Intérieur, Servan à la Guerre et Danton, ex-substitut du procureur de la Commune, à la Justice ; enfin, la Commune insurrectionnelle de deux cent quatre-vingt-huit membres issus de la petite et moyenne bourgeoisie, parmi lesquels figurent les tribuns d'origine provinciale des clubs des Jacobins et des Cordeliers, Robespierre, Billaud-Varenne, Chaumette. Le maire Pétion et le procureur-syndic Manuel sont maintenus mais ne détiennent plus de pouvoir réel.

Dès le 11 août, cédant à la psychose d'une menace contre-révolution-naire, la Commune prend toute une série de mesures et impose à la Législative leur extension à la France entière. Elle commence par suspendre tous les passeports, fait nommer par les sections des commis-saires civils chargés de surveiller les barrières et d'inspecter les hôtels garnis. Le 12, une troupe de trois cent cinquante hommes est envoyée à Auteuil, Passy, Neuilly, Boulogne, pour « s'informer des personnes qui résident dans cette partie extérieure de la capitale ». Le 15, des comités de section de dix-huit membres sont formés et les assemblées de section deviennent accessibles à tous les citoyens et non plus aux seuls citoyens actifs, c'est-à-dire payant un impôt direct équivalent au moins à trois jours de salaire d'un ouvrier non qualifié. Le 17, il est décidé que « tous les simulacres bizarres qui ne doivent leur existence qu'à la fourberie des prêtres et à la bonhomie du peuple, lutrins, anges, diables, séraphins, chérubins de bronze, seront employés à faire des canons [1] ».

Le 19, on décide de requérir de la Législative l'arrestation des femmes et des enfants d'émigrés et, sans attendre son vote, on commence à incar-cérer les suspects en masse. Le 20, ordre est donné de faire disparaître des murs des maisons « les armes, fleurs de lys, statues et bustes, enfin tout ce qui peut être considéré comme des honneurs rendus à un seul individu, la liberté et l'égalité étant désormais les seules idoles dignes des hommages du peuple français [2] ».

Les défaites militaires exaspèrent les esprits : à l'annonce de la chute de Longwy, le 26 août, les visites domiciliaires sont autorisées et les arrestations se multiplient. Le 2 septembre, quand Paris apprend que Verdun est assiégé, c'est l'affolement. La Commune fait fermer les barrières, convoque les hommes en état de porter les armes au Champ-

---

1. Cité par Tulard, *Nouvelle Histoire de Paris. La Révolution*, p. 209.
2. *Ibid.*, p. 211.

de-Mars au son du tocsin, du canon d'alarme et du tambour. La panique saisit la population à l'idée que les hommes valides vont partir affronter l'ennemi et laisser la ville sans défenseurs, alors qu'il n'est question que du soulèvement imminent des contre-révolutionnaires parisiens. Marat, la section Poissonnière et d'autres encore élèvent la voix pour exiger la mise à mort des prisonniers avant le départ des volontaires pour le front. Ces exécutions sont présentées comme une mesure de salut public. Le tribunal criminel extraordinaire créé par Danton le 17 août n'a, semble-t-il, pas prononcé suffisamment de condamnations à mort pour rassurer les sans-culottes.

Les massacres de septembre

Alors, du 2 au 5 septembre 1792, dans les nombreuses geôles, souvent improvisées dans des couvents désaffectés, se déroule le massacre : le tiers, parfois la moitié des trois mille prisonniers sont tués dans des conditions abominables. Parmi les victimes, 17 % de prêtres réfractaires, 6 % de gardes suisses, 5 % de véritables détenus politiques et 72 % de prisonniers de droit commun, voleurs, filles publiques, vagabonds, enfants délinquants. Billaud-Varenne, substitut du procureur-syndic de la Commune, est l'âme de ce carnage. Il dit aux égorgeurs : « Respectables citoyens, vous venez d'égorger des scélérats ; vous avez sauvé la patrie ; la France entière vous doit une reconnaissance éternelle ; la municipalité ne sait comment s'acquitter envers vous. Sans doute, le butin et la dépouille de ces scélérats appartiennent à ceux qui nous en ont délivrés ; mais sans croire pour cela vous récompenser, je suis chargé de vous offrir à chacun 24 livres qui vont vous être payées sur-le-champ. Respectables citoyens, continuez votre courage et la patrie vous devra de nouveaux hommages [1]. »

Danton, ministre de la Justice, n'ose faire des critiques et déclare : « Je me fous bien des prisonniers, qu'ils deviennent ce qu'ils pourront [2] ! » Robespierre, Roland, les girondins, le maire Pétion, le procureur-syndic Manuel, se taisent et laissent faire. La province est horrifiée par ces massacres que justifie une circulaire envoyée aux départements par le comité de surveillance de la Commune et signée notamment par Marat, Panis et Sergent. Déjà choqués par le renversement de la monarchie, les provinciaux s'inquiètent des violences exercées dans une capitale aux mains d'extrémistes sanguinaires. Le contentieux entre Paris et le reste de la France s'alourdit et ne peut aboutir qu'à un divorce.

L'élection de la Convention

C'est dans cette atmosphère empoisonnée que se déroulent les élections à la Convention. Les assemblées primaires nomment des électeurs

---

1. F. Bluche, *Septembre 1792*, p. 86.
2. J. Tulard, J.-F. Fayard, A. Fierro, *Histoire et Dictionnaire de la Révolution*, p. 744.

qui désignent les députés. Le vote se fait à voix haute, sous la pression d'une foule parfois menaçante, ce qui dissuade les modérés de voter. A Paris, l'assemblée électorale de 990 membres désigne 24 députés et 8 suppléants entre le 5 et le 23 septembre 1792. Maximilien de Robespierre est élu le premier, suivi par Danton qui obtient le plus grand nombre de suffrages, 638 sur 700 votants. Sont ensuite élus les responsables des massacres, Marat, Panis et Sergent, Billaud-Varenne, les jacobins de gauche ou montagnards opposés aux girondins, Collot d'Herbois, Camille Desmoulins, Fabre d'Églantine, Legendre, le peintre David, le jeune frère de Robespierre, Augustin, le duc d'Orléans, vil démagogue rebaptisé Philippe Égalité. Deux modérés seulement sont élus, Dusaulx et Raffron de Trouillet. Quant aux Girondins, ni Brissot ni Condorcet n'ont pu se faire élire à Paris, mais la province leur réserve un franc succès, ce qui accentue le clivage entre la capitale et le reste du pays.

L'élection de la Commune de Paris

Le 20 septembre, la canonnade indécise de Valmy et le repli de l'armée prussienne sauvent Paris et la France de la défaite et de l'occupation étrangère. Peut-être la retraite de Brunswick a-t-elle été achetée par Danton : les bijoux de la Couronne ont été volés au Garde-Meuble le 16 septembre et l'on retrouvera le diamant dit « le Régent », le plus beau joyau des rois de France, parmi les collections du maréchal prussien à sa mort. Le 21, dès sa première séance, la Convention décrète que « la royauté est abolie en France ». Le 19, avant de se disperser, la Législative a décrété qu'il devait être procédé à la réélection de tous les membres de la municipalité de Paris et du Conseil général de la Commune selon les formes prescrites par la loi.

Ces élections vont se dérouler dans une atmosphère de crise. A la Convention, les Girondins s'en prennent violemment aux montagnards et à la Commune issue du 10 août. Dès le 24 septembre, devant les manifestations du public sans-culottes des tribunes, qui perturbent les débats, le girondin Buzot réclame, pour assurer la sécurité des députés, « une force publique à laquelle participent tous les départements ». Le lendemain, un autre Girondin, Lasource, lance la fameuse diatribe : « Je crains le despotisme de Paris et je ne veux pas que ceux qui y disposent de l'opinion des hommes qu'ils égarent dominent la Convention nationale de la France entière. Il faut que Paris soit réduit à un quatre-vingt-troisième d'influence, comme chacun des autres départements[1]. » En réponse, les commissaires de la Commune menacent à la barre de la Convention : « On vous a proposé de vous mettre au niveau des tyrans, en vous entourant d'une garde isolée et différente de celle qui compose

---

1. Cité par J. Tulard, *Nouvelle Histoire de Paris. La Révolution*, p. 223.

essentiellement la force publique. Les sections de Paris, après avoir pesé la valeur des principes sur lesquels repose la souveraineté du peuple, vous déclarent par notre organe qu'elles trouvent ce projet odieux en soi et d'une exécution dangereuse [1]. » Ils concluent par un défi : « Nous ne défendons pas ici les intérêts de la ville de Paris, mais ceux de la France entière... Paris a fait la Révolution, Paris a donné la liberté au reste de la France, Paris saura la maintenir [2]. » La Convention intimidée renonce à se doter d'une protection militaire. Mais le meneur souterrain du jeu révolutionnaire parisien est dénoncé par le girondin Louvet : « Robespierre, je t'accuse de t'être continuellement produit comme un objet d'idolâtrie ; je t'accuse d'avoir tyrannisé par tous les moyens d'intrigue et d'effroi l'assemblée électorale du département de Paris ; je t'accuse enfin d'avoir évidemment marché au suprême pouvoir [3]. »

Quant aux élections municipales, commencées le 9 octobre, elles donnent une victoire écrasante au girondin Pétion qui se récuse, son mandat de député étant incompatible avec la fonction de maire. On recommence à voter et c'est de nouveau un modéré, Lefèvre d'Ormesson, qui bat le candidat de la Montagne, Lhuillier, par 4 910 suffrages contre 4 896. Conscient du péril mortel auquel cette fonction l'expose, il se récuse. Un troisième vote, le 30 novembre, voit le triomphe d'un autre modéré, proche des girondins, qu'on dit médecin de Brissot, Nicolas Chambon, par 8 358 voix contre 3 906 au montagnard Lhuillier.

L'élection des conseillers est tout aussi défavorable aux montagnards : quarante-cinq membres de la Commune insurrectionnelle seulement sont élus. Ce succès des modérés est largement imputable à un décret de la Convention exigeant que le vote se fasse par écrit au scrutin secret, ce qui réduit les pressions possibles sur les électeurs. Mais les montagnards compensent cette défaite par un tour de passe-passe. Profitant de l'absence d'une majorité des cent quarante-quatre membres du Conseil de la Commune, ils font élire Chaumette au poste clé de procureur-syndic par 31 voix sur 59 votants, puis lui font adjoindre Hébert et Lebois, bientôt remplacé par Réal, comme substituts avec 34 et 31 suffrages. Ce choix est ratifié les 16 et 22 décembre 1792 par les sections avec un taux de participation très faible : 5 089 voix pour Chaumette pour 160 000 électeurs, la distinction entre citoyens actifs et passifs ayant été abolie.

Pour compenser ces piètres résultats, les sans-culottes vont avoir recours à un stratagème. Lors d'une réunion extraordinaire du Conseil municipal dont le maire n'a pas été averti et à laquelle n'assistent que dix-sept des cent quarante-quatre membres du Corps municipal, Hébert fait voter la convocation des quarante-huit sections pour le 24 décembre

---

1. J. Tulard, *Nouvelle Histoire de Paris. La Révolution*, p. 223-224.
2. *Ibid.*, p. 224.
3. Cité par J. Tulard, J.-F. Fayard, A. Fierro, *Histoire et Dictionnaire de la Révolution*, p. 115.

afin que chacune d'elle élise trois citoyens. Ces citoyens constitués en assemblée doivent valider les conseillers élus et procéder à l'épuration de tous ceux qui se seraient compromis avec la monarchie. Les sections ne s'attellent à cette tâche que deux mois plus tard, le 23 février 1793, mais éliminent d'emblée quarante-cinq élus modérés appartenant à trente sections. Il faut donc procéder à de nouvelles élections et à de nouveaux scrutins épuratoires. Pendant tout ce temps-là, le Conseil de la Commune est réduit à une poignée de membres comme le déplore une pétition adressée à la Convention par la municipalité désemparée : « Presque toujours quinze ou seize membres décident des intérêts d'une population de huit cent mille âmes[1]. » Les élus modérés ainsi neutralisés ou éliminés, la Commune redevient l'instrument des sans-culottes.

La chute de la Gironde

Le 21 janvier 1793, Louis XVI a été guillotiné après deux mois d'un procès durant lequel les conventionnels ont été en permanence soumis à la pression du public des tribunes. La mort n'a été votée qu'à une voix de majorité : 361 suffrages sur 721. Dès lors, les événements s'accélèrent. Quoique le prix du pain soit contrôlé dans la capitale, la Commune dépensant 12 000 livres par jour pour le maintenir à bon marché, les troubles se multiplient, des boutiques d'alimentation sont pillées. Apparaissent à ce moment sur la scène parisienne de nouveaux éléments, les « enragés » emmenés par le prêtre Jacques Roux, le journaliste Leclerc et Varlet, orateur des faubourgs. Ils exigent la taxation des produits de première nécessité, la peine de mort contre les accapareurs, un impôt sur les riches… La garde nationale doit intervenir pour maintenir un semblant d'ordre dans la rue et le maire modéré, Chambon, dépassé, pris de peur, donne sa démission le 2 février. Le 14 février, il est remplacé par Pache qui quitte le ministère de la Guerre pour l'Hôtel de Ville. Cet ancien girondin lié à Roland s'est progressivement rallié à la Montagne, faisant toujours preuve d'un opportunisme prudent.

Le ministère et la Convention, dominés par les girondins, doivent affronter de nouvelles difficultés. Battu à Neerwinden, Dumouriez a vainement tenté de faire marcher ses troupes sur Paris pour y écraser les sans-culottes, puis s'est livré aux Autrichiens, le 3 avril 1793. Sa trahison fait peser la suspicion sur ses anciens amis de la Gironde et ressuscite la menace militaire aux frontières du nord et de l'est. A l'intérieur même du pays a éclaté une terrible insurrection paysanne. La levée de trois cent mille soldats décrétée par la Convention pour défendre le pays fait l'objet d'un refus parfois violent dans plusieurs régions : Languedoc, Rouergue, Quercy, Périgord, Bordelais, Franche-Comté, Basse Normandie, Maine, Bretagne. Mais c'est dans le bas Poitou, la Vendée, les Deux-Sèvres et

---

1. Cité par P. Sainte-Claire Deville, *La Commune de l'an II*, p. 26.

leurs marges angevines et bretonnes, que la révolte se transforme en insurrection : partie de Cholet le 3 mars 1793, elle se propage très vite aux Mauges et au Bocage. Le 25 mai 1793, les insurgés sont maîtres des campagnes et de toutes les villes à l'ouest de Poitiers, entre Sèvre niortaise et Loire, à l'exception des Sables-d'Olonne et de Nantes.

La Convention a réagi devant le péril extérieur et la guerre civile en créant, le 6 avril 1793, un Comité de salut public chargé d'accélérer et de surveiller l'action du gouvernement. Se multiplient les décrets contre les émigrés, aristocrates, prêtres réfractaires. L'inviolabilité des députés est même supprimée. Depuis le 10 mars existe un Tribunal révolutionnaire, installé au palais de justice, dont les jugements sont immédiatement exécutoires et sans appel ni recours en cassation.

Appuyés par la Commune, les députés de la Montagne accusent la Gironde de trahir et affamer les Français. Robespierre dit, le 3 avril : « Je déclare que la première mesure de salut public à prendre est de décréter d'accusation tous ceux qui sont prévenus de complicité avec Dumouriez et notamment Brissot[1]. » Le 5 avril, sous l'impulsion de Marat, le club des Jacobins lance une déclaration de guerre contre les girondins : « Oui, frères et amis, la contre-révolution est dans le gouvernement, dans la Convention nationale ! Levons-nous ! Oui, levons-nous tous ! Mettons en arrestation tous les ennemis de notre Révolution et toutes les personnes suspectes. Exterminons sans pitié tous les conspirateurs si nous ne voulons pas être exterminés nous-mêmes. Aux armes ! Nous saurons combattre et mourir[2] ! » Caisses de résonance, les sections présentent des accusations nominales, telle la section du Bon-Conseil : « Depuis assez longtemps la voix publique vous désigne les Vergniaud, les Guadet, les Gensonné, les Brissot, les Barbaroux, les Louvet, les Buzot... Qu'attendez-vous pour les frapper du décret d'accusation[3] ? »

Après avoir vainement obtenu, le 5 avril, le vote de la mise en accusation de Marat, triomphalement acquitté le 24, les girondins font créer au sein de la Convention une commission de douze députés chargée de prendre les mesures nécessaires à la sécurité publique, les délibérations de l'assemblée étant sans cesse perturbées par le public des tribunes et le défilé de pétitionnaires très souvent armés. Cette commission, dominée par les modérés, ordonne, le 24 mai, l'arrestation de Hébert pour un article du *Père Duchesne* intitulé : « La grande dénonciation du *Père Duchesne* à tous les sans-culottes des départements au sujet des complots formés par les brissotins, les girondins, les rolandistes, les buzotins, les pétionistes et toute la foutue séquelle des complices de Capet et de Dumouriez, pour faire massacrer les braves montagnards, les jacobins, la

---

1. Cité par J. Tulard, J.-F. Fayard, A. Fierro, *Histoire et Dictionnaire de la Révolution*, p. 137.
2. *Ibid.*
3. *Ibid.*

Commune de Paris, afin de donner le coup de grâce à la liberté et de rétablir la royauté. » C'est un défi direct à la Commune, Hébert exerçant la fonction de substitut de son procureur-syndic, Chaumette. Une délégation vient protester à la barre de la Convention. Le girondin Isnard répond de façon provocante : « Si par des insurrections toujours renaissantes, il arrivait qu'on portât atteinte à la représentation nationale, je vous le déclare au nom de la France entière, Paris serait anéanti ; bientôt on chercherait sur les rives de la Seine si Paris a existé [1]. » Aussitôt Robespierre appelle le peuple à se soulever contre les députés corrompus et Marat propose la suppression de la commission des douze, soutenu par vingt-huit sections. Une émeute, le 27 mai, aboutit à la dissolution de la commission, mais la Convention la rétablit le lendemain.

La Commune s'organise alors pour l'insurrection : un comité, installé à l'évêché, élabore la réédition du scénario du 10 août 1792. Le 31 au matin sonne le tocsin, les membres du comité de l'évêché se rendent à l'Hôtel de Ville et, excipant des pouvoirs illimités que leur ont confié les sections, mettent en place un Conseil général provisoire insurrectionnel. Vingt-cinq mille hommes assiègent la Convention et la Commune propose aux députés un programme en quatorze points : noyée au milieu de revendications économiques et sociales (pain à 3 sous la livre, emprunt forcé sur les riches, indemnités aux défenseurs de la patrie) figure la demande d'arrestation et de mise en accusation de vingt-deux girondins et des membres du comité des douze. Malgré les pressions, la Convention se limite à une solution de compromis avec la suppression de la commission des douze. La Commune, en effrayant le Marais, l'a rapproché de la Gironde.

Après une journée de préparatifs, le 1er juin, le comité révolutionnaire organise une seconde insurrection, le 2, ordonnant à l'aube de ce jour : « Le commandant Hanriot fera dès le matin environner la Convention d'une force armée respectable, de manière que les chefs de la faction puissent être arrêtés dans le jour, dans le cas où la Convention refuserait de faire droit sur la demande des citoyens de Paris [2]. » Cette fois-ci, ce sont quatre-vingt mille hommes, disposant de canons braqués sur la salle du manège, qui assiègent durant toute la journée la Convention qui se résigne à voter l'arrestation de vingt-neuf députés, les principaux représentants de la Gironde.

La Commune hébertiste

Le 7 août 1793 se réunissent les cent quarante-quatre membres du Conseil général de la Commune, enfin élus après dix mois de scrutins, d'épurations, de validations, d'invalidations. Une cinquantaine de ces élus, le noyau dur de l'assemblée, ont participé au 10 août 1792. Ils répartissent entre eux les fonctions du corps des officiers municipaux et

---

1. Cité par J. Tulard, *Nouvelle Histoire de Paris. La Révolution*, p. 232.
2. *Ibid.*, p. 236.

exercent la réalité du pouvoir. Le maire Pache se tenant sur une prudente réserve, ce sont Hébert et Chaumette qui occupent le devant de la scène. Hébert est le porte-plume de la Commune avec son *Père Duchesne*. Chaumette, procureur-syndic de la Commune, « fouine à museau pointu, propre à tremper dans le sang », écrira Michelet, en est l'orateur. S'appuyant sur la rue, il fait adopter par la Convention les exigences des sans-culottes parisiens : Tribunal révolutionnaire, loi sur les suspects, impôt sur les riches. Homosexuel, il lance, le 1er octobre, un réquisitoire terrible contre les prostituées, véritable appel au meurtre que la Convention et l'opinion publique condamnent comme excessif. Changeant alors de cible, il prêche la déchristianisation avec la même outrance, organisant des mascarades antireligieuses qui lui attirent les remontrances et l'hostilité de Robespierre.

L'obsession de la foule des Parisiens pauvres demeure l'approvisionnement de la capitale. Le problème des subsistances fournit aux enragés du prêtre Roux l'occasion de faire de la surenchère sur la Commune hébertiste. Une série d'émeutes organisées par Roux, Leclerc et Varlet a contraint la Convention à décréter, le 4 mai 1793, le premier maximum, concernant le prix du blé. Mais les enragés exigent un maximum général, un prix maximum fixé pour tous les produits de première nécessité. La Convention, bourgeoise et attachée au libéralisme économique, est heurtée par les revendications présentées par Jacques Roux, le 25 juin. Le montagnard Thuriot s'exclame : « Vous venez d'entendre professer à cette barre les principes monstrueux de l'anarchie [1]. »

Montagne et Commune hébertiste s'unissent contre le péril des enragés. Roux et Leclerc sont exclus du club des Cordeliers le 30 juin. Le 1er juillet, Marat s'en prend à Varlet, « intrigant sans cervelle », et dénonce Roux qui a pris « le parti de donner dans les extrêmes et de porter le civisme hors des bornes de la sagesse pour faire du bruit et attirer l'attention de ses concitoyens [2] ».

Les enragés ont encore l'occasion d'organiser les « émeutes du savon » : des femmes s'emparent de caisses de savon sur les ports de la Grenouillère et Saint-Nicolas, les taxent et les vendent à bas prix. Craignant l'extension de l'agitation, la Convention vote, le 29 septembre, le maximum général qui concerne une trentaine de produits de première nécessité, mais un maximum des salaires est également prévu pour tenter de juguler l'inflation et la dépréciation des assignats.

Mais la perte des enragés est décidée. Dans la séance du 28 juillet de la Commune, Réal accuse Roux d'être responsable d'une disette factice par ses discours alarmistes : « Ces plaintes, quelque bien fondées qu'elles soient, sont comme un tocsin qui sonne l'alarme de tous les esprits, qui

---

1. Cité par J. Tulard, J.-F. Fayard, A. Fierro, *Histoire et Dictionnaire de Paris*, p. 160.
2. Cité par J. Tulard, *Nouvelle Histoire de Paris. La Révolution*, p. 255.

appelle en foule et les malveillants et les femmes timides aux portes des boulangers. C'est ainsi qu'il s'élève une sorte de disette factice. C'est ce qui s'est pratiqué depuis que Jacques Roux a parlé des subsistances à la tribune de la Convention. La seule manière de tuer les subsistances est de parler des subsistances[1].» Roux s'étant fait élire à la présidence de la section des Gravilliers et ayant fait révoquer le commissaire de police de cette section ainsi que ses deux comités, Chaumette l'accuse d'avoir «attenté à la souveraineté du peuple», crime contre-révolutionnaire passible de la peine de mort. Roux est arrêté le 25 août. Neuf de ses partisans aux Gravilliers sont aussi incarcérés, puis Varlet en septembre. Leclerc se cantonne dans un silence prudent. Jacques Roux se suicide le 10 février 1794 dans sa cellule afin d'éviter de passer en jugement.

Le parti des enragés décapité, la voie est libre pour les hébertistes qui reprennent largement les revendications de ceux qu'ils ont éliminé. Sous le signe de la Terreur, les mesures de réquisition se multiplient. L'armée révolutionnaire parisienne sillonne les campagnes voisines de la capitale, confisque les récoltes, assez abondantes cette année-là. Les queues devant les boulangeries disparaissent et il est possible de renoncer aux cartes de pain déjà imprimées. Par démagogie pure, pour plaire aux pauvres, il est décidé qu'il ne se fabriquera plus de petits pains ni de pains de fantaisie, mais un seul «pain de l'égalité». En revanche, bois et charbon, indispensables pour le chauffage et la cuisine, se raréfient et atteignent des prix inégalés, celui du charbon quintuplant en un an. Les ports où sont déchargés charbon et bois sont souvent envahis par des foules qui se disputent le combustible. Le vin et l'eau-de-vie, abondants, favorisent une ivrognerie déjà fort répandue, les pauvres mal nourris se rabattant sur l'alcool bon marché. Les légumes, en général non taxés, coûtent très cher. Le beurre et les œufs sont rares ainsi que la viande, réquisitionnée pour les armées qui en consomment ou gaspillent d'énormes quantités. Le peuple mécontent parle de «l'aristocratie des bouchers» et doit se contenter de la charcuterie qui se raréfie à son tour. La découverte de provisions de lard au domicile d'Hébert portera un grave coup à sa popularité.

L'instauration, le 5 octobre 1793, du calendrier républicain donne un élan nouveau à la déchristianisation prônée par Chaumette. Un arrêté de la Commune interdit aux commerçants de fermer le dimanche. Le 23 octobre, il est décidé de décapiter les statues de rois du portail de Notre-Dame. Le mot «saint» est effacé à coups de marteau dans les inscriptions donnant les noms de rues. Puis on s'en prend aux individus. Le 7 novembre, l'évêque Gobel est venu déposer ses lettres de prêtrise et coiffer le bonnet rouge. Le 10 novembre a lieu à Notre-Dame une fête dédiée à la Raison et à la Liberté. Le 23 novembre, Chaumette s'en prend

---

1. J. Tulard, *Nouvelle Histoire de Paris. La Révolution*, p. 255.

au clergé pourtant assermenté et rallié à la République : « Les prêtres sont capables de tous les crimes. Ils feront des miracles si vous n'y prenez pas garde ; ils empoisonneront les plus chauds patriotes ; ils mettront le feu à la maison commune et à la Trésorerie nationale, et quand ils verront brûler leurs victimes, ils diront que c'est Dieu qui les punit[1]. » La fermeture de tous les lieux de culte de Paris est votée après cette intervention, car « le peuple de Paris a déclaré qu'il ne reconnaissait d'autre culte que celui de la Raison ». Douze des trente-trois curés de la capitale signent une déclaration d'abdication et trois d'entre eux donnent un gage de leur ralliement à la Révolution en se mariant.

Le décret d'organisation du gouvernement révolutionnaire du 4 décembre 1793 met un terme à l'autonomie dont la Commune bénéficiait depuis près de quatre ans. D'après ce décret, note l'historien Sainte-Claire Deville, « la tâche de l'application des lois révolutionnaires, des mesures de gouvernement, de salut public et de sûreté générale, incombe aux municipalités et aux comités de surveillance révolutionnaire, dits comités révolutionnaires. A eux revient donc la charge d'exercer sur les citoyens la contrainte nécessaire pour obtenir l'application de ces lois ou mesures. Au-dessus de ces municipalités, les administrations de districts (arrondissements actuels) ont un rôle de contrôle ; elles sont alors elles-mêmes placées directement sous l'autorité du Comité de salut public et du Comité de sûreté générale. Auprès des municipalités et des districts, il y aura désormais des agents représentant le pouvoir central et "spécialement chargés de requérir et de poursuivre l'exécution des lois, ainsi que de dénoncer les négligences apportées dans cette exécution et les infractions qui pourraient se commettre…" On leur donne le titre d'agents nationaux, ils auront des substituts, et pour aller vite, on se borne à débaptiser les procureurs-syndics en fonction, et à les gratifier du nouveau titre, à l'exception — *in cauda venenum* — "de ceux qui sont dans le cas d'être destitués". C'est là une première diminution pour les citoyens Chaumette et Hébert : c'en est fini de cette belle indépendance qu'ils tenaient de leur qualité d'élus du peuple, du peuple de tout Paris. Désormais, ils sont les humbles fonctionnaires, les valets du redoutable Comité, qui peut les révoquer du jour au lendemain sans forme de procès[2]. »

Sainte-Claire Deville fait observer pertinemment : « Les gens qui ont organisé le gouvernement révolutionnaire sont, il ne faut pas l'oublier, les anciens dirigeants supérieurs de l'opération du 31 mai. Ils connaissent à fond le mécanisme de l'insurrection pour l'avoir pratiqué. Rien d'étonnant alors à ce que le décret sur le gouvernement révolutionnaire contienne quelques articles destinés à empêcher le renouvellement du coup du 31 mai à leur préjudice ; certaines de leurs prescriptions renfer-

1. J. Tulard, *Nouvelle Histoire de Paris. La Révolution*, p. 259.
2. P. Sainte-Claire Deville, *La Commune de l'an II*, p. 131.

ment d'ailleurs des principes excellents à appliquer ou à rappeler en tous temps : "Il est aussi expressément défendu à toute autorité constituée d'altérer l'essence de son organisation, soit par des réunions avec d'autres autorités, soit par des délégués chargés de former des autorités centrales, soit par des commissaires envoyés à d'autres autorités constituées. Toutes les relations entre tous les fonctionnaires publics ne peuvent plus avoir lieu que par écrit. Tous congrès ou réunions centrales établies, soit par les représentants du peuple, soit par les sociétés populaires, sous quelques dénominations qu'ils puissent avoir, même de Comité central de surveillance ou de Commission centrale révolutionnaire ou militaire, sont révoqués et expressément défendus par ce décret comme subversifs de l'unité d'action de gouvernement et tendant au fédéralisme..." Ainsi, défense absolue de convoquer des assemblées de commissaires de sections, ou de délégués de comités révolutionnaires, impossibilité désormais pour une section de tenter de mettre le feu à tout Paris, en votant une motion incendiaire et en la colportant de suite dans les quarante-sept autres par des commissaires chargés d'en demander l'approbation, défense aussi de former des comités révolutionnaires centraux sur le modèle trop connu de celui de l'évêché[1]. »

Désarçonné par le Comité de salut public dans sa course au pouvoir, Hébert tente de se remettre en selle en se plaçant dans les pas de Robespierre. Il soutient l'Incorruptible dans sa dénonciation des « pourris », des députés qui, tels Fabre d'Églantine, Basire, Chabot, Delaunay, se sont enrichis grâce à la liquidation frauduleuse de la Compagnie des Indes, ainsi que dans celle des « indulgents » qui, rassemblés autour de Danton et de Camille Desmoulins, rédacteur du *Vieux Cordelier*, réclament une pause dans la Terreur.

Devant le refus de Robespierre, Desmoulins précise ses attaques, demandant : « Pourquoi la clémence serait-elle devenue un crime dans la République ? » Utilisant les liens d'amitié unissant Fabre d'Églantine et Danton, Robespierre amalgame les deux groupes, affairistes corrompus et « indulgents », accusés du crime contre-révolutionnaire de « modérantisme ». Hébert prête main-forte à Robespierre. Il écrit dans *Le Père Duchesne* : « Point de pitié pour les ennemis de la patrie. La Convention, en mettant la Terreur à l'ordre du jour, a sauvé la patrie ; si elle parlait d'indulgence, elle se perdrait avec nous[2]. » Il dénonce « une nouvelle clique de modérés, de feuillants, d'aristocrates nommés phélipotins, soudoyés par l'Angleterre pour remplacer les brissotins et brouiller les cartes à la Convention, en dénonçant les meilleurs patriotes[3] ». Ces « phélipotins » sont les proches du député Philippeaux, intime de Danton.

---

1. P. Sainte-Claire Deville, *op. cit.*, p. 133.
2. Cité par J. Tulard, J.-F. Fayard, A. Fierro, *Histoire et Dictionnaire de la Révolution*, p. 163.
3. *Ibid.*

Cette campagne aboutit à l'arrestation de Danton et de ses partisans, le 30 mars, à leur jugement sommaire par le Tribunal révolutionnaire et à leur exécution, le 5 avril 1794.

Entre-temps, Robespierre s'est débarrassé de ses encombrants alliés hébertistes qu'il soupçonne, non sans raison, de préparer une nouvelle insurrection contre la Convention sous prétexte d'en éliminer les « pourris ». Le 4 mars, au club des Cordeliers, soutenu par Momoro, Vincent et Ronsin, Hébert a dénoncé la « modération », ajoutant : « Quels sont les moyens de nous en délivrer ? L'insurrection, oui, l'insurrection ; et les Cordeliers ne seront pas les derniers à donner le signal qui doit frapper à mort les oppresseurs [1]. » Le lendemain, la section Marat se réunit sous la présidence de Momoro et décide d'organiser l'envoi d'une députation des quarante-huit sections à la Convention. Mais aucune autre section ne s'associe au mouvement qui échoue piteusement. Hébert fait alors marche arrière, déclare que le nouveau « 31 mai » qu'il a évoqué n'est qu'une insurrection théorique, en paroles. Ses palinodies ne trompent pas Robespierre et le Comité de salut public qui profitent du désarroi des hébertistes pour les frapper. Dans la nuit du 13 au 14 mars 1794, la plupart sont arrêtés à leur domicile. Amalgamés à des « agents de l'étranger », le Rhénan imbécile et agité Anacharsis Cloots, le douteux Bruxellois Proly, l'affairiste juif portugais Pereira, Hébert, Momoro, Ronsin, Vincent et onze autres hébertistes sont jugés rapidement par le Tribunal révolutionnaire et envoyés à la guillotine le 24 mars. Chaumette, qui a pris ses distances et prudemment, mais un peu tard, renié ses amis, est arrêté le 18 mars et guillotiné le 13 avril en compagnie des veuves d'Hébert et de Desmoulins et de l'ancien évêque Gobel.

La Commune robespierriste

Les sans-culottes et les sections de Paris ont assisté sans réagir à l'arrestation, au jugement et à l'exécution de leurs idoles, aussi bien les hébertistes que les dantonistes. C'est une veule soumission qu'une dizaine de députations des sections viennent exprimer à la barre de la Convention, après la chute d'Hébert, le 18 mars. Bourdon de l'Oise se raille de la Commune qui ne s'est pas manifestée : « Est-ce parce que la probité et la vertu sont à l'ordre du jour que la municipalité de Paris ne vient pas nous complimenter [2] ? » Et, sur sa demande, la Convention vote une motion invitant les Comités de salut public et de sûreté générale à « procéder dans le plus court délai à l'examen de la conduite et à l'épuration des autorités constituées de Paris qui, dans ces circonstances, ont gardé le silence sur les événements présents [3] ». Le soir même, le Conseil

---

1. Cité par J. Tulard, J.-F. Fayard, A. Fierro, *Histoire et Dictionnaire de la Révolution*, p. 163.

2. Cité par J. Tulard, *Nouvelle Histoire de Paris. La Révolution*, p. 265.

3. *Ibid.*

général de la Commune vient faire sa soumission à la Convention, accueilli par un Bourdon qui lance : « C'est avant le décret d'hier que la Commune devait se présenter : aujourd'hui, il ne reste plus qu'à examiner sa conduite [1] ! »

Quelle différence avec l'arrogance triomphante de la Commune dont les représentants venaient, quelques mois auparavant, menacer la Convention dans sa salle de réunion même ! Comment expliquer cet effondrement des éléments les plus actifs et les plus révolutionnaires de Paris ? L'historien Marcel Reinhard le justifie ainsi : « Les sans-culottes étaient désemparés. Comment se fier à qui que ce soit si *Le Père Duchesne* et *Le Vieux Cordelier* s'accusaient de trahison, de vénalité, d'accaparement, si Danton ne valait pas mieux que Vincent, si Chabot se livrait aux plaisirs et recherchait l'argent, si Chaumette était aussi criminel que les chefs de l'armée révolutionnaire. On en venait à douter de Marat, de son passé, de Robespierre lui-même, des jacobins et des cordeliers. Ces luttes farouches se livraient entre les factions, les clans, les hommes, plus qu'entre les politiques. Tant d'épurations avaient réduit les militants à une poignée et remplacé les élus par les créatures des grands comités nationaux ; le peuple parisien se dépolitisait, il perdait l'initiative avec l'audace, il perdait le goût de l'insurrection avec la confiance en ses chefs, il se soumettait à des gouvernants résolus et qui gagnaient des victoires sur les armées étrangères [2]. »

Paul Sainte-Claire-Deville révèle un autre aspect, trop négligé, de l'administration parisienne, sa fonctionnarisation progressive et l'apparition de salaires qui ont pu inciter les officiers municipaux à la prudence, à la neutralité, afin de préserver ces avantages financiers précieux quand leurs bénéficiaires étaient de condition modeste. « Les fonctions de notable et d'officier municipal sont, en principe, gratuites, mais bientôt, de nombreux membres, chargés de commissions qui exigent de leur part quelque activité, réclament des indemnités ; c'est ainsi que le Conseil général vote, le 13 brumaire an II — 3 novembre 1793 —, une allocation annuelle de 2 000 livres aux douze membres composant les commissions des passeports, des certificats de résidence, des certificats de civisme, et comme on estime qu'il s'agit là de dépenses nationales et non communales, on invite tranquillement le ministre de l'Intérieur à les ordonnancer. Le même jour, d'ailleurs, le Conseil, plein de générosité pour lui-même, décide que tout membre qui donnera plus de six heures de son temps à des missions spéciales sera indemnisé [3]. »

Les Comités de salut public et de sûreté générale ayant épuré la municipalité, Robespierre installe ses créatures : à Chaumette est substitué

---

1. Cité par J. Tulard, *Nouvelle Histoire de Paris. La Révolution*, p. 265.
2. M. Reinhard, *Nouvelle Histoire de Paris. La Révolution (1789-1799)*, p. 324-325.
3. P. Sainte-Claire Deville, *La Commune de l'an II*, p. 107-108 et 132-138.

Payan, un employé du Comité de salut public, ensuite juré au Tribunal révolutionnaire, originaire de la Drôme. Le substitut Réal est remplacé par le Lyonnais Moenne. Six nouveaux administrateurs de police sont désignés et le maire Pache, éliminé le 10 mai seulement, est remplacé par un obscur Bruxellois, Fleuriot-Lescot, qui a exercé plus d'un an les fonctions de substitut de l'accusateur public Fouquier-Tinville au Tribunal révolutionnaire.

Très vite, les nouvelles autorités témoignent d'une subordination absolue à Robespierre et au Comité de salut public, mais aussi d'une dureté nouvelle et particulière à l'égard des ouvriers. Le 21 avril 1794, fait observer Sainte-Claire Deville, « Payan intervient avec vigueur à propos d'une velléité de grève des ouvriers de la manufacture de tabacs du citoyen Robillard. Dix d'entre eux seulement pénètrent dans la salle du Conseil, mais une masse de près de deux cents se presse aux portes pour réclamer une augmentation de salaires. Un des substituts de l'agent national les renvoie — c'est fort naturel — à s'arranger avec leur patron. Mais Payan considère la chose sous un autre angle : les pétitionnaires ont formé "une assemblée illégale, un rassemblement qui aurait pu devenir funeste", et sans s'inquiéter du nombre des délinquants, il requiert le renvoi des pétitionnaires par-devant l'administration de police "qui punira les coupables et renverra les innocents" [1]. »

Onze jours plus tard, Payan s'en prend aux garçons boulangers qui ont osé interrompre la séance du corps municipal : « Ils se permettent d'exiger des citoyens chez lesquels ils travaillent un salaire excessif et une quantité de viande qui surpasse de beaucoup celle déterminée pour chaque citoyen par le Comité de salut public [2]. » Il fait décider que les garçons boulangers qui exigeront un salaire supérieur à celui fixé par la loi du maximum seront « regardés comme suspects et traités comme tels », c'est-à-dire passibles du Tribunal révolutionnaire et de la guillotine.

Le décret du 22 prairial an II — 10 juin 1794 —, qui accélère la procédure et supprime toute garantie pour les accusés, marque le début de la Grande Terreur. A Paris se déroulent jusqu'à cinquante exécutions par jour. L'écœurement de la population devant cette boucherie est chaque jour plus marqué. Depuis le 10 juin, sans doute pour prévenir une réaction hostile des Parisiens, la guillotine a été déplacée à la sortie est de la capitale, à la barrière du Trône, et les cadavres sont inhumés à la sauvette dans des fosses communes, rue de Picpus. Dans une de ses lettres, le Parisien Nicolas Ruault ne cache pas son dégoût : « Le Tribunal révolutionnaire envoie maintenant les condamnés à mort par six ou sept charrettes à la fois. On a changé la scène des massacres : c'est à la barrière du Trône qu'on les fait mourir par soixante ou quatre-vingts [3]. »

1. P. Sainte-Claire Deville, *op. cit.*, p. 176.
2. *Ibid.*, p. 176-177.
3. N. Ruault, *Gazette d'un Parisien sous la Révolution*, p. 352.

Alors que le Tribunal révolutionnaire a prononcé mille deux cent cinquante et une condamnations à mort en quatre cent trente jours, du 6 avril 1793 au 10 juin 1794, il va en prononcer mille trois cent soixante-seize en quarante-sept jours, du 11 juin au 27 juillet.

Le 8 juin, pour inaugurer la Grande Terreur, Robespierre fait célébrer la fête de l'Être suprême. Valet flagorneur de l'Incorruptible, le maire Fleuriot-Lescot fait apposer un peu partout des affiches proclamant : « L'abondance est là, elle vous attend. L'Être suprême, protecteur de la liberté des peuples, a commandé à la nature de vous préparer d'abondantes récoltes. Il vous observe, soyez dignes de ses bienfaits[1]. » Dès cinq heures du matin, les Parisiens sont invités à sortir de leurs maisons, qu'ils ont été impérativement priés de décorer pendant la nuit de guirlandes de feuillages et de fleurs. A huit heures, les sections commencent à converger vers les Tuileries d'où sort à dix heures le cortège de la Convention présidée par Robespierre. L'Incorruptible fait un court discours et met le feu à un bûcher sur lequel ont été placées les effigies de l'Athéisme, de l'Ambition, de la Discorde et de l'Égoïsme. Des cendres surgit une statue de la Sagesse quelque peu noircie. David a réglé la cérémonie et Méhul composé la musique. Puis les sections et la Convention se rendent au Champ-de-Mars où a été édifiée une montagne symbolique couronnée par un arbre de la liberté. Apothéose de Robespierre autant que de l'Être suprême auquel il a été plus ou moins nettement assimilé, cette fête a été très mal perçue par un grand nombre de Conventionnels et de Parisiens. On a entendu murmurer et même crier : « Dictateur ! Tyran ! » Dans la foule un sans-culotte s'est exclamé : « Le bougre ! Il n'est pas content d'être maître ! Il lui faut encore être dieu ! »

Tout-puissant, Robespierre finit par exaspérer ses collègues du Comité de salut public qui, tels Billaud-Varenne et Carnot, l'accusent de se comporter en dictateur. Organisateur de la victoire, officier de carrière, le bouillant quadragénaire Carnot ne supporte plus la morgue et l'incompétence du protégé de l'Incorruptible, le jeune Saint-Just. Quant au Comité de sûreté générale, il n'a pas accepté que, sur la demande de Robespierre, un bureau de police — aux fonctions similaires aux siennes — soit créé au sein du Comité de salut public. C'est l'un de ses membres, Vadier, qui a tenté de ridiculiser et discréditer Robespierre avec l'affaire Théot. La vieille Catherine Théot, à qui l'Incorruptible a accordé un certificat de civisme, prophétise l'avènement d'un nouveau messie qui ne serait autre que Robespierre. A l'hostilité de la majorité des membres des Comités, il faut ajouter celle des députés plus ou moins nommément accusés de corruption et menacés de la guillotine : Fouché que Robespierre a fait exclure du club des Jacobins, Barras, Tallien et bien d'autres.

Sachant qu'il peut compter sur le soutien de la Commune, Robespierre

---

1. Cité par J. Tulard, *Nouvelle Histoire de Paris. La Révolution*, p. 271.

engage l'épreuve de force le 26 juillet. Au cours d'un discours long et confus, il accuse pêle-mêle les Comités de salut public et de sûreté générale, Cambon et le Comité des finances, les représentants en mission, les militaires, et propose une nouvelle épuration de la Convention : « Disons qu'il existe une conspiration contre la liberté publique ; qu'elle doit sa force à une coalition criminelle qui intrigue au sein même de la Convention, que des membres du Comité entrent dans ce complot, que la coalition ainsi formée cherche à perdre les patriotes et la patrie. Quel est le remède à ce mal ? Punir les traîtres, renouveler les bureaux du Comité de sûreté générale, épurer ce Comité et le subordonner au Comité de salut public, épurer le Comité de salut public lui-même ; constituer l'unité du gouvernement sous l'autorité suprême de la Convention ; écraser ainsi toutes les factions du poids de l'autorité nationale, pour élever sur leurs ruines la puissance de la justice et de la liberté [1]. »

Comprenant que leur vie est menacée, les plus audacieux ripostent. Cambon s'écrie : « Avant d'être déshonoré, je parlerai à la France [2]. » Il attaque à son tour : « Un seul homme paralyse la volonté de la Convention : cet homme, c'est Robespierre ! » Billaud-Varenne s'exclame : « Il faut arracher le masque. J'aime mieux que mon cadavre serve de trône à un ambitieux que de devenir, par mon silence, complice de ses forfaits [3]. » Plus prosaïque, Panis, du Comité de sûreté générale, demande à Robespierre de livrer les noms de ceux qu'il accuse. Celui-ci refuse et chaque Conventionnel peut se sentir visé par ses menaces. Charlier s'écrie : « Quand on se vante d'avoir le courage de la vertu, il faut avoir celui de la vérité. Nommez ceux que vous accusez [4] ! » Robespierre continue à se taire.

Conscient d'avoir manqué son offensive à la Convention, il se rend au club des Jacobins où il est acclamé. Là, il attaque deux membres du Comité de salut public qui s'y trouvent, Billaud-Varenne et Collot d'Herbois, qui avertissent les Comités et la Convention. Face au péril, les adversaires de tous bords de Robespierre s'unissent. Le lendemain, 9 thermidor an II — 27 juillet 1794 —, lorsque Saint-Just puis Robespierre montent à la tribune de la Convention, Tallien puis Billaud-Varenne les empêchent de faire leur discours, les interrompant sans cesse avec la complicité de Collot d'Herbois, président de séance, qui agite sa sonnette pour couvrir la voix des orateurs. Dans le tumulte, l'arrestation de Robespierre est votée ainsi que celle de son frère et de trois autres députés, Couthon, Lebas et Saint-Just.

La Commune fait libérer les prisonniers et les installe à l'Hôtel de Ville. Le tocsin sonne, appelant aux armes les sans-culottes. Mais neuf

---

1. Cité par J. Tulard, J.-F. Fayard, A. Fierro, *Histoire et Dictionnaire de la Révolution*, p. 182.
2. *Ibid.*
3. *Ibid.*
4. *Ibid.*

assemblées de sections seulement sur quarante-huit se prononcent en faveur de Robespierre. Une grande partie de la ville ne réagit pas. Le Comité de salut public a envoyé des ordres aux chefs de légion, leur interdisant d'envoyer des troupes à l'Hôtel de Ville et, ainsi que le note Sainte-Claire Deville, « les trente-deux bataillons de quatre légions, tout ce qui est à l'ouest de la grande artère nord-sud des rues d'Enfer et de la Harpe, prolongées sur la rive droite par la rue et le faubourg Saint-Denis, tout ce qui, sur cette même rive, est au sud-est de la rue et du faubourg du Temple, vont, grâce aux mesures conçues dans la nuit par le Comité de salut public, s'abstenir de tout envoi de détachements à la Commune : exemple remarquable de la puissance d'une discipline hiérarchique passée à l'état d'habitude. Quelques diverses que pussent être les opinions ou les tendances personnelles des commandants de sections des quatre légions, aucun d'entre eux n'a osé prendre sur soi de désobéir à un ordre formel régulièrement transmis par la voie normale du chef de légion. Les deux tiers des gardes nationaux de Paris sont, dès les premières heures de la lutte, soustraits à l'obédience d'Hanriot, et perdus pour la cause de Robespierre soutenue par la municipalité[1]. » Six mois de tutelle étroite de l'État terroriste, du Comité de salut public, ont suffi pour faire des sans-culottes d'obéissants fonctionnaires, de dociles et aveugles exécutants. Peut-être aussi, on l'a déjà noté précédemment, y a-t-il une profonde lassitude, un réel dégoût de la vie politique chez ceux qui ont fait la Révolution et qui ont vu leurs meneurs, Hébert, Chaumette, Danton, Desmoulins, etc., traînés à la guillotine sous les accusations les plus infamantes de corruption et de trahison au profit de puissances étrangères.

La Convention n'a pas perdu de temps : elle a mis hors la loi Robespierre et les dirigeants de la Commune. Barras, à qui sont attribuées des compétences militaires, s'est vu confier le commandement de la garde nationale. Des commissaires de la Convention sont envoyés auprès des assemblées de sections pour expliquer les décisions de l'assemblée. Fiévée raconte comment il obtint le ralliement de sa section à la Convention et l'arrestation des commissaires envoyés par la Commune : « Monsieur le Président, déclara-t-il, me permettra de lui demander si les agents de la Commune envoyés vers nous en députation ont des pouvoirs et s'ils les ont communiqués (réponse négative). Quelle confiance pourrions-nous donc prendre dans leurs paroles, au moment où des députés de la Convention, bien connus comme tels, parcourent les rues à cheval, en appelant à son secours tous les Français qui veulent voir un terme au règne de sang dont nous gémissons tous depuis si longtemps ? (applaudissements). La Convention seule est un pouvoir légal. Nous devons lui obéir sans revenir sur le passé, sans redouter l'avenir, même quand nous

---

1. P. Sainte-Claire Deville, *La Commune de l'an II*, p. 210.

ne compterions pas sur sa reconnaissance. La France la jugera. Au contraire, la Commune triomphante produirait aussitôt une tyrannie que son illégalisme même pousserait à de nouvelles fureurs [1]. »

Tandis que Hanriot laisse ses troupes sans ordres sous la pluie, sur la place de l'Hôtel-de-Ville, les forces de la Convention, quatre légions sur les six que compte la garde nationale parisienne, divisées en deux colonnes, avancent par les quais sous le commandement de Barras et par la rue Saint-Martin sous les ordres de Léonard Bourdon. Elles s'emparent d'un Hôtel de Ville abandonné par ses défenseurs, qui ont fondu de plus de trois mille à sept heures du soir à quelques centaines, démoralisés, conscients de l'inéluctable défaite.

A deux heures et demie du matin, le 10 thermidor — 28 juillet —, les gendarmes de la Convention pénètrent dans l'Hôtel de Ville et, sans rencontrer la moindre défense, y arrêtent tous ceux qui s'y trouvent. Contrairement à la légende colportée par les historiens marxistes apologistes de Robespierre et au récit du gendarme Merda qui prétendit — et cela lui valut de finir général — avoir blessé l'Incorruptible, c'est celui-ci qui a tenté de se suicider de deux coups de pistolet, dont un lui a brisé la mâchoire, avant même que les gendarmes entrent dans l'Hôtel de Ville. Quatre témoins l'attestent formellement et la tentative de suicide d'Augustin de Robespierre, qui se défenestre, ne fait que confirmer le geste de son frère aîné [2].

Ce même jour, à sept heures du soir, vingt-deux robespierristes montent à l'échafaud. Le lendemain, soixante et onze nouvelles exécutions ont lieu. Tous les témoignages confirment l'allégresse du peuple de Paris sur le passage des charrettes des condamnés. En voici deux pris au hasard parmi la masse des documents d'archives. Le procès-verbal de l'assemblée de section du Muséum mentionne : « Le moment où le tyran Robespierre passa avec ses scélérats agents et conjurés pour aller expier leurs forfaits, les cris de "Vive la République, vive la Convention !" devinrent le signal de la joie des patriotes pour le supplice des traîtres qui leur forgeaient sourdement des fers. » L'assemblée de la section des Piques note simplement : « Le supplice des traîtres a été applaudi de toutes parts, et la foule était immense. »

Contrairement à ce que tentent de faire croire les historiens marxistes, la Révolution ne s'arrête pas à la mort de Robespierre. Celle-ci n'entraîne qu'un simple changement de gouvernement et de majorité parlementaire à la Convention. Seul est aboli le régime de la Terreur, la Révolution

---

1. Cité par J. Tulard, *Fiévée*, p. 37.
2. Voir P. Sainte-Claire Deville, *La Commune de l'an II*, p. 296-299. Ces témoins sont Henriet et Dumont, membres du Comité révolutionnaire de Popincourt (leur rapport est conservé aux Archives nationales, AF[11]47, pl. 366, 36), un citoyen dont le nom n'est pas connu (dont la déposition se trouve aussi aux Archives nationales, F[7]4432, pl. 7, 6) et le concierge de la Maison Commune, dont la déposition est reproduite dans le *Rapport Courtois*, pièce XXXVI, p. 201.

continue. Quant à la révolution sociale dont ses thuriféraires ont voulu créditer Robespierre, elle n'a jamais dépassé le niveau des phrases creuses, elle ne fut qu'un leurre pour le peuple et s'est arrêtée en réalité très tôt, avec la chute des enragés. D'ailleurs, durant les cinq années de municipalité révolutionnaire, jamais la répression contre les ouvriers ne fut aussi sévère qu'à l'époque de la Commune robespierriste.

LA CAPITALE SOUS TUTELLE (1794-1815)

• *Une nouvelle administration (1794-1795)*

Au lendemain du coup d'État manqué du 9 thermidor, la Commune n'a plus d'existence légale ni matérielle. Sur les cent quarante membres du Conseil général connus à cette date, quatre-vingt-sept ont été guillotinés et quarante emprisonnés. Les treize qui restent en liberté ne tiennent plus séance. Les divers organes administratifs municipaux ne peuvent plus fonctionner normalement : les subsistances ont perdu deux administrateurs sur trois, les établissements publics trois sur quatre, les travaux publics et les finances tous leurs membres, un guillotiné et deux emprisonnés dans chacun des cas. Quant à la police, démesurément gonflée à vingt administrateurs, quinze des titulaires sont partis pour la guillotine et les cinq autres restent en prison. Au total, sur trente-trois administrateurs, deux seulement sont en liberté, dix sont incarcérés et vingt et un décédés. Il est impossible de rédiger les actes d'état civil, de percevoir les redevances et d'effectuer les paiements.

Un décret du 24 août 1794 remplace les quarante-huit comités de sections par douze comités d'arrondissements. Le 14 fructidor an II — 31 août —, une nouvelle administration est créée : la municipalité n'existe plus, l'administration est prise en charge par le gouvernement par le biais des commissions exécutives qu'il nomme. Jamais encore, même aux pires heures de l'Ancien Régime, la situation de dépendance de Paris n'a été aussi totale. Le 18 octobre, la police de la capitale est confiée à une Commission administrative de la police de Paris de vingt membres. Les commissaires de police ne sont plus élus mais nommés par le Comité de sûreté générale. La garde nationale est décapitée, son état-major supprimé et remplacé par cinq commandants de sections, pris dans l'ordre de ces dernières, et qui exercent conjointement l'autorité militaire pendant cinq jours consécutifs seulement, sous le contrôle des Comités de salut public et de sûreté générale.

Le décret du 19 vendémiaire an IV — 11 octobre 1795 — sur la division du territoire confirme le regroupement des quarante-huit sections supprimées, à raison de quatre par arrondissement, dans douze municipalités. La mairie de Paris disparue, la capitale est placée sous l'autorité des cinq administrateurs du département de la Seine, dont les bureaux sont installés place Vendôme. Renouvelée par cinquième tous les ans, cette administration exerce son autorité sur plusieurs services : bâtiments civils, ponts et chaussées, etc. Les douze municipalités sont dirigées de façon collégiale par sept membres nommés pour deux ans. Auprès de l'administration départementale et de chaque municipalité, le Directoire nomme un commissaire révocable par lui. La police et les subsistances, «déclarées objets indivisibles d'administration», sont exercées par un Bureau central dont les trois membres sont nommés par l'administration départementale et confirmés par le Directoire, choisis pour trois ans et renouvelés par tiers chaque année. La garde nationale échappe au Bureau central de même que la Légion de police de sept mille hommes qui a remplacé la gendarmerie dissoute. L'homme fort de cet édifice est désormais le commissaire du Directoire auprès de l'administration départementale, nommé par le gouvernement.

• *Muscadins et ventres creux (1794-1795)*

Comme après toutes les phases de tensions, de peur, de restrictions, de pénurie — on l'a vu à la fin des Première et Deuxième Guerres mondiales —, la chute de Robespierre est suivie par une époque de défoulements, de fêtes, de plaisirs. On souhaite vivre et jouir pleinement. Les bals se multiplient, notamment les «bals des victimes» réservés à ceux qui ont eu au moins un membre de leur famille guillotiné. Ceux qui ne dansent pas, mangent et boivent avec excès : «La goinfrerie est la base de la société actuelle [1]», écrit Sébastien Mercier dans son *Nouveau Tableau de Paris*. Les extravagances vestimentaires se multiplient. Mmes Tallien, Récamier, Hamelin donnent le ton en s'exhibant dans des tenues luxueuses et fort dévêtues. Incroyables et Merveilleuses défraient la chronique de la mode et des mœurs.

Dans la rue, c'est le règne des Muscadins, de la jeunesse dorée [2]. Contrairement à ce qu'on a souvent affirmé, ils ne sont pas apparus à la mort de Robespierre. Des bulletins de police mentionnent leur existence bien avant. Ainsi, le 6 mai 1793, vingt-cinq jours avant la chute des Girondins, un bulletin évoque une de leurs manifestations : «Grossi par des malveillants, des séditieux, ils se transportèrent sur le quai Pelletier et en face de la maison commune, en criant : "Vive la République ! A bas les Jacobins et la tête de Marat !" Ils arrachèrent à un citoyen une cocarde tricolore de laine et auraient pu se porter à quelque autre violence si de nombreuses patrouilles ne les avaient contraints à se dissiper [3].» En général réfractaires à la conscription, définis par les sans-culottes comme

---

1. Cité par J. Tulard, J.-F. Fayard, A. Fierro, *Histoire et Dictionnaire de la Révolution*, p. 185.
2. Voir F. Gendron, *La Jeunesse sous Thermidor*.
3. Cité par M. Reinhard, *Nouvelle Histoire de Paris. La Révolution (1789-1799)*, p. 425.

« ceux qui sont bien habillés », les Muscadins forment un groupe social disparate et assez peu nombreux, pas plus de deux mille à trois mille personnes. Devenus maîtres de la rue à l'effondrement de la Commune robespierriste, ils y font la loi durant la fin de l'été, l'automne et l'hiver 1794-1795. Armés de gourdins, ils s'en prennent à ceux qui ont l'audace ou l'inconscience de continuer à arborer des insignes jacobins, bonnets rouges, cocardes, carmagnoles.

C'est Marat qui leur fournit l'occasion de leurs attaques les plus spectaculaires. Assassiné le 13 juillet 1793, le rédacteur de *L'Ami du peuple*, très populaire chez les sans-culottes, n'avait pas été transféré au Panthéon, sans doute en raison de l'opposition de Robespierre. Celui-ci disparu, la Convention ne voit aucun inconvénient à autoriser le transfert de ses cendres au Panthéon, au contraire, cela constitue pour l'assemblée un témoignage de sa fidélité à l'idéal révolutionnaire. Le 22 septembre 1794, en grande pompe, les restes de Marat entrent donc au Panthéon. Mais les Muscadins, considérant que Marat était un terroriste, multiplient les gestes contre sa mémoire, détruisant ses bustes partout où il s'en trouve. Le 8 février 1795, la Convention dégage sa responsabilité, décrétant que « les honneurs du Panthéon ne pourraient être décernés à un citoyen, ni son buste placé dans le sein de la Convention nationale et dans les lieux publics, que dix ans après sa mort ». Encouragés par cette décision, les Muscadins détruisent le monument en l'honneur de Marat et de Lazowski érigé au Carrousel et retirent ses restes du Panthéon. Personne n'ose protester. Le club des Jacobins a été fermé et celui des Cordeliers moribond va l'être bientôt. « Le peuple a donné sa démission[1] », écrit Levasseur.

Le rationnement, les cartes de pain, la hausse vertigineuse des prix, l'aggravation de l'inflation vont pourtant réveiller les Parisiens les plus pauvres. Certes, la Convention est consciente du péril. Elle a multiplié les ordres de réquisition, mais leur efficacité est bien faible maintenant que la Terreur a été abolie : 56 000 quintaux de grain sont fournis par la zone de réquisition alors qu'on en attendait 316 000. Quant aux achats à l'étranger, l'État en faillite n'en a guère les moyens. Outre le pain, font défaut la viande, le sucre, le café, les légumes et même le vin et l'eau-de-vie, car l'effondrement de l'assignat n'incite guère les producteurs à échanger leurs biens contre du papier dévalué. L'assignat de 100 livres, qui valait encore 34 livres en numéraire à la mort de Robespierre, est tombé à 25 en novembre, à 16 en mars 1795, à 4 en juin.

Cette situation déplorable est aggravée par un manque de bois et de charbon très durement ressenti, car l'hiver 1794-1795 est particulièrement rigoureux. Marcel Reinhard décrit ainsi la situation des plus défavorisés : « Les tâches devenaient épuisantes, il fallait se lever avant le jour pour

---

1. M. Reinhard, *op. cit.*, p. 335.

faire la queue, dans la nuit et le froid, et le soir encore, il y avait d'autres queues, notamment aux ports au charbon et au bois, quai du Louvre et à la Tournelle. L'humeur s'aigrissait, les gens se surveillaient, tentaient de se glisser entre les rangs, se bousculaient, s'injuriaient, se battaient. Ils mesuraient aussi de l'œil la ration de chacun, suspectaient des dessous de table, dénonçaient les irrégularités réelles ou supposées. L'accord ne venait que pour accabler le gouvernement, sinon le régime, et pour proposer de le contrôler, de le combattre ou de l'abattre [1]. »

Alors que font bombance les nouveaux riches, qui doivent leur fortune à l'achat de biens nationaux avec des assignats dépréciés, à une spéculation effrénée sur les denrées de première nécessité ou à de fructueux marchés d'approvisionnement pour l'armée, les pauvres meurent littéralement de faim : de près de mille neuf cents décès en octobre 1794, on passe à plus de deux mille six cents en janvier 1795 et à près de trois mille durant tout le printemps. Les rapports de police confirment une terrible détresse. Ainsi, le 3 mai : « La distribution se fait toujours mal. Une femme, à la vue de son mari exalté et de ses quatre enfants sans pain depuis deux jours, s'est traînée dans le ruisseau en se cognant la tête et s'arrachant les cheveux ; puis elle s'est relevée furieuse comme pour aller se jeter à l'eau [2]. »

Dès la mi-janvier 1795, profitant de la liberté de la presse rétablie, Lebois et Babeuf appellent au réveil des Parisiens. Dans *L'Ami du peuple*, Lebois écrit : « Nos tricoteuses, nos faiseurs d'armes, nos pères de famille ne valent pas vos boutiquiers, vos financiers, vos émigrés, vos pacificateurs, vos Vendéens... ceux-là sont pétris d'or et nous, nous sommes pétris d'argile. Quoi qu'il en soit, nous ne serons plus un instrument passif de la Révolution... S'il faut recommencer un 10 thermidor, nous ne reculerons pas [3]. » Babeuf est encore plus menaçant dans *La Tribune du peuple* : « Nos ouvriers, nos faubourgs sont déjà alignés ; ils demandent si c'est pour bientôt : vous avez pris assez le soin de les mécontenter pour justifier cette impatience [4]. » La Convention riposte en faisant arrêter les deux hommes et en votant le décret du 21 mars 1795 punissant de déportation les auteurs d'appel à la violence. Si les régions de l'ouest de la capitale témoignent leur soutien au pouvoir, les zones populeuses du centre et de l'est sont en ébullition.

Les 27 et 28 mars 1795 — 7 et 8 germinal — des femmes réclament du pain et la Constitution mort-née de 1793 à la barre de la Convention. Le 31 mars, une députation des sections vient déclarer à l'assemblée que « le peuple veut être enfin libre : il sait que, quand il est opprimé, l'insur-

---

1. M. Reinhard, *op. cit.*, p. 341.
2. Cité par J. Tulard, J.-F. Fayard, A. Fierro, *Histoire et Dictionnaire de la Révolution*, p. 190.
3. Cité par M. Reinhard, *op. cit.*, p. 343.
4. *Ibid.*

rection est un de ses devoirs[1]». Le lendemain, 1er avril — 12 germinal an III —, c'est une foule importante de manifestants, avec une majorité de femmes et d'enfants, qui envahit la Convention. La plupart des députés se retirent, mais ce qu'il reste de la Montagne, nommé la Crête, continue de siéger et discute avec la foule. L'armée, la garde nationale des quartiers ouest et les Muscadins interviennent et font évacuer la salle. Le lendemain de cette émeute de la faim qui aurait pu se transformer en coup d'État si elle avait eu des meneurs intelligents et déterminés, la Convention met Paris en état de siège et confie le commandement des forces armées de la capitale au général Pichegru. Huit députés crétois sont arrêtés et quatre anciens membres des Comités de salut public et de sûreté générale sont condamnés sans jugement à la déportation à la Guyane ou à Madagascar : Barère, Billaud-Varenne, Collot d'Herbois et Vadier.

Mais l'agitation se poursuit. Circulent des libelles appelant à l'insurrection : «Les citoyens et les citoyennes de toutes les sections indistinctement partiront dans un désordre fraternel. Le mot de ralliement est : "Du pain et la Constitution de 1793 !" De là, ils investiront la Convention et y prendront des mesures de première nécessité pour l'abolition du statut municipal parisien et le rétablissement de la Commune et pour l'assurance d'un meilleur ravitaillement[2].» Le 1er prairial an III — 20 mai 1795 —, une nouvelle insurrection éclate. Jean Tulard écrit : «Les queues avaient commencé très tôt aux portes des boulangeries et l'énervement s'accrut quand on eut connaissance de la maigreur des rations de pain distribuées. Ce sont les femmes, si l'on en croit les observateurs de la police, qui incitèrent au soulèvement. Dès neuf heures, le tocsin retentit tandis qu'on battait la générale dans les faubourgs ouvriers[3].» La garde de la Convention se laisse surprendre et déborder, la salle est envahie vers onze heures par une foule de femmes réclamant du pain. Un député, Féraud, est massacré et sa tête mise au bout d'une pique. Une fois de plus, les députés quittent la salle, laissant les émeutiers discuter avec les Crétois qui votent des mesures concernant le ravitaillement, décident le renouvellement des sections auxquelles est restitué le droit de siéger en permanence. Mais, une fois de plus, faute d'une véritable organisation et d'un chef résolu, toute l'énergie insurrectionnelle se perd en palabres interminables. A minuit, les insurgés se dispersent sous une pluie qui en a découragé beaucoup.

Les députés se réinstallent dans la salle et siègent jusqu'à trois heures du matin, annulant les décisions de la Crête et décrétant d'arrestation les Conventionnels qui s'étaient ralliés aux émeutiers. Le lendemain, les deux camps s'observent et les ouvriers du faubourg Saint-Antoine

---

1. Cité par J. Tulard, *Nouvelle Histoire de Paris. La Révolution*, p. 369.
2. *Ibid.*, p. 369-370.
3. *Ibid.*, p. 370.

envoient une délégation à l'Assemblée qui fait semblant d'accéder à leurs demandes, votant le recensement et la réquisition des stocks de grains, afin de se donner le temps de faire venir des renforts de troupes. Le 23 mai, vingt mille hommes encerclent le faubourg Saint-Antoine. Craignant, soit un siège en règle et la famine qui s'ensuivrait, soit un assaut qu'ils seraient hors d'état de repousser, les insurgés capitulent. A sept heures du soir, l'armée occupe le faubourg et commence les arrestations, plus de trois mille jusqu'au 1er juin, presque toujours d'anciens membres des comités révolutionnaires. Des assemblées générales épurent les sections, tout soldat soupçonné d'avoir pactisé avec les émeutiers est exclu de l'armée. En outre, il est décidé que les membres de la garde nationale devront désormais s'équiper à leurs frais, mais que les ouvriers seront dispensés du service, car «cette classe utile de citoyens ne vit que du travail de ses bras». Sous cette considération, en apparence bienveillante, se dissimule la volonté de la Convention de désarmer totalement le faubourg Saint-Antoine.

Pour prévenir le renouveau de troubles liés à la disette, la Convention prescrit le retour à la fabrication d'un seul pain, le «pain de l'égalité», ordonne le recensement des grains, la surveillance de leur battage. Dans un rayon de 150 kilomètres autour de la capitale, des commissaires sont chargés de surveiller le commerce des grains et fourrages. Mais la pénurie subsiste et la ration quotidienne par personne, délivrée contre des coupons, n'est que d'un quart de livre de pain en juillet 1795. Or, la récolte est mauvaise, la disette se prolonge. On tente de remplacer le pain par du riz, mais la population est hostile à cette céréale nouvelle qu'elle ne sait pas utiliser. Au 1er février 1795, il y avait six cent trente-sept mille habitants attributaires de cartes de pain, il y en a sept mille de plus en décembre, de nombreux banlieusards et provinciaux affamés ayant afflué vers la capitale pour bénéficier des distributions de nourriture. La situation est d'une extrême gravité.

• Constitution de l'an III et insurrection royaliste (automne 1795)

La Constitution de l'an I leur paraissant inapplicable, les Conventionnels ont élaboré en juillet-août 1795 une nouvelle Constitution, votée le 22 août. Très longue, elle institue un pouvoir exécutif exercé de façon collégiale par cinq Directeurs renouvelables à raison d'un chaque année. Le pouvoir législatif est confié à deux assemblées, le Conseil des Cinq-Cents et le Conseil des Anciens, renouvelés par tiers tous les ans, qui choisissent les Directeurs. Ces Conseils sont élus par des collèges départementaux d'électeurs, à raison d'un électeur pour deux cents citoyens. Alors que tous les citoyens peuvent voter, pour faire partie des électeurs, il faut payer une contribution fiscale variant de cent à deux cents journées de travail, donc jouir d'une aisance certaine. Il y a environ trente mille électeurs dans toute la France. Conçue pour éviter tout risque de dictature, cette Constitution présente la grande faiblesse, en époque de crise, de faire dépendre les pouvoirs exécutif et législatif d'élections annuelles.

Modérés mais favorables à la République et aux acquis de la Révolution — ne sont-ils pas en majorité régicides ? — les députés de la Convention sont conscients de leur situation minoritaire dans le pays, coincés entre les nostalgiques de la Terreur provisoirement neutralisés et les royalistes qui, au lendemain de l'élimination des sans-culottes, sont réapparus en force. Craignant, avec raison, d'être balayés aux prochaines élections législatives, les Conventionnels décident que les futures assemblées devront être composées pour les deux tiers d'anciens députés de la Convention afin d'assurer une continuité politique. Baudin des Ardennes justifie cette mesure, nommée décret des deux tiers : « Il s'agit de sauver les intérêts de la République sans blesser ceux des représentants du peuple[1]. »

Constitution et décret des deux tiers sont soumis à l'approbation de l'ensemble des citoyens, cinq millions d'électeurs potentiels. La Constitution est approuvée par plus d'un million de voix contre moins de 50 000 suffrages hostiles. En revanche, le décret des deux tiers n'obtient qu'un peu plus de 200 000 voix contre plus de 100 000 rejets. Il semble qu'il y ait eu d'importantes fraudes et irrégularités. A Paris la Constitution est approuvée à une très forte majorité, mais le décret des deux tiers est rejeté par toutes les sections sauf celle des Quinze-Vingts. La Convention annule les résultats de trente-trois des quarante-huit sections qui avaient voté à l'unanimité contre le décret mais avaient négligé d'enregistrer le nombre des suffrages exprimés.

Les sections sanctionnées protestent, mais la Convention refuse de recevoir leurs députations. Réal note « qu'ils ne furent point admis par le président ; s'ils avaient pu se faire entendre, on aurait vu la répétition de la trop fameuse séance du 2 juin[2] ». Les contre-révolutionnaires engagent l'épreuve de force, mais ils sont profondément divisés : il y a parmi eux des républicains conservateurs, des monarchistes constitutionnels comme Lacretelle, des partisans intransigeants du retour à la monarchie absolue comme Richer de Serizy. Le 3 octobre 1795 — 11 vendémiaire an IV —, la section Le Peletier convoque les représentants des autres sections au Théâtre-Français pour préparer l'insurrection, mais quinze d'entre elles seulement sont représentées.

Le lendemain, les conjurés lancent l'attaque par l'ouest contre les Tuileries, avec à leur tête un médiocre général républicain, Danican, qui s'était fait battre par les Vendéens à Entrammes. La Convention a

1. Cité par J. Tulard, J.-F. Fayard, A. Fierro, *Histoire et Dictionnaire de la Révolution*, p. 199.
2. Cité par J. Tulard, *Nouvelle Histoire de Paris. La Révolution*, p. 377.

remplacé le velléitaire général Menou par Barras, qui a fait ses preuves le 10 thermidor. Celui-ci s'est fait assister par un jeune général d'artillerie sans emploi, Napoléon Bonaparte, qui a laissé une relation de cette journée : « La colonne de Lafond [l'un des chefs de l'insurrection] déboucha par le quai Voltaire, marchant sur le Palais-Royal en battant la charge. Alors les batteries tirèrent ; une pièce de huit, placée au cul-de-sac Dauphine, commença le feu et servit de signal. Après plusieurs décharges, Saint-Roch fut enlevé. La colonne de Lafond, prise en tête et en écharpe par l'artillerie placée sur le quai, à la hauteur du guichet du Louvre et à la tête du pont Royal, fut mise en déroute. La rue Saint-Honoré, la rue Saint-Florentin et les lieux adjacents furent balayés. Une centaine d'hommes essayèrent de résister au Théâtre de la République : quelques obus les en délogèrent. A six heures du soir, tout était fini. Si l'on entendit de loin en loin quelques coups de canon pendant la nuit, ce fut pour empêcher les barricades que quelques habitants avaient cherché à établir avec des tonneaux. Il y eut environ deux cents tués ou blessés du côté des sectionnaires et presque autant du côté des Conventionnels, la plus grande partie de ceux-ci aux portes de Saint-Roch [1]. » Si l'artillerie a joué un rôle décisif, le manque d'expérience et de combativité des bourgeois contre-révolutionnaires n'a pas peu contribué à la défaite des sectionnaires. Cette victoire facile permet à la Convention de faire preuve de clémence. Deux conjurés seulement sont exécutés, l'ancien émigré Lafond qui commandait une des colonnes d'insurgés et Lebois, président de la section du Théâtre-Français. L'insurrection du 13 vendémiaire est la dernière insurrection parisienne de l'époque révolutionnaire.

• *Le Directoire : instabilité et coups d'État*
(octobre 1795 - novembre 1799)

Les élections d'octobre 1795 se traduisent par le choix des plus modérés des Conventionnels. Au sein du tiers de nouveaux élus dominent aussi les notables modérés avec une minorité d'une cinquantaine de royalistes. Parmi les cinq cent onze Conventionnels réélus, on compte seulement cent quatre-vingt-quinze régicides, députés ayant voté pour la mort du roi en janvier 1793. Paris vote comme la province et élit des notables comme les banquiers Laffon-Ladébat et Lecouteulx de Canteleu, des juristes d'Ancien Régime comme Dambray et Portalis. L'assemblée électorale parisienne, dont *Le Moniteur* publie la liste, est forte de six cent soixante-cinq membres, dont cent quatre-vingt-quatorze marchands ou négociants, cent cinquante-deux hommes de loi, notaires, juges, cent quarante-six propriétaires, rentiers, artistes, hommes de lettres, anciens ambassadeurs, ministres ou généraux, à peu près autant de fonctionnaires ou d'employés. Si la haute bourgeoisie n'exerce pas

---

1. Napoléon Ier, *Correspondance*, XXIX, p. 52.

une nette domination, les petites gens sont absentes. Le très fort absentéisme des simples citoyens est la preuve de la désaffection des classes populaires : dans le cinquième arrondissement, correspondant aux sections populeuses des Lombards, des Amis de la Patrie, des Gravilliers et du Temple, il y a moins de 1 000 votants pour plus de 10 000 inscrits.

Paris ne joue plus désormais aucun rôle, ce n'est qu'une scène sur laquelle se déroulent les événements politiques et les coups d'États militaires. Même un esprit exalté et embrumé comme celui de Gracchus Babeuf l'a compris. Après une brève et vaine tentative pour «révolutionniser le peuple» au moyen de la Réunion des Amis de la République ou club du Panthéon, du nom de l'endroit où il se réunit du 16 novembre 1795 au 28 février 1796, Babeuf se rend compte qu'il n'y a plus aucun espoir de soulever les Parisiens et que la seule possibilité de renversement du régime est dans les mains des militaires. C'est donc dans les casernes qu'est diffusé sous le manteau le Manifeste des Égaux, proclamation incendiaire prônant la suppression de la propriété individuelle. Un plan secret d'insurrection est préparé, bien vite éventé par la police. Une occasion paraît favorable aux conspirateurs, la mutinerie de la légion de police, le 28 avril 1796, lorsqu'elle apprend qu'elle va être envoyée se battre aux frontières. Les Babouvistes décident d'exploiter l'affaire, mais sont arrêtés en masse, le 10 mai, par la police au courant de leurs projets grâce à ses mouchards : deux cent quarante-cinq mandats d'arrêt sont délivrés, Babeuf, Buonarotti, Darthé, Drouet sont arrêtés. Le complot est décapité.

Afin de démanteler complètement cette organisation clandestine, le gouvernement laisse ceux qui ont échappé aux arrestations se compromettre dans une nouvelle tentative de coup de force, de «putsch» militaire, au camp de Grenelle où, le 9 septembre, se révoltent d'anciens soldats de la légion de police incorporés de force dans un régiment de dragons. Prévenus, les officiers laissent les conjurés se démasquer, puis font tirer sur eux : une vingtaine de morts et cent trente-deux arrestations anéantissent ce qu'il restait des Babouvistes et dissuadent les militaires de toute nouvelle émeute. L'épilogue aura lieu le 27 mai 1797 : seuls Babeuf et Darthé seront guillotinés, le Directoire voulant, par sa clémence, se démarquer du terrorisme sans-culottes que revendiquaient les conjurés.

Les tentatives de coups de force monarchistes ne sont pas plus heureuses. L'agence royaliste, qui a également tenté de pousser des militaires à faire un coup d'État, est démantelée le 30 janvier 1797, ses chefs ayant été dénoncés par le général Ramel et le colonel Malo qu'ils avaient pressentis pour le putsch. Brottier, Duverne de Presle, La Villeurnoy, Poli sont condamnés à la réclusion.

La vie politique n'en est pas calmée pour autant. A la merci d'élections annuelles alors qu'il est minoritaire dans le pays, le Directoire vit en permanence sur une corde raide, et les victoires ou défaites aux frontières ne sont pas, non plus, sans influer sur son sort. Les élections d'avril 1797 sont un désastre pour les anciens Conventionnels au pouvoir : sur deux cent seize d'entre eux qui étaient renouvelables, onze seulement sont réélus. A Paris ont été choisis, entre autres, un ancien ministre de Louis XVI, Fleurieu, un ex-maréchal de camp de la monarchie défunte, le comte de Murinais, Du Fresne, ancien directeur du Trésor royal, Bonnières, qui avait été avocat du comte d'Artois. Selon Mallet du Pan, soixante-six départements sur quatre-vingt-quatre ont élu une majorité de députés monarchistes.

Résignés à prendre le pouvoir par les voies légales, c'est-à-dire à attendre le renouvellement du second tiers en 1798, qui leur apportera sûrement une majorité aux Conseils et au Directoire, les royalistes se contentent de modifier la législation, supprimant les décrets déclarant inéligibles les émigrés, annulant la déportation des prêtres réfractaires... Le Directoire se décide alors au coup d'État. D'Italie, Bonaparte envoie Augereau qui est nommé commandant de la dix-septième division militaire, celle de Paris. Alertés, les Conseils comptent sur la garde nationale et sur le général Pichegru pour arrêter Augereau. Mais le Directoire possède des preuves des tractations de Pichegru avec les émigrés et de son ralliement secret aux royalistes. Des placards sont apposés dans la capitale, dénonçant sa trahison. A l'aube du 4 septembre 1797 — 18 fructidor an V —, Augereau fait investir Paris par son armée et arrêter les principaux chefs royalistes sans rencontrer de résistance. A dix heures du matin, tout est fini. Les députés fidèles au gouvernement votent un décret ordonnant la déportation sans jugement de cinquante-trois députés dont Pichegru, des Directeurs Carnot et Barthélemy. Les élections sont annulées dans quarante-neuf départements, ce qui permet d'invalider cent quarante députés supplémentaires, au total plus des trois quarts des nouveaux élus. Les administrations locales sont cassées dans cinquante-trois départements et les décrets frappant émigrés et prêtres réfractaires sont rétablis. Les Directeurs évincés sont remplacés par deux ex-Conventionnels modérés mais fermement républicains, François de Neufchâteau et Merlin de Douai.

Le 18 fructidor marque un retour du balancier : les royalistes et leurs alliés de la bourgeoisie conservatrice sont durablement évincés par une sévère répression, mais le Directoire voit renaître sur sa gauche une forte opposition néo-jacobine qui va nécessiter à nouveau l'intervention des militaires. Le 19 septembre 1797, quinze jours après le coup d'État de son protégé Augereau, c'est Bonaparte qui, ironie de l'histoire, déplore dans une lettre à Talleyrand : « C'est un grand malheur pour une nation de trente millions d'habitants et au dix-huitième siècle, d'être obligée d'avoir recours aux baïonnettes pour sauver la patrie [1]. »

1. Cité par J. Tulard, J.-F. Fayard, A. Fierro, *Histoire et Dictionnaire de la Révolution*, p. 230.

En avril 1798 débute l'élection du tiers sortant des Conseils. Elle se déroule dans une atmosphère morose : la suppression en février 1797 du mandat territorial qui a succédé à l'assignat et le retour à la monnaie métallique ont provoqué une profonde crise déflationniste. Faute de numéraire, les prix s'effondrent et le commerce est presque paralysé, ce qui entraîne un fort déclin de l'industrie et un chômage important. Il s'agit d'élire non seulement le tiers renouvelable des membres des Conseils, mais aussi de remplacer tous ceux qui ont été invalidés au lendemain du coup d'État de fructidor, au total quatre cent trente-sept sièges sur sept cent cinquante. Ces élections se déroulent dans l'agitation et le désordre, avec de nombreuses scissions au sein des assemblées primaires de citoyens et dans les assemblées électorales. A la fin des opérations de vote, le 18 avril 1798, deux listes d'élus sont présentées dans un grand nombre de départements, celles des Néo-Jacobins élues par les assemblées légales ou majoritaires, celles des modérés favorables au gouvernement et généralement choisis par les assemblées scissionnistes et minoritaires. Les Directeurs exploitent cette situation. Ils font voter par les quelque trois cents députés qui continuent à siéger dans les Conseils, et qui leur sont en majorité favorables, la formation d'une commission chargée de vérifier la légalité des élections et de valider les nouveaux élus. Le 11 mai 1798 — 22 floréal an II —, les candidats favorables au Directoire sont substitués à leurs adversaires majoritaires dans un grand nombre de départements dont la Seine : c'est ce qu'on a nommé, improprement, le coup d'État du 22 floréal.

Les élections de l'an VII se déroulent au début d'avril 1799 et concernent trois cent quinze députés. Une fois de plus, les Néo-Jacobins obtiennent une nette majorité d'élus, souvent grâce aux suffrages des monarchistes qui veulent à tout prix la chute du Directoire. Cette fois-ci, les Directeurs ne trouvent pas de prétexte pour modifier les résultats et se résignent à voir les Conseils dominés par la gauche. Celle-ci élit, le 16 mai, comme Directeur, en remplacement du sortant Reubell, Sieyès, celui que Robespierre avait surnommé « la taupe de la Révolution ». Dès le 5 juin, les Néo-Jacobins commencent une offensive en règle contre les Directeurs. Ils déclarent illégale l'élection de Treilhard, choisi le 15 mai 1798 en remplacement de François de Neufchâteau, au lendemain du coup d'État du 22 floréal. Barras s'étant rallié à Sieyès, Treilhard est démis et remplacé par un ancien Conventionnel, jacobin bon teint, Gohier, le 17 juin. Le lendemain, 18 juin 1799 — 30 prairial an VII —, ce sont La Révellière-Lépeaux et Merlin de Douai qui sont contraints à la démission et à qui se substituent Roger Ducos, un ami de Sieyès, et le général Moulin, qui avait commandé la garde nationale de Paris du 10 août 1793 au 22 février 1794, encore un jacobin. Deux hommes dominent désormais le Directoire, Sieyès et Barras. C'est ce qu'on a, toujours improprement, nommé le coup d'État du 30 prairial. Les nouveaux ministres sont aussi de tendance jacobine, notamment Fouché, ministre de la Police. Parmi les douze Directeurs et ministres, on compte sept régicides. La Révolution semble sur le point de prendre un nouveau départ, mais elle fait peur aux riches des villes et aussi aux petits propriétaires ruraux.

Ainsi que le note Jean Tulard, « le pays était las : quelques Vendéens et Chouans mis à part, on aspirait à la fin des luttes civiles comme de la guerre extérieure. Ceux qui n'avaient rien gagné redoutaient un surcroît de misère ; les profiteurs avaient peur maintenant de perdre ce qu'ils avaient obtenu. La Révolution, pour la nouvelle bourgeoisie, était faite ; restait à la consolider. Balzac l'a admirablement montré à travers les personnages de Malin et de Goulard dans *Une ténébreuse affaire*[1]. » Sieyès s'emploie à réaliser cette consolidation qui doit passer par la mise en place d'un régime politique stable remplaçant le Directoire discrédité et à la merci d'élections annuelles. Mais il est impossible de faire cela dans les formes légales : une réforme de la Constitution ne peut être engagée que neuf ans après l'introduction de la demande. Il faut donc un coup d'État. Sieyès pense au général Joubert, mais il a le malheur de se faire battre et tuer à Novi, le 15 août 1799.

C'est alors qu'arrive à Paris, le 13 octobre 1799, la nouvelle du retour d'Égypte de Napoléon Bonaparte. Le *Messager des relations extérieures* du 14 octobre traduit les réactions de la capitale : « Tout le monde attend Bonaparte avec impatience parce qu'il rend l'espoir à tout le monde. On croit que son arrivée peut changer quelque chose au système de violence qui s'est établi depuis quelque temps et déconcerter les combinaisons des nouveaux diplomates qui préparent d'avance tous les obstacles à la paix qu'ils ont sur leurs lèvres. Bonaparte a prouvé qu'on pouvait allier la victoire à la modération et le patriotisme à l'humanité. On croit voir arriver avec lui la gloire, la paix et le bonheur[2]. » Le *Moniteur* confirme : « On ne peut rendre la joie qu'on a éprouvée en entendant annoncer ces nouvelles aux spectacles. Des cris de Vive la République ! Vive Bonaparte ! des applaudissements tumultueux et plusieurs fois répétés se sont fait entendre de tous côtés ; tout le monde était dans l'ivresse[3]. » Le 16 octobre, Bonaparte arrive à Paris, auréolé du prestige de ses victoires, paré de la fascination que l'Orient exotique exerce sur l'opinion. Citons encore le *Messager des relations extérieures* : « Comme le retour de Bonaparte est un événement qui peut influer sur nos destinées, les moindres détails en sont avidement recherchés : sa coiffure, son habit, sa démarche et sa conversation sont épiés, rapportés, recueillis, et le moindre nouvelliste se perdrait de réputation s'il ne pouvait exactement donner le bulletin de santé de ses paroles et de ses visites[4]. »

---

1. J. Tulard, J.-F. Fayard, A. Fierro, *Histoire et Dictionnaire de la Révolution*, p. 259.
2. Cité par J. Tulard, *Nouvelle Histoire de Paris. La Révolution*, p. 409.
3. *Ibid.*, p. 409 et 411.
4. *Ibid.*, p. 411.

Tout le monde est dans l'expectative face à Bonaparte. Ainsi que l'a écrit Fouché, « tous les partis semblent immobiles et dans l'attente devant lui ». Les royalistes pensent que ce petit noble corse peut être rallié à leur cause par l'ex-vicomte de Barras, Directeur qui négocie vraisemblablement avec eux à cette époque. Les Néo-Jacobins n'ont pas oublié le vainqueur de vendémiaire qui a écrasé l'insurrection royaliste. Moreau s'étant dérobé à ses offres, Sieyès propose à Bonaparte de réaliser le coup d'État qui doit consolider les acquis de la Révolution et donner à la République une assise stable et durable.

Après une série de conciliabules entre Napoléon Bonaparte, Sieyès, Réal, Fouché, lors d'un repas chez Cambacérès, le 8 novembre, est mis au point le scénario du coup d'État. Sieyès, ex-Conventionnel du Marais, traumatisé par les émeutes des sans-culottes parisiens entre 1793 et 1795, redoute une réaction des faubourgs. Le 9 au matin, 18 brumaire an VIII, il fait dénoncer un complot contre la République au Conseil des Anciens et le décide à voter un décret transférant le siège des deux conseils au château de Saint-Cloud. Placé par ce décret à la tête des forces armées chargées de protéger les Conseils, Napoléon Bonaparte se rend au Luxembourg où siègent les Directeurs : Sieyès et son compère Roger Ducos démissionnent et Barras, acheté par Talleyrand, déclare à son tour qu'il renonce et rentre « avec joie dans le rang de simple citoyen ». Le Directoire est décapité et les deux réfractaires, Gohier et Moulin, sont placés sous bonne garde. Le 10 novembre — 19 brumaire —, Napoléon Bonaparte se rend auprès des Conseils à Saint-Cloud et leur fait part de la vacance du pouvoir exécutif après la démission de la majorité des Directeurs. Si les Anciens s'inclinent sans trop de protestations, les Néo-Jacobins des Cinq-Cents conspuent le général, le bousculent, le frappent. Heureusement pour lui, c'est son frère, Lucien Bonaparte, qui préside la séance. Il dépose ses insignes de président, interrompant la séance, et va haranguer les soldats de la garde des Conseils. Emmenés par Murat et Leclerc, futurs beaux-frères des Bonaparte, les grenadiers chassent les députés de la salle des séances.

Le soir, on réunit à la sauvette les députés favorables au coup d'État qui décident de combler le vide du pouvoir exécutif en nommant trois Consuls provisoires : Napoléon Bonaparte, Sieyès et Roger Ducos. Les Conseils sont ajournés et deux commissions, formées de ces députés rescapés, sont chargées de rédiger une nouvelle Constitution. Dans une proclamation, Bonaparte se justifie en se plaçant au-dessus des partis : « A mon retour à Paris, j'ai trouvé la division dans toutes les autorités, et l'accord établi sur cette vérité, que la Constitution était à moitié détruite et ne pouvait sauver la liberté. Tous les partis sont venus à moi, m'ont confié leurs desseins, dévoilé leurs secrets et m'ont demandé mon appui : j'ai refusé d'être l'homme d'un parti [1]. » Il rassure la bourgeoisie : « Le

---

1. Cité par J. Tulard, J.-F. Fayard, A. Fierro, *Histoire et Dictionnaire de la Révolution*, p. 264.

Conseil des Anciens m'a appelé : j'ai répondu à son appel. Un plan de restauration générale avait été concerté par des hommes en qui la nation est accoutumée à voir des défenseurs de la liberté, de l'égalité, de la propriété.» La capitale et ses faubourgs ouvriers n'ont pas bougé.

Le coup d'État du 18 brumaire et l'avènement du pouvoir personnel, incarné par le Premier Consul Bonaparte puis par l'Empereur Napoléon Ier, marquera-t-il la fin de la Révolution ? Michelet, Mathiez, Massin, beaucoup d'autres historiens interrompent leur récit à la mort de Robespierre. C'est une erreur : la Révolution sociale qu'ils attribuent à tort à Robespierre s'est arrêtée en août 1793, après l'arrestation du prêtre Roux. En fait, Bonaparte est le consolidateur de la Révolution bourgeoise commencée par Robespierre, et Chateaubriand, qui l'a vécue, a mieux compris la Révolution que bien des historiens. Il achève ses *Mémoires d'outre-tombe* sur l'Empire avec le spectacle auquel il aurait assisté en 1815 à Saint-Denis : «Tout à coup une porte s'ouvre : entre silencieusement le vice appuyé sur le bras du crime, M. de Talleyrand marchant soutenu par Fouché ; la vision infernale passe lentement devant moi, pénètre dans le cabinet du roi et disparaît. Fouché venait jurer foi et hommage à son seigneur : le féal régicide, à genoux, mit les mains qui firent tomber la tête de Louis XVI entre les mains du frère du roi martyr ; l'évêque apostat fut caution du serment[1].» Reçu ensuite par Louis XVIII, Chateaubriand lui avoue son indignation et conclut : «Sire, je ne fais qu'obéir à vos ordres ; pardonnez à ma fidélité : je crois la monarchie finie.» Et le roi lui répond : «Eh bien, monsieur de Chateaubriand, je suis de votre avis». Jean Tulard note : «Un nouveau règne commence en effet : celui de ces notables à regard froid et ample bedaine que symbolise Bertin l'Aîné tel que l'a immortalisé Ingres. C'est pour assurer — involontairement — le triomphe de la bourgeoisie que sont morts volontairement en sabots de l'an II et Vendéens au Sacré Cœur brodé sur la poitrine, aristocrates tendant avec panache leur tête au couperet de la guillotine et Conventionnels montant à l'échafaud au terme d'âpres et violents débats où ils ont joué leur vie, tous héros d'une épopée sanglante dont le dénouement ne fut pas à la hauteur des espérances qu'elle avait fait naître[2].»

• *Consulat et Empire (1800-1815)*

L'aspect que présente Paris au début de 1800 n'est guère reluisant. Faute de moyens financiers, la municipalité n'a entretenu ni la voirie ni l'éclairage, ni assuré la salubrité publique. Le vandalisme révolutionnaire a dégradé de nombreux édifices sous prétexte d'en faire disparaître les

---

1. Chateaubriand, *Mémoires d'outre-tombe*, éd. M. Levaillant, I, livre 23, chap. 20, p. 984 et 986.
2. J. Tulard, J.-F. Fayard, A. Fierro, *Histoire et Dictionnaire de la Révolution*, p. 296.

marques de la royauté, de la féodalité, de la religion. S'appuyant
largement sur la correspondance de Charles de Constant, l'historien
Albert Vandal a dressé le tableau de la capitale à cette époque. «Dans
l'aspect matériel de la ville, ce n'est qu'incohérence, amalgame confus
de laideurs et de beautés, germes poussant sur des débris. L'étranger qui
arrive, le proscrit qui se hasarde à reparaître, hanté par les récits de la
Terreur, croit trouver Paris tout en sang et tout en ruines ; il croit voir de
hideux stigmates, "du sang, des têtes" ; s'il en parle, on lui répond : "Oh !
cela est vieux".

« S'il arrive par l'ouest, les Champs-Élysées, plus animés qu'autrefois,
quoique d'aspect encore forestier, le conduisent au plus bel aspect que
présente une capitale. Le Directoire avait voulu que la place de la
Concorde, la sanglante place de la Révolution, entourée désormais d'édifices et de jardins réparés, mît au-devant de Paris un imposant parvis. "Le
pont, les Tuileries, les Champs-Élysées, les quais, le Palais-Bourbon,
forment un ensemble fort remarquable." A gauche des Champs-Élysées,
par-delà le faubourg Honoré et le Roule, une ville neuve pousse, claire et
luxueuse ; quartier d'Anjou, quartier de la Chaussée-d'Antin, quartier
du Rocher, quartiers montant vers les Porcherons et Montmartre ; ville
d'enrichis, de fournisseurs, de généraux qui ont fait leur main en Italie,
d'artistes et de comédiennes. Tous ceux que la Révolution a mis en relief
et en vedette aiment à s'y loger ; dans leurs jolis hôtels à fronton grec et
à colonnades, dans le décor d'un mobilier qui commence à se raidir en
formes antiques, parmi les acajous et les ors, parmi les fresques, les
moulures corinthiennes et l'harmonie des étoffes rayées à fond tendre, ils
font assez gauchement apprentissage d'élégance.

Passé le boulevard, l'ancienne ville se retrouve, mais toute bouleversée et sens dessus dessous. Le Paris royal, qui se tassait sur les deux
rives du fleuve, était déjà fait de contrastes, de luxe raffiné et de misère ;
les contrastes se sont accentués, car la Révolution n'a fait que déplacer le
luxe et accroître la misère. Certains endroits ont embelli. Les Tuileries
sont mieux soignées qu'autrefois, avec leurs hémicycles de marbre, leurs
rectangles de verdure, leur peuple de statues ; la façade du château
opposée au jardin, celle qui regarde le Carrousel et l'entassement de ses
constructions, reste écorniflée par les balles du 10 août ; le bas disparaît
à demi sous des plantations, car la République a voulu pudiquement
masquer de verdure la demeure des rois. A l'autre bout de la ville, le
Jardin des Plantes s'est enrichi, auprès du Muséum créé par l'effort
louable de la Révolution pour organiser la science. Mais le Luxembourg,
ses parterres, ses ombrages ne sont qu'une ruine de jardin, l'esplanade
des Invalides est toute en excavations et fondrières, le jardin du Palais-
Royal est à tel point ravagé qu'il faudra le fermer pendant plusieurs mois
pour le réparer. Saccagés et menaçant ruine, les monuments, y compris
ceux que la Révolution s'est appropriés et où elle a installé le désordre

des services publics ; saccagées, violées, découronnées de leur flèche, vidées de leurs tombeaux et de leurs statues, les innombrables églises, les abbayes puissantes, réceptacles d'art et de richesse. Certaines églises devenues "temples" servent aux cérémonies décadaires, tandis qu'à d'autres heures les cultes rivaux, catholique, constitutionnel, théophilanthropique, voisinent haineusement [1]. »

Pour mettre un terme à cette situation et tenter de résoudre les problèmes que pose l'administration d'une cité de plus d'un demi-million d'habitants, le conseiller d'État Chaptal, ministre de l'Intérieur en 1801, met au point un statut spécial pour la capitale. Adopté par le Corps législatif et le Tribunat, il devient la loi du 17 février 1800 — 28 pluviôse an VIII. L'administration du département de la Seine relève d'un préfet. A ses côtés, un conseil de préfecture de cinq magistrats exerce les fonctions d'un tribunal administratif, tandis qu'un Conseil général de vingt-quatre membres nommés par le Premier Consul est chargé de répartir les contributions directes entre les arrondissements communaux et de déterminer les centimes additionnels destinés à financer les dépenses départementales. Le département est partagé en trois arrondissements communaux de Saint-Denis, de Sceaux et de Paris. La capitale reste divisée en douze arrondissements, ayant chacun un maire, officier municipal nommé, le véritable maire de la ville étant le préfet de la Seine. A partir du 19 novembre 1803, les bureaux de la préfecture de la Seine sont installés à l'Hôtel de Ville. Homme débonnaire et sans grande envergure, le premier préfet de la Seine, Nicolas Frochot, se laisse enlever une partie de ses attributions par le préfet de police. Son collaborateur, Norvins, lui reproche son indulgence, son indécision, son inefficacité, et note : « Cette disposition malheureuse de l'esprit très éclairé de M. Frochot eut dès le principe un grave inconvénient, celui des usurpations de la préfecture de police sur la préfecture du département. J'avais fait un travail étendu et rationnel sur la délimitation des deux administrations et nous ne pûmes jamais obtenir de Frochot, qui l'avait approuvé, d'aller le proposer et le soutenir au Conseil d'État, où il était attendu. La préfecture de la Seine se vit enlever, par cette inconcevable inertie, de notables attributions qui lui appartenaient exclusivement [2]. »

Jugeant la charge d'administrer Paris trop lourde pour un seul homme, Chaptal a, en effet, créé un préfet de police, tout spécialement chargé du maintien de l'ordre, relevant conjointement des ministères de la Police et de l'Intérieur. Le premier, Louis-Nicolas Dubois, créature de Fouché, voit son ambition encouragée par Napoléon qui réussit à le dresser contre son protecteur en lui accordant des pouvoirs de plus en plus étendus,

---

1. A. Vandal, *L'Avènement de Bonaparte*, I, p. 446-448.
2. J. de Norvins, *Mémorial*, II, p. 237.

presque comparables à ceux des lieutenants de police d'Ancien Régime. Placés sous la direction d'un secrétaire général, les bureaux de la préfecture de police sont installés rue de Jérusalem (aujourd'hui disparue, englobée dans le Palais de Justice, cette voie débouchait sur le quai des Orfèvres). Il y a quarante-huit commissaires de police, un par quartier. Outre la police, le préfet a sous son autorité une garde municipale de deux mille fantassins et deux cents cavaliers, remplacée après l'affaire Malet (1812) par la gendarmerie impériale. Réorganisée, la garde nationale ne joue plus qu'un rôle insignifiant, limité à des opérations de police et à des rondes de nuit.

Cette police, Bonaparte va l'utiliser pour asseoir son régime et briser les oppositions néo-jacobine et royaliste. Dans l'immédiat, il fait plébisciter la nouvelle Constitution, dite de l'an VIII, créant le Consulat, avec un Premier Consul tout-puissant flanqué de deux autres Consuls réduits à la figuration, Cambacérès et Lebrun. Pour huit millions d'électeurs, le nombre de votants est apparemment très élevé pour l'époque : plus de 3 millions de «oui» et 1 562 «non». En réalité, l'administration a doublé arbitrairement le nombre des suffrages exprimés.

Ce triomphe électoral, auquel s'ajoutent les victoires de Marengo et de Hohenlinden, imposent le Premier Consul à la France et à l'Europe. Mais les oppositions clandestines, néo-jacobine et royaliste, ne désarment pas. Puisque Bonaparte a confisqué la République à son profit et rejeté les offres de Louis XVIII lui demandant de restaurer la monarchie, des deux côtés on est décidé à l'éliminer.

Grâce à son ministre de la Police, Fouché, Bonaparte est tenu au courant d'un complot néo-jacobin qu'il laisse se développer. Il ne reste plus qu'à arrêter les conjurés en flagrant délit, le 10 octobre 1800, à l'Opéra, alors que leur chef, Ceracchi, leur distribue des couteaux. Cette «conspiration des poignards» vaut la peine de mort aux néo-Jacobins Ceracchi, Aréna, Demerville et Topino-Lebrun.

Plus habiles, les royalistes réussissent, le 24 décembre 1800, à faire exploser une «machine infernale» sur le passage de la voiture du Premier Consul, rue Saint-Nicaise, alors qu'il se rend des Tuileries à l'Opéra. Il échappe à l'attentat qui fait deux morts et de nombreux blessés. Fouché a beau faire valoir que les auteurs de cette entreprise sont sans doute d'anciens Chouans, Bonaparte exige que l'on sévisse contre les «anarchistes» : une liste de cent trente Néo-Jacobins destinés à la déportation est dressée sur son ordre afin de décapiter définitivement l'opposition de gauche. Mais Fouché ne désarme pas et finit par réussir à arrêter, le 18 janvier 1801, le Chouan Carbon qui avoue. Il sera guillotiné en avril avec le seul de ses complices qu'on ait pu retrouver, Saint-Rejeant.

Soucieux de soigner sa popularité et de disposer d'une capitale digne de lui, le Premier Consul impose à ses préfets une activité intense de réno-vation et de réorganisation. Dès 1801 est décidée la création de trois cimetières (Montmartre, du Père-Lachaise et du Montparnasse) hors de la ville, la construction de trois nouveaux ponts (d'Austerlitz, Saint-Louis, des Arts), la réorganisation du corps des pompiers, celle de la Bourse, une exposition de l'Industrie nationale dans la cour du Louvre, l'ouverture de nouvelles voies, les rues de Castiglione, des Pyramides, de Rivoli.

Le grave problème des approvisionnements absorbe aussi une grande partie de l'activité du préfet de police. Les récoltes de 1799 et 1800 ont été insuffisantes et l'augmentation du prix du pain risque de provoquer des troubles. Un philanthrope anglo-américain, le comte de Rumford, crée des « soupes économiques » pour venir en aide aux indigents. Mais, en août 1801, une récolte médiocre relance l'agitation : le 10 septembre, une voiture chargée de pain est pillée rue Saint-Honoré et la boutique d'un boulanger de la rue Coquillière saccagée, des incidents éclatent dans les files d'attente dans l'île Saint-Louis. Le 11 septembre, la situation s'aggrave encore : les boulangeries sont vides dès sept heures du matin. Une provocation royaliste n'est pas exclue et un rapport de police note : « On a vu au Marais des inconnus mal vêtus achetant du pain plusieurs fois et changeant à chaque fois un écu de 6 livres[1]. » Des scènes d'émeute ont lieu dans les quartiers populaires. Inquiet, le gouver-nement prend des mesures énergiques, important massivement des céréales, maintenant le prix du pain de 4 livres à 18 sous. Une nouvelle réglementation, très stricte et comparable à celle de l'Ancien Régime, place les boulangers sous l'étroit contrôle de la préfecture de police. Pour relancer l'emploi, des prêts sans intérêt sont consentis à plusieurs manu-facturiers. Les résultats sont immédiats, même si le préfet de police exagère sans doute dans son rapport du 22 mai 1802 : « Les ouvriers disent hautement que c'est aux soins du gouvernement que l'on doit ce qui arrive aujourd'hui, qu'il a pris des mesures pour faire arriver beaucoup de grains et que si, au moins, le pain ne diminue pas, on est sûr de n'en pas manquer[2]. »

La récolte de 1802 ayant été satisfaisante, le préfet annonce la baisse du pain de 18 à 17 sous. L'excellente récolte de 1803 casse durablement les prix : 12 puis 11 sous et même parfois 9 sous. Jamais les 4 livres de pain ne dépassent 14 sous jusqu'à la crise de 1810. Le menace de conflits sociaux disparaît.

Les résultats du plébiscite instaurant le Consulat à vie, le 2 août 1802, confirment la popularité de Bonaparte : plus de 3,5 millions de votes positifs — dont 800 000 imaginaires rajoutés par l'administration —, soit

---

1. Cité par J. Tulard, *Nouvelle Histoire de Paris. Le Consulat et l'Empire*, nouvelle éd., p. 332.
2. *Ibid.*, p. 327.

une participation de près de 50 %, exceptionnelle à cette époque, avec un peu plus de 8 000 « non » seulement. A Paris, 60 395 « oui » écrasent 80 « non ». L'opposition n'a plus aucune prise sur une opinion publique enthousiasmée par le retour de la paix civile, signée en mars avec l'Angleterre à Amiens, le rétablissement de la paix religieuse grâce au Concordat de 1801 et à ses Articles organiques d'avril 1802, le renouveau du commerce et de l'industrie, la prospérité retrouvée, etc.

C'est dans ce contexte tout à fait favorable à Bonaparte que se développe une nouvelle conspiration royaliste. Conduite par le Chouan Cadoudal, qui dispose du soutien de Pichegru et de Moreau, elle a été éventée par la police et révélée au grand public. Dans ses *Mémoires*, Rémusat note : « Les conspirations qui occupèrent tout le gouvernement et le public m'intéressaient comme un drame. J'étais avide d'en tout savoir. Elles eurent cela de particulier d'être poursuivies et divulguées par le gouvernement avant d'avoir éclaté, et sans être pour cela anéanties ou peut-être suspendues. L'instruction était commencée qu'elles continuaient encore [1]. »

Le complot se développe au moment le plus défavorable aux royalistes, alors que le prix du pain baisse et que les tensions sociales sont faibles. Un rapport de police le constate : « On observe en général que le peuple s'inquiète peu des arrestations ; il s'amuse, il achète le pain moins cher et l'on peut présumer qu'aucune faction ne pourra désormais le faire servir d'instrument. L'axiome *panem et circenses populo* se vérifie depuis trois jours [2]. »

Bien informée de la conjuration, la police traque ses membres et justifie les arrestations, notamment celle du général Moreau, le 15 février 1804, par des placards apposés sur les murs de la capitale : « Cinquante brigands, restes impurs de la guerre civile, ayant à leur tête Georges Cadoudal et l'ex-général Pichegru, ont débarqué en Normandie et se sont installés dans la capitale où ils se préparent à assassiner le Premier Consul… Leur arrivée a été provoquée par un homme qui compte encore dans nos rangs, par le général Moreau qui fut remis hier aux mains de la justice nationale [3]. »

Les réactions à l'incarcération du héros de Hohenlinden sont très vives. Un observateur note qu'elle « excite de toutes parts les plus vives réclamations, soit qu'elles partent du nombre de ses partisans qui est incalculable, soit qu'elles partent de l'amitié et de la confiance que le peuple lui porte et surtout les militaires ». Un rapport de police confirme : « Malgré les proclamations successives des diverses autorités constituées, je le rapporte avec une extrême douleur, la quantité d'incrédules ne

---

1. C. de Rémusat, *Mémoires de ma vie*, éd. C. Pouthas, I, p. 42.
2. Cité par J. Tulard, *Nouvelle Histoire de Paris. Le Consulat et l'Empire*, p. 332.
3. *Ibid.*, p. 334.

fait qu'augmenter chaque jour [1]. » Même la Bourse s'émeut : « Malgré le peu d'intérêt que les habitués prennent ordinairement à toutes les affaires qui ne regardent pas les finances, j'ai remarqué, note un policier, une grande agitation dans les esprits et si toutes les autres classes de la société étaient émues dans la même proportion, nous pourrions être encore témoins de mouvements sérieux [2]. »

L'arrestation de Pichegru, le 27 février, révèle la réalité d'un complot dont doutaient beaucoup de Parisiens et retourne l'opinion publique en faveur de Bonaparte : « L'arrestation de Pichegru a électrisé toutes les têtes ; il n'y a qu'un cri, celui de la vengeance. Dès six heures du matin, la nouvelle était répandue dans toute la ville, elle est l'objet de toutes les conversations et jamais, dans toutes les classes, on n'a développé un plus vif attachement pour le gouvernement et surtout pour la personne du Premier Consul [3]. » Le 4 mars, la police met aussi la main sur Jules de Polignac et le marquis de Rivière, puis finit par capturer Cadoudal au carrefour de Buci. La foule a prêté main-forte aux policiers et un observateur note : « L'arrestation de Georges [Cadoudal] a électrisé tous les cœurs et toutes les têtes. Il est impossible de rendre l'espèce d'enthousiasme qu'elle a produit ; une demi-heure à peine après l'opération, tout Paris en était informé [4]. »

Cependant, l'opinion est heurtée par le suicide suspect de Pichegru dans sa cellule, beaucoup plus que par l'enlèvement et l'exécution du duc d'Enghien, inconnu de presque tous les Parisiens. Divers incidents au cours du procès révèlent les tortures subies par les accusés et la partialité des juges et des jurés. Les conjurés gagnent alors la faveur du public. Les troupes de la garnison de Paris doivent être consignées en raison de l'attachement qu'elles manifestent à Moreau. Le général Moncey, inspecteur général de la gendarmerie et, à ce titre, responsable de la police dans l'armée, fait état de l'effervescence des esprits : « On parle de placards incendiaires qu'on arrache à chaque instant et qu'on apporte à la police. On dit sur la place du Palais qu'il y aura, du train que nous sommes, une grande crise [5]. » Mais cette agitation ne dépasse pas les milieux de la grande bourgeoisie et de l'aristocratie revenue d'exil. Au milieu d'avril, un rapport de police constate : « Le peuple ne paraît plus faire beaucoup d'attention à tout ce que l'on publie sur la conspiration et commence à s'en amuser. Les ouvriers donnent les noms de quelques-uns des conspirateurs ou appellent conjurés ceux d'entre eux qui font les mutins ou qui arrivent trop tard à l'ouvrage [6]. »

1. J.Tulard, *Nouvelle Histoire de Paris. Le Consulat et l'Empire*, p. 335.
2. *Ibid.*, p. 334.
3. *Ibid.*, p. 335.
4. Cité par A. Aulard, *Paris sous le Consulat*, IV, p. 720.
5. Cité par Huon de Penanster, *Une conspiration en l'an XI et en l'an XII*, p. 271.
6. Cité par A. Aulard, *op. cit.*, IV, p. 756.

Avant de mourir sur l'échafaud, place de Grève, le 28 juin, Georges Cadoudal avait fait preuve d'une amère ironie, déclarant : « Nous avons fait plus que nous voulions : nous voulions faire un roi, nous faisons un empereur. » En effet, profitant du complot, Bonaparte a organisé un plébiscite transformant le Consulat à vie en Empire. Le 18 mai, il a été proclamé empereur des Français avec un peu plus de 3,5 millions de « oui » contre 2 569 « non ». A Paris, 81 « non » s'opposent à 122 711 « oui ». L'absence de secret de vote implique un courage suicidaire chez les quelques officiers supérieurs républicains qui ont osé refuser la restauration de la monarchie.

La crise de février à avril 1804 et le divorce passager entre Bonaparte et la bourgeoisie parisienne ont marqué le Premier Consul qui écrit, le 8 mars 1804, à Roederer : « Le Parisien est de sa nature ingrat et frondeur : le Parisien n'aime point. Croyez-vous que Louis XIV fut aimé ? Croyez-vous que votre Henri IV eut l'amour du peuple et qu'il fut pleuré quand on l'assassina ? Non [1]. » Il semble qu'il ait même un moment pensé à transférer la capitale de Paris à Lyon, à proximité de l'Italie dont le quart nord-ouest fait partie de l'Empire naissant. Un article de la *Gazette de France* du 28 septembre 1804, rédigé sans doute par Napoléon lui-même, rappelle que certains empereurs de Rome, lassés d'être tournés en ridicule par le peuple de la ville, transférèrent la capitale à Milan, Nicomédie ou Constantinople. L'Empereur rejette ce choix, mais laisse planer une menace à la fin de l'article : « Il était bien étonnant sans doute que Dioclétien et Constantin n'aient pas senti que, pour se venger d'une poignée de faquins, de gens sans aveu, de jeunes gens inconsidérés, ils entraînaient la ruine d'un grand nombre de commerçants et de propriétaires. Serait-ce que les meilleurs esprits ne tiennent point contre l'ingratitude ? Quoi qu'il en soit, Rome est totalement déchue de son rang. Puisse cet exemple servir de leçon à la postérité [2]. »

Méfiant à l'égard de Paris, Napoléon pense se faire sacrer à Rome ou à Aix-la-Chapelle. Mais le Conseil d'État, consulté, préconise Paris et propose le Champ-de-Mars pour la cérémonie. Napoléon refuse catégoriquement ce site rappelant trop de souvenirs révolutionnaires : « Il est important que le peuple de Paris ne se croie pas la nation. Il ne faut pas se soumettre aux brouhahas de la populace [3]. » C'est la cathédrale Notre-Dame qui est finalement choisie et le pape Pie VII convié à rehausser la cérémonie par sa présence passive. Ex-secrétaire de Napoléon, Bourrienne note dans ses *Mémoires* que le sacre suscita « une grande

1. P.-L. Rœderer, *Mémoires sur la Révolution, le Consulat et l'Empire*, éd. O. Aubry, p. 200.
2. Cité par A. Périvier, *Napoléon journaliste*, p. 235.
3. Cité par F. Masson, *La Sacre et le couronnement de Napoléon*, p. 71.

satisfaction dans la classe commerçante des habitants de Paris. L'affluence des étrangers et des habitants de la province y était extrêmement considérable et le retour vers l'ancien luxe et les anciens usages donnait de l'occupation à de nombreuses classes d'ouvriers qui, sous la Convention et le Directoire, n'avaient point trouvé à exercer leur industrie, tels que les selliers, les carrossiers, les passementiers, les brodeurs et beaucoup d'autres. Les intérêts positifs firent à l'Empire plus de partisans que l'opinion et la réflexion; il est juste de dire que, depuis douze ans, le commerce de Paris n'avait été dans une si belle position[1].» Dans le bulletin de police du 4 décembre 1804, rendant compte de la cérémonie du sacre, Fouché constate : «Tous les rapports des observateurs s'accordent sur le bon esprit qui a paru dans les deux journées précédentes, sur l'unanimité des acclamations dans les divers lieux où le cortège impérial a passé[2].»

Une crise financière va ébranler l'essor économique. Il y a un début de panique après le départ de Napoléon Ier pour la Grande Armée. Des queues se forment à la fin de septembre 1805 devant les guichets de la Banque de France pour obtenir le remboursement en numéraire des billets de l'État. Le 10 octobre, un observateur note : «Même affluence à la Banque. On y passait la nuit en apportant des matelas sur la place des Victoires. La police a dissipé ces rassemblements nocturnes[3].» Le 6 novembre, le préfet de police signale qu'à «six heures du matin, toutes les rues qui aboutissent à la place des Victoires étaient remplies. La garde empêchait d'y entrer. Les officiers de paix de service ayant annoncé qu'on pouvait entrer, la multitude s'est portée sur la place en foule et en se pressant. Plusieurs accidents dans le tumulte. Un homme a eu un bras cassé, la foule lui a passé sur le corps. Un autre a reçu un coup de baïonnette sur le pied. Le soldat qui l'a blessé, se sentant forcé, cherchait à enfoncer sa baïonnette entre deux pavés pour opposer plus de force[4].» Le 9, Dubois signale à nouveau qu'à «trois heures du matin, le rassemblement près de la Banque était de plus de quatre mille personnes. Quelques malveillants cherchaient à exciter un soulèvement contre la force armée. On y a joint un renfort de vingt-cinq hommes. On a arrêté trois individus qui ont insulté la garde. L'un d'eux a lancé des tessons de bouteilles contre un dragon. On a dissipé ce rassemblement en ne laissant que le nombre de ceux qui pouvaient être payés dans le jour[5].» La prompte victoire d'Austerlitz met fin à cette panique financière.

Mais elle est alors relayée par un marasme persistant de l'industrie parisienne, aggravé par la faillite du puissant groupe des Négociants

---

1. Bourrienne, *Mémoires*, éd. Lacroix, III, p. 414.
2. Cité par E. d'Hauterive, *La Police secrète du premier Empire*, I, p. 195.
3. Cité par J. Tulard, *Nouvelle Histoire de Paris. Le Consulat et l'Empire*, p. 346.
4. *Ibid.*, p. 347.
5. *Ibid.*

réunis. Le ministre de l'Intérieur, Champagny, analyse cette crise dans un rapport du 12 février 1806 : « La langueur qui se manifeste depuis quelques mois dans les ateliers de la capitale n'est pas sans exemple. Une ville dont la population n'est pas toujours égale, dont la consommation se dirige essentiellement sur les objets de luxe, doit être assujettie à de semblables vicissitudes. Sa consommation peut diminuer sensiblement, paraître même interrompue et, dès que l'équilibre entre la consommation et la fabrication est rompu, il y a engorgement de marchandises, ralentissement des travaux. C'est ce qui est arrivé cet hiver et les embarras du commerce, la rareté du numéraire, ayant en quelque sorte paralysé le mouvement de ces agents intermédiaires qui se placent entre le fabricant et le consommateur, ont rendu le mal plus sensible... Ce mal est le défaut d'équilibre entre la consommation actuelle et la fabrication ordinaire [1]. »

Désireux d'éviter des troubles, Napoléon Ier a pour principal objectif, il l'écrit à Champagny, « d'empêcher les ouvriers d'être sans travail [2] ». Si un tiers des soixante-quinze mille ouvriers de la capitale est réduit au chômage, on évite des mouvements sociaux grâce au bas prix du pain et de la viande, à des distributions de secours et à l'enrôlement sur les chantiers du canal de l'Ourcq et du pont d'Austerlitz. L'écrasement de la Prusse en octobre 1806, la paix avec la Russie en juillet 1807, amènent la résorption progressive de la crise et le ministre de l'Intérieur peut annoncer triomphalement, le 24 août 1807 : « Il y a vingt mois, nos manufactures étaient menacées d'une inaction entière ; les magasins étaient engorgés, leurs ateliers découragés, des milliers d'ouvriers sans emploi. Leur voix fut entendue du chef de l'État ; une discussion approfondie eut lieu en sa présence ; le décret du 22 février leur rendit l'espoir. Il a fallu quelque temps sans doute pour que son influence se fît sentir. D'immenses approvisionnements existaient ; ils ont dû s'écouler et cela même prouve combien le remède était nécessaire. Mais enfin le moment est arrivé où l'industrie française, secondée par les succès de la guerre, a remplacé les étoffes que nos goûts empruntaient à l'industrie étrangère et, pendant la saison la plus difficile de l'année, un grand nombre d'ateliers, se ranimant, ont offert le spectacle du travail succédant à celui de la misère [3]. »

Bourgeois et historien parisien de la fin du XIXe siècle, Charles Simond a bien compris l'état d'esprit des milieux aisés de la capitale : « Le commerce parisien, intéressé qu'il était à la prospérité publique, et, par suite, à la quiétude générale, avait applaudi le Consulat, qui imposa la paix de Lunéville en 1801, et de même les débuts de l'Empire, qui, en 1805, fit signer le traité de Presbourg. Mais le décret du Blocus continental et le divorce lui déplurent. C'est qu'il s'était enrichi grâce aux

---

1. J. Tulard, *Nouvelle Histoire de Paris. Le Consulat et l'Empire*, p. 349.
2. *Ibid.*, p. 351.
3. *Ibid.*, p. 353 et 355.

prodigalités de Joséphine et à la résurrection de l'appareil somptueux de l'ancienne monarchie. Après le mariage de l'Empereur avec Marie-Louise, il n'en fut plus ainsi. L'installation aux Tuileries de la nouvelle Autrichienne inaugura, en effet, une ère de réglementation du budget de la Cour. La société de 1810 ne ressembla plus, pour les fournisseurs, à celle qui l'avait précédée. Les réceptions officielles n'eurent plus rien d'animé, l'Empereur n'y apparaissant désormais qu'entre deux batailles... Il y avait, du reste, pour les Parisiens de toutes conditions, deux grandes sources de griefs contre Napoléon : d'abord, le despotisme tracassier qui faisait intervenir la police partout, dans la vie privée et dans la vie publique, au théâtre, dans la littérature, jusque dans la propriété ; ensuite les coupes sombres pratiquées dans la population par les continuelles levées de soldats [1]. »

La crise de 1810, qui se prolonge les années suivantes, marque le début de l'agonie de l'Empire. La guerre d'Espagne détruit peu à peu la Grande Armée et le Blocus continental perturbe l'économie. C'est la spéculation sur les denrées coloniales et les eaux-de-vie qui déclenche la déstabili-sation du système financier puis de l'économie tout entière. Dès avril 1810, Mollien, ministre du Trésor, a signalé l'arrêt du mouvement de hausse sur les produits exotiques et l'embarras financier des sociétés qui les stockent. En mai, son inquiétude s'accroît : « Certains commerçants ne trouvant plus à revendre les produits coloniaux achetés à des prix surfaits se voient dans l'impossibilité de faire face à leurs engagements. Le 16 mai, à Morlaix, une maison de vieille réputation, celle de Diot, négo-ciant et propriétaire de navires, faisait faillite ; les premières et les plus prudentes maisons de banque de Paris s'y trouvaient intéressées [2]. »

A la fin d'août, les demandes d'escompte à la Banque de France attei-gnent chaque jour de 10 à 15 millions de francs. Neuf des plus importants banquiers parisiens sont entraînés dans la chute de la maison Rodde. Mollien écrit, le 25 septembre : « Le commerce de Paris a fait une attention sérieuse à la banqueroute de la maison Rodde de Lübeck ; les maisons de Paris, qui ont été dupes de leur confiance dans ce banquier, se justifient en disant qu'elles étaient persuadées que c'était au Sénat de Lübeck lui-même qu'elles avaient ouvert un crédit sous le nom du banquier Rodde et que les fonds provenant des crédits étaient destinés au paiement de Votre Majesté... Les banquiers de Paris méritent d'être plaints ; ils peuvent mériter d'être secourus et protégés contre une fraude punissable, mais ils auraient pu être plus prudents et plus circonspects [3]. »

En 1810, le nombre des faillites s'élève à deux cent soixante-dix pour le département de la Seine et la crise s'approfondit en 1811 avec soixante et un dépôts de bilan en janvier.

---

1. C. Simond, *Paris de 1800 à 1900*, I, p. 96.
2. Cité par O. Viennet, *Napoléon et l'industrie française*, p. 110.
3. Cité par J. Tulard, *Nouvelle Histoire de Paris. Le Consulat et l'Empire*, p. 359-360.

La disparition de nombreuses entreprises entraîne l'extension du chômage. Redoutant toute agitation sociale, l'Empereur multiplie les commandes officielles pour sauvegarder l'emploi. Le 7 mai 1811, il donne ses ordres à Duroc : « Le faubourg Saint-Antoine manque d'ouvrage ; je désire lui en donner, surtout ce mois-ci qui précède les fêtes. Il est nécessaire que vous alliez à Paris voir les gens de mon garde-meuble et mon architecte Fontaine et que l'on fasse une commande telle que, pendant les mois de mai et de juin, deux mille ouvriers du faubourg Saint-Antoine qui font des chaises, des tables, des commodes, des fauteuils, et qui sont sans ouvrage, en aient sur-le-champ [1]. » Ces mesures s'avèrent efficaces et, dans l'ensemble, le monde ouvrier parisien demeure fidèle à Napoléon jusqu'à sa chute.

A ces problèmes financiers et sociaux s'ajoute la mauvaise récolte de 1811, qui oblige les régions méridionales, très éprouvées, à s'approvisionner dans les zones céréalières entourant la capitale, ce qui provoque une hausse exagérée des prix et la panique des acheteurs. Le préfet de police refuse aux boulangers la hausse du prix du pain qu'ils réclament. Ne voulant pas travailler à perte, ils réduisent leur production et le pain se fait rare. Lorsque, à la fin d'octobre 1811, Pasquier se résigne à leur octroyer une prime de 5 francs par sac de farine, il est trop tard : les boutiques sont assiégées, le pain manque, car les réserves sont insuffisantes. Les autorités laissent monter le prix du pain jusqu'à 17 sous le 25 janvier 1812. C'est, une fois de plus, trop tard, car la situation de nombreux boulangers est des plus critiques. Le rapport de Pasquier le reconnaît : « On voit que les boulangers des quartiers populeux sont ceux qui sont le plus gênés, d'où il faut conclure que ceux qui fournissent la partie la plus riche de la population peuvent faire quelque bénéfice que les autres n'ont pas les moyens de se procurer. Ces bénéfices proviennent de la fabrication du pain blanc et de l'inexactitude du poids auquel les riches regardent moins que le pauvre [2]. » En mars 1812, l'Empereur, après avoir longtemps refusé, accepte l'augmentation du pain de 4 livres à 18 sous. Lanzac de Laborie observe : « Les murmures des boulangers s'apaisèrent momentanément, mais ceux du menu peuple se déchaînèrent d'autant que ce pain à 18 sols, on n'en trouvait même plus, passé les premières heures de la matinée. Les boulangers n'en cuisaient qu'une quantité restreinte et prétendaient forcer la fabrication du pain de luxe dont ils étaient libres de fixer le prix à leur guise [3]. » La nouvelle des émeutes de Caen déclenche une véritable panique et des mouvements de spéculation qui achèvent de désorganiser le marché.

Le 15 avril 1812, Pasquier en est réduit à des mesures révolutionnaires : faire saisir durant la nuit les stocks des quarante à cinquante

---

1. J. Tulard, *Nouvelle Histoire de Paris. Le Consulat et l'Empire*, p. 362.
2. *Ibid.*, p. 368.
3. L. de Lanzac de Laborie, *Paris sous Napoléon*, V, p. 244.

personnes qui ont spéculé sur grande échelle à Paris et aux environs et faire porter ces réserves à la halle au blé. Sous le nom de taxe, on ressuscite le maximum de la Terreur, mais cela ne sert qu'à faire disparaître du marché le peu de grains qui s'y vendait. Le 23 juin 1812, Pasquier avoue son impuissance : «Le pain est devenu manifestement plus rare... Quelques mauvais propos se sont aussi répandus; on a dit que les habitants de Paris allaient être réduits à une demi-livre de pain. De là, la peur, l'envie de faire des provisions et enfin les queues à la porte des boulangers; aujourd'hui elles ont été générales et plusieurs très tumultueuses [1].»

La bonne récolte de 1812 ne fait sentir ses effets qu'au début de 1813. L'excellente récolte de 1813 provoque enfin la baisse du prix du pain de 4 livres à 15 sous dès septembre. Mais cette mesure favorable aux classes populaires est annulée par l'effondrement de l'industrie parisienne qui perd ses marchés allemands après la défaite de Leipzig.

Alors que l'Empereur est à Moscou, se déroule à Paris une tentative de coup d'État. Le général Claude François de Malet, destitué en 1807 pour ses opinions républicaines, a ourdi un complot qui lui vaut d'être incarcéré à Vincennes, puis placé en résidence surveillée dans une maison de santé du faubourg Saint-Antoine, où il fait la connaissance des frères Polignac, de Bénigne de Bertier, de l'abbé Lafon. Fervent républicain, Malet se laisse circonvenir par ces conspirateurs royalistes. Selon les *Mémoires* de Villèle, «les royalistes et les républicains se seraient entendus pour combiner leurs efforts jusqu'à la convocation des assemblées primaires qui, une fois Bonaparte renversé, devaient se prononcer souverainement entre le rétablissement de la République et la restauration de Louis XVIII [2].»

Le 23 octobre 1812, à quatre heures du matin, Malet se présente en uniforme à la caserne Popincourt et annonce à son commandant la mort de l'Empereur. A la cohorte de la garde nationale rassemblée dans la cour, il lit un sénatus-consulte annonçant la formation d'un gouvernement provisoire et la fin de la guerre. Puis il fait libérer de la prison de La Force deux autres généraux républicains, Lahorie et Guidal. Le préfet de police Pasquier est arrêté ainsi que le ministre de la Police Savary. Frochot, préfet de la Seine, accepte de laisser sa place à un acolyte de Malet. Seul le général Hulin, commandant de la division militaire de Paris, refuse d'obéir à Malet qui lui brise la mâchoire d'un coup de pistolet avant d'être maîtrisé par les officiers d'état-major. A midi, les conjurés sont sous les verrous et l'ordre impérial est restauré. Le 29 octobre, après la condamnation à mort de quatorze conjurés, Malet et Lahorie sont fusillés.

---

1. Cité par J. Tulard, *Nouvelle Histoire de Paris. Le Consulat et l'Empire*, p. 370.
2. J. de Villèle, *Mémoires et correspondances*, I, p. 196.

Qu'une conspiration aussi peu élaborée ait failli réussir amuse beaucoup les Parisiens et contribue largement à discréditer le personnel impérial. Frochot est disgracié mais Pasquier parvient à se justifier. L'affaire Malet passe vite à l'arrière-plan pour les Parisiens qu'abasourdit la nouvelle du désastre de Russie. La perte de l'Allemagne à la fin de 1813 achève de détourner la bourgeoisie d'un régime condamné par ses défaites militaires. Maret décrit une brève visite que fit alors Napoléon aux chantiers de la capitale : « Nous allions très lentement. Pas une exclamation ne se fit entendre sur notre passage ; les rares passants, qui se trouvaient à ce moment-là sur le pont, se contentaient de saluer, car, à sa redingote grise, à son petit chapeau, il était bien impossible de ne pas reconnaître l'Empereur, mais on restait muet. Le ciel attristé, ce silence profond qui accompagnait la marche de l'Empereur étaient saisissants [1]. »

Les Parisiens, qui n'avaient pas vu d'uniformes étrangers depuis le départ de la garnison espagnole en 1594, vont bientôt voir arriver Prussiens, Russes, Autrichiens, Anglais. La capitale n'est pas fortifiée, la bourgeoisie renâcle à se faire tuer sous l'uniforme d'une garde nationale qui ne compte que douze mille hommes alors que le double était prévu. Le préfet Pasquier s'est obstinément refusé à donner des armes aux ouvriers du faubourg Saint-Antoine. La bataille pour Paris s'engage le 30 mars 1814. Que peuvent faire les quarante mille médiocres défenseurs contre cent dix mille soldats alliés ? Ménilmontant, les Buttes-Chaumont, puis Belleville et la butte Montmartre tombent très vite au pouvoir des attaquants. Aux barrières de Clichy et de Pantin, Marmont, Mortier et Moncey résistent de leur mieux : on compte environ neuf mille morts et blessés dans chaque camp. A quatre heures de l'après-midi, Marmont sollicite un armistice. Le 31, à deux heures du matin, Paris capitule.

L'entrée des souverains alliés et de leurs troupes est marquée par une double méprise lourde de conséquences politiques. Les soldats étrangers arborent un brassard blanc, gage de leurs intentions pacifiques. Croyant qu'il s'agit d'une marque de leur ralliement aux Bourbons — le blanc étant la couleur du roi — et désireux d'éviter d'être molestés par les occupants, beaucoup de Parisiens s'empressent de mettre à leur tour un brassard blanc en signe de bonne volonté. C'est alors au tour des souverains étrangers de croire que les Parisiens manifestent ainsi leur attachement à la monarchie. Les agents royalistes vont aussitôt exploiter ce double malentendu.

Les notables s'empressent de voler au secours de la victoire. Réuni à l'Hôtel de Ville, le Conseil général de la Seine, sous l'impulsion de Bellart, vote une proclamation déclarant « qu'il renonçait formellement à toute obéissance envers Napoléon Bonaparte, exprimait le vœu le plus

---

1. Cité par J. Tulard, *Nouvelle Histoire de Paris. Le Consulat et l'Empire*, p. 379.

ardent pour que le gouvernement monarchique soit rétabli dans la personne de Louis XVIII et de ses successeurs légitimes[1] ». Entraîné par Talleyrand, le Sénat vote, le 2 avril, la déchéance de Napoléon Ier. Le comte d'Artois arrive à Paris le 12 et Louis XVIII fait son entrée le 3 mai.

A Paris, deux milieux seulement manifestent leur hostilité à la Restauration monarchique. Les nominations abusives dans la Légion d'honneur, l'intégration d'officiers émigrés sans expérience alors que des réductions d'effectifs massives frappent de vieux officiers couverts de gloire, la mise en demi-solde de milliers d'entre eux, tout cela contribue à créer une forte tension dans l'armée. Un rapport de police du 7 juillet 1814 en fait état : « Il arrive journellement à Paris un assez grand nombre de militaires de la Garde, rentrant chez eux et congédiés avec retraite, congé absolu, ou demi-solde. Ces soldats, habitués au service de Paris qui leur offrait auparavant des avantages et y ayant presque tous des connaissances ou des parents, regrettent de ne plus y être employés. Ils s'en vengent en accusant le gouvernement auquel ils attribuent leur malaise[2]. »

L'opposition des ouvriers est encore accrue par un chômage qu'aggrave l'arrivée massive de produits manufacturés en Angleterre. Un rapport au comte d'Artois constate : « Il y a un très mauvais esprit dans la nombreuse classe du peuple qui vit de son travail et qui voit ses moyens d'existence diminuer progressivement. Son mécontentement se propage et se manifeste chaque jour davantage. Cependant, il ne serait de nature à donner de graves inquiétudes que dans le cas seulement où les ouvriers resteraient longtemps sans travail et les plus indigents sans secours[3]. » Or, à la fin de 1814, en dehors du secteur textile totalement sinistré, la situation s'améliore nettement.

En revanche, le mécontentement de la bourgeoisie devient manifeste. Les manufacturiers se plaignent de la concurrence anglaise, les commerçants se plient en rechignant à l'obligation de fermer le dimanche et le retour en force du catholicisme mécontente une classe largement voltairienne. Enfin, la revendication par les émigrés de leurs propriétés vendues comme biens nationaux et l'arrogance de certains aristocrates achèvent de dresser les bourgeois contre la Restauration, sans les rendre cependant favorables au retour de Napoléon. Dans une lettre à Montlosier, Barante remarque : « Qu'un noble devienne ministre ou officier, on trouve cela tout naturel, mais ce qui révolte, c'est qu'un gentilhomme de campagne qui a 2 ou 3 000 francs de rente, ne sait pas l'orthographe et n'est capable de rien, traite du haut en bas un proprié-

---

1. J. Tulard, *Nouvelle Histoire de Paris. Le Consulat et l'Empire*, p. 388.
2. *Ibid.*, p. 395.
3. *Ibid.*, p. 396.

taire, un avocat, un médecin, est offensé qu'on lui demande des impôts et bientôt croira déroger en les payant [1].»

Le débarquement de Napoléon au golfe Juan suscite surtout l'étonnement, est considéré comme un acte insensé. Mais l'hostilité à la Restauration, l'effondrement ridicule de ce régime, ramènent des partisans à Napoléon. Le 20 mars 1815, celui-ci s'installe aux Tuileries, mais son arrivée n'a suscité aucune manifestation d'enthousiasme. Le 22 mars, un policier mentionne dans son rapport qu'on «est étonné que tous les employés du gouvernement impérial à Paris ne paraissent pas encore en public avec la cocarde nationale tricolore pour présenter une grande masse de cocardes. Hier je l'ai mise à mon chapeau sans faire encore beaucoup d'imitateurs parmi les classes au-dessus des ouvriers [2].»

La passivité ou plutôt l'indifférence de la plupart des Parisiens et des Français se traduit par un absentéisme massif lors du plébiscite sur l'Acte additionnel aux Constitutions de l'Empire : 23 613 «oui» et 591 «non». Les élections législatives se déroulent dans la même atonie : 113 électeurs parisiens sur 215 se sont déplacés. La cérémonie du Champ-de-Mai, le 1er juin, pour la proclamation des résultats du plébiscite, déçoit cruellement la foule surprise de voir l'Empereur travesti en page, coiffé d'une toque noire et vêtu d'un court manteau doublé d'hermine : «On regrettait la redingote grise et le petit chapeau, et plus d'un spectateur, devant cette parade, éprouva l'affligeante impression qu'en Napoléon l'homme de guerre avait disparu [3].»

La seule manifestation sincère de soutien à l'Empereur vient des milieux ouvriers. Une pétition recueille plus de trois mille signatures pour demander des fusils. Le 14 mai, des milliers d'ouvriers des faubourgs Saint-Antoine et Saint-Marcel défilent devant Napoléon aux Tuileries. Un témoin anglais, Hobhouse, les décrit : «La plupart avaient leurs habits de travail et des casquettes sur la tête ; malgré cela, lorsqu'ils se mirent à manœuvrer, ils conservèrent si bien leurs rangs et mirent tant d'ordre dans leur marche que, dans tout autre pays, on les aurait pris pour de vieux soldats. Aussi un grand nombre d'entre eux avaient déjà servi [4].» Mais Napoléon, peu soucieux de réveiller l'esprit des sans-culottes, refusa de leur fournir fusils et uniformes.

A la nouvelle de l'abdication de Napoléon, le 23 juin 1815, deux cents personnes à peine manifestent au cri de «Vive l'Empereur!» Les Cent-Jours s'achèvent comme ils avaient commencé, dans l'indifférence.

---

1. J. Tulard, *Nouvelle Histoire de Paris. Le Consulat et l'Empire*, p. 399.
2. *Ibid.*, p. 410.
3. *Ibid.*, p. 417-418.
4. *Ibid.*, p. 419.

CHAPITRE VI

L'ère convulsive (1815-1871)

LA RESTAURATION (1815-1830)

« Cent jours se sont écoulés depuis le moment fatal où Votre Majesté [...] quitta sa capitale au milieu des larmes et des lamentations publiques[1] », ment effrontément le préfet Chabrol dans son allocution de bienvenue au roi de retour de Gand. C'est, en réalité, cent dix jours après sa fuite que Louis XVIII rentre dans Paris, le 8 juillet 1815, une fois de plus dans « les fourgons de l'étranger », grâce à la victoire des Alliés qui occupent la capitale. Avec justesse et esprit, l'historien de la Restauration, Guillaume de Bertier de Sauvigny, note : « Louis XVIII, rentré aux Tuileries, pourra voir du côté jardin la foule de ses partisans qui manifestent leur joie par des chants et des danses, et du côté du Carrousel les troupes prussiennes, bivouaquant, des canons braqués sur le château, une boucherie établie sous l'Arc de Triomphe[2]. »

En juillet et en août, on compte jusqu'à trois cent mille soldats étrangers à Paris et dans ses environs immédiats, campant sur tous les espaces dégagés de quelque importance : Prussiens au Champ-de-Mars, sur l'esplanade des Invalides, au jardin du Luxembourg, Britanniques aux Champs-Élysées avec leurs auxiliaires hanovriens et hollandais non loin de là, au bois de Boulogne. Quant aux Russes, ils se sont installés dans les casernes de la capitale. Alors que la Ville avait déboursé un peu moins de 6,5 millions pour les frais d'occupation de 1814, elle doit dépenser plus de 42 millions de francs en 1815-1816 pour l'entretien des troupes étrangères.

En août ont lieu les élections législatives qui aboutissent à la formation de la Chambre « introuvable », composée en majorité de députés royalistes « ultras », plus royalistes et plus réactionnaires que le roi. On a utilisé pour le vote les collèges électoraux d'arrondissements et de départements tels qu'ils étaient sous l'Empire, réunissant 72 000 électeurs environ. Les six collèges d'arrondissement de la Seine rassemblent 952 électeurs qui désignent 60 candidats. C'est parmi eux que les 10 députés du département sont élus par un collège départemental de 233 membres.

Cette majorité d'ultras soutient une politique de répression et de

---

1. Cité par J. Tulard, article « Cent-Jours » dans *Dictionnaire Napoléon*, p. 395.
2. G. de Bertier de Sauvigny, *Nouvelle Histoire de Paris. La Restauration (1815-1830)*, p. 425.

réaction : exécutions du général de La Bédoyère et du maréchal Ney, exil des Conventionnels régicides, arrestations et internements arbitraires sur simple décision administrative, épuration de l'Institut d'où sont chassés Carnot, David, Grégoire, Lakanal, Monge, Sieyès, retour en force d'un cléricalisme odieux et borné, décision d'ériger un monument expiatoire à la mémoire de Louis XVI et de la reine. L'opinion subit ces avanies avec un sourd mécontentement qui se manifeste nettement en avril 1816 à Paris : l'École polytechnique est fermée et ses élèves renvoyés pour avoir manifesté des sentiments bonapartistes ; le Conseil de guerre témoigne aussi sa répulsion à châtier les officiers ralliés à Napoléon durant les Cent-Jours en acquittant les généraux Drouot et Cambronne.

Déféré en mai devant l'ordre des avocats pour avoir tenu des propos contraires au principe de légitimité lors de sa plaidoirie en faveur de Cambronne, Berryer est blanchi par ses pairs, véritable camouflet pour le régime. En juin et juillet se déroule le procès de la conspiration avortée dite des «patriotes». L'opinion est choquée par la sévérité de la sentence : trois des conjurés ont le poing coupé, châtiment des parricides, avant d'être guillotinés en place de Grève. Sept complices subissent l'exposition au pilori devant le Palais de Justice.

Ce qu'on a, un peu abusivement, nommé la Terreur blanche se traduit par environ cinq mille condamnations politiques pour toute la France en un an et par l'épuration du tiers ou du quart des fonctionnaires. Désireux de se maintenir au pouvoir durablement, les députés ultra-royalistes pratiquent la surenchère démagogique sur leurs adversaires libéraux, proposant l'abaissement du cens électoral à 50 et même 25 francs de contribution directe afin de noyer le vote des bourgeois libéraux et voltairiens sous les voix populaires catholiques et réactionnaires, ainsi que le proclame Villèle : «Annulez la classe moyenne, la seule que vous ayez à redouter.» Sous la pression modératrice des gouvernements étrangers qui redoutent une révolte et une nouvelle Révolution française, influencé aussi par son favori Decazes, Louis XVIII finit par dissoudre la Chambre introuvable.

Les élections d'octobre 1816 ramènent une minorité d'ultras, quatre-vingt-douze députés, tandis que cent quarante-six soutiennent le gouvernement. A Paris, aucun ultra n'a été élu. En septembre 1817, de nouvelles élections se déroulent suivant la loi électorale de février 1817 : le vote est limité aux hommes ayant au moins trente ans et payant 300 francs d'impôts directs. Ils se réunissent en collège électoral au chef-lieu du département et élisent les députés pour cinq ans avec renouvellement annuel par cinquième. Censé favoriser le parti gouvernemental, ce nouveau système fait effectivement perdre une douzaine de députés aux ultras, mais ce sont les libéraux qui en profitent, doublant leurs effectifs avec vingt-cinq élus. A Paris, les suffrages des neuf mille six cent soixante-dix-sept électeurs se portent largement sur l'opposition de gauche et il faut que la droite ministérielle s'allie aux ultras pour empêcher l'élection de Benjamin Constant, La Fayette et Manuel : sur huit députés, trois sont des banquiers affichant clairement leur appartenance à l'opposition libérale : Jacques Laffitte, Benjamin Delessert et Casimir Perier.

Les manifestations d'hostilité au régime des Parisiens ne sont pas rares : la tragédie *Germanicus* d'Arnault est interdite à la suite d'une émeute au Théâtre-Français, le 22 mars, l'acteur Talma s'étant fait la tête de Napoléon. Le procès de l'association antiroyaliste dite de l'Épingle noire tourne à la confusion du ministère public, tous les accusés étant acquittés le 4 octobre 1817. Le 3 novembre, des jeunes gens convoqués pour le conseil de révision parcourent les rues Popincourt et de Ménilmontant au cri de « Vive l'Empereur ! » et en arborant des cocardes tricolores sans que la police ose s'en prendre à eux.

Le 29 juillet 1818, les élèves de l'École polytechnique sont consignés dans l'établissement pour les empêcher de suivre les obsèques du mathématicien Monge. A la fin d'octobre, une élection partielle se transforme en déroute pour le gouvernement : afin d'éviter l'élection de Benjamin Constant, la droite doit se résigner à voter pour un libéral plus modéré, l'industriel Guillaume Louis Ternaux.

En 1819, l'indifférence politique des Parisiens est soulignée par les bulletins de police : « Dans les classes commerçantes et parmi le peuple on s'occupe beaucoup d'intérêts particuliers et peu d'affaires publiques[1]. » Mais cette indifférence affecte aussi le régime. Un autre bulletin de police note que, le 3 mai, anniversaire de l'entrée de Louis XVIII à Paris en 1814, « les illuminations particulières n'ont point été aussi nombreuses qu'on pouvait le désirer[2] ». En juillet, la suspension de Bavoux, professeur à l'École de droit, à cause de ses opinions libérales, provoque des émeutes estudiantines au Quartier latin. Des gravures à l'effigie de Napoléon circulent et le préfet déplore que les prévenus aient été acquittés pour ce délit : « la police sera impuissante à l'avenir pour l'empêcher[3] ».

Le 3 janvier 1820, le journal d'opposition libéral *Le Constitutionnel* constate : « L'année 1820 commence sous de tristes auspices ; tout le monde se plaint[4]. » Le 13 février, le neveu du roi, espoir de la dynastie dont il est le seul représentant mâle en état de procréer, le duc de Berry, est assassiné à la sortie de l'Opéra. Les ultras mettent en cause le ministère de Decazes, favori du roi, qui doit s'effacer devant Richelieu, lui-même évincé à la fin de 1821 au profit de Villèle et de la droite réactionnaire. La mort du duc de Berry marque le tournant décisif de la

---

1. G. de Bertier de Sauvigny, *Nouvelle Histoire de Paris. La Restauration (1815-1830)*, p. 435.
2. *Ibid.*
3. *Ibid.*
4. *Ibid.*

Restauration et l'évolution du régime vers une idéologie répressive contenant en germe sa chute.

Une nouvelle loi électorale à deux degrés, dite loi du « double vote », permet au quart le plus imposé des électeurs de voter deux fois et notamment de désigner exclusivement cent soixante-douze nouveaux députés sur les quatre cent trente composant désormais la Chambre. Le vote de cette loi provoque des émeutes durant une dizaine de jours au début de juin 1820. La jeunesse étudiante et bourgeoise a manifesté aux cris de « Vive la Charte ! A bas le roi ! » mais n'a pu obtenir le soutien des faubourgs ouvriers. Le 13 novembre, l'élection par le quart le plus riche des électeurs parisiens de quatre nouveaux députés comble le ministère, lui amenant, comme il l'escomptait, quatre obéissants serviteurs du pouvoir.

N'ayant plus l'importance numérique nécessaire pour constituer une véritable opposition parlementaire, les libéraux s'expriment dans la rue et par des complots voués à l'échec : bagarres lors des obsèques de l'agent de change Manuel tué en duel en avril 1821, à l'occasion de l'anniversaire de la mort de l'étudiant Lallemand en juin. La conspiration dite du Bazar Français, rue Cadet, éventée par la police avant toute action, n'aboutit qu'à des peines symboliques. En décembre, le chansonnier Béranger est condamné pour ses chansons politiques et le préfet de police ordonne de sévir contre les « goguettes », sociétés de chant, et de traquer les chanteurs ambulants qui propagent les textes séditieux.

Les élections législatives de mai 1822 confirment la montée de l'opposition bourgeoise à Paris où elle remporte plus de la moitié des suffrages et enlève les quatre sièges du Grand Collège des électeurs les plus fortunés ainsi que six des huit sièges attribués par les collèges d'arrondissements. Si la police vient aisément à bout des chimériques sociétés secrètes de la « charbonnerie », l'exécution des « quatre sergents de La Rochelle » en place de Grève, le 21 septembre 1822, suscite émotion contre une sentence jugée inique et réprobation d'un pouvoir trop sévère. De même, le retour en force du cléricalisme, appuyé par les Chevaliers de la Foi, exaspère la bourgeoisie voltairienne et provoque de fréquents incidents dans les églises et sur la voie publique. Le 18 novembre 1822, notamment, les étudiants en médecine protestent bruyamment lors de la distribution des prix parce que la cérémonie est présidée par le recteur de l'Académie de Paris, l'abbé Nicolle, qui n'a aucune compétence scientifique.

Ragaillardi par le succès de la promenade militaire baptisée « expédition » d'Espagne, qui lui a permis de remettre sur le trône de Madrid un souverain dégénéré et à moitié fou, Ferdinand VII, le ministère dissout la Chambre des députés en décembre 1823. Il remporte une éclatante victoire électorale qui balaie la presque totalité des cent dix libéraux qui ne sont plus que dix-neuf dont trois à Paris, Benjamin Constant, le général Foy et Casimir Perier. La mort de l'obèse et aboulique Louis XVIII, le 16 septembre 1824, amène sur le trône son frère, Charles X, esprit obtus, ex-libertin reconverti dans la dévotion.

Après une année d'accalmie, l'opposition reprend l'offensive dans la rue et au Parlement. Les obsèques du général Foy, le 30 novembre 1825, fournissent l'occasion d'une manifestation de masse dans la légalité. Le 3 décembre, la justice acquitte les journaux *Le Constitutionnel* et *Le Courrier français* inculpés pour attaques systématiques contre la religion de l'État et le clergé. En avril 1826, la Chambre des pairs repousse le projet de loi du gouvernement sur les successions, considéré par ses adversaires comme un rétablissement du droit d'aînesse. Ce rejet provoque des manifestations de joie et des désordres dans la rue du 10 au 12 avril. Le 21 octobre 1826, les funérailles de Talma, acteur favori de Napoléon, sont le prétexte à une grandiose manifestation d'opposition politique et religieuse, la dépouille ayant été, contrairement à l'usage, directement conduite au Père-Lachaise sans passer par une église.

Au début de 1827, la tension monte lorsque le gouvernement présente un projet de loi limitant la liberté de la presse, qualifié par le *Moniteur* de façon imbécile de «loi d'amour et de justice». Les pétitions affluent et même la servile Académie française manifeste quelque inquiétude. La Chambre des pairs bloque le texte et le gouvernement se résigne à le retirer, le 17 avril, ce qui suscite des manifestations de joie. Le 29 avril, alors que le roi passe en revue la garde nationale au Champ-de-Mars, s'élèvent sur son passage les cris de «Vive la Charte! A bas les ministres! A bas les jésuites! Vive la liberté de la presse!» Charles X réagit en dissolvant la garde nationale, ce qui achève de lui aliéner la bourgeoisie parisienne. Conscient de la gravité du geste du monarque et le désapprouvant, le ministre de la Maison du Roi, Doudeauville, donne sa démission.

Désormais, la tension ne fait que grandir et l'opposition saisit toutes les occasions. Ainsi, la nomination au Collège de France du professeur Récamier, choisi par le ministre de l'Instruction publique pour ses convictions royalistes, contre l'avis de l'Académie des sciences et des professeurs du Collège qui avaient élu Magendie, provoque à la mi-mai des bagarres au Quartier latin. Les obsèques de Manuel, en août, fournissent un prétexte à une grande manifestation au Père-Lachaise et à des discours très hostiles au régime. *Le Moniteur* du 4 septembre 1827 s'indigne et se demande «jusqu'à quel point la tombe ou le corbillard peut devenir une tribune aux harangues du haut de laquelle il est permis à qui que ce soit d'agiter la multitude».

Le 6 novembre, Villèle se décide à dissoudre la Chambre des députés et à provoquer des élections anticipées, espérant prendre par surprise l'opposition. C'est un désastre pour la droite gouvernementale. Le 17 novembre, Paris se donne aux libéraux qui obtiennent 84 % des suffrages et sont élus sans ballottage. Le nombre des voix libérales dans la capitale a doublé entre 1824 et 1827.

A la nouvelle des résultats, Paris s'illumine, la foule crie : «Mort aux villélistes! Mort aux jésuites! Mort aux bigots!» Des barricades s'élèvent dans les faubourgs Saint-Denis et Saint-Martin, les 19 et 20, l'armée ouvre le feu, faisant sept morts et une vingtaine de blessés. Les libéraux accusent le gouvernement d'avoir fomenté les émeutes pour faire peur aux bourgeois et influer sur le vote du Grand Collège des électeurs aisés qui se réunit le 24. Cette vraisemblable provocation échoue : les quatre députés, tous libéraux, sont élus avec 81 % des suffrages.

L'année 1828 débute avec le remplacement de Villèle par un conservateur modéré, Martignac. Il laisse la Sorbonne rouvrir les cours des libéraux Cousin et Guizot et compose avec l'opposition parlementaire. Mais Charles X continue à miser sur Villèle avec qui il entretient une correspondance presque quotidienne et *Le Constitutionnel* n'a pas tort d'écrire : «Le personnage principal n'a quitté la scène que pour se réfugier dans le trou du souffleur [1].» Martignac est conscient de l'inconfort de sa position. Il déclare à ses proches : «Nous faisons ce que nous pouvons. Mais ce que nous pouvons, c'est de reconduire la monarchie au bas de l'escalier, tandis qu'on la jetterait par les fenêtres [2].»

Au début d'août 1829, le roi jette le masque, renvoie Martignac et fait appel à un de ses intimes, Jules de Polignac. Cet homme, écrit Guillaume de Bertier de Sauvigny, «cumulait déjà sur sa tête un nombre exceptionnel de motifs d'impopularité : fils de l'ancienne favorite de Marie-Antoinette, sur qui s'étaient acharnés les pamphlétaires du temps, émigré, ultra-royaliste, prince par la grâce du Saint-Siège, congréganiste, époux d'une Anglaise et anglophile. Il est peu de personnages, dans notre histoire, qui soient aussi universellement antipathiques : les uns lui en veulent de son dévouement aveugle à la monarchie, les autres ne lui pardonnent pas d'avoir ruiné la cause qu'il était chargé de défendre [3].» Aux côtés de cet individu honni par l'opinion, deux autres personnages particulièrement odieux aux Français : La Bourdonnaye, ministre de l'Intérieur, responsable de la Terreur blanche de 1815, et Bourmont, ancien Chouan, qui avait trahi Napoléon à la veille de Waterloo, mis à la tête du ministère de la Guerre alors qu'il était exécré par tous les militaires attachés au souvenir de l'Empereur.

La presse se déchaîne aussitôt. Même *Le Globe*, journal se voulant froidement objectif, se laisse aller à écrire : «Dans notre simplicité, nous ne voulions pas croire à des desseins plus stupides encore qu'ils ne sont coupables. Avions-nous donc oublié qu'il est un lieu où dominent le caprice et la prévention, l'entêtement et l'étourderie ; un lieu où ne sont

---

1. Cité par G. de Bertier de Sauvigny, *La Restauration*, p. 411.
2. *Ibid.*, p. 422.
3. *Ibid.*, p. 424.

écoutées ni comprises les leçons les plus frappantes et les plus dures ; un lieu où l'Histoire nous dit que se sont décidés tant de fois, entre la chasse et le confessionnal, les coups d'État qui excitent les nations et emportent les dynasties ? Ce lieu, c'est la Cour. De là vient, et de là seulement, le ministère nouveau. L'intrigue l'a préparé, le bon plaisir l'a formé. Son avènement sépare la France en deux : la Cour d'un côté, de l'autre la Nation[1]. » En une formule lapidaire, *Le Journal des débats* stigmatise le nouveau ministère : « Coblence, Waterloo, 1815 ! voilà les trois principes, les trois personnages du ministère... Pressez, tordez ce ministère, il ne dégoutte qu'humiliation, malheurs et dangers[2]. » Les procès contre la presse se multiplient, mais, le plus souvent, les magistrats refusent de condamner les journalistes.

Sans programme défini, Polignac reste inactif durant plusieurs mois, laissant l'opposition se renforcer. En riposte au discours du trône très combatif du 2 mars 1830, la Chambre des députés, par deux cent vingt et une voix contre cent quatre-vingt-une, vote une adresse au roi lui signifiant le refus de la majorité parlementaire de collaborer avec le cabinet. Après avoir suspendu la session parlementaire, le roi dissout la Chambre, le 16 mai, et convoque les électeurs pour juillet. Le 31 mai, lors du bal donné au Palais-Royal par Louis-Philippe d'Orléans en l'honneur du roi de Naples, Salvandy prononce la célèbre phrase : « Nous dansons sur un volcan[3]. »

Le résultat des élections est désastreux pour le ministre qui ne dispose que de cent quarante-trois sièges contre deux cent soixante-quatorze à l'opposition. A Paris, tous les candidats libéraux ont été élus avec les quatre cinquièmes des voix. Vaincus, le roi sénile et ses stupides conseillers se décident au coup de force. Le 26 juillet 1830, le *Moniteur* publie quatre ordonnances : le régime de la presse est suspendu et aucun périodique ne peut plus paraître sans autorisation, la Chambre nouvellement élue est dissoute avant d'avoir siégé, la loi électorale est modifiée pour limiter le droit de suffrage aux citoyens les plus fortunés, ce nouveau corps électoral est convoqué pour septembre.

La riposte arrive le même jour des journalistes réunis au siège du *National*. Sur l'initiative de Thiers, ils signent une protestation qui est imprimée et largement diffusée dans la capitale : « Le régime légal est interrompu ; celui de la force est commencé... L'obéissance cesse d'être un devoir... Nous n'avons pas à tracer ses devoirs à la Chambre illégalement dissoute, mais nous pouvons la supplier, au nom de la France, de s'appuyer sur son droit évident et de résister, autant qu'il sera en elle, à la violation des lois...[4] »

---

1. G. de Bertier de Sauvigny, *La Restauration*, p. 426-427.
2. *Ibid.*, p. 427.
3. Cité par J. Tulard et A. Fierro, *Almanach de Paris*, II, p. 62.
4. Cité par G. de Bertier de Sauvigny, *La Restauration*, p. 448.

Le mardi 27 au matin, le préfet de police donne l'ordre de saisir les presses des journaux récalcitrants. Les premiers affrontements ont lieu aux abords du Palais-Royal. Le commandement des forces armées a été confié au maréchal Marmont qui est hostile aux ordonnances et n'accepte qu'à contrecœur. Cette nomination est considérée comme une provocation par les Parisiens qui n'ont pas oublié sa capitulation, sa «trahison» de 1814.

L'insurrection ne se développe vraiment que le 28. Elle s'empare de l'Hôtel de Ville et multiplie les barricades dans le centre. Les colonnes de Marmont, après une progression lente et difficile, ont traversé la capitale du Palais-Royal à la Bastille, prenant d'assaut des barricades qui étaient réédifiées derrière leur dos. A dix-sept heures, Marmont décide de regrouper ses forces dispersées, isolées, presque à court de munitions, en les ramenant vers le Louvre et les Tuileries. Le repli se fait dans des conditions difficiles, sous le feu des insurgés installés sur les toits, et de nombreux soldats abandonnent le combat pour se joindre aux insurgés. A la nuit, les forces royales ont perdu un millier d'hommes, surtout par désertion.

Le 29 au matin, revigorés par le repli des soldats, les insurgés ont à nouveau couvert la ville de centaines de barricades. D'anciens officiers de l'Empire et les élèves de l'École polytechnique les encadrent et les conduisent avec succès à l'assaut du Palais-Bourbon et de la caserne des suisses de la rue de Babylone. Les deux régiments occupant la place Vendôme font brusquement défection. Pour les remplacer, Marmont dégarnit la colonnade du Louvre. Les insurgés en profitent pour s'en emparer et ouvrent le feu sur les suisses cantonnés dans les cours intérieures du château. Surprises, les troupes régulières se débandent et ne peuvent être regroupées qu'au niveau des Champs-Élysées. D'une fenêtre de son hôtel, rue Saint-Florentin, Talleyrand assiste à cette reculade. Tirant sa montre, il dit : «A midi cinq minutes, la branche aînée des Bourbons a cessé de régner [1].» Au début de l'après-midi, la capitale est aux mains des révolutionnaires qui ont eu entre six cents et sept cents morts, la plupart artisans, boutiquiers ou employés.

Tandis que Charles X tergiverse à Saint-Cloud, l'opposition parlementaire se décide à voler au secours de la victoire populaire pour éviter la proclamation de la République. La Fayette est nommé commandant de la garde nationale de Paris et le général Gérard prend la tête des troupes régulières. Une commission municipale de six membres, Jacques Laffitte, Casimir Perier, le général Mouton, Schonen, Audry de Puyraveau, Mauguin, s'installe à l'Hôtel de Ville vers seize heures. Thiers et Mignot rédigent et font imprimer une proclamation anonyme qui s'étale, le 30 au matin, sur les murs de la capitale :

---

1. G. de Bertier de Sauvigny, *op. cit.*, p. 452.

« Charles X ne peut plus rentrer à Paris : il a fait couler le sang du peuple.

La République nous exposerait à d'affreuses divisions ; elle nous brouillerait avec l'Europe.

Le duc d'Orléans est un prince dévoué à la cause de la Révolution.

Le duc d'Orléans a porté au feu les couleurs tricolores ; le duc d'Orléans peut seul les porter encore ; nous n'en voulons pas d'autres.

Le duc d'Orléans s'est prononcé : il accepte la Charte comme nous l'avons toujours voulue.

C'est du peuple français qu'il tiendra sa couronne [1]. »

Dans l'après-midi, réunis au Palais-Bourbon, les députés offrent la lieutenance générale du royaume au duc d'Orléans. Celui-ci, réfugié et caché au Raincy, revient au Palais-Royal un peu avant minuit. Opportuniste et d'un courage défaillant, il prend la précaution de déclarer, vers trois heures du matin, au duc de Mortemart, qu'il a fait venir dans cette intention : « Duc de Mortemart, si vous voyez le roi avant moi, dites-lui qu'ils m'ont amené de force à Paris, mais que je me ferai mettre en pièces plutôt que de me laisser mettre la couronne sur la tête [2]. » Cela ne l'empêche pas, cinq heures plus tard, le 31 juillet à huit heures du matin, d'accepter la lieutenance générale du royaume. A quatorze heures, écrit Guillaume de Bertier de Sauvigny, « le duc d'Orléans, escorté par les députés et quelques gardes nationaux, se rend à l'Hôtel de Ville. Il est reçu avec hostilité par la foule rassemblée sur la place. Mais La Fayette l'accueille cordialement, paraît avec lui au balcon, l'embrasse dans les plis d'un drapeau tricolore ; les acclamations populaires sanctionnent enfin le pouvoir nouveau. La République est écartée [3]. » La Fayette rend sa visite au nouveau lieutenant général au Palais-Royal et déclare : « Ce qu'il faut aujourd'hui au peuple, c'est un trône populaire entouré d'institutions républicaines [4]. » Quant à Charles X, roi déchu, il se dirige lentement vers la Normandie. Le « cortège funèbre de la monarchie » se termine le 16 août à Cherbourg avec l'embarquement pour l'exil.

LA MONARCHIE DE JUILLET (1830-1848)

Les Trois Glorieuses journées des 27, 28 et 29 juillet 1830 se terminent avec la chute d'une dynastie, parce que Charles X n'a jamais compris que la bourgeoisie et le peuple voulaient jouir en paix des droits politiques, économiques et sociaux acquis grâce à la Révolution. Mais l'avocat Odilon Barrot, témoin du passage de Louis-Philippe à l'Hôtel de Ville, cerne bien toute l'ambiguïté de cette scène : « Le duc d'Orléans

1. G. de Bertier de Sauvigny, *La Restauration*, p. 454.
2. *Ibid.*, p. 455.
3. *Ibid.*
4. *Ibid.*, p. 456.

était entré simple prétendant à l'Hôtel de Ville ; il pouvait y trouver la mort, il en sortit portant la plus belle couronne du monde, et proclamé par le peuple de Paris. Ce couronnement en valait bien un autre [1]. » Si le duc d'Orléans a réussi ce qu'avait vainement tenté son père entre 1789 et 1792, évincer la branche aînée des Bourbons à son profit, il doit son trône au peuple parisien. Et les écrivains ne se privent pas d'exalter le thème du « Peuple de Paris », de Barthélemy et Méry à Casimir Delavigne et Victor Hugo, forgeant un véritable mythe. Hugo l'exprime avec force : « Hier vous n'étiez qu'une foule, vous êtes un peuple aujourd'hui [2]. » Que le nouveau souverain vieillissant — il a cinquante-sept ans en 1830, il en aura soixante-quinze en 1848 — vienne à oublier ou à négliger de tenir compte de l'opinion des Parisiens, et il lui en cuira.

Frustrés de leur victoire par le tour de passe-passe de l'Hôtel de Ville et l'avènement de Louis-Philippe Ier, mais auréolés du prestige de leur insurrection armée, les républicains sont suffisamment nombreux et puissants pour provoquer une agitation durable dans la capitale. Ils créent une foule d'associations sur le modèle des clubs révolutionnaires des années 1789-1792 : Amis de la Patrie, Francs Régénérés, Société Gauloise, Aide-toi, le ciel t'aidera, et surtout la Société des Amis du Peuple où se retrouvent les principaux meneurs. Une foule de journaux propagent leurs idées : *Les Amis du Peuple*, *La Révolution*, *La Tribune des départements*, *Le Patriote de 1830*, etc. C'est aussi à cette époque que naît une presse qui se veut ouvrière, encore qu'elle émane d'intellectuels plutôt que d'authentiques prolétaires : *L'Avenir*, *Le Journal des Ouvriers*, *Le Peuple*, *L'Artisan*. Tous ces périodiques, dépourvus de ressources financières et à faible tirage, sont condamnés à une existence difficile et éphémère.

Paul Thureau-Dangin demeure le meilleur historien de la Monarchie de Juillet quoique son œuvre date des années 1880. Il donne d'excellentes analyses et descriptions du Paris de cette époque [3]. Il raconte notamment de façon pittoresque les débuts désordonnés du nouveau régime. Proclamé roi des Français par les deux Chambres réunies, le 9 août, Louis-Philippe Ier ne quittera son domicile du Palais-Royal pour la résidence royale des Tuileries qu'au 1er octobre 1831. Jusqu'à la mi-août 1830, il bénéficie dans son palais familial d'une singulière garde que décrit Thureau-Dangin. « Aux postes, des volontaires déguenillés, les bras nus ; leurs camarades assis ou vautrés dans les salles et sur les escaliers, y recevant leurs amis, buvant et jouant, ressemblent moins à une garde qu'aux gens contre lesquels on se fait garder. Plutôt surveillants que défenseurs, nul ne savait qui les avait placés, ni surtout comment on

---

1. Cité par P. Vigier, *Nouvelle Histoire de Paris. Paris pendant la Monarchie de Juillet (1830-1848)*, p. 18.
2. *Ibid.*, p. 23.
3. Voir P. Thureau-Dangin, *Histoire de la Monarchie de Juillet*.

les ferait sortir. A l'intérieur du palais, aucune police, aucune livrée ; entrait qui voulait[1]. »

La Révolution de 1830 a provoqué la panique dans les milieux aisés. Thureau-Dangin décrit la désorganisation de l'économie : « La crise de 1830 se trouvait encore plus désastreuse pour le commerce et l'industrie que ne l'avait été celle de 1814, et que ne le sera celle de 1848... Les riches ont fui de Paris : on n'évalue pas à moins de cent cinquante mille le nombre des départs. De là le chômage et les souffrances qui en sont l'accompagnement ordinaire[2]. » Beaucoup plus favorable aux révolutionnaires, le socialiste Louis Blanc reconnaît que « chaque coup de fusil tiré pendant les trois jours avait préparé une faillite[3] ». Il ajoute qu'en août 1830, « chaque jour ajoutait à la détresse du peuple » et que « bientôt une extrême agitation se manifesta parmi le peuple. Des malheureux couverts de vêtements souillés, et tels que Paris les avait vus naguère courant à la mort, se rassemblaient tumultueusement sur les places publiques. Des attroupements se formaient à la porte des ministères, sur la place de Grève, sur celle du Palais-Royal, partout où siégeaient la puissance et le plaisir. »

Pour rétablir l'ordre, la sécurité, la confiance, de nouveaux préfets sont nommés : à la préfecture de police un proche du roi, le baron Girod de l'Ain, à celle de la Seine, Odilon Barrot, qui va bientôt apparaître comme l'homme de La Fayette. Girod de l'Ain pousse très activement la remise en état de la voie publique très largement détruite pour édifier les barricades. Le 14 août, il annonce que « les paveurs travaillent activement dans tous les quartiers de la ville ; mais leur nombre est insuffisant, et la nécessité de ne pas nuire à d'autres services empêche que leurs travaux soient terminés avec la promptitude désirable. La nuit, sur tous les points qui peuvent offrir quelques dangers pour le passage des voitures et des piétons, on a le soin de placer des lampions, et de remédier ainsi au défaut d'éclairage dans les rues où les réverbères n'ont pas pu être encore rétablis[4]. » Au bout d'une semaine, le plus gros des dégâts a été effacé : « le pavage extraordinaire est presque entièrement terminé ; les réverbères sont en grande partie replacés[5] ».

Quant au maintien de l'ordre, il est assuré par la garde nationale ressuscitée et commandée par un prestigieux, vaniteux et incapable septuagénaire, La Fayette. Les Trois Glorieuses apparaissent à l'opinion publique comme la revanche de la garde nationale, bien à tort, car on a vu très peu de ses membres parmi les sept à huit mille insurgés qui ont affronté l'armée royale. Mais la bourgeoisie parisienne accapare la gloire

---

1. P. Thureau-Dangin, *Histoire de la Monarchie de Juillet*, I, p. 41.
2. Cité par P. Vigier, *Nouvelle Histoire de Paris. Paris pendant la Monarchie de Juillet (1830-1848)*, p. 28.
3. *Ibid.*
4. *Ibid.*, p. 33.
5. *Ibid.*

de la victoire et, pendant plusieurs mois, les ventripotents notables vont se faire un devoir de monter la garde sous l'uniforme. On lit dans un rapport de police : « On a vu M. Georges Lafayette monter la garde comme simple grenadier, et hier encore, une foule considérable était arrêtée devant une des portes du Palais-Royal, où l'on remarquait avec satisfaction une sentinelle, décorée du cordon de commandeur de la Légion d'honneur ; c'était M. Lebeau, magistrat et président du Conseil municipal de la ville de Paris [1]. »

Historien de la garde nationale, Louis Girard rappelle les propos de La Fayette : « Le seul moyen d'avoir la paix et le repos en France, c'est de comprendre dans la garde nationale tous les ouvriers sans exception [2]. » Mais Rumigny, aide de camp du roi, lui objecte : « Armer les ouvriers, c'est amener l'émeute et enfin rénover 1793 et ses mille horreurs [3]. » Toutefois, dans l'euphorie de la victoire, les bourgeois acceptent d'ouvrir leurs rangs aux ouvriers. Louis Girard note : « Pour être admis, il fallait avoir l'agrément de ses compagnons d'armes. Mais on était plein de gratitude vis-à-vis des combattants de Juillet, et l'on tenait à les incorporer. Ainsi la IIe légion avait ouvert ses rangs à cent vingt ouvriers que leurs camarades avaient décidé d'habiller à leurs frais. Chaque légion allait faire de même [4]. »

L'apothéose, la communion de Paris tout entier avec son nouveau roi, est célébrée le 29 août 1830 au Champ-de-Mars : c'est la revue par Louis-Philippe Ier des cinquante mille gardes nationaux de la capitale en présence de la presque totalité de la population. Commencée à midi, la cérémonie ne s'achève qu'à sept heures du soir, après la remise à chaque bataillon des nouveaux drapeaux tricolores brodés de la devise : « Liberté, Égalité, Ordre public, 27, 28, 29 juillet 1830 ». Un témoin, Cuvillier-Fleury, note dans son journal intime : « Le roi, élu par la Chambre des députés, reconnu par le peuple dans la journée du 31 juillet, fut *sacré* ce jour-là, c'est le mot, par les acclamations de ces cinquante mille bourgeois armés... dont les cris furent ensuite répétés par toutes les gardes nationales du royaume [5]. »

Mais l'unanimité autour du nouveau régime n'est pas totale et les républicains ne tardent pas à lancer leurs premières attaques. Le 8 septembre 1830, Paris se réveille couvert d'affiches de la Société des Amis du Peuple invitant à combattre « la direction antinationale et périlleuse que suit le pouvoir [6] ». Le texte s'achève sur un véritable appel aux armes : « Gardes nationaux, chefs d'ateliers, ouvriers, vos intérêts

1. P. Vigier, *Paris pendant la Monarchie de Juillet (1830-1848)*, p. 37-38.
2. *Ibid.*, p. 38.
3. *Ibid.*
4. L. Girard, *La Garde nationale (1814-1871)*, p. 167.
5. Cité par P. Vigier, *op. cit.*, p. 41.
6. *Ibid.*, p. 42.

communs sont la liberté et le travail ; réunissez-vous donc pour renverser une Chambre dont la durée ne peut que perpétuer la discorde qu'on suscite entre vous [1]. » Arrêtés et inculpés de provocation à la guerre civile, Hubert et Thierry, président et secrétaire de la Société des Amis du Peuple, sont condamnés, le 22 octobre, à trois mois de prison et 300 francs d'amende.

Ces sanctions servent les intérêts des Amis du Peuple qui souhaitent mettre en évidence le caractère répressif du nouveau régime et espèrent réitérer les Trois Glorieuses au profit de la République. Mais l'agitation permanente régnant au manège Pellier, rue Montmartre, où siège la Société, les revendications égalitaires qui en émanent, indisposent les petits boutiquiers et artisans, déjà durement éprouvés par le marasme économique. Le républicain Raspail en est bien conscient : « C'est l'épicier du coin ou le marchand de vin de l'autre coin, les deux magistrats permanents de la police des rues, qui donnent le signal de la fermeture à tous les volets du quartier, à l'approche de l'ami du peuple [2]. »

En réaction à cette agitation se constitue un parti de l'ordre, dit de la Résistance, dont François Guizot, secrétaire général du ministère de l'Intérieur, exprime le mécontentement en disant que si « la France a fait une révolution, elle n'a pas entendu se mettre dans un état révolutionnaire permanent [3] ». Le jour même de cette déclaration, le 25 septembre dans la soirée, une foule d'habitants du quartier renforcés par des gardes nationaux en uniforme manifeste devant le manège Pellier et se bat avec les membres du club des Amis du Peuple. Ses séances cessent désormais d'être publiques et ses dirigeants détournent pour quelques mois leurs activités des problèmes intérieurs pour s'intéresser à moindre risque à la lutte des autres peuples d'Europe pour leur liberté.

L'agitation renaît cependant pour une autre raison. Polignac et trois autres ministres ont été capturés, et, sous la pression de l'opinion publique, la Chambre des députés a voté leur mise en accusation. Mais, alors que les éléments les plus excités exigent leur condamnation à mort, le roi, le ministère et la majorité des députés répugnent à cette solution extrême qui évoque trop les excès de l'époque révolutionnaire. Au début d'octobre, la Chambre des députés, par 225 voix contre 21, demande au roi de présenter un projet de loi abolissant la peine de mort pour les crimes politiques. Conscients de l'impopularité de cette requête, les députés tentent d'en atténuer la portée en l'associant au vote d'un crédit de 7 millions destinés aux pensions des 3 850 blessés, 500 veuves et 150 orphelins des Trois Glorieuses. Louis-Philippe répond favorablement aux députés : « Témoin dans mes jeunes années de l'épouvantable

---

1. P. Vigier, *Paris pendant la Monarchie de Juillet (1830-1848)*.
2. *Ibid.*, p. 43.
3. *Ibid.*

abus qui a été fait de la peine de mort en matière politique, j'en ai constamment et bien vivement désiré l'abolition[1]. »

La réaction d'une partie des Parisiens est violente : « Un cri de fureur sauvage éclate dans les clubs, les journaux, les placards ; on dénonce au peuple la trahison dont il est menacé[2] », écrit Thureau-Dangin. Les 17 et 18 octobre, la capitale s'agite, on manifeste devant le Palais-Royal puis on marche sur le château de Vincennes où sont détenus les ministres. Mais le gouverneur Daumesnil refuse de les livrer. Pour faire baisser la tension, Louis-Philippe confie au plus populaire des libéraux, au chef du parti du Mouvement, à Jacques Laffitte, le soin de constituer un nouveau ministère.

Le procès des ministres de Charles X s'ouvre le 15 décembre 1830 devant la Chambre des pairs. Il dure six jours pendant lesquels « l'émeute vient battre chaque jour les murs du Luxembourg[3] » où siègent les pairs, écrit Thureau-Dangin. A l'annonce de la condamnation des accusés à la prison à vie, Paris s'agite, mais le préfet Barrot désamorce l'émeute en laissant les étudiants apposer sur les murs la proclamation suivante : « Le roi, notre élu, Lafayette, Dupont de l'Eure, Odilon Barrot, nos amis et les vôtres se sont engagés sur l'honneur à l'organisation complète de la liberté qu'on nous marchande, et qu'en Juillet, nous avons payée comptant[4]. » L'attitude louvoyante de La Fayette durant ces quelques jours décide le cabinet à faire voter une loi de réorganisation de la garde nationale qui amoindrit ses pouvoirs de commandant de la garde nationale parisienne. Comme prévu, le vaniteux marquis donne sa démission.

Coincé entre l'opposition de droite du parti de la Résistance et l'agitation de la rue entretenue par les républicains, le ministère du Mouvement de Laffitte se trouve dans une position de moins en moins tenable. La gauche profite d'une provocation des légitimistes, partisans de la dynastie déchue, qui organisent, le 14 février 1831, un service funèbre à Saint-Germain-l'Auxerrois pour l'anniversaire de l'assassinat du duc de Berry. L'église est saccagée par des milliers d'émeutiers qui incendient le lendemain l'archevêché, alors situé sur le flanc sud de Notre-Dame. Peu enclin à la religion, le parti de la Résistance s'indigne surtout de l'inertie du gouvernement et de ce qu'il nomme « l'anarchie parisienne ». Les deux préfets remettent leur démission le 21 février. Cela ne retarde que de quelques jours la chute du cabinet Laffitte, contraint de démissionner sur une question de politique extérieure.

Principal dirigeant du parti de la Résistance, Casimir Perier prend la tête du nouveau gouvernement. Décidé à rétablir l'ordre, il engage la

---

1. P. Vigier, *Paris pendant la Monarchie de Juillet (1830-1848)*, p. 45.
2. Cité par P. Vigier, *op. cit.*
3. *Ibid.*, p. 51.
4. *Ibid.*, p. 52.

lutte contre les républicains et s'emploie à restreindre la liberté de la presse. Au début d'avril se déroule le procès de dix-neuf membres de la Société des Amis du Peuple accusés d'avoir contribué à l'agitation lors du procès des ministres de Charles X. La Fayette vient apporter son soutien aux inculpés que le jury acquitte.

Exagérant à peine, Thureau-Dangin écrit : « De mars à septembre 1831, l'insurrection ou tout au moins l'agitation et le tumulte furent à peu près permanents dans les rues de Paris : rassemblements et promenades accompagnés de chants factieux, plantations d'arbres de la liberté, bris de réverbères, sac de boutiques, attaques à main armée contre les agents de la force publique, assauts de la foule contre l'hôtel d'un ministre ou contre le palais du roi. On demeurerait stupéfait s'il fallait marquer sur un calendrier tous les jours qui furent ainsi troublés. Chaque quartier était tour à tour le théâtre de ces scènes, le faubourg Saint-Marceau ou le faubourg Saint-Antoine, la place Vendôme ou la place du Châtelet, le Panthéon ou la porte Saint-Denis. La cause du trouble était souvent un de ces incidents qui, à une époque tranquille, eussent passé à peu près inaperçus : une nouvelle des insurrections étrangères, un banquet, un procès politique, une rixe de cabaret, ou, comme au mois de juin, la querelle d'un passant avec un chanteur des rues [1]. » La nouvelle de la prise de Varsovie par l'armée russe marque l'apogée de cette agitation : du 16 au 19 septembre, la capitale est la proie des émeutes et l'armée doit venir au secours d'une garde nationale débordée. Si la rue se calme un peu ensuite, les procès de presse et les interdictions de pièces de théâtre fournissent des prétextes à une agitation permanente.

C'est dans cette ambiance tendue qu'éclate l'épidémie de choléra. Venu d'Asie, il a traversé la Russie, affecté la Pologne, l'Autriche et la Prusse en 1831 avant d'atteindre l'Angleterre et la France. Le monde médical ignore si cette maladie est contagieuse ou non et ne sait pas comment la soigner. Le premier décès a eu lieu le 19 février 1832, mais le premier cas de choléra officiellement constaté n'est signalé que le 22 mars. L'écrivain Henri Heine a laissé une description saisissante du 29 mars : « Comme c'était le jour de la mi-carême, qu'il faisait beau soleil et un temps charmant, les Parisiens se trémoussaient avec d'autant plus de jovialité sur les boulevards, où l'on aperçut même des masques parodiant la couleur maladive et la figure défaite, raillaient la crainte du choléra, et la maladie elle-même. Le soir du même jour, les bals publics furent plus fréquentés que jamais : les rires les plus présomptueux couvraient presque la musique éclatante : on s'échauffait beaucoup au chahut, danse plus équivoque ; on engloutissait toutes sortes de glaces et de boissons froides quand tout à coup, le plus sémillant des arlequins sentit trop de fraîcheur dans ses jambes, ôta son masque, et découvrit à

---

1. P. Thureau-Dangin, *Histoire de la Monarchie de Juillet*, I, p. 415-416.

l'étonnement de tout le monde un visage d'un bleu violet… On prétend que ces morts furent enterrés si vite qu'on ne prit pas le temps de les dépouiller des livrées bariolées de la folie et qu'ils reposent dans la tombe — gaiement — comme ils ont vécu[1].» La panique s'empare des gens aisés qui fuient la capitale par milliers. L'épidémie enlève 12 733 Parisiens en avril, puis décroît en mai et juin avant d'atteindre un nouveau paroxysme en juillet et de disparaître à la fin de septembre. S'il tue le chef du cabinet, Casimir Perier, et touche les ministres d'Argout et Guizot, le choléra frappe surtout les quartiers populaires malsains et surpeuplés. Le rapport de la commission d'enquête constate que la maladie a été particulièrement virulente dans «ce qu'il y a de pire parmi les habitations de Paris. Là, pressés, entassés dans des chambres étroites, où comme aux numéros 62, 38, 20 et 114 de la rue de la Mortellerie, ils ont à peine 3 m^2 d'espace pour chacun, aux numéros 24 et 26 de la rue des Marmousets, ils en ont deux, au numéro 126 de la rue Saint-Lazare, où quatre cent quatre-vingt-douze individus n'en ont pas un; les malheureux habitants de ces tristes réduits ne reçoivent pas même en quantité suffisante l'air corrompu qu'ils respirent. La Commission pourrait s'appuyer sur d'autres exemples, elle pourrait citer la plus grande partie des maisons des logeurs en chambre et à la nuit, celles dont les étages sont multipliés au-delà de toutes proportions… Tous montreraient que… là où une population misérable s'est trouvée encombrée dans des logements sales, étroits, là aussi l'épidémie a multiplié ses victimes[2].»

Afin de limiter la saleté et les risques de contagion, le préfet Gisquet autorise la société adjudicataire du nettoiement de la ville à «faire un tour de roue supplémentaire à la tombée de la nuit», ce qui lèse gravement les chiffonniers qui répandent alors la rumeur que le gouvernement et la bourgeoisie utilisent l'épidémie pour «assassiner le peuple». Ce sont les obsèques du général bonapartiste Lamarque, mort du choléra, le 5 juin, qui fournissent le prétexte à l'insurrection. Elle s'empare des quartiers des Lombards, des Arcis, Sainte-Avoye et de l'Hôtel de Ville et contrôle la capitale entre la Bastille et les Halles. La garde nationale apporte un soutien sans faille à l'armée dans la répression de la révolte, le 6 juin. Les quatre mille insurgés sont écrasés malgré une vigoureuse résistance et les derniers combats, décrits par Victor Hugo dans *Les Misérables*, se déroulent près du cloître Saint-Merri. L'état de siège n'est levé que le 29 juin, mais la répression est modérée : mille cinq cents arrestations mais seulement quatre-vingt-deux condamnations dont sept à la peine de mort commuées en déportation. L'historien Alain Faure a établi que «l'émeute fut en majorité faite par des ouvriers d'un

---

1. Cité dans Vigier, *Paris pendant la Monarchie de Juillet (1830-1848)*, p. 78.
2. *Ibid.*, p. 82 et 84.

niveau professionnel élevé, de branches diverses, où le premier rôle revint aux métiers du bâtiment, auxquels se joignirent des manœuvres, d'occasion ou non. Le type de l'ouvrier insurgé en 1832 est celui d'un travailleur né en province, ayant des charges de famille, et qui avait à se plaindre de la conjoncture économique du moment : soit d'une baisse de salaire, soit d'un emploi en dessous de sa qualification, soit d'une totale inoccupation[1]. »

La mort de l'Aiglon, fils de Napoléon, la ridicule équipée de la duchesse de Berry dans l'Ouest, renforcent le pouvoir débarrassé des oppositions bonapartiste et légitimiste, un pouvoir que Louis-Philippe a confié à un triumvirat, le duc de Broglie aux Affaires étrangères, Thiers à l'Intérieur et Guizot à l'Instruction publique.

Décimé par le choléra, le prolétariat parisien bénéficie d'une reprise économique très nette, notamment dans les secteurs du textile et de la construction. Ce redémarrage s'accompagne de revendications très vigoureuses des ouvriers. Une lettre de l'ouvrier Bercy dans *La Tribune* du 18 novembre 1832 rend bien compte de la volonté de revanche des prolétaires : « Aujourd'hui que le choléra, la misère, les combats de juin et les sergents de ville ont considérablement diminué le nombre d'ouvriers, et que l'ouvrage presse, nous avons jugé à propos d'user de représailles[2]. »

Une vague de grèves témoigne de l'effort d'organisation de la classe ouvrière. Ceux qui travaillent à la construction des égouts déclenchent la première, le 4 août 1832, suivis le 22 par les charpentiers qui multiplient les arrêts de travail jusqu'en novembre. Le préfet Gisquet hésite à ordonner des arrestations et, remarque l'historien Octave Festy, « l'autorité, prévoyant que cent cinquante mille ouvriers seraient sans travail pendant que les charpentiers seraient inoccupés, mit les compagnons en liberté jusqu'au jugement[3] ». Les ouvriers en papiers peints, puis les tailleurs d'habits se joignent à l'agitation. Ces derniers sont particulièrement redoutables, note un bulletin de police : « Cette classe d'ouvriers est plus dangereuse que celles déjà signalées ; elle est composée, en grande partie, d'hommes étrangers à la ville de Paris, et plus disposés conséquemment à subir l'influence des ennemis de l'ordre public, puisqu'ils n'ont à défendre ni des familles, ni des intérêts matériels[4]. »

Ces tailleurs d'habits réorganisent au début de décembre 1832 leur Société philanthropique d'entraide sur le modèle de la Société des Droits de l'Homme qui a supplanté celle des Amis du Peuple à la tête du

---

1. Cité dans Vigier, *Paris pendant la Monarchie de Juillet (1830-1848)*, p. 93, à partir du mémoire dactylographié d'A. Faure, *Conflits politiques et sociaux au début de la Monarchie de Juillet.*
2. Cité dans Vigier, *op. cit.*, p. 97-98.
3. *Ibid.*, p. 99.
4. *Ibid.*, p. 100.

mouvement républicain. Organisée en sections de dix à vingt membres, la Société des Droits de l'Homme acquiert rapidement une importance particulière : cent soixante sections dans la capitale à la fin de 1833, comprenant au moins trois quarts d'ouvriers, ce qui traduit une nette désaffection de la bourgeoisie, beaucoup moins présente que dans la Société des Amis du Peuple.

Le préfet de police Gisquet est conscient de la montée d'un péril nouveau. Il observe dans ses *Mémoires* : « La création de tous ces petits clubs révolutionnaires, divisés pour s'instruire dans l'art de conspirer, mais recevant une seule impulsion et prêts à se réunir en une masse compacte au premier signal, fut traversée par mille obstacles que je m'efforçais de leur opposer : une lutte journalière, incessante, existait entre le pouvoir et les conspirateurs... Je faisais disperser les sections à mesure qu'elles se formaient, saisir les papiers, et quelquefois arrêter les individus qui les composaient ; mais livrés à la justice, ils ne tardaient pas à être acquittés par le jury, ou relaxés même avant le jugement [1]. » La prospérité économique retarde l'explosion politique. On lit dans *Le Journal des débats* du 8 juin 1833 : « De l'aveu de tout le monde, jamais le commerce n'a été plus florissant ; le travail abonde ; la misère, entretenue pendant près de deux années, par les entreprises désespérées des factions, a disparu. »

Cela explique sans doute l'échec de la tentative de la Société des Droits de l'Homme pour soulever la capitale, sous prétexte que le ministère veut entourer Paris d'une ceinture de fortifications. Ce projet, conçu pour protéger une ville qui n'avait pu être défendue contre les armées étrangères en 1814 et 1815, est présenté par l'opposition comme une série de « Bastilles dirigées, au moins pour moitié, contre la population de Paris » et rejeté par une majorité de députés. Mais la journée du 28 juillet 1833 se déroule sans incident grave. Gisquet a fait arrêter préventivement les meneurs de la Société des Droits de l'Homme et, raconte Thureau-Dangin, « au moment où le cortège royal passa place Vendôme, un voile, qui enveloppait le sommet de la colonne, tomba tout à coup ; la statue de Napoléon reparut sur le piédestal d'où elle avait été descendue en 1815, et Louis-Philippe donna lui-même le signal des acclamations en criant : "Vive l'Empereur !" Dès lors, la foule ne pensa plus aux "forts détachés" et cette journée, qui avait excité d'avance tant d'alarmes, se passa sans trouble [2]. »

L'agitation se reporte dans le domaine social et se traduit par une grève des charpentiers du 3 au 30 septembre qui paralyse les chantiers de la Madeleine, du quai d'Orsay et, partiellement, de l'Arc de Triomphe. Le préfet de police Gisquet, sentant le péril, incite patrons et ouvriers à la

---

1. P. Vigier, *Paris pendant la Monarchie de Juillet (1830-1848)*, p. 106.
2. *Ibid.*, p. 109.

négociation, libère par souci d'apaisement les grévistes emprisonnés, et arrache un accord qui satisfait les charpentiers qui ne bougeront plus jusqu'en 1845. Le relais est alors pris par deux agitateurs de la Société des Droits de l'Homme, le tailleur Grignon et le cordonnier Efrahem, qui paralysent les activités de ces deux professions en octobre et novembre grâce à une grève très bien organisée. Désespérant d'obtenir un accord entre ouvriers et patrons, Gisquet se résout à frapper : les meneurs sont arrêtés et condamnés à de fortes amendes assorties de peines de prison.

Franchissant un pas de plus, la Société des Droits de l'Homme adopte «comme expression de ses principes, la Déclaration présentée à la Convention nationale par le représentant du peuple Robespierre [1]». «L'évocation de ce nom fameux et terrible fit scandale [2]», remarque le socialiste Louis Blanc. Le poète Béranger observe avec tristesse ses amis républicains : «Nos jeunes gens sont aussi des hommes rétrogrades. Comme les romantiques, ils veulent tout remettre à neuf et ne font que de la vieillerie. Ils s'en tiennent à 93 qui les tuera [3].» Croyant l'heure venue de prendre le pouvoir, ces républicains exaltés et irréalistes choisissent comme prétexte le vote de la loi réglementant strictement la profession de crieur public et organisent une semaine d'émeutes du 17 au 24 février 1834. Mais la police, agissant rapidement et brutalement, empêche les troubles de dégénérer. Encouragé par ce succès, le ministère dépose un projet de loi visant directement la Société des Droits de l'Homme et réprimant sévèrement troubles de l'ordre public et attentats commis par les associations en faisant peser une responsabilité collective sur leurs adhérents.

C'est pour protester contre le vote de cette loi que les républicains déclenchent l'insurrection. Ils choisissent Lyon de préférence à Paris, car ils escomptent un soutien massif de canuts et un succès facile. Les sections parisiennes ne passent à l'attaque que le soir du 13 avril 1834, alors que l'armée a déjà triomphé de la révolte lyonnaise. Les forces de l'ordre, mises en état d'alerte dès le début de l'insurrection des canuts, sont prêtes à intervenir : aux cinquante mille hommes de la garde nationale parisienne s'ajoutent quarante mille soldats de l'infanterie de ligne. De leur côté, les républicains sont désorganisés par les arrestations préventives effectuées par la police de Gisquet dès le 12 au matin. A peine commencée, l'insurrection apparaît vouée à l'échec, la zone couverte par les barricades étant bien plus restreinte qu'en juin 1832 : elle se limite aux ruelles situées entre les rues Saint-Martin et du Temple d'ouest en est, des Gravilliers et Saint-Merri du nord au sud. On ne compte pas plus d'une trentaine de barricades, la majeure partie des ouvriers n'ayant pas réagi à l'appel à l'insurrection. Dans ces conditions,

---

1. Cité par P. Thureau-Dangin, *Histoire de la Monarchie de Juillet*, II, p. 216.
2. *Ibid.*
3. *Ibid.*, p. 217.

le réduit des insurgés est facilement enlevé au matin du lundi 14 avril. Selon les *Mémoires* de Gisquet, il y aurait eu seize morts du côté des forces de l'ordre et quatorze chez les insurgés. Si cette insurrection ratée a revêtu une importance historique, c'est à cause d'un massacre commis vers cinq heures du matin par des soldats du 35e régiment de ligne qui tuèrent douze innocents habitants du 12 de la rue Transnonain, d'où on aurait tiré sur eux, tuerie immortalisée par la lithographie de Daumier montrant une des victimes en chemise de nuit, au pied de son lit. Le parti républicain est durablement discrédité par cette insurrection avortée.

Une semaine après ces événements est publiée la loi du 20 avril 1834 réorganisant l'administration de la capitale. Un corps électoral d'environ dix-sept mille Parisiens aisés ou instruits, magistrats, avocats, notaires, médecins, officiers, etc., choisit, à raison de trois par arrondissement, les trente-six membres du Conseil municipal. Ce Conseil s'assemble seulement sur convocation du préfet de la Seine et ne délibère que sur les questions que celui-ci veut bien lui soumettre. Pour la première fois depuis 1794, depuis quarante ans, la capitale dispose d'une représentation élue et non plus désignée par le pouvoir exécutif.

Le 5 mai 1835 s'ouvre devant la Chambre des pairs le procès des insurgés d'avril 1834, cent soixante-quatre accusés dont quarante-trois contumaces. Les noms les plus célèbres du parti républicain sont là : Godefroy Cavaignac, Armand Marrast, Caussidière, de Kersausie... Ce procès dure jusqu'au 28 janvier 1836 et contribue largement au discrédit du parti républicain. Comme l'écrit Pierre Lanfrey, un témoin pourtant partisan de la République, «ce procès déplorable n'eut d'autre résultat que de dévoiler à tous les yeux les profondes dissidences qui divisaient le parti républicain. Après avoir commencé par le tragique, il eût fini par le ridicule sans l'évasion qui lui apporta un dénoûment [1]. » En effet, vingt-huit détenus, dont les chefs du parti, se sont évadés le 13 juillet 1835 de la prison de Sainte-Pélagie par un tunnel qu'ils ont creusé, ce qui amuse l'opinion.

Un événement tragique a également contribué à faire passer les républicains au second plan, l'attentat de Fieschi. Le 28 juillet 1835, lors de la revue passée par le roi, une «machine infernale», assemblage de vingt-quatre canons de fusil, installée à une fenêtre du 50, boulevard du Temple, tue dix-huit personnes dont le maréchal Mortier, mais épargne Louis-Philippe qui fait preuve d'un remarquable sang-froid. S'il désavoue Fieschi, le journaliste du *National* Armand Carrel tente de protéger ses deux complices en les cachant et la presse républicaine regrette ouvertement que le roi n'ait pas été tué.

Le gouvernement profite de l'indignation de l'opinion devant l'attentat pour faire voter des lois sur la justice et la presse lui donnant les moyens

---

1. P. Thureau-Dangin, *Histoire de la Monarchie de Juillet*, II, p. 306.

de sanctionner très lourdement les journaux d'opposition. Dans *Le National*, Armand Carrel déplore que la presse soit obligée de s'autocensurer, mais il avoue à Berryer : « Les hommes que je parais diriger ne sont pas mûrs pour la République ; aucun esprit politique, aucune discipline. Nous commettons faute sur faute[1]. » Armand Carrel meurt le 24 juillet 1836 des suites d'un duel contre Émile de Girardin. Edgar Quinet écrit alors à un ami : « Le parti républicain est avec Carrel dans le cercueil ; il ressuscitera, mais il lui faudra du temps[2]. »

En effet, les républicains sombrent dans les complots et les attentats. Le 2 juin 1836, la police arrête au 22-24 de la rue Dauphine des membres de la Société des Familles en train de fondre des balles. Barbès et Blanqui sont les chefs de cette nouvelle organisation plus socialiste que républicaine et davantage intéressée par l'action clandestine et terroriste que par la politique. Le 25 juin, Alibaud est arrêté au guichet des Tuileries alors qu'une balle tirée par sa canne-fusil vient d'effleurer la tête du roi. Désormais, ainsi que l'écrit joliment Henri d'Alméras, « le roi était le seul gibier dont la chasse fut permise toute l'année, et les chasseurs ne manquaient pas[3] ».

Ainsi, le 27 décembre 1836, à l'entrée du pont Royal, Meunier tire un coup de pistolet en direction du souverain. Le 19 février 1837 est arrêté l'ouvrier mécanicien Champion avant qu'il ait pu utiliser une machine infernale de sa fabrication. Blanqui et Barbès, libérés grâce à une amnistie, ont transformé la Société des Familles en Société des Saisons et publient des feuilles clandestines, le *Moniteur républicain* puis *l'Homme libre* qui prêchent le régicide : « Nous ne concevons rien de possible si l'on ne commence par tuer Louis-Philippe et les siens. »

Une crise gouvernementale, provoquée par la démission du cabinet Molé, fait croire à cette poignée de conspirateurs que leur heure est venue. Le dimanche 12 mai 1839, à deux heures de l'après-midi, un petit millier d'hommes se rassemblent dans les rues Saint-Martin et Saint-Denis, se procurent pistolets et fusils en défonçant les portes de l'armurerie Lepage et partent à l'assaut du Châtelet, du Palais de Justice, de l'Hôtel de Ville, mais échouent devant la préfecture de police. En fin d'après-midi, garde municipale, infanterie de ligne et garde nationale donnent la chasse aux insurgés à vingt contre un. Le Comité directeur, formé de Barbès, Blanqui et Martin Bernard, est arrêté. Vouée à l'échec dès l'origine, cette insurrection sert le régime en mettant fin à l'interrègne ministériel : le 13 mai, le maréchal Soult prend la tête d'un nouveau cabinet.

La question de l'extension du droit de vote va ébranler le régime beaucoup plus en profondeur que les piqûres de moustique des républi-

---

1. P. Thureau-Dangin, *Histoire de la Monarchie de Juillet*, II, p. 324.
2. *Ibid.*, p. 326.
3. Cité dans P. Vigier, *Paris pendant la Monarchie de Juillet (1830-1848)*, p. 351.

cains et des socialistes. Un tiers seulement des gardes nationaux parisiens possèdent le droit de vote. Or, après l'engouement initial pour l'uniforme, les plus fortunés se détournent des servitudes militaires. Ganneron, député et colonel de la garde nationale parisienne, le constate en 1837 et le déplore : « L'expérience démontre que le service porte en ce moment sur le petit commerce, sur l'homme qui est en boutique ; mais montez plus haut, franchissez les escaliers et vous trouverez des citoyens égoïstes qui, il faut le dire, cherchent par tous les moyens possibles à se soustraire à un service d'ordre et de sûreté ; ils trouvent fort commode de profiter des bénéfices de la garde nationale, mais ils ne veulent pas se soumettre à ses charges [1]. » La mort du très populaire maréchal Mouton en novembre 1838 et son remplacement par Gérard, beaucoup moins présent, accroissent la désaffection pour le régime des classes moyennes inférieures qui constituent l'essentiel de cette armée bourgeoise.

En mai 1840, la Chambre des députés étudie divers projets d'extension du droit de vote, dont un proposant de l'étendre à tous les gardes nationaux. De leur côté, républicains et socialistes réclament, par la voix de François Arago, l'instauration du suffrage universel et engagent une campagne de banquets en faveur de la réforme électorale. Le premier a lieu à Paris, le 2 juin 1840. Le 14 juin, alors que le roi passe en revue la garde nationale au Carrousel, aux cris de « Vive le roi ! » se mêlent ceux de « Vive la Réforme ! »

Chef du gouvernement et ministre des Affaires étrangères depuis mars 1840, Adolphe Thiers enterre cette réforme électorale qui suscite tant de dangereuses polémiques et mène une politique étrangère agressive qui plaît à tous les Français mais conduit au bord d'un conflit avec l'Angleterre. Profitant de la fièvre guerrière qui saisit alors l'opinion publique, il fait voter sans difficulté, en septembre 1840, la construction d'une enceinte fortifiée continue enserrant la capitale, alors qu'en 1833 les députés, sous la pression populaire, avaient refusé la création de « forts détachés » à la périphérie de l'agglomération. Le 28 juillet a été inauguré, place de la Bastille, le monument à la mémoire des combattants de juillet 1830. En décembre, arrivent dans la capitale les restes de Napoléon Ier rapportés de Sainte-Hélène. Toutes les contradictions, tous les ingrédients de la Monarchie de Juillet sont concentrés dans ces événements de 1840, auxquels doit s'ajouter un nouvel attentat contre le roi, en octobre, quai des Tuileries.

A la fin d'octobre 1840, Louis-Philippe s'est débarrassé de Thiers, rappelant Soult et Guizot, marquant ainsi définitivement sa préférence pour le conservatisme sinon l'immobilisme. L'année 1841 s'écoule sans troubles importants : manifestation républicaine aux Buttes-Chaumont le 6 juin, obsèques d'Étienne Garnier-Pagès le 25 juin, prétexte à une

---

1. Cité par P. Vigier, *Paris pendant la Monarchie de Juillet (1830-1848)*, p. 175.

nouvelle manifestation républicaine, début d'émeute ouvrière place du Châtelet les 11 et 12 septembre, attentat contre le duc d'Aumale au faubourg Saint-Antoine le 13 septembre.

C'est en 1842 que la situation se dégrade vraiment. Le cabinet s'est, une fois de plus, opposé à une réforme élargissant le corps électoral. Pourtant, ces électeurs le désavouent partiellement lors du renouvellement de la Chambre des députés en juillet 1842. Certes, la droite conservatrice garde la majorité, mais c'est une majorité composite et précaire. Les gauches républicaine et dynastique se réjouissent. *Le National* annonce que le pouvoir vient d'être condamné par Paris, « la ville qui était en possession de juger et d'exécuter les gouvernements » : sur les douze députés de la capitale, dix appartiennent à l'opposition dont deux républicains. Mais le péril politique est assez vite écarté, la gauche républicaine et le centre gauche étant incapables de s'entendre.

Si leurs dissensions laissent les mains libres au gouvernement, la montée de l'opposition se poursuit discrètement dans les milieux petits-bourgeois et même parmi les électeurs aisés de la capitale : en novembre 1843, quatre conseillers sortant sont battus, dont deux dans le dixième arrondissement où sont élus le docteur Stéphane Robinet et surtout le socialiste Victor Considérant, disciple de Fourier, qui, de l'aveu du préfet Rambuteau, doit son élection dans ce quartier huppé des Invalides au vote légitimiste.

Désireux de profiter de la conjoncture économique favorable et d'une paix sociale apparente pour consolider sa majorité politique, le cabinet provoque des élections législatives au 1er août 1846. Contre les candidats gouvernementaux, Thiers suscite une large alliance de l'opposition allant des républicains aux légitimistes en passant par le centre gauche. Deux jours avant le vote, le 29 juillet, alors qu'il saluait la foule du balcon des Tuileries, le roi a essuyé deux coups de pistolet tirés de loin par Joseph Henri, un homme ruiné et accablé par des malheurs de famille. Les résultats des élections dépassent les espérances du gouvernement qui enlève une trentaine de sièges à l'opposition et dispose désormais d'une solide majorité. Mais Paris a donné plus de 9 000 voix à l'opposition sur 14 000 suffrages exprimés. Onze des quatorze députés de la capitale sont hostiles au pouvoir et pour la première fois l'opulent deuxième arrondissement (quartiers de la Chaussée-d'Antin, du Palais-Royal, de la Bourse, du faubourg Montmartre) s'est exprimé en faveur des opposants. On constate donc une distorsion dans le comportement politique de Paris et de la province.

Pourtant celle-ci est beaucoup plus touchée par la crise des subsistances : maladie de la pomme de terre à partir de 1845, mauvaise moisson de 1846. A Paris, le préfet Rambuteau limite les troubles dans le faubourg Saint-Antoine, à la fin de septembre 1846, en taxant le pain et en distribuant aux nécessiteux des bons leur permettant de l'acheter à 40 centimes

le kilogramme contre 46 au prix taxé. La bonne récolte de 1847 fait disparaître les problèmes d'approvisionnement, mais c'est une crise du crédit
qui ébranle alors l'industrie, à la suite des investissements excessifs dans
les chemins de fer. Cet affaissement provisoire de l'économie remet en
cause le mythe de la prospérité dont le pouvoir s'attribuait le mérite. Il est,
en outre, contemporain d'une série de scandales : affaire Teste et
Cubières, détournements de fonds publics par ces deux anciens ministres,
assassinat de sa femme par le duc et pair Choiseul-Praslin, qui révèlent
une « crise de moralité » de la classe dirigeante.

La fête donnée le 3 juillet 1847 au bois de Vincennes par le duc de
Montpensier, fils du roi, et son épouse, infante espagnole, oblige leurs
trois mille invités, le « Tout-Paris » dans sa splendeur, à traverser le
faubourg Saint-Antoine. Victor Hugo en a fait le récit : « Depuis les
Tuileries jusqu'à la barrière du Trône, une triple haie de spectateurs
garnissait les quais, la rue et le faubourg Saint-Antoine, pour voir défiler
les voitures des invités. A chaque instant, cette foule jetait à ces passants
brodés et chamarrés dans leurs carrosses des paroles hargneuses et
sombres. C'était comme un nuage de haine autour de cet éblouissement
d'un moment [1]. »

A cette crise socio-économique et morale s'ajoute une crise politique,
toujours à cause de l'écart entre pays légal et pays réel et de la réforme
du régime électoral. Le 9 juillet 1847, l'opposition a donné le premier
banquet de la campagne pour la Réforme. Il s'est déroulé aux portes de
Paris, au restaurant du Château-Rouge, rue de Clignancourt, et a réuni
mille deux cents personnes dont quatre-vingt-six députés. Cette
campagne se déroule dans tout le pays et doit se terminer par un banquet
dans le douzième arrondissement (correspondant à l'actuel Vᵉ), le plus
populaire de la capitale avec son quartier Saint-Marcel. Le modéré
Rémusat l'évoque ainsi dans ses *Mémoires* : « Le XIIᵉ arrondissement
était dirigé par des meneurs violents. Le député du lieu était un pharmacien nommé Boissel, d'un esprit rude et grossier et qui, à bon comme
à mauvais dessein, n'avait pas assez de lumières pour distinguer la
prudence de l'imprudence. Il ne voyait qu'une occasion de présider une
réunion patriotique, et de réciter une harangue que prônerait la presse [2]. »

Redoutant des troubles, le gouvernement interdit ce banquet, mais
autorise son remplacement par un autre qui doit se tenir près des
Champs-Élysées, « quartier de la capitale où la largeur des rues et des
places permet à la population de s'agglutiner sans qu'il en résulte de
l'encombrement [3] ». Le 21 février 1848 au matin, *Le National* et *La
Réforme* invitent les gardes nationaux — dont les deux tiers ne disposent
pas du droit de vote — et les « jeunes gens des Écoles » à se réunir le 22,

1. Cité par P. Vigier, *Paris pendant la Monarchie de Juillet (1830-1848)*, p. 546.
2. *Ibid.*, p. 552.
3. *Ibid.*

à dix heures du matin, place de la Madeleine, pour s'y organiser en « une grande procession populaire pour accompagner les convives au lieu de la fête ». Estimant qu'en décidant ce cortège l'opposition a violé l'accord de compromis passé avec lui, le cabinet interdit le banquet. Les députés de l'opposition dynastique s'inclinent devant la décision du gouvernement, mais deux à trois mille étudiants et ouvriers se rassemblent quand même sous la pluie entre la Madeleine et la Concorde. La garde municipale parvient à les disperser après quelques heurts.

Le roi et Guizot craignent que ces manifestations continuent et dégénèrent en émeutes. Ils décident de faire appel, le 23 au matin, à la garde nationale dont ils n'ignorent pourtant pas qu'elle leur est largement hostile. Assemblées en hâte, les légions refusent de venir en aide à la garde municipale et manifestent leur mécontentement aux cris de « Vive la Réforme ! » et « A bas Guizot ! ». Démoralisé par cette défection, le roi demande vers quatorze heures à Guizot de lui remettre sa démission et charge Molé de constituer un nouveau ministère. A cette nouvelle, la foule exprime bruyamment mais pacifiquement sa joie et de nombreux Parisiens se rendent boulevard des Capucines, devant le ministère des Affaires étrangères, pour conspuer Guizot qui en était titulaire mais n'y habitait pas. Vers dix heures du soir, dans un geste d'affolement, les soldats d'un bataillon de ligne chargé de protéger le bâtiment ouvrent le feu sur les manifestants désarmés, en tuant une centaine.

Les meneurs du parti républicain exploitent aussitôt la situation, chargent ces providentiels cadavres sur une charrette et sillonnent avec elle la capitale durant toute la nuit, appelant à l'insurrection aux cris de « Vengeance ! Vengeance ! On égorge le peuple ! ». Le 24 février 1848 au matin, les rues de la ville sont hérissées de mille cinq cents barricades, souvent défendues par les gardes nationaux. Le maréchal Bugeaud, qui a le commandement des troupes régulières, renonce à donner l'ordre d'ouvrir le feu et le roi se résigne à abdiquer en faveur de son petit-fils, le comte de Paris.

Mais la foule parisienne envahit la Chambre des députés et y impose la formation d'un gouvernement provisoire. Le républicain Louis-Antoine Garnier-Pagès est proclamé maire de Paris. Des Tuileries envahies est sorti le trône royal qui va être brûlé dans un feu de joie sur la place de la Bastille, au pied de la colonne de Juillet. La Monarchie de Juillet périt symboliquement devant le monument de ceux qui avaient contribué à son érection.

DEUXIÈME RÉPUBLIQUE ET SECOND EMPIRE (1848-1870)

C'est un régime usé par son immobilisme qui vient de tomber à l'improviste. L'opposition politique n'est pas préparée à prendre le pouvoir. La proclamation de la République sous la pression de la rue, le 26 février 1848, surprend des députés en large majorité disposés à s'accommoder d'une monarchie parlementaire. Elle ressoude la bourgeoisie grande et petite dans la peur du désordre et des revendications ouvrières. Après une semaine de joyeuse anarchie, la vie reprend au début de mars, mais la plupart des boutiques et des ateliers restent fermés. Barbès, Blanqui, Raspail règnent sur la foule des rues et les adhérents des innombrables clubs d'extrême gauche, ridiculisant, rudoyant les bourgeois, comme le raconte Daniel Stern. «On se reconnaissait de loin, on se saluait d'un signe rapide, perdu qu'on était dans cette foule en blouse et en veste que l'on croyait armée et qui s'amusait souvent à qualifier les riches d'une façon peu flatteuse [1].» Les soldats, insultés, humiliés, ont été chassés de la ville, leurs casernes saccagées et occupées, la police s'est désagrégée, la préfecture de police est aux mains des militants à ceinture rouge de Caussidière. A la garde nationale incombe le maintien d'un ordre approximatif. Les nouvelles autorités ont décidé de créer vingt-quatre bataillons de garde nationale mobile : payés 1,50 franc par jour, plus que les militaires, ses membres sont en grande partie issus des insurgés. Sainte-Beuve peint ainsi la situation au début de mars : «La fortune de la France s'abîma tout entière en moins de quinze jours, mais c'était sous l'invocation de l'égalité et de la fraternité. Quant à la liberté, elle n'existait que pour les fous et les gens sages se seraient gardés d'en user... Les gros ont tellement peur, disait ma portière ; mais les petits triomphaient, et c'était leur règne [2].»

Le 15 mars, pour éviter la banqueroute de l'État, le cours forcé des billets de banque est institué. Les locataires ne peuvent pas ou ne veulent plus payer leur terme d'avril. Le commerce est exsangue, seuls les magasins d'alimentation et les débits de boisson ont une activité normale. Une lettre de Mérimée du début d'avril constate : «Nous continuons à vivre au jour le jour avec une apparence d'ordre, mais toujours avec très peu de confiance... Vous ne pouvez vous figurer la tristesse de cette ville qui était si vivante il y a six semaines [3].»

Le travail manque et les ouvriers, ivres de leur victoire, refusent celui qu'on leur propose, exigeant la reconnaissance de nouveaux droits et des salaires parfois doublés. Les socialistes rêvent d'une société commanditée par l'État avec un atelier national par profession pour employer les chômeurs. A la fin de mars, trente-trois mille hommes sont rétribués dans ces ateliers à raison de 2 francs par jour et les sans-travail affluent par milliers de partout pour profiter de cette aubaine. Ils sont quatre-vingt mille à la fin d'avril, armée d'oisifs encadrés par des agitateurs profes-

1. Cité par L. Girard, *Nouvelle Histoire de Paris. La Deuxième République et le second Empire (1848-1870)*, p. 16.
2. *Ibid.*, p. 19.
3. *Ibid.*, p. 20.

sionnels qui les poussent à la révolte permanente qui doit permettre d'instaurer le paradis communiste.

La réaction a débuté dès le 10 mars avec la manifestation dite des «redingotes», c'est-à-dire des commerçants au bord de la ruine. Le 16 mars, ce sont les gardes nationaux des beaux quartiers et de la banlieue rurale qui réclament le retour à l'ordre. Les révolutionnaires ont exigé le suffrage universel pour noyer la bourgeoisie de la capitale sous le vote ouvrier. Maintenant, à la réflexion, ils redoutent d'être à leur tour engloutis sous les voix des ruraux. Aussi tentent-ils d'empêcher la tenue des élections. Mais, le 16 avril, les cent mille personnes qui défilent des Champs-Élysées vers l'Hôtel de Ville sont contraintes à se disperser par la garde nationale qui compte pourtant maintenant une majorité d'ouvriers. Dabot, alors lycéen, note dans son journal : «Il y a encore eu une tentative de renversement du gouvernement par les clubistes ; en somme, c'était peu de chose et en un rien de temps la garde nationale a mis le holà. Les externes nous ont dit que le rappel avait été battu et qu'aussitôt leurs parents s'étaient empressés d'aller à l'Hôtel de Ville pour l'empêcher d'être pris [1].»

Les élections ont donc lieu. Clubs socialistes et organisations ouvrières sont vaincus à cause de leurs divisions. Les républicains modérés triomphent à Paris : le premier des trente-quatre élus de la Seine est le poète Lamartine avec 259 800 voix, tandis que le représentant le plus éminent du mouvement socialiste, Louis Blanc, doit se contenter de la vingt-septième place avec 121 140 suffrages.

Le 4 mai, une Assemblée nationale de neuf cents membres se réunit dans une salle de fortune édifiée dans la cour du Palais-Bourbon. Elle est, dans son immense majorité, décidée à mettre un terme à l'anarchie révolutionnaire. Résolus, de leur côté, à imposer leur volonté à la représentation nationale, les clubistes envahissent le Palais-Bourbon le 15 mai. Leurs meneurs proclament la dissolution de l'Assemblée et installent un gouvernement provisoire à l'Hôtel de Ville. Mais la garde nationale, renforcée par des troupes de ligne, dégage les édifices publics et arrête les membres de ce gouvernement improvisé.

L'affrontement est désormais inévitable entre les partisans de l'ordre républicain et les socialistes qui souhaitent imposer les ateliers nationaux comme une institution permanente et proclament : «Quand l'industrie a fermé partout ses ateliers et ses usines, qui donnera du travail, sinon l'État ? Les ouvriers ont combattu sur les barricades, ils continuent de faire partie de la garde nationale... Ce n'est pas notre volonté qui manque au travail ; c'est un travail utile et approprié à nos professions qui manque à nos bras ; nous l'appelons de tous nos vœux... Il faut à l'industrie un réservoir pour l'alimenter et une pépinière pour lui fournir

---

1. L. Girard, *Nouvelle Histoire de Paris. La Deuxième République et le second Empire (1848-1870)*, p. 29.

des ouvriers connus, de bons employés et de bons comptables. Il faut un déversoir pour recevoir ses blessés et ses invalides. L'État, qui a droit au dévouement de tous, doit aussi assurer l'existence de tous [1]. »

Cent mille personnes sont alors inscrites dans ces ateliers à l'activité inexistante, dont un bon quart d'étrangers au département de la Seine, et les cadres élus, très bien payés, passent leur temps à haranguer leurs troupes et à fomenter sans cesse des troubles au lieu de les faire travailler. Des élections complémentaires au début de juin accroissent la confiance des révolutionnaires, qui rassemblent environ 80 000 suffrages pour 247 000 votants, mais il y a eu 167 000 abstentions, ce qui ramène les voix socialistes à 15 % de l'électorat.

En huitième et avant-dernière position, avec 84 000 voix, a été élu un neveu de l'Empereur, Louis-Napoléon Bonaparte, qui s'était fait connaître par de ridicules ébauches de coups d'État à Strasbourg en 1836 et à Boulogne-sur-Mer en 1840. A la proclamation des résultats à l'Hôtel de Ville, le 8 juin, son nom est longuement acclamé, mais seule la presse socialiste s'émeut de cette popularité. Proudhon écrit dans *Le Peuple* : « Il y a huit jours, le citoyen Bonaparte n'était qu'un point noir dans un ciel en feu ; avant-hier, ce n'était qu'un ballon gonflé de fumée ; aujourd'hui, c'est un nuage qui porte dans ses flancs la foudre et la tempête [2]. »

La décision du gouvernement d'envoyer une partie des ouvriers des ateliers nationaux parisiens effectuer des travaux de terrassement en province oblige les socialistes à se démasquer et à avancer la date du coup d'État qu'ils projetaient. Le 23 juin 1848, toute la partie de la capitale située à l'est des rues Saint-Jacques et Saint-Denis se couvre de barricades. L'historien Adrien Dansette observe avec justesse : « Les insurgés ne sont plus les vainqueurs de février, ivres des promesses d'un avenir fraternel, mais de malheureux sans-travail, moins désespérés peut-être par leur misère que par la ruine de leurs illusions. Ils se révoltent contre l'injustice de la société ; presque spontanément, car leurs chefs, les Barbès, les Blanqui, les Albert, et bien d'autres, sont presque tous en prison depuis la récente journée populaire du 15 mai [3]. »

L'Assemblée supprime la Commission exécutive, gouvernement qui a fait la preuve de son inefficacité, et confie tous les pouvoirs au général Louis-Eugène Cavaignac, « afin de mettre à la raison cette vile populace assez criminelle pour croire aux discours de Godefroy Cavaignac, son frère [4] », ainsi que le note avec esprit Charles Simond. Soucieux de ne pas renouveler les erreurs commises par les militaires en juillet 1830 et février 1848, de ne pas laisser l'armée se dissoudre, se disperser dans l'émeute, Cavaignac abandonne la ville aux insurgés, puis s'avance à

---

1. L. Girard, *Nouvelle Histoire de Paris. La Deuxième République et le second Empire (1848-1870)*, p. 31.
2. Cité par A. Dansette, *Histoire du second Empire*, I, p. 223-224.
3. *Ibid.*, p. 226.
4. C. Simond, *Paris de 1800 à 1900*, II, p. 347.

partir des quartiers sûrs de l'ouest, procédant à un nettoyage systématique et faisant suivre vivres et munitions pour approvisionner les troupes. Face aux quinze mille insurgés, il dispose au départ d'une trentaine de milliers de soldats. La garde nationale de l'ouest assure ses arrières en maintenant l'ordre dans ses quartiers, celle de l'est est passée en partie du côté de l'insurrection. Dès le 25 juin, grâce au chemin de fer, les forces de l'ordre se renforcent de nouveaux régiments, des gardes nationales de Pontoise, Rouen, Amiens. Au total, plus de cent mille hommes écrasent lentement et sûrement les insurgés. L'archevêque, Mgr Affre, est blessé mortellement alors qu'il tente de négocier à l'entrée du faubourg Saint-Antoine. Le 26, c'est la fin, le faubourg est vaincu et occupé. Plus de douze mille arrestations sont opérées, la garde nationale est épurée et la ville occupée militairement par cinquante mille soldats.

Le mouvement révolutionnaire est décapité, mais les dirigeants républicains modérés, hantés par l'hydre de l'insurrection, n'en ont pas conscience et continuent à prendre des mesures répressives. La mairie de Paris est supprimée en juillet, le maire républicain modéré, Armand Marrast, devenant président de l'Assemblée nationale, et une Commission nommée remplace le Conseil municipal élu. L'état de siège n'est levé qu'en octobre. Le 12 novembre, au cours d'une morne cérémonie, est proclamée la nouvelle Constitution.

Les jeux sont déjà faits. Le 10 septembre, à l'occasion d'une élection partielle, Louis-Napoléon Bonaparte, à nouveau candidat à la députation, a été triomphalement élu par les Parisiens avec plus de 110 000 voix devant le banquier Achille Fould (79 000 voix) et le socialiste Raspail (67 000 voix). A ceux qui s'étonnent qu'ils aient réparti leurs suffrages entre Bonaparte et Raspail, les ouvriers répondent : « En nommant Bonaparte, nous avons crié : Haine aux bouchers de Juin ! En votant pour Raspail : Vive la Sociale [1] ! » Le phénomène se reproduit lors de l'élection à la présidence de la République. Le 10 décembre, Bonaparte l'emporte de façon écrasante avec 5 434 000 voix contre 1 448 000 au général Cavaignac, 370 000 à Ledru-Rollin, 36 000 au socialiste Raspail et 17 000 au poète Lamartine. Totalement inconnu un an auparavant, il a conquis les Français grâce à la légende impériale et au nom de son oncle.

Le neveu n'a pourtant disposé que de peu d'argent pour mener sa campagne et la presse lui a été majoritairement hostile, préférant soutenir Cavaignac ou Ledru-Rollin. Mais Bonaparte a bénéficié d'un phénomène de rejet : Cavaignac, « prince du sang », est honni dans le monde ouvrier pour sa répression de juin, Ledru-Rollin est abandonné sur sa gauche par ceux qui lui reprochent de s'être éloigné des socialistes lors de l'insurrection, sur sa droite par ceux qui désavouent ses prises de position en

---

1. Cité par A. Dansette, *Histoire du second Empire*, I, p. 228-229.

faveur des ouvriers. La clientèle électorale parisienne de Louis-Napoléon a été estimée par Aristide Ferrère à «dix à douze mille anciens militaires et militaires ayant servi en Afrique, d'opinion bonapartiste; dix-huit à vingt mille domestiques sans place, d'opinion monarchiste; vingt-deux à vingt-cinq mille petits marchands prêts à fermer boutique, d'opinion monarchiste; quinze à vingt mille ouvriers sans travail; dix à quinze mille boutiquiers, artisans, négociants, se rattachant au bonapartisme libéral[1]». Dans ses *Mémoires*, Guizot donne une analyse remarquable de ce succès fulgurant : «L'expérience a révélé la force du parti bonapartiste, ou pour dire plus vrai, du nom de Napoléon. C'est beaucoup d'être à la fois une gloire nationale, une garantie révolutionnaire et un principe d'autorité. Il y a là de quoi survivre à de grandes fautes et à de longs revers[2].»

Président de la République, Louis-Napoléon Bonaparte n'est pas pour autant assuré du pouvoir. Il lui reste à s'imposer au pays et à ses élus. Il faut, en priorité, rétablir la confiance, faire repartir l'économie. Paris est ruiné par quatre mois de révolutions, les indigents représentent près de la moitié de sa population. Ils sont durement frappés par une nouvelle épidémie de choléra, qui dure de mars à la fin de l'été et fait plus de seize mille victimes dont le maréchal Bugeaud. Auteur d'un livre sur l'*Extinction du paupérisme*, Bonaparte s'intéresse à la question sociale et fait voter en 1850 une loi sur les logements insalubres pour tenter de limiter sinon d'éradiquer cette terrible maladie. Dès le 8 mai 1849 a été posée, rue de Rochechouart, la première pierre d'une cité ouvrière qui doit permettre aux classes laborieuses d'accéder à des logements décents moyennant un loyer modéré proportionnel à leurs ressources.

La reprise économique est indispensable au succès et à la popularité de Louis-Napoléon. Elle a lieu, mais lentement, ainsi que le montrent les recettes de l'octroi parisien : 34,5 millions durant la médiocre année 1847, 26,5 pour la désastreuse année 1848, 33 en 1849, 37 en 1850, autant en 1851. Pour relancer les activités, le prince-président a conçu un plan grandiose qui doit moderniser et embellir la capitale, mais il ne dispose pas encore des moyens financiers et politiques de réaliser son énorme projet d'urbanisme. Un premier geste est fait, le 15 septembre 1851, avec la pose de la première pierre du premier pavillon des nouvelles Halles de Baltard.

Au palais de l'Élysée où il s'est installé à la fin de 1848, le prince-président est un homme presque seul, entouré par quelques aventuriers dévoués à sa personne, mais ne disposant pas d'un parti à l'Assemblée. Pour le moment, il doit composer avec des partis légitimiste, orléaniste, républicain conservateur, modéré ou «montagnard», socialiste. Le

---

1. Cité par A. Dansette, *Histoire du second Empire*, I, p. 251.
2. *Ibid.*, p. 252.

pouvoir doit encore se méfier de la rue et réprimer des débuts de soulèvement : à la fin de janvier 1849 à l'annonce d'un projet de loi interdisant
clubs et réunions publiques, le 13 juin suivant lorsque Ledru-Rollin
soulève le quartier du Château-d'Eau (actuelle place de la République) et
tente de marcher sur le Palais-Bourbon, au début de février 1850,
boulevard Saint-Martin, quand la police y fait arracher les arbres de la
liberté plantés en février 1848 sous prétexte qu'ils gênent la circulation,
et bien d'autres manifestations encore, mais qui ne mettent jamais le
pouvoir établi en réel danger.

Les élections reflètent le malaise et l'instabilité de Paris. En mai
1849, la liste «démocrate-socialiste» obtient 38 % des suffrages avec
80 000 voix et dix députés sur vingt-huit. Mais, au lendemain de la
tentative d'insurrection de juin 1849, les onze sièges à pourvoir sont
enlevés par les conservateurs. En mars-avril 1850, trois sièges tenus
par des socialistes sont à renouveler. Ils sont conservés de justesse par
l'extrême gauche. Le 28 avril, le candidat socialiste, Eugène Sue, «habile
commerçant des lettres et ploutocrate démagogue, se voit élire dans la
capitale contre un garde national célèbre pour avoir pris, devant les barricades de juin, la place de son fils mort en combattant l'insurrection. Les
électeurs ont écarté le héros de l'ordre [1] !» constate Adrien Dansette. La
panique s'empare de la bourgeoisie. Dans ses *Souvenirs*, Merruau note :
«L'armée même de Paris avait voté à une faible majorité pour M. Eugène
Sue... Le découragement fut extrême ; les fonds publics baissèrent ; le prix
de l'or s'accrut ; les étrangers désertèrent Paris ; on s'en prit au suffrage
universel [2].» La polarisation entre droite conservatrice et gauche socialiste
semble devoir conduire à une nouvelle situation insurrectionnelle.

Le prince-président a l'habileté de se placer au-dessus des deux partis.
Ainsi désavoue-t-il, tout en la laissant voter, la loi de réforme électorale
du 31 mai 1850 voulue par la droite pour priver la gauche d'une grande
partie de ses suffrages. Cette loi porte de six mois à trois ans le délai de
domiciliation nécessaire pour s'inscrire sur les listes électorales, délai
attesté par l'inscription au rôle de la taxe personnelle. Or, les loyers inférieurs à 200 francs par an sont dispensés de la taxe personnelle, ce qui
permet d'empêcher les pauvres de faire la preuve de leur résidence.
Le nombre des électeurs baisse d'un tiers dans le pays, mais à Paris ce
sont près des deux tiers des inscrits qui disparaissent des listes : de
225 192 électeurs on tombe à 80 924. A Hortense Cornu qui s'étonne,
Louis-Napoléon explique pourquoi il a laissé voter la loi tout en faisant
savoir qu'il la désapprouvait : «Vous, lui dit-elle, l'enfant du suffrage
universel, vous allez soutenir le suffrage restreint. — Vous n'y entendez
rien, je perds l'Assemblée. — Mais vous vous perdez avec elle. —

1. A. Dansette, *Histoire du second Empire*, I, p. 291.
2. Cité par L. Girard, *Nouvelle Histoire de Paris. La Deuxième République et le second
Empire (1848-1870)*, p. 65.

Pas du tout. Quand l'Assemblée sera au-dessus du précipice, je couperai la corde[1].»

Ayant laissé l'Assemblée se discréditer aux yeux de l'électorat de gauche, Bonaparte, qui ne dispose pas d'un parti politique important dévoué à sa personne, a besoin d'un appui militaire pour prendre le pouvoir par la force. Il flatte l'armée en exaltant à travers elle le sentiment national. Dans son entreprise, il se heurte au général Changarnier, qui cumule le commandement des troupes régulières de la division militaire de Paris et de sa garde nationale. Dévoué aux Orléans, celui-ci se voit déjà en Monk de leur dynastie et a l'intention de faire un coup d'État pour rétablir la monarchie au profit du comte de Paris. Le conflit est ouvert dès 1850 : le 30 mars, Changarnier passe les troupes en revue au Champ-de-Mars ; le 7 juin, c'est au tour de Louis-Napoléon de les passer en revue au même endroit. Le président offre de fréquents banquets aux militaires dans le jardin de l'Élysée, faisant se mêler officiers et sous-officiers, s'asseyant familièrement parmi eux. Le 7 août, le prince-président s'étant installé à la droite d'un sous-officier, Changarnier s'indigne publiquement de cette attitude qu'il assimile au «socialisme le plus dangereux». Le 10 janvier 1851, à l'occasion de la formation d'un nouveau ministère, Louis-Napoléon obtient du ministre de la Guerre la révocation de Changarnier dont les attributions sont divisées : l'armée revient à Baraguay d'Illiers et la garde nationale à Perrot.

En 1852, le mandat du président de la République arrive à expiration et il n'est pas renouvelable. Louis-Napoléon Bonaparte doit donc faire vite s'il veut se maintenir à la tête du pays. Il est servi par la terreur qu'éprouvent les possédants devant le péril démocrate-socialiste renaissant, cette fois, non plus à Paris mais en province, où, note Ténot, témoin de ce phénomène nouveau, «la bourgeoisie démocrate payait de sa bourse comme de sa personne. Ces hommes, naguère si paisibles, affrontaient la prison, la ruine, avec une étrange ardeur. La loi du 31 mai 1850, mutilant le suffrage universel, ne modifia pas cela. La propagande continua, plus acharnée, plus violente, et passa même les bornes. Le mot d'ordre était partout le même : le vote universel de gré ou de force pour 1852. Le résultat fut inouï. A la fin de 1851, personne ne doutait que la masse des campagnes ne fût acquise au parti avancé[2].» Cette analyse de Ténot est confirmée par la presse de droite. Il écrit encore : «Il est des choses qu'on oublie et qui surprennent quand on les rappelle plus tard. Qu'on ouvre donc quelqu'un des organes du parti de l'ordre de 1851. La révolution nous déborde, disent-ils tous. Des populations naguère des plus conservatrices sont devenues les plus dangereuses... Qu'on se souvienne des effroyables terreurs imposées par l'approche de 1852[3].»

---

1. Cité par A. Dansette, *Histoire du second Empire*, I, p. 292.
2. *Ibid.*, p. 317-318.
3. *Ibid.*, p. 318.

Cette psychose, le prince-président l'exploite à son profit afin de se rallier les conservateurs épouvantés. Il ne parvient cependant pas à obtenir une révision de la Constitution lui permettant de briguer un second mandat. La révision doit être votée à la majorité des trois quarts et, le 19 juillet 1851, il n'y a que quatre cent quarante-six députés qui la votent alors que deux cent soixante-dix-huit s'y opposent.

Il ne reste qu'une issue, le coup d'État. Le 31 juillet, le général de Saint-Arnaud est nommé à la tête d'une des divisions de l'armée de Paris. Il est mis dans le complot mais hésite. Il écrit à sa femme, le 12 septembre : « On a des vues sur moi. C'est sûr. Lesquelles, je l'ignore. Commandement de l'armée de Paris, je ne sais pas. Dans tous les cas, je me tiens sur la réserve et j'attends, préparé à tout. Ils finiront bien par se déboutonner ; alors nous causerons[1]. » Ses réticences du moment obligent à reporter la date du coup d'État, prévu pour le 22 septembre.

Le prince-président exploite ce nouveau délai avec une remarquable habileté. Il annonce notamment dans le *Constitutionnel* du 8 octobre son intention de demander le rétablissement du suffrage universel. Il fait ainsi d'une pierre deux coups : l'opposition de gauche l'applaudit frénétiquement, la droite est terrorisée à l'idée d'une victoire électorale éventuelle des révolutionnaires et résignée à tout ce qui pourra éloigner le spectre du socialisme, même à un coup d'État. Le 12 novembre, le rétablissement du suffrage universel est rejeté par l'Assemblée nationale grâce à une courte majorité de sept voix. Le maçon socialiste Martin Nadaud observe qu'après ce vote, « un très grand nombre d'ouvriers se mirent à dire et à répéter sur tous les tons que le président valait mieux pour eux que les Changarnier, les Montalembert et les Falloux[2] ».

Quant aux royalistes, ils partagent l'opinion de Falloux : « Il faut en finir avec le président qui habitue le pays à la Révolution[3]. » Il semble bien que Changarnier et les orléanistes aient préparé leur propre coup d'État. Le Premier ministre britannique, Palmerston, mentionne le départ en cachette de Londres du prince de Joinville que le 2 décembre surprend alors qu'il débarque à Ostende[4]. A l'extrême gauche aussi, on flaire un coup de force orléaniste. Le 9 décembre, dans une lettre à Engels, Karl Marx écrit : « La dictature de l'Assemblée nationale était imminente[5]. »

Louis-Napoléon et Saint-Arnaud prennent les devants. Au matin du 2 décembre 1851, les rues de la capitale sont envahies par soixante mille soldats en armes. Une proclamation est affichée partout, annonçant la dissolution de l'Assemblée nationale et le rétablissement du suffrage

---

1. Cité par A. Dansette, *Histoire du second Empire*, I, p. 329.
2. *Ibid.*, p. 332.
3. *Ibid.*
4. *Ibid.*, p. 340.
5. *Ibid.*, p. 341.

universel. Les ministères sont occupés, les imprimeries des journaux d'opposition gardées par la troupe. Les députés se regroupent par petits groupes chez l'un ou l'autre. Les royalistes se résignent et se contentent d'une protestation symbolique alors que les républicains appellent le peuple à l'insurrection. Le 3 décembre au matin, une vingtaine de députés « montagnards » tentent en vain de soulever le faubourg Saint-Antoine et l'un d'eux, Baudin, est tué. Le 4 au matin, on ne compte pas plus de soixante-dix barricades, presque toutes édifiées dans le périmètre délimité par les boulevards, la rue Montmartre, les rues Rambuteau et du Temple, défendues par un millier d'insurgés. A cinq heures de l'après-midi, l'armée a écrasé toute résistance, après une malencontreuse fusillade qui a fauché des badauds sur le boulevard Montmartre. Le bilan s'établit à vingt-six militaires et deux cent quinze civils tués.

En province, la résistance a été assez sérieuse pour fournir au coup d'État sa justification. Dans une circulaire du 10 décembre adressée aux préfets pour les exhorter à assurer le succès du plébiscite, le ministre de l'Intérieur Morny soutient la thèse du coup d'État préventif pour éviter la guerre sociale : « Monsieur le préfet, vous venez de traverser quelques jours d'épreuve : vous venez de soutenir en 1851 la guerre sociale qui devait éclater en 1852. Vous avez dû la reconnaître à son caractère d'incendie et d'assassinat. Si vous avez triomphé des ennemis de la société, c'est qu'ils ont été pris à l'improviste et que vous avez été secondé par les honnêtes gens [1]. » Même le philosophe socialiste Proudhon, de sa cellule à Sainte-Pélagie, souscrit à cette thèse, comme le montre ce texte écrit le 19 décembre 1851 : « Quand je me représente ce qu'eût été la domination de nos meneurs, je n'ai plus la force de condamner, au point de vue élevé de la marche humanitaire, les événements du 2 décembre [2]. » Tout le monde ou presque approuvant ou acceptant le coup d'État, il n'est pas étonnant que le plébiscite du 21-22 décembre 1851 se traduise par 7 145 000 « oui » contre 592 000 « non ». Haut lieu de l'opposition, Paris compte plus de 80 000 « non » contre près de 133 000 « oui ». Les opposants dépassent 40 % dans les arrondissements centraux (quatrième, cinquième, sixième et septième) situés, sur la rive droite, entre les rues Saint-Denis et du Temple. Les faubourgs Saint-Antoine et Saint-Marcel se sont montrés moins hostiles avec seulement un tiers de suffrages négatifs. Le 31 décembre, le prince-président déclare qu'il n'est sorti de la légalité « que pour rentrer dans le droit... Plus de sept millions de suffrages viennent de m'absoudre en justifiant un acte qui n'avait d'autre but que d'épargner à la France peut-être des années de troubles et de malheurs [3]. »

Le 1er janvier 1852, le président de la République quitte l'Élysée pour les Tuileries, séjour des rois. Le processus menant au second Empire est

---

1. Cité par A. Dansette, *Histoire du second Empire*, I, p. 366.
2. *Ibid.*, p. 365.
3. *Ibid.*, p. 370.

amorcé. A côté d'un Conseil d'État et d'un Sénat dont les membres sont désignés par le prince-président, figure une seule instance élue, le Corps législatif de deux cent soixante-cinq députés. Grâce à la procédure de la candidature officielle, l'opposition est réduite à la portion congrue. Pour les neuf sièges de la Seine, il n'y a que deux opposants élus par le nord-est de la capitale, deux républicains, Hippolyte Carnot et le général Cavaignac. Ayant refusé de prêter serment au président de la République, ils ne peuvent siéger. Aboutissement logique du coup d'État, le plébiscite des 21-22 novembre 1852 rétablit l'Empire, proclamé symboliquement le 2 décembre 1852, anniversaire du sacre de Napoléon Ier en 1804.

A peine assuré du pouvoir, Louis-Napoléon entame la réalisation de son projet de modernisation et de transformation de Paris. Il n'oublie pas le monde ouvrier. Dès le 22 février 1852, un décret affecte 10 millions à l'amélioration des logements insalubres et, le 24 mars, le Mont de Piété est organisé pour répondre aux besoins des gens en difficulté en leur accordant sur gages des prêts à faible taux d'intérêt. Le 26 mars, un décret complète le dispositif juridique permettant les expropriations indispensables à la réalisation du grand projet d'urbanisme. La première pierre des nouvelles ailes du Louvre est posée le 25 juillet, le lendemain du décret de percement de la rue des Écoles. Mais c'est après la nomination d'Haussmann à la préfecture de la Seine, le 22 juin 1853, que les travaux prennent une ampleur exceptionnelle, transformant la ville en un gigantesque chantier qui sera évoqué dans le chapitre consacré à l'architecture et à l'urbanisme.

L'opposition monarchiste se cantonne dans les salons et au Corps législatif où siègent dix-sept orléanistes et deux fois plus de légitimistes. Absents à cause du refus de leurs rares élus de prêter serment au prince-président, les républicains et socialistes ont à nouveau constitué des sociétés secrètes, Solidarité révolutionnaire, Fraternité universelle, Jeune Montagne et surtout la Marianne, qui fomente la révolte des ouvriers des ardoisières de Trélazé, près d'Angers, en 1855. On sait très peu de chose sur ces activités souterraines, toutefois, entre 1853 et 1859, la justice prononce trois cent quatre condamnations pour appartenance à une société secrète. Si la plupart des conspirateurs sont arrêtés avant d'avoir pu agir, quelques attentats menacent directement la vie de Napoléon III. Le 28 avril 1855, l'Italien Pianori tire deux coups de pistolet sur l'Empereur aux Champs-Élysées, mais le manque. Plus sérieux, l'attentat d'Orsini, le 14 janvier 1858, fait cent cinquante-six morts et blessés à l'Opéra mais épargne son impériale cible.

Disposant d'un large contrôle de la vie parlementaire et de la presse, le second Empire s'assure un pouvoir sans partage sur un pays qui ne demande qu'à profiter d'une prospérité croissante. Un opposant orléaniste, le comte d'Haussonville, écrit : « Pour être tout à fait impartial, il faut reconnaître que, pendant les premières années de l'Empire, l'opposition latente mais obstinée chez beaucoup de fidèles des régimes précédents ne savait où s'en prendre. Le pays était visiblement satisfait[1].» L'essor économique, les grands travaux parisiens et les chantiers du chemin de fer qui tisse son réseau sur tout le pays, l'argent facile et abondant, le prestige international retrouvé grâce à l'expédition de Crimée et à l'Exposition universelle de 1855, tout concourt à la satisfaction de l'ouvrier bien payé et du bourgeois, grand ou petit, qui s'enrichit. Dans ses *Mémoires*, Charles Bocher écrit : «Paris est la Babel de ce monde nouveau, le caravansérail qui reçoit et héberge tous ces visiteurs cosmopolites, avides de voir et de jouir, pandémonium où se réunissent l'argent, le jeu, le travail, l'amour du gain, du plaisir et, par-dessus tout, le plus effréné scepticisme[2].» Et Victor Hugo en exil constate, désabusé : «Ô faubourien, le salaire a doublé. Les journées sont bonnes... 4 francs par jour; et le dimanche : veau froid, salade, vin à discrétion aux barrières... l'aiguille occupée comme la pioche... La carrosserie va, le bâtiment marche... le peuple est content. J'aimais mieux le loup maigre[3].»

En avril 1857, estimant que l'opinion publique lui est tout à fait favorable, le gouvernement dissout le Corps législatif et provoque des élections les 21 et 22 juin. Les préfets appliquent les consignes : «Défense de publier et d'afficher les professions de foi du candidat non officiel». Les candidats de l'opposition ne recueillent que 15 % des suffrages. Mais à Paris, les candidats officiels n'ont obtenu que 110 000 voix alors que les républicains en ont eu 96 000 et emportent cinq des dix sièges de la Seine. Sont élus Carnot, Cavaignac, Goudchaux, représentants de la vieille garde, et deux nouveaux, Darimon et Émile Ollivier. Napoléon III est très affecté par ces résultats. Le 7 juillet, il écrit à l'impératrice qu'il est «ennuyé» du vote de Paris : «Il y a dans la capitale vingt mille hommes incorrigibles, les autres qui les suivent ne sont que des moutons[4].» Et le 9 juillet, à Billault, ministre de l'Intérieur : «Tout consiste à trouver les moyens de diminuer de Paris à Lyon le nombre des mécontents... Il y a longtemps que j'aurais voulu rendre un décret ou proposer une loi afin d'empêcher la construction de toute nouvelle usine à Paris ; mais vous connaissez également toutes les objections que cette proposition a soulevées.» Haussmann est bien conscient que la capitale redevient un bastion de l'opposition. Il écrit : «Une carte topographique électorale coloriée de deux nuances, selon le vote de la majorité des électeurs de chaque quartier, montrerait Paris divisé en deux parts à peu près égales comme au temps des barricades[5].»

Le décès de Cavaignac, le refus de Carnot et de Goudchaux de prêter

---

1. Cité par A. Dansette, *Histoire du second Empire*, II, p. 147-148.
2. C. Bocher, *Mémoires*, II, p. 323.
3. V. Hugo, *Choses vues*, II, p. 330.
4. Cité par A. Dansette, *op. cit.*, II, p. 153.
5. Cité par L. Girard, *Nouvelle Histoire de Paris. La Deuxième République et le second Empire (1848-1870)*, p. 110.

serment, nécessitent des élections partielles en avril 1858. Si le gouvernement reconquiert une circonscription, les républicains ont deux nouveaux élus, Jules Favre et Ernest Picard. Avec Darimon, Émile Ollivier et le Lyonnais Hénon, ils constituent l'opposition parlementaire républicaine, les «cinq». Une opposition impuissante face à l'immense popularité que procure à Napoléon III sa victoire en Italie sur les Autrichiens.

C'est le moment que choisit le pouvoir pour étendre les limites de Paris et les fixer sur l'enceinte fortifiée de 1840, ce qui fait plus que doubler la superficie de la capitale (voir le chapitre sur les Parisiens qui évoque ce sujet) et lui donne à peu près ses frontières actuelles. Onze communes sont annexées et treize autres amputées de fragments de territoires. Seuls les bourgeois d'Auteuil et les industriels de La Villette protestent, car le report de l'octroi sur les fortifications entraîne une hausse des prix. Les douze arrondissements deviennent vingt selon un découpage beaucoup moins complexe que le précédent. Cette annexion est justifiée par le désir de maîtriser le développement démographique anarchique de la proche banlieue ainsi que l'expose le rapport d'Haussmann : «Une ceinture compacte de faubourgs, livrés à plus de vingt administrations diverses, construits au hasard, couverts d'un réseau inextricable de voies publiques étroites et tortueuses, de ruelles et d'impasses où s'accumulent avec une rapidité prodigieuse des populations nomades sans lien réel avec le sol et sans surveillance efficace [1]. » Le préfet est conscient de l'ampleur des problèmes et des dépenses nécessaires. Il les évalue alors à 150 millions et les chiffre dans ses *Mémoires* à 352 millions sous son administration, jusqu'au début de 1870.

Dans ses limites nouvelles du 1er janvier 1860, Paris devient encore plus hostile au régime. Les élections de la fin mai 1863 sont un désastre pour Napoléon III. Les suffrages favorables au gouvernement chutent à 82 000, ceux de l'opposition grimpent à 153 000. La liste d'opposition enlève les neuf sièges. Les quatre députés républicains sortants sont réélus et reçoivent le renfort de Guéroult, Havin, Pelletan, Jules Simon et Thiers, puis, à l'occasion d'élections complémentaires, en remplacement de Jules Favre et de Havin qui ont opté pour des sièges en province, de Carnot et de Garnier-Pagès. La plupart des grandes cités de province ont suivi une évolution identique à la capitale, mais les campagnes et les petites villes demeurent fidèles aux candidats officiels qui enlèvent 63 % des voix dans la France entière et obtiennent deux cent cinquante sièges sur deux cent quatre-vingt-trois. Les opposants sont désormais en majorité républicains, légitimistes et orléanistes étant réduits à une poignée d'élus. Dans ses *Carnets*, à la date du 1er juin 1863, le librettiste d'Offenbach, Ludovic Halévy note : «Paris a ce soir un air d'émeute et

---

1. L. Girard, *Nouvelle Histoire de Paris. La Deuxième République et le second Empire (1848-1870), op. cit.*, p. 126.

de révolution... Le gouvernement est tout à fait battu à Paris. On s'arrache sur les boulevards la seconde édition des journaux du soir qui annoncent les résultats connus. C'est la première agitation politique sérieuse qui ait ému Paris depuis le coup d'État[1].»

Parallèlement au parti républicain en plein essor, le mouvement ouvrier renaît. La population ouvrière représente près de 60 % des Parisiens sous le second Empire. Le 17 février 1864, sous l'égide de Tolain, *L'Opinion nationale* publie un texte désigné sous le nom de «Manifeste des soixante» qui dit notamment: «Le suffrage universel nous a rendus majeurs politiquement; mais il nous reste encore à nous émanciper socialement. La liberté que le tiers état sut conquérir avec tant de vigueur et de persévérance doit s'étendre en France, pays démocratique, à tous les citoyens. Droit politique égal implique nécessairement un égal droit social. On a répété à satiété: il n'y a plus de classes; depuis 89, tous les Français sont égaux devant la loi. Mais nous qui n'avons d'autre propriété que nos bras, nous qui subissons tous les jours les conditions légitimes ou arbitraires du capital, nous qui vivons sous des lois exceptionnelles, telles que la loi sur les coalitions et l'article 1781, qui portent atteinte à nos intérêts en même temps qu'à notre dignité, il nous est bien difficile de croire à cette affirmation[2].» La première Internationale ouvrière, créée à Londres le 28 septembre 1864, s'est largement inspirée de ce manifeste et on a pu écrire qu'elle était une «enfant mise en nourrice à Londres mais née dans l'atelier parisien[3]». Faisant passer l'amélioration de leur condition sociale avant la remise en cause du régime politique, Tolain et ses compagnons suscitent la méfiance des républicains qui les accusent de «césarisme plonplonien», c'est-à-dire d'être prêts à se rallier à l'Empire en échange de réformes sociales.

L'année 1866 marque le début du déclin du régime. A l'extérieur, le prestige du second Empire est terni par l'échec de l'expédition du Mexique et éclipsé par l'ascension de la Prusse victorieuse de l'Autriche à Sadowa. A l'intérieur, l'ambiance est morose à cause d'un concours de calamités naturelles: inondations, mauvaises récoltes, épidémie de choléra.

Affaibli par la maladie, n'ayant pour successeur qu'un enfant de dix ans, Napoléon III tente de sauver sa dynastie en faisant évoluer le régime vers le libéralisme et en négociant avec les moins hostiles des républicains, notamment Émile Ollivier. En décembre 1866, celui-ci a noté dans son journal intime: «On estime Napoléon III fini[4].» D'ailleurs l'empereur lui-même lui confie au début de 1867, parlant de ses

---

1. Cité par L. Girard, *Nouvelle Histoire de Paris. La Deuxième République et le second Empire (1848-1870)*, p. 367.
2. Cité par A. Dansette, *Histoire du second Empire*, II, p. 252-253.
3. G. Weill cité par L. Girard, *op. cit.*, p. 376.
4. Cité par A. Dansette, *op. cit.*, II, p. 233.

ministres : «Ces messieurs me consultent sur certaines affaires, mais en général, je ne sais pas ce qu'ils font[1].» L'Empire libéral brille de ses derniers feux lors de l'Exposition universelle de Paris de 1867, à l'occasion de laquelle Napoléon III, toujours passionné pour l'amélioration de la condition ouvrière, favorise la constitution d'une Commission ouvrière, véritable «parlement du travail» qui va siéger jusqu'en août 1869 dans une école, rue Raoul, près de la Bastille, et proposer des textes souvent transformés en projets de loi présentés par le gouvernement.

Un Empereur malade et vieillissant, laissant discuter sa politique, des partisans de l'ordre inquiets de la désagrégation de l'Empire autoritaire, des milieux financiers ébranlés par des spéculations immobilières qui ruinent les frères Pereire, des rues entières de la capitale avec leurs rangées de maisons neuves sans lumière, faute d'acheteurs, «qui sentent la faillite et les mauvaises affaires», écrit Louis Veuillot : la fin du régime approche.

Thiers arrache au ministre d'État Rouher le désaveu d'Haussmann devant le Corps législatif en février 1869. Le préfet de la Seine se consacre dès lors à la liquidation des affaires courantes jusqu'à son renvoi au début de 1870. Le nouveau régime de la presse permet à la gauche de se doter de véritables brûlots, *La Rue* de Jules Vallès, *Le Corsaire* d'Étienne Arago et Jules Claretie, *L'Éclipse* du caricaturiste Gill, et surtout, à partir de juin 1868, *La Lanterne* d'Henri Rochefort, dont la première phrase du premier numéro est restée célèbre : «La France, dit l'almanach impérial, comprend trente-six millions de sujets, sans compter les sujets de mécontentement.» En septembre 1868, les républicains redécouvrent le député Baudin, tué le 3 décembre 1851 au faubourg Saint-Antoine, et ouvrent une souscription pour élever un monument à la mémoire de ce martyr du coup d'État, manière de rappeler au régime sa naissance illégitime et sanglante. Les journaux ayant ouvert leurs colonnes à la souscription sont condamnés, mais leur procès permet à un jeune avocat les défendant de révéler son talent, Léon Gambetta.

C'est dans un état de faiblesse accentuée du pouvoir que se tiennent les élections législatives des 23-24 mai 1869. Un million de voix seulement sépare les candidats officiels de ceux de l'opposition, alors que l'écart était de trois millions en 1863. A Paris, c'est un désastre : 77 000 voix pour le régime et 234 000 contre. Les républicains modérés sont battus par des républicains «radicaux», Ollivier par Bancel, Carnot par Gambetta. L'échec de Rochefort, battu par un républicain modéré, Jules Favre, provoque une émeute. Si le gouvernement continue à disposer d'une majorité divisée entre autoritaires et libéraux, le prestige de l'Empire est très atteint. Juliette Adam note : «Hier, l'Empereur et l'impératrice ont passé sous nos fenêtres (du boulevard Poissonnière). Silence

---

1. Cité par A. Dansette, *Histoire du second Empire*, II, p. 234.

glacial. Nul cri n'est monté jusqu'à mon balcon. Quelques saluts auxquels les souverains répondaient avec empressement, si rares qu'ils fussent [1]. » La pratique des élections multiples permet à Rochefort de tenter à nouveau sa chance, quatre élus de Paris ayant opté pour un siège en province. Sous le coup d'une condamnation par contumace, il a été arrêté à la frontière belge, mais l'Empereur l'a fait libérer et l'a laissé mener une campagne qui lui assure un triomphe électoral au soir du 22 novembre.

Au début de 1870, Napoléon III se résigne au régime parlementaire et confie à Émile Ollivier, républicain rallié, la constitution d'un nouveau ministère. A l'exception des républicains radicaux, l'opinion accueille avec faveur le « ministère Ollivier ». Chef d'un véritable parti au Corps législatif, Thiers, montrant le banc des ministres, s'exclame : « Nos opinions sont sur ces bancs [2]. » Le républicain Picard, séduit par le programme d'Ollivier, écrit : « Si le ministère accomplit cette œuvre, il faudra le seconder dans sa tâche [3]. »

Cet état de grâce épargne à l'Empire une insurrection. Le 10 janvier 1870, le prince Pierre Bonaparte assassine Victor Noir, journaliste à *La Marseillaise*. Le 11, dans ce journal encadré de noir, Rochefort appelle les Français aux armes : « J'ai eu la faiblesse de croire qu'un Bonaparte pouvait être autre chose qu'un assassin. J'ai osé m'imaginer qu'un duel loyal était possible dans cette famille où le meurtre et le guet-apens sont de tradition et d'usage… Voilà dix-huit ans que la France est entre les mains ensanglantées de ces coupe-jarrets, qui, non contents de mitrailler les républicains dans les rues, les attirent dans des pièges immondes pour les égorger à domicile. Peuple français, est-ce que décidément tu ne trouves pas qu'en voilà assez ? » Mais Rochefort est le seul député de Paris à assister aux obsèques du journaliste, le 12 à Neuilly, suivies par plus de cent mille personnes. Aux Champs-Élysées, l'armée barre la route de Paris et des Tuileries à la foule qui finit par se disperser sans incident grave. Le Corps législatif autorise des poursuites contre Rochefort. Condamné à six mois de prison, il est arrêté le 7 février, à la sortie d'une réunion politique, rue de Flandre. Pendant trois jours, Flourens tente de soulever Belleville. Quelques barricades, démolies par la police et l'armée avant même d'être érigées, et trois cents arrestations sans violences graves mettent fin à cette émeute. Même l'acquittement de Pierre Bonaparte, le 27 mars, ne peut faire renaître l'agitation.

Le 8 mai, le peuple français est appelé à se prononcer sur le texte suivant : « Le peuple approuve les réformes libérales opérées dans la Constitution depuis 1860 par l'Empereur, avec le concours des grands

---

1. Cité par L. Girard, *Nouvelle Histoire de Paris. La Deuxième République et le second Empire (1848-1870)*, p. 398.
2. Cité par A. Dansette, *Histoire du second Empire*, II, p. 364.
3. *Ibid.*

corps de l'État, et ratifie le sénatus-consulte du 20 avril 1870.» Les résultats du plébiscite constituent une bonne surprise pour l'Empereur : 7 350 000 «oui», 1 572 000 «non», 1 882 000 abstentions. Mais Paris demeure un bastion de l'opposition : 138 000 «oui», 184 000 «non», 93 000 abstentions.

Alors que l'Empereur paraît commencer un second règne de monarque constitutionnel, le régime s'effondre sur une défaite militaire dans une guerre imprudemment engagée contre la Prusse. Le 2 septembre 1870, l'Empereur et son armée capitulent à Sedan. Cette nouvelle parvient à Paris le dimanche 4 septembre. Une foule importante se porte alors au Palais-Bourbon, encadrée par la garde nationale, et, les forces de l'ordre démoralisées n'ayant pas osé ouvrir le feu pour l'arrêter, envahit la salle des séances du Corps législatif, ce qui empêche les élus de siéger. Les députés républicains se rendent en hâte à l'Hôtel de Ville et y constituent un gouvernement provisoire formé des élus de la Seine. Jules Favre et Léon Gambetta font acclamer la République et rassurent les modérés en portant à la présidence de ce gouvernement le général Trochu, seul officier supérieur alors présent dans la capitale.

LA RÉPUBLIQUE ET LA COMMUNE (1870-1871)

Au lendemain du 4 septembre, les pouvoirs se répartissent ainsi : Trochu préside le gouvernement tout en exerçant les fonctions de gouverneur militaire de la capitale ; Étienne Arago a été nommé maire de Paris, malgré la foule qui criait le nom de Rochefort ; Jules Ferry est «délégué près de l'administration de la Seine», préfet de la Seine en quelque sorte ; Émile de Kératry et ses successeurs sont installés à la préfecture de police.

Durant les jours qui suivent, un double mouvement anime la ville. Le *Journal d'un Parisien* tenu par Eugène Balleyguier décrit l'exode des Parisiens fuyant la guerre qui s'approche et l'anarchie intérieure encore plus redoutée dans «une débandade dont on n'avait pas encore eu le spectacle. Les gares de chemins de fer sont envahies de telle sorte qu'on est obligé de fermer les grilles ; les salles, les cours et les quais sont encombrés, les fugitifs dressent des échelles contre les grilles et passent par-dessus, pour entrer dans les cours. Aux environs de la gare d'Orléans, la foule campe dans les rues, sur la place Valhubert, sur le quai, assise près de ses malles, de ses ballots, mangeant et buvant, en attendant qu'on lui permette d'entrer[1].» En deux semaines, environ cent mille personnes quittent la capitale. Ces départs sont plus que

---

1. Cité par S. Rials, *Nouvelle Histoire de Paris. De Trochu à Thiers (1870-1873)*, p. 88-89.

compensés par l'afflux des populations suburbaines venant chercher abri à l'intérieur de l'enceinte fortifiée. Dans son *Journal*, à la date du 8 septembre, Edmond de Goncourt décrit la cohue des arrivants : « De la porte du Point-du-Jour jusqu'à mi-chemin de Saint-Cloud, se disputent l'entrée de Paris, trois et quatre rangées de voitures de toutes sortes, de toutes espèces, de toutes dimensions... Et fiacres et charrettes, tour à tour fouettés de coups de soleil et de giboulées de pluie, montrent, tout mouillés et reluisants d'eau, les mobiliers hétéroclites et misérables de la banlieue de Paris, parmi lesquels branlent de vieilles femmes, tenant sur les genoux des cages où volent de pauvres oiseaux affolés[1]. »

Pendant ces mêmes jours, le gouvernement amasse dans la ville et dans ses environs une quantité impressionnante de forces armées : plus d'une centaine de milliers d'hommes de troupes de ligne, de cavalerie, d'artillerie, de marine, autant de forces de la garde nationale mobile, essentiellement des provinciaux, plus de trois cent mille hommes de la garde nationale sédentaire habitant la Seine et une quinzaine de milliers de membres des corps francs. Cette cohue de plus d'un demi-million d'hommes possède une valeur militaire très limitée, le meilleur de l'armée française ayant été capturé à Sedan ou encerclé dans Metz. Quant à l'énorme enceinte entourant Paris, si elle est difficilement prenable, elle ne protège plus aussi bien la ville que lors de sa construction en 1840 : les progrès de l'artillerie ont fait passer la portée des canons de 1,5 kilomètre à plus de 8 en 1870, ce qui fait que l'ennemi peut bombarder l'intérieur de la capitale sans s'en approcher.

Le gouvernement déploie des efforts pour assurer l'approvisionnement de deux millions de Parisiens et commence à accumuler des vivres pour résister à un siège. Mais la marche rapide des Prussiens arrête vite l'afflux des subsistances : le 19 septembre, la capitale est encerclée. Bismarck entoure la ville d'un cordon de troupes assez peu important, moins de cent cinquante mille hommes, car il mise non sur un assaut mais sur un siège et escompte affamer les Parisiens. Il écrit à son fils : « Nous avons le temps d'attendre qu'ils aient mangé leurs chiens et leurs beaux chats à longs poils. »

A quatre contre un, les Parisiens sont convaincus qu'ils vont rompre sans peine l'encerclement. Irréaliste impénitent, Victor Hugo, revenu d'exil, s'écrie : « Ils sont trois cent mille, vous êtes trois millions, levez-vous et soufflez dessus ! » En fait, et les combats de la Commune en 1871 vont le confirmer, la valeur militaire de la cohue parisienne est des plus médiocres et les responsables de la guerre disposent tout au plus de trente mille soldats sachant se battre. Ils vont très vite s'en rendre compte.

Le 19 septembre, à la tête de vingt-cinq mille hommes, le général

---

1. Goncourt, *Journal*, II, p. 597.

Ducrot va attaquer les Prussiens au sud de la capitale, sur le plateau de Châtillon. Quoique les Allemands n'aient pas encore achevé leur dispositif, ils mettent sans peine en déroute les attaquants. Les zouaves notamment se débandent dès le début du combat, avant huit heures du matin, et s'enfuient vers Paris où ils sèment l'inquiétude en clamant qu'ils ont été trahis alors qu'ils ont simplement fait preuve de lâcheté. La portée de ce combat est considérable, car elle décourage Trochu et le dissuade de passer à l'offensive. Il se contente d'escarmouches, le 30 septembre à Chevilly, le 13 octobre à Bagneux, le 21 octobre à Malmaison. Le 28 octobre, des francs-tireurs s'emparent du Bourget, mais on ne fait aucun effort pour défendre la position qui est reprise par les Allemands le 30.

Les éphémères succès de l'armée de la Loire décident Trochu à lancer une offensive vers l'est et le sud-est pour tenter d'effectuer une jonction avec elle. Le 30 novembre, Ducrot franchit la Marne et livre une véritable bataille à Champigny-sur-Marne, puis se replie sur le plateau d'Avron. Le 21 décembre, une nouvelle attaque est lancée vers le nord, entre Le Bourget et Bondy. Elle échoue sur Le Bourget très bien défendu par les Allemands. Le 29, ceux-ci prennent à leur tour l'offensive et s'emparent du plateau d'Avron. La population civile, toujours convaincue que la supériorité numérique suffit, commence à exprimer son mécontentement et à exiger la « sortie torrentielle » qui doit submerger l'ennemi. Pour l'apaiser, les autorités militaires lancent deux dernières opérations, les 7 et 19 janvier 1871, en direction de Versailles. Celle du 19 engage plus de quatre-vingt mille hommes divisés en trois colonnes qui se font sévèrement étriller par l'ennemi à Buzenval, avec plus de quatre mille morts et blessés. La garde nationale a particulièrement souffert et la rumeur court que Trochu a « froidement combiné la sortie sur Buzenval pour faire tuer les gardes nationaux, jeter la terreur dans Paris, et provoquer les habitants à demander eux-mêmes la capitulation[1] ».

Quoique le roi de Prusse Guillaume Ier y répugne, Bismarck et l'état-major souhaitent démoraliser les Parisiens en bombardant la ville. Le 27 décembre débute le bombardement des forts de la périphérie, puis, le 5 janvier 1871, celui des quartiers sud de la capitale. Les tirs vont durer vingt-trois jours, avec une moyenne de deux cents à cinq cents obus par jour, et font une centaine de morts et quatre fois plus de blessés. Les dégâts matériels sont assez importants, un millier de maisons plus ou moins gravement endommagées. Le 26 janvier 1871, un cessez-le-feu est conclu ; le 28, un armistice de vingt et un jours signé à Versailles.

La vie des Parisiens durant le siège a été abondamment décrite. Dès octobre, le fromage manque, en novembre, beurre, bœuf, mouton disparaissent des éventaires, remplacés par le cheval. La qualité du pain se

---

1. Cité par S. Rials, *Nouvelle Histoire de Paris. De Trochu à Thiers (1870-1873)*, p. 129.

dégrade sans cesse. A la fin du siège, il est composé à 50 % de blé, 30 % de riz et 20 % d'avoine, mais on y inclut aussi de la paille. Les prix sont multipliés par six entre fin septembre et fin décembre, par dix pour les pommes de terre et par quatorze pour les œufs. A la fin de l'année, on trouve sur le marché des moineaux, des corbeaux, des chats, des chiens, des rats, les animaux exotiques du Jardin des Plantes. Le 1er janvier 1871, Juliette Adam se réjouit d'avoir pu acheter, « au milieu d'une bousculade inénarrable, un morceau d'éléphant. Chair appétissante, rosée, ferme, d'un grain très fin avec de petits chinés du blanc le plus pur[1]. » Le manque de lait de bonne qualité provoque une très forte mortalité chez les nourrissons, le froid et la malnutrition déciment les vieillards. La population affaiblie est la proie des épidémies : bronchite, pneumonie, variole, typhoïde sont partout. Les trois mille morts au combat ne sont rien par rapport aux soixante-quatre mille civils décédés du 18 septembre 1870 au 24 février 1871, le triple de la mortalité normale.

La mentalité de l'assiégé, la fièvre obsidionale contribuent à alourdir une atmosphère que le moindre bobard émeut. A côté de l'autorité officielle se constitue une organisation populaire née dès le 4 septembre à la Corderie du Temple. Elle réunit les délégués des sections de l'Internationale ouvrière et de la Chambre fédérale des sociétés ouvrières et met sur pied un Comité central républicain des vingt arrondissements, véritable contre-pouvoir. Sorti de prison, l'éternel comploteur Blanqui se fait élire à la tête de la « réunion des chefs de bataillon de la garde nationale ». A l'opposé, le corps des sergents de ville est supprimé. Les préfets de police se succèdent : Émile de Kératry jusqu'au 11 octobre, Edmond Adam jusqu'au 2 novembre, enfin Ernest Cresson jusqu'au 11 février. Les services sont désorganisés par les épurations et les nominations fantaisistes d'amis ou de protégés. Un blanquiste déséquilibré, Raoul Rigault, a obtenu le poste de « commissaire spécial attaché au cabinet avec attributions exclusivement politiques et secrètes ». Le maire Arago a procédé à la nomination de maires d'arrondissement qui se réunissent régulièrement et tendent aussi à se transformer en contre-pouvoir.

Ce pouvoir disputé et contesté va faire l'objet d'entreprises audacieuses mais mal menées. La première est l'œuvre d'un « agité », fils de famille, physiologiste assistant de son père au Collège de France, Gustave Flourens, âgé de trente-deux ans, qui descend de Belleville avec ses bataillons de gardes nationaux et envahit pendant quelques heures l'Hôtel de Ville pour exiger l'épuration des « suspects ». Le 8, pour ne pas être en reste, le Comité central des vingt arrondissements organise à son tour une manifestation devant l'Hôtel de Ville, mais c'est un échec total : sept ou huit mille personnes seulement, et sans armes, la garde nationale ayant refusé de venir.

---

1. J. Adam, *Le Siège de Paris. Journal d'une Parisienne*, p. 371.

A l'annonce de la perte du Bourget, le 31 octobre, une foule importante vient clamer son indignation au gouvernement provisoire installé à l'Hôtel de Ville. Le préfet de police Adam n'a pris aucune précaution pour protéger le bâtiment. Flourens et les éléments les plus excités détruisent à la hache les portes et envahissent la salle où siège le gouvernement, bousculant, bafouant ses membres. L'un d'eux, Jules Favre, note dans ses *Souvenirs* : « La foule en délire jouissait de son triomphe. Elle témoignait sa joie par le tapage. Elle était heureuse de nous humilier[1]. » Mais les vainqueurs se disputent les places : Flourens, Félix Pyat, Charles Delescluze, etc., sollicitent et menacent tour à tour pour obtenir une place dans le gouvernement. A huit heures du soir, le commandant Ibos intervient avec son bataillon de la garde nationale de la rue du Bac et parvient à faire sortir de la salle une partie des otages. A l'extérieur arrivent de nouveaux bataillons hostiles aux révolutionnaires. Vers minuit intervient le capitaine Henry de Mauduit à la tête de ses gardes mobiles du Finistère, qui ne comprennent que le breton et sont donc insensibles aux harangues que leur adressent les Parisiens.

Ils délivrent les derniers membres du gouvernement. Celui-ci se réunit aussitôt, annule les élections promises pour le jour même et annonce un plébiscite pour le 3 novembre sur la question suivante : « La population de Paris maintient-elle, oui ou non, les pouvoirs du gouvernement de la Défense nationale ? » Le « oui » triomphe par 557 996 voix contre 62 638 « non ». La carte des « non » montre bien que le péril insurrectionnel se situe dans l'est de la capitale : XXe arrondissement (50 % de votes hostiles), XIe (plus de 30 %), XVIIIe et XIXe (de 20 à 30 %).

Des élections municipales ont lieu le 5 novembre et confirment les tendances révolutionnaires des XIe (Mottu maire avec Tolain comme adjoint), XVIIIe (Clemenceau maire), XIXe (Delescluze maire) et XXe arrondissements (Millière maire avec Flourens et Lefrançais pour adjoints). Ce même jour, le nouveau préfet de police, Cresson, fait arrêter les principaux agitateurs : Pyat, Ranvier, Vermorel, etc. Flourens est plus difficile à appréhender, Blanqui et Jules Vallès restent introuvables. Le gouvernement ne tarde pas à faire libérer la plupart de ces prisonniers.

Si la situation semble provisoirement plus calme, les activités souterraines continuent. Le 21 janvier 1871 au soir, une bande armée attaque la prison de Mazas et libère les derniers détenus politiques encore emprisonnés, dont Flourens. Le 22, Blanqui tente un coup de main contre l'Hôtel de Ville, mais le préfet de police prévoyant l'a fait occuper par les gardes mobiles bretons. Une fusillade fait de vingt à cinquante morts et blessés. Une centaine de dirigeants révolutionnaires sont à nouveau arrêtés les jours suivants, parmi eux Delescluze et Pyat.

La publication de la convention d'armistice, le 29 janvier 1871, suscite

---

1. Cité par S. Rials, *Nouvelle Histoire de Paris. De Trochu à Thiers (1870-1873)*, p. 163.

une vague d'indignation, mais l'absence des meneurs, en prison, l'empêche de dégénérer. L'annonce d'élections, la libération des révolutionnaires incarcérés et la création de journaux pour la campagne électorale relancent l'agitation. *Le Vengeur* de Félix Pyat, *Le Mot d'ordre* de Rochefort, *Le Père Duchesne* d'Eugène Vermersch, *Le Cri du peuple* de Jules Vallès sont les plus virulents de ces périodiques. Le 8 février 1871, le résultat des élections n'est pas un triomphe pour l'extrême gauche parisienne. En tête viennent les patriarches Louis Blanc et Victor Hugo, puis Gambetta, Garibaldi, avec plus de 200 000 suffrages, Edgar Quinet, Rochefort, ... Delescluze, ... Pyat, ... Ranc, ... Malon, ... Thiers, ... Clemenceau, ... Floquet, ... Tolain, ... Cinq socialistes seulement figurent parmi les quarante-trois élus, Blanqui et Flourens sont battus. Les révolutionnaires stagnent autour de 60 000 voix. La province a envoyé à l'Assemblée nationale une forte majorité de députés royalistes.

A l'approche d'une paix humiliante — perte de l'Alsace-Lorraine et indemnité de 5 milliards — et à l'annonce d'une entrée de l'armée prussienne dans Paris, l'agitation renaît, organisée et contrôlée par le Comité central de la garde nationale constitué le 24 février. Si les Prussiens peuvent défiler sans encombre sur les Champs-Élysées, le 1er mars, leur passage fournit le prétexte pour regrouper une grande partie de l'artillerie hors de leur portée, sur la butte Montmartre. Le 3 mars, les délégués de deux cents des deux cent soixante-dix bataillons de la garde nationale se réunissent pour ratifier les statuts de la Fédération républicaine de la garde nationale et proclament, défi à l'Assemblée nationale monarchiste : « La République est le seul gouvernement possible. Elle ne peut être mise en discussion. La garde nationale a le droit absolu de nommer tous ses chefs et de les révoquer dès qu'ils ont perdu la confiance de ceux qui les ont élus [1]. »

La tension s'aggrave le 11 mars 1871, lorsque les Parisiens apprennent que les députés n'ont accepté de quitter Bordeaux que pour s'installer à Versailles. Certains élus ont exprimé énergiquement leur méfiance de la capitale, comme Belcastel : « La France sait que dix fois en quatre-vingts ans, Paris lui a envoyé des gouvernements tout faits par le télégraphe. Elle sait que les insurrections, même vaincues, sont des dates sinistres... Elle sait que Paris est le chef-lieu de la révolte organisée, la capitale de l'idée révolutionnaire... Tant que durera cet état violent de crise dont elle est juge, la France ne veut pas, parce qu'elle ne le doit pas, livrer sa fortune et sa dernière citadelle, votre Assemblée, Messieurs, aux hasards d'un combat et à la pression de cette idée [2]. »

Mais l'Assemblée nationale commet, ce même jour, une faute grave en décidant que les effets de commerce échus du 13 août au 12 novembre

---

1. Cité par S. Rials, *Nouvelle Histoire de Paris. De Trochu à Thiers (1870-1873)*, p. 229.
2. *Ibid.*, p. 231-232.

1870 seront exigibles dès le 13 mars 1871. Jules Simon constate : « Personne n'était en mesure. Les communications n'étaient pas rétablies entre Paris et les départements, les succursales de la Banque n'étaient pas ouvertes, les transactions commerciales étaient impossibles, on ne trouvait plus d'escompte [1]. » Le commerce parisien est menacé de quarante mille faillites. Le mécontentement de la bourgeoisie commerçante explique l'abstention des éléments modérés de la garde nationale les jours suivants. Martial Delpit note dans son *Enquête* sur la Commune qu'ils « n'étaient devenus ni des socialistes ni des partisans de la Commune... Mais, inquiets de l'avenir pour leur situation commerciale, mécontents d'une loi qui ne les protégeait pas à leur gré, ils s'abstenaient de prendre leurs fusils et de descendre dans la rue [2]. » Dernière décision malencontreuse de l'Assemblée nationale, la suppression de l'indemnité de garde national. Jules Simon constate qu'ainsi, en quelques jours, « presque tout le monde se trouvait menacé dans Paris : les ouvriers, de perdre la solde de garde national sans trouver de travail ; les locataires, d'être expulsés, de voir leurs meubles saisis ; les commerçants, d'être mis en faillite [3]. »

C'est donc dans une ville en immense majorité excédée sinon désespérée par ces mesures maladroites que se produit l'événement décisif. Le 18 mars 1871, vers quatre heures et demie du matin, une grande opération militaire est lancée pour désarmer Paris et prendre notamment deux cent vingt-sept canons, pour la plupart fondus durant le siège grâce à l'argent de souscripteurs parisiens, qui ont été regroupés sur la butte Montmartre. Les quelques gardes nationaux qui montaient la garde ont été surpris et désarmés, mais l'opération traîne en longueur, la ville se réveille. Quand la troupe commence à descendre la butte avec les canons, la foule entoure les soldats, discute avec eux. Les femmes leur demandent s'ils vont tirer sur elles. Bientôt troupe de ligne et Parisiens fraternisent, les soldats mettent la crosse en l'air, arrêtent leurs officiers. A huit heures et demie, le pouvoir légal a perdu la partie.

Face à lui s'érige, rue Basfroi, le pouvoir insurrectionnel du Comité central de la garde nationale qui fait occuper les bâtiments officiels par ses bataillons. A minuit, le dernier bastion, l'Hôtel de Ville, est pris et le drapeau rouge flotte sur son beffroi. Sur ordre de Thiers, le gouvernement provisoire l'a évacué et les troupes restées fidèles ont quitté la capitale. Entre-temps, l'irréparable a été commis, les généraux Lecomte et Thomas ont été massacrés par la populace en furie. Le bain de sang commence.

La situation est très difficile pour l'Assemblée nationale et le gouvernement installé à Versailles et dont les troupes sont loin d'être sûres. Taine observe : « Vingt petits faits que j'omets me prouvent que

---

1. J. Simon, *Le Gouvernement de M. Thiers*, I, p. 181.
2. Cité par S. Rials, *Nouvelle Histoire de Paris. De Trochu à Thiers (1870-1873)*, p. 233.
3. J. Simon, *op. cit.*, I, p. 182.

l'Assemblée de Versailles ne peut compter sur les troupes qui la gardent. C'est tout au plus si elles la défendraient. Conduites à l'attaque, elles annoncent qu'elles mettraient la crosse en l'air[1].» Les forts périphériques ont été abandonnés après la mutinerie de la garnison de Vincennes, mais le colonel Lochner, avec vingt hommes, reprend la position, vitale pour les Versaillais, du Mont-Valérien. Déjà s'affirme la nullité des chefs militaires de la Commune qui ne font rien pour garder ou reprendre ce fort et restent inactifs jusqu'au début d'avril, laissant Thiers et les Versaillais mettre de l'ordre dans l'armée et « faire le tri des hommes qui tiendraient bon[2] ». Les premiers combats n'ont lieu que le 2 avril. Le 3, Cluseret, officier de Garibaldi, promu aux États-Unis général dans l'armée nordiste, chef des forces de la Commune, lance une grande offensive sur Versailles en quatre colonnes commandées par des militaires improvisés, Bergeret, Flourens, Eudes et Duval. « Ce plan aurait été excellent si le Mont-Valérien n'eût pas été aux mains des Versaillais[3] », fait observer l'historien Georges Bourgin. Pris sous le feu des canons du fort, les Communards se débandent et se replient en catastrophe. Seul Flourens continue sa route jusqu'à Chatou avec l'inconscience qui le caractérise et prend ses aises dans une auberge où il est abattu par un officier de gendarmerie. A la poursuite des fuyards, les Versaillais s'avancent jusqu'au plateau de Châtillon et au pont de Neuilly. Cette déroute provoque une réaction hystérique de la Commune dont la proclamation suivant la défaite donne un bon exemple : « Les conspirateurs royalistes ont attaqué. Malgré la modération de notre attitude, ils ont attaqué. Ne pouvant plus compter sur l'armée française, ils ont attaqué avec les zouaves pontificaux et la police impériale [...]. Ce matin, les Chouans de Charette, les Vendéens de Cathelineau, les Bretons de Trochu, flanqués des gendarmes de Valentin, ont couvert de mitraille et d'obus le village inoffensif de Neuilly, et engagé la guerre civile avec nos gardes nationaux[4]. » Fantasmes et mythologie révolutionnaires hantent cette proclamation archifausse et passéiste.

Les jeux sont faits. Sur le papier, la Commune dispose de 200 000 gardes nationaux organisés en 216 bataillons, mais on estime qu'il n'y a pas plus de 60 000 combattants et l'hagiographe communiste de la Commune, Jacques Rougerie, avoue que « c'est encore trop, la Révolution a eu tout au plus 20 000 soldats[5] ». Il ajoute : « Trop de liberté nuit. Les bataillons destituaient et rééalisaient toutes les quinzaines à peu près (à tort ou à raison) leurs délégués, cadres et commandants [...]. Les légions chan-

1. H. Taine, *Sa vie et sa correspondance*, III, p. 77.
2. E. Rodriguès, *Le Carnaval rouge*, p. 158.
3. G. Bourgin, *La Guerre de 1870-1871 et la Commune*, p. 312.
4. Cité par S. Rials, *Nouvelle Histoire de Paris. De Trochu à Thiers (1870-1873)*, p. 263.
5. J. Rougerie, *Paris libre, 1871*, p. 248.

geaient régulièrement de chefs, et ceux-ci étaient en querelle incessante avec les autorités civiles des arrondissements. »

Face aux fanfarons aux uniformes chamarrés et couverts de galons qui commandent cette armée en déroute avant d'avoir livré bataille, Thiers et le commandant en chef, le maréchal de Mac-Mahon, ne disposent au départ que de vingt-deux mille hommes. Ils obtiennent de Bismarck la libération d'un grand nombre de prisonniers de guerre, ce qui leur permet de disposer de cent trente mille combattants dès le 16 avril. Sans se presser, les Versaillais resserrent leur étau sur la capitale, investissant les forts de la périphérie l'un après l'autre.

Le dimanche 21 mai, profitant de l'absence de garde sur les remparts au Point-du-Jour, près de la porte de Saint-Cloud, les Versaillais entrent dans Paris. Jusqu'au dimanche suivant 28 mai vers midi, c'est la « semaine sanglante », la ville est livrée aux combattants des deux camps et aux incendiaires de la Commune. Incapables d'organiser quoi que ce soit, les chefs militaires laissent leurs hommes se replier sur leurs quartiers respectifs et y organiser la lutte, ce qui permet aux Versaillais de les réduire barricade après barricade. Exaspérés par la résistance qu'ils rencontrent, les militaires provinciaux se livrent souvent à des massacres. Selon Rougerie, cent mille personnes auraient été tuées, capturées ou contraintes à la fuite. Le plus sûr des historiens favorables à la Commune, Lissagaray, écrit : « Le Conseil municipal de Paris paya l'inhumation de 17 000 cadavres ; mais un grand nombre de personnes furent tuées ou incinérées hors Paris ; il n'est pas exagéré de dire 20 000 [1]. » Il y eut environ 38 000 arrestations, mais guère plus de 10 000 condamnations et seulement 23 exécutions pour 93 condamnations à mort.

Durant deux mois, la capitale a été soumise à l'autorité de la Commune. Afin de se donner une apparence de légitimité, le 19 mars 1871, le Comité central de la garde nationale décide des élections municipales pour le 22 mars, mais les maires d'arrondissement s'y opposent pour tenter une ultime conciliation avec Versailles. Quant aux représentants de l'Internationale ouvrière, le Comité des vingt arrondissements, il hésite face à une insurrection qu'il n'a pas prévue et ne comprend pas, puis se rallie finalement aux extrémistes.

De leur côté, les bourgeois modérés redoutent les horreurs de la guerre civile. Ils disposent du soutien d'un certain nombre de mairies et de bataillons de la garde nationale. Le vice-amiral Saisset, nommé par Thiers commandant en chef de la garde nationale de la Seine, peut compter sur quinze à vingt mille hommes. Le 21 mars, les partisans de l'ordre manifestent sans armes. Le 22 au matin, ils recommencent et, au nombre d'une dizaine de milliers, partent du chantier du nouvel Opéra et

---

1. P.-O. Lissagaray, *Histoire de la commune de 1871*, p. 381.

se dirigent par la rue de la Paix vers la place Vendôme où est installé le quartier général de la garde nationale. Vraisemblablement sur l'ordre de Bergeret, les Communards ouvrent le feu sur la foule désarmée. Les modérés s'enfuient, quittent Paris ou se cachent.

Le 25 mars, le Comité central impose aux maires des élections fixées au lendemain : l'accord est signé par six députés de la Seine sur quarante-trois ; sur les vingt municipalités, quatre sont totalement absentes (VIIe, VIIIe, XIVe et XXe arrondissements) et seuls sept maires (Bonvalet du IIIe, Vautrain du IVe, Desmarest du IXe, Mottu du XIe, Grivot du XIIe, Favre du XVIIe, Clemenceau du XVIIIe), trente-deux adjoints sur quatre-vingts ont apposé leur signature. Faites dans l'improvisation, sans campagne, en l'absence de contrôle sérieux, les élections du 26 n'attirent que 47 % des électeurs. Publiés dans le *Journal officiel de la République française sous la Commune*, les résultats sont loin d'être un triomphe pour les Communards. La capitale est coupée en deux. L'ouest est totalement hostile et l'est ne leur est résolument favorable que dans sa fraction nord-est où dominent largement les ouvriers : X^e, XIe, XVIIIe, XXe arrondissements. Le XIXe, La Villette, avec son sous-prolétariat à faible conscience de classe, fait exception par son vote modéré dans ce bloc.

Parmi les quatre-vingt-douze élus, l'Internationale dispose de trente-deux représentants, puis de quarante-deux après des élections complémentaires. Elle domine donc la Commune, mais est divisée entre blanquistes, proudhoniens, « jacobins » et républicains romantiques inclassables et exaltés comme Flourens, Delescluze, Pyat. Les imbéciles (Félix Pyat) voisinent avec des illuminés (Babick, « enfant de Dieu », adepte de la religion fusionienne réunissant hindouisme, islam et christianisme), des maniaques dangereux (Rigault), de doux dingues (Allix, inventeur d'un système télégraphique fondé sur l'accouplement des escargots). Cette Commune hétéroclite va se déchirer à belles dents et les querelles de personnes seront telles qu'elles survivront à la défaite.

Les conflits permanents entre Comité central et Commune auraient d'ailleurs suffi à paralyser son action si ses membres avaient été compétents. L'énergique et lucide colonel Rossel, qui a remplacé le vaniteux et incapable Cluseret le 1er mai, s'en rend aussitôt compte. Dès le 9 mai, il démissionne, « incapable de porter plus longtemps la responsabilité d'un commandement où tout le monde délibère et où personne n'obéit[1] ». Delescluze, qui le remplace, est tout à fait incapable de rétablir un semblant d'ordre et de discipline. L'apocalyptique « semaine sanglante » n'est que l'aboutissement logique de cette totale incurie. L'exécution par les Communards d'une centaine d'otages, des prêtres surtout dont l'archevêque Mgr Darboy, l'incendie par les pétroleuses des Tuileries, du

---

1. Cité par S. Rials, *Nouvelle Histoire de Paris. De Trochu à Thiers (1870-1873)*, p. 330.

ministère des Finances (alors rue de Rivoli), de la préfecture de police, de l'Hôtel de Ville, de l'Assistance publique, des Archives de la Ville et du Département, de la Direction de l'Artillerie (place de l'Arsenal), du Conseil d'État et de la Cour des comptes (quai d'Orsay), de la manufacture des Gobelins, des entrepôts et docks de La Villette, etc., les massacres perpétrés par les soldats versaillais, tout cela constitue l'aboutissement et la dernière mais désastreuse manifestation du romantisme révolutionnaire de la petite bourgeoisie française dont les derniers représentants sont Victor Hugo et Jules Vallès. Cette pensée confuse et brouillonne qui a régné sur la France de 1815 à 1871 s'incarne bien dans la Commune dont le témoin socialiste Camille Pelletan a pu dire : « On serait fort embarrassé de dire à qui Paris a obéi dans les mois d'avril et de mai 1871 [1]. » En privé, Karl Marx s'est laissé aller à porter un jugement lucide sur cet épisode tragique de l'histoire parisienne. Dans une lettre au Néerlandais Nieuwenhuis, il écrit en 1881 : « Outre [que la Commune] fut simplement la rébellion d'une ville dans des circonstances exceptionnelles, la majorité de la Commune n'était nullement socialiste et ne pouvait l'être. Avec un tout petit peu de bon sens, elle eût pu cependant obtenir de Versailles un compromis favorable à toute la masse du peuple, ce qui était la seule chose possible d'ailleurs [2]. »

CHAPITRE VII

La tutelle de deux Républiques (1871-1958)

LES DÉBUTS DE LA TROISIÈME RÉPUBLIQUE (1871-1900)

L'écrasement de la Commune clôt une ère de près d'un siècle d'insurrections parisiennes dictant la politique de la France. Certes, la capitale va continuer à jouer un rôle dans la vie du pays, il y aura des mouvements de foule importants, mais aucun n'exercera une influence décisive et Paris sera une caisse de résonance des questions nationales plutôt que l'instrument d'une volonté locale.

Au début de juin 1871, Gustave Flaubert témoigne dans une lettre de l'atmosphère parisienne : « Une moitié de la population a envie d'étrangler l'autre, qui lui porte le même intérêt. Cela se lit clairement dans les yeux des passants [3]. » Cette tension s'atténue rapidement. Les élections législatives complémentaires du 2 juillet 1871 révèlent un Paris

---

1. C. Pelletan, *Questions d'histoire. Le Comité central et la Commune*, p. 97.
2. Cité par J. Rougerie, *Paris libre, 1871*, p. 269.
3. Cité par S. Rials, *Nouvelle Histoire de Paris. De Trochu à Thiers (1870-1873)*, p. 522.

républicain mais modéré. Victor Hugo, Clemenceau, Floquet, Ranc, sont battus. Sur les vingt et un députés parisiens, cinq sont radicaux dont Gambetta qui a obtenu 41 % des voix, les seize autres appartiennent à l'Union parisienne de la presse, coalition de modérés patronnée par Thiers. Dans l'ensemble du pays, les élus républicains triomphent largement avec une centaine d'élus dont trente-cinq radicaux face à douze royalistes. La France s'achemine vers la République conservatrice voulue par Thiers.

Deux semaines plus tard, le 23 juillet, est élu le Conseil municipal. Cette fois-ci, les Parisiens portent leurs suffrages nettement plus à gauche et élisent un certain nombre d'hommes dont les noms sont liés au souvenir de la Commune : Bonvalet, Vautrain, Mottu, Clemenceau, ex-maires, Loiseau-Pinson, Murat, Jobbé-Duval, ex-adjoints, les anciens députés Lockroy et Ranc. On trouvera au chapitre consacré à l'administration parisienne une analyse du nouveau statut défini par la loi du 14 avril 1871. Le préfet de la Seine domine une assemblée désormais élue au suffrage universel, à raison d'un conseiller par quartier, disposant de pouvoirs limités mais non négligeables. Quant aux maires et à leurs adjoints, ils sont nommés par le chef de l'État.

La première tâche des conseillers consiste à effacer les ruines, reconstruire notamment l'Hôtel de Ville, rétablir le crédit de la Ville. Dès la première séance, le 4 août 1871, le préfet Léon Say présente un plan financier ayant pour objet un emprunt de liquidation de 350 millions permettant de faire face au paiement de l'indemnité de 210 millions exigée de la Ville par l'Allemagne et d'entreprendre la réparation des dégâts. L'emprunt est couvert seize fois, indice de la confiance retrouvée et de l'opulence de la bourgeoisie française. Le président de centre-gauche du Conseil municipal, maire du IVe arrondissement sous la Commune, Vautrain, entre à l'Assemblée nationale à l'occasion d'une élection législative partielle, le 7 janvier 1872, ce qui confirme le retour à la normale dans la capitale, le vieux poète Victor Hugo, derrière qui se cachent les radicaux, ayant été lourdement battu.

Les radicaux reprennent vite le dessus en faisant appel à l'anticléricalisme profond des Parisiens. Le 24 juillet 1873, l'Assemblée nationale a voté le principe de la construction d'un monument en expiation à la Commune, qui doit s'élever en haut de la butte Montmartre d'où est parti le mouvement insurrectionnel : la première pierre de la basilique du Sacré-Cœur est posée par l'archevêque, Mgr Guibert, le 15 juin 1875. Clemenceau mène l'offensive contre Vautrain sous la double bannière de l'anticléricalisme et de l'autonomie municipale. Dès janvier 1872, l'ancien maire du XVIIIe arrondissement estime que la Ville n'a pas à restaurer ou à entretenir les édifices religieux et n'est pas tenue de payer le clergé. Lorsque le préfet Say lui oppose que l'entretien des bâtiments et des prêtres est prévu par une loi de 1837, Clemenceau riposte que les lois peuvent être modifiées, mais que les principes fondamentaux sont immuables, notamment la liberté de conscience et l'indépendance communale. Les attaques des radicaux affaiblissent Vautrain qui n'est réélu en octobre 1872 que par 38 voix contre 30.

Le 27 avril 1873, à l'occasion d'une élection législative partielle, la capitale inflige un camouflet à la majorité royaliste et catholique de l'Assemblée nationale en éliminant Rémusat, ministre des Affaires étrangères, et en élisant le radical Barodet. Les faubourgs pavoisent et les conservateurs, même républicains, redoutent le retour des Communards, car, le même jour, la province a élu six républicains dont trois radicaux et un seul royaliste.

Le départ de Thiers en mai 1873 et son remplacement par le maréchal de Mac-Mahon, incarnation monarchiste d'un ordre moral et clérical, facilitent le triomphe de Georges Clemenceau : en janvier 1875, il est élu secrétaire du Conseil municipal avec 62 voix sur 73, en novembre il en devient président, soutenu par 39 des 54 votants, tandis que son acolyte, Allain-Target, devient vice-président.

Les républicains modérés et radicaux conquièrent la France rurale en 1877. En janvier 1876, lors du choix des soixante-quinze sénateurs inamovibles par les conseils municipaux, celui de Paris a élu Victor Hugo. A l'Assemblée nationale, la capitale a envoyé Gambetta et Thiers, mais aussi deux meneurs radicaux, Clemenceau et Allain-Target. Leur démission du Conseil municipal atténue la virulence des débats de cette assemblée. Le 8 septembre 1877, les obsèques de Thiers sont l'occasion d'une énorme manifestation républicaine, en l'honneur de l'homme qui, sept ans auparavant, était le « boucher » de la Commune. Les élections du 14 octobre 1877 confirment la majorité républicaine. A Paris, seul le VIIIe arrondissement a refusé de donner une majorité massive aux républicains. Une large partie de leur état-major est élue dans la capitale : Louis Blanc, Émile de Girardin, Denfert-Rochereau, Grévy, Gambetta, Clemenceau, Floquet... Grâce à la trêve politique instaurée durant l'Exposition universelle de Paris de 1878, Mac-Mahon se maintient jusqu'au début de 1879.

C'est un élu de Paris, Jules Grévy, qui lui succède à la présidence de la République et s'installe aussitôt au palais de l'Élysée. La préfecture de la Seine est confiée à un autre député de la Seine, Ferdinand Hérold. Dès novembre 1879, Assemblée nationale et Sénat quittent Versailles pour se réinstaller à Paris, au Palais-Bourbon et au Luxembourg. Dès février 1879 une amnistie a été votée en faveur des condamnés de la Commune. Le Conseil municipal a débloqué 100 000 francs pour les déportés rapatriés. Le 20 juin 1880, un ancien Communard, Trinquet, est choisi par le quartier du Père-Lachaise pour le représenter au Conseil municipal.

Nettement plus à gauche que le gouvernement, la municipalité se heurte à lui lorsqu'elle réclame la suppression de son budget de toute dépense afférente au culte. Elle refuse notamment de contribuer à la construction du Sacré-Cœur. La loi du 4 mars 1882 a rendu aux municipalités le droit d'élire leur maire, mais Paris reste toujours astreinte à un régime d'exception et de tutelle préfectorale. L'assemblée parisienne demande à bénéficier du droit commun. Le refus du gouvernement amène le préfet de la Seine, Charles Floquet, favorable au Conseil municipal, à démissionner le 31 octobre 1882. Au début de 1883, le Conseil croise une nouvelle fois le fer avec le pouvoir central lorsqu'il demande la suppression de la préfecture de police et le passage de la police municipale sous son autorité. Pour imposer sa volonté aux élus de la Ville, le gouvernement nomme un préfet de la Seine particulièrement énergique, Poubelle. Le fossé entre l'Église catholique et la République s'agrandissant sans cesse et se traduisant par des mesures anticléricales — expulsion des jésuites, laïcisation de l'enseignement —, le Conseil municipal perd là un motif de friction avec le gouvernement.

Ce n'est pas l'agitation anarchiste ou socialiste, ce ne sont pas les petites émeutes provoquées par les survivants du blanquisme et Louise Michel qui menacent désormais le pouvoir, mais l'obsession de la revanche sur l'Allemagne suscitant la formation de mouvements nationalistes, notamment la Ligue des patriotes créée par Déroulède le 18 mai 1882. Nationalisme et socialisme s'affrontent dès février 1885, à l'occasion des obsèques de Jules Vallès. Charles Simond raconte : « Son enterrement est l'occasion d'une manifestation internationale. Dans le cortège on remarque une couronne de violettes avec l'inscription : "Cercle socialiste allemand de Paris", et les assistants soulignent cette provocation au chauvinisme des foules par les cris de "Vive la Commune ! Vive l'Internationale ! Vive la Révolution !" C'est un tollé général : sur le boulevard Saint-Michel, les étudiants conspuent certains individus qui hurlent "Vive la Prusse !" Les pierres, les oranges, les pommes pleuvent drues et menaçantes. Les révolutionnaires ont le dessus. Un autre combat se livre rue de la Roquette, qui a la même issue. Enfin on arrive au Père-Lachaise, où M. Henri Rochefort prononce une courte allocution, et M. Vaillant un long discours. Satisfaits et flattés dans leurs aspirations les plus audacieuses, les manifestants saluent une dernière fois, de l'immortelle sanglante, le mort, et se retirent en bon ordre[1]. » Unanimes, en revanche, les funérailles de Victor Hugo, mélange de sublime et de grotesque, se déroulent le 1er juin 1885, suivies par huit cent mille personnes. Le clergé catholique doit restituer l'église Sainte-Geneviève à l'État qui y recrée le Panthéon et y installe la dépouille du poète.

Le 11 janvier 1886, *Le Figaro* s'émeut : « C'est à l'amitié de M. Clemenceau que le général Boulanger doit son portefeuille. Les radicaux ont mis la main sur le ministère de la Guerre. C'est peut-être le

1. C. Simond, *Paris de 1800 à 1900*, III, p. 300.

symptôme le plus grave de la situation. » En effet, Clemenceau a imposé à Freycinet le choix de ce fringant quadragénaire dans l'espoir qu'il va épurer l'armée de ses éléments royalistes. *Le Journal des débats* le laisse entendre : «Après l'épuration administrative, après l'épuration de la magistrature, espérons que nous n'allons pas subir la plus dangereuse, la plus odieuse, la plus intolérable des épurations, celle de l'armée. » Historien de la Troisième République, Jacques Chastenet écrit : «Dans cette France des années quatre-vingt, qui adore son armée, une armée que la généralisation du service militaire a faite la chose de tous, le ministre de la Guerre jouit d'une autorité toute particulière. Au prestige que Boulanger tire désormais de ses fonctions s'ajoute celui que lui valent, auprès du public, sa mâle prestance, son teint hâlé qui, par contraste, fait paraître plus clairs ses yeux bleus voilés de douceur, sa barbe blonde aux reflets roux, la souple manière aussi dont, au cours de sa promenade quotidienne, il corrige les écarts de son cheval noir. La pointe de vulgarité qui broche sur le tout ne déplaît pas. Très vite le général devient, à Paris au moins, une figure populaire. Les femmes le jugent irrésistible [1] ». Anticléricaux et classes populaires exultent lorsque le général présente un projet qui réduit le service militaire de cinq à trois ans tout en le généralisant, supprimant les privilèges et les exemptions dont bénéficiaient les bourgeois aisés et les séminaristes.

La revue du 14 juillet 1886 à Longchamp est un véritable triomphe pour l'homme du jour soutenu par les radicaux de Clemenceau, *L'Intransigeant* de Rochefort, mais aussi Paul Déroulède et sa Ligue des patriotes, dont la devise est «Qui vive? France ! », le programme «la Revanche» sur l'Allemagne, et qui compte plus de deux cent mille adhérents. Bismarck s'inquiète et déclare dans un important discours au Reichstag, le 11 janvier 1887 : «Lorsque la France aura une raison quelconque de croire qu'elle est plus forte que nous, ce jour-là, je le crois, la guerre est certaine… Si Napoléon III nous a déclaré la guerre, n'était-ce pas pour des raisons de politique intérieure ? Pourquoi le général Boulanger ne serait-il pas tenté d'agir de la même façon s'il était à la tête du gouvernement [2] ? » L'affaire Schnaebelé, à la fin d'avril, amène l'Allemagne et la France au bord d'un conflit armé. La chute du ministère Goblet, le 18 mai, permet aux pacifiques modérés d'éliminer le dangereux ministre de la Guerre.

Mais l'opinion et les radicaux acceptent mal son éviction. Le 23 mai, à l'occasion d'une élection partielle à Paris, Rochefort a conseillé aux partisans du candidat radical Mesureur d'ajouter le nom du général sur le bulletin de vote. Mesureur est élu et près de trente-neuf mille de ses bulletins portent le nom de Boulanger. Le 31 mai, la constitution d'un

---

1. J. Chastenet, *Cent Ans de République*, II, p. 229.
2. Cité par J. Chastenet, *op. cit.*, II, p. 237.

nouveau cabinet dans lequel ne figure pas le général provoque une manifestation spontanée. Le 8 juillet, affecté à Clermont-Ferrand, Boulanger est escorté jusqu'à la gare de Lyon par une foule innombrable. Les radicaux commencent à mesurer le danger de dictature militaire. Dans *La Justice* du 11 juillet, Clemenceau critique l'adulation dont témoigne cette manifestation et juge qu'elle est « la négation de la doctrine républicaine », ajoutant : « Quels que soient les services qu'un homme ait rendus, quels que soient ceux qu'il puisse rendre, des républicains ont pour premier devoir de ne jamais exalter à ce point un individu. C'est à l'idée, à l'idée seule, qu'ils doivent leurs hommages. »

Relégué en province, abandonné par les radicaux, Boulanger aurait pu sombrer dans l'oubli. Le scandale des décorations lui permet de reparaître au premier plan. Discrédité par le trafic de décorations auquel se livrait son gendre, le président Grévy a démissionné le 2 décembre 1887. La droite monarchiste commence alors à soutenir Boulanger, espérant l'utiliser pour rétablir la royauté. Un journal nouveau, *La Cocarde*, se qualifiant d'« organe boulangiste », lance une campagne pour la révision de la Constitution avec, comme triple mot d'ordre, « Dissolution, Révision, Constituante ». Le général est élu député le 8 avril par la Dordogne, le 15 avril par le Nord. Face au danger, Clemenceau change totalement d'attitude et décide de combattre le boulangisme et la droite qui se dissimule derrière lui.

Le 12 juillet 1888, à la tribune de l'Assemblée, Boulanger demande la dissolution du Parlement et échange des insultes avec le président du Conseil, Floquet. Le lendemain, ils s'affrontent en duel à Neuilly et le civil sexagénaire et bedonnant blesse au cou le fringant militaire. Cette surprenante victoire ternit quelques jours la gloire du général qui est battu le 22 juillet, lors d'une élection dans l'Ardèche. Il prend une triple revanche dès le 19 août, élu par la Charente-Inférieure, la Somme et le Nord. Mais c'est de Paris que Boulanger attend la consécration. L'occasion se présente en janvier 1889. Les blanquistes exceptés, les républicains décident d'aller à la bataille ensemble et de présenter un candidat unique. Dans *L'Autorité* du 6 janvier, le polémiste de droite Paul de Cassagnac définit avec férocité mais justesse ce candidat : « L'accord entre les antiboulangistes semble se faire. Et on va choisir… le plus bête. J'entends par le plus bête celui dont la nullité, la pâleur intellectuelle, la stupidité politique ne dérangent, ne gênent personne, et ne soulèvent ni rivalité ni jalousie. Mais je m'aperçois que j'ai été indiscret et que j'ai nommé M. Jacques, président du Conseil général de la Seine. » La campagne se déroule dans une atmosphère enfiévrée.

Le 27 janvier, dès qu'arrivent les premiers résultats partiels, la victoire de Boulanger apparaît acquise et la foule de ses partisans envahit les rues de la capitale. Laissons la plume à Jacques Chastenet : « Paris est en liesse. Une foule à la fois joyeuse et frénétique envahit les grandes artères, braillant : "Vive Boulanger !" et converge vers la place de la Madeleine. C'est là en effet, au restaurant Durand, qu'en habit au revers orné de l'œillet rouge, s'est installé le général. Ses principaux fidèles l'entourent. Un peu après onze heures, on apporte les résultats définitifs : Boulanger est élu par 245 236 voix contre 162 875 à Jacques et 17 039 à Boulé. Une immense clameur monte : "A l'Élysée ! A l'Élysée !" Rochefort, Déroulède, Laguerre, Thiébaud supplient Boulanger d'écouter la voix du peuple : on sait le gouvernement en désarroi, la police et la troupe en grande partie gagnées, la Ligue des Patriotes alertée ; cent mille Parisiens sont prêts à forcer tous les barrages, à renverser toutes les grilles... Le vainqueur, cependant, reste impassible, le regard voilé, et se borne à dire : "Pourquoi voulez-vous que j'aille conquérir illégalement le pouvoir quand je suis sûr d'y être porté dans six mois par l'unanimité de la France ?" Au bout d'un moment, Thiébaud tire sa montre : "Minuit cinq, messieurs. Depuis cinq minutes, le boulangisme est en baisse." Le militaire discipliné a prévalu chez Boulanger sur le joueur ambitieux. Il a laissé — heureusement sans doute pour le pays — échapper une occasion qui ne se représentera pas. La foule s'écoule, encore vibrante, un peu déçue. Elle ne songe pas à élever des barricades : la répression de la Commune en a dégoûté les Parisiens. A l'Élysée, les ministres, réunis en Conseil, commencent à respirer — ils ont craint d'aller coucher à la prison de Mazas — mais ne se résolvent pas à faire arrêter le général. Ils se séparent sans que rien de positif ait été décidé [1]. »

Le Progrès de Lyon du 29 janvier traduit fidèlement l'opinion de la province devant la versatilité d'une capitale passant du républicanisme le plus ardent au césarisme le plus exalté : « La "ville-Lumière" vient encore de nous en faire une bien bonne, car il ne faut plus prendre Paris au sérieux qu'on ne le ferait d'un enfant capricieux. Quand Victor Hugo disait que Lyon était la vraie capitale de la démocratie française et Paris celle du genre humain, c'était une façon très habile de dissimuler la vérité sous des fleurs, et de faire comprendre qu'il ne fallait pas se fier outre mesure à la solidité d'opinions républicaines sur lesquelles l'esprit boulevardier et le rastaquouérisme exercent une influence perpétuelle. »

C'est le ministre de l'Intérieur, Ernest Constans, personnage flegmatique et totalement dénué de scrupules, qui va venir à bout du héros, de la manière la plus simple, en utilisant des procédés dignes d'un vaudeville. Il fait répandre le bruit que le général va être arrêté et mis en accusation devant la Haute Cour. Follement amoureux de Marguerite de Bonnemains, ne pouvant supporter l'idée d'être incarcéré et séparé d'elle, Boulanger s'enfuit avec sa maîtresse à Bruxelles, le 1er avril 1889. C'est le début de la fin du boulangisme. Un des plus chauds partisans du général, Laguerre, s'exclame : « Que faire avec un lâche ? »

---

1. J. Chastenet, *Cent Ans de République*, II, p. 268-270.

L'Exposition universelle, ouverte le 6 mai, en détournant leur attention, accentue le détachement des Parisiens pour la cause du fuyard. Les ligues patriotiques subsistent, mais le boulangisme est moribond. Aux élections des 22 septembre et 6 octobre 1889 n'entrent à l'Assemblée nationale que trente-huit élus boulangistes, contre cent soixante-douze conservateurs et trois cent soixante-six républicains.

Il n'était que temps pour la République d'éliminer ce péril, car un nouveau scandale vient d'éclater et contribue à ternir le prestige déjà faible du régime. Le 4 février 1889, le tribunal de commerce de Paris prononce la dissolution de la Compagnie du canal de Panama, prologue d'une affaire qui va durer dix ans et compromettre une large partie de la classe politique. La faute initiale incombe à un vieillard vaniteux et sénile, Ferdinand de Lesseps, qui, auréolé de la gloire du percement du canal de Suez, se trompe grossièrement dans l'évaluation du coût de réalisation d'un canal transocéanique à travers l'isthme de Panama. Assimilant les roches dures de Panama au désert de sable égyptien, Lesseps a estimé l'extraction des roches à soixante-quinze millions de mètres cubes et prévu l'achèvement des travaux en 1888. Or, il faudra en extraire trois cent quatorze millions et le canal ne sera pas ouvert avant 1913. Attirées par de mirifiques promesses, des centaines de milliers de personnes ont acheté des actions de la Compagnie universelle du canal interocéanique pour le percement de l'isthme américain et une loi du 8 juin 1888, obtenue grâce à des pots-de-vin versés à de nombreux parlementaires ou ministres, a autorisé l'émission d'obligations à lots.

C'est l'aspect politique de l'affaire de Panama qui va surtout être exploité, les complexes ressorts financiers restant incompréhensibles au grand public. Mais l'ordre public n'est jamais sérieusement troublé dans la capitale dont le poids politique va diminuant sans cesse. Jean-Marie Mayeur note avec justesse : « Désormais les faubourgs passent au socialisme, le centre au nationalisme. Le foyer des révolutions du XIXᵉ siècle n'est plus le cœur de la République. En ce sens, le boulangisme fortifie le poids de la province dans la vie française. Le rétablissement du scrutin d'arrondissement, odieux jusque-là aux républicains, va avoir la même conséquence. L'interdiction de la candidature multiple fait de l'élu l'homme de sa circonscription, dont il épouse très étroitement les intérêts. Il est d'autres conséquences : le radicalisme, jusque-là urbain et révisionniste, s'implante dans les campagnes [1]. »

Deux mouvements idéologiques agitent Paris en surface durant la dernière décennie du XIXᵉ siècle. Le nationalisme revanchard antiallemand incarné par Déroulède et sa Ligue des Patriotes se teinte maintenant d'antisémitisme avec la fondation de *la Libre Parole* par Drumont en avril 1892, tandis que le socialisme est concurrencé dans les

---

1. J.-M. Mayeur, *Les Débuts de la Troisième République*, p. 180.

milieux populaires par un anarchisme aux manifestations spectaculaires de 1892 à 1894 : attentats de Ravachol et de ses émules, bombe de Vaillant à l'Assemblée nationale, le tout culminant avec l'assassinat à Lyon du président de la République, Sadi Carnot.

Malgré les remous du scandale de Panama, c'est sur la question sociale que se jouent en partie les élections de 1893. Dans sa profession de foi aux électeurs du XIIᵉ arrondissement, le socialiste Millerand le proclame : « La question sociale est la question des élections de 1893. L'affaire de Panama a montré toutes les forces sociales de ce pays au service et sous les ordres de la haute finance. C'est contre elle qu'il faut concentrer nos efforts. La nation doit reprendre sur les barons de cette nouvelle féodalité cosmopolite les forteresses qu'ils lui ont ravies pour la dominer : la Banque de France, les chemins de fer, les mines [1]. »

Les résultats des élections d'août-septembre 1893 sanctionnent quelques députés compromis dans l'affaire de Panama, notamment deux chefs radicaux parisiens, Floquet et Clemenceau ; ce dernier a vainement tenté de se refaire une virginité en abandonnant la capitale pour le Var. Mais la majorité républicaine triomphe définitivement des monarchistes qui perdent la moitié de leurs sièges. La nouveauté consiste dans les succès des socialistes qui ont neuf élus dans la Seine. En mai 1896, le renouvellement du Conseil municipal leur permet d'acquérir une position de force dans la capitale.

Raffermie malgré Panama, la République se trouve confrontée à une nouvelle affaire qui permet à la droite nationaliste et antisémite de relancer l'agitation. Le 5 janvier 1895, dans la cour de l'École militaire, est dégradé le capitaine Alfred Dreyfus, condamné à la déportation à perpétuité pour avoir transmis à l'Allemagne des documents relevant du secret militaire. Les partisans de son innocence déclenchent une campagne qui prend une importance nationale, le 13 janvier 1898, avec la publication dans le journal de Clemenceau, *L'Aurore*, de « J'accuse », lettre ouverte d'Émile Zola au président de la République. Si les Français se déchirent à propos de l'innocence ou de la culpabilité de Dreyfus, l'ordre public et le gouvernement ne sont jamais réellement menacés par des mouvements de rues.

Lors des obsèques du président de la République, Félix Faure, le 23 février 1899, c'est en vain que Déroulède tente de faire marcher sur l'Élysée la garnison de la caserne de Reuilly. Jacques Chastenet a donné une bonne analyse de cette minable équipée : « Il semble qu'à ce moment trois complots aient été ourdis, distincts mais connexes : l'un autour de Paul Déroulède, le fougueux président de la Ligue des Patriotes ; l'autre parmi les fidèles du duc d'Orléans ; le troisième dans les milieux bonapartistes. En dépit de complicités dans l'armée et dans la haute

---

1. Cité par J.-M. Mayeur, *Les Débuts de la Troisième République*, p. 208.

administration, rien n'a été sérieusement préparé. Déroulède est un chevaucheur de nuées. Le duc — qui vient de passer en grand mystère la frontière et se cache dans un château ami — est la frivolité même. Quant aux bonapartistes, s'ils semblent avoir promis de l'argent, ils restent très prudents. On espère mettre la main sur l'Élysée, sur le ministère de l'Intérieur, sur la préfecture de police, fermer les portes du Palais-Bourbon. Au-delà, c'est le vague. Beaucoup de romantisme et aussi de puérilité. Quatre mille cartes pneumatiques convoquant les ligueurs sont simplement jetées à la poste ; plusieurs portent des adresses inexactes et tombent entre les mains de la police ; au dernier moment il faut changer le lieu du rendez-vous. L'opération doit avoir lieu le 23 février, jour des obsèques solennelles de Félix Faure. Mais à l'instant d'agir les royalistes se dérobent, les bonapartistes s'évanouissent et les chefs de la Ligue des patriotes restent seuls à tenter l'aventure. Quand, après la cérémonie à Notre-Dame, les troupes qui ont rendu les honneurs regagnent leurs casernements, on voit, place de la Nation, Paul Déroulède, barbe et macfarlane au vent, se jeter à la bride du général Roget, commandant une des brigades. "Mon général, à l'Élysée !" Roget, ancien chef de cabinet de Cavaignac, passe pour ardemment antidreyfusard. Mais il n'est point factieux et, de son épée, il montre à ses hommes la direction de la caserne de Reuilly. Déroulède le suit, entouré de quelques amis, et pénètre jusque dans la cour de la caserne. Là, comme il continue ses exhortations et refuse de sortir, on le met en état d'arrestation [1]. » Cette tentative de coup d'État est tellement ridicule que le tribunal acquitte Déroulède le 30 mai.

La décision de la Cour de cassation, le 3 juin suivant, de réviser le procès Dreyfus surexcite les nationalistes. Le lendemain, au steeple-chase d'Auteuil, note Jacques Chastenet, « pendant deux heures, Loubet, qu'une police insuffisante protège mal, est entouré, injurié par des clubmen à la boutonnière ornée de l'œillet blanc ; à la fin, l'un d'eux, le baron Christiani, bondit sur la tribune officielle, bouscule Mme Loubet et aplatit d'un coup de canne le haut-de-forme présidentiel [2] ».

Le gouvernement se décide alors à sévir contre les nationalistes. Inculpé de complot contre la sûreté de l'État, Déroulède est arrêté avec dix-sept autres membres de la Ligue des Patriotes, le 12 août 1899. Jules Guérin, directeur de l'Antijuif, chef de la Ligue antisémite, échappe à la police et se réfugie avec des amis dans un hôtel, au 51 de la rue de Chabrol. Le « fort Chabrol » soutiendra un siège tragi-comique jusqu'au 20 septembre. Le 4 janvier 1900, la justice décapite le mouvement nationaliste : Déroulède et André Buffet, responsable du bureau politique du duc d'Orléans, sont condamnés à dix ans de bannissement et Jules Guérin écope d'autant d'années de détention.

---

1. J. Chastenet, *Cent Ans de République*, III, p. 191-192.
2. *Ibid.*, p. 194.

LA BELLE ÉPOQUE (1900-1914)

L'Exposition universelle contribue aussi largement à l'abaissement de la tension politique dans la rue, mais les élections municipales donnent pour la première fois à Paris la victoire à la droite nationaliste et anti-dreyfusarde alors que le reste de la France penche plutôt à gauche. *Le Petit Journal* du 7 mai 1900 pavoise : « Ces élections constituent une protestation éclatante de la population, à la fois contre les tendances sectaires de la majorité de l'ancien Conseil municipal, et surtout contre ce que l'on pourrait appeler la politique de l'affaire Dreyfus, que l'on a essayé d'imposer au pays. » A l'issue du second tour, le 13 mai, Paris compte trente-six nationalistes, neuf conservateurs, dix radicaux et vingt-cinq socialistes. Maîtres des finances de la Ville et des forces de l'ordre, de Selves, préfet de la Seine, et le préfet de police Lépine imposent la volonté de l'État à une municipalité impuissante.

Jusqu'à la guerre, nationalistes et socialistes se disputent les suffrages des Parisiens. En avril 1903, le socialiste Gabriel Deville est élu député contre Maurice Barrès par le IVe arrondissement, prélude à une victoire des radicaux et des socialistes aux élections municipales de mai 1904, avec quarante-quatre sièges sur quatre-vingts. En mai 1906, les nationalistes perdent deux sièges dans la capitale, mais Barrès est élu député. En 1908, vingt-deux socialistes et autant de radicaux élus gardent le contrôle du Conseil municipal, alors qu'apparaissent dans la rue de nouveaux éléments nationalistes, les « camelots du roi » de l'Action française. Les élections municipales de mai 1912 se traduisent par un nouveau gain de quatre sièges pour les socialistes de la S.F.I.O. qui ont quinze représentants à côté de quatorze radicaux, huit socialistes indépendants et vingt-trois « progressistes », la droite n'ayant plus qu'une vingtaine d'élus, le quart du Conseil.

Mais la politique n'est qu'un aspect très accessoire de la vie parisienne d'alors. Élisabeth Hausser remarque : « 1900, c'est la Belle Époque, dit-on ; Paris est le centre du monde ; nul n'est célèbre s'il n'y est consacré, rien ne se fait qui n'y aboutisse, de l'industrie automobile à la peinture ; quand l'aviation naît en Europe, les essais ont lieu à Meudon, à Bagatelle, à Issy-les-Moulineaux. 1905, la séparation de l'Église et de l'État ; 1906, le 1er mai des travailleurs ; 1910, l'inondation, la hausse des prix, la politique envahissante ; la Belle Époque est morte, mais, jusqu'en 1914, c'est une période étonnamment féconde : tandis que monte le nationalisme, arts, littérature, sports, danse, musique, cinéma changent de visage [1]. » Jacques Chastenet ajoute : « La vie, au moins pour un très grand nombre, est relativement douce dans notre pays ; on s'estime

---

1. E. Hausser, *Paris au jour le jour*, p. 9.

heureux d'y habiter ; on est fier de sa culture, fier de ses réussites ; on pense que les enfants, à condition de n'être pas trop nombreux, jouiront des mêmes avantages ; on ne regarde pas très attentivement au-delà des frontières. Bref, avec nombre d'honorables exceptions, on est assez égoïste. Hélas ! pas plus qu'un individu, une nation ne saurait longtemps vivre dans une tour d'ivoire. Le cataclysme va venir qui apprendra aux Français que leur sort ne dépendait pas d'eux seuls, qui leur apprendra aussi combien était fragile cet ordre un peu statique au sein duquel ils avaient accoutumé de vivre et que, même lorsqu'ils le vitupéraient, ils inclinaient à croire éternel. D'autres nations, douées d'une moindre cohésion, seront davantage bouleversées ; quelques-unes des bases sur lesquelles reposait la civilisation de la France ne s'en effondreront pas moins. Les Français en garderont l'obscure nostalgie et, plus tard, oubliant les taches et les misères, ils qualifieront de "Belle Époque" les années précédant immédiatement 1914 [1]. »

LA GRANDE GUERRE (1914-1918)

Depuis 1911, depuis la démonstration de la canonnière allemande « Panther » devant le port marocain d'Agadir, la politique française est dominée par les tensions internationales croissantes. L'Europe s'achemine vers un conflit général. Si les litiges coloniaux sont en voie de règlement, les Balkans constituent un foyer de crise permanente, une poudrière qui finit par exploser. Le 28 juin 1914, à Sarajevo, des terroristes serbes assassinent l'archiduc François-Ferdinand et son épouse. L'Autriche-Hongrie en profite pour tenter de résoudre ses problèmes de nationalités et de mettre au pas la turbulente Serbie à qui elle déclare la guerre le 28 juillet. Prisonnières de leurs alliances, l'Allemagne et la Russie prennent le parti, la première de l'associée germanique, la seconde du petit frère slave. Le 1er août, les dés sont jetés, Allemagne, France et Grande-Bretagne mobilisent à leur tour. La veille, le dirigeant socialiste Jean Jaurès a été assassiné au café du Croissant, près des bureaux du journal *L'Humanité*. Son meurtrier, un déséquilibré, Raoul Villain, déclare : « Je considère M. Jaurès, après sa campagne contre la loi de trois ans, comme un ennemi de la France. Je n'appartiens à aucun parti. Ma mère est internée depuis vingt ans. » Son procès n'aura lieu qu'en mars 1919 et se terminera par un acquittement, la veuve de Jaurès obtenant le franc symbolique de dommages et intérêts.

La mobilisation a été très bien accueillie par une nation hystérique, chauffée à blanc par la propagande patriotique de droite comme de gauche. Pour les nationalistes de droite, il s'agit de reprendre l'Alsace-

---

1. J. Chastenet, *Cent Ans de République*, IV, p. 200-201.

Lorraine, pour les ouvriers syndiqués qui, la veille encore, braillaient *L'Internationale* en promettant de réserver leurs balles à leurs généraux, il s'agit de combattre des puissances «réactionnaires» dominées par des «hobereaux». Le vieil épicurien Anatole France se présente symboliquement à un bureau de recrutement et le libertaire Gustave Hervé, l'homme qui parlait de jeter le drapeau tricolore dans le fumier, proclame dans *La Guerre sociale* qu'il faut «suivre la France». Mais il se gardera bien de s'engager et figurera, en compagnie de Maurice Barrès et de beaucoup d'autres apologistes de la guerre, parmi les «planqués». L'état-major de l'armée, qui tablait sur 13 % de réfractaires, a la divine surprise de constater qu'à peine un peu plus d'1 % des mobilisables n'ont pas répondu à l'ordre de mobilisation générale. Devant la résignation des milieux pacifistes socialistes et anarchistes, le ministère de l'Intérieur renonce à arrêter les militants inscrits au «carnet B», comme il était prévu en cas de mobilisation.

Il ne faut pas un mois aux Parisiens pour apprendre la dure réalité. Le 26 août arrive en gare du Nord le premier train de réfugiés belges, «hâves, effarés, les yeux pleins d'épouvante, vêtus à la diable, sans autre bagage qu'une serviette ou un panier[1]». De crainte qu'ils répandent de mauvaises nouvelles, l'autorité militaire les encadre aussitôt et les transfère au Cirque de Paris transformé en centre d'accueil.

Le 30 août, un avion allemand lâche trois bombes au-dessus de la capitale, sur la rue des Récollets, le quai de Valmy et la rue des Vinaigriers où une vieille femme est tuée, ce que les autorités dissimulent à la presse. Le 31 août, nouveau passage d'un «Taube» qui se contente de lancer un message sur le square des Innocents : «Nous avons l'honneur de vous aviser que l'armée française a été battue près de Saint-Quentin[2].» Le 1er septembre, un autre avion lâche des bombes sur les quartiers du centre, «causant des dégâts insignifiants» officiellement, faisant en réalité un mort et seize blessés.

Car, ce qui va caractériser cette guerre et toutes les autres désormais, c'est l'intoxication des esprits, le «bourrage de crâne» systématique par le pouvoir militaire et civil soucieux de dissimuler les événements déplaisants et les défaites. Ainsi, *L'Excelsior* du 11 août rassure-t-il ses lecteurs : «Tous sont unanimes à reconnaître que les balles ne sont pas douloureuses. Leur vitesse et leur chaleur font que l'infection n'est pas à redouter ; les désordres qu'elles occasionnent sont pour la plupart du temps insignifiants.» La presse se fait une spécialité des bobards les plus grossiers, des mots patriotiques inventés, faisant dire, par exemple, à une Montmartroise : «Ça m'est égal de faire le sacrifice de mon Henri, pourvu que nous soyons vainqueurs[3].»

---

1. E. Hausser, *Paris au jour le jour*, p. 541.
2. *Ibid.*, p. 542.
3. *Ibid.*, p. 540.

Ce qu'il est cependant impossible de dissimuler, c'est le départ du gouvernement pour Bordeaux le 2 septembre, à cause de l'avance allemande vers Paris. Une affiche du gouverneur militaire de Paris, Galliéni, annonce aux Parisiens : « Les membres du gouvernement de la République ont quitté Paris pour donner une impulsion nouvelle à la défense nationale. » Le 6 septembre, les taxis de la capitale sont réquisitionnés pour transporter des renforts jusqu'à la Marne, aux portes de Meaux. L'attaque ennemie est enrayée. A Paris, on facilite le départ volontaire des habitants : douze trains gratuits sont partis le 5 septembre en direction de la Mayenne, du Cher, de la Creuse. Le 8 septembre, le recensement ordonné par Galliéni fait apparaître qu'il n'y a plus qu'un million huit cent mille Parisiens, 63 % de la population de 1911.

Dès le début octobre, la situation redevient à peu près normale dans les transports en commun. Le 15 octobre est décrété un moratoire sur les loyers et effets de commerce des mobilisés qui se trouvent à l'abri de poursuites jusqu'à la fin de la guerre. Le 11 décembre, revenu de Bordeaux, le gouvernement tient un Conseil des ministres à l'Élysée. Le Parlement est convoqué pour le 22. Le 20 décembre, la libre circulation des piétons a été rétablie, mais les voitures ne peuvent entrer et sortir de Paris que par quatorze portes ouvertes de cinq à vingt-deux heures. Pour Noël, la bûche traditionnelle est remplacée par un obus en chocolat rempli de dragées. A la fin de l'année, après cinq mois de guerre, on compte près d'un million de morts, blessés, prisonniers, disparus.

Le 4 janvier 1915, la capitale cesse d'être incluse dans la zone des armées. La guerre s'éloigne, les bombardements se font plus rares, par zeppelin le 21 mars, par biplans les 11 et 22 mai. Vidée de ses civils jeunes et valides, la ville grouille d'uniformes, les femmes commencent à prendre la place des mobilisés dans les transports, les commerces, les industries, notamment dans les usines d'armement qui se multiplient dans la capitale et sa proche banlieue. L'explosion accidentelle d'une fabrique de grenades, au 173 de la rue de Tolbiac, le 20 octobre 1915, fait une cinquantaine de morts et une centaine de blessés. Dans *Paris au jour le jour*, Élisabeth Hausser constate : « Les femmes sont de plus en plus nombreuses dans le corps enseignant, institutrices et professeurs intérimaires. L'importance croissante de la main-d'œuvre féminine est, dans tous les domaines, remarquable. Les femmes contrôlent les billets dans les métros et tramways, tournent les obus, soignent les blessés, sont coiffeuses, maraîchères, ouvrières de précision, et feraient le coup de feu, s'il le fallait. Ceux qui naguère leur refusaient le droit de "sortir de l'ombre protectrice de l'homme" déclarent maintenant que la nation a besoin d'elles pour survivre, qu'elles sont "des vestales civiques chargées d'entretenir la lampe particulière du foyer et la lampe immense de la cité et de la patrie", et qu'elles restent dans leurs nouveaux rôles charmantes, méritantes, nobles, respectables, etc. [1]. »

L'approvisionnement constitue un problème important pour le gouvernement qui instaure peu à peu une quasi-nationalisation du ravitaillement. Une loi du 16 octobre 1915 lui donne le droit de réquisitionner, au prix qu'il a fixé, les blés et les farines. En 1916, la réquisition et la taxation touchent le lait, le sucre, les œufs. En 1917 est créé un ministère du Ravitaillement et institué un monopole d'État pour l'achat et la répartition des céréales et du sucre. A Paris, le 16 mai 1916, le sucre est taxé à 1,30 franc trente le kilo, la margarine, qui a partiellement remplacé le beurre rare et cher, vaut 2,70 francs le kilo pour la qualité dite de cuisine et 3,10 francs pour celle dite de table. Le 29 juin, les Parisiens voient apparaître chez leurs boulangers le « pain national » : « loin d'être désagréable au goût, il rappelle le pain de campagne que tant de gens préfèrent au pain blanc [2] ». Le 25 février 1917, une seule sorte de pain est autorisée, pesant 700 grammes, long de 80 centimètres et mis en vente vingt-quatre heures après sa cuisson. Petits pains et brioches sont interdits.

La taxation s'étend à de nouveaux produits à mesure de l'aggravation de la situation. Le 16 septembre 1916, le prix des pommes de terre est fixé entre 15 et 30 centimes le kilo et celui des pois cassés à 30 centimes le litre. Le Conseil municipal vend ces produits en dessous du prix taxé aux populations secourues. Le 15 décembre, il leur fait distribuer des pommes de terre à raison de 135 grammes par personne et par jour. Des restrictions d'éclairage sont décidées le 11 novembre 1916. Le 26 décembre, ce sont des restrictions de gaz et d'électricité domestique qui entrent en vigueur. Surpris par ces mesures, le public se plaint et Édouard Herriot révèle que les usines fournissant gaz et électricité à la région parisienne n'ont qu'une semaine de réserve de charbon.

Les mines de houille du Nord et du Pas-de-Calais étant aux mains de l'ennemi, la France ne dispose plus, en effet, de suffisamment de minerai pour les besoins de sa population, surtout que les hivers sont précoces et rigoureux. Le 2 novembre 1916, la municipalité met en vente du charbon réservé aux femmes de mobilisés, aux chômeurs et aux vieillards : ils ont droit tous les quarante jours à un sac de 50 kilos qu'ils ne payent que 4,75 francs. Le 24 janvier 1917, la situation s'aggrave. Élisabeth Hausser note : « "Avez-vous du charbon ?" C'est la question du jour. Il fait moins neuf degrés ; les charbonniers affichent : "Les livraisons sont suspendues" ; les dépôts où la municipalité fait vendre du combustible à prix réduit s'ouvrent à tous, mais on attend deux heures pour obtenir un sac de 20 kilos. Herriot, ministre des Transports et du Ravitaillement, les

1. E. Hausser, *Paris au jour le jour*, p. 575.
2. *Ibid.*, p. 602.

fait approvisionner par camions militaires sur le stock de la Ville. Le peu de charbon qu'apportent les péniches va aux usines ; les tramways subissent des pannes dues au manque de courant. Les marchandes de quatre saisons vendent des bûches (10 centimes la livre) et des vêtements en peau de lapin[1]. » Une carte de charbon devra être instaurée le 1er septembre 1917 : 120 kilos par mois pour un foyer de trois personnes ne disposant pas du gaz, 150 pour quatre ou cinq personnes, 180 au-delà, et, pour ceux qui ont le gaz, 50 à 80 kilos.

Les besoins de main-d'œuvre s'accroissent, ce qui permet aux femmes de s'affirmer un peu partout et de prendre des places que les hommes ne leur auraient jamais confiées en temps de paix : déjà receveuses dans les tramways, elles deviennent conductrices. Le 15 décembre 1916, sur la ligne Madeleine-Pont Bineau, Mme Hygoninc prend son service, saluée du titre de « mécanotte » par la presse de gauche, de celui de « watt-woman » par celle de droite. Les premières « factrices », vêtues d'un sarrau et d'un chapeau noirs, commencent à distribuer le courrier le 1er juin 1917 dans les Xe et XVIIe arrondissements.

Mais cela ne suffit pas et la France doit importer de la main-d'œuvre étrangère : Chinois, Indochinois, Africains du Nord. Le 27 août 1916, les Parisiens ébahis assistent au débarquement à la gare de Lyon de mille sept cents Chinois venus travailler dans les usines de guerre. Parmi eux, un certain Chou-en-Lai, futur ministre de la Chine communiste, qui sera affecté aux usines automobiles Renault de Boulogne-Billancourt reconverties en fabrique de chars d'assaut.

Paris et la France tiennent bon durant trois ans, mais en 1917 la lassitude commence à l'emporter sur le patriotisme aveugle. Signe de difficultés profondes, les taxations se multiplient : lait à 50 centimes le litre, beurre de 5,60 francs à 6,70 francs, camembert de 1,05 franc à 1,30 franc, pont-l'évêque à 1,45 franc, le 14 février. A partir du 11 mars, le sucre n'est plus délivré que contre des coupons de ravitaillement. Le 25 avril, le ministre du Ravitaillement, Viollette, prend de nouvelles dispositions : il n'y aura pas un jour sans viande, mais six soirs. Les boucheries devront fermer à treize heures et les restaurants cesseront de servir de la viande le soir. Le 29 avril, en attendant des textes réglementaires, le préfet de la Seine fait délivrer des certificats donnant priorité pour les distributions de lait aux enfants de moins de trois ans et aux vieillards, respectivement 1 litre et 1/2 litre par personne et par jour. Le rationnement se poursuit en 1918 et dure jusqu'en 1919. Le 18 mai 1918, sont ouvertes douze boucheries municipales débitant de la viande à prix réduit. Le 22, sont distribués des tickets donnant droit à des pastilles de saccharine, substitut du sucre. Les derniers actes du ministère du Ravitaillement ont lieu en 1919, avec l'ouverture en mars des premières

---

1. E. Hausser, *Paris au jour le jour*, p. 622.

« baraques Vilgrain ». « Empruntées aux stocks de l'armée, elles sont de type français (30 mètres sur 8,50) ou américain (20 mètres sur 6) ; la circulation s'y fait à sens unique, les clientes se munissent d'une corbeille, font leur choix le long d'un comptoir et payent en sortant. Les denrées sont vendues de 25 à 30 % moins cher que dans les épiceries. » Le 20 mars, les boucheries municipales mettent en vente des plats cuisinés fournis par le ministère. Le 7 avril, il y a cinquante-six baraques Vilgrain dans la capitale, qui vendent maintenant aussi du vin à 1,40 franc le litre.

Mai et juin 1917 constituent la phase la plus critique de la guerre pour une France qui craque de l'intérieur. Si les mutineries dans l'armée ne concernent pas la capitale, celle-ci est affectée par des mouvements revendicatifs nombreux et puissants, avec des manifestations au cours desquelles on entend pour la première fois le cri de : « A bas la guerre ! » Le 15 mai, deux mille ouvrières de la couture se mettent en grève pour demander une indemnité de vie chère d'un franc par jour et la semaine anglaise de cinq jours de travail. La grève s'étend vite et, le 18, dix mille midinettes se réunissent à la Bourse du travail. Le 21, les délégués du patronat concèdent une indemnité de vie chère de 75 centimes par jour et la semaine anglaise. Mais, les patrons ayant désavoué leurs représentants, une manifestation se forme sur les boulevards et va discuter avec les députés à travers les grilles du Palais-Bourbon. Le 23, les midinettes ont obtenu gain de cause : un franc d'indemnité de vie chère et semaine anglaise. A leur exemple, les autres métiers de la mode ont cessé le travail, suivis par les employés du grand magasin du Printemps et ceux des banques qui protestent aussi contre la cherté de la vie. A Belleville, des ménagères mettent à sac une boucherie pour manifester leur colère contre les prix excessifs. Le 25, le mouvement fait tache d'huile : fleuristes, cartonnières, ouvrières du caoutchouc, employées de chez Kodak, confectionneuses d'Esders grossissent le flot montant des grévistes. Apparaissent des pancartes réclamant : « Rendez-nous nos maris. » Le 26, tous les secteurs sont touchés : « Les confectionneuses militaires, les employées de banque, les vendeuses de l'alimentation, les serveuses de restaurants, celles des populaires "bouillons" Duval, les blanchisseuses et bien d'autres ; les "munitionnettes" menacent de quitter les tours ; les garçons de café suivent le mouvement. La police, qui s'était contentée jusqu'ici de surveiller les cortèges, mobilise ses forces ; les agents, perpétuellement traités d'embusqués, se lassent et réagissent. Des "éléments suspects", étrangers (surtout espagnols), anarchistes, pacifistes, sont appréhendés[1]. » Le 29 mai, on compte dix-sept nouveaux foyers de grève : les « cheminotes » de la Compagnie d'Orléans, gare d'Austerlitz, les employés de la Caisse d'épargne de Paris, les ouvrières des usines

---

1. E. Hausser, *Paris au jour le jour*, p. 636.

d'armement Salmson et Renault. Le préfet de police utilise pour la première fois de grandes automobiles grises remplies d'agents qui sont expédiées sur les points sensibles. Il y a des bousculades mais peu d'incidents graves. Le 2 juin, la grève reflue, toutes les professions obtenant l'une après l'autre des indemnités de vie chère ou des augmentations de salaire. La justice a durement frappé les manifestants appréhendés : de trois à six mois de prison pour les femmes convaincues d'entraves à la liberté du travail, de trois à cinq ans pour des permissionnaires « qui ont excité des ouvriers d'usines de munitions déjà en grève [1] ».

Beaucoup moins grave pour le gouvernement que les mutineries du front, cette vague de grèves s'explique largement par la brutale hausse du coût de la vie : en 1915, l'augmentation ne dépassait pas 20 %, en 1916 elle était de 35 %, et, à partir de 1917, elle commence à croître très vite pour atteindre 120 % à l'armistice de novembre 1918. L'augmentation des salaires ouvriers suit avec retard et n'atteint que 75 % à la même date, les plus défavorisés étant les fonctionnaires et agents des services publics dont les traitements ne s'accroissent que de 50 %. Les principales revendications des grévistes portent sur les salaires, les conditions du travail féminin, la protection contre l'afflux de main-d'œuvre étrangère.

L'année 1918 débute sous de médiocres auspices. A bout de souffle, alors que la France reçoit un flux incessant de renforts des États-Unis d'Amérique, l'Allemagne tente de démoraliser l'opinion publique pour arracher des négociations et une paix honorable. Les bombardements aériens se multiplient. Le 30 janvier, quatre escadrilles de sept appareils de type Gotha lancent plus de deux cent cinquante bombes sur Paris et sa proche banlieue. Nouvelles attaques les 8 et 11 mars. Les sirènes d'alarme sortent les gens de leur lit et, dans la nuit du 11 au 12, une panique à la station de métro refuge Bolivar provoque la mort de soixante-dix personnes piétinées par la foule. Le 23 mars, l'offensive allemande se rapproche et un puissant canon commence à tirer sur Paris. Baptisée la « Grosse Bertha », du prénom de l'épouse de l'industriel Krupp, cette nouvelle pièce d'artillerie peut tirer des obus à plus de 120 kilomètres de distance. Le 29 mars, le seul obus tiré dans la journée par ce canon frappe l'église Saint-Gervais quelques minutes avant la fin de la messe. Une partie de la toiture s'effondre, il y a soixante-dix-sept morts et quatre-vingts blessés dont onze ne survivent pas à leurs blessures.

Le 25 juin, l'avance ennemie contraint le gouvernement à inclure de nouveau Paris dans la zone des armées : l'autorité y passe aux militaires comme d'août 1914 à janvier 1915. Le 14 juillet, les Allemands sont à Château-Thierry et aux portes de La Ferté-Milon, à moins de soixante-dix kilomètres de la capitale. La seconde bataille de la Marne s'engage.

---

1. E. Hausser, *Paris au jour le jour*, p. 638.

Le 15, à une heure du matin, la ville est réveillée par «un roulement formidable et ininterrompu». A trois heures, «le ciel s'embrase, comme illuminé par un immense incendie entrecoupé d'éclairs[1]». L'attaque échoue et la contre-offensive des Alliés permet de reprendre Château-Thierry le 21. L'Ourcq est franchie et, le 3 août, Soissons est repris par les Français. La capitale est sauvée. Les bombardements de l'artillerie et de l'aviation ennemies vont bientôt cesser : ils ont fait, pour la durée de la guerre, plus de cinq cents morts et mille deux cents blessés parmi les Parisiens.

La grippe «espagnole» a été autrement meurtrière. Elle a sévi tout l'hiver 1917-1918 sous ses trois formes «nerveuse, broncho-pulmonaire ou gastro-intestinale» et prend une ampleur exceptionnelle à partir de juillet 1918. Les autorités attendent que la victoire militaire soit imminente pour révéler la gravité de l'épidémie et prendre des mesures de prophylaxie. Le 1er octobre, le docteur Netter fait une communication à l'Académie de médecine pour démontrer que cette grippe est identique à l'«influenza» de 1889-1890 et qu'elle n'a rien à voir avec le choléra, «comme le croit le public[2]». En fait, c'est la peste que redoutent les Parisiens, car beaucoup de malades noircissent après leur mort. Le 10, la municipalité fait désinfecter les écoles et les mairies. Le 12 sont diffusées les premières consignes officielles : la grippe se communiquant par les expectorations, il convient d'isoler les malades, de les soigner en se protégeant d'un voile, de se laver les dents et les mains, d'éviter les réunions aussi bien en plein air que dans les locaux fermés. Le 17, on recense sept cents cas de grippe par jour. Débordés, les médecins font connaître par voie de presse les premières mesures à prendre : se mettre au lit, prendre de l'aspirine, de la quinine ou de l'antipyrine avec du thé ou de la citronnade additionnée de rhum. On compte plus de deux mille décès durant la semaine du 13 au 20 octobre, le triple de la normale. Le 22, trois cent quinze décès sont enregistrés. «La liste des hôpitaux pouvant recevoir des malades est communiquée chaque jour aux médecins, qui, pour circuler plus facilement, reçoivent une carte de "surcharge" dans les tramways et autobus ; à chaque poste de police sont attachés des cyclistes chargés de se rendre sur demande dans les pharmacies et d'apporter aux malades les médicaments prescrits ; les médecins des hôpitaux militaires, ceux des casernes de pompiers sont autorisés à soigner la population civile ; l'intendance militaire fournit les pharmaciens en aspirine et rhum[3].» Dans la semaine du 19 au 26, la grippe semble décroître, passant de deux cent cinquante-quatre décès quotidiens à deux cent neuf. Mais neuf cents personnes décèdent durant la première semaine de novembre, parmi elles Guillaume Apollinaire.

1. E. Hausser, *Paris au jour le jour*, p. 686.
2. *Ibid.*, p. 692.
3. *Ibid.*, p. 694.

Alors que la guerre cesse le 11 novembre, la grippe continue de tuer trois cents à cinq cents personnes par semaine, dont Edmond Rostand. Après une dernière recrudescence à la fin de février 1919, avec neuf cents décès par semaine, l'épidémie s'éteint à l'apparition du printemps. Elle a tué plusieurs dizaines de milliers de Parisiens, nettement moins que la guerre.

En effet, les pertes militaires sont estimées à un million trois cent quinze mille morts pour près de huit millions d'hommes mobilisés. Le pourcentage des tués par rapport à la population mâle active est de 10 %, un peu plus qu'en Allemagne ou en Autriche-Hongrie, mais le double des pertes de la Grande-Bretagne et de la Russie.

UNE CAPITALE EN CRISE (1918-1939)

Le retour à la paix extérieure se traduit presque aussitôt par un renouveau de l'agitation intérieure encouragé par l'Union soviétique naissante. L'arrivée sur le marché du travail de millions de démobilisés, la nécessaire reconversion des industries de guerre, entraînent une phase de vives tensions. Dès le 22 janvier 1919, le journal *L'Intransigeant* organise un bureau de placement express : les postes à pourvoir sont annoncés à voix haute et immédiatement attribués. Cela est évidemment insuffisant pour près de 3 millions d'hommes rendus à la vie civile et, le 12 mai, le sous-secrétaire d'État à la démobilisation inaugure, au 10 de la rue du Quatre-Septembre, l'Office de placement des démobilisés. Le 23 avril, le Sénat ratifie la loi instituant la journée de huit heures et la semaine de quarante-huit heures.

Mais cela ne calme pas les syndicats, notamment la C.G.T. Le 1er mai 1919, malgré la pluie, des heurts violents se produisent sur les boulevards, gare de l'Est, place de la République. Immédiatement après éclatent de nombreuses grèves : employés de banque, couturières, industries diverses dont Panhard, Pathé, Renault, Farman, Salmson, Blériot. Les employés du Printemps et les ouvriers du bâtiment cessent le travail au début de juin ainsi que le personnel des transports en commun. La troupe doit intervenir pour faire circuler les rames du métro. Le mouvement s'apaise à la mi-juin. Les mutineries de la flotte de la Mer noire ont produit une profonde impression sur l'opinion et les grévistes sont accusés de faire le jeu de l'Allemagne et des bolcheviks.

La hausse des prix relance l'agitation. Le 3 août 1919, un groupe de Montmartrois a fondé à la mairie du XVIIIe arrondissement la première ligue de consommateurs pour faire pression sur les commerçants. L'exemple est suivi et des comités de surveillance des prix s'organisent aux Batignolles, à Grenelle, au Quartier latin. Les coopératives d'achat emboîtent le pas, mais les résultats sont médiocres. A l'arrivée du froid renaissent les difficultés d'approvisionnement en charbon : les mines du Nord et du Pas-de-Calais ont été noyées par les Allemands et leur remise en état s'avère longue et difficile. Dès le 5 novembre, des restrictions de la consommation d'électricité sont ordonnées : allure réduite pour le métro et les tramways, répartition de la force motrice en sorte que la moitié des usines fonctionnent la nuit et l'autre moitié dans la journée. A la même époque, les employés du Bon Marché, du Louvre, de Félix Potin sont en grève ainsi que les typographes.

C'est dans cette ambiance de difficultés, de restrictions, que les Parisiens, souffrant du froid, les pieds dans la neige, votent aux élections législatives du 16 novembre et municipales du 30 novembre et du 7 décembre 1919. A l'Assemblée nationale triomphe le Bloc national, modéré et conservateur. A Paris aussi, le bolchevik, « l'homme au couteau entre les dents » de la célèbre affiche, a fait peur. Dans les trois quarts des quartiers de la capitale a vaincu la coalition des républicains conservateurs, des radicaux et des socialistes hostiles au collectivisme soviétique, coalition dont Alexandre Millerand est le porte-parole. Sur quarante sièges, elle en emporte vingt-deux. Les socialistes ont quatorze élus, les radicaux qui ont refusé l'alliance avec la droite sont réduits à trois, et l'Action française n'a qu'un élu, mais un ténor de la politique, Léon Daudet. Aux élections municipales, le Bloc national obtient la majorité absolue avec quarante-sept conseillers face à vingt socialistes S.F.I.O., trois socialistes indépendants ou dissidents, trois radicaux et sept conservateurs.

Fort de son succès, le Bloc national affronte l'agitation communiste. Le patronat licencie vingt mille cheminots grévistes et pratique des débauchages massifs dans l'industrie. Les syndicats, la C.G.T. en tête, sont hors d'état de gagner la bataille : perdant les trois quarts de leurs adhérents, ils subissent un désastre qu'il leur faudra dix ans pour effacer. La scission entre socialistes et communistes contribue encore à affaiblir la gauche. A Paris, où l'automobile a évincé le cheval, la municipalité crée des crèches pour accueillir les enfants des femmes qui travaillent, et vote, le 29 mai 1923, un projet d'habitations à loyer modéré qui est autorisé par la loi du 27 août 1924 permettant à la Ville d'emprunter 300 millions de francs pour le réaliser.

Les élections du 11 mai 1924 voient la victoire des radicaux, des républicains socialistes et des socialistes, unis dans le Cartel des gauches, sur un Bloc national très divisé, attaqué sur sa politique étrangère, accusé d'être responsable de la vie chère et des impôts nouveaux : 356 sièges dont 103 S.F.I.O. et 28 communistes contre 226 élus du centre et de droite. Toutefois, engagée en ordre dispersé à Paris, la gauche y est battue. Avec moins de 200 000 suffrages, les listes de droite héritières du Bloc national enlèvent vingt-deux sièges, tandis que les listes de gauche n'en obtiennent que quinze, dont sept communistes, avec plus de 300 000 voix. Le Cartel des gauches arrive en tête dans neuf quartiers, le parti communiste dans dix-neuf autres de l'est parisien (XIIe, XIIIe, XVIIIe, XIXe et XXe arrondissements). Désormais, les communistes constituent la force d'opposition la plus dynamique dans la capitale.

C'est à eux que l'on peut imputer la majeure partie des grèves et des troubles sur la voie publique durant les dix prochaines années : échauffourée, rue Damrémont, où ils ouvrent le feu sur des membres de la Jeunesse patriote, tuant quatre personnes et en blessant quarante autres le 28 mars 1925, grève des employés de banque en août et septembre. Des élections législatives partielles, en mars 1926, leur permettent de faire élire à Paris deux des leurs, Duclos et Fournier.

Mais les élections d'avril 1928, malgré l'augmentation du nombre de leurs voix, se traduisent par un effondrement de vingt-huit à onze députés communistes, à cause du changement de système électoral. Emmenée par Raymond Poincaré, l'Union nationale, qui regroupe droite et radicaux, triomphe largement. A Paris, elle enlève trente sièges, ne laissant que neuf élus à la gauche, deux radicaux-socialistes, deux socialistes et cinq communistes dont Marcel Cachin et Jacques Duclos, qui bat Léon Blum, élus dans les XVIIIe et XXe arrondissements. Alors qu'ils progressent jusqu'à 11 % des électeurs au niveau de la France entière, dans la capitale les communistes diminuent de 20 % des suffrages en 1924 à un peu plus de 18,5. Cela ne dissuade pas le parti communiste de se lancer dans une violente campagne d'agitation : sabotage des lignes téléphoniques reliant les six casernes parisiennes de la garde républicaine le 26 juillet 1929, prélude à une journée d'action, le 1er août, qui est un échec sévère. Le 5 octobre, une réunion des Jeunesses socialistes au gymnase Japy est attaquée par les communistes et se termine par une centaine de blessés. Le 6 mars 1930, la journée de lutte internationale contre le chômage organisée par les organisations communistes s'achève par de violentes bagarres. Cette agitation apparaît nettement dans les statistiques : d'un million de journées chômées pour fait de grève en 1928 on passe à plus de sept millions en 1930.

Les scandales financiers contribuent à développer un état d'esprit hostile au régime parlementaire trop souvent compromis avec l'affairisme : scandale de la *Gazette du franc* de Marthe Hanau en 1929, faillite de la Banque Oustric en 1930. Ces affaires favorisent le développement d'une opposition de droite jusque-là contenue et limitée à l'Action française. Apparaissent maintenant des groupements fascistes s'inspirant de l'Italie mussolinienne puis du nazisme. Quant à la crise économique et financière apparue aux États-Unis en 1929, elle ne commence à toucher la France qu'à partir de 1931 et dans des proportions beaucoup plus limitées que dans les autres pays d'Europe.

En mai 1932, les élections législatives ont donné la majorité à une

coalition de gauche quelque peu hétéroclite regroupant radicaux, socialistes S.F.I.O., gauche radicale et socialistes indépendants. A Paris,
quoique ses suffrages soient légèrement plus nombreux que ceux de la
droite, la gauche n'enlève que seize sièges contre vingt-trois à la droite.
La gauche est majoritaire dans les XIᵉ, XIIᵉ, XIIIᵉ, XIVᵉ, XVIIIᵉ, XIXᵉ et
XXᵉ arrondissements. Il n'y a qu'un député communiste, mais trois
représentants du parti de l'Unité prolétarienne ont été élus sur un
programme presque identique à celui des communistes. L'intransigeance
du parti communiste et son refus des désistements ont contribué à la
défaite de Marcel Cachin dans le XVIIIᵉ et de Jacques Duclos battu dans
le XXᵉ par le socialiste Marcel Déat.

L'incapacité d'une Assemblée nationale à la majorité fluctuante
d'affronter et de régler les grands problèmes financiers et sociaux de
l'époque, le triomphe du nazisme et de l'antisémitisme en Allemagne,
l'affaire Stavisky enfin, au début de 1934, contribuent à exaspérer l'opinion
publique qui n'accepte plus la déliquescence et la corruption des milieux
politiques en France alors que s'affirment la puissance et l'efficacité des
régimes totalitaires en Italie, en Allemagne et en Union soviétique.

Le 27 janvier 1934, le cabinet Chautemps a démissionné, discrédité
par le scandale, compromis dans le prétendu suicide de Stavisky. Gaston
Doumergue a refusé de former un nouveau ministère, mais Édouard
Daladier accepte et constitue une coalition sur sa droite, les socialistes
ayant refusé leur collaboration. Cette combinaison est trop proche des
précédents gouvernements pour calmer une opinion exaspérée par la
corruption parlementaire. Le 29 janvier, le délégué général de la
puissante Fédération des contribuables exige la formation d'un gouvernement d'«honnêtes gens» et déclare : «S'il le faut, nous prendrons des
fouets et des bâtons pour balayer cette Chambre d'incapables[1].» Le
préfet de police, Jean Chiappe, s'efforce de calmer le jeu et obtient, le
2 février, que le groupe parisien de l'influente Union nationale des
combattants renonce à manifester sur la voie publique.

C'est alors que le néo-socialiste Eugène Frot, ministre de l'Intérieur,
commet la faute de démettre Chiappe dont il n'apprécie pas les ménage-
ments à l'égard des ligues nationalistes. Jacques Chastenet note : «A peine
connu à Paris, le renvoi de Chiappe y suscite une violente émotion. Les
agents de la police parisienne manifestent leur mécontentement. Les ligues
soupçonnent Frot de méditer leur dissolution. Deux ministres, Piétri et
Fabry, donnent leur démission. Le préfet de la Seine, Renard, en fait
autant. Enfin, par l'organe de son président Lebecq, le groupe parisien de
l'Union nationale des combattants fait savoir qu'il se considère comme
délié de sa promesse de ne pas s'associer aux manifestations[2].»

---

1. Cité par J. Chastenet, *Cent Ans de République*, VI, p. 103.
2. *Ibid.*, p. 104.

Malgré la thèse que la gauche a tenté d'accréditer, il n'y a pas eu de tentative de coup d'État. Jacques Chastenet estime que « la preuve en est fournie par le fait qu'il n'est pas proposé d'autre objectif que le Palais-Bourbon. D'authentiques révolutionnaires eussent songé à attaquer le ministère de l'Intérieur, celui de la Guerre, la préfecture de police, les centraux télégraphiques, téléphoniques et radiophoniques, les gares de chemins de fer. Il n'est pas question de cela. Écoutons la déclaration que fera, devant une commission d'enquête, l'inspecteur des Finances Henri du Moulin de Labarthète, membre des Jeunesses patriotes : "Notre but était de pénétrer sans armes au Palais-Bourbon par le seul effet d'une poussée de masse et d'y exercer, après les discriminations nécessaires, de solides représailles (solides mais non sanglantes) sur les élus d'un suffrage universel qui mène la France à la guerre et à la ruine." En somme, il s'agissait surtout de "fesser les députés". Cette méconnaissance des techniques modernes du coup d'État est heureuse pour le régime, car celui-ci est assez mal défendu. Le nouveau préfet de police, Bonnefoy-Sibour, ignore tout des fonctions auxquelles il a été soudainement appelé. Les agents de la police parisienne, furieux du renvoi de Chiappe, chef qui avait beaucoup fait pour eux, vont dans l'ensemble se montrer assez mous ; il a été d'autre part convenu que la troupe ne serait réquisitionnée qu'en dernier ressort. Pour faire face aux manifestants on ne peut réellement compter que sur la garde républicaine, la garde mobile et la gendarmerie. Aucune disposition n'a été prise pour protéger les points névralgiques de la capitale autres que le Palais-Bourbon [1]. »

Une foule importante occupe la place de la Concorde, les Tuileries, le Cours-la-Reine, les Champs-Élysées, et tente de franchir la Seine par le pont de la Concorde pour parvenir au Palais-Bourbon où siègent les députés. A deux reprises, les gardes mobiles qui barrent le pont, débordés par la foule, ouvrent le feu sur les manifestants dépourvus d'armes de la Solidarité française puis de l'Union nationale des combattants. Vers minuit, les forces de l'ordre finissent par prendre le dessus et se lancent dans une véritable chasse à l'homme à travers le Cours-la-Reine et les Champs-Élysées, tirant au jugé sur la foule qui se disperse. Estimés au moins à quarante mille, les manifestants ont eu seize tués dont quinze par balles et, officiellement, six cent cinquante-cinq blessés, sans doute beaucoup plus. Les forces de l'ordre ne comptent pas de mort mais de très nombreux blessés, atteints par des coups de canne ou des projectiles de fortune, morceaux d'asphalte ou de grilles d'égout, tuyaux de fonte, etc.

Dans la nuit du 6 au 7, les ministres se réunissent au ministère des Affaires étrangères et, sous l'impulsion d'Eugène Frot, décident de demander la proclamation de l'état de siège afin de faire face à la fois aux

---

1. J. Chastenet, *Cent Ans de République*, p. 105.

ligueurs nationalistes et aux communistes, car ceux-ci ont également pris part à l'émeute du côté du Petit-Palais. Une très longue liste de personnalités à arrêter est dressée. Mais les dirigeants des partis politiques, unanimes, refusent cette solution extrême et injustifiée et le cabinet doit démissionner.

Ainsi que le font observer Claude Fohlen et René Rémond, l'émeute du 6 février 1934 est avant tout une manifestation d'exaspération, en aucun cas une tentative de coup d'État. René Rémond écrit : « Le déroulement des événements fait penser à l'agitation boulangiste plutôt qu'à la marche sur Rome [1]. » Et Claude Fohlen ajoute : « Le nombre des participants encadrés ne fut pas très nombreux, et certains, comme les Croix-de-Feu, pourtant bien placés topographiquement, manquèrent de combativité [2]. » René Rémond conclut : « Le 6 février n'est pas un putsch, pas même une émeute, seulement une manifestation de rues que l'histoire aurait déjà oubliée si elle n'avait tourné tragiquement et si la suite des événements ne lui avait rétrospectivement restitué une importance sans commune mesure avec sa portée véritable [3]. »

Un septuagénaire grassouillet et rassurant, Gaston Doumergue, est appelé à former le nouveau gouvernement. Il y fait entrer Édouard Herriot et André Tardieu, chefs de la gauche radicale et du centre droit, et nomme le maréchal Pétain à la tête du ministère de la Guerre. Jacques Chastenet écrit : « Si les communistes vitupèrent le ministère ainsi constitué, si les socialistes le boudent, il est partout ailleurs accueilli avec un immense soulagement. La province est, dans l'ensemble, restée attachée aux institutions et elle est satisfaite de voir au pouvoir des parlementaires éprouvés qui n'y porteront certainement pas atteinte. Quant aux ligues parisiennes et à leurs sympathisants, la présence au gouvernement de plusieurs membres de l'opposition leur paraît un gage suffisant d'énergie dans la poursuite des réformes. A peu près seule l'Action française fait des réserves. (S'il fallait une preuve supplémentaire de l'absence de véritable complot le 6 février, on la trouverait dans ce ralliement des émeutiers de la veille à un gouvernement présidé par un vieux routier du parlementarisme.) [4] »

A peine constitué, le cabinet doit réprimer de nouvelles manifestations. Discrètement présent le 6 février, le parti communiste entend à son tour montrer sa force dans la rue. Le 9 février, ses militants livrent une véritable bataille aux gardiens de l'ordre aux abords de la place de la République, laissant quatre morts sur le terrain. Le 12, les deux syndicats,

---

1. R. Rémond, *La Droite en France. De la première Restauration à la Ve République*, éd. 1963, p. 217.
2. C. Fohlen, *La France de l'entre-deux-guerres (1917-1939)*, p. 110.
3. R. Rémond, *op. cit.*, p. 217.
4. J. Chastenet, *Cent Ans de République*, VI, p. 115.

C.G.T. de tendance socialiste et C.G.T.U. d'obédience communiste, organisent une grande manifestation commune de la porte de Vincennes à la place de la Nation. Si la grand-messe syndicale se déroule dans le calme à Paris, elle dégénère souvent en banlieue où l'on dénombre encore quatre morts dans des affrontements.

Si le 6 février 1934 revêt une réelle importance historique, c'est parce qu'il marque le point de départ d'un regroupement des forces politiques et idéologiques. Citons encore Jacques Chastenet : « A gauche, un mois après la journée du 6 février, trois professeurs hautement estimés, le philosophe Émile Chartier dit Alain, radical, le physicien Paul Langevin, socialiste, et l'ethnologue Paul Rivet, communisant, constituent un "comité d'action antifasciste et de vigilance" qui obtient très vite un grand nombre d'adhésions dans les milieux intellectuels. Presque simultanément le député radical Gaston Bergery, le député socialiste Georges Monnet et le député communiste Jacques Doriot créent, sous le nom de "Front commun antifasciste", une organisation ayant pour objet d'associer leurs partis respectifs dans une action politique commune ; cette dernière initiative est prématurée et les auteurs en sont désavoués, elle n'en préfigure pas moins le "Front populaire" tel qu'il triomphera aux élections de 1936. A droite, les ligues sortent renforcées des événements. Les progrès de celle des Croix de Feu sont particulièrement remarquables, sans doute en raison de la supériorité de son organisation et du fait qu'elle a su se garder de certains excès. Elle et ses succédanés verront, au cours de l'année, tripler le nombre de leurs adhérents [1]. » On entre dans une époque que Claude Fohlen a nommée avec justesse « le temps de la haine [2] ». Maurice Thorez, secrétaire général du parti communiste, définit ainsi la situation au lendemain des élections cantonales de 1934 : « Entre les fascistes et nous, prolétaires révolutionnaires, la course de vitesse a commencé pour la conquête des classes moyennes [3]. »

La tension monte progressivement dans un pays se scindant de plus en plus en deux camps irréductiblement opposés. Le 20 avril 1934, place de l'Hôtel de Ville, échoue une manifestation des communistes et des socialistes dirigée contre les décrets-lois du gouvernement et contre la municipalité parisienne dominée par la droite. Le 8 juillet, alors que les Croix de Feu se rassemblent à l'arc de triomphe de l'Étoile, les communistes tiennent une grande réunion à Vincennes. La montée des périls extérieurs, intervention italienne en Éthiopie, rattachement de la Sarre à l'Allemagne et rétablissement du service militaire obligatoire dans ce pays, tous ces événements contribuent au durcissement des positions politiques dans une France qui commence à redouter une nouvelle

---

1. J. Chastenet, *Cent Ans de République*, p. 118.
2. C. Fohlen, *La France de l'entre-deux-guerres (1917-1939)*, p. 121.
3. Cité par G. Dupeux, *Le Front populaire et les élections de 1936*, p. 81.

guerre : le 14 mai 1935 ont eu lieu à Paris les premiers exercices de défense passive contre une éventuelle attaque aérienne.

Le 14 juillet 1935, alors que les Croix de Feu se réunissent à nouveau autour de l'arc de triomphe de l'Étoile, l'alliance de Front populaire est scellée et célébrée par une gigantesque manifestation. Claude Fohlen écrit : « Cette journée fut un véritable triomphe. Après un meeting national au stade Buffalo, où fut prêté un serment renouvelé de celui de la Fédération, en 1790, un cortège de plus de cinq cent mille personnes, selon ses partisans, de trois cent mille, selon ses adversaires, défila l'après-midi pendant plusieurs heures de la Bastille à la Nation, derrière un peloton comprenant Barbusse, Blum, Daladier, Thorez, Paul Faure, Pierre Cot, Langevin… [1]. » Dans *Le Populaire* du lendemain, Léon Blum s'exclame : « Jamais je n'avais assisté à un tel spectacle. Peut-être Paris n'en a-t-il jamais vu de pareil [2]. »

Les élections des 26 avril et 3 mai 1936 assurent la victoire au Front populaire grâce à une stricte discipline de vote due à la polarisation de la vie politique, les vaincus n'ayant perdu que 3 % des suffrages qui s'étaient portés sur eux en 1932. A Paris, pour la première fois depuis 1919, la gauche obtient plus de la moitié des voix et enlève vingt-trois sièges sur trente-neuf. La droite s'est moins fortement mobilisée que ses adversaires : de 15 à 18 % d'abstentions dans les quartiers aisés de l'ouest, 9 % seulement dans les quartiers prolétaires de la Maison Blanche (XIIIe arrondissement) et du Pont de Flandre (XVIIIe). La gauche obtient plus de la moitié des voix dans trente des quatre-vingts quartiers et domine de manière écrasante dans les IVe, XIIe, XIIIe, XVIIIe, XIXe et XXe arrondissements. Les radicaux perdent des voix, les socialistes S.F.I.O. et républicains socialistes, à 2 000 voix près, rassemblent le même électorat qu'en 1932. Il n'y a qu'un élu radical, les socialistes ont trois sièges. Les communistes sont les grands vainqueurs : avec leurs alliés du parti d'Unité prolétarienne, ils obtiennent près de 27,5 % des voix parisiennes. Seize de leurs candidats sont élus ainsi que trois membres de l'Unité prolétarienne. Ils ont enlevé plus de 30 % des voix dans les quatre quartiers des XIIIe et XIXe arrondissements, dans trois de ceux des XIe et XXe arrondissements.

Désormais le premier parti au Parlement, devant les radicaux, la S.F.I.O. choisit Léon Blum pour constituer le gouvernement. Mais avant même qu'il soit formé, dès le 26 mai, « les ouvriers se sont mis en grève dans plusieurs usines de métallurgie et d'aviation de la région parisienne et, au lieu de quitter le lieu de leur travail, ils y sont demeurés. Au cours des jours suivants ce mouvement de "grèves sur le tas" — tactique toute nouvelle — s'est étendu et a gagné une partie de la France. Quand

---

1. C. Fohlen, *La France de l'entre-deux-guerres (1917-1939)*, p. 127.
2. Cité par G. Lefranc, *Histoire du Front populaire*, p. 86.

Blum forme son cabinet, plus d'un million de travailleurs ont croisé les bras, appartenant non seulement aux entreprises industrielles, mais au bâtiment, aux transports, aux grands magasins, aux compagnies d'assurances et jusques aux cafés et restaurants. Les grévistes mangent la nourriture qui leur est apportée de l'extérieur, les hommes dorment sur des lits de fortune, les femmes et les enfants étant autorisés à regagner le soir leur domicile. Le temps se passe à discuter, jouer aux cartes ou aux boules, danser, écouter des chansonniers sympathisants. Consommation de liqueurs fortes interdite, nul bris de machines, nul sévice, mais drapeaux rouges (souvent mariés à des drapeaux tricolores) hissés au faîte des bâtiments, et interdiction de paraître signifiée aux patrons, directeurs et ingénieurs. L'atmosphère est à la fête et à la victoire. Jamais n'avait-on vu mouvement d'une telle ampleur et d'un tel caractère [1] », écrit Jacques Chastenet.

Investi par le Parlement le 6 juin, Léon Blum impose dès le lendemain au patronat désemparé l'accord dit de Matignon. Le 7 juin à minuit, il envoie ce billet à Léon Jouhaux, secrétaire général de la C.G.T. : « 7 juin, minuit. Cher ami, je vous confirme par écrit les engagements que j'ai pris. Les projets de loi sur les quarante heures, les congés payés, les contrats collectifs seront déposés après-demain mardi [2]. »

Les grèves s'arrêtent peu à peu et, le 25 juin, la Samaritaine est le dernier des grands magasins à rouvrir ses portes. Les projets de lois mettant en application l'accord Matignon sont votés au cours du mois de juin, de même que la dissolution des Ligues le 18 juin : Croix de Feu, Jeunesses patriotes, Solidarité française, Francistes sont interdits, mais les milices communistes et socialistes gardent droit de cité. Les membres de l'Union nationale des combattants venus, le 5 juillet, rallumer la flamme à l'arc de triomphe de l'Étoile sont brutalement dispersés. Le 14 juillet, le Front populaire célèbre sa prise de pouvoir par une grande manifestation : deux cortèges partis de la rue de Rivoli et du boulevard Beaumarchais convergent vers la place de la Nation où Léon Blum et Édouard Daladier prononcent des discours triomphateurs.

Cependant la gauche fascisante et la droite nationaliste ou réactionnaire se ressaisissent. L'ex-communiste Doriot, maire de Saint-Denis, a créé le parti populaire français le 28 juin 1936, parti fasciste et antisémite dominé par les ex-communistes (sept des huit membres du bureau politique), dont la croissance est spectaculaire : 15 000 adhérents le 12 juillet 1936, 100 000 au 30 octobre, près de 300 000 le 14 juin 1938. A la dissolution des Croix-de-Feu, le colonel de La Rocque constitue le parti social français qui dépasse le million de membres au début de 1937.

La guerre civile espagnole divise la majorité entre communistes

1. J. Chastenet, *Cent Ans de République*, VI, p. 208.
2. Cité par G. Lefranc, *Histoire du Front populaire*, p. 162.

partisans d'une intervention armée et socialistes et radicaux désireux de ne pas se fourvoyer dans ce guêpier. Indispensables au gouvernement, car il n'y a pas de majorité sans eux, les radicaux sont effrayés par les excès verbaux, les appels à la haine de classe et au meurtre des communistes ainsi que par le péril du collectivisme. Le 7 octobre 1936, Albert Milhaud, ex-secrétaire général du parti radical, écrit dans *L'Ère nouvelle* : « Actuellement, après tant de vicissitudes pénibles, le parti radical sent fortement qu'il ne peut plus s'effacer devant certains actes qui révoltent la conscience française. Sans complaisance pour le fascisme, le radicalisme ne veut d'aucune autre forme d'autorité fondée sur la contrainte [1]. » Le 11 octobre, à Angers, Camille Chautemps déclare : « Le spectacle de troubles sociaux prolongés crée à l'intérieur une atmosphère de panique et de haine sociale qui paralyse toute reprise des affaires et qui compromet à l'extérieur le prestige et la sécurité de la France [2]. »

Léon Blum entend le message et instaure une pause. Il déclare à Orléans, le 18 octobre : « Après les immenses changements que nous avons introduits dans la vie sociale et économique, la prospérité du pays, la santé du pays exigent impérieusement une période suffisante de stabilité, de normalité [3]. » Le 4 octobre, les socialistes ont refusé de se joindre aux communistes qui avaient organisé une réunion au Parc des Princes pour exiger l'interdiction du parti social français. Le porte-parole de la S.F.I.O., Paul Faure, a répondu aux récriminations communistes : « Aucun danger ne vous menaçait qui pût motiver l'application de la clause d'entraide prévue au Pacte d'unité d'action : vingt mille gardes mobiles avaient été alertés pour veiller sur votre sécurité [4]. » Passant à la contre-offensive, il ajoutait : « Ce qui nous paraît plus dangereux, c'est la pratique qui consiste à diminuer la confiance des masses populaires dans leur gouvernement par une critique systématique et hostile des actes de ce gouvernement. Que valent les bulletins de vote de la Chambre s'ils doivent avoir pour contrepartie le dénigrement du gouvernement à travers le pays ? Que signifient les sacrifices consentis au Parlement pour le maintien du Front populaire si l'on va répétant partout que le gouvernement n'est pas ou n'est plus un gouvernement de Front populaire [5] ? »

Dès lors, le parti communiste ne va plus cesser de susciter des difficultés au gouvernement, avec l'appui, au sein même de la S.F.I.O., de la minorité de la Gauche révolutionnaire de Marceau Pivert. Ses méthodes d'action violente et de sabotage se manifestent en de nombreuses occasions. Un des cas les plus spectaculaires est la sanglante fusillade de Clichy, le 16 mars 1937. Pour protester contre une réunion du parti social

---

1. Cité par G. Lefranc, *Histoire du Front populaire*, p. 206.
2. *Ibid.*
3. *Ibid.*, p. 205.
4. *Ibid.*, p. 209-210.
5. *Ibid.*, p. 210.

français dans un cinéma de la ville, les communistes déclenchent une émeute qui dégénère en affrontement sanglant avec les forces de l'ordre : six morts, plus de deux cents blessés. La police d'un gouvernement de gauche a été attaquée par une foule de gauche, la fracture est ouverte.

Les travaux de l'Exposition internationale des Arts et Techniques, dont l'ouverture est prévue pour le 1er mai, sont sabotés systématiquement par les ouvriers, sur ordre des syndicats. L'inauguration a lieu le 24 mai, dans le désordre le plus total d'un chantier inachevé. Le socialiste Jean Zay l'a décrite : « L'Exposition de 1937 connut un destin injuste. Elle porta jusqu'au bout la malédiction de son retard initial. Toutes les Expositions sont en retard ; mais celle-là exagéra l'inexactitude. Quand, au jour de l'inauguration, le cortège officiel déboucha sur la terrasse du Palais de Chaillot et eut sous les yeux le spectacle d'un immense chantier où tant de constructions n'étaient encore qu'un squelette informe, ce fut une minute humiliante [1]. »

Le Front populaire se désagrège rapidement et le pays continue sa plongée dans les désordres sociaux, le déclin économique, l'effritement monétaire et financier, l'amoindrissement diplomatique et militaire. Les gouvernements se succèdent et font preuve de la même impuissance. Le 22 septembre 1937, les services secrets soviétiques enlèvent impunément en plein Paris le général Miller, président de la fédération des anciens combattants russes réfugiés en France. Le 11 septembre, le siège de la Confédération générale du patronat français, rue de Presbourg, a été détruit par un attentat organisé par une mystérieuse organisation d'extrême droite, le Comité secret d'action révolutionnaire (C.S.A.R.), nommé aussi la « Cagoule ».

Quant aux grèves, elles sont innombrables à Paris comme en province et paralysent le réarmement du pays. A la fin de décembre 1937, la capitale n'a ni transports, ni gaz, ni électricité. A la fin de mars 1938, une nouvelle vague de grèves secoue Paris et sa banlieue : les usines Citroën, Gnôme et Rhône, Ferodo, Panhard, sont occupées. Le 6 avril, le mouvement s'étend à la Compagnie du Téléphone, au Matériel téléphonique, aux Taxis parisiens. La démission du second gouvernement Blum, le 10 avril, la constitution d'un cabinet de radicaux alliés au centre droit et dirigé par Daladier, sonnent définitivement le glas du Front populaire. Les grèves s'éteignent brusquement et le socialiste Vincent Auriol accuse de ce gâchis les communistes et la Gauche révolutionnaire de Marceau Pivert, constatant dans *Le Populaire* : « Le début, la fin et les difficultés des grèves ont coïncidé avec le début, la fin et les difficultés du gouvernement Léon Blum. Ce n'est certes pas au hasard, ni aux socialistes qu'on pourra reprocher cette extraordinaire coïncidence [2]. »

---

1. J. Zay, *Souvenirs et solitude*, p. 318.
2. Cité par G. Lefranc, *Histoire du Front populaire*, p. 276.

234 LES ÉVÉNEMENTS

L'annexion de l'Autriche par le Reich hitlérien, puis la mise à mort de la Tchécoslovaquie à Munich font prendre conscience à l'immense majorité des Français de l'imminence du péril de guerre. La S.F.I.O. se décide à sévir contre sa gauche pacifiste et pro-communiste : Marceau Pivert, secrétaire de la fédération de la Seine, est suspendu et sa fédération dissoute. La Gauche révolutionnaire constitue alors le parti socialiste ouvrier et paysan (P.S.O.P.). Quant aux syndicats, ils se discréditent en appuyant les cheminots qui refusent le transfert d'une partie d'entre eux à des tâches de défense nationale. Un des meneurs du P.S.O.P., Daniel Guérin, reconnaît la gravité de cette erreur : « Innombrables furent les travailleurs qui ne suivirent pas le mot d'ordre de grève. Dans leur désespoir, beaucoup d'entre eux déchirèrent leur carte syndicale. Il en fut ainsi, même à la C.A.P. du P.S.O.P. [1]. » L'échec de la grève du 30 novembre 1938 marque la fin des arrêts de travail d'envergure. Mais le mal commis est irréparable. Claude Fohlen observe : « Les conflits sociaux retardent, jusqu'à la fin de 1938, l'exécution du programme de réarmement. Alors que l'Allemagne, au début de 1937, produit 300 avions militaires par mois et l'Angleterre 175, la France n'en sort que 50. Il faut attendre l'automne 1938, après Munich, pour que la production d'armement démarre réellement, et encore, à ce moment, les livraisons d'avions ne dépassent pas 150 par mois [2]. »

La France et l'Europe s'acheminent inéluctablement vers la guerre. Paris en porte chaque jour un peu plus la marque : grand exercice de défense passive le 2 février, ouverture de chantiers pour la réalisation de 20 kilomètres de tranchées pouvant servir d'abris en cas de bombardements le 1er mars, distribution des premiers masques à gaz le 10 mars, placards indiquant l'emplacement des abris antiaériens pour chaque îlot le 19 mars.

La guerre devient certaine le 23 août 1939, quand Ribbentrop et Molotov signent le pacte germano-soviétique de non-agression. A Paris, le 25 août, L'Humanité, quotidien du parti communiste, célèbre l'alliance d'Hitler et de Staline : « Au moment où l'Union soviétique apporte une nouvelle et appréciable contribution à la sauvegarde de la paix, constamment mise en péril par les fauteurs de guerre fascistes, le parti communiste français adresse au pays du socialisme, à son parti et à son grand chef Staline un salut chaleureux. » Le journal est aussitôt saisi puis suspendu ainsi que Ce Soir.

1. Cité par G. Lefranc, *Histoire du Front populaire*, p. 280.
2. C. Fohlen, *La France de l'entre-deux-guerres (1917-1939)*, p. 182-183.

LA SECONDE GUERRE MONDIALE (1939-1945)

Assuré de ne pas être attaqué à l'est, Hitler déclenche les hostilités en envahissant la Pologne le 1er septembre. Dans la capitale, l'évacuation des enfants a débuté dès le 31 août et, cette nuit-là, l'éclairage public a été supprimé, par crainte d'une attaque aérienne. Mais, note Jacques Chastenet, « rares, en dehors des cercles très informés, sont ceux qui soupçonnent les faiblesses de l'organisation militaire, les déficiences du matériel, l'insuffisance de l'aviation, la médiocrité du haut commandement, la quasi-inexistence du concours britannique sur terre. On se dit que la ligne Maginot est infranchissable et que le seul danger immédiat est celui des bombardements par gaz ; on estime aussi que le régime hitlérien est instable et que le blocus aura probablement assez vite raison de lui. Aussi bien, à la différence de ce qui se passa en 1914, beaucoup d'ouvriers, de fonctionnaires et d'employés ont-ils été mobilisés sur place et comptent-ils ne participer que de loin à la grande aventure [1]. »

Retranchée derrière sa ligne Maginot, la France ne ressent guère la guerre. A Paris, l'éclairage nocturne a disparu, les sacs de sable protègent les édifices publics, des bons d'essence sont délivrés aux automobilistes, des restrictions sont apportées à la vente de la viande de boucherie, puis, en février 1940, est instituée la carte d'alimentation.

L'initiative appartient à l'ennemi qui perce les défenses françaises dans les Ardennes, le 10 mai 1940. Le 15, les divisions blindées de Guderian sont à 35 kilomètres de Laon et foncent en direction de la Manche pour couper les armées françaises de leurs arrières. Le 28 mai, les Britanniques considèrent que la bataille de France est perdue et commencent à s'embarquer à Dunkerque. Le 3 juin, Paris et sa banlieue sont bombardées pour la première fois : il y a près de mille morts et blessés. La guerre cesse d'être une abstraction pour les habitants de la capitale. Le 10, le gouvernement quitte Paris pour Tours. A son exemple, des centaines de milliers de Parisiens se jettent sur les routes de l'exode. Citons encore Jacques Chastenet : « Les trains de voyageurs ne circulent plus, mais des milliers de personnes s'entassent gare d'Austerlitz et gare de Lyon dans l'espérance de pouvoir s'agripper à un ultime convoi de marchandises. Une foule innombrable se presse aux portes, Parisiens et fuyards venus du nord mêlés. Autos de tourisme, camionnettes, fourgons, bicyclettes, piétons forment un magma qui s'écoule vers le sud avec une désespérante lenteur. Il faut plus de dix heures pour franchir 30 kilomètres. De fausses nouvelles circulent, accueillies avec une immédiate crédulité : les États-Unis, la Russie ont déclaré la guerre à l'Allemagne ; les communistes se sont rendus maître de l'Hôtel de Ville… De temps à

---

1. J. Chastenet, *Cent Ans de République*, VII, p. 114-115.

autre des bombes lancées par des avions allemands créent une panique. On se jette au hasard de part et d'autre de la route, on se couche à plat ventre, des hurlements retentissent et se prolongent. Puis, sous la pression de tous ceux qui suivent, le lent glissement reprend, quelques voitures ayant été abandonnées, quelques enfants laissés pleurant à la recherche de leurs parents [1]. » Au bout de quelques jours, les beaux quartiers sont désertés et même le populaire et populeux XIVᵉ arrondissement voit ses habitants tomber de cent soixante-dix-huit mille à quarante-neuf mille.

« Le 14 juin, à cinq heures trente du matin, des avant-gardes allemandes paraissent porte de La Villette et s'engagent rue de Flandre. Suivent plusieurs colonnes qui, selon un plan arrêté d'avance, gagnent méthodiquement les principaux carrefours. Des voitures militaires circulent, munies de haut-parleurs : ordre est donné aux habitants de ne pas sortir de leurs demeures. A huit heures, des officiers se présentent aux Invalides et à la préfecture de Police pour inviter le gouverneur Dentz et le préfet Roger Langeron à se tenir à la disposition de l'autorité occupante. A la fin de l'après-midi, un défilé de troupes a lieu, au pas cadencé, autour de l'Arc de Triomphe au sommet duquel flotte un drapeau à croix gammée [2]. »

Le 21 juin 1940, l'armistice de Rethondes consacre la défaite et l'occupation de la majeure partie de la France par l'armée allemande. Le 23 juin à l'aube, Hitler s'est rendu sur l'esplanade du Palais de Chaillot pour y contempler le panorama de la cité vaincue. Ce jour-là, la ville doit compter entre sept cent mille et un million d'habitants, le tiers de sa population habituelle. Les Parisiens vont revenir peu à peu. Le 7 juillet, l'administration municipale estime leur nombre à un million cinquante mille. Ils sont deux millions environ le 22 octobre, deux millions et demi le 1ᵉʳ janvier 1941. La population recommence à diminuer à partir de 1943 en raison des bombardements alliés, des rafles de juifs et d'étrangers, des enrôlements forcés dans le cadre du Service du travail obligatoire (S.T.O.) en Allemagne.

L'attitude des Parisiens à l'égard des occupants n'est connue que par des témoignages peu nombreux et contradictoires. Des photographes ont vu quelques personnes pleurer, des journalistes ont entendu des propos hostiles au passage des « vert-de-gris ». Le préfet Langeron note « la dignité parfaite des passants... Ils regardent devant eux comme si les uniformes ennemis étaient invisibles ou transparents [3]. » Le colonel Groussard, en revanche, observe que, dans les quartiers populaires, des groupes de badauds se forment autour des soldats allemands et « offrent leurs services pour n'importe quoi [4] ». En effet, note l'historien Henri

1. J. Chastenet, *Cent Ans de République*, VII, p. 260.
2. *Ibid.*, p. 264-265.
3. R. Langeron, *Paris, juin 1940*, p. 64.
4. Groussard, *Chemins secrets*, I, p. 38-43.

Michel, «incontestablement, le parti communiste recommande à ce moment aux ouvriers français une collaboration avec les soldats allemands qui, dans le civil, "sont eux aussi des ouvriers allemands"; certes, il ne s'agit en aucune façon de louanger le nazisme; la démarche vers les Allemands demeure bénigne, surtout comparée à ce que feront plus tard "les collabos"; mais, à ce moment, et avec des limites certaines à ne pas dépasser, il ne fait pas de doute que la direction du parti a recommandé une réconciliation franco-allemande; la demande de faire reparaître *L'Humanité* au grand jour, avec l'autorisation de l'autorité militaire allemande; l'exigence que soient libérés les communistes emprisonnés par Daladier parce qu'"ils s'étaient opposés à la guerre"; l'invitation aux ouvriers de reprendre le travail, alors qu'ils travailleront inévitablement pour les Allemands; des manifestations publiques de militants dans les rues et cafés dans un "légalisme" que, plus tard, les dissidents qualifieront de "crétinisme"; certaines formules percutantes de *L'Humanité*, comme "le soldat allemand n'est pas l'ennemi du peuple français"; autant de façons pour le parti communiste d'affirmer une position en flèche, qui lui vaudra sur-le-champ de s'exposer à de faciles arrestations opérées par la police française, et longtemps à de cinglants reproches qui étaient loin d'être immérités [1].»

Mais, note encore Henri Michel, «ce qui domine, c'est l'apathie, la résignation, et l'inaction. Cette passivité est, somme toute, compréhensible. Les Parisiens, comme cela se produit lorsqu'une intense propagande a été démentie par les faits, ont le sentiment d'avoir été trompés; pour l'instant, leur colère se retourne contre les Français qu'ils estiment responsables de leurs malheurs pour avoir déclaré, et perdu, la guerre. Ceux qui ont été obligés de rester en veulent un peu à ceux qui ont réussi à se mettre à l'abri. Et puis, il faut bien vivre, et "ils" paient, c'est inespéré! A quoi bon d'ailleurs lutter, avec quoi, et soutenu par quel espoir, alors que l'armée française, jugée invincible, a été écrasée? Dans ce climat de veulerie, l'appel du 18 juin passe totalement inaperçu; peu l'ont entendu [2].»

La convention d'armistice place Paris et toute la zone occupée par les vainqueurs sous l'autorité du Reich. Elle stipule: «Le gouvernement français invitera immédiatement toutes les autorités françaises et tous les services administratifs français du territoire occupé à se conformer aux règlements des autorités militaires allemandes, et à collaborer avec ces dernières d'une manière correcte.» C'est donc le commandant militaire en France («Militärbefehlshaber in Frankreich», abrégé en M.B.F.) qui supervise l'administration parisienne, les préfets de police et de la Seine dépendant de lui, et, accessoirement, du gouvernement de l'État français établi à Vichy.

---

1. H. Michel, *Paris allemand*, p. 50-51.
2. *Ibid.*, p. 49-50.

Le Conseil municipal a été dissous, puis reconstitué avec des conseillers nommés par le ministère de l'Intérieur de Vichy, le 16 décembre 1941. Ch. Trochu en a été nommé président et Édouard Frédéric-Dupont et Louis Castellaz ont été faits vice-présidents. Trochu, parti pour Alger, sera remplacé par P. Taittinger, et F. Ribadeau-Dumas succédera à Frédéric-Dupont. Ses membres, non élus, ne sont guère que des « fonctionnaires politiques ». Réunie pour la première fois le 12 janvier 1942, cette chambre d'enregistrement ne tient qu'une séance par an, au début de chaque année, et ses séances ne sont pas publiques.

Le souci dominant des Parisiens durant l'Occupation, c'est le ravitaillement. Le rapport du préfet de la Seine le dit sans ambages : « Les problèmes d'intérêt immédiat sont au premier plan des préoccupations des Parisiens... Leur adhésion au gouvernement du maréchal est fonction plus des facilités de ravitaillement que de mesures politiques [1]. » Il énumère les récriminations de la population : « On espérait 7 kilos de pommes de terre et on en a reçu seulement 2 ; la ration de pâtes a été distribuée avec quinze jours de retard ; combinée avec celle des légumes secs, elle a cependant apaisé dans une certaine mesure le vif mécontentement de la population ; on demande plus de pain pour les vieillards ; on se plaint que les gens fortunés mangent et boivent mieux au restaurant [2]. »

Les cartes de rationnement ont été instaurées le 23 septembre 1940. Le *Bulletin municipal*, reproduit dans les quotidiens, donne des explications. Pour la viande, il est précisé que « chaque ticket porte deux chiffres, dont le premier est celui de la semaine dans laquelle le ticket doit être utilisé, faute de quoi le ticket sera périmé ». Le 26 septembre, la vente du riz ne se fait plus que sur présentation de coupons. La carte de lait est instituée le 7 octobre. Seront à leur tour rationnés le beurre, le fromage, le café, etc. Très peu de produits restent en vente libre et on en trouve rarement. Depuis le 20 octobre 1940, les consommateurs sont répartis en catégories selon leur âge et leurs besoins : enfants de moins de trois ans (E), enfants de trois à six ans (J1), enfants de six à treize ans (J2), adolescents de treize à vingt et un ans (J3), adultes de vingt et un à soixante-dix ans (A), vieillards de plus de soixante-dix ans (V). Tout ce système exige une lourde administration : les « services du ravitaillement » s'installent dans les mairies et les écoles, neuf mille fonctionnaires au moins, dont l'incompétence est régulièrement stigmatisée par la presse parisienne. La pénurie est générale et devant les rares magasins approvisionnés se forment d'interminables files d'attente. *L'Illustration* du 9 août 1941 note : « La "queue", c'est un condensé de l'occupation, de la misère et de l'espoir, un terrain de rencontre où les Parisiens communient dans les mêmes soucis, une image d'une société où la pénurie égalise les conditions de vie. »

---

1. Cité par H. Michel, *Paris allemand*, p. 210-211.
2. *Ibid.*, p. 211.

Vêtements et chaussures deviennent des produits rares qu'on a les plus grandes peines à se procurer, même avec les «points textiles». Réservé aux bottes allemandes, le cuir a disparu, remplacé par la chaussure «nationale» à semelle de bois, apparentée à la galoche. Récupération et fabrication d'«ersatz» (mot allemand signifiant «produit de remplacement») deviennent des activités hautement rentables : faux vin, faux café, faux tabac, faux savon, etc. Sur les trois cent cinquante mille automobiles circulant à Paris à la veille de la guerre, quatre mille cinq cents continuent à rouler de manière intermittente, faute de carburant. Charles Braibant, assis à la terrasse d'un café, place de la Bourse, compte les véhicules passant entre midi et midi trente : trois plus une moto, «à une heure et en un lieu où, en temps normal, Paris s'agite, trépide, crépite [1]». Des camions fonctionnent au gazogène, mais on ne trouve le charbon de bois qu'au marché noir et le gaz de ville, méthane extrait des égouts, n'est produit qu'en faible quantité. Des trois mille cinq cents autobus parisiens de 1939 ne subsistent que cinq cents dès l'automne 1940. Les vélos-taxis, variante parisienne du «pousse-pousse» asiatique, font des affaires en or et la masse des Parisiens renouent avec la bicyclette, dont la valeur atteint un prix astronomique : plus d'un mois de salaire pour un vélo d'occasion. Les métros sont rares et bondés.

Rattachés au commandement militaire de Bruxelles, le Nord et le Pas-de-Calais ont cessé d'envoyer leur charbon vers Paris. Le peu de minerai qui arrive est réservé en priorité aux usines travaillant pour l'occupant et le chauffage des Parisiens est réduit à rien. Les coupons de la carte de charbon sont rarement honorés et les rations sont très insuffisantes. Charles Braibant écrit en avril 1943 : «Dire qu'il y a encore à Londres et à New York des gens qui prennent leur bain tous les jours, alors que voici près de trois ans que nous n'avons pu nous payer ce luxe [2].» Le 5 novembre 1943, il écrit : «Nous attendons les grands froids pour employer nos quelques kilos de charbon; la maison est glaciale.» Le 28 février 1944 : «Nous n'avons plus de boulets que pour aujourd'hui; ce soir on va éteindre la salamandre.» La situation ne redeviendra normale qu'en 1946.

Le marché noir est une nécessité vitale pour les Parisiens. La fraude débute par le détournement systématique des circuits de distribution. Le producteur ne livre qu'une partie de sa production aux autorités chargées du ravitaillement et vend le reste clandestinement à des détaillants qui cèdent leurs marchandises à des tarifs très supérieurs aux prix officiels. Entre le fabriquant et le vendeur, une longue et complexe chaîne d'intermédiaires prélève ses commissions. Henri Michel écrit : «Ce type de commerce fuit toute publicité; tout se dit de bouche à oreille : la nature

---

1. C. Braibant, *La Guerre à Paris*, p. 234.
2. *Ibid.*

et la qualité de la marchandise à vendre, où la trouver, à quel prix l'obtenir. Les bars des Champs-Élysées deviennent ainsi des sortes de paris mutuels clandestins, où on joue de l'argent, non sur des chevaux, mais sur des tonnes de viande, des hectolitres de vin, des kilomètres de tissus. Les uns vendent, et les autres achètent, sans avoir vu la marchandise, ce qui ne va pas sans d'âpres discussions et s'accompagne souvent, après coup, de règlements de comptes [1]. »

Tandis que l'immense majorité des Parisiens s'efforce, au prix de mille ruses et de multiples restrictions, de vivre le moins mal possible, les juifs tentent de survivre. Exclus de la plupart des professions, avocats, médecins, commerçants, dépossédés de leurs biens, ils dépendent du Commissariat général aux questions juives créé à Vichy. Le 23 mai 1942, le responsable de la section antijuive de la Gestapo, Eichmann, ordonne de déporter à Auschwitz 100 000 juifs de France. La police française effectue une grande rafle à Paris et dans sa banlieue les 16 et 17 juillet 1942, arrêtant près de 13 000 personnes, échec relatif, car les autorités allemandes, sur la base des fichiers, avaient prévu des trains pour 32 000 juifs. Les arrestations se poursuivent en 1943 et 1944 et on estime que 43 000 juifs, près de la moitié de la communauté de la région parisienne, ont été déportés dont 34 000 ont péri [2].

Dès l'entrée des troupes allemandes dans Paris, l'esprit de résistance s'est manifesté, d'abord de façon individuelle et inorganisée, avant de se structurer. Ainsi, le 3 novembre 1940, sur le boulevard Saint-Michel, a éclaté la première bagarre entre soldats allemands et étudiants, qui, le 11, manifestent à l'arc de triomphe de l'Étoile.

Le plus important, sinon le premier des réseaux de résistance, est né au Musée de l'Homme, formé d'intellectuels autour de Paul Rivet, Jean Cassou, Claude Aveline, Marcel Abraham, Simone Martin-Chauffier, Pierre Brossolette, Jean Paulhan... Le 15 décembre 1940, grâce à la ronéo du Musée, ils font paraître le premier numéro de *Résistance* qui donnera son nom au mouvement de lutte contre l'Occupation. Novices dans l'action clandestine, ces premiers résistants sont démasqués et arrêtés dès janvier 1941.

Il est impossible de recenser ici tous les mouvements de résistance, souvent de dimension nationale, qui vont œuvrer à Paris. Il y aura — on les oublie souvent — des militaires de Vichy réunis dans le groupement Vengeance, les militaires britanniques du Special Operation Executive (S.O.E.), les gaullistes du Bureau central de renseignements et d'action (B.C.R.A.), les cinq mouvements nationaux : Ceux de la Résistance, Ceux de la Libération, Organisation civile et militaire, Libération-Nord, Front national.

---

1. H. Michel, *Paris allemand*, p. 295.
2. Voir H. Michel, *op. cit.*, p. 310-313.

Les Parisiens dans leur ensemble sont bien incapables de distinguer ces différents groupes et englobent toutes les actions qu'ils voient ou dont ils entendent parler sous le vocable de «Résistance». Les actions violentes ne débutent vraiment qu'après l'invasion de l'Union soviétique par les armées allemandes. C'est alors seulement que le parti communiste décide de se lancer dans la lutte contre l'occupant. Le 21 août 1941, au métro Barbès, le communiste Pierre Georges, dit Fabien, ancien des Brigades internationales en Espagne, abat un officier de marine allemand. Les attentats vont se multiplier, créant une menace pour la sécurité de la garnison d'occupation, entraînant des représailles, notamment l'exécution de nombreux otages. Dès octobre, de Londres, le général de Gaulle condamne ces actes. Certes, écrit-il, «les Allemands, s'ils ne voulaient pas être tués, n'avaient qu'à rester chez eux [1]». Mais, ajoute-t-il, il convient «de ne pas tuer ouvertement d'Allemands», car «il était trop facile à l'ennemi de riposter par le massacre de combattants momentanément désarmés». La presse clandestine de la Résistance condamne aussi les attentats communistes. *L'Arc*, *La France continue*, *Défense de la France*, *Libé-Nord* expriment une réprobation totale : «Les attentats ne contribuent pas au salut du pays... Dix otages contre un Allemand, c'est trop cher... Les attentats ne servent à rien... Seuls sont légitimes ceux perpétrés contre des collaborateurs, à défaut d'une cour martiale... Tuer un soldat allemand, le soir, au coin d'une rue, ne peut influencer en rien le sort de la guerre [2].»

Il est impossible d'énumérer la liste des attentats commis contre les soldats allemands et les exécutions d'otages qui les suivaient immanquablement. On se contentera d'une froide estimation numérique, aucune statistique précise n'ayant pu être dressée. Approximativement 4 500 personnes ont été fusillées au Mont Valérien, venues de toute la France occupée. Les victimes de la région parisienne ont sans doute été au nombre d'environ 1 400 dont 981 exécutées au Mont Valérien. On est très loin des 11 000 fusillés déclarés par l'accusation française au procès de Nuremberg [3].

A Alger, au cours de l'été 1943, le ministre de l'Intérieur du Comité français de libération nationale, André Philip, décide de démultiplier le Comité national de la Résistance en instituant des comités départementaux de libération. Prenant les devants, les communistes annoncent, le 1er septembre 1943, la création «spontanée» d'un Comité parisien de libération. Sur protestation de la délégation du Comité national de la Résistance, le bureau de ce Comité parisien de libération est composé de six membres, dont trois communistes seulement représentent le parti communiste, la C.G.T. et le Front national, et trois gaullistes

---

1. C. de Gaulle, *Mémoires de guerre*, I, p. 227-228.
2. Cité par H. Michel, *Paris allemand*, p. 165.
3. *Ibid.*, p. 299-300.

(Organisation civile et militaire, Ceux de la Résistance, Libé-Nord). Grâce à une activité intense et au noyautage d'organisations mineures, le parti communiste réussit à se mettre à la direction de la plupart des organismes de résistance à Paris.

Au lendemain du débarquement allié en Normandie, le 6 juin 1944, les résistants parisiens se préparent à l'insurrection. Les communistes des Francs-Tireurs et Partisans (F.T.P.) et des Forces françaises de l'intérieur (F.F.I.) dominent largement. Prétendument au nombre de cent mille, ils sont en réalité trente mille au maximum. Leur armement est insignifiant : des revolvers, moins de six cents fusils, quatre mitrailleuses, à peine de quoi équiper mille cinq cents combattants. C'est bien peu face aux vingt mille Allemands de la garnison [1].

Le 19 août 1944, l'insurrection est déclenchée : coups de main et embuscades contre les soldats ennemis lorsqu'ils sont en petits groupes, attaques peu efficaces des chars et des voitures blindées, occupation des édifices publics, ministères, mairies, bureaux de poste, centraux téléphoniques, l'opération la plus spectaculaire étant la prise de la préfecture de police et sa défense par deux mille policiers. Le 24 au matin, il apparaît que la Résistance est maîtresse de la rue et des édifices publics mais incapable de résister durablement sur un point précis à une attaque ennemie. Les Allemands, pour leur part, ne sont pas assez nombreux pour occuper en permanence les points importants de la ville et pour en chasser définitivement les résistants.

C'est l'intervention de la deuxième division blindée du général Leclerc qui emporte la victoire, le 25 août. Guidés par les résistants, les chars réduisent l'un après l'autre les points d'appui allemands jusqu'à la capitulation du général von Choltitz vers quatre heures de l'après-midi.

La libération de Paris a été relativement peu meurtrière : les F.F.I. ont estimé qu'il y avait eu mille quatre cent quatre-vingt-deux Parisiens tués dont cinq cent quatre-vingt-deux civils. L'intervention de la deuxième division blindée a été décisive et a permis de limiter les pertes [2]. Henri Michel écrit : « La bataille de Paris est un petit accrochage dans les colossaux affrontements de la deuxième guerre mondiale, étant donné le nombre peu élevé des combattants et les faibles moyens dont ils disposent ; son incidence sur le processus des opérations est pratiquement nulle. Il est possible même, comme Eisenhower et Bradley s'en sont plaints dans leurs *Mémoires*, qu'elle ait retardé l'avance des Américains ; mais, à coup sûr, légèrement ; car si l'insurrection parisienne a immobilisé, pendant quelques jours, deux divisions alliées (une française et une américaine), elle a également joué le rôle d'aimant pour des unités allemandes en retraite. En effet, si la réaction extérieure allemande avait

1. H. Michel, *Paris alle .and*, p. 305-306.
2. *Ibid.*, p. 326.

confiné à la passivité pendant l'insurrection, le durcissement de l'opposition de la Wehrmacht s'est affirmé par des attaques de chars vers la porte de la Chapelle, dès le 26, et une lutte plus âpre dans la ceinture nord et est de Paris, où des agglomérations ont été reprises par l'ennemi — qui a fusillé des otages. Dans la nuit du 26, la Luftwaffe a bombardé Paris, au hasard ; des bombes sont tombées sur la Halle-aux-Vins, l'hôpital Bichat. Mais la contre-attaque, qui devait être menée par deux divisions d'infanterie et un groupement blindé, "pour réduire les foyers d'insurrection", avec des unités "équipées de toutes les armes propres aux combats des rues", a été lancée trop tard. C'est au Bourget que se livra le combat le plus dur ; les Allemands y laissèrent sept cents morts sur le terrain. Il est donc certain que, à quarante-huit heures près, sans l'arrivée de la division Leclerc, la bataille de Paris aurait pris d'autres dimensions, plus dramatiques, plus coûteuses pour la population parisienne [1]. »

La vengeance des vainqueurs a été étudiée par Henri Michel et le Comité d'histoire de la deuxième guerre mondiale. «Ont été recensés près de vingt mille internements à Paris — un total non seulement inférieur à celui des arrestations opérées par les Allemands, mais aussi au nombre de juifs pris dans des rafles. Les mises en liberté furent, pour la plupart, rapides, près de sept mille avant le 1er avril 1945.

C'est dire que l'épuration instantanée et arbitraire fut de courte durée. L'épuration selon des règles fut confiée au "tribunal militaire", pour des actes de collaboration militaire ou policière, et à la "cour de justice" prévue par le gouvernement provisoire, chargée des cas de collaboration politique et économique. Le Comité d'histoire de la deuxième guerre mondiale, au terme d'une enquête minutieuse, dossier par dossier, a retrouvé ainsi pour Paris 9 969 personnes inculpées et traduites en jugement ; sur ce total, 1 616 ont été acquittées ; ont donc été prononcées 8 335 accusations, soit à peu près une sur 383 Parisiens... Dans le département de la Seine, le tribunal militaire et la cour de justice ont, à eux deux, prononcé 598 condamnations à mort (moins d'un inculpé sur 16) ; sur ce nombre, 116 seulement ont été suivies d'exécution ; les autres avaient été prononcées par contumace, parce que les inculpés avaient pu s'enfuir. Si on ajoute les 95 emprisonnés décédés au cours de leur détention, et leur mort était tout à fait naturelle, le "bain de sang" se limite à Paris à 211 personnes, c'est-à-dire à peine le sixième des Parisiens fusillés et le dixième des Parisiens morts du fait des bombardements alliés [2]. »

Le 26 août 1944, à quinze heures, le général de Gaulle arrive à l'arc de triomphe de l'Étoile et descend à pied les Champs-Élysées jusqu'à la Concorde, entouré d'une foule en délire. Malgré les bombardements aériens allemands de ce même jour, qui font un millier de morts et de

---

1. H. Michel, *Paris allemand*, p. 325-326.
2. *Ibid.*, p. 327-328.

blessés, malgré la chute des premières fusées V1 sur la région parisienne le 3 septembre, malgré les restrictions du ravitaillement qui vont durer jusqu'en 1946, Paris sort de la tristesse et de l'atmosphère de guerre et d'occupation dans laquelle elle a vécu pendant plus de quatre ans. Une nouvelle époque s'ouvre.

LA QUATRIÈME RÉPUBLIQUE (1945-1958)

Les difficultés d'approvisionnement vont se prolonger un certain temps : rétablissement de la carte de pain le 1er janvier 1946 jusqu'au 1er février 1949. Mais elles sont éclipsées par les problèmes politiques. Très puissant, disposant des milices armées issues de la Résistance, faisant pression pour obtenir une aggravation de la répression et de l'épuration des collaborateurs, le parti communiste possède une force suffisante pour tenir tête au général de Gaulle et au gouvernement provisoire de la République française qui se sont installés dans la capitale le 1er septembre 1944.

A Paris, le Comité parisien de la Libération a proclamé la déchéance du Conseil municipal désigné par Vichy. Une nouvelle assemblée municipale provisoire est constituée par décret, dominée par les communistes qui, avec trente-deux représentants sur quatre-vingt-cinq, possèdent la majorité avec l'appoint des seize socialistes. Elle ne tient que quatre séances en mars 1945, des élections municipales ayant lieu le 29 avril. Pas moins de cent six listes présentent leurs candidats dans les six secteurs de la capitale. Avec plus de 30 % des voix, les communistes enlèvent vingt-sept sièges. En deuxième position, avec près de 16 % des suffrages et quatorze élus, vient le Mouvement républicain populaire (M.R.P.), parti démocrate chrétien se réclamant de De Gaulle. Les socialistes de la S.F.I.O. arrivent ensuite avec douze conseillers sur quatre-vingt-dix. Dès juin 1946, la conjoncture politique nationale et internationale amène un isolement croissant des communistes.

Les élections législatives des 21 octobre 1945, 2 juin et 10 novembre 1946 ont confirmé leur importance : premier parti de France avec de cent cinquante à cent quatre-vingts élus, le parti communiste devance le M.R.P., qui oscille entre cent cinquante et cent soixante-dix, et la S.F.I.O., qui décline de cent quarante-deux à cent cinq, les trois groupes réunissant plus des trois quarts des députés. A Paris, où les phénomènes nationaux s'exacerbent, ces partis enlèvent vingt-six des trente sièges à pourvoir en octobre 1945 : dix pour le P.C. qui obtient 30 % des voix, onze pour le M.R.P., cinq pour la S.F.I.O. Aucun dirigeant important du M.R.P. n'est l'élu de la capitale, alors que la S.F.I.O. est représentée par Daniel Mayer et André Le Troquer, le P.C. par André Marty, Marcel Cachin, Jeannette Vermeersch-Thorez, Florimond Bonte, Georges Cogniot.

L'année 1947 est cruciale. La « guerre froide » entre les États-Unis d'Amérique et l'Union soviétique a de profondes répercussions en France, dans un pays au bord de la faillite, miné par l'inflation et la guerre d'Indochine. Le 16 janvier 1947, Léon Blum démissionne, remplacé par un autre socialiste, Paul Ramadier, à la tête d'un gouvernement dont il doit chasser, le 5 mai, les ministres communistes qui complotent ouvertement contre le régime. Citons Georgette Elgey. « L'angoisse s'empare de M. Auriol et de M. Ramadier. La guerre civile menace ? M. Max Lejeune, le premier, a attiré l'attention sur de curieux préparatifs communistes. Ministre des Anciens Combattants dans le gouvernement Léon Blum, M. Max Lejeune a succédé rue de Bellechasse à M. Laurent Casanova. Il a découvert que tout un parc automobile considérable — plusieurs milliers de voitures, cars, camions — avait été constitué sur ordre du ministre communiste. Destinés en principe au rapatriement des déportés et des prisonniers, ces véhicules étaient en fait affectés au seul transport des militants communistes lors des manifestations. Leur emploi dépendait du délégué de la C.G.T., un certain Zimmermann. Par les soins aussi de M. Zimmermann, la ligne téléphonique de M. Lejeune était branchée sur un poste qui se trouvait dans le local de la C.G.T. Pour protester contre certaines mesures de licenciement, M. Zimmermann a déclenché une grève. Les militants communistes investissent le bâtiment ministériel, tiennent des meetings menaçants dans la cour. Le préfet de police réussit à introduire les agents dans l'immeuble investi ; ils passent par la direction du Génie, bâtiment contigu au ministère des Anciens Combattants. Les communistes, chassés à coup de pèlerine, reviennent en nombre accru.

Après la démission du ministère Blum, le successeur de M. Lejeune, M. François Mitterrand, doit obtenir l'autorisation du piquet de grève pour atteindre son premier bureau ministériel. Ce sont les premiers pas ministériels de M. Mitterrand : il a trente ans à peine. Le nouveau ministre menace de révocation tous les responsables départementaux qui n'auront pas repris le travail dans les vingt-quatre heures. A son appel, les groupements d'anciens combattants, et, plus spécialement, la fédération des Anciens Prisonniers de guerre, s'engagent à remplacer les fonctionnaires limogés. La fédération des Anciens Prisonniers de guerre groupe onze cent mille hommes. Son intervention impressionne les communistes. La grève se termine. 23 % du personnel du ministère est licencié. Force est restée à la loi. Le parc automobile est pris en charge par le ministère des Armées.

Le gouvernement s'interroge : dans quel but les communistes avaient-ils prévu de tels moyens de transport ? Le général Revers, nouveau chef d'état-major de l'armée, reçoit des informations alarmantes. Les communistes s'apprêtent à paralyser le système ferroviaire, à interrompre les communications télégraphiques et téléphoniques. Des instructions en vue d'une grève générale de la S.N.C.F. et des P.T.T. ont été données [1]. »

En effet, les communistes exploitent aussitôt une situation économique et sociale difficile. Ils commencent par prendre en main une grève déclenchée le 25 avril aux usines Renault par les trotskistes, alors que, le 28 avril, le secrétaire général de l'union des syndicats de la métallurgie parisienne, le communiste Hénaff, avait osé déclarer : « Des provocateurs hitléro-trotskystes à la solde de De Gaulle veulent faire couler le sang [2]. » Cette grève à peine achevée, ils tentent de provoquer un soulèvement de la capitale et de sa banlieue en l'affamant par le biais de la grève des ouvriers des Grands Moulins de Paris et de Corbeil. En juin, ce sont une semaine d'arrêts de travail dans les chemins de fer et deux semaines dans les banques qui désorganisent l'économie et l'approvisionnement de la capitale. Les conditions de vie deviennent particulièrement difficiles : la ration quotidienne de pain est réduite à 200 grammes, plus faible que sous l'Occupation. Ramadier intervient énergiquement et déclare : « Une sorte de mouvement giratoire de grèves se développe, de milieu en milieu, comme s'il y avait un chef d'orchestre clandestin. Il porte, comme par hasard, sur les points les plus sensibles de notre économie [3]. »

Si le socialistes au pouvoir luttent contre la désagrégation et la ruine du pays sans oser s'en prendre trop ouvertement aux communistes, c'est en les attaquant de front que de Gaulle choisit de revenir sur la scène politique, à la tête d'un nouveau parti, le Rassemblement du peuple français (R.P.F.). Le 27 juillet 1947, il exclut sans ambiguïté les communistes de la communauté nationale, les considérant comme au service de l'Union soviétique : « Sur notre sol, au milieu de nous, des hommes ont fait vœu d'obéissance aux ordres d'une entreprise étrangère de domination, dirigés par les maîtres d'une grande puissance slave [...]. Pour eux [...] il s'agit, en réalité, de plier notre beau pays à un régime de servitude totalitaire, où chaque Français ne disposerait plus ni de son corps ni de son âme, et par lequel la France elle-même deviendrait l'auxiliaire soumise d'une colossale hégémonie [4]. »

Le mécontentement engendré par la pénurie et le sabotage organisé de l'économie finit par se retourner contre les communistes : les élections municipales du 20 octobre 1947 donnent aux gaullistes du R.P.F. les mairies des treize plus grandes villes de France. A Paris, le R.P.F. conquiert la majorité absolue et obtient cinquante-deux sièges sur quatre-vingt-dix. Les communistes, qui ont perdu le dixième de leur électorat, tombent à 27 % des voix et vingt-cinq conseillers. S.F.I.O. et M.R.P. sont margina-

---

1. G. Elgey, *La République des illusions*, p. 261-262.
2. Cité par G. Elgey, *op. cit.*, p. 280.
3. Cité par *L'Année politique*, 1947, p. 113.
4. Cité par G. Elgey, *op. cit.*, p. 333.

lisés avec moins de 10 % des suffrages, huit et cinq élus. Le Conseil municipal porte à sa présidence le frère du général, Pierre de Gaulle.

Les communistes se lancent aussitôt à l'assaut des institutions démocratiques. A Paris, le 28 octobre, sous prétexte d'empêcher la tenue à la salle Wagram d'une réunion stigmatisant les crimes soviétiques au-delà du « rideau de fer », ils provoquent des bagarres d'une extrême violence qui font plusieurs centaines de blessés. Le 12 novembre, Marseille est mise à sac et son maire roué de coups par les nervis du parti communiste. A Paris, l'importance et la fermeté des forces de l'ordre empêchent les manifestations de dégénérer en émeutes, mais la capitale vit en état de siège, quadrillée par les gardes mobiles et la police. C'est la « Grande Peur ». La métallurgie parisienne est paralysée par la grève, services publics, instituteurs, cheminots se croisent les bras à tour de rôle, l'armée doit assurer l'enlèvement des ordures ménagères.

Le 27 novembre, la C.G.T. annonce la création d'un Comité national de grève groupant dix-huit fédérations contrôlées par les communistes. Trois millions de personnes sont en grève et les autorités redoutent qu'une insurrection balaie les institutions au profit d'une république populaire sur le modèle soviétique, comme en Tchécoslovaquie, Pologne, Roumanie, etc. Soutenu par le nouveau chef du gouvernement, Robert Schuman, le général Revers rappelle sous les drapeaux deux contingents et demi de réservistes, en même temps qu'il dissout quatorze Compagnies républicaines de sécurité (C.R.S.) noyautées par les communistes.

Le « grand soir » n'a pas lieu : le 1er décembre, la grève générale est un échec total. Alors que L'Humanité titre triomphalement, « Paris sans électricité et sans métro », les pompiers s'introduisent dans les stations de l'Électricité de France (E.D.F.) grâce à leurs échelles et ouvrent les portes à des équipes d'ingénieurs de la marine, amenées en secret dans la capitale, qui rétablissent le courant : la ville est éclairée et le métro roule normalement. La lassitude des ouvriers, leur refus de la guerre civile, expliquent largement le fiasco communiste. Les sabotages de voies ferrées destinés à compenser cet échec achèvent de discréditer les agitateurs. Le 9 décembre, le Comité national de grève se résigne à appeler à la reprise du travail. Excédés par l'emprise du parti communiste sur la C.G.T., une partie des adhérents l'abandonnent pour constituer un nouveau syndicat, Force Ouvrière (F.O.).

La rupture définitive entre l'Ouest et l'Est, la mise en place du plan Marshall, la création de l'Organisation européenne de coopération économique, contribuent à maintenir la tension politique et sociale à un niveau très élevé, mais les communistes portent désormais leurs efforts surtout vers la province, les bassins houillers et sidérurgiques. Paris, solidement gardée par les forces de l'ordre, reste en marge des grands conflits, encore qu'il n'y ait pratiquement pas de mois sans grève dans la capitale entre 1948 et 1950. Tous les maires d'arrondissement d'obédience communiste nommés à la Libération sont évincés.

La fragile coalition, la Troisième Force, constituée des socialistes, des radicaux, du M.R.P. et de diverses formations de droite, gouverne difficilement, gênée par les blocs hostiles du parti communiste et du R.P.F. Mais le mouvement gaulliste s'effrite bientôt, perdant 40 % de ses voix dès les élections législatives de 1951, se situant désormais à peu près au même niveau que les communistes avec un peu plus du quart des suffrages. Quant au parti communiste, s'il conserve ses électeurs, il s'affaiblit de l'intérieur, tombant de neuf cent mille adhérents à cinq cent mille entre 1947 et 1952.

Cela n'empêche pas ce parti d'entretenir la fièvre en exploitant l'anti-américanisme, la guerre d'Indochine et la revendication naissante à l'indépendance de certains Algériens qui se manifeste dès le 1er mai 1951 dans la capitale. Mai 1952 est particulièrement agité : manifestation d'Algériens aux Champs-Élysées, en faveur de Messali Hadj et de son mouvement national algérien, le 18 et, le 28, très violents affrontements à l'occasion de la venue du général américain Ridgway : des centaines de personnes sont grièvement blessées, les émeutiers cherchant systématiquement à en découdre avec les forces de l'ordre. L'Humanité du 29 exalte cette violence : « C'est ainsi dans tout Paris, au Nord, au Sud, à l'Est et à l'Ouest. En cent points différents, des colonnes irrésistibles ont pris leur source. La police est battue, la rue est au peuple de Paris... Paris debout. Paris, fidèle à ses glorieuses traditions, vient de prouver qu'il était digne de la confiance que, ce soir-là, des millions d'hommes, dans le monde entier, lui avait faite. »

Les élections municipales des 26 avril et 3 mai 1953 sonnent le glas du R.P.F. Alors que les communistes gagnent trois sièges et comptent vingt-huit élus, le R.P.F. en perd quarante-deux et se trouve réduit à dix conseillers. Formés de dissidents gaullistes, le groupe des indépendants et le Rassemblement des gauches républicaines (R.G.R.) obtiennent vingt-six et onze élus. Ils sont les principaux vainqueurs de la consultation, la S.F.I.O. et le M.R.P. devant se contenter de neuf et six sièges. La ville est gérée par une coalition du Centre national des indépendants (C.N.I.), du R.G.R. et du R.P.F.

La guerre d'Indochine à peine terminée par le désastre de Diên Biên Phu, la France s'embourbe dans le conflit algérien. Le 14 juillet 1953, de violentes bagarres entre forces de l'ordre et Algériens encadrés par le parti communiste font au moins sept morts et cent vingt-six blessés. Le jour de la Toussaint 1954, l'insurrection est déclenchée en Algérie. C'est en raison de l'impossibilité de dégager une majorité sur un programme précis en Afrique du Nord qu'Edgar Faure dissout l'Assemblée nationale.

Les élections du 2 janvier 1956 ne bouleversent pas fondamentalement l'équilibre des forces. Les apparentements n'ayant pas joué contre eux cette fois-ci, les communistes obtiennent cent quarante-six sièges au lieu de quatre-vingt-quinze avec un nombre de suffrages qui n'a pas varié. Les grands vaincus sont les républicains sociaux, ex-R.P.F., qui s'effondrent de cent six à dix-sept élus. Un nouveau parti, l'Union et défense des commerçants et artisans (U.D.C.A.) de Pierre Poujade enlève cinquante et un sièges.

Guy Mollet charge la S.F.I.O. de trouver une solution au drame algérien. Celui-ci se manifeste à Paris et dans sa banlieue par des centaines d'assassinats de militants du Front de libération nationale (F.L.N.) par les partisans du Mouvement national algérien (M.N.A.) et réciproquement, par des manifestations sur la voie publique d'Algériens soutenus et encadrés par le parti communiste.

L'attitude de ce dernier engendre une réaction très virulente du Conseil municipal, uni de la S.F.I.O. à la droite, et d'une bonne partie de la population parisienne. La vague anticommuniste culmine en novembre 1956, lorsque les chars russes écrasent à Budapest la révolte du peuple hongrois. Le 7 novembre, des dizaines de milliers de Parisiens attaquent le siège du parti communiste au carrefour des rues de Châteaudun, Le Peletier et du Faubourg-Montmartre, que le Conseil municipal va rebaptiser pour lui donner le nom du patriote hongrois Kossuth, héros de l'indépendance en 1848. Le parti communiste va déménager place du Colonel-Fabien pour ne pas avoir à subir cet outrage. En 1979, dans ses souvenirs, André Wurmser, journaliste de *L'Humanité*, écrira : « Les fiers amants de la liberté profitèrent de la circonstance pour nous infliger une affreuse humiliation : ils baptisèrent Kossuth le carrefour Châteaudun dont le siège de notre parti occupait un immeuble. Le combattant de la révolution de 1848, que notre République conservatrice avait négligé, fut honoré par les conseillers municipaux des beaux quartiers [1]. »

C'est la crise algérienne qui va détruire la Quatrième République. La révolte d'Alger contre le régime, le 13 mai 1958, ramène au pouvoir le général de Gaulle.

CHAPITRE VIII

Paris gaulliste (1958-1995)

LA MONTÉE DU GAULLISME (1958-1974)

A peine au pouvoir, Charles de Gaulle entame le règlement de l'affaire algérienne par une série d'inflexions qui l'amène de la proclamation de l'Algérie française à la reconnaissance de l'Algérie indépendante. A

---

1. A. Wurmser, *Fidèlement vôtre. Soixante ans de vie politique et littéraire*, p. 439.

Paris, les gens du F.L.N. pratiquent un terrorisme de plus en plus meurtrier au sein de la communauté d'outre-Méditerranée, ce qui contraint le gouvernement à créer une force de police auxiliaire musulmane. Partisans de l'indépendance et de l'Algérie française multiplient les réunions : à la salle de la Mutualité le 27 octobre 1960 pour la gauche favorable aux thèses du F.L.N., à Vincennes le 3 novembre pour les autres. L'Organisation armée secrète (O.A.S.), constituée en Algérie par des militaires partisans du maintien de l'Algérie dans la communauté française, pose sa première bombe à Paris le 6 janvier 1961. Les attentats sont particulièrement nombreux et spectaculaires par leur nombre et leur simultanéité de janvier à mars 1962 : ce sont les « nuits bleues » des 18 et 24 janvier, 15 février, 28 mars. Le parti communiste et diverses organisations de gauche occupent la rue pour protester contre ces attentats et demander la paix. L'une de ces manifestations dégénère, le 8 février 1962 : on dénombre huit morts au niveau de la station de métro Charonne. Le 17 octobre 1961, une autre manifestation, d'Algériens exclusivement, organisée par le F.L.N. pour protester contre le couvre-feu instauré le 5, avait aussi dégénéré et le nombre de ses victimes fait toujours l'objet de contestations polémiques.

Quoique graves, ces troubles ne sont que la marque d'un problème qui ne concerne pas directement la capitale. Les élections municipales de mars 1959 témoignent de la stabilité des opinions, avec une poussée gaulliste prévisible, conséquence du retour au pouvoir du général de Gaulle. Le parti communiste demeure la principale force avec vingt-neuf élus sur quatre-vingt-dix. La S.F.I.O. stagne avec neuf conseillers. Les gaullistes de l'Union pour la Nouvelle République (U.N.R.) constituent le second groupe avec vingt-trois représentants et partagent la direction du Conseil municipal avec les dix-neuf membres du Centre national des indépendants (C.N.I.).

Les socialistes soutiennent la droite au Conseil municipal en échange de l'appui de celle-ci au Conseil général de la Seine qu'ils dominent grâce à elle face à une très puissante minorité communiste. Mais la guerre d'Algérie désagrège cette alliance, les socialistes prenant des positions en faveur de la paix et de l'indépendance alors que la droite soutient l'Algérie française. En décembre 1960, la S.F.I.O. marque ses distances et s'abstient lors du vote du budget. Claude Fuzier justifie ce changement d'attitude : « Cette bataille sur les deux fronts est rendue d'autant plus nécessaire que le bloc communiste et le bloc réactionnaire groupent malheureusement des forces considérables dans le département de la Seine et que, de plus, toute une partie des gens qui sont numériquement indispensables à la formation d'une coalition avec la droite sont d'authentiques fascistes, tout aussi dangereux que les communistes. En affirmant cette tactique et en se dégageant totalement de l'emprise de l'une ou l'autre des deux coalitions possibles, le Parti a rendu en réalité sa tâche plus facile. La démonstration en a été faite au moment du vote des budgets à la fin de l'année 1960. En effet, en développant sa politique autonome, le Parti n'a pas voté le budget du Conseil municipal présenté par le rapporteur Griotteray, ex-UNR, passé au groupe ultra proche du mouvement de M. Soustelle. L'abstention socialiste dans ce débat a voulu marquer la désapprobation du Parti envers un budget qui, techniquement correct, ne répondait pas aux besoins de la ville de Paris[1].» La droite elle-même se divise sur la question algérienne, une partie de l'U.N.R. reste fidèle à l'Algérie française alors que la majorité suit le général de Gaulle dans sa politique vers l'indépendance. Ces dissidents se rapprochent du C.N.I. et les relations entre U.N.R. et C.N.I. se tendent. Les laborieuses élections à la présidence du Conseil municipal reflètent ces dissensions.

Les élections municipales de mars 1965 se font au scrutin majoritaire et non plus à la proportionnelle et les coalitions et fusions de listes entre les deux tours sont interdites. Cette loi électorale, dénonce le C.N.I., a été conçue pour «ne laisser en présence que le parti communiste et les partis inconditionnels du pouvoir[2]». Pour être représentés, les socialistes sont contraints à s'allier aux communistes au sein d'une liste unique, aux prix d'humiliantes négociations, car, note Claude Fuzier, «la disproportion des forces est évidente ; dans les quatorze circonscriptions de Paris, les communistes sont nettement devant nous, souvent dans la proportion de un à quatre[3]». Au second tour, les listes centristes «Libertés pour Paris» se maintiennent contre les gaullistes de l'Union pour le renouveau de Paris, ce qui entraîne des élections triangulaires avec les communistes et les socialistes regroupés dans l'Union démocratique. Les gaullistes et leurs alliés enlèvent trente-neuf sièges sur quatre-vingt-dix grâce à leur victoire dans six secteurs et huit arrondissements : Ve, VIe, IXe, Xe, XIIe, XIVe, XVe et XVIe. Libertés pour Paris les bat dans les VIIe, VIIIe et XVIIe arrondissements et obtient treize élus. Quant à l'Union démocratique, avec trente-huit conseillers dont vingt-cinq communistes, elle représente les bastions encore ouvriers du nord et de l'est (XIe, XVIIIe, XIXe, XXe arrondissements), le populeux XIIIe, et gagne aussi le premier secteur du centre (Ier, IIe, IIIe et IVe arrondissements), grâce à la dispersion des voix adverses entre les listes centristes et gaullistes, ce qui empêche l'U.R.P. d'enlever la majorité absolue au Conseil municipal.

N'ayant pas réussi à négocier avec les communistes un accord pour gérer la ville, les centristes sont contraints de s'allier aux gaullistes. *Le Monde* du 3 avril 1965 note que l'anticommunisme des centristes l'a emporté sur leur antigaullisme et souligne que cet accord avec les gaul-

---

1. «Rapport général d'activité de la Fédération de la Seine au Congrès de 1961», cité par P. Nivet, *Le Conseil municipal de Paris de 1944 à 1977*, p. 125.
2. Cité dans *L'Année politique*, 1965, p. 3.
3. Cité par P. Nivet, *op. cit.*, p. 139.

listes est lourd de menaces pour leur avenir : « Après cet épisode, et compte tenu du fait que le centrisme revêt dans la région parisienne un caractère assez particulier, il sera plus difficile aux partis et aux hommes groupés sous cette dénomination d'apparaître comme une véritable force de contestation du gaullisme. »

Provoquée par une réforme mal conduite de l'université, par la construction aberrante d'inhumains bâtiments d'enseignement à Nanterre, au milieu de bidonvilles, la révolte des étudiants parisiens est largement suscitée et très habilement exploitée par les agitateurs trotskistes, maoïstes et anarchistes du Mouvement dit du 22 mars, date de sa constitution à Nanterre. Les autorités sont surprises par l'ampleur et l'extension très rapide des manifestations : intervention de la police à la Sorbonne le 3 mai, huit cents blessés lors de bagarres au Quartier latin le 6, nuit d'émeute et érection de barricades rue Gay-Lussac le 10. Après avoir hésité, les syndicats, C.F.D.T. en tête, s'engagent du côté des étudiants et défilent avec eux le 13 mai. Le lendemain, des grèves éclatent un peu partout avec occupation des locaux. Le 20, le pays est paralysé par la grève générale, mais la C.G.T. et le parti communiste acceptent mal de ne pas contrôler le processus et sont ostensiblement hostiles à cette anarchie estudiantine inspirée par la révolution culturelle chinoise. *L'Humanité* dénonce son principal meneur « le juif Cohn-Bendit ».

Aussi, lorsque le 25, le premier ministre, Georges Pompidou, engage des négociations avec les syndicats, rue de Grenelle, la C.G.T. se montre-t-elle résolue à conclure rapidement un accord. C'est chose faite le 27 au matin, alors que le pays, au bout de trois semaines de joyeuse pagaille, commence à prendre peur : les capitaux se sont enfuis à l'étranger, le franc est en chute libre, les ménagères stockent le sucre, l'huile, les pâtes. Dans l'après-midi du 27, réunis au stade Charléty, les étudiants, lycéens, membres de la C.F.D.T. et du parti socialiste unifié, mais en l'absence de la C.G.T. et du parti communiste, entendent des discours enflammés appelant au renversement du régime. Mendès-France, présent, reste silencieux, mais annonce le lendemain : « Je ne refuserai pas les responsabilités qui pourraient m'être confiées par toute la gauche réunie. » François Mitterrand se propose pour remplacer de Gaulle en prenant Mendès-France pour premier ministre.

Mais le pouvoir mis à l'encan est encore en place. Le 30 mai, dans une allocution à la radio, de Gaulle stigmatise les « politiciens au rancart » qui veulent l'évincer et faire main basse sur le pays. Il annonce la dissolution de l'Assemblée nationale et la tenue d'élections les 23 et 30 juin. Le même jour, une énorme manifestation aux Champs-Élysées rassemble un million de personnes et acclame le nom de De Gaulle. Tandis que les « enragés » de la Sorbonne et de l'Odéon continuent leurs réunions et dénient toute autorité au chef de l'État, le parti communiste et la C.G.T. font savoir qu'ils ne mettront aucun obstacle à la campagne électorale.

D'énormes augmentations de salaires (35 % pour le salaire minimum interprofessionnel garanti, le S.M.I.G.), la lassitude de cette fête désordonnée et qui ne débouche sur rien de concret, le refus d'une guerre civile, les dissensions et les querelles de personnes au sein du mouvement gauchiste, tout cela entraîne le pourrissement des grèves et l'effritement des manifestations. Les usines rouvrent l'une après l'autre, les ouvriers de chez Citroën étant les derniers à reprendre le travail en région parisienne. Les bagarres au Quartier latin perdent de leur intensité, la dernière barricade est dressée le 16 juin. Le bilan officiel des émeutes de mai 1968 s'établit à Paris à mille neuf cent dix policiers et mille quatre cent cinquante-neuf manifestants blessés, 2,5 millions de francs de dégâts sur la voie publique, les Ve, VIe et XIVe arrondissements sont déclarés zones sinistrées.

Fête de l'utopie, étape décisive dans la libération des mœurs, mai 1968 est un colossal fiasco politique. Les élections législatives de la fin juin traduisent la peur de la révolution de la plupart des Français. Le parti communiste, la fédération de la gauche démocrate et socialiste perdent la moitié de leurs députés au profit des gaullistes de l'Union démocratique pour la République (U.D.R.) qui détiennent une large majorité absolue à l'Assemblée nationale. Dans la capitale, où les variations politiques sont traditionnellement amplifiées, les socialistes tombent à moins de 8 % des suffrages, au même niveau que le petit parti socialiste unifié P.S.U.), et les communistes s'effondrent à 18 % après avoir pendant trente ans rassemblé les voix de 30 % des Parisiens. Cet effondrement, le parti communiste le redoutait depuis longtemps. Dans *Paris-Montpellier*, Emmanuel Le Roy Ladurie raconte qu'au début des années 1950, la fédération de la Seine l'avait chargé de recherches statistiques sur l'évolution de la classe ouvrière à Paris, car elle redoutait que l'évolution démographique de la capitale conduise à la « déprolétariser ». Dès 1956, dans son roman *Les Embarras de Paris*, Pierre Daix mettait en évidence le choc que représentait pour l'austère militant communiste la naissance de la société de consommation. Dans son *Histoire intérieure du parti communiste*, Philippe Robrieux[1] a montré, statistiques à l'appui, le déclin communiste dans la capitale : vingt-six mille adhérents en 1956, moins de vingt mille en 1959, quinze mille en 1965.

Aux élections municipales de mars 1971, afin de s'assurer la majorité absolue, les gaullistes de l'U.D.R. constituent des listes Paris-Majorité sur lesquelles ils font place aux républicains indépendants, au Centre Démocratie et Progrès, au Centre national des indépendants et aux conseillers sortants de l'Union centriste. Cette coalition enlève quarante-six sièges sur quatre-vingt-dix, dont trente et un pour l'U.D.R. et sept pour les Républicains indépendants. Les centristes réfractaires au gaul-

---

1. P. Robrieux, *Histoire intérieure du parti communiste*, II, p. 577.

lisme de Libertés pour Paris résistent avec succès dans leurs fiefs des VIIe et VIIIe arrondissements, perdent le XVIIe mais gagnent le XVIe et conservent leurs treize représentants. La gauche se maintient dans ses bastions des XIe, XIIIe, XVIIIe, XIXe et XXe arrondissements et compte trente et un conseillers dont vingt communistes et sept socialistes.

Mais la victoire gaulliste est rendue précaire par la création d'un groupe giscardien conduit par Jacques Dominati et rassemblant cinq des sept conseillers républicains indépendants. La coalition Paris-Majorité ne dispose plus de la majorité absolue sans leur soutien et l'élection annuelle du président du Conseil municipal s'avère laborieuse : en 1972, la première et seule femme élue à ce poste, la gaulliste Nicole de Hauteclocque, ne l'emporte à la majorité relative qu'au troisième tour de scrutin. En 1973, grâce à la position d'arbitre de son groupe de six élus — Édouard Frédéric-Dupont vient de le rejoindre — Jacques Dominati succède à Nicole de Hauteclocque.

Les élections présidentielles de 1974 aggravent les divisions, les élus gaullistes ayant soutenu Jacques Chaban-Delmas, lourdement battu dans la capitale. A peine installé à l'Élysée, Valéry Giscard d'Estaing entend imposer son autorité à Paris. Son ministre de l'Intérieur, Michel Poniatowski, convoque, le 12 juin, Yves Milhaud, président de la fédération de Paris du Centre Démocratie et Progrès et candidat désigné par Paris-Majorité à la succession de Dominati, et lui demande de se retirer afin de permettre à Dominati, qui a soutenu la candidature de Giscard d'Estaing, d'être réélu. Or, il est tout à fait contraire aux usages du Conseil municipal d'élire deux années de suite le même président, et la requête de Poniatowski paraît scandaleuse aux conseillers gaullistes encore sous le coup de la déroute de Chaban-Delmas. Milhaud refuse et l'emporte au troisième tour, à la majorité relative, par 37 voix contre 29 au socialiste Georges Sarre, Jacques Dominati n'ayant pu réunir que 24 et 25 voix lors des deux premiers votes.

CHIRAC CONTRE GISCARD (1974-1981)

Très vite le président Giscard d'Estaing provoque l'opposition résolue du groupe Paris-Majorité du Conseil municipal. Sa décision d'arrêter brutalement la politique urbaine de Georges Pompidou, notamment de renoncer à la voie express rive gauche, déclenche un tollé au Conseil municipal. Dans la séance du 20 juin 1974, René Galy-Dejean déclare qu'il s'agit d'un « geste qui se veut spectaculaire », « un geste gratuit, sans efficacité, sans lendemain[1] ». Bernard Rocher estime qu'« il serait plus simple de nommer une délégation spéciale pour administrer Paris, un

---

1. Cité par P. Nivet, *Le Conseil municipal de Paris de 1944 à 1977*, p. 157.

commissaire du gouvernement pour en être l'exécutif, et laisser les conseillers de Paris faire des cocottes en papier avec les schémas directeurs ou les plans d'occupation du sol que nous avons la vanité d'imposer aux tiers, alors que la puissance publique ne les respecte pas[1]». Par la voix de Daniel Benassaya, le groupe socialiste du Conseil fait chorus avec Paris-Majorité : «Je trouve scandaleux que, pour la deuxième fois en moins d'une semaine — il y a quelques jours, c'était pour la voie express rive gauche, aujourd'hui, c'est au sujet de la Cité fleurie — nous recevions des ordres dictés par l'Élysée, alors qu'une commission spéciale a été désignée par le Conseil de Paris pour se pencher sur le problème... Si cela continue, j'arriverai, avec mes camarades des groupes socialistes et des radicaux de gauche, à déposer un projet de délibération tendant à désigner M. le président de la République comme maire de Paris et à envoyer aux champs les membres du Conseil de Paris[2].» La grogne devient encore plus forte lors de la première session extraordinaire de 1974, convoquée les 28 et 30 octobre à la suite de la décision du président de la République de supprimer le Centre de commerce international prévu à l'emplacement des Halles.

Les partisans de Giscard d'Estaing au sein du Conseil municipal se rapprochent alors du groupe centriste de Libertés pour Paris et constituent un inter-groupe, Paris-Avenir. Le 3 mars 1975, les membres de Paris-Avenir ne prennent pas part au vote pour le renouvellement du Bureau du Conseil, ce qui en rend la formation particulièrement ardue. Philippe Nivet note : «Le 2 juin, Jacques Chirac et Michel Poniatowski réunissent à Matignon des conseillers de Paris représentant les diverses tendances de la majorité présidentielle, Jean Tibéri, Bertrand de Maigret, Philippe Tollu. Un accord se fait sur l'élection à la présidence du Conseil d'un membre de Paris-Avenir et sur la recherche d'un meilleur équilibre de la majorité vers les républicains indépendants et les centristes en vue des municipales de 1977. En contrepartie, l'U.D.R. demande un accord pour la composition des Bureaux de l'Assemblée en 1975 et en 1976, ainsi que la création d'un comité de liaison de la majorité. Le 6 juin, le groupe Paris-Avenir désigne son candidat à la présidence, Michel Elbel, mais refuse une négociation sur le Bureau de 1976 et sur la création d'un comité de liaison. Les gaullistes réunis le 9 juin demandent le respect de la totalité de l'accord et désignent comme candidat à la présidence Bernard Lafay, l'un des plus anciens élus parisiens, qui siège sans discontinuer au Conseil municipal depuis 1945. Il est élu au troisième tour de scrutin, par 35 voix contre 29 à Jean Gajer et 20 à Michel Elbel. Après la démission des deux vice-présidents élus de Paris-Avenir, Bertrand de Maigret et Philippe Mithouard, les vice-présidents sont

---

1. Cité par P. Nivet, *Le Conseil municipal de Paris de 1944 à 1977*, p. 157.
2. *Ibid.*, p. 157-158.

exclusivement des élus U.D.R., les secrétaires étant deux U.D.R., un élu Libertés pour Paris et un non inscrit[1].»

En 1976, après de longues négociations, un accord est conclu entre Pierre Bas, président du groupe gaulliste Paris-Majorité, et le giscardien Jacques Dominati, président de Paris-Avenir. Après avoir revendiqué la présidence, Paris-Avenir accepte de voter pour Bernard Lafay de Paris-Majorité. En échange, les gaullistes s'engagent à partager avec Paris-Avenir les postes de vice-président et de secrétaire et à abandonner à un centriste le poste de syndic. Le 10 juin, Bernard Lafay est réélu à la présidence, mais douze voix de Paris-Avenir lui ont fait défaut. En représailles, les vice-président et secrétaire de Paris-Avenir ne sont élus qu'au second tour et le centriste Philippe Tollu n'est élu syndic que d'extrême justesse. La gauche socialiste et communiste, qui escompte triompher aux élections municipales de 1977, ne cache pas sa satisfaction devant les divisions de la majorité.

C'est dans ce contexte difficile qu'intervient la modification du statut de Paris. Lors de la campagne électorale pour la présidence de la République, Giscard d'Estaing a promis de faire évoluer le statut de la capitale. Philippe Nivet fait observer avec justesse : « Après son élection à la présidence de la République, le gouvernement, en particulier le ministre de l'Intérieur Michel Poniatowski, beau-père de Bertrand de Maigret, l'un des membres du groupe des Républicains indépendants à l'Hôtel de Ville, donne une impulsion décisive à la réforme du statut de Paris. C'est que Valéry Giscard d'Estaing, qui a obtenu 56,9 % des voix à Paris au deuxième tour des élections présidentielles, espère que le nouveau maire sera politiquement proche de lui et que Paris cessera d'être dominé par les gaullistes. Reçu à l'Hôtel de Ville, le nouveau président déclare : "Ce qui est certain, c'est que la population parisienne, ses élus, doivent pourtant jouir du rôle croissant de responsabilités dans la solution des grands problèmes de la ville." Le premier ministre Jacques Chirac est d'ailleurs nettement moins favorable à une évolution radicale du statut. En 1974, il déclare à *France-Soir* : "Le caractère très spécifique de la Ville de Paris ne permet en aucun cas d'envisager un maire élu. Il y a une structure traditionnelle assez efficace. Sans aucun doute à améliorer, mais Paris est la capitale de la France, une ville d'une très grande ampleur où les problèmes sont bien particuliers, ce qui justifie que son organisation soit spécifique." Les gaullistes parisiens ne sont pas, on l'a vu, parmi les plus fermes partisans de la modification radicale[2].»

La loi du 31 décembre 1975 rapproche la municipalité parisienne du droit commun aux autres communes. L'article premier stipule, en effet, que Paris constitue une commune régie par les dispositions du code de

---

1. P. Nivet, *Le Conseil municipal de Paris de 1944 à 1977*, p. 159.
2. *Ibid.*, p. 344.

l'administration communale. La Ville est dirigée par un maire élu par les cent neuf conseillers municipaux et qui partage le pouvoir exécutif avec le préfet de police et un préfet de Paris aux attributions très amoindries.

La loi à peine votée s'engagent de complexes tractations entre gaullistes et giscardiens. Les gaullistes sont en position défensive : ils ont perdu la présidence de la République en 1974 et le poste de premier ministre en été 1976, lorsque Jacques Chirac a été évincé au profit de Raymond Barre. Dans un premier temps, ils se résignent à un maire de Paris giscardien et semblent accepter la candidature de Pierre-Christian Taittinger. Mais, fait remarquer Philippe Nivet, « après la désignation de Michel d'Ornano, le 12 novembre 1976, la manière dont les giscardiens envisagent la constitution des listes apparaît aux gaullistes comme une véritable provocation. Convaincus que l'électorat parisien rejette massivement les élus gaullistes, en dépit du résultat obtenu par Jean Tibéri réélu au premier tour d'une élection législative partielle le 14 novembre 1976 dans son V[e] arrondissement, se fondant sur les résultats obtenus par Valéry Giscard d'Estaing lors des élections présidentielles de 1974, les giscardiens souhaitent éliminer bon nombre d'élus gaullistes sortants dans les arrondissements. Les gaullistes souhaitent défendre leur acquis politique à Paris : c'est pourquoi le groupe Paris-Majorité accepte facilement la candidature, annoncée le 19 janvier 1977, du président du R.P.R., Jacques Chirac, qui apparaît mieux à même que Christian de La Malène de défendre les chances de leur parti, et représente des candidats fortement enracinés dans leur arrondissement contre des candidats giscardiens pratiquement inconnus dans la vie politique parisienne : Pierre Bas contre Philippe de Saint-Marc dans le VIe arrondissement, Nicole de Hauteclocque, élue depuis 1947, Bernard Rocher, Claude Roux, Jacques Marette contre Françoise Giroud dans le XVe arrondissement [1]. »

Lors d'une réunion au Cirque d'Hiver, Chirac déclare : « On a cherché à nous éliminer à Paris au profit d'un clan sans passé et sans droit. Nous n'avons pas poussé la politesse jusqu'à nous excuser du fait qu'on voulait notre mort [2]. »

Les élections municipales de mars 1977 se déroulent dans dix-huit sections d'arrondissement (Ier et IVe, IIe et IIIe ont été regroupés en deux secteurs). Elles mettent aux prises quatre forces principales : l'Union de la gauche qui obtient 32 % des voix au premier tour, l'Union pour Paris des gaullistes du Rassemblement pour la République (R.P.R.) qui fait 26 %, la giscardienne Protection pour Paris conduite par Michel d'Ornano qui rassemble 22 % des suffrages, et le mouvement naissant de Paris Écologie qui attire 10 % des votants [3].

---

1. P. Nivet, *Le Conseil municipal de Paris de 1944 à 1977*, p. 352-353.
2. Cité dans *Le Monde* du 26 février 1977.
3. Voir la *Revue française de science politique*, 6 déc. 1977, consacrée aux élections à Paris de 1965 à 1977.

Les listes se réclamant de Jacques Chirac devancent celles de Michel d'Ornano dans onze des dix-sept secteurs où elles sont en compétition : dans le VIIe arrondissement, Édouard Frédéric-Dupont a réussi à constituer une liste unique se réclamant de la majorité présidentielle. Contrainte à l'union par la présence de la gauche en tête dans de nombreux secteurs, la droite pratique des accords de désistement réciproque en faveur de la liste arrivée en tête dans chaque arrondissement, ce qui lui permet d'emporter soixante-neuf sièges contre quarante à la gauche qui gagne cependant dix élus et domine dans les XIIIe, XVIIIe, XIXe et XXe arrondissements ainsi que dans certains quartiers des XIIe et XIVe. Les gaullistes et leurs alliés dominent le Conseil de Paris avec cinquante-quatre conseillers dont trente et un R.P.R., contre quinze aux partisans de Michel d'Ornano qui est lui-même éliminé. Au sein de la gauche s'amorce la remontée du parti socialiste qui progresse de huit à quatorze élus alors que les communistes ne passent que de vingt à vingt-deux. C'est la conséquence logique de la progression des socialistes qui, aux législatives de 1973, ont obtenu plus de 15 % des voix alors que les communistes passaient sous la barre des 18 %.

Le succès de Jacques Chirac a été attribué par les spécialistes en science politique à la solidité de l'implantation électorale de ses partisans, notables régulièrement réélus depuis des années, voire des décennies [1]. Ainsi les listes gaullistes comptent-elles trente-cinq députés ou conseillers sortants contre quinze seulement chez les giscardiens.

Utilisant largement les possibilités qu'offre la loi de 1975, Chirac va créer vingt-cinq postes d'adjoints au maire dont près de 40 % sont attribués à ses alliés non membres du R.P.R., tout en prenant soin de réserver les postes stratégiques à des hommes sûrs : Christian de La Malène aux finances, Jean Tibéri au personnel, Jean Chérioux aux affaires sociales, qui sont les seuls à détenir une délégation d'autorité, c'est-à-dire à pouvoir signer à la place du maire.

Marc Ambroise-Rendu explique bien le contrôle du Conseil de Paris par Jacques Chirac. « La multiplication des adjoints est une méthode à laquelle le maire reste fidèle. Avec les vingt maires d'arrondissement, son "gouvernement" comprendra en 1986 jusqu'à quarante-six noms : le maximum autorisé par la loi. On connaîtra un adjoint aux métiers d'art, un autre aux anciens combattants, et même une personnalité "sans attribution" qui, il est vrai, cumule son mandat avec le poste de directeur de cabinet d'Alain Poher, président du Sénat. A l'exception des maires et d'une demi-douzaine d'adjoints chargés de secteurs importants, la plupart n'ont guère de "grain à moudre". Mais cela fait toujours plaisir

---

1. F. Haegel, « Réflexions sur le ralliement des notables parisiens à Jacques Chirac », dans *Revue française de science politique*, fév. 1989, p. 34-49, et, du même auteur, *Un maire à Paris. Mise en scène d'un nouveau rôle politique*.

d'avoir un titre, 3 000 francs de plus d'indemnités, un bureau, une secrétaire et une voiture de fonction.

Ayant édifié une majorité en béton armé, le maire se préoccupe des règles de fonctionnement du Conseil. Il sait qu'il a en face de lui des personnalités de poids autant chez ses amis que chez ses adversaires. Par leurs interventions elles pourraient transformer l'assemblée municipale en un mini-parlement. "Pas question d'encourager la bête", confie-t-il à ses proches. Objectif : exclure tout débat de politique nationale et se borner à la gestion des affaires locales. Plusieurs mesures sont aussitôt décrétées. Aux quatre sessions annuelles il substitue une séance mensuelle qui ne dépassera pas la journée. Les conséquences de ce simple changement sont considérables. Elles ont été mesurées d'une manière précise par l'Américain Andrew F. Knapp qui a publié dans *L'Annuaire des collectivités locales* la meilleure étude actuellement connue sur le fonctionnement de la municipalité chiraquienne. En 1975, remarque-t-il, les conseillers avaient siégé trente-huit jours et leurs discussions avaient couvert mille huit cent soixante-huit pages du *Bulletin municipal officiel*. En 1978, il y aura quatorze jours de séance seulement et neuf cent trente et une pages de *BMO*. Puis le nouveau règlement supprime trois procédures qui étaient jusque-là largement utilisées par les conseillers pour interpeller le préfet : les questions orales avec débat, les questions d'urgence et surtout les questions écrites. Ces dernières étaient obligatoirement publiées au *Bulletin municipal officiel* avec la réponse de l'administration. Voilà pour les citoyens une source d'information qui se tarit.

L'opposition proteste, évidemment. On va la réduire à la portion congrue. En optant pour le scrutin majoritaire, on l'élimine du bureau du Conseil général. La même procédure est appliquée à la désignation des représentants de Paris au Conseil régional d'Île-de-France. Ils appartiennent tous à la majorité.

Dès la troisième séance du Conseil municipal, le lundi 18 avril, les communistes veulent évoquer le problème des expulsions qui reprennent avec le printemps. Le sujet n'est pas inscrit à l'ordre du jour. Chirac laisse une conseillère prendre la parole "à titre tout à fait exceptionnel", puis, comme d'autres élus de gauche l'interpellent, il fait carrément couper leur micro. Le lendemain, Georges Sarre, président du groupe socialiste, s'élève contre "la tentative de caporalisation de la capitale". "Le Conseil va devenir la petite muette et nous allons faire de la figuration", disent ses amis. Réponse du maire : "Nous sommes une assemblée municipale, pas un deuxième parlement ; et nous ne le deviendrons pas"... [1] . »

Pourtant des conseillers R.P.R., et non des moindres, reconnaîtront

---

1. M. Amboise-Rendu, *Paris-Chirac*, p. 243-245.

bientôt — mais en catimini — que l'assemblée municipale est devenue une simple chambre d'enregistrement. Ils parlent d'élus «godillots» menant grand tapage contre l'opposition — ce qui ravit la presse — mais ne bronchent jamais devant le patron. Aussi, pour faire passer la pilule, Jacques Chirac choisit-il avec soin le questeur du Conseil, autrement dit le maître de cérémonie. Il fait élire Roger Romani, quarante-trois ans, un fidèle qui le suit depuis des années et qui connaît parfaitement la maison pour en avoir parcouru les couloirs pendant six ans comme élu R.P.R. Élégant, disert, aimable, plus diplomate qu'un Florentin, il est fort populaire. Lors de sa désignation, il a obtenu deux voix de plus que le maire. Royalement installé dans un bureau style 1930, dont les meubles ont été décorés par Maillol, il va régner avec habileté sur le Conseil.

C'est lui qui attribue bureaux et voitures, qui règle les indemnités, organise les débats et signe les comptes rendus de séances. Il ne manque jamais une occasion de rendre service, y compris aux conseillers de l'opposition. C'est un homme puissant puisqu'il dispose de plusieurs centaines de fonctionnaires et que son budget dépassera 82 millions en 1987. Jacques Chirac va le promouvoir rapidement en le faisant élire sénateur de Paris puis en lui confiant la présidence du groupe des sénateurs R.P.R.

Reste tout de même que l'opposition a ramassé 45 % des voix au scrutin du 20 mars et que, dans certains arrondissements, elle est majoritaire. Les débats occultés au Conseil vont-ils se transporter dans les quartiers ? Quelques jours après les élections, certains élus de gauche souhaitent remercier leurs électeurs en les conviant à venir boire un verre dans les salons des arrondissements où ils ont été les plus nombreux, comme le XIe, le XIIIe, les XIXe et XXe. Jacques Chirac le leur interdit sèchement. Il invoque un arrêté préfectoral de 1950 réservant les salons des mairies «aux seules associations charitables et culturelles».

Maître de l'appareil politique, le maire s'assure de l'obéissance des structures administratives. Dès 1977, 40 % des quarante-quatre directeurs et sous-directeurs ont été changés, proportion qui monte à 68 % en 1980 et atteint 90 % en 1985. Aux directeurs et aux sous-directeurs auxquels il accorde une confiance particulière, Jacques Chirac donne la délégation de signature dont il est tellement avare pour ses propres adjoints. En 1982, à la fin de son premier mandat, il est évident que Chirac a réussi à contrôler à la fois le Conseil de Paris et le personnel municipal, ce que ses adversaires socialistes dénoncent comme une mainmise sur la ville.

Maire de Paris le 25 mars 1977, premier maire élu de la capitale depuis 1793, Jacques Chirac se heurte immédiatement au président de la République. Citons Ambroise-Rendu : «Encore tout gonflé de ressentiments envers l'Élysée et Matignon, le maire enfourche sur-le-champ le dada municipal : "Paris paie trop, l'État pas assez." Une commission mixte dite du contentieux est créée ; Christian de La Malène et un jeune assistant nommé Alain Juppé tentent pied à pied de réduire les contributions de la Ville. Peine perdue. Au bout d'un an de maquignonnage, ils n'ont pu apporter la preuve d'un déséquilibre réel au détriment de la capitale. De part et d'autre on décide d'en rester au statu quo [1]. »

Mais ce qui frappe surtout le grand public, ce sont les conflits au sujet des grands projets d'urbanisme parisien. Il y a d'abord l'arrêt de la construction de tours ordonné par le président Giscard d'Estaing au lendemain de son élection : la tour Apogée prévue place d'Italie ne verra pas le jour. Le Centre de commerce international est également annulé et remplacé par un jardin à l'emplacement des Halles. C'est ensuite l'Institut du monde arabe, décidé dès 1974 à l'Élysée et dont l'emplacement fait l'objet d'interminables discussions. Ce sont enfin les abattoirs de La Villette que le président de la République décide de transformer en musée des Sciences et des Techniques.

PARIS BASTION DE L'OPPOSITION (1981-1995)

Le double échec de Valéry Giscard d'Estaing et de Jacques Chirac en mai 1981 porte à la présidence de la République François Mitterrand qui a ressuscité le parti socialiste, grand triomphateur des élections législatives du mois suivant. La position du maire de Paris est difficile : il n'a obtenu que 18 % des voix à l'élection présidentielle, la droite l'accuse d'avoir facilité la victoire de François Mitterrand, son parti, le R.P.R., a perdu la moitié de ses députés en juin 1981.

Les socialistes tentent de lui porter le coup de grâce. Ambroise-Rendu explique leur manœuvre : « Mercredi 30 juin 1982, coup de théâtre dans la cour de Matignon. Jacques Attali rend compte à la presse des sujets évoqués ce matin-là au Conseil des ministres. Parmi ceux-ci une communication faite par Gaston Defferre, ministre de l'Intérieur, sur un "nouveau statut de Paris". "La nécessité de rapprocher les élus des administrés, explique Attali, a orienté le gouvernement vers la création d'une municipalité de plein exercice par arrondissement." La capitale aurait donc vingt maires et, à leur tête, une sorte de président de communauté urbaine comme il en existe dans plusieurs métropoles régionales. Il est clair qu'à l'occasion des élections municipales de 1983 — dans neuf mois — les socialistes veulent ébranler l'empire de Jacques Chirac. Pierre Mauroy, le premier ministre, s'en défend bien maladroitement. Mais ses amis passent aux aveux. Georges Sarre : "Il n'y aura plus de mainmise R.P.R. sur la ville." Paul Quilès : "Cela nous aidera à pénétrer dans tous les arrondissements." Est-ce un ballon d'essai, un coup de semonce ou une déclaration de guerre [2] ? »

---

1. M. Amboise-Rendu, *Paris-Chirac*, p. 219.
2. *Ibid.*, p. 253-254.

La riposte de Chirac est immédiate. Une heure après le communiqué de Matignon, il publie le sien : « Ce projet est totalement contraire aux engagements du chef de l'État, du gouvernement et du ministre de l'Intérieur lors du débat sur la décentralisation[1]. » Le lendemain, il convie les journalistes à l'Hôtel de Ville et leur déclare : « Ce qu'aucun gouvernement depuis l'origine des temps n'avait osé faire, voici que le pouvoir socialo-communiste veut aujourd'hui l'entreprendre pour assouvir une vindicte politique : briser l'unité d'une ville dont l'histoire, deux fois millénaire, symbolise le rayonnement mondial de la nation[2]. »

Jacques Chirac reçoit aussitôt le soutien de toute l'opposition de Giscard d'Estaing à Lecanuet et obtient celui des élus parisiens Roger Chinaud et Jacques Dominati, jusqu'alors en très mauvais rapport avec lui. Devenu l'incarnation de la résistance au pouvoir socialiste, Chirac éprouve un premier réconfort lorsque le Conseil d'État annonce que c'est bien le maire et non le préfet de Paris qui doit exercer les fonctions de chef de l'exécutif départemental, ce qui lui permet de faire passer sous son autorité le personnel et les crédits de l'aide sociale.

Sa campagne contre le projet gouvernemental, intitulée « Sauvons Paris », fait reculer le pouvoir qui réduit son texte à des conseils d'arrondissement uniquement consultatifs et englobe Lyon et Marseille dans son projet de loi pour tenter de dissimuler que l'attaque vise essentiellement la capitale. Malgré les critiques du Conseil d'État, l'opposition affichée des municipalités de Lyon et de Paris, cette loi dite P.L.M., initiales des trois villes concernées, est votée le 31 décembre 1982.

Ambroise-Rendu analyse cette loi : « Que prévoit-elle ? Paris, Lyon et Marseille sont respectivement divisés en vingt, neuf et seize arrondissements dotés d'un conseil et d'un maire élus. Au conseil d'arrondissement figurent deux catégories de représentants, tous élus au suffrage universel. D'abord, des conseillers municipaux qui siègent tour à tour dans leur secteur et au conseil de la mairie centrale. A Paris, leur nombre passe de cent neuf à cent soixante-trois. Ensuite des conseillers d'arrondissement qui ne siègent que dans leur mairie locale. Dans la capitale on en compte trois cent cinquante-quatre.

« Le conseil d'arrondissement examine tous les projets concernant son secteur. Qu'il les approuve ou pas, le dernier mot reste au conseil de la mairie centrale. Il fonctionne grâce au budget qui lui est alloué mais ne dispose d'aucune ressource propre. Avec cela il gère les équipements de quartier : crèches, jardins d'enfants, clubs de jeunes, squares, bains-douches, gymnases et terrains de sport. Le maire de l'arrondissement s'occupe de l'état civil ainsi que des affaires scolaires. Il préside la caisse des écoles (les cantines scolaires) et attribue la moitié des logements

---

1. Cité par M. Amboise-Rendu, *Paris-Chirac*, p. 255.
2. *Ibid.*

sociaux construits dans son secteur. Il est simplement consulté chaque année sur les investissements que la Ville effectue dans son arrondissement.

« Après avoir longtemps souffert d'une pénurie de porte-parole, les Parisiens vont en avoir pléthore. D'autant que la loi prévoit qu'une fois par trimestre le conseil d'arrondissement tiendra une séance commune avec les représentants des associations groupées au sein d'un "Comité d'initiative et de consultation d'arrondissement". Voilà un CICA qui suscite beaucoup d'espoirs et de commentaires.

« A bien examiner tout cela, il n'y a pas de quoi fouetter un chat, mais la presse se jette avec délectation sur la nouvelle "bataille de Paris". "Enfin du spectacle, écrit *Le Monde*. Les socialistes à l'assaut du bastion dans lequel le maire de Paris rêve à son destin national." Les candidats aux élections montent sur le ring. A droite, Jacques Chirac tenant du titre. Cette fois, il a six ans de gestion derrière lui, les réseaux qu'il a installés et les moyens médiatiques dont il a doté la mairie. Il a surtout pour alliés — et non plus comme adversaires — les coalisés de l'U.D.F. qui représentent un tiers des personnalités figurant sur ses listes. Tout le monde marche à la bataille sous le titre "Union pour Paris"...

« A gauche, le challenger : un quasi-inconnu nommé Paul Quilès, quarante ans, polytechnicien, ex-ingénieur à la Shell, marié, père de famille, chrétien et pianiste à ses heures. Il a dirigé la campagne de Mitterrand en 1981. Pour lui deux objectifs : d'abord se faire connaître, ensuite persuader les Parisiens qu'on peut faire mieux que Chirac. Vraiment pas facile. Si ardu même que Lionel Jospin a récusé l'honneur de se battre en première ligne et que le parti a écarté Georges Sarre. Au Conseil de Paris, celui-ci a trop souvent servi de souffre-douleur aux chiraquiens pour leur faire peur.

« Quilès défie Chirac en combat singulier devant les caméras de la télé. Bien entendu, le maire ne lui fera pas de cadeau. Le candidat se lance dans le "démarchage" au ras du trottoir. Mais cet "intello" que ses propos outranciers au congrès de Valence ont fait surnommer "Robespaul" n'est pas plus à l'aise au jeu de la poignée de main que ne l'était le comte d'Ornano six ans plus tôt. Ses affiches "Quilès tendresse" n'éveillent que des sourires incrédules [1]. »

Les élections municipales se traduisent par un Waterloo socialiste. Dès le premier tour, le 6 mars 1983, les listes chiraquiennes, avec plus de 68 % des suffrages, emportent dix-huit arrondissements sur vingt. Entre les deux tours, Chirac dramatise la situation : la conquête des XIIIe et XXe arrondissements par les socialistes pourrait « mettre en péril l'unité de Paris ». Le 13 mars, ces deux arrondissements se donnent à leur tour aux partisans du maire. Sur les vingt maires d'arrondissement, il y a douze R.P.R., six

---

1. M. Amboise-Rendu, *Paris-Chirac*, p. 256-258.

U.D.F. et deux membres du Centre national des indépendants. Ridiculisés par cette défaite à plate couture, les socialistes sont à peine représentés au Conseil de Paris : vingt-deux élus sur cent soixante-trois. Le bastion parisien du parti gaulliste est plus puissant que jamais.

Ambroise-Rendu analyse la réaction du vainqueur : « Sur le nouveau statut de Paris, le maire est tout à fait clair : il l'appliquera mais en naviguant au plus près. "Il n'y aura pas d'émiettement du pouvoir." Les cinq cent dix-sept conseillers nouvellement élus sont donc prévenus lorsqu'ils se réunissent dans leurs mairies respectives, le mardi 29 mars, pour désigner les maires et les adjoints des vingt arrondissements. C'est une journée historique si l'on songe que l'élection de représentants d'arrondissement n'a eu lieu qu'une seule fois, en 1871, pendant la Commune. Certains peuvent même rêver, car c'est à cette occasion que, comme maire du XVIIIe, Georges Clemenceau commença sa carrière politique.

« Au soir de la journée l'horizon est dégagé. Les maires élus vont régner sans partage puisque l'opposition est partout laminée. Elle n'a aucun représentant dans le VIIIe et n'en compte qu'un seul dans sept arrondissements. Les débats seront à peine plus animés dans les douze autres car les élus non chiraquiens n'y occupent que de trois à huit sièges…

« Mais tout de suite certains maires fixent les règles du jeu. Dans une petite salle de la mairie du XIIIe où l'on a dressé des tréteaux couverts d'un tapis vert, Jacques Toubon préside son premier conseil : "Nous ne sommes pas ici pour administrer le XIIIe, précise-t-il. Nous n'aurons que trois rôles : être un point de contact entre la municipalité et les habitants, catalyser les initiatives locales, nous faire l'écho des aspirations de la population."

« Il y a pourtant une logique de la démocratie à laquelle on n'échappe pas. Très vite, les assemblées d'arrondissement vont tenter d'affirmer leur modeste pouvoir face à l'Hôtel de Ville. Au printemps 1983 plusieurs d'entre elles repoussent certains des projets qu'on leur soumet. Dans le XIIIe précisément, on ne veut pas du couloir réservé à la ligne du P.C. que la R.A.T.P. et la voirie veulent tracer sur le boulevard périphérique [sic pour les boulevards des Maréchaux]. Dans le XXe, les élus rejettent trois projets concernant des logements sociaux. Motif : "Il y a suffisamment de logements de ce type dans nos quartiers. Nous ne voulons pas de ghetto. Répartissez-les ailleurs dans Paris." Sous la houlette du R.P.R. Pierre Bas, les conseillers du VIe donnent un avis défavorable à la cession d'un immeuble municipal.

« Le Conseil de Paris et son président n'oseront pas passer outre comme ils en auraient le droit. Les maires de quartier [sic pour arrondissement] disposent ainsi d'un "veto de poche" qui fait office de soupape de sécurité [1]. »

---

1. M. Amboise-Rendu, *Paris-Chirac*, p. 259-260.

La lutte entre le gouvernement socialiste et la municipalité chiraquienne connaît alors une accalmie. Le président François Mitterrand peut, sans trop de difficultés, continuer sa politique de grands travaux. N'a-t-il pas écrit : « Dans toute ville je me sens empereur ou architecte, je tranche, je décide et j'arbitre [1]. » Grande Arche de la Défense, musée d'Orsay, ministère des Finances à Bercy, Cité internationale de la Musique à La Villette, Grand Louvre avec sa pyramide, Opéra de la Bastille, la mégalomanie du président de la République peut se satisfaire. Il doit seulement renoncer à l'Exposition universelle de 1989 et aux Jeux olympiques de 1992.

Cet armistice ne fait que renforcer la position du maire malgré sa défaite aux élections présidentielles de 1988. A Paris, Jacques Chirac est arrivé en tête, devançant François Mitterrand de 2 % des voix seulement au premier tour, mais il l'a nettement vaincu au second tour avec 58 % des suffrages contre 42. Neuf arrondissements se sont cependant prononcés en majorité absolue pour le président de gauche : les IIe, IIIe, IVe, X[e], XIe, XIIIe, XVIIIe, XIXe et XXe.

Les élections municipales de 1989 se soldent par un nouveau désastre pour les socialistes. Le 12 mars, dès le premier tour, Pierre Joxe, ministre de l'Intérieur et chef de file de la liste socialiste, mord la poussière dans le XIIe arrondissement. Treize arrondissements sont acquis à la droite dès le premier tour. Le 19 mars, Jacques Chirac remporte une fois de plus le « grand chelem » des vingt arrondissements. Sur cent soixante-trois conseillers de Paris, on compte un écologiste, trois communistes, dix-huit socialistes et un bloc constitué de quatre-vingt-dix R.P.R. et cinquante et un U.D.F.

Mais le paysage politique parisien et français commence déjà à se compliquer sérieusement avec l'émergence de deux nouvelles forces. Le Front national de Jean-Marie Le Pen s'est affirmé à l'occasion des élections européennes de 1984. Ses thèses hostiles à l'immigration ne peuvent que trouver un écho favorable dans une capitale qui compte près de 20 % d'étrangers. Les suffrages recueillis par ce parti frôlent les 20 % dans les quartiers populaires où les habitants vivent plutôt mal la cohabitation avec les populations originaires du Maghreb ou d'Afrique noire, bruyantes et prolifiques, qui les concurrencent sur le marché du travail. Ce sont les bastions traditionnels de la gauche dans l'Est parisien qui votent pour Le Pen, une partie importante des voix du Front national provenant de l'électorat naturel du parti communiste. Ce dernier ne subsiste qu'à l'état résiduel. Les communistes représentent moins de 3 % des voix dans la majorité des arrondissements bourgeois et plafonnent à moins de 10 % dans le prolétaire XIXe. La seconde force montante est le mouvement écologiste qui attire environ 10 % des votants.

---

1. M. Amboise-Rendu, *Paris-Chirac*, p. 23.

Les élections législatives de mars 1993 consacrent l'éclatement, le morcellement du mouvement écologiste qui cesse d'exister sérieusement sur le plan politique, peut-être provisoirement. En revanche, le Front national se maintient. Après douze ans de socialisme aboutissant à plus de trois millions de chômeurs, les Français se détournent des gens au pouvoir et les censurent par leur vote. Sur les vingt et un députés de la capitale, un seul socialiste parvient à se faire réélire, Georges Sarre, dans le XIe arrondissement. Les vingt élus de droite se répartissent ainsi : quatre U.D.F., deux U.P.F. et quatorze R.P.R. La domination du R.P.R. gaulliste sur la capitale atteint un niveau inégalé.

L'élection de Jacques Chirac à la présidence de la République, le 7 mai 1995, consacre en apparence la mainmise de son parti sur l'État. Mais — les Romains avaient coutume de le rappeler — le Capitole est proche de la roche Tarpéienne. Discrédités par plusieurs affaires et, notamment, le scandale des appartements du domaine privé de la Ville occupés par les dirigeants du R.P.R. et leurs proches moyennant de bien faibles loyers, les gaullistes subissent une défaite mémorable aux élections municipales des 11 et 18 juin 1995 : six arrondissements (IIIe, Xe, XIe, XVIIIe, XIXe et XXe), tout l'est de la capitale, se donnent à l'opposition socialiste. La coalition majoritaire R.P.R.-U.D.F. perd plus du tiers de ses représentants et tombe à quatre-vingt-dix-neuf conseillers de Paris alors que l'opposition triple presque sa représentation avec soixante-quatre élus. Remplaçant Jacques Chirac à la mairie depuis le 13 mai, Jean Tibéri est réélu maire le 25 juin. Mais le R.P.R. n'est plus majoritaire et doit composer avec l'U.D.F. Six maires d'arrondissement proclament haut et fort leur opposition à l'Hôtel de Ville et exigent des pouvoirs et des moyens financiers. Siégeant depuis trente ans à l'assemblée municipale, Jean Tibéri aura besoin de toute son expérience, car sa tâche s'annonce beaucoup plus ardue que celle de son prédécesseur.

DEUXIÈME PARTIE

LES ACTIVITÉS DES PARISIENS

CHAPITRE PREMIER

Paris et Parisiens
Superficie, effectifs et origines

L'EXTENSION DES LIMITES

De la Lutèce gauloise primitive, on ne sait rien ou presque. César en parle très brièvement dans ses *Commentaires*, la définit comme une place forte (*oppidum*) des Parisiens située dans une île de la Seine. La Cité n'ayant pas livré de vestiges archéologiques antérieurs à la conquête romaine, on est réduit à des conjectures. Couvrant aujourd'hui 17 hectares, l'île n'en avait guère plus de 8 il y a deux mille ans. Elle a plus que doublé depuis par alluvionnement de la Seine et par l'annexion, à son extrémité orientale ou amont, d'un amoncellement de gravois dit Motte-aux-Papelards ou Terrain, à sa pointe occidentale ou aval des trois petites îles aux Juifs, aux Vaches et de la Gourdaine.

La Lutèce gallo-romaine déborde de son cadre insulaire vers le sud, s'étageant sur la montagne Sainte-Geneviève jusqu'aux actuelles rues de l'Abbé-de-l'Épée et Gay-Lussac, couvrant 44 hectares supplémentaires [1]. Cette ville est ravagée par les invasions germaniques dans la seconde moitié du IIIe siècle. Si une population, sans doute clairsemée, se maintient sur la montagne, la majeure partie des Parisiens résident désormais dans la Cité fortifiée au début du IVe siècle.

L'indigence des sources écrites aux époques mérovingienne et carolingienne est faiblement compensée par des témoignages archéologiques qui font apparaître de nombreux lieux de culte sur la rive gauche, indice certain d'un repeuplement de celle-ci. Mais ce repeuplement est très gravement compromis par les raids normands de la seconde moitié du IXe siècle. Vers l'an mil, la montagne Sainte-Geneviève et ses abords sont loin d'avoir relevé leurs ruines, de nombreux lieux de culte restent abandonnés. Seules les abbayes de Saint-Germain-des-Prés et de Saint-Marcel,

---

1. Voir P.-M. Duval, *Nouvelle Histoire de Paris. De Lutèce oppidum à Paris capitale de la France*, 1993.

à l'abri de leurs défenses, et, dans une moindre mesure, celle de Sainte-Geneviève, ont pu réparer leurs pertes. Au XIIᵉ siècle va débuter l'essor de Saint-Victor, équivalent à l'est de Saint-Germain à l'ouest.

En revanche, des villages, juchés sur des buttes ou monceaux insubmersibles, se développent sur la rive droite, sans doute protégés par des fossés ou des palissades, peut-être les deux associés. Il semble qu'il y ait eu, au XIᵉ siècle, un ensemble de fortifications englobant le monceau Saint-Gervais, le cloître Saint-Merri et Saint-Germain-l'Auxerrois, mais ces défenses en bois ont laissé bien peu de traces. On en trouve mention dans des actes du XIIIᵉ siècle sous le nom de « murs du roi » ou de « vieux murs de Paris ». Elles devaient commencer à l'est sur le quai de la Grève (près de l'actuel Hôtel de Ville), passer au niveau du 54, rue de l'Hôtel-de-Ville, puis, entre les censives Saint-Gervais et Saint-Paul, le long de la rue des Barres jusqu'à la rue François-Miron (anciennement Saint-Antoine) où s'ouvrait la porte Baudet ou Baudoyer au débouché de la rue du Pont-Louis-Philippe, s'orientaient vers l'ouest, atteignaient le 43 de la rue du Roi-de-Sicile, englobaient la place Baudoyer, traversaient le Bourg-Tibourg, la rue de Moussy et, par la rue de la Verrerie (numéros 32 à 44), aboutissaient rue du Temple où s'ouvrait une autre porte. Cette muraille se poursuivait en incluant Saint-Merri et son cloître jusqu'à la porte du même nom dont un fragment a longtemps subsisté sous le nom d'archet Saint-Merri. Elle se continuait entre les rues de La Reynie (autrefois Trousevache) et des Lombards pour aboutir à une nouvelle porte vers le 28/30, rue Saint-Denis. De là, elle suivait la rue de la Ferronnerie, englobait le cloître Sainte-Opportune, coupait à travers les rues des Bourdonnais, des Halles, des Déchargeurs, suivant la limite méridionale de l'impasse des Bourdonnais, traversait les rues de l'Arbre-Sec, Saint-Honoré, du Pont Neuf, de Rivoli, longeait le côté impair de la rue Perrault (ex-rue des Fossés-Saint-Germain), passait rue du Louvre (ex-rue des Poulies) devant l'église Saint-Germain-l'Auxerrois, où se trouvait une dernière porte et s'achevait quai du Louvre. L'ensemble pouvait mesurer 1 700 mètres, défendu par une trentaine de tours et percé de quatre à six portes. Cité, ville ou rive droite fortifiée et rive gauche dépourvue de fortification, ce qui allait devenir l'Université, couvraient environ 200 hectares à la veille de l'accession au trône de Philippe Auguste [1].

C'est à ce roi qu'on doit la première enceinte protégeant et délimitant la ville entière. D'un périmètre de 5 400 mètres (2 800 sur la rive droite, 2 600 sur la gauche), comptant dix portes et soixante-quinze tours, celles des portes non comprises, elle enclôt 273 hectares dont beaucoup sont encore couverts de vergers, champs labourables et pâturages.

---

1. Voir J. Boussard, *Nouvelle Histoire de Paris. De la fin du siège de 885-886 à la mort de Philippe Auguste.*

Édifiée entre 1190 et 1208, l'enceinte de la rive droite commence par la tour Barbeau, au 32 du quai des Célestins. La partie la plus importante et la mieux conservée peut encore être vue parallèlement à la rue des Jardins-Saint-Paul, d'où elle arrive à la rue Saint-Antoine par le passage Charlemagne. Au-delà, on retrouve sa trace dans la cave de la caserne de sapeurs-pompiers du 4 de la rue de Sévigné. De là, prenant la direction de l'ouest à la jonction des rues Malher et des Rosiers, elle passe à proximité de la rue des Francs-Bourgeois, immédiatement au sud, coupe en biais la rue Rambuteau, au numéro 14, et atteint les 60-62 et 69-71 de la rue du Temple. Du fond de l'impasse Berthaud, elle gagne le 28-30 de la rue Beaubourg, passe du côté impair de la rue du Grenier-Saint-Lazare et rejoint la porte Saint-Martin au 197-199 de la rue du même nom. A cet endroit, l'enceinte est à peu près parallèle à la Seine, traverse l'impasse des Peintres, le 15 de la rue Turbigo, longe le fond des immeubles du côté pair de la rue Étienne-Marcel, puis quitte cette rue au niveau de la rue Française et s'incurve au niveau du 37, rue Étienne-Marcel en direction de la Seine, traverse la rue Montmartre au niveau des 13-15 et 30-32, longe le côté impair de la rue du Jour, passe au 8-10 de la rue Coquillière, frôle l'actuelle Bourse du commerce et arrive rue Saint-Honoré au 148-150, où s'élève la tour Saint-Honoré. De là, l'enceinte rejoint la Seine en bordant la limite orientale du Louvre jusqu'à la tour du Coin qui se dressait à proximité du pont des Arts.

L'enceinte de la rive gauche a été construite entre 1209 et 1220. Elle débutait presque en face de la tour du Coin, avec la tour Hamelin, dite aussi de Nesle, à l'emplacement de l'aile est de l'Institut. Par l'impasse de Conti, elle traversait la rue Guénégaud, le passage et la rue Dauphine jusqu'au débouché de la rue Mazet qu'elle suivait jusqu'à la rue Saint-André-des-Arts. Par la cour de Rohan et celle du Commerce-Saint-André, elle atteignait le boulevard Saint-Germain et continuait parallèlement à la rue Monsieur-le-Prince pour atteindre la rue de Vaugirard au 1-3. A cet endroit, la muraille s'infléchissait vers le nord, traversait la rue Saint-Jacques à l'emplacement de la porte du même nom, aux 151-151 *bis* et 172. Passant au niveau des 3 et 4 *bis* de la rue d'Ulm, elle coupe la rue de l'Estrapade au 16, puis la rue Clotilde et atteint la tour qui subsiste encore à l'intérieur du lycée Henri-IV. S'orientant vers le nord à partir de cette tour, par les rues Thouin, Clovis, Descartes, la muraille peut être aperçue au 60, rue du Cardinal-Lemoine, avant de longer le côté impair de la rue d'Arras (qui fut autrefois dite des Murs). Elle atteint la rue des Écoles au niveau du 2, où se trouvait la porte Saint-Victor ou Coupeau, traverse la rue des Chantiers au 7 et se termine par la tour Saint-Bernard ou de la Tournelle, à la limite des quais de la Tournelle et Saint-Bernard.

Un siècle et demi plus tard, prenant acte de la considérable croissance de la ville sur la rive droite, Charles V dote Paris d'une nouvelle enceinte enfermant 439 hectares [1]. Les murailles suivent presque maintenant le bord de la dépression naturelle correspondant à l'ancien bras de la Seine.

Sur la rive droite, une ligne de fortifications est établie le long du fleuve pour relier la tour Barbeau de Philippe Auguste à la tour Billy de la nouvelle enceinte, le long du quai des Célestins et du boulevard Morland jusqu'au bassin de l'Arsenal. De la tour Billy à la bastide et à la porte Saint-Antoine, l'enceinte longeait l'actuel bassin de l'Arsenal, puis elle occupait l'axe du boulevard Beaumarchais, s'établissait légèrement en retrait du côté impair du boulevard du Temple, traversait la rue Charlot au numéro 79, la rue Béranger au niveau du 22 et du 23-25 et aboutissait à la porte du Temple, au débouché des rues Meslay et du Temple. L'enceinte s'infléchissait alors, suivant le côté impair de la rue Meslay, rejoignant la bastide Saint-Martin puis la bastide Saint-Denis au débouché de ces deux voies. Puis l'enceinte s'incurvait légèrement, passant du côté pair de la rue d'Aboukir, jusqu'à la rue et à la porte Montmartre, jusqu'à la place des Victoires. Continuant tout droit, la muraille traversait la rue La Vrillière, courait parallèlement aux bâtiments de la Banque de France et coupait le sud des jardins du Palais-Royal, aboutissant vers les 12 et 17 de la rue Richelieu, vers la rue et la porte Saint-Honoré, place Colette. De là, l'enceinte prenait une nouvelle direction droit vers la Seine, passant au 161-165, rue Saint-Honoré et 176-180, rue de Rivoli pour traverser la place du Carrousel quelques mètres à l'est de l'arc de triomphe actuel et se terminer au fleuve par la tour du Bois, vers le pavillon de Lesdiguières, entre le pont du Carrousel et le pont Royal. Comme à l'est, la tour du Bois était reliée à celle du Coin de l'enceinte de Philippe Auguste par une muraille longeant les quais des Tuileries et du Louvre. Cette enceinte, entreprise entre 1358 et 1371, faisait 4 900 mètres, presque le double de celle de Philippe Auguste. Sur la rive gauche, dont le développement s'est fait beaucoup plus lentement, le roi se borne à améliorer l'enceinte de Philippe Auguste.

Les murailles sont bien amoindries un siècle et demi plus tard, leur efficacité apparaît très limitée par la prolifération des faubourgs et le rempart disparaît par endroits sous les maisons, les appentis, les murets des jardins. En outre, l'évacuation des déchets de la ville « portés aux champs » a fait naître des « voiries » ou buttes d'immondices de plus en plus hautes et très proches des remparts, sites rêvés pour les moulins à vent qui s'y sont perchés mais aussi pour l'artillerie d'un assiégeant éventuel. De vagues travaux de terrassements et de tranchées ont été entrepris en 1512, 1523, 1525-1526, abandonnés à peine esquissés. En 1536, l'arrivée des armées de Charles Quint à Saint-Quentin et Péronne

---

1. Voir R. Cazelles, *Nouvelle histoire de Paris. De la fin du règne de Philippe Auguste à la mort de Charles V (1223-1380)*.

a fait reprendre pour six mois, d'août à décembre, les travaux aux « rampartz, fossez et tranchées pour enclorre les faulxbourgs et la ville de Paris ». Le danger éloigné, pelles et pioches sont abandonnées. En 1544, la menace étrangère reparaît, les Impériaux arrivent jusqu'à Château-Thierry et François Ier fait appel à Benvenuto Cellini puis à Girolamo Bellarmato pour de nouveaux projets de fortifications qui, selon le Vénitien Marino Cavalli, auraient dû porter la nouvelle enceinte parisienne de 22 400 à 35 000 pieds[1]. On se borne à renforcer les défenses de la Bastille. Henri II, en réponse à la demande de protection des habitants des faubourgs méridionaux, Saint-Germain, Saint-Michel, Saint-Jacques, Saint-Marcel, Saint-Victor, ordonne, le 6 novembre 1550, de « faire clorre les faulxbourgs du costé de l'Université ». Le terrain est piqueté, des bornes établissant les futures limites de la ville sont plantées, mais on ne va pas plus loin.

En 1563, Charles IX décide de protéger les Tuileries en construction par des murs englobant le faubourg Saint-Honoré voisin et la Ville Neuve ou quartier Bonne-Nouvelle. La première pierre est posée le 12 juillet 1566 à proximité de la porte Neuve percée en 1536 sur le quai dans l'enceinte de Charles V, et la nouvelle muraille inclut les Tuileries et leur jardin, se poursuit à l'emplacement de la rue Saint-Florentin jusqu'à la nouvelle porte Saint-Honoré, au croisement de la rue du même nom et de la future rue Royale. Il faudra attendre le règne de Louis XIII pour que l'enceinte, dite des « Fossés-Jaunes » à cause de la couleur de la terre remuée, soit continuée et achevée entre 1633 et 1636[2]. Suite de bastions reliés par des courtines, elle passe légèrement au sud des actuels boulevards de la Madeleine, des Capucines, des Italiens, Montmartre, Poissonnière et Bonne-Nouvelle, s'ouvre par les portes de la Conférence (quai des Tuileries), Saint-Honoré déjà évoquée, Gaillon (au niveau de la rue de La Michodière, vers le théâtre homonyme), Richelieu (rue de Richelieu au niveau de la rue Ménars), Montmartre (rue Montmartre, entre les numéros 141 et 158), Sainte-Anne, de la Poissonnerie ou Poissonnière (rue Poissonnière, au niveau de la rue de la Lune), Saint-Denis (à l'angle des rues Saint-Denis et Blondel) et se rattache à cet endroit à l'enceinte de Charles V modernisée. L'ensemble, de la porte de la Conférence jusqu'au-delà de la Bastille, représentait 6 200 mètres de courtines avec quatorze ou quinze bastions et entourait une ville d'environ 600 hectares.

Il convient ici d'ouvrir une parenthèse et de décevoir les amateurs de certitude. Les limites que tracent les fortifications ne coïncident pas précisément avec celles de la ville. Ni les circonscriptions ecclésias-

---

1. Voir J.-P. Babelon, *Nouvelle Histoire de Paris. Paris au XVe siècle.*
2. Voir R. Pillorget, *Nouvelle Histoire de Paris. Paris sous les premiers Bourbons (1564-1661).*

tiques, les paroisses, ni les subdivisions administratives civiles, les quartiers, ne sont cartographiés avant le milieu du XVIIe siècle pour les quartiers, avant 1720 pour les paroisses. Et les reconstitutions des historiens d'aujourd'hui, établies à partir des documents fiscaux, font apparaître, dès le rôle de la taille de 1292, des paroisses débordant largement de l'enceinte de Philippe Auguste. De même, le rôle de la taxe de 1571 inclut-il dans les quartiers un certain nombre de faubourgs.

La fixation par la monarchie de limites au-delà desquelles il est interdit de bâtir n'est guère fiable, car le renouvellement de ces interdictions et l'élargissement constant du domaine construit autorisé attestent la croissance incontrôlée de la ville et l'impossibilité d'en fixer avec une précision absolue les contours.

La première de ces interdictions a été édictée par Henri II en novembre 1548. Une déclaration de Louis XIII du 29 juillet 1627 renouvelle ces défenses de bâtir et ordonne d'élever des poteaux au-delà desquels toute construction sera interdite. Ces poteaux ne furent vraisemblablement pas mis en place : en effet, un arrêt du Conseil d'État du roi du 15 janvier 1638, complété par un autre du 4 août de la même année, prescrit la pose de trente et une bornes jalonnant les limites de la ville et de ses faubourgs. Sur la rive droite, dix circonscrivent un périmètre de 6,5 kilomètres, les vingt et une de la rive gauche un autre de 9,5 kilomètres, soit une circonférence de 16 kilomètres environ pour la capitale. C'est sur la rive gauche que le bornage revêt une importance particulière, aucune clôture n'y ayant été élevée depuis plus de quatre siècles, depuis l'enceinte de Philippe Auguste. La limite de 1638 inclut ainsi dans la ville les faubourgs Saint-Germain, Saint-Jacques, Saint-Marcel et Saint-Victor, empruntant approximativement les rues du Bac et d'Assas pour buter sur l'emplacement du futur Observatoire, longer la rue de la Santé, suivre une direction parallèle au boulevard Arago, au sud de cette voie, couper le boulevard Saint-Marcel et se terminer quai Saint-Bernard. Sur la rive droite, la limite épouse étroitement l'enceinte qu'elle ne dépasse au nord qu'au niveau des fortifications de Charles IX et de Louis XIII pour longer les boulevards de la Madeleine, des Capucines, des Italiens, Montmartre et Poissonnière. Si la superficie de la rive droite n'est guère modifiée, la rive gauche s'étend désormais à la presque totalité des actuels cinquième et sixième arrondissements. Les deux rives sont de surfaces à peu près égales désormais. Paris couvre alors approximativement un millier d'hectares.

Moins d'un demi-siècle après la construction des dernières fortifications, convaincu de sa supériorité militaire sur les autres pays d'Europe, Louis XIV juge inutiles des murailles en large partie archaïques et les fait abattre à partir de 1670, les remplaçant par des cours ou boulevards plantés d'arbres qui entourent une capitale couvrant 1 103 hectares. Ils correspondent, sur la rive droite, d'est ou ouest, aux boulevards Bourdon,

Beaumarchais, des Filles-du-Calvaire, du Temple, Saint-Martin, Saint-Denis, de Bonne-Nouvelle, Poissonnière, Montmartre, des Italiens, des Capucines, de la Madeleine, à la rue Royale et à la limite orientale de la place de la Concorde. Sur la rive gauche, les boulevards dits du Midi correspondent aux boulevards de l'Hôpital, Auguste-Blanqui (auparavant des Gobelins et de la Glacière), Saint-Jacques, Raspail (ex-d'Enfer), du Montparnasse, des Invalides.

En même temps qu'il fait aménager les boulevards, le Roi-Soleil s'efforce de contrôler la croissance de la ville. Un arrêt du Conseil d'État du roi du 28 avril 1674 ordonne la plantation de trente-cinq bornes, vingt-deux sur la rive droite et treize sur la gauche, tables de marbre ou piliers en pierre de taille. Sur la rive droite, le bornage débutait à l'ouest de la place de la Concorde, atteignait la rue La Boétie, longeait les rues Saint-Lazare, Lamartine, puis passait au nord de l'emplacement des gares du Nord et de l'Est pour se raccorder à la rue Saint-Maur. Il la quittait peu avant l'avenue de la République pour obliquer vers l'est, par les boulevards de Ménilmontant et de Charonne, passer légèrement à l'est de la future barrière du Trône et rejoindre le quai de Bercy en suivant le boulevard de Picpus à l'ouest, les rues de Capri et de Madagascar à l'est. Sur la rive gauche, la limite partait de la Seine au débouché de la rue de Tolbiac, filait droit sur le boulevard de la Gare qu'elle traversait près du croisement avec la rue du Chevaleret, pour franchir l'avenue des Gobelins vers la rue Véronèse, repartir vers le sud jusqu'au croisement de la rue Corvisart et du boulevard Auguste-Blanqui, continuer en longeant le boulevard Saint-Jacques au nord, le boulevard Edgar-Quinet au sud, emprunter l'avenue de Saxe, couper l'avenue de La Bourdonnais et se terminer devant l'île Maquerelle, un peu à l'est de l'actuel pont de l'Alma. Le plan de 1675 de Jouvin de Rochefort porte ces nouvelles limites qui devaient, dans l'esprit de leurs concepteurs, assurer à Paris un nouveau champ de développement sur les deux rives, à l'est comme à l'ouest, tout en contenant l'urbanisation dans un espace bien précisé. Nettement plus restreinte, à l'ouest, que l'enceinte des fermiers généraux de 1784-1787, mais la dépassant légèrement à l'est, cette limite d'interdiction de bâtir incluait de vastes étendues encore rurales, aussi bien vers l'École militaire et les Invalides que vers le faubourg Saint-Antoine et Bercy et ne correspondait pas à la ville elle-même qui restait limitée aux boulevards.

La déclaration royale du 18 juillet 1724 constate que les textes antérieurs ont été mal interprétés, puisqu'« on a regardé ces bornes, qui ne devaient être que la marque de l'extrémité de chaque faubourg, comme des Allignemens sur lesquels on devoit tracer une nouvelle ville et que l'on s'était faussement persuadé que tout le terrain qui étoit enfermé dans l'enceinte formée par des lignes tirées d'une borne à l'autre, faisoit partie de la nouvelle enceinte de la ville ». Le nouveau texte distingue nettement

« l'enceinte de la ville de celle des faubourgs ». Le bornage intérieur de la ville correspond aux grands boulevards déjà nommés, à l'emplacement des fortifications, sur la rive droite, mais se situe nettement en retrait des boulevards du Midi sur la rive gauche avec les rues Buffon, Broca, les boulevards de Port-Royal, du Montparnasse, des Invalides. Cette déclaration est complétée par de nouveaux textes, les 29 janvier 1726, 23 mars et 28 septembre 1728. Des plans sont levés, les maisons sont affectées d'une numérotation de part et d'autre de la limite afin de mieux contrôler les constructions. Quarante bornes jalonnent l'enceinte intérieure de la ville et deux cent vingt-sept autres les dix faubourgs Saint-Antoine, du Temple, Saint-Martin, Saint-Denis, Montmartre, Saint-Honoré, Saint-Germain, Saint-Michel et Saint-Jacques, Saint-Marcel, Saint-Victor.

La déclaration du 31 juillet 1740 accorde la liberté de construction le long de la rue du Faubourg-Saint-Honoré. En 1765, il est question d'étendre cette liberté au faubourg du Roule. Le 16 mai 1765, l'administration royale fait de nouvelles concessions en rappelant les précédentes défenses de bâtir mais en avalisant les constructions illé) gales et en portant la « défense de bâtir » « au-delà des maisons qui sont actuellement construites à l'extrémité de chaque rue des faubourgs de Paris, du côté de la campagne [...], soit que lesdites maisons soient sur les paroisses des faubourgs, soit qu'elles soient sur les paroisses de la campagne ». En 1728, on évalue l'étendue de la ville à 1 337 hectares et celle des faubourgs à quelques dizaines d'hectares de plus que la capitale.

Afin d'arrêter une fraude fiscale rendue très facile par l'absence d'obstacle matériel important et la multiplicité des voies d'accès à la capitale, les fermiers généraux, chargés de la perception du droit d'octroi sur les marchandises entrant dans Paris, font édifier entre 1784 et 1787 une nouvelle enceinte, longue de 23 kilomètres et entourant 3 370 hectares. Ce mur, percé de cinquante-quatre barrières, coïncide avec les boulevards du Midi de Louis XIV jusqu'au boulevard Raspail inclus, puis emprunte l'emplacement des actuels boulevards Edgar-Quinet, de Vaugirard, Pasteur, Garibaldi ; sur la rive droite, les rues de l'Alboni, Franklin, les avenues Kléber et Wagram, puis les boulevards de Courcelles, des Batignolles, de Clichy, de Rochechouart, de la Chapelle, de la Villette, de Belleville, de Ménilmontant, de Charonne, de Picpus, de Reuilly, de Bercy, qui correspondent à ce qu'on nomme les boulevards extérieurs.

Le mur des Fermiers généraux reste jusqu'au 1er janvier 1860 la limite administrative de la capitale. Mais une nouvelle enceinte est édifiée entre 1841 et 1844, pour protéger Paris, ville ouverte et occupée par les troupes russes, autrichiennes, prussiennes, anglaises, en 1814-1815. Cette fortification, attribuée à Thiers qui fit voter le projet de loi en décidant la construction, enserre la ville dans une défense de 34 kilomètres, large de

140 mètres, comprenant rempart, fossé et glacis, comptant quatre-vingt-quatorze bastions dont les saillies portaient le développement total des murailles à près de 39 kilomètres.

Distante de 1 à 3 kilomètres du mur des Fermiers généraux, l'enceinte fortifiée de Thiers coupe en deux un certain nombre de communes de banlieue dont les habitants vivant à l'intérieur de cette enceinte sont séparés du reste du territoire par les énormes fortifications aux cinquante-deux portes ou poternes tandis qu'ils se distinguent des Parisiens par l'absence de droits d'octroi, les barrières des fermiers généraux restant la limite administrative de la capitale. La Monarchie de Juillet, par faiblesse politique, n'ose pas décider l'annexion de cette auréole de territoires à Paris. C'est le second Empire qui porte logiquement les frontières de la ville sur ses fortifications. La superficie fait plus que doubler, passant de 3 402 hectares — 32 hectares ont été gagnés en 1818 avec l'annexion du village d'Austerlitz — à 7 802. Conformément à l'article premier de la loi du 16 juin 1859, les limites de Paris sont portées, au 1er janvier 1860, « jusqu'au pied de l'enceinte fortifiée. En conséquence, les communes de Passy, Auteuil, Batignolles-Monceaux, Montmartre, La Chapelle, La Villette, Belleville, Charonne, Bercy, Vaugirard et Grenelle sont supprimées. Sont annexés à Paris les territoires ou portions de territoire de ces communes et des communes de Neuilly, Clichy, Saint-Ouen, Aubervilliers, Pantin, Pré-Saint-Gervais, Saint-Mandé, Bagnolet, Ivry, Gentilly, Montrouge, Vanves et Issy, compris dans les limites fixées par le paragraphe premier. Les portions des territoires d'Auteuil, Passy, Batignolles-Monceaux, Montmartre, La Chapelle, Charonne et Bercy, qui restent au-delà de ces limites, sont réunies, savoir : celles provenant d'Auteuil et de Passy, à la commune de Boulogne ; celle provenant de Batignolles-Monceaux, à la commune de Clichy ; celle provenant de Montmartre, à la commune de Saint-Ouen ; celle provenant de La Chapelle, partie à la commune de Saint-Ouen, partie à la commune de Saint-Denis, et partie à la commune d'Aubervilliers ; celle provenant de Charonne, partie à la commune de Montreuil, partie à la commune de Bagnolet ; celle provenant de Bercy, à la commune de Charenton. »

L'annexion entraîne aussitôt la démolition du mur des Fermiers généraux et le report de l'octroi sur les fortifications de Thiers. La loi d'avril 1919 décide la destruction de cette dernière enceinte et son incorporation à la capitale, qui s'accroît encore, les années suivantes, des bois de Vincennes et de Boulogne, puis du champ de manœuvres d'Issy-les-Moulineaux, ce qui porte Paris à sa superficie actuelle de 10 540 hectares.

SUPERFICIE DE PARIS

	ha
Lutèce gauloise (vers 52 av. J.-C.)	8
Lutèce gallo-romaine (vers 250)	52
Paris vers 1180 (estimation Boussard)	200
Paris vers 1220 (enceinte de Philippe Auguste)	273
Paris vers 1380 (enceinte de Charles V)	439
Paris entre 1553 et 1581 (estimation Verniquet)	483
Paris en 1635 (enceinte des Fossés-Jaunes)	567
Paris en 1638 (bornage incluant les faubourgs du sud)	1 000
Paris en 1672-1686 (boulevards de Louis XIV)	1 103
Paris vers 1715-1717 (estimation Verniquet)	1 337
Paris en 1788 (enceinte des Fermiers généraux)	3 370
Paris entre 1818 et 1859 (avec le village d'Austerlitz)	3 402
Paris au 1/1/1860 (enceinte de Thiers)	7 802
Paris en 1926 (fortifications détruites)	8 622
Paris en 1946 (bois de Boulogne et de Vincennes inclus)	10 516
Paris depuis 1954 (avec le terrain de manœuvre d'Issy-les-Moulineaux)	10 540

POPULATION DE PARIS

	Hab.
Lutèce vers 250	5 000 à 6 000
En 1328 (estimation Cazelles)	200 000
Vers 1422 (est. Favier)	100 000
Vers 1500 (est. Jacquart)	150 000
En 1565 (est. Jacquert)	294 000
En 1590 (est. Pigafetta/Jacquart)	200 000
Vers 1600 (est. Jacquart)	300 000
En 1637 (est. Boislisle/Mousnier)	415 000
Vers 1680 (est. Bertillon)	500 000
Vers 1709-1719 (est. Messance)	510 000
Vers 1752-1762 (est. Messance)	576 630
En 1766 (est. d'Expilly)	576 639
Vers 1771-1780 (est. Messance)	600 000
En 1780 (est. Lavoisier)	600 000
En 1789 (est. États généraux)	524 186
En 1789 (est. Chagniot/Tulard)	650 000

RECENSEMENT

1801	546 856	1841	936 261
1811	622 636	1846	1 053 897
1817	713 966	1851	1 053 261
1831	785 866	1856	1 174 346
1836	899 313		

LIMITES ACTUELLES

1861	1 696 141	1921	2 906 472
1866	1 825 274	1926	2 871 429
1872	1 851 792	1931	2 891 020
1876	1 988 806	1936	2 829 746
1881	2 269 023	1954	2 850 189
1886	2 344 550	1962	2 790 091
1891	2 447 957	1968	2 590 771
1896	2 536 834	1975	2 290 852
1901	2 714 068	1982	2 176 243
1906	2 763 393	1990	2 154 678
1911	2 888 107		

LA CROISSANCE DE LA POPULATION

La population de Lutèce ne peut être supputée que de façon très approximative. Si l'on attribue à la cinquantaine d'hectares habités la densité du Paris de Louis-Philippe (cent cinquante habitants à l'hectare), on obtient environ huit mille âmes. Cela paraît excessif, car la densité des villes antiques en Gaule ne semble pas avoir dépassé cent à cent vingt-cinq habitants à l'hectare. On peut donc situer la population de Lutèce à son apogée, vers 250, entre cinq mille et six mille personnes. Le débit de l'aqueduc d'Arcueil-Cachan ne pouvait pas satisfaire les besoins en eau de plus de cinq mille habitants, la contenance du théâtre ne dépassait pas trois mille et si l'amphithéâtre pouvait recevoir quinze mille spectateurs, ceux-ci venaient probablement de l'ensemble du territoire du peuple des *Parisii.*

On n'est guère mieux renseigné sur la population de Paris durant les siècles obscurs du Moyen Âge. Il y avait peut-être vingt mille habitants dans la ville et ses faubourgs à la veille des incursions normandes, au début du IXe siècle. Il y en avait assurément beaucoup plus dans l'enceinte de Philippe Auguste, mais il est hasardeux de livrer ne fût-ce qu'une estimation.

Il faut attendre 1292 pour trouver les premiers documents, les livres de la taille, registres de contribuables difficilement exploitables[1]. Ils ont l'intérêt de montrer que Paris déborde déjà nettement de l'enceinte de

---

1. K. Michaelsson a édité les livres de la taille de 1292, 1296 et 1313.

Philippe Auguste : cent cinq « hôtes » du Temple dépendant des paroisses de Saint-Jean-en-Grève et de Saint-Nicolas-des-Champs sont installés hors les murs, près de la moitié des imposables de la première quête de Saint-Eustache sont dans le même cas ; toute la première quête de Saint-Germain-l'Auxerrois, toute la paroisse Saint-Sauveur partagent le même sort. Mais les livres de la taille ne contiennent que les habitants imposés, quinze mille deux cents en 1292, dix mille entre 1297 et 1300, six mille en 1313, écarts énormes liés à une modification vraisemblable de l'assise et du mode de perception de la taille. Ces documents permettent toutefois d'établir que la ville déborde largement la muraille, ce qui réduit à néant les arguments topographiques des démographes minimalistes Mols et Dollinger qui refusent, bien à tort, d'admettre la validité de l'état général des feux du royaume établi en 1328 [1], dont toutes les versions portent l'indication suivante : « En la ville de Paris et de Saint-Marcel, trente-cinq paroisses et soixante et un mille quatre-vingt-dix-huit feux. » Sur la modeste base de trois personnes et demie en moyenne par famille ou feu, on obtient un minimum de deux cent mille Parisiens à la veille de la Grande Peste.

Apparue en France en 1348, revenue fréquemment jusqu'en 1466, associée à la guerre franco-anglaise et au conflit fratricide entre Armagnacs et Bourguignons, la peste décime la population. Moins d'un siècle après avoir compté deux cent mille âmes, la ville est réduite à cent mille vers 1422, à la pire époque de la guerre de Cent Ans. En revanche, avec le retour de la sécurité en Île-de-France, en 1444, la ville se repeuple rapidement. Les travaux de Jean Jacquart ont établi qu'il y avait cent cinquante mille Parisiens vers 1500 [2]. La croissance se poursuit vigoureusement au XVIe siècle, jusqu'à ce qu'éclatent les guerres de religion. Un document de 1565 permet de cerner cette population. Cette année de disette, le registre de délibérations du Bureau de la ville mentionne qu'« il estoit assez notoire à ceulx qui traictoient le faict de police qu'il fault pour la nourriture de la Ville environ cinq mil muys de bled pour chascun moys, qui est par an soixante mil muys [3] ». En comparant cette donnée avec celles du *Mémoire* de 1637 qui indique une consommation de quatre-vingt-quatre mille muids pour quatre cent douze à quatre cent quinze mille bouches [4], on calcule sans peine que soixante mille muids

1. Voir R. Mols, *Introduction à la démographie historique des villes d'Europe du XIVe au XVIIIe siècle* ; P. Dollinger, « Le chiffre de la population de Paris au XIVe siècle : 210 000 ou 80 000 habitants ? », dans *Revue historique*, 216 (1956), p. 35-44 ; F. Lot, « L'état des paroisses et des feux de 1328 », dans *Bibliothèque de l'École des chartes*, 100 (1929), p. 51-107 et 236-315 et R. Cazelles, *Nouvelle Histoire de Paris. De la fin du règne de Philippe Auguste à la mort de Charles V (1223-1380)*.

2. Voir J. Jacquart, « Le poids démographique de Paris et de l'Île-de-France au XVIe siècle », dans *Annales de démographie historique*, 1980, p. 87-95. Voir J.-P. Babelon, *Nouvelle Histoire de Paris. Paris au XVIe siècle*, p. 159-171.

3. Cité par J. Jacquart, *op. cit.*, p. 93.

4. *Ibid.*, p. 91-93.

correspondent à deux cent quatre-vingt-quatorze mille âmes. Cette population baisse d'un tiers durant le siège de 1590 et tombe à deux cent mille selon le témoignage de l'Italien Pigafetta[1] que corrobore une relation anonyme[2] du siège, tandis que le chroniqueur parisien Pierre de L'Estoile donne « deux cens vingt mil âmes et plus[3] ». Vers 1600, la paix civile revenue, la ville retrouve et dépasse son record de 1565 avec environ trois cent mille habitants.

Roland Mousnier[4] analyse et confirme l'existence des quatre cent douze à quatre cent quinze mille Parisiens du *Mémoire* de 1637 sur la généralité de Paris publié par Boislisle[5], grâce au rôle des taxes de 1637 pour le nettoiement des rues, dont les vingt mille maisons, peuplées en moyenne de vingt à vingt et un habitants, abritent une population du même ordre de grandeur. C'est sur un calcul identique que se fonde Lemaire dans son *Paris ancien et nouveau*, publié en 1685. Il estime à vingt-trois mille quatre-vingt-six le nombre des maisons, ce qui, affecté du coefficient vingt et un, donne quatre cent quatre-vingt-quatre mille huit cent six âmes. Se fondant sur l'*État général des baptêmes, mariages et mortuaires des paroisses et des faux-bourgs de Paris*, Jacques Bertillon arrive à un résultat comparable, soit environ cinq cent mille habitants vers 1680[6].

Au XVIIIe siècle, les précurseurs de la statistique démographique, l'abbé d'Expilly, La Michodière, Messance, Moheau fondent leurs estimations sur le nombre des baptêmes relié à un coefficient de natalité variant entre trente et trente-cinq pour mille. On constate ainsi une croissance modérée, de cent mille personnes, en un siècle. Pour 1789, l'estimation de Jean Chagniot[7] et de Jean Tulard[8], environ six cent cinquante mille habitants, semble plus vraisemblable que la statistique établie à l'occasion des états généraux, qui sous-estime de près de 20 % la population de la capitale.

Le recensement de l'an II (octobre 1793-septembre 1794), ordonné par le comité de division de la Convention, donne un total dépassant d'un demi-millier les six cent quarante mille habitants, total qui semble quelque peu gonflé par la municipalité, selon Jean Tulard qui estime beaucoup plus fiable le recensement d'octobre 1796 : cinq cent cinquante-six mille trois cent quatre Parisiens[9]. La capitale a ainsi vraisemblablement

1. Voir F. Pigafetta, *Relation du siège de Paris par Henri IV*.
2. Voir J. Jacquart, *op. cit.*, p. 92.
3. P. de L'Estoile, *Mémoires-Journaux*, publiés par G. Brunet, V, p. 24.
4. Voir R. Mousnier, *Paris au XVIIe siècle*.
5. Voir A. de Boislisle, *Mémoire sur la généralité de Paris*, p. 658-659.
6. Voir J. Bertillon, « Des recensements de la population, de la nuptialité, de la natalité et de la mortalité à Paris pendant le XIXe siècle et les époques antérieures », en annexe de l'*Annuaire statistique de la ville de Paris*, 1905.
7. Voir J. Chagniot, *Nouvelle Histoire de Paris. Paris au XVIIIe siècle*.
8. Voir J. Tulard, *Nouvelle Histoire de Paris. La Révolution*, p. 15-16.
9. *Ibid.*, p. 291 et 429-430.

perdu une centaine de milliers d'habitants dans la crise politique, économique et sociale qui a bouleversé et ravagé la France.

Bonaparte trouve une population qui a encore décliné d'une dizaine de milliers d'âmes en 1801. Ses victoires, la transformation de Paris en capitale d'une Europe soumise, une politique de grands travaux et de commandes importantes de l'État ramènent la main-d'œuvre ouvrière. Dès 1811, l'essentiel des pertes démographiques de la Révolution est effacé.

La paix retrouvée, les recensements enregistrent une vive croissance qui serait encore plus considérable si l'on prenait en compte les gains de population des communes de la banlieue limitrophe : une progression de 36,71 % entre 1831 et 1836, contre 14,44 % seulement pour la capitale. C'est entre 1851 et 1856 que Paris et sa proche banlieue, c'est-à-dire la ville dans ses futures limites de 1860, connaissent l'accroissement le plus considérable : 20,48 % d'habitants en plus. Il est exactement deux fois moindre pour le lustre suivant, 1856-1861, et continue à baisser jusqu'à la chute de l'Empire et aux convulsions de la Commune : moins de 1,5 % de croissance entre 1866 et 1872. Cet affaissement est partiellement compensé par une croissance de 14,09 % entre 1876 et 1881, mais l'expansion se brise à nouveau entre 1881 et 1886 : 3,33 % d'accroissement.

Paris va continuer à se peupler à un rythme de plus en plus lent, pour atteindre son maximum en 1921, avec près de trois millions d'âmes. Mais la population de 1921 excède de moins de vingt mille personnes celle de 1911 et la formidable saignée de la guerre mondiale a brisé un essor démographique parisien très mesuré et dû à l'immigration provinciale ou étrangère aux dépens d'une population parisienne globalement stagnante.

En déclin imperceptible depuis 1921, la population de Paris commence à s'effondrer à partir de 1962. Se conjuguent le désir des citadins de disposer d'appartements plus grands et plus confortables, la hausse consécutive des prix d'achat et de location, l'amélioration sensible des transports de banlieue qui favorise les flux de travailleurs vers la capitale. C'est le triomphe des banlieues dortoirs ou résidentielles. Ce mouvement a commencé dès la fin du siècle précédent : entre 1861 et 1896, Paris a reçu la moitié de l'accroissement démographique de l'Île-de-France ; entre 1896 et 1911, ce n'était plus que le tiers ; à partir de 1921, la croissance ne se fait plus qu'au profit des banlieues. Depuis 1962, la banlieue intérieure (départements des Hauts-de-Seine, Seine-Saint-Denis, Val-de-Marne) cède à son tour le pas à la banlieue extérieure (Yvelines, Essonne, Val-d'Oise, Seine-et-Marne). Dépassée d'une dizaine de milliers d'âmes par la banlieue intérieure et de moins de cent mille par la banlieue extérieure en 1962, la capitale régresse rapidement. A partir de 1975, la banlieue intérieure décline aussi après avoir culminé autour de trois millions, tandis que la banlieue extérieure absorbe un million de nouveaux venus. En 1990, Paris représente 20 % d'une agglomération de plus de dix millions et demi de personnes, dont la banlieue extérieure représente désormais plus de 52 %. Cependant, le dépeuplement du noyau urbain primitif, de la ville aux vingt arrondissements, semble enrayé. Ce n'est, peut-être, que provisoire.

LA VIE ET LA MORT

La sexualité et la reproduction sont des domaines assez mal connus de l'historien, à cause du silence pudique des textes et, dans le cas parti-culier de Paris, en raison de la destruction de l'état-civil de la capitale dans l'incendie de l'Hôtel de Ville par les Communards. Ce que l'on sait du mariage, de la fécondité, de la natalité et de la mortalité, on le doit en grande partie à l'excellente école de démographie historique française et à quelques historiens originaux comme Philippe Ariès, Roland Mousnier, Pierre Chaunu [1].

La natalité est assez mal connue et les démographes ont tendance aujourd'hui à corriger la vision traditionnelle d'une prolifération incon-trôlée et encouragée par l'Église catholique. Abusés par l'exemple du Canada français aux XVIIe et XVIIIe siècles et par les impératifs ou interdits des textes religieux, beaucoup ont cru que la naissance annuelle et la famille de dix à vingt enfants étaient la règle générale, comme c'est le cas actuellement dans de nombreux pays d'Afrique noire, du monde musulman et dans l'Amérique latine catholique. Or, à l'instar des sociétés animales, les civilisations humaines sécrètent leurs modes de régulation afin d'éviter l'asphyxie et la mort par surpopulation.

Ainsi l'Église catholique a-t-elle élaboré dès les premiers temps des parades aux excès de sa doctrine nataliste. La première a consisté à enré-gimenter dans ses couvents des centaines de milliers de femmes en âge de procréer et à condamner prêtres et moines au célibat. A ces quelque 5 % de la population condamnés à la stérilité, s'ajoutent environ 10 % de célibataires, jusqu'à 18 % pour les femmes à Paris au XVIIIe siècle. L'âge tardif du mariage tend à se généraliser au XVIIe siècle, ce qui limite aussi l'accroissement de la population. Les femmes du XVIIe siècle, plus mal nourries qu'aujourd'hui, n'atteignaient souvent la puberté qu'à dix-huit ou dix-neuf ans et se trouvaient ménopausées entre trente-sept et quarante-deux ans. Les marier à vingt-cinq ans limitait le nombre des maternités possibles à une dizaine. En outre, après le premier enfant, les naissances s'espacent naturellement, la pratique de l'allaitement limitant

1. Voir P. Ariès, *L'Homme devant la mort*; P. Chaunu, *La Mort à Paris, XVIe, XVIIe et XVIIIe siècles*; R. Mousnier, *Paris au XVIIe siècle*.

les risques de nouvelle grossesse. Roland Mousnier a pu ainsi établir qu'un ménage bourgeois de Paris n'avait, en moyenne, pas plus de cinq ou six enfants [1]. Dans le milieu très aisé des membres du Conseil du roi, la moyenne se situait entre trois et quatre enfants par couple.

Beaucoup d'hommes et de femmes, sans oser le dire ou le faire ouvertement, pratiquaient par tous les moyens la limitation des naissances. Dans une chanson, Emmanuel de Coulanges, un libertin, établit un lien évident entre le nombre excessif des bouches à nourrir et la misère :

> *Fut-il jamais rien moins charmant*
> *Qu'un tas d'enfants qui crient ?*
> *L'un dit Papa, l'autre Maman,*
> *Et l'autre pleure après sa mie.*
> *Et pour avoir cet entretien,*
> *Vous êtes maigre comme un chien* [2].

Quelques années plus tard, en 1709, dans son *Franc-bourgeois*, Valentin écrit :

> *Il faut de temps en temps se sevrer du plaisir,*
> *Et ne faire d'enfants que ceux qu'on peut nourrir.*
> *N'est-ce pas mieux d'avoir ou fils ou fille unique,*
> *Que seul à tout moment à former on s'applique,*
> *Que de voir qu'à plusieurs partageant un gros bien*
> *Les cadets et l'aîné n'ont pourtant presque rien* [3].

Beaucoup de femmes subissent avec déplaisir les grossesses à répétition qui les déforment et les vieillissent prématurément. Mme de Sévigné écrit à sa fille, le 11 octobre 1671 : « Si, après cette couche-ci, M. de Grignan ne vous donne quelque repos, comme on fait d'une bonne terre, bien loin d'être persuadée de son amitié, je croirai qu'il veut se défaire de vous. Et le moyen de résister à ces continuelles fatigues ? Il n'y a ni jeunesse ni santé qui n'en soit détruite [4]. » La semaine suivante, elle écrit à son gendre pour lui demander de ne pas engrosser à nouveau son épouse : « Pensez-vous que je vous l'ai donnée pour la tuer, pour détruire sa santé, sa beauté, sa jeunesse ? Pourvu que je ne trouve point une femme grosse, toujours grosse et encore grosse [5] ! »

Les médecins et les drogues sont mis à contribution pour éviter les grossesses ou provoquer les fausses couches. Dans les *Caquets de l'accouchée*, le médecin déclare : « Nous devons céder aux lois de l'amour, et toutefois rechercher les moyens pour lui faire la nique, s'il se peut. » Si les potions anticonceptionnelles échouent, certaines font comme Mme de Montbazon qui, raconte Tallemant des Réaux, « quand

---

1. Voir R. Mousnier, *Le Conseil du Roi de Louis XII à la Révolution*, p. 59 et R. Pillorget, *Nouvelle Histoire de Paris. Paris sous les premiers Bourbons (1564-1661)*, p. 97-104.
2. Cité par R. Mousnier, *Paris au XVIIe siècle*, p. 41.
3. *Ibid.*, p. 42.
4. *Ibid.*
5. *Ibid.*

elle se sentoit grosse, après qu'elle eust eu assez d'enfans [...], couroit au grand trot en carrosse par tout Paris et disoit : Je viens de rompre le cou à un enfant[1].» Les infanticides sont légion. En 1660, le bourgeois parisien Gui Patin note : «Les vicaires généraux [...] se sont allés plaindre à M. le premier président que depuis un an, six cents femmes, de compte fait, se sont confessées d'avoir tué ou étouffé leur fruit[2].»

Il est possible que la natalité ait représenté au XVIIIe siècle un taux de trente à quarante pour mille, plus du double du taux parisien actuel oscillant entre 1980 et 1990 entre quatorze et quinze pour mille. Mais l'accroissement naturel est en grande partie annulé par une très forte mortalité. La mortalité infantile serait du même ordre que dans beaucoup de pays d'Afrique ou d'Asie aujourd'hui, environ cent cinquante pour mille, alors qu'elle est actuellement de seize pour mille.

La capitale est frappée par une surmortalité due à la mode des mises en nourrice au XVIIIe siècle. En 1780, le lieutenant de police Lenoir estime que, sur vingt et un mille enfants naissant chaque année dans Paris, à peine un millier sont allaités par leur mère, la plupart étant envoyés chez des nourrices dans un rayon de 200 kilomètres autour de la ville[3]. Les contemporains ont, en vain, dénoncé ce «massacre des innocents» : Deparcieux estime, en 1746, qu'un peu plus de la moitié des enfants du «bas peuple» parisien meurent en nourrice, faute de soins et d'hygiène[4]. Le Dr Tenon calcule que, sur mille enfants placés en Bourgogne, Champagne, Picardie et Normandie, deux cent cinquante-sept meurent en bas âge[5]. Le démographe Jacques Dupâquier estime le calcul de Tenon inférieur à la réalité et élève la mortalité infantile en nourrice à deux cent quatre-vingts pour mille[6]. L'espérance de survie est encore plus faible pour les enfants abandonnés qui sont légion dans la grande ville : deux mille abandons par an autour de 1724, trois mille vers 1739, quatre mille en 1752, cinq mille dès 1758, six mille en 1768. Travaillant sur les admissions entre 1773 et 1777, Tenon arrive à 80 % de mortalité infantile à l'hôpital des Enfants trouvés. Or, ces enfants abandonnés représentent environ 30 % des naissances parisiennes.

En pratique, la ville tue davantage d'êtres humains qu'elle n'en met au monde. Un état imprimé des «baptêmes, des mariages et des mortuaires de la ville et faux-bourgs de Paris» signale en mai 1681 qu'il y a eu mille trois cent quatre-vingt-huit nouveau-nés baptisés durant ce mois et mille huit cent dix-neuf décès. Au XVIIIe siècle, le solde est négatif, sauf entre 1710 et 1730, puis à partir de 1770 jusqu'à 1789.

1. Tallemant des Réaux, *Historiettes*, II, p. 220.
2. G. Patin, *Lettres*, III, p. 225-226.
3. Cité par J. Chagniot, *Nouvelle Histoire de Paris. Paris au XVIIIe siècle*, p. 234.
4. *Ibid.*, p. 235.
5. *Ibid.*
6. Voir J. Dupâquier, *La Population française aux XVIIe et XVIIIe siècles*, p. 103.

L'époque révolutionnaire, marquée par de profonds bouleversements politiques, est difficile à appréhender, en raison d'intenses mouvements d'arrivées et de départs qui rendent toute analyse aléatoire. En revanche, le Consulat et l'Empire présentent un tableau inattendu [1]. La guerre, qui aurait tué un million d'hommes, un tiers des conscrits, au lieu de saigner la capitale, a favorisé la natalité ! On estime à six mille le nombre des conscrits parisiens morts entre 1800 et 1814, le tiers des enrôlés, mais moins d'un Parisien sur cent. En effet, ville immense, la capitale est le lieu idéal pour échapper à la conscription : moins d'un tiers des cinquante-deux mille jeunes gens susceptibles d'être enrôlés l'ont été, un autre tiers s'est fait réformer, le dernier tiers ne s'est jamais présenté aux autorités militaires, réfractaires se fondant dans la masse ou ayant préféré le mariage aux champs de bataille. En effet, l'accroissement du nombre des mariages coïncide avec les levées de troupes et le début des guerres.

Durant le demi-siècle de paix qui suit la chute de l'Empire, la croissance de la capitale continue à se faire par l'immigration. Un statisticien, Audoin de Géronval, note qu'en 1833, lorsqu'il meurt cent personnes dans la France entière, il en meurt cent vingt et une à Paris [2]. Mais la balance naissance/décès s'inverse à partir de 1836 et les naissances commencent à l'emporter sur les décès. Il faut ici faire justice de la version misérabiliste présentée par de nombreux romanciers, de Balzac à Zola, et par les auteurs socialistes, désireux de faire pleurer les bourgeois sur le sort des classes populaires. Ces Parisiens ressemblent-ils vraiment à l'image morbide qu'en donne Balzac dans *La Fille aux yeux d'or* : « Peuple horrible à voir, hâve, jaune, tanné, [...] visages contournés, tordus [...], non pas des visages, mais bien des masques : masques de faiblesse, masques de force, masques de misère, masques de joie, masques d'hypocrisie ; tous exténués, tous empreints des signes ineffaçables d'une haletante avidité [...], physionomie cadavéreuse qui n'a que deux âges, ou la jeunesse ou la caducité ; jeunesse blafarde et sans couleur, caducité fardée qui veut paraître jeune [3]... » ? Ce qui est excessif est insignifiant et l'on peut préférer à ce *Radeau de la Méduse* parisien que nous brosse le romantique Balzac, l'objectivité prosaïque du romancier américain James Fenimore Cooper qui, résidant à Paris entre 1826 et 1828, écrit : « J'estime que la population parisienne, physiquement parlant, est plus belle que celle de Londres [...]. Les Français sont une race plus petite que les Anglais [...] mais la population de Paris présente un aspect de vigueur et de santé que l'on ne trouve pas généralement à Londres [4]... » Les statistiques des conseils de révision infirment

---

1. Voir J. Tulard, *Nouvelle Histoire de Paris. Le Consulat et l'Empire*, nouvelle éd., p. 15-27.
2. Voir G. de Bertier de Sauvigny, *Nouvelle Histoire de Paris. La Restauration*, p. 167.
3. *Ibid.*, p. 183.
4. *Ibid.*

également la version catastrophique : la taille moyenne du Parisien entre 1816 et 1823, 1 683 millimètres, dépasse la moyenne nationale et place la Seine au sixième rang des départements. Quant aux conscrits refusés pour défauts physiques, la Seine est dans la moyenne, au quarante-septième rang, entre le Tarn et le Loiret.

Ce qui caractérise la capitale jusqu'à nos jours, c'est un pourcentage exceptionnellement élevé d'adultes et une faible natalité. Jusqu'à la Grande Guerre, la tradition de la mise en nourrice s'est perpétuée en déclinant lentement : deux cent soixante-treize enfants sur mille en nourrice pour les années 1881-1886. Jusqu'aux progrès décisifs de l'hygiène, Paris est resté un lieu de mortinatalité très élevée. Contrairement aux idées toutes faites et aux clichés des partisans de la lutte des classes, cette mortinatalité frappe tous les quartiers. Pour la période 1881-1886, elle s'élève à soixante-quatorze mort-nés pour mille accouchements contre quarante-cinq pour la France entière. Les quartiers les plus touchés sont Montparnasse, Saint-Vincent-de-Paul et le Roule, habités par des populations aisées et desservis par des hôpitaux de qualité, Port-Royal-Cochin, Lariboisière et Beaujon. En revanche, la mortalité infantile, en dessous de cinq ans, reflète les conditions sociales et ce sont les populeux arrondissements périphériques qui supportent les plus lourdes pertes. De même, la mortalité des adultes et des vieillards traduit-elle l'usure précoce des ouvriers dont la moyenne de vie est très inférieure à celle des catégories les plus fortunées. Mais toutes ces données sont sujettes à des variations considérables d'une année sur l'autre, liées à des impondérables dont les générations d'aujourd'hui n'ont pas eu à souffrir, les épidémies.

Les chroniques du Moyen Âge signalent très souvent des « mortalités », mais décrivent rarement les symptômes des maladies. L'auteur de la *Chronique parisienne*, tenue entre 1316 et 1339, mentionne toute une série d'épidémies, parfois en relation avec de mauvaises récoltes, une alimentation insuffisante affaiblissant les capacités de défense du corps. Les désastreuses récoltes de 1315 à 1317 engendrent, cette dernière année, une telle cherté des prix que les plus pauvres meurent d'inanition « par rues et par places [1] ». En 1323, « par le royaulme de France et espéciaument à Paris fut si grand multitude de genz malades, et tant en moururent, que chascun en estoit esbahy ». En février 1328, après une éclipse de lune, « à Paris, une très grant mortalité de malades, pauvres et riches, ensuivit ». En 1334, Guillaume de Nangis remarque que, malgré une très bonne récolte, la maladie décime le Languedoc et l'Île-de-France [2]. L'hiver 1340-1341 est aussi marqué par de nombreux décès.

Malgré cette accoutumance à la maladie et à la mort, les hommes du

---

1. Cité par R. Cazelles, *Nouvelle Histoire de Paris. De la fin du règne de Philippe Auguste à la mort de Charles V*, p. 147.
2. *Ibid.*, p. 147-149.

XIVe siècle vont être profondément frappés, affolés, par la première épidémie de peste, la Grande Peste ou Peste noire de 1348-1349[1]. Elle tue cinquante mille personnes à Paris en dix-huit mois, selon la *Chronique de Richard Lescot*[2], quatre-vingt mille selon le continuateur de Guillaume de Nangis[3], c'est-à-dire le quart des Parisiens environ, ce qui est conforme aux pertes connues dans la plupart des pays d'Europe occidentale. La peste reviendra jusqu'au milieu du XVIIe siècle, à intervalles irréguliers. En 1366-1368, par exemple, l'Hôtel-Dieu enregistre vingt-deux mille cinq cents décès. En 1438, ne siègent au Parlement que treize conseillers sur vingt-sept, car six sont morts de la peste et les huit autres ont choisi de fuir la capitale contaminée. Cette épidémie de 1438 aurait tué quarante-cinq mille personnes selon le Bourgeois de Paris et cinquante mille selon Jean Chartier. La chute des loyers, le nombre de maisons inhabitées confirment l'étendue des pertes humaines[4].

La peste n'est pas seule à sévir. La grippe ou «dando» est fréquente, mais tue dans des limites modestes. En 1427, elle frappe presque tous les Parisiens. Plus dangereuse est la coqueluche qui tue les enfants et les femmes en couches. Celle du printemps 1414 paralyse les activités de la capitale pendant plusieurs semaines et contraint le Parlement à interrompre sa session durant huit jours. Mais la plus redoutable est encore la variole ou petite vérole, qui décime les enfants et laisse aveugles bien des survivants : elle provoque de véritables hécatombes en 1418, 1422, 1433, 1438, 1445.

Il faut attendre la fin du XVe siècle pour que les Parisiens imitent les Italiens et isolent les malades contagieux[5]. Le premier lazaret est ouvert en 1497 dans la partie inhabitée du faubourg Saint-Germain. Nommé «sanitat» Saint-Germain, il est d'abord destiné aux victimes d'un nouveau mal rapporté d'Amérique par les Espagnols, la syphilis, dite d'abord «mal de Naples» en France, puis «vérole». En 1508, la Ville ordonne de réparer la maladrerie du Roule pour y installer les femmes atteintes par ce fléau afin qu'elles ne contaminent pas les autres malades de l'Hôtel-Dieu. C'est contre la peste qu'on édifie, en 1519, une nouvelle «sanitat» au-delà de la porte de Nesle, mais elle est abandonnée l'année suivante, faute de moyens financiers pour l'entretenir. Quelques mesures sanitaires sont prises : marquage des maisons frappées par la peste de croix blanches en 1522, pose de croix de bois aux portes et fenêtres des logements atteints en 1531, enterrement hors de la ville des pestiférés, car les émanations du cimetière des Innocents, déjà plein, risquent de

---

1. R. Cazelles, *Nouvelle Histoire de Paris. De la fin du règne de Philippe Auguste à la mort de Charles V*, p. 150-156.
2. Cité par R. Cazelles, *op. cit.*, p. 151.
3. *Ibid.*
4. Voir J. Favier, *Nouvelle Histoire de Paris. Paris au XVe siècle (1380-1500)*, p. 56.
5. Voir J.-P. Babelon, *Nouvelle Histoire de Paris. Paris au XVIe siècle*, p. 171-176.

propager la maladie, création d'une salle réservée aux contagieux à l'Hôtel-Dieu, interdiction aux chirurgiens soignant les pestiférés de s'occuper d'autres malades. En 1544, le Parlement interdit les spectacles publics pour limiter les risques de contagion. En 1553, la Ville prend à sa charge les soins donnés aux miséreux et fait afficher la liste des médecins et barbiers qu'elle paie. Durant les années 1580, la peste reprend de plus belle, accompagnée d'une sorte de coqueluche qui frappe dix mille personnes, dont le roi et de nombreuses personnes de la Cour. En 1580-1581, selon Pierre de L'Estoile, trente mille Parisiens périssent et la capacité insuffisante de l'Hôtel-Dieu rend nécessaire l'édification d'une nouvelle « sanitat » dans la plaine de Grenelle tandis que des villages de tentes sont dressés dans les faubourgs Montmartre et Saint-Marcel ainsi que près de Montfaucon [1].

Il faut attendre la seconde moitié du XVIIIe siècle pour que des progrès soient enregistrés par la médecine. En 1756, convaincu par un mémoire de La Condamine, le duc d'Orléans fait venir de Genève le médecin Tronchin pour inoculer la vaccine à ses deux enfants [2]. Malgré une publicité éclatante donnée à la vaccination contre la variole, elle mettra longtemps à s'imposer. Sous l'Empire, malgré l'existence d'un hospice de vaccine, l'indifférence ou l'hostilité des Parisiens entravent l'éradication de la variole. Dans un rapport de 1810, le Dr Menuret signale que « les enfants du peuple sont trop légèrement vaccinés, surveillés ensuite et suivis jusqu'à ce que la vaccination eût son plein et entier effet. Ils ne sont plus visités, on ignore si l'opération a été accompagnée de l'éruption convenable. S'il arrive qu'un enfant qui a été vacciné essuie par la suite une petite vérole, c'est l'occasion d'une rumeur étrange, dans la maison, dans le quartier, et les commères ne la laissent pas échapper pour autoriser leur déchaînement contre la vaccine [3]. »

Le Conseil de salubrité créé en 1802 veille avec sérieux sur la capitale et propose de nombreuses améliorations, notamment pour l'approvisionnement en eau potable. La hantise de la contagion a un effet préventif, mais les précautions sont parfois excessives. Napoléon écrit en 1805 : « Passer au vinaigre les lettres d'Italie, cela est ridicule : si la peste devait venir d'Italie, ce serait par les voyageurs et par le mouvement des troupes [4]. » Paris ne connaît que deux épidémies à cette époque. Durant l'hiver 1802-1803, la grippe atteint des proportions alarmantes. Un observateur note : « Il n'est peut-être pas une seule maison où il n'y ait de malades, et dans la plupart, on compte des victimes. Le nombre en est si grand qu'on ne peut suffire à les enterrer. Dans plusieurs arrondissements, on a été obligé de garder les morts trois et quatre jours, avant de

1. J.-P. Babelon, *Nouvelle Histoire de Paris. Paris au XVIe siècle*, p. 176.
2. Voir J. Chagniot, *Nouvelle Histoire de Paris. Paris au XVIIIe siècle*, p. 238.
3. Cité par J. Tulard, *Nouvelle Histoire de Paris. Le Consulat et l'Empire*, p. 297.
4. *Ibid.*, p. 298.

pouvoir les faire enlever[1].» Dans ses *Souvenirs*, Molé note que la mortalité et la frayeur furent si grandes «que le gouvernement fit défendre aux journaux de donner le nombre des personnes atteintes[2]». En revanche, par des mesures strictes, le Conseil de salubrité jugule une épidémie de variole apparue à Montreuil en février 1810 et l'empêche de gagner la capitale[3]. En 1814, grâce à une surveillance étroite des casernes et des hôpitaux, le typhus est contenu dans des limites modestes et ne touche guère que les militaires qui le véhiculent.

Une nouvelle maladie apparaît en 1832 et sème la terreur, le choléra[4], venu du lointain Bengale. Les médecins sont démunis, ne sachant comment il se diffuse et se demandant s'il est contagieux. Les premiers signes apparaissent le 14 mars, mais la municipalité, économe de ses deniers, et le préfet Gisquet, soucieux de ne pas affoler l'opinion publique, minimisent l'épidémie. Le 28 mars, *Le Journal des débats* tient encore des propos lénifiants et prétend que la maladie n'est pas contagieuse et ne touche que des pauvres vivant dans la saleté : «Hier, un homme est mort dans la rue Mazarine. Aujourd'hui, neuf personnes ont été portées à l'Hôtel-Dieu, dont quatre déjà sont mortes. Tous les hommes atteints de ce mal épidémique, mais que l'on ne croit pas contagieux, appartiennent à la classe du peuple. Ce sont des cordonniers, des ouvriers qui travaillent à la fabrication de couvertures de laine. Ils habitent les rues sales et étroites de la Cité et du quartier Notre-Dame.»

Mais, dès le lendemain, le 29 mars qui coïncide avec la mi-carême, le ton change. Henri Heine, depuis peu à Paris, en a donné un récit poignant : «Comme c'était le jour de la mi-carême, qu'il faisait beau soleil et un temps charmant, les Parisiens se trémoussaient avec d'autant plus de jovialité sur les boulevards, où l'on aperçut même des masques parodiant la couleur maladive et la figure défaite, raillaient la crainte du choléra, et la maladie elle-même. Le soir du même jour, les bals publics furent plus fréquentés que jamais : on s'échauffait beaucoup au chahut, danse plus équivoque ; on engloutissait toutes sortes de glaces et de boissons froides quand tout à coup, le plus sémillant des arlequins sentit trop de fraîcheur dans ses jambes, ôta son masque, et découvrit à l'étonnement de tout le monde un visage d'un bleu violet [...]. On prétend que ces morts furent enterrés si vite qu'on ne prit pas le temps de les dépouiller des livrées bariolées de la folie, et qu'ils reposent dans la tombe — gaiement comme ils ont vécu[5].»

L'affolement devient alors général : «Dans la journée des 5, 6 et 7 avril, six cent dix-huit chevaux de poste sont retenus, et le nombre des

---

1. Cité par J. Tulard, *Nouvelle Histoire de Paris. Le Consulat et l'Empire*, p. 298.
2. *Ibid.*, p. 300.
3. *Ibid.*, p. 301.
4. Voir *Le Choléra. La première épidémie du XIXᵉ siècle*, et P. Vigier, *Nouvelle Histoire de Paris. Paris pendant la Monarchie de Juillet*, p. 74-87.
5. Cité par P. Vigier, *op. cit.*, p. 78.

passeports augmente de cinq cents par jour [1].» Dans ses *Mémoires*, le Dr Véron note : «Le 7 avril 1832, comme par un changement à vue, la désolation remplaça l'ivresse de la prospérité. J'avais affiché pour ce soir-là une représentation de *Robert le Diable*; dès la veille, 6 000 francs de location annonçaient la foule pour le lendemain; le 7 avril au matin, la foule se pressait à nouveau, mais cette fois pour redemander son argent : le choléra venait d'éclater à Paris [...]. C'était un sauve-qui-peut, pour le public comme pour les artistes. MM. Nourrit, Levasseur, Mme Damoreau et Mlle Taglioni prirent alors leurs congés de trois mois; ils furent engagés au grand théâtre de Londres [...]. Le choléra avait cessé à Londres, ils y vivaient donc plus en sûreté qu'à Paris [2].

Après n'avoir tué que quatre-vingt-dix personnes en mars, le choléra fait douze mille sept cent trente-trois morts en avril, la moitié des décès d'une année normale dans la capitale. Après un déclin en mai et en juin, le choléra atteint un second paroxysme en juillet, puis s'éteint au 1er octobre, ayant emporté en six mois plus de seize mille cinq cents Parisiens, dont le chef du gouvernement, Casimir Perier. D'autres ministres, Guizot, d'Argout, ont été atteints mais ont survécu, car la maladie a surtout tué les pauvres gens. Le rapport rédigé par une commission d'enquête établit nettement que l'entassement et le manque d'hygiène ont été décisifs dans la mortalité. Elle l'exprime ainsi : «En voyant, en effet, l'épidémie, tantôt ravager les lieux élevés en même temps qu'elle épargnait les endroits plus bas, tantôt au contraire, sévir dans ceux-ci et ménager les premiers, en observant ces contradictions fréquentes, ces continuelles variations de rapports, la commission n'a pu s'empêcher de soupçonner dans cette espèce de désordre qu'elle rencontrait partout, l'existence d'un élément de perturbation présent aussi partout et de croire que cet élément ne pouvait être que celui de la population [...]. Un assez grand nombre de maisons a compté cinq, six, sept décès et quelques-unes jusqu'à huit, neuf, dix et onze. Toutes sans exception sont situées dans les plus mauvais quartiers, tels que ceux de la Cité, de l'Hôtel de Ville, ou dans les plus mauvaises rues des quartiers meilleurs, comme les rues Saint-Nicolas-d'Antin, des Jardins-Saint-Paul, Saint-Germain-l'Auxerrois, qui dépendent des quartiers de la Chaussée-d'Antin, de l'Arsenal et du Louvre; ou bien ces maisons elles-mêmes offrent ce qu'il y a de pire parmi les habitations de Paris : ce sont celles de la Petite Pologne, de l'Enclos de la foire Saint-Laurent, des rues des Marmousets, Cocatrix, Geoffroy-Lasnier. Là, pressés, entassés dans ces chambres étroites, où comme aux numéros 62, 38, 20 et 114 de la rue de la Mortellerie, ils ont à peine 3 mètres carrés d'espace pour chacun, aux numéros 24 et 26 de la rue des Marmousets, où ils en ont 2, au

1. P. Vigier, *Nouvelle Histoire de Paris. Paris pendant la Monarchie de Juillet*, p. 78.
2. *Ibid.*

numéro 126 de la rue Saint-Lazare, où quatre cent quatre-vingt-douze individus n'en ont pas un ; les malheureux habitants de ces tristes réduits ne reçoivent pas même en quantité suffisante l'air corrompu qu'ils respirent. La commission pourrait s'appuyer sur d'autres exemples, elle pourrait citer la plus grande partie des maisons des logeurs en chambre et à la nuit, celles dont les étages sont multipliés au-delà de toutes proportions, ou bien qui sont mal distribuées, mal aérées, mal tenues : tous montreraient qu'à l'exception d'un petit nombre de cas où l'intensité du choléra a été très forte, sans qu'il soit facile d'en saisir la cause, comme à Grenelle, au Gros-Caillou, dans les environs de l'École militaire, là où une population misérable s'est trouvée encombrée dans des logements sales, étroits, là aussi l'épidémie a multiplié ses victimes [1]. »

La panique de 1832 ne se reproduit pas en 1849, malgré le décès de dix-neuf mille Parisiens. Le choléra reparaît en 1854, puis en 1865-1866, 1873, 1884. Les progrès dans la distribution et le contrôle de l'eau de la capitale permettront d'en venir à bout. Les dernières épidémies très meurtrières ont lieu durant le siège de Paris : six mille six cent quatre victimes de la variole, deux mille huit cent quatre-vingt-dix-sept décès dus à la typhoïde.

Au début du xxe siècle, les décès par maladies épidémiques sont en très forte régression. La fièvre typhoïde, après avoir tué plus de deux mille personnes par an jusqu'en 1883, est réduite de moitié en 1889, sept cent vingt-trois décès en 1890. Elle n'existe plus aujourd'hui qu'à l'état résiduel avec trente-deux cas signalés. La rougeole, qui détruisait encore mille à mille cinq cents vies vers 1900, n'est même plus mentionnée dans les données épidémiologiques actuelles. Grâce à la généralisation de la vaccine, il n'y avait plus que quatre-vingt-deux décès dus à la variole en 1890 et la maladie est considérée comme éradiquée depuis une vingtaine d'années. Scarlatine et coqueluche ne présentent plus de danger mortel alors qu'elles enlevaient encore deux cents et cinq cents personnes vers 1890. Cette année-là, les plus grosses pertes, mille huit cent cinquante-neuf décès, étaient attribuables à la diphtérie ou croup. Elle aussi a pratiquement disparu. Vingt décès par choléra sont encore signalés en 1890, mais la maladie est condamnée par l'amélioration du contrôle de la qualité de l'eau, grâce à la création en 1900 d'un service de surveillance médicale des sources alimentant Paris.

Les maladies transmissibles à déclaration obligatoire se limitent, dans les statistiques parisiennes de 1988 à huit cent quatre-vingt-dix-neuf cas de tuberculose, sept cent quinze de sida (fléau apparu au début des années 1980), trente-deux cas de typhoïde et vingt-sept de méningites cérébro-spinales, un cas de poliomyélite, trois de toxi-infections alimentaires collectives et autant de légionellose.

---

1. *Rapport sur la marche et les effets du choléra-morbus dans Paris et les communes rurales de la Seine.*

DENSITÉ ET RÉPARTITION

Il n'est pas facile de savoir comment les Parisiens se répartissaient avant les recensements du XIXe siècle. Il est pourtant indispensable d'avoir une idée assez précise de la densité du peuplement pour vérifier les estimations entre 1328 et 1800. C'est en invoquant le caractère invraisemblablement élevé de l'entassement des Parisiens que Philippe Dollinger récuse le chiffre de deux cent mille habitants découlant de l'état des paroisses et des feux de 1328 [1].

Or, l'iconographie ancienne, les recherches faites sur les immeubles qui subsistent, les actes notariés concordent pour signaler dès le XIVe siècle un type courant de maison parisienne constitué d'un rez-de-chaussée surmonté de deux étages et d'un comble assez haut pour être aménagé en troisième étage. On trouve un grand nombre d'édifices comportant trois étages et un comble. Les maisons de quatre étages sont attestées rues Saint-Denis, Saint-Honoré, de la Tonnellerie, des Prêcheurs, de la Friperie. Une maison de cinq étages est mentionnée en 1299 dans la rue des Poulies.

L'entassement des Parisiens était, certes, limité par la présence d'une foule d'églises avec leur parvis et leur cimetière, de vastes monastères, de palais royaux et princiers, de nombreux jardins et terrains cultivés. Mais la voie publique était très étroite, les rues ne dépassant pas 4 mètres de largeur en moyenne.

A supposer, ce qui est vraisemblable, que les 439 hectares de l'enceinte de Charles V aient correspondu à peu près à l'espace occupé par la capitale en 1328, la densité moyenne de la ville aurait été, sur la base minimale de deux cent mille âmes, d'environ cinq cents habitants à l'hectare. Cette densité semble invraisemblablement élevée à Philippe Dollinger.

Pourtant, si l'on compare population et superficie de Paris, on trouve une densité d'environ six cents habitants à l'hectare au milieu du XVIe siècle, de plus de quatre cents vers 1637-1638. Si cette densité n'est plus que de cent cinquante-cinq personnes à l'hectare en 1789, c'est que l'enceinte des Fermiers-Généraux englobe des faubourgs encore faiblement bâtis et peuplés. Une étude remarquable sur l'entassement de la population dans la section des Lombards à l'époque révolutionnaire plaide en faveur de densités exceptionnellement élevées : entre onze et quatorze mille habitants sur ce petit territoire de 11 hectares, soit plus de mille âmes à l'hectare. La densité de moitié moindre dans le Paris de 1328 n'apparaît alors nullement invraisemblable. Dans le Paris d'aujourd'hui,

---

1. Voir P. Dollinger, «Le chiffre de la population de Paris au XIVe siècle : 210 000 ou 80 000 habitants ? », dans la *Revue historique*, 216 (1956), p. 35-44 ; R. Cazelles, *Nouvelle Histoire de Paris. De la fin du règne de Philippe Auguste à la mort de Charles V (1223-1380)*, p. 131-156 et J. Favier, *Nouvelle Histoire de Paris. Paris au XVe siècle*, p. 13-55.

aux immeubles plus élevés, mais dévoré par de vastes artères destinées aux automobiles et d'innombrables bureaux, la densité moyenne est de deux cent cinquante Parisiens à l'hectare, en excluant les deux bois, et varie d'un arrondissement à l'autre de cent à cinq cents personnes à l'hectare. On peut donc accepter, dès le XIVe siècle, des densités de population particulièrement fortes dans la capitale.

La destruction des archives municipales rend difficiles les études sur la répartition de la population. L'équipe d'André Chastel a néanmoins pu mener à bien des travaux très précis sur le quartier des Halles à partir du parcellaire [1]. Comme l'avait déjà noté un architecte italien invité à la cour de François Ier, Sebastiano Serlio, le noyau ancien de la ville est constitué de parcelles étroites et profondes, le bâtiment en façade en cachant souvent deux autres séparés par des cours [2].

Les rôles de taxes permettent, sinon de calculer le nombre des habitants par quartier, du moins de connaître leur richesse. On constate ainsi l'appauvrissement, sans doute aussi le déclin démographique, du quartier de la Cité entre 1545 et 1590 : sa contribution à la taxe décline de 10,9 % à 6,6 %. En revanche, le quartier Saint-Séverin reste le plus riche de 1545 à 1590 avec 14,6 % et 13,8 % des taxes, mais une indication précieuse sur sa composition est fournie par la chute de moitié de 1571 : ces 7 % trahissent l'émigration de la puissante communauté protestante. L'évolution du Quartier latin est symptomatique : sa contribution augmente de 9,7 % à 12 % en 1571, mais tombe à 7,1 % en 1589, traduction du déclin de l'Université. Le grand gagnant de l'évolution urbaine dans la seconde moitié du XVIe siècle est le Temple dont les taxes montent de 7,6 % à 13,3 %.

A partir de 1801, les recensements permettent de faire de précieuses comparaisons entre les différents arrondissements. Ainsi, au début du Consulat, trois quartiers présentent des densités exceptionnellement fortes : les Lombards déjà évoqués, les Marchés et les Arcis, tous autour de mille habitants à l'hectare. En revanche, bien faible est le peuplement des quartiers des Champs-Élysées (27,5 personnes à l'hectare), des Invalides (42), du Roule (50,5) à l'ouest, tandis que l'ex-faubourg Saint-Antoine paraît à peine plus habité : 56 personnes à l'hectare dans le quartier des Quinze-Vingts, 38 dans celui de Popincourt. A l'entassement extraordinaire du centre s'oppose l'habitat assez lâche de la périphérie.

Mais, dès la Restauration s'amorce un mouvement qui se continue aujourd'hui, le rejet vers la périphérie des catégories les plus démunies incapables de payer les loyers du centre en croissance permanente. Il se fait progressivement et, jusqu'au second Empire, les quartiers centraux, les Arcis, les Marchés, les Lombards, Montorgueil gardent leurs mille à

---

1. Voir F. Boudon, A. Chastel, H. Couzy, F. Hamon, *Système de l'architecture urbaine. Le quartier des Halles à Paris*, et J.-P. Babelon, *Nouvelle Histoire de Paris. Paris au XVIe siècle*, p. 167-171.
2. Voir J.-P. Babelon, *op. cit.*, p. 169.

mille cinq cents habitants à l'hectare, essentiellement les plus pauvres des Parisiens, entassés dans des taudis souvent pluricentenaires. Mais les vingt-trois quartiers centraux de la rive droite, à l'intérieur des boulevards, voient cependant leur pourcentage dans la ville décliner de 42,7 à 24,5, tandis que les quartiers périphériques, au-delà des boulevards, croissent de 27,3 % à 58,7 %, la rive gauche demeurant à 26 % durant ces quinze années 1831-1846.

Les colossaux travaux d'Haussmann vont faire disparaître les taudis du centre, mais les prolétaires en seront chassés au profit des bourgeois. La conséquence évidente est le déclin démographique du centre, les quatre premiers arrondissements perdant trente mille habitants entre 1861 et 1866. Leur abandon se poursuit encore sous nos yeux. En revanche, les dix derniers arrondissements, périphériques, assument une prédominance de plus en plus écrasante. Il est inutile de détailler cette évolution. Au recensement de 1990, avec moins de cinq cent mille habitants, les dix premiers arrondissements ne représentent plus que 22 % des Parisiens et moins de 5 % de l'Île-de-France.

LA MONTÉE DES PROVINCIAUX

Paris n'a longtemps été, on vient de le voir, qu'un mouroir où les décès l'emportaient très largement sur les naissances, et, sans l'apport d'une immigration constante et importante, la capitale se serait depuis longtemps métamorphosée en désert. Encore aujourd'hui, le solde naturel annuel est insignifiant : les Parisiens mettent au monde environ quarante mille enfants par an et la ville enregistre une vingtaine de milliers de décès, chiffre très inférieur à la réalité, beaucoup de personnes âgées allant mourir en province, les plus avisées et les plus fortunées sous les cieux cléments de la Méditerranée. Si l'on retranchait les accouchements des banlieusardes attirées par des maternités à la réputation prestigieuse, et si l'on ajoutait les décès provinciaux des personnes ayant vécu leur existence professionnelle dans la capitale, le bilan démographique de Paris serait assurément presque aussi lourdement déficitaire qu'il l'a toujours été.

Mangeuse d'hommes, la grande ville ne s'est maintenue et n'a grandi que grâce à des apports extérieurs incessants. Difficile, voire impossible à chiffrer jusqu'aux premiers recensements du XIXe siècle, cette immigration peut être devinée à travers divers documents. Ainsi, Françoise Lehoux, dans son étude sur le bourg Saint-Germain au Moyen Âge, note que les habitants étrangers au domaine de l'abbaye « paraissent avoir constitué dès la seconde moitié du XIIIe siècle, une part relativement importante de la population du bourg [1] ». Relevant les noms figurant sur

1. F. Lehoux, *Le Bourg Saint-Germain-des-Prés depuis ses origines jusqu'à la fin de la guerre de Cent Ans.*

les livres de la taille entre 1292 et 1313, Karl Michaelsson relève de nombreux qualificatifs indiquant une origine étrangère ou provinciale. En tête viennent cent cinquante-cinq individus appelés « l'Anglois » et cent quarante-quatre nommés « le Breton ». Il mentionne aussi quarante-sept Bourguignons, quarante-quatre Normands, quarante-deux Picards, trente-quatre Flamands, vingt-huit Lorrains [1].

On trouve aussi bon nombre de Parisiens qualifiés par leur ville d'origine : trente et un sont dits de Senlis, vingt-six de Chartres, dix-neuf de Soissons, seize de Rouen, quinze de Beauvais, quatorze d'Orléans autant de Vernon, treize de Troyes, douze de Reims, onze de Lyon, dix de Nantes, de Sens et de Châlons, neuf d'Arras, d'Amiens, de Douai, huit d'Épernon ou de Dreux, sept d'Étampes ou de Caen. Cette liste montre que l'aire d'attraction de la capitale s'étend au bassin parisien au sens le plus vaste.

Les régions limitrophes sont, évidemment, très fortement représentées : vingt et un Parisiens originaires des petites cités de Lagny et de Saint-Denis, onze d'Attainville, neuf de Bondy, huit de Vanves, sept de Provins, de Saint-Cloud, de Gagny, six d'Orly, de Chevreuse, de L'Haÿ, de Colombes, cinq de Nanterre et de Clamart...

Un phénomène inverse d'émigration doit être noté dans la seconde moitié du XVIe siècle, avec le départ des protestants persécutés. Le « livre des habitants » de Genève, dans lequel sont enregistrés les nouveaux arrivants, s'ouvre en 1549 avec un réfugié parisien au nom illustre, Jean Budé [2]. Il est suivi par huit autres en 1550, Robert Estienne, Conrad Bade, les premiers d'une longue série d'imprimeurs, libraires, orfèvres, merciers, gantiers... parisiens. Avec Henri II, la répression s'aggrave terriblement. En 1559, Genève enregistre l'arrivée de cinquante Parisiens. Jusqu'en 1574, Paris se vide de son élite calviniste, la plupart de ceux qui sont restés étant massacrés lors de la Saint-Barthélemy. Le petit État de l'Électeur palatin calviniste attire aussi une foule de Parisiens qui peuplent l'Université de Heidelberg, seule Université réformée du Saint Empire, où l'on comptera jusqu'à cent quatre-vingt-douze Français dont vingt-neuf Parisiens.

Au XVIIe siècle, la ville s'enrichit de nouveaux éléments, assez peu nombreux mais pittoresques, venus de la moitié méridionale du royaume, Provençaux et Gascons, cette dénomination très floue correspondant à une aire immense allant du nord de Bordeaux au Bas Languedoc, le Gascon du *Prix de l'arquebuse* de Dancourt étant natif de Pézenas ! Ces nouveaux arrivants, s'exprimant dans une langue d'oc dégénérée en

1. Voir K. Michaelsson, « Étude sur les noms de personnes français d'après les rôles de la taille parisiens (1292-1313) », et « Les noms d'origine dans le rôle de la taille parisien de 1313 », dans *Symbolae philologicae Gothoburgenses*, 56 (1950), p. 357-401.

2. Voir P.-F. Geisendorf, *Le Livre des habitants de Genève*, et J.-P. Babelon, *Nouvelle Histoire de Paris. Paris au XVIe siècle*, p. 181-182.

patois, écorchant le français ou le prononçant avec un accent qui le rend difficilement compréhensible aux Parisiens, sont à l'origine de l'opposition qui se crée alors entre Paris et province[1]. Les habitants de la capitale s'érigent en détenteurs uniques du bon usage de la langue, en arbitres de la mode et des bonnes manières et relèguent les provinciaux parmi les rustres. Encore y a-t-il des nuances, les valets et les paysans picards, champenois ou normands des comédies de Molière ne faisant preuve, aux yeux des Parisiens, que d'une «sottise plaisante» qui «demeure charmante». En revanche, le Midi, essentiellement symbolisé par le type du Gascon, devient le symbole du ridicule. De 1660 à 1715, on rencontre de bouffons et grotesques Gascons dans une bonne trentaine de comédies. Ainsi se forment autour de Versailles et de Paris, des cercles concentriques marquant les différents degrés de «corruption» du bon goût et du bon usage, le Midi représentant le degré extrême du mauvais goût et du mauvais usage.

Au XVIIIe siècle s'ouvre un débat sur l'immigration : les écrivains Sauval et Mercier, le major de la garde de Paris, Jean-François de Bar, Nicolas-Toussaint Le Moyne, dit Des Essarts, auteur d'un *Dictionnaire universel de police*, dénoncent une insécurité qu'ils imputent aux provinciaux[2]. En 1775, de Bar évoque «les mauvais sujets qui, obligés de quitter leur province, viennent se réfugier à Paris dans l'espérance de l'impunité[3]». Dix ans plus tard, Des Essarts s'indigne : «Il n'est pas douteux que les provinces se dépeuplent tous les jours pour agrandir la population de la capitale ; que c'est presque toujours l'écume des provinces qui les abandonne ; que souvent le gouffre immense de la capitale sert de retraite aux vices des provinces et même d'asile aux crimes qui ont échappé à la juste sévérité des lois[4].» Les Parisiens sont, en effet, très minoritaires parmi les «classes dangereuses» et les délinquants : ils ne constituent que 17 % des mendiants internés à Bicêtre entre 1723 et 1752, que le quart des voleurs d'aliments, que moins de 20 % des auteurs de violences et de voies de fait. Les migrants sont, en général, des jeunes gens sans formation, à la recherche d'un emploi. Mais ils ne deviennent pas automatiquement des criminels. Le pourcentage énorme qu'ils représentent parmi les délinquants doit être mis en relation avec leur importance numérique. Une étude des contrats de mariage établis en 1749 montre 53 % d'immigrants parmi les conjoints ayant signalé leur origine, ce qui est nettement inférieur à la réalité. En effet, à la veille de la Révolution, on estime qu'il y a de 60 à 70 % de provinciaux dans les faubourgs Saint-Marcel et Saint-Antoine, 63 % à l'ouest du faubourg Saint-Germain et jusqu'à 78 % autour de la place des Vosges. Cette

---

1. Voir «Les provinciaux sous Louis XIV», *Marseille*, 1975, n° 101.
2. Voir J. Chagniot, *Nouvelle Histoire de Paris. Paris au XVIIIe siècle*, p. 127-150, 223-225.
3. Cité par J. Chagniot, *op. cit.*, p. 223.
4. *Ibid.*, p. 225.

masse, attirée par la grande ville comme « le papillon par la flamme » qui le brûle, pour reprendre une image utilisée par Marivaux et Restif de La Bretonne, bascule facilement dans l'illégalité, lorsqu'elle ne trouve pas d'emploi. Or, c'est l'abbé Patry qui le note en 1787, « il y a dans Paris un grand tiers de plus qu'il ne faut de sujets pour remplir toutes les occupations qui existent. Que de milliers de plus qu'il ne faut de porteurs d'eau, de commissionnaires, de laquais, de porteurs de charbon, d'ouvriers, de manœuvres [1] ! »

A la veille de la Révolution, il existe une véritable peur sociale des Parisiens face à cette population flottante et sans emploi. Lors des désordres politiques et sociaux de 1787-1788, Mercier remarque : « Quels sont les instruments de ces calamités publiques ? ce sont toujours des hommes dont on ne connaît ni le nom ni la demeure ; ce sont des individus qui semblent étrangers dans la ville même qui fournit leur subsistance ; des êtres qui ne dépendent que du moment et qui disparaissent avec la même facilité qu'ils se sont montrés ; des hommes enfin qui ne tiennent à rien [2]. » Les mauvaises récoltes, le désordre politique, la guerre civile, l'insécurité des campagnes vont précipiter encore plus les provinciaux en détresse vers la capitale. Ancien secrétaire de Grimm et ami de Diderot, Jacob Heinrich Meister note dans ses *Souvenirs de mon dernier voyage à Paris vers la fin de 1795* : « Mais où sont donc les Parisiens que j'ai connus [3] ? » Une étude des cartes de sûreté délivrées durant la Révolution dans le faubourg Saint-Jacques montre que 27 % des hommes seulement sont nés à Paris. Dans l'ordre décroissant viennent les originaires du Nord de la France et de la Picardie, puis de la Champagne, du Centre, de Basse Normandie, de Bourgogne, des Alpes, de la Lorraine, de la Franche-Comté, de l'Aquitaine, du Limousin, d'Auvergne et des pays de la Loire ; en revanche, Languedoc, Provence et Alsace ne représentent même pas 3 % de la population.

La Révolution a provoqué des modifications dans les migrations saisonnières, notamment chez les maçons qui quittent traditionnellement leurs campagnes d'origine en mars-avril et travaillent dans la capitale jusqu'à Noël. La Normandie ayant participé à l'insurrection fédéraliste et manifesté sa sympathie à la chouannerie, les maçons normands se détournent de Paris, où ils sont évincés par les Creusois, eux-mêmes détournés de Lyon par la révolte de cette ville pour se concentrer sur la capitale à laquelle ils fournissent 56 % de ses maçons au début du XIXᵉ siècle. Sous l'Empire, le manque de main-d'œuvre tend à faire de ces immigrés saisonniers des ouvriers installés en permanence. On calcule qu'il reste toutefois environ trente mille à quarante mille migrants saisonniers sous l'Empire. Du Calvados et de la Manche arrivent au prin-

---

1. Cité par J. Chagniot, *Nouvelle Histoire de Paris. Paris au XVIIIᵉ siècle*, p. 231.
2. Cité par J. Tulard, *Nouvelle Histoire de Paris. La Révolution*, p. 37.
3. *Ibid.*, p. 292.

temps les tailleurs de pierre, du Nord les ouvriers du vêtement, de Savoie une foule de ramoneurs, décrotteurs, portefaix et commissionnaires, de la Creuse et la Haute-Vienne les maçons, du Cantal, de l'Aveyron, du Puy-de-Dôme les porteurs d'eau à tonneaux tandis que les porteurs d'eau à bretelle sont originaires de l'Est et du Nord, du Doubs, du Jura, de la Côte-d'Or, de la Meuse ou des Ardennes.

Les études de Bertillon, Pouthas et Chevalier ont permis de bien cerner les provinciaux de Paris au xixe siècle [1]. Sous la Monarchie de Juillet, les douze départements correspondant aux plaines et plateaux céréaliers du bassin parisien, de la Picardie et du Nord représentent près de 40 % des immigrés. Viennent ensuite les cinq départements normands avec 13 %. Ces Normands s'assimilent aisément et épousent des Parisiennes, de même que les Bourguignons (13 %), spécialisés dans le commerce du bois pour les Morvandiaux et du vin pour les originaires de régions viticoles. Peu nombreux, moins de 3 %, les Lorrains sont surtout issus des régions germanophones et assimilés par les Parisiens à des Allemands. Le même obstacle linguistique limite le nombre des Bretons et des Méridionaux. Même les maçons creusois ne représentent guère plus de 1 % des provinciaux. Ils vivent entassés, dans des conditions épouvantables, dans les sordides hôtels garnis des environs de l'Hôtel de Ville, près de cette place de Grève où a lieu l'embauche.

Les Auvergnats, bien connus grâce à la remarquable étude de Françoise Raison-Jourde [2], mis en scène par Balzac dans *La Comédie humaine* comme marchands de ferrailles ou de papier, comme usuriers aussi, tel le terrible Bidault, dit Gigonnet, présent dans *Les Employés, César Birotteau, Les Illusions perdues*, «se distinguent les uns et les autres par leur amour de l'argent, leur dureté en affaires, le caractère sordide de leur vie, et en général leur réussite […]. A Paris, ces Auvergnats habitent en général à l'orée du faubourg Saint-Antoine, à la limite du quartier artisanal et des quartiers commerçants qui le bordent. Ils ont le labeur obstiné et la fortune secrète [3].» Ce jugement sévère de Louis Chevalier reprend l'image péjorative de l'Auvergnat qu'ont les bourgeois parisiens vers 1840. Françoise Raison-Jourde en explique l'origine : «Comment des banquiers peuvent-ils se commettre avec des marchands de vieux habits et de ferrailles, comment des négociants soucieux d'honorabilité peuvent-ils maintenir leurs affaires dans des boutiques sans prestige, au voisinage des gagne-petit entassés dans les chambrées sordides du faubourg Saint-Antoine ? Entre ces hommes qui sont "parvenus" et le "prolétariat" auvergnat, on devine un lien, mais on

---

1. Voir J. Bertillon, *Origine des habitants de Paris* ; C.-H. Pouthas, *La Population française pendant la première moitié du xixe siècle* et L. Chevalier, *La Formation de la population parisienne au xixe siècle*.
2. Voir F. Raison-Jourde, *La Colonie auvergnate de Paris au xixe siècle*.
3. L. Chevalier, *op. cit.*, p. 205-206.

ne sait comment le définir. L'imprégnation du pays natal, toujours sensible à travers le parler, le costume, les habitudes alimentaires, réunit ces émigrants dans une solidarité due aux affinités provinciales, et qui choque le bourgeois de 1840. Pour lui, le critère de classe l'emporte sur la communauté d'origine dès qu'un certain niveau de richesse est atteint qui fait de l'homme un bourgeois, donc un privilégié, et le coupe des rangs plus modestes de ses anciens compatriotes[1]. »

Ces provinciaux sont encore, vers 1850, originaires des pays situés au nord d'une ligne Saint-Malo-Genève, le Cantal et la Creuse constituant les seules exceptions. Un nouveau mode de transport, le chemin de fer, rapide et assez peu coûteux, va bouleverser l'origine des immigrés. La comparaison par Louis Chevalier des cartes de 1833 et de 1891 montre un renversement presque général de la tendance observée en 1833[2]. En dehors de la Meurthe-et-Moselle et des Vosges affectées par la perte de l'Alsace-Lorraine en 1871, les départements de la moitié nord de la France sont en diminution, alors que la moitié sud est en plein essor. Le flot migratoire est particulièrement fort dans trois régions : la Bretagne, principalement les Côtes-du-Nord ; le groupe réunissant Nièvre, Cher et Indre ; les départements du Massif Central entourant le Cantal, la Corrèze et surtout l'Aveyron. Dix-huit départements rassemblent plus de 42 % des migrants, dans l'ordre dégressif, la Seine-et-Oise, la Seine-et-Marne, puis Nord, Yonne, Seine-Maritime, Nièvre, Meurthe-et-Moselle, Aisne, Loiret, Oise, Somme, Pas-de-Calais, Haute-Saône, Côte-d'Or, Creuse, Sarthe, Cantal, Aveyron.

A la différence des Auvergnats, les Bretons réussissent rarement leur insertion. En 1900, l'abbé Cadic constate l'échec : « Le Breton, à l'encontre du Normand ou de l'Auvergnat, n'économise pas, il dépense tout[3]. » *La Semaine religieuse* du diocèse de Saint-Brieuc et de Tréguier note en février 1892 : « Nos Bretons sont habitués à recueillir sur le sol natal le fruit de leur labeur, sans que leur esprit d'initiative soit mis à l'épreuve, puisqu'ils n'ont qu'à suivre, pour gagner leur pain, les méthodes et les modes de travail de leurs pères, vivant sur la terre et de la terre, ils n'ont encore qu'à se laisser vivre, entraînés par la coutume et les habitudes prises dès l'enfance. Arrivés dans les grandes villes, ils ne tardent pas à s'apercevoir que, pour parvenir aux gros salaires et aux richesses rêvées, il faut une activité, un esprit d'initiative, une certaine audace que réclame la lutte pour la vie. Ni leur nature, ni leur éducation ne les y ont préparés. Aussi ne tardent-ils pas à être relégués dans les métiers les plus simples, les plus grossiers et les moins lucratifs. Ils s'en consolent en portant trop souvent chez le marchand de vin la plus grosse

1. F. Raison-Jourde, *La Colonie auvergnate de Paris au XIXᵉ siècle*, p. 116.
2. L. Chevalier, *La Formation de la population parisienne au XIXᵉ siècle*.
3. F. Cadic, *Les Bretons*, cité par L. Chevalier, *op. cit.*, p. 206.

part du salaire qui pourrait assurer à leur famille un bien-être modeste, sans doute, mais suffisant [...]. Le Breton, une fois séparé de son milieu primitif, a une tendance extraordinaire à se perdre dans le nouveau milieu où il se trouve transporté [1]. »

Le recensement de 1901 fait apparaître que Paris est la capitale européenne où la population indigène est la plus faible, les provinciaux représentant nettement plus de la moitié de ses habitants. Une étude de Charles-Brun constate que se constituent, à cette époque, de véritables colonies, des îlots de peuplement presque homogènes [2]. Les quartiers des gares d'arrivée constituent un lieu de prédilection pour les nouveaux immigrants qui restent frileusement à leur proximité : les originaires du Gard se concentrent dans le XIIᵉ arrondissement, près de la gare de Lyon, les Bretons ont leur quartier général près de la gare Montparnasse, dans la paroisse Notre-Dame-des-Champs, qui constitue avec Plaisance une extension de l'Armorique natale. L'association de la Jeunesse limousine a établi la carte de ses compatriotes : une masse de maçons se trouve concentrée sur la montagne Sainte-Geneviève et aux abords de la place Maubert, le tout représentant mille deux cents électeurs limousins pour le cinquième arrondissement ; les autres centres sont la rue de l'Hôtel-de-Ville et ses environs, les quartiers des Batignolles, de Vaugirard où se rassemblent les cochers, et de Grenelle.

« La montée à Paris » se poursuit durant le XXᵉ siècle. Le recensement de 1962 montre la constance de la répartition de cette immigration. 60 % des nouveaux arrivants sont originaires de l'Ouest et du Nord. Les Bretons tiennent une place prépondérante, 13 à 15 % des provinciaux. En deuxième position viennent les départements du Centre situés immédiatement au sud de Paris, la région Centre actuelle. La troisième position est tenue par le Nord et le Pas-de-Calais pour les migrants anciens, les pays de la Loire pour les migrants plus récents. La moyenne nationale des migrants est de quatre-vingts pour mille, mais les quotients départementaux font apparaître les zones de départ particulièrement importantes : 212,4 habitants des Côtes-du-Nord sur mille sont établis à Paris en 1962. C'est le record. Mais ils sont suivis de près par ceux d'Eure-et-Loir (210,9) et de Seine-et-Marne (191,9) venus en voisins, puis par les pôles traditionnels d'émigration : Cantal (188,4), Corrèze (185,9), Nièvre (183,9). A l'opposé, les départements les moins bien représentés dans la capitale sont la Moselle (24,5), le Vaucluse (21,9), les Bouches-du-Rhône (21,4) et l'Isère (21,2). L'industrialisation de la Lorraine, l'attraction de Marseille et de Lyon ont arrêté le flux migratoire vers Paris.

---

1. Cité par L. Chevalier, *La Formation de la population parisienne au XIXᵉ siècle*, p. 207.
2. Voir Charles-Brun, « Les colonies provinciales à Paris », *Le Correspondant*, CCIV (1901), p. 465-488.

LES ÉTRANGERS

Mais aujourd'hui, avec des moyens de transport élargis à la planète entière, ce sont des migrations bien plus lointaines qui attirent l'attention. Les étrangers n'ont, cependant, pas attendu l'avion pour affluer à Paris. L'étude déjà citée de Karl Michaelsson[1] sur les noms d'origine dans les livres de la taille entre 1292 et 1313, plaçait en tête cent cinquante-cinq cas de personnes appelées «l'Anglois», qui devançaient les cent quarante-quatre «le Breton». Bien après ces voisins d'Outre-Manche avec lesquels le pouvoir royal eut si souvent à se battre, venaient les gens de l'Est et du Nord, trente-cinq «l'Allemand», trente-quatre «le Flamand», mais aussi, en nombre restreint, des Hennuyers, Brabançons, des Gallois et «Escots» ou Écossais. Rares, un ou deux cas, sont les Navarrais, Aragonais, Castillans, Hongrois, Roumains, Norvégiens, Suédois, Cypriotes.

La principale communauté étrangère est alors celle des Lombards, appellation des banquiers et usuriers du nord de l'Italie, dépassant largement le cadre de la Lombardie. Ils sont établis à Paris depuis longtemps. En 1245, Manfred, bourgeois d'Asti en Piémont, est épicier sur le territoire de l'abbaye de Saint-Germain-des-Prés. Les banquiers siennois avancent de l'argent au roi et aux grands seigneurs. Faisant une distinction subtile entre ceux qui font du commerce et ceux qui prêtent à taux usuraire, le pouvoir royal prend périodiquement des mesures d'expulsion et de confiscation des biens qui permettent de ne pas rembourser les dettes et de renflouer le Trésor, les prétendus usuriers capturés n'étant libérés que contre de fortes amendes ou cautions. Certains de ces Lombards obtiennent cependant des lettres de bourgeoisie, comme Jacques Lanfranc des Chiarenti, natif de Pistoie, François de La Porte, de Plaisance, Philippe de Flaganaste, ce qui ne les met pas à l'abri des poursuites comme l'attestent des révocations de ces bourgeoisies. Plaisance, Lucques, Florence, Sienne sont largement représentés. Les mieux organisés, au début du XVe siècle, les Lucquois, sont en relations étroites avec leur autre communauté de Bruges. Ces commerçants étrangers s'assimilaient rapidement et francisaient leur patronyme : les Maulini, Sacchi, Moriconi, Rapondi devenaient Maulin, Sac, Moriçon et Raponde. Fils d'un Génois nommé Orlandi, Thomas Orlant est même échevin en 1435. Certains accèdent à la noblesse.

A côté de cette immigration de commerçants et d'artisans existe une forte communauté d'étudiants attirés par le prestige de l'Université. Les étudiants anglais venaient en masse jusqu'à ce que le Grand Schisme

---

1. K. Michaelsson, «Étude sur les noms de personnes français d'après les rôles de la taille parisiens (1292-1313)», et «Les noms d'origine dans le rôle de la taille parisien de 1313», dans *Symbolae philologicae Gothoburgenses*, 56 (1950), p. 357-401.

et la guerre franco-anglaise les détournent de Paris. Mais la « nation anglaise » comptait encore plus de deux cent cinquante membres en 1403, vestiges d'effectifs beaucoup plus importants. La « nation allemande » prend alors une première place que justifie une présence massive : mille six cent dix-huit étudiants entre 1425 et 1494, surtout originaires de Rhénanie et de Hollande. On comptait environ 7 % d'étudiants étrangers et les professeurs extérieurs au royaume jouaient un rôle non négligeable : sur les deux cent soixante et un recteurs identifiés qui ont gouverné par trimestre l'Université entre 1425 et 1494, il y eut trente-neuf étrangers, dont vingt et un Hollandais et cinq Écossais.

Le xvie siècle est une époque d'arrivée massive d'Italiens, artistes appelés pour leur savoir ou courtisans venus dans le sillage de Catherine de Médicis, épouse d'Henri II, ou obligés de s'expatrier pour avoir choisi la cause française durant les guerres d'Italie, tels les Napolitains San Severino, Caraccioli, Acquaviva d'Atri, les Milanais Trivulzi et Castiglioni, les Orsini de Rome et les Gonzaga de Mantoue. La famille florentine des Gondi sera appelée à jouer un rôle important. Les banquiers édifient des fortunes colossales sous la protection de la reine et de ses fils, obtenant charges et fermes de la douane ou du sel. Les Zamet, Sardini, Rametti, Bandini suscitent des libelles hostiles :

> *Quand ces bougres poltrons en France sont venus*
> *Ils étaient élancés comme maigres sardaines,*
> *Mais par leurs grands impôts, ils sont tous devenus*
> *Enflés et bien refaits, aussi gros que baleines* [1].

Le jeu de mot Sardini/sardine est transparent pour les contemporains. Mais les Italiens ne sont pas seuls dans ce Paris de la Renaissance. Depuis le milieu du xve siècle, les Allemands ont introduit l'imprimerie dans la capitale. A côté de Johann Fust, associé de Gutenberg, il faut citer, au moins, Friburger, Gering, Krantz, Georg Wolff, Berthold Renbolt, Johann Hygman, Thomas Kees, Hans de Coblence. On trouve aussi des fondeurs-ciseleurs, les ouvriers du bois qui inventent la crédence et le dressoir au faubourg Saint-Antoine, les tanneurs et mégissiers du faubourg Saint-Marcel, les domestiques et les innombrables soldats et gardes du corps qui, avec les Suisses, assurent la protection du roi et des princes. Le nombre des Hollandais et des Flamands gonfle considérablement en raison des proscriptions ordonnées par le duc d'Albe. Certains s'établissent comme imprimeurs, Hopyl d'Utrecht ou Gilles Beys, gendre de Plantin. Les peintres s'établissent au faubourg Saint-Germain.

L'Université en pleine décadence, sclérosée et imprégnée de fanatisme catholique, a perdu ses contingents anglais et écossais. La fréquentent encore des Espagnols et des Portugais, des Allemands catholiques

---

1. Cité par J.-P. Babelon, *Nouvelle Histoire de Paris. Paris au xvie siècle*, p. 181.

comme le jeune Tyrolien Geizkofler qui, de passage à Paris peu avant la Saint-Barthélemy, estime à mille cinq cents le nombre des étudiants ou voyageurs allemands dans la capitale.

Plus ou moins remarquée par les contemporains, cette immigration se poursuit durant les XVIIᵉ et XVIIIᵉ siècles. Si l'on exclut les milliers de touristes de passage, dont certains ont rédigé d'utiles relations de voyages, les étrangers affluent en nombre considérable, mais seuls les plus connus sont remarqués. Au siècle des Lumières, les Helvétius, d'Holbach, Grimm font partie de la vie intellectuelle de la capitale.

Les troubles de la Révolution puis les conquêtes de l'Empire apportent de nouveaux contingents : patriotes brabançons, Liégeois et autres variétés de Belges en lutte contre le pouvoir autrichien ou devenus fonctionnaires français à Paris, révolutionnaires italiens ou allemands, Rhénans, Italiens, Hollandais annexés à la République puis au Grand Empire, Polonais.

Au XIXᵉ siècle, Paris héberge des colonies permanentes de riches étrangers : Anglais (lady Blessington, lady Holland), Américains, dont une quarantaine d'étudiants en médecine, aristocrates russes (princesses Bagration, Galitzin, princes Dolgoroukov, Gagarin, amiral Tchitchakov, comte Rostopchin dont la fille sera la comtesse de Ségur). Mais il existe aussi une immigration d'ouvriers qualifiés et même de manœuvres. Cordonniers et briquetiers belges, manœuvres, cochers, domestiques allemands, horlogers, ébénistes suisses, artistes peintres, musiciens, comédiens italiens. Après les révolutions manquées de 1830 et 1848, des vagues de Polonais, mais aussi d'Allemands, d'Italiens, d'habitants de diverses origines de l'empire d'Autriche se réfugient dans la ville où ont triomphé leurs espoirs politiques. Il semblerait que ces étrangers représentent vers le milieu du XIXᵉ siècle, de 5 à 10 % de la population parisienne. Les Allemands constituent à eux seuls entre le quart et le tiers. En 1835, un journaliste note qu'« il se trouve à Paris tant d'ouvriers imprimeurs allemands que chaque imprimerie en occupe un certain nombre[1] ». L'enquête de la Chambre de commerce en 1847-1848 souligne que « l'immigration des Allemands depuis une vingtaine d'années est considérable, et forme même une portion importante de ce qu'on peut appeler la population sédentaire ouvrière[2] ». Ces travailleurs sont balayeurs natifs de la Hesse ou tailleurs dans le quartier du Sentier, ébénistes ou carrossiers au faubourg Saint-Antoine. *Paris Guide*[3], publié en 1867, fait l'éloge de cette main-d'œuvre : « Le patron aime l'ouvrier allemand, qui est travailleur, obéissant et surtout régulier dans son activité, sacrifiant peu au lundi. » Les Belges représentent le deuxième tiers. Ils sont particulièrement nombreux à la Goutte-d'Or et sont employés par

---

1. Cité par P. Vigier, *Nouvelle Histoire de Paris. Paris pendant la Monarchie de Juillet*, p. 260.
2. *Ibid.*
3. Voir *Paris Guide*, II, p. 1017-1042.

les industries liées au chemin de fer et aux gares proches du Nord et de l'Est. Le dernier tiers s'émiette entre Italiens, Polonais, techniciens et cadres industriels anglais attirés par les hauts salaires que leur proposent les patrons français, Hollandais, Espagnols, Hongrois, Roumains...

Au début de ce siècle, Käthe Schirmacher a étudié la spécialisation du travail par nationalités. Elle constate d'abord que Paris était, en 1891, la plus cosmopolite des capitales d'Europe avec soixante-quinze étrangers pour mille habitants, alors que Saint-Pétersbourg n'en compte que vingt-quatre, Londres et Vienne vingt-deux, Berlin onze. Belges, Allemands, Italiens et Suisses sont de loin les plus nombreux, avec de vingt-huit à vingt mille ressortissants, suivis de loin par une dizaine de milliers d'Anglais et de Russes, huit mille Luxembourgeois, six mille Américains du Sud, cinq mille Autrichiens. On ne compte que quatre cent quarante-cinq Africains, quatre cent trente-neuf Danois, trois cent vingt-huit Portugais et deux cent quatre-vingt-dix-huit Norvégiens. Il existe une certaine spécialisation dans le travail : les Italiens sont dans l'industrie du sucre et des conserves, les Allemands dans la brasserie, la boulangerie, la charcuterie. Allemandes et Suissesses sont domestiques. Les cordonniers sont plutôt belges ou italiens tandis que le travail des peaux et cuirs est l'œuvre des Allemands. L'horlogerie est déjà le domaine des Suisses et la céramique celui des Italiens [1].

Entre les deux guerres mondiales, le nombre des Italiens triple en Île-de-France, mais ne croît que de 50 % dans la capitale, les nouveaux arrivants, de condition très modeste, s'installant principalement en banlieue. Le tiers de cette main-d'œuvre est employé dans le bâtiment et les travaux publics. Un Italien sur dix travaille dans la confection, le reste s'éparpillant dans les industries du bois, alimentaires et chimiques. Tchèques et Slovaques font plus que décupler, passant de trois mille en 1920 à quarante mille en 1936 dans la France entière, dont dix mille dans la capitale. Fuyant les massacres, les Arméniens s'installent à Marseille et dans la région parisienne. Mais la taille de leurs familles et leur pauvreté les contraignent à s'installer pour la plupart en banlieue, à Issy-les-Moulineaux, Alfortville et Arnouville-lès-Gonesse, la minorité fortunée se regroupant dans le IXe arrondissement, dans les rues Cadet, La Fayette, Richer et de Trévise. Le nombre des Noirs augmente mais demeure faible : pour toute la région parisienne, on ne compte guère plus de dix mille Antillais et mille à deux mille Africains. La guerre civile fait également affluer des dizaines de milliers d'Espagnols, mais la très grande majorité d'entre eux reste dans le Sud-Ouest. Les Polonais se cantonnent dans les régions minières du Nord et de l'Est, alors que les Russes fuyant le communisme choisissent Paris où ils exercent les métiers les plus divers, notamment celui de chauffeur de taxi.

---

1. Voir K. Schirmacher, *La Spécialisation du travail par nationalités à Paris.*

Après 1945, l'immigration reprend. En 1962, on estime à 8 % le nombre des étrangers dans la capitale. La répartition par nationalités fait apparaître des constantes : Italiens d'abord, aussi nombreux que les Espagnols et les Polonais réunis, puis Russes, Arméniens et Allemands. Mais un nouveau phénomène se fait jour, l'arrivée massive des Algériens. Ils représentent désormais 20 % des étrangers, ravissant la première place aux Italiens. C'est entre 1960 et 1963 que se produit le renversement décisif. Les Algériens déjà installés seront rejoints par des milliers de compatriotes qui n'augurent rien de bon de l'indépendance de leur pays. C'est à cette époque que commence également l'énorme migration des Portugais : de six mille sept cents en 1961, ils passent à vingt-quatre mille huit cents dès 1963, et ce n'est qu'un début. Les Africains noirs, imitant les Algériens, quittent leurs pays nouvellement indépendants : de quelques centaines avant 1958, ils sont près de cinquante mille en France dès 1965, dont la moitié en région parisienne. Ces tendances n'ont fait que se renforcer depuis, Marocains et Tunisiens venant rejoindre les Algériens. Depuis 1975, les réfugiés du Viêt-nam et du Cambodge, les Turcs venus d'Allemagne, les Libanais fuyant la guerre civile, les Tamouls de Ceylan (Sri Lanka), les Pakistanais sont venus grossir la masse des immigrants non européens. Entre 1975 et 1990, le nombre des étrangers à Paris a crû de 13,5 % à 16 %, soit environ trois cent quarante mille personnes aujourd'hui. La moitié appartiennent aux trois pays d'Afrique du Nord. Avec les autres Africains et les Asiatiques, ils représentent de 10 à 15 % de la population des IIIe, XIIIe, XIXe et XXe arrondissements, plus de 15 % de celle des IIe, X^e et XVIIIe.

Ces apports exotiques suscitent parfois des réactions d'inquiétude voire de rejet, en raison des mentalités et des modes de vie profondément différents, mais la proportion des étrangers dans la capitale n'est guère plus importante qu'au siècle dernier. Se pose cependant la question d'une assimilation compliquée par la puissance des religions, islam notamment, qui entravent les mariages mixtes et la fusion qui ont caractérisé les autres immigrations de souche européenne.

CHAPITRE II

L'administration

UN MILLÉNAIRE OBSCUR

Les éléments dont on dispose sur les origines et les premiers siècles de la Lutèce gauloise puis gallo-romaine se réduisent à très peu de choses. La Gaule indépendante ne semble pas avoir connu d'organisation urbaine. Le cadre politique et administratif était formé par le territoire, essentiellement rural, de chaque peuple. Celui des *Parisii* avait pour centre l'île de la Cité où était, peut-être, installée une minuscule bourgade, ensemble de huttes en bois recouvertes de chaume, ne disposant d'aucune administration particulière.

Avec la domination romaine est mis en place un système fondé sur la ville, la cité, la campagne environnante étant placée sous la juridiction des citadins. La Lutèce gallo-romaine est, sans doute, gouvernée par un préfet, représentant l'autorité de Rome. Il existe également des « défenseurs de la cité », choisis parmi les citoyens les plus éminents, qui assument leur charge durant cinq ans et sont censés représenter leurs concitoyens. Auprès des défenseurs de la cité, des curions exerçaient, sur le modèle romain, les offices municipaux d'édiles, de censeurs, de tribuns du peuple, assurant la police des marchés, la surveillance des poids et mesures, rendant une justice qui ne pouvait excéder des peines d'amende de cinquante sous d'or. Tout cela est déduit des institutions des autres cités de l'Empire romain, car on ne dispose d'aucun élément concernant particulièrement Lutèce.

Les vestiges archéologiques, le pilier des nautes notamment, permettent de supposer que les fonctions édilitaires étaient remplies à Lutèce par la compagnie des nautes, puissante organisation de commerçants responsables des transports par voie d'eau sur la Seine[1]. Son siège était probablement établi dans la salle des thermes de Cluny où l'on peut voir des consoles en forme de proues de navires. L'exemple des nautes de Lyon, étudiés par Drinkwater, montre que les nautes englobaient très largement les autres professions : charpentiers, marchands de bois, fabricants de saumure, négociants de céréales et même des personnages riches et influents mais sans profession définie[2]. Beaucoup plus que des membres d'une corporation, les nautes étaient donc les représentants de l'élite locale. Les activités politiques et administratives se déroulaient au forum, situé à l'emplacement de l'actuel Panthéon, ainsi qu'à la pointe occidentale de l'île de la Cité où s'élevait sans doute le *praetorium*, le palais du préfet de la ville, peut-être associé à un autre forum.

On ignore ce que firent les Francs lorsqu'ils se substituèrent à Rome à la fin du Ve siècle. Au début, ils se contentèrent probablement de maintenir les structures existantes. On trouve mention de préfets de la ville en 588, sous le règne de Chilpéric, et encore en 665, sous celui de Clotaire III. Mais vers la fin du VIIe siècle, le préfet est remplacé par un comte, installé lui aussi dans le palais de la Cité, tandis que les défenseurs de la cité deviennent sans doute des échevins.

---

1. Voir P.-M. Duval, *Nouvelle Histoire de Paris. De Lutèce oppidum à Paris capitale de la France* et *Lutèce. Paris de César à Clovis*.
2. Voir J.-F. Drinkwater, « The rise and fall of the Gallic Julli », *Latomus*, 37 (1978), p. 841-846.

Ces comtes de Paris sont toujours d'origine royale ou issus des plus puissantes familles[1]. Sous les premiers Carolingiens semble s'établir la tradition de confier le comté de Paris à des cadets ou à des bâtards de souche royale. Charlemagne donne le comté à son gendre Bégon. Sous Charles le Chauve, c'est Conrad, un Welf, frère de l'impératrice Judith, mère du roi, qui semble avoir le titre de comte de Paris. Un autre Welf, le cousin germain de Charles le Chauve, Hugues l'Abbé, fait vraisemblablement attribuer en 879 ce comté à un de ses proches, Eudes, fils de Robert le Fort. Eudes se distingue durant le siège de 885-886, ce qui lui vaut d'être élu roi de la *Francia occidentalis*, future France, en 888. Il laisse alors le comté de Paris à son frère Robert. Les descendants de celui-ci, Hugues le Grand puis Hugues Capet, sont à leur tour comtes de Paris.

Maîtres d'un vaste ensemble de comtés s'étendant jusqu'à la Loire et formant le *ducatus Franciae*, le duché de France, ces comtes délèguent leurs pouvoirs dans la ville à un vicomte de Paris : un certain Thion est attesté dans un acte de 936. Sans doute désireux de renforcer la fidélité d'un allié, Hugues Capet concède le titre de comte de Paris à Bouchard, déjà comte de Vendôme. L'accession à la couronne de France d'Hugues Capet, en 987, donne à Paris une importance nouvelle. La ville va progressivement devenir la capitale du royaume. Dès lors, la fonction de comte de Paris correspond à un rôle crucial, dangereux pour le pouvoir royal. Aussi, à la mort de Bouchard de Vendôme, en 1007, le roi préfère-t-il faire disparaître le titre de comte de Paris en ne nommant pas de successeur.

DES PREMIERS CAPÉTIENS A ÉTIENNE MARCEL (987-1358)

Les vicomtes et comtes de Paris ayant disparu, l'autorité du roi s'exerce désormais par l'intermédiaire d'un prévôt de Paris qui apparaît sous le règne de Robert le Pieux (996-1031). Dès l'avènement de Philippe Ier (1060-1108), c'est le seul agent local du pouvoir royal à qui sont adressés les mandements. Inspirée de la prévôté ecclésiastique, la prévôté royale présente l'avantage de ne pas être héréditaire. D'abord confiée à des hommes choisis pour leur valeur, elle est ensuite affermée. Le compte royal de 1202-1203 montre que le prévôt paie sa ferme en trois termes : à la Toussaint, à la Chandeleur, à l'Ascension. Les troubles qui émaillent la régence de Blanche de Castille sont en partie dus aux abus et à la rapacité de ces prévôts et Louis IX abolit la vénalité pour confier à nouveau la prévôté de Paris à des officiers dignes de confiance. Le premier de ces prévôts de Paris désignés par le roi pour leur valeur est Étienne Boileau en 1261 : son traitement est fixé à 300 livres par an.

Agent d'exécution installé au Châtelet, sur la rive droite, en face du

---

1. Voir J. Boussard, *Nouvelle Histoire de Paris. De la fin du siège de 885-886 à la mort de Philippe Auguste*, et L. Levillain, « Les comtes de Paris », *Le Moyen Âge*, 1941, p. 139-206.

Palais, le prévôt de Paris cumule les fonctions de receveur des finances, d'officier de police, de juge et d'administrateur. Ses pouvoirs financiers lui sont retirés à peu près à l'époque de la suppression de la ferme et confiés à un receveur de Paris [1].

Pour rendre la justice, le prévôt de Paris dispose d'un important personnel dirigé par deux lieutenants : lieutenant civil, lieutenant criminel, le second doublé, pour les petits délits, d'un lieutenant de robe courte. Des conseillers, pris généralement parmi les procureurs et les avocats, assistent la justice prévôtale. Au début du XIVe siècle, ils ne sont plus que deux, un auditeur civil et un auditeur criminel, juges à compétence limitée dont le prévôt peut réviser les sentences, celles du prévôt étant elles-mêmes susceptibles d'appel auprès du Parlement. Il existe aussi des «examinateurs» du Châtelet, chargés des enquêtes. L'ordonnance du 23 mars 1301 transforme les clercs du prévôt en notaires du Châtelet, titulaires d'offices royaux, au nombre de soixante. Ces clercs, déjà attestés une trentaine d'années auparavant, authentifient les actes passés entre particuliers par l'apposition du sceau à la fleur de lis de la prévôté, tout en servant de secrétaires au prévôt. Il ne faut pas confondre ces notaires du Châtelet avec les notaires du roi qui rédigent les actes royaux sous l'autorité du chancelier.

La défense et la police de la ville sont assurées par le guet [2]. Il existe un guet des métiers exercé de nuit par les membres des corporations, obligation pesante dont les habitants tentent souvent de se dispenser. Aussi faut-il suppléer ses insuffisances par la création d'un guet royal assuré par des sergents appointés et commandés par un officier du roi, nommé «chevalier du guet» à la fin du XIIIe siècle, subordonné au prévôt de Paris. Le chevalier du guet a autorité sur les deux guets, le guet des métiers comme le guet royal. Ce dernier est formé d'un certain nombre de sergents : douze sergents, dits «sergents de la douzaine», sont chargés du guet de jour. Plus important, le guet de nuit est assuré par vingt sergents à pied et douze à cheval. Les clercs du guet répartissent les hommes du guet des métiers de la façon suivante : «Six sur le pavé du Châtelet pour garder les prisonniers, six chargés de faire des rondes autour du Châtelet pour éviter que des prisonniers ne tentent de s'échapper au moyen de cordes ou d'échelles apportées par des complices, six dans la cour du palais pour veiller sur les reliques de la Sainte-Chapelle et sur les bâtiments royaux, six dans la Cité près de l'église de la Madeleine, six à la "place aux Chats", six devant la Fontaine des Innocents, six sous les piliers de la place de Grève et six à la porte Baudoyer. S'il y en avait en sus, on les disposait en d'autres lieux et carrefours [3].»

---

1. Voir R. Cazelles, *Nouvelle Histoire de Paris. De la fin du règne de Philippe Auguste à la mort de Charles V (1223-1380)*, p. 183-186.
2. *Ibid.*, p. 186-191.
3. *Ibid.*, p. 190-191.

Si la juridiction du chevalier du guet est limitée à Paris et à sa banlieue, celle du prévôt s'exerce dans le cadre plus étendu de la «prévôté et vicomté de Paris». La banlieue est bien circonscrite et se compose au XVᵉ siècle de Vaugirard, Issy, Clamart, Vanves, Montrouge, Châtillon, Bagneux, Bourg-la-Reine, Chevilly, Ivry, Vitry, Villejuif, Gentilly, Arcueil, Cachan, L'Haÿ, sur la rive gauche de la Seine. Sur la rive droite, ce sont le pont de Charenton, Conflans, Saint-Mandé, La Pissote et une partie de Montreuil, Charonne, Belleville, Bagnolet, Romainville en partie, Pantin, Le Pré-Saint-Gervais, La Villette, La Chapelle, Aubervilliers, Montmartre, Saint-Ouen, Saint-Denis en partie, Clichy, Villiers-la-Garenne, Neuilly, Le Roule, une partie de Boulogne, Auteuil, Passy, Chaillot et La Ville-l'Évêque. Beaucoup plus étendue, la prévôté de Paris couvre cent seize localités. Encore plus vaste, la vicomté englobe quatorze prévôtés ou châtellenies et cinq cent soixante-sept paroisses en 1328, dont trente-cinq pour Paris et ses faubourgs. C'est ce vaste ressort qui constitue la juridiction du Châtelet.

A côté de cette administration royale se développe une administration municipale, expression des habitants. Elle n'est sans doute pas issue des nautes parisiens[1] de l'époque gallo-romaine depuis longtemps disparus, mais d'une corporation médiévale qui remplit un rôle analogue, les *cives Parisienses qui mercatores sunt per aquam* ou corporation des «marchands de l'eau», qui contrôle le trafic fluvial en amont et en aval de Paris et assure l'approvisionnement de la ville par une série de ports dont le principal est à la Grève (actuelle place de l'Hôtel-de-Ville). Cette corporation est attestée pour la première fois en 1121 par la remise que lui fait Louis VI du droit de 60 sous qu'il percevait à l'époque des vendanges sur chaque bateau chargé de vin arrivant à Paris. En 1170, Louis VII confirme aux «bourgeois de Paris qui sont marchands par eau» les coutumes dont jouissaient leurs pères et les énumère : «Il n'est permis à personne d'amener à Paris ou d'en sortir par eau quelque marchandise que ce soit, depuis le pont de Mantes jusqu'aux ponts de Paris, à moins d'être parisien et marchand, ou d'avoir pour associé dans son commerce un Parisien marchand ; les contrevenants se verront confisquer toute leur cargaison, dont le roi aura la moitié, en raison du délit, et l'autre moitié ira aux Parisiens marchands de l'eau[2].» Cette corporation, dite aussi «hanse», possède donc une juridiction propre, reconnue par le roi, et rend une justice qui est sans doute à l'origine des jugements rendus par le «Parloir aux Bourgeois» qui va donner naissance à la municipalité parisienne vers 1260-1261, à l'époque même où est réformée la prévôté de Paris.

Les autorités municipales sont installées au Parloir aux Bourgeois, situé, au XIIIᵉ siècle, en bordure de la rue Saint-Denis, tout près de la

---

1. J. Boussard, *Nouvelle Histoire de Paris. De la fin du siège de 885-886 à la mort de Philippe Auguste*, p. 160-161.
2. *Ibid.*, p. 161.

Seine, entre la chapelle Saint-Leufroy et le Châtelet [1]. Il est possible que, durant la première moitié du XIVe siècle, le Parloir aux Bourgeois ait été transféré sur la montagne Sainte-Geneviève (vers l'intersection actuelle de la rue Cujas et du boulevard Saint-Michel). En juillet 1357, Étienne Marcel ayant acheté au nom de la ville la Maison aux Piliers de la place de Grève, la municipalité parisienne trouve son lieu définitif d'implantation.

Celle-ci se compose du prévôt des marchands assisté de quatre échevins, dits aussi «jurés de la marchandise» ou «jurés de la confrérie des marchands de Paris». Les premiers noms qui apparaissent dans les textes sont ceux d'Evroïn de Valenciennes, prévôt en 1263, des échevins Jean Barbette, Henri des Nefs, Nicolas Le Flament, Adam Bourdon. Il y a également un conseil de vingt-quatre prud'hommes appelés à siéger en fonction de leurs compétences. Ils ont été souvent confondus avec les «conseillers de la ville», hommes de loi intervenant dans les procès que le prévôt des marchands est amené à intenter au nom de la ville.

La réunion du prévôt des marchands, des échevins et des prud'hommes constitue le Bureau ou Corps de Ville. On ignore de quelle manière se faisait le choix du prévôt des marchands et des échevins. Le prévôt des marchands était en contact avec la population par l'intermédiaire des quartiniers, sortes de maires de quartier. A l'origine simples chefs de la milice bourgeoise, ils sont devenus responsables de la police de leur quartier. Il y avait huit quartiers sous Philippe Auguste et seize sous Charles VI. Sous leur autorité se trouvent les cinquanteniers et dizainiers chargés de transmettre et d'exécuter les ordres de la municipalité, aussi issus de la milice bourgeoise, commandant à cinquante et à dix hommes.

La cheville ouvrière de l'administration municipale est le «clerc de la marchandise de l'eau» ou «clerc du Parloir», nommé par l'échevinage. Sorte de secrétaire général de la mairie, il est à la tête d'une équipe de clercs qui enregistrent les sentences du Parloir aux Bourgeois et délivrent des expéditions. C'est lui qui gère les finances municipales, perçoit les amendes, encaisse les contributions et règle les dépenses.

Pour représenter le Corps de Ville en justice, il y a, outre des avocats, un procureur de la Ville et un procureur du roi, les amendes étant partagées par moitié entre la Ville et le roi. On compte aussi quatre sergents de la marchandise et six sergents du Parloir. Les premiers surveillent le trafic fluvial et tout ce qui en dépend, les seconds assignent les plaideurs, signifient les exploits et les décisions des magistrats municipaux et servent d'huissiers lors des séances du Parloir.

A la fois bâtiment et institution, le Parloir aux Bourgeois a pour plus ancienne activité la juridiction sur la Seine et ses affluents, l'Yonne dès

---

1. R. Cazelles, *Nouvelle Histoire de Paris. De la fin du règne de Philippe Auguste à la mort de Charles V (1223-1380)*, p. 204-207.

la fin du XIIIe siècle, l'Oise au début du XIVe, la Marne à la fin du même siècle. Il assure la police de ces cours d'eau, fait payer des droits de passage et perçoit des taxes pour l'entretien des voies d'eau et de leurs installations, chemins de halage, quais, ponts, etc. A Paris même, le passage sous l'arche du Grand-Pont est difficile : en 1303 est désigné un « avaleur de nefs » qui perçoit un droit de passage en échange du pilotage des navires parmi les pieux, les moulins et les hauts-fonds. Les avaleurs de nefs sont les ancêtres des « maîtres du pont de Paris ».

La surveillance des ports de la ville incombe aussi à la municipalité qui paie un sergent, le « sergent de Grève », pour contrôler le port de la Grève. Constructions de moulins, plantations de pieux dans le cours du fleuve, établissement de quais, réfection des ponts ne peuvent se faire qu'après une expertise par les « jurés de la Ville de Paris et de l'eau », maçons et charpentiers désignés par le Bureau de Ville qui perçoit des redevances pour leur usage. De même, les bateliers qui font traverser le fleuve d'une rive à l'autre sont-ils sous le contrôle des autorités municipales.

Si le prévôt de Paris a la haute autorité sur la juridiction des métiers, le prévôt des marchands exerce sa compétence sur de multiples professions. Ainsi les crieurs de vin, qui annoncent dans les rues la nature et le prix du vin débité dans les tavernes, sont-ils étroitement subordonnés au Parloir aux Bourgeois, de même que les mesureurs de vin qui surveillent la contenance des mesures utilisées par les taverniers. Les quatre-vingts courtiers en vin, plus tard réduits à soixante, qui achètent pour le compte d'étrangers, sont investis de leur charge par l'échevinage. Les jaugeurs de vin sont aussi à la nomination de la municipalité et calculent avec leur jauge métallique la contenance des tonneaux entrant dans la ville. Enfin, l'embarquement des vins achetés à Paris n'est autorisé qu'au port de la Grève où des pontonniers en barque font la navette avec les bateaux. Il y a deux pontonniers, du « port au vin de Bourgogne » pour les cargaisons arrivées de l'Yonne par la Seine, du « port au vin français » pour celles venues de l'Oise et de la Seine.

La prévôté des marchands possède aussi, à l'origine, un droit de contrôle sur le sel, mais l'institution de la gabelle en 1341 l'en dépouille au profit de la royauté.

Le commerce des grains fait l'objet d'un conflit avec le grand panetier du roi de qui dépendent les « talemeliers » ou boulangers. Mais le Parlement déboute le prévôt des marchands le 31 décembre 1333 et décide que Bouchard de Montmorency gardera la maîtrise sur les panetiers et boulangers de Paris et de ses faubourgs. La municipalité en est réduite à instituer des mesureurs de blé aux trois endroits où était déchargé le blé : les Halles, la place de Grève, la Juiverie dans la Cité.

Le commerce du bois est aussi une source de profits non négligeables. En attendant l'invention du flottage au XVIe siècle, le bois de chauffage et de construction arrivent à bord de bateaux et sont débarqués dans quatre ports : l'École près de Saint-Germain-l'Auxerrois, la Grève, la Bûcherie près du Petit-Pont, pour le bois de chauffage, le merrien ou bois en grume étant déchargé au port des Barres ou Barrés. Des « mouleurs de bûche » nommés par le Corps de Ville mesurent le bois et signalent les fraudes. Quant aux porteurs de bûches, ils sont désignés par la municipalité. Il y a aussi des mesureurs et des porteurs de charbon de bois.

Jusqu'à sa réunion à la prévôté de Paris et au domaine royal en 1363 a existé aussi la charge de voyer de Paris. Elle n'est pas affermée aux enchères, comme la prévôté de Paris au début du XIIIᵉ siècle, mais donnée. Le voyer Jean Sarrazin explique en 1270 : « Nostre sire le roy de France a à Paris la voirie, laquelle il baille à qui il lui plaist [1]. » En fait, le roi la « donne » en échange d'une forte somme. Le voyer est nommé à vie et la charge demeure longtemps dans la même famille, celle des Barbette. Ses attributions sont doubles. Les droits de justice sont l'héritage de l'ancien *vicarius* carolingien : partage de la moitié des droits de saisie avec le prévôt de Paris, autorité sur les moulins et les maisons construites sur les ponts. Mais le voyer exerce aussi des fonctions en rapport avec la voirie au sens moderne, c'est-à-dire la circulation dans les rues : c'est lui qui autorise ou sanctionne les commerçants qui installent des étalages ou des auvents sur la voie publique et prélève un loyer sur eux, mais il partage cette police avec le Corps de Ville. Il faut aussi son accord pour modifier les façades des maisons ou édifier des étages supplémentaires. Le pavage des rues lui échappe et relève du Parloir aux Bourgeois qui afferme en 1299 l'entretien des chaussées de la ville.

Telle est la complexe organisation de Paris, du milieu du XIIIᵉ siècle au milieu du XIVᵉ, fondée sur une collaboration confiante entre le pouvoir royal et la bourgeoisie urbaine. Cette collaboration s'est affirmée de façon éclatante sous le règne de Philippe Auguste qui, à son départ pour la croisade, a associé la bourgeoisie parisienne à la régence. Elle s'est poursuivie durant la brillante période d'expansion économique et démographique du XIIIᵉ siècle, aboutissant à des institutions bien définies vers 1260. La crise économique, la guerre, la peste noire ont remis en cause cette harmonie.

LE DÉCLIN DES FRANCHISES MUNICIPALES (1358-1789)

L'échec et l'assassinat d'Étienne Marcel, évoqués dans le chapitre III de la première partie, marquent la fin de toute influence de la bourgeoisie parisienne sur la vie politique française pour quatre siècles et se traduisent par un déclin très marqué des institutions municipales. Le

---

1. Cité par R. Cazelles, *Nouvelle Histoire de Paris. De la fin du règne de Philippe Auguste à la mort de Charles V (1223-1380)*, p. 218.

futur Charles V agit cependant avec prudence et progressivement. En 1358, il a trop besoin du soutien des bourgeois parisiens et de leur aide financière pour les tenir à l'écart. Ce sont eux qui paient 100 000 des 600 000 écus de la rançon du roi Jean prisonnier à Londres. En 1374, lorsqu'il organise un conseil de tutelle de cinquante membres au cas où il mourrait en laissant un fils mineur, Charles V décide que dix bourgeois de Paris devront en faire partie.

Mais il rogne aussi peu à peu les pouvoirs de la prévôté des marchands. Des lettres royales du 23 mai 1369 déclarent « qu'à cause du domaine de la couronne, la juridiction ordinaire de la ville de Paris appartenait de plein droit et de temps immémorial à son prévôt de Paris, et qu'il voulait qu'il eust seul, à l'exclusion de tous autres juges, la connaissance et la punition de tous les délits qui se commettaient à Paris par quelque personne que ce fust[1]. » De nouvelles lettres royales du 25 septembre 1372 autorisent le prévôt de Paris ou ses représentants « à faire la visite de tous les métiers, vivres et marchandises dans la ville et la banlieue de Paris ; à faire observer les coustumes anciennes exprimées dans les registres dressés à ce sujet, sans permettre qu'aucuns autres entreprisent de faire ces sortes de visites[2] ». La juridiction du Parloir aux Bourgeois est gravement affaiblie.

Les frères de Charles V, tuteurs de son fils, se montrent davantage résolus à évincer le pouvoir municipal. A la suite de l'insurrection des Maillotins, l'ordonnance du 27 janvier 1383 supprime le Corps de Ville et place sa juridiction, ses rentes et ses biens dans « la main du roi », c'est-à-dire sous le contrôle du prévôt de Paris[3]. Les maîtrises des métiers, les charges des quartiniers, cinquanteniers et dizainiers sont abolies. En 1389, le roi fait une concession aux bourgeois de Paris en nommant un « garde de la prévôté des marchands ». Le prévôt des marchands n'est vraiment rétabli que le 20 janvier 1412, sous l'impulsion du duc de Bourgogne, Jean sans Peur, désireux d'obtenir la faveur des Parisiens dans son conflit avec le duc d'Orléans, grâce à la restitution aux bourgeois de la ville des institutions abolies.

Mais le pouvoir qu'ils exercent est fluctuant et précaire, car ils dépendent des mouvements de foule et des factions des Bourguignons et des Armagnacs qui les provoquent et les contrôlent. L'ordonnance royale du 15 février 1416 réglemente en détail — elle compte sept cents articles — la juridiction du prévôt des marchands et de l'échevinage en insistant sur « la marchandise de l'eau », c'est-à-dire le commerce sur la Seine. Elle est complétée par l'ordonnance du 26 juillet 1450 « sur la forme et manière de l'élection du prévost des marchands et eschevins de la ville de

---

1. Cité par P. Robiquet, *Histoire municipale de Paris depuis les origines jusqu'à l'avènement de Henri III*, p. 119.
2. *Ibid.*
3. *Ibid.*, p. 143-146.

Paris et des conseillers d'icelle». S'inspirant des usages antérieurs, elle prévoit l'élection le 16 août, chaque année de deux des quatre échevins, tous les deux ans du prévôt des marchands. Le mode d'élection est précisé jusque dans le détail et se fait à trois degrés. Chaque quartinier assemble les cinquanteniers et dizainiers de son quartier et leur adjoint six notables de ce quartier. Ce corps électoral désigne quatre notables. Le prévôt, les échevins et les vingt-quatre prud'hommes conseillers de ville choisissent deux de ces notables par quartier. On obtient ainsi un corps électoral de soixante-dix-sept personnes : prévôt des marchands, quatre échevins, vingt-quatre prud'hommes, seize quartiniers et trente-deux notables. Il élit le nouveau prévôt et les échevins. Quant aux prud'hommes, ils sont choisis au fur et à mesure des vacances de poste parmi les «personnes notables» par le prévôt, les échevins et les prud'hommes déjà en charge.

Les quartiniers étaient sans doute choisis par un collège composé des cinquanteniers et dizainiers auxquels s'ajoutaient seize bourgeois notables. Pour venir à bout de l'insécurité chronique, Charles VII prescrivit aux seize examinateurs ou commissaires du Châtelet d'établir leur résidence chacun dans un quartier et de se faire assister par eux : «Les cinquanteniers et dizainiers chacun en son détroict, feront, chacun lundy et sur les jours de la sepmaine, visitation parmy toutes les maisons de sa dizaine, pour sçavoir quelles gens y habitent; et, s'ils trouvent quelques gens qui n'ayent vaccation, ny mestier ou autre occupation, ils seront tenus, celuy jour, de le révéler au commissaire qui en fera son rapport à la justice pour y pourveoir [1].»

En apparence donc, la municipalité parisienne a retrouvé son autonomie. La réalité est très différente et le pouvoir royal contrôle étroitement cette administration en choisissant et en imposant le prévôt et les échevins sous le couvert d'élections de pure forme. Jusqu'à Étienne Marcel, le prévôt des marchands était élu parmi les représentants de la haute bourgeoisie commerçante. Sous Charles VII et ses successeurs, ce sont des officiers du roi, à la rigueur des notaires et des procureurs, qui gèrent la ville. Durant la seconde moitié du XVe siècle, il n'y a jamais plus d'un marchand parmi les quatre échevins et aucun négociant n'apparaît comme prévôt des marchands. Ainsi, en 1460, Charles VII impose Henri de Livres comme prévôt des marchands à une assemblée électorale rétive qui refuse d'élire échevin l'autre candidat présenté par le roi. Henri de Livres reste en place jusqu'en 1466, puis reparaît de 1476 à 1484, imposé en 1482 en même temps qu'un échevin de par la volonté expresse de Louis XI. Henri de Livres est la créature du roi : il est conseiller au Parlement et aux requêtes du Palais. Son prédécesseur, Mathieu de Nanterre, était maître des requêtes du Palais, son successeur, Guillaume de La Haye, était président des requêtes du Parlement.

---

1. Cité par P. Robiquet, *Histoire municipale de Paris depuis les origines jusqu'à l'avènement de Henri III*, p. 250.

Au XVIᵉ siècle, le Parlement, et les autres cours royales à un moindre degré font peser une véritable tutelle sur la ville : sur les quarante-cinq prévôts des marchands de ce siècle, dix sont membres du Parlement, sept appartiennent à la Chambre des comptes, trois à la Cour des aides. Cependant, ne souhaitant pas voir le monde puissant et structuré de la haute administration et de la justice prendre le contrôle de la capitale et des autres grandes villes du royaume, Henri II a signé en octobre 1547 un édit définissant des règles d'incompatibilité pour les magistratures municipales : ont été déclarés inéligibles les officiers des cours souveraines, des juridictions ordinaires et extraordinaires, des cours des aides, des chambres des comptes, et même les avocats et les procureurs. Cet édit va rester lettre morte. A la même époque s'impose la règle que les résultats des élections ne peuvent être exécutoires qu'après avoir été soumis au roi et approuvés par lui.

Afin de mieux contrôler le milieu déjà étroit dans lequel il choisit ses magistrats municipaux, le pouvoir royal restreint les sources de son recrutement, créant une oligarchie très fermée. Un édit de 1554 exclut les « gens mécaniques », les artisans des assemblées primaires d'électeurs et prescrit que les vingt-quatre conseillers de ville doivent être, pour dix d'entre eux, des officiers, pour sept autres des notables bourgeois « ne faisant aucun train de marchandises » et vivant de leurs rentes, pour les sept derniers des marchands « non mécaniques ».

L'organisation militaire de Paris fait également l'objet d'une réforme par l'ordonnance de juin 1467 qui supprime la structure par quartiers pour la remplacer par soixante et une bannières et compagnies inspirées du modèle du guet nocturne des métiers [1]. Tous les hommes de seize à soixante ans, du maître au valet, sont astreints à s'inscrire dans la bannière de leur métier et ceux qui n'ont pas de profession doivent se rattacher à une bannière. Officiers et hommes de loi ont leurs formations propres, la dernière bannière étant constituée par les « notaires, bedeaux et autres praticiens en cour d'Église mariés ». Chacun doit s'armer à ses frais. La réunion générale de cette milice a rarement lieu. Il se fait une revue, une « montre » tous les ans à l'occasion de la fête de chaque confrérie de métiers. Sans ordre royal il est interdit de sortir des coffres où elles sont déposées les bannières sur lesquelles figure la croix blanche du roi qu'accompagnent les emblèmes corporatifs.

En même temps qu'il réduit à peu de chose les pouvoirs de la bourgeoisie parisienne, le roi s'en prend aussi à son propre représentant, le prévôt de Paris. Redoutant ses vastes pouvoirs, il préfère le « retenir » et confier ses pouvoirs à un « garde de la prévôté » à la situation plus précaire. Depuis le milieu du XVᵉ siècle, le prévôt de Paris appartient à l'entourage immédiat du roi, à la grande noblesse : cinq membres de

---

1. On en trouve la liste dans J. Favier, *Nouvelle Histoire de Paris. Paris au XVᵉ siècle*, p. 433-434.

l'illustre famille normande d'Estouteville sont prévôts entre 1446 et 1542, mais on trouve aussi Jacques de Coligny (1509-1512), Gabriel d'Alègre (1513-1526), Antoine III et Antoine IV Du Prat qui se succèdent de 1542 à 1588. Le garde de la prévôté est assisté par quatre lieutenants à partir de 1526 : aux deux lieutenants criminels de robe longue et de robe courte et au lieutenant civil s'ajoute un nouveau lieutenant lai ou civil de robe courte chargé de la police de la voie publique à la tête de vingt archers.

Si le prévôt possède encore, en théorie, le pouvoir militaire sur la milice, il est, dans cette fonction, subordonné à un gouverneur qui a autorité sur Paris et toute l'Île-de-France. Les premiers gouverneurs ont été créés à l'époque de la captivité du roi Jean, en 1356 : c'étaient des membres de la famille royale, Louis d'Anjou puis Charles de Navarre. Ils appartiennent toujours à la haute noblesse : au XVIe siècle, les Bourbons, les Montmorency et leur cousin Coligny, un La Rochefoucauld. Le gouverneur est le chef de la noblesse d'Île-de-France et le premier magistrat de Paris, ce qui lui donne autorité sur les opérations de levées d'hommes, d'armement, de fortification, le prévôt étant cantonné à la convocation et à la conduite de l'arrière-ban. Très souvent aux frontières, à la tête des armées, les gouverneurs sont fréquemment remplacés par des lieutenants au XVIe siècle.

La police de la ville pose des problèmes qui augmentent avec l'extension et l'accroissement de la population. La police de jour est assurée par le lieutenant lai de robe courte qui parcourt les rues à la tête de ses vingt archers. Aux portes et aux carrefours importants sont installés des « sergents à verge », deux cent vingt au total, répartis à raison de dix par « barrière », véritable ancêtre du poste de police. La surveillance de nuit incombe entièrement au chevalier du guet et à ses sergents dont le nombre a été porté à deux cent quarante depuis qu'en 1559 le guet bourgeois ou « guet assis » a été supprimé pour cause d'inefficacité.

Peu à peu, de la seconde moitié du XVIe siècle à la Révolution, le roi achève de vider de sa substance le cadre municipal. La création des juges marchands en 1563, origine des modernes tribunaux de commerce, prive la ville de sa juridiction commerciale séculaire. C'est la disparition à terme des pouvoirs de l'antique corporation des marchands de l'eau : elle est consacrée par l'édit de décembre 1672 qui supprime les derniers droits de la compagnie française de Paris.

Par une ordonnance de juillet 1681 sont transformées en office vénal toutes les charges de l'Hôtel de Ville à l'exception de celles du prévôt des marchands et des échevins. Mais c'est le roi qui impose les candidats de son choix. Comme le note J. Chagniot : « Une certaine dignité s'attache encore aux fonctions municipales, à en juger du moins par les symboles et le rituel : costumes de cérémonie, jetons d'argent, carrosses, banquets et portraits officiels. Mais les décors ont fini par se défraîchir. L'apparat des manifestations municipales, d'ailleurs très relatif, n'impressionne plus que leurs acteurs. L'opinion publique n'est pas dupe. Elle sait bien que l'Hôtel de Ville est un conservatoire de fossiles institutionnels, dont les attributions se réduisent en fait à fort peu de choses[1].»

«En somme, écrit F. Monnier, les magistrats de la Ville conservaient leur juridiction sur le fleuve et restaient compétents sur tout ce qui concernait l'approvisionnement par voie d'eau. Ils avaient les quais, par rapport à la navigation, et leur entretien, ainsi que les ponts, bien que le lieutenant général dût y exercer sa police, comme d'ailleurs dans les autres quartiers de la Ville. Ils conservaient encore un droit de contrôle sur les échafauds montés dans le lit du fleuve, sur les quais et sur la place de Grève. Par contre, la Ville n'avait plus de compétence générale, celle-ci revenant au lieutenant de police[2].»

Car un édit de mars 1667 a créé une cinquième lieutenance de la prévôté de Paris : la lieutenance générale de police au Châtelet. Des hommes ayant la confiance du roi exercent cette charge, certains durant des décennies : La Reynie (1667-1697), Voyer de Paulmy (1697-1718), Hérault (1725-1739), Sartine (1759-1774). Le lieutenant général de police a dans ses attributions la police, mais aussi les poids et mesures, le nettoiement et l'éclairage des rues, l'approvisionnement des halles et marchés, le contrôle des statuts et règlements des corporations et communautés, la surveillance de l'imprimerie et des colporteurs, etc., ce qui fait de lui le personnage le plus important de l'administration parisienne.

Administration étatique et non municipale, le Bureau des Finances de la généralité de Paris fait souvent double emploi avec la lieutenance générale de police dans le domaine de la surveillance, et avec le Bureau de Ville pour les questions financières. Il existe aussi une Chambre des bâtiments chargée de la police des constructions et des contestations privées dans ce secteur. Le Parlement, déjà plusieurs fois mentionné, se mêle un peu de tout au nom de la surveillance générale de l'administration : religion, mœurs, idées, instruction, santé publique, prisons, approvisionnement, etc.

F. Monnier conclut que «l'administration locale de la capitale était assez compliquée et qu'elle se caractérisait essentiellement par l'enchevêtrement de ses organes et de ses compétences. De fait, il est difficile aujourd'hui d'imaginer pire enchevêtrement institutionnel [...]. En fait, cet enchevêtrement institutionnel était dû essentiellement au fait que la monarchie française portait un grand respect aux institutions du passé. Si bien qu'elle ne les supprimait que rarement lorsqu'elles vieillissaient et qu'elle se contentait de surajouter de nouveaux organes aux anciens, afin de pallier leurs insuffisances. En somme, à la fin de l'Ancien Régime,

---

1. J. Chagniot, *Nouvelle Histoire de Paris. Paris au XVIIIe siècle*, p. 93.
2. F. Monnier, «Vision d'ensemble de l'administration parisienne d'Ancien Régime», dans *Les Institutions parisiennes à la fin de l'Ancien Régime et sous la Révolution française*, p. 141.

l'administration en place était comptable de tout un passé parisien, qui s'était accumulé par strates successives [1]. »

LES STATUTS DE LA RÉVOLUTION (1789-1799)

Ces institutions vermoulues se désagrègent dès les premiers troubles révolutionnaires. Mandatée pour choisir les députés de Paris aux états généraux, l'assemblée générale des électeurs se substitue le 15 juillet 1789 à la municipalité légale et — le prévôt des marchands, Flesselles, préalablement trucidé — fait acclamer maire l'astronome Bailly tandis que La Fayette est proclamé commandant en chef de la milice parisienne rebaptisée garde nationale. Bailly et l'assemblée des électeurs convoquent dès le 23 juillet les citoyens en assemblées de districts pour désigner, à raison de deux par district, les membres d'une assemblée dite des « représentants de la Commune de Paris ». Celle-ci prononce, le 15 août, la suppression des anciennes institutions parisiennes et avalise le projet de Brissot instituant une assemblée municipale de trois cents membres, cinq pour chacun des soixante districts.

Jusqu'en octobre 1790, la ville de Paris est ainsi administrée par un maire élu pour deux ans, Bailly, un procureur de la Commune assisté de deux substituts et remplissant le rôle de ministère public auprès des organes judiciaires, un Conseil de Ville présidé par le maire et formé de soixante membres, un par district, qui se divise en neuf sections, tribunal administratif et huit autres départements administratifs dirigés par des lieutenants de maire : subsistances et approvisionnements, police, direction des établissements publics, travaux publics, hôpitaux, domaine de la Ville, impositions, garde nationale. Il y a une assemblée des représentants de la Commune de deux cent quarante membres, quatre par district, et un Bureau de Ville constitué par les vingt et un principaux officiers municipaux sous la présidence du maire, enfin un commandant général de la garde nationale assisté d'un Comité militaire.

Le décret du 21 mai 1790, voté par l'Assemblée nationale constituante, définit enfin légalement l'organisation municipale parisienne. Il supprime les soixante districts et les remplace par quarante-huit sections, chacune administrée par seize commissaires et un commissaire de police. Ces commissaires se réunissent toutes les semaines en Comité civil. Il y a aussi dans chaque section des comités de bienfaisance, d'armement, de surveillance, dit aussi révolutionnaire. La ville est gérée par un maire élu pour deux ans. Le Bureau de la Ville, composé du maire et de seize administrateurs, gère cinq départements : subsistances, police, domaine et finances, établissements publics, travaux publics. Le Conseil municipal

---

1. F. Monnier, « Vision d'ensemble de l'administration parisienne d'Ancien Régime », dans *Les Institutions parisiennes à la fin de l'Ancien Régime et sous la Révolution française*, p. 124-125.

est composé de trente-deux membres, qui, avec les seize administrateurs, constitue le Corps municipal. Celui-ci se réunit tous les quinze jours et contrôle la gestion du Bureau. Enfin, le maire, les quarante-huit membres du Corps municipal et quatre-vingt-seize notables forment le Conseil général de la Commune qui ne se réunit que pour délibérer sur les affaires importantes, d'intérêt général.

Pour former la municipalité, chaque section élit trois membres au scrutin individuel et à la pluralité absolue des suffrages. Les cent quarante-quatre élus des quarante-huit sections sont portés sur une liste qui doit être approuvée par chacune des sections qui peut retrancher des élus les citoyens qui ne lui agréent pas. Les citoyens refusés par une majorité de sections étaient rayés de la liste, et des élections complémentaires avaient lieu pour les remplacer jusqu'à ce que cette liste soit enfin complète. Les sections désignaient aussi les quarante-huit membres du Corps municipal, les seize administrateurs étant choisis parmi eux par le Conseil général de la Commune.

Ce système était excessivement compliqué et son bon fonctionnement dépendait de l'accord des sections qui pouvaient bloquer le processus électoral en récusant les élus des autres sections. Les élections décidées en exécution du décret du 21 mai 1790 commencent le 25 juillet et se prolongent jusqu'au 9 octobre, soit soixante-dix-sept jours. Les sections contrôlées par les éléments révolutionnaires perturbent sans cesse le fonctionnement de la municipalité modérée, se réunissant de leur propre initiative et s'ingérant constamment dans la vie de la Commune.

Au moment même où les colonnes insurrectionnelles partent à l'assaut des Tuileries, le 10 août 1792, des délégués des sections, qui s'intitulent « commissaires insurgents », s'installent à l'Hôtel de Ville, en expulsent la municipalité légale et prennent la direction de la Ville sous le nom de Commune insurrectionnelle. Effrayée par le pouvoir de cette Commune, l'Assemblée législative, à la veille de se séparer, le 19 septembre 1792, décrète que les membres de la municipalité de Paris et du Conseil général de la Commune devront être élus dans les formes et selon le mode prescrits par la loi de mai 1790.

Le 24 septembre, la nouvelle Assemblée nationale, la Convention, appelle les sections parisiennes à élire une Commune légale pour remplacer la Commune insurrectionnelle. Du 12 octobre au 30 novembre se déroulent sept scrutins pour l'élection du maire. Quant aux cent quarante-quatre citoyens formant le Conseil général de la Commune, leur élection commence le 24 novembre et s'achève le 22 janvier, mais les éléments révolutionnaires, mécontents d'être très minoritaires, manipulent les sections pour faire annuler quarante-six élections et les scrutins épuratoires se succèdent jusqu'en juin 1793, les extrémistes imposant leurs candidats au bout de sept mois de votes contradictoires.

Le Conseil général de la Commune tient sa première séance le 7 août

1793, près d'un an après la disparition de la Commune légale de 1790. Dominé par Chaumette, Hébert et leurs partisans, il s'attire très vite l'hostilité de Robespierre, qui décide de le subordonner à son autorité par l'intermédiaire du Comité de salut public. Ainsi, dès le 9 septembre 1793, la Convention supprime-t-elle la permanence des assemblées de section, n'autorisant leur réunion que deux jours par semaine. Puis, grâce à la loi des suspects du 17 septembre, les comités révolutionnaires de ces sections sont placés sous la coupe du Comité de sûreté générale de la Convention. Enfin, la loi du 4 décembre 1793 (14 frimaire an II) sur l'organisation du gouvernement révolutionnaire place les municipalités sous le contrôle des administrations de district pour « l'application des lois révolutionnaires, des mesures de sûreté générale et de salut public » et place auprès d'elles des agents représentant le pouvoir central et « spécialement chargés de requérir et de poursuivre l'exécution des lois ainsi que de dénoncer les négligences apportées dans cette exécution et les infractions qui pourraient se commettre ». Le 18 mars 1794, après avoir fait arrêter ses dirigeants, Robespierre donne le coup de grâce à la Commune hébertiste : la Convention invite les Comités de salut public et de sûreté générale à procéder « à l'examen de la conduite et à l'épuration des autorités constituées de Paris ». Des partisans de Robespierre remplacent les hébertistes guillotinés ou emprisonnés, mettant en place avec zèle la Grande Terreur et ses exécutions par centaines.

Robespierre à peine éliminé (28 juillet 1794), la Convention sévit contre la Commune. Le 24 août, les comités révolutionnaires des quarante-huit sections sont remplacés par douze comités d'arrondissement regroupant les sections par quatre. Le 31 août, un autre décret supprime la municipalité et confie les tâches qu'elle exerçait à des commissions exécutives de la Convention elles-mêmes subordonnées au Comité de salut public. Le 18 octobre 1794 est créée une Commission administrative de la police de Paris composée de vingt membres nommés par la Convention sur proposition du Comité de sûreté générale.

Ce régime d'exception dure jusqu'à la loi du 11 octobre 1795, prise en application de la convention directoriale du 22 août, dont l'article trois change la dénomination du département de Paris en département de la Seine. Paris forme un canton de ce département. La mairie ayant été supprimée, la ville est administrée par les cinq administrateurs du département de la Seine. Elle est divisée en douze municipalités subordonnées à l'autorité départementale et composées de sept membres nommés pour deux ans par le gouvernement et renouvelés par moitié chaque année. Auprès de l'administration départementale comme de chaque municipalité, le Directoire place un commissaire dépendant entièrement de lui.

La police et les subsistances, « déclarées objets indivisibles d'administration », sont confiées à un Bureau central de trois membres, nommés par l'administration départementale et confirmés par le Directoire pour trois ans, renouvelés par tiers chaque année, et flanqués d'un commissaire nommé par le gouvernement. Des trois commissaires du Bureau central dépendent dix bureaux s'occupant de la sûreté, la surveillance, la salubrité, la voie publique, des mœurs et opinions publiques, des prisons, de la comptabilité, du commerce, des subsistances, de la navigation, des hospices civils, des nourrices, des interrogatoires, des passeports, des travaux publics.

« Pour avoir détruit trop brutalement les subtils rouages de la lieutenance générale de police et de la prévôté des marchands, la Révolution venait d'être vouée, pendant dix ans, aux autorités collectives sans compétence comme sans responsabilité, aux magistrats élus, plus attentifs au renouvellement de leur mandat qu'aux ordres du gouvernement, aux multiples épurations qui interdisaient toute continuité dans la gestion de Paris. Absorbée par le problème des subsistances et les coups d'État, l'administration révolutionnaire avait manqué d'autorité morale et de ressources financières pour s'acquitter de la part qui lui incombait dans l'entretien de la ville. De là ce délabrement matériel et ce désarroi moral de la capitale si souvent décrits, du *Nouveau Paris* de Mercier au célèbre tableau de la société parisienne sous le Directoire, brossé par les Goncourt[1]. »

UNE MUNICIPALITÉ SANS ÉLECTION (1800-1834)

La loi du 17 février 1800 (28 pluviôse an VIII) confirme la mise en tutelle de Paris et dessine dans ses grandes lignes l'administration de la ville pour plus d'un siècle. Paris redevient une commune unique divisée en douze arrondissements municipaux. A la tête de chaque arrondissement, un maire, désigné par le gouvernement et flanqué de deux adjoints, est chargé « de la partie administrative et des fonctions relatives à l'état civil » (article seize). Les attributions de ce maire ont tendance à se réduire et, à la fin de l'Empire, il se contente de surveiller les écoles, les opérations préparatoires à la conscription, de présider les bureaux de bienfaisance et de marier les couples. L'article dix-sept de la loi stipule : « A Paris, le Conseil du département remplira les fonctions de Conseil municipal ». Mais les notables du Conseil général, quasiment désignés par le pouvoir, n'exercent pas réellement les fonctions de conseillers municipaux et se bornent à approuver les budgets du département de la Seine et de la ville de Paris. Le 10 septembre 1814, Montamant, rapporteur de la commission du budget, déplore la situation à laquelle est ravalé le Conseil : « Vous savez que, depuis longtemps, la formalité de soumettre à vos réflexions le budget de la Ville de Paris était vaine. Le

---

1. J. Tulard, *Nouvelle Histoire de Paris. Le Consulat et l'Empire*, nouvelle éd., p. 159.

gouvernement, méconnaissant les droits et les attributions du Conseil, ne demandait ses avis que pour la forme ; il est arrivé plus d'une fois que le budget était arrêté déjà, par le chef du gouvernement, lorsqu'on l'a présenté au Conseil [1]. »

C'est au préfet de la Seine qu'échoient pour l'essentiel les attributions du prévôt des marchands. Installés à partir du 19 novembre 1803 à l'Hôtel de Ville, ses bureaux comprennent un secrétariat général et quatre divisions : travaux publics, contributions directes et indirectes, domaine national, et pour la quatrième, état civil, instruction publique, cultes, institutions militaires, prisons, hospices et secours publics. De nouveaux bureaux sont ensuite créés pour l'administration communale, l'octroi et la grande voirie. Comme sous l'Ancien Régime le prévôt des marchands, le préfet de la Seine subit constamment les empiétements du préfet de police, successeur du prévôt du roi. La disproportion des forces est éclatante et les effectifs des deux préfectures l'attestent clairement : une centaine de personnes à l'Hôtel de Ville alors qu'environ six cents émargent au budget de la préfecture de police.

Établi dans l'île de la Cité, rue de Jérusalem et quai des Orfèvres, le préfet de police a vu définir ses pouvoirs par l'arrêté consulaire du 1er juillet 1800 (12 messidor an VIII), complété par l'arrêté du 25 octobre 1800 (3 brumaire an IX) qui étend son domaine sur tout le département de la Seine et sur les communes de Meudon, Saint-Cloud et Sèvres situées en Seine-et-Oise. Sous la direction d'un secrétaire général, ses bureaux se répartissent en trois divisions : affaires politiques et censure pour la première ; affaires criminelles et prisons pour la deuxième ; affaires économiques et police édilitaire pour la troisième. Outre ces services, le préfet de police exerce son autorité sur les commissaires de police, un pour chacun des quarante-huit quartiers, les officiers de paix au nombre de vingt-quatre qui avaient sous leurs ordres des inspecteurs. Pour maintenir l'ordre, le préfet de police dispose aussi de détachements de gendarmerie tirés de la province et, à partir du 4 octobre 1800, d'une garde municipale de deux mille fantassins et deux cents cavaliers qui fut remplacée, après l'affaire Malet, par une gendarmerie impériale. La garde nationale est en sommeil. Réorganisée en 1805, elle compte vingt-quatre cohortes et deux escadrons de cavalerie. En 1812, chaque arrondissement possède une légion divisée en quatre bataillons qui assurent des rondes de nuit et de rares opérations de police. La garnison dépend d'un gouverneur militaire, héritier du gouverneur de l'Ancien Régime.

Les ressources de la Ville proviennent des biens et revenus communaux, bâtiments divers, halles, marchés, abattoirs, cimetières, droits de stationnement, taxes sur les poids et mesures, auxquels s'ajoutent les centimes additionnels et surtout l'octroi, principale source de revenus.

---

1. Cité par P. Bernheim, *Le Conseil municipal de Paris de 1789 à nos jours*, p. 94.

La Restauration ne produit pratiquement pas de changement dans le régime administratif auquel est soumis Paris. Louis XVIII garde le préfet de la Seine choisi par Napoléon, Chabrol de Volvic, et maintient dans ses fonctions le président du Conseil général de la Seine, Bellart. Tout au plus la monarchie favorise-t-elle plutôt le préfet de la Seine par rapport à celui de police, à l'inverse de l'Empire. En large communion d'opinion avec les notables qu'il nomme au fur et à mesure des décès ou des démissions, le roi témoigne au Conseil général des égards auxquels il n'était pas habitué sous l'Empereur. Ainsi que le note Des Cilleuls : « Avec les mêmes lois, avec les mêmes hommes, l'organisation administrative de Paris de 1800 à 1831 produisit des effets très différents : pendant les quinze premières années de cette période, où le Conseil municipal ne fut ni écouté ni entendu, les intérêts propres de la capitale durent se plier, toujours, aux calculs de la politique impériale ; pendant les quinze dernières années, les errements intérieurs parurent, tout d'abord, tellement commodes qu'on s'empressa de les continuer. Mais, avec le temps, il fallut bien reconnaître que si, par une singulière anomalie, le principe électif servant de base au recrutement de la Chambre des députés, demeurait inapplicable à la composition des assemblées locales, celles-ci n'en avaient pas moins droit à une déférence d'autant plus nécessaire qu'elle donnait aux habitants certaines satisfactions matérielles de nature à diminuer en eux le regret d'être privés de l'électorat départemental et municipal [1]. »

C'est à cause de l'insuffisance flagrante des forces du maintien de l'ordre dans la capitale que la Restauration va succomber. Bertier de Sauvigny note : « Quand on cherche à faire le compte du personnel actif de la police, c'est-à-dire de celui qui ne travaille pas dans les bureaux mais dans la rue, on ne peut manquer d'être frappé de son petit nombre : deux cents à trois cents au plus. Avec cette poignée d'hommes, assurer l'ordre public dans une ville de sept cent mille âmes ? Gageure flagrante… s'il n'y avait eu d'autres forces importantes au service de la loi. En février 1818, par exemple, sur cent trente-trois postes de police établis dans les divers quartiers, cinquante-sept étaient tenus par la garde nationale, cinquante-trois par la troupe de ligne, seize par la gendarmerie, sept par les pompiers ; au total mille neuf cent un hommes [2]. » La bourgeoisie parisienne de la garde nationale, en majeure partie privée du droit de vote et très hostile au régime, représente trente-deux mille fusils, redoutable menace pour Charles X qui ne peut compter que sur mille cinq cents gendarmes et une garnison de quinze mille militaires plus ou moins sûrs.

1. Cité par P. Bernheim, *Le Conseil municipal de Paris de 1789 à nos jours*, p. 98-99.
2. G. de Bertier de Sauvigy, *Nouvelle Histoire de Paris. La Restauration*, p. 39.

DE LA SOUMISSION A LA RÉVOLTE (1834-1871)

L'insurrection de juillet 1830 à peine terminée, les maires d'arrondissement et leurs adjoints, les vingt-quatre membres du Conseil général de la Seine et, bien entendu, les préfets de la Seine et de police, sont évincés par le nouveau pouvoir. Le 6 août, «vu l'urgence et la nécessité de terminer les affaires qui intéressent la ville de Paris», la Commission municipale provisoire, qui a pris en main la capitale le 29 juillet, décide de nommer quinze «membres du Conseil général du département de la Seine, faisant fonction de Conseil municipal de Paris».

Un mois plus tard, le préfet de la Seine, Odilon Barrot, déclare cette mesure incomplète — il n'y a que quinze membres au lieu des vingt-quatre prévus par la loi — et provisoire. Il consulte les membres des bureaux constitués à l'occasion des dernières élections législatives dans la capitale qui dressent des listes de candidats à partir desquelles il établit sa propre liste de présentation pour la formation du «Conseil général faisant fonction de Conseil municipal» qu'il adresse au ministre de l'Intérieur le 9 septembre. L'ordonnance royale du 17 septembre énumère les noms retenus, parmi lesquels huit des quinze désignés en août. Tous appartiennent à la bourgeoisie la plus haute, banquiers, négociants, industriels, magistrats et hauts fonctionnaires.

La loi municipale du 21 mars 1831, qui rétablit l'élection au suffrage censitaire des membres des conseils municipaux, prévoit, à l'article cinquante-cinq, que Paris fera l'objet d'une loi particulière. Le gouvernement hésite à pourvoir d'une municipalité élue une ville aussi puissante par le nombre de ses habitants et par sa richesse, frondeuse, portée à la révolte contre le gouvernement qui y réside. Promulguée le 30 avril 1834, après plusieurs mois de discussion animées à la Chambre des députés et à celle des pairs, la loi municipale parisienne fixe ainsi la composition du Conseil général de la Seine : trente-six membres élus à Paris, à raison de trois par arrondissement, huit élus dans les arrondissements de Saint-Denis et de Sceaux. Le corps électoral est déterminé par l'article trois. Il est limité aux «électeurs politiques», ceux qui élisent les députés. Pour être électeur politique, il faut payer plus de 200 francs d'impôts directs. Cela représente un peu moins de quinze mille personnes pour un département de la Seine qui compte un million d'habitants. A ces électeurs politiques sont adjoints, en raison de leur «capacité intellectuelle», les magistrats des cours et des tribunaux de première instance ou de commerce siégeant à Paris, les membres de l'Institut et des autres sociétés savantes reconnues par la loi, les avocats aux Conseils, les notaires et avoués parisiens exerçant depuis trois ans au moins dans la Seine. Pour les officiers retraités touchant une pension supérieure à 1 200 francs, cinq ans de domiciliation à Paris sont exigés, tandis qu'il faut aux docteurs en médecine « un exercice de dix années consécutives dans la ville de Paris, dûment constaté par le paiement, ou par l'exemption régulière du droit de patente ». L'ensemble de ces « capacités » représente un peu plus de deux mille électeurs.

Les articles onze et vingt et un de la loi déterminent « l'organisation municipale de la ville de Paris ». Elle est constituée, en premier lieu, par un Corps municipal qui « se compose du préfet du département de la Seine, du préfet de police, des maires, des adjoints et des conseillers élus par la ville de Paris ». Le Conseil municipal de la ville de Paris est constitué des trente-six membres élus par les arrondissements parisiens du Conseil général de la Seine. Ainsi apparaît un Conseil municipal partiellement distinct du Conseil général. Toutes les précautions sont prises pour priver cet embryon de municipalité de la moindre initiative : « Le roi nomme, chaque année, parmi les membres du Conseil municipal, le président et le vice-président de ce Conseil » (article quinze). Celui-ci « ne s'assemble que sur la convocation du préfet de la Seine. Il ne peut délibérer que sur les questions que lui soumet le préfet » (article dix-sept).

Les maires d'arrondissement et leurs adjoints jouent un rôle renforcé dans ce nouveau statut municipal. Désignés par le préfet de la Seine sur une liste de douze candidats dressée par les électeurs de l'arrondissement, ils ne sont pas élus, car, affirme le ministre de l'Intérieur, « les éclatants services des membres de la mairie ne doivent pas nous conduire à enfreindre un principe fondamental... la division entre l'action et la délibération [1] ». Relais entre l'administration centrale et la population, ces notables scrupuleux et respectés jouent un rôle éminent dans la confection des listes électorales, notamment pour l'élection aux postes de commandement de la garde nationale, pour la tenue des registres d'état civil et du recrutement militaire, dans les domaines de l'enseignement et de la bienfaisance.

Si le suffrage censitaire limite le choix des conseillers municipaux aux notables fortunés, banquiers, négociants, notaires, hauts fonctionnaires, leur docilité n'est pas acquise. Le préfet Taillepied de Bondy en fait l'expérience : il est évincé pour avoir traité avec trop d'arrogante autorité le Conseil général de la Seine. Son successeur, Rambuteau, tout en exerçant fermement son pouvoir, témoignera pendant quinze ans de la plus grande courtoisie à l'égard des conseillers. Il a coutume de consulter très régulièrement les élus, les réunissant chaque semaine en session « extraordinaire », car la loi interdit toute réunion permanente des conseils municipaux. Les élus examinent avec minutie les projets de l'administration, multiplient les rectificatifs, demandent des explications, des justifications.

---

1. *Le Moniteur universel*, 14 janvier 1834, cité par P. Vigier, *Nouvelle Histoire de Paris. Paris pendant la Monarchie de Juillet*, p. 156.

Le préfet de police continue à exercer son rôle double de préfet et de maire. Comme préfet, il possède la police générale, la délivrance des passeports, la surveillance des réfugiés étrangers, très nombreux et agités, affluant de toute l'Europe après l'échec des mouvements révolutionnaires de 1830. Il administre les prisons départementales, les dépôts de mendicité, surveille les hôpitaux et hospices, les établissements industriels insalubres, commande la gendarmerie départementale. Comme maire, il possède la police municipale, est magistrat instructeur pour les flagrants délits. Horace Say énumère bien toutes ses tâches : « Il a sous ses ordres la garde municipale et les sapeurs-pompiers ; il est chargé de réprimer et, par un malheur inévitable, de surveiller la prostitution dans l'intérêt des mœurs et de la santé publique. La police municipale comprend aussi le stationnement et la circulation des voitures publiques, le nettoiement des rues et leur éclairage, ainsi que l'exécution des règlements de petite voirie, c'est-à-dire tout ce qui concerne les étalages extérieurs, les réparations aux façades, l'étaiement ou la démolition des constructions qui menacent la sécurité publique. Enfin, le préfet de police est chargé de surveiller la tenue et le bon approvisionnement des marchés [1]. » Selon leur tempérament et la conjoncture politique, les préfets de police privilégient tantôt l'aspect policier et répressif de leur fonction, tantôt les fonctions édilitaires et administratives. On le voit bien sous le règne de Louis-Philippe dans l'opposition entre la gestion du « policier » Gisquet (1831-1836) et celle de « l'honnête homme » Delessert (1836-1848).

Le 24 février 1848, au soir même de l'insurrection victorieuse, le gouvernement provisoire arrête par décret qu'un de ses membres, Garnier-Pagès, est nommé maire de Paris. Assisté de deux adjoints et d'un secrétaire général, il exerce les fonctions de préfet de la Seine et possède autorité sur le préfet de police. Les maires et adjoints d'arrondissement sont provisoirement maintenus. Le 27 février, le Conseil municipal est dissous. Le Conseil général de la Seine l'est à son tour le 12 mars. Les pouvoirs de ces deux conseils sont attribués au maire, théoriquement tout-puissant. Armand Marrast succède le 9 mars à Garnier-Pagès démissionnaire et reste en fonction jusqu'au 19 juillet. Sa démission coïncide avec la nomination d'un préfet de la Seine. Ces deux maires éphémères ne correspondent pas à une époque de liberté municipale, mais au contraire à une mainmise totale du pouvoir central sur la ville, ces maires étant en même temps des ministres.

Le décret du 5 mars a institué le suffrage universel et direct. Il est complété par celui du 3 juillet ordonnant le renouvellement des conseils municipaux, d'arrondissements et de départements par élections au

---

. 1. H. Say, *Études sur l'administration de la ville de Paris et du département de la Seine*, p. 9-10, cité par P. Vigier, *op. cit.*, p. 159.

suffrage universel direct. Mais l'insurrection socialiste des 23-24 juin a fait à nouveau de la capitale un épouvantail, un foyer de troubles mettant en cause l'exercice du gouvernement. En conséquence, le département de la Seine et la ville de Paris sont déclarés, dès l'article premier du décret du 3 juillet, exclus de ses dispositions. Un décret ultérieur spécial doit régir le mode des élections dans ces deux collectivités. Il ne sera jamais publié. En attendant, le décret du 3 juillet prévoit une Commission provisoire municipale et départementale dont les trente-six membres sont désignés dès le 4 par le général Cavaignac, chef du pouvoir exécutif.

La Constitution du 4 novembre 1848 prévoit aussi une loi ultérieure définissant le statut de Paris. Le 8 septembre 1849, afin de donner une représentation à la Ville et au département, un décret définit une Commission municipale de trente-six membres nommés et une Commission départementale de la Seine de quarante-quatre membres nommés, ceux de Paris auxquels sont adjoints quatre nouveaux membres désignés pour l'arrondissement de Saint-Denis et quatre pour celui de Sceaux. P. Bernheim conclut à juste titre : « Le système municipal parisien que transmet la Deuxième République au Second Empire est, contrairement à tout ce que l'on aurait pu penser, et par suite des troubles intérieurs, bien moins libéral que celui dont elle avait hérité de la Monarchie de Juillet, puisque les membres des commissions sont nommés par le gouvernement, tandis que, sous Louis-Philippe, c'étaient certaines catégories d'électeurs qui désignaient les administrateurs de la capitale [1]. »

Le second Empire se garde bien de modifier un régime aussi favorable au pouvoir central. La loi du 5 mai 1855 sur l'organisation municipale rend électifs les conseils municipaux de province, mais son article quatorze stipule : « Dans la Ville de Paris, dans les autres communes du département de la Seine et dans la Ville de Lyon, le conseil municipal est nommé par l'Empereur, tous les cinq ans, et présidé par un de ses membres également désigné par lui. » Le Conseil municipal de Paris, formé de trente-six membres, trois par arrondissement, est porté à soixante avec la loi du 16 juin 1859 qui incorpore à la capitale la proche banlieue et accroît le nombre des arrondissements de douze à vingt. C'est donc sans rencontrer la moindre opposition de la part de ces conseillers désignés que Napoléon III et Haussmann entreprennent de remodeler et de moderniser la capitale. La mise en cause de cette politique d'urbanisme grandiose et coûteuse ne se fait pas au Conseil municipal, mais, timidement, au Corps législatif. Durant cette même période, profitant du soutien de l'Empereur, le préfet de la Seine, Haussmann, rogne à son profit les attributions de son concurrent, le préfet de police.

A la chute de l'Empire, le 4 septembre 1870, le gouvernement de

---

1. P. Bernheim, *Le Conseil municipal de Paris de 1789 à nos jours*, p. 119.

Défense nationale exprime l'intention de soumettre la capitale au droit commun des municipalités et de lui donner une représentation élue. Mais, comme le gouvernement provisoire de 1848, il en est empêché et dissuadé par l'anarchie et l'insurrection qui secouent la ville. Le processus est largement identique : Étienne Arago, membre du gouvernement, est nommé maire de Paris le 4 septembre. Il est assisté de quatre adjoints et nomme un maire et deux adjoints par arrondissement. La préfecture de la Seine, le Conseil municipal de Paris et la Commission départementale de la Seine sont supprimés. Un autre membre du gouvernement, Jules Ferry, est chargé de l'administration départementale de la Seine qu'il cumule avec la fonction de maire de Paris à la démission d'Arago, le 15 novembre 1870. Comme en 1848, les autorités sont pleines de bonnes intentions démocratiques. Le décret du 18 septembre 1870 annonce : « Considérant qu'il importe de régler provisoirement et conformément à notre droit public la situation municipale de Paris en attendant son organisation définitive par la Constituante, les électeurs sont convoqués le 28 septembre à l'effet de nommer quatre-vingts conseillers municipaux à raison de quatre par arrondissement au scrutin de liste. » La guerre et l'agitation révolutionnaire contraignent le gouvernement à annuler ces élections par le décret du 22 septembre : « Considérant les obstacles matériels que les événements militaires apportent, il est sursis aux élections municipales de Paris, comme à celles des autres communes du département de la Seine ».

Cependant, afin d'empêcher les révolutionnaires de constituer un gouvernement rival, le gouvernement de la Défense nationale convoque les électeurs pour le 3 novembre afin de se faire confirmer ses pouvoirs par plébiscite. Il convoque par le même décret les électeurs pour les 5 novembre et 7 novembre afin qu'ils désignent leurs maires et les adjoints.

M. Félix note le rôle joué par ces maires et leurs adjoints : « En l'absence de toute assemblée, c'est, par la force des choses, aux municipalités élues dans les différents arrondissements qu'incomba la charge d'administrer la ville. Ces municipalités formèrent en quelque sorte de petits corps municipaux presque autonomes auxquels le gouvernement se trouva, par suite des exigences du siège, obligé de s'en remettre pour assurer le fonctionnement d'un certain nombre de services centralisés auparavant. Chargés avant l'investissement presque uniquement des fonctions d'officier de l'état civil, les maires et les adjoints d'arrondissement devinrent, pendant le siège, de véritables administrateurs de leur arrondissement, et les mairies, dans chaque arrondissement, se transformèrent en centres réels de vie locale. En vue de la coordination de leurs efforts, il y eut, sous la présidence du maire central, qui était alors Jules Ferry, de fréquentes assemblées des maires et adjoints, et la réunion de ces magistrats forma une sorte d'assemblée élue à côté du gouvernement de la défense, échappant dans une assez large mesure au contrôle de ce gouvernement[1]. »

Le succès relatif de ces administrations d'arrondissement rend populaire l'idée communaliste jusque dans les milieux modérés qui, ayant vu fonctionner durant le siège une Commune presque indépendante, n'éprouvent plus d'aversion particulière pour l'indépendance communale de Paris. L'hostilité des provinciaux qui dominent l'Assemblée nationale achève d'exaspérer une grande partie de la population parisienne qui adhère aux idées exprimées par la délégation élue par la garde nationale sous le nom de Comité central de la Commune, qui dirige l'insurrection du 18 mars et contraint le gouvernement à s'enfuir et à se réfugier à Versailles. Le 19 mars 1871, un décret « délègue l'administration provisoire de la Ville de Paris à la réunion des maires ». Mais le Comité central, soucieux de se donner une légitimité, fait procéder à des élections municipales dès le 26 mars. Une Commune de quatre-vingt-dix membres supplante la réunion des maires.

La Commune place à la tête de chaque service de l'administration municipale une commission municipale tandis qu'une commission exécutive chargée de la direction générale coiffe le tout. Dans chaque arrondissement, les conseillers assurent l'administration avec « à leur choix et sous leur responsabilité une commission pour l'expédition des affaires ».

Durant sa brève existence, la Commune élabore une doctrine communale exprimée dans le manifeste rédigé par Pierre Denis, Louis-Charles Delescluze et Jules Vallès. Il y est écrit que le peuple parisien revendique l'autonomie absolue de la Commune, étendue à toutes les localités de la France, l'autonomie de la Commune n'ayant pour limites « que le droit d'autonomie égale pour toutes les autres communes adhérentes au contrat, dont l'association doit assurer l'unité française ». On aboutit ainsi à une autonomie communale totale et à un fédéralisme absolu.

Plus modérée, cherchant à concilier Paris et Versailles et à éviter la guerre civile, la Ligue d'union républicaine des droits de Paris adopte le programme suivant : « Reconnaissance du droit de Paris à se gouverner, à régler, par un conseil librement élu et souverain, dans la limite de ses attributions, sa police, ses finances, son assistance publique, son enseignement et l'exercice de la liberté de conscience ; la garde de Paris exclusivement confiée à la garde nationale, composée de tous les électeurs valides[2]. » Ce programme revêt une importance considérable, car, après la chute de la Commune, il va servir de base aux différents projets d'affranchissement de la municipalité parisienne.

---

1. M. Félix, *Le Régime administratif et financier de la ville de Paris et du département de la Seine*, éd. mise à jour par P. Beaussier, F. Debidour et E. Laparra, I, p. 131.
2. Cité par M. Félix, *op. cit.*, p. 139.

LA TROISIÈME RÉPUBLIQUE (1871-1939)

C'est au lendemain de la révolte de Paris et de la formation de la Commune insurrectionnelle que l'Assemblée nationale, réunie à Versailles, élabore la loi municipale destinée à régir les élections municipales dans tout le pays (trois articles) et surtout à définir le statut de la capitale (treize articles). Promulguée le 14 avril 1871, elle reflète la crainte des députés d'une dictature de Paris sur le reste de la France et leur volonté de soumettre la ville à un régime d'exception impliquant une tutelle étroite de l'État.

Le Conseil municipal se compose de quatre-vingts membres élus par scrutin individuel à la majorité absolue à raison d'un par quartier. Les vingt arrondissements élisent donc chacun quatre conseillers dont le mandat a une durée de trois ans. Comme les autres communes françaises, le Conseil municipal doit tenir quatre sessions ordinaires dont la durée ne doit pas excéder dix jours, sauf la session durant laquelle est discuté le budget qui peut s'étendre sur six semaines. Au commencement de chaque session ordinaire, le Conseil municipal nomme au scrutin secret et à la majorité son président, ses vice-présidents et ses secrétaires. Pour les sessions extraordinaires qui peuvent être tenues dans l'intervalle, le bureau de la dernière session ordinaire est maintenu. Les attributions du Conseil sont limitées par les règles établies antérieurement. Les préfets de la Seine et de police ont entrée au Conseil et doivent être entendus par lui chaque fois qu'ils le demandent.

La loi du 5 avril 1884 aggrave encore la situation de Paris par rapport aux autres municipalités. Alors qu'elle accorde des prérogatives nouvelles à toutes les communes, Paris en est formellement exclu. Une seule concession est faite par la loi du 5 juillet 1886 qui rend publiques les séances du Conseil municipal et du Conseil général de la Seine. Des dizaines de projets et de propositions de lois seront déposés en vain[1]. Jusqu'en 1939, la capitale demeure régie par les lois municipales de la Monarchie de Juillet et du second Empire, avec de menues retouches[2].

Les deux décrets-lois des 21 avril et 13 juin 1939, réagissant contre cette timide tendance à rapprocher la législation de la Ville de Paris et du département de la Seine de celle qui s'appliquait au reste des communes, tendent, à l'inverse, à assimiler leur régime à celui de l'État, sous prétexte que « la gestion administrative et financière de la Ville de Paris et du département de la Seine, par sa complexité et son ampleur, s'apparente beaucoup plus à la gestion d'intérêts nationaux qu'à la conduite des affaires des autres collectivités locales[3] ». En conséquence, les attribu-

1. On en trouve la liste dans M. Félix, *op. cit.*, p. 145-186.
2. Ces modifications sont signalées par M. Félix, *op. cit.*, p. 186-188.
3. *Ibid.*, p. 208.

tions du Conseil municipal et du Conseil général sont définies très strictement et de manière à limiter les pouvoirs des élus au profit des préfets. Ces derniers ne sont pas seulement chargés de l'exécution des délibérations prises par les conseils, ils obtiennent aussi le droit de prendre toutes décisions utiles à l'administration. Ils sont donc habilités à agir sans faire intervenir les assemblées parisienne ou départementale, alors qu'auparavant ils étaient astreints à réunir, préalablement à toute intervention, des sessions spéciales des Conseils. Les décrets-lois de 1939 donnent, par exemple, droit au préfet de la Seine d'ordonner, sans consultation du Conseil municipal, l'exécution de tous travaux autres que ceux faisant partie des programmes de travaux neufs dotés sur fonds d'emprunt, de prescrire l'aliénation des biens de la Ville ou du département d'une valeur inférieure à 500 000 francs, d'intenter des actions en justice et de pratiquer des transactions quand le litige est inférieur à 5 millions de francs, de donner à ferme ou à loyer des biens de la Ville ou du département pour une durée ne dépassant pas trois ans.

LE MAINTIEN DE LA TUTELLE (1939-1975)

La Troisième République moribonde avait aggravé la tutelle de l'État sur Paris et renforcé le carcan que la Troisième République naissante avait imposé à la capitale. Les régimes qui lui succèdent vont-ils respecter le droit des Parisiens à se gérer eux-mêmes selon le statut commun à toutes les autres communes de France ?

L'État français issu de la débâcle militaire s'inspire de l'idéologie totalitaire victorieuse. La loi du 26 décembre 1940 suspend les sessions du Conseil municipal de Paris et du Conseil général de la Seine. Les pouvoirs de ces assemblées sont dévolus aux préfets de la Seine et de police qui doivent cependant, pour l'établissement du budget, consulter un comité de dix membres désignés par le préfet de la Seine, parmi lesquels cinq doivent être d'anciens conseillers municipaux pour le budget de la Ville et, pour le budget du département, ex-conseillers généraux de la Seine.

La loi du 16 octobre 1941 dote la Ville et le département d'une nouvelle organisation, dite provisoire, qui dure jusqu'à l'écroulement du régime. Un Conseil municipal de quatre-vingt-dix membres est institué. Ces conseillers municipaux sont nommés par le ministre de l'Intérieur sur proposition du préfet de la Seine qui doit prendre l'avis du préfet de police. Cette assemblée possède un bureau avec un président, deux vice-présidents, trois secrétaires et un syndic, tous désignés par le ministre de l'Intérieur. Ce Conseil municipal n'a plus de sessions régulières obligatoires. Le préfet de la Seine le réunit quand il l'estime nécessaire et fixe son ordre du jour. Les séances cessent d'être publiques et leurs procès-verbaux ne sont plus publiés. Cinq commissions temporaires, dont les membres sont désignés par le préfet de la Seine, se réunissent lorsqu'il daigne les convoquer. Enfin, au cas où cette assemblée de valets de l'administration aurait quelque improbable velléité d'indépendance, l'article douze de la loi dispose que « les délibérations du Conseil municipal de Paris et les délibérations des commissions ne deviennent exécutoires qu'après approbation expresse du préfet de la Seine dans tous les cas où la législation en vigueur ne prescrit pas leur approbation par une loi ou par un décret simple ou par un décret rendu en Conseil d'État ». Précaution suprême, au cas où le préfet oublierait ou négligerait de les approuver, « les délibérations sont réputées nulles et non avenues si l'approbation n'est pas intervenue dans un délai de trois mois à dater du jour où elles ont été prises ».

La Commission administrative du département de la Seine, rebaptisée ensuite Conseil départemental de la Seine, compte cent quarante membres, dont les quatre-vingt-dix représentants de Paris, elle est désignée et fonctionne de façon comparable au Conseil municipal.

Au lendemain de la libération de Paris et de sa banlieue, le 4 septembre 1944, le Comité parisien de la Libération proclame la déchéance de ces assemblées. Deux ordonnances du 30 octobre 1944 créent deux assemblées provisoires pour la ville et pour le département. L'assemblée municipale provisoire de la Ville de Paris est composée de quatre-vingt-cinq membres désignés par le ministre de l'Intérieur sur proposition du préfet de la Seine après avis du Comité parisien de Libération dont les vingt-huit représentants figurent sur la liste de quatre-vingt-cinq noms. L'assemblée départementale provisoire de la Seine est constituée de cette même manière, qui fait étrangement penser aux désignations effectuées par l'État français. Ces deux assemblées ne siègent que quelques jours en mars-avril 1945.

En effet, l'ordonnance du 13 avril 1945 recrée des organismes élus, de quatre-vingt-dix membres pour le Conseil municipal, de cent cinquante pour le Conseil général, suivant des modes de scrutin qui ont varié au gré des lois électorales, mais les décrets-lois de 1939 sont à peine assouplis. La Constitution du 27 octobre 1946 consacre dans son titre dix les principes d'une large autonomie communale. Elle stipule notamment que les collectivités territoriales s'administrent librement par des conseils élus au suffrage universel et que l'exécution des décisions de ces conseils est assurée par leur maire ou leur président (pour le Conseil général). Toutefois, il est précisé dans le même titre dix que des lois organiques pourront prévoir, pour certaines grandes villes, des règles de fonctionnement et des structures différentes de celles des petites communes. Cette exception a permis de justifier le statut de Paris. Conseil municipal et Conseil général, jugeant leurs attributions peu en accord avec l'esprit de la Constitution de 1946, ont élaboré une série de projets de réforme qui, comme sous la Troisième République, n'ont jamais pu aboutir en raison des réticences du pouvoir d'État.

L'énorme croissance de la banlieue parisienne au lendemain de la guerre, les problèmes d'aménagement du territoire de plus en plus ardus vont contraindre l'État à innover. La première réforme ne lui ôte aucune de ses prérogatives. C'est simplement une restructuration territoriale. La loi du 10 juillet 1964 supprime les départements de la Seine et de la Seine-et-Oise pour les remplacer par sept nouveaux départements, dont trois sont issus partiellement de la Seine, correspondant à ce qu'on nomme « la petite couronne », à cheval sur la Seine et la Seine-et-Oise : les Hauts-de-Seine, la Seine-Saint-Denis, le Val-de-Marne. La ville de Paris se retrouve seule, à la fois commune et département, collectivité territoriale unicellulaire, selon les termes des juristes. Les pouvoirs des préfets de la Seine et de police sont maintenus dans toute leur ampleur et l'autorité des représentants élus de la population ne gagne rien à cette métamorphose.

L'AUTONOMIE MUNICIPALE DEPUIS 1975

Durant la campagne présidentielle de 1974 est évoquée l'application possible à la capitale du Code d'administration communale. Au lendemain de son élection, Valéry Giscard d'Estaing promet le passage de Paris sous le régime du droit commun. C'est l'objet de la loi n° 75-1331 du 31 décembre 1975, « portant réforme du régime administratif de Paris ».

Quelques différences continuent cependant à séparer nettement le droit municipal de Paris du droit commun des autres communes. En premier lieu, le maire doit partager ses fonctions de police avec le préfet de police. Ensuite, le territoire de la commune coïncide avec celui du département. Cette ville-département date de 1964. Enfin, la Ville de Paris est dotée d'une assemblée particulière qui n'est pas dite Conseil municipal mais Conseil de Paris. Elle est composée de cent neuf membres élus.

Le département de Paris a une originalité extrême : il n'a pas de territoire propre, son ressort étant défini par le territoire de la Ville de Paris. Il n'a pas de voirie, celle-ci faisant partie de la commune. Enfin, c'est le seul département français qui ne possède pas d'assemblée représentative, de Conseil général. C'est le Conseil de Paris qui exerce ses attributions. Le maire est président de droit du Conseil de Paris lorsqu'il délibère sur des questions départementales.

La répartition des compétences entre le maire et le préfet de police, si elle touche très peu aux attributions antérieures du préfet, est cependant marquée par quelques modifications. Certes, la police reste dans la capitale une affaire d'État et non une affaire locale. Mais le budget de la préfecture de police a cessé d'être un des deux budgets de fonctionnement du budget principal de la Ville pour devenir un budget spécial inclus dans le budget de fonctionnement. Le conflit avec le ministère de l'Intérieur est apparu très vite. Le 14 décembre 1977, le Conseil de Paris alloue 150 millions de francs à la préfecture de police, la moitié de ce que le ministre demandait. Le ministre exige 292 millions en se fondant « sur la charge que la ville aurait assumée sous le régime antérieur » et en rappelant que, « dans les communes où a été instituée la police d'État, celles-ci contribuent dans la proportion d'un quart aux dépenses de ces services ».

Se pose aussi le problème de savoir si le maire est dépourvu de toute compétence juridique en matière de police. On peut légitimement se poser la question. En effet, certains services de l'ancienne préfecture sont passés sous la compétence de la Ville, comme le Contrôle des eaux, le Service technique et d'assainissement. La lutte contre les nuisances et la pollution relève-t-elle du préfet de police ou du maire ? Toute une série de tâches de police administrative abandonnées par le préfet de police au préfet de la Seine, notamment, à l'époque d'Haussmann, la petite voirie, arrosage, balayage, éclairage, relèvent davantage de la police municipale que de la police d'État.

Les choses sont mieux tranchées en ce qui concerne les rapports entre le maire et le préfet de Paris, qui est en même temps préfet de la région d'Île-de-France. Le préfet conserve des prérogatives qu'on peut regrouper autour de quatre thèmes : il est le premier représentant de l'État sur le territoire de la Ville ; il est l'organe exécutif de la région et du département ; il exerce la tutelle sur la commune au nom de l'État ; il constitue l'organe de coordination au niveau de la région. Grâce à sa position, le préfet de Paris est le mieux à même pour attirer l'attention du gouvernement ou pour solliciter l'arbitrage du président de la République à propos d'affaires d'importance exceptionnelle pour la Ville comme pour l'État : tracé du boulevard périphérique, voies express, interconnexion de la S.N.C.F. et de la R.A.T.P. au sein du R.E.R., affectation de l'emplacement des Halles, restitution de la totalité du Louvre aux Affaires culturelles...

Le budget de 1978 montre bien cependant l'importance désormais prépondérante de la mairie par rapport aux préfets : son budget de fonctionnement représente les trois quarts des dépenses, dans lesquelles sont incorporées les sommes versées pour l'entretien de la préfecture de police, tandis que le préfet de Paris exécute le quart restant du budget dans le cadre du département.

En 1982, l'émancipation de Paris a fait un nouveau progrès grâce à deux lois. Charte de la décentralisation, la loi du 2 mars accorde de nouveaux pouvoirs aux autorités locales. Elle s'est traduite par un nouvel amoindrissement des pouvoirs du préfet de Paris qui a cessé d'être l'exécutif du département, remplacé par le maire. Cet amoindrissement se traduit de façon exemplaire dans la réduction des structures administratives de la préfecture de Paris : elle s'est effondrée de neuf à trois directions dès 1977 pour tomber à deux en 1983. « Ses compétences vont de l'organisation des élections à des missions de contrôle de toute nature, légalité, budgets des collectivités et des établissements publics locaux, associations ou fondations reconnues d'utilité publique, utilisation de la taxe d'apprentissage, organismes d'H.L.M., des affaires militaires aux politiques du logement, du droit des sols aux politiques de la ville, de l'emploi ou de la formation [1]. » Les collectivités parisiennes, commune et département, ne sont aujourd'hui plus soumises qu'à un contrôle « a posteriori » du représentant de l'État, un contrôle de légalité. Comme le note J.-P. Renaud, « dans le cas de Paris, cet allégement du contrôle de l'État représente un progrès considérable dans la prise de décision des autorités locales, même si elle crée un risque sérieux de non-contrôle, compte tenu du nombre des décisions à contrôler, plus de quatre-vingt mille, et de la complexité de la vérification à effectuer avec des décisions qui sont préparées par des services qui connaissent aussi bien, sinon mieux que les services locaux de l'État, les règles de droit applicables, leurs imperfections, et donc les chemins juridiques qu'il est possible d'emprunter pour donner le moins de prise possible à une censure [2] ».

Enfin, la loi du 31 décembre 1982 modifie la structure de Paris, Lyon et Marseille en créant des assemblées d'arrondissement élues. Cette loi dite P.L.M., du nom des villes concernées, était conçue par le gouvernement socialiste comme une arme contre Jacques Chirac et ses amis du R.P.R. Escomptant s'emparer d'un certain nombre de mairies d'arrondissement, les socialistes espéraient remettre en cause son emprise sur la capitale.

Paris dispose désormais d'un Conseil de cent soixante-trois membres, parlement local qui élit son maire, en même temps président du Conseil général incarné par la même assemblée. Le maire est entouré des vingt maires d'arrondissement, de vingt-huit adjoints sectoriels et de trente-six conseillers délégués à tel ou tel domaine de compétence, ce qui fait que près de la moitié des élus sont investis de responsabilités spéciales.

Chaque arrondissement possède son Conseil d'arrondissement, composé des élus municipaux de l'arrondissement siégeant aussi au Conseil de Paris et de conseillers propres à l'arrondissement. Ensemble ils élisent un maire d'arrondissement. Chacun de ces maires possède des adjoints en nombre variant selon l'importance démographique de l'arrondissement : quatre dans chacun des neuf arrondissements les moins peuplés, quinze dans le XVe arrondissement, le plus peuplé. Il y a, au total, cent douze adjoints aux vingt maires d'arrondissement. Ces Conseils d'arrondis-

1. J.-P. Renaud, *Paris, un État dans l'État ?*, p. 54.
2. *Ibid.*, p. 42.

sement peuvent demander au Conseil de Paris de délibérer sur toute affaire concernant leur arrondissement. Ils sont saisis par le Conseil de Paris, préalablement à tout examen par le Conseil, de toutes les affaires concernant leur territoire. Ils délibèrent sur l'occupation des sols de l'arrondissement, les projets de rénovation ou de réhabilitation, l'implantation des crèches, jardins d'enfants, maisons de jeunes, espaces verts inférieurs à un hectare, stades, gymnases, bains, douches, etc. Les logements de l'arrondissement dont l'attribution relève de la commune sont distribués pour moitié par le maire de l'arrondissement et pour moitié par le maire de Paris.

Divers textes législatifs ont depuis encore accru les pouvoirs de la municipalité parisienne. Le plus important est la loi du 29 décembre 1986 portant adaptation du régime administratif et financier de la Ville de Paris. Elle a aussi doté le Conseil de Paris d'une compétence nouvelle, celle de conclure des conventions avec des personnes étrangères de droit privé ou public, à l'exception des États. Paris possède désormais une personnalité juridique de droit international « pour développer le rayonnement international de la capitale », précise la loi.

Cette loi a aussi modifié la répartition des pouvoirs de police entre préfet de police, dernier bastion encore inébranlé du pouvoir central, et maire. Désormais, « le maire de Paris est chargé de la police municipale en matière de salubrité sur la voie publique ainsi que du maintien du bon ordre dans les foires et marchés et, sous réserve de l'avis du préfet de police, de tout permis de stationnement accordé aux petits marchands, de toute permission et concession d'emplacement sur la voie publique ».

Pour la première fois depuis Bailly, Paris possède un maire doté de pouvoirs réels et représentatif de sa population par l'intermédiaire d'élections tous les six ans. Certains se demandent si les institutions parisiennes peuvent échapper à l'attraction étatique : « Il y a à Paris un État dans les murs et un État hors les murs et il n'est pas évident qu'élus et fonctionnaires de la collectivité parisienne aient des comportements et des réflexes de responsables de collectivités locales [1]. » La réponse incombe aux électeurs qui élimineraient vraisemblablement un maire et une équipe politique qui négligeraient ou léseraient les intérêts des Parisiens au profit d'une ambition nationale.

Aujourd'hui, la ville possède une organisation administrative très puissamment structurée. Disposant en 1990 d'un budget dépassant 18 milliards de francs, elle emploie environ trente-six mille fonctionnaires répartis entre quatorze directions dont cinq ont été créées entre 1980 et 1990 : relations internationales, prévention et sécurité, informatique, communication, inspection générale des services. Vingt-trois sociétés d'économie mixte, au chiffre d'affaires de plus de 6 milliards de francs,

---

1. J.-P. Renaud, *Paris, un État dans l'État ?*, p. 116.

s'occupent de la construction et du logement, des parcs de stationnement automobile, du chauffage urbain, de la gestion des eaux, du réseau de télédiffusion par câble...

A la question immédiate des rapports politiques entre la Ville et l'État, ancienne et permanente, qui traverse toute l'histoire parisienne, le xxᵉ siècle finissant ajoute le problème social et économique de l'insertion de Paris dans sa région, problème qui ne peut manquer d'influencer la structure administrative future de la capitale. L'urbanisme, les transports, l'aménagement du territoire ne peuvent plus se concevoir que dans un cadre infiniment plus vaste que les vingt arrondissements corsetés dans le périphérique. Mais, comme l'écrit J.-P. Renaud, « de temps en temps un responsable local fait une déclaration à ce sujet, évoquant la perspective d'un Grand Paris, mais il s'agit d'un sujet tabou qui, à peine esquissé, soulève une montagne de difficultés, souvenirs du passé, méfiance des élus de la petite couronne, prudence des élus parisiens, peur de l'État de voir se constituer une nouvelle puissance locale à sa porte, enjeux politiques au sein des différentes collectivités locales et entre elles [1]... »

CHAPITRE III

La religion

NAISSANCE ET ESSOR DU CHRISTIANISME (JUSQUE VERS L'AN MILLE)

En dehors de documents archéologiques qui attestent d'abord le culte de dieux gaulois et romains, puis de l'apparition, à la fin du iᵉʳ siècle, de divinités orientales, Cybèle, Attis et Mithra, sans doute introduites par les commerçants syriens ou des soldats, enfin de tombeaux et d'inscriptions funéraires d'inspiration chrétienne, on ne possède rien sur la religion à Paris et les débuts du christianisme avant la *Vie de sainte Geneviève* qui date du viᵉ siècle [2].

• *Premiers évêques, premières églises*

Un groupe de sept évêques missionnaires aurait été envoyé par le pape évangéliser la Gaule, dont Denis, premier évêque de Paris, qui est décapité en compagnie de ses deux compagnons, le prêtre Rustique et le

---

1. J.-P. Renaud, *Paris, un État dans l'État ?*, p. 261-262.
2. Voir P.-M. Duval, *Nouvelle Histoire de Paris. De Lutèce oppidum à Paris capitale de la France*, et *Lutèce. Paris de César à Clovis*.

diacre Éleuthère. La tradition situe ce martyre vers 250. Les successeurs
de Denis ne sont attestés que sur une liste épiscopale interpolée et la
première mention assurée de la communauté chrétienne parisienne ne
date que de 346 avec l'évêque Victorin. Un premier concile se réunit
dans la ville en 360. La seule figure qui émerge est l'évêque Marcel, mort
vers 435, parisien de naissance, doté de pouvoirs charismatiques qui atti-
reront les fidèles sur sa tombe, près des Gobelins, dans le cimetière dit
Saint-Marcel, qui date du IVe siècle et possède, au témoignage de Grégoire
de Tours (VIe siècle), une église ancienne (*ecclesia senior*), sans doute
une basilique funéraire. L'*ecclesia* ou cathédrale s'élève dans l'île de la
Cité et il en est fait mention avec certitude au VIe siècle. Elle existe, sans
doute, dès le Ve siècle, puisque la *Vie de sainte Geneviève* relate qu'au
moment de l'arrivée des Huns (451), Geneviève réunit les Parisiennes
pieuses pour prier à l'abri des murailles, dans le baptistère qui flanque
déjà le sanctuaire. Sur la date de construction de l'imposante cathédrale
Saint-Étienne, future Notre-Dame, les opinions divergent : Michel Fleury
la situe sous le règne de Childebert Ier (511-558), fils et successeur de
Clovis, Alain Erlande-Brandenburg y voit une basilique de tradition
romaine et remontant au IVe siècle.

• *Le diocèse de Paris sous les Mérovingiens (481-751)*

Paris se couvre d'églises sous les Mérovingiens [1]. Elles sont énumérées
au début du deuxième chapitre de la première partie de cet ouvrage et
leur répartition marque bien la faiblesse de la rive droite par rapport à la
gauche : onze lieux de culte sur la montagne Sainte-Geneviève et à ses
abords, quatre sur la rive droite et la cathédrale dans la Cité. Ces églises
témoignent de la foi d'une population qui semble à peu près entièrement
gagnée au christianisme depuis la conversion de Clovis. Ce sont les juifs
qui constituent désormais la cible d'un prosélytisme quelque peu contraignant. Chilpéric s'efforce en vain de convertir le juif Priscus «qui était
son familier parce qu'il achetait pour lui des marchandises», mais
beaucoup n'ont pas cette force d'âme et le roi se glorifie en 582 d'avoir
fait «baptiser beaucoup de juifs dont il tira lui-même plusieurs de la
sainte piscine». Mais, ajoute Grégoire de Tours, quelques-uns de ces
nouveaux chrétiens plus ou moins volontaires «retournèrent à leur erreur
antérieure, si bien qu'on les vit à la fois observer le sabbat et honorer le
dimanche».

Le caractère sacré des églises ne les met pas à l'abri de la violence des
temps. En 573, des officiers de Sigebert pénètrent dans la basilique de
Saint-Denis et s'emparent de la tenture de soie brodée d'or et de pierreries qui couvre le tombeau du saint ainsi que de la colombe d'or

1. Voir L. Piétri, «Le premier millénaire», dans *Le Diocèse de Paris*, I, sous la direction
de B. Plongeron.

suspendue au-dessus. Peu de temps après, alors que Chilpéric se rend à Saint-Denis pour prêter serment sur la tombe du martyr et innocenter ainsi sa fille, accusée d'adultère par sa belle-famille, une querelle s'élève entre les deux partis : «Les épées sont tirées des fourreaux ; ils se précipitent les uns contre les autres et se massacrent devant l'autel même [...]. Beaucoup sont blessés par les glaives, la basilique est arrosée de sang humain, les portes sont labourées par les javelots et les épées et c'est jusque sur le sépulcre lui-même que les traits malfaisants font rage. »

L'erreur et la superstition continuent à sévir dans la ville. Un imposteur arrive à Paris en 580, se prétendant en possession de reliques de martyrs espagnols. Brandissant une grande croix, vêtu d'une tunique sans manches et d'un manteau de lin, il dédaigne les autorités ecclésiastiques et se constitue son propre troupeau de fidèles jusqu'à son arrestation. A la suite de la mort de son fils Thierry, Frédégonde ordonne une enquête qui révèle la présence à Paris de toute une cohorte de sorcières pratiquant un fructueux commerce de filtres et d'onguents magiques. La reine les fait périr par la roue, le bûcher et la noyade.

La vie du clergé est loin d'être édifiante. Si des évêques comme Germain ou Ragnemod mènent une existence ascétique, en revanche le diacre Théodulfe s'abandonne «au vin et aux débauches de l'adultère », ce qui lui vaut d'être excommunié. La moniale Marcofève, qui appartient à l'entourage de la reine Ingeborge, remplace la reine dans le cœur et la couche du roi Caribert.

Sans qu'on puisse vraiment parler de monachisme à l'époque mérovingienne, il est avéré qu'il existe des vierges consacrées à Dieu et des ermites. L'épitaphe de Crescence, *sacrata Deo puella*, «vierge consacrée à Dieu », la vie de sainte Geneviève témoignent d'une vie dans la chasteté et de l'isolement en cellule. Dans la première moitié du VIe siècle, bientôt sanctifié, Séverin est «moine et solitaire à Paris», installé au sortir de la Cité, sur la route d'Orléans. Au VIIe siècle, un ermite, ami de saint Éloi, vit à proximité de la basilique des Saints-Apôtres (future Sainte-Geneviève). Vers 700, l'abbé de Saint-Martin d'Autun, saint Merri, vient terminer son existence en compagnie de son disciple, saint Frou, dans la chapelle Saint-Pierre (plus tard Saint-Merri), sur la rive droite de Paris.

Des monastères se constituent. Dès la première moitié du VIe siècle, saint Domnole dirige un «troupeau monastique» à la basilique de Saint-Laurent. Son ami saint Germain incite le roi Childebert à fonder la basilique de Sainte-Croix et Saint-Vincent (future Saint-Germain-des-Prés) où il installe des moines de Saint-Symphorien suivant la règle de saint Antoine et de saint Basile. Au VIIe siècle, deux monastères de femmes sont installés, à l'abri des remparts, dans la Cité : Saint-Martial fondé par saint Éloi qui donne une règle aux trois cents moniales et à la première abbesse, sainte Aure ; Saint-Christophe près de la cathédrale, attesté en 690. On peut aussi faire vraisemblablement remonter à l'époque mérovingienne, la *cella sancti Victoris*, «la cellule de saint Victor» qui précède les chanoines de Saint-Victor.

• *La renaissance carolingienne (751-987)*

Deux mouvements inverses caractérisent l'époque carolingienne. D'une part, un processus de laïcisation des institutions ecclésiastiques, les biens religieux étant attribués massivement aux fidèles de l'empereur ou du roi afin de lui assurer une clientèle; d'autre part, une réforme religieuse conduite sous l'influence de saint Boniface. Si les évêques de Paris, nommés par les princes, sont avant tout des serviteurs du pouvoir civil, soumis à un serment d'allégeance et conduisant leurs propres contingents de vassaux à la guerre, ce sont aussi des hommes attachés à rétablir la discipline ecclésiastique. Ainsi les clercs de l'église cathédrale de Paris sont-ils organisés en une communauté de chanoines soumis à une stricte règle de vie, chapitre dont l'existence est attestée dès 829. Le concile de cette année, qui les mentionne, ordonne également d'affecter un prêtre spécialement à chaque basilique de la ville. En 845, le concile de Meaux prévoit l'institution de paroisses fixes dans la ville et ses faubourgs, mais il n'est pas sûr que cette mesure ait été exécutée, car le projet de cette époque est fort différent de l'institution paroissiale qui se mettra en place au XIe siècle.

Les édifices ont beaucoup souffert des attaques des pirates nordiques. Les abbayes Saint-Laurent, Saint-Martin-des-Champs et Sainte-Geneviève, détruites par eux, ne renaissent pas de leurs ruines avant le début du XIe siècle, de même que les églises situées le long de la route d'Orléans, Saint-Julien, Saint-Séverin, Saint-Benoît, Saint-Étienne-des-Grés. Une seule création est attestée vers la fin de cette ère d'insécurité : en 963 ou 965, fuyant les Danois, l'évêque d'Aleth (aujourd'hui Saint-Servan, près de Saint-Malo) se réfugie à Paris avec les reliques de saints bretons, Magloire et Malo notamment. Hugues Capet installe les exilés dans le Palais de la Cité, dans la chapelle Saint-Barthélemy. C'est l'origine de l'abbaye Saint-Magloire.

Deux abbayes se distinguent alors comme foyers économiques et culturels : Saint-Denis, au nord de Paris, et Saint-Germain-des-Prés. C'est grâce à leurs écoles que sont sauvegardées l'écriture et la langue latines, qu'un renouveau artistique et liturgique se met lentement en place, l'école épiscopale de Paris ne jouant à cette époque qu'un rôle très effacé. A Saint-Germain-des-Prés, le moine Abbon se distingue comme le principal sinon le seul auteur, grâce à un poème sur le siège par les Normands en 885-886 et à des sermons qui témoignent d'une certaine connaissance de la poésie et de la mythologie latines.

LE MOYEN ÂGE (1000-1500)

• *Reconstruction et réformes (1000-1200)*

C'est sous le règne de Robert le Pieux (996-1031) que commencent à être relevées les ruines vieilles d'un siècle causées par les Normands. Saint-Germain-des-Prés est rebâtie par l'abbé Morard (mort en 1014) tandis qu'en face, sur la rive droite, le roi fait édifier de nouveaux bâtiments pour Saint-Germain-l'Auxerrois, et la chapelle Saint-Nicolas à l'emplacement de l'actuelle Sainte-Chapelle, à l'intérieur du palais de la Cité. Henri Ier (1031-1060) favorise l'abbaye de Saint-Barthélemy-et-Saint-Magloire de la Cité et aide Saint-Marcel à se reconstruire. Il restitue au chapitre cathédral Saint-Bach, Saint-Étienne-des-Grés, Saint-Julien, Saint-Séverin, prend sous sa protection Sainte-Geneviève qu'il interdit de donner en bénéfice à des laïcs. Mais c'est surtout l'abbaye Saint-Martin-des-Champs qui bénéficie des largesses du roi qui la dote de nombreuses terres et y installe des chanoines réguliers[1].

Sous Philippe Ier (1060-1108), le roi entretient des rapports difficiles avec la papauté qui tente d'imposer la réforme grégorienne et de modifier les mœurs dissolues du clergé et des moines. Le roi donne le mauvais exemple en enlevant en 1092 l'épouse de Foulques d'Anjou, Bertrade de Montfort, et en se mariant avec elle alors qu'il est uni depuis vingt ans à Berthe de Frise. Le roi est excommunié de 1094 à 1104. En 1096, il a nommé comme évêque de Paris le frère de Bertrade, Guillaume de Montfort, âgé de vingt-huit ans. A sa mort, après le bref épiscopat de Foulques (1102-1104), s'opposent l'élu du roi, Étienne de Garlande, fils du grand sénéchal frappé aussi d'excommunication pour adultère, et le candidat d'Yves de Chartres et du pape, Galon, ex-évêque de Beauvais. La réconciliation entre Philippe Ier et Pascal II est scellée par une entrevue à Saint-Denis et le concile de Troyes en 1107. Les principales mesures prises par le roi ont été de substituer les moines de Cluny aux chanoines réguliers à Saint-Martin-des-Champs et de faire passer Saint-Barthélemy-et-Saint-Magloire sous le contrôle de Marmoutiers. De son côté, l'évêque Galon a expulsé les religieuses de Saint-Éloi, dans la Cité, réputées de mauvaises mœurs, et les a remplacées par des moines de Saint-Maur-des-Fossés.

C'est sous l'épiscopat de Galon que la réforme grégorienne s'impose à Paris. Sa principale marque est la création de Saint-Victor par l'archidiacre de Paris et écolâtre de Notre-Dame, Guillaume de Champeaux. L'ermitage, fondé en 1108 sur la rive gauche de la Seine, à distance de la ville, devient une abbaye de clercs réguliers en 1113.

---

1. Voir J. Boussard, *Nouvelle Histoire de Paris. De la fin du siège de 885-886 à la mort de Philippe Auguste*, et J. Longère et F. Autrand, «Le Moyen-Âge», dans *Le Diocèse de Paris*, I, p. 189.

L'élection d'Étienne de Senlis en 1124 entraîne un conflit entre sa famille et celle de Garlande dont trois frères occupent les principaux offices de la Couronne, l'un d'eux, Étienne, déjà chancelier et sénéchal, convoitant l'évêché de Paris. L'affrontement des deux Étienne, de Senlis et de Garlande, prend pour prétexte une prébende de Notre-Dame que l'évêque veut accorder à Saint-Victor. Les Garlande encouragent la révolte des chanoines du chapitre cathédral. Le roi ayant refusé de le soutenir, Étienne de Senlis jette l'interdit sur le diocèse. Ses biens ayant été pillés et sa personne menacée, l'évêque se réfugie à Cîteaux. Le pape Honorius III lève l'interdit, le conflit s'apaise, mais ses causes demeurent : hostilité entre les deux puissantes familles et refus d'une grande partie du clergé de subir la loi réformatrice de Saint-Victor. En août 1133, Étienne de Senlis se rend à Chelles pour y réformer l'abbaye de femmes. A son retour, il est attaqué par des proches des Garlande, et Thomas, prieur de Saint-Victor, est assassiné sous ses yeux. Les meurtriers sont condamnés à des peines légères que le pape aggrave. Sous l'épiscopat d'Étienne de Senlis, Louis VI a créé, en 1133-1134, l'abbaye de femmes de Montmartre dont le succès est tel que, dès 1175, le nombre des religieuses doit être limité à soixante. En 1147, un incident précipite la réforme de Sainte-Geneviève. Le pape Eugène III et le roi Louis VII étaient venus y assister à une messe. A l'issue de la cérémonie, les serviteurs du pape et ceux des chanoines se disputent l'étoffe de soie recouvrant le prie-Dieu du pape et le roi reçoit des coups dans la bagarre. Le pape indigné confie la réforme de l'abbaye à Suger, abbé de Saint-Denis, qui la soumet à la règle de Saint-Victor dont douze chanoines viennent s'établir à Sainte-Geneviève, y faisant renaître l'enseignement.

Cette même année 1147, partant pour la croisade, Louis VII confie le royaume à Suger. Pouvoirs ecclésiastique et civil restent encore étroitement liés malgré la réforme grégorienne. On le voit en 1158, à la mort de l'évêque Thiboult : le chapitre cathédral élit d'abord le frère du roi, l'archidiacre Philippe. Mais celui-ci refuse sa désignation et oriente le choix sur l'Italien Pierre Lombard, le meilleur théologien de l'école Notre-Dame. Décédé en 1160, il est remplacé par l'archidiacre de Paris, Maurice de Sully, d'origine modeste. C'est sous son long épiscopat — il dure jusqu'en 1196 — que sont posées les bases durables de l'administration religieuse de la capitale et que débute la reconstruction de la cathédrale. Son œuvre est continuée par Eudes de Sully (1196-1208), sans lien de parenté avec Maurice, issu de la plus haute noblesse, cousin des rois de France et d'Angleterre et des comtes de Champagne. Sous son épiscopat sont créées les abbayes cisterciennes de femmes de Saint-Antoine-des-Champs et de Port-Royal-des-Champs.

A la fin du XIIe siècle, les institutions ecclésiastiques du diocèse sont fixées durablement. L'évêque est élu par les chanoines du chapitre qu'il est tenu de consulter lors de l'attribution des bénéfices, pour le jugement de certaines causes et dans toutes les affaires graves. C'est l'évêque qui choisit les chanoines et leur attribue des prébendes. Le chapitre dispose de ses biens propres, est excepté de la juridiction épiscopale et nomme les curés des églises Saint-Merri, Saint-Benoît et Saint-Étienne-des-Grés ainsi que de quelques paroisses rurales. Les dignitaires du chapitre sont le doyen, le chantre, le chancelier, trois archidiacres et le sous-chantre. Le chancelier est un personnage important : il rédige et scelle les actes du diocèse, dirige la bibliothèque et contrôle l'enseignement avec l'assistance du chantre qui s'occupe des enfants. L'official apparaît en 1182 et sa fonction se concentre progressivement sur la juridiction ecclésiastique : relèvent de sa justice les moines et clercs non mariés pris en flagrant délit dans son ressort territorial. Les archidiacres remplacent l'évêque en cas d'absence et surveillent les paroisses des archidiaconés formant le diocèse de Paris.

Le diocèse de Paris correspond à peu près à l'ancienne cité gallo-romaine des Parisis et s'étend de Luzarches et Dammartin-en-Goële au nord à Chamarande et Corbeil au sud, de Conflans-Sainte-Honorine et Bois-d'Arcy à l'ouest à Villeparisis, Lagny-sur-Marne et Soignolles-en-Brie à l'est, avec une enclave dans le diocèse de Sens, celle de l'abbaye de Champeaux. Cela correspond aujourd'hui à Paris, aux trois départements limitrophes (Hauts-de-Seine, Seine-Saint-Denis, Val-de-Marne), à l'est du Val-d'Oise (l'ouest, le Vexin français, dépendant de Rouen), à la frange orientale des Yvelines (l'essentiel, l'archidiaconé du Pincerais, étant rattaché à Chartres), au tiers septentrional de l'Essonne (dont le sud-ouest avec Dourdan appartient à Chartres et le sud avec Étampes à Sens), à une très faible partie de l'ouest de la Seine-et-Marne. L'ensemble ne dépasse pas 2 500 kilomètres carrés, à peine davantage que la superficie de l'actuel département des Yvelines.

Trois archidiaconés de Parisis, de Brie et de Hurepoix se partagent ce territoire. Celui de Paris ou du Parisis couvre le nord du diocèse, entre les cours de la Seine à l'ouest et de la Marne à l'est, et se divise en deux doyennés : le plus important, dont le siège a d'abord été à Gonesse, puis à Sarcelles (1260) et à Montmorency (1352), rassemble quatre-vingt-douze paroisses ; celui de Montreuil, plus petit, n'en compte que trente-neuf. L'archidiaconé de Brie, avec les doyennés de Lagny et de Moissy (puis Vieux-Corbeil), est délimité au nord par la Marne, au sud par la Seine, et réunit quatre-vingt-dix paroisses. Enfin, l'archidiaconé de Hurepoix possède aussi deux doyennés qui ont plusieurs fois changé de siège (Linas, Longjumeau, Essonnes puis Montlhéry pour le premier ; Châteaufort, Saclay, Massy pour le second) et compte cent quarante-deux églises. La partie rurale du diocèse de Paris se compose donc, au total, de trois archidiaconés, six doyennés, trois cent soixante-trois églises paroissiales, vingt-huit chapelles, soixante-six prieurés et seize abbayes.

Il y a, en outre, un archiprêtré urbain pour la ville et sa banlieue immédiate. En 1191, il est dédoublé : de Saint-Jacques-de-la-Boucherie dépendent la Cité et la rive droite, de Saint-Séverin la rive gauche. Les paroisses périphériques incluses dans ces archiprêtrés sont, sur la rive droite, Auteuil et sa dépendance Passy, Saint-Pierre-de-Chaillot, Clichy-la-Garenne, Montmartre, Belleville et son annexe de Ménilmontant, Charonne. Sur la rive gauche, l'agglomération s'arrête à Notre-Dame-des-Champs et à Saint-Marcel. Lorsque la ferme de Valboitron grossira le village de Vaugirard, elle dépendra d'abord de la paroisse d'Issy et du doyenné de Châteaufort avant d'être rattachée en 1352 à Saint-Germain-des-Prés. On trouvera dans la partie « Dictionnaire » de ce livre, à l'article « Paroisses », l'évolution de cette institution et les églises concernées à différentes époques.

• L'église dans la ville (1200-1500)

L'expansion urbaine et l'apparition de nouvelles et puissantes hérésies nécessitent une réaction de l'Église et la création de nouvelles structures. Ce sont d'abord les dominicains qui s'installent dans la Cité pour enseigner la théologie à l'université et prêcher la bonne parole aux bourgeois et au peuple. L'année suivante, en 1218, ils s'établissent définitivement rue Saint-Jacques. Les franciscains sont arrivés à peu près en même temps, entre 1217 et 1219, à Saint-Denis d'où ils essaiment vers la montagne Sainte-Geneviève. Dès 1223, ils font édifier leur maison à Vauvert, mais elle s'écroule avant d'avoir été achevée. Saint Louis leur procure alors un autre logis sur le domaine de Saint-Germain-des-Prés, le long de l'enceinte de Philippe Auguste. Suivant l'exemple des frères mendiants, d'autres ordres ouvrent des collèges d'enseignement dans la ville : prémontrés en 1252 sur la paroisse Saint-Côme, à l'angle des rues Hautefeuille et des Cordeliers, clunysiens en 1261 près de la porte d'Enfer, de la rue des Poirées et du passage des Dominicains. L'abbaye de Marmoutiers crée en 1321, rue Saint-Jacques, sa propre maison d'études qui va durer jusqu'au XVIIe siècle.

Les couvents ordinaires, ne pratiquant ni la prédication ni l'enseignement, se multiplient aussi. Arrivent d'abord les trinitaires qui se font céder en 1229 l'aumônerie des mathurins de la rue du Palais-des-Thermes. Les carmes s'établissent en 1256 sur le territoire de la paroisse Saint-Paul, puis traversent la Seine en 1309 et se logent place Maubert, leur ancien couvent revenant aux célestins en 1352. Les quatre premiers chartreux, appelés par saint Louis en 1257, après un bref séjour à Gentilly, occupent la maison de Vauvert, rue Notre-Dame-des-Champs. Les ermites de Saint-Augustin, installés en 1259 vers la rue Montmartre, près de la chapelle Sainte-Marie-l'Égyptienne, émigrent sur la rive gauche en 1285, d'abord au clos du Chardonnet, puis sur le quai qui portera leur nom, où ils prennent la place des frères de la Pénitence du

Christ, dits Sachets, dont l'ordre a été supprimé. Les serfs de la Vierge, venus de Marseille à la suite de Louis IX, existent de 1258 à 1274 dans la rue qui a pris le nom de leur costume, la rue des Blancs-Manteaux. Leur couvent est occupé en 1297 par les ermites de Saint-Guillaume venus de Montrouge, dits guillemites. Pour les femmes, Isabelle, sœur de saint Louis, fonde un couvent de clarisses franciscaines à Longchamp, tandis que les filles repenties sont installées sur le chemin de Saint-Denis dans la maison dite des Filles-Dieu. Les cordelières se trouvent depuis 1289 dans la paroisse Saint-Médard.

Il faut faire une place spéciale à l'ordre militaire du Temple, installé dès le milieu du XIIe siècle à Paris, au vieux Temple, au bord de la Seine, non loin des églises Saint-Gervais et Saint-Jean-en-Grève. Au XIIIe siècle, les templiers possèdent un vaste territoire, la Couture du Temple, et leur établissement est édifié à l'emplacement de l'actuel square du Temple. C'est une véritable forteresse dominée par le donjon ou tour du Temple. Les chevaliers de l'ordre sont les gardiens du Trésor royal sous Louis IX, Philippe III et durant les premières années du règne de Philippe IV le Bel qui les fait arrêter en 1307, juger, condamner et brûler, confisquant leurs immenses biens. L'opinion parisienne était violemment hostile à ces personnages arrogants qui s'occupaient d'accroître la fortune de leur ordre et négligeaient ce pour quoi il avait été fondé, la reconquête de la Terre sainte. Elle acceptait bien volontiers les récits de forfaits et de dépravations sexuelles qui couraient sur eux, et la foule marqua sa satisfaction lors de leur supplice. Après leur condamnation, les biens des templiers furent attribués à un autre ordre militaire, les chevaliers de Saint-Jean-de-Jérusalem, dits de l'Hôpital, dont la commanderie de Saint-Jean-de-Latran se trouvait entre la rue Saint-Jacques et la rue du Clos-Bruneau.

Désireux de donner à sa capitale un prestige accru, Charles V demande en 1377 au pape Grégoire XI de transférer le *pallium* à l'évêque de Paris et de faire de lui un archevêque indépendant de la province de Sens. Le pape accorde le *pallium* mais refuse fermement de détacher Paris de Sens, laissant entendre qu'il ne désire pas voir le roi accroître encore son emprise sur l'Église gallicane.

Ce refus n'est pas sans rapport avec le retour de la papauté à Rome et la sécession des cardinaux français en 1378. Refusant d'obéir au pape italien Urbain VI qu'ils ont été contraints d'élire sous la pression du peuple de Rome, ils se réunissent à nouveau en conclave pour choisir l'un des leurs, Robert de Genève, qui s'installe en Avignon sous le nom de Clément VII. C'est le début du Grand Schisme qui va durer quarante ans. L'Université de Paris s'y implique lourdement, soutenant Clément VII, puis travaillant à la reconstitution de « la robe sans couture du Christ ». En 1394 a lieu une grande consultation : chaque membre de l'Université est convié à donner par écrit son avis sur la « voie » qu'il propose pour sortir du schisme et à déposer son texte, sa «cédule», dans un tronc installé à l'église des mathurins, rue Saint-Jacques. On dit que dix mille opinions furent ainsi exprimées et que la majorité se prononça en faveur d'un concile général, qui se tint à Pise en 1409, quinze ans plus tard.

En attendant ce concile général, Paris accueille à cinq reprises des assemblées du clergé convoquées par le roi pour le conseiller sur les problèmes religieux, en raison de la rupture avec le pape Benoît XIII. La première se tient en 1398 et les prélats de l'Église gallicane, les quatre-vingt-un maîtres de l'Université de Paris, les ducs et pairs votent par deux cent quarante-sept voix sur trois cents la «soustraction d'obédience» au pape d'Avignon. Jusqu'à la fin du schisme, l'Université joue un rôle dominant dans les débats et les négociations : au concile de Constance de 1414-1417, on dénombre en permanence de deux cents à quatre cents représentants de l'Université parisienne.

Les théologiens sont aussi mis à contribution dans les querelles internes. C'est à Jean Petit, docteur en théologie de Sorbonne, et non à un avocat, que Jean sans Peur, duc de Bourgogne, confie sa justification de l'assassinat de son cousin, Louis d'Orléans. Le 8 mars 1408, c'est à une véritable apologie du tyrannicide que se livre Jean Petit dans l'hôtel Saint-Pol. Le conflit entre Armagnacs et Bourguignons prend une dimension religieuse qui contraint l'évêque de Paris, Gérard de Montaigu, à réunir, en novembre 1413, une assemblée de docteurs et de maîtres de l'Université, que certains nomment «concile de la foi», et qui, avec l'aide de l'official et de l'inquisiteur, instruit le procès du tyrannicide. Montaigu n'y parvient pas, chaque camp ayant ses partisans, et décide de porter l'affaire devant le concile de Constance. En 1414, pour tenter d'enrayer la montée de la violence politique, l'évêque prend sur lui de prononcer la condamnation du tyrannicide.

Profondément divisée, l'Université se soumet à l'occupant anglais dans sa très grande majorité. L'évêque de Beauvais, Pierre Cauchon, juge de Jeanne d'Arc, obtient des théologiens parisiens une consultation concluant à la culpabilité et à la condamnation au bûcher de la Pucelle. De ses querelles puis de ses compromissions la théologie parisienne sort définitivement ruinée à la fin de la guerre de Cent Ans. Le rayonnement de la faculté de théologie sur la chrétienté entière n'est plus qu'un souvenir à la fin du XVe siècle.

Mais si les théologiens sont discrédités, l'emprise de la religion sur la ville reste énorme. Les chroniqueurs du XVe siècle dénombrent quatre-vingt-huit «moûtiers». Ces couvents sont peuplés de cadets de famille de la bourgeoisie parisienne. En cette époque de familles nombreuses, cela permet de limiter l'effritement des fortunes lors des successions, les religieux, pauvres par état, étant de droit exclus des héritages.

En outre, les religieux appartenant à de puissants lignages peuvent espérer parvenir à la tête d'une abbaye et faire alors profiter leurs parents laïques des richesses de l'établissement. Pernelle Le Duc, abbesse de Saint-Antoine, « bonne religieuse mais simple femme », disent les textes, se laisse entraîner à donner à son frère Guillaume pour 3 000 écus d'or d'objets précieux. Celle qui lui succède, l'abbesse Émerance de Calonne, fait l'objet d'un procès en 1439 : elle est accusée d'avoir fait perdre à l'abbaye de 16 000 à 18 000 écus de joyaux.

L'évêque appartient aussi à de grandes familles de la bourgeoisie, de la noblesse de robe ou d'épée, mais jamais à celles de haut rang qui fréquentent la Cour. Malgré de fréquentes origines provinciales, ses liens avec la robe parisienne sont étroits. Plutôt canoniste que théologien, il figure parmi les conseillers du roi.

Depuis le XIVe siècle, il ne désigne plus les dignitaires du chapitre cathédral. Les cinquante-deux prébendes et huit dignités du chapitre dépendent désormais de la réserve pontificale et sont, en fait, laissées au choix du roi. J. Longère et F. Autrand notent : « Ce sont des bénéfices appréciés, autant par la richesse du temporel du chapitre, grand seigneur foncier dans la ville, et encore plus dans la campagne parisienne, que par la possibilité de jouir d'une maison au cloître Notre-Dame, enclos de trente-sept maisons, au bout de l'île de la Cité, au nord et à l'est de la cathédrale. L'attribution de tels avantages est toute désignée, pour la monarchie, dès le début du XIVe siècle. Ils serviront à rétribuer les serviteurs de l'État. Conseillers du roi, maîtres des requêtes de l'Hôtel, gens des Comptes, se succèdent dans les prébendes, tandis que le Parlement fait du chapitre son apanage. Il est vrai que le roi, comptant sur l'Église et le système bénéficial pour rétribuer ceux de ses fonctionnaires qui étaient clercs, donnait aux conseillers-clercs du Parlement des gages inférieurs de moitié à ceux des laïcs [...] et ils étaient cinquante à siéger à la cour. Les chapitres parisiens furent donc remplis de juges, d'avocats, de greffiers, de notaires, les prébendes les plus recherchées étant celles du chapitre collégial de Saint-Germain-l'Auxerrois et surtout du chapitre cathédral [1]. »

Comme les canonicats, les cures des paroisses parisiennes constituent des bénéfices servant en grande partie à récompenser le service du roi. Leurs revenus sont très variables. L'état de la dîme du trentième prélevée en 1352 met en évidence de grandes et riches paroisses sur la rive droite, Saint-Paul, Saint-Gervais, Saint-Jean-en-Grève qui donnent un revenu de 80 à 100 livres, des paroisses populeuses comme Saint-Jacques-de-la-Boucherie ou Saint-Germain-l'Auxerrois qui en fournissent de 50 à 60, face aux minuscules paroisses de la Cité et de la rive gauche qui procurent de 16 à 30 livres. Les curés de l'opulente paroisse de Saint-Jacques-de-la-Boucherie sont des avocats, des officiers de finances, des membres du Parlement. Ces curés bénéficiers s'occupent très peu de leurs paroissiens, déléguant leurs tâches à un chapelain et à un clerc.

---

1. J. Longère et F. Autrand, « Le Moyen Âge », dans *Le Diocèse de Paris*, I, p. 189.

Les laïcs jouent un rôle très important dans la vie paroissiale. La fabrique gère les biens, meubles et immeubles de la paroisse sous l'autorité de trois ou quatre marguilliers élus. Seule une faible minorité participe aux activités de la paroisse : on compte treize mille âmes à la fin du XIIIe siècle dans la paroisse de Saint-Jacques-de-la-Boucherie, mais jamais l'assemblée paroissiale ne réunit plus de cinquante chefs de famille. Dans cette paroisse, la fabrique est au XIVe siècle aux mains d'artisans, de bouchers, de corroyeurs, de pelletiers, avant de passer au siècle suivant au pouvoir de catégories sociales plus riches, plus élevées, changeurs et orfèvres, officiers du roi et gens de robe.

Les confréries exercent aussi un rôle capital dans la sociabilité religieuse. Elles restent souvent attachées à une paroisse, même si leur recrutement dépasse ce cadre. Dès le XIIIe siècle, les grandes paroisses possèdent leurs confréries de dévotion associant aux patrons de l'église une série d'autres saints : à Saint-Jacques-de-la-Boucherie figurent en bonne place saint Louis, saint Léonard, saint Christophe, sainte Anne. La paroisse Saint-Eustache est célèbre pour sa confrérie du Saint-Sacrement qui joue chaque année le Mystère de la Passion.

Mais l'activité des confréries ne se limite pas à la dévotion et au théâtre sacré. Leurs œuvres d'assistance sont d'une grande importance. En 1317, la confrérie des pèlerins de Saint-Jacques entreprend la construction, rue Saint-Denis, d'un hôpital pour les pèlerins de Saint-Jacques-de-Compostelle. D'abord dominée par les drapiers et les changeurs, la confrérie est contrôlée au XVe siècle par des officiers du roi. La plus prestigieuse des confréries est la Grande Confrérie Notre-Dame aux prêtres et aux bourgeois de Paris dont la chapelle se trouve à l'église de la Madeleine, dans la Cité. Elle est administrée par un « abbé » assisté d'un prévôt gérant de son immense fortune (Étienne Marcel remplit cette charge) et d'un doyen jouant le rôle de secrétaire.

Mal connue, la vie religieuse des Parisiens semble dominée autant par le souci de passer à la postérité que par celui de sauver leurs âmes : tombeaux somptueux, chapelles de famille, fondations de messes, testaments attribuant à l'Église des biens considérables destinés, en principe, à améliorer la condition des pauvres et des malades.

Il semble cependant qu'à la fin du XVe siècle la religion soit en déclin. On en veut pour preuve la misère des hôpitaux malgré les donations, la ruine des églises faute d'entretien, les problèmes financiers de l'Église, réduite à la vente d'indulgences, passeports pour le paradis, contre espèces sonnantes et trébuchantes. En 1482, un chanoine de Notre-Dame rédige un *Livre de vie active* pour l'Hôtel-Dieu où il énumère les réformes matérielles et spirituelles indispensables pour sauver l'hôpital de la ruine. Il n'est pas entendu et le déclin de l'institution continue jusqu'en 1497, lorsque le chapitre cathédral se résout à en céder la gestion à la Ville, à l'autorité civile. Si, sous l'influence des Flamands, de Jean

Standonck notamment, quelques collèges se réforment et adhèrent à l'austère *Devotio moderna* venue des Pays-Bas, la Sorbonne et les autres grands corps religieux se refusent au moindre changement.

L'ÉGLISE DIVISÉE (1500-1789)

L'Église de France connaît, en effet, une crise profonde, commune à toute la chrétienté. Elle a été dénoncée en 1484 aux états généraux de Tours, mais aucune réforme du clergé n'a pu aboutir en raison de la mauvaise volonté de ceux qui profitent de cette situation et de l'inertie des autorités, les deux catégories recouvrant souvent les mêmes personnes. En 1516, le chancelier Du Prat décrit la situation : «Toute discipline est abolie, plusieurs insolences se font et se commettent, les droits de l'Église se perdent et viennent en ruine, les pauvres sont défraudés des aliments et aumônes qui leur sont dues, plusieurs folles assemblées se font en armes pour défendre la possession, où se commettent meurtres, démolitions et bruslements ; l'argent qui doit être converti et employé en la nourriture des pauvres, réparations des églises et ornements d'icelles est employé en procès et à remplir les bourses des avocats, procureurs, solliciteurs, rapporteurs, notaires, juges et commissaires [1].»

• *La cassure (1500-1598)*

L'échec des réformes intérieures au début du XVIe siècle contraint les partisans de la rénovation du christianisme à s'exclure de l'Église catholique. Les principaux noms de cette Réforme extérieure sont ceux de Luther, Zwingli, Münzer, etc., en pays de langue allemande, et de Calvin en France. La Réforme protestante sera étudiée dans la deuxième partie de ce chapitre consacrée au protestantisme.

A Paris, la Sorbonne sclérosée, qui refuse déjà toute réforme de l'intérieur, mène la lutte contre les hérétiques, luthériens ou calvinistes. La répression s'aggrave par paliers jusqu'aux guerres de religion qui débutent en 1560 et culminent à Paris avec le massacre de la Saint-Barthélemy en 1572. Les prédicateurs parisiens portent une lourde responsabilité dans la montée de la violence : des Simon Vigor, des Arnaud Sorbin de Sainte-Foy multiplient les appels au meurtre. L'institution des prédicateurs de Carême et de l'Avent en 1545 à Notre-Dame offre une tribune idéale aux fanatiques, aux Genebrard, Hylaret, Boucher, Christin.

Les curés jouent un rôle exceptionnel qui n'a son équivalent à aucune autre époque de l'histoire parisienne. Orateurs fougueux, ils instaurent durant la Ligue une véritable théocratie, mélange de démocratie directe

---

1. Cité par J.-P. Babelon, *Nouvelle Histoire de Paris. Paris au XVIe siècle*, p. 372-373.

et d'extrême violence dans la parole et l'action qu'on ne peut comparer, à la rigueur, qu'à la Terreur révolutionnaire et anticléricale de 1793-1794. Trois curés seulement n'adhèrent pas à la Ligue : Chavagnac à Saint-Sulpice, Morenne à Saint-Merry, René Benoit à Saint-Eustache. Les plus célèbres des curés ligueurs sont Jean Prévost à Saint-Séverin, Aubry à Saint-André-des-Arts, François Pigeat à Saint-Nicolas-des-Champs, Boucher à Saint-Benoît, Hamilton à Saint-Cosme, Faber à Saint-Paul, Cueilly à Saint-Germain-l'Auxerrois, Julien à Saint-Leu, Guincestre à Saint-Gervais, Pelletier à Saint-Jacques-de-la-Boucherie.

Avec eux, Paris devient la scène d'un spectacle permanent. La foule est embrigadée, ses vêtements marqués de croix signifiant son appartenance à la Ligue, entraînée dans de permanentes et interminables processions. Du mois de janvier à celui de mai 1589, au paroxysme de l'hystérie religieuse, on n'en compte pas moins de trois cents. La capitale est métamorphosée par une scénographie religieuse de deuil spectaculaire. Le renouveau des processions est imputable à Henri III qui a introduit en 1583 le modèle des processions de pénitence mis au point par l'Italien Charles Borromée, un des pères de la Réforme catholique.

Car, comme l'écrit Madeleine Foisil, « il faut insister sur l'importance capitale de ces processions parisiennes pour l'immédiat et l'avenir, dans la mesure où elles révèlent un besoin d'expression religieuse. Ainsi que l'écrit Denis Crouzet, "elles sont trop chargées d'émotion et d'exaltation pour ne pas imprégner durablement le psychisme collectif, pour ne pas contribuer à la spiritualité du XVIIe siècle". "La Ligue, période flamboyante où la réforme catholique prend ses véritables racines", a écrit de manière pénétrante Denis Richet. Nous voici en effet aux sources profondes de la Réforme catholique parisienne. L'action ligueuse terroriste avec ses violences est l'aspect le plus apparent de son histoire ; elle ponctue l'événementiel de multitudes de faits et masque l'action en profondeur qui se fait par la conviction et le zèle de cercles dévots et modérés et par l'attachement au catholicisme de la masse qui n'attendait que d'être conduite et reprise en main. Si l'histoire de Paris, à la fin du XVIe siècle, ne s'était limitée qu'à l'extrémisme et au terrorisme ligueur, le catholicisme qu'il prétendait représenter n'aurait pas triomphé de manière aussi spectaculaire au XVIIe siècle. Déjà se mettent en place les institutions et les méthodes du renouveau. Des cercles de dévots se groupent autour des capucins de la rue Saint-Honoré, nouvellement introduits en 1575. Membres de la Ligue, les Acarie, les Séguier, les Marillac leur appartiennent ; membres de la haute noblesse et "officiers", illustrations de la Réforme catholique, tels Bérulle et Condren, ce sont les futurs dévots du XVIIe siècle [1]. »

La conversion au catholicisme de Henri IV en 1593 à Saint-Denis déclenche le processus de paix. L'édit de Nantes de 1598 prend acte de

---

1. M. Foisil, « L'époque moderne, XVIe et XVIIe siècles », dans *Le Diocèse de Paris*, I, p. 225.

la fracture de la communauté chrétienne en France et reconnaît aux protestants le droit à l'exercice de leur culte.

• *La Contre-Réforme ou Réforme catholique (1598-1715)*

Mais, malgré cet échec évident du catholicisme, ce qui caractérise le XVIIᵉ siècle, à Paris comme dans la France entière, c'est la vigueur de l'offensive catholique pour contrôler et renforcer la foi des fidèles et pour convertir les protestants par des mesures de plus en plus brutales.

Les institutions du clergé séculier sont, en apparence, à peine modifiées. Certes, depuis 1622, Paris a été érigé en archevêché avec Chartres, Meaux et Orléans, enlevés à Sens, comme évêchés suffragants. Mais, évêques ou archevêques, les titulaires du siège parisien, qu'il s'agisse du clan des Gondi, qui accapare Paris de 1570 à 1662, ou de leurs successeurs, Hardouin de Perefixe, Harlay de Champvallon, Noailles, grands personnages proches de la Cour, népotisme, parentèle, luxe ostentatoire, arrogance et conduite personnelle souvent fort éloignée de la morale prêchée, sont leurs caractéristiques dominantes.

Si la tête du clergé parisien demeure bien plus politique que religieuse, le corps des curés fait l'objet de soins nouveaux. La formation des prêtres se fait désormais dans des séminaires : communauté des prêtres de Saint-Nicolas-du-Chardonnet fondée en 1611 par Bourdoise, séminaire de Saint-Magloire des oratoriens en 1624, séminaire de Vaugirard en 1641, installé en 1642 à Saint-Sulpice, fondation d'Olier, séminaire des Bons-Enfants créé en 1642 par Vincent de Paul.

Ces curés forment un groupe particulier, une compagnie, disposant de privilèges et de prérogatives, ayant des réactions communes grâce à l'assemblée ecclésiastique qu'ils tiennent chaque mois. Elle est présidée par le doyen, le plus âgé, assisté de deux syndics en charge de l'administration financière et des relations avec l'extérieur, tandis qu'un greffier établit les procès-verbaux des séances. On y traite des affaires concernant le gouvernement des paroisses, processions, administration des sacrements, cas de conscience... et on veille à établir une position homogène. Ce corps autonome est redouté par l'archevêque et le chapitre de Notre-Dame qui tentent en vain de le contrôler.

Les charités paroissiales servent de relais aux curés, qui en sont présidents de droit, pour agir sur leurs administrés. La misère du temps de la Fronde a contribué à leur naissance : la première est apparue en 1651 à Saint-Sulpice, suivie par Saint-Nicolas-des-Champs et Saint-Eustache en 1652, Saint-Paul, Saint-Étienne-du-Mont, Saint-Germain-l'Auxerrois en 1655, Saint-Gervais en 1656. Elles pratiquent les trois grands types d'assistance qui caractérisent l'action sociale du catholicisme et qui seront évoqués dans un chapitre ultérieur : secours aux pauvres, soins aux malades, enseignement des enfants.

Ces charités complètent l'action des confréries déjà évoquées pour le Moyen Âge et qui se sont multipliées aux XVIe et XVIIe siècles. La plus importante des créations récentes est la Compagnie du Saint-Sacrement, fondée en 1630 par Henri de Lévis-Ventadour. Dans les *Annales de la Compagnie du Saint-Sacrement*, René de Voyer d'Argenson note : « Elle travaille non seulement aux œuvres ordinaires des pauvres, des malades, des prisonniers et de tous les affligés mais aux missions, aux séminaires, à la conversion des hérétiques et à la propagande de la foi dans toutes les parties du monde, à empêcher tous les scandales, toutes les impiétés, tous les blasphèmes [1]... »

Appuyée à ses débuts par les pères Suffren et de Condren et par l'Oratoire, elle est, note M. Foisil, « composée de membres issus de la noblesse d'épée, de la noblesse de robe qui, par elle, ont pratiqué l'apostolat des laïques ; d'ecclésiastiques, de curés de paroisse, de docteurs de Sorbonne, de saints évêques, et surtout saint Vincent de Paul qui a eu un rôle éminent dans la Compagnie. Sa composition diverse fait valoir que la Réforme catholique a été l'affaire de toute la société du temps. Avec une vitalité exceptionnelle, la Compagnie du Saint-Sacrement se ramifie dans les provinces ; on peut compter cinquante-deux filiales dont on a gardé actuellement la trace par les documents conservés. Compagnie agissant sous le sceau du secret, celui-ci voulu à des fins surnaturelles, à des fins d'humilité mais dévié parfois dans ses applications qui en font une sorte de société secrète [2]. » M. Foisil ajoute : « Compagnie aux activités concrètes multiples, elle compénètre les paroisses par les charités, par la place de ses membres dans les fabriques, dans le milieu des marguilliers ; elle a eu son rôle dans la fondation de l'Hôpital général ; dans la fondation des Nouveaux Catholiques pour la conversion des protestants ; dans les missions au-delà des mers : c'est en particulier, en 1639, la fondation au Canada de la société Notre-Dame de Montréal. Mais un contrôle moral abusif, des hypocrisies, des erreurs, un zèle excessif lui ont valu le nom de Cabale des Dévots et ses défauts ont été sainement dénoncés dans le *Tartuffe ou l'Imposteur* qui a bien fait rire le roi Louis XIV en 1664 [3]. »

Le XVIIe siècle ne connaît pas seulement une intense activité des laïcs et des prêtres séculiers, il est tout autant une époque de fondations d'ordres réguliers. Paris est profondément marqué par ce phénomène : plus de quatre-vingts établissements sont fondés au cours du siècle, dont soixante, aux deux tiers pour les femmes, entre 1600 et 1660. Il s'en fondera une petite trentaine entre 1660 et 1700 et seulement une dizaine entre 1700 et 1750. Le signal a été donné en région parisienne par le père Mussart qui

---

1. Cité par M. Foisil, « L'époque moderne, XVIe et XVIIe siècles », dans *Le Diocèse de Paris*, I, p. 253.
2. *Ibid.*, p. 254.
3. *Ibid.*, p. 254-255.

réforme en 1594, à Franconville, une communauté franciscaine qui va devenir les pénitents réformés du tiers ordre de saint François et s'installer en 1600 à Picpus. Les Feuillants venus du Languedoc s'établissent aux portes des Tuileries dès 1602. Les dominicains sont leurs voisins dès 1614. Les carmélites espagnoles sont arrivées en 1604 et installées à Notre-Dame-des-Champs, les carmes déchaussés en 1610 sur le chemin de Vaugirard (leur chapelle sert aujourd'hui à l'Institut catholique). D'autres carmes achètent en 1631 le couvent des Billettes. Les filles du Calvaire de Poitiers ont deux couvents : près du Luxembourg où la reine Marie de Médicis les a établies en 1625 et à l'extrémité de la rue Saint-Louis où Louis XIII les installe en 1633. Les feuillantines sont rue d'Enfer (aujourd'hui rue Henri-Barbusse) depuis 1626, les annonciades célestes à l'emplacement de l'actuel lycée Victor-Hugo, rue de Sévigné, la même année. Venues de Reims, les chanoinesses régulières de Saint-Augustin ont élu domicile en 1640 à Picpus. Venues d'Annecy, les visitandines font construire leur couvent rue du Petit-Musc à partir de 1632. Elles possèdent trois autres résidences au faubourg Saint-Jacques, à Chaillot et rue du Bac. Les capucins, appelés d'Italie par Catherine de Médicis, ont été logés dès 1576 dans le faubourg Saint-Honoré et disposent depuis 1623 d'un second couvent au Marais (rue Charlot) ainsi que d'un noviciat au faubourg Saint-Jacques. Ils se rendent utiles en s'occupant d'éteindre les incendies dans la capitale. Les minimes, disposant déjà de deux couvents à Vincennes et à Chaillot, s'en font construire un troisième au nord de la place Royale (des Vosges). Les dominicains ou jacobins s'accroissent aussi de nouveaux établissements : rue Saint-Honoré, à l'angle de la rue du Bac et de la rue Saint-Dominique. Les augustins déchaussés ont Notre-Dame-des-Victoires pour église. Détestés, en butte à la sourde hostilité du Parlement, les jésuites s'insinuent pourtant partout. Ils dirigent le collège de Clermont, ont fait construire l'église Saint-Louis à côté de leur maison professe de la rue Saint-Antoine. Les pères de la doctrine chrétienne se sont établis plus modestement au faubourg Saint-Marcel, rue des Fossés-Saint-Victor. Il est impossible de faire une énumération complète dans ce cadre limité, surtout pour les monastères de femmes qui comptent deux mille huit cent cinquante-huit religieuses à Paris à la fin du XVIIIᵉ siècle pour neuf cent quarante-trois moines.

L'invasion de la capitale par ces multiples ordres suscite les réticences, la réprobation et finalement l'hostilité des curés et de l'archevêque qui ne peuvent exercer leur autorité sur eux. Elle ravive le gallicanisme, car toutes ces congrégations dépendent de Rome. Le Parlement, la Sorbonne apportent leur soutien à l'épiscopat et aux prêtres séculiers, mais ce phénomène n'est pas uniquement parisien et ne mérite pas qu'on s'y attarde ici.

En revanche, le jansénisme est, au début tout au moins, un événement typiquement parisien. Son propagateur, Saint-Cyran, natif de Bayonne, s'établit à Paris en 1623 et y développe son action jusqu'à sa mort en 1643. Aumônier de l'abbaye cistercienne réformée de Port-Royal, il est emprisonné au château de Vincennes en 1638 sur ordre de Richelieu. C'est à Paris que se déroulent les retentissantes controverses jansénistes contre le laxisme des jésuites. Mais laissons la plume à l'historienne Madeleine Foisil : « Paris, c'est le lieu de recrutement de l'élite du jansénisme dont les noms sont gravés dans son histoire : le meilleur de la robe, de la bourgeoisie fière, exigeante. Noms inoubliables, c'est d'abord ceux de la "gens" Arnauld à l'âme batailleuse à la religion austère, sans concession [...]. Autour de ce noyau familial pur et dur, dont on voit combien il est lié socialement au milieu de la robe parisienne, gravitent d'autres personnalités prestigieuses, les "Messieurs de Port-Royal"...

« Diocèse de Paris, campagne parisienne, faubourgs de Paris, c'est l'espace prestigieux du jansénisme avec Port-Royal : Port-Royal des Champs, haut lieu de la réforme monastique de l'abbesse Angélique (1609) ; Port-Royal de Paris où en 1625 s'établissent les religieuses à cause de l'air malsain de la vallée de Chevreuse, puis en 1648, à la suite du retour aux Champs, l'existence simultanée des deux monastères. C'est encore dans la solitude campagnarde, dans le voisinage des bâtiments monastiques, aux Granges, la présence des Messieurs qui se consacrent à la méditation, aux travaux intellectuels, à l'éducation des enfants dans les Petites Écoles dont la réputation a été exceptionnelle. Lieux appelés à disparaître. C'est en 1709 que les religieuses seront dispersées, les bâtiments détruits, les tombes profanées. Mais s'il n'a plus de lieu propre pour se manifester, l'esprit janséniste imprègne fortement le tissu de la population parisienne au XVIIIe siècle [1]. »

• *L'essor des Lumières profanes (1715-1789)*

La mort de Louis XIV, chantre de l'intolérance, persécuteur de tout ce qui ne pliait pas devant sa volonté, protestants comme jansénistes, affaiblit les forces du conformisme et de la répression. Les tracasseries vont se poursuivre durant tout le XVIIIe siècle contre la liberté de pensée et de croyance, mais dans une atmosphère de plus en plus hostile à la dictature intellectuelle du pouvoir.

Le combat des jansénistes reprend de plus belle à la mort du Roi-Soleil. Avant de disparaître, il a réussi à arracher au pape la bulle *Unigenitus* condamnant cent une propositions jansénistes du père Quesnel. Mais la haine de Rome et de ses agents jésuites, l'alliance du gallicanisme et du jansénisme se révèlent plus forts que la condamnation. Le cardinal de Noailles, archevêque de Paris, soutenu par d'autres prélats, manifeste son hostilité à la bulle. Son attitude encourage les curés : en

---

1. M. Foisil, « L'époque moderne, XVIe et XVIIe siècles », dans *Le Diocèse de Paris*, I, p. 309-310.

1717, un quart seulement ont osé protester contre la bulle, en 1718 ce sont plus des deux tiers, en 1720 c'est la presque totalité qui se dresse contre Rome.

Le combat de l'austère élite bourgeoise janséniste du XVIIe siècle se métamorphose en une lutte populaire à laquelle adhère maintenant le petit peuple parisien emmené par ses prêtres. Les miracles sur la tombe du diacre Pâris au cimetière Saint-Médard donnent à ce jansénisme populaire une ampleur exceptionnelle et des formes qu'auraient sans doute peu appréciées les Messieurs de Port-Royal. L'exhibitionnisme, l'hystérie, le prophétisme, les désordres physiques et psychiques qui caractérisent les « convulsionnaires » de Saint-Médard contribuent assurément à étendre l'assise de la mouvance janséniste mais brouillent largement son message religieux. S'appuyant sur un périodique clandestin mais largement diffusé, les *Nouvelles ecclésiastiques*, les curés jansénistes s'étendent complaisamment sur les persécutions qu'ils subissent, ce qui est payant en ce siècle de contestation et de désagrégation progressive de l'autorité absolue, qu'elle se prétende religieuse ou civile. Aussi la maladroite répression engagée par les archevêques, Vintimille et Beaumont, personnages déplaisants, dépourvus de qualités intellectuelles et morales, se retourne-t-elle contre ses auteurs. Ils font exiger des billets de confession signés par les mourants et attestant qu'ils répudient les idées jansénistes. Ceux qui refusent sont exclus des derniers sacrements et privés de sépulture chrétienne, ce qui provoque de véritables émeutes à chaque enterrement de janséniste. Le Parlement exploite la situation et s'en prend à l'archevêque, l'accusant d'outrepasser ses droits. En 1754, Louis XV tente de rétablir le calme en interdisant qu'il soit fait mention de la bulle *Unigenitus*, ce qui l'oblige à sanctionner les deux parties, l'archevêque de Beaumont et le Parlement qui n'ont pas respecté la trêve voulue par le pouvoir.

Aux siècles précédents, une semblable crise religieuse aurait dégénéré en affrontements armés et se serait peut-être terminée par un schisme. Mais la foi s'effrite : janséniste pour braver les autorités, la population n'est pas disposée à risquer sa vie au nom de Dieu. Voltaire le dit dans l'article « Confession » de son *Dictionnaire philosophique* : « Ces billets de confession auraient fait naître une guerre civile dans les temps précédents ; mais dans le nôtre, ils ne produisirent que des tracasseries civiles. L'esprit philosophique, qui n'est autre chose que la raison, est devenu chez tous les honnêtes gens le seul antidote dans ces maladies épidémiques ».

Car le tintamarre des conflits religieux parisiens ne doit pas faire oublier la silencieuse décadence de l'Église. Décadence des mœurs du clergé régulier et séculier en premier lieu. Il est vrai que l'exemple vient de la hiérarchie elle-même, d'un épiscopat plus tenté par la nourriture, les femmes ou les éphèbes, que par la pratique du culte. J. Chagniot observe : « Au séminaire de Saint-Sulpice, les assemblées générales s'interrogent, de 1745 à 1782, sur l'utilité de maintenir l'obligation d'une oraison mentale d'une heure chaque matin : c'est une "perte de temps" et une fatigue que les adolescents ne peuvent plus supporter. Les séminaristes ont d'ailleurs pris l'habitude de découcher et de se faire friser par un perruquier attitré ; quand leur nouveau supérieur général, Jacques Émery, prétend revenir en 1782 aux strictes dispositions du règlement d'origine, les jeunes gens manifestent leur hostilité en provoquant à coups de pétards une grande explosion à l'intérieur des bâtiments. La discipline est encore plus contestée dans quelques abbayes et monastères d'hommes ; là, l'observance a sans doute commencé à se relâcher dès l'époque classique. En 1765, vingt-huit bénédictins de Saint-Germain-des-Prés supplient le roi de retarder l'heure des matines et de leur donner un costume plus seyant [1]. »

Faute d'argent et d'intérêt, l'entretien et la construction des églises déclinent très fortement. Malgré les profits d'une loterie, on n'arrive pas à faire avancer la construction de la nouvelle église de Saint-Sulpice. Il est impossible d'achever Saint-Sauveur et Saint-Barthélemy, de terminer la façade occidentale de Saint-Eustache. On détruit les édifices en ruines en renonçant à les reconstruire. Ainsi disparaissent Saint-Martial, Sainte-Geneviève-des-Ardents, Saint-Christophe, Saint-Jean-le-Rond. Pourquoi construire de nouveaux sanctuaires alors que le recrutement des prêtres diminue de façon sensible ? Le diocèse de Paris est incapable d'assurer ses besoins : entre 1778 et 1789, sur huit cent soixante-dix prêtres ordonnés à Paris, deux cent quatre-vingt-dix, le tiers seulement, sont originaires du diocèse.

L'assemblée électorale du clergé de Paris pour désigner ses représentants aux états généraux va révéler, en outre, une cassure profonde dans ce corps ecclésial amoindri. Archevêque, chanoines et abbés imbus de leurs origines sociales supérieures et de leurs privilèges s'opposent aux curés, aux desservants, aux simples moines qui aspirent à de profondes réformes de la société et de l'Église.

LA PERSÉCUTION RÉVOLUTIONNAIRE (1789-1799)

Cependant, les électeurs ecclésiastiques parisiens se montrent respectueux de la hiérarchie dans le choix de leurs dix députés aux états généraux : l'archevêque Leclerc de Juigné ; l'abbé de Montesquiou, agent général du clergé ; l'abbé Chevreuil, chancelier de l'Église de Paris ; Dumouchel, recteur de l'Université ; l'abbé de Barmond, conseiller au Parlement ; dom Chevreux, général de la congrégation de Saint-Maur ; Legros, prévôt du chapitre de Saint-Louis-du-Louvre ; le chanoine de

---

1. J. Chagniot, *Nouvelle Histoire de Paris. Paris au XVIIIe siècle*, p. 184.

Bonneval et les deux curés de Saint-Nicolas-du-Chardonnet et de Saint-Gervais, Gros et Veytard.

Très vite, l'esprit des Lumières souffle sur la France et sur Paris. Prétextant que les biens de l'Église appartiennent à la nation, l'Assemblée nationale décide de les mettre en vente pour rembourser la dette publique colossale de la monarchie. Les couvents sont fermés, leurs biens vendus aux enchères et les vœux monastiques abolis. Quant aux curés, ils doivent être payés par l'État qui exige d'eux, comme de tout fonctionnaire, un serment de fidélité.

A Paris, le nombre des paroisses est réduit de cinquante-deux à trente-trois. La prestation du serment à la Constitution civile du clergé est l'occasion d'une formidable polémique avec la publication de deux mille cent libelles. Vingt-quatre curés sur cinquante acceptent de prêter serment ainsi que trente-trois des soixante-neuf vicaires, une proportion nettement supérieure à la province. Le 13 mars 1791, Gobel, un prêtre alsacien noceur et couvert de dettes, est élu évêque de Paris en remplacement de Juigné parti en émigration. L'installation des curés jureurs, ayant prêté serment, donne lieu à de petites émeutes aux portes des églises, la majorité des fidèles soutenant la cause des prêtres insermentés ou réfractaires. La condamnation de la Constitution civile du clergé par le pape fait des jureurs des schismatiques et aggrave encore la situation.

Avec la guerre contre la Prusse et l'Autriche, les réfractaires deviennent suspects d'intelligence avec l'ennemi et sont accusés de comploter pour détruire la Révolution. Les réunions pour célébrer le culte dans des maisons particulières deviennent vite, aux yeux des autorités, des assemblées de conspirateurs. La loi du 27 mai 1792 rend passibles de déportation les ecclésiastiques insermentés, mais le roi y oppose son veto. Elle devient applicable dès la chute de la monarchie, le 10 août, et se trouve aggravée par un nouveau texte du 26 août 1792. Des arrestations massives ont lieu et les ecclésiastiques emprisonnés fournissent plus de deux cents martyrs lors des massacres de septembre.

Durant la Terreur, les prêtres sont la cible privilégiée des sans-culottes, car la Commune est violemment antireligieuse. Le 7 novembre 1793, mis en demeure de renoncer à la prêtrise, l'évêque constitutionnel Gobel se présente devant le Conseil général du département avec onze de ses vicaires pour remettre sa démission. Il n'échappera pas pour autant à la guillotine moins de six mois plus tard. Un registre de « déprêtrisation » est ouvert et treize des trente-trois curés signent une déclaration d'abdication. Trois en profitent pour se marier. Au total, un tiers des ecclésiastiques présents à Paris, quatre cents environ, tous jureurs à l'exception d'une trentaine de réfractaires, se démettent de leur sacerdoce.

Les sections ayant supprimé l'exercice du culte, toutes les églises de la capitale sont fermées le 23 novembre 1793 ou transformées en temples

voués au culte de la Raison, de la Liberté, de la Nature, etc. L'état civil
laïque, le calendrier républicain sont conçus pour éliminer l'obscurantisme
religieux. Le divorce entre en application et connaît un succès remarquable : mille six cent soixante-trois séparations pour cinq mille quatre
cent soixante-quatre mariages durant les neuf premiers mois de sa
première année, en 1793. Robespierre, qui croit en Dieu et n'est pas hostile
à la religion, modère la Commune et fait voter la loi du 6 décembre 1793
maintenant la fermeture des lieux de culte mais autorisant les célébrations
privées. Mais les commissaires des sections arrêtent les célébrants et
dispersent les fidèles chaque fois qu'ils tentent de dire une messe.

Après la chute de Robespierre, les prisons s'ouvrent et les ecclésiastiques incarcérés sont presque tous libérés, mais la suspicion continue de
peser sur eux. Peuplée de régicides, la Convention thermidorienne voit
en eux des agents de la monarchie. Le 18 septembre 1794, elle décrète
que l'État ne reconnaît plus aucun culte et supprime, en conséquence, les
traitements et les pensions du clergé jureur. Le 21 février 1795, une
nouvelle loi reconnaît la liberté de tous les cultes, mais interdit toute
marque extérieure de religion sur les édifices et prohibe le port public
d'habits religieux. Il est interdit à l'État et aux communes de fournir un
lieu pour le culte et un logement pour les ministres de la religion.

Les prêtres profitent aussitôt de cette liberté pour célébrer des messes
partout où ils le peuvent, surtout dans des chapelles. Le clergé constitutionnel ou jureur, emmené par Grégoire, évêque de Loir-et-Cher, crée un
Conseil supérieur du diocèse dont l'assemblée constitutive se tient le
31 mars 1795. La loi du 30 mai 1795 autorise les communes à mettre les
édifices religieux non aliénés à la disposition des cultes et concède douze
églises à la capitale, autant que d'arrondissements. Les jureurs s'en attribuent la moitié : Notre-Dame, Saint-Étienne-du-Mont, Saint-Sulpice,
Saint-Médard, Saint-Merry, Saint-Germain-l'Auxerrois. Le clergé réfractaire obtient Saint-Roch, Saint-Eustache, Saint-Gervais, Saint-Nicolas-des-
Champs, Saint-Jacques-du-Haut-Pas, Saint-Thomas-d'Aquin.

A la tête des réfractaires, Maillé La Tour-Landry, ancien évêque de
Saint-Papoul, exerce clandestinement les fonctions épiscopales et
ordonne en cachette de nouveaux prêtres malgré l'étroite surveillance de
la police du Directoire. Il semble qu'il y ait environ trois cents prêtres
insermentés en exercice à Paris sous le Directoire.

Les prêtres jureurs voient fondre leurs effectifs : de six cents en 1791,
ils tombent à cent cinquante en 1796 et baissent encore de moitié durant
le Directoire pour n'être plus que soixante-quinze en 1800. Après
d'interminables querelles et malgré l'hostilité affichée de Grégoire, Jean-
Baptiste Royer, évêque de l'Ain, est élu évêque de Paris le 3 juin 1798.

Un troisième larron vient disputer les lieux de culte aux catholiques
divisés. C'est la théophilanthropie, vague religion déiste fondée par un
obscur libraire, Chemin-Dupontès, et favorisée par un des directeurs, La

Revellière-Lépeaux. Ce culte débute le 9 janvier 1797 dans la chapelle Sainte-Catherine (à l'angle des rues des Lombards et Saint-Denis) de l'école pour aveugles tenue par Valentin Haüy, un de ses premiers adeptes. En avril 1798, le Directoire attribue aux théophilanthropes le droit d'officier dans toute une série d'églises dont Notre-Dame, Saint-Roch, Saint-Sulpice.

La théophilanthropie est elle-même concurrencée par le culte déca-daire. Institué avec le calendrier républicain, il s'est d'abord limité à des fêtes pompeusement mises en scène par David et ses émules. Sous l'in-fluence du directeur François de Neufchâteau, la loi du 9 septembre 1798 l'a transformé en véritables cérémonies pour lesquelles on réunit les enfants des écoles à qui sont lus les plus récents textes de loi. Le jour du décadi, on procède également aux mariages civils. Le succès de ces ennuyeuses célébrations est très faible et le commissaire de police Dupin justifie lyriquement l'absence de fidèles par les rigueurs de l'hiver : « Les fêtes décadaires, semblables aux jeunes fleurs que le froid décolore, souf-frent beaucoup de la rigueur de la saison qui éloigne les spectateurs et sert de prétexte aux fonctionnaires tièdes pour s'en absenter [1]. » Le culte décadaire s'éteint dès 1800 lorsque l'administration consulaire cesse de le soutenir.

L'exemple de la cathédrale Notre-Dame donne une idée de la complexité et de la difficulté des cultes sous le Directoire. Au début, les catholiques jureurs occupent l'église qui sert de cathédrale à Royer. Mais en avril 1798, les théophilanthropes obtiennent l'usage du chœur et relèguent le culte catholique dans le transept nord. En octobre 1798, le culte décadaire chasse les théophilanthropes du chœur et cherche querelle aux catho-liques sous prétexte que leur office a duré plus longtemps que d'habitude le 3 décembre 1798. Les clefs sont désormais détenues par le commis-saire de police du quartier, favorable par sa fonction, au culte officiel laïque.

L'ÉGLISE OFFICIELLE (1800-1879)

• La remise en ordre (1800-1814)

A peine au pouvoir, Napoléon Bonaparte s'empresse de rétablir l'ordre et la paix civile tout en sauvegardant les acquis de la Révolution dont la bourgeoisie victorieuse entend bien profiter. Il n'est donc pas question de rendre à l'Église les biens confisqués et en grande partie vendus. Mais les représentants vaincus de l'Ancien Régime, nobles, chouans, vendéens ou ecclésiastiques, cessent d'être persécutés dès lors qu'ils renoncent à comploter contre le nouveau régime consulaire et les

---

1. Cité par P. Pisani, *L'Église de Paris et la Révolution*, III, p. 338.

émigrés sont autorisés à revenir dans la discrétion. Moyennant une promesse de fidélité à la Constitution, tout prêtre peut exercer son ministère sans entrave.

Les négociations qui s'ouvrent entre Paris et Rome pour mettre un terme à la division des catholiques inquiètent le clergé constitutionnel qui craint, à juste titre, d'être sacrifié sur l'autel de la réconciliation. Il annonce dès le 2 mars 1800 la tenue d'un concile national qui s'ouvre à Notre-Dame le 29 juin 1801. Les délégués affirment leur soumission aux pouvoirs établis par une lettre de communion adressée au pape et par une déclaration de fidélité à la Constitution de l'an VIII qui a institué le Consulat.

La signature du Concordat, dans la nuit du 15 au 16 juillet, ruine la position du clergé constitutionnel qui clôture son concile le 16 août. Précisé par les Articles organiques, le Concordat donne au Premier consul la nomination des évêques qui doit être confirmée par le pape. Le clergé est considéré par Napoléon comme une police des esprits. Le caté-chisme impérial le montre à l'évidence. La subordination étroite du clergé à l'État favorise le triomphe de l'ultramontanisme, le pape étant son seul défenseur contre les empiétements du pouvoir civil.

Pour le siège épiscopal parisien, Pie VII écarte la candidature du trop habile négociateur du Concordat, l'intrigant abbé Bernier, et désigne un nonagénaire, de Belloy. Les limites du diocèse de Paris sont calquées sur celles du département de la Seine. Depuis l'arrêté du 28 décembre 1800, toutes les églises fermées ont été rouvertes au culte. On compte alors trente-cinq églises, « oratoires officiels », et environ deux cents « oratoires particuliers ». Le nombre des paroisses est fixé à trente-neuf en 1802. Il est ramené à trente-sept en 1808 à la suppression de Saint-Benoît et des Filles-Saint-Thomas. On compte deux cent quatre-vingt-neuf prêtres, soit un pour mille huit cent quatre-vingt-neuf habitants. Le traitement des curés est à peu près satisfaisant, mais celui des desservants est faible. Le prestige de l'habit ecclésiastique est médiocre après ces années de mépris et de persécution, à une époque où la fortune et la renommée s'acquièrent sur les champs de bataille et non plus par des discours du haut d'une chaire. Les ordinations se font rares : on compte six mille ordinations entre 1802 et 1814, pas davantage que durant une seule année dans l'Ancien Régime. A. Dansette donne une description sévère de ces prêtres : « Ce clergé trop peu nombreux et sans jeunesse, mêlé d'éléments douteux compromis dans la Révolution, manque d'esprit apostolique. S'il en était pourvu, il le déploierait malaisément. Le régime honore les prêtres, mais leur réserve une place strictement limitée : elle est à l'église où ils doivent enseigner aux fidèles leurs devoirs civiques et militaires. Qu'ils n'en sortent pas ; le zèle apostolique les entraîne-t-il à susciter des conversions ou à prêcher des missions au-delà des parvis des temples, les vieux jacobins — car eux aussi appartiennent au régime — les rappellent durement à l'ordre. Que le pasteur paisse ses brebis dans sa prairie et qu'il ne cherche pas à accroître son troupeau ou à le mener sur la grand-route [1] ! »

Quant aux réguliers, ignorés par le Concordat, ils sont à la merci du pouvoir civil. Napoléon autorise les congrégations de femmes qui se consacrent à l'éducation et à l'assistance parce qu'elles sont utiles, mais se méfie des ordres enseignants masculins, y voyant des jésuites camouflés et des concurrents pour ses lycées.

• L'alliance du trône et de l'autel (1814-1830)

Dès leur retour sur le trône, les Bourbons renouent les liens unissant étroitement la monarchie et l'Église catholique. Des ordonnances royales prescrivent la fermeture des commerces le dimanche, tombée en désuétude depuis vingt ans, exigent des particuliers « de tendre le devant de leurs maisons dans les rues où passerait le cortège » le jour de la Fête-Dieu. Retrouvant leur arrogance des beaux jours de leur pouvoir, les prêtres refusent de recevoir dans leurs églises les dépouilles des acteurs ou des anciens révolutionnaires, ce qui déclenche parfois des émeutes : ainsi la foule introduit-elle de force le cercueil de la vieille Mlle Raucourt, actrice célèbre sous Louis XVI, dans l'église Saint-Roch, le 17 janvier 1815. A son arrivée à Paris, le 20 mars 1815, Napoléon est reçu aux cris de « Vive l'Empereur ! A bas la calotte ! »

Citons à nouveau Dansette à propos de la religion sous la Restauration : « Ce cléricalisme avoué va beaucoup plus loin que la religion-gendarme affichée sans vergogne sous l'Empire. Napoléon était flanqué de généraux et de fonctionnaires jacobins qui n'avaient cure des sacrements, ricanaient à la messe, faisaient gras le vendredi-saint. Il est aussi parmi les officiels de la Restauration beaucoup de sceptiques (on dira même, avec exagération, que dans la Chambre "introuvable" de 1815 ne siégeaient pas trois députés qui fissent leurs Pâques) ; mais, à la différence de ceux de l'Empire, au lieu d'affecter une irréligion cynique, ils affichent une foi exemplaire ; même voltairiens, ils suivent avec un visage composé les minutieuses cérémonies ressuscitées de l'Ancien Régime ; ainsi fait M. de Castre, cet émigré décrit par Champfleury dans *M. de Boisdhyver* : après s'être moqué du concordat de Bonaparte au temps de Coblentz, devenu préfet de Louis XVIII il joue la comédie dévote et pousse aux croix des missions. Les habitués du faubourg Saint-Germain, à l'exemple sincère de la duchesse d'Angoulême, prodiguent au culte leurs témoignages de piété. Quant aux ralliés originaires de l'Empire, ils ne sont pas à une palinodie près, tel le maréchal Soult, vieux grognard qui se fait construire une chapelle au ministère de la Guerre et va communier en grande pompe, suivi de ses laquais. Sous Napoléon, la religion était bonne pour le peuple ;

---

1. A. Dansette, *Histoire religieuse de la France contemporaine*, éd. revue et corrigée, p. 150.

encore les anciens révolutionnaires veillaient-ils à ce que le prêtre ne sortît pas de la sacristie et n'empiétât pas sur la politique. Sous la Restauration, la religion est nécessaire à tous ; les anciens révolutionnaires se cachent, les prélats se montrent et donnent le ton[1]. »

La Congrégation, les Chevaliers de la Foi, le « parti prêtre » dénoncé par les libéraux, règnent sur les ministères. L'argent de l'État coule à flots pour favoriser l'Église catholique. Redevenue une profession lucrative, la prêtrise recrute à tout va : sept cent quinze ordinations pour la France entière en 1814, mille quatre cents en 1821, deux mille trois cent cinquante en 1829. Qu'on se souvienne de l'ambitieux Julien Sorel, personnage du roman de Stendhal, *Le Rouge et le Noir*, qui quitte l'armée au soir de Waterloo pour satisfaire son ambition en entrant dans le clergé. Le budget des cultes passe de 12 millions sous l'Empire à 33 millions sous la Restauration. Les contributions des fidèles, limitées à 2,5 millions du temps de Napoléon, bondissent à 42 millions.

Ayant retrouvé son opulence et une armée de prêtres, l'Église part à la reconquête des âmes. La tâche est vaste. Le nonce, Mgr Macchi, note en 1826 : « Plus de la moitié de la nation est dans une ignorance complète des devoirs chrétiens et est plongée dans l'indifférence. A Paris, un huitième à peine de la population est pratiquante et l'on peut se demander s'il y a dans la capitale dix mille hommes qui pratiquent[2]. »

Les missions de France, créées en 1814 par l'abbé Rauzan, chapelain des Tuileries, constituent les troupes de choc tonitruantes de cette guerre. Leurs excès fréquents produisent souvent l'inverse de l'effet escompté : Proudhon raconte que ses premiers doutes religieux sont nés vers l'âge de seize ans à la suite de la mission prêchée en 1825 à Besançon.

Dès 1821, les libres-penseurs s'organisent. Aux fidèles qui chantent :

> *Vive la France*
> *Vive le Roi !*
> *Toujours en France*
> *Les Bourbons et la foi,*

ils opposent les paroles de Béranger :

> *Exploitons, en diables cafards,*
> *Hameau, ville et banlieue :*
> *d'Ignace imitons les renards,*
> *Cachons bien notre queue.*
> *Au nom du père et du fils,*
> *Gagnons sur les crucifix,*
> *En vendant des prières,*
> *Vite soufflons, soufflons, morbleu !*
> *Éteignons les lumières*
> *Et allumons le feu.*

---

1. A. Dansette, *Histoire religieuse de la France contemporaine*, éd. revue et corrigée, p. 185-186.
2. *Ibid.*, p. 207.

A la fin de 1825, on imprime à Paris cinquante mille exemplaires de la brochure anticléricale *Tartufe* qui sont vendus en très peu de temps.

Même de vieux aristocrates réactionnaires, mais pétris de l'esprit des Lumières de leur jeunesse, réagissent et prennent part à la lutte contre le cléricalisme. C'est le cas notamment du septuagénaire Montlosier qui publie en février 1826 un véritable brûlot : *Mémoire à consulter sur un système politique tendant à renverser la religion, la société et le trône*. Il y dénonce le retour des jésuites, la toute-puissance de l'organisation secrète de la Congrégation, la destruction de l'Église gallicane au profit de l'ultramontanisme, de l'obédience aveugle à Rome.

L'insurrection de juillet 1830, la chute de Charles X signifient la défaite du «parti prêtre» dont le bilan, selon Dansette, est plutôt négatif : «Cette défaite du "parti prêtre" prendra avec la Révolution de 1830 les proportions d'un désastre et sa signification sera alors évidente. Le bilan de la pression cléricale exercée par la Restauration et de la réaction anticléricale qu'elle a provoquée ne se solde pas en faveur de l'Église. Si l'état des croyances ne s'est guère modifié dans les campagnes où les réactions sont lentes, il ne semble pas contestable qu'il ait empiré dans les villes. Lacordaire notera la forte diminution des confessions pascales du commencement à la fin de la Restauration. La poussée d'irréligion, la désertion des églises, le mépris où va être tenu le catholicisme disent la nocivité d'une politique qui a mis les moyens d'action gouvernementaux et administratifs au service de la foi. Il est vrai que la Restauration a reconstitué les cadres de l'Église devenus squelettiques et qu'elle lui a donné un nouveau clergé, jeune et nombreux. Les résultats de son œuvre apparaissent contrastés : elle laisse plus de bergers et moins de brebis [1]. »

• *Religion et bourgeoisie (1830-1848)*

Victorieux, le peuple et les bourgeois parisiens entendent bien montrer à la prêtraille qu'elle n'est plus au pouvoir. La célébration, le 14 février 1831, d'une messe à la mémoire du duc de Berry à Saint-Germain-l'Auxerrois, déclenche une violente émeute. L'église est saccagée et l'archevêché totalement détruit (un square se trouve depuis à son emplacement sur le flanc sud de Notre-Dame). Adolphe Thiers, membre du gouvernement, déclare à la tribune de la Chambre des députés que «l'indignation légitime» des Parisiens n'est que «trop motivée». Comprenant l'importance du sentiment anticlérical et soucieux de ne pas envenimer la situation, le pape laisse la nonciature de Paris sans titulaire jusqu'en 1843. Grégoire XVI va même jusqu'à dire à Montalembert à propos de Mgr de Quélen, archevêque de Paris : «Je déplore extrêmement l'inter-

---

1. A. Dansette, *Histoire religieuse de la France contemporaine*, éd. revue et corrigée, p. 219.

vention de l'archevêque dans la politique. Le clergé ne doit pas se mêler de la politique[1]. »

Réveillé par Chateaubriand, le sentiment religieux s'est incarné durant la Restauration dans le mouvement romantique : Lamartine, Vigny, Musset, Hugo n'ont pas caché leurs opinions royalistes. En témoigne ce cri de joie du socialiste Blanqui au lendemain de la révolution de juillet 1830 : « Enfoncés, les romantiques ! » La Mennais tente d'allier la ferveur religieuse romantique à la réforme sociale. Il est condamné dès 1832 par Grégoire XVI qu'il qualifie de « lâche et imbécile vieillard ». Cela détourne toute la génération romantique du catholicisme qui perd tout support littéraire.

Il se crée cependant un catholicisme politique d'opposition autour de Montalembert, de l'abbé Dupanloup, de Louis Veuillot, d'Ozanam, qui fait usage du mot magique de « liberté », revendiquant liberté d'association et liberté d'enseignement. Cette cure d'opposition et l'emploi d'un vocabulaire à la mode redonnent à l'Église catholique une popularité perdue depuis longtemps.

La nouvelle génération républicaine et sa révolution de février 1848 sont pénétrées de bons sentiments chrétiens. L'Ère nouvelle de Lacordaire commence à paraître le 15 avril 1848 et diffuse avec succès les idées catholiques, atteignant un tirage de vingt mille exemplaires. Mais l'idylle démocratique du catholicisme et du mouvement ouvrier se brise brutalement sur les barricades de l'insurrection de juin 1848, devant lesquelles l'archevêque de Paris, Mgr Affre, tombe mortellement blessé lors d'une tentative de médiation. Terrorisés par les revendications socialistes, les bourgeois catholiques se livrent à un pouvoir fort, dictatorial, capable de les protéger.

• Le sabre et le goupillon (1848-1878)

Le second Empire consacre cette alliance du sabre et du goupillon pour défendre la bourse des possédants. Louis Veuillot écrit : « Il est nécessaire qu'il y ait des hommes qui travaillent beaucoup et qui vivent chétivement. La misère est la loi d'une partie de la société. C'est la loi de Dieu à laquelle il faut bien se soumettre[2]. » Montalembert, s'adressant au pauvre, lui dit : « Tu ne déroberas pas le bien d'autrui ; non seulement tu ne le déroberas pas, mais tu ne le convoiteras pas, c'est-à-dire tu n'écouteras pas ces encouragements perfides qui soufflent sans cesse dans ton âme le feu de la convoitise et de l'envie. Résigne-toi à la pauvreté et tu seras récompensé et dédommagé éternellement[3]. » Il conclut : « Il n'y a pas de milieu. Il faut aujourd'hui choisir entre catholicisme et socialisme[4]. »

---

1. Cité par A. Dansette, *Histoire religieuse de la France contemporaine*, éd. revue et corrigée, p. 226.
2. *Ibid.*, p. 275.
3. *Ibid.*, p. 275-276.
4. *Ibid.*, p. 276.

La peur n'agit pas que sur les catholiques, elle convertit les bourgeois voltairiens, comme l'écrit Dansette : « A l'instar d'un Cousin et d'un Thiers, une partie notable de l'élite incroyante se tourne brusquement vers l'Église comme vers une force susceptible de maintenir le peuple dans l'obéissance. Affolés par la menace d'une subversion sociale, nombre de possédants leur emboîtent le pas ; ces bourgeois, maîtres et profiteurs de la société, offrent aux "esclaves" en révolte le dérivatif d'une religion qu'ils ignorent eux-mêmes et à laquelle ils sont décidés à rester étrangers. "Il n'y a voltairien affligé de quelque 1 000 livres de rente, remarque Ozanam en décembre 1849, qui ne veuille envoyer tout le monde à la messe, à condition de n'y pas mettre les pieds." Certains agissent par crainte ; Renan les a qualifiés de "chrétiens de la peur", d'autres, mus par un sentiment de sagesse sociale, celui de l'ordre, songent à l'intérêt de la communauté tout entière, et donc des plus malheureux de ses membres, victimes les premiers de l'anarchie qui sanctionne les illusions sociales.

« Cette volte-face aura d'importantes et durables conséquences sociales et politiques. Et d'abord, elle est à l'origine d'une profonde évolution de la bourgeoisie riche. Jusqu'alors tout entière acquise à l'incroyance, elle va commencer une évolution semblable à celle qu'accomplit depuis un demi-siècle la noblesse avec laquelle elle tend d'ailleurs à se confondre, et qui vérifiera à travers les générations l'efficacité du conseil de Pascal sur l'accomplissement des gestes de la foi : le bourgeois de la Monarchie de Juillet qui, beaucoup plus que l'homme du peuple, avait donné à la révolution de 1830 son caractère irréligieux, éprouvait pour l'Église un mépris supérieur ; aux beaux jours du second Empire, son fils saluera en elle une grande force de conservation sociale et jugera de bon ton, voire de précaution conjugale utile chez sa femme, une dévotion qu'il estimerait ridicule pour lui ; sous la Troisième République, un nouveau pas en avant conduira son petit-fils jusqu'aux offices auxquels il assistera, parfois avec un visage composé, parfois d'un cœur sincère ; et comment pourra-t-on mettre en doute la foi de son arrière-petit-fils qui, à l'aube de la IVe République, militera dans les rangs de l'Action catholique ? Chrétiens d'occasion, de la peur ou de la sagesse, vous avez fait souche de chrétiens véritables [1] ! »

La chape de l'ordre moral ressuscite l'anticléricalisme chez les républicains et les socialistes. Les progrès des sciences et des techniques, la critique savante de l'Écriture sainte portent atteinte aux fondements mêmes de la religion. La *Vie de Jésus*, de Renan, parue en 1863, démonte le mythe chrétien, et son auteur affirme : « La science est une religion [2]. » Il reçoit vers la même époque une lettre du chimiste positiviste Marcellin Berthelot disant : « Il est désormais pour moi aussi évident que le jour,

---

1. A. Dansette, *Histoire religieuse de la France contemporaine*, éd. revue et corrigée, p. 282.
2. *Ibid.*, p. 327.

que le christianisme est mort et bien mort et qu'on n'en saurait plus rien faire qui vaille [1]. »

Avec sa finesse habituelle, Dansette note : « Nous sommes donc témoins, pour la première fois depuis le XVIIIe siècle, d'un renouvellement total des sources de l'irréligion. Sous la Restauration, des hommes comme Paul-Louis Courier et Béranger n'avaient été que des instrumentistes de talent s'exerçant sur les morceaux du vieux répertoire. Sous le second Empire, nous entendons un véritable orchestre jouer une musique inconnue. Et ce renouvellement de l'histoire et de la philosophie n'est lui-même qu'un aspect d'un renouvellement plus général. Une époque meurt, une autre naît. Le réalisme succède au romantisme ; les hommes de théâtre avec Émile Augier et Alexandre Dumas fils, les romanciers avec Flaubert et les Goncourt, puisent dans la vie les éléments de travail que les philosophes cherchent dans le progrès de la science et les historiens dans les documents. En politique aussi, le romantisme fait place au réalisme. Vers 1860, les jeunes républicains se répandent en sarcasmes sur "les vieilles barbes" de 48. Ils méprisent les illusions sentimentales qui ont conduit leurs pères sur le chemin de l'exil et leur anticléricalisme s'en trouve transformé. Les Carnot, les Garnier-Pagès, les Jules Favre, les Ledru-Rollin, ces vétérans de la Seconde République, sont des spiritualistes convaincus, et les plus hostiles à l'Église, comme Michelet et Quinet, ne se livrent contre elle qu'à des attaques rituelles dont la répétition a réduit la portée, à propos des horreurs de l'Inquisition, de la condamnation de Galilée ou des méfaits des jésuites. Les Brisson, les Antonin Dubost, les Clemenceau, les Ranc, les Ferry, les Floquet, les Rochefort, ces conscrits de l'opposition au second Empire, subissent tous plus ou moins l'influence des nouveaux philosophes, indifférents aux questions métaphysiques ; leur irréligion est faite de positivisme, de matérialisme, d'athéisme. Gambetta, qui bientôt les éclipsera tous, proclame "Auguste Comte le plus grand penseur du XIXe siècle" et "porte aux nues" l'ouvrage de Proudhon sur l'Église [...]. D'ailleurs, à quelque génération qu'ils appartiennent, qu'ils soient de formation spiritualiste ou positiviste, tous les républicains sont d'accord pour reprendre le cri lancé par Peyrat en 1863 : "Le cléricalisme, voilà l'ennemi !" [2] »

Tout cela aboutit à l'explosion de la Commune de 1871 qui proclame la séparation de l'Église et de l'État et transforme une trentaine d'églises en corps de gardes ou en magasins de munitions. Le décret du 5 avril sur les otages vise au premier chef les prêtres. Laissons encore la place à la plume alerte de Dansette. « Le "sieur Darboy, se disant archevêque de Paris", est arrêté, conduit à la préfecture de police où siège Raoul Rigault, l'une des plus sinistres figures de la Commune. "A quoi pensez-

---

1. Cité par A. Dansette, *Histoire religieuse de la France contemporaine*, éd. revue et corrigée, p. 327.
2. *Ibid.*, p. 329-330.

vous, mes enfants ?" s'exclame l'archevêque. "Il n'y a pas d'enfants ici, il n'y a que des magistrats. Voilà dix-huit cents ans que vous nous la faites à la fraternité ; il est temps que cela finisse." On appréhende aussi quelques curés, des prêtres, des religieux. "Quelle est votre profession ? demande Rigault à l'un d'eux. — Je suis serviteur de Dieu. — Greffier, écrivez : se disant serviteur de Dieu, en état de vagabondage." En quelques jours, cent vingt ecclésiastiques sont incarcérés [1]. » Sur soixante-quatorze otages exécutés, on compte vingt-quatre prêtres dont l'archevêque.

La parenthèse sanglante de la Commune refermée, l'Assemblée nationale, dominée par les catholiques conservateurs, favorise la religion : le budget du ministère des Cultes croît constamment et son titulaire se soumet servilement au Vatican pour le choix des évêques, ce qui fait dire à Mgr Dupanloup : «M. Jules Simon sera cardinal avant moi.» La montée des républicains anticléricaux vient cependant à bout de la majorité cléricale et le président de la République, le maréchal de Mac-Mahon, se résigne à démissionner le 30 janvier 1879. Dansette conclut : «Au moment même où s'accomplit une révolution dans l'État, un grand événement affecte l'Église. Déjà, les derniers des disciples de La Mennais et de leurs contemporains ont disparu : Lacordaire est mort en 1862 ; Montalembert en 1870 ; Mgr Dupanloup vient de les rejoindre dans l'au-delà. Les plus célèbres catholiques intransigeants ne leur survivront que quelques années : Mgr Pie s'en ira en 1881, Veuillot en 1883. Le grand événement n'est pas là ; il date du 8 février 1878, jour où, précédant dans la tombe ses plus illustres lieutenants, le chef suprême du catholicisme s'est éteint au terme d'un pontificat de près de trente-deux ans. S'il faut en croire le cardinal Ferrata, Pie IX se serait rendu compte avant de mourir qu'une période de l'histoire de l'Église se terminait avec lui : "Tout a changé autour de moi ; mon système et ma politique ont fait leur temps, mais je suis trop vieux pour changer d'orientation : ce sera l'œuvre de mon successeur." Ce sera son œuvre en effet : le successeur de Pie X a été élu le 20 février 1878 sous le nom de Léon XIII. Par une dérision du sort, le pape de la conciliation coiffe la tiare alors que les hommes de la lutte anticléricale se saisissent du pouvoir [2]. »

L'ÉGLISE MARGINALE DANS UN MONDE LAÏQUE (1879- ?)

• *Des relations tendues (1879-1899)*

Le parti républicain possède deux farouches ennemis. Il vient de triompher du premier : la monarchie. Il lui reste à écraser le second : l'Église catholique. Les deux camps sont d'accord sur l'incompatibilité

---

1. A. Dansette, *Histoire religieuse de la France contemporaine*, éd. revue et corrigée, p. 338.

2. *Ibid.*, p. 368.

de l'Église et de la République. Arthur Ranc, républicain radical, affirme : « D'un côté l'esprit de l'Église, de l'autre l'esprit de la Révolution, il faut que l'abcès crève, dût-on en souffrir jusqu'à en crier[1]. » Quant au catholique Albert de Mun, cela fait longtemps qu'il proclame : « Entre l'Église et la Révolution, il y a incompatibilité ; il faut que l'Église tue la Révolution ou bien la Révolution tuera l'Église[2]. » Taine considère aussi qu'il est impossible aux deux conceptions de coexister : « Pour tout esprit sincère et capable de les embrasser à la fois, chacune d'elles est irréductible à l'autre[3]. » Car les républicains de 1879 ont été élevés durant le second Empire dans le culte de la Révolution, avec pour Trinité laïque la liberté, l'égalité et la fraternité et la ferme conviction que la science et la raison peuvent triompher de tout. Jules Ferry déclare un jour à Jaurès : « Mon but, c'est d'organiser l'humanité sans Dieu et sans roi[4]. »

Entraînés par Jules Ferry, soutenus par la franc-maçonnerie et la Ligue de l'enseignement, les républicains engagent la lutte dès mars 1880 en votant la dissolution des congrégations non autorisées, c'est-à-dire principalement les jésuites. Le 30 juin suivant, la police les expulse de leur couvent du 33 de la rue de Sèvres. A la fin d'octobre, vient le tour des carmes et des barnabites. Au total, deux cent soixante et un couvents sont fermés en France et cinq mille six cent quarante-trois religieux en sont chassés. Une série de lois crée un enseignement public laïque et obligatoire conçu pour combattre et évincer les écoles religieuses. La sécularisation s'étend ensuite à l'État tout entier en 1883 par une série de lois et de décrets : suppression des prières publiques, interdiction à l'armée de prendre part à des cérémonies religieuses. Dès le 25 juillet 1881, vingt-sept élèves de l'École militaire de Saint-Cyr ont été renvoyés pour avoir assisté en uniforme à la messe du 15 juillet à Saint-Germain-des-Prés. L'obligation du repos hebdomadaire le dimanche a été abolie en 1880. Elle sera rétablie en 1906 pour protéger les travailleurs et leur garantir un jour de congé par semaine. Enfin, le divorce est autorisé en 1885.

La municipalité parisienne, dominée par les radicaux et les Communards amnistiés, accumule les mesures antireligieuses. Elle commence par exiger l'exclusion des religieuses des hôpitaux, leur reprochant leur ignorance et les pressions qu'elles exercent sur les malades pour les contraindre à assister à la messe et à se confesser. Dépourvu de pouvoirs importants, le Conseil municipal compense son impuissance par des actes symboliques : inauguration des statues de Voltaire (1885) et de Diderot (1886), sécularisation de l'église du Panthéon en 1885 pour y

---

1. Cité par A. Dansette, *Histoire religieuse de la France contemporaine*, éd. revue et corrigée, p. 406-407.
2. *Ibid.*, p. 407.
3. *Ibid.*, p. 406.
4. *Ibid.*, p. 405.

déposer la dépouille de Victor Hugo. Les rues et boulevards prennent le nom de républicains anticléricaux notoires : Manin (éphémère président de la république de Venise en 1848) et l'abbé Grégoire (évêque constitutionnel mort sans les sacrements de l'Église) en 1880, Barbès en 1882, Robert Estienne (imprimeur protestant du XVIᵉ siècle) en 1884, Garibaldi, le chevalier de La Barre (exécuté pour sacrilège en 1766), Louis Blanc, Auguste Comte en 1885, Raspail en 1887, etc. La première incinération a lieu au cimetière du Père-Lachaise, le 30 janvier 1889, véritable défi à la papauté qui l'interdit.

Le Vatican fait le gros dos et recherche la conciliation. Le cardinal Lavigerie, archevêque d'Alger, prêche en 1890 le ralliement des catholiques à la République. Mais le cardinal Richard de Lavergne, archevêque de Paris, dans une longue lettre embarrassée, prône non le ralliement, mais la neutralité, et soixante-deux évêques adhèrent à sa position. Il faut toute l'autorité de Léon XIII et l'encyclique *Au milieu des sollicitudes* du 16 février 1892 pour imposer aux catholiques français la reconnaissance, du bout des lèvres, du régime républicain.

Inquiets de cette tentative de rapprochement qui pourrait introduire le loup dans la bergerie et miner de l'intérieur la République laïque, les radicaux, note Dansette, « firent ce qu'ils purent pour stopper le ralliement et rejeter dans une attitude intransigeante ceux qui étaient disposés à s'y conformer. Les incidents se multiplièrent de telle sorte que jamais les rapports de l'Église avec la République ne furent si mauvais que dans les mois qui suivirent l'injonction faite par le pape aux fidèles de se rallier à elle : "Ça mord ! s'exclamait le radical Ranc. En six mois, on s'est plus rapproché de la séparation qu'on ne l'avait fait depuis six ans."

« Le premier incident naquit des conférences dialoguées sur des sujets sociaux que le clergé de Paris avait pris l'initiative d'organiser depuis l'encyclique *Rerum novarum*. On connaît ce genre de joute oratoire où l'un des partenaires se fait l'avocat maladroit du diable pour offrir au défenseur de la bonne cause l'occasion d'une victoire sans péril. Au cours de l'une d'elles, au début de mars 1892, en l'église Saint-Merry, un jésuite affirma que "la Révolution française, ivre de sang humain, a inventé le socialisme et toutes ses erreurs". Des interruptions éclatèrent, lancées par des auditeurs hostiles qui s'étaient mêlés aux fidèles. La semaine suivante, ils occasionnèrent de véritables troubles : la chaire fut prise d'assaut et le conférencier expulsé. Le 28 mars, des scènes plus scandaleuses encore se déroulèrent à l'église Saint-Joseph où *Je suis chrétien*, alterna avec *La Carmagnole*, tandis qu'un socialiste, debout sur une chaise, dirigeait ses troupes de ce poste de commandement avec un parapluie en guise de bâton de maréchal. Dès l'avant-veille, les incidents avaient été évoqués à la tribune de la Chambre ; Loubet avait blâmé le clergé d'introduire dans la chaire des questions sociales et politiques, et déclaré, aux applaudissements de la majorité, que si de nouvelles manifestations se produisaient, il n'hésiterait pas "à aller jusqu'au bout, jusqu'à la fermeture de l'église"[1]. »

Les bourgeois républicains, effrayés par les attentats anarchistes et les succès électoraux socialistes, semblent prêts à croire en 1894 à la réconciliation de l'Église et de la République. Mais les influents assomptionnistes refusent toujours d'utiliser le mot « République » dans les colonnes de leur journal, *La Croix*. La campagne violemment antisémite de ce quotidien durant l'affaire Dreyfus convainc les républicains de la volonté profonde de l'Église d'étrangler la société laïque et d'imposer son credo. Le 20 août 1899, à la suite de bagarres avec des nationalistes antisémites, les anarchistes saccagent l'église Saint-Joseph de la rue Saint-Maur, où s'étaient déjà déroulés les troubles de 1892.

• *La rupture (1899-1914)*

Lorsque Waldeck-Rousseau devient président du Conseil, le 21 juin 1899, il est évident que « l'Église a perdu la bataille où les catholiques se sont laissé entraîner par l'affaire Dreyfus. Si les complots monarchiste et nationaliste avaient réussi, elle en aurait bénéficié ; ils ont échoué, elle va en pâtir. Suivant la prévoyante formule de Leroy-Beaulieu : "On commence par un juif, on finit par un jésuite." L'Église va payer, avec les siennes, les erreurs de ses dangereux alliés[2]. »

Waldeck-Rousseau, éminent juriste, pour qui l'affaire Dreyfus est un scandale juridique, considère l'anticléricalisme comme « une manière d'être constante, persévérante et nécessaire aux États ». Au nom de la loi, il défend la suprématie de la société civile avec une autorité et une fermeté inexorables. Il frappe avec la plus grande sévérité les congrégations religieuses en arguant du fait qu'elles ne sont même pas mentionnées dans le Concordat de 1801. Les assomptionnistes sont les premiers touchés. « La police perquisitionne aux bureaux de la Bonne Presse ; le père Bailly, directeur de *La Croix*, le père Debauge, président du Comité Justice-Égalité, et quelques autres, sont poursuivis pour infraction à l'article 291 du Code pénal qui subordonne à une autorisation gouvernementale la constitution d'une association de plus de vingt personnes, et le tribunal prononce la dissolution de l'ordre des assomptionnistes (24 janvier 1900). Waldeck-Rousseau blâme le cardinal Richard, coupable d'avoir rendu visite aux pères pour leur témoigner sa sympathie épiscopale, supprime le traitement de six évêques qui protestent contre le jugement de dissolution, et son ministre des Affaires étrangères, Delcassé, engage des négociations avec le Saint-Siège en vue d'obtenir la démission d'un de ces prélats, l'archevêque d'Aix, Mgr Gouthe-Soulard qui, suivant son habitude, a répondu insolemment à la mesure qui le frappait. Léon XIII sait les assomption-

---

1. A. Dansette, *Histoire religieuse de la France contemporaine*, éd. revue et corrigée, p. 483.
2. *Ibid.*, p. 561.

nistes indéfendables et il les invite à abandonner la direction de *La Croix* que l'industriel catholique social de Lille Féron-Vrau prend en main (mars 1901)[1]. »

Dans un second temps, la loi du 1er juillet 1901 soumet l'existence de toute congrégation à une autorisation par l'État. L'Église se mobilise contre la loi et intervient maladroitement dans la campagne électorale de 1901 qui se déroule dans une atmosphère très tendue.

La victoire de la gauche amène au Parlement une majorité d'anticléricaux déclarés. Le radical Émile Combes exploite la loi dans le sens le plus restrictif, faisant rejeter en bloc les demandes d'autorisation. L'expulsion des congréganistes par la force publique, gendarmerie et parfois aussi armée, provoque d'innombrables et très violents incidents dans tout le pays, mais Paris, largement acquis à l'anticléricalisme, est très peu touché par ces manifestations.

En 1904, les crucifix disparaissent des tribunaux et les municipalités obtiennent le monopole des enterrements que les fabriques paroissiales détenaient depuis 1809.

Enfin, votée sous l'impulsion des socialistes, la loi de séparation de l'Église et de l'État entre en vigueur le 9 décembre 1905. La République ne reconnaît ni ne salarie aucun culte religieux. L'Église catholique de France ne relève plus désormais que du Saint-Siège.

L'inventaire des biens mobiliers des églises par les agents du fisc est encore l'occasion d'affrontements violents en province et d'escarmouches à Paris, notamment les 1er et 2 février 1906, à Saint-Pierre-du-Gros-Caillou et à Sainte-Clotilde. Le 17 décembre, l'archevêque Richard de Lavergne est expulsé par la police de l'hôtel de l'archevêché, 127, rue de Grenelle. En représailles, les évêques interdisent les messes de minuit. La loi du 2 janvier 1907 laisse les édifices du culte à la disposition des curés considérés comme des « occupants sans titre ».

L'Église de France doit trouver des ressources pour remplacer les 35 millions de francs que lui versait l'État. Il ne semble pas que l'argent lui fasse défaut, même si l'origine en demeure obscure : le diocèse de Paris peut se permettre de construire vingt-quatre églises, dont quinze en banlieue, entre 1906 et 1914. Jusqu'à la guerre, les relations entre l'Église et l'État demeurent à peu près inexistantes.

• *Le déclin (1914- ?)*

Considérés comme des citoyens de seconde zone, méprisés par une partie importante de la société, suspectés par la classe politique au pouvoir, les catholiques sont sauvés par la guerre. La mort, les souffrances, la détresse intellectuelle et physique, terreau idéal pour la religion, favorisent un regain de la foi, la réintégration de la communauté

---

1. A. Dansette, *Histoire religieuse de la France contemporaine*, éd. revue et corrigée, p. 569-570.

catholique dans la nation et la réconciliation de l'Église et de l'État. L'alliance des républicains modérés et des catholiques dans le Bloc national ouvre une époque de coexistence qui trouve son expression dans la phrase du cardinal Amette, archevêque de Paris de 1908 à 1920 : «La laïcité doit se concilier avec les libertés.»

L'Église tente de reconquérir les milieux déchristianisés, celui des ouvriers notamment, par la fondation de la Jeunesse ouvrière chrétienne (J.O.C.) en 1926, élément important d'un vaste filet d'organisations visant à la pêche des âmes dans le cadre de l'Action catholique : patronages, scoutisme, syndicalisme avec la Confédération française des travailleurs chrétiens (C.F.T.C.). Après s'être débarrassé de ses éléments réactionnaires de l'Action française, condamnés par Rome en 1926, le catholicisme se laisse tenter par une dérive marxiste, privilégiant le travail par rapport à la prière pour tenter de convertir les banlieues et les faubourgs communistes. Archevêque de Paris de 1940 à 1949, le cardinal Suhard est l'initiateur de la Mission de France en 1941, de la Mission de Paris en 1944. A la Libération, l'influence idéologique du communisme contamine les premiers prêtres ouvriers qui, au lieu de ramener le prolétariat à la foi, sont gagnés par l'esprit de la lutte des classes, suscitant sur la gauche un type de déviation comparable à celui de l'Action française sur la droite. Avant de mourir, Mgr Suhard condamne les erreurs des «chrétiens progressistes», mais ne peut empêcher le mouvement de s'étendre. Le concile va le renforcer.

Ce concile de Vatican II, convoqué en 1962, est une nouvelle tentative de modernisation de l'Église. Au début de 1964, l'épiscopat introduit la langue française dans la liturgie de la messe à la place du latin. Cette même année, dans *Les Nouveaux prêtres*, Michel de Saint-Pierre évoque le noyautage de l'Église par les communistes. Le catholicisme se trouve désormais écartelé entre des tendances très diverses. L'influence communiste est prépondérante de 1968 à 1981, du temps de Mgr Marty, archevêque de Paris. Elle trouve son expression la plus virulente lors du rassemblement de la Jeunesse ouvrière chrétienne qui se tient le 29 juin 1974 à Paris. Il existe aussi une tendance moderniste représentée par le groupe Échange et Dialogue qui revendique à partir de 1969 le droit au travail, au mariage et à la liberté d'expression pour les prêtres. La tendance traditionaliste s'affirme avec vigueur à partir du congrès de Paris des «silencieux de l'Église», réuni le 22 février 1975 pour faire pièce à celui de la J.O.C. Elle passe à l'action sous l'impulsion de Mgr Lefebvre. Le 27 février 1977, les catholiques traditionnels, baptisés «intégristes» par leurs adversaires, occupent Saint-Nicolas-du-Chardonnet et y célèbrent depuis la messe en latin.

Mais le principal problème de l'Église est désormais celui de la déchristianisation, de son influence de plus en plus faible, de ses pasteurs et de ses fidèles dont le troupeau s'amenuise. Pie XII avoue : «La vie chrétienne est pratiquement impossible à la grande masse. » En effet, le divorce, les méthodes de contraception, toujours interdits par le dogme, font aujourd'hui partie de la vie de la presque totalité des Français, de même que le lave-linge et la télévision. La pratique et le sentiment religieux sont difficiles à mesurer, mais l'érosion est évidente dans les quelques enquêtes qui ont été publiées. Quelques statistiques incontestables le confirment : en 1937, dans le département de la Seine, on célébrait déjà vingt-trois mille deux cent vingt-trois mariages civils contre dix-huit mille cent vingt-quatre mariages religieux, et les unions libres ne figurent pas dans ces données. Le recensement de la pratique religieuse dans la Seine entrepris par l'Institut national de la statistique en 1954 fait apparaître six cent cinquante mille messalisants, soit environ 12 % de la population, mais avec d'énormes différences selon les origines sociales : 2 à 3 % de catholiques en milieu ouvrier contre 18 % parmi les cadres supérieurs. Le taux de présence est insignifiant dans la jeunesse, assez élevé pour les personnes âgées, etc.

Pourtant, l'Église ne ménage ni ses efforts ni son argent, surtout dans la banlieue ouvrière qui se couvre de sanctuaires neufs : cinquante-deux chapelles ou églises édifiées entre 1925 et 1930. Les Chantiers du Cardinal, ouverts en 1931 par Mgr Verdier, avaient fait jaillir de terre cent deux églises en 1940. Le cardinal Feltin donne une nouvelle impulsion aux constructions : quarante-deux chantiers ouverts entre 1946 et 1959, soixante-quatorze de 1960 à 1970, soixante-sept de 1971 à 1980.

A la suite du redécoupage de la région parisienne en huit départements, le diocèse de Paris est constitué, depuis le 9 octobre 1966, de la seule ville de Paris qui compte alors cent cinq paroisses. Depuis 1980, une quinzaine de nouvelles paroisses ont vu le jour.

L'Église catholique concentre ostensiblement ses effectifs déclinants de prêtres dans les grandes villes, abandonnant les campagnes, laissant sans curé l'immense majorité des paroisses rurales. Elle doit affronter une redoutable crise de recrutement. Alors qu'à la veille de la Révolution, vingt-huit millions de Français étaient encadrés par soixante mille curés et vicaires, sans mentionner les innombrables prêtres appartenant au clergé régulier, soit un prêtre pour quatre cent soixante-dix âmes, on dénombre aujourd'hui moins de vingt-cinq mille prêtres pour plus de cinquante-sept millions d'habitants, soit un pour deux mille trois cents personnes. L'encadrement catholique de la France a diminué de 80 % en deux siècles. Quel est l'avenir du catholicisme ?

LE PROTESTANTISME

Dès la fin du XVe siècle, la contestation de certains dogmes se fait jour dans la chrétienté. A Paris, en 1484, Jean Lailler rejette la primauté de

Rome et le célibat des prêtres, opposant la tradition de la Bible aux commandements de l'Église. En 1491, le prêtre Jean Langlois nie la présence réelle dans l'eucharistie, ce qui lui vaut le bûcher. Le cordelier Jean Vitrier met en cause les saints et l'importance des œuvres en 1498. Le 25 août 1503, jour de la Saint-Louis, un écolier du collège de Bourgogne, natif d'Abbeville, Hémon de La Fosse, arrache l'hostie des mains du célébrant devant tout le Parlement et s'exclame : « Et durera toujours cette folie ! » Il meurt sur le bûcher, continuant à nier la présence réelle et la divinité du Christ. Ces actes individuels ne sont que des manifestations extrêmes du malaise d'une partie de la société chrétienne, la bourgeoisie urbaine instruite qui doute des mystères de la foi catholique.

Une réforme de l'intérieur est tentée par le groupe des Bibliens, dominé par le Picard Lefèvre d'Étaples et son élève Guillaume Briçonnet, qui se réunit à Saint-Germain-des-Prés et, à partir de 1516, à Meaux où Briçonnet a été nommé évêque. Leurs timides mais réels efforts s'achèvent par une condamnation en Sorbonne en 1521.

Mais déjà une autre voix, autrement tonitruante, s'est élevée pour condamner la papauté, « la rouge prostituée de Babylone », celle du moine augustin de Wittenberg, Martin Luther. Il dénonce en 1517 le trafic des indulgences, puis s'engage dans le schisme en 1520, en brûlant publiquement la bulle de Léon X qui le condamne. Les écrits du moine saxon inondent Paris dès 1519-1520. La Sorbonne les condamne le 15 avril 1521. Au début de 1523, au couvent augustin de Paris, Arnaud de Bronoux prêche la nouvelle doctrine, mettant en cause le pape et la notion de mérite par les œuvres. L'hérésie conquiert les étudiants allemands et suisses et le collège du Cardinal-Lemoine. On croit que c'est cette année-là que Guillaume Farel, ancien membre du groupe biblien de Meaux, fonde une église luthérienne secrète à Paris. Le 8 août, la défense de l'orthodoxie par la Sorbonne se traduit par le premier martyre d'un luthérien : Jean Vallière, ermite normand, est pendu et brûlé au Marché aux pourceaux, porte Saint-Honoré, pour avoir nié l'Immaculée Conception et soutenu que Jésus était né de Joseph et de Marie. Dès lors, les bûchers vont se multiplier, la liste des victimes de la Sorbonne s'allonge interminablement.

François Ier et la Cour, acquis à l'humanisme et aux idées du cercle des Bibliens, tentent en vain de limiter la montée du fanatisme. Par trois fois, en 1523, 1526, 1528, Louis Berquin, traducteur d'Érasme et de Luther, a été sauvé des griffes de la Sorbonne grâce à la protection du roi, de sa sœur, Marguerite de Navarre, et de Jean Du Bellay, évêque de Paris. Les théologiens profitent d'une absence du roi et de sa sœur pour le faire étrangler et brûler en place de Grève, le 17 avril 1529. Le 19 août suivant, au même endroit, c'est au tour d'un secrétaire de l'évêque, Miles Regnault, de périr sur le bûcher. Les protestants ripostent comme ils peuvent, en mutilant les idoles, les innombrables statues de saints qui ornent les maisons et les carrefours.

Un nouveau pas est franchi en 1533. Le nouveau recteur de l'Université, Nicolas Cop, d'origine bâloise, prononce, le 1er novembre, devant toutes les facultés réunies, le discours de rentrée, un discours inspiré par son ami Jean Calvin, dans lequel il affirme : « C'est la grâce de Dieu seule qui remet les péchés. » La Sorbonne dénonce la nouvelle hérésie, qui va devenir le calvinisme, version française de la Réforme, et le roi, dont le fils aîné vient d'épouser Catherine de Médicis, nièce du pape Clément VII, est obligé de sévir. Cop et Calvin s'enfuient. La rupture entre le pouvoir royal et les protestants s'approfondit encore à la suite de l'affaire des placards : dans la nuit du 17 au 18 octobre 1534, à Paris, à Orléans et jusque sur la porte de la chambre du roi, alors absent, à Amboise, des affiches sont apposées dénonçant les « abus de la messe papalle ». Les bûchers se multiplient.

Les arrestations révèlent l'ampleur de l'hérésie dans les milieux riches et instruits : drapiers, imprimeurs, libraires, le chantre de la Chapelle du roi et le poète Clément Marot qui parvient à s'enfuir avec bon nombre de bourgeois, d'officiers royaux et de professeurs et étudiants des collèges. Le Parlement de Paris est profondément contaminé par l'hérésie ainsi que l'a montré Linda Taber[1]. L'aggravation de la répression sous le règne de Henri II (1547-1559) ne fait que renforcer le camp des ennemis de Rome parmi lesquels dominent maintenant les calvinistes.

L'Église « réformée » ou calviniste de Paris est « plantée » en septembre 1555 par le pasteur Jean Le Maçon de Launay, sieur de La Rivière, qui procède au premier baptême, celui de l'enfant du seigneur de La Ferrière, dans une auberge de la rue des Marais (Visconti aujourd'hui). En 1559, quatre pasteurs officient dans la capitale. Le culte clandestin est célébré rue des Porées (devant la chapelle de Cluny, aujourd'hui à l'emplacement de la faculté des sciences de la Sorbonne), rue de la Montagne-Sainte-Geneviève (au 30), rue des Sept-Voies (au 19 de l'actuelle rue Valette) et dans les caves voisines du collège de Fortet (19 et 21, rue Valette), c'est-à-dire exclusivement au Quartier latin, preuve de la pénétration de la Réforme chez les professeurs et les étudiants de l'Université. Du 25 au 29 mai 1559, l'Église réformée de France tient son premier synode dans l'auberge à double issue de la rue des Marais, avec des représentants de soixante-douze églises.

L'histoire politique de la Réforme est étudiée dans la première partie de cet ouvrage. On se limite ici à l'aspect religieux. Malgré la poursuite de la répression après la mort de Henri II, notamment l'exécution en place de Grève, le 23 décembre 1559, du conseiller au Parlement Anne Du Bourg,

---

1. Voir L. L. Taber, « Religious dissent within the Parlement of Paris in the Mid-Sixteenth Century : A Reassessment », dans *French Historical Studies*, printemps 1990, p. 684-699.

le calvinisme connaît un essor considérable. En 1561, les soixante-douze églises de 1559 étaient devenues deux mille cent cinquante. En août 1561, Jeanne d'Albret assistait au prêche à Saint-Germain-en-Laye en compagnie de quinze mille Parisiens qui avaient quitté la capitale pour participer au culte et manifester ainsi leur force. La pratique étant interdite dans Paris, les réformés se réunissent à la périphérie. Le seigneur de Popincourt leur ouvre sa propriété où, le 10 décembre 1561, Théodore de Bèze prêche devant six mille personnes. Au sud de Paris, c'est dans la maison dite du Patriarche (face à l'église Saint-Médard) qu'il s'adresse à plus de dix mille croyants. Les huguenots, ainsi que les nomment leurs adversaires papistes, appartiennent en général à des milieux d'artistes et de savants. On peut citer Bernard Palissy, Jean Goujon, Jean Cousin, les Androuet Du Cerceau, Ambroise Paré, Pierre Lescot, Ramus. La noblesse s'est aussi largement ralliée à la nouvelle religion. Sur les cent trente personnes arrêtées lors d'un office clandestin dans la nuit du 4 au 5 septembre 1557, rue Saint-Jacques, on dénombre trente nobles. Les estimations sur les réformés parisiens en 1561-1562 oscillent entre dix mille et quinze mille et, pour la France entière, les calvinistes doivent représenter 15 % de la population : trois des vingt millions de Français.

L'essor de la communauté protestante parisienne est brisé par le massacre de la Saint-Barthélemy, dans la nuit du 23 au 24 août 1572. Près de deux mille personnes, en majorité des provinciaux et des étrangers, sont exécutées. Les plus grands noms de la noblesse, Coligny, La Rochefoucauld, Soubise, Caumont, voisinent avec les parlementaires Bertrandi, Rouillard, La Place, Loménie. Mais, plus que la tuerie, c'est l'émigration qui décime les protestants parisiens. Sedan, Montbéliard, Genève sont les principaux refuges.

L'édit de Nantes reconnaît en 1598 l'existence de la religion réformée et lui accorde des lieux de culte. Paris n'a pas droit à un temple et le culte est relégué très loin, à Grigny, sur les bords de la Seine, accessible par le coche d'eau Paris-Corbeil. Il est ensuite rapproché et installé à Ablon. Enfin, le 1er août 1606, à la demande de Sully, Henri IV autorise les réformés à édifier un temple à Charenton, à 6 kilomètres à vol d'oiseau de la Bastille. L'importance numérique de cette communauté a été très fortement surestimée par son historien, le pasteur Jacques Pannier, qui l'évalue à vingt mille personnes[1]. Par de savants calculs, Jacques Bertillon l'établit à huit mille cinq cents personnes vers 1680, soit moins de 2 % des Parisiens[2]. Le premier recensement par cultes, en 1851, donne six mille trois cent soixante-dix calvinistes, soit six calvinistes sur mille

---

1. Voir J. Pannier, *L'Église réformée de Paris sous Henri IV*, et *L'Église réformée de Paris sous Louis XIII*.
2. Voir J. Bertillon, « Évaluation de la population vers 1680, et, notamment, évaluation du nombre des protestants vivant à Paris à la même époque », dans l'*Annuaire statistique de la ville de Paris*, 1903, p. 142-144.

Parisiens. Avec la nouvelle hémorragie engendrée par la révocation de l'édit de Nantes, cette évolution démographique paraît tout à fait normale.

L'édit de tolérance de novembre 1787 n'ayant été qu'un vœu pieux, l'Église et le Parlement s'opposant à sa mise en application, c'est la Révolution française qui fait des protestants des Français à part entière et leur permet de sortir de la clandestinité. Le maire Bailly accorde aux réformés la jouissance de l'église Saint-Louis-Saint-Thomas du Louvre. En très mauvais état, elle est détruite en 1811. Entre-temps, les Articles organiques de 1802 leur ont confié trois lieux de culte : l'Oratoire du Louvre, Sainte-Marie et Pentemont.

Il convient ici d'évoquer une autre communauté protestante parisienne, les luthériens. Apparus les premiers, vers 1520, ils ont été évincés par les calvinistes. On ne les voit reparaître qu'en 1626 quand les princes et diplomates scandinaves et allemands installés dans la capitale décident de pratiquer leur religion à l'intérieur de leurs ambassades. Le 1er décembre 1626, ils annoncent solennellement la célébration d'offices par le pasteur Jonas Hambraeus, prédicateur du roi de Suède et professeur au Collège de France et convient tous les luthériens de Paris à venir y participer. A cette chapelle s'ajoute en 1744 celle de l'ambassade de Danemark. L'histoire de cette petite communauté a été étudiée en détail par J. Driancourt-Girod [1]. Elle obtient de Napoléon en 1808 l'église des Billettes.

Aux XIXe siècle, les deux communautés protestantes se développent discrètement : Société biblique de Paris fondée le 4 novembre 1818, Société des missions évangéliques de Paris en 1822, Société protestante d'encouragement à l'enseignement primaire en 1829, etc. L'importance numérique des protestants croît sensiblement, même s'ils continuent à n'être qu'une infime minorité. Le dernier recensement portant mention de la religion, celui de 1872, évalue leur nombre à un peu plus de quarante et un mille, soit 2 % des Parisiens. Les luthériens dépassent légèrement les calvinistes.

Sous la Troisième République, les protestants vont jouer un rôle politique éminent, combattant le catholicisme et favorisant la laïcisation de la société, mais il s'agit d'un phénomène national dans lequel la communauté parisienne n'a joué qu'un faible rôle.

La communauté protestante a été agréablement surprise en 1980 quand un sondage a révélé que plus de deux millions de Français se réclamaient de leur foi, car les effectifs de pratiquants sont nettement plus faibles, moins d'un million. En région parisienne, les diverses confessions toucheraient plus de cent cinquante mille personnes. A Paris même, il existe plus de cent lieux de culte énumérés dans le *Guide pratique du Paris religieux* [2].

---

1. Voir J. Driancourt-Girod, *L'Insolite histoire des luthériens de Paris de Louis XIII à Napoléon.*
2. P. Clémençot, F. Dumitrescu, F. Since, *Guide pratique du Paris religieux.*

LE JUDAÏSME

Peut-être arrivés dès le premier siècle à la suite des légions romaines, les juifs sont mentionnés pour la première fois à Paris par Grégoire de Tours qui fait état d'une campagne de conversions forcées en 581-582. Leur existence est mal connue. Ils constituent pourtant, selon M. Roblin, une communauté assez importante dans l'île de la Cité où ils seraient un millier, 20 % de la population de l'île, occupant la voie centrale, la rue de la Juiverie, où se dresse leur synagogue, les rues de la Vieille-Draperie et de la Pelleterie [1].

C'est cette population que Philippe Auguste expulse en 1182, transformant la synagogue en église sous le vocable de la Madeleine, cédant aux drapiers vingt-quatre maisons juives de ce qui va devenir la rue de la Draperie et dix-huit autres maisons aux pelletiers dans la future rue de la Pelleterie.

Autorisés à revenir en 1198, les juifs sont concurrencés par les Lombards, chrétiens et prêteurs comme eux, et font l'objet de multiples tracasseries. Installés dans la « juiverie » de Saint-Bont, ils possèdent une synagogue rue de la Tacherie et sont établis dans les rues du Franc-Mourier (de Moussy aujourd'hui), Neuve-Saint-Merry, des Jardins (des Archives), dans la cour Robert-de-Paris (rue du Renard). Il semble qu'ils aient eu un cimetière, plus ou moins clandestin, dans la rue de la Verrerie où l'on a retrouvé une pierre tumulaire hébraïque datant de 1364. Pourtant, en 1283, le roi leur a interdit d'ouvrir de nouveaux lieux d'inhumation, ne les autorisant à enterrer leurs morts que dans les cimetières de la rive gauche, rue de la Harpe et rue Galande, autour desquels résident les deux autres communautés juives. Sans doute au nombre de trois mille au début du XIIIe siècle, les juifs sont en nette régression à la fin du siècle. Confinés dans la seule juiverie Saint-Bont, ils doivent être à peine un millier en 1296 : sur le livre de la taille de cette année ne figurent que quatre-vingt-six juifs imposés pour cent vingt-cinq livres. Cette somme atteste leur pauvreté : le Lombard Gandolfe est astreint à lui seul à une taille de cent quatorze livres.

Au XIVe siècle, la condition des juifs se dégrade encore. Philippe le Bel ordonne à nouveau leur expulsion en 1306, puis les rappelle. Expulsions, confiscations des biens, rappels se succèdent. En 1380 et en 1382, des émeutes populaires servent de prétexte au pillage de leurs maisons. En 1394, les derniers juifs sont définitivement expulsés.

Durant quatre siècles vont subsister dans Paris un nombre infime de juifs, souvent de passage. On estime qu'au XVIIe siècle, il n'y a pas plus d'une dizaine de familles juives dans la capitale, originaires d'Italie,

---

1. Voir M. Roblin, *Les Juifs de Paris*, p. 19.

d'Europe centrale ou de souche hispano-portugaise. A la veille de 1789, on compte environ cinq cents juifs à Paris, divisés en trois communautés. Il y a une cinquantaine de juifs séfarades d'origine hispano-portugaise dont l'arrivée dans la capitale remonte à 1667, venus de Bayonne, Bordeaux et de Hollande. Ils se nomment Léon, Castro, Mendes, Spinosa, Dacosta, Pereire, Campos, ne pratiquent pas la banque, mais travaillent dans la soierie, la joaillerie et surtout la chocolaterie, car ils sont en liaison avec leurs coreligionnaires de Saint-Esprit-lès-Bayonne qui y ont fondé une fabrique de chocolat. Ils habitent, en majorité, à proximité de Saint-Germain-des-Prés. Séfarades aussi, les juifs d'Avignon sont une centaine. Les Milhaud, Naquet, Ravel... sont les uniques descendants de la communauté juive médiévale de France, car le pape ne les a pas expulsés du Comtat Venaissin. Hommes d'affaires, peu différents des juifs hispano-portugais, ils habitent le même quartier qu'eux. Les plus nombreux, trois cent cinquante environ, sont les juifs ashkénazes de langue judéo-alle-mande (yiddish), aux noms à consonance germanique. Parmi eux, une centaine de Messins et une cinquantaine originaires d'Alsace et de Lorraine. Mais la majorité sont nés en Allemagne, aux Pays-Bas et même en Pologne, parlent mal et ne savent pas écrire le français. Parmi eux, trois banquiers seulement, des marchands de soieries, des bijoutiers, des fripiers et un grand nombre de quincailliers. Ils sont établis à proximité de l'ex-juiverie Saint-Bont, près de l'église Saint-Merri.

Devenus citoyens à part entière grâce au décret du 27 septembre 1791, les juifs se voient doter par Napoléon d'institutions religieuses propres grâce aux décrets des 17 mars et 20 juillet 1808 qui suivent la réunion en 1807 à Paris du Grand Sanhédrin. Pour supprimer l'usure qui a tant contribué à la mauvaise réputation de la communauté, des dispositions restrictives humiliantes frappent les juifs des départements de l'est, ceux du sud-ouest en étant exemptés. Cretet, ministre de l'Intérieur, intervient auprès de l'Empereur pour demander que les Parisiens soient aussi dispensés des mesures discriminatoires. Il écrit : « La capitale renferme un assez grand nombre de juifs qui dirigent des maisons de banque, de commerce ou des établissements d'industrie, en tête desquels je pourrais citer MM. Fould, régent de la Banque de France ; Worms, adjoint à la mairie du VIe arrondissement ; Rodrigues, Patto et Cie ; leur crédit serait gravement compromis et l'existence même de ces établissements menacée, si l'on supposait qu'ils soient compris dans l'application du décret du 17 mars [1]... » L'Empereur ayant suivi l'avis de son ministre, les juifs parisiens ont pu continuer à commercer sans encombre. Le décret du 11 décembre 1808 a réglé l'organisation territoriale, créant dans l'Empire treize synagogues consistoriales dont celle de la Seine, forte de deux mille sept cent trente-trois habitants. Nommé le 13 avril 1809, le

---

1. Cité par L. Kahn, *Les Juifs à Paris depuis le VIe siècle*, p. 93.

Consistoire de Paris couvre trente-trois départements, du Finistère à la Marne, du Pas-de-Calais à l'Allier, dont quinze ne comptent aucun juif. Très rapidement, le flot des ashkénazes arrivant des départements lorrains et alsaciens submerge la petite mais prospère communauté séfarade. Les grands rabbins de France et de Paris sont de langue yiddish, incapables, au départ, de prêcher convenablement en français. La faculté de théologie, nommée École rabbinique, fondée à Metz en 1829 et transférée à Paris en 1859, fournit à peu près uniquement des rabbins germanophones : de 1829 à 1859, quatre-vingt-quinze des cent neuf élèves proviennent de la Moselle, du Bas-Rhin et du Haut-Rhin. L'implantation à Paris ne modifie pas vraiment la tendance : trente élèves sur quatre-vingt-dix entre 1860 et 1894 ne sont pas originaires de ces trois départements. Dispersé entre de nombreux oratoires de petite taille changeant souvent d'adresse, le culte a aussi besoin d'édifices de prestige. Le 5 mars 1822 est inaugurée la synagogue de la rue Notre-Dame-de-Nazareth.

L'intégration et l'ascension de la communauté juive se poursuivent durant tout le XIXe siècle. La Monarchie de Juillet crée une réelle égalité civile. La loi du 8 février 1831 porte que les ministres du culte israélite seront rémunérés par l'État comme ceux des cultes catholique et protestant. L'abolition du serment *more judaico* en mars 1846 a fait disparaître la dernière discrimination juridique. Sous la Deuxième République, on compte trois ministres juifs, Crémieux, Michel Goudchaux et Achille Fould, les deux derniers députés de Paris.

Sous le second Empire, deux importantes synagogues sont édifiées, rue de la Victoire et rue des Tournelles. Le judaïsme parisien prend alors une place prépondérante en France, comme en témoignent les statistiques : cinq cents juifs parisiens sur un ensemble de quarante mille en 1789, trente mille sur quatre-vingt mille en 1869. Les Parisiens sont passés de 1 % à près de 40 % du judaïsme français. La perte de l'Alsace-Lorraine après la défaite de 1870 accroît encore l'hégémonie de la capitale dont les quarante mille juifs de 1880 représentent les deux tiers de la communauté nationale. Parmi eux, les séfarades, un millier à Paris, ne représentent plus rien.

En 1881 débutent les grandes vagues d'immigration en provenance d'Europe orientale, à raison de sept mille à neuf mille par an jusqu'en 1896. Les juifs français sont submergés dans les IIIe et IVe arrondissements, les juifs étrangers passant entre 1872 et 1905 de 16 % de la population juive de ces arrondissements à plus de 61 %. Le Marais devient le Plätzl. Les progromes, les désordres multiples en Russie accentuent encore l'immigration entre 1905 et 1914.

L'antisémitisme virulent de *La Libre parole* d'Édouard Drumont, l'affaire Dreyfus contribue à développer un antisémitisme qui frappe une communauté en perte d'identité. Car, les rabbins le déplorent, la pratique religieuse décline rapidement. On va de moins en moins à la synagogue, on oublie le respect des interdits alimentaires. En 1890, on compte à peine trois mille inscrits sur les listes pour les élections consistoriales. Le choix des membres du Consistoire est sans surprise : grands notables, mécènes fortunés qui subventionnent les œuvres religieuses et sociales du rabbinat. Alphonse de Rothschild préside le Consistoire central, Gustave de Rothschild celui de Paris. Les organismes religieux militants déplorent cette indifférence des juifs à l'égard de leurs institutions ecclésiastiques. Mais, note B. Philippe, « les journalistes des *Archives israélites* et de l'*Univers israélite* négligent un facteur psychologique primordial : dans leur majorité, leurs coreligionnaires n'ont aucunement le désir de se voir représenter globalement par un organisme commun : que le Consistoire soit en charge d'un culte pratiqué "avec mollesse" leur sied, que ce Consistoire soit dirigé par des personnalités éminentes leur convient souvent ; mais, si ce dernier adoptait des positions politiques, il aurait provoqué une levée de protestations : Français de confession juive, les hommes de cette époque font confiance aux structures politiques ou à leurs propres actions pour défendre des droits qu'ils ne sentent pas menacés [1]. »

Annie Kriegel souligne que la religion juive est prise, comme les autres, dans un processus de sécularisation d'une société urbaine et industrielle : « Le groupe juif ne se trouva pas dissous, mais transformé partie par les changements qui affectèrent ses mécanismes internes, partie par son exposition à une société globale en voie d'urbanisation et d'industrialisation et dont les thèmes agressivement séculiers tournaient autour de la nation, de la démocratie et de la science [2]. »

Cette communauté à peu près uniquement composée d'ashkénazes largement détachés de la foi de leurs ancêtres reçoit de puissants renforts entre 1918 et 1939. Ce sont d'abord les Russes fuyant la terreur et la misère du régime soviétique, mais aussi les Polonais soumis à la persécution catholique, les Roumains en butte à l'hostilité des orthodoxes, quelques Lettons, Lituaniens et Hongrois. A partir de 1931 affluent les juifs allemands puis autrichiens. Entre 1880 et 1939, Michel Roblin estime l'immigration juive à Paris à cent dix mille personnes, dont quatre-vingt-dix mille de langue yiddish, s'ajoutant aux quarante mille juifs français [3]. Les juifs adhérant à l'Union culturelle du Consistoire de Paris sont une faible minorité, moins de 20 % : sept mille chefs de famille, soit environ vingt-six mille âmes. L'irréligion des juifs parisiens est attestée par les statistiques d'inhumations : alors que la population a plus que triplé, les enterrements religieux n'ont progressé que de six cent vingt en 1885 à huit cent quatre-vingt-seize en 1937.

1. B. Philippe, *Les Juifs à Paris à la Belle Époque*, p. 118-119.
2. A. Kriegel, *Les Juifs et le monde moderne*, p. 126.
3. M. Roblin, *Les Juifs de Paris*, p. 73.

L'occupation nazie et le régime de Vichy s'intéressent de près à la communauté juive et programment son extermination. Le 13 avril 1941, Xavier Vallat, commissaire aux Affaires juives de l'État français, fait savoir qu'il y a près de soixante-cinq mille familles juives dans le département de la Seine, estimation très exagérée, car les statistiques de la préfecture de police ne recensent qu'un peu moins de quatre-vingt-treize mille personnes âgées de plus de quinze ans. Cette population est composée pour les trois quarts d'étrangers et de naturalisés. Elle est concentrée dans les XIᵉ, XVIIIᵉ, XXᵉ arrondissements et, accessoirement, dans les IIIᵉ, IVᵉ, IXᵉ et Xᵉ. Dans le XIᵉ, les treize mille trois cent vingt-six juifs recensés représentent 15 % de la population totale, avec une concentration particulièrement forte dans le quartier de la Roquette. Les autres quartiers au peuplement juif particulièrement dense sont ceux de Clignancourt (XVIIIᵉ) et de Belleville (XXᵉ).

Les arrestations, les rafles, notamment celle du 16 juillet 1942, dite du Vél' d'Hiv', les déportations aboutissent à la disparition de près de la moitié des juifs parisiens.

De même que les juifs ashkénazes de langue judéo-allemande avaient submergé au XIXᵉ siècle les juifs séfarades d'origine hispano-portugaise, de même les juifs séfarades d'Afrique du Nord submergent à leur tour les ashkénazes, massacrés par les nazis. L'indépendance du Maroc et de la Tunisie en 1956, celle de l'Algérie en 1962 contraignent les juifs à abandonner l'Afrique du Nord par centaines de milliers. Une grande partie d'entre eux s'installe en France sur les bords de la Méditerranée, mais il en « monte » suffisamment à Paris pour que les séfarades y soient aujourd'hui majoritaires. Entre 1958 et 1990, les chantiers du Consistoire créent une cinquantaine de synagogues et de centres communautaires à Paris et en banlieue, le lieu de culte le plus spectaculaire étant la synagogue « Don Isaac Abravanel » de la rue de la Roquette inaugurée en 1962. La pratique religieuse, légèrement plus élevée que pour les cultes chrétiens, demeure faible : 15 % d'observants, suivant les prescriptions de la loi mosaïque, 50 % de pratiquants occasionnels lors des fêtes, circoncisions, « bar mitsvah », mariages et enterrements, 35 % d'incroyants ou de non-observants [1].

AUTRES CULTES ET SECTES

La franc-maçonnerie est la plus ancienne et la plus importante des sectes subsistant aujourd'hui en France. Se réclamant d'un idéal de liberté et de tolérance, elle apparaît sous sa forme moderne au début du XVIIIᵉ siècle en Angleterre et franchit la Manche vers 1725. La première

---

1. Selon le *Guide pratique du Paris religieux*.

loge française, dépendant de Londres et placée sous le vocable de saint Thomas Becket, est installée à Paris, rue des Boucheries, dans l'auberge à l'enseigne du Louis d'Argent. C'est le 24 juin 1738 que naît la Grande Loge de France, indépendante de l'Angleterre et présidée par le duc d'Antin. En 1743, les seize loges parisiennes choisissent comme grand maître un prince du sang, le comte de Clermont, ce qui signifie une reconnaissance de fait par le pouvoir royal après de sérieuses réticences initiales. Depuis 1737, les francs-maçons cotisent, à raison de 10 louis par an et par membre, pour l'impression de l'*Encyclopédie*. La haute origine d'un grand nombre de francs-maçons les protège des tracasseries religieuses et policières. J. Chagniot fait observer : « Le 27 novembre 1766, à une heure du matin, une escouade du guet surprit par hasard une réunion de francs-maçons chez le sieur Martin, traiteur à l'*Image Notre-Dame*, près de la cathédrale ; furieux d'être dérangés, trente-cinq "seigneurs", dont le duc de La Trémoille et le chevalier de Choiseul, firent expulser sans ménagement les intrus par leurs domestiques. Sartine apostilla ainsi le procès-verbal à l'intention du commissaire : "Vous voudrez bien dans votre rapport à mon audience de police ne pas faire mention de l'assemblée dont il est question." Dans ce genre d'affaire, seul l'aubergiste était assigné pour n'avoir pas respecté le couvre-feu [1]. »

Au début de 1771, la Grande Loge compte cent soixante-quatre loges en France, dont soixante et onze à Paris. Le 21 juin, cinq jours après la mort du comte de Clermont, la Grande Loge désigne comme grand maître, le duc de Chartres, fils aîné du duc d'Orléans. La rédaction de nouveaux statuts provoque la scission, le 26 juin 1774, de soixante-treize loges qui constituent l'obédience rivale du Grand Orient.

A l'aube de la Révolution, les loges parisiennes jouent un rôle décisif dans la propagation des idées nouvelles. Réunissant des gens riches, nobles, bourgeois, ecclésiastiques, elles préfigurent déjà la fusion des trois ordres en une seule nation. A Paris, on compte soixante-dix loges : les Neuf Sœurs, la Bienfaisance, l'Olympique, le Contrat social...

Les cafés puis les clubs vont remplacer les loges comme lieux de réunion sous la Révolution. Beaucoup de francs-maçons aristocrates doivent émigrer ou se cacher pour échapper à la guillotine. On relève soixante-dix francs-maçons parmi les guillotinés du premier trimestre 1794. Napoléon se soumet cette organisation en faisant nommer grand maître son frère Joseph, avec Cambacérès derrière lui pour assurer la direction réelle. La franc-maçonnerie est, sous l'Empire, une institution officielle à laquelle adhèrent onze maréchaux sur dix-huit et plusieurs ministres, notamment Maret, ministre d'État, Fouché, ministre de la Police et ses collègues de l'Intérieur et de la Justice, Champagny et Regnier.

---

1. J. Chagniot, *Nouvelle Histoire de Paris. Paris au XVIIIe siècle*, p. 441.

Sous la Restauration, la franc-maçonnerie poursuit ses activités sans problème : un de ses principaux membres n'est-il pas le favori de Louis XVIII, le président du Conseil des ministres en 1819, Decazes. La Monarchie de Juillet ne cache pas ses bonnes dispositions : le 10 décembre 1830, les deux organisations maçonniques rivales fêtent ensemble le « frère » La Fayette au cours d'une cérémonie présidée par Choiseul-Stainville assisté d'Alexandre de Laborde, premier aide de camp de Louis-Philippe.

La proclamation de la République en février 1848 entraîne une crise et la création d'une nouvelle obédience qui se veut ouvertement républicaine, la Grande Loge nationale de France. Ses opinions lui valent d'être interdite le 2 janvier 1851 et de provoquer une réaction de méfiance durable chez Napoléon III à l'égard de toute la franc-maçonnerie. Il impose en 1862 le maréchal Magnan comme grand maître du Grand Orient malgré l'avis négatif du Suprême Conseil. C'est alors que les organisations maçonniques évoluent vers l'opposition républicaine. Les attaques de l'Église, la condamnation par Pie IX renforcent dans leur sein les protestants et les libres-penseurs. Dans son assemblée générale du 5 juin 1865, le Grand Orient adopte des statuts qui spécifient que « la franc-maçonnerie a pour principes l'existence de Dieu, l'immortalité de l'âme et la solidarité humaine. Elle regarde la liberté de conscience comme un droit propre à chaque homme et n'exclut personne pour ses croyances[1].

Sous la Troisième République, les organisations maçonniques vont être à la pointe du combat républicain et anticlérical. Le Convent de 1877 du Grand Orient a d'ailleurs fait disparaître Dieu de l'article premier de la Constitution, désormais ainsi rédigé : « La franc-maçonnerie a pour principe la liberté absolue de conscience et la solidarité humaine[2]. »

Dès le 19 août 1940, l'État français dissout les deux grandes obédiences, puis les autres le 27 février 1941. Une ordonnance d'Alger du 15 décembre 1943 annule la décision du gouvernement de Vichy et la franc-maçonnerie peut reprendre ses activités à la Libération. Mais, dispersée à travers les partis, la franc-maçonnerie a perdu une grande partie de sa force. On compte actuellement une trentaine de milliers d'adhérents pour la France entière.

L'Église orthodoxe s'est implantée à Paris dans la seconde moitié du XIXe siècle avec l'arrivée d'immigrés et de réfugiés politiques originaires des pays de tradition orthodoxe, Russie, Roumanie, Serbie, Grèce. L'église russe Saint-Alexandre de la Néva de la rue Daru date de 1861 ; l'église roumaine des Saints-Archanges de la rue Jean-de-Beauvais, de 1889 ; l'église grecque Saint-Étienne de la rue Georges-Bizet, de 1895.

1. Cité par J.-A. Faucher et A. Richer, *Histoire de la franc-maçonnerie en France*, p. 316.
2. Cité par J.-A. Faucher, *Histoire de la Grande Loge de France (1738-1980)*, p. 68.

Cette communauté a été puissamment renforcée par l'afflux des Russes fuyant la révolution bolchevique de 1917. L'Institut de théologie orthodoxe Saint-Serge, au 92 de la rue de Crimée, date d'ailleurs de 1925. Selon le *Guide pratique du Paris religieux*, on compte aujourd'hui à Paris dix-huit paroisses de rite orthodoxe et la communauté devrait avoisiner cent mille âmes en Île-de-France.

Le bouddhisme s'est manifesté pour la première fois en France le 23 février 1891, avec la célébration d'un office religieux dans le cadre du musée Guimet à Paris. Fort peu nombreux pendant de longues années, en majorité vietnamiens, les adeptes de cette religion se sont multipliés avec l'afflux de réfugiés fuyant le communisme à partir des années 1960 : Vietnamiens, Cambodgiens, Laotiens, Chinois. Il est difficile d'estimer le nombre des pratiquants parmi eux. L'Union bouddhiste de France les évalue à six cent mille pour la France entière, dont une bonne moitié à Paris et dans sa banlieue. La Grande Pagode du bois de Vincennes, vestige de l'Exposition coloniale de 1931, est le seul lieu de culte important dans la capitale, la plupart des édifices se situant en banlieue.

L'islam est la dernière des grandes religions à avoir obtenu un lieu de culte à Paris. Un traité du 28 mai 1767 entre la France et le Maroc prévoyait la construction d'une mosquée, mais elle ne sortit pas de terre. En 1849, la Société orientale algérienne et coloniale défendit un projet de mosquée. Lors de l'Exposition universelle de 1867, *Paris Guide* regrette que « la religion de Mahomet ne possède dans Paris aucun édifice affecté aux sectateurs du Coran ». Le sultan ottoman de Constantinople, Abd-el Madjid obtint un carré réservé aux musulmans dans le cimetière du Père-Lachaise en 1856. En 1895, le Comité de l'Afrique française a réclamé une mosquée pour les musulmans de l'empire colonial, relayé en 1896 par le premier député musulman à l'Assemblée nationale, le Dr Grenier, élu du Doubs.

Le 19 août 1920, pour honorer la mémoire des cent mille musulmans du Maghreb et d'Afrique noire morts pour la France durant la Grande Guerre, l'Assemblée nationale vote un crédit de 500 000 francs pour édifier une mosquée sur un terrain d'un hectare à proximité du Jardin des Plantes. Construite dans le style hispano-mauresque et inaugurée le 15 juillet 1926 en présence du président de la République, du roi du Maroc et du bey de Tunis, cette mosquée est aussi un institut musulman. Elle demeure longtemps l'unique lieu de culte officiel, même si des oulémas algériens ouvrent des salles de prière et de conférences dans la décennie suivante. Ces « nadis » ou « cercles » sont au nombre de quatre à Paris en 1938. L'immigration massive d'Africains du Nord au lendemain de la Seconde Guerre mondiale, l'afflux de Noirs islamisés d'Afrique occidentale ex-française à partir des années 1960 ont fait aujourd'hui de l'islam la deuxième religion en France, devant le protestantisme, avec environ trois millions d'adeptes, à 90 % originaires du Maghreb. Mais la plupart des enfants de musulmans, nés en France et se nommant entre eux « beurs », ne pratiquent pas. Cette désaffection a conduit les riches pays pétroliers du Moyen-Orient à intervenir financièrement pour édifier des lieux de culte et payer des imams (docteurs en théologie) pour encadrer les musulmans de France. Cette intervention ouvertement politique de régimes ayant une conception de l'islam particulièrement bornée et intolérante pose actuellement de graves problèmes à la République, qui se veut laïque et tolérante mais ne peut accepter une intrusion agressive de la religion, notamment dans les écoles où le port du foulard islamique (*hidjab*) par des jeunes filles endoctrinées ne passe pas inaperçu. Mais l'Iran et l'Arabie saoudite poussent encore plus loin leur intervention dans l'islam de France. Profitant de l'absence de structures officielles, ces États tentent d'imposer leurs propres organisations et d'infiltrer leurs agents politico-religieux. C'est ainsi que, le 12 décembre 1986, sous leur impulsion, s'est créée une Fédération nationale des musulmans de France qui dénie toute autorité à l'imam de la grande mosquée de Paris, jugé trop tolérant. En janvier 1991, l'Arabie saoudite a financé la construction d'un Centre islamique sous son contrôle idéologique, situé à Évry. En octobre de la même année, l'argent saoudien a servi à la création d'une « université islamique » à Château-Chinon pour former des prédicateurs et des imams ayant de leur religion une conception particulièrement étroite et intolérante. Le *Guide pratique du Paris religieux*, publié en janvier 1994, mentionne vingt-deux lieux de prière à Paris, mais en 1983, la police en avait dénombré plus de cinquante et il est probable que leur nombre doit atteindre la centaine. Centres de propagande politique contre les pays arabes « modernistes », comme l'Algérie, la Tunisie, l'Égypte ou la Syrie, avec souvent des prédicateurs entrés illégalement en France, les lieux de prière de l'islam sont en majeure partie clandestins ou semi-clandestins.

Il ne saurait être question de finir ce chapitre sans évoquer les sectes qui prolifèrent depuis une vingtaine d'années, mais il est impossible de les énumérer, de les localiser précisément et de connaître le nombre de leurs adeptes. Dans un rapport publié le 9 avril 1985, le député Alain Vivien en a recensé cent seize comptabilisant cent mille adeptes dans toute la France, ainsi que plus de deux cents autres « organisations à prétention religieuse ou philosophique » exerçant une influence sur un demi-million de personnes.

CHAPITRE IV

L'éducation

L'UNIVERSITÉ RELIGIEUSE (JUSQU'EN 1792)

• *Les origines*

Dès ses origines, Paris a pratiqué l'éducation des enfants et des adolescents qui peuplaient la ville. L'Église a pris le relais du paganisme antique et le contrôle de l'enseignement a été très tôt exercé par le chapitre de Notre-Dame : seul le chancelier du chapitre pouvait décerner la *licentia docendi*, l'autorisation d'enseigner. Mais l'enseignement parisien n'a longtemps qu'une faible réputation et subit l'influence des prestigieuses écoles cathédrales de Chartres puis de Laon. C'est la théologie d'Anselme de Laon qui est professée dans les écoles parisiennes. Elles ne manquent pourtant pas de maîtres de talent : Guillaume de Champeaux, un élève d'Anselme, écolâtre ou maître de l'école du chapitre entre 1103 et 1108, qui fonde l'abbaye de Saint-Victor, et Abélard, qui professe des idées à la limite de l'hérésie et qui, après avoir enseigné sur la montagne Sainte-Geneviève, doit se replier sur Melun puis Corbeil. Il y avait déjà un enseignement privé, connu grâce au *Metalogicus* de Jean de Salisbury, écrit vers 1160. Ainsi Manegold de Lauterbach, dit *Cornificius*, et Adam du Petit-Pont, sans doute installé dans une maison sur ce pont, peuvent être considérés comme des précurseurs des écoles de la montagne Sainte-Geneviève.

Vers 1150, l'école du cloître Notre-Dame parvient enfin à la célébrité grâce à l'Italien Pierre Lombard dont la carrière culmine en 1159 avec son élection comme évêque de Paris. Il meurt un an plus tard et un autre maître parisien prestigieux lui succède à l'évêché, Maurice de Sully. Également professeur à l'école capitulaire, Pierre le Mangeur, « dévoreur de livres », peut-être d'origine lombarde, est élu chancelier du chapitre en 1164. A la même époque enseigne aussi Pierre le Chantre, qui doit son nom à sa fonction à Notre-Dame [1].

Mais l'école de Notre-Dame, établie dans la Cité à l'ombre de la cathédrale, subit déjà la concurrence des établissements de la rive gauche. Si Saint-Germain-des-Prés et Saint-Marcel ne prodiguent aucun enseignement connu, deux autres abbayes jouent un rôle éminent. Sainte-Geneviève, installée au sommet de la montagne du même nom

---

1. Voir J. Boussard, *Nouvelle Histoire de Paris. De la fin du siège de 885-886 à la mort de Philippe Auguste*, p. 197-224, et J. Longère et F. Autrand, « Le Moyen Âge », dans *Le Diocèse de Paris*, I, p. 141-151.

qu'elle possède en presque totalité, bénéficie d'une exemption pontificale qui lui permet d'échapper à l'autorité de l'évêque et laisse libéralement s'établir sur son territoire les maîtres qui désirent échapper à la tutelle du chapitre épiscopal. Abélard a été un des premiers à en bénéficier. Son élève Robert de Melun lui a succédé, puis le disciple de ce dernier, Jean de Salisbury ainsi que Gautier de Mortagne. Fondateur en 1113 de l'abbaye de Saint-Victor, Guillaume de Champeaux a installé le nouveau couvent près du fleuve, immédiatement en amont de l'île de la Cité. Il y dispense un enseignement très apprécié que prolongent ses élèves, Hugues de Saint-Victor et ses disciples, Achard, Adam, André, Gautier, Geoffroy, Richard et, à l'aube du XIIIe siècle, Thomas *Gallus*. D'origine flamande, Hugues de Saint-Victor obtient en 1133 la charge de prieur de l'abbaye et la direction d'un enseignement qui déborde largement la théologie et la philosophie pour toucher aux sciences et aux arts. Les origines diverses et la carrière brillante des élèves de Hugues de Saint-Victor traduisent le succès et la qualité de ses cours : Achard de Saint-Victor est normand, André anglais, Richard écossais ou irlandais et on dénombre parmi les anciens étudiants cinquante-quatre abbés, six évêques et sept cardinaux. Le prestige intellectuel et la réputation morale de Saint-Victor font que c'est à cette abbaye qu'est confiée en 1148 la réforme de Sainte-Geneviève. Elle est conduite avec un succès tel que, dès 1176, le couvent de la montagne éclipse Saint-Victor, grâce notamment à l'abbé Étienne de Tournai.

Cet essor de l'enseignement hors de la Cité entraîne le lotissement et la construction des pentes de la montagne jusqu'alors désertes. Une population studieuse mais turbulente d'écoliers et de maître s'y rassemble. Avant que naissent les collèges, les cours avaient lieu dans des écuries ou des granges. Les élèves s'asseyaient sur des tas de branchages ou de foin, d'où le nom de rue du Fouarre («de la paille») donné à la rue le long de laquelle s'échelonnaient ces primitives écoles. Querelleurs et ripailleurs, volontiers ivrognes, les écoliers commettaient mille excès, suscitant la réprobation et l'hostilité de la population. C'est d'ailleurs à la suite d'une rixe dans une taverne au cours de laquelle cinq personnes avaient trouvé la mort, dont l'évêque de Liège, que Philippe Auguste définit en 1200 le statut juridique des étudiants.

• *Naissance de l'Université (1170-1223)*

« Si une université des maîtres est attestée depuis 1170, ce ne fut pas avant les premières années du XIIIe siècle que cette société prit la forme d'une corporation légale et obtint la reconnaissance des autorités civiles et ecclésiastiques. Quatre étapes étaient nécessaires pour donner à de simples assemblées coutumières de maîtres, pour l'initiation de nouveaux membres, le caractère d'une corporation organisée et légale : la rédaction des coutumes sous forme de statuts écrits ; la reconnaissance ou l'exercice du droit d'être considérés comme une corporation véritable ; la nomination d'officiers permanents ; l'usage d'un sceau commun. Or un seul document nous fournit la preuve de l'existence d'une gilde de maîtres à Paris, avant le commencement du XIIIe siècle. Dans la vie de Jean de Celle, abbé de Saint-Albans, par son disciple Mathieu de Paris, il est indiqué que Jean était un jeune homme, étudiant à Paris, et admis dans la confrérie des "maîtres élus". Cet abbé étant mort, âgé, en 1214, doit donc être devenu maître vers 1170 ou 1175. On peut donc admettre que vers cette date, la société des maîtres avait une existence. Cependant, Jean de Salisbury, dont l'œuvre est pleine de souvenirs sur sa vie d'étudiant à Paris, ne nous en parle pas. Nous sommes donc forcés de placer le début de l'Université, au plus tôt, au milieu du siècle, vers les années 1150-1170. Dans la deuxième moitié du XIIe siècle, nous rencontrons un nombre croissant de documents dans lesquels les écoliers sont traités comme une classe distincte et privilégiée. En Europe du Nord, on se fonde sur d'autres critères qu'en Italie. En France, tous les étudiants et maîtres des écoles ecclésiastiques étaient présumés clercs et jouissaient des immunités des clercs, comme par exemple du privilège de n'être jugés que dans les cours ecclésiastiques. Louis VII, dit-on, accorda un autre privilège remarquable aux maîtres en les autorisant à suspendre leurs cours, en manière de protestation, si l'un d'eux ou un écolier subissait un outrage, afin de contraindre les autorités à réparer le tort causé. Encore cela n'implique-t-il pas la reconnaissance d'un corps universitaire.

« Cependant, l'ensemble des maîtres et des écoliers ne formait pas encore une Université. Guillaume Le Breton affirme que Louis VII avait donné des privilèges, mais le texte ne nous est pas parvenu et il faut attendre ceux de Philippe Auguste [1]. » En 1200, un acte de ce roi ordonne, en effet, que les écoliers délinquants relèveront uniquement de la justice ecclésiastique et non du prévôt et du Châtelet de Paris. Cette reconnaissance du corps des étudiants concorde avec les décisions du pape Célestin III qui, en 1191-1198, a étendu à tous les clercs habitant Paris le privilège du for ecclésiastique.

C'est vers 1200 que se met définitivement en place l'Université. Elle est formée dès l'origine des quatre facultés de théologie, de décret ou de droit canon, de médecine et des arts ou des lettres, la plus nombreuse, avec un enseignement des arts libéraux qui se décompose en *trivium* (grammaire, rhétorique, dialectique) et *quadrivium* (arithmétique, géométrie, musique, astronomie) qui mènent au baccalauréat puis à la maîtrise qui permet d'enseigner.

Les études débutent vers l'âge de quatorze ans et durent six ans. Leurs études terminées à la faculté des arts vers l'âge de vingt ans, les écoliers

---

1. J. Boussard, *Nouvelle Histoire de Paris. De la fin du siège de 885-886 à la mort de Philippe Auguste*, p. 335-336.

passent à l'étude du droit canon ou de la médecine, ce qui les amène au doctorat. Couronnement de l'édifice universitaire, la théologie exige une quinzaine d'années d'études. Selon la constitution de Robert de Courson, un maître en théologie doit être âgé d'au moins trente-cinq ans et avoir étudié les questions religieuses durant un minimum de dix années. Les facultés avec leurs chefs ou procureurs commencent à être mentionnées vers 1219.

Peu après, vers 1222, parmi les étudiants de la faculté des arts, apparaît une division en nations. Il y en a quatre : France, Picardie, Normandie, Angleterre. Ces nations constituent à la fois des associations amicales, des corporations et des confréries et possèdent chacune un procureur pour les représenter. Cette division correspond au recrutement de l'Université : France pour l'Île-de-France, Picardie et Normandie, ces trois provinces possédant des dialectes alors fortement différenciés. Quant à l'Angleterre, ses relations avec la France sont fort étroites à cette époque. Ces quatre nations se subdivisent en provinces et en tribus pour accueillir les étudiants originaires d'autres régions, qui sont en nombre important. A Orléans, par exemple, où une faculté de droit civil a été créée pour compenser l'interdiction de l'enseignement de cette matière à Paris par le pape Honorius III en 1219, on compte dix nations : France, Picardie, Normandie, Champagne, Touraine, Lorraine, Bourgogne, Aquitaine, Écosse, Allemagne. Au retour de Charles VII à Paris, en 1436, la nation ennemie d'Angleterre devient la nation d'Allemagne divisée en deux provinces des Continents et des Insulaires, comptant chacune trois tribus : Allemagne, Hollande et Danemark ; Angleterre, Écosse et Hibernie.

C'est de 1215 que date l'acte de naissance certain de l'Université (*Universitas magistrorum et scolarium Parisiensium*) avec les statuts que lui donne le légat du pape, Robert de Courson, mais des statuts antérieurs semblent avoir existé, qu'évoque l'évêque de Paris en 1208-1209. Ce résultat est atteint au terme d'un processus complexe d'émancipation[1]. Ayant obtenu dès 1200, on l'a déjà vu, sa reconnaissance du pouvoir laïque, et du pape le droit d'élire un procureur pour la représenter vers 1211, l'Université s'efforce ensuite de s'affranchir de la tutelle du chancelier et de l'évêque. Le chancelier délivre l'autorisation d'enseigner en principe gratuitement, en application des décisions du concile de Latran de 1179, mais exige en pratique de l'argent des maîtres désirant professer. En outre, depuis 1208, le légat du pape lui a confié la juridiction ordinaire sur les maîtres et les écoliers qu'il peut excommunier, arrêter, incarcérer dans sa prison et juger. Vers 1211, l'Université a déposé plainte devant le pape contre cette vente illicite des diplômes qui pousse les maîtres à fuir l'île de la Cité et à s'établir sur la montagne sous la juri-

---

1. Voir J. Verger, «Des écoles à l'Université : la mutation institutionnelle», dans *La France de Philippe Auguste. Le temps des mutations*, p. 817-846.

diction de l'abbé de Sainte-Geneviève. Dès 1212, elle obtient gain de cause et le chancelier est mis en demeure de respecter la jurisprudence de l'Église. En 1213, un arbitrage de Robert de Courson définit les conditions de délivrance de l'autorisation d'enseigner (*licentia docendi*) : le chancelier peut conférer la licence et, s'il la refuse, le candidat peut l'obtenir après avis favorable des maîtres de la faculté où il désire enseigner. En 1218-1219, Honorius III va plus loin, ajoutant que les écoliers jugés dignes d'obtenir la licence par leurs maîtres peuvent la recevoir contre l'avis du chancelier. Celui-ci a donc perdu l'essentiel de ses pouvoirs sur l'Université et sa juridiction est sérieusement amoindrie en 1219 lorsque le même pape lui interdit ainsi qu'à l'évêque d'excommunier maîtres et élèves. En 1222, il ordonne même la destruction de la prison du chancelier.

• *L'Université et les ordres mendiants (1223-1270)*

En 1223, l'Université s'est largement émancipée de la tutelle du chancelier et de l'évêque, mais déjà apparaissent les limites de son développement et de son autonomie. Elle n'a pas réussi à obtenir le monopole de l'enseignement : les écoles en déclin de Saint-Victor et de Sainte-Geneviève semblent avoir conservé leur indépendance et, surtout, l'école de Notre-Dame, dans la Cité, reste sous l'autorité exclusive de l'évêché. Le compromis élaboré par Grégoire IX en 1238 révèle ce partage du pouvoir : les maîtres des facultés de théologie et de décret reçoivent leur licence du chancelier de Notre-Dame qui demeure en titre le « chancelier de Paris », le chancelier de Sainte-Geneviève délivrant la licence des arts. Quant au recteur, qui représente l'Université depuis 1211, il n'est plus que le chef de la faculté des arts élu par les procureurs des quatre nations. En sollicitant l'appui de la papauté, l'Université s'est, par avance, soumise aux décisions de Rome. D'abord favorable, Honorius III se raidit devant les prétentions universitaires : en 1219, il interdit l'enseignement du droit civil qui risquerait de détourner les futurs théologiens vers les carrières lucratives de la magistrature et du barreau ; en 1220, il exige qu'on fasse bon accueil aux ordres prêcheurs ; en 1225, il fait briser le sceau que l'Université s'était attribué en 1221. La destruction de ce sceau provoque une émeute : étudiants et maîtres prennent d'assaut la demeure du légat romain de Saint-Ange qui ne doit la vie qu'à la protection des sergents du roi et fuit Paris non sans avoir excommunié les fauteurs de troubles qui devront faire amende honorable [1].

Les ordres mendiants nouvellement créés, franciscains et dominicains, pratiquant la pauvreté évangélique et la prédication, connaissent entre

---

1. Voir R. Cazelles, *Nouvelle Histoire de Paris. De la fin du règne de Philippe Auguste à la mort de Charles V (1223-1380)*, p. 245-247 et J. Verger, « Des écoles à l'Université : la mutation institutionnelle », dans *La France de Philippe Auguste. Le temps des mutations*, p. 830-833.

1220 et 1250 un extraordinaire succès dans toute la chrétienté occidentale. Installés à Paris vers 1217-1218, invités d'emblée à prendre part à l'enseignement universitaire, ils conquièrent dès 1229 une chaire de théologie avec Roland de Crémone. Ils en ont trois sur huit en 1231 avec l'entrée chez les dominicains de Jean de Saint-Gilles et celle d'Alexandre de Halès chez les franciscains.

Invoquant leur vœu d'obéissance, ils refusent de s'associer à la grande grève de l'Université de 1229 à 1231 qu'a provoquée une rixe sanglante entre étudiants et sergents du prévôt du roi. Briseurs de grève, les mendiants gâchent aussi le métier de maître en ne demandant pas d'honoraires, s'appuyant sur la doctrine de l'Église en faveur de la gratuité de l'enseignement. Cela ne leur coûte guère puisqu'ils sont logés, nourris et blanchis aux frais des couvents qui les hébergent. Mais les maîtres séculiers, chapelains comme Robert de Sorbon, chanoines, archidiacres ou recteurs, jouissent de revenus souvent médiocres que la générosité des fidèles en faveur des mendiants amenuise encore. Aussi les quelques profits qu'ils tirent de leur chaire leur sont-ils indispensables. Partiellement évincés dans les domaines religieux aussi bien qu'universitaires par les mendiants, les maîtres séculiers supportent de plus en plus mal cette concurrence qu'ils peuvent, à juste titre, estimer déloyale. Lorsque les cisterciens en 1244, les prémontrés en 1252, ouvrent leurs propres collèges à l'imitation des dominicains et des franciscains, les séculiers redoutent de se voir évincés de l'Université et font adopter en 1252 un statut limitant le nombre des chaires à une par couvent, ce qui vise directement les dominicains détenteurs de deux chaires.

La crise éclate en 1253, après une rixe entre écoliers et sergents du prévôt qui fait un mort. Les trois maîtres mendiants refusent de s'associer à la grève qui la suit et de prêter serment au nouveau statut. Ils sont exclus de l'Université et les maîtres séculiers écrivent en 1254 aux évêques une lettre collective accusant les réguliers « de profiter du système universitaire sans en accepter les contraintes et d'attirer les étudiants par l'absence d'honoraires [1] ». Soutenu par saint Louis, Alexandre IV ordonne la réintégration des mendiants, puis, sur le refus de l'Université, l'excommunie. Sous la conduite de Guillaume de Saint-Amour, celle-ci engage alors une violente polémique. Convoqués à Rome, les maîtres séculiers sont contraints à la soumission et doivent accepter en 1256-1257 deux nouveaux maîtres mendiants, les futurs saints Thomas d'Aquin et Bonaventure. La querelle se prolonge jusqu'en 1270, puis renaît épisodiquement jusqu'à la fin du Moyen Âge et trouve une répercussion littéraire chez Rutebeuf et dans le *Roman de la Rose* [2].

---

1. J. Longère et F. Autrand, « Le Moyen Âge », dans *Le Diocèse de Paris*, I, p. 148.
2. Voir M.-M. Dufeil, « Le roi Louis dans la querelle des mendiants et des séculiers (Université de Paris, 1254-1270) », dans *Septième Centenaire de la mort de saint Louis*, p. 281-289.

En effet, écrit, à propos du xvᵉ siècle, Jean Favier, si « la rivalité des mendiants et des séculiers ne perturbe directement que les facultés des arts et de théologie, par solidarité corporative, les canonistes et les médecins partagent souvent ces querelles, car il s'agit bien de la lutte commune des maîtres contre ceux qui constituent toujours, après deux siècles, un corps étranger dans l'Université. Il est visible que les mendiants portent la robe de leur ordre, non les insignes vestimentaires de leur faculté et de leur grade. Ils ont, ce qui est plus grave, leurs propres locaux d'enseignement : les Jacobins, les Cordeliers, les Carmes et les Augustins — quand ce ne sont pas des couvents non parisiens — où se dispense, à l'intention des étudiants de chaque ordre, désignés par leurs supérieurs, un enseignement particulier sur des programmes souvent distincts de ceux qui sont proposés au commun des étudiants, rue du Fouarre, en Sorbonne ou "en Navarre". De surcroît, s'ils reçoivent les grades communs, la scolarité qu'on leur impose pour y parvenir est sensiblement différente : allégeant certaines obligations pour tenir compte d'une formation certainement plus intensive que celle des séculiers, le *cursus* propre aux mendiants apparaît à certains égards comme une série de faveurs qui permet aux théologiens de gagner quatre ou cinq années sur les treize d'une scolarité normale. Au terme de leur études, les frères sont souvent reçus dans les grades universitaires par leurs propres supérieurs, grâce à la faveur pontificale : nombreuses sont les lettres par lesquelles les papes donnent pouvoir aux maîtres généraux — dominicains et franciscains surtout — de conférer les grades au cours de leurs chapitres. Les séculiers peuvent bien ironiser sur ces "licences par bulles" et clamer qu'il s'agit de licences au rabais, suivant des études insuffisantes, tout le monde n'est pas convaincu.

Membres de l'Université, mais vivant et travaillant pour l'essentiel hors de celle-ci, les frères ne sont pas seulement rivaux des séculiers pour étudier et pour enseigner. Ils font une redoutable concurrence à tous les clercs qui entendent recueillir le fruit le plus normal de leurs études, c'est-à-dire vivre de bénéfices ecclésiastiques. Ils se mêlent de prêcher hors de leurs couvents, de confesser, d'imposer des pénitences et, naturellement, d'orienter vers les troncs disposés dans leurs églises la générosité des fidèles. Pour lutter contre les mendiants, les maîtres séculiers de l'Université peuvent donc compter sur la solidarité de leurs anciens camarades ou élèves, et sur celle du clergé diocésain [1]. »

• *Face au pouvoir royal et au Grand Schisme (1270-1436)*

Le problème des mendiants provisoirement réglé en 1270, l'agitation se prolonge sous diverses formes jusqu'en 1275, notamment à cause des thèses averroïstes de Siger de Brabant, condamnées par l'évêque. En

---

1. J. Favier, *Nouvelle Histoire de Paris. Paris au xvᵉ siècle*, p. 199-200.

1272, les deux clans s'affrontent à l'occasion des élections et chacun désigne son propre recteur. Pour mettre fin à cette division, il faut l'intervention du légat pontifical qui choisit Pierre d'Auvergne. Celui-ci tente de rétablir l'ordre dans l'Université en remettant en vigueur des règlements tombés en désuétude, notamment l'interdiction des manifestations étudiantes et des fêtes en plein air, menaçant d'excommunication tout étudiant dont le comportement ou la tenue serait incompatible avec sa condition de clerc.

En effet, la malhonnêteté, l'insolence et la violence caractérisent l'attitude d'une bonne partie de la population étudiante. Les fils des riches bourgeois de Paris se croient tout permis et les écoliers pauvres s'adonnent à mille trafics et larcins pour assurer leur pitance. Il ne s'écoule pas d'année sans incident grave. On ne peut qu'évoquer les plus importants.

Vers 1215, à la suite d'une rixe au cours de laquelle les habitants du bourg Saint-Germain avaient tué un écolier, l'Université avait obtenu la jouissance du Pré-aux-Clercs où venait s'ébattre la jeunesse du Quartier latin. Pour s'y rendre, elle passait à proximité de l'abbaye de Saint-Germain-des-Prés. «En 1278, une nouvelle querelle survint entre l'Université et l'abbaye. Les moines avaient construit une tourelle sur le chemin que les étudiants empruntaient pour aller au Pré. Un bachelier ès arts, Gérard de Dôle, et un certain Jordan, fils de Pierre le Scelleur, avaient été tués au cours d'une manifestation dirigée contre les moines. Les étudiants revinrent en force, pénétrèrent dans la chambre du pitancier de l'abbaye et dans le jardin de l'aumônier et troublèrent la foire Saint-Germain. Le roi Philippe le Hardi prit parti, bien que les torts aient semblé partagés, contre l'abbaye et condamna les religieux. Le légat pontifical, Simon de Brion, fit de même et l'abbé Gérard de Moret dut donner sa démission.

«Durant le règne de Philippe le Bel, des étudiants, fils de bourgeois de Paris parmi les plus huppés, s'étaient comportés avec beaucoup de légèreté, s'attaquant aux femmes et aux nonnes. Ils furent pris, condamnés et pendus au gibet. La popularité du prévôt n'en grandit pas auprès de la population parisienne et on l'accusa, peu après, d'avoir fait mourir à tort un autre clerc de l'Université. Il s'agissait d'un étudiant originaire de Rouen, Philippe le Barbier, qui était accusé d'avoir assassiné un Lombard. Sans lui faire procès, le prévôt Pierre le Jumeau le fit pendre. L'Université protesta et obtint l'excommunication de Pierre le Jumeau pendant que l'official de Paris organisait une procession de tous les curés, suivis de leurs paroissiens, qui se termina en manifestation sous les fenêtres de l'hôtel qu'habitait le prévôt de Paris. Philippe le Barbier fut déposé du gibet et enterré dans la chapelle des dominicains. L'Université exigea que le prévôt accompagnât le cortège en reconnaissant à haute voix son forfait. Philippe le Bel fonda deux chapellenies en réparation du crime de son prévôt à qui il conserva cependant une partie de sa confiance puisqu'il le nomma dans la suite bailli de la ville de Lille.

« Les querelles entre les clercs de l'Université et le pouvoir royal ne s'apaisèrent jamais totalement. Périodiquement, les maîtres de l'Université obtinrent la restitution au juge ecclésiastique d'étudiants internés pour quelque délit. Il était, au surplus, facile aux larrons de se prétendre clercs, mais, s'ils ne portaient pas l'habit ou la tonsure, ils pouvaient demeurer entre les mains des sergents du prévôt. Ces querelles prirent un aspect plus sévère durant les années où Hugues Aubriot, Bourguignon autoritaire, eut la charge de la prévôté, sous Charles V. Si l'on en croit certains auteurs, Aubriot détestait les universitaires et tenait en main ferme le peuple des écoles. On n'osait trop protester car il avait la confiance du roi et on redoutait sa férule.

« Ce ne fut qu'aux obsèques de ce souverain qui l'avait protégé que le conflit entre le prévôt et l'Université prit un tour grave. La raison en fut la préséances aux obsèques. Déjà, lors de l'enterrement de Philippe VI, les maîtres de l'Université avaient disputé aux chanoines de Notre-Dame et de la Sainte-Chapelle le privilège de se trouver "au plus près du corps du roi". Le 24 décembre 1380, aux funérailles du petit-fils de ce Philippe de Valois, la querelle prit une tournure très violente. Le duc d'Anjou voulut la faire cesser et Hugues Aubriot qui, en sa qualité de prévôt de Paris, marchait au milieu de la chaussée pour assurer le bon ordre du cortège, lança ses sergents contre les universitaires. Plusieurs étudiants furent blessés avant d'avoir eu le temps de s'enfuir. Trente-six clercs furent emprisonnés et il est possible que la bagarre ait continué le lendemain, lorsque le cortège funèbre gagna Saint-Denis. Cette affaire de 1380 joua un rôle important dans la destitution d'Aubriot et dans le procès qui lui fut fait au début du règne de Charles VI.

« La situation du prévôt de Paris en face de l'Université était difficile car, d'une part, il devait empêcher la turbulence des écoliers de mettre le désordre dans Paris, sans pouvoir les prendre ou les juger, et, de l'autre, il était le protecteur des intérêts de cette Université, et cela dans tout le royaume. Il est dit officiellement le "conservateur et gardien" des privilèges de l'Université. Si un écolier parisien a des difficultés avec des juges ou des sergents en dehors de la vicomté de Paris, il appartient au prévôt d'intervenir en sa faveur. Cette fonction prévôtale se précise dans la première moitié du XIVe siècle [1]. »

Jusqu'à la fin du Moyen Âge, les conflits entre pouvoir séculier et étudiants sont innombrables. Meurtrier et voleur, François Villon n'échappe au gibet que grâce à sa tonsure, à sa condition de clerc. Jean Favier rappelle les multiples sortes d'abus et de trafics qui se commet-

---

1. R. Cazelles, *Nouvelle Histoire de Paris. De la fin du règne de Philippe Auguste à la mort de Charles V (1223-1380)*, p. 351-353.

taient sous le couvert du statut d'étudiant : «Quant aux conflits individuels, fort nombreux, ils se limitaient généralement à des procès dont
l'effet premier était d'accroître la compétence du Parlement dans les
affaires universitaires. Mais cette exemption sans cesse confirmée et sans
cesse battue en brèche contribuait à déconsidérer ceux qui en abusaient.
On riait de ces étudiants septuagénaires que tout le monde savait taverniers ou marchands, mais les marchands riaient sans doute moins de cet
étudiant en décret, authentique prêtre et bénéficier, qui usait de sa fran-
chise pour exporter et faire vendre en Normandie, à des conditions plus
avantageuses qu'eux, dix-huit queues de vin des vignes de son bénéfice,
soit plus de sept hectolitres. Quant à cet étudiant qui mettait sur le
marché le produit des vignes que son père lui avait données pour assurer
son entretien, en fait pour esquiver le fisc, il ne faisait sans doute guère
rire les marchands qui devaient compter avec ce genre de concurrence.

«Le privilège de juridiction des universitaires ne laissait pas indifférents ceux qu'il privait de profits ou qu'il amputait de certaines
prérogatives. Justiciables du Châtelet pour leurs affaires civiles, les
écoliers l'étaient de l'official pour les crimes et délits, du recteur pour
leurs différends universitaires et, pour les affaires bénéficiales, d'un
"vice-gérant" des conservateurs des privilèges apostoliques, lesquels
étaient trois évêques désignés par le pape. Cette division des compétences, jointe à la difficulté de savoir qui était clerc et qui ne l'était pas,
créait de constants imbroglios. Le recteur allait périodiquement au
Châtelet réclamer, pour le faire juger par l'official, un écolier indûment
arrêté sur ordre du prévôt. Si le prévôt refusait, c'était la grève. Ainsi lorsqu'en 1407 Guillaume de Tignonville fit pendre deux clercs homicides :
il dut faire publiquement amende honorable et restitua au recteur les
corps des suppliciés au cours d'une macabre cérémonie où force lui fut
de donner un baiser aux cadavres. De même en 1453 une longue grève
suivit-elle la mort d'un écolier tué par les sergents du Châtelet. Parfois le
roi s'en mêlait et tranchait le litige, à moins qu'il n'envoyât l'affaire
devant le Parlement. L'Université croyait gagner à chaque fois qu'elle
humiliait le prévôt ; elle donnait surtout au Parlement autant d'occasions
d'affirmer sa juridiction [1]. »

Mais l'Université avait aussi d'autres soucis que de protéger ses privilèges et des étudiants indélicats voire assassins. Le Grand Schisme de
1378, l'opposition d'un pape italien installé à Rome, Urbain VI, et d'un
pape français établi à Avignon, Clément VII, la trouble profondément [2].
Le roi de France ayant reconnu Clément VII, quelques maîtres se récla-
mèrent de lui en 1379, mais la nation anglaise refusait l'obédience
d'Avignon et la nation picarde réservait sa décision. Sous la pression de

1. J. Favier, *Nouvelle Histoire de Paris. Paris au XVe siècle*, p. 206-209.
2. *Ibid.*, p. 210-220.

l'entourage royal, l'Université finit par reconnaître Clément VII, le 26 février 1383. Les conséquences sont graves et immédiates : Allemands, Anglais, Flamands, Hollandais, Aragonais, Catalans quittent en masse Paris. L'Université perd son caractère universaliste et n'est plus qu'une université clémentiste, isolée du reste de la chrétienté. Afin de recréer l'unité, elle cherche diverses solutions. Écartant la voie du concile, elle se prononce pour celle de la « cession », de l'abdication simultanée des deux papes, qui est votée officiellement le 2 février 1395, lors de la réunion à Paris de cent neuf évêques, abbés et docteurs en théologie. Boniface IX et Benoît XIII ayant refusé de se démettre, l'Université se laisse imposer la solution des princes qui gouvernent au nom de Charles VI : au cours d'un synode réuni à Paris du 29 mai au 8 août 1398, elle vote par 247 voix sur 300 la soustraction d'obédience à Benoît XIII. L'entêtement du pape triomphe : au printemps 1402, le roi ordonne la restitution d'obédience. Le 4 janvier 1407, en raison des excès de ce pape, un nouveau synode vote une soustraction partielle d'obédience, limitée aux affaires temporelles, aux bénéfices et à la fiscalité, qui donnera naissance au gallicanisme. Il faut attendre le concile de Constance (1414-1417) pour que s'ébauche la réunification de l'Église. Au nombre de deux cents en moyenne, de quatre cents à certains moments, les théologiens parisiens y ont joué un rôle capital.

L'Université se montre prudente lors des grandes crises intérieures du pouvoir civil durant les XIVe et XVe siècles. Elle se montre circonspecte durant la captivité de Jean le Bon et la révolte d'Étienne Marcel, évitant de s'engager nettement. Elle louvoie et adopte des positions opportu-nistes entre 1405 et 1418, lors de la guerre civile entre Armagnacs et Bourguignons, puis finit par basculer dans le camp de ces derniers. Jean Favier remarque : « Le 29 mai 1418, Paris redevenait bourguignon et l'Université ne pouvait éviter un nouveau reniement, qui ne la sauva, ni en juin ni en août, des pillages et des massacres. Benoît Gencien fut parmi les victimes. De nombreux collèges, comme celui de Navarre, furent mis à sac. Les cours furent interrompus pendant de longs mois : d'octobre à janvier en médecine.

« Dès le 9 août, les maîtres s'étaient réunis aux Mathurins pour adopter une attitude conforme à la nouvelle situation. Ils désavouèrent tout ce qui avait été fait "en leur nom" contre le duc de Bourgogne. Pour se justifier, ils osèrent dire que l'Université avait été "dépeuplée et presque vide" dans les années précédentes, et qu'il n'était alors resté dans Paris "aucune personne de valeur". Nul ne pouvait être dupe. Pour compléter le retournement, on fit, le 3 novembre, une grande procession, suivie d'un sermon, et l'on révoqua les sentences portées contre le duc de Bourgogne et contre les propositions de Jean Petit.

« Si l'Université voulait jouer un rôle, il lui fallait surenchérir dans la soumission à ses nouveaux maîtres. C'est ainsi qu'elle s'entremit entre le roi et le pape, écrivant, en août 1418, à Martin V pour lui demander de venir résider en France et d'y procurer la paix. Elle exhorta la duchesse de Bourgogne à venger son mari assassiné. Elle pria le nouveau duc, Philippe, de venir à Paris. Elle continua de se mêler de tout : à deux reprises, en septembre 1418 et janvier 1419, elle intervint auprès du roi pour qu'une armée de secours fût envoyée à Rouen. A l'invitation de Charles VI, sept maîtres — dont Pierre Cauchon — assistèrent à la conférence de Troyes en mars 1420, et c'est en corps que tous jurèrent, en même temps que la municipalité parisienne, d'observer le traité qui livrait la France à Henri V : le recteur et les maîtres jurèrent le 30 mai dans la Chambre du Parlement, les étudiants des facultés supérieures le 3 juin aux Mathurins, et les nations des arts le 4 à Saint-Julien-le-Pauvre.

« Bourguignonne par opportunisme après l'avoir été timidement par conviction, l'Université n'était pas pour autant devenue anglaise. Quelques rares étudiants, voire quelques maîtres, venus d'Angleterre, ne suffirent pas même à déterminer un renversement au sein de la nation allemande, où figuraient tous les étrangers et qui ne se souvint de son ancien nom — officiellement inchangé — de "nation anglaise" que dans sa correspondance avec Bedford. Pour l'essentiel, on l'a vu, le recrutement universitaire se limita à la France du Nord et à l'État bourguignon.

« De bonnes relations avec le régent assurèrent cependant un certain lustre : lorsque, le 22 juin 1428, la faculté de décret reçut quatre nouveaux docteurs, parmi lesquels deux Anglais, Bedford vint assister à la cérémonie et c'est au Palais qu'eut lieu le traditionnel banquet. En revanche, l'Université rivalisait avec le Parlement dans la flagornerie. On félicitait Bedford, Jean V et Richemont de leur alliance et l'on notifiait le traité d'Amiens aux bonnes villes (avril 1423), on adressait de vifs reproches au duc de Gloucester dont l'expédition contre le Hainaut violait le traité de Troyes, on défendait les droits du roi "enfanchonnet" et l'on criait bien haut en 1430 la gratitude universitaire envers un roi qui allait enfin visiter son royaume. Grâce à quoi l'Université, qui bénéficiait encore du prestige récolté à Constance et qui, faute de grands maîtres, s'enorgueillissait quand même de maîtres célèbres comme Jean Beaupère, Nicolas Midy ou Raoul Roussel, connut de 1420 à 1429 d'assez belles années.

« Rien d'étonnant, alors, à ce que Pierre Cauchon, choisi pour juger Jeanne d'Arc parce qu'elle avait été prise dans son diocèse de Beauvais, fît appel en février 1431 à de nombreux maîtres parisiens pour constituer le tribunal, ni à ce que celui-ci en référât à l'Université de Paris pour l'examen des douze articles auxquels, avec l'esprit systématique de toutes les procédures médiévales, on réduisit le comportement et les dires de Jeanne. Saisies le 29 avril par la congrégation générale que présidait le recteur, le Hollandais Pierre de Gouda, les facultés de théologie et de décret rapportèrent leur avis le 14 mai : sur tous les points, Jeanne était déclarée coupable. L'Université approuva et fit savoir à Cauchon que l'on espérait une justice rapide.

Pouvait-il en être autrement? S'ils avaient acquitté Jeanne d'Arc, ils auraient condamné le choix qu'ils avaient fait douze ans plus tôt. Cette Sorbonne, dont Nicolas de Clamanges affirmait naguère qu'elle était presque infaillible, ne pouvait, jugeant en matière de foi, avouer trente ans de divagation politique. Alors même que l'alliance anglo-bourguignonne commençait à chanceler, l'Université, gouvernée par des hommes en définitive médiocres, était prisonnière de son orgueil et de son histoire [1]. »

Après avoir perdu son universalisme théologique par ses maladresses durant le Grand Schisme, l'Université achève de se déconsidérer avec la déroute du parti politique auquel elle a lié son sort pendant près de vingt ans.

• *Déchéance et agonie (1436-1792)*

Charles VII victorieux n'a aucune raison de ménager l'Université. Celle-ci ne comprend pas qu'elle est mal vue du roi et qu'elle n'a plus le pouvoir de lui tenir tête. Elle retombe dans ses vieilles querelles théologiques, notamment celle du nominalisme, recommence la querelle entre réguliers et séculiers, tentant à nouveau de limiter l'influence des ordres mendiants.

« L'Université avait également repris ses éternelles disputes avec le prévôt et l'évêque pour juger les écoliers, avec le gouvernement royal, les élus et la ville pour ne pas payer d'impôts. Inconscients du discrédit dans lequel leurs erreurs politiques les avaient fait tomber, les maîtres crurent que les jeux du passé leur étaient encore permis. Après avoir, en septembre 1444, différé la réforme de la faculté des arts dans ses structures et dans ses mœurs, en constituant une commission, ainsi qu'ils l'avaient déjà fait avec succès en 1434 pour la faculté de théologie, ils déclenchèrent une grève pour échapper à un impôt, suspendirent les prédications de carême en 1445 et menacèrent, quelques mois plus tard, d'entamer une nouvelle grève si on ne les laissait pas juger eux-mêmes les écoliers délinquants.

« Le roi se fâcha. Le 26 mars 1446, il attribua définitivement au Parlement la compétence sur toutes les causes intéressant l'Université : les conflits de juridiction étaient une fois pour toutes tranchés, et le Parlement triomphait. Le 2 mai, il enregistra l'ordonnance royale, à laquelle l'Université fit en vain opposition le 30 mai. Après leur prestige, les maîtres venaient de perdre leur indépendance [2]. »

En 1448, le roi ordonne à l'Université de se réformer. « Faisant une exception pour que cette réforme ne soit pas imposée par le Parlement, il

---

1. J. Favier, *Nouvelle Histoire de Paris. Paris au XVᵉ siècle*, p. 229-231.
2. *Ibid.*, p. 233-234.

se contenta de désigner des commissaires royaux. Les nations de la faculté des arts opinèrent qu'elles suivraient l'exemple des trois facultés supérieures. On récusa les commissaires, et l'on désigna des rapporteurs. Puis on ne parla plus de rien [1].» C'est alors que, comme l'écrit joliment Jean Favier, «la foudre tomba sur le Quartier latin [2]». Ancien archevêque de Rouen, légat du pape Nicolas V, Guillaume d'Estouteville arrive de Rome à la fin de 1451 avec mission de réformer l'Université. Il se trouve qu'il est aussi le frère du prévôt de Paris qui ne se prive pas de lui décrire les mœurs dissolues des écoliers et leurs actions souvent criminelles. Le 1er janvier 1452, il promulgue de nouveaux statuts qui corrigent les abus qui s'étaient introduits dans la constitution universitaire, exigeant l'assiduité aux cours, la limitation des dépenses, la décence dans la tenue et le vêtement, etc. Seule innovation réelle, la suppression du célibat imposé aux médecins, victoire décisive de la profession médicale contre le corporatisme universitaire, qui va faire évoluer la faculté de médecine en marge du reste de l'Université.

«Définitivement soumise au pape et surtout au roi, affaiblie face au prévôt et face à l'évêque, déconsidérée par tant d'erreurs et pas encore rachetée par les effets naturellement lents d'une réforme subie mais non souhaitée par la plupart, l'Université n'avait plus qu'à se faire conciliante, voire se renier. En attendant de perdre en 1499 son ultime défense, le droit de grève, pour en avoir usé contre la privation des privilèges universitaires décrétée par Louis XII à l'encontre des pseudo-étudiants perpétuels, elle dut, dès le temps de Charles VII, accepter que certains impôts ne l'épargnent pas. Lors du procès de réhabilitation de Jeanne d'Arc, en 1456, les anciens juges se montrèrent encore plus misérables qu'en 1431. L'année suivante, la faculté de médecine devait renoncer à interdire aux chirurgiens de prescrire des médicaments; elle renonça même à les immatriculer. En 1463, il fallut subir la création d'une nouvelle université à Bourges. Lorsque, après l'abolition de la Pragmatique Sanction, les maîtres parisiens vinrent demander à Louis XI d'intervenir en leur faveur auprès du pape pour que des bénéfices leur soient conférés, ils se firent publiquement insulter par le roi qui, peu après, allait leur imposer de renoncer à une philosophie et d'en enseigner une autre : "Vous ne valez point, leur dit Louis XI, que je me mêle de vous!" [3]»

La déchéance de l'Université s'aggrave encore au XVIe siècle. Alors que le reste de l'Europe se plonge avec délices dans le renouveau intellectuel qu'incarne la Renaissance, Paris refuse toute modernité dans la pensée, le droit, les sciences expérimentales. La faculté de théologie, la Sorbonne, incarne la religion catholique sous sa forme la plus bornée, condamnant inexorablement la moindre amorce de renouveau, frappant

---

1. *Ibid.*, p. 234.
2. *Ibid.*
3. *Ibid.*, p. 235.

tout catholique quelque peu imprégné d'humanisme, ostracisant Lefèvre d'Étaples et Érasme, condamnant pêle-mêle réformistes et réformateurs[1]. La faculté de droit canon est discréditée par l'absentéisme de ses professeurs et leur corruption au moment des examens. Le droit civil n'y est enseigné, exceptionnellement, que de 1564 à 1573, parce que la guerre civile empêche les écoliers d'aller étudier à Orléans. Peu importante, la faculté de médecine fait de notables progrès, équipe de nouveaux locaux, rue de la Bûcherie, crée un jardin botanique. En 1576, l'apothicaire Nicolas Houel ouvre une école de pharmacie, puis organise un jardin des plantes médicinales, ancêtre du Jardin des Plantes. Mais, mal vus par la religion qui déteste la vue du sang, les chirurgiens continuent à rester à l'écart, considérés comme des artisans à l'égal des barbiers. La faculté des arts réunit beaucoup plus d'étudiants que les trois autres réunies et assure l'équivalent de l'enseignement secondaire actuel.

Les collèges hébergent, nourrissent et encadrent une bonne partie des étudiants. Ils sont une soixantaine et en pleine expansion. Quelques créations ont même lieu, notamment celles de Sainte-Barbe et des Grassins. C'est dans leur cadre et non à l'Université que l'enseignement se modernise timidement. Venu de Louvain, le Flamand Jean Standonck ressuscite l'ardeur à l'étude, mais dans quelles conditions ! Voici comment Érasme décrit son séjour au collège de Montaigu : « J'ai vécu il y a trente ans dans un collège de Paris où l'on brassait tant de théologie que les murailles en étaient comme imprégnées [...]. Jean Standonck, se rappelant sa jeunesse, qu'il avait passée dans une extrême pauvreté, ne négligeait pas les pauvres ; on doit l'en approuver hautement. Et s'il s'était contenté d'alléger leur misère, de procurer à des jeunes gens les modestes ressources nécessaires à leurs études, il aurait mérité des louanges. Mais il se mit à son entreprise avec une autorité si dure, il les contraignit à un régime si rude, à de telles abstinences, à des veilles et des travaux si pénibles, que plusieurs d'entre eux, heureusement doués et qui donnaient les plus belles espérances, moururent ou devinrent, par sa faute, aveugles, fous ou lépreux, dès la première année d'essai ; aucun ne resta sans courir quelque danger [...]. Au cœur de l'hiver, on les nourrissait d'un peu de pain, on leur faisait boire l'eau du puits, corrompue et dangereuse, quand le froid du matin ne l'avait pas gelée [...]. Il y avait quelques chambres basses dont le plâtre était moisi, et qu'empestait le voisinage des latrines. Personne ne les habita jamais sans y mourir ou prendre quelque maladie grave. Je ne parle pas de la cruauté avec laquelle on fouettait les écoliers, même innocents[2]. » Cette expérience remonte à 1495-1496, mais, près d'un siècle plus tard, la situation n'avait guère évolué. En 1585-1586,

---

1. Voir A. Renaudet, « Paris de 1494 à 1517 : Église et Université, réformes religieuses, culture et critique humaniste », dans *Courants religieux et humanisme à la fin du XVe et au début du XVIe siècle*, p. 5-24.

2. Cité par J.-P. Babelon, *Nouvelle Histoire de Paris. Paris au XVIe siècle*, p. 78-79.

l'étudiant néerlandais Arnold Van Buchel fait une description apocalyptique des conditions d'existence dans ce même collège de Montaigu et conclut : « On croirait plutôt voir une prison faite pour le supplice qu'un établissement d'instruction[1]. »

L'existence d'un univers aussi sordide et borné à l'époque de la Renaissance explique qu'un souverain éclairé comme François Ier ait douté des capacités de l'Université et se soit décidé à créer en 1530, à la requête de Guillaume Budé, le Collège royal, futur Collège de France : les « lisants du Roy en l'Université de Paris » sont six maîtres choisis parmi les meilleurs, trois pour l'hébreu (A. Guidacerius, F. Vatable, P. Paradis), deux pour le grec (P. Danès, J. Toussain) et Oronce Finé pour les mathématiques. Cette création est saluée par toute l'Europe humaniste, mais la Sorbonne porte plainte en invoquant l'insuffisance des connaissances théologiques des nouveaux lecteurs, ce qui amène le roi à faire disparaître toute référence à un lien quelconque entre son Collège et l'Université.

La décadence intellectuelle de l'Université s'aggrave dès le premier quart du XVIIe siècle, lorsque le collège jésuite de Clermont concurrence victorieusement, grâce à une pédagogie rénovée, la faculté des arts et ses collèges. L'arrêt du Conseil du 15 février 1618 justifie son rétablissement en ces termes : « Avant que l'exercice de l'enseignement eust cessé audict collège, non seulement la jeunesse de ladicte ville de Paris mais aussi de toutes les parts du royaume et de plusieurs provinces étrangères estoit instruite en ladicte Université aux bonnes lettres, et maintenant, au lieu de cette affluence, ladicte Université se trouve quasi-déserte, estant privée de la plus grande partie de ladicte jeunesse que les parents envoient estudier en autres villes, et hors le royaume, faute d'exercice suffisant en ladicte Université[2]. »

La faculté des arts connaît alors un déclin rapide et irrémédiable. Henri IV a vainement tenté de rénover l'institution en ordonnant une nouvelle réforme promulguée le 18 septembre 1600. Ces nouveaux statuts visent à ouvrir l'Université sur l'extérieur. Jusque-là, elle n'avait été qu'au service de l'Église pour la formation de clercs, de prêtres, de théologiens. Le roi décide qu'elle devra désormais servir aussi l'État et lui fournir des hommes capables de remplir des fonctions administratives et judiciaires. Mais l'échec est inéluctable en raison de la mauvaise volonté et de l'inaptitude des maîtres. D'ailleurs, qu'aurait valu pour de futurs juges et administrateurs, un enseignement axé sur la théologie et ne comportant pas le droit civil ?

Mieux que des discours, les chiffres traduisent l'effondrement de l'Université. Un tiers des collèges a disparu au début du XVIIIe siècle et

---

1. *Ibid.*, p. 79.
2. Cité par R. Pillorget, *Nouvelle Histoire de Paris. Paris sous les premiers Bourbons (1594-1661)*, p. 67. Voir aussi R. Mousnier, *Paris au XVIIe siècle*, fascicule 3, « La fonction intellectuelle de l'Université ».

les trente-neuf qui survivent n'ont plus que des effectifs squelettiques. Lorsqu'en 1763, après l'expulsion des jésuites, les vingt-neuf petits collèges sont regroupés au collège Louis-le-Grand, on n'y dénombre que cent quatre-vingt-treize élèves. Le déclin de l'institution elle-même est tel que le règlement du 28 mars 1789, relatif à la composition des assemblées électorales pour les états généraux, ne reconnaît comme corporations autonomes que les facultés de droit et de médecine. «Le personnel des facultés des arts et de théologie se trouvait, en revanche, confondu dans le collège ecclésiastique des paroisses. Il fallut une énergique protestation de la Sorbonne pour que fût reconnu à l'Université de Paris, le 13 avril, le droit de se réunir en corps pour députés à l'assemblée générale de la ville[1].» Rien de surprenant, dans ces conditions, au fait que la suppression officielle de l'Université, le 5 avril 1792, soit passée à peu près inaperçue, ce n'était guère plus qu'un constat de décès.

L'UNIVERSITÉ D'ÉTAT

• La transition (1792-1806)

L'Université d'Ancien Régime, dominée par la théologie, était tellement inutile au monde moderne, laïc et scientifique, que les révolutionnaires ne pensent même pas à la remplacer par une nouvelle institution. Cependant, plusieurs projets, notamment de Talleyrand et de Condorcet, prévoient un enseignement supérieur consacré aux sciences, aux lettres et aux arts. En revanche, ceux de Sieyès, Daunou et Lakanal l'ignorent totalement. Sont prévus toutefois des établissements de recherches scientifiques et de grandes écoles : Muséum, Conservatoire des arts et métiers, Écoles de médecine, École polytechnique, École des travaux publics, École des langues orientales. La loi du 1er mai 1802 (2 floréal an X), élaborée par Chaptal, se borne à ajouter aux grandes écoles déjà constituées des écoles de droit, de géographie, de dessin et surtout une école militaire.

• Le XIXe siècle (1806-1896)

La loi du 10 mai 1806 stipule :

«Article premier. Il sera formé sous le nom d'Université impériale un corps chargé exclusivement de l'enseignement et de l'éducation publique dans tout l'Empire.

«Article deux. Les membres du corps enseignant contracteront des obligations civiles spéciales et temporaires.

«Article trois. L'organisation du corps enseignant sera présentée en forme de lois au corps législatif à la session de 1810.»

---

1. J. Chagniot, *Nouvelle Histoire de Paris. Paris au XVIIIe siècle*, p. 206-207.

Le décret du 17 mars 1808, qui la complète, divise l'Université en «cinq ordres de facultés, savoir : 1° des facultés de théologie ; 2° des facultés de droit ; 3° des facultés de médecine ; 4° des facultés de sciences mathématiques et physiques ; 5° des facultés de lettres».

Le même jour, l'Empereur nomme le grand maître de l'Université. A la surprise générale, il écarte le grand chimiste athée Fourcroy au profit d'un servile courtisan lié au milieu ecclésiastique, Fontanes. C'est sa volonté de transformer le corps enseignant du pays tout entier en un instrument au service de sa politique qui a dicté ce choix à Napoléon. N'a-t-il pas déclaré à Fourcroy, avant de l'évincer : «Il n'y aura pas d'état politique fixe s'il n'y a pas un corps enseignant avec des principes fixes. Tant qu'on n'apprendra pas dans l'enfance s'il faut être républicain ou monarchiste, catholique ou irréligieux, l'État ne formera pas une nation. Il reposera sur des bases incertaines ou vagues, il sera constamment exposé aux désordres et aux changements [1]. » Ainsi, l'Université moderne ne change-t-elle guère de fonction. Après avoir veillé jusqu'en 1789 sur l'orthodoxie religieuse, elle retrouve son rôle de police de la pensée. La division en facultés reprend d'ailleurs le cadre médiéval, se bornant à y ajouter les sciences. Quant au corps enseignant, «l'Université impériale en habit noir, avec ses proviseurs, censeurs et maîtres d'études astreints au célibat, présentait beaucoup d'analogies avec une congrégation classique, à commencer par la Compagnie de Jésus — voire, à certains égards, avec un régiment [2] ».

Seul progrès, il est vrai considérable, sur l'antique Sorbonne, l'enseignement supérieur forme désormais à des professions spécialisées, juristes et médecins comme autrefois, mais aussi scientifiques et littéraires. Mais Fontanes et ses successeurs vont limiter autant que possible cette modernité et confiner l'Université dans l'univers étroit et routinier des siècles passés. Comme au Moyen Âge, elle va se consacrer essentiellement à préparer aux diplômes et à conférer les grades du baccalauréat, de la licence et du doctorat. En pratique, les cadres supérieurs de l'État et de la société ne sortiront pas de cette Université sclérosée à la naissance, mais des grandes écoles créées durant la Révolution : Polytechnique, Ponts et Chaussées, Mines, École normale. Ce sont eux qui vont encadrer les révolutions de 1830 et de 1848, qui vont contribuer à l'extraordinaire essor économique et technique du second Empire, tandis que, de leurs chaires du Collège de France, Edgard Quinet et Jules Michelet sapent les fondements de la monarchie.

Maxime Du Camp, homme d'opinions modérées, auteur d'un monumental ouvrage en six volumes sur *Paris, ses organes, ses fonctions et sa vie*, écrit à la fin du second Empire, expédie l'Université en quelques

1. Cité par P. Chevallier, B. Grosperrin et J. Maillet, *L'Enseignement français de la Révolution à nos jours*, p. 47.
2. R. Boudard, art. «Université napoléonienne» du *Dictionnaire Napoléon*, p. 1688.

pages, déplorant sa médiocrité, qu'il explique ainsi : « Pour éviter qu'on ne leur imposât des professeurs dont les doctrines leur eussent été hostiles, les gouvernements ont renoncé à la voie du concours et se sont réservé le droit de nommer aux chaires vacantes sur présentation par les corps compétents ; de sorte que les candidats à ces hautes fonctions de l'enseignement ont plutôt cherché, pour parvenir à leur but, à se créer des relations influentes qu'à augmenter la somme de leur savoir, et cela n'a pas peu contribué à empêcher les hautes études de s'élever au-dessus d'une moyenne insuffisante [1]. » Les effectifs qu'il donne pour l'année 1871-1872 témoignent notamment de l'insignifiance de l'Université dans le domaine scientifique : cent quatre-vingt-deux étudiants en théologie, quatre cent deux en sciences, quatre mille cinq cent quarante en lettres, cinq mille trente-quatre en droit, deux mille cent vingt en médecine.

Surprenante de modernité, la conclusion de Maxime Du Camp pourrait s'appliquer aussi à notre fin du XXᵉ siècle : « Si, en matière d'enseignement, l'on veut conserver les vieilles méthodes, ne pas rajeunir les matières d'instruction et la discipline, ne pas faire aux professeurs une situation qui leur permette de résister sans peine aux sollicitations des éducations particulières ou de l'industrie, si nous ne rendons pas le ministère de l'instruction publique absolument indépendant de la politique, si chaque changement ministériel amène des modifications dans le système pédagogique, si l'incohérence et l'hésitation continuent à fatiguer les élèves tout en paralysant les maîtres, si la France ne consent pas un sacrifice considérable en faveur de ce qui constitue en somme les plus grandes gloires de l'esprit humain, si nous ne rompons pas avec les habitudes prises, si nous n'appelons pas l'intelligence de tous au goût des choses sérieuses, si nous continuons à nous contenter de savoir "un peu de chaque chose et rien du tout, à la françoise", comme dit Montaigne, nous courons risque de ne pas reconquérir le rang que nous avaient fait nos anciennes destinées [2]. »

Prise dans le moule de la centralisation impériale, l'Université de Paris n'a pas d'histoire distincte du reste de l'institution. Il est, d'ailleurs, révélateur qu'aucun des auteurs des volumes de la *Nouvelle Histoire de Paris* consacrés au XIXᵉ siècle n'ait jugé bon d'en parler. C'est en dehors d'elle que se fait la rénovation. Le ministre de l'Instruction publique, Victor Duruy, prenant en compte le rapport du chimiste Wurtz sur la suprématie des universités allemandes, a créé, le 31 juillet 1868, l'École pratique des hautes études. Contournant le système rigide de l'agrégation et du doctorat, elle est ouverte à tous les savants de talent qui n'ont pas suivi la filière traditionnelle. En janvier 1872, toujours en marge de l'Université sclérosée, débutent les cours de l'École libre des sciences politiques.

---

1. M. Du Camp, *Paris, ses organes, ses fonctions et sa vie*, V, p. 146-147.
2. *Ibid.*, p. 169-170.

C'est un obscur professeur dans une école d'architecture, Émile Boutmy, qui est à l'origine de l'École. Aidé par Taine, il lance le projet d'une faculté libre qui donnerait aux classes moyennes «l'instruction libérale supérieure [1]». Comme à l'École pratique des hautes études est adopté le système des conférences. Comme elle, elle met à la disposition des élèves une bibliothèque importante et des salles de travail.

La Troisième République prend des mesures bénéfiques, rendant aux facultés la personnalité civile par le décret du 25 juillet 1885 que complète la loi de finances de 1890 qui leur attribue un budget et transforme en subventions les crédits que l'État ouvre pour les dépenses matérielles. La loi du 10 juillet 1896 couronne l'édifice et permet la naissance de l'enseignement supérieur contemporain. Les universités sont créées à partir des «corps des facultés», avec à leur tête un conseil d'université. «Chacune d'entre elles est dotée d'un budget alimenté par les droits d'études, d'inscription, de bibliothèques, de travaux pratiques et surtout par les subventions de l'État, les dons et legs des particuliers éventuellement. Par conséquent, elles jouissent de l'autonomie financière [2].»

• *Le XXe siècle (1896-1995)*

En juillet 1901, une inscription dans la cour d'honneur indique la fin des travaux de reconstruction de la Sorbonne commencés le 5 août 1885. Recteur de l'Université de Paris de 1902 à 1917, Louis Liard redonne son lustre à l'enseignement supérieur parisien. Il fait agrandir les bâtiments des facultés de médecine et de pharmacie, multiplie les laboratoires de recherche, prévoit l'extension de l'Université par la construction de nouveaux bâtiments à la Halle aux Vins qui ne sortiront de terre qu'au début des années 1970. Durant son rectorat, l'École normale supérieure est rattachée à l'Université en 1903, alors qu'elle achève de se laïciser en 1906 avec la disparition de la faculté de théologie protestante. Les cinq facultés sont reconstituées en 1920, les protestants ayant cédé la place à une faculté de pharmacie qui remplace l'École supérieure de pharmacie. En 1923 débute la construction de la Cité internationale universitaire.

Si le plan Langevin-Wallon de 1947 est à l'origine de l'allongement de la scolarité et d'un afflux massif dans l'enseignement secondaire, l'Université, à nouveau enkystée dans des comportements conservateurs, n'a rien fait pour accueillir le flot montant des effectifs d'étudiants. Ses responsables se sont bornés à installer un filtre à bacheliers en 1947-1948, l'année de propédeutique préalable à l'accession aux facultés des

---

1. Cité dans l'*Histoire générale de l'enseignement et de l'éducation en France*, III, p. 448.
2. P. Chevallier, B. Grosperrin et J. Maillet, *L'Enseignement français de la Révolution à nos jours*, p. 133.

lettres et des sciences. La titulature a été également modifiée pour satisfaire la vanité des « littéraires » qui se parent depuis 1958 des plumes de paon de la science, grâce à la transformation de la faculté des lettres en faculté des lettres et sciences humaines, avec l'inclusion dans son cadre de la sociologie, de l'ethnologie, de la démographie, de la psychologie, etc. Le droit n'a pas échappé à cette prétention scientifique, s'intitulant faculté de droit et des sciences économiques. La médecine s'est liée organiquement aux hôpitaux avec l'ordonnance du 30 décembre 1958 créant les centres hospitaliers universitaires (C.H.U.). Prises en urgence par la Ve République naissante, ces mesures ne sont pas suffisantes pour empêcher l'explosion de mécontentement des étudiants entre mars et mai 1968, motivée par l'insuffisance et la médiocrité des locaux avant de se transformer en contestation sociale et politique.

A la suite de cette crise, l'Université est complètement réorganisée dans le cadre de la loi d'orientation votée le 12 novembre 1968. En application de cette loi, les universités deviennent des « établissements publics à caractère scientifique et culturel, jouissant de la personnalité morale et de l'autonomie financière ». Les cinq facultés de l'Université de Paris ont éclaté en treize universités pluridisciplinaires stupidement affligées d'une numérotation — concession au modernisme outrancier — mais en chiffres romains, caractéristiques d'une institution viscéralement conservatrice.

La crise économique et sociale qui touche en profondeur la France depuis 1974, l'existence de trois millions de chômeurs, l'extrême difficulté pour les jeunes à trouver un emploi, la répugnance des nouvelles générations devant les travaux manuels pénibles et les tâches répétitives abrutissantes qu'offre très souvent l'informatique incitent les lycéens à chercher refuge dans une Université qui, la plupart du temps, ne débouche sur aucune formation concrète. A nouveau, les conditions de travail deviennent difficiles dans des locaux surpeuplés et qui tombent généralement en ruines vingt-cinq ans à peine après leur construction. Aux diplômés qui sortent chaque année ne s'offrent que de rares emplois mal payés et ne correspondant pas à leur qualification. Avec 20 % des effectifs totaux et trois cent mille étudiants, l'Université de Paris ressemble beaucoup plus à un chaudron de sorcière rempli de substances toxiques qu'au chaudron d'Astérix d'où doivent sortir la force et l'avenir de la France.

L'ENSEIGNEMENT ÉLÉMENTAIRE

On ne sait rien de la façon dont les enfants étaient éduqués dans la Lutèce gallo-romaine. On peut présumer qu'il existait des écoles pour apprendre à lire, écrire et compter aux enfants des classes moyennes tandis que ceux de l'aristocratie avaient droit à des précepteurs particuliers. On est tout aussi ignorant sur l'enseignement aux temps mérovingiens. Il est probable que les monastères représentaient alors tout ce qui subsistait de la culture écrite et qu'ils la perpétuèrent grâce à des écoles à l'intérieur de leur clôture. Des écoles paroissiales sont signalées dans quelques textes. Les prêtres y enseignent l'apprentissage de l'alphabet et de la lecture syllabe par syllabe.

C'est abusivement qu'on a fait de Charlemagne le créateur des écoles médiévales, sur la foi du capitulaire *Admonitio generalis* de 789 qui requérait un effort en faveur de l'enseignement. Il y est notamment écrit : « Que les prêtres attirent vers eux non seulement les enfants de condition servile mais aussi les fils d'hommes libres. Nous voulons que des écoles soient créées pour apprendre à lire aux enfants [1]. »

Sous le règne de Charles le Chauve, le concile de Savonnières demande en 859 aux évêques « d'établir partout des écoles publiques [2] ». A l'avènement des Capétiens, à l'aube du deuxième millénaire de l'ère chrétienne, existent donc trois types de lieux où est prodigué un enseignement élémentaire. Tous trois sont sous le contrôle d'ecclésiastiques, moines, chanoines des églises épiscopales et curés des paroisses. Les résultats sont des plus médiocres, les maîtres eux-mêmes le reconnaissent. Egbert de Liège écrit, par exemple : « Il y a des écoles qui consistent plus en fouet qu'en discours. On affaiblit le corps, on ne se soucie pas de soigner l'esprit […]. Des maîtres stupides veulent que les élèves sachent ce qu'ils n'ont pas appris, l'esprit se nourrit de l'intérieur et le fouet n'est d'aucun secours pour lui. Vous casserez en vain une forêt entière sur les épaules de vos malheureux élèves si l'esprit fait défaut [3]. » Abbé du Bec-Hellouin en 1078, Anselme relate son entretien avec un autre maître d'école monastique qui se plaint de ses élèves : « Que puis-je faire d'eux, je te le demande ? Ils sont pervertis et incorrigibles ; jour et nuit nous ne cessons de les battre à coups de fouet et sans cesse ils empirent [4]. » Les femmes sont évidemment exclues de cet enseignement, les religieux étant obsédés par le sexe et le péché. Les très rares femmes qui savent lire et écrire sont issues de l'aristocratie et doivent leurs connaissances à des précepteurs privés.

A Paris, l'évêque a la mainmise sur l'enseignement élémentaire des « petites écoles » qui semble avoir été prodigué à l'origine dans le cloître Notre-Dame, sous le contrôle du chantre ou écolâtre. Sous sa direction et dans sa maison, se tenait chaque année, le 6 mai, un synode réunissant tous les maîtres d'école de la ville. Le rôle de la taille de 1292 énumère

1. Cité dans l'*Histoire générale de l'enseignement et de l'éducation en France*, I, p. 226-227.
2. *Ibid.*, p. 230.
3. *Ibid.*, p. 247.
4. *Ibid.*

dix maîtres et une maîtresse d'école établis ainsi : Pierre dans la rue des Déchargeurs, Eude dans la rue des Prouvaires, Guillaume le Clerc dans la rue de la Truanderie, Giefroi le Clerc dans la rue aux Prêcheurs, Guillaume dans la rue de la Bretonnerie, Thomas dans la rue Neuve, Nicolas dans la rue Saint-Jacques, Pierre dans la rue Sainte-Geneviève, Yvon dans la rue des Blancs-Manteaux, Nicolas dans la rue Saint-Jean et « mestresse » Tyfainne à l'école Saint-Leu, qui n'avait que des filles pour élèves. En effet, les écoles mixtes étaient strictement interdites, les maîtres ne pouvaient enseigner qu'à des garçons et les maîtresses à des filles. L'instruction n'était pas gratuite, mais le chantre s'efforçait d'alléger la redevance des parents les moins fortunés.

Le nombre des écoles a fortement progressé au XIVe siècle. Le procès-verbal du synode du 6 mai 1380 donne une liste de quarante-deux maîtres et vingt-deux maîtresses. Parmi eux, deux bacheliers ès décrets et sept maîtres ès arts témoignent de l'élévation du niveau des maîtres. A leur sortie des petites écoles, les meilleurs élèves savaient lire, écrire et compter.

Au XVIe siècle, l'accroissement de la demande d'instruction, joint à la contestation de l'Église catholique par la Réforme, est sans doute à l'origine des écoles buissonnières ou clandestines qui échappent au contrôle du chantre. Celui-ci revendique le monopole de l'enseignement élémentaire et obtient du Parlement, le 7 février 1554, un arrêt en sa faveur qui donne « ordre que hors les petites écoles, qui sont et seront destinées par ledit chantre en cette ville de Paris, ne se tiennent autres écoles buissonnières, et ce pour obvier aux inconvénients qui en pourroient advenir par la mauvaise et pernicieuse doctrine que l'on pourroit donner aux petits enfants, pervertissant leurs bons esprits, et outre de ne permettre par ledit chantre que les maistres ayent aucune filles esdites écoles pour instruire avec les garçons, ni semblablement, les maistresses d'écoles aucuns garçons avec lesdites filles [1]. »

Mais le monopole du chantre finit quand même par être battu en brèche au XVIIe siècle par les curés des paroisses qui multiplient les écoles de charité gratuites pour accueillir les plus pauvres. Au XVIIIe siècle, la grande majorité des enfants de la capitale sont scolarisés dans des institutions diverses. Aux trois cent seize petites écoles payantes régies par le chantre de Notre-Dame s'ajoutent quatre-vingts écoles de charité dont vingt-six pour filles, cinquante-trois écoles d'enfants de chœur. Les congrégations religieuses ont aussi empiété sur le domaine de l'écolâtre après d'interminables conflits. L'institut des Écoles chrétiennes de saint Jean-Baptiste de La Salle a fini par obtenir du roi en 1724 le droit de maintenir ses quatre écoles. Les frères de Saint-Antoine, dits « Tabourins » du nom de leur

---

1. Cité par R. Pillorget, *Nouvelle Histoire de Paris. Paris sous les premiers Bourbons (1594-1661)*, p. 60.

fondateur, enseignent dans dix-sept écoles, la plus ancienne créée en 1709 dans le faubourg Saint-Antoine. Diverses maisons religieuses entretiennent dix-sept autres écoles élémentaires. La plupart des couvents de femmes prodiguent aussi un enseignement aux filles dès l'âge de huit ans. Il faudrait aussi citer les cent quarante écoles tenues par la corporation des écrivains publics avec l'agrément de l'écolâtre, les pensions tenues par des maîtres ou des «permissionnaires» dépendant de lui, le collège des Bons-Enfants, rue Saint-Honoré, tenu par un chanoine et destiné aux enfants du quartier, les écoles des Savoyards, dont les classes étaient ouvertes le matin et dans la soirée entre six et huit heures, etc.

La Révolution démantèle ce réseau en retirant à l'Église ses ressources financières devenues biens nationaux. Beaucoup d'écoles survivent cependant tant bien que mal, puisque, le 27 septembre 1793, Chaumette, procureur général de la Commune, y fait abolir les punitions corporelles, et que, sous le Directoire, sont mentionnées des distributions de prix aux élèves des écoles «primaires» et «particulières» du Ier arrondissement. Les grands projets éducatifs de l'Assemblée constituante et de la Convention restent sur le papier. Quant à Napoléon, il ne s'intéresse qu'à l'enseignement secondaire et à l'Université.

Depuis le 15 février 1804 existe un bureau de l'instruction publique de la préfecture de la Seine chargé notamment de tenir un registre des chefs de pensionnat et des professeurs, maîtres et maîtresses de l'enseignement primaire. Les chefs de pensions et d'institutions doivent payer de 300 à 600 francs pour ouvrir une école et verser une redevance annuelle égale au quart de cette somme. La situation de l'enseignement primaire parisien à la fin de l'Empire est assez bien connue grâce au rapport de Frédéric Cuvier, inspecteur de l'académie de Paris. Il distingue trois types d'écoles : les écoles de charité destinées aux enfants pauvres, celles que fréquentent les enfants de condition moyenne et celles où se retrouvent les fils de familles aisées. Ces deux dernières catégories représentent quatre cents écoles avec autant d'instituteurs pour quatorze mille élèves. Les enfants des écoles gratuites sont environ huit mille et instruits pour une large partie par les frères des écoles chrétiennes.

La Restauration voit la naissance de deux nouvelles institutions. Le préfet Chabrol soutient la constitution d'un enseignement mutuel sous la direction de la Société pour l'instruction élémentaire. «La méthode consistait à confier à un élève plus avancé le soin d'enseigner à ses camarades ce que lui-même savait déjà : lire, écrire et compter. Les enfants s'enseignaient donc les uns les autres [1].» Une vingtaine d'écoles sont ouvertes à partir de 1815, la première installée dans la rue Jean-de-Beauvais, suivie par celles de Popincourt, de l'hôtel de Duras, des Billettes...

1. P. Chevallier, B. Grosperrin et J. Maillet, *L'Enseignement français de la Révolution à nos jours*, p. 66.

Après avoir emprunté à l'Anglais Lancaster l'enseignement mutuel, la Restauration emprunte à l'Alsacien Oberlin le principe de l'école maternelle mis au point en 1771 au Ban de la Roche et largement adopté en Allemagne. Adélaïde de Pastoret avait financé sous le Consulat et l'Empire une « salle d'hospitalité » pour douze enfants à peine sevrés, mais cette initiative privée n'avait pas eu de suite. Le 4 mars 1826, son époux, nommé ministre, reprend officiellement l'entreprise et organise le comité directeur d'une institution devenue, le 4 mai suivant, le Comité des salles d'asile. Le premier asile parisien ouvre ses portes en été, rue du Bac. Il va accueillir, de huit heures du matin à cinq ou sept heures du soir, près de cent enfants âgés d'un an et demi à sept ans. A peu près simultanément, Jean-Denys-Marie Cochin, maire du XIIᵉ arrondissement, a créé sa propre crèche, rue des Gobelins. Ces ébauches d'école maternelle ont cause gagnée, le 26 mars 1828, lorsque le Conseil général des hospices approuve un règlement instituant des comités d'arrondissement et une Société des dames chargée de diffuser ce nouveau type d'école dans tout le pays. En 1836, Paris compte vingt-quatre salles d'asiles recevant cinq mille enfants.

L'ordonnance du 5 novembre 1833, prise en application de la loi Guizot du 28 juin 1833, organise un véritable municipalisme scolaire, confiant à un Comité d'instruction primaire, indépendant de l'académie et dominé par les élus du Conseil municipal, la responsabilité de la politique scolaire. Ses deux secrétaires, Cochin déjà nommé et Henri-Georges Boulay de La Meurthe, jouent un rôle essentiel dans la rénovation des bâtiments et de l'enseignement. Les dépenses de la Ville bondissent de 320 000 francs en 1829 à 1 million en 1842 et 1 million 820 000 en 1848. Les effectifs de l'école publique, fréquentée à peu près exclusivement par les classes les plus pauvres, progressent de dix-neuf mille élèves en 1830 à vingt-cinq mille environ en 1848, effectif comparable aux vingt-sept mille enfants d'indigents inscrits dans les bureaux de bienfaisance. Dans les écoles privées, payantes et donc réservées aux classes moyennes et aisées, les effectifs sont d'environ quinze mille enfants. Le niveau de l'enseignement paraît très faible : un concours de dictée en 1835 donne une moyenne de quatre-vingt-trois fautes par élève de l'école privée et de cent trente-huit par élève de l'enseignement public [1] !

L'autonomie municipale est abolie par la loi du 15 mars 1850 qui place l'enseignement primaire sous la tutelle d'un Conseil académique départemental où siègent préfet, procureur, ministres des cultes, représentants des autorités universitaires. Cette loi, dite Falloux, du nom du

---

1. Voir P. Bousquet, « Une tentative de municipalisme scolaire : l'enseignement primaire parisien sous la Monarchie de Juillet », dans la *Revue d'histoire moderne et contemporaine*, janv.-mars 1982, p. 88. Voir « *Paris à l'école*, *qui a eu cette idée folle ?* paru en 1993 sous la direction d'A.-M. Châtelet, notamment J.-N. Luc, « Quand les premières salles d'asile françaises ouvraient leurs portes à Paris », p. 24-35, et P. Bousquet, « Le combat pour l'autonomie : les débuts de l'école primaire », p. 36-45.

ministre qui l'a concoctée, constitue une régression par rapport à 1833. L'enseignement privé laïque est défavorisé par rapport aux écoles publiques gratuites et aux écoles privées religieuses. Malgré la parcimonie des budgets accordés par Haussmann, le cadre scolaire absorbe assez bien l'énorme afflux de population du second Empire et la proche banlieue annexée en 1860. Le taux de scolarisation atteint 90 % alors qu'il dépasse à peine 76 % pour la France entière.

La nomination d'Octave Gréard en mars 1866 à la direction de l'enseignement primaire de la Seine entraîne une politique beaucoup plus dynamique. Maintenu jusqu'en 1879 par la Troisième République, il présente, le 25 mai 1868, un important rapport sur l'organisation pédagogique, mettant au point des programmes concentriques à l'intérieur des trois cours élémentaire, moyen et supérieur devant conduire au certificat d'études institué par la circulaire ministérielle du 18 août 1866.

La défaite de 1870 fait triompher les idées de Jules Simon qui écrit : « Le peuple qui a les meilleures écoles, est le meilleur ; s'il ne l'est pas aujourd'hui, il le sera demain[1]. » Un très gros effort est consenti par le gouvernement qui triple presque le budget de l'enseignement primaire entre 1870 et 1878. Gréard fait construire quatre-vingt-six écoles et porte le taux de scolarisation à 96 %. Le 1er octobre 1872 s'est ouverte la première école d'instituteurs à Auteuil. En janvier 1873 suit l'école normale d'institutrices de la rue Poulletier. L'arrêté du 12 décembre 1871 a créé le magasin scolaire de la Ville de Paris sur l'île Louviers, avec un triple objectif : « Pourvoir les écoles d'un mobilier fonctionnel, doter les classes du matériel didactique nécessaire, apporter dans la gestion des établissements des règles de gestion communes dans leur présentation[2]. »

La loi du 28 mars 1882 institue l'enseignement obligatoire et laïque. La municipalité, farouchement anticléricale, se rallie avec enthousiasme à ce programme et multiplie les constructions. On estime à trois cents le nombre des écoles primaires édifiées entre 1870 et 1914.

L'opposition entre laïcité et catholicisme domine le XXe siècle. Le conflit entre l'Église et l'État engendre une législation qui, de 1901 à 1905, s'aggrave constamment pour aboutir à une séparation définitive, le 9 décembre 1905. Disposant d'un nombre suffisant d'établissements scolaires dans une ville à la démographie déclinante, la Troisième République finissante construit peu : vingt-quatre écoles maternelles et trente-trois écoles élémentaires entre les deux guerres. La généralisation du travail des femmes après 1945 entraîne un renouveau de la construction privilégiant les école maternelles, cent une créations entre 1945 et 1979 contre quarante et une écoles primaires. Depuis 1980, la

1. *L'École primaire à Paris, 1870-1914*, p. 7.
2. Cité par P. Lesage, « Octave Gréard, un esprit moderne et rénovateur du service de l'enseignement », dans *« Paris à l'école », qui a eu cette idée folle ?*, p. 50.

cadence s'est accélérée : quatre-vingt-quinze écoles maternelles neuves en douze ans, vingt-deux écoles primaires. Mais l'effort scolaire des débuts de la Troisième République marque encore le paysage scolaire : plus de la moitié des écoles primaires existant aujourd'hui ont été édifiées entre 1870 et 1914. Quant aux effectifs, près de 84 % des enfants de la maternelle sont accueillis par l'école publique et plus de 76 % pour l'enseignement primaire. L'école privée ne dépasse la laïque dans le primaire que dans les VIe et VIIIe arrondissements et fait jeu égal avec elle dans les VIIe et XVIe, une coupure sociologique caractéristique.

COLLÈGES ET LYCÉES

Il n'existait au Moyen Âge aucune transition entre l'école élémentaire et l'Université. L'enfant qui avait appris à lire, à écrire et à compter n'avait d'autre ressource que de s'inscrire à la faculté des arts, première marche de l'édifice universitaire, en suivant éventuellement l'enseignement de complément prodigué par les collèges de la montagne Sainte-Geneviève, qui faisaient eux-mêmes partie de l'Université.

Une pédagogie nouvelle, destinée aux adolescents, apparaît au XVe siècle aux Pays-Bas, mise en pratique par les frères de la Vie commune. Chaque classe représente un des huit niveaux menant à l'Université. Jean Standonck introduit à Paris la rude discipline et l'ascétisme dévot des frères de la Vie commune et l'impose au collège de Montaigu, d'où il se diffuse, non sans réticences, aux autres collèges. Henri de Mesmes, qui fut élève au collège de Bourgogne en 1542, y voit autant une discipline de vie qu'une méthode d'enseignement : « J'appris à répéter, à disputer et haranguer en public, pris connaissance d'honnêtes enfants dont aucuns vivent aujourd'hui, appris la vie frugale de la scolarité et à régler mes heures [1]. »

C'est cette manière parisienne d'enseigner, dite en latin *modus parisiensis*, qu'Ignace de Loyola, qui l'a pratiquée, choisit comme méthode pédagogique de la Compagnie de Jésus. Pour lutter contre la Réforme protestante, les jésuites accordent une grande importance à l'éducation des adolescents. Malgré l'opposition de l'Université, qui prétend garder le monopole de tous les niveaux d'enseignement, ils ouvrent en 1556 le collège de Billom, en Auvergne, qui compte mille deux cents élèves dès 1562. Le collège de Clermont (aujourd'hui lycée Louis-le-Grand) est créé en 1564. Il sera le seul collège parisien important jusqu'à la Révolution. L'âge des élèves est très variable. On peut entrer en sixième, cycle préparatoire aux études latines, dès l'âge de quatre ans et jusqu'à dix-huit ans ! La moyenne est de huit ans. Après six classes, on termine

---

1. Cité dans l'*Histoire générale de l'enseignement et de l'éducation en France*, II, p. 322-323.

ses études en «philosophie». Les ursulines remplissent le rôle des jésuites pour l'éducation des filles, mais limitent l'enseignement à la lecture, l'écriture, la couture et les travaux d'aiguille. Il ne faut pas oublier que l'enseignement particulier, grâce à des précepteurs, a toujours subsisté dans les familles fortunées : instruite par Chapelain et Ménage, Mme de Sévigné connaissait le latin, l'italien et le castillan. Redoutant la pédérastie des jésuites, beaucoup de nobles fortunés préféraient confier leurs garçons à des académies où on enseignait prioritairement les arts martiaux, équitation, escrime, tir, exercices physiques, mais aussi des rudiments d'art militaire, de mathématiques, d'histoire.

Au XVIIIe siècle, les collèges jésuites déclinent fortement. Les philosophes leur reprochent de détourner les adolescents des réalités du monde des adultes, de n'enseigner que le latin alors que c'est le français qui est parlé. Rousseau, Diderot, d'Holbach, Grimm sont unanimement hostiles à cette «éducation monastique» qui ne débouche sur rien de concret. Ils demandent qu'on étudie l'histoire, la géographie, les sciences physiques, les langues étrangères indispensables à la bourgeoisie commerçante.

L'expulsion des jésuites en 1763 remet en question l'existence même des collèges, faute de maîtres. L'Université de Paris, soucieuse de rétablir son monopole sur tous les niveaux de l'enseignement, institue en 1766 le concours d'agrégation pour le recrutement des professeurs de collège. Mais l'Église catholique s'indigne que des laïcs puissent professer et exige que ces fonctions soient réservées aux clercs. L'Assemblée du clergé de France de 1772 élève une vigoureuse protestation : «L'ordre des collèges et le succès de l'éducation dépendent en grande partie de la religion, des mœurs et de la capacité des instituteurs, de l'estime qu'ils ont pour leur fonction, de l'union et de la subordination qui règnent entre eux, de l'uniformité de leurs principes, du respect et de la confiance qu'ils inspirent à leurs élèves ; mais comment trouver ces avantages dans des hommes de tout état, ecclésiastiques, religieux, laïcs, mariés, célibataires que le hasard et la nécessité ont plutôt rassemblés qu'un sage discernement, qui sont souvent divisés d'opinion, qui ne suivent ni les mêmes principes ni la même méthode, qui sont à peine assujettis par quelques règlements extérieurs, qui vivent d'ailleurs sans gêne et sans discipline, qui ne tiennent à leur état que par des vues purement mercenaires et jusqu'à ce qu'ils en aient trouvé un plus commode et plus avantageux [1]. »

Mais l'effondrement des vocations religieuses contraint l'Église catholique elle-même à introduire les loups laïques dans la bergerie scolaire. Les frères de la Doctrine chrétienne et les oratoriens, qui ont repris les collèges des jésuites, sont trop peu nombreux pour assurer seuls l'ensei-

---

1. Cité dans l'*Histoire générale de l'enseignement et de l'éducation en France*, II, p. 544.

gnement et doivent faire appel à des laïcs. Partout pénètre l'irréligion : à Caen, en 1777, les pères doivent renoncer à obliger les élèves à assister à la messe quotidienne devant la révolte d'une bonne partie d'entre eux. La noblesse tend à envoyer ses enfants dans les écoles militaires. De nombreuses pensions annoncent dans leurs prospectus qu'elles restreignent ou suppriment l'enseignement du latin au profit des mathématiques, de la physique, de l'orthographe, du français, de l'anglais, afin d'attirer les enfants de la bourgeoisie éclairée.

C'est donc un édifice très fortement lézardé que la Révolution jette bas. Mais, faute de moyens et de temps, elle n'a guère l'occasion de bâtir un nouveau système scolaire. Le 25 février 1795, sur proposition de Lakanal, les collèges qui subsistaient encore sont supprimés au profit d'écoles centrales. Il doit y en avoir une au moins par département et cinq à Paris. Les élèves doivent y suivre trois cycles d'études : langues, dessin et histoire naturelle de douze à quatorze ans, sciences de quatorze à seize, belles-lettres, grammaire, histoire, droit de seize à dix-huit ans. Faute d'argent et malgré le soutien de François de Neufchâteau, membre du Directoire et ministre de l'Intérieur, ces écoles périclitent vite.

La loi du 1er mai 1802 (11 floréal an X) remplace les écoles centrales par des lycées. A leur tête se trouve un proviseur assisté d'un censeur chargé de veiller sur les études et d'un procureur-gérant devenu économe en 1809. Établissements nationaux entretenus aux frais de l'État, les lycées se distinguent des écoles secondaires, collèges contrôlés par les autorités municipales, et des collèges privés.

Encasernés, internes pour la plupart, les élèves des lycées suivent un enseignement de sept années qui s'inspire largement de celui des jésuites et répudie la modernité des écoles secondaires qui se sont ouvertes aux sciences et aux langues vivantes. La bourgeoisie répugne à livrer ses enfants aux austères internats des lycées qui ne comptent pas plus de dix-huit mille élèves dans toute la France à la chute de l'Empire, contre une centaine de milliers dans les collèges et les institutions privées. A Paris, mille sept cent quatre-vingt-douze élèves sont inscrits en 1809 dans les quatre lycées : impérial (Louis-le-Grand), Charlemagne, Bonaparte (Condorcet), Napoléon (Henri-IV). Un cinquième lycée, Saint-Louis, apparaît en 1820. Ils sont fortement concurrencés par des écoles privées de qualité comme Sainte-Barbe, les institutions Savouré, Favard, Massin, Jauffret, Dabot, etc. Avec le retour des jésuites, à la Restauration, la concurrence se fait encore plus vive.

Durant la Monarchie de Juillet, l'agrégation se généralise comme titre d'enseignement dans les lycées. Une circulaire du 5 janvier 1838 décide que l'allemand et l'anglais seront enseignés dans les lycées et les collèges et une épreuve de langue apparaît en 1845 au baccalauréat. Félix Ponteil écrit : « Au cours de la Monarchie de Juillet, on dénombre quarante-six collèges royaux (cinq à Paris inclus) avec dix-huit mille six cent quatre-vingt-dix-sept élèves, trois cent douze collèges communaux avec vingt-six mille cinq cent quatre-vingt-quatre élèves, cent douze institutions et neuf cent quatorze pensions, soit cent dix mille élèves environ auxquels il faut ajouter vingt mille séminaristes ; on comptait un élève pour trois cent quatre-vingt-deux habitants sous l'Ancien Régime, un pour quatre cent quatre-vingt-treize en 1842 [1]. » Paul Gerbod précise pour Paris : « En 1842, cinq mille deux cent soixante-treize élèves sont recensés dans les collèges royaux de la capitale. A cette date, il existe cent deux institutions et pensions qui abritent six mille trois cent soixante-cinq élèves dont une partie suivent les cours des collèges royaux. Parallèlement à ces établissements, où s'impose encore le culte des humanités classiques aux dépens des disciplines modernes comme les sciences et les langues vivantes, se sont créés le collège Chaptal (en 1844) et l'école Turgot (dès 1839) plus orientés vers l'enseignement secondaire moderne et technique [2]. »

La Deuxième République rétablit l'appellation de lycée, disparue entre 1815 et 1848 au profit du terme de « collège royal », et la loi Falloux du 15 mars 1850 abolit le monopole théorique de l'Université sur l'enseignement secondaire. Les écoles privées n'ont plus à solliciter son autorisation et sont reconnues officiellement, ce qui leur permet de recevoir des collectivités publiques subventions et locaux. Le monopole avait profité aux institutions privées laïques, la loi Falloux favorise les écoles catholiques qui prolifèrent. Les jésuites fondent le collège de Vaugirard et celui de la rue des Postes (plus tard école Sainte-Geneviève). Paul Gerbod écrit encore : « En 1876, des établissements libres laïques et confessionnels, au nombre de cent cinquante-sept, accueillent plus de quinze mille élèves alors que les établissements publics n'en accueillent que six mille cinq cents. Pourtant, soumis à une concurrence inédite, les lycées et collèges de l'État ont tenté de réagir. Le ministre Fortoul favorise l'enseignement des sciences dans les lycées classiques. L'un de ses successeurs à la tête de l'Instruction publique, l'historien Victor Duruy développe "l'enseignement secondaire spécial" afin de mieux former les futurs cadres de l'industrie et du commerce [3]. »

Mais, dans ce domaine, le ministère a été devancé par la Ville. Dès 1839, profitant de l'autonomie accordée par la Monarchie de Juillet, elle a créé l'école Turgot, rue de Turbigo. Cette première école primaire supérieure est suivie par quatre autres écoles de garçons, Colbert (rue de Château-Landon) en 1868, Lavoisier (rue Denfert-Rochereau) en 1872, Jean-Baptiste-Say (rue d'Auteuil) en 1875 et Arago (place de la Nation) en 1880, ainsi que par une école de jeunes filles, Sophie-Germain (rue de

---

1. F. Ponteil, *Les Institutions de la France de 1814 à 1870*, p. 248.
2. P. Gerbod, « L'itinéraire de l'instruction secondaire du dix-neuvième siècle à nos jours », dans *« Paris à l'école », qui a eu cette idée folle ?*, p. 52.
3. *Ibid.*, p. 54.

Jouy) en 1882. Toutes ces initiatives municipales précèdent largement la loi du 30 octobre 1886, dite loi Goblet. Elles donnent sur cinq ans un solide enseignement spécialisé débouchant sur la vie pratique, commerce ou industrie. Les meilleurs élèves finissent leurs études au collège Chaptal, «établissement spécial d'enseignement primaire supérieur, auquel est annexée une section d'enseignement secondaire moderne». Créé en 1844 sous le nom d'école François-Iᵉʳ, il a pris en 1848 le nom de l'illustre chimiste. Un deuxième collège pour jeunes filles est fondé en 1892, l'école Edgar-Quinet.

La Ville a pris également l'initiative de constituer des écoles professionnelles de haut niveau. La première est l'école Diderot, ouverte en 1872, boulevard de La Villette, suivie par Germain-Pilon (rue Sainte-Élisabeth), Bernard-Palissy (rue des Petits-Hôtels), et l'École de Physique et de Chimie (rue Lhomond), toutes trois de 1882, l'école Boulle (rue de Reuilly), centre de haut niveau des métiers du bois, en 1889. Viennent ensuite l'école Dorian (avenue Philippe-Auguste) en 1887 et la célèbre école des professions de l'imprimerie, Estienne (boulevard Auguste-Blanqui) en 1889. Apparaissent enfin l'École d'Horticulture et d'Arboriculture (avenue Daumesnil) en 1891 et l'École d'Horlogerie (rue Manin) en 1909. La municipalité a consenti également un gros effort pour les jeunes filles avec l'école de la rue Fondary (1881), l'école Jacquard de la rue Bouret en 1882, les trois écoles de la rue de Poitou, de la rue d'Abbeville et de la rue Ganneron en 1884, celle de la Tombe-Issoire en 1890, sans oublier les écoles Élisa-Lemonnier des rues des Boulets et Duperré. Soit neuf écoles de garçons et huit pour les filles, toutes situées dans les quartiers industriels de la capitale. La synthèse de tous ces enseignements professionnels est assurée par l'École d'arts et métiers de Paris, ouverte le 14 octobre 1912, boulevard de l'Hôpital.

Il faut, enfin, signaler le plus ancien de ces établissements municipaux, le collège Rollin, issu en 1826 du collège privé Sainte-Barbe, d'abord installé rue Lhomond (alors dite des Postes), qui a déménagé en 1876 vers l'avenue Trudaine. A la différence des collèges royaux (ex-lycées), les professeurs étaient à la nomination, non du ministre, mais du Conseil d'administration où les représentants du Conseil municipal étaient en majorité.

Entre les deux guerres le flux des effectifs de l'enseignement secondaire monte peu à peu : vingt-trois mille six cents élèves en 1920, trente mille en 1930, quarante et un mille cinq cents en 1939. En 1950, lycées et collèges rassemblent soixante-quatorze mille élèves. Ils sont plus de cent mille en 1960 et plus de deux cent mille en 1980 et en 1991, la population s'étant stabilisée. Ils se répartissent entre public et privé à raison de 65 % dans deux cent quarante-neuf établissements publics et 35 % dans deux cent cinquante-six écoles privées.

Laissons à Paul Gerbod le mot de la fin sur ce quintuplement des effectifs de l'enseignement secondaire en un demi-siècle : « Cette "explosion scolaire" inédite pose à partir des années soixante-dix de redoutables problèmes : hétérogénéité grandissante des auditoires scolaires, accueil des enfants issus de l'immigration, concurrence des médias, retard des méthodes pédagogiques, construction de nouveaux établissements, formation des maîtres, préprofessionnalisation des études. Les difficultés se chevauchent et se multiplient et l'agglomération parisienne apparaît plus fragilisée que bien d'autres régions dans cette phase très contemporaine de mutations, d'interrogations et de ruptures de toute sorte [1]. »

CHAPITRE V

La société

UNE SOCIÉTÉ D'ORDRES (JUSQU'EN 1789)

• *Le premier millénaire*

Il serait chimérique de prétendre peindre la société parisienne dans le cadre d'un chapitre de ce livre. Il ne peut s'agir ici que d'une esquisse impressionniste que l'on s'efforce de préciser par quelques touches supplémentaires dans la partie « Dictionnaire » de l'ouvrage.

Aux origines, l'absence de documents écrits et la faiblesse des témoignages archéologiques contraignent à la prudence. Quelques inscriptions et stèles funéraires médiocrement gravées sur des plaques de calcaire grossier nous révèlent des habitants portant des noms romains avec souvent des racines celtiques, affublés de façon conventionnelle de la toge ou de la tunique romaine. Quelques métiers sont figurés : un forgeron à l'aspect robuste, coiffé du *pileus*, portant des tenailles, vêtu d'un tablier de cuir, des poissonniers, deux maçons appliquant à un mur la règle de l'architecte, un homme qui transvase des liquides, un marchand qui compte des pièces de monnaie [2]. Petite ville, éclipsée par Rouen et par Sens dont elle dépend, Lutèce-Paris est sans doute peuplée d'artisans, de commerçants, de riches propriétaires terriens dont les domaines avoisinent la cité, d'une foule d'esclaves confinés dans des tâches domestiques. Elle doit aussi compter des fonctionnaires, des avocats, des médecins, des pharma-

---

1. P. Gerbod, « L'itinéraire de l'instruction secondaire du dix-neuvième siècle à nos jours », dans *« Paris à l'école », qui a eu cette idée folle ?*, p. 55.

2. Voir P.-M. Duval, *La Vie quotidienne en Gaule pendant la paix romaine*, et *Paris antique, des origines au IIIe siècle,* ainsi que *Nouvelle Histoire de Paris. De Lutèce oppidum à Paris capitale de la France : vers 225 ?-500.*

ciens, quelques pédagogues et une garnison dont les effectifs ne cessent de croître à partir du IVe siècle, en proportion de l'insécurité, la frontière rhénane étant de plus en plus facilement et fréquemment franchie par des bandes de pillards ou d'envahisseurs germaniques.

Une de leurs tribus, les Francs, finissent par se rendre maître de Paris et en font épisodiquement leur capitale au VIe siècle. La ville a depuis longtemps perdu l'aspect propre et ordonné que lui avait donné la civilisation gallo-romaine. Les égouts et les aqueducs sont encrassés et hors d'usage, les rues encombrées d'ordures, les constructions en bois voisinent avec les vestiges de l'architecture en pierre. Les chroniqueurs de l'époque, Grégoire de Tours, le pseudo-Frédégaire décrivent la barbarie de l'aristocratie franque : adultères, concubinages, viols, infanticides, parricides, assassinats de toutes sortes constituent la trame de leurs récits. « Au milieu de son harem, Dagobert lui-même est l'exemple vivant de la concupiscence, ce qui donnerait à penser que la célèbre chanson a un fond de vérité sérieux qui échappe le plus souvent. Dans l'ensemble, les sociétés mérovingienne et carolingienne ne connaissent ni loi ni frein. Pourtant la loi existe, qui punit le viol, l'enlèvement, la fornication hors mariage, et prévoit même des sanctions pour des privautés déplacées : 15 sous si l'on a serré la main d'une femme sans son consentement, 35 si on la touche au-dessus du coude, 45 si la main s'égare jusqu'au sein [1]... »

« A côté, l'Église forme un monde à part, dont les représentants se reconnaissent dès l'abord. Les clercs, vêtus de blanc, sont tonsurés et rasés ; ils se distinguent par leur savoir, leur célibat, et leur participation à la puissance divine. On les salue bien bas, au besoin en descendant de cheval, et on leur paye la dîme. La personne de l'ecclésiastique est sacrée ; malheur à qui porte la main sur elle : il en coûte 300 sous d'or à celui qui tue un diacre, 600 pour un prêtre, 900 pour un évêque, c'est-à-dire presque dix fois le rachat d'un homme libre [2]. »

Les Parisiens qui ne font partie ni des grandes familles ni du clergé, appartiennent, pour la plupart, aux catégories des artisans et des commerçants : armuriers, orfèvres, tailleurs, brodeurs, marchands de produits exotiques coûteux. « Ch. Lelong énumère les denrées exotiques qui arrivent jusqu'à Paris : riz, olives, dattes, figues, amandes, poivre, girofle, cannelle, vin de Gaza. D'autres offrent des articles précieux, étoffes de soie brochées de fils d'or, cuirs de Cordoue ou de Phénicie, vases, bijoux, grenats d'Asie Mineure, tous produits de luxe qui ne figurent à l'importation qu'en fonction de la présence d'une clientèle riche, mais restreinte. Au contraire, la masse la plus importante des produits vendus affecte les denrées de première nécessité, grains, vin, volailles, poisson, sel, dont l'achat est commun à tous, surtout aux pauvres [3]. »

1. J. Milley, *La Vie parisienne à travers les âges*, I, p. 83-84.
2. *Ibid.*, p. 79.
3. *Ibid.*, p. 82.

• *Naissance de la bourgeoisie*

C'est en partie de ce commerce de produits rares et coûteux que va naître la bourgeoisie parisienne. Selon la tradition, les corporations les plus anciennes de la capitale étaient au nombre de quatre : les drapiers, les épiciers, les merciers et les pelletiers. Avec les marchands de l'eau qui possèdent le monopole du commerce sur la Seine et la puissante corporation des bouchers, ils constituent le noyau d'un troisième pouvoir, à côté du clergé et de la noblesse, l'embryon d'une aristocratie de l'argent, la bourgeoisie.

Philippe Auguste reconnaît l'importance de cette nouvelle classe sociale, qui va progressivement devenir le tiers état, le troisième ordre. En 1190, à la veille de partir pour la croisade, le roi rédige son testament. « Par cet acte, le roi assurait le gouvernement pendant le temps de son absence et au cas où il viendrait à mourir pendant la croisade. Les baillis devaient mettre à la tête de chaque prévôté quatre loyaux hommes sans lesquels, ou sans deux d'entre eux au moins, les affaires de la ville ne pourraient être traitées. Paris était un cas particulier, car le nombre de ces loyaux hommes y était porté à six. Ceux-ci ne sont désignés que par des initiales : T.A.E.R.B.N. Mais L. Delisle a pu restituer les noms qu'elles recouvrent : il s'agit de Thibaut Le Riche, Athon de Grève, Évrouin le Changeur, Robert de Chartres et sans doute Baudouin Bruneau et Nicolas Boucel. On voit donc qu'il s'agit de membres de familles parisiennes connues : Thibaut ou Thibout Le Riche appartient à cette famille des Le Riche apparentée aux plus anciens seigneurs de l'Île-de-France ; c'est probablement ce puissant propriétaire foncier qui a laissé son nom au bourg Thibout et nous le retrouvons souvent dans les opérations immobilières de Paris. Athon de Grève est un bourgeois dont le négoce était sans doute centré sur le débarcadère et le marché de la Grève. Évrouin le Changeur, avec son fils Raimbaut qui le supplée quelquefois, est, comme son nom l'indique, un homme voué au commerce de l'argent. Robert de Chartres ne nous est pas autrement connu, mais les Bruneau et les Boisseau, ou Boicel ou Boucel, sont des bourgeois parisiens : le clos Bruneau peut tirer son nom des premiers ; quant aux Boissel ou Boisseau, ils figurent comme notables dans les cartulaires de Saint-Germain-l'Auxerrois et de Sainte-Opportune et un Nicolas Boucel était trésorier des guerres vers 1202-1203, comme en témoigne le premier compte qui nous soit parvenu des finances de la monarchie française. On voit donc que, plutôt que de s'adresser aux grands seigneurs de sa Cour et de sa famille, Philippe Auguste a fait appel à des membres de cette classe bourgeoise qui commence à se développer à Paris et dont il protège et aide l'essor [1]. »

---

1. J. Boussard, *Nouvelle Histoire de Paris. De la fin du siège de 885-886 à la mort de Philippe Auguste*, p. 306-307.

Le *Livre des métiers* composé sur ordre d'Étienne Boileau, prévôt du roi entre 1261 et 1270, et le livre de la taille de 1292 permettent de mieux connaître cette bourgeoisie montante. Les titulaires des métiers recensés par le prévôt sont considérés comme des bourgeois. Faire partie de la bourgeoisie parisienne est alors un statut envié et des étrangers font appel aux proches du roi pour obtenir de lui des lettres de bourgeoisie. De nouvelles dynasties bourgeoises se sont édifiées durant le XIIIe siècle : les Sarrazin dont un membre est chambellan de saint Louis et voyer de Paris ; les Barbette qui occupent à trois reprises la charge de prévôt de Paris au XIIIe siècle et détiennent celle de voyer durant près d'un siècle ; les Bourdon, qui ont laissé leur nom à la rue des Bourdonnais, fréquemment prévôts des marchands ou échevins ; les Pizdoue qui apparaissent trois fois comme prévôts des marchands entre 1304 et 1347, le dernier, Jean, étant anobli par Philippe VI ; les Popin, les Gencien, écuyers du roi, les Pacy, les Marcel,...

Ces dynasties bourgeoises acquièrent leur fortune et l'accroissent par leur métier ou négoce. Mais cette manière assez lente de s'enrichir se double souvent d'activités spéculatives aux profits bien plus immédiats. Utilisant leurs capitaux pour acheter les céréales à bas prix au lendemain de la moisson, ils les stockent dans leurs greniers pour les revendre avec de gros bénéfices lorsque la demande fait monter les cours. Il est procédé de la même façon avec le vin, les fourrages, le bois.

Malgré l'interdit jeté par l'Église, le prêt à intérêt est largement pratiqué. «Dans son ordonnance d'Orléans du 25 mars 1333, le souverain, qui veut permettre au petit peuple de trouver de l'argent à un taux raisonnable, autorise le prêt à intérêt au taux d'un denier par livre et par semaine, c'est-à-dire environ 21 % l'an. Le roi ne permet pas expressément le taux à intérêt ; il dit seulement qu'il s'engage à ne pas lever d'amendes sur ceux qui le pratiqueront, cela pour ménager l'autorité ecclésiastique. Cette formule ne saurait tromper. Le prêt à intérêt est libre dans Paris jusqu'à un certain taux. Cette manière d'utiliser leur capital permettait aux bourgeois de Paris, détenteurs d'argent liquide, de doubler leur mise tous les cinq ans [1]. » Les bourgeois les plus riches ne prêtent pas qu'au peuple. Les grands seigneurs et même le roi parfois leur empruntent des sommes considérables. Gilbert Lescot, pelletier, prête 10 000 livres tournois au comte de Savoie qui est contraint, en 1330, de lui remettre en gage les revenus de sa terre de Maulévrier. Orfèvre, Simon de Lille prête 6 000 livres au comte de Hainaut.

Les opérations de change sont aussi l'occasion de fructueux bénéfices. La condition de changeur ne cesse de s'améliorer au cours du XIIIe siècle. Vers 1200, c'est encore un bourgeois de condition modeste qui se rend « au change », dans la loge qui lui est attribuée sur le marché. Vers le

1. R. Cazelles, *Nouvelle Histoire de Paris. De la fin du règne de Philippe Auguste à la mort de Charles V (1223-1380)*, p. 102-103.

milieu du siècle, c'est un employé qui le remplace derrière la table tandis qu'il vaque à des affaires plus importantes. Les opérations de change se multiplient au début du XIVe siècle avec les mutations successives ordonnées par Philippe IV, dévaluations déguisées. Mais le pouvoir royal, responsable du désordre monétaire, souhaite surveiller de près la profession et exige son regroupement sur le Grand-Pont. Celui-ci a été emporté par une crue en décembre 1296. Ses maisons et ses boutiques sont reconstruites et le roi ordonne que toutes les loges des changeurs s'y installent, du côté de la Grève, entre l'église Saint-Leufroi et la grande arche. Charles IV le Bel renouvelle cette obligation en 1325 et interdit toute boutique de change en dehors de cet emplacement. « Le roi se méfiait des changeurs, leur imposant de fréquentes amendes pour inobservation des règlements, mais il ne pouvait s'en passer. En cas de décri de monnaie, fréquent au XIVe siècle, les particuliers sont tenus de se débarrasser des anciennes pièces en circulation. Ils peuvent les porter à la monnaie du Roi, mais, en pratique, ils les déposent chez les changeurs qui leur fournissent, en échange, les nouvelles monnaies. Ce sont aussi les changeurs qui apportent à la monnaie royale les lingots d'or ou d'argent avec lesquels on doit frapper les pièces nouvelles, et ils ont un petit bénéfice dans l'opération. Les changeurs n'exercent donc pas un métier ordinaire, mais presque un office. Certains deviennent des personnages importants, comme le bourgeois de Paris Guérin de Senlis, que l'on trouve, en 1313-1314, changeur du Trésor du Louvre, qui devient ensuite receveur du comte de Poitiers, le futur Philippe V, qui lui conférera la noblesse et en fera son trésorier. Guérin de Senlis avait des biens à Gonesse. Étienne Marcel sera son petit-fils, par sa mère [1]. »

Mais il n'y a pas que l'artisanat, le commerce ou le maniement d'argent pour enrichir la bourgeoisie. Sa fortune lui permet d'affermer les revenus domaniaux ou fiscaux et les impôts de la royauté. La ferme permet au souverain de disposer de revenus immédiats. « Les bourgeois de Paris peuvent affermer toutes sortes de recettes domaniales ou autres, les revenus de péages, d'impôts sur certaines catégories d'habitants, sur certaines denrées vendues dans la capitale, comme le poisson de mer. Ce droit sur le poisson de mer s'appelle "hallebic". La légende veut que le "fief" du poisson de mer vendu à Paris ait appartenu à un sieur "Helbick", aux Halles. Sa fille, attendant en vain, un soir, son galant, se serait jetée dans un puits où elle se noya. Telle serait l'origine du puits d'Amour et du gâteau qui porte encore aujourd'hui ce nom [2]. »

« Enfin, la bourgeoisie parisienne ne se contente pas de trafiquer autour de la maison et de l'administration royales. Elle y pénètre à égalité avec la noblesse et le clergé. Un certain nombre d'offices paraissent être l'apanage des bourgeois. Il s'agit surtout de ceux qui entraînent maniement

---

1. *Ibid.*, p. 104.
2. *Ibid.*, p. 106.

ou contrôle des espèces. Les maîtres des monnaies, nous l'avons dit, sont essentiellement des bourgeois ou des ultramontains. Les trésoriers sont choisis de préférence aussi parmi eux ; Guérin de Senlis, Jean Billouart, Geoffroy de Fleury, Jean Poilevilain, Enguerran du Petit-Cellier, Nicolas Braque occupent de hautes fonctions au Trésor à côté de bourgeois d'autres villes du royaume comme Mathieu Gayte, de Clermont, ou Bernard Fermaut, de Tours.

« L'Argenterie, à partir de la fondation de ce service de la chambre royale, est un fief réservé presque entièrement aux bourgeois de Paris. On voit s'y succéder Jean Billouart, Étienne de la Fontaine, et Gaucher de Vanves, le seul qui n'ait pas été bourgeois de Paris étant Guillaume de Montreuil. On observe, d'ailleurs, que ce sont les mêmes noms qui se retrouvent parfois au Trésor et à l'Argenterie. Il en est de même avec la Chambre des comptes où pénètrent des bourgeois parisiens comme les deux frères Martin et Pierre des Essars, Geoffroy de Fleury ou Nicolas Braque.

« On rencontre aussi quelques bourgeois au Parlement. Saint Louis avait pour chambellans Jean Sarrazin et Jean Arrode. Les Gencien sont écuyers du Roi. Étienne Haudri est panetier de Philippe le Bel. Les Marcel sont sergents du roi au XIIIe siècle. On constate une pénétration en force de la bourgeoisie de Paris dans l'entourage du roi, parmi les officiers qui le servent. On ne doit pas s'en étonner car il existe depuis l'origine un lien particulier entre le monarque et la bourgeoisie parisienne. Les bourgeois de Paris sont les "bourgeois du roi" qui les autorise à exercer leurs métiers et qui les garantit contre la concurrence. Les rois du XIIIe siècle et de la première moitié du XIVe siècle ont cru pouvoir faire confiance, comme avait fait Philippe Auguste, à cette classe de la population qu'ils utilisent pour asseoir définitivement l'autorité monarchique dans la ville [1]. »

La faveur royale permet aux bourgeois d'accéder à la noblesse après l'ordonnance de 1275 sur les francs fiefs. Après avoir posé des problèmes, l'acquisition de fiefs nobles par les bourgeois et leur anoblissement finissent par entrer dans les mœurs au XIVe siècle, encore que les vieilles familles ne cachent pas leur mépris pour ces parvenus fortunés. Le poète Rutebeuf fustige les « chevaliers de plaids et d'assises ».

• *Noblesse et clergé*

La présence du roi et de son gouvernement à Paris du milieu du XIIe au premier quart du XVe siècle attire vers la ville une partie de la noblesse. Paris n'a guère de noblesse locale et ce sont des représentants de la noblesse d'Île-de-France et les plus riches lignages de province qui viennent s'y installer. La classe féodale, essentiellement rurale et guer-

1. R. Cazelles, *Nouvelle Histoire de Paris. De la fin du règne de Philippe Auguste à la mort de Charles V (1223-1380)*, p. 107.

rière à l'origine, a connu l'âge d'or de sa puissance au XIᵉ siècle. Depuis, les seigneurs ont pris des habitudes de luxe alors que les revenus de leur domaine stagnaient voire déclinaient. La noblesse française se ruine lentement mais sûrement. Quatre siècles avant sa domestication volontaire par Louis XIV dans la ménagerie de Versailles, elle cherche déjà dans la faveur royale le moyen de maintenir ou de restaurer sa fortune. A partir des règnes de Philippe III et de Philippe IV, les résidences parisiennes des grands seigneurs se multiplient[1]. Vers 1400, le duc Jean de Berry, oncle de Charles VI, dispose de six hôtels dans la capitale. Les ducs d'Anjou et d'Orléans ont aussi l'embarras du choix quand ils résident à Paris. L'aristocratie d'épée, faiblement présente sur la rive gauche, se répartit entre l'ouest et l'est de la rive droite. Autour du Louvre s'élèvent les hôtels de la Marche, de Laval, d'Armagnac, d'Orléans, de Saint-Pol, d'Étampes, de Hainaut, d'Alençon, de Bourbon et, un peu à l'écart de ce noyau, les hôtels de La Trémoille et de Bourgogne. Entre la rue du Temple et la Bastille, plus dispersés, se trouvent les hôtels d'Anjou, de Berry, de Navarre, de Clisson, l'hôtel Barbette des Montaigu, les hôtels du Roi de Sicile, des Tournelles, Saint-Paul et l'autre hôtel d'Orléans, près des Célestins. Ces grandes familles entretenaient d'imposantes maisonnées. Vers la fin du XVᵉ siècle, on dénombre quatre cent quatre-vingt-cinq seigneurs d'origine et surtout de fortune très diverse.

Tout aussi divers est le clergé. Profitant de son statut privilégié et des larges revenus soutirés à la crédulité des fidèles, prêtres et moines font bombance et suscitent la verve des auteurs de fabliaux. Le moine obèse à la trogne d'ivrogne, le curé paillard sont des figures populaires du Moyen Âge dont les chansons bachiques ont maintenu le souvenir jusqu'à nos jours. Les moines mendiants, qui prétendent avoir fait vœu de pauvreté, ne font pas exception et sont chansonnés ainsi :

> *Boire à la capucine,*
> *C'est boire pauvrement ;*
> *Boire à la célestine,*
> *C'est boire largement ;*
> *Boire à la jacobine,*
> *C'est chopine en chopine ;*
> *Mais boire en cordelier,*
> *C'est vider le cellier.*

A côté de ces personnages paillards vivant au milieu et aux dépens du peuple, existe une aristocratie cléricale, celle des évêques et des abbés dont les hôtels se multiplient sur la rive gauche[2], dans le quartier de l'Université, autour des rues Saint-André-des-Arts, Hautefeuille et de la Harpe : résidences des évêques de Thérouanne, de Chartres, de Clermont, de Laon, de Lodève, de Rodez, des archevêques de Besançon, de Reims,

---

1. Voir la carte de J. Favier, *Nouvelle Histoire de Paris. Paris au XVᵉ siècle*, p. 109.
2. *Ibid.*, p. 98.

des abbés de Cluny, de Fécamp, de Beaulieu. Très peu habitent la rive droite : l'archevêque de Sens, l'évêque d'Évreux, les abbés d'Ourscamp, de Chaalis, de Preuilly, de Saint-Maur.

• *La stratification sociale vers le milieu du XVIIᵉ siècle*

Théoricien politique et analyste de la société de son temps, Jean Bodin observe en 1576 dans les *Six Livres de la République* : « La division de la République se fait par lignées et non par têtes. » En effet, la puissance, à la fois dynamique et contraignante, des solidarités familiales fait qu'il ne faut pas considérer la population parisienne comme un ensemble d'individus, mais comme un corps formé de milliers de ménages regroupés au sein de centaines de lignages, de familles au sens le plus large, incluant jusqu'aux cousins et parents les plus éloignés. Roland Mousnier notamment a mis en évidence l'énorme extension de ces lignages, leur politique d'alliances, surtout matrimoniales, les liens de clientèles, les relations des maîtres et protecteurs avec leurs fidèles et leurs créatures [1].

Les millions de minutes des études notariales ont permis de dresser une esquisse de géographie et de stratification sociales de Paris. Une carte, réalisée d'après le « rôle des boues », la taxe municipale de nettoiement de 1637 et le plan de Gomboust de 1652, fait apparaître nettement deux grandes aires où officiers et personnes « de qualité », c'est-à-dire sans profession, par opposition avec les commerçants et artisans, dominent de manière écrasante. La première correspond à peu près au Marais, la seconde, moins étendue, se limite à la partie orientale de l'île de la Cité et à l'île Notre-Dame ou Saint-Louis [2]. Dans ces deux zones, officiers et personnes de qualité représentent plus de la moitié des habitants taxés, parfois plus des trois quarts. A l'opposé, artisans, commerçants et personnes « sans qualité » dominent largement dans le quartier des Halles, au faubourg Saint-Victor, sur l'axe commerçant du faubourg Saint-Germain (rues de Buci, du Four, du Cherche-Midi), dans le quartier Saint-Honoré, à l'ouest de l'île de la Cité, dans les rues Saint-Jacques, Saint-Martin et Saint-Denis. Les quartiers populaires à dominante « laborieuse » sont ceux de la Grève et de la Mortellerie voisine ainsi que celui de Sainte-Opportune.

René Pillorget distingue neuf strates sociales dans la population parisienne [3]. La plus élevée figure dans les documents avec les titres de « messire, chevalier, seigneur de... ». Elle se compose de trois groupes différents mais unis par de fréquents mariages. Vient d'abord la haute

1. R. Mousnier, *Paris au XVIIᵉ siècle* et *La Stratification sociale à Paris aux XVIIᵉ et XVIIIᵉ siècles*.
2. Carte établie par Jean de Viguerie et E. Saive-Lever, « Pour une géographie socio-professionnelle de Paris, XVIIᵉ siècle », dans la *Revue d'histoire moderne et contemporaine*, juil.-sept. 1973, p. 424-429.
3. R. Pillorget, *Nouvelle Histoire de Paris. Paris sous les premiers Bourbons (1594-1661)*, p. 122-134.

noblesse titulaire de fiefs de dignité, gentilshommes de la Chambre du Roi, maréchaux de France, avec des titres de duc, marquis, comte, baron. En dessous, viennent ceux qui ne sont que chevaliers ou seigneurs. Arrivent enfin les nobles par fonction, les magistrats des cours souveraines, Parlement, Cour des Aides, Chambre des comptes. Les dots représentent de 50 000 à 300 000 livres dans cette catégorie fortunée dont les revenus fonciers dont déjà nettement inférieurs aux biens immobiliers, rentes et créances sur des habitations urbaines.

Les écuyers constituent une catégorie à la limite inférieure de la noblesse. Certains sont d'authentique et ancienne noblesse, beaucoup possèdent une noblesse récente ou sont des anoblis, certains ne sont pas nobles du tout, mais profitent de leur qualité pour s'approprier la noblesse, tel un valet de chambre de la reine. La plupart des dots s'échelonnent entre 5 000 et 20 000 livres. Beaucoup de ces écuyers ne possèdent qu'une partie de la maison qu'ils habitent.

Les « notables » forment une couche intermédiaire entre la noblesse et les bourgeois. Ils se rapprochent des écuyers sans pouvoir en posséder la prétention à la noblesse. La plupart des notables font partie des catégories inférieures des grands corps de l'État : trésoriers généraux, élus, receveurs et contrôleurs des finances, avocats au Grand Conseil ou au Parlement. On y trouve aussi des médecins, des artistes comme Claude Vignon et Simon Vouet. Cette strate est fortement contrastée dans sa fortune. Les plus aisés, les membres inférieurs des cours souveraines et les trésoriers des finances, sont nettement plus riches que les écuyers : les dots se situent entre 100 000 et 20 000 livres. En revanche, les autres se contentent de dots entre 3 000 et 10 000 livres. Les notables sont couramment traités de « nobles hommes », quoiqu'ils n'appartiennent pas à la noblesse.

La quatrième strate a droit au titre de « maître » placé avant le nom. Ce sont des avocats, des procureurs, des notaires. Ces hommes de loi vivent de leur office qui représente plus de la moitié de leur fortune et la plupart des dots se situent entre 3 000 et 10 000 livres. Leur logement dépasse rarement trois pièces.

Arrivent ensuite les « honorables hommes », le niveau supérieur du commerce et des chefs d'entreprise. Les artisans employant entre dix et quinze ouvriers appartiennent à ce monde très diversifié. Y figurent notamment beaucoup d'artistes, sculpteurs, peintres, graveurs. Les dots s'échelonnent entre 2 000 et 10 000 livres et les logements se situent entre deux et trois pièces, un quart des honorables hommes devant se contenter d'une chambre avec dépendance et le dernier quart d'une chambre sans dépendance.

Sixième catégorie, les « marchands » forment un groupe très composite. Ce sont des représentants de tous les métiers qui commencent à s'élever sur l'échelle sociale, ils disposent d'un ou deux compagnons et vendent leur production. La plupart des dots se trouvent entre 500 et 2 000 livres. Vingt pour cent seulement de ces marchands disposent de leur propre boutique.

Les « maîtres », compagnons ayant réalisé un chef-d'œuvre à l'issue de leur apprentissage, disposent de revenus modestes et sont parfois à la limite de la misère. Les dots ne dépassent pas 800 livres.

Les maîtres sont logiquement suivis par les compagnons dont ils sont issus. C'est un groupe sans fortune, vivant dans une pièce unique. La diversité des unions, vers le haut ou vers le bas, se traduit dans les dots, de 100 à 1 000 livres.

La neuvième et dernière strate est celle des gens dont la qualité ne figure pas dans les actes notariés. C'est un groupe extrêmement hétéroclite : domestiques, fils de laboureurs ou de vignerons des environs de la capitale, campagnards attirés par la grande ville, travailleurs manuels sans qualification.

• Noblesse ou bourgeoisie : 1789

Cette hiérarchie d'ordres persiste jusqu'à la Révolution, même si Sébastien Mercier, dans son *Tableau de Paris*, donne en 1783, une division légèrement différente de celle de La Bruyère au temps de Louis XIV : « Il y a dans Paris huit classes d'habitation bien distinctes : les princes et les grands seigneurs (c'est la moins nombreuse), les gens de robe, les financiers, les négociants ou marchands, les artistes, les artisans, les manœuvriers, les laquais et le bas peuple [1]. » L'ascension sociale se fait lentement, à travers le filtre de ces différentes stratifications, même si la fortune sourit parfois aux audacieux ou aux chanceux. Sans entrer dans le détail de cette classification, il s'agit de définir les rapports sociaux à la veille de la Révolution, en s'attardant particulièrement sur la noblesse, dont le statut privilégié va être aboli sous peu.

Reprenant une analyse du généalogiste Bernard Chérin, François Bluche a proposé de tenir compte de cinq données pour apprécier l'importance sociale d'une famille noble à Paris ou à Versailles : ancienneté du lignage, éclat de ses services, importance des places occupées, alliances matrimoniales contractées, et, en dernier lieu, sa fortune. Il faut nuancer ces données en tenant compte aussi du talent personnel et de la faveur du roi [2].

Les préjugés sociaux liés à la naissance sont souvent remis en cause par des mariages et des relations d'intérêt destinés à permettre aux nobles désargentés ou trop dépensiers de maintenir leur rang. C'est le cas notamment pour les fermiers généraux : leurs énormes fortunes font

---

1. S. Mercier, *Tableau de Paris*, XI, p. 39.
2. Voir F. Bluche, « Les magistrats des cours parisiennes au XVIIIe siècle, hiérarchie, et situation sociale », dans la *Revue historique de droit français et étranger*, 1974, p. 87-106.

oublier leurs basses origines. Moins de 7 % de ceux qui ont été en place entre 1726 et 1791 peuvent prétendre à une véritable noblesse et faire état de quatre degrés. Mais leur train de vie et leurs manières les font admettre jusque dans les plus grandes familles. Encore doit-on mentionner dans ces 7 % des cas manifestes de fraude. Négociant bordelais, le munitionnaire Marquet a obtenu en 1743 des lettres patentes lui « confirmant » une imaginaire noblesse au sixième degré qui permettront à son fils de figurer parmi les fermiers généraux ayant une « authentique » qualité noble.

Si la noblesse ne répugne pas à côtoyer les bourgeois fortunés vivant noblement, elle tient, dans la capitale tout au moins, à afficher son statut dans son habitat. Si les hôtels qu'elle occupe sont le plus souvent loués, il est indispensable à son prestige qu'ils disposent d'une porte cochère, signe de toute demeure aristocratique. Autre manifestation ostentatoire de la noblesse, la possession d'une voiture : « La première chose qu'un fils de famille demandait à son père était un cabriolet car, jusqu'en 1780, ç'aurait été déchoir que d'aller à pied[1]. » De même, « l'effectif des gens de service dans une famille est l'un des meilleurs indices de son rang social. Au lieu de se contenter d'une servante, comme font la plupart des bourgeois, la noblesse emploie beaucoup de monde[2]. » Cette noblesse, qui prodigue souvent davantage d'argent qu'elle n'a de revenus, est très attachée aux pensions, gratifications diverses et sinécures qu'elle peut obtenir grâce à la fréquentation de la Cour de Versailles, qui lui permettent de payer ses dettes les plus criantes. La noblesse de robe manifeste un attachement particulier à Paris où se trouvent plus de la moitié des biens immobiliers qu'elle détient, alors que la noblesse d'épée préfère des terres et des fiefs ruraux.

La noblesse parisienne se caractérise aussi par un grand nombre de jeunes gens qui rompent avec leur lignage, souvent parce que leur avenir y est incertain, à cause de la longévité du père ou de la présence de frères aînés. Comme le remarque Jean Chagniot, si l'accession à la noblesse couronne la réussite sociale bourgeoise, « les nobles parisiens ne sont nullement à l'abri de l'embourgeoisement, de la ruine ou de l'émancipation brutales, qui sont autant de causes de déclassement[3]. »

L'habitat de la noblesse reflète ses diverses composantes. Les plus grandes familles, celles des ducs et des pairs, ont abandonné le Marais, où 10 % d'entre elles résidaient encore en 1750, pour les quartiers Montmartre et du Palais-Royal et surtout pour le faubourg Saint-Germain et les abords du Luxembourg. Un bon tiers des magistrats du Parlement reste fidèle au Marais et 10 % à l'île de la Cité, le reste imitant les ducs et pairs. Les fermiers généraux se concentrent à peu près exclusivement

---

1. J. Chagniot, *Nouvelle Histoire de Paris. Paris au XVIIIe siècle*, p. 322.
2. *Ibid.*, p. 323.
3. *Ibid.*, p. 325.

dans les quartiers Montmartre et du Palais-Royal, près des temples de
l'argent et du plaisir.

Sommet de la hiérarchie sociale, la noblesse exerce un rôle hors de
proportion avec son importance numérique : moins de 4 % de la population, ecclésiastiques compris.

Sieyès a donc raison lorsqu'il écrit que le tiers état représente numériquement l'essentiel de la nation. Mais ce tiers état est lui-même fort
divisé. Si l'on ne tient pas compte des paysans, immense majorité des
Français, à peu près absents de Paris, les gens du XVIIIᵉ siècle ont
cependant coutume de différencier les bourgeois du peuple. Le terme
de bourgeois possède des sens divers. Il y a d'abord la vieille définition
de « bourgeois de Paris », investi de responsabilités au sein du quartier
et de la paroisse, appelé à participer aux votes lors des élections municipales. Le règlement du 10 février 1743 sur la levée de la milice dispense
ses enfants du tirage au sort. Les fils des marchands sont dispensés
à condition que le montant de leur capitation atteigne 100 livres, les
artisans doivent en payer 150 pour obtenir la même faveur. Dans
son *Journal*, l'avocat Barbier déplore que, « pour apaiser le peuple, on
ait confondu et mis au niveau la bourgeoisie supérieure ». On voit
donc apparaître ici une notion du bourgeois assurant un subtil équilibre
entre deux critères de la hiérarchie sociale, l'échelle des dignités et la
fortune.

L'analyse des actes notariaux fait apparaître un tout autre aspect du
bourgeois : il n'a pas d'activité professionnelle et vit de ses rentes.
Beaucoup de gens n'accèdent à la condition bourgeoise qu'à la fin de
leur vie, fortune faite. Jean Chagniot fait observer : « La prolifération des
bourgeois inactifs met à l'épreuve la persévérance de l'artisan indépendant, dont la femme est astreinte à un labeur harassant et monotone
dans la petite entreprise familiale. La nécessité de nourrir et d'élever des
enfants fonde peut-être cette discrimination, malgré des revenus comparables et un même environnement culturel et social. Les époux Montjean
tiennent un atelier d'articles de mode dans la rue Croix-des-Petits-
Champs ; on les classera dans la petite bourgeoisie puisqu'ils ont une
employée et une servante. Or la maîtresse de maison refuse tout à coup
de reprendre le collier, en 1774, au retour d'un voyage chez son père à
Gisors : "elle dit qu'elle ne travaillerait pas, que c'était à un homme à
nourrir une femme [...], qu'elle voulait être avec un livre à sa fenêtre".
L'épouse néglige effectivement son foyer, pour se promener en
compagnie plus agréable aux Tuileries ou au Palais-Royal. La rupture
est-elle d'ordre psychologique, ou a-t-elle une véritable portée sociale ?
Quoi qu'il en soit, ce dossier illustre l'incompatibilité entre deux
éthiques au sein de la bourgeoisie parisienne : le droit à l'oisiveté d'une
part, et de l'autre la volonté d'assurer la prospérité de la cellule artisanale

et familiale au prix d'un travail incessant et d'une stricte épargne domestique[1].»

Quant au peuple, il est fort difficile de le définir avec précision. Si l'on exclut les indigents et les mendiants, généralement qualifiés de «populace», «la classe des hommes faits pour composer le peuple se rétrécit tous les jours davantage[2]», écrit, à la veille de la Révolution, l'abbé Coyer dans sa *Dissertation sur la nature du peuple*. Les négociants, les marchands, les artisans s'évadent de la condition populaire vers le statut bourgeois, de même que les meilleurs compagnons et ouvriers. Dans un rapport, le major de la garde de Paris, Jean-François de Bar, range parmi les partisans du maintien de l'ordre «les manufacturiers et ouvriers de toute espèce» au même titre que les bourgeois[3]. En revanche, il attire l'attention sur les marginaux : «La troisième et dernière classe comprend les gens sans aveu, les ouvriers sans ouvrage, les paresseux sans métier, les mauvais sujets qui, obligés de quitter leurs provinces, viennent se réfugier à Paris dans l'espérance de l'impunité, et enfin ce qu'on appelle, partout, la lie du peuple[4].» On peut en conclure que, si l'on exclut ces classes dangereuses, qui seront évoquées plus loin, la grande majorité du peuple tend à calquer son comportement sur celui de la bourgeoisie qui, elle-même, lorsqu'elle atteint le niveau de richesse requis, singe la noblesse en abandonnant toute activité pour vivre de ses revenus.

LE TRIOMPHE DE LA BOURGEOISIE

• *Révolution, rentiers et sans-culottes*

Un monarque aboulique et dévot, une reine étrangère ne comprenant rien aux réalités françaises, une noblesse divisée, cramponnée à ses privilèges ou écervelée, la crise de l'État et de ses finances, tout contribue à faire échouer une évolution pacifique vers la monarchie constitutionnelle que souhaitaient les philosophes, la bourgeoisie et une partie de la noblesse. Au lieu d'adapter le modèle anglais à ses institutions, la France se déchire dans une cassure idéologique dont les effets se font toujours sentir à la fin du XXe siècle. Ostracisés, persécutés, parfois massacrés, contraints à s'exiler en masse, les aristocrates disparaissent de la scène sociale, et avec eux l'aimable art de vivre du XVIIIe siècle.

Si la bourgeoisie s'assure le pouvoir politique en 1789, une partie de cette classe pâtit ensuite cruellement des conséquences de la Révolution.

1. J. Chagniot, *Nouvelle Histoire de Paris. Paris au XVIIIe siècle*, p. 332.
2. *Ibid.*, p. 333.
3. *Ibid.*, p. 334.
4. *Ibid.*

Au premier chef sont touchés les propriétaires vivant de leurs rentes, ces bourgeois inactifs déjà évoqués. Un rapport de Dupin, commissaire du Directoire, en fait état : « Une grande partie de la population de Paris se compose d'individus qui ont autrefois placé leurs fonds sur l'État. Ces gens qui sont ruinés, qui n'ont pas reçu une éducation assez industrieuse pour pouvoir aujourd'hui exercer aucun métier ni assez libérale pour être sensibles aux droits que la Révolution leur a restitués, forment un foyer de mécontentement dont l'influence s'étend dans toutes les familles et fait une foule d'ennemis à la République. Qu'on paye les rentiers, c'est-à-dire qu'on rétablisse le crédit public : le concert des bénédictions qui s'élèvera de tant de réduits où l'on n'entend aujourd'hui que plaintes et murmures, suffira seul pour donner un grand essor à l'esprit public [1]. » Arrivé au pouvoir, Bonaparte tiendra compte de cet avis et veillera avec le plus grand soin au maintien du cours de la rente.

Mais la partie active de la bourgeoisie n'a pas été moins affectée par les désordres révolutionnaires que la frange inactive. La fuite des grands lignages nobles à l'étranger a mis au chômage non seulement des dizaines de milliers de domestiques, mais d'aussi nombreux artisans et leurs ouvriers vivant du commerce et de l'artisanat de luxe : perruquiers, parfumeurs, tailleurs, modistes, chapeliers, marchands de tissus, ébénistes, carrossiers, etc. Ceux-ci espèrent une relance de l'économie. Napoléon s'efforcera de leur donner satisfaction.

Si la bourgeoisie a évincé la noblesse sur les plans politique et social, les droits qu'ont acquis les citoyens compensent mal le désastre économique dont seuls ont tiré profit les acheteurs de biens nationaux et les fournisseurs des armées. On comprend mieux alors que ces bourgeois victorieux mais au bord de la ruine aient consenti à livrer le pouvoir politique à un soldat qui leur garantissait leur nouveau statut de citoyen et leur promettait le retour de la sécurité monétaire et de la prospérité économique.

Quant aux sans-culottes, fer de lance de la Révolution, qui sont-ils ? Albert Soboul et Raymonde Monnier ont montré qu'ils se recrutaient surtout dans les milieux d'artisans et d'employés, assez souvent analphabètes et chômeurs [2]. Livrés à eux-mêmes, ils ne représentaient qu'une force insignifiante, les émeutes de germinal et de prairial, au printemps 1795, l'ont démontré. Ce sont les commissaires des comités révolutionnaires qui les encadraient qui constituaient le véritable élément révolutionnaire. Si les rentiers représentent moins de 5 % de ces commissaires, les professions libérales en regroupent plus de 10 % : hommes de loi, instituteurs et professeurs, médecins, architectes. Employés et surtout artisans instruits constituent la grande masse. Décimés par les épurations

---

1. Cité par J. Tulard, *Nouvelle Histoire de Paris. La Révolution*, p. 397.
2. Voir A. Soboul et R. Monnier, *Répertoire du personnel sectionnaire parisien de l'an II*.

révolutionnaires successives des hébertistes, des dantonistes, puis des robespierristes, démoralisés par tous ces changements brutaux de ligne politique, ils n'aspirent plus, à partir de 1795, qu'à trouver du travail et à pouvoir disposer de nourriture à un prix décent. Eux aussi, en dehors de quelques irréductibles, se satisferont du plein emploi et du pain à bon marché que leur assure le Premier consul puis l'Empereur.

• *Le XIXᵉ siècle : bourgeois et ouvriers*

En 1811, la liste des six cents personnes les plus imposées de la Seine révèle le retour en force des rentiers, qualifiés aussi de propriétaires. Ils constituent près de la moitié des notables. Ce sont, rarement, des bourgeois d'Ancien Régime possesseurs de rentes et de loyers assis sur des loyers ou des fermages, moins souvent ruinés que les détenteurs de rentes sur l'État. La plupart sont des nouveaux rentiers, spéculateurs sur les assignats, acquéreurs de biens nationaux. Ces rentiers, petits ou gros, représentent moins de 10 % de la population parisienne, mais ils font l'opinion, car ils suivent chaque jour le cours de la rente à la Bourse, baromètre du soutien politique au régime impérial.

Les négociants sont faiblement représentés sur la liste des six cents notables : deux merciers, un marchand de draps, un marchand de soies, un charcutier, un libraire, un confiseur, un marchand de tableaux, un épicier en gros. L'Empire est une époque funeste pour eux. Chaptal a noté avec justesse : « Aucune classe ne souffrait plus que le commerce qui ne prospère que dans la paix et sous des lois fixes et protectrices. Or, Napoléon a été constamment en guerre et ses lois variaient au gré de ses caprices, de sorte que les opérations du commerce ont été constamment des jeux de hasard[1]. »

Quant aux industriels, faiblement présents à Paris à la veille de la Révolution, ils ne comptent guère plus. Lorsque l'Empereur demande au préfet Frochot de lui établir la liste des fabricants de Paris dignes de faire partie du Conseil général des manufactures créé en 1810, celui-ci ne trouve que douze noms à mentionner dont quatre feront partie de ce conseil : Albert pour l'industrie mécanique, Darcet pour l'industrie chimique, Richard-Lenoir et Schlumberger pour l'industrie cotonnière.

« Les marchands occupent le bas ; les gens riches le premier ; les gens aisés le second ; les salariés le troisième ; les ouvriers le quatrième ; les pauvres les étages supérieurs. » Fréquemment citée, cette observation de Roederer sur la division en hauteur des Parisiens ne concerne que la petite et moyenne bourgeoisie. Non seulement les grands notables de l'Empire n'habitent pas les mêmes immeubles que les ouvriers, mais ils tendent à s'en isoler en s'installant, mis à part le faubourg Saint-Germain,

---

1. Cité par J. Tulard, *Nouvelle Histoire de Paris. Le Consulat et l'Empire*, p. 66-67.

dans certains quartiers qui deviendront les « beaux quartiers » : Chaussée-d'Antin ou faubourg Saint-Honoré. « Ainsi s'oriente-t-on vers cette division entre quartiers riches et quartiers populaires qui marquera si fortement le Paris du second Empire, lorsque le préfet Haussmann renoncera définitivement à un équilibre social qu'avait préservé l'ancienne monarchie [1]. »

La Restauration et la Monarchie de Juillet ne présentent guère de changement dans la société issue de l'Empire. Tout au plus, comme le note Jean Tulard dans les lignes précédentes, le faubourg Saint-Germain se singularise-t-il sous la Restauration. C'est là que s'est reconstituée l'arrogante haute société aristocratique, deux cents à trois cents familles titrées d'Ancien Régime qui ont suffisamment de fortune pour mener un train de vie luxueux dans leurs hôtels et dont les membres occupent des charges honorifiques mais lucratives à la Cour ou de hautes fonctions dans le personnel de l'État. « Cette classe privilégiée, écrit le capitaine Gronow, était entourée d'un cercle enchanté que personne ne pouvait franchir. Ni les séductions personnelles, ni les qualités intellectuelles ne pouvaient servir de passeport pour entrer dans cette société exclusive. » Elle tient, notamment, à se démarquer de la noblesse d'Empire et même de celle de création royale récente. « C'est ce qu'apprit à ses dépens, un soir de janvier 1829, l'ancien ministre Antoine Roy, un des hommes les plus riches du temps, pourvu par Louis XVIII d'une pairie et d'un titre de comte [2] », note Bertier de Sauvigny, qui cite le journal tenu par Cuvillier-Fleury : « M. Roy donnait un grand bal hier soir. Toute la Cour y était invitée, mais elle brillait par son absence [...]. M. de Polignac à peu près seul avait bravé la défense qui s'attache au nom plébéien... de M. Roy. »

Cet exemple des avanies subies par un des plus grands notables permet de mieux comprendre la haine qui pouvait animer la bourgeoisie parisienne contre un monarque et une Cour qui les ostracisait encore plus que sous l'Ancien Régime. Après la révolution de juillet 1830, Louis-Philippe retient la leçon et affiche un train de vie bourgeois destiné à lui assurer popularité et longévité politiques. La Cour, le pouvoir sont désormais aux mains d'une fraction de la grande bourgeoisie que dénoncent aussi bien Karl Marx qu'Alexis de Tocqueville. Le premier écrit : « Ce n'est pas la bourgeoisie française qui régnait sous Louis-Philippe, mais une fraction de celle-ci : banquiers, rois de la Bourse, rois des chemins de fer, propriétaires de mines de charbon et de fer, propriétaires de forêts et la partie de la propriété foncière ralliée à eux, ce qu'on appelle l'aristocratie financière [3]. » Tocqueville ajoute : « La postérité [...] ne saura peut-être jamais à quel degré le gouvernement d'alors avait, sur

1. Cité par J. Tulard, *Nouvelle Histoire de Paris. Le Consulat et l'Empire*, p. 49.
2. G. Bertier de Sauvigny, *Nouvelle Histoire de Paris. La Restauration*, p. 218.
3. Cité par P. Vigier, *Nouvelle Histoire de Paris. Paris pendant la Monarchie de Juillet (1830-1848)*, p. 354.

la fin, pris les allures d'une compagnie industrielle, où toutes les opérations se font en vue du bénéfice que les sociétaires en peuvent retirer. Ces vices tenaient aux instincts naturels de la classe dominante, à son absolu pouvoir, au caractère même du temps. Le roi Louis-Philippe avait peut-être contribué à les accroître[1]. »

Plus simplement, Stendhal écrit : « Les banquiers sont au cœur de l'État. La bourgeoisie a pris la place du faubourg Saint-Germain, et les banquiers sont la noblesse de la classe bourgeoise[2]. » Henri Heine va jusqu'à décerner en 1836 à l'hôtel du baron James de Rothschild le titre de « Versailles de la ploutocratie absolue[3] ». C'est à la Chaussée-d'Antin que réside la nouvelle élite parisienne. Les Rothschild voisinent avec Jacques Laffitte et Casimir Perier. Benjamain Delessert habite rue Montmartre et le très populaire Hippolyte Ganneron, rue Bleue, au faubourg Montmartre. Face à cette classe opulente d'hommes d'affaires unissant dans leurs activités la banque et le négoce, les industriels, quoique en pleine expansion n'ont qu'une fortune modeste, tels François Cavé ou Charles-Victor Beslay qui habitent rue du Faubourg-Saint-Denis et rue Neuve-Popincourt et font fortune dans le matériel pour chemin de fer. Commerçants, artisans, professions libérales et fonctionnaires constituent l'essentiel de la moyenne et petite bourgeoisie. Ce sont eux qui durement touchés par la crise économique des années 1846-1847, vont faire tomber le régime avec l'appui des ouvriers.

En effet, depuis 1830, se manifeste, avec de plus en plus de force, une nouvelle classe sociale qui participe à la révolution de 1830 et multiplie les manifestations, les émeutes, organise même des insurrections ratées jusqu'en 1835. Cette classe ouvrière, en très grande partie composée de provinciaux, a été attirée par les emplois offerts par une industrialisation brutale, hâtive, anarchique de la capitale. Elle s'entasse pour un bon quart dans des taudis, les « garnis », dont la population croît de vingt-trois mille à cinquante mille personnes entre 1831 et 1846. Auteur *Des classes dangereuses de la population dans les grandes villes*, H.-A. Frégier dénonce ces « foyers d'infection qui ravalent au niveau des animaux les plus immondes les malheureux habitués à y chercher une retraite pour la nuit[4] ». La multiplication des grèves, la naissance d'une presse socialiste, l'organisation de sociétés de secours mutuels, formes primitives du syndicalisme, sont l'expression de la fermentation de ce monde et suscitent l'inquiétude de la bourgeoisie.

Auteur d'un ouvrage sur *L'extinction du paupérisme*, sensible aux problèmes sociaux, Napoléon III ne veut pas que se renouvelle l'insur-

---

1. Cité par P. Vigier, *Nouvelle Histoire de Paris. Paris pendant la Monarchie de Juillet (1830-1848)*, p. 353.
2. *Ibid.*, p. 356.
3. *Ibid.*, p. 358. Voir aussi A.-J. Tudesq, *Les Grands Notables en France*, et A. Daumard, *La Bourgeoisie parisienne de 1815 à 1848*.
4. Cité par P. Vigier, *op. cit.*, p. 314.

rection de juin 1848. Il met donc en place une politique restrictive des implantations industrielles dans la capitale afin de freiner l'afflux de main-d'œuvre ouvrière. L'annexion des faubourgs en 1860 répond en partie à ce désir d'empêcher la prolifération d'usines aux abords immédiats de Paris. Jeanne Gaillard a bien analysé cette politique restrictive qui n'ose pas s'afficher, mais qui fait tout, grâce notamment à l'arme fiscale de l'octroi, pour dissuader les industriels de s'établir à Paris. «Par-delà des concessions transitoires, les bases d'une nouvelle géographie industrielle sont en fait jetées. En incluant dans les nouvelles limites la zone militaire contiguë aux fortifications et frappée d'une servitude *non aedificandi*, la loi d'annexion ne protège pas seulement Paris contre l'expansion industrielle. Paris sera entouré d'une sorte de no man's land qui facilitera "la surveillance de l'octroi", dit la loi, et rendra "plus difficile la reconstruction de nouveaux faubourgs extérieurs au détriment des territoires annexés...". Mais au-delà l'industrie a quartier libre. Le préfet lui-même entreprend d'aménager la plaine Saint-Denis et il entame en personne des négociations avec Constant Say, raffineur à Ivry, et J.-F. Cail, métallurgiste à Grenelle, pour les inciter à se replier sur un territoire qui, dit-il, est tout prêt à les accueillir [1].»

La Commune va mettre en évidence le danger d'explosion sociale que voulaient éviter Napoléon III et Haussmann. Mais, comme le note Louis Chevalier, «la Commune enregistre les modifications qui se sont produites sous le Second Empire. Elle éclaire fortement les Communards. Des autres groupes — aux contours moins nets — elle ne montre guère que leur haine contre Belleville. Cette simplification ne fera que s'accentuer à partir de la fin du XIXe siècle. Désormais les luttes sociales opposeront les ouvriers — la classe par excellence, la seule — et le reste, une masse en laquelle il sera bien difficile d'isoler des classes aussi lisibles que celles du passé [2].» Mais, en refusant d'industrialiser la capitale, le second Empire et la Troisième République qui lui succède enlèvent au monde ouvrier toute chance de conquérir la ville et de menacer le pouvoir bourgeois.

Mais la classe bourgeoise perd aussi de sa cohésion. Daniel Halévy et C.-H. Pouthas ont bien montré comment l'arrivée au pouvoir vers 1880 d'un nouveau personnel politique, de tendance radicale, a permis une accélération du processus d'embourgeoisement : alors qu'il fallait plusieurs générations pour passer du statut d'ouvrier, de paysan ou d'employé à celui de bourgeois, c'est désormais possible en une génération.

L'identité de la haute bourgeoisie parisienne se dissout. Louis Chevalier écrit : «Dans la haute bourgeoisie parisienne, au contraire, en vain s'efforcerait-on de préciser, de nos jours, les contours de milieux

---

1. J. Gaillard, *Paris. La ville (1852-1870)*, p. 58.
2. L. Chevalier, *Les Parisiens*, coll. «Pluriel», 1985, p. 103.

historiquement datés, authentiquement conservés, fidèles à leur passé familial et à l'allure de leurs débuts. Pour la première moitié du XIXe siècle, Balzac n'a aucune peine à le faire, tant les sédimentations des régimes successifs se dessinent encore, fraîches et sans bavures, aux flancs de la belle société de son temps. Témoins du second Empire, Alphonse Daudet et bientôt Zola commencent de s'y perdre. Leurs successeurs y renoncent, à moins qu'ils ne reconstituent l'histoire d'une famille : ainsi Philippe Hériat l'histoire de la famille Boussardel qui, après avoir fait partie d'une classe, après s'être identifiée à cette classe, ainsi qu'au quartier grandi de ses spéculations, se trouve ramenée aux limites de sa plus étroite parenté, réduite à elle-même, aux quelques personnes qui la composent et dont la description présente désormais un intérêt beaucoup moins social, global, qu'individuel. C'est, en effet, par une somme de déroutes individuelles et de même type que cette grande bourgeoisie s'exprime ou plutôt se disperse et s'effiloche dans les grandes œuvres romanesques de ces trente dernières années [1]. »

• *Ascension et chute du prolétariat*

De cet émiettement, de cette dégénérescence de la bourgeoisie, la classe ouvrière a-t-elle tiré profit ? Relégués dans les banlieues environnant la capitale, encadrés par des imbéciles éblouis par le phare soviétique, incapables de penser autre chose qu'une société totalitaire utopique, encadrés par les instituteurs bornés et timorés de la S.F.I.O., les ouvriers parisiens ont été menés à l'inévitable échec. Suprême imposture, le Front populaire a accouché de l'État français : une Assemblée majoritairement de gauche a investi à l'unanimité moins 80 voix le sénile maréchal Pétain.

Alors que la population parisienne stagnait et s'embourgeoisait lentement, de 1906 à 1936, les communes du département de la Seine doublaient leur population, composée en grande majorité d'ouvriers. Mais la banlieue rouge n'a pas pu ou su imposer son pouvoir à la capitale. Depuis 1960, elle vire au rose, au tricolore, voire au nationalisme fascisant, car, « confrontés au péril brun, noir ou jaune qui leur permettent d'exorciser le spectre bien réel du licenciement et de la déqualification, ils [les ouvriers] finissent par voir rouge... sans voter rouge pour autant [2] ».

Bourgeois et ouvriers font route simultanément vers le néant social. Des Parisiens d'un troisième type les ont évincés. La petite bourgeoisie tertiaire, enseignants, employés de banque, fonctionnaires parasites de tout acabit, intellectuels au rabais, cette masse multiforme des emplois dits tertiaires représente plus de 80 % des emplois et des habitants actuels de la capitale. Citons pour conclure la postface de Jean-Pierre Garnier à

---

1. L. Chevalier, *Les Parisiens*, coll. « Pluriel », 1985, p. 89.
2. *Ibid.*, p. 423.

l'ouvrage de Louis Chevalier[1], qui évoque férocement «la Beaubour-geoisie»: «Comme à la *Samaritaine* non loin de là, on trouve de tout dans cette vaste zone franche culturelle. En provenance de Paris, de France, d'Occident, tout ce que la modernité peut offrir à l'œil en matière de modes et de modèles trouve ici la vitrine où s'exhiber, gens et choses confondus. De ces dernières, nous ne dirons rien sinon que c'est afin de satisfaire la boulimie culturaliste bien connue de la petite-bourgeoisie d'encadrement dont les effectifs sont devenus pléthoriques aujourd'hui, que les nourritures spirituelles de la FNAC et de ses annexes audiovi-suelles ont été entassées au fond de ce qui fut le Ventre de Paris. Comme si les tombereaux de produits artistiques déversés à proximité dans la grande surface pompidolienne et ses différentes dépendances n'y suffi-saient pas! C'est aussi à la fringale consommatoire des nouvelles couches moyennes que s'adressent en priorité, voire en exclusivité, les boutiques design, rétro ou punk où les détenteurs du capital culture trou-veront l'occasion de le valoriser et de se distinguer ainsi du commun. C'est encore au goût de cette classe médiane et médiatrice pour l'exhibi-tionnisme esthétique que répondent certains endroits et certaines manifestations réservés à des *happy few* d'autant plus heureux qu'ils se savent moins nombreux. Ce nouveau "centre des centres" où affluent, au milieu de la foule des visiteurs étrangers ou provinciaux, des milliers de Parisiens que l'urbanisme des vingt dernières années a transformés en chiens perdus sans quartier, est d'abord le lieu où la petite-bourgeoisie intellectuelle voit son "droit à la ville" enfin reconnu. De cet espace élitaire, elle a fait son fief. Et il faudra plus d'une "révolution urbaine" pour l'en déloger. Reste à savoir si ce troisième larron de l'histoire qui, entre la bourgeoisie et le prolétariat, a su si bien trouver sa place dans la reconquête de Paris, est susceptible d'engendrer une culture parisienne inédite. Disons-le tout net: le "modèle de vie quotidienne radicalement nouveau" dont maints chroniqueurs saluent l'émergence de part et d'autre du boulevard Sébastopol, est à la traîne de ce qui se fait outre-Atlantique.

« Depuis une dizaine d'années, l'élite parisienne croit découvrir la lune en redécouvrant l'Amérique. Celle du Nord, faut-il le préciser. Certains se félicitent par avance de la "new-yorkisation" de la capitale, allant même jusqu'à chausser en esprit des patins à roulettes made in USA pour aller plus vite dans le sens de l'histoire. Que les jeunes, aux Halles plus qu'ailleurs, appartiennent déjà, comme on dit, au "troisième millénaire", manière de laisser entendre qu'ils évoluent mentalement dans une autre époque située au-delà de celle où vivent leurs parents, cela est probable. Mais qu'ils soient déjà les ressortissants d'un autre espace, dans leurs actes comme par leurs pensées, cela est certain. Et, même si le territoire

---

1. L. Chevalier, *Les Parisiens*, coll. «Pluriel», 1985, p. 431-433.

géographique où ils se meuvent est toujours situé à Paris, cet espace de référence n'est déjà plus parisien, ni même hexagonal, mais planétaire. Dans ce creuset des Halles où se forgent les citadins de demain, à entendre les "animateurs" du Forum, la coupure entre générations, provoquée par la "mise en modernité" accélérée de la France, apparaît plus accentuée encore. Est-ce parce que "le plus grand quartier piétonnier d'Europe" est aussi un quartier piétiné dont le passé a été foulé aux pieds, avec "les anciennes mûrisseries de bananes devenues des théâtres pornos, les entrepôts de fruits exotiques transformés en boîtes à cul, en boîtes à fringues, en boîtes à cons [1] ? »

« Paris, heureusement, n'a pas encore dit son dernier mot. Mais, pour réaffirmer et renouveler à la fois sa parisianité, ce n'est pas vers le Nouveau Monde que devra regarder cette capitale du Vieux Monde. Bien que "le sujet mérite une étude" selon lui, Louis Chevalier ne s'était guère préoccupé de ces citadins à qui l'on refuse le titre de citoyens et qui pourtant sont devenus, entre-temps, jusqu'à l'obsession, le sujet de préoccupation premier — avec le chômage : lien de cause à effet oblige ! —, des habitants des grandes agglomérations françaises. On aura reconnu là les "immigrés" de la première, deuxième, troisième génération et de toutes celles qui suivront, sans oublier les quatre cent mille Antillais, qui sont en train de réinventer leur culture et régénérer celle de leurs "hôtes" au cœur de la métropole. Ces Parisiens d'un "troisième type", eux aussi, qui ne viennent pas tous du tiers monde, ne peuvent être considérés plus longtemps comme des hommes et des femmes invisibles. Et cela d'autant moins qu'ils sont en train de prendre la relève du "petit peuple" de Paris pour recréer des "pays" dans les quartiers que la rénovation ou la réhabilitation menace de transformer en musées [2]. »

LES CLASSES MARGINALES OU DANGEREUSES

Société fondée sur des relations familiales, sociales et territoriales très fortes et stables, le monde médiéval est hostile à la mobilité des individus, qu'il s'agisse de leur profession ou de leurs déplacements. Les *Établissements de saint Louis* considèrent comme des criminels les gens sans profession ni domicile fixe, qui sont jugés de « mauvaise vie ». Mais il faut attendre l'ordonnance de 1351 de Jean le Bon pour que s'ouvre la chasse aux vagabonds et aux mendiants. Ils sont sommés d'embrasser un métier ou de quitter Paris dans un délai de trois jours. Surpris pour la première fois à errer sans emploi, le vagabond est passible de quatre

1. J. Bialot, *Le Manteau de saint-Martin*, cité par J.-P. Garnier dans L. Chevalier, *Les Parisiens*, coll. « Pluriel », 1985, p. 433.
2. J.-P. Garnier dans L. Chevalier, *Les Parisiens*, p. 440-441.

jours de prison. La deuxième fois, il risque le pilori, la troisième il est proscrit après avoir été marqué au fer rouge sur le front. Ces mesures sont liées à la pénurie de main-d'œuvre qui sévit depuis la Grande Peste de 1348, suivie par de fréquents retours de l'épidémie. Cette situation se prolonge au XVe siècle. A partir de l'ordonnance cabochienne de 1413, l'accent se déplace du manque de main-d'œuvre et de la répression de la mendicité oisive vers le maintien de l'ordre public et de la sécurité dans les rues. L'ordonnance de 1422 recommande aux sergents d'arrêter «toutes manières de gens oyseux, vagabondes et autres qui porteront harnois tant le jour que de nuict sans adveu, seigneur ou autre à qui ce appartienne de faire et sans savoir le nom de la nuict ou qui romperont, heurteront huys ou feront autres fractions, noise ou excés[1]».

Pour remédier à cette situation, les bourgeois proposent qu'un voleur trois fois récidiviste soit puni dans les mêmes conditions que celui ou celle qui l'aura caché, «ensemble lesdits larrons et leur receleur et receleuse seront brusléz tous vifs[2]». Beaucoup de crimes ont lieu au Quartier latin. De nombreux bandits se prétendent, en effet, étudiants pour échapper à la justice du prévôt. Afin de mettre un terme à ces abus, le port d'armes est interdit aux étudiants qui sont désormais soumis à une sévère réglementation : ils sont notamment tenus de faire la preuve qu'ils poursuivent de réelles études en présentant un certificat du principal de leur collège.

Malgré la fin de la guerre de Cent Ans et un regain de prospérité dans la seconde moitié du XVe siècle, le danger social présenté par les gens sans aveu et les vagabonds ne fait que s'aggraver. La Chambre criminelle du Parlement décide en juillet 1473 que les commissaires au Châtelet devront, chacun dans sa circonscription, faire une enquête sur la criminalité afin d'arrêter bandits et vagabonds. «Une telle décision du Parlement, la plus haute instance judiciaire dans la France de l'époque, montre l'importance capitale que revêt alors le danger social de la criminalité et de la marginalité dans la capitale. En fixant la compétence des commissaires et de l'appareil municipal, elle marque le départ de la future législation royale et celui de l'action des édiles, face au vagabondage, au seuil des temps modernes[3].»

Ces mendiants et malfaiteurs ne disposent pas encore des repaires inexpugnables que vont constituer les cours des miracles au XVIIe siècle. Les «caïmans» et autres gueux sont dispersés dans les lieux les plus pauvres de la ville, soupentes sans aération, baraques au fond de culs-de-sac ou dans des terrains vagues des quartiers périphériques. Les moins chanceux doivent se contenter d'auvents de boutiques, de portes cochères. Les mieux organisés s'installent dans des maisons en ruines ou

---

1. Cité par B. Geremek, *Les Marginaux parisiens aux XIVe et XVe siècles*, p. 52, note 150.
2. *Ibid.*, p. 36.
3. *Ibid.*, p. 37.

inhabitées. Les bateaux amarrés aux ports offrent des couches souvent moelleuses, notamment les chargements de foin.

La situation empire encore au XVIe siècle. Des rafles sont organisées en 1516, 1524, 1526, plus de cinq cents mauvais garçons se retrouvent à chaque fois sur les galères à Marseille. Mais l'insécurité ne diminue pas pour autant : « Le ciel tendu pour le roi dans la grande salle du Louvre pour un festin est dérobé en 1534. Des bandes organisées de mauvais garçons mettent certains jours la ville en coupe réglée, et se réfugient le soir dans les hameaux des environs, et notamment près du Bourget. En 1525, ces malandrins organisés sont une cinquantaine, armés d'arquebuses, sous la direction de leurs chefs Esclaireau, Barbiton et Jean de Metz. Ils volent du sel sur les bateaux amarrés près des Célestins et partent à l'attaque en hurlant "Vive Bourgogne, à sac, à sac", un cri qui rappelle les heures sanglantes du siècle précédent. Il fallut une bataille rangée pour en venir à bout. Ces mauvais garçons hantent aussi les anciens hôtels aristocratiques laissés à l'abandon, le prévôt des marchands demande en 1524 que leurs ouvertures soient murées [1]. »

Au début du XVIIe siècle, la littérature populaire décrit et classe la « gueuserie », notamment *La Vie généreuse des mercelots, gueuz et Boesmiens*, parue en 1596, et le *Jargon ou langage de l'argot réformé* de 1628. Le second de ces ouvrages distingue les Cagous et Archisuppôts de l'Argot, « des écoliers desbauchez et quelques ratichons », les Orphelins, les Marchandiers, les Millards, les Malingreux, « qui ont des maux ou playes dont la plupart ne sont qu'en apparence », les Piètres qui font semblant d'avoir un membre fracturé, les Sabouleux qui « s'amadouent avec du sang et prennent du savon blanc en la bouche, ce qui les fait écumer », les Callots, « tigneux véritables ou contrefaits », les Coquillards, « faux pèlerins de Saint-Jacques », les Hubins, « qui se disent avoir été mordus par des loups ou hubins enragés », les Francs Mitous, autres simulateurs, etc.

L'essor économique et l'esprit des Lumières du XVIIIe siècle ne modifient ni le sort des misérables ni l'attitude de la société à leur égard. La police continue à traquer mendiants et voleurs, multipliant les rafles nocturnes. La désastreuse récolte de 1788 a fait affluer des milliers de paysans sans ressources vers la grande ville, créant chez les citadins une hantise des brigands, un souci de sécurité non sans rapport avec la « grande peur » des campagnes durant l'été 1789. Mendiants et indigents représentent, à la veille du 14 juillet, un sixième au moins de la population urbaine. Les rapports des commissaires de police sous la Révolution confirment l'existence d'une majorité de provinciaux parmi les vagabonds, près de la moitié étant des ruraux déracinés venus du Bassin parisien et de ses marges. La criminalité touche presque autant les

---

1. J.-P. Babelon, *Nouvelle Histoire de Paris. Paris au XVIe siècle*, p. 191.

femmes que les hommes : 42 % de personnes du sexe dit faible, dont l'audace et l'agressivité croissent avec les charges de famille. Beaucoup d'enfants entre huit et douze ans agissent seuls ou en couples. A partir de quinze ans, ils opèrent parfois en bandes organisées dans lesquelles les filles, souvent prostituées, occupent une place importante. Il ne faut pas oublier que 12 % des délinquants sont âgés de plus de soixante ans.

Au début du XIXe siècle s'élabore le mythe de la « classe dangereuse » qui va s'épanouir durant la Monarchie de Juillet. La ville a repris sa croissance démographique et l'afflux de provinciaux en quête de travail ou venus mendier porte le nombre des indigents à une centaine de milliers durant tout l'Empire. « Parmi les délits enregistrés, le vol vient en tête : vols à la tire (plus de la moitié du nombre total des vols), vols domestiques (20 % environ du total), vols avec ou sans effraction (plus de 15 %). Le chiffre général des vols connaît — comme les attaques à main armée — deux fortes poussées, en 1806 et en 1811. En revanche, le nombre des escroqueries varie peu. Fréquentes sont les affaires de coups et blessures : un millier par an en moyenne ; plus rares, parce qu'ils ne font généralement pas l'objet de plaintes, les attentats contre les mœurs. Quant au crime proprement dit, il reste proportionnellement moins élevé : treize assassinats en 1801, dix-sept en 1808, dix-huit en 1811. Toutefois l'infanticide — souvent impuni — exerce des ravages encore mal connus. Deux délits retiennent surtout l'attention des autorités : la fraude aux barrières de l'octroi qui fait vivre, d'après les évaluations du Consulat, une armée de dix mille malfaiteurs, et le faux-monnayage que sanctionne à plusieurs reprises la guillotine[1]. »

Mais ce qui inquiète particulièrement les autorités, c'est l'apparition de nouvelles catégories de délinquants. Les gens sans profession ne représentent plus que 7 % alors qu'ouvriers et artisans sont 65 %. La statistique des ouvriers dressée par le préfet, le 30 mai 1807, relève la propension au vol chez les maçons, serruriers, couvreurs, cordonniers, tourneurs et imprimeurs, alors que chez les boulangers, « peu sont voleurs, mais une petite animosité les rend assassins ». La tendance à la brutalité des chapeliers, charrons, cloutiers, tonneliers est mise en évidence.

Depuis 1825, le ministère de la Justice publie chaque année des *Comptes généraux* permettant une statistique de la criminalité. La Seine distance largement le reste du pays avec un taux triple ou quadruple : durant le lustre 1825-1829, les assises de la Seine ont jugé annuellement un crime pour mille deux cent sept habitants alors que la moyenne française s'établit à un pour quatre mille trois cent quatre-vingt-dix-sept. Les prévenus de naissance parisienne sont très minoritaires.

C'est en 1840 qu'est établie la relation, quelque peu abusive, voire

---

1. J. Tulard, *Nouvelle Histoire de Paris. Le Consulat et l'Empire*, p. 277 (éd. de 1983).

arbitraire, entre classes « laborieuses » et classes « dangereuses », dans les ouvrages de Buret, *De la misère des classes laborieuses en Angleterre et en France* et de Frégier, *Des classes dangereuses de la population dans les grandes villes*. Ce mythe d'un Paris monstrueux et criminel est entretenu par le fantaisiste roman-feuilleton d'Eugène Sue, ploutocrate affichant des idées socialistes, qui décrit la frange délinquante du monde ouvrier comme « des barbares aussi en dehors de la civilisation que les sauvages peuplades si bien peintes par Cooper [1] ». « Parmi ces nouveaux barbares, ces nouveaux sauvages, si l'on laisse de côté les quelque trente mille truands et criminels professionnels si bien dépeints dans *Les Mystères de Paris* d'après Frégier, le gros de l'effectif est constitué, suivant Louis Chevalier, par ces criminels potentiels occasionnels, que seraient les ouvriers parisiens [2]. »

Ce point de vue excessif, qui fait de tout ouvrier un criminel en puissance, est typique de l'étroitesse d'esprit de l'époque louis-philipparde. Le second Empire s'avère beaucoup moins obnubilé par cette crainte des voleurs et des criminels. Phase d'expansion et d'optimisme, il considère la délinquance comme un versant inévitable de la vie sociale. Observateur attentif du second Empire, dépourvu du romantisme exalté de Sue et de ses contemporains, Maxime Du Camp présente une version bien plus réaliste des travers sociaux. Il écrit notamment, refusant de coller une étiquette infamante à la classe ouvrière : « La paresse, ou plutôt la haine instinctive de tout état régulier, la recherche et le besoin impérieux, tyrannique, des plaisirs grossiers, mènent le plus souvent ces malheureux au vagabondage, à la rébellion, au vol et parfois au meurtre. La bêtise et l'irréflexion y sont pour beaucoup, et tel homme, jeune, solide, bien constitué, a dépensé pour subsister de fraude et de larcin plus d'énergie, de savoir-faire et de vigueur, qu'il ne lui en eût fallu pour vivre tranquillement, à l'abri de tout reproche, en exerçant un bon métier [3]. » Il ajoute, donnant un exemple : « L'éducation, l'instruction, les bons exemples sans cesse offerts par la famille, s'émoussent sur certaines natures, que le vice a coudées dès l'enfance. On n'a pas oublié le nom de ce riche orfèvre qui, s'apercevant qu'il était fréquemment volé, s'embusque près de sa caisse, tire un coup de fusil sur un homme qui ouvrait la serrure et reconnaît son propre fils dans le voleur expirant [4]. »

Ce point de vue, moins obsessionnel que les fantasmes d'un Eugène Sue ou d'un Louis Chevalier, est confirmé par des statistiques qui révèlent un Paris beaucoup moins criminel qu'on pourrait le croire. On compte, certes, trente-cinq mille arrestations par an sous le second Empire, mais

---

1. Cité par P. Vigier, *Nouvelle Histoire de Paris. Paris pendant la Monarchie de Juillet (1830-1848)*, p. 273.
2. P. Vigier, *op. cit.*, p. 273.
3. M. Du Camp, *Paris, ses organes, ses fonctions et sa vie*, III, p. 4-5.
4. *Ibid.*, p. 17.

ce sont pour moitié des vagabonds et des mendiants. A une époque où la peine de mort n'était pas une sanction exceptionnelle, on recense à peine plus d'une exécution par an : vingt et une personnes guillotinées à Paris entre 1851 et 1869.

La pègre, le « milieu » que constituent les classes marginales ou délinquantes de la société parisienne a eu son heure de gloire durant la Troisième République. Condamné en 1876 à 500 francs d'amende, à la privation des droits civiques et à un mois de prison pour avoir célébré dans *La Chanson des gueux* la vie sans règle ni morale des truands, Jean Richepin finit son existence académicien français et conférencier des *Annales*. Zola, Huysmans, Carco, Céline, René Fallet, Jacques Perret n'ont pas hésité à faire entrer l'argot dans leur langue. Les journalistes du début du XXe siècle ont mis en valeur les bandes de voyous de Belleville ou de La Villette rebaptisés par eux « apaches », notamment l'histoire de Casque d'Or.

La croissance de la banlieue, la disparition de la « zone », le rejet des pauvres hors de Paris, les progrès des transports ont contribué à l'effacement du « milieu » de Paris. Les « pégriots » qui ont subsisté se sont fondus dans une population dont les habitudes vestimentaires ont totalement changé, faisant mentir le dicton « l'habit fait le moine ». C'est actuellement en banlieue que se concentrent les classes marginales et dangereuses, en majeure partie maintenant constituées d'immigrés, principalement d'Afrique du Nord, jeunes gens dans l'impossibilité de trouver un emploi, désœuvrés, sans argent, fascinés par les appâts de la société dite de consommation, milieu dans lequel drogue et criminalité se marient dangereusement et où est né un nouvel argot, le « verlan ».

INDIGENCE ET MALADIE, L'ASSISTANCE

Paris et la France ont connu cinq types d'institutions d'assistance ou de charité. Les plus anciennes remontent à l'époque mérovingienne et ont été organisées par les évêques à proximité immédiate de leur église cathédrale, c'est l'Hôtel-Dieu, refuge de détresses extrêmes. A cheval sur le petit bras de la Seine, débordant sur la rive gauche, cette institution accepte tous les malades qui se présentent à sa porte et recueille les enfants abandonnés. De trois cents lits au XVe siècle, sa capacité a grossi jusqu'à plus de mille deux cents en 1789. Les conditions d'hygiène et de promiscuité y ont toujours été déplorables : quatre mille hospitalisés en 1781 se partageaient les lits à trois ou à quatre. Dans la salle double Saint-Pierre-Saint-Paul, trois cent quarante-cinq personnes sont couchées dans cent onze lits et sont opérées dans ces lits, tourmentant de leurs cris celles qui attendent leur tour.

Au XVIIIe siècle, les médecins s'efforcent vainement de réformer l'éta-

blissement mais se heurtent à l'imbécillité et au conservatisme des religieuses qui dirigent l'établissement. «En 1788, le chirurgien Desault
entend modifier le régime intérieur des salles et imposer un régime
alimentaire différent selon les malades : diète pour les opérés, portions
améliorées pour les convalescents, etc. Il se heurte au refus des religieuses augustines de l'établissement, qui tiennent à la stricte égalité
entre les hospitalisés ; les autorités judiciaires donneront finalement
raison à Desault, non sans hésitation... Faute de discipline, faute de
ressources et de place, il reste beaucoup à faire sur le plan médical : ainsi,
les variolés sont bien dans une salle à part, mais couchés jusqu'à quatre
et même six par lit ; la gale est générale et Tenon constate que «les
médecins [...] et les infirmiers la contractent ou en soignant les malades
ou en maniant leurs linges. Les malades guéris qui l'ont contractée la
portent dans leur famille, et l'Hôtel-Dieu est une source inépuisable d'où
cette maladie se répand dans Paris [1]. »

Les carences et le manque de place de l'Hôtel-Dieu ont été très tôt
perçus. Dès le XIIe siècle, de nouvelles institutions charitables visent à le
décharger d'une partie de son énorme clientèle : hôpital Sainte-Catherine
de la rue Saint-Denis, hôpital Saint-Gervais au chevet de l'église du
même nom, hôpital Saint-Benoît, près de l'église, rue Saint-Jacques,
hôpital des Mathurins près du palais des Thermes, hospice Saint-Jacques,
un peu plus haut dans la rue Saint-Jacques. Ces fondations se multiplient
au XIIIe siècle, en commençant, vers 1202, par l'hôpital de la Trinité ou
de la Croix-la-Reine, rue Saint-Denis, au-delà de la muraille de Philippe
Auguste. Il est impossible, dans le cadre très limité de ce chapitre, d'énumérer toutes les fondations parisiennes [2]. Parmi les grandes créations, il
faut signaler les Quinze-Vingts fondés par Louis IX pour les aveugles, la
Charité financée par Marie de Médicis, le seul hôpital où chaque malade
ait son lit.

Au XVIe siècle, la montée de l'insécurité incite les pouvoirs publics à
prendre en main l'organisation de l'assistance : «Les œuvres de charité,
restées traditionnellement aux mains de l'Église comme répondant aux
impératifs de la morale chrétienne, sont évoquées par la puissance
publique, le roi ou la Ville, dans un souci premier d'ordre social, ce qui
est tout différent [3]. »

Jean-Pierre Babelon analyse ce phénomène. «A en croire le mémoire
du procureur Montaigne, la création de l'"Aumône générale" remonterait
à Paris à l'année 1530, un an avant celle de Lyon, quatre ans avant celle

---

dans1. Cité par J. Imbert, «Les institutions d'assistance à la fin de l'Ancien Régime et
sous la Révolution française», *Les Institutions parisiennes à la fin de l'Ancien Régime et
sous la Révolution*, colloque de l'Hôtel de Ville, 13 octobre 1989, p. 61-62.

2. On trouve la liste des institutions charitables dans P. Vallery-Radot, *Deux Siècles
d'histoire hospitalière. Paris autrefois. Ses vieux hôpitaux.*

3. J.-P. Babelon, *Nouvelle Histoire de Paris. Paris au XVIe siècle*, p. 184.

de Rouen. Nous ne connaissons pourtant le détail de son organisation que par l'arrêt du Parlement du 7 novembre 1544 qui attribue au prévôt des marchands et aux échevins la superintendance des pauvres. Il s'agissait en réalité pour la monarchie, d'une part de déposséder l'Église pour les raisons qui ont été exposées plus haut, et de l'autre de charger la municipalité de dépenses insupportables au trésor royal[1].» Ainsi est créé le Grand Bureau des Pauvres, constitué de trente-deux commissaires qui se réunissent deux fois par semaine pour donner audience aux pauvres et statuer sur leur cas. Un bureau est ouvert dans chacun des seize quartiers où l'inscription de l'indigent fait l'objet d'une enquête préalable.

Babelon conclut avec pertinence : « Le XVIᵉ siècle est donc déjà, avant saint Vincent de Paul, celui de l'assistance. On est surpris du nombre d'établissements "sociaux", comme nous dirions aujourd'hui, qui fonctionnent à cette époque, qui sont réformés, qui sont créés, preuve que la société parisienne est bien consciente des problèmes de la misère. C'est un lieu commun de rappeler le mélange des classes sociales dans les quartiers, dans les maisons. Pour les plus riches, la misère est sans cesse visible, ils la côtoient dans l'escalier et dans la cour de leur maison, dans la rue, dans l'église[2]. »

On s'efforce, à cette époque, de trouver une solution au problème des milliers d'orphelins et d'enfants abandonnés chaque année. Les enfants trouvés étaient remis aux soins des chanoines de la cathédrale. Le Parlement leur ordonne en 1570 de faire aménager des maisons du port Saint-Landry pour accueillir ces enfants. Depuis 1545 environ, l'hôpital de la Trinité prenait en charge ces enfants une fois sortis du premier âge. Vêtus d'une robe de drap bleu qui leur valait le surnom d'Enfants Bleus, garçons et filles recevaient des bribes d'instruction et commençaient à apprendre un métier dès l'âge de sept ans. Pour recueillir les orphelins dont les parents étaient décédés à l'Hôtel-Dieu, le roi a créé, par lettres patentes de janvier 1535, l'hôpital des Enfants-Dieu, installé dans le quartier du Temple. Ses pensionnaires, vêtus d'une robe rouge, sont dits Enfants Rouges. A partir de 1541, on leur adjoint « les enfants pauvres et orphelins des villages de la banlieue et de tout le diocèse de Paris ». Quant aux orphelins de naissance, l'hôpital du Saint-Esprit en accueillait deux cents.

Les asiles féminins étaient nombreux, les plus importants étant ceux que tenaient les religieuses de Sainte-Catherine et les Filles-Dieu. Au XVIIᵉ siècle apparaissent les dames de la Charité organisées par saint Vincent de Paul. Mais les fondations hospitalières privées et religieuses ne suffisent pas à absorber les foules en détresse, les rues continuent à être pleines de mendiants et de voleurs et à se transformer en coupe-gorge dès la tombée de la nuit.

1. J.-P. Babelon, *Nouvelle Histoire de Paris. Paris au XVIᵉ siècle*, p. 184-185.
2. *Ibid.*, p. 186.

Aussi Louis XIV se résout-il à des mesures extrêmes pour rétablir la sécurité publique. Le 27 avril 1656, un édit royal institue l'Hôpital général. «C'était l'aboutissement de demandes répétées, l'accomplissement des vœux de spirituels comme Vincent de Paul ou d'hommes d'État comme Mazarin et comme "la réponse de la société classique au problème de la pauvreté"[1]. »

Cinq vastes établissements sont construits : la Pitié destinée aux enfants, la Salpêtrière pour les femmes, Bicêtre où se retrouvent enfants, vieillards, vénériens, fous et même prisonniers de droit commun, enfin deux institutions de taille plus modeste, Scipion et la Savonnerie. Au total, douze mille personnes y sont enfermées en permanence, soumises à une discipline de fer. L'Hôpital général s'apparente bien plus à une prison qu'à une institution hospitalière. Les détenus sont astreints à une foule de travaux qui ne s'interrompent que pour les prières. La révolte couve en permanence. Mme Necker, qui visite Bicêtre à la veille de la Révolution, décrit «une salle affreuse où cinq à six cents hommes mêlés ensemble s'infectaient mutuellement de leurs haleines et de leurs vices, où le désespoir sourd aigrissait sans cesse des caractères furieux. On n'y pouvait entrer pour leur porter des aliments que la baïonnette au bout du fusil[2]. »

Il existe un quatrième type d'assistance, plus diffus, l'assistance à domicile, qui se fait par l'intermédiaire d'innombrable associations et, dans chaque paroisse, grâce à un bureau de charité.

La Révolution balaie cet ensemble complexe d'institutions d'assistance, mais ne dispose ni du temps ni des moyens d'édifier un nouveau système de secours. C'est le préfet Frochot qui, au début du Consulat, imagine de réunir sous une autorité unique l'administration des secours aux indigents. L'arrêté du 17 janvier 1801 (27 nivôse an IX) crée un Conseil général d'administration des hospices de Paris, présidé par le préfet de la Seine et composé de laïques désignés pour leurs capacités, médecins, magistrats, savants, ou représentants de la haute finance. Un des premiers soins du Conseil général va être d'assurer un recrutement de qualité des médecins et pharmaciens par l'institution du concours de l'internat. L'hygiène va également être sensiblement améliorée, notamment par la spécialisation des établissements et des salles, la séparation des blessés, fiévreux et convalescents jusqu'alors confondus, etc.

Un nouveau pas est franchi, le 10 janvier 1849, avec la loi instituant l'Administration générale de l'Assistance publique à Paris. Dotés de pouvoirs très importants, les directeurs de l'Assistance publique pratiquent une politique spectaculaire de constructions hospitalières : Hôtel-Dieu (reconstruit sur le versant nord de l'île de la Cité et ouvert en

---

1. G. Dethan, *Nouvelle Histoire de Paris. Paris au temps de Louis XIV*, p. 188.
2. Cité par J. Imbert, «Les institutions d'assistance à la fin de l'Ancien Régime et sous la Révolution française», dans *Les Institutions parisiennes à la fin de l'Ancien Régime et sous la Révolution*, p. 64.

1877), Tenon (1879), Bichat (1882), Broussais (1883), Boucicaut (1897), rénovation et extension de Saint-Antoine, etc. Avec une monnaie restée stable, le budget annuel passe de 4 millions en 1802 à 50 millions en 1900.

Le gigantisme de cette organisation, son fonctionnement excessivement centralisé amènent à partir de 1950 des critiques croissantes contre une gestion souvent aberrante et le ministre de la Santé publique doit reconnaître en 1966 que « la concentration excessive d'un nombre d'hôpitaux très importants en un seul établissement public empêche le jeu normal des règles habituelles de gestion [1] ».

A partir de 1961, une série de réformes accroît la représentation des autorités municipales, du corps médical et des caisses d'assurance maladie. La déconcentration administrative est engagée et la compétence de l'Assistance publique limitée à l'administration hospitalière, ce qui représente encore quarante mille lits environ et quarante-neuf établissements hospitaliers en 1990, dont vingt-quatre à Paris, vingt en banlieue, cinq en province. L'État gère la Direction des Affaires sanitaires et sociales, la Ville possède son Bureau d'Aide sociale.

« Comme toutes les très grandes villes, Paris offre un panorama social très diversifié. La grande fortune y côtoie la grande misère, mais dans les deux cas les extrêmes ne sont pas atteints. Capitale d'un pays économiquement prospère et socialement évolué, dans un continent de vieilles traditions historiques et de longue évolution de civilisation, elle ne connaît pas les foules misérables, ni le luxe écrasant qui s'opposent dans certaines autres grandes métropoles [2]. »

CHAPITRE VI

L'économie

L'histoire de Paris a jusqu'ici été évoquée dans l'ordre chronologique. Il paraissait difficile de procéder de la même façon pour l'économie, sous peine d'incessantes redites. Il a donc semblé plus pertinent d'adopter un cadre méthodique suivant une progression logique. Aussi longtemps que Paris n'a été qu'une bourgade de quelques milliers d'âmes, c'est l'approvisionnement, l'alimentation et la satisfaction des besoins essentiels de cette population, qui a dominé toute autre activité. Fournir aux Parisiens de la grande ville leur pain quotidien à un prix raisonnable a ensuite été,

---

1. J. Imbert, « L'Assistance publique à Paris de la Révolution française à 1977 », dans *L'Administration de Paris (1789-1977)*, colloque au Conseil d'État, p. 96.

2. J. Beaujeu-Garnier, *Nouvelle Histoire de Paris. Paris, hasard ou prédestination?*, p. 176.

jusqu'au triomphe des transports modernes et rapides, vers le milieu du XIXᵉ siècle, la préoccupation principale d'un pouvoir politique qui redoutait les émeutes de la faim. Lorsque l'essor urbain a permis la multiplication et la différenciation des activités et l'apparition d'une bourgeoisie, le commerce et l'artisanat se sont développés. L'industrie n'est apparue que tardivement, au XVIIIᵉ siècle et surtout au XIXᵉ siècle. Enfin, les services sont restés longtemps embryonnaires, assistance et soins médicaux, puis voirie et assainissement, transports publics particuliers puis collectifs, en dernier lieu banque, assurances et toutes les activités qui caractérisent la société industrielle et postindustrielle.

L'APPROVISIONNEMENT

• *Le pain*

Pendant très longtemps, le pain a constitué l'élément de base de la nourriture. A l'aube du XVIIIᵉ siècle, il représentait encore, en moyenne, 60 % du budget des classes populaires. Le déclin est récent et spectaculaire : c'est en 1910 que la consommation de pain a connu son apogée avec près 340 kilos de blé par Français, mais elle tombait à 200 kilos dès 1950, à moins de 100 vers 1960 et continue encore à baisser. La part du pain dans le budget familial a connu un effondrement encore plus spectaculaire : il représente actuellement moins de 1 % du budget des catégories les plus pauvres. Il a pourtant longtemps gardé une haute valeur symbolique : les foules du Front populaire manifestaient en 1936 aux cris de : « Pour le pain, la paix, la liberté ! »

La capitale est particulièrement bien située au point de vue agricole, à proximité de régions à forte production céréalière : Vexin, plaine de France autour de Saint-Denis, Valois, Brie, Beauce constituent une auréole que bien des métropoles étrangères peuvent lui envier. Mais il faut prendre en considération les faibles rendements de jadis et de naguère. Alors que le paysan beauceron ou briard tire aujourd'hui 60 quintaux de blé de chaque hectare, cet hectare en produisait 16 au début de ce siècle. Au Moyen Âge et à l'aube des Temps modernes, un champ qui donnait sept à huit fois sa semence était considéré comme particulièrement fertile et un rendement de 10 quintaux à l'hectare passait pour mirifique.

Un autre élément doit être pris en compte dans l'approvisionnement de la capitale, la lenteur et la difficulté des transports, et, en conséquence, leur coût élevé. Vers 1700, il coûtait encore 35 sols pour acheminer un demi-muid de blé de Sens à Paris.

Il semble que ce soit d'abord le blé de Beauce qui ait alimenté les Parisiens, car le marché le plus ancien, celui de la rue de la Juiverie, dans l'île de la Cité, était dit marché de Beauce. Le blé acheminé par bateau, en provenance du Valois, du Soissonnais et de la Brie, descendait la Marne ou la Seine et était déchargé au marché de la Grève. Les moulins du Grand Pont le transformaient en farine. Devenu trop petit dès le début du règne de Philippe Auguste, un troisième marché fut ouvert aux Halles. L'ordonnance du 12 mars 1322 précisa les heures d'ouverture : celui de la Grève débutait à six heures du matin, celui de la Juiverie ensuite et celui des Halles en dernier, vers neuf heures.

Lors des fréquentes disettes, le roi prenait des mesures dont l'efficacité n'était pas toujours réelle. Au début de 1305, le prix du setier de blé ayant atteint 6 livres, Philippe le Bel ordonne de recenser tous les grains récoltés dans la vicomté de Paris, de ne laisser dans les greniers que la quantité nécessaire à la consommation locale et aux prochaines semailles, et de porter l'excédent sur le marché le plus proche. Il fixe ensuite le prix maximal de vente du setier à 2 livres. Ce maximum provoque la panique, les détenteurs cachant leurs réserves pour ne pas les céder à un prix qu'ils estiment exagérément bas. Mathieu de Gisors, Pierre du Regard et Richard Morel, ayant chargé le blé qu'ils avaient acheté sur un bateau à destination de Rouen, le bateau fut arrêté par les sergents du prévôt, sa cargaison confisquée et ses propriétaires, dont l'un faisait partie des commissaires chargés de traquer les accapareurs, furent condamnés à une lourde amende.

En 1391, les pouvoirs publics eurent recours à une autre méthode. Les détenteurs de grain et de farine n'eurent pas l'autorisation de détenir plus de deux mois de consommation, le commerce en gros fut interdit et les détaillants ne purent pas s'approvisionner pour plus de huit jours et, afin qu'il n'y ait pas concurrence avec le public, les marchés et les greniers ne leur furent ouverts qu'après midi, une fois que les consommateurs avaient fait leur provision.

A partir de 1439, pour faciliter la taxation du blé en période de pénurie, est créée la mercuriale de Paris. Chaque ville possède une banlieue sur laquelle elle détient le monopole d'approvisionnement : cercle de 2 lieues en règle générale, il atteint 8 lieues (un peu plus de 31 kilomètres) pour Paris. Cette zone d'exclusivité d'approvisionnement englobe Montlhéry, Brie-Comte-Robert, Tournan, Lagny, Dammartin, Gonesse, Montmorency, Beaumont, Pontoise, Luzarches, Chevreuse. L'ordonnance du 8 janvier 1622 étend la couronne à 10 lieues (39 kilomètres), ce qui permet d'y inclure Melun, Meaux, Senlis et Meulan.

Une ordonnance du 4 février 1567 institue les greniers d'abondance : les magistrats urbains sont invités à prendre les mesures nécessaires pour avoir en permanence en magasins ou greniers publics des grains susceptibles d'être mis en vente en cas de pénurie. Cette mesure de précaution était rarement prise et les achats étaient faits à la sauvette dès que la disette menaçait, ce qui ne faisait qu'aggraver le renchérissement des grains.

A partir de 1730, une série de mesures furent prises. Une caisse spéciale, dite la « Commission des blés », fut créée avec une dotation financière pour subventionner les marchands approvisionnant Paris. Fondée cette même année 1730, la Compagnie Malisset, composée de financiers, de gouverneurs et d'intendants, s'engageait à maintenir en permanence 40 000 setiers de blé dans les greniers du roi. La déclaration du 16 avril 1737 autorisait la Ville à construire, en outre, dans les dépendances de la Salpêtrière, un magasin pouvant recevoir une réserve de 10 000 setiers. Une ordonnance du 3 avril 1736 avait enjoint aux communautés religieuses de disposer de réserves pour au moins trois années.

Toutes ces mesures, en théorie excellentes, eurent un effet désastreux. Les commissionnaires royaux, jouissant d'une entière liberté d'achat, avaient tout intérêt à n'acheter qu'au dernier moment, alors que la pénurie faisait flamber les prix, car ils touchaient une commission s'élevant à 2 % du prix d'achat. En 1770, ce n'est pas la médiocrité de la récolte, mais l'imprévoyance et les manœuvres spéculatives de la Compagnie Malisset qui engendrèrent la disette. Dès lors s'ancra dans le peuple la légende du « complot de famine » ourdi par les grands seigneurs de la Cour pour s'enrichir et affamer les pauvres. Turgot tentera en vain de modifier la situation en faisant établir une liberté totale des achats et de la circulation des grains. A sa chute, en 1776, l'inobservation de ses textes coexistant avec une législation antérieure abolie mais toujours en pratique, engendrera une confusion qui ne fera que s'accroître jusqu'à la Révolution. L'Assemblée constituante, avec le décret des 12-19 septembre 1790, mettra fin à ce désordre en instaurant la liberté du commerce des grains [1].

• La viande

Le bétail venait immédiatement après le blé dans l'approvisionnement des Parisiens. A la différence des céréales, son acheminement n'était que très peu dépendant de la voie d'eau. Les troupeaux cheminaient depuis le Maine et le Perche, le Valois et le Vermandois, et même parfois depuis la Marche et le Limousin. La guerre et l'insécurité perturbaient donc très profondément le ravitaillement en viande. Or, les Parisiens étaient de très gros consommateurs. Vers la fin du XIVe siècle, le *Ménagier de Paris* donne des chiffres imposants que confirme Guillebert de Metz au début du XVe siècle : environ cinquante mille bœufs ou veaux, trente mille porcs, près de deux cent mille moutons. Cette estimation n'a rien d'invraisemblable, puisque les données beaucoup plus fiables à la veille

1. L'approvisionnement en grains de Paris au XVIIIe siècle a été étudié par S. L. Kaplan, *Les Ventres de Paris*. On trouve des données sur la consommation et le prix du pain dans les *Consommations de Paris* d'Armand Husson, ouvrage ancien mais solide (1875, pour la seconde édition).

de 1789, pour une population presque triple, font état de trois cent cinquante mille moutons et deux cent mille bœufs ou veaux [1].

Comme pour les grains, le commerce des bestiaux était soumis à une réglementation stricte. Dans un rayon de sept lieues autour de la ville, on ne pouvait pas garder ses bestiaux au-delà d'une certaine durée ni les vendre à l'étable. Il était aussi interdit d'arrêter ou de mettre en vente les troupeaux en chemin vers Paris. Il y avait deux marchés aux bestiaux : le plus anciennement attesté, celui de la place aux Pourceaux, se situait à la jonction de la rue de la Ferronnerie et de celle des Déchargeurs, et accueillait aussi bien bœufs, veaux et moutons que porcs, malgré son nom. Il fut transféré à l'entrée de la rue Sainte-Anne en 1528. Le second marché était installé sur la place aux Veaux, tout près de la Grande Boucherie.

Au XVIIIe siècle, l'administration royale s'avisa, comme pour les grains, d'intervenir dans les mécanismes commerciaux sous prétexte d'en assurer une meilleure régulation.Une caisse dite de Poissy fut créée en décembre 1743, chargée d'avancer aux bouchers les sommes nécessaires à leurs achats. Elle eut une existence plutôt agitée, fut supprimée puis rétablie six fois. Abolie en 1790, elle fut recréée en 1812 par Napoléon, puis disparut lorsqu'en 1867 fut constitué le pôle industriel et commercial du marché aux bestiaux et de l'abattoir de La Villette.

• *Le vin*

Après le pain et la viande, le vin constitue une des principales consommations de Paris, la cervoise et la bière y étant peu appréciées. Une grande partie du vin consommé par les Parisiens au Moyen Âge provenait des vignes que les bourgeois de la ville possédaient aux environs, à Charonne, au clos de Savies à Belleville, sur les pentes de Montmartre, à Pierrefitte, Cormeilles, Suresnes, Issy, Vanves. Dès 1121, les bourgeois avaient obtenu des privilèges comme producteurs et marchands de vin. En 1192, Philippe Auguste leur concède qu'aucun de ceux qui mènent par voie d'eau du vin jusqu'à Paris ne puisse le décharger dans cette ville, sauf s'il est marchand résidant à Paris et connu comme tel selon le témoignage de « loyaux hommes » de la capitale. Le vin de primeur, essentiellement le vin « français » (d'Île-de-France et de Champagne) arrivait dès le début de septembre lorsqu'un été ensoleillé avait permis de vendanger dès la mi-août, mais ces arrivages cessaient dès la fin de novembre. Il était relayé dès octobre par les vins de Bourgogne ou d'ailleurs, notamment d'Orléanais. Le transport s'effec-

---

1. La boucherie a fait l'objet d'études anciennes : H. Bourgin, *L'Industrie de la boucherie à Paris pendant la Révolution*, et « L'industrie de la boucherie à Paris au XIXe » dans *L'Année sociologique*, 1903-1904 ; R. Héron de Villefosse, *Étude historique sur la communauté de la Grande Boucherie de Paris au Moyen Âge*. Pour le marché de La Villette, voir A. Husson, *Les Consommations de Paris*.

tuait principalement par eau. La vente du vin en gros se faisait au port de Grève pour les vins amenés par eau, ou au lieu-dit l'Étape-au-Vin pour les vins amenés par terre, à l'origine un secteur des Halles centrales proche du pilori. Le vin était la denrée la plus imposée à Paris et la taxe perçue au nom du roi portait le nom d'aides. Ces taxes suscitèrent la prolifération de guinguettes à la périphérie de la capitale, hors des limites de l'octroi, où le vin, non soumis aux aides, était notablement moins cher qu'à l'intérieur de la ville.

Une première halle aux vins a été établie en 1664 à l'intersection de la rue des Fossés-Saint-Bernard et du quai du même nom. L'abbaye de Saint-Victor ayant été détruite au lendemain de la Révolution, Napoléon ordonna en mars 1808 de la remplacer par une nouvelle halle aux vins dont la première pierre fut posée le 15 août 1811. Trop petite, elle dut être agrandie en 1868 afin de contenir 200 000 hectolitres de vin. La faculté des sciences a progressivement pris sa place entre 1965 et 1975. Pour échapper à l'octroi, les négociants en vins et alcools créèrent l'entrepôt de Bercy, alors situé hors de la capitale. D'habiles spéculateurs, dont le baron Louis, ministre des Finances de Louis XVIII, le lotirent entre 1809 et 1819. L'entrepôt de Bercy fut le centre le plus considérable d'Europe pour le commerce en gros des vins et spiritueux jusqu'aux récents bouleversements qui visent à faire de « Bercy-Expo » le centre d'affaires permanent de l'industrie agro-alimentaire française couplé avec une cité viti-vinicole groupant plus de cent négociants en vin.

• Le poisson

L'observation du Carême par les laïcs et de multiples jeûnes par les communautés religieuses donnait au poisson une importance particulière dans l'alimentation, mais on possède peu d'éléments sur la consommation ou le commerce de cette denrée. Un dit de la fin du XVe siècle s'étend complaisamment sur ce sujet : « Il y a de marée à Paris, tant fresche que sallée et puante, et de macquereaulx frais et salez, de grands raies et petits, tant fresches que puantes, et en arrive par chascun jour en si grant quantité qu'il est impossible d'en savoir le nombre. Et est un abisme que Paris ! » On verra que les bouchers avaient le droit de vendre du poisson. Les poissonniers étaient divisés en deux corporations, selon que le poisson vendu était d'eau douce ou de mer. Le poisson d'eau douce provenait des environs de la capitale, des cours de la Seine et de la Marne. La marée occupait une part bien plus importante : les Parisiens l'appréciaient tout autant fraîche que salée. L'absence de moyen de réfrigération explique l'organisation très rapide et complexe du transport et du marché. La presque totalité des poissons de mer consommés à Paris provenait des ports de Picardie et de Haute-Normandie : Boulogne,

Étaples, Le Crotoy, Saint-Valéry-sur-Somme, Ault, Le Tréport, Dieppe, Veules, Fécamp, Caudebec. Le transport du poisson était assuré par des « marchands forains », des « voituriers de poisson de mer » ou des « chasse-marée ». Acheminée en paniers à dos de cheval, puis en voitures rapides et légères, la marée quittait les ports de la Manche à la fin de l'après-midi et arrivait aux Halles à leur ouverture le lendemain matin. Le « chemin des poissonniers » est bien connu à partir de Saint-Ouen : il entrait dans la ville par la porte des Poissonniers, entre celles de Clignancourt et de la Chapelle, empruntait la rue du Faubourg-Poissonnière, la rue Poissonnière, les rues des Petits-Carreaux et Montorgueil jusqu'aux Halles, le poisson étant vendu non loin du pilori. Les poissons devaient être présentés aux Halles dans des paniers de taille précise et la vente se faisait dans des petits paniers dont la capacité était contrôlée par un « maître des petits paniers » et par des vendeurs jurés. La vente au détail, autour de la halle de la marée, était réservée à des femmes pauvres, les « harengères », dont les places étaient attribuées par le roi lui-même. La rue Pierre-à-Poisson, disparue lors de l'établissement de la place du Châtelet, devait son nom aux pierres sur lesquelles étaient exposés les poissons d'eau douce que vendaient les bouchers.

• *Le sel*

Jusqu'à la fin du Moyen Âge, le sel a constitué pratiquement le seul assaisonnement de la nourriture. Ce condiment, qui ne joue plus aujourd'hui qu'un rôle insignifiant dans la vie économique, a longtemps eu un rôle vital. Il venait en majeure partie de Bretagne par la Seine *via* Rouen. C'est le commerce du sel qui explique en partie les accords commerciaux entre les bourgeois rouennais et parisiens. Le commerce du sel resta libre jusqu'à l'ordonnance du 20 mars 1342, qui en attribua le monopole à l'État. L'impôt sur le sel ou gabelle fut très mal accueilli et ne s'imposa qu'en 1383. L'ordonnance du 24 janvier 1372 contraint tout marchand amenant du sel à Paris à le déposer dans le grenier royal. Le tribunal du Grenier à sel, situé rue des Orfèvres, juge des litiges.

LE COMMERCE

• *Marchands de l'eau et abbayes*

La Lutèce gallo-romaine exerçait assurément une fonction commerciale importante, qui dominait l'activité économique de cette petite cité de moins de dix mille habitants. Les vestiges qui subsistent attestent clairement de l'importance de la corporation des nautes : rostres de navires des thermes de Cluny, dédicace à Tibère du pilier des nautes retrouvé sous le chœur de Notre-Dame. Il est douteux que l'association des nautes se soit perpétuée durant plus de mille ans et que les marchands de l'eau soient leurs successeurs, ainsi que l'ont écrit certains historiens. Ils apparaissent cependant très tôt : en 1121, Louis VI fait remise à perpétuité à ces marchands du droit de 60 sous qu'il perçoit au temps des vendanges sur chaque bateau chargé de vin arrivant à Paris. En 1170, Louis VII, à la requête des « bourgeois de Paris qui sont marchands par eau », confirme les coutumes dont ils jouissaient du temps de son père et les énumère. La principale clause est la suivante : « Il n'est permis à personne d'amener à Paris ou d'en sortir par eau quelque marchandise que ce soit, depuis le pont de Mantes jusqu'aux ponts de Paris, à moins d'être parisien et marchand, ou d'avoir pour associé dans son commerce un Parisien marchand ; les contrevenants se verront confisquer toute leur cargaison, dont le roi aura la moitié, en raison du délit, et l'autre moitié ira aux Parisiens marchands de l'eau [1]. » Les documents « montrent de façon irréfutable que l'association parisienne était organisée, probablement depuis la fin du XIe siècle, à tout le moins depuis le début du XIIe, et qu'elle était protégée par le roi de France. Sa naissance coïncide presque exactement avec la période du développement urbain, notamment l'extension de Paris sur la rive droite [2]. » La juridiction reconnue par le roi à ces marchands de l'eau est à l'origine du Parloir aux Bourgeois et de la municipalité parisienne [3].

Le second élément décisif de l'essor commercial de Paris est le rôle moteur joué par les grandes abbayes proches de la cité. C'est d'abord Saint-Denis, qui possède un marché dès l'époque mérovingienne. Deux foires s'y tiennent : celle de la Saint-Denis (9 octobre) remonte à Dagobert Ier (629-636), celle de la Saint-Mathias (24 février) date du VIIIe siècle. Au Xe siècle, la présence de marchands frisons, saxons, italiens est mentionnée. La foire du Lendit, la plus prestigieuse, va apparaître au XIe siècle. Au XIIe siècle, l'abbaye de Saint-Germain-des-Prés et la maladrerie de Saint-Lazare créent leurs propres foires.

Le commerce va prendre une extension considérable avec le développement de la rive droite, mais il est déjà attesté antérieurement dans l'île de la Cité. Dès l'époque mérovingienne, le parvis Notre-Dame est le siège d'un marché, de même que les abords du Grand Pont et du Petit Pont. A l'est de ce dernier se tient le marché Palu. Grégoire de Tours mentionne au Ve siècle une importante communauté de commerçants juifs. Ils sont regroupés dans la rue de la Juiverie où s'élève leur synagogue, qui sera transformée en église Sainte-Madeleine par Philippe Auguste. La rue de la « Juiverie des Boulangers » prit en 1183, après l'expulsion des juifs, le nom de rue de la Vieille-Draperie. La rue voisine de la Pelleterie était aussi, à l'origine, peuplée de juifs.

---

1. J. Boussard, *Nouvelle Histoire de Paris. De la fin du siège de 885-886 à la mort de Philippe Auguste*, p. 161.
2. *Ibid.*, p. 162.
3. Voir le chap. « Administration ».

• *Halles, marchés et ports*

Dès 1137, un acte de Louis VII mentionne l'existence d'un marché aux Champeaux que fréquentent des merciers et des changeurs. En 1181, Philippe Auguste y transfère la foire Saint-Lazare qu'il vient de racheter à la léproserie Saint-Lazare. En 1182, le marché des Champeaux est agrandi à la suite de la confiscation et de la démolition de maisons appartenant à des juifs, alors en cours d'expulsion sur ordre du roi. Le marché au blé y a été transféré et celui de la Juiverie dans l'île de la Cité est en pleine décadence : en 1216, Philippe Auguste le concède à son bouteiller en se réservant un cens minime de 12 deniers.

Philippe Auguste s'occupe aussi de faire agrandir le port de Paris devenu insuffisant. En 1214, il accorde aux marchands de Paris l'autorisation de percevoir, durant un an, des droits sur les bateaux transportant du vin, du sel, des harengs, du foin, des grains, à charge pour eux d'utiliser les sommes reçues à l'aménagement du port, sans doute le port dit de l'École (à l'emplacement de l'actuel magasin de la Samaritaine). Cette compagnie des marchands de l'eau parisiens prend à cette époque une importance croissante, devenant une véritable hanse, comme dans les villes portuaires de la mer du Nord. En 1221, le roi lui concède les crieries de la ville, c'est-à-dire le droit de nommer et de révoquer les crieurs publics et de percevoir les revenus de ces crieries. Il y ajoute des droits supplémentaires : les marchands se voient confier la surveillance des instruments de mesure, le droit de basse justice sur les lods et ventes.

Au XVe siècle, les ports de Paris constituent un ensemble diversifié. Le plus important demeure celui de la Grève, à proximité de la « Maison aux Piliers », siège de la hanse des marchands de l'eau et de la municipalité. Il avait de multiples activités, mais deux dominaient : le vin était négocié ou déchargé aux deux pontons du port de l'Étape. Il y voisinait avec le plâtre, les pavés, les meules, tandis que le port au blé était réservé aux céréales. En amont, au port Saint-Gervais ou port au foin, on déchargeait, outre les fourrages, les bûches et fagots, le bois d'œuvre ayant descendu la Seine, l'Aube, la Marne et l'Yonne. Le port des Boutiques voisin réceptionnait le poisson d'eau douce pêché dans ces mêmes cours d'eau. Un port au charbon de bois se trouvait à proximité immédiate. Plus à l'est, commençait le port à l'Archevêque, dont l'hôtel de Sens de la rue du Figuier perpétue le souvenir, suivi par le port de la tour de Billy (extrémité occidentale du bassin de l'Arsenal), où étaient déchargés pierres et plâtre. En face du couvent des célestins, entre la tour Barbeau et la tour de Billy, se situait le port des Barrés, « essentiellement affecté au transbordement du vin en transit et peut-être indistinct du port des Célestins, où nous voyons à l'occasion vendre du blé. On chargeait aussi aux Barrés des matériaux de construction, du plâtre par exemple [1]. »

Les négociants résidaient à proximité de ces ports. Sur les dix-huit marchands de vin localisés dans le rôle d'impôt de 1421, onze demeurent entre le pont Notre-Dame et l'hôtel Saint-Paul. Les marchands de foin et de merrien (bois de construction) étaient établis près de la place de Grève, notamment rue de la Mortellerie. L'avoine était vendue dans l'Avoinerie, transformée plus tard de façon erronée en Vennerie, et le foin dans la Mortellerie et rue Saint-Jean-en-Grève.

Les ports occidentaux de la rive droite n'étaient pas négligeables. Si le port de la Planche (la planche Mibrai) semble secondaire, le port du sel est important : les bateaux de sel font relâche au bas des marches de la Saunerie, immédiatement à l'ouest du Grand Châtelet. Plus à l'ouest, au niveau du chevet de Saint-Germain-l'Auxerrois, se trouve le deuxième grand port de la rive droite après la Grève, l'École ou École-Saint-Germain, point de déchargement des marchandises venues d'aval : poisson de mer, bois des forêts bordant l'Aisne et l'Oise, foin de la basse vallée de la Seine, cidre de Normandie. Sur soixante voituriers par eau dénombrés en 1413, vingt-deux étaient attachés aux ports de Grève et Saint-Gervais, neuf au port des Barrés, soit trente et un pour les ports d'amont contre vingt-trois aux ports de l'École, du Louvre et de Nesle.

Quatre d'entre eux faisaient relâche aux ports Notre-Dame et Saint-Landry de l'île de la Cité, qui possédait aussi, sur son versant méridional, le port de l'évêque et celui de l'Hôtel-Dieu.

La rive gauche était bien mal équipée et deux bateliers seulement y relâchaient au port Saint-Bernard, en amont. Le port du Noyer, à la hauteur de la place Maubert, devait recevoir occasionnellement des chargements de bois ou de vin. Quant au port de Nesle, en aval, ce n'était guère qu'une annexe du port de l'École de la rive droite.

A la fin du Moyen Âge, après les rives de la Seine, ce sont les Halles qui constituent le deuxième pôle commercial de Paris. Englobées dans l'enceinte de Philippe Auguste, elles forment un vaste enclos dans la ville. Jean Favier les décrit ainsi au XVe siècle : « Une vaste cour triangulaire, au nord, constituait le marché au blé, qu'entouraient des galeries où les marchands forains — c'est-à-dire étrangers à la ville — avaient leurs loges réservées. La halle au pain, sous les arcades extérieures du nord-ouest, et celle des fripiers, au sud-est, complétaient l'ensemble. Un second groupe de galeries, au sud, abritait les commerces du vêtement ; on y trouvait aussi les ferrons et les chaudronniers. Dans la galerie médiane, dite "halle de Beauvais", car elle avait été construite pour les marchands de cette ville, se dressaient les étaux de la boucherie établie en 1416 lors de la suppression temporaire de la Grande-Boucherie.

---

1. J. Favier, *Nouvelle Histoire de Paris. Paris au XVe siècle*, p. 31.

L'imbrication des métiers était extrême dans ces galeries où la répartition se faisait à la fois par type de marchandise et par origine : les merciers, en particulier, occupaient des loges très disséminées à travers les deux étages de la halle orientale. Les tisserands parisiens avaient, dans la halle de Beauvais, un emplacement propre pour y vendre leur production à l'écart des drapiers, importateurs et grossistes. Les commerces les plus divers occupaient les échoppes et même la chaussée des rues voisines. On y profitait aisément de l'afflux d'acheteurs et de vendeurs dû à la présence des Halles. Rue au Feurre, on vendait des draps et de la mercerie. Les lingères s'installaient contre le cimetière des Innocents. Des potiers d'étain occupaient les "piliers" face à la friperie, cependant que les fripiers ambulants déballaient leurs marchandises par terre dans tout le quartier, la place aux Chats étant cependant leur rendez-vous préféré. L'alimentation s'était rapidement développée autour des Halles : l'étape obligatoire des vins y avait été jusqu'en 1413 et le marché au blé y demeurait ainsi qu'une halle au pain et une boucherie. Rien d'étonnant à ce qu'on vendît de la viande de porc et des volailles rue de la Cossonnerie, à ce que le marché aux Porées — aux légumes — s'établît entre les Halles et la Cossonnerie, et à ce que les marchands de beurre, d'œufs et de fromage tinssent leurs éventails contre la halle du nord-est. De-ci de-là s'élevaient des tas de pommes et de poires. La place triangulaire qui séparait les Halles de la Truanderie constituait le principal marché au poisson de mer. Au centre, à ciel ouvert, c'était le "parquet de la marée" où l'on criait le poisson dès son arrivée. Autour, de petits bâtiments étaient affectés aux divers objets du trafic : poisson frais, hareng saur et salé, morue[1]. » Mais le déclin des Halles s'amorce dès la fin du XIVe siècle au profit du commerce quotidien en boutique, les Halles n'étant ouvertes que le mercredi, le vendredi et le samedi. En 1497, « inquiet de la dégradation des bâtiments dont l'entretien faisait depuis longtemps renâcler les corporations, le roi cherchait les moyens de remédier à cette désaffection. Les Halles devenaient ce qu'elles sont restées pendant cinq siècles : le centre du commerce quotidien d'approvisionnement alimentaire[2]. »

De nombreux commerçants et des marchés faisaient, en effet, une concurrence victorieuse aux Halles. On trouvait des merciers et des fripiers au Palais de la Cité, des fripiers devant les églises Saint-Denis-de-la-Chartre et Saint-Martin, des gantiers dans la Ganterie de la Cité et porte Saint-Denis. Les boulangers étaient présents dans tous les quartiers et les boulangers forains vendaient leur gros pain place Maubert. Légumes et pain pouvaient être achetés au vieux marché Palu de la Cité, au marché Saint-Jean sur la rive droite, au marché Saint-Germain sur la rive gauche. S'il y a un marché aux Porées aux Halles, il y a aussi une rue

---

1. J. Favier, *Nouvelle Histoire de Paris. Paris au XVe siècle*, p. 34-36.
2. *Ibid.*, p. 277.

des Poirées au sud-est du collège de Sorbonne. Des poissonneries sont établies à la porte de Paris (Apport-Paris) sur la rive droite, et de part et d'autre du Petit Pont : poissonnerie Gloriette derrière le Petit Châtelet et de la rue du Chat-qui-Pêche sur la rive gauche. Le poisson de rivière était vendu à plusieurs endroits en bordure du fleuve. Le commerce du bétail échappait totalement aux Halles et se concentrait à la porte Saint-Honoré, celui du sel était dispersé chez les épiciers et les regrattiers. Enfin, les bouchers, de plus en plus dispersés dans la ville, restaient sous la coupe de la Grande Boucherie, située à la porte Paris, à mi-chemin de la place de Grève et des Halles, à l'angle des rues Saint-Denis et Saint-Jacques-la-Boucherie.

• Richesse et spéculation

Faute d'archives commerciales et notariales importantes, il est difficile de bien connaître les techniques commerciales en usage à Paris. On peut penser qu'elles subissaient l'influence des techniques élaborées par les Italiens, compagnies à succursales, comptabilité en partie double, crédit développé sous forme de vente sans paiement et de prêt sur gages essentiellement. Les types d'association restent élémentaires : deux ou trois marchands aux activités connexes, un père et son fils, plusieurs frères. Le commerçant actif, le « facteur », est rémunéré par le marchand passif qui lui verse une sorte de salaire. Mais ce facteur n'est pas un simple employé et la « lettre de facterie » fait de lui un véritable fondé de pouvoir.

Au-delà de la facterie, les contrats s'apparentent à des commandes. Jean Favier donne les exemples suivants : « Ainsi en est-il lorsqu'un potier d'étain et un boulanger s'associent pour que l'un d'eux aille vendre en Picardie une queue de vin, qu'un notaire participe à un achat de blé à Rouen ou que des poissonniers s'associent pour envoyer l'un d'eux acheter en leur nom cinq cents de carpes en Champagne ou pour charger un de leurs valets d'aller acheter divers poissons en Picardie. Chaque fois qu'il le peut, le bailleur de fonds limite ses risques : dans la location d'un bateau dont le propriétaire, Mahiet du Four, est un notable marchand de Paris, le capital est rémunéré d'un profit garanti — le prix de la location, soit 24 sous parisis par semaine — cependant que le preneur, un modeste artisan, s'engage à rembourser la valeur du bateau, estimé à 80 livres, s'il était perdu par accident et même par fait de guerre. De véritables sociétés se rencontrent toutefois : ainsi pour un convoi de grains que trois marchands font venir de Noyon en 1419 ou pour la propriété d'un bateau, partagée par moitié entre le batelier et un marchand qui perçoit la moitié du profit, s'assure de surcroît certains services de transport et peut en cas de besoin céder sa part[1]. »

---

1. J. Favier, *Nouvelle Histoire de Paris. Paris au XVe siècle*, p. 281.

C'est dans le commerce du sel que la spéculation commerciale est la plus aisée et donne lieu à de fréquentes associations, car l'initiative est réduite, le risque faible et la fonction de marchand « passif » bien définie par le système étatique de la gabelle. On voit alors s'associer des marchands sans lien de famille ni complémentarité professionnelle : les grands bourgeois Jean Le Coq et Jean Sanguin font un marché avec le banquier génois Jean Sac.

Jean Favier dresse un bilan nuancé du commerce parisien à la fin du XVᵉ siècle, à l'issue du très long conflit franco-anglais connu sous le nom de guerre de Cent Ans[1]. Le rayonnement de Paris est loin d'être national : son aire d'attraction est délimitée par un triangle dont les pointes sont constituées par Cherbourg, Coutances, le Cotentin ; Roanne, Montbrison, le Forez ; L'Écluse, Lille, la Flandre française. Rennes, Nantes, Bordeaux, Beaune, Dijon, Lyon échappent à l'attraction parisienne. C'est avec Rouen et la Basse Seine que les relations sont les plus étroites, mais c'est le commerce avec le Nord, Picardie, Artois, Flandre française, qui engendre le plus gros trafic, 40 % des affaires des compagnies françaises de Paris. Ces liens économiques étroits expliquent l'intérêt des notables parisiens à rester dans le camp du duc de Bourgogne et leur ralliement tardif à Charles VII, après sa réconciliation avec les Bourguignons.

Un demi-siècle de guerre en Île-de-France a ruiné une grande partie des relations internationales. La foire du Lendit a décliné pour n'être plus qu'une foire régionale et les marchands italiens, flamands ou brabançons ont déserté durablement Paris. On trouve Paris mentionné comme une ville de Flandre dans un manuel italien de pratique commerciale de la fin du XVᵉ siècle !

L'installation du roi et de la Cour dans les châteaux du Val de Loire a gravement nui au commerce de luxe de la capitale déchue. Les marchands de Tours ou de Lyon procurent désormais aux grands seigneurs les rubis et les perles qu'ils achetaient au début du XVᵉ siècle aux négociants des rues des Lombards ou de la Vieille-Monnaie. Les orfèvres déchus sont remplacés par les merciers à la tête de la bourgeoisie. Fournisseurs de la ville, ils écoulent la production de ses artisans, chapeliers, ceinturiers, brodeurs, tapissiers, etc. C'est auprès d'eux que se fournissent les membres du Parlement, les notaires, les avocats.

Les Parisiens sont faiblement présents sur le marché français. Eux qui dominaient le marché du vin vers 1400, s'en sont vu déposséder par les Normands de Rouen ou de Saint-Lô et par les négociants d'Arras qui viennent à Paris en 1500 acheter les vins de Bourgogne et de France (Île-de-France et Champagne). Les Normands achètent du blé au port de la Grève et un Rouennais l'exporte en 1452 vers l'Espagne. Les produc-

---

1. J. Favier, *Nouvelle Histoire de Paris. Paris au XVᵉ siècle*, p. 339-362.

tions de l'artisanat parisien sont bien présentes un peu partout, notamment aux foires de Rouen et de Lyon, mais ce sont des Génois qui les exportent jusqu'en Sicile. Alors que des marchands de Barcelone, de Burgos, d'Anvers, de Malines, de Cologne viennent acheter à Paris régulièrement durant tout le XVe siècle, il faut attendre 1510 pour que les Parisiens viennent régulièrement à Anvers. La fonction bancaire très médiocre de la ville explique largement cette déficience.

• *La réformation des Halles*

La croissance de Paris au XVIe siècle accélère le déclin des Halles malgré leur « réformation ». Entre 1543 et 1564, elles prennent l'aspect qu'elles vont garder jusqu'à leur destruction trois siècles plus tard et leur remplacement par les pavillons en fer de Baltard. L'enceinte est détruite et l'ancien jeu de paume remplacé par des rues nouvelles. Sont alors aménagés les grands vaisseaux de la halle aux draps bordée d'échoppes de fripiers, de la halle à la marée, de la halle à la saline, de la boucherie de Beauvais, de la halle au cuir dite au Cordouan. Le Carreau, bordé par les maisons aux piliers, forme un espace pavé triangulaire où se trouvent le pilori et la fontaine et où se tiennent les marchands forains qui vendent pain, beurre, fromage ou poisson. Un autre carreau est destiné aux fruits et légumes, c'est le « marché aux porées ».

Mais les Halles ne sont plus l'unique marché d'approvisionnement de la ville. L'extension de l'agglomération rend indispensable la création de nouveaux lieux de ravitaillement. Autorisé par lettres patentes du 21 avril 1558 et construit de 1566 à 1568, le « Marché Neuf » est installé dans la Cité, le long du bras méridional de la Seine, dans la rue de l'Orberie (« herberie ») : on y trouve des bouchers, des poissonniers, des marchands d'« herbes » ou de légumes.

• *Commerce et rente*

C'est des consommations de la grande ville que vit le commerce parisien. La constitution du tribunal des juges consuls en novembre 1563 témoigne de la nécessité d'une juridiction pour connaître « de toutes les affaires du commerce et de toutes sociétés ». Sa composition révèle la suprématie des merciers : cinquante en sont membres de 1564 à 1589, seulement vingt-cinq drapiers, vingt-trois marchands de vin ou de poisson, vingt-deux apothicaires et épiciers, trois pelletiers, trois orfèvres, trois teinturiers de draps et un marchand de bois, en énorme majorité des représentants des Six-Corps (voir ce mot dans le « Dictionnaire ») qui constituent l'aristocratie du commerce et de l'artisanat.

Mais les négociants de la capitale font preuve de très peu de dynamisme : lors de la disette de 1565, aucun d'entre eux ne se rend dans les ports de la Baltique pour y acheter des grains. Aux opérations commerciales d'envergure, fructueuses mais parfois hasardeuses, les riches bourgeois préfèrent la sécurité de la rente foncière. Profitant de la ruine de la noblesse par la guerre de Cent Ans puis par les guerres de religion, commerçants et détenteurs d'offices royaux ou municipaux s'emparent par achat des terres mises en vente. Jean-Pierre Babelon observe : « C'est le cas des Neufville de Villeroy, qui ne se contentent pas de leur manoir d'Antony entouré de son clos d'un hectare, mais réunissent autour de Villeroy-Mennecy, à partir de 1550, d'immenses propriétés qui seront érigées en marquisat, puis au siècle suivant en duché-pairie. Dans le même temps, le secrétaire d'État Côme Clausse règne sur ses domaines de Courances et de Fleury-en-Bière, proches du château de Fontainebleau, et jouit des revenus de la châtellenie royale de La Ferté-Alais. Dans les années 1560, on peut énumérer avec Jean Jacquart les familles du Parlement et de la Chambre des comptes les plus copieusement pourvues : les Baillet à Sceaux, les Boucher à Orsay et Louans, les Baillon à Janvry, les Olivier à Leuville, les Viole à Athis, les Hurault à Maisse et au Marais, les Selves à Cerny et à D'Huison, les Lamoignon à Baville, Christophe de Thou à Cély et Soisy-sur-École[1]... »

Les bourgeois plus modestes suivent l'exemple en achetant des parcelles en banlieue proche. Mais ils peuvent aussi investir dans les rentes sur l'Hôtel de Ville instituées en 1522, la municipalité parisienne servant d'intermédiaire et de caution à la monarchie qui fait appel au crédit privé à travers elle. « Les épargnants, note Jean-Pierre Babelon, n'auraient pas consenti à prêter directement au roi et à recevoir en compensation des rentes assignées sur les recettes des impôts royaux, le roi étant connu comme mauvais payeur ; mais la Ville, elle, inspirait confiance. Aussi le mécanisme consistait-il à vendre à la municipalité contre argent comptant les ressources des recettes royales, sur lesquelles elle assignait de son côté des rentes à ceux qui lui avaient fourni la matière de l'impôt royal[2]. » Ces rentes portent un intérêt au « denier douze », soit huit un tiers pour cent. Cette absence d'audace, cet état d'esprit timoré du commerce parisien explique l'échec de toutes les tentatives de créer des banques et une Bourse dans la capitale aux XVIe et XVIIe siècles. Les Parisiens riches ne rêvent pas d'être de hardis commerçants mais des fonctionnaires et des rentiers. Comme l'a montré Roland Mousnier, la vénalité des offices et la rente sont la base de la société bourgeoise[3].

• Bourgeois gentilshommes

Au XVIIe siècle, alors que les commerçants londoniens tissent un réseau qui finira par couvrir le monde entier, les marchands de Paris n'ont

---

1. J.-P. Babelon, *Nouvelle Histoire de Paris. Paris au XVIe siècle*, p. 324.
2. *Ibid.*, p. 326.
3. R. Mousnier, *La Vénalité des offices sous Henri IV et Louis XIII.*

d'autre ambition que de vivre noblement de leurs rentes ou du revenu de leurs offices. Georges Dethan observe : « Pour y parvenir assurément à la génération suivante, ils font faire les meilleures études à leurs fils. Presque autant que de la basoche et du monde des petits "officiers", les écrivains parisiens d'alors sont issus du milieu des maîtres et des marchands. Regnard était fils d'un poissonnier des Halles et Quinault d'un boulanger de la rue de Grenelle. L'arrière-grand-père de La Bruyère avait tenu, rue Saint-Denis, une boutique d'apothicaire-épicier, mais son grand-père et son père faisaient déjà partie des "officiers". Le plus illustre de ces enfants de commerçants, Jean-Baptiste Poquelin, était né d'un marchand tapissier du Roi. Sous le nom de Molière, il immortalisera les "bons bourgeois" de Paris [1]. »

Conservateur, timoré, ne pensant qu'à accéder progressivement à la noblesse grâce à une richesse constituée de terres et de rentes d'État, le commerçant parisien répugne à s'engager dans les grandes entreprises du commerce international et ce ne sont pas les bureaucratiques compagnies à monopole créées par Colbert pour rapporter les matières premières d'Asie et d'Amérique qui pourront prendre leur place avec efficacité. Déjà s'amorce l'empire commercial maritime anglais face à une France terrienne et bureaucratique.

Lavoisier a dressé le bilan de la fortune des Parisiens à la veille de 1789. Les activités productrices et marchandes, même grossies des rentes foncières et seigneuriales, ne constituent pas le tiers de leurs revenus. Le loyer des maisons représente 20 % et près de 47 % est formé par les gages, arrérages et autres rémunérations en provenance du Trésor public. « De telles estimations justifient les reproches d'hypertrophie et de parasitisme, qui étaient souvent adressés à Paris. Il paraît en effet indéniable que l'argent s'y amassait, qu'il y entretenait des plus-values immobilières et que les Parisiens consommaient plus qu'ils ne produisaient [2]. » Les inventaires après décès font apparaître de très faibles liquidités en comparaison des créances publiques et privées. Le major du guet écrivait en 1775 que « les familles municipales, la bourgeoisie et toute espèce de marchands, de manufacturiers et d'ouvriers » tiraient des rentes de l'Hôtel de Ville « les moyens de sa subsistance journalière ».

• *La renaissance du négoce*

La Révolution a provisoirement ruiné le commerce parisien : diminution de la population, émigration ou ruine des plus fortunés, disparition du commerce de luxe... Mais elle a aussi brisé le comportement frileux d'une bourgeoisie stérilisant ses revenus dans des propriétés rurales ou des rentes d'État. Sous le Consulat et l'Empire, Paris ne souffre guère de

1. G. Dethan, *Nouvelle Histoire de Paris. Paris au temps de Louis XIV*, p. 227.
2. J. Chagniot, *Nouvelle Histoire de Paris. Paris au XVIIIe siècle*, p. 72.

la ruine du commerce extérieur, qui affecte surtout les ports, et bénéficie de la centralisation napoléonienne qui en fait la capitale économique non seulement de la France mais aussi de toute l'Europe soumise à la domination des napoléonides. Dans le *Miroir de l'ancien et du nouveau Paris*, Prudhomme constate en 1807 : « Si notre Révolution a ralenti le commerce de plusieurs villes de France, celui de Paris paraît avoir augmenté immensément. Depuis cinq années, le nombre des marchands en boutique s'est beaucoup accru ; il est des quartiers où il n'y en avait pas une et où l'on en compte à présent un grand nombre. Paris ressemble à une foire perpétuelle ; jamais on n'avait vu de magasins aussi brillants ; nous citerons à cet égard les rues Vivienne, Saint-Honoré, du Roule et Saint-Denis [1]. »

Créée le 25 février 1803, la Chambre de commerce de Paris rassemble les plus grands hommes d'affaires du pays, Dupont de Nemours, Ternaux, Laffitte, Hottinguer... L'*Almanach du commerce* révèle une nette progression du nombre des commerces dans la presque totalité des professions. La richesse des boutiques éblouit les provinciaux et les étrangers, surtout au Palais-Royal. Les commandes de la Cour donnent au commerce de luxe une importance particulière et un prestige qui s'étend à l'Europe entière. De passage à Paris en 1804, l'Allemand Kotzebue écrit : « Je m'aperçois que ce magasin superbe d'orfèvrerie attire vos regards : vous avez raison ; vous ne trouverez ni à Augsbourg ni à Vienne de plus beaux ouvrages en ce genre [2]. » Les progrès du commerce se continuent sous la Restauration et la Monarchie de Juillet, ce dernier régime ayant été parfois qualifié de « règne de la boutique ». De nouvelles techniques s'imposent, enseignes lumineuses, magasins de nouveautés, galeries marchandes ou bazars, prospectus, réclames dans la presse, etc.

• *Du grand magasin à la métropole*

Le second Empire donne à ce tourbillon commercial une nouvelle dimension. A l'essor du petit commerce s'ajoute l'expansion de grandes entreprises. Entre 1847 et 1860, le chiffre d'affaires de la plupart des branches double, quadruple même pour l'alimentation. La capitale apparaît enfin de façon significative dans les exportations nationales, dont elle représente entre 16 et 17 %. Sous le second Empire, pour la première fois, la bourgeoisie participe à l'augmentation du commerce urbain, non seulement comme consommatrice mais aussi comme productrice. Chemin de fer et entrepôts donnent à Paris une envergure commerciale nationale et internationale. Comme le souligne Jeanne Gaillard, d'une ville introvertie, Paris se métamorphose en capitale extravertie sous la conduite du baron Haussmann : les commodités nouvelles de la circu-

---

1. L. Prudhomme, *Miroir de l'ancien et du nouveau Paris*, II, p. 107.
2. A. F. Kotzebue, *Souvenirs de Paris en 1804*, I, p. 89.

lation, des transports, les gares, favorisent l'essor des commerces de luxe et de demi-luxe, le renouvellement des méthodes de vente et l'extraordinaire succès des grands magasins, qui caractérise la seconde moitié du XIXe siècle [1].

A la fin du XXe siècle, le noyau central du commerce parisien est constitué par les onze premiers arrondissements à l'exception du VIIe. Jacqueline Beaujeu-Garnier écrit à son sujet : « C'est l'"Hypercentre" et la population employée dans cette activité atteint plus du quart de la population résidente, c'est-à-dire qu'il fonctionne sur d'énormes courants de clients venus de partout avec un personnel également largement extérieur. Tous les moyens de transports publics (gares Saint-Lazare et du Nord en particulier, R.E.R., métro, nombreuses lignes d'autobus…) et une circulation automobile démentielle en assurent la desserte. Toutes les rues sont affectées, qu'elles soient étroites et anciennes ou plus larges mais quand même encombrées ; les façades sont décorées, les étalages provocants, mais souvent aussi le commerce a envahi les étages, les arrière-cours, les passages couverts. Il est partout, multiforme, vivant, proliférant [2]. » Le commerce de gros représente 23 % du chiffre d'affaires national et l'activité commerciale emploie deux cent trente-cinq personnes sur mille. Grâce à ses aéroports et à la diversité de ses activités, le commerce parisien affronte à égalité d'autres métropoles mondiales comme Londres ou New York.

L'ARTISANAT ET L'INDUSTRIE

• *Artisans et commerçants*

Alors que les commerçants ne fabriquent rien, mais achètent pour revendre en prélevant un bénéfice, la plupart des métiers parisiens appartiennent à la fabrique, produisent, mais vendent aussi ce qui sort de leurs mains expertes. Ces métiers sont minutieusement réglementés ainsi qu'en témoigne le *Livre des métiers* [3] d'Étienne Boileau en 1268, afin d'assurer à leurs membres une protection contre la concurrence et le chômage. Les teinturiers, par exemple, se plaignent en 1297 d'être « si chargés de grant plenté de vallets que souvent il en demouroit la moitié en la place qui ne trouvoient où gagner, comme ils disoient » et décident d'exiger au moins cinq années d'apprentissage pour résorber cette main-d'œuvre superflue. Le *Livre des métiers* mentionne que chez les

---

1. J. Gaillard, *Paris, la ville (1852-1870)*.
2. J. Beaujeu-Garnier, *Nouvelle Histoire de Paris Paris : hasard ou prédestination ?*, p. 298.
3. Le *Livre des métiers* a été édité par G. B. Depping en 1837, par R. de Lespinasse et F. Bonnardot en 1879. Sur les métiers, on peut consulter les études anciennes mais solides de R. de Lespinasse, *Les métiers et corporations de la ville de Paris*, et G. Fagniez, *Études sur l'industrie et la classe industrielle à Paris au XIIIe et au XIVe siècles*.

chaussiers, trente-cinq maîtres ont dû se placer comme valets pour gagner leur vie. L'artisanat crée donc volontairement des obstacles à la prolifération de la main-d'œuvre spécialisée en limitant le nombre des apprentis, en allongeant la durée de l'apprentissage. Limitations et interdictions nuisent au développement des activités artisanales parisiennes en créant et maintenant artificiellement une pénurie de main-d'œuvre spécialisée. «C'est une des raisons, peut-être la raison essentielle, du retard économique de Paris à cette époque par rapport aux villes flamandes ou italiennes ou même à certaines villes du royaume spécialisées dans le tissage et la filature. Les fabricants de Paris ont été handicapés par l'impossibilité où ils se sont trouvés de diriger des ateliers pourvus d'un personnel important [1].»

La royauté a tenté de combattre ce malthusianisme professionnel. En 1322, Gilles Haquin, prévôt du roi, homme du Nord qui connaît bien les villes industrieuses de l'Artois et de la Flandre, décide la suppression des contraintes dans l'embauche et les horaires de travail. Au lendemain de la Grande Peste qui a décimé la population, Jean le Bon, dans sa grande ordonnance de janvier 1351 sur les métiers, stipule dans son article cinquante et un : «Toutes manières de gens quelconques qui sauront se mêler et s'entremettre de faire métier, œuvre, labeur ou marchandise quelconque le peuvent faire et venir faire. Mais que l'œuvre et marchandise soient bonnes et loyales.» La stagnation économique de la ville à cette époque ne permet pas de se rendre compte de l'efficacité de cette mesure que les métiers ne semblent guère avoir mise en pratique.

En règle générale, les artisans vendent eux-mêmes leur production : orfèvres, fourreurs, pelletiers... Ils sont souvent rassemblés dans une rue, mais ce n'est pas une règle absolue. Les drapiers sont principalement établis dans la rue de la Vieille-Draperie de la Cité que Philippe Auguste leur a cédée après en avoir expulsé les juifs. Les pelletiers sont concentrés au nord des drapiers. Les armuriers se trouvent principalement au nord du Châtelet et à l'est de la rue Saint-Denis. Parcheminiers, enlumineurs et libraires se situent à proximité immédiate de leur clientèle de clercs et d'étudiants, rue Neuve-Notre-Dame, rues Erembourg-de-Brie et aux Écrivains, rue Saint-Séverin.

Le tissage et la draperie demeurent longtemps l'activité dominante. On distingue les «grands maîtres» tisserands, entrepreneurs importants, de ceux qui travaillent pour eux, les «menus maîtres» tisserands, les foulons, les teinturiers. Le lieu-dit du Chardonnet rappelle l'importance de cette activité : on y cultivait des chardons nécessaires à l'apprêt dans l'industrie drapière. Jusqu'au début du XIVe siècle, l'industrie textile parisienne est très importante et occupe une bonne partie de la main-

---

1. R. Cazelles, *Nouvelle Histoire de Paris. De la fin du règne de Philippe Auguste à la mort de Charles V (1223-1380)*, p. 87.

d'œuvre. La fabrication de « tiretaines » est mentionnée dès le XIIIe siècle au faubourg Saint-Marcel et des « tiretainiers » florentins y sont installés en 1317. On y produit les « soies dites de Saint-Marcel, toutes de laine » que l'on vend aux foires de Champagne et jusqu'à Lyon ou Gênes. A l'aube du XIVe siècle, on trouve les tissus de Paris, comme la « biffe » unie, sur les marchés de Catalogne. Après 1330, cette activité s'effondre, les trois cents maîtres sont réduits à une poignée en 1372. L'industrie textile abandonne la fabrication pour la finition. Des finisseurs ou « tondeurs » apprêtent les tissus laissés inachevés par la production. En 1391, malgré une certaine reprise, en comptant les artisans de Saint-Marcel alors hors de la ville, on ne recense qu'une petite centaine d'ateliers dont une trentaine de tisserands. Une ordonnance de 1426 qualifie de « moult diminué » une profession qui ne compte plus que dix tisserands. Le drap de Paris a disparu définitivement, mais de nouvelles activités se développent au XVe siècle : teinturerie, soierie avec la fabrication de rubans. Les tailleurs sont aussi en expansion, ainsi que les lingères. Deux productions font alors la réputation de la ville sur les marchés extérieurs : les ceintures et les bonnets. La teinturerie connaît son apogée au XVIe siècle. Au faubourg Saint-Marcel, sur les bords de la Bièvre, on teint jusqu'à six cent mille pièces de draps par an, et des familles comme les Gobelin, les Canaye, les Le Peultre en tirent leur opulence. Mais cette production tombe à cent mille pièces dès la fin du XVIe siècle.

C'est à cette époque qu'apparaît une nouvelle forme d'activité qui va se poursuivre jusqu'à nos jours, classée sous la rubrique bien floue de l'« article de Paris ». C'est la mode qui dicte cette production multiforme et variant sans cesse, qui mobilise fabricants de pourpoints, d'aumônières, chaussetiers, épingliers, chapeliers, gantiers-parfumeurs, et plus particulièrement les merciers. Le troisième des Six-Corps occupe alors une place prééminente et complexe dans la production et le commerce de la capitale. Le mercier est d'abord le revendeur des produits textiles (serges et ostades, toiles, tapisseries, passementerie), mais aussi de la menue mercerie au sens actuel du terme, de la joaillerie et même de la quincaillerie, mais en plus il fabrique, notamment à partir de la soie dont la clientèle opulente est alors si friande. On estime le nombre des merciers à un millier au XVIe siècle. Le compagnonnage a été rendu obligatoire en 1567 pour les étrangers, qui composeraient alors les deux tiers de la profession, notamment les Italiens de Lucques. Les merciers ont partiellement abandonné les Halles en déclin pour envahir le Palais de la Cité, cœur du commerce de luxe, tout en maintenant une majorité de boutiques dans les rues du quartier des Halles : rues Saint-Denis, de la Ferronnerie, aux Fers.

La France dépense des millions de livres pour se procurer à l'étranger les tissus de soie et les tapisseries réclamées par la Cour et les catégories sociales opulentes. Henri IV tente d'empêcher cette véritable hémorragie monétaire en affranchissant le pays de ces ruineuses importations du Levant, d'Italie, d'Espagne ou de Flandre et en faisant fabriquer en France tous ces produits. Une manufacture de draps d'or, d'argent et de soie est créée par le financier Moisset et cinq bourgeois de la capitale, mais elle périclite bien vite. Charlier en ouvre une autre à Saint-Maur. La fabrique Godefroy, dans le faubourg Saint-Antoine, produit des crêpes «façon de Bologne». Pour les bas de soie, il faut attendre 1656 pour qu'Hindret monte une manufacture dans le bois de Boulogne, au château de Madrid. Pour évincer les tapisseries de Flandre, d'Italie ou de Turquie, des manufactures sont ouvertes avec l'appui de l'État au Louvre, puis à la Savonnerie et à Chaillot, tandis que deux Flamands s'installent en 1601 dans la teinturerie des Gobelins pour fabriquer des tapisseries de basse lisse à la manière de leur pays. Au faubourg Saint-Marcel s'implantent des entreprises fondées par des Italiens et des Espagnols pour travailler le cuir à la façon de Cordoue, à l'italienne ou à la hongroise. L'industrie du meuble du faubourg Saint-Antoine, prospère dès le XVe siècle grâce aux créations d'artisans allemands, se double d'ateliers de travail du bronze. Une verrerie royale est ouverte en 1606 près de Saint-Germain-des-Prés pour concurrencer les importations d'Italie, notamment de Venise.

• *Naissance de l'industrie*

Amorcées sous Henri IV et Louis XIII, mélange d'initiatives indivi-duelles et d'incitations étatiques, les créations d'entreprises nouvelles pour satisfaire les besoins en produits de luxe des privilégiés sont reprises de façon systématique et bureaucratique au début du règne personnel de Louis XIV sous la houlette de Colbert : manufacture royale des meubles de la couronne aux Gobelins, manufacture de glaces de Reuilly, tapisserie de la Savonnerie déjà évoquée. Colbert met en action de véritables équipes de recruteurs pour amener en France l'élite des artisans étrangers et leur accorde des monopoles pour faciliter la réussite de leurs entreprises. Mais, alors que l'Angleterre et les Provinces-Unies laissent leur industrie se développer librement, la France hérisse d'innombrables règlements autour de ses manufactures naissantes : on a décompté plus de cent cinquante règlements de fabriques souvent très détaillés, élaborés par l'État pour tenter de donner à la production fran-çaise une qualité inégalée. Aides et subventions maintiennent à bout de bras des productions de luxe destinées essentiellement à Versailles. On comprend que dans de telles conditions de contraintes jointes à une protection excessive et à un marché limité à la Cour, la plupart des créa-tions de Colbert se soient soldées par de coûteux échecs.

Il est difficile de dresser un bilan de l'industrie dans la capitale à la fin de l'Ancien Régime. L'enquête de 1745 dénombre vingt-six mille ouvriers, ce qui semble très inférieur à la réalité. Il y en aurait eu entre cinquante mille et cinquante-cinq mille selon Bertrand Gille [1], mais l'immense majorité sont des compagnons employés dans des entreprises artisanales, et fonctions commerciales et productrices sont inextricablement mêlées. Comme les marchands merciers et drapiers, les principales manufactures se limitent à la finition de produits élaborés en province. La grande manufacture de glaces de Reuilly se contente de polir et d'achever les glaces brutes en provenance de Saint-Gobain dans l'Aisne et de Tourlaville près de Cherbourg. La manufacture de porcelaine fondée par Desruelles en 1771 à Clignancourt et placée sous la protection de Monsieur, frère du roi, fait venir de Limoges la pâte et le vernis qu'elle utilise.

L'article de Paris règne toujours sur une grande partie de l'artisanat, s'adaptant sans cesse aux caprices de la clientèle. Deux autres productions lui disputent la main-d'œuvre, le tissu imprimé et le papier peint, eux aussi soumis aux fluctuations de la mode. Trois fabricants dominent le marché à la veille de la Révolution : Legrand au faubourg Saint-Marcel, Arthur et Grenard, rue Louis-le-Grand, et Réveillon au faubourg Saint-Antoine, rue de Montreuil. Oberkampf commence à fabriquer des indiennes dans la rue Saint-Victor (Cuvier) avant de déménager à Jouy-en-Josas. Les manufactures des Gobelins et de la Savonnerie, coûteuses entreprises subventionnées et dépendantes des commandes de la Cour, continuent leur décadence. La production textile s'émiette en petits ateliers quand le travail n'est pas effectué à domicile. Le travail des métaux est tout autant dispersé. De modestes manufactures se multiplient entre Popincourt et Picpus, avec deux entreprises un peu plus importantes : la fabrique d'étain en feuilles de Jean-Baptiste Midy de Mauléon de la rue du Faubourg-Saint-Antoine, fondée en 1738, et la manufacture de quincaillerie créée en 1786 dans l'enclos des Quinze-Vingts par Jean-Joseph Dauffe. A l'ouest se développent quelques fonderies de bronze monumentaux dans la rue du Faubourg-Saint-Honoré et à Chaillot où les frères Périer se sont établis pour fabriquer les pièces de leur pompe à feu. L'industrie chimique est encore embryonnaire : raffinerie de sucre à Bercy, salpêtrière du faubourg Saint-Antoine, « nitrière artificielle » entre La Chapelle et Clignancourt, et surtout la manufacture de Javel qui produit acide sulfurique, eau-forte, vitriol, alun synthétique, acide chlorhydrique.

• *L'essor industriel*

Malgré l'implantation d'industries d'armement, l'époque révolutionnaire n'est guère favorable à l'expansion de la production. C'est sous

---

1. Voir B. Gille, «Fonctions économiques de Paris», dans *Paris, fonctions d'une capitale*, p. 115-151.

l'Empire que l'industrie prend son essor. Plusieurs facteurs y contribuent, notamment l'existence de vastes bâtiments disponibles pour l'installation de manufactures, en l'occurrence les anciens couvents devenus biens nationaux. S'y ajoutent la présence d'un énorme marché local de près de six cent mille personnes, l'existence de capitaux disponibles et de la Cour impériale, stimulant de l'industrie de luxe. Quelques capitaines d'industrie choisissent d'implanter à Paris leurs entreprises textiles : Richard et Lenoir au faubourg Saint-Antoine, Albert au faubourg Saint-Denis. Delessert installe en 1812 à Passy la première raffinerie de sucre de betterave. L'enquête du préfet Frochot en 1801 recense près de neuf cents entreprises employant près de soixante mille ouvriers. Textile, chimie, travail du cuir en représentent près de la moitié. Seulement vingt-quatre manufactures emploient plus de cent ouvriers. L'article de Paris et les industries du luxe, que la Révolution avait fait disparaître, reviennent en force. L'horlogerie produit pour l'Europe entière de même que l'ébénisterie, l'orfèvrerie ou la porcelaine.

A la chute de Napoléon, la situation de la ville a totalement changé. Comme l'écrit Dufey en 1821 dans son *Mémorial parisien*, elle n'est plus « ce gouffre où s'engloutissaient sans nulle compensation les produits agricoles et industriels des provinces. Paris est devenu une ville manufacturière et l'entrepôt de toutes les manufactures de France ». Le Conseil de salubrité de la Seine rapporte en 1823 que « la ville de Paris, de tout temps le centre du commerce, peut aujourd'hui être regardée comme le centre de l'industrie ». Sous la Restauration et la Monarchie de Juillet, l'industrialisation se poursuit avec vigueur. Entre 1830 et 1847, le nombre de machines à vapeur décuple en France, mais la proportion reste constante pour Paris, près de 20 % des machines. L'enquête de la Chambre de commerce de 1847-1848 dresse un tableau de premier ordre de l'industrie dans la capitale : « Paris a depuis longtemps pris sa place au nombre des villes manufacturières de premier ordre en France. Ses produits, variés à l'infini, sont connus du monde entier, et ont un cachet spécial qui les fait rechercher des consommateurs [...]. Le caractère distinctif de l'industrie manufacturière à Paris est la division des occupations et le fonctionnement des entreprises. Les grandes manufactures, longtemps encouragées et soutenues par les rois et les princes, tendent à quitter une grande ville où la production est devenue pour elles relativement dispendieuses, à raison du renchérissement croissant des loyers, du combustible et de la main-d'œuvre. Les industries qui vivent à l'aise à l'intérieur des villes sont celles qui peuvent se partager entre un grand nombre de petits entrepreneurs et d'ouvriers à façon. C'est à ce fractionnement des travaux que tient la variété des produits. »

En 1847, l'enquête dénombre près de trois cent cinquante mille ouvriers employés dans un peu moins de soixante-cinq mille entreprises, soit une moyenne théorique de cinq ouvriers par entreprise. Il n'y a que sept mille établissements employant plus de dix ouvriers. L'industrie textile est en déclin marqué alors que Paris est en train de s'affirmer comme centre métallurgique, au troisième rang derrière les départements de la Loire (Saint-Étienne) et du Nord. Cette métallurgie tend à se spécialiser dans la construction de machines à vapeur et de matériel ferroviaire. La chimie, très polluante, se développe à la périphérie, à Javel, Grenelle, Passy, Clichy, Belleville, Pantin.

• *L'industrie et la ville*

Dès le second Empire se posent les problèmes fondamentaux des rapports entre l'industrie et la ville. A l'écart des gisements miniers et des centres de métallurgie primaire, Paris compense cet inconvénient par l'abondance et la commodité des voies navigables et ferrées ainsi que par une main-d'œuvre nombreuse et qualifiée. La question de la place disponible dans l'espace urbain et de l'importance des nuisances industrielles est déterminante et apparaît nettement dès le second Empire. Déjà s'affirme la prédominance des arrondissements périphériques, annexés à la capitale en 1860, disposant de davantage d'espace que les arrondissements centraux très peuplés et convoités par le commerce. Jeanne Gaillard montre bien le déclin précoce des très grands établissements industriels [1]. Ainsi, pour la construction de machines, activité en pleine expansion, si le nombre des ateliers fait plus que tripler entre 1848 et 1872, le nombre moyen des ouvriers par établissement passe de soixante-trois à vingt-sept. Haussmann n'est guère favorable à l'expansion de l'industrie dans la capitale. Dans un mémoire à la Commission départementale, il écrit en 1868 : « Il n'est pas essentiel pour Paris qu'il y ait, à ses portes ou dans son enceinte, des usines qui fabriquent, selon leur propre déclaration, des produits de toute espèce pour le monde entier. » Ses réticences sont liées à une inquiétude politique, la crainte que les ouvriers ne deviennent majoritaires et que les socialistes s'emparent du pouvoir. L'annexion en 1860 des territoires de la périphérie lui permet de mieux contrôler l'industrialisation des nouveaux arrondissements, voire de l'entraver grâce aux droits d'octroi.

Avant même la chute du second Empire s'amorce l'exode vers la province d'une partie de l'artisanat et de l'industrie parisiens. La métallurgie primaire, apparue sous Louis-Philippe, a presque entièrement disparu de la capitale dès 1900. La constitution de la ceinture industrielle « rouge », dominée par les communistes, entre 1920 et 1960, confirme la justesse des craintes d'Haussmann, qui comparait dès 1858 les patrons de l'industrie parisienne aux « vignerons des pentes du Vésuve ».

La désindustrialisation rapide de la banlieue n'est pas du ressort de ce livre. Elle est incomparablement plus brutale que celle de la capitale dont

---

1. Voir J. Gaillard, *Paris, la ville (1852-1870)*, p. 455-484.

le poids dans l'industrie nationale est passé de 9 % en 1968 à moins de 5 % à l'aube des années 1990. Jacqueline Beaujeu-Garnier explique l'affaiblissement du système industriel parisien : « Étant donné son resserrement, son manque de terrain disponible, Paris était déjà aux limites du supportable, ce qui a engendré un début de mouvements spontanés et surtout la formation d'un état d'esprit réceptif à une politique volontaire — et non plus spontanée — de desserrement, tout d'abord avec un premier glissement d'activités non rivées à la présence nécessaire à Paris vers les banlieues plus ou moins proches, puis de décentralisation à destination de la province [1]. »

Quelques secteurs ont cependant maintenu ou accru leur présence. C'est le cas notamment de l'imprimerie et de la presse qui représente environ le quart du total des effectifs de l'industrie parisienne et le quart également des effectifs de ces professions en France. La part du textile et de l'habillement a aussi progressé depuis 1975, atteignant près du cinquième des effectifs industriels parisiens et plus de 10 % des ouvriers français de cette branche. Le matériel électrique et électronique a bien résisté. La presse et l'édition ont déserté les immeubles proches des Grands Boulevards et commencent à abandonner les Ve et VIe arrondissements pour des locaux plus vastes et mieux conçus dans les arrondissements périphériques. En revanche, le textile et la confection s'accrochent au quartier du Sentier, au cœur de la ville, et s'étendent vers le nord, le sud (le Marais) et l'Est (XIe arrondissement). Cette industrie est inextricablement liée au commerce et au travail clandestin de milliers d'immigrés. Une politique de constructions d'hôtels industriels subventionnés par la municipalité tente de maintenir dans la capitale une partie des activités industrielles, les moins bruyantes et les moins polluantes. Les sièges d'entreprises industrielles restent cependant en grand nombre dans la capitale, mais ils engendrent peu d'emplois à caractère industriel, malgré l'existence de sièges mixtes dans le textile, l'habillement, la parachimie, la pharmacie et l'ameublement, les principales branches du tissu industriel subsistant.

CRÉDIT, BANQUE, BOURSE

Il n'est pas question ici de traiter des questions bancaires et financières du pouvoir royal, mais il faut se limiter à ce qui concerne Paris seulement. Les plus anciennes activités ayant trait à la manipulation de l'argent sont de deux types. La première, attestée dès 1141, pratiquée sur le Grand Pont qui va devenir le pont aux Changeurs puis au Change, est celle des changeurs. Dans une Europe occidentale où les monnaies les

---

1. J. Beaujeu-Garnier, *Nouvelle Histoire de Paris. Paris : hasard ou prédestination ?*, p. 286.

plus diverses sont utilisées un peu partout, sont indispensables des spécialistes connaissant la valeur en or pur et en argent de toutes les pièces en circulation : ce sont les changeurs qui assument cette fonction indispensable. De par leur compétence et la possession de numéraire disponible en permanence pour leur activité, ils sont tentés de se mêler du deuxième type de maniement de l'argent, le prêt à l'intérêt. Quoique interdit par la doctrine de l'Église, le prêt est pratiqué à tous les niveaux, du plus humble manant au roi de France. Juifs, Lombards et Cahorsins sont les principaux représentants de ces prêteurs. Les juifs, installés dès l'Antiquité gallo-romaine et attestés avec certitude au VIᵉ siècle, constituent la catégorie la plus pauvre, celle des usuriers détestés et régulièrement persécutés à cause de leur religion. Les Lombards, attirés par les foires de Champagne, introduisent en France les techniques financières élaborées des Italiens. Les Cahorsins posent problème. Certains grands manieurs d'argent du Moyen Âge sont bien originaires de Cahors, mais le fait que la plupart d'entre eux traitent en langue italienne et ne se distinguent pas des Lombards a appelé l'attention de plusieurs historiens sur le fait que certains banquiers lombards étaient originaires de la petite ville piémontaise de Cuorsa. Aurait-on confondu les hommes d'affaires de Cahors et de Cuorsa, mentionnés dans les textes sous des formes proches mais diverses : «Cahurcins», «Corcins», «Corsimi» ? Les moins riches des Lombards ne sont guère plus que des usuriers exploitant la détresse des pauvres. Mais les plus riches approchent le roi, lui prêtent de l'argent et jouent le rôle de banquiers du Trésor. Il ne sera pas traité ici de leur rapport avec l'État qui déborde Paris. S'est posée aussi la question des Templiers, ordre religieux opulent qui fut à la fois le conservateur des richesses en or et en argent du roi et son banquier. Philippe le Bel les détruisit en 1307 et confisqua leurs biens après les avoir utilisés comme collaborateurs financiers de l'administration.

Les banquiers italiens sont attestés dès le règne de saint Louis. Après avoir fréquenté les foires de Champagne, ils s'établissent dans la capitale. Ce sont d'abord des Siennois : trois d'entre eux se fixent en 1251 sur le territoire de Saint-Germain-des-Prés avec l'autorisation d'exercer les commerces de leur choix. Ils sont suivis par d'autres Lombards issu de Lucques, de Florence, d'Asti. Ils sont mentionnés dans le livre de la taille de 1292 et le plus imposé d'entre eux, Gandoufle d'Arcelles, paie une taille élevée, de 114 livres. On trouve aussi un Martino Galeranni et la compagnie des « Sail-en-Biens », des Salimbene. On trouve des financiers de Milan, de Gênes, de Venise. Les frères «Biche et Mouche» Guidi jouent un rôle important dans la destruction de l'ordre du Temple. Philippe IV et Philippe VI obtiennent des Lombards des prêts très importants et, en compensation, autorisent des taux de prêt atteignant 21 % par an.

Jean Favier a étudié la place financière de Paris au XVᵉ siècle, écrivant : « Les banquiers italiens du début du XVe siècle ne cessaient de se plaindre de la trop grande abondance d'argent par rapport à la demande. En bref, il y avait plus de bailleurs de fonds prêts à investir que d'hommes d'affaires en quête de capitaux pour élargir leurs entreprises. Cette situation, qui perpétuait un loyer de l'argent relativement bas, n'avait rien qui pût attirer à Paris les banquiers ou susciter des vocations. Plus tard, le détournement du courant commercial, effet de la guerre et de l'occupation, aggravé de la diminution des revenants-bons fiscaux et de l'absence des princes, fit régner le marasme sur le marché des capitaux. Paris était, sur le plan financier, trop étroitement lié à Bruges pour ne pas ressentir durement la coupure due à la divergence politique — au temps de la domination armagnaque — ou simplement à l'insécurité des routes. Mais on comprendrait mal l'assoupissement du marché financier et le manque de rayonnement de la place au temps de l'après-guerre si l'on s'imaginait la situation vers 1400 — à l'apogée — autrement que limitée sur tous les plans : géographique, économique, technique. Les relations avec Bruges souffraient d'un déséquilibre : Paris était "satellite" du grand port flamand, au même titre, d'ailleurs, que Londres. Sur le marché de Paris, on ne cotait directement les changes — c'est-à-dire les devises sur les places de change — qu'avec un petit nombre de villes parmi lesquelles ne figuraient ni Florence ni Londres. Il fallait le faire passer, en temps de paix, par Bruges ou par Avignon [1] ! »

Quant aux changeurs, du commerce légal du métal précieux, ils débordaient sur un rôle de bailleurs de fonds de leurs voisins orfèvres et en arrivaient à pratiquer le crédit sous toutes ses formes. En 1423, ils dominaient la hiérarchie des fortunes parisiennes, dix d'entre eux figurant parmi les vingt plus imposés de la ville. Leur puissance se reflétait dans leur position à l'intérieur de la municipalité : de 1412 à 1450, quatre changeurs occupèrent la prévôté des marchands pour une durée de onze années, et dix-neuf furent échevins. Mais leur déclin est rapide, la richesse parisienne s'investissant à partir de 1440-1450 dans l'achat de terres et d'offices royaux, voies d'accès à la noblesse. Jean Favier écrit encore : « Ce n'est pas un hasard si, dans la seconde moitié du siècle, l'Hôtel de Ville qu'avaient gouverné les changeurs fut sans relâche aux mains des officiers royaux et des hommes de loi : conseillers au Parlement, maîtres des comptes et avocats représentaient un cinquième de la municipalité sous l'occupation anglaise, la moitié ou les trois quarts à partir des années 1440-1450. On pourrait croire que les gens du roi ont pris la place des hommes d'affaires. En réalité, c'est le service du roi qui s'est imposé, aux mêmes hommes et à leurs fils, à la place des affaires [2]. »

1. J. Favier, *Nouvelle Histoire de Paris. Paris au XVe siècle*, p. 363-364. Voir aussi du même auteur, « Une ville entre deux vocations, la place d'affaires de Paris au XVe siècle », dans *Annales. Économies. Sociétés. Civilisations*, 1973, p. 1245-1279.

2. J. Favier, *Nouvelle Histoire de Paris. Paris au XVe siècle*, p. 372.

Cette course aux offices élimine pour longtemps de Paris la société d'affaires. Les Parisiens se consacrent au service du roi et laissent à d'autres l'initiative du commerce extérieur et des activités financières françaises et internationales.

La situation s'aggrave encore au XVIᵉ siècle et les changeurs, en totale déconfiture, cèdent en 1514 leur place au sein des Six-Corps aux bonnetiers. Certes, quelques hommes d'affaires placent encore de l'argent dans des entreprises hardies, mais l'essentiel de la fortune parisienne s'investit dans des achats de terres et de rentes, notamment les rentes sur l'Hôtel de Ville, instituées le 10 octobre 1522. Ces rentes servent à renflouer les finances de l'État et le roi concède, en échange, à la municipalité la perception de certaines taxes. La rente au denier douze (8,33 % d'intérêt annuel) est la plus fréquente. Si les intérêts sont assez régulièrement payés aux quatre termes prévus dans l'année jusqu'à la mort de François Iᵉʳ, le système se dérègle avec Henri II et les demandes royales d'argent frais grossissent démesurément dès 1550-1551. Les recettes aliénées par la Couronne, d'abord limitées aux aides payées par les Parisiens, aisément perçues par la municipalité, s'étendent aux taxes prélevées à Sens et à Dreux (1551), en Champagne (1555), en Normandie (1557), en Picardie (1558), en Bourbonnais (1559), etc. Le Bureau de Ville est bien en peine d'assurer le contrôle de leur recouvrement. L'énormité des sommes demandées par le roi affecte la confiance. Les bourgeois parisiens cessent de croire à la solvabilité de la monarchie et hésitent à souscrire. A partir de 1574, les rentes ne sont plus payées régulièrement, ce qui aggrave la méfiance et accroît un arriéré qui se cumule année après année. La municipalité va s'ériger en défenseur des rentiers et le mécontentement de ceux-ci ne contribuera pas peu à la révolte antimonarchique et au développement de la Ligue à Paris.

Paris est victime de son conservatisme et de son hostilité aveugle à l'instauration d'un système bancaire. En 1548, Henri II a proposé l'instauration d'une banque sur le modèle italien, mais les bourgeois se sont récriés indignés : ils trouvent normal de recevoir un intérêt de 8,33 % sur les rentes de l'Hôtel de Ville mais considèrent le prêt à 8 % pratiqué par une banque comme contraire aux règles chrétiennes. On craint que l'oisiveté se développe, que le « secret des maisons » soit violé, que les marchandises soient accaparées par les banquiers. « La ville paiera cher son aveuglement. Elle était à la fin du Moyen Âge une capitale économique, au moins régionale, dans un rayon de 200 kilomètres, et elle étendait son hégémonie sur une quarantaine de villes. Elle a maintenant tendance à devenir exclusivement, non pas un lieu d'échanges, mais un lieu de consommation. Les Parisiens riches veulent devenir des fonctionnaires et des rentiers, alors qu'une grande part des revenus du royaume vient s'amasser dans leurs coffres [...]. Paris se forge au XVIᵉ siècle un autre outil de domination, qui n'est pas le commerce, l'industrie ou la banque : c'est la possession du pouvoir politique partagé entre quelques grandes familles solidement dotées et unies entre elles par des alliances matrimoniales. Elles peuplent les Conseils du roi et tiennent tous les offices d'importance [1]. »

Dès la seconde moitié du XVIe siècle, pour remplacer les rentiers réticents, le roi a recours aux prêts de riches financiers italiens. En échange de cet argent immédiatement disponible, la monarchie leur concède le recouvrement des taxes indirectes, qui leur permet de se rembourser largement. En échange des « traites » signées avec le souverain, ces hommes d'affaires prennent « le parti » des impôts indirects qui leur sont concédés, ce qui leur vaut le nom de « traitants » ou de « partisans ». Sous Louis XIII, la monarchie est dans une telle détresse financière que, certaines années, même les impôts directs, les tailles, sont mis « en parti ». Lorsque la monarchie tente de renflouer ses caisses en créant des offices, ce sont parfois les traitants qui se chargent de les vendre. Ces partisans, souvent d'origine modeste, s'associent généralement pour organiser une vente d'offices ou prendre à ferme une taxe.

Ces parvenus privilégiés par Louis XIV, dont les besoins d'argent sont insatiables, s'imposent dès la fin du XVIIe siècle. Le théâtre de Dancourt les dénonce en 1697 avec le personnage de Rapineau du *Retour des officiers*, puis en 1710 dans *Les Agioteurs*. Le tarif de la capitation de 1695, qui répartit les assujettis en classes selon leur fortune, place des financiers comme Samuel Bernard, Antoine Crozat, Poisson de Bourvalais, dans la même catégorie que les princes du sang. Le 14 février 1709, la première représentation du *Turcaret* de Lesage, une féroce satire des financiers, est un triomphe.

La mort du tyran sénile et son remplacement par un régent durant la minorité de Louis XV ne remettent pas en cause la position privilégiée des traitants. L'expérience de Law en témoigne. Tentée sur le modèle anglais, cette expérience ne peut être qu'un échec car, ainsi que l'a finement analysé Saint-Simon, « ce qui était excellent dans une république ou dans une monarchie où la finance est entièrement populaire, comme en Angleterre, était d'un pernicieux usage dans une monarchie absolue, telle que la France, où la nécessité d'une guerre mal entreprise et mal soutenue, l'avidité d'un premier ministre, d'un favori, d'une maîtresse, les folles dépenses, la prodigalité d'un roi ont bientôt épuisé une banque et... culbuté le royaume [2]. »

Ces propos prophétiques — la monarchie sera emportée par sa désastreuse gestion financière — sont confirmés par les errements que l'on peut constater dans la haute société durant tout le XVIIIe siècle. Jean Chagniot le note finement : « Les hommes d'affaires entretiennent en effet des relations beaucoup plus étroites avec l'aristocratie robine et

1. J.-P. Babelon, *Nouvelle Histoire de Paris. Paris au XVIe siècle*, p. 329-330.
2. Cité par G. Dethan, *Nouvelle Histoire de Paris. Paris au temps de Louis XIV*, p. 261.

militaire, et même avec les princes du sang, qu'avec les marchands et les maîtres de métiers. Comme au Grand Siècle, cette connexion d'intérêts associe la haute société de Paris et de Versailles aux profits et aux aléas des spéculations financières [1]. » Les nombreuses faillites qui jalonnent le XVIIIe siècle sont dues à une spéculation effrénée et à des dépenses inconsidérées de grands personnages proches du trône, sur qui retombe l'opprobre de ces scandales.

Durant tout le siècle, la différence entre changeurs et banquiers est peu nette. Un édit de janvier 1723 a organisé les agents de change en une compagnie de soixante membres. Les banquiers sont à peu près aussi nombreux : cinquante et un en 1721, soixante-sept en 1750, quarante-neuf en 1787. La parenté entre les deux professions est mise en évidence lorsqu'en 1785 le syndic des agents de change, Jean Boscary, prend la direction d'une banque. Les almanachs de commerçants parisiens confirment cette image floue de la banque en classant encore en 1773 les banquiers dans la catégorie des merciers, considérant donc l'argent comme une marchandise parmi d'autres.

La création tardive d'une Bourse témoigne de ce retard parisien en matière de finances. Elle a été précédée par huit autres bourses, fondées à Toulouse, Rouen, Lyon, Bordeaux, Marseille, Lille, Montpellier, Nantes, entre 1549 et 1705. A Paris après la Bourse informelle qui s'est tenue rue Quincampoix jusqu'à la faillite de Law en 1720, la Bourse naît officiellement le 24 septembre 1724, rue Vivienne, à l'hôtel de Nevers. Les marchés à terme et à découvert y étaient impossibles, les effets devant être négociés dans les vingt-quatre heures. Toutes les transactions devaient passer par un agent de change.

Ce système embryonnaire, indigne d'une véritable place financière, est perfectionné en 1776 avec la création de la Caisse d'Escompte, installée à proximité immédiate de la Bourse, rue des Petits-Champs puis rue Vivienne. Mais la monarchie se montre toujours aussi incapable de payer des dettes astronomiques et les épargnants parisiens font preuve d'une méfiance tout à fait justifiée des rentes publiques. Ce sont des banquiers protestants, brasseurs d'affaires « aussi peu insérés dans la société parisienne que médiocrement intéressés à la survie de l'État monarchique [2] » qui assurent financièrement les besoins du régime et lui imposent un des leurs, le Genevois Necker, à la tête des finances royales en 1776.

Enfin, en 1800, naît la Banque de France, avec un retard considérable sur l'Europe du Nord protestante : la banque d'Amsterdam a été fondée en 1609, suivie par Hambourg, Nuremberg, Stockholm, Londres, née en 1694. Mais la Banque de France, à la différence des institutions étrangères qui l'ont précédée, ne dispose d'aucune indépendance réelle et

---

1. J. Chagniot, *Nouvelle Histoire de Paris. Paris au XVIIIe siècle*, p. 80.
2. *Ibid.*, p. 91.

l'État contrôle étroitement, à son profit, toutes ses activités, nommant le gouverneur et les deux sous-gouverneurs qui dirigent l'institution. D'abord banque d'escompte, la Banque de France devient vite surtout un institut d'émission des billets.

Quant aux banquiers, le *Répertoire du commerce de Paris* pour 1828 en énumère deux cent dix-huit, mais la plupart ajoutent à ce titre ceux de «négociant», «commissionnaire», «fabricant». Il faut attendre la Monarchie de Juillet pour que l'aristocratie financière de la Chaussée-d'Antin prenne une importance sociale et économique. Stendhal écrit : «Les banquiers sont au cœur de l'État. La bourgeoisie a pris la place du faubourg Saint-Germain, et les banquiers sont la noblesse de la classe bourgeoise.» C'est en 1837 que Jacques Laffitte fonde la première banque d'affaires, la Caisse générale du commerce et de l'industrie, suivi en 1842 par Hippolyte Ganneron et son Comptoir général du commerce.

L'essor est formidable sous le second Empire : le 18 novembre 1852, les frères Isaac et Émile Pereire constituent le Crédit mobilier. A sa déconfiture, en 1871, il cédera la place à la Banque de Paris et des Pays-Bas formée par la fusion en 1872 de la Banque de Paris et de la Banque de Crédit et de Dépôt des Pays-Bas. En 1864 est né un grand établissement de crédit, la Société générale. Paris et la France entrent enfin dans l'ère bancaire moderne.

En cette fin du xxᵉ siècle, les activités financières occupent à Paris le deuxième rang, après l'administration, pour le nombre de personnes employées. L'informatisation et la déconcentration ont limité la croissance des effectifs après 1975. Avec la Défense, le centre de gravité de la «cité financière de Paris» se trouve, pour les banques, entre la place de l'Opéra et la Bourse, pour les assurances au début du boulevard Haussmann. «Au bout d'un siècle, vers 1965, dans un rayon de 500 mètres autour de la place de l'Opéra, se rencontraient 35 % des sièges sociaux des banques parisiennes, 50 % des emplois réels et 60 % de l'activité bancaire nationale. Pour les assurances, c'est dans un rayon de 500 mètres autour du boulevard Haussmann que l'on trouvait 54 % des emplois des services intérieurs, 60 % des surfaces de planchers des sociétés d'assurances à Paris [1]... »

TRANSPORTS ET COMMUNICATIONS

• *Véhicules à usage personnel*

On sait fort peu de choses sur les moyens de transports individuels anciens à Paris. Les Gallo-Romains les plus fortunés se faisaient peut-

---

1. J. Beaujeu-Garnier, *Nouvelle Histoire de Paris. Paris : hasard ou prédestination ?*, p. 317-318.

être porter en litière, les rois mérovingiens faisaient sans doute leur entrée dans la cité dans de lourds chariots. Les premiers rois de la dynastie capétienne se déplaçaient dans la ville à cheval, ainsi que l'atteste l'accident mortel du fils aîné de Louis VI en 1131. Au XIIIᵉ siècle apparaissent des «chars» tirés par des chevaux. Pour limiter les encombrements dans les rues étroites, Philippe IV le Bel se réserve l'usage de ces «chariots», ancêtres des carrosses. Vers 1550, on ne compte que trois carrosses : celui de la reine Catherine de Médicis, celui de Diane, fille légitimée d'Henri II, celui de Jean de Laval que son obésité empêche de monter à cheval. Le nombre des carrosses s'accroît considérablement vers la fin du XVIᵉ siècle. En 1658, on en dénombre trois cent dix, puis leur nombre augmente démesurément tandis qu'apparaissent d'autres types de voitures, cabriolet, brouette, berline, etc. On estime à douze mille au moins le nombre des voitures hippomobiles possédées par des particuliers à la veille de la Révolution. Cet effectif n'évoluera guère jusqu'à la fin du XIXᵉ siècle et au triomphe de l'automobile.

• *Voitures de louage*

Ceux qui ne pouvaient se payer l'entretien d'une voiture, la nourriture de chevaux et le salaire d'un cocher, avaient recours à des voitures de louage ou aux transports en commun. Le plus ancien véhicule de louage semble avoir été la chaise à porteurs apparue vers le début du XVIIᵉ siècle. Elles eurent un grand succès et durèrent jusqu'à la Révolution. Ce moyen de transport à bras d'hommes est vite concurrencé par des carrosses de louage. Le premier loueur de carrosses s'étant établi dans l'hôtel Saint-Fiacre, ces véhicules de location à la course ou à la journée prennent le nom de fiacres. Les fiacres survivront jusque vers 1920. Ils sont concurrencés à partir de 1671 par des chaises roulantes, chaises à porteurs sur roues tirées par des hommes, dites aussi «brouettes». Les fiacres automobiles ou taxis naissent en 1898 et se développent surtout à partir de 1907. Aujourd'hui, environ dix-sept mille cinq cents taxis automobiles ont remplacé les quelque onze mille fiacres hippomobiles de 1900.

• *Transports en commun*

A la différence des voitures de louage, les transports en commun possèdent un itinéraire fixe le long duquel des arrêts bien déterminés permettent aux usagers de monter et de descendre. L'invention en revient à Blaise Pascal en 1661. Les «carrosses à cinq sols» contiennent huit places et parcourent cinq itinéraires pour un prix fixé à 5 sols. Leur fréquentation insuffisante entraîne leur disparition en 1677.

Il faut attendre un siècle et demi pour que l'idée de Pascal soit reprise par le Nantais Baudry. En 1828, ses «omnibus» commencent à sillonner la capitale, bientôt concurrencés par une foule d'autres compagnies :

Dames-Blanches, Favorites, Carolines, Écossaises, Batignollaises, etc. Vers 1840, le système des correspondances gratuites entre les voitures des diverses sociétés est mis en place sur les quarante-trois lignes exploitées. En 1854, trente-quatre millions de Parisiens empruntent ces lignes durant l'année. En 1855, soucieux d'organiser plus rationnellement la desserte de la capitale, le préfet Haussmann contraint les dix sociétés existantes à se regrouper au sein de la Compagnie générale des omnibus qui possède le monopole du transport en commun terrestre à Paris[1]. Après l'annexion de la périphérie en 1860, la C.G.O. possède trente et une lignes. L'Exposition universelle de 1867 ayant mis en évidence l'insuffisance des omnibus par rapport à la demande, de nouvelles solutions sont recherchées. A partir de 1873, le tramway évince progressivement l'omnibus hippomobile. Sur ses rails, le tramway est d'abord tiré par des chevaux. On teste aussi des tramways à vapeur, à air comprimé avant que le tramway électrique s'impose à partir de 1900. En 1914, l'évolution est achevée et les derniers omnibus tirés par des chevaux ont disparu. Le triomphe du tramway est de courte durée. Dès 1929, le Conseil municipal renonce à son exploitation au profit de l'autobus, apparu en 1905. Le dernier tramway disparaît en 1937.

Le transport par eau a existé de tout temps sur la Seine. Le nombre très limité de ponts a suscité l'existence de passeurs pour se rendre d'une rive à l'autre. L'accroissement de la ville est à l'origine de l'apparition, sous Louis XIV, de bachots remontant ou descendant le fleuve, vers Chaillot, Passy, Auteuil, Boulogne, Saint-Cloud. Le plus connu de ces « batelets » est la galiote de Sèvres et de Saint-Cloud qui part à heure régulière du Pont Royal. Durant les années 1820, des bateaux à vapeur remplacent les bachots. Ils sont éliminés en 1867, à la naissance de la Compagnie des bateaux-omnibus, constituée pour transporter les millions de visiteurs de l'Exposition universelle qui se tient cette année-là. Les bateaux-mouches atteindront leur apogée en 1900 avec une centaine de bateaux, quarante-sept pontons-stations et huit millions de passagers en moyenne. Beaucoup plus rapides, tramways, autobus et métropolitain relèguent les bateaux-mouches au rang d'attraction touristique après 1918.

Le chemin de fer de ceinture, décidé en 1851 pour relier entre elles les gares de la capitale, est ouvert au transport des Parisiens grâce à une petite trentaine de gares. Comme il encercle la capitale à sa périphérie et n'en dessert pas le centre, son utilité est limitée pour le transport urbain. De vingt millions de passagers en 1889, son trafic a bondi à quarante millions en 1900 grâce à l'Exposition universelle. Mais le déclin est irrémédiable : vingt-quatre millions de voyageurs en 1910, douze millions en 1920. En 1930, le chemin de fer de ceinture ne contribue pas pour plus

---

1. La meilleure étude sur les transports à Paris, datant de 1894, est celle d'Alfred Martin, *Étude historique et statistique sur les moyens de transport dans Paris.*

de 1 % au transport parisien. Il est supprimé en 1934 et remplacé par la ligne d'autobus de petite ceinture (PC).

Un projet de chemin de fer urbain, dit « métropolitain », a été évoqué pour Paris dès 1845. Des oppositions d'intérêt entre les compagnies de chemin de fer, l'État et la municipalité repoussent l'adoption d'un projet définitif jusqu'en 1898. La proximité de l'Exposition universelle de 1900 et l'insuffisance des transports en commun existants amènent le gouvernement à se résigner à accepter le projet de la Ville. Le Conseil municipal, craignant de perdre les importantes recettes de l'octroi, exige que les lignes soient limitées à la ville, afin d'empêcher les marchandises extérieures d'entrer clandestinement par ce nouveau moyen de transport. Afin d'avancer rapidement, on emploie la « méthode belge », le tracé des tunnels se situant sous les voies principales qu'on éventre au fur et à mesure des travaux, ce qui assure un accès aisé des voyageurs et un faible coût de construction pour ce métro peu profond et parfois en viaduc. La ligne n° 1 est ouverte en 1900 et les travaux sont menés à vive allure jusqu'en 1914. Des prolongements vers la proche banlieue et l'achèvement de lignes existantes à partir de 1920 donnent au métro de 1939 à peu près son réseau actuel, avec près de 159 kilomètres de voies et trois cent trente-deux stations.

Le métro n'évolue guère entre 1940 et 1960. Mais la Régie autonome des transports parisiens (R.A.T.P.), chargée depuis 1949 de l'ensemble des transports en commun de Paris et de sa banlieue, entreprend à partir de 1960 une politique hardie de rénovation et d'extension afin de donner au métropolitain une dimension régionale. Le 6 juillet 1961 est donné le premier coup de pioche d'un Réseau express régional (R.E.R.) qui touche aujourd'hui sept des huit départements de l'Île-de-France et effleure le huitième, la Seine-et-Marne. L'interconnexion des réseaux du métro, du R.E.R. et de la S.N.C.F., au début des années 1980 a donné aux transports ferroviaires en commun une ampleur et une efficacité exceptionnelles. Actuellement, le métro transporte plus d'un milliard deux cents millions de voyageurs, plus d'un milliard et demi par an en incluant les stations du R.E.R., ce qui correspond à la moitié des transports motorisés à Paris.

En revanche, l'autobus ne correspond plus qu'à 10 % des déplacements urbains. Pourtant, les véhicules ont été sans cesse améliorés, les couloirs réservés aux autobus ont été multipliés, mais ce qui décourage la clientèle, c'est la désespérante lenteur à l'intérieur de la capitale, moins de 10 kilomètres à l'heure. De grands projets, fort coûteux, de circulation souterraine, ont été présentés : Laser, 3R, Hysope, Icare. Leur coût est rédhibitoire et seule une politique ferme de rejet de l'automobile particulière du cœur de la grande ville permettrait d'améliorer la circulation en surface et de réduire une pollution atmosphérique de plus en plus grave. Mais cela exigerait un courage politique que ne possèdent pas des dirigeants plus portés à la démagogie qu'à la lucidité.

• *Communications*

Les communications externes et internes de Paris ont toujours existé de façon individuelle et collective, par des moyens empiriques. Au Moyen Âge, le roi, mais aussi l'Université, le Bureau de Ville, les corps de métiers, etc., disposent de messagers à pied ou à cheval pour acheminer leur courrier. Louis XI structure ses services en 1477 pour assurer un meilleur acheminement des dépêches royales et c'est de cette date qu'on fait traditionnellement partir la naissance de la poste moderne, qui n'est alors que la poste aux chevaux. Des services réguliers sont assurés de Paris vers la province et le règlement royal du 9 avril 1644 a établi un tarif pour le port des lettres. En 1650, quatre bureaux de départ du courrier sont attestés, mais il n'existe encore aucune liaison interne pour les Parisiens qui n'ont d'autre ressource que de porter eux-mêmes leurs lettres ou de les faire porter par leurs domestiques.

Une tentative de poste locale fut réalisée par le comte de Villayer à partir du 8 août 1653, mais fut vite abandonnée, les Parisiens n'en ayant pas compris l'intérêt et l'ayant à peine utilisée. Un siècle plus tard, Piarron de Chamousset reprend l'idée et obtient, le 5 mars 1758, des lettres patentes lui concédant l'établissement d'une Petite Poste à l'intérieur de la capitale. Elle commence à fonctionner le 9 juin 1760, avec neuf bureaux et trois distributions quotidiennes. Son succès est énorme et l'on dénombre bientôt plus de cinq cents boîtes aux lettres. La Grande Poste, prise d'émulation, multiplie à son tour les boîtes aux lettres pour recevoir le courrier à destination de la province ou de l'étranger. Elle obtient enfin d'absorber la Petite Poste en 1780. A la fin de 1799, la poste reçoit un statut qui s'est perpétué jusqu'à nos jours et l'histoire de la poste parisienne se confond avec celle de la France.

C'est à Ménilmontant qu'a lieu la première expérience officielle du télégraphe optique de Chappe. Il n'aura longtemps qu'un usage militaire et politique, l'administration s'en réservant l'usage. Le télégraphe électrique, dont les premiers essais commencent en 1844, finira par s'ouvrir au public. A Paris, il va être utilisé en complémentarité avec la poste pneumatique, réseau souterrain de tubes transmettant les dépêches dans des cartouches poussées par de l'air comprimé. Ce système, expérimenté en 1866, d'abord réservé au transfert des télégrammes à l'intérieur de la ville, est ouvert au public en 1879 et connaît un vif succès. Il est étendu à la banlieue à partir de 1907 et atteint sa plus grande longueur en 1934 avec environ 400 kilomètres de tubes. Le développement prodigieux du téléphone à partir de 1975 condamne à mort la poste pneumatique qui rend l'âme le 30 mars 1984.

Le téléphone s'est, en effet, médiocrement développé en France. Concédé à sa naissance, en 1879, à l'initiative privée, il est dès 1889 confié à l'administration des Postes qui le gère de façon lamentable. Dès 1906, la Ville de Paris lui intente un procès et une commission d'enquête révèle l'incurie des P.T.T. Le téléphone français restera longtemps la risée des étrangers et fera le désespoir de ses utilisateurs. Personne n'a oublié Fernand Reynaud et « le 22 à Asnières », qui faisait rire le public aux dépens du téléphone au début des années 1960. Il faudra attendre les investissements massifs décidés sous la présidence de Georges Pompidou pour que le téléphone devienne enfin un instrument de communication moderne et omniprésent à partir de 1975.

La T.S.F. (télégraphie sans fil) ou radio a partiellement connu le sort du téléphone. Les premières expériences eurent lieu à Paris en 1897, mais la radio ne fait vraiment intrusion dans la vie quotidienne qu'à partir de 1921. Malgré les tentatives de l'État de la placer sous l'éteignoir du monopole de l'administration, les radios privées résisteront jusqu'au début de la Seconde Guerre mondiale. C'est la Libération qui abolit la liberté sur les ondes et soumet la France à près de quarante ans d'obscurantisme étatique et de censure omniprésente sous l'égide de la Radio-diffusion-Télévision française (R.T.F.). Ce n'est qu'en 1982, avec l'abolition du monopole d'État, qu'un souffle de liberté est reparu sur les ondes et sur les écrans de la télévision, dernier-né des moyens de communication, mis au point durant les années 1930, mais entré dans les foyers seulement dans les années 1960.

Carrefour de communications européen, entre l'Angleterre, le Benelux, l'Allemagne et l'Espagne ou l'Italie, Paris est aussi devenu un carrefour mondial grâce à ses deux aéroports d'Orly et de Roissy-Charles-de-Gaulle, qui se situent au huitième rang mondial et au deuxième en Europe derrière Londres. Au point de vue financier, Paris est au quatrième rang derrière Londres, Tokyo et New York, mais sa situation est moins brillante que pour les transports, car le caractère international de la Bourse parisienne est beaucoup moins accentué que celui du marché londonien qui brasse trois fois et demie le volume d'affaires de Paris. L'étouffante omniprésence de l'État par l'intermédiaire des investisseurs institutionnels qu'il contrôle, banques et compagnies d'assurances nationalisées, justifie la méfiance des milieux financiers internationaux. « Paris est incontestablement une force sur l'échiquier international, mais une force fragile. En effet, elle doit une partie de ses chances à des faits de civilisation (rôle de capitale, richesse du patrimoine, charme de la vie...) qui sont menacés par le maelström du développement moderne (gigantisme, congestion, pollution...) [1]. » Les dirigeants parisiens et français de cette fin du XXᵉ siècle vont être obligés de faire sous peu des choix décisifs pour l'avenir de la ville. Souhaitons qu'ils ne se trompent pas, comme ils l'ont trop souvent fait.

---

1. J. Beaujeu-Garnier, *Nouvelle Histoire de Paris. Paris : hasard ou prédestination ?*, p. 459.

CHAPITRE VII

Lettres, arts et sciences

LA GLOIRE DE PARIS : POUVOIR ET IMMIGRATION

Il ne saurait être question, dans le cadre réduit de ce chapitre, de traiter, même sommairement, la contribution de Paris à la culture et à la science. Il serait tellement facile de reprendre les lyriques descriptions des milieux artistiques et littéraires de la capitale : les ruelles des Précieuses, les salons du XVIIIe siècle, la bohème littéraire, les impressionnistes des bords de Seine, le bateau-lavoir, le Montparnasse cosmopolite de l'entre-deux-guerres, les boîtes de nuit du Saint-Germain-des-Prés existentialiste... Tous ces clichés, plus ou moins retouchés, chers aux adeptes — chauvins ou internationalistes — de l'hégémonie culturelle française éternelle, qu'on aille les chercher dans la production journalistique soudoyée par les officines de propagande gouvernementales.

On se limitera ici aux faits bruts et ces faits sont de deux types. Une première constatation s'impose. En dépit de l'image que s'efforcent souvent de donner d'eux-mêmes, depuis près de deux siècles, écrivains et artistes, ceux-ci sont, dans la plupart des cas, non des révoltés ou des individualistes, mais des arrivistes et des conformistes, soucieux de plaire aux gens en place et de faire carrière. Pour un Van Gogh ou un Rimbaud, combien de milliers de pieds-plats prêts à tous les compromis, à toutes les bassesses, pour voir leur incertain talent reconnu par la société, c'est-à-dire, en réalité, la classe dirigeante, la « nomenklatura », comme disent les Russes. Dès les origines, en Égypte comme à Babylone, à Athènes ou à Rome, les arts, les lettres et les sciences sont presque exclusivement au service de l'État. Les constructeurs des Pyramides ou du Panthéon, mais aussi Eschyle, Sophocle, Euripide, Tite-Live, Sénèque, Phidias, Polyclète, etc., ont été les serviteurs empressés des hommes au pouvoir à leur époque, au même titre que les thuriféraires de Louis XIV, de Napoléon, d'Hitler ou de Staline, les Racine, Lulli, David, Breker, Riefenstahl, Eisenstein, Cholokhov et autres Brecht. Cette subordination de la littérature et de l'art au pouvoir et à l'argent qu'il dispense, on peut la retrouver tout au long de l'histoire de Paris.

La seconde évidence rejoint les constatations des démographes. De tout temps, la grande ville s'est comportée comme un vampire, suçant la substantifique moelle et le sang des régions avoisinantes. La croissance démographique de Paris n'a été possible que grâce à un afflux constant de provinciaux et d'étrangers. Si la ville n'avait dû sa population qu'aux ventres des Parisiennes, elle aurait disparu depuis bien longtemps, faute d'habitants, et de vertes prairies couvriraient son emplacement. Ce constat est aussi valable sur le plan culturel : les écrivains, artistes et savants de souche parisienne ne représentent qu'une proportion insignifiante des individus qui ont contribué à la gloire culturelle de la capitale. Ce sont, pour l'essentiel, des provinciaux «montés» à Paris, ou des étrangers, qui ont fait la grandeur de cette ville, elle-même à peu près stérile.

Les prémisses de ce chapitre sont donc doubles : le pouvoir, l'argent et les honneurs qu'il dispense sont à l'origine du développement littéraire, artistique et scientifique ; le renom culturel de Paris repose presque entièrement sur des provinciaux ou des étrangers venus chercher fortune et gloire dans la capitale. Il sera facile de démontrer que la culture dont se glorifie la capitale de la France est issue de l'ovaire du pouvoir central fécondé par des spermatozoïdes extérieurs à la ville.

LETTRES

• *La victoire du dialecte d'Île-de-France*

Le triomphe du dialecte de langue d'oïl parlé en Île-de-France au Moyen Âge, le français ou «francien» comme disent aujourd'hui les linguistes, n'a rien à voir avec une quelconque hégémonie culturelle. La prépondérance croissante du français est assurée sous l'Ancien Régime par le fait qu'il est reconnu comme langue des détenteurs du pouvoir : le roi, l'administration, la bourgeoisie urbaine, accessoirement les intellectuels et les écrivains. Le prolétariat urbain, les paysans, 90 % des Français continuent à user de parlers de plus en plus pénétrés par le français, considérés avec mépris par les dirigeants et les intellectuels qui les qualifient de patois. Dans son *Dictionnaire françois*, Richelet définit ainsi le patois : «Sorte de langage grossier, d'un lieu particulier et qui est différent de celui dont parlent les honnêtes gens». Quant à Furetière, dans son *Dictionnaire universel*, il écrit dix ans plus tard, en 1690, que c'est un «langage corrompu et grossier, tel que celui du menu peuple, des paysans et des enfants». Mais le gouvernement monarchique, confiant dans sa force et sa légitimité, accepte fort bien ces différences linguistiques, estimant que la diversité des parlers ne porte pas atteinte à l'intégrité du royaume. C'est la Révolution qui considère que la langue doit être une, comme la nation. Or, les réponses au questionnaire relatif à la situation linguistique du pays conçu par l'abbé Grégoire et envoyé le 21 août 1790 montrent qu'un Français sur deux ne sait pas le français. Héritier de l'idéologie révolutionnaire, le régime napoléonien instaure un centralisme rigoureux, et l'administration prolifère rapidement, régentant à peu près toutes les activités. A la fin du XIXe siècle, à l'époque où Jules Ferry fait voter les grandes lois scolaires, Francisque Sarcey écrit : « Il faut que tous puissent lire le même journal, parti de Paris, qui leur apporte les idées élaborées par la grande ville. » La scolarisation massive et obligatoire, la radio, la télévision semblent devoir imposer partout la langue de l'élite parisienne. Celle-ci est pourtant ressentie comme une langue d'autorité par les catégories les plus défavorisées. L'argot a servi de langue parallèle jusqu'aux années 1960. Il est maintenant relayé par le dialecte des banlieues qui environnent la capitale, grâce auquel les jeunes des zones défavorisées affirment leurs différences avec les nantis installés au cœur de l'agglomération. La langue véhicule dès lors des différences culturelles et non plus géographiques et le « bon » français des Parisiens est considéré comme la langue des dirigeants, des « énarques » arrogants des beaux quartiers de l'ouest parisien.

• *La littérature médiévale*

Si l'Université donne à Paris une prééminence évidente sur le reste du royaume, elle se répercute peu dans la langue et la littérature, tout l'enseignement étant donné en latin. Seule leur présence dans la capitale contribue à donner aux étudiants provinciaux ou étrangers une teinture de la langue vulgaire parlée dans les rues de la ville.

Le tableau de la production littéraire en langue vulgaire [1] fait apparaître une suprématie anglo-normande aux XIe et XIIe siècles, avec des œuvres comme les romans d'*Alexandre*, de *Brut* ou de *Rou*, essor littéraire qui coïncide avec lui du royaume anglo-angevin des Plantagenêts. Le picard occupe une place très importante au XIIIe siècle, avec Arras pour capitale, où s'élabore vraisemblablement la première branche du *Roman de Renart*, où écrivent et vivent Jean Bodel et Adam de la Halle, tandis que la Picardie proprement dite abrite Raoul de Houdan (en fait de Houdenc), Gautier de Coincy, Jacques, Guillaume et Gérard d'Amiens, Richard de Fournival. Cette splendide efflorescence culturelle correspond à l'essor d'une vie urbaine et bourgeoise intense, et les œuvres ont un caractère très différent de la production normande. La Champagne compte parmi ses enfants Chrétien de Troyes, Gace Brulé, Thibaut de Champagne, Geoffroy de Villehardouin, Philippe de Vitry… Le Val de Loire, Touraine et Orléanais, produit quelques talents avec Benoît de Sainte-Maure, Lambert le Tort, Guillaume de Lorris à qui succède Jean de Meung dans la rédaction du *Roman de la Rose*. Au XVe siècle, c'est

---

1. La géographie des intellectuels, artistes et savants n'a guère été étudiée en France, pays où les différences, même évidentes, sont aveuglément niées au nom de l'unité nationale ou de l'égalité. On ne peut guère citer que la *Géographie des lettres françaises* d'Alfred Dupouy.

dans cette région que se concentre la vie littéraire, à la cour de Jean de Berry à Poitiers et à Bourges, à celle de Louis puis de Charles d'Orléans, lui-même poète, à Orléans et à Blois, dans l'entourage de René d'Anjou à Angers. Paris fait piètre figure en comparaison de ces différentes régions. L'activité culturelle y est dominée par l'Université, la théologie et le latin excluent langue et littérature françaises, et même les précurseurs de l'humanisme, auteurs en latin, sont rarement originaires d'Île-de-France. Jean Gerson, Nicolas de Clamanges sont champenois, Pierre d'Ailly est de Compiègne, sans parler des Italiens d'immigration récente, comme Christine de Pisan. Du Moyen Âge parisien n'émerge, à l'extrême fin de cette période, qu'un seul auteur, d'une importance exceptionnelle, il est vrai, au goût des XIXᵉ-XXᵉ siècles, François Villon.

• *La Renaissance*

Avec la Renaissance se confirme la situation privilégiée du Val de Loire. C'est là que les rois préfèrent résider et construisent leurs châteaux. Paris a eu sa première imprimerie en 1470, Angers possède la sienne dès 1476. La création des universités d'Angers, d'Orléans, de Bourges, de Poitiers atteste de l'importance, de la prééminence de la région. C'est de cette zone entre Perche et Angoumois que sont issues la plupart des gloires du XVIᵉ siècle : Ronsard, Baïf, Du Bellay, Mathurin Régnier, Desportes, Remy Belleau, Robert Garnier, Étienne Dolet, Ambroise Paré, Jean Bodin, et, bien sûr, Rabelais.

Seule la ville de Lyon peut rivaliser avec cette pléiade culturelle du Val de Loire. C'est le centre de l'imprimerie française, le foyer de l'italianisme et de la poésie pétrarquisante avec des auteurs comme Maurice Scève, Louise Labbé, Louis Meigret. Les Bourguignons se tournent vers Lyon, tels Pontus de Thyard, Bonaventure des Périers, Thomas Sibilet, ou vers Genève, s'ils sont protestants comme Théodore de Bèze.

Le Midi tient une place plus modeste avec la Cour qu'entretient à Nérac Marguerite d'Angoulême, reine de Navarre. Elle y protège Clément Marot, Lefèvre d'Étaples, Calvin. C'est là que débute la vie littéraire de langue française des pays d'oc. Si l'on ne peut y inclure Marot, fils de Normand né à Cahors, il faut mentionner Hugues Salel et Olivier de Magny, Quercynois de souche, le Limousin Eustorg de Beaulieu, le Gascon Salluste Du Bartas, les Périgourdins Montaigne, La Boétie, Brantôme.

Paris, où le roi séjourne de façon épisodique, compte quelques écrivains mineurs, dont Étienne Jodelle, de la Pléiade, mais surtout des humanistes, Guillaume Budé, les imprimeurs Estienne avant leur émigration à Genève, Jacques Amyot, natif de Melun... C'est, dans l'ensemble, vraiment maigre dans la production intellectuelle et surtout littéraire du temps.

• *Le XVIIe siècle*

La première moitié du XVIIe siècle est dominée de façon écrasante par les Normands et, dans la préface de sa tragédie *Hippolyte* publiée en 1635, La Pinchère prie d'excuser ses origines angevines, car «comme autrefois pour être estimé de la Grèce, il ne fallait que se dire d'Athènes, et pour avoir la réputation de vaillant il fallait être de Lacédémone, maintenant pour se faire croire excellent poète, il faut être né dans la Normandie». Il suffit pour s'en convaincre d'énumérer les principaux poètes et dramaturges d'origine normande : Malherbe, Corneille, mais aussi Montchrestien, Saint-Amant, Le Métel de Boisrobert, Sarasin, Saint-Évremond, Segrais.

Le reste de la France réunit à peine autant de noms : les Scudéry nés au Havre mais de souche provençale, Agrippa d'Aubigné, Saintongeois de Genève, l'Angoumois Balzac, le Savoyard Vaugelas, le Tourangeau Descartes, le Provençal Gassendi. Pascal a quitté l'Auvergne à l'âge de huit ans pour s'imprégner de jansénisme à Rouen avant de se fixer à Paris. Honoré d'Urfé, né à Marseille, est d'origine forézienne, Racan est tourangeau, Théophile de Viau agénois.

Mais c'est en «montant» à Paris que ces provinciaux se font connaître dans tout le royaume. Le Languedocien Maynard note qu'il faut, pour faire carrière, aller vivre et s'imposer à Paris :

> ... la troupe des raffinés
> Méprise les vers qui sont nés
> D'une Muse provinciale.

L'affirmation du double pôle Paris-Versailles sonne le glas de la province. Désormais s'affiche un parisianisme méprisant pour les accents et les particularités du reste du royaume. On en trouve des échos dans les comédies de Molière, où sont campés des provinciaux ridicules : la comtesse d'Escarbagnas, MM. de Sotenville et de Pourceaugnac. Molière est un Parisien de naissance, comme Boileau, La Bruyère, la marquise de Sévigné, La Rochefoucauld, Malebranche, Regnard, Charles Perrault. Mme de La Fayette est havraise, Racine et La Fontaine sont champenois, Rotrou est de Dreux, tous dans la mouvance parisienne.

Les salons de l'hôtel de Rambouillet puis l'Académie française érigent officiellement Paris en capitale intellectuelle. Seuls protestent le Normand Saint-Évremond dans sa comédie *Les Académistes* et un autre Normand, Boisrobert, qui raille la lenteur de rédaction du *Dictionnaire* de l'Académie française. Paris et Versailles s'accordent pour souligner l'infériorité de la province. Bouhours écrit : «Le mot de provincial emporte je ne sais quoi de contraint et d'embarrassé, et, sans compter le mauvais accent, quelque chose d'irrégulier et de peu poli dans le langage.» Boileau vilipende systématiquement les auteurs provinciaux, s'en prenant au plus célèbre d'entre eux, Corneille. Le *Mercure galant*, journal littéraire auquel collaborent de nombreux écrivains normands, est pour La Bruyère «immédiatement au-dessous de rien». Montesquieu décrit bien cette volonté de la monarchie absolue de régenter l'art et la littérature lorsqu'il écrit dans ses *Lettres persanes* : «Le Prince imprime le caractère de son esprit à la Cour, la Cour à la Ville, la Ville aux provinces.»

• *Le XVIIIe siècle*

La Bruyère écrivait : «Paris, pour l'ordinaire le singe de la Cour». Ce n'est plus exact sous Louis XV et Louis XVI. Auguste Dupouy remarque : «La Cour est divisée. Louis XV s'isole dans ses occupations ou ses plaisirs. Il y a un groupe de la reine où la dévotion domine. Il y a le cercle de Mme de Pompadour, où sont accueillis Voltaire, puis le vieux Crébillon, puis Bernis. Jean-Jacques [Rousseau], devenu du jour au lendemain grand homme, paraît dans la loge du roi. Cas exceptionnel : ce roi intelligent mais blasé, soupçonneux, n'aime pas les écrivains. "Ces gens-là perdront la monarchie", dit-il. Et il tourne le dos à Voltaire [1]".»

Pourtant, la protection des lettres n'est pas rayée du programme royal. On distribue toujours des pensions assez mal servies (Voltaire reste douze ans sans toucher la sienne), on accorde des places de lecteur (Moncrif fut celui de la reine) ou de bibliothécaire (l'abbé Barthélemy devint celui de Louis XVI), des logements dans le palais du roi (d'Alembert a le sien au Louvre). Mais les rapports ont changé. A l'esprit d'adoration que signalait, avec une ironie déjà mécréante, La Bruyère, succède l'esprit d'opposition. Louis XIV, aidé de Colbert, régnait sur le monde des lettres ; Malesherbes, directeur de la Librairie sous Louis XV, pactise de cœur avec des écrivains subversifs. D'ailleurs, son roi préfère la chasse aux livres. De même Louis XVI ; Marie-Antoinette joue la pastorale au naturel, avec des brebis et des vaches. Comme un duc de Lévis le dira dans ses *Souvenirs et Portraits*, «Versailles, ce théâtre de la magnificence de Louis XIV, n'était plus qu'une petite ville de province où l'on n'allait qu'avec répugnance et dont on s'enfuyait le plus vite possible».

Les salons parisiens remplacent le grand salon royal. En 1710, Mme Lambert a ouvert le sien, rue de Richelieu. La duchesse du Maine reçoit à Sceaux et protège les écrivains, assistée de sa femme de chambre-lectrice-secrétaire, la Parisienne Mlle Delaunay, et du Parisien Malézieu. La marquise Du Châtelet, Mme Geoffrin sont également parisiennes, de même que cette Marie-Jeanne Phlipon, épouse de l'homme d'affaires Roland, chez qui se mitonne la Révolution. «Il n'est pas nécessaire que la maîtresse de maison soit de Paris pour que son salon soit bien

---

1. A. Dupouy, *Géographie des lettres françaises*, p. 95-96.

parisien. Mme de Tencin, grenobloise, n'y est venue que la quarantaine passée. Mme Du Deffand, née de Vichy-Champrond, est une Bourguignonne des environs de Charolles, d'ailleurs élevée à Paris, et dont l'habitué favori est un pur Parisien, le président Hénault, membre de deux Académies. Mlle de Lespinasse est une Lyonnaise, mais son ami d'Alembert est né, on sait dans quel abandon, à Paris. Mme d'Épinay est de Valenciennes. Si Helvétius est parisien, sa femme, née de Ligniville, est lorraine. Mme Suard, fille du libraire Panckoucke, est lilloise, et son mari franc-comtois [1]. »

Paris peut se flatter d'être le berceau de poètes, comme La Motte-Houdard, Jean-Baptiste Rousseau, Écouchard-Lebrun, aujourd'hui engloutis dans l'oubli. Au théâtre, pour ne citer que les noms qui ont survécu, Voltaire, Marivaux et Beaumarchais forment une belle trinité parisienne. Dans la république des Lumières brillent les noms des « philosophes » Voltaire, Helvétius et d'Alembert. Mais il manque au palmarès le Bordelais Montesquieu, le Champenois Diderot, le Genevois Jean-Jacques Rousseau, Destouches (Tours), Fontenelle et Bernardin de Saint-Pierre (Normandie), Delille (Limousin), Vadé, Gresset, Choderlos de Laclos (Picardie), l'abbé Prévost (Artois), auteur de *Manon Lescaut*, Florian et Rivarol (Languedoc), Vauvenargues (Provence), Condillac (Dauphiné), Lesage (Bretagne)... Mais il serait vain désormais d'énumérer tous les talents provinciaux et de montrer la vitalité des régions. On ne peut plus s'imposer qu'à condition de se couper de ses racines. Beaucoup de ces provinciaux, fascinés par la Ville, renient leurs origines. Vauvenargues n'écrit-il pas en 1740 à son compatriote provençal Mirabeau : « A l'égard de Paris, vous savez comme je pense : si je pouvais m'y tenir, je n'aurais pas d'autre patrie » ?

• *La tyrannie unificatrice*

A peine échappée des griffes des monarques versaillais, la littérature tombe sous la féroce dictature du jacobinisme républicain et de ses épigones, les napoléonides puis les hussards noirs de la laïcité, les instituteurs. Le conventionnel Barère a clairement défini l'enjeu dans son discours du 27 janvier 1794 : « Le français deviendra la langue universelle, étant la langue de tous les peuples. En attendant, il deviendra la langue de tous les Français. »

Sur la quarantaine d'auteurs principaux relevés au XIXe siècle dans le manuel de littérature de Lagarde et Michard, une dizaine sont résolument parisiens : Baudelaire, Feydeau, Labiche, Mallarmé, Mérimée, Musset, Proust, Zola. Le cas d'Alexandre Dumas père et de Victor Hugo, venus jeunes dans la capitale, peut se discuter. Mais Barbey d'Aurevilly, Flaubert, Maupassant sont des Normands bon teint, Balzac et Vigny sont

---

1. A. Dupouy, *Géographie des lettres françaises*, p. 97.

tourangeaux, Stendhal est dauphinois, Chateaubriand, Jules Verne sont bretons, Gide et Valéry viennent du Languedoc, Barrès de Lorraine, Rimbaud des Ardennes, Lamartine de Bourgogne...

On pourrait dresser le même tableau pour le XXᵉ siècle, mais il paraît plus intéressant de tenter de définir ce qui caractérise la littérature parisienne. On peut, sommairement, distinguer trois directions. La plus évidente, c'est le rôle dominant des Parisiens dans le théâtre français, de Molière à Montherlant en passant par Marivaux, Voltaire, Sedaine, Beaumarchais, Musset, Scribe, Dumas fils, Labiche, Sardou et Feydeau. « Le plaisir de la critique », ainsi que le discerne déjà La Bruyère, est une autre caractéristique de la littérature native de la capitale, avec les épigrammes de Boileau, les chansons satiriques de Béranger, les pamphlets de Paul-Louis Courier, les brûlots de Léon Daudet, sans oublier, au XVIIᵉ siècle, les caustiques Charles Sorel et Paul Scarron. Le troisième élément, c'est ce que Nietzsche désignait comme une caractéristique française, en fait surtout parisienne, la « psychologica voluptas », le plaisir de l'analyse psychologique, qui s'étend à tous les domaines, du théâtre d'analyse de Racine, Marivaux ou Musset, à l'essai ou aux Mémoires, avec La Rochefoucauld, La Bruyère, Saint-Simon, et enfin au roman, dont le plus illustre représentant est Proust, dont l'œuvre baigne dans l'air confiné et artificieusement parfumé d'un salon et d'une alcôve.

En cette fin de XXᵉ siècle, c'est cette littérature alanguie, privilégiant l'écriture d'une action inexistante qui domine la littérature parisienne et française, une littérature qui s'écrit et s'édite exclusivement dans les Vᵉ et VIᵉ arrondissements, dans un cercle doré de deux cents personnes, les seules à croire encore à l'universalité d'une littérature que plus personne ne lit et qui ne survit que par la volonté de trois éditeurs qui se partagent des prix, normes françaises de prétendue qualité, dont la valeur réelle est nulle.

SCULPTURE

La sculpture de l'époque gallo-romaine ne se signale guère à Lutèce-Paris que par son imitation quelque peu gauche, provinciale, du modèle romain. Du piètre art mérovingien ne subsiste quasiment rien et c'est à Saint-Germain-des-Prés qu'il faut chercher les plus anciens témoignages de la sculpture romane, dans des chapiteaux aujourd'hui pour partie déposés au musée de Cluny. Certains d'entre eux possèdent un relief dont la facture ne s'explique que si le sculpteur, pas nécessairement parisien, s'est inspiré d'objets en métal repoussé.

Ces quelques témoignages du XIᵉ siècle sont peu de chose en comparaison du trésor de pierre qu'offre Notre-Dame. A partir de 1180, c'est le style de Senlis qui prend une place dominante, remplacé ensuite par l'influence de Sens. Le réalisme de ces œuvres, écrit Marcel Aubert, « est toujours tempéré par la soumission du sculpteur au parti architectural et par ce goût de la modération et de la distinction, qui est comme la marque de l'art de Notre-Dame de Paris [1] ». Quant au portail Sainte-Anne de la façade occidentale de la cathédrale, c'est un des fleurons de la sculpture gothique. Mais le tympan, où trône une Vierge à l'Enfant fait penser aux madones d'Auvergne : plus ancien, sans doute sculpté vers 1170, il a été remployé ici par l'architecte.

Les sculpteurs du XIIIe siècle ne sont pas connus et leurs œuvres ont été le plus souvent victimes du vandalisme, mais le rôle des ateliers parisiens a sans doute été important. Plusieurs exemples attestent de cette influence : un contrat de 1341 stipule qu'à Langres des statues devront être exécutées « à la ressemblance des frères mineurs ou prêcheurs de Paris ». En Navarre, provenant de la cathédrale de Pampelune, existait une statue de la Vierge portant une inscription rappelant que Martin Duardi, marchand de Pampelune, l'avait achetée à Paris.

A partir des années 1360, la sculpture d'Île-de-France est dominée par des artistes extérieurs à la région, attirés par les marchés qu'offre le mécénat royal. Ce sont des « imagiers » ou « tombiers, entailleurs d'albastre » d'origine franco-flamande, des pays de dialecte picard ou wallon situés entre la Somme et la Meuse. Jean de Liège réalise les portraits de Charles V et de Jeanne de Bourbon pour la « Vis » du Louvre et de nombreux gisants de la famille royale. André Beauneveu, né à Valenciennes, appelé par Charles V en 1364, sculpte quatre gisants de Saint-Denis. Jean de Thory, reçu bourgeois de Valenciennes en 1370, travaille au couvent des célestins en 1378. Il est mentionné dans plusieurs textes, en 1388, 1391, comme « imaginier de Paris ». En 1409, il reçoit commande du tombeau de Louis d'Orléans. Robin Loisel, « valet compagnon » de Jean de Liège, réalise plusieurs gisants des célestins, des cordeliers, de la chapelle du collège de Beauvais. Il faut encore mentionner, au début du XVe siècle, Thomas Privé, Jean de Cambrai, Pierre de Thury, peut-être le fils ou le neveu de Jean de Thory.

A partir de 1440, les sculpteurs franco-flamands disparaissent, remplacés par des Flamands non francophones. Guillaume Vluten est l'auteur du tombeau d'Anne de Bourgogne, duchesse de Bedford, dans l'église des célestins. Paul Mosselmen est un des quelques autres imagiers identifiés pour cette période flamande qui se prolonge jusqu'au-delà de 1500.

Les imagiers parisiens des deux derniers siècles du Moyen Âge, pour la plupart étrangers à la capitale, exécutent des commandes du roi et de son entourage de grande qualité, mais n'atteignent pas à la virtuosité des

---

1. M. Aubert et S. Goubet, *Cathédrales gothiques*, p. 74.

artistes liés à la maison de Bourgogne, Claus Sluter et ses élèves, ni même à celle de ceux qu'emploient les ducs de Berri ou de Bourbon. Ils ne participent pas non plus au renouveau artistique qui se fait jour à Tours avec Michel Colombe et les Juste. Le tombeau des Poncher à Saint-Germain-l'Auxerrois, est une œuvre tourangelle de Guillaume Regnault et de ses compagnons, qu'explique l'origine familiale de l'évêque de Paris Étienne Poncher. L'influence de l'Italie se fait sentir par l'intermédiaire d'artistes champenois. Le retable de la *Cène* d'une chapelle de Saint-Merry, daté de 1542, est l'œuvre d'un artiste de Saint-Quentin, Pierre Berton, qui travaille aussi au jubé de Saint-Germain-l'Auxerrois en compagnie du Normand Jean Goujon. Il faut attendre 1540 pour qu'apparaissent les premiers grands sculpteurs parisiens : Pierre Bontemps, qui travaille au tombeau de François Ier, puis le grand Germain Pilon, né place Maubert vers 1537.

Jusqu'au règne personnel de Louis XIV, la sculpture parisienne et française se caractérise par sa médiocrité. Aux Pierre Biard, Pierre de Franqueville, Barthélemy Prieur du début du XVIIe siècle succèdent les Simon Guillain, Jean Varin, Jacques Sarrazin, très influencés par l'Italie. Les seuls artistes originaux de cette époque sont les frères François et Michel Anguier, originaires d'Eu, aux confins de la Normandie et de la Picardie, qui se dégagent du baroque et amorcent le classicisme.

Travaillant pour Versailles, mais aussi sculpteurs des monuments funéraires des grands personnages et des riches bourgeois inhumés dans les églises de la capitale, deux grands artistes marquent le règne du Roi-Soleil, le Troyen Girardon, élève de François Anguier, et le Lyonnais Coysevox. Les œuvres des Tuby, Hurtrelle, Mazeline, ne supportent pas la comparaison avec les leurs.

Grande époque pour la sculpture française, le XVIIIe siècle prolonge le classicisme du règne de Louis XIV. Il est dominé par les élèves du Lyonnais Coysevox, Guillaume Coustou, également lyonnais, et du Parisien Jean-Louis Lemoyne, qui se perpétuent à travers leurs propres élèves. De véritables dynasties d'artistes se constituent et « cette cohérence héréditaire ne fut pas perturbée par l'arbitraire caprice du souverain, car Louis XV montra pour l'art une complète indifférence. D'où l'importance accrue des surintendants des Bâtiments qui assurèrent une permanence classique d'autant plus exacte que d'Antin conserva sa place pendant toute la Régence. Sous Louis XV, Mme de Pompadour plaça aux Bâtiments son oncle Tournehem et son frère Marigny, qui prolongea sa direction après la mort de sa sœur. Sous Louis XVI, le comte d'Angiviller, surintendant pendant vingt ans, exerça une quasi-dictature [1] ». Les artistes trouvent aussi, grâce aux Salons, une clientèle parisienne fortunée. Un public se crée et l'art devient « une affaire de

---

1. L. Benoist, *La Sculpture française*, p. 107.

mode», comme l'observe Luc Benoist, qui ajoute : « Ainsi l'action directrice que l'Église et le pouvoir avaient successivement exercée passe aux mains des littérateurs et de la presse, représentée alors par deux hommes, Caylus et Cochin. Caylus, antiquaire et grand seigneur, académicien influent, prônait Bouchardon et Vassé contre les tenants de la rocaille. Tandis que Cochin, qui avait accompagné Marigny en Italie avec Soufflot et l'abbé Le Blanc, plus libéral et hostile à Caylus, et qui de plus était fonctionnaire des Menus-Plaisirs, poussait très modérément en faveur de l'antique[1]. » Tandis que l'école de Lyon forme Nicolas et Guillaume Coustou, Edme Bouchardon (né à Chaumont-en-Bassigny), les trois frères Adam, originaires de Nancy, à Paris, dans l'atelier de Jean-Louis puis de Jean-Baptiste Lemoyne, se révèlent les talents de Jean-Baptiste Pigalle, Étienne Falconet, Augustin Pajou, Jean-Jacques Caffieri, tous originaires de la capitale, ainsi que les trois frères Slodtz, dont le père était venu de Flandre. Le Nancéen Claude Michel dit Clodion étudie chez son oncle Adam puis auprès de Pigalle et le Versaillais Houdon fréquente l'atelier des Slodtz. A côté des commandes officielles prolifèrent les bustes précis et expressifs qui forment l'essentiel du charme de cette époque.

La Révolution et l'Empire maintiennent la tradition classique, mais Napoléon Ier préfère le voluptueux Vénitien Antonio Canova aux froids Pierre Cartellieri et Denis-Antoine Chaudet, Parisiens, et au Lyonnais Joseph Chinard. Le classicisme survit sous la Restauration grâce au talent du Monégasque François-Joseph Bosio et la sculpture romantique n'apparaît qu'au Salon de 1831, en retard de dix années sur la peinture. Mais les six académiciens sculpteurs de l'Institut s'opposent à toute novation et font refuser toute œuvre quelque peu originale, soulevant de violentes critiques contre la «Bastille académique». Les principaux talents de cette époque sont Antoine Louis Barye et Antoine Auguste Préault, tous deux parisiens, François Rude, dijonnais élève de Cartellieri, Pierre Jean David d'Angers, le Genevois Jean-Jacques Pradier.

Ce partage à peu près à égalité entre Paris et province va se perpétuer : Emmanuel Frémiet, Jules Dalou, Auguste Rodin sont des Parisiens, mais Jean-Baptiste Carpeaux, élève de Rude, a vu le jour à Valenciennes, Alexandre Falguière à Toulouse, Antoine Bourdelle à Montauban et Aristide Maillol à Banyuls-sur-Mer. Quant à l'École de Paris qui se constitue au lendemain de la Première Guerre mondiale, elle est très largement formée de réfugiés d'Europe orientale : Brancusi, Hajdu, Orloff, Pevsner, Schöffer, Stahly, Zadkine..., auxquels doivent être ajoutés le Catalan Julio Gonzalez et le Danois Robert Jacobsen.

---

1. L. Benoist, *La Sculpture française*, p. 108.

PEINTURE

Les premières peintures de manuscrits issues d'ateliers parisiens apparaissent au XIe siècle. Il existait alors des ateliers de copistes et d'enlumineurs à Saint-Denis, Saint-Maur-des-Fossés, Notre-Dame et Saint-Germain-des-Prés. Ces œuvres sont issues de l'art carolingien et se limitent à des lettres ornées et à de rares dessins dont les couleurs présentent des tonalités simples et sont plaquées en un aplat ornemental dépourvu de relief et de modelé. Le plus ancien artiste connu est le moine Ingelard dont les miniatures sont contemporaines de l'abbatiat d'Adraud, à la tête de Saint-Germain-des-Prés entre 1030 et 1060.

La rareté des manuscrits ne permet pas de suivre de près l'évolution des techniques des ateliers monastiques, mais un nouveau pas est franchi avec le splendide psautier de Blanche de Castille, conservé à la Bibliothèque de l'Arsenal et daté du début du XIIIe siècle. Au règne de Louis IX (1226-1270) correspondent l'expansion et le triomphe de la miniature gothique parisienne au détriment des ateliers de Picardie, de Normandie, d'Anjou, qui s'effacent devant le triomphe du style de la capitale. Un des plus beaux exemples des œuvres de cette école parisienne est l'*Évangélaire* de la Sainte-Chapelle. Les relations entre miniature, vitrail et architecture sont évidentes. Raymond Cazelles observe : « Le style est formé dès 1250. Dans un cadre d'arcatures gothiques, de médaillons souvent superposés, de quadrilobes simples ou complexes, la mode de Paris impose des contours nets, parfaitement lisibles, des tons chauds et profonds, des visages sans couleur. Ces caractères ne se manifestent pas seulement dans les bibles et dans les psautiers, mais aussi dans des ouvrages profanes, dans des romans plus ou moins historiques comme le *Roman de Troie*, de Benoît de Saint-Maure, ou dans des ouvrages de fantaisie comme le *Roman de la poire*. La marque parisienne est indiscutable et, dès ce moment, comme l'écrit Jean Porcher, le style gothique de l'Île-de-France "possède à peu près le monopole de l'enluminure", malgré le maintien de quelques centres secondaires [1]. » On en trouve trace dans les documents comptables de maîtres enlumineurs, dirigeant un atelier, comme Honoré, qui travaille dans la rue Érembourg-de-Brie, où demeurent aussi d'autres enlumineurs comme son gendre Richard de Verdun, Jean Qui-Biau-Marche et Nicolas Le Breton. Le livre de la taille de 1313 mentionne Thomasse, « enlumineresse » de la rue du Foin et Jean de Marcy dans la rue des Écrivains. Jean Pucelle dirige vers 1325 l'illustration du *Bréviaire* dit de Belleville. Jean de Montmartre est attesté vers 1337. Ces enlumineurs travaillent

---

1. R. Cazelles, *Nouvelle Histoire de Paris. De la fin du règne de Philippe Auguste à la mort de Charles V (1223-1380)*, p. 401.

surtout pour la Cour, mais, aussi, pour des œuvres plus modestes, pour la bourgeoisie la plus fortunée.

Les « ymagiers-paintres » ou peintres, membres de la même corporation que les enlumineurs et les sculpteurs, sont rarement de souche parisienne. On en recense vingt-cinq en 1391, obscurs pour la plupart. Les grands artistes de la fin du XIVe et du XVe siècle viennent des Pays-Bas : Melchior Broderlam est venu d'Ypres, Jean Malouel de Nimègue, comme sont flamands les frères Pol, Jean et Hermann de Limbourg, mais tous ne font que passer par Paris avant de se mettre au service du duc de Bourgogne à Champmol ou du duc Jean de Berry à Bourges. Paris peut cependant se glorifier des fresques de la *Danse macabre* du cimetière des Innocents, peintes durant l'occupation anglaise, en 1424-1425.

C'est de Tours qu'arrive à Paris la Renaissance en peinture, à la suite de la Cour, avec François Clouet qui termine son existence dans la rue Sainte-Avoye. C'est de Sens qu'est originaire Jean Cousin, qui, fortune faite, se fait construire une splendide demeure rue des Marais (rue Visconti actuelle). Antoine Caron, peintre officiel des derniers rois valois, arrive en 1568 de Beauvais. Mais les principaux artistes du XVIe siècle sont italiens : Giovanni Battista Rosso, Francesco Primatticio dit le Primatice, Nicolo dell'Abbate. A la fin du siècle, la seconde École de Fontainebleau est constituée majoritairement de Parisiens : Toussaint Dubreuil, Guillaume Dumée, Martin Fréminet, Henri Lerambert, rejoints dans la capitale par le Blésois Jacob Bunel, l'Anversois Ambroise Dubois, mais l'œuvre de ces artistes apparaît très inférieure à l'école antérieure.

Les artistes parisiens de souche sont rares dans la première moitié du XVIIe siècle. Claude Vignon est originaire de Tours, sont flamands Frans Pourbus, Pierre Paul Rubens arrivé à Paris en 1622 pour travailler au palais du Luxembourg, Théodore Van Thulden, son élève. Georges Lallemand est lorrain, François Perrier bourguignon, Antoine, Louis et Mathieu Le Nain viennent de Laon, Nicolas Poussin des environs des Andelys, en Haute-Normandie, Jacques Stella de Lyon, Philippe de Champaigne de Bruxelles. Il y a quand même quelques artistes vraiment parisiens : Simon Vouet, Jacques Blanchard, Laurent de La Hyre, Eustache Le Sueur et Sébastien Bourdon, quoique de Montpellier, a été formé à Paris.

Parmi les plus grands artistes du règne personnel de Louis XIV, deux sont parisiens, Charles Le Brun et Nicolas de Largillière. Pierre Mignard est né à Troyes, Hyacinthe Rigaud à Perpignan, François De Troy à Toulouse, Antoine Watteau à Valenciennes.

Deux peintres parisiens, Jean-Baptiste Chardin et François Boucher, ouvrent le XVIIIe siècle et deux autres le terminent, Hubert Robert et Jacques Louis David. Saint-Quentin donne Maurice Quentin de La Tour, la Bourgogne Jean-Baptiste Greuze, Avignon est le berceau de Joseph Vernet et Grasse celui de Jean Honoré Fragonard. C'est au XVIIIe siècle, on l'a déjà dit à propos des sculpteurs, que se constitue un public pour les œuvres d'art que les Salons font connaître.

Après la parenthèse révolutionnaire dominée par la dictature de David, le classicisme moribond évolue discrètement vers le romantisme sous Napoléon Ier avec le Parisien Antoine Gros, Anne Louis Girodet, né à Montargis, le Bourguignon Pierre Paul Proudhon, François Gérard né à Rome.

Jusqu'au second Empire, les grands talents sont rares et généralement provinciaux de souche : Dominique Ingres est de Montauban, Théodore Géricault de Rouen, Gustave Courbet d'Ornans, dans le Doubs. Mais Eugène Delacroix a vu le jour aux portes de la capitale, à Saint-Maurice et Camille Corot est un pur Parisien.

C'est avec la génération née entre 1830 et 1840 que se produit le renouvellement et l'essor de nouvelles formes artistiques, notamment l'impressionnisme. Une petite moitié des meilleurs peintres de cette génération est parisienne : Édouard Manet, Edgar Degas, Alfred Sisley, Claude Monet. Pierre Auguste Renoir a débuté dans son Limoges natal, Paul Cézanne à Aix-en-Provence et Camille Pissarro vient des lointaines Antilles.

Dans le grand chambardement artistique du XXe siècle, il serait vain de tenter un tri entre artistes parisiens ou non. Paris est un énorme lieu d'échanges culturels où se mêlent peintres espagnols, russes, américains, etc., laboratoire de nouvelles formes, fauvisme, cubisme... Montmartre, Montparnasse voient se constituer de véritables colonies de peintres et de sculpteurs qui atteignent leur apogée entre les deux guerres mondiales. Bien déchue aujourd'hui, n'offrant plus que de rares et coûteux ateliers aux jeunes talents, la capitale a cessé d'être le phare de l'art mondial.

MUSIQUE

La lente évolution de la musique se fait d'abord surtout dans les monastères, puis dans les églises épiscopales avec leur chantre et leur chorale. A partir de la seconde moitié du XIIe siècle s'affirme la primauté de l'organum à vocalises de l'Île-de-France, contemporain des cathédrales gothiques de la région, qui se greffe sur le chant grégorien. Ce sont les maîtres de chapelle de Notre-Dame de Paris qui se distinguent comme les meilleurs maîtres de cet art, Léonin puis Pérotin. Le motet détrône l'organum dès le milieu du XIIIe siècle, annonçant l'« ars nova » du XIVe. Le maître du motet, Adam le Bossu ou de la Halle, étudia à Paris, mais est originaire d'Arras et ne résida pas en permanence dans la capitale. Quant au principal compositeur du XIVe siècle, Guillaume de Machault, c'est un Champenois qui, après avoir servi les rois de Bohême, de France et de Navarre, termine son existence comme chanoine à Reims. Le théoricien de l'«ars nova», l'auteur même de cette dénomination, Philippe de Vitry, après avoir occupé d'importantes fonctions à la Cour de Philippe VI et de Jean II le Bon, devient évêque de Meaux en 1351. Le rôle dominant de Paris est assuré, on le voit bien, d'abord par le pouvoir religieux puis par la présence de la Cour. L'écroulement du pouvoir royal avec la folie de Charles VI, la longue guerre qui s'ensuit au début du XVe siècle, puis l'installation des souverains à proximité de la Loire se traduisent logiquement par le déclin de la musique à Paris.

Ce déclin s'accentue encore avec la découverte par les musiciens français de l'art de l'Italie de la Renaissance ainsi que par l'essor d'une école anglaise de musique qui exerce son influence sur la Cour de Bourgogne. C'est d'ailleurs des possessions septentrionales du duc de Bourgogne, Flandre et Hainaut principalement, que sont issus les plus grands compositeurs du XVe siècle : Guillaume Dufay, Gilles Binchois, Jean Ockeghem, Antoine Busnois et Josquin Des Prés, le maître du motet annonçant la Renaissance française.

Cette polyphonie largement profane venue du Nord est reprise à Paris où la monarchie s'est à nouveau officiellement installée en 1528. C'est à Paris que Clément Janequin (né à Châtellerault) termine son existence après avoir longtemps été au service de l'archevêque de Bordeaux. Claude de Sermisy et Pierre Certon sont chantres à la Sainte-Chapelle. Dans la seconde moitié du XVIe siècle, troublée par les guerres de religion, si le Bisontin Goudimel exerce son art à Metz et à Lyon, le Valenciennois Claude Le Jeune opte pour Paris où il devient grand maître des concerts de l'Académie de poésie et de musique, puis compositeur de la musique de la Chambre du roi. L'édition musicale prend son essor à cette époque dans la capitale avec Adrien Le Roy et Robert Ballard qui succèdent au fondateur de la typographie musicale française, Pierre Attaignant, établi rue de la Harpe de 1528 à 1549.

Sous Henri IV, Louis XIII, Richelieu et Mazarin, la musique connaît un succès exceptionnel dans toutes les classes de la société. L'État joue un rôle déterminant dans l'ascension des musiciens : le roi, la reine, Richelieu, Mazarin, les grands seigneurs et les bourgeois fortunés organisent des concerts et prennent des leçons, tandis que l'église de la Contre-Réforme tente de récupérer les âmes gagnées au protestantisme par un effort musical sans précédent. C'est aussi l'époque durant laquelle l'opéra s'acclimate dans la capitale. Parmi les principaux noms de la musique de cette époque, il faut retenir ceux d'Eustache Du Caurroy, natif de Beauvais, chantre puis sous-maître à la chapelle royale, du Parisien Jacques Mauduit, auteur de musique de ballet, de Nicolas Formé, autre Parisien, successeur de Du Caurroy à la chapelle du roi, puis chanoine de la Sainte-Chapelle, de Pierre Guédron, compositeur de la Chambre du roi, puis intendant des musiques du roi et de la reine mère en 1613, titre repris par le Parisien Gabriel Bataille en 1617, alors que le

Blésois Antoine Boesset est le musicien favori de Louis XIII qui le nomme maître d'hôtel. Pour faire carrière, il est indispensable de monter à Paris : c'est ce que fait le Languedocien Étienne Moulinié, qui délaisse la cathédrale de Narbonne pour devenir le maître de musique du frère du roi, Gaston d'Orléans, avant de revenir dans sa patrie comme maître de musique des États de Languedoc. Jean de Cambefort fait partie des musiques de Richelieu et de Mazarin, François Roberday, orfèvre parisien, est associé au facteur d'orgues Nicolas Lemerre, puis organiste du couvent des Petits-Pères, valet de chambre d'Anne d'Autriche et de Marie-Thérèse. L'orgue et le clavecin prennent un développement exceptionnel avec les dynasties des Champion et des Couperin.

Avec le règne personnel de Louis XIV, la musique devient « versaillaise ». Tout ce qui compte dans le domaine de la composition comme de l'interprétation doit se faire connaître et apprécier par la Cour de Versailles pour parvenir au succès. On vient de toute l'Europe acquérir la gloire et la fortune auprès du Roi-Soleil : le plus célèbre, Jean-Baptiste Lully, arrive de Florence, Henri Du Mont vient de Liège. Mais Marin Marais, Marc-Antoine Charpentier, Michel Richard Delalande, les Couperin, les Clérambault sont de purs Parisiens.

Au XVIIIe siècle, si l'attraction de Versailles et de Paris demeure aussi forte qu'auparavant, si les talents sont encore plus nombreux, la part des provinciaux s'accroît nettement avec le Bourguignon Jean-Philippe Rameau, le plus célèbre des compositeurs de ce siècle, l'Avignonnais Jean Joseph Mouret, le Perpignanais Joseph Bodin de Boismortier. C'est à cette époque que la musique prend une place importante dans la vie parisienne : de 1660 à 1800, on dénombre vingt-deux salles se consacrant à l'opéra, à l'opéra-comique et aux concerts.

La Révolution et l'Empire vivent les derniers feux du classicisme avec des gloires consacrées dans les ultimes décennies de la monarchie : Grétry, Gossec, Méhul sont originaires de la même région, tous nés entre Liège et Givet, en Wallonie ou à sa frange. Lesueur est picard et le meilleur talent « parisien » du temps est le Florentin Cherubini.

La musique romantique n'est guère représentée que par des étrangers, Allemands ou Italiens. Le Dauphinois Berlioz est le seul compositeur français qui vaille d'être mentionné. Si le Conservatoire de Paris joue un rôle de premier plan dans la formation des musiciens, il n'en sort que quelques grands noms originaires de la capitale : Charles Gounod, Camille Saint-Saëns, Georges Bizet, Vincent d'Indy, Francis Poulenc.

SCIENCES, TECHNIQUES, MÉDECINE

Sciences et religion sont incompatibles. L'histoire de Paris en apporte une preuve supplémentaire. Redoutée gardienne de la vérité catholique, la faculté de théologie, la Sorbonne, s'oppose à toute évolution technique et scientifique, n'acceptant que très tardivement les dissections, moyen indispensable des progrès de la médecine. Le chapitre consacré à l'éducation a évoqué cette question. Érasme, qui a failli mourir à cause des lamentables conditions d'existence dans lesquelles des théologiens comme Jean Standonck le faisaient vivre ainsi que les autres étudiants, manifeste son enthousiasme lorsque, ayant abandonné la sinistre Sorbonne, il découvre Oxford et y fréquente John Colet et Thomas More. Dans une lettre du 5 octobre 1499, il s'exclame : «J'ai trouvé ici tant d'humanité, une science si élégante, si profonde et si exacte, une telle richesse d'érudition grecque et latine...» Rappelons que c'est pour lutter contre l'irréversible sclérose de l'Université parisienne que François Ier a créé le Collège royal, devenu Collège de France.

Il n'est pas étonnant que, dans ces conditions, l'éveil des sciences ait été dû à des personnages sans aucun lien avec les sorbonagres. Si un nom émerge en médecine et en chirurgie au XVIe siècle, ce n'est pas celui d'un professeur de l'Université, mais d'un praticien opérant sur les champs de bataille, Ambroise Paré. C'est encore un homme sans lien avec le sérail universitaire, un simple apothicaire, Nicolas Houel, qui crée une école de pharmacie en 1576 et un jardin des plantes médicinales qui est à l'origine de la plus ancienne et d'une des plus prestigieuses institutions scientifiques, le Muséum national d'histoire naturelle. C'est un verrier, Bernard Palissy, qui consacre sa fortune à la découverte de la composition des émaux. Ces trois grands noms de la science française du XVIe siècle, auxquels on associe souvent celui du fameux juriste Cujas, sont, à l'exception d'Houel, issus de la province.

Au début du XVIIe siècle se met en place, selon l'expression de Francis Bacon, l'«Instauratio magna», la «grande instauration» scientifique. L'aveuglement de l'Université est patent et elle sombre dans le ridicule lorsqu'elle s'en prend à l'Anglais Harvey qui, en 1628, dans son *Exercitatio Anatomica*, a démontré que le sang ne naît pas du foie (opinion du médecin grec du IIe siècle Galien) mais du cœur et y retourne. Alors que la faculté de médecine de Paris se gausse de ce *circulator* — terme voulant dire «charlatan» en latin mais aussi partisan de la circulation du sang —, c'est un médecin de province, Jean Pecquet, un Normand établi à Montpellier, qui admet et complète la découverte de Harvey. Dans la résistance aux découvertes et aux progrès de la science, la faculté parisienne occupe une place d'honneur justifiant pleinement la critique de Molière, faisant dire à Diafoirus : «Sur toutes choses, ce qui me plaît en lui, et en quoi il suit mon exemple, c'est qu'il s'attache aveuglément à l'opinion de nos Anciens.»

La recherche scientifique reste donc à Paris le fait de chercheurs travaillant isolément. Fait exceptionnel, en avril 1633, se tient chez Adrien Auzout, en l'île Notre-Dame (Saint-Louis) une «assemblée générale de lunetterie » réunissant des astronomes venus comparer leurs matériels. En 1667, ce même Auzout, avec l'aide de Jean Picard, met au point le micromètre qui permet l'astronomie de précision. Les principaux savants du temps sont Marin Mersenne, mathématicien, physicien, astronome, qui entretient une correspondance abondante avec l'Europe entière, Pierre Gassendi, René Descartes, Gilles Personne de Roberval, Blaise Pascal, aucun n'étant originaire de la capitale. Seul le Collège de France accepte d'accueillir deux d'entre eux, Gassendi et Roberval.

Il serait lassant d'énumérer toutes les individualités qui ont brillé dans le domaine des sciences aux XVIIe et XVIIIe siècles. A partir de 1666, l'Académie des sciences, conçue à l'imitation de celle de Londres, consacre les talents et enregistre les expériences et découvertes. Mais la science parisienne demeure le fait d'individus isolés, même si elle pénètre dans les salons avec les expériences de l'abbé Nollet et celles, plus discutables, de Mesmer. Il faut la création de l'université impériale par Napoléon Ier pour que la recherche scientifique trouve un cadre digne d'elle. Dès lors, Paris est à la pointe des découvertes et des innovations techniques françaises. C'est dans la capitale et dans ses environs immédiats que sont nées la bicyclette, l'automobile, l'aviation. Cette tendance s'est encore accentuée au XXe siècle, les laboratoires du Centre national de la recherche scientifique étant massivement concentrés en Île-de-France tandis que les grands hôpitaux de la capitale sont à la pointe de la recherche médicale mondiale.

CHAPITRE VIII

Architecture et urbanisme

Comme le reste de cet ouvrage, ce chapitre sera consacré en priorité aux Parisiens, à leur habitat, à l'évolution de la forme de leur ville. Le pouvoir, civil ou religieux, superstructure imposée aux citadins par l'État central, ne sera évoqué qu'accidentellement, lorsque son intervention explique l'évolution de Paris. En conséquence, l'architecture religieuse est pratiquement passée sous silence, car elle évolue sous des influences dépassant largement le cadre de Paris et même de la France. Le seul style religieux qui ait son origine en Île-de-France est l'art gothique, qui n'est pas particulièrement parisien, dont les premiers balbutiements peuvent être discernés à Saint-Martin-des-Champs et dont l'expression la plus forte est la cathédrale Notre-Dame, monument admirable mais partiellement raté en comparaison de Saint-Denis, Sens, Chartres, Reims ou Amiens.

L'ARCHITECTURE CIVILE

• Moyen Âge

Longtemps, l'étude de monuments prestigieux a été privilégiée au détriment de l'habitat commun, des maisons où vivaient la plupart des Parisiens. L'histoire de l'industrie du bâtiment s'est d'abord écrite à Rouen et à Caen avant que les archéologues de la capitale commencent à s'y intéresser.

Pendant tout le Moyen Âge, et même au-delà, les maisons sont avant tout constituées de bois et de plâtre. Le bois provient des nombreuses et vastes forêts qui entourent la ville, le plâtre est extrait du sous-sol des environs immédiats, des collines de Montmartre, Belleville, Ménilmontant. A partir du XIIIᵉ siècle, ce plâtre, proche, abondant et bon marché, entre de plus en plus largement dans la construction des maisons, pour remplir notamment l'espace entre les poutres des façades à colombages. Le plâtre, matériau absorbant particulièrement bien l'humidité, présente aussi l'avantage de limiter les risques d'incendie tellement redoutés au Moyen Âge. Grâce à la présence massive de ce matériau, Paris échappera aux sinistres qui détruiront Rouen à plusieurs reprises, ravageront Bourges et anéantiront Londres en 1666.

Le bois d'œuvre, dit «merrien», est partout présent : pans de bois à l'extérieur, cloisons à l'intérieur, planchers, marches des escaliers... La charpenterie est très développée et un riche vocabulaire sert à désigner ses nombreuses pièces : arbalétrière, entrait, pannes, filières, chevrons, solives, sablières...

La maison parisienne est couverte de tuiles posées sur des lattes de bois qui sont clouées sur des chevrons. Ces tuiles se chevauchent et des joints de plâtre assurent l'étanchéité de cette toiture. Il ne semble pas qu'on utilise les bardeaux ni le chaume, et l'ardoise reste très rare. Les demeures princières peuvent être couvertes de plomb, matériau alors très coûteux et qui n'entre guère que dans la composition des gouttières pour l'habitation courante.

Les dimensions des fenêtres sont très variables. Les châssis de bois sont souvent fixes, «à vouerre dormant» à l'arrière des bâtiments. Dans les palais sont mentionnés des «verres en losange sur plomb», mais la vitre ne se généralise qu'au XVIIᵉ siècle.

A partir du XIVᵉ siècle et jusqu'au XVIᵉ, les termes «maison» et «hôtel» désignent indifféremment l'unité matérielle et juridique bâtie, avec ses charges, ses droits et ses servitudes. Les «louages», «étages», «chambres» désignent le mode d'exploitation et de division de la maison. Le «louage» ou «hébergement» désigne le mode d'exploitation des pièces dans des bâtiments qui peuvent être déjà assimilés à des immeubles de rapport. « Étages » et « chambres » évoquent plutôt la disposition de ces louages. « L'étage médiéval est synonyme d'"appartement" (l'"étage" actuel étant évoqué par le nombre de "planchers") voire même de "duplex". La "chambre" doit être considérée comme un "studio" ou une pièce [1]. » Une maison en mauvais état est dite « masure ». La superficie des parcelles entièrement ou partiellement bâties est très variable. La forme qui domine est celle d'une lanière de 4 à 6 mètres de large en moyenne sur une profondeur d'une dizaine de mètres, ce qui donne à la maison une surface moyenne d'une cinquantaine de mètres carrés. La hauteur des maisons est très variable. La plupart d'entre elles comptent au moins trois niveaux : rez-de-chaussée, étage carré et comble et mesurent, du sol au faîte, une douzaine de mètres, ce qui donne une hauteur sous plafond variant entre 2,60 et 2,90 mètres. Dans le centre fortement urbanisé, les maisons sont nettement plus étroites et plus hautes qu'à la périphérie où le terrain est meilleur marché et où les édifices sont plus bas et plus larges, se rapprochant du type de la maison rurale. « Dans le centre, la rue médiévale commerçante, telle qu'elle ressort des actes, correspond tout à fait au souvenir resté dans l'imagerie populaire. Elle se présente comme une succession de pignons contigus, hérissés de cheminées, entrecoupés par les toits en "appentis" ou en "auvent" en surplomb sur une boutique. Les étages sont en encorbellement au-dessus du rez-de-chaussée. A la porte, un "cerceau" ou une enseigne, parfois sculptée ou peinte sur la façade, le plus souvent pendue, servent à distinguer la maison de ses voisines immédiates [2]. »

Les hôtels les plus vastes, habités par des personnages importants, sont généralement entourés d'une enceinte percée d'une unique et grande porte. Le bâtiment principal a presque toujours son entrée sur la rue. En règle générale, l'entrée de la maison est située au bord de celle-ci, afin de libérer le reste de la façade pour la baie d'une boutique, d'un ouvroir-atelier ou d'une grande salle. De là, on accède directement à l'arrière-boutique, quand le rez-de-chaussée est occupé par un commerçant ou un artisan. Chacune de ces deux pièces possède une superficie moyenne de 15 à 20 mètres carrés. Un couloir d'un mètre de large ouvre sur la boutique et donne accès à l'escalier et à la cour. L'escalier est à vis et occupe une place relativement importante : pour gagner de l'espace, il est souvent construit en hors-œuvre et on aménage en dessous un cellier ou un « bouge ». Il mène à un ou plusieurs étages où se trouvent chambres et chambrettes. Sous les combles, d'autres chambres sont aménagées, car, faute de place, les greniers sont rares à Paris. La maison médiévale possède, en général, une cave ou un caveau voûté en croisée d'ogives sur des murs en pierres appareillées. On accède à la cave par une trappe ou

---

1. M. Dubois, « La maison parisienne médiévale », dans les *Cahiers du C.R.E.P.I.F.*, 12 (1985), p. 13.
2. *Ibid.*, p. 14.

un escalier droit. L'approvisionnement en eau se fait à partir de la nappe phréatique grâce à des puits peu profonds situés dans la cave ou dans la cour. Des « appartenances » ou « appendances » encombrent souvent cette cour et rappellent un passé rural proche : écurie, grange, cellier, pressoir de vigneron. Il arrive que la cuisine soit aussi installée dans une de ces annexes, de même que des étuves. Dans le quartier de l'Université, des bâtiments bas ont été édifiés dans ces cours pour être loués aux étudiants.

• *De 1500 à 1660*

Grâce aux travaux de Jean-Pierre Babelon[1], la maison parisienne du XVIᵉ siècle et de la première moitié du XVIIᵉ siècle est bien connue depuis quelques années. Le constant accroissement de la population est un facteur important de la frénésie de construction de cette époque, car, en comparaison du taux des loyers et du prix des subsistances, le coût de la construction n'est pas élevé. Les grands seigneurs et les riches bourgeois édifient des hôtels somptueux pour faire connaître leur fortune et leur statut social, mais la plupart des constructions courantes sont à usage locatif. Annick Pardailhé-Galabrun a établi que, dans le Paris des XVIIᵉ et XVIIIᵉ siècles, 14 % des habitants seulement étaient propriétaires de leur logement[2].

Faute de terrains disponibles, les édifices gagnent en hauteur. On connaît les maisons de l'île de la Cité dans la première moitié du XVIIᵉ siècle grâce aux travaux de Jean-Louis Bourgeon[3]. Qu'elles soient anciennes ou nouvelles, édifiées à pans de bois ou en pierre taillée, les maisons comptent en général trois à quatre étages, le maximum paraissant être une maison de cinq étages plus un grenier qui s'édifie en 1648 et atteint 18 mètres de hauteur. Selon la coutume en usage à Paris, le propriétaire loue presque toujours sa maison à un unique locataire, le « principal locataire » qui, d'habitude, prend à son compte la boutique du rez-de-chaussée et les pièces de l'étage au-dessus, relouant comme il lui plaît les chambres des étages supérieurs. Entre les divers occupants de la maison est établie une communauté d'usage de la cour, du puits et des lieux d'aisances, et, note Bourgeon, « par les servitudes qu'elle impose, la maison du XVIIᵉ siècle rapproche les gens et les conditions, sert de trait d'union entre les diverses couches du peuple ».

Mais, dans l'« île du Palais », la zone récemment construite de la place Dauphine, l'habitat se présente différemment en cette première moitié du XVIIᵉ siècle : on compte très peu de commerces, cinq ou six, uniquement des boutiques de luxe, au pied des vingt-cinq maisons de la rue de

1. Voir J.-P. Babelon, *Demeures parisiennes sous Henri IV et Louis XIII*.
2. Voir A. Pardailhé-Galabrun, *La Naissance de l'intime*.
3. Voir J.-L. Bourgeon, « L'île de la Cité pendant la Fronde », dans *Paris et Île-de-France*, 13 (1962), p. 23-144.

Harlay. Les occupants sont rarement des artisans ou de petites gens, plutôt des officiers et des marchands. Il est formellement interdit au locataire principal de transformer le grenier en « galetas », d'installer des cheminées, de loger des lavandières. Toutes les classes sociales sont encore représentées dans ce petit quartier, mais elles ne voisinent plus d'étage à étage, comme au Moyen Âge, elles se répartissent de maison à maison, selon le niveau social (on a inventé l'affreux et pudique mot « standing » pour désigner ça) de l'immeuble. Une lettre, certes apocryphe, du prévôt des marchands, François Miron, à Henri IV, dénonce cet état de fait au début du XVIIe siècle : « C'est une malheureuse idée de bastir des quartiers à l'usage exclusif d'artisans et d'ouvriers. Dans une cappitalle où se trouve le souverain, il ne faut pas que les petits soyent d'un côté et les gros et dodus de l'autre ; c'est beaucoup plus sûrement mélangés [1]. » Cette dimension politique a été trop souvent oubliée par les architectes et les urbanistes qui tendent à une ségrégation sociale qui exacerbe les conflits.

Le règne d'Henri IV n'a pas seulement introduit un début de ségrégation sociale, il marque aussi le début de soucis d'urbanisme qui vont être évoqués plus loin et l'élaboration d'une réglementation de plus en plus précise. En décembre 1607, pour compléter les règles déjà existantes de la Coutume de Paris, le roi promulgue un édit interdisant les saillies sur la voie publique, la réparation des maisons dont les colombages s'échafaudent en porte-à-faux, et confirme la prohibition coutumière des maisons en bois. Ces interdictions n'entreront que lentement dans les mœurs et ne seront vraiment appliquées que dans la seconde moitié du XVIIe siècle. Jean-Pierre Babelon signale des cas de nouveaux encorbellements édifiés en infraction aux récentes règles : celui du revers de l'hôtel de Chaulnes dans la rue de Turenne, celui qui est encore visible aux anciennes écuries de Senneterre sur la place des Petits-Pères. Quant aux cabinets en saillie, ils restent longtemps encore à la mode et continuent à s'édifier rue Pavée, rue Saint-Paul et rue Sainte-Croix-de-la-Bretonnerie dont la tourelle est datée de 1610. Certains riches propriétaires se permettent même de jeter une galerie au-dessus d'une rue pour relier deux maisons entre elles, comme le sieur de Bretonvilliers au-dessus de la voie qui porte son nom dans l'île Saint-Louis. Quant à la prohibition du bois, elle est contournée, les entrepreneurs recouvrant le matériau interdit d'une couche de plâtre et simulant une façade en pierre de taille. En 1623, dans sa *Manière de bastir*, Pierre Le Muet donne la méthode pour édifier une façade en pans de bois « pour les lieux où l'on en bastit ordinairement, et pour les autres encor, desquels on y est constrainct à cause du peu de place que l'on a [2].

---

1. F. Miron, cité par H. de Surirey de Saint-Remy, « Maisons de l'ancien Paris », dans *Société d'Assurance mutuelle de la Ville de Paris, 1816-1966*, p. 28.
2. Cité par J.-P. Babelon, *Demeures parisiennes sous Henri IV et Louis XIII*, p. 52.

Le XVIe siècle et la première moitié du XVIIe peuvent cependant être considérés comme l'âge du triomphe progressif de la pierre. L'Île-de-France et ses nombreuses carrières exploitées depuis l'Antiquité fournissent un beau calcaire aux diverses variétés. Mais la pierre en grand appareil est un luxe réservé aux palais du roi, aux églises et aux hôtels des plus fortunés, l'hôtel Sully par exemple, et ne s'étendra à tous les hôtels qu'à la fin du règne de Louis XIII, sous la conduite de Le Vau et de Mansart. La technique généralement employée vise à l'économie en utilisant le minimum de pierres de taille tout en donnant l'aspect d'une maison de pierre. La carcasse de l'édifice n'est plus faite de pièces de bois, ces dernières sont remplacées par des piliers et linteaux de pierre dure jouant le rôle des poteaux et sablières en bois. Jean-Pierre Babelon décrit les méthodes de construction : « Sur des fondations faites de libages de pierre dure, enfermant un et parfois deux étages de caves, le maçon élève au rez-de-chaussée quelques assises en gros appareil, faites de cliquart ou de Saint-Leu, qui forment la base de la façade. Sont dressés ensuite une série de montants verticaux dont les assises sont disposées en ligne droite ou, mieux, en harpe, pour assurer une cohésion plus efficace avec le remplissage. Ces jambes en pierre de Saint-Leu, de liais (comme à la place Royale), de Troussy ou de Vergelé marquent les angles de la construction et scandent les travées, de chaque côté des ouvertures prévues. Les éléments horizontaux qui croisent ces montants sont les bandeaux séparant les étages, ou les linteaux et les amortissements des ouvertures. D'après l'économiste Philippe de Béthune, les Flamands et Hollandais auraient poussé cette technique jusqu'à un premier système d'éléments préfabriqués : "De cette police, il leur revient un autre avantage qui est que les ouvriers par l'establissement de cet ordre, estans avertis de la forme qu'ils doivent faire leurs portes, croisées, iambages et autres parties qui doivent respondre sur la rue, ils les tiennent toutes faites de longue main : de façon que les particuliers qui veulent bastir ont incontinent eslevé leurs maisons, qui ne sont pour la plupart que de brique, trouvant ce peu de pierre qui leur est nécessaire, toute taillée." Parfois, malgré l'avis des théoriciens, les linteaux appareillés sont remplacés par des pièces de bois, ou poitrails, qui sont enrobés de plâtre, mais occasionnent souvent des fissures provoquées par le jeu ou le pourrissement du bois. Le dernier élément horizontal est la corniche. Le quadrillage obtenu par ce procédé de construction, qui combine des lignes verticales, très insistantes, réunissant entre elles les ouvertures d'une même travée, et des lignes horizontales, moins appuyées, qui marquent les étages, les allèges et les linteaux des fenêtres, ce quadrillage donna aux façades un rythme très particulier, indépendant du matériau employé pour combles les vides [1]. »

---

1. J.-P. Babelon, *Demeures parisiennes sous Henri IV et Louis XIII*, p. 56 et 60.

La brique, utilisée au Moyen Âge en épis, est employée pour le remplissage à partir du XVIᵉ siècle en lits horizontaux. A la fin de ce siècle, elle est avant tout un produit de remplacement du moellon ou du torchis, mais plus raffiné et plus coûteux que ces derniers. « La meilleure preuve en est que, malgré les règlements édictés pour la construction de la place des Vosges, la majorité des pavillons furent en réalité bâtis en moellon recouvert d'un enduit simulant la brique : le moellon était donc un procédé moins onéreux que la brique [1]. » La brique est choisie à cause de sa couleur gaie, de la polychromie, de la triple harmonie qui se crée alors de la pierre blanche, de la brique rose et de l'ardoise bleue. La brique passera de mode dans la seconde moitié du XVIIᵉ siècle, quand l'esthétique puriste classique l'aura emporté sur le baroque.

Une des grandes transformations de l'époque de Louis XIII est la transformation du comble qui conditionne toute la conception de la maison et aboutit à la disparition de la maison médiévale. Laissons encore la parole à Jean-Pierre Babelon, qui a expliqué cela mieux que personne : « A la fin du règne de Louis XIII, les architectes ont le choix entre trois types de combles, le "comble droit", le "comble à surcroît" amélioré par Le Muet et le "comble brisé" mis sous le patronage de François Mansart. Le premier type est le grand comble traditionnel, formé de fermes droites à grands arbalétriers réunis par un entrait, ces fermes reposant sur des sablières posées à la tête des murs ; il détermine le haut toit à la française, fort incommode à utiliser pour le logement parce que la pente du toit, très aiguë, part du niveau du sol du galetas, et que la superficie logeable de celui-ci s'en trouve diminuée du tiers. La construction de lucarnes de pierre, forcément très élevées, et accessibles du galetas par de longues lunettes traversant le comble, était malcommode, onéreuse et dangereuse, la charpente pouvant pousser au vide cette grande masse de pierre. Il est vraisemblable que ce type n'était plus guère employé à Paris.

« Le "comble à surcroît" est au contraire le type habituel. Son usage est attesté à Paris au XVIᵉ siècle, et même auparavant, à Rouen. C'est un comble droit posé non plus sur la tête du mur, mais sur des sablières logées dans une saignée de celui-ci, un mètre environ sous son extrémité. Ainsi le mur continue au-delà du départ de la charpente, et c'est ce qui constitue, à proprement parler, le "surcroît". L'étage mansardé, dont le plancher est placé au départ de la charpente et le plafond au niveau de l'entrait retroussé, devient plus logeable, et l'on peut sans difficulté élever des lucarnes de pierre, moins hautes, au-dessus du mur ; leur ouverture, à hauteur d'appui, doit parfois empiéter sur l'entablement, ce qui produit un décrochement, fréquent depuis le milieu du XVIᵉ siècle, notamment sur les dessins de Du Cerceau, et très caractéristique de la

---

1. Voir J.-P. Babelon, *Demeures parisiennes sous Henri IV et Louis XIII*, p. 60.

période 1590-1620, ainsi qu'on le voit à l'hôtel de Mayenne ou à l'orangerie de l'hôtel Sully. Ce décrochement sera ensuite condamné par les puristes. La couverture elle-même ne repose plus sur les arbalétriers, mais sur une double rangée de chevrons qui prennent appui sur la tête du mur. C'est le type que nous rencontrons à la place des Vosges ou à l'hôtel Sully. Le Muet, dans son édition de 1623, ne nous propose que des combles droits pour ses maisons, et des combles à surcroît pour ses hôtels...

« Dans la dernière édition de son traité, postérieure à 1666, Le Muet fait hommage à François Mansart d'une troisième disposition : "J'ay cru devoir adjouter en ce livre quelques combles ou toits recoupez à la Mansarde, ainsy nommez parce que feu Monsieur Mansart, illustre architecte, en est inventeur ; ces toits nous donnent à peu près les commoditez des toits plats d'Italie. Cette manière est fort usitée présentement." Le Muet s'en était déjà servi lui-même : elle consistait en une charpente brisée placée sur la tête du mur et composée d'un comble tronqué presque vertical, donc très logeable, et d'un terrasson presque plat. La tendance était alors d'abandonner les lucarnes de pierre pour des raisons esthétiques ; elle encourageait donc l'adoption de cette disposition qui fut surtout employée à partir de la régence d'Anne d'Autriche. Elle permettait, en outre, de couvrir des corps de logis très larges qui, couverts de combles droits, auraient demandé d'immenses pièces de bois. En même temps, l'emploi de chéneaux de pierre, agencés sur le mur avec un tuyau de descente des eaux, remplaçait avantageusement les anciens "coyaux" par lesquels on se contentait auparavant d'accentuer le dépassement du toit pour rejeter la pluie loin des murs de façade, disposition que l'on remarque aux pavillons sur la rue de l'hôtel de Mayenne. L'Italien Francesco Gregory d'Ierni avait remarqué en 1596, sans doute à ses dépens, l'absence de gouttières à Paris...

« Les toitures présentent alors une silhouette en pavillon, renforçant encore cette personnalité des éléments qui est alors l'une des tendances majeures de l'architecture civile[1]. »

De même que les charpentes des combles, l'escalier subit au début du XVIIe siècle une transformation qui le fait passer de la vis médiévale et de l'escalier droit de la Renaissance jusqu'à l'escalier à cage « vuide à la moderne » qui n'a guère connu de modification jusqu'à l'apparition de la construction en fonte, puis en béton.

Dernière innovation technique de cette époque fertile, l'entresol naît peut-être dès la fin du XVIe siècle. Il apparaît lié, dès l'origine, à une occupation mixte alliant commerce et habitation. Il est présent dans chaque immeuble sur arcades du XVIIe siècle, place Dauphine, dans l'immeuble de la rue de la Ferronnerie de 1660, « premier grand

1. J.-P. Babelon, *Demeures parisiennes sous Henri IV et Louis XIII*, p. 63-66.

"paquebot" parisien, archétype de l'immeuble créé pour un habitat collectif, avec deux niveaux inférieurs desservis par un système ingénieux d'escaliers pour l'utilisation des entresols sur le plan commercial [1]. »

Le type d'habitat qui caractérise le XVIe siècle et le début du XVIIe, c'est l'hôtel. Qu'il soit aristocratique ou bourgeois, il est conçu pour l'habitation d'une seule famille disposant d'une belle fortune. Ce qui le singularise en premier lieu, c'est qu'il n'est pas tourné vers la rue, mais agencé autour d'une cour intérieure et, parfois, d'un jardin. Cet ensemble de bâtiments est souvent réuni à la rue par un passage ou une cour étroite. C'est, à l'origine, un monde clos, caché, habité par une société qui ne cherche pas à faire montre de son opulence aux passants de la rue. Lorsque Gallet du Petit-Thouars fait construire, en 1625, l'hôtel qui va prendre le nom de Sully, l'édifice ne s'ouvre pas sur la rue Saint-Antoine, sauf par une étroite allée, et l'entrée principale se fait par la place des Vosges par un accès très discret. Les types d'hôtel sont nombreux, mais, dans la majorité des cas, le corps de logis principal est situé au fond de la cour et s'ouvre sur le jardin. L'idéal, s'il y a suffisamment de place, c'est de prendre vue sur la cour de toutes parts et de disposer de deux ailes à droite et à gauche. Vers 1620-1630, un nouvel élément de confort apparaît, la « basse cour » ou « cour des offices », où se regroupent les communs, notamment les écuries et les remises des carrosses. La seule chose qui signale l'hôtel sur la rue est son portail monumental. Lorsque se répand la mode d'une façade sur rue, le portail est, le plus souvent, encadré par un mur bas et un pavillon à chaque extrémité.

L'emplacement de l'escalier a varié. Il a d'abord été situé au centre du logis, morceau de bravoure de l'architecte. Mais cette disposition présente l'inconvénient d'occuper la partie la plus agréable de l'hôtel et d'interrompre l'enfilade des appartements. Aussi préfère-t-on, dans une deuxième époque, les accès latéraux menant vers les appartements et le jardin. Cet usage se répand surtout à partir de 1620. L'enfilade des appartements commence aussi à être rompue à cette époque, la marquise de Rambouillet, redoutant le froid régnant dans ces immenses pièces, ayant fait aménager une petite chambre en alcôve. La présidente Lambert de Thorigny suivit son exemple en 1644, faisant installer une petite chambre à coucher à la suite de sa grande chambre à coucher, désormais réservée à la réception.

• *De 1660 à 1800*

Déjà amorcé, le passage de la verticale à l'horizontale s'accélère dans la construction des demeures seigneuriales à la fin du XVIIe et au XVIIIe siècle. Il est vrai que les hôtels s'édifient maintenant dans les

---

1. J.-P. Babelon, dans les *Cahiers du C.R.E.P.I.F.*, 12 (1985), p. 92.

faubourgs où la place est abondante et à prix raisonnable. Alors que les hôtels du Marais ont une emprise d'un peu plus de 1 000 mètres carrés en moyenne, ceux qui s'édifient au faubourg Saint-Antoine au XVIIIe siècle dépassent 2 000 mètres carrés. Au faubourg Saint-Germain, l'hôtel Matignon, bâti en 1721, couvre 4 800 mètres carrés avec ses constructions et cours et possède 18 900 mètres carrés de jardins.

Quant à la maison d'habitation collective, elle obéit désormais à une série de règles édictées sous Louis XIV et présente des caractéristiques qui ont été énoncées par Pierre Denis Boudriot : « Au-dessus d'un unique étage de cave, le rez-de-chaussée, d'une emprise au sol de 120 mètres carrés, accueille, symétriquement à l'entrée principale, en l'occurrence une petite porte, deux boutiques suivies chacune de leur arrière-boutique. En position médiane, l'"allée" conduit à l'escalier puis débouche sur la cour rejetée en fond de parcelle. Chacun des trois étages courants est distribué en quatre chambres, tandis que le dernier niveau habitable se subdivise en cinq pièces aménagées dans la hauteur du comble brisé [1]. » Le bois est maintenant presque complètement évincé, remplacé par le moellon, calcaire d'Arcueil, de Vaugirard ou de Meudon. La substance de cette maison est lourde, environ 2 000 tonnes, composée à 88 % de calcaire et de gypse, le bois n'entrant plus que pour 8 %.

La composition des logements fait apparaître leur petitesse : 73 % d'entre eux font au maximum trois pièces : chambre, salle, cuisine. La spécialisation des pièces commence à se préciser, surtout dans les classes moyennes ou aisées : la salle sert aux repas et à la vie en commun, la chambre devient progressivement une chambre à coucher, la cuisine commence à se spécialiser comme espace réservé à la préparation des repas, mais, dans la seconde moitié du XVIIIe siècle, 45 % seulement des logements d'habitat collectif possèdent un espace spécifique, des chambres, salles ou retranchements servant à faire la cuisine dans le reste des appartements.

Les progrès du confort sont évidents. Le chauffage se généralise avec une cheminée presque dans toutes les pièces habitables à la fin du XVIIIe siècle et l'apparition de poêles. Chaque personne ou couple possède désormais son lit. Le luminaire se multiplie et les inventaires après décès [2] révèlent la présence de cinq à six pièces de luminaire par foyer. Mais les cabinets de toilette, de bain, d'aisance sont encore très rares, pas plus de 6,5 % des appartements en sont équipés dans la seconde moitié du XVIIIe siècle.

1. P. D. Boudriot, «La maison parisienne sous Louis XV», dans les *Cahiers du C.R.E.P.I.F.*, 12 (1985), p. 27-29.
2. Voir A. Pardailhé-Galabrun, *La Naissance de l'intime*.

• *Le XIXe siècle*

En 1782, Sébastien Mercier observe, dans le *Tableau de Paris* : «Les trois états qui font aujourd'hui fortune dans Paris, sont les banquiers, les notaires et les maçons, ou entrepreneurs de bâtiments. On n'a de l'argent que pour bâtir : des corps de logis immenses sortent de la terre, comme par enchantement, et des quartiers nouveaux ne sont composés que d'hôtels de la plus grande magnificence [...]. La maçonnerie a recomposé un tiers de la capitale depuis vingt-cinq années. On a spéculé sur des terrains ; on a appelé des régiments de Limousin, et l'on a vu des monceaux de pierre de taille s'élever en l'air, et attester la fureur de bâtir [...]. Les spéculateurs ont appelé les entrepreneurs qui, le plan dans une main, le devis dans l'autre, ont échauffé l'esprit des capitalistes. Les jardins se sont pétrifiés, et de hautes maisons ont frappé les regards au même lieu où l'œil voyait croître des légumes. Le milieu de la ville a subi les métamorphoses de l'infatigable marteau du tailleur de pierres : les Quinze-Vingts ont disparu, et leur terrain porte une enfilade d'édifices neufs et réguliers ; les Invalides, qui semblaient devoir reposer au milieu de la campagne, sont environnés de maisons nouvelles ; la Vieille-Monnaie a fait place à deux rues ; la Chaussée-d'Antin est un quartier nouveau et considérable [...]. Les grues qui font monter en l'air des pierres énormes, environnent Sainte-Geneviève et la paroisse de la Madeleine. Dans les plaines voisines de Mont-Rouge, on voit tourner ces roues qui ont 25 à 30 pieds de diamètre, et qui épuisent les carrières [1]. » C'est, en effet, sous Louis XVI que débute la fièvre de construction qui accompagne l'expansion de la capitale. Interrompue par la Révolution, ralentie sous l'Empire, elle reprend ensuite pour connaître son apogée sous le second Empire. Cette expansion de l'espace bâti se fait de diverses manières. Il y a un phénomène discret mais réel de densification, de «bourrage» des parcelles, la cour commune se couvrant insensiblement de volumes d'habitation nouveaux. Il y a aussi la surélévation, qui se fait discrètement, en plusieurs étapes : accroissement et bourrage des combles, puis surélévation en maçonnerie, le revêtement de plâtre maquillant les transformations.

François Loyer [2] décèle aussi une modification du mode d'habitation qu'il nomme «naissance de l'habitat superposé» avec le passage de la maison particulière à l'immeuble et la naissance du concept d'«immeuble de rapport». Ce dernier est constitué par la superposition de cellules identiques définissant à chaque niveau les principaux volumes de l'habitat, alors qu'ils étaient largement indifférenciés auparavant.

L'immeuble haussmannien est le reflet des techniques industrielles du

1. S. Mercier, *Tableau de Paris*, chap. 88 et 635.
2. F. Loyer, *Paris XIXe siècle, l'immeuble et la rue.*

XIXᵉ siècle. La pierre, transportée désormais par les canaux ou le chemin de fer à partir des carrières de Chantilly, de Bourgogne, de Verdun, bénéficie de la précision du découpage à la scie réduisant le parement à une simple finition. La construction de la façade se fait toute en pierre, mais les murs mitoyens sont en moellon smillé à joints beurrés, qui, avec l'usage du ciment hydraulique, cède la place à la meulière caverneuse. Les solives métalliques renforcent la rigidité de la structure, remplacées à la fin du XIXᵉ siècle par le plancher de ciment armé. L'invention de la brique plâtrière creuse, posée de champ et liée au plâtre, révolutionne la cloison qui se distingue désormais des refends et ne joue plus aucun rôle de renforcement, ce qui permet de la modifier à volonté. La fonte, seul produit métallique relativement bon marché avant 1870, est utilisée sous forme de fines colonnes et de piliers qui se substituent à la pierre et permettent l'évidement des murs de maçonnerie. Si elle apparaît dès le début du XIXᵉ siècle pour les ponts d'Iéna et d'Austerlitz, les premiers bâtiments tout en fonte de fer datent seulement de 1853 : ce sont les pavillons des Halles de Baltard. La poutre en fer apparaît sous le second Empire et Rohault de Fleury l'emploie pour les façades de la place de l'Opéra, ce qui permet de réaliser des immeubles dont les deux premiers niveaux, réservés au commerce, sont entièrement vitrés. Depuis les années 1830, la charpente du comble bénéficie aussi de la fabrication industrielle à faible coût des clous et des boulons qui évincent les chevilles de bois. La brique pleine profite aussi des progrès techniques : à partir des années 1840-1850, elle n'est plus cuite au charbon de bois mais à la houille ou au coke, ce qui la rend plus résistante et moins poreuse mais la noircit, ce qui nécessite l'emploi de colorants artificiels.

François Loyer a dressé la hiérarchie de l'immeuble bourgeois qui a régné jusqu'à la Seconde Guerre mondiale, un système rigide allant de l'aristocratie de l'argent à l'habitat ouvrier, en passant par toutes les nuances de la bourgeoisie. Voici comment il la résume dans *Paris XIXᵉ siècle* :

« — construction en grand appareil (c'est-à-dire en pierre de taille), avec sculpture d'ornement ;

« — grand appareil, mais la sculpture se réduit à la modénature ou à des motifs décoratifs stéréotypés ;

« — utilisation conjointe du grand appareil pour les parties vives (angles et encadrements) et du petit appareil pour les remplissages, sans décor ou avec décor en céramique industrielle ;

« — remplacement de la pierre par la brique, avec jeu de polychromie dans la brique et, éventuellement, pièces métalliques apparentes (c'est le cas des écoles et des hôpitaux qui sont le fief de l'école rationaliste) ;

« — utilisation de la pierre en parties vives et de la brique en parement (de préférence, brique jaune dont la tonalité, proche de celle de la pierre, se confond avec elle et donne l'illusion du "tout en pierre") ;

« — utilisation, inversement, de la brique en parties vives et du moellon pour les remplissages — que cache un enduit à faux refends, en plâtre peint ;

« — mur mince (une seule épaisseur de brique) sans valorisation des encadrements et avec linteaux de fer apparents ;

« — pan de fer sommaire, avec remplissage de brique (pleine pour l'habitat ; le plus souvent creuse pour les ateliers et entrepôts) ;

« — brique en parties vives et matériau sommaire de remplissage (parpaing de ciment), caché par un crépi de ciment jeté à la "tyrolienne". Ce sera au XXe siècle le système de construction des pavillons de banlieue issus de la loi Loucheur[1]. »

François Loyer conclut : « De la brique — qui n'est pourtant pas un matériel traditionnel parisien — on peut donc dire qu'elle va établir le plus nettement la hiérarchie sociale dans le Paris du XIXe siècle : son apparition est signe d'économie, son traitement reflète l'appauvrissement croissant de la construction. En comparaison, les différences que l'on relève dans la construction en pierre, selon l'originalité de son décor et la dimension de son appareillage, sont beaucoup plus discrètes — comme si l'ensemble de la bourgeoisie, malgré sa hiérarchie propre, voulait affirmer son unité et son autonomie par rapport à la classe ouvrière[2]. »

Les intérieurs subissent aussi des transformations profondes liées à l'industrialisation. La cheminée se transforme dans les années 1840, la cuisinière en fonte moulée apparaît vers 1840-1845, le poêle triomphe et le chauffage central naît sous l'apparence du calorifère. L'eau courante à tous les étages devient une réalité, de même que le gaz, l'électricité se répand vers 1890, mais l'électrification totale des logements ne sera achevée que durant les années 1930. Baignoires, douches et cabinets se généralisent encore moins vite. L'ascenseur sera encore plus lent à s'imposer et la pose d'ascenseurs dans les immeubles du XIXe siècle est encore en prévision en 1995 dans de nombreux cas. Son apparition renverse la hiérarchie des étages, les plus élevés étant désormais les plus appréciés.

• *Le XXe siècle*

« Au triomphe de la pâtisserie succède la passion janséniste des murs dont rien ne rompt la nudité[3] », note André Warnod en 1930. Cette nouvelle esthétique architecturale, baptisée « style international », prétend à une rationalité dépourvue d'élément décoratif. Auguste Perret est un des meilleurs représentants de ces architectes modernistes. Dès le début du XXe siècle, il emploie le béton armé dans un style soulignant les

---

1. F. Loyer, *Paris XIXe siècle, l'immeuble et la rue*, p. 177.
2. *Ibid.*, p. 178.
3. A. Warnod, *Visages de Paris*, p. 336.

éléments structurels rectilignes. La crise économique, le faible nombre de constructions entre 1919 et 1939 épargnent à la capitale les ravages que veulent lui infliger les Le Corbusier, Mallet-Stevens et Perret. Lorsque la revue *Architecture d'aujourd'hui* dresse, à l'occasion de l'Exposition internationale de 1937, la carte des «constructions les plus caractéristiques de l'esprit moderne», elle recense soixante et un immeubles en banlieue et soixante-trois dans la capitale, presque tous dans les opulents quartiers de l'ouest. Le centre historique a été préservé des innovations et conserve son aspect haussmannien.

Ce n'est qu'avec l'expansion économique qui suit la fin de la Seconde Guerre mondiale que les idées des modernistes commencent à être vraiment mises en application, s'appuyant sur le nouveau code de la construction de 1961 et le plan d'urbanisme directeur parisien de 1967. L'Atelier parisien d'urbanisme en rend compte dans *Paris-Projet*, évoquant «les constructions de grande hauteur, aux lignes volontairement dépouillées, avec un souci d'orientation et d'unité de composition [...]. D'où ces trames orthogonales, ces immeubles-tours destinés à pallier par des accents verticaux la monotonie des grandes horizontales, ces compositions rompant volontairement avec le conformisme des lieux avoisinants[1].» Le carnage sera total en banlieue, à Paris il sera arrêté dès 1974 par le nouveau président de la République, Giscard d'Estaing, en accord avec le Conseil municipal qui déplorait: «L'effet des tours sur le paysage quotidien est probablement moins grave que la destruction du tissu parisien non plus sous la forme d'une franche déchirure, mais par la multitude des coups et bosses que lui ont portés, dans le plus grand désordre, les immeubles de douze à quinze niveaux[2].»

Le style international a continué à sévir, mais tend à s'humaniser quelque peu depuis quelques années, recherchant des effets de formes et de couleurs pour atténuer sa sinistre monotonie. On recrée des toitures en zinc après les toitures en terrasses, on limite les abus de l'emploi du verre. Mais, comme le note Norma Evenson, «malgré les appréhensions d'aujourd'hui, et la crainte que tout nouveau bâtiment soit plus laid que celui qu'il remplace, la ville doit, d'une façon quelconque, évoluer[3]».

DE L'ARCHITECTURE A L'URBANISME
LES CONTRAINTES RÉGLEMENTAIRES

C'est l'Italie de la Renaissance qui inspire aux rois de France, avec un siècle de retard, les principes d'ordre et de régularité qui définissent la ville. Jusque-là, les souverains ne se sont guère intéressés qu'à la

1. *Paris-Projet*, 13-14 (1975), p. 37.
2. *Ibid.*, p. 45.
3. N. Evenson, *Paris, les héritiers d'Haussmann*, p. 208.

construction et à l'entretien de l'enceinte défensive, à la viabilité (Philippe Auguste a ordonné le pavage de quelques voies importantes) et à l'évacuation des ordures. Il semble qu'Henri II soit le premier à manifester un souci d'esthétique autoritaire lorsque, par un mandement du 14 mai 1554, il ordonne « la démolition des maisons qui sont hors d'alignement dans Paris[1] ». Cette première notion urbanistique d'alignement est encore largement liée, non pas tant à un désir de beauté et d'harmonie, mais plutôt à la nécessité de faciliter la circulation dans les rues étroites de la capitale, et se rattache beaucoup moins à la Renaissance italienne qu'à des mesures antérieures contre l'encombrement, comme, par exemple, l'arrêt du 5 juillet 1508 interdisant la construction de saillies sur les maisons, interdiction renouvelée moins d'un mois après le texte de mai 1554 par un arrêt du 12 juin.

Il faut attendre le règne d'Henri IV pour que s'affirme nettement une volonté esthétique qui porte la marque d'un véritable urbanisme. Lorsque débute la construction de la rue Dauphine, en 1606, il écrit : « Sur ce que j'ay esté adverty que l'on commence de travailler aux bastimens qui sont en la rue neufve qui va du bout du Pont Neuf à la porte de Bussy, je vous ay bien voulu faire ce mot pour vous dire que je serois très à l'aise que vous fissiez en sorte envers ceuls qui commencent à bastir en ladicte rue, qu'ils fissent le devant de leurs maisons toutes d'un mesme ordre, car cela seroit d'un bel ornement de voir au bout dudict pont ceste rue tout d'une mesme façade[2]. » Cette volonté est réelle et impérieuse : les augustins ayant refusé de vendre la partie de leur terrain sur laquelle la rue Dauphine devait passer, le roi dit au prieur que si son mur n'était pas abattu le lendemain, il viendrait l'ouvrir lui-même à coups de canon.

Pour mettre cette politique nouvelle en application, le roi a créé dès 1603 la charge de Grand Voyer et en a investi son homme de confiance, Maximilien de Sully. Dès le 22 septembre 1600, une ordonnance exige que soit pris l'alignement avant toute construction ou réparation. L'édit du 16 décembre 1607 complète ce dispositif réglementaire, définissant les fonctions et droits du Grand Voyer et interdisant toute construction bordant la voie publique sans « congé et alignement du Grand Voyer ». Ce même édit confirme l'interdiction des constructions en saillies. François Laisney décèle là un objectif d'aller beaucoup plus loin, « vers le schéma de la façade imposée, à l'occasion des projets plus concertés. Le modèle est celui des façades de places flamandes où l'imitation est de règle, en réglant la hauteur des portes, croisées, corniches, étages et autres parties extérieures sur la maison voisine, "de façon que par la succession de temps toutes les maisons d'une rue se rebâtissent selon ce projet, se trouvent semblables et par cette ressemblance et proportion se rendent

---

1. Cité par F. Laisney, *Règle et règlement. La question du règlement dans l'évolution de l'urbanisme parisien, 1600-1902*, p. 1.
2. Cité d'après F. Laisney, *op. cit.*, p. 2.

fort agréables à la vue". Ainsi, par ces textes fondateurs, sont posées les bases d'une action réglementaire sur l'espace urbain qui sera perpétuellement transformée, mais toujours reprise dans ses fondements [1].»

La voirie, l'alignement des maisons sur la voie publique, va être le principal instrument juridique de l'administration d'Ancien Régime avec un critère esthétique comme justification. La servitude d'alignement est l'instrument utilisé pour l'élargissement des rues et le percement de nouvelles voies, car les rues nouvelles se multiplient aux XVIIᵉ et XVIIIᵉ siècles et font chaque fois l'objet d'arrêt du Conseil ou de lettres patentes spécifiant leur largeur.

Un nouveau domaine de réglementation va bientôt être pris en compte : l'ordonnance des trésoriers de France du 18 août 1667 porte pour la première fois «règlement pour la hauteur des maisons dans la ville et fauxbourgs de Paris». Elle interdit «de construire à l'advenir aucuns murs de face ny pans de bois, de hauteur de plus de 8 toises depuis le retz de chaussée des rues jusques à l'entablement...». Ces 8 toises (15,60 mètres) de hauteur maximale sont un nouvel élément de contrainte urbanistique affectant l'architecture parisienne.

Un nouveau pas est franchi à la veille de la Révolution par la combinaison de la largeur des voies et de la hauteur des bâtiments, dans la déclaration royale du 10 avril 1783, que corrigent et précisent les lettres patentes du 25 août 1784. Le gabarit est ainsi fixé : pour une rue de moins de 23 pieds (7,47 mètres sur la base d'un pied arrondi à 32,5 centimètres), la hauteur maximale des maisons est limitée à 36 pieds 11,70 mètres) ; pour des voies larges de 24 à 29 pieds (7,80 mètres), la maison peut s'élever jusqu'à 45 pieds (14,63 mètres) ; pour les rues dépassant 30 pieds (9,75 mètres) de large, une hauteur maximale de 54 pieds (17,54 mètres) est admise. La hauteur des combles est limitée à 10 pieds (3,25 mètres) pour un corps de logis simple et peut atteindre, pour un corps de logis double, jusqu'à 15 pieds (4,88 mètres). Enfin, à l'encoignure des rues d'inégale largeur, la hauteur autorisée est définie par la rue la plus large sur la profondeur du corps de bâtiment ayant face sur la plus grande rue. François Laisney observe : «Ce dernier point introduit une notion morphologique essentielle par rapport à l'idée d'une hiérarchie entre voies et au problème de la jonction entre voies hiérarchiquement inégales [2].» Cette réglementation de 1783-1784 implique la formation d'une ville homogène dont les voies, larges d'au moins 10 mètres, sont bordées de maisons en pierre d'une hauteur moyenne, comble compris, de 20 mètres, ce qui correspond à un type d'immeubles à six niveaux auxquels s'ajoute un sixième étage en partie inclus dans le profil du comble. Le promeneur qui lève la tête et observe quelque peu

1. F. Laisney, *Règle et règlement. La question du règlement dans l'évolution de l'urbanisme parisien, 1600-1902*, p. 3.

2. *Ibid.*, p. 14.

les maisons édifiées avant 1914 s'aperçoit très vite que la construction parisienne correspond très largement aux critères énoncés sous Louis XVI. En effet, Haussmann, inspirateur du gigantesque plan de remodelage de la capitale, par le décret du 27 juillet 1859, reprend le gabarit de 1784 : 11,70 mètres de hauteur maximale pour les maisons bordant des voies de moins de 7,85 mètres de large ; 14,60 mètres pour des rues de 7,85 mètres à 9,75 mètres de large ; 17,55 mètres pour les rues encore plus larges. Il ajoute toutefois, dans ce décret, un type nouveau pour les vastes artères qu'il est en train de faire percer : « Toutefois, dans les rues et boulevards de 20 mètres et au-dessus, la hauteur des bâtiments peut être portée jusqu'à 20 mètres, mais à charge pour les constructeurs de ne faire en aucun cas au-dessus du rez-de-chaussée plus de cinq étages carrés, entresol compris. » Le boulevard haussmannien apparaît ici totalement lié à l'idéal esthétique du XVIIIe siècle finissant, car il permet de construire plus haut mais sans augmenter le nombre d'étages. François Laisney précise : « 17,50 mètres ou 20 mètres peuvent être considérés non comme une hauteur maximale à ne pas franchir, mais bien plutôt comme un objectif monumental qu'il est recommandé et souhaité d'atteindre ! La hantise d'Haussmann sera que les maisons soient trop basses, qu'elles soient sous le gabarit. Il se plaint de ne pas arriver à faire respecter la construction de toute hauteur. On voit pourquoi il trouve partie liée avec la spéculation, qui cherche à construire un volume maximum, et réalise ainsi son idéal esthétique [1] ! »

La réglementation haussmannienne va subir des retouches de détail : décret du 22 juillet 1882 de réforme des saillies, décrets de 1884 sur la configuration des combles et des cours intérieurs. Le décret du 13 août 1902, élaboré sous l'impulsion de Louis Bonnier, s'efforce d'apporter davantage de liberté dans le carcan architectural qui enferme désormais la construction à Paris. Il s'inscrit dans la tradition par la densité bâtie autorisée, mais il inaugure une rupture avec l'étalonnement du rapport des voies, enregistre les changements technologiques et apporte de nouvelles libertés. Le droit de bâtir s'inscrit à l'intérieur d'un « espace-enveloppe ». Les innovations techniques sont nombreuses dans le calcul de la proportionnalité entre largeur de la voie et hauteur des immeubles et la fantaisie laissée au constructeur pour l'utilisation de l'intérieur du comble. Les retraits volontaires des façades sont encouragés pour rompre la monotonie de l'alignement, de même que les saillies, et le « bow-window » ou encorbellement, limité au tiers de la façade, va se généraliser. « Point de départ de la réforme, les saillies vont effectivement marquer le paysage urbain par leur importance. Leur empilement vertical va l'emporter sur l'alignement traditionnel des balcons. De lourdes consoles de pierre sur tout un étage décollent la façade du nu de

1. F. Laisney, *Règle et règlement. La question du règlement dans l'évolution de l'urbanisme parisien, 1600-1902*, p. 24.

référence. A la limite, toute la façade devient ondulante, vient chercher la vue sur les voies. Le trottoir est surplombé par cette lourde surface ajourée, par plusieurs plans successifs en porte-à-faux. Il n'est pas d'architecture plus urbaine. La façade sur rue de l'immeuble après 1902, en dehors de l'aspect stylistique, atteint une sorte de perfection technique, d'opulence inégalée, qui durera jusqu'en 1914. Cette réglementation complexe, minutieuse, très sophistiquée sur les saillies, est le résultat de toute une série d'observations, de considérations d'objectifs par rapport au décor urbain de la rue, aux difficultés rencontrées par les architectes, à un profond désir de représentation urbaine. La perception de la rue change notablement par rapport à l'haussmannisme. Chaque façade devient œuvre d'art faite pour être regardée de près, du trottoir, par en dessous — les croquis de Bonnier en témoignent —, une pièce monumentale de sculpture urbaine qui se détache sur le ciel. La perception de la voie en perspective n'est plus évoquée : elle est même contredite [1]. »

Au lendemain de la Grande Guerre, la construction languit, les innovations se situent dans le style et les matériaux. Les coefficients d'occupation des sols, la création de sites protégés bouleversent le paysage architectural. Les règlements successifs font surtout apparaître une augmentation continue de la hauteur maximale, qui est portée en 1958 à 31 mètres dans les arrondissements du centre et à 37 dans ceux de la périphérie. La règle du coefficient d'occupation des sols, qui impose un rapport d'un et demi à trois entre la surface de la parcelle et la surface de plancher hors œuvre, s'accommode de la poussée en hauteur si l'emprise au sol est réduite. Cette densification est particulièrement importante dans les arrondissements périphériques : de 1954 à 1974, 8 millions de mètres carrés de plancher ont été démolis et remplacés par plus de 21 millions. De 1974 à 1993, près de 20 nouveaux millions de mètres carrés ont été gagnés. Ces gains se situent largement à des endroits où les constructions étaient récentes et plutôt médiocres, ce qui fait que la catastrophe architecturale est relativement limitée. Depuis 1974, l'opinion publique est de plus en plus sensible à cette densification abusive et l'État lui-même a entrepris de la freiner, mais la municipalité a compensé cette perte financière par l'octroi d'un nombre excessif d'autorisations de transformations de locaux d'habitation en immeubles de bureaux.

L'URBANISME

• L'Ancien Régime

Le Moyen Âge, on l'a déjà dit, n'a guère connu que les prémices de l'urbanisme : le pavage des voies les plus importantes, une distribution

---

1. F. Laisney, *Règle et règlement. La question du règlement dans l'évolution de l'urbanisme parisien, 1600-1902*, p. 52-53.

d'eau embryonnaire et très insuffisante grâce à quelques fontaines, un service de nettoiement des voies publiques pour lequel a été instaurée en 1506 une taxe des «boues et lanternes», un éclairage public très insuffisant. Jusqu'à la fin du XVIᵉ siècle, les souverains, pourtant épris de l'urbanisme de l'Italie de la Renaissance, doivent se contenter de décors éphémères, arcs de triomphe, figures mythologiques à l'occasion des entrées royales, tout un décor de plâtre et de toile, simulacres d'une harmonie et d'une beauté que la ville de Paris est bien loin de présenter.

Henri IV est le premier à réaliser une œuvre urbanistique en créant des places sur le modèle italien. C'est d'abord la place Royale, dite aujourd'hui des Vosges, dont le plan carré est vraisemblablement l'œuvre de Louis Métezeau, fermée à la circulation des voitures sur trois de ses quatre côtés. Le lotissement est entrepris en 1605 et la construction débute en 1607. A la fois théâtre d'architecture et cité-jardin, la place Royale est inaugurée avec le grand carrousel de 1612. Avant même qu'elle soit achevée, le roi décide, sans doute vers la fin de 1606, de faire aménager les terrains vagues se trouvant entre le Pont Neuf enfin terminé et le Palais (de justice). En 1608, il concède cet espace au premier président au Parlement Achille de Harlay, à charge pour ce dernier de faire bâtir trente-deux maisons entourant une place triangulaire, peut-être dessinée par Claude de Chastillon. C'est la place Dauphine, aujourd'hui dénaturée par la destruction de la base du triangle, de la rue Harlay, et par les transformations, notamment les surélévations imposées aux bâtiments. Seules les deux maisons de la place du Pont Neuf, convenablement restaurées, correspondent au programme initial.

Vers la fin de 1608, Henri IV lance le projet d'une troisième place, conçue par Jacques Alleaume et Claude de Chastillon et prévue sur la couture du Temple. Elle devait être appelée la place de France, affecter une forme en demi-cercle et des rues portant le nom de provinces françaises devaient en rayonner. L'assassinat du souverain interrompt un projet dont les rues de Bretagne, de Poitou et de Saintonge conservent l'amorce.

On doit au ministre préféré et confident d'Henri IV la première promenade publique des Parisiens. Grand maître de l'artillerie, résidant à l'Arsenal, Sully fait installer au bord de l'eau un jeu de «paillemail» bordé de deux rangées d'ormes. Le mail de l'Arsenal est bientôt suivi par une deuxième promenade : en 1616, Marie de Médicis fait transformer le chemin de Chaillot, à l'ouest des Tuileries, en une splendide promenade, à l'imitation des «Cascine» du bord de l'Arno à Florence. C'est le Cours-la-Reine, qui s'étend de l'actuelle place de la Concorde à la place de l'Alma, sur une longueur d'un kilomètre et demi. Ce cours est bordé de fossés, fermé par une grille à chaque extrémité, planté d'ormes, un rond-point est aménagé au milieu pour permettre aux carrosses de tourner, à l'emplacement de la place du Canada actuelle.

La pratique des lotissements se répand sous Louis XIII et respecte des règles strictes d'urbanisme : voies droites, d'une largeur d'environ 8 mètres compatible avec la typologie des hôtels ou maisons de rapport à hauteur limitée qui les bordent. L'île Saint-Louis est le plus admirable et le mieux conservé de ces lotissements. Les deux îles Notre-Dame et aux Vaches, qu'un fossé artificiel avait séparées vers 1360, étaient dépourvues d'habitations au début du XVIIᵉ siècle et servaient de terrain de pâture à quelques vaches ou de lieu de séchage du linge pour les lavandières. En 1614, Christophe Marie et ses associés, Poulletier et Le Regrattier, obtiennent la concession des deux îles, s'engagent à les réunir et à les relier par un pont, le pont Marie, à la rive droite. Le lotissement se fait à partir de deux axes se coupant à angle droit, les rues Marie (des Deux-Ponts aujourd'hui) et Saint-Louis. Les plus beaux hôtels ne furent édifiés qu'à partir de 1638.

Sur la rive droite, une autre opération importante de lotissement se déroule durant les années 1630, sous l'impulsion de Richelieu qui donne son nom au nouveau quartier, dit aussi des Fossés-Jaunes. Les rues de Richelieu et Neuve-des-Petits-Champs ou Croix-des-Petits-Champs en forment l'axe. Entre 1667 et 1677, au sud de la rue des Petits-Champs, deux buttes, la butte naturelle Saint-Roch et la butte des Moulins, formée de déblais, sont arasées pour permettre leur lotissement et la création de douze nouvelles rues. L'entrepreneur Michel Villedo semble avoir été un des principaux promoteurs de cette opération et Lully acquit plusieurs terrains, dont un servit à l'édification de sa maison.

Sur la rive gauche, la première occasion de lotissement se présente en 1615, à la mort de Marguerite, première épouse d'Henri IV. Son domaine, large de 70 à 200 mètres, de la Seine à l'actuelle rue de l'Université, s'étend sur près d'un kilomètre de long de la rue de Seine à celle de Bellechasse. En 1622, cinq « partisans », des financiers, unissent leurs moyens pour acheter et lotir ce vaste espace qui va donner naissance au faubourg Saint-Germain, formé de deux rues parallèles, les rues de Bourbon (de Lille actuelle) et de Verneuil, que coupent à la perpendiculaire la Petite-Rue de Seine (actuelle rue Bonaparte), les rues de la Charité (aujourd'hui des Saints-Pères), de Beaune, du Bac, de Poitiers, de Bellechasse.

La politique des places royales reprend sous Louis XIV et Louis XV. Un courtisan fortuné, le maréchal de La Feuillade, entreprend en 1685 la création d'une place sur laquelle il fait ériger dès 1686 une statue du Roi-Soleil. Dessinée par Jules Hardouin-Mansart, cette place présente un programme architectural somptueux, bien plus riche que celui des places Royale et Dauphine. « Habit de cour de l'architecture française » selon l'architecte François Blondel, elle faisait référence aux ordres antiques : arcades pleines au rez-de-chaussée ; deux étages au-dessus, dont un étage noble très marqué, reliés par un grand ordre de pilastres ioniques. La place des Victoires, complètement défigurée aujourd'hui par le percement de rues, avait, à l'origine, la forme d'un fer à cheval et trois rues seulement débouchaient vers son centre, ce qui justifie ses dimensions modestes, 20 toises ou 39 mètres de rayon, et le groupe royal à qui était destiné ce bijou, haut de 12 mètres, se trouvait dans un rapport de un à trois depuis la circonférence, ce qui lui donnait une importance exceptionnelle.

Louvois et Jules Hardouin-Mansart sont à l'origine de la place Vendôme, elle aussi conçue pour célébrer la gloire de Louis XIV. C'est sur l'emplacement de l'hôtel de Vendôme et du couvent des capucins qu'elle est édifiée. L'arrêt du Conseil du 2 mai 1686 précise que les acheteurs devront se conformer pour les façades au modèle retenu par le roi. Rectangle de 78 toises (152 mètres) sur 86 toises (177 mètres), la place Vendôme est un échec financier, les lots trouvant difficilement preneurs. Elle est loin d'être achevée lorsqu'en 1699, Louis XIV décide de la modifier et de lui donner la forme octogonale qu'elle affecte aujourd'hui. Réduite à 140 mètres sur 124, elle est fermée et ne communique avec l'extérieur que par des goulets conduisant à la rue Saint-Honoré au sud et à celle des Capucines au nord. Une immense statue équestre du souverain en occupe le centre.

La place Louis XV (de la Concorde) est issue de projets contradictoires de Boffrand, de Contant et de Gabriel. Sa réalisation est très lente : le projet hybride est approuvé le 9 décembre 1755, mais en 1774, à la mort du roi, seules les façades des deux hôtels sont édifiées. La rue Royale, qui les sépare, la seule voie à donner accès à la place, se construisait encore à la veille de 1789.

Vers 1782, Sébastien Mercier écrit dans son *Tableau de Paris* : « Depuis trente ans, on a bâti dix mille maisons nouvelles ; la maçonnerie a recomposé un tiers de Paris ; on a spéculé sur les terrains, on a fait venir des régiments de Limousins. » Mais cette extraordinaire fièvre de construction ne se fait pas sous la forme de vastes lotissements, elle est le fait de spéculations individuelles, notamment sur la rive droite où la chaussée d'Antin, les Porcherons, la Nouvelle-France (ou faubourg Poissonnière) se couvrent de somptueuses demeures.

Sur la rive gauche, beaucoup moins développée, l'intervention monarchique est beaucoup plus forte. La construction des Invalides durant les années 1670, celle de l'École militaire dans les années 1760 donnent une impulsion considérable à la construction des particuliers qui s'intègre dans le réseau d'avenues dessinées par les architectes du roi et de la ville, sous la tutelle du directeur général des bâtiments du roi, du lieutenant de police, des trésoriers de France responsables de la voirie, et du Bureau de la Ville. Le seul lotissement important se fait à la veille de la Révolution sur les jardins de l'hôtel de Condé et donne naissance au quartier de l'Odéon, dominé par le théâtre du même nom, et dont le triangle est découpé par la rue de l'Odéon et, de part et d'autre, les rues Crébillon et Casimir-Delavigne.

Les progrès des équipements collectifs sont importants aux XVIIᵉ et XVIIIᵉ siècles. La multiplication des fontaines est insuffisante pour répondre aux besoins d'une population qui s'accroît rapidement et c'est très largement l'eau de la Seine qui désaltère les Parisiens, grâce à des pompes, celle de la Samaritaine construite sous le règne d'Henri IV, celles de Notre-Dame et de la Tournelle, mises en service sous Louis XIV, et les puissantes « pompes à feu » (à vapeur) des frères Périer de Chaillot et du Gros-Caillou, mises en place dans la décennie 1780. Si le réseau des égouts s'est agrandi avec la ville, il ne s'est guère amélioré. En revanche, les lieutenants de police ont porté une attention particulière à l'amélioration de l'éclairage public, condition indispensable à la diminution de l'insécurité nocturne. Le pavage des rues s'est généralisé, mais les premiers trottoirs ne sont mis en place que dans les années 1780 dans le lotissement de l'Odéon. L'évacuation des ordures reste un grave problème et la boue parisienne était célèbre, permettant à une armée de décrotteurs de gagner leur vie. Les transports publics en commun étaient inexistants après l'échec des carrosses à 5 sols de Pascal. Seuls existaient, à la veille de la Révolution, les fiacres, au nombre d'environ deux mille, ancêtres de nos taxis.

A la veille de la Révolution, Paris pouvait s'enorgueillir d'un bel ensemble de jardins et de promenades. Les étrangers en parlaient avec admiration. Une Italienne écrivait : « Rien d'aussi délicieux que ces jardins ; les arbres y sont hauts et touffus ; les feuilles d'un vert qui recrée la vue. La nature obéit sans résistance à la volonté du jardinier [1]. » Depuis le départ de la monarchie pour Versailles, le jardin des Tuileries était ouvert au public. Le jardin dit « de l'Infante », à l'extrémité orientale du Louvre, celui du Luxembourg sont aussi des jardins royaux ouverts au public, de même que le Jardin des Plantes. Le jardin du Palais-Royal, propriété du duc d'Orléans, était un lieu de vie publique intense d'où partiront les premiers mouvements révolutionnaires. Il existait aussi une foule de promenades ombragées : les boulevards, les Champs-Élysées, le cours de Vincennes, le mail de l'Arsenal…

Des réalisations urbanistiques partielles et locales ont été accomplies sous l'Ancien Régime, mais les vues d'ensemble n'ont pas manqué, des projets d'aménagement global de Paris et de contrôle de son extension, comme l'attestent notamment les bornages de 1724 et 1728. L'idée première semble devoir être attribuée au prévôt des marchands Claude Le Peletier. Il déclare, le 18 mars 1675, devant l'assemblée municipale, qu'il a « considéré l'avantage que l'on pouvait espérer d'un plan exact et fidèle de Paris, sur lequel on marquerait les changements qui pourraient y être faits dans la suite pour la commodité publique, pour faciliter les communications des quartiers et pour l'embellissement de cette ville [2]. »

---

1. Cité par P. Lavedan, *Nouvelle Histoire de Paris. Histoire de l'urbanisme à Paris*, p. 292.
2. *Ibid.*, p. 303.

La confection de ce plan est confiée à Pierre Bullet, « architecte du roy et de la ville », sous la conduite de François Blondel, « maréchal de camp aux armées du roy, directeur de l'Académie royale d'architecture ». Achevé dès 1676, ce plan est déposé à l'Hôtel de Ville « pour être exécuté dans les occasions qui se présenteront », et le Bureau de Ville déclare, le 7 août 1676 : « Le maître des œuvres sera chargé d'avertir Messieurs les Prévôts et Échevins lorsqu'il y aura quelque occasion d'exécuter le plan par caducité des maisons qui se trouveront à retrancher pour l'élargissement des rues. » Le maître des œuvres devra aussi interdire toute construction qui « puisse retarder ou rendre plus difficile l'exécution dudit plan ». Au XVIIIe siècle, l'urbanisme entre dans le domaine de la discussion publique, écrivains et architectes multipliant les projets sans hésiter à les exposer dans de nombreuses publications. C'est notamment le cas des architectes Pierre Patte et Pierre Louis Moreau, d'auteurs comme Voltaire avec ses *Embellissements de Paris* (1749), Guillaume Poncet de La Grave avec *Projet des embellissements de la ville et des faubourgs de Paris* (1756), de Sébastien Mercier dans *L'an 2440* (1770). La monarchie absolue n'a ni la volonté, ni le temps, ni les moyens financiers d'ébaucher une quelconque réalisation. Quant au « Plan des artistes », conçu par une commission entre 1794 et 1797, il se limite à un projet d'amélioration du réseau des voies de la capitale par la percée de nouvelles rues à l'emplacement des biens nationaux confisqués à l'Église catholique et aux émigrés.

• *Les XIXe et XXe siècles*

L'afflux massif de population va contraindre les autorités à affronter le problème d'une restructuration de la ville : aux cent mille nouveaux habitants du XVIIIe siècle s'en ajoutent cent soixante-dix mille entre 1801 et 1817, cent cinquante mille durant les vingt années suivantes et cent quatre-vingt-cinq mille dix ans plus tard. En 1846, Paris dépasse le million d'âmes. La répartition de cette population est extrêmement inégale. Le triplement de la surface du Paris de Louis XIV par la création de l'enceinte des Fermiers généraux à la veille de 1789 n'a pas eu pour conséquence l'étalement de l'habitat. Si la ville a continué son expansion vers le nord, où elle atteint Montmartre, d'immenses secteurs restent presque inhabités du côté de Monceau et de l'Étoile ou vers La Villette et la place de la Nation, tandis que la rive gauche demeure à peu près vide au Champ-de-Mars, à Montparnasse, à proximité de la Salpêtrière. « Sur certains points, la densité dépasse les cent mille habitants au kilomètre carré, sur d'autres, elle n'atteint pas le millier. En fait, la ville ne sort pas de ses anciennes limites, qu'elle continue à densifier de façon inconsidérée — au détriment de toute salubrité [1]. »

---

1. F. Loyer, *Paris XIXe siècle, l'immeuble et la rue*, p. 73.

Napoléon Ier s'est surtout intéressé aux réalisations de prestige, extension et dégagement du Louvre, grand axe ouest-est avec l'amorce de la rue de Rivoli, perspectives monumentales avec l'arc de triomphe de l'Étoile, l'éléphant de la Bastille. Ce n'est qu'à partir de la crise de 1811 qu'il commence à prendre en compte les problèmes de la population. Il le reconnaît à Sainte-Hélène, tout en essayant de faire retomber la responsabilité de cette attitude sur ses subordonnés : « S'agissait-il des palais impériaux [...], on courait à pleines voiles ; mais s'agissait-il de prolonger le jardin des Tuileries, d'assainir quelques quartiers, de désobstruer quelques égouts, d'accomplir un bien public [...], il fallait tout mon caractère, écrire six, dix lettres et se fâcher tout rouge[1]. » A son actif, il faut porter le pavage de nombreuses rues, des trottoirs, les passages couverts, la réfection des quais, l'ouverture de cimetières hors de l'agglomération, la création des premiers grands égouts et la multiplication des fontaines, un effort sensible de construction et de rénovation de halles et de marchés. Mais les dépenses pour la guerre empêchent de consacrer davantage d'argent aux travaux d'utilité publique.

La Restauration et la Monarchie de Juillet ne manquent pas de ressources, mais l'audace et l'imagination font défaut, malgré les qualités réelles des préfets de la Seine, Gilbert Joseph Gaspard Chabrol de Volvic (en poste de 1815 à 1830) et Claude Philibert Barthelot, comte de Rambuteau (préfet de 1833 à 1848). Chabrol de Volvic confie aux financiers la réalisation de grands lotissements : quartier François-Ier, près des Champs-Élysées, en 1823, qui s'inspire des squares et des cottages londoniens pour un paysage pavillonnaire de luxe ; quartiers Saint-Vincent-de-Paul et de l'Europe en 1824, puis Beaugrenelle et Passy.

François Loyer observe que la conquête d'espaces nouveaux à la périphérie n'est pas la seule transformation qui affecte la capitale sous la Restauration : « Tout aussi important se révèle le glissement de l'hypercentre en dehors de l'enceinte médiévale : le cœur de Paris n'est plus seulement aux Halles ou au Palais-Royal, dans ce périmètre étroit où cohabitent loisirs et commerces de subsistance ; il s'étend maintenant aux grands boulevards de la rive droite — de la Madeleine au Temple. C'est là, sur les promenades plantées au XVIIIe siècle, sur l'emplacement des anciens remparts de Louis XIV, que se regroupent les cafés mondains (le Café Anglais, la Maison Dorée ou Tortoni, sur le boulevard des Italiens), ainsi que la plupart des théâtres. Abandonnant la rive gauche, Paris a poussé au nord, à tel point que les anciens boulevards ont pu en devenir le centre[2]. »

Cette même époque voit naître la banlieue, « car, dès les années 1825-1830, les villages de la couronne connaissent, sur leurs vieux centres, une

---

1. Cité par P. Lavedan, *Nouvelle Histoire de Paris. Histoire de l'urbanisme à Paris*, p. 329.
2. F. Loyer, *Paris XIXe siècle, l'immeuble et la rue*, p. 84.

forte urbanisation, ils se couvrent d'immeubles à trois ou quatre étages qui donnent à quelques rues (comme la rue de Passy) une image de centre très affirmée. Ailleurs, les hésitations sur le gabarit montrent l'accélération de la spéculation : ainsi, rue de Flandre, où les gabarits passent, d'une maison à l'autre, de un à trois étages. Dans d'autres secteurs comme la Butte-aux-Cailles, le tissu rural se maintient en se bourrant de façon totalement anarchique (ce qui est aussi le cas, par exemple, pour Montmartre). Enfin, tout l'espace disponible entre deux villages finit par se remplir de constructions basses (généralement à un étage) dont des traces extrêmement nombreuses subsistent encore de nos jours : ce sont là aussi des baraques en pans de bois, d'architecture sommaire, couvertes à l'origine de toits de tuile et dont la façade de plâtre s'orne immanquablement d'une moulure de chambranle à chaque ouverture (ainsi que du traditionnel bandeau d'appui). Cette occupation est d'un caractère quelquefois si sommaire qu'elle tourne au bidonville (par exemple, rue Vitruve, près de la place de la Réunion, à Charonne). Avec la tradition rurale d'Île-de-France, elle est en totale continuité : ceci explique, à travers les mutations du bâti, la préservation si attirante de certaines ambiances "villageoises" dans les quartiers extérieurs [1]. »

Les travaux entrepris par le préfet Rambuteau amorcent déjà l'œuvre d'Haussmann. Il ouvre des voies nouvelles dans une ville engorgée aux rues encore trop souvent d'une étroitesse médiévale : cent douze, selon le *Dictionnaire* des frères Lazare. Certaines sont de véritables percées, notamment les rues d'Arcole et de Constantine qui amorcent l'éventrement de l'île de la Cité et la rue Rambuteau dans le prolongement de la rue des Francs-Bourgeois dans le Marais. « De l'eau, de l'ombre, voilà ce que je dois aux Parisiens », disait Rambuteau. Sa passion pour la verdure, tellement rare dans la capitale, le préfet la marque par la création du premier square, celui de l'archevêché, sur le flanc sud de Notre-Dame, à l'emplacement de la résidence archiépiscopale incendiée lors d'une émeute en 1831. Le volume d'eau disponible quadruple sous son administration, passant de 28 litres par habitant à 110. S'il ne néglige pas d'orner la ville de fontaines monumentales, il sait aussi l'importance de la multiplication des points d'eau, ces modestes bornes-fontaines dont le nombre fait plus que décupler, de cent quarante-six en 1830 à près de deux mille en 1848. C'est également sous Rambuteau que sont implantées les premières gares de chemin de fer et que se construit l'enceinte fortifiée voulue par Thiers. Les travaux utilitaires l'emportent largement dans ce bilan où les monuments de prestige sont rares : symboles phalliques de la Bastille et de la Concorde, la colonne et l'obélisque, prestigieux mais peu coûteux, agrandissement indispensable de l'Hôtel de Ville, amorce de la construction de nouvelles Halles.

---

1. F. Loyer, *Paris XIXᵉ siècle, l'immeuble et la rue*, p. 104.

Lorsque la Monarchie de Juillet s'effondre en février 1848, tout le monde est depuis longtemps d'accord pour reconnaître que Paris est une ville malade. Alors que la périphérie est faiblement peuplée, le centre atteint des records mondiaux : les quartiers des Arcis et de Sainte-Avoye, dans l'actuel IIIe arrondissement, comptent huit cents habitants à l'hectare en 1817, huit cent cinquante en 1831, neuf cent soixante en 1851, soit près de cent mille personnes au kilomètre carré. Ce surpeuplement extraordinaire est associé à des conditions d'habitat et d'hygiène déplorables qui expliquent largement les ravages des épidémies de choléra. La densification s'accroît constamment, les propriétaires profitant de l'absence de réglementation pour les bâtiments sur cour pour accroître sans cesse la hauteur de ceux-ci. Frégier l'observe en 1840 : « Les propriétaires abusent de la manière la plus fâcheuse du silence du règlement pour donner aux bâtiments qu'ils élèvent dans les cours de leurs maisons une hauteur démesurée, jusque-là qu'il n'est pas rare de voir des emplacements de très peu d'étendue entourés de corps de logis de six ou sept étages [1]. » Les témoignages sur l'insalubrité et les aspects infects de cet habitat surpeuplé sont nombreux. Frégier écrit : « Parfois la cour n'a que 4 pieds (1,20 mètre de côté) et se trouve remplie d'ordures. C'est sur elle que s'ouvrent les chambres ; les latrines crevées au sixième laissent tomber des matières fécales sur l'escalier, qui en est inondé jusqu'au rez-de-chaussée [2]. » Eugène Sue, plus lyrique, décrit ainsi l'île de la Cité : « Les maisons couleur de brique se touchaient presque par le faîte tant les rues y étaient étroites. De noires, d'infectes allées conduisaient à des escaliers plus noirs, plus infects encore et tellement perpendiculaires que l'on pouvait à peine les gravir à l'aide d'une corde fixée à la muraille par des crampons de fer [3]. » Vers 1840, le Conseil municipal, conscient de la fuite des habitants aisés vers la périphérie et de la clochardisation du centre, s'émeut du « déplacement de Paris » et constitue une commission pour arrêter ce processus. Des diagnostics sont établis, des propositions sont faites. Il appartiendra au second Empire d'agir.

Disposant d'un pouvoir pratiquement absolu, du moins durant les premières années de son règne, Napoléon III est passionné par les questions sociales et désireux de faire œuvre d'urbaniste. Il trouve un indispensable auxiliaire dans son préfet de la Seine, Georges Eugène Haussmann. Grâce à un arsenal législatif et réglementaire déjà évoqué, grâce à des expropriations massives mais largement payées avec le produit d'emprunts importants, Paris va être transformé en moins de vingt ans. Ce qui frappe au premier abord dans l'urbanisme de cette

---

1. H. A. Frégier, *Des classes dangereuses de la population dans les grandes villes et des moyens de les rendre meilleures*, II, p. 151.
2. *Ibid.*
3. E. Sue, *Les Mystères de Paris*.

époque, c'est le percement de voies et de places permettant la circulation et sauvant Paris de l'asphyxie jusqu'à nos jours. C'est cet éventrement de la capitale qui a aussi frappé au premier chef les contemporains. Totalement engorgée, d'une vétusté médiévale, l'île de la Cité subit une chirurgie de choc, un éventrement et une destruction à peu près totale, seules quelques maisons de la rue Chanoinesse et une partie de la place Dauphine échappent à la pioche des démolisseurs. A la place s'élèvent les bâtiments administratifs de la caserne de la Cité (aujourd'hui préfecture de police), du tribunal de commerce, de l'Hôtel-Dieu, la cathédrale Notre-Dame s'ouvrant désormais sur un immense et sinistre parvis conçu comme le terrain d'exercice des militaires de la caserne voisine.

La «croisée» de Paris, la rencontre des axes est-ouest et nord-sud de la capitale au Châtelet, avait presque disparu et Napoléon Ier n'avait fait qu'esquisser sa reconstitution avec la percée de la partie occidentale de la rue de Rivoli, aux abords des Tuileries et du Louvre. Le neveu de l'Empereur continue la trouée vers l'est, vers la rue Saint-Antoine. L'axe nord-sud existait encore, double sur la rive droite avec les rues Saint-Martin et Saint-Denis, bien tracées mais étroites. Il aurait fallu exproprier un côté de ces voies pour démolir et élargir. A cette solution coûteuse, Napoléon III préfère l'ouverture d'une nouvelle et vaste artère tranchant dans le tissu urbain et permettant la destruction de nombreux taudis. C'est le boulevard de Sébastopol, inauguré le 5 avril 1858. Haussmann s'en réjouit dans ses *Mémoires* : « C'était l'éventrement du vieux Paris, du quartier des émeutes, des barricadiers par une large voie centrale perçant de part et d'autre ce dédale impraticable. La rue Transnonain disparut de la carte de Paris. » Considérations sociales, humanitaires, politiques et stratégiques apparaissent ici intimement associées. Afin de situer la place du Châtelet dans l'axe du nouveau boulevard, on l'agrandit, la régularise, déplace légèrement la fontaine du Palmier de Napoléon Ier et la flanque de deux théâtres symétriques nouvellement bâtis. La place de l'Hôtel-de-Ville subit un traitement semblable, avec la création de l'avenue Victoria bordée d'édifices administratifs, tandis que, derrière l'Hôtel de Ville, s'érigent les casernes Lobau et Napoléon. Le boulevard du Palais prolonge le boulevard de Sébastopol dans l'île de la Cité et, sur la rive gauche, l'axe de la rue Saint-Jacques est doublé par le boulevard Saint-Michel qui reprend le tracé d'une voie romaine. Une ébauche de croisée de la rive gauche est esquissée avec la rue des Écoles, mais sa pente trop forte lui fait préférer un nouvel axe bien plane, le boulevard Saint-Germain que les rues de Rennes et Monge relient aux nouveaux boulevards de la rive gauche, la rocade formée par les anciens boulevards des Invalides et du Montparnasse unis au boulevard de l'Hôpital par les créations haussmanniennes des boulevards de Port-Royal et Saint-Marcel.

C'est surtout sur la rive droite que s'exerce l'urbanisme du second Empire. Pour la desserte des gares, situées entre Grands Boulevards et boulevards extérieurs, de nouvelles voies sont indispensables. Ce sont, pour la gare de Rouen ou Saint-Lazare, les rues de Rome, d'Amsterdam, Saint-Lazare, du Havre; pour la gare du Nord, les rues La Fayette, de Denain, de Compiègne, de Saint-Quentin; pour la gare de l'Est, le boulevard de Strasbourg, les anciennes rues Saint-Martin et Saint-Denis; pour la gare de Lyon, le boulevard Mazas (Diderot aujourd'hui) et la rue de Lyon. Sur la rive gauche, les liaisons sont assez mal venues: boulevard de l'Hôpital seulement pour la gare d'Orléans ou d'Austerlitz, rue de Rennes, butant sur Saint-Germain-des-Prés, pour la gare de Rennes ou Montparnasse.

Les boulevards haussmanniens se caractérisent par leur largeur, exceptionnelle pour l'époque, leurs grands carrefours et les places rayonnantes qui les ponctuent: place de la Madeleine avec la rue Royale, les boulevards de la Madeleine et Malesherbes; place de l'Opéra avec la rue de la Paix, les boulevards anciens des Capucines et des Italiens, l'avenue de l'Opéra, la rue du Dix-Décembre (du Quatre-Septembre); place du Château-d'Eau (de la République) avec quatre voies anciennes, boulevards Saint-Martin, du Temple, rues du Temple et de Belleville (du Faubourg-du-Temple), auxquelles Haussmann ajoute rue de Turbigo, boulevard du Nord (de Magenta), boulevard des Amandiers (avenue de la République), boulevard du Prince-Eugène (Voltaire). D'autres carrefours secondaires ont aussi vu le jour à cette époque, les places Voltaire et de l'Alma notamment.

Un urbanisme bien conçu pour une ville aussi importante que Paris ne pouvait s'arrêter aux limites de la barrière des Fermiers généraux des années 1780. L'expansion récente de la banlieue faisait naître de nouveaux problèmes. C'est pour pouvoir les maîtriser que l'administration impériale porte la frontière de la capitale sur les fortifications de 1840, donnant ainsi à la ville, à peu de chose près, sa frontière actuelle.

Des opérations d'urbanisme spécifique remodèlent cette banlieue annexée. Ce sont d'abord des boulevards à l'emplacement de l'enceinte caduque des Fermiers généraux, nouvel anneau essentiel pour la circulation. L'ouest est structuré par de nouvelles voies: rues Michel-Ange et Mozart (avenue aujourd'hui) reliant les anciennes rues d'Auteuil et de Passy, axes des anciens villages, mais aussi axe perpendiculaire de la rue Molitor prolongée par la rue Mirabeau, tandis que Passy obtient une liaison avec le bois de Boulogne à travers le parc de la Muette par les avenues du Ranelagh, Ingres et Prudhon.

Plus au nord, un nouveau quartier est créé entre Passy et les Batignolles, celui de la Plaine-Monceau, sillonné par de belles artères orientées vers l'extérieur ou vers le centre: avenue de Neuilly (de Villiers), avenue de Wagram, boulevard Malesherbes, se coupant sur des places, Pereire, du Brésil, Malesherbes. Le nouveau quartier est relié aux Batignolles par les rues Ampère et Jouffroy, le boulevard Pereire. D'autres quartiers se constituent au nord, à proximité de Montmartre : au croisement du boulevard Ornano avec les rues Ordener et Championnet, autour du marché Saint-Pierre, le long de la rue Caulaincourt qui contourne la butte, vers la place Hébert à La Chapelle.

C'est le long des boulevards tracés à l'emplacement de l'enceinte des Fermiers généraux qu'Haussmann crée les places les plus belles : place du Roi-de-Rome (puis du Trocadéro et de Chaillot) avec les six artères qui en rayonnent, place de l'Étoile avec ses douze avenues, place de la Nation et place d'Italie. La statistique traduit éloquemment l'essor du réseau de rues sous le second Empire : 175 kilomètres, un cinquième de voies nouvelles, pour un réseau total de 845 kilomètres en 1869.

Les progrès des équipements collectifs sont tout aussi impressionnants à cette même époque. Napoléon III s'attache à la création de jardins nouveaux avec l'aide d'Adolphe Alphand. Les créations les plus modestes, mais les plus proches des usagers, sont les squares, créés dans les zones les plus densément peuplées du centre : squares de la Tour-Saint-Jacques, du Temple, des Innocents, Sainte-Clotilde, Louvois, de Vintimille, de Montholon, Louis-XVI, des Invalides, de la Trinité, de Laborde, de l'Observatoire, Monge, des Ménages, des Batignolles, de Belleville, de Montrouge, de La Chapelle, de la Réunion, Victor, de Grenelle. A une échelle supérieure se situent les parcs et les bois, agencés aux quatre points cardinaux de la ville, parcs des Buttes-Chaumont et de Montsouris au nord et au sud, bois de Vincennes et de Boulogne à l'est et à l'ouest.

Le développement de l'équipement en eau et du réseau des égouts va de pair. Des aqueducs de 130 à 150 kilomètres permettent d'abreuver les Parisiens avec les eaux champenoises de la Dhuys et de la Vanne. Le réseau des conduites d'eau est plus que doublé, passant de 700 kilomètres en 1852 à près de 1 600 en 1869. Aux 107 kilomètres d'égouts qui existaient en 1852, Eugène Belgrand en ajoute 560 de dimensions nettement supérieures. Conséquences de ces énormes progrès techniques, l'eau est distribuée à tous les étages des nouvelles constructions et l'évacuation de leurs déchets liquides se fait plus aisément et dans des conditions d'hygiène améliorées.

La capitale en cours de métamorphose doit être dotées de nouveaux édifices publics à la mesure de sa splendeur nouvelle : mairies d'arrondissement agrandies ou reconstruites, marchés locaux, abattoirs et marché aux bestiaux de La Villette et surtout les Halles centrales entièrement reconstruites par Victor Baltard. L'équipement hospitalier est aussi renouvelé : la plus notable reconstruction est celle de l'Hôtel-Dieu transféré de la rive sud à la rive nord de l'île de la Cité, un seul hôpital neuf étant édifié, l'hôpital Tenon à Ménilmontant.

Les transports en commun sont réorganisés et centralisés en 1854 sous le monopole de la Compagnie générale des omnibus, un chemin de fer de petite ceinture voit le jour, amorce d'un métropolitain dont plusieurs projets sont évoqués.

Le bilan du second Empire, s'il est brillant, n'est pas entièrement positif. Les frères Lazare, reprenant dans *La Revue municipale* les arguments de Rambuteau, qui avait hésité à entreprendre de grands travaux par crainte du déséquilibre social, notent que l'afflux de la population dans la capitale est excessif et que la répartition se modifie, créant une amorce de ségrégation. Déjà en 1840, le Conseil municipal s'inquiétait de la prolétarisation du centre de la cité. A l'inverse, sous Napoléon III, ce sont les classes aisées qui monopolisent les arrondissements centraux, la population aux revenus modestes émigrant vers la périphérie où les loyers sont moins élevés. C'est surtout à cette époque que se crée le déséquilibre entre l'ouest et l'est de Paris qui se prolonge aujourd'hui. Les frères Lazare observent : « Artisans et ouvriers sont refoulés dans de véritables Sibéries sillonnées de chemins tortueux, sans pavage, sans éclairage, sans marchés, privés d'eau, où tout manque enfin [...]. Il fallait s'abstenir de toute opération coûteuse dans les quartiers riches pour se trouver en état d'assimiler à Paris la zone suburbaine, au moins au point de vue du strict nécessaire. Loin de là, tous les travaux de luxe sont continués, poursuivis avec une activité plus fiévreuse encore : des avenues, des boulevards sans nombre sont créés, improvisés surtout à l'ouest de Paris [...]. On a cousu des haillons sur la robe de pourpre d'une reine ; on a constitué dans Paris deux cités bien différentes et hostiles : la ville de luxe bloquée par la ville de la misère [1]. » Malgré toutes les critiques, la conclusion de Pierre Lavedan semble devoir être retenue : « Une seule question est à poser et la réponse emporte le jugement. Que serait aujourd'hui Paris sans les travaux du second Empire ? On ne peut guère hésiter : Haussmann et Napoléon III ont reculé de quelques générations le moment où Paris devra éclater ou disparaître [2]. »

Jusqu'en 1914, la Troisième République continue, avec une ardeur sans cesse déclinante, la politique du second Empire. Jusqu'en 1889, elle achève les entreprises du régime précédent : avenue de l'Opéra, boulevard Saint-Germain, avenue de la République, boulevard Henri-IV, avenue Ledru-Rollin. Après 1889, on se borne à l'achèvement du boulevard Raspail ébauché en 1860 et au prolongement de la rue Réaumur. Quelques rocades sont créées sur la rive gauche : rues de la Convention, de Vouillé, d'Alésia, de Tolbiac. Au centre, la rue Étienne-Marcel est le dernier éventrement, maladroit, du vieux Paris. Les créations d'espaces verts sont à peu près nulles. Des progrès importants

1. L. Lazare, *Les Quartiers de l'est de Paris*, p. 62-63 et 142.
2. P. Lavedan, *Nouvelle Histoire de Paris. Histoire de l'urbanisme de Paris*, p. 483.

sont faits dans l'alimentation en eau, notamment dans l'amélioration et la surveillance de la qualité de l'eau potable, ce qui aboutit à la disparition des épidémies de choléra et de typhoïde, tandis que la généralisation du tout-à-l'égout apporte un progrès décisif à l'assainissement de la ville. Mais la réalisation la plus spectaculaire est celle du métro, tardivement entreprise pour l'Exposition universelle de 1900.

Au lendemain de la Grande Guerre, l'activité décline encore : on ne peut guère mentionner que l'achèvement du boulevard Haussmann entre l'Opéra et le carrefour Richelieu-Drouot, l'ouverture des boulevards des Maréchaux à l'emplacement des fortifications détruites avec les portes Saint-Cloud, Maillot, de Montreuil, de Vincennes, etc. A l'emplacement des fortifications sont aussi créés des espaces verts, des stades et des installations sportives, le reste étant concédé à l'habitat social. La lutte contre la tuberculose, fléau national, passe par la disparition d'îlots insa-lubres, mais il faut près de dix ans pour exproprier et démolir une partie seulement de l'îlot numéro un, situé entre la rue des Étuves-Saint-Martin et la rue Beaubourg. L'Office public d'habitations à bon marché du département de la Seine a été créé le 18 juillet 1915, parallèlement à l'Office public d'habitations à bon marché de la Ville de Paris constitué dès le 28 janvier 1914. De 1920 à 1949, vingt-deux mille logements furent construits pour cent vingt-neuf mille personnes.

La reprise des travaux d'urbanisme est liée à la publication du plan d'urbanisme directeur de Paris en 1959. La municipalité l'approuve en 1962, mais la sanction gouvernementale n'arrive qu'en 1967, date à laquelle une révision s'impose déjà. Il est enfin publié en 1968 sous le titre de Schéma directeur d'aménagement et d'urbanisme de la région parisienne. Car Paris s'insère désormais dans une agglomération qu'il ne domine plus, la banlieue pesant démographiquement quatre à cinq fois plus que la capitale.

C'est d'ailleurs à des questions d'urbanisme relevant d'une échelle régionale et non plus urbaine que s'est attaché Charles de Gaulle durant sa présidence : création d'un réseau de transports en commun rapides permettant aux banlieusards d'accéder très rapidement au cœur de la capitale, le Réseau express régional (R.E.R.) connecté au métropolitain, constitution d'un centre d'affaires national en banlieue, dans l'axe est-ouest, la Défense, édification d'un anneau routier encerclant la capitale, le « périphérique », pour permettre les liaisons en évitant de pénétrer dans la ville. Le président Georges Pompidou, obsédé par la voiture et la modernité à n'importe quel prix, entreprend de saccager Paris pour livrer passage à la bagnole. Son décès en 1974 arrête les dégâts, pourtant importants : la voie express rive gauche n'est pas réalisée, non plus que la « radiale Vercingétorix » et d'autres projets insensés. Le « Manhattan-sur-Seine » rêvé par Pompidou s'est limité aux tours Gamma près de la gare de Lyon, à la tour Montparnasse, au Front de Seine et aux immeubles de grande hauteur du quartier Italie.

A peine arrivé à l'Élysée, Valéry Giscard d'Estaing ordonne l'arrêt du massacre de Paris. Aux trois acteurs traditionnels de l'urbanisme parisien, promoteurs, municipalité et État, s'ajoute récemment le poids d'un quatrième pouvoir, l'opinion publique incarnée par des associations de plus en plus nombreuses, entreprenantes et bruyantes, dont l'action est relayée par la presse. L'intervention de l'État se traduit par de grands projets du président de la République : centre Georges-Pompidou, musée d'Orsay, aménagements de La Villette, Opéra-Bastille, ministère des Finances, Grande Arche de la Défense, Grand Louvre et Grande Bibliothèque, projets de plus en plus coûteux, de moins en moins utiles et de plus en plus perçus comme de coûteuses fantaisies de monarques, voire de «pharaons [1]». La Ville, dotée depuis 1977 d'une certaine auto-nomie, est à l'origine du palais omnisports de Bercy, de l'aménagement des Halles arraché de haute lutte par le maire Jacques Chirac au président Giscard d'Estaing, du réaménagement de la rotonde et du bassin de La Villette, mais les zones d'aménagement concerté (Z.A.C.) qui remo-dèlent les arrondissements périphériques sont de plus en plus critiquées à cause de leur étendue, de l'expulsion des populations qu'elles engen-drent. Le développement des associations de quartiers et la victoire de l'opposition aux élections municipales de juin 1995 dans six arrondisse-ments, dont trois (les XIe, XIXe et XXe) sont particulièrement affectés par ces opérations, rend de plus en plus difficile l'action autoritaire voire arbitraire d'une municipalité jusqu'alors monolithique.

Deux grandes questions se posent en cette fin du XXe siècle. La première, lancinante, que le président Pompidou avait tenté de résoudre avec le slogan «il faut adapter Paris à l'automobile», est celle de la place de la voiture dans la ville. La capitale dispose d'un réseau suffisamment dense de transports en commun pour faire l'économie de la voiture indi-viduelle et réserver la chaussée aux autobus, véhicules de livraison et cyclistes, mais Jacques Chirac n'a jamais osé faire ce choix qui risquait de lui faire perdre des électeurs. La seconde question relève non pas d'une volonté politique mais d'un choix esthétique. Quelle doit être l'architecture du XXIe siècle ?

«L'opinion a horreur de l'architecture moderne. Dans la lutte qui l'oppose aux intellectuels depuis près d'un siècle, elle revendique constam-ment une autre image que celle qui lui est offerte. Point n'est besoin d'être grand clerc pour remarquer que l'art déco et le régionalisme, puis le style pétainiste des Directions départementales de l'Équipement (de la première reconstruction à l'épisode glorieux des "chalandonnettes" dans

---

1. Voir F. Chaslin, «Paris, capitale de la république des pharaons», dans *Paris, la ville et ses projets*, p. 40-49.

les années soixante-dix) ont toujours bravé la culture savante en proposant un autre modèle, rétrospectif, de l'architecture de l'habitat. Les Parisiens n'échappent pas à la règle, lorsqu'ils préfèrent l'ordonnancement classique de l'haussmannisme, même abâtardi, au langage technologique de la modernité, gracieusement qualifié par la jeune génération de "style H.L.M." [...]. L'architecture porte donc d'autres valeurs que celles du pouvoir et de la consommation : elle s'affirme dans notre tradition culturelle comme racines et comme généalogie, au point de proclamer systématiquement son identité locale... Parce qu'elle ne veut pas mourir, au détriment des réalités économiques et techniques de notre époque, cette vision traditionnelle de la culture de l'habitat contredit en permanence l'hypothèse industrielle du pouvoir, toujours convaincu, quel qu'il soit, de la validité des produits de série qu'il voudrait promouvoir.

« Allons plus loin encore. Avec le développement du tourisme, l'opinion est avide de ces paysages pittoresques qui rompent avec la banalité des espaces quotidiens. Contre le stéréotype de la banlieue et de son espace distendu, il lui faut des rues et des maisons, des façades de pierre et des balcons de ferronnerie, bref, tout ce qui n'existe pas aujourd'hui dans la construction de série... L'architecture dans le goût historique a donc de beaux jours devant elle. C'est celle que réclame le public, décidément peu convaincu par l'aventure de la modernité : il lui faut du patrimoine, quitte à le fabriquer. Car l'opinion ne supporte pas l'ordonnance inachevée des banlieues [1]. » Mais la nostalgie du passé n'est pas une politique pour l'avenir et l'on peut être inquiet avec Françoise Cachin, qui écrit : « Il est étrange de voir, en un quart de siècle à peine, un centre-ville rejeter vers l'extérieur beaucoup de ses activités pour devenir si vite un lieu neutre, un centre sacré, voué au passé, au souvenir, au tourisme. Devenir quelque chose qui ne vit plus qu'à travers ce qui est mort. Les visiteurs des expositions universelles venaient en foule découvrir à Paris les derniers produits, les dernières créations du monde moderne. Il fallait voir la tour Eiffel parce qu'elle était le comble du neuf. On y vient aujourd'hui parce que c'est le moderne d'autrefois [2]. »

---

1. Voir F. Loyer, « Paris, ville décor », dans *Le Débat*, 80, mai-août 1994, p. 44 et 46.
2. F. Cachin, « Paris muséifié », dans *Le Débat*, 80, mai-août 1994, p. 303.

TROISIÈME PARTIE

CHRONOLOGIE
Paris jour par jour

Vers 40 000 avant J.-C.
Attestation de présence humaine sur le site de Paris.

Vers 4 200 avant J.-C.
Premières preuves d'habitat permanent à Paris trouvées lors des fouilles de
1991 à Bercy : trois pirogues en chêne de l'époque chasséenne, un arc de
la période de Cerny, des outils, de la céramique, etc.

Vers 250-225 avant J.-C.
Naissance de l'oppidum gaulois de Lutèce selon P.-M. Duval.

Vers 100 avant J.-C.
Apparition du monnayage d'or du peuple gaulois des *Parisii*.

53 avant J.-C.
Réunion par Jules César de l'Assemblée des Gaules à Lutèce.

52 avant J.-C.
Bataille de Lutèce : victoire de Labienus, lieutenant de César, sur les *Parisii*
et les Aulerques Éburovices conduits par leur chef Camulogène.

Entre 14 et 37
Les nautes du Parisis élèvent une colonne à Lutèce en l'honneur de Jupiter
sous le règne de Tibère.

Entre 50 et 100
Construction du forum de Lutèce.

Entre 100 et 200
Construction de trois établissements de bains (thermes), d'un amphithéâtre et
d'un théâtre à Lutèce.

Vers 250
Martyre du premier évêque de Lutèce, saint Denis.

275-276

Saccage probable par des envahisseurs germains de la partie de la ville située sur la rive gauche.

Vers 300

Construction d'un rempart faisant le tour de l'île de la Cité pour la protéger des envahisseurs germaniques. Vers cette époque, Lutèce prend le nom du peuple dont elle est la capitale et devient Paris.

358

Séjour à Paris du césar Julien.

360

Julien est proclamé empereur par ses troupes à Paris, où se tient peu après un concile condamnant l'arianisme.

365-366

Séjour à Paris de l'empereur Valentinien.

Vers 385

Passage à Paris de saint Martin qui guérit un lépreux à la porte nord de la Cité.

Vers 435

Mort de l'évêque Marcel. Il est enterré dans le cimetière qui porte son nom. Des miracles ont lieu sur sa tombe au VIe siècle.

451

Menace des Huns sur Paris. Sainte Geneviève dissuade les habitants d'abandonner la ville.

464

Blocus de Paris par le roi franc Chilpéric Ier.

Vers 475

Construction d'une basilique à l'emplacement du tombeau de saint Denis.

486

Clovis négocie avec sainte Geneviève la soumission de Paris à son autorité.

Vers 502

Inhumation de sainte Geneviève au sommet de la montagne qui va porter son nom, sur laquelle Clovis fait édifier la basilique des Saints Apôtres, dite plus tard Sainte-Geneviève, consacrée le 24 décembre 520.

508

Choix de Paris comme capitale par Clovis.

Vers 540-550

Construction de la cathédrale Saint-Étienne, plus tard Notre-Dame.

Vers 550

Utilisation du gypse du sous-sol pour la fabrication de sarcophages en plâtre.

551 ou **552**

Concile à Paris qui sanctionne la déposition de l'évêque de la cité, Saffarac.

557 ou **558**

23 décembre : Dédicace de la basilique Saint-Vincent (Saint-Germain-des-Prés) où est inhumé Childebert Ier. En 576, c'est saint Germain, évêque de la ville, qui y est enterré.

577

Concile à Paris pour juger Prétextat, évêque de Rouen. Chilpéric fait réparer l'amphithéâtre antique et y donne des spectacles.

581-582

Conversion forcée et baptême de nombreux juifs par l'évêque Ragnemod.

583

Février : Inondation de la Seine et de la Marne dont les eaux couvrent toute la rive droite, de la Cité à la basilique Saint-Laurent.

585

Incendie qui détruit presque tous les édifices de l'île de la Cité.

591

Élection d'un évêque d'origine syrienne, Eusèbe.

614

Concile à Paris, traitant de la liberté des élections épiscopales et de la juridiction des évêques sur les clercs.

632 ou **633**

Fondation du monastère Saint-Éloi.

639

Inhumation de Dagobert Ier dans l'abbaye de Saint-Denis qui devient la principale nécropole royale.

653

Concile de Paris, traitant notamment du droit de l'abbaye de Saint-Denis à posséder des biens distincts de ceux de l'église de Paris. Clovis II confirme la charte d'immunité accordée à Saint-Denis par l'évêque Landry.

654

Mort de l'évêque Landry, futur saint, qui aurait été le fondateur de l'Hôtel-Dieu.

664

Assassinat par les grands du royaume de l'évêque Sigebrand, conseiller de la reine Bathilde.

Vers 680

Fin de la frappe de monnaie en or (tiers de sou), l'argent devenant l'étalon monétaire.

717

28 février : Séjour de Chilpéric II à Paris. Il concède à l'abbaye de Saint-Denis la forêt de Rouvray et une manse du domaine de Clichy.

754

28 juillet : Onction royale de Pépin le Bref, Carloman et Charlemagne par le pape Étienne II à l'abbaye de Saint-Denis qui obtient le privilège d'une foire annuelle.

755

Don par Pépin le Bref de *Palatiolum* (Palaiseau) à l'abbaye de Saint-Germain-des-Prés à l'occasion de la translation des reliques de saint Germain.

759

30 octobre : Jugement de Pépin le Bref confirmant les droits de l'abbaye de Saint-Denis contre les prétentions de Gérard, comte de Paris.

767

Synode d'ecclésiastiques de rites grec et romain à Gentilly, en présence de Pépin le Bref, pour traiter de la Trinité et du culte des images.

768

24 septembre : Mort de Pépin le Bref, vraisemblablement à Paris.

775

20 février : Consécration de la nouvelle basilique de l'abbaye de Saint-Denis, reconstruite à partir de 749 ou 754.

Juillet : Première mention du chapitre de Notre-Dame dans un diplôme de Charlemagne.

779

29 mars : Confirmation par Charlemagne de l'exemption de droits de péage accordée à l'abbaye de Saint-Germain-des-Prés par Pépin le Bref.

820

Attestation la plus ancienne d'une rue de Paris, la rue Saint-Germain.

829

Juin : Concile de Paris au cours duquel est approuvé le partage des biens de l'Église de Paris entre l'évêque et le chapitre.

Entre 835 et 840

Rédaction par l'abbé de Saint-Denis, Hilduin, de la *Passion* du saint patron de la basilique.

845

20 mars : Première apparition des Normands sous les murs de Paris. Ils pillent la ville et Charles le Chauve verse 7 000 livres d'argent pour obtenir leur départ.

856

Désignation d'Énée comme évêque par Charles le Chauve qui en fait un de ses principaux conseillers.

28 décembre : Second raid des Normands qui incendient la ville.

857

Incendie par les Normands de toutes les églises, sauf Saint-Étienne (Notre-Dame), Saint-Germain-des-Prés et Saint-Denis, épargnées contre rançon.

858

3 avril : Prise de l'abbaye de Saint-Germain-des-Prés par les Normands.

861

Incendie de Paris et de l'abbaye de Saint-Germain-des-Prés par les Normands.

864

25 juin : Édit de Pîtres maintenant l'atelier monétaire de Paris.

867

22 avril : Première mention de l'île Notre-Dame (Saint-Louis) dans un acte de Charles le Chauve restituant à l'évêque l'île dont le comte de Paris percevait jusqu'alors les dîmes et les nones.

869

Pillage de l'abbaye de Saint-Germain-des-Prés par les Normands.

Vers 870

Construction du Grand Pont et du Petit Pont sur ordre de Charles le Chauve afin de barrer le cours de la Seine aux Normands.

877

Mise en défense de Paris ordonnée dans deux capitulaires.

885

24 novembre : Arrivée des Normands devant Paris dont l'évêque Gozlin a fait réparer les murailles et renforcer les ponts. Ils assiègent la ville.

886

6 février : Effondrement du Petit Pont emporté par une crue. Une partie des Normands en profitent pour remonter la Seine et piller les régions en amont, les autres poursuivant le siège.

Septembre : Arrivée de l'empereur Charles le Gros qui négocie le départ des Normands contre 700 livres d'argent.

887

Mai : Nouvelle attaque des Normands. La défense des Parisiens les empêche de remonter la Seine.

889

Juin-juillet : Nouvelle attaque et nouvel échec des Normands.

945

Épidémie. Les malades sont soignés à Notre-Dame et nourris aux frais de Hugues le Grand.

963 ou 965

Arrivée de moines bretons fuyant les Normands. Ils apportent des reliques, notamment celles de saint Magloire qui sont déposées dans la chapelle Saint-Barthélemy du Palais de la Cité.

978

Octobre : Siège de Paris par l'empereur Otton II. Hugues Capet l'empêche de passer le fleuve et le contraint à lever le siège le 30 novembre.

988

Octobre : Séjour à Paris d'Hugues Capet, roi de France depuis un an. Il y revient en 989, 992 et 994-995.

997

19 avril : Présence du roi Robert le Pieux à Paris. Son séjour est à nouveau attesté en 999, 1019, 1027 et 1028.

1007

Extinction du titre de comte de Paris à la mort de Bouchard de Vendôme, le comté revenant dans la main du roi.

1014

Mort de l'abbé de Saint-Germain-des-Prés, Morard, qui a commencé à reconstruire l'abbaye avec l'appui financier de Robert le Pieux.

1021

Afflux d'étudiants pour suivre les cours de l'école épiscopale de Notre-Dame. Son premier maître illustre est l'archidiacre Albert, mort en 1040.

1051

Octobre : Condamnation par le concile de Paris des thèses de Bérenger de Tours sur l'eucharistie, niant que le pain et le vin soient le corps du Christ.

1060

Reconstruction de l'abbaye de Saint-Martin-des-Champs. L'église est consacrée en 1067.

1074

Refus par le concile de Paris de l'obligation du célibat pour les prêtres.

1080

Désignation d'un prêtre-cardinal à l'église Saint-Nicolas-des-Champs qui est érigée en paroisse.

1093

Création du prieuré du Petit-Saint-Antoine (entre les rues Saint-Antoine et du Roi-de-Sicile) par l'ordre de Saint-Antoine.

1100

Début de l'enseignement d'Abélard.

1103

Nomination de Guillaume de Champeaux comme écolâtre de Paris. Son enseignement vaut un prestige exceptionnel à l'école de Notre-Dame.

1108

Fondation de l'ermitage de Saint-Victor par Guillaume de Champeaux.

1110

Attestation de l'existence du bourg de Saint-Germain-l'Auxerrois dans un acte de Louis VI. — Controverse entre Guillaume de Champeaux et Abélard à l'école de Notre-Dame.

1111

12 mars : Témoignage de fidélité à leur roi des Parisiens : ils tiennent tête à Robert de Meulan qui tentait de s'emparer de la Cité et le chassent de la ville.

1112

3 août : Louis VI privilégie Saint-Denis par rapport à Saint-Benoît-sur-Loire. Paris s'impose comme capitale des rois capétiens au détriment d'Orléans.

1113

Début de la reconstruction du Grand Pont (pont au Change) en aval de son site antérieur. Elle est achevée en 1116. L'ancien pont devient le « vieux pont » ou les « planches de Mibrai ». Reconstruction à la même époque du Petit Pont. — Érection en abbaye de la communauté des chanoines de Saint-Victor. Elle devient le centre de la réforme grégorienne et de l'enseignement. — Retour d'Abélard à Paris où il enseigne et fait la connaissance d'Héloïse. — Première mention de l'église Saint-Leufroy, située près du Grand Pont et érigée en paroisse avant 1150.

1117

Castration d'Abélard par le chanoine Fulbert. Il se retire à Saint-Denis, puis, en butte à l'hostilité des moines, à Saint-Ayoul.

1119

Mention dans une bulle de Calixte II de l'église Saint-Jacques (de la Boucherie) qui vient d'être reconstruite sur les ruines d'une chapelle.

Vers 1120

Début de l'installation des maîtres et des étudiants sur la montagne Sainte-Geneviève, le cloître de Notre-Dame s'avérant trop petit.

1121

Première attestation des marchands de l'eau de Paris dans une charte de Louis VI.

1124

3 août : Levée par Louis VI d'une armée pour affronter l'empereur Henri V. Au cours de cette campagne s'impose le cri de guerre de l'armée royale : «Montjoie Saint-Denis!» A cette occasion apparaît pour la première fois comme enseigne de guerre du roi de France l'oriflamme de Saint-Denis, rouge et se terminant par cinq queues.

1128

Conflit entre Étienne de Senlis et son chapitre à cause de la décision de l'évêque d'attribuer une prébende de chanoine à l'abbaye de Saint-Victor. Poussé par son chancelier, Étienne de Garlande, le roi supprime la régale de l'évêque. Étienne de Senlis se réfugie à Cîteaux. Il se réconcilie avec Louis VI en 1131.

1129

Épidémie de charbon pestilentiel dit Mal des Ardents.

1130

Fondation de la commanderie de Saint-Jean-de-Latran.

3 novembre : Miracle des Ardents. La procession de la châsse de sainte Geneviève arrête une épidémie de «Mal des Ardents». Une église Sainte-Geneviève-des-Ardents est édifiée pour en conserver le souvenir.

1131

Droit de tenir une foire annuelle à la Toussaint accordé par Louis VI aux moines de la léproserie de Saint-Lazare.

2 octobre : Mort de Philippe, fils aîné du roi, désarçonné et tué par son cheval effrayé par un cochon qui vaquait dans la rue Saint-Jean. Elle a pour conséquence l'interdiction de laisser les porcs en liberté sur la voie publique.

1132

Interdit jeté par l'évêque sur la montagne Sainte-Geneviève pour tenter de mettre fin aux désordres engendrés par une population estudiantine de plus en plus nombreuse.

1133

20 août : Agression à son retour de Chelles de l'escorte de l'évêque de Paris par des adversaires de la réforme du chapitre. Le prieur de Saint-Victor est tué. Étienne de Senlis se réfugie à Clairvaux et excommunie les assassins, proches du chancelier Étienne de Garlande.

1134

Droit de saisir les biens de leurs débiteurs et de s'assister mutuellement accordé par le roi aux bourgeois de Paris, première manifestation d'une communauté en voie de constituer une municipalité. — Construction du clos Garlande, le long de la route d'Orléans, origine de la rue Saint-Jacques. — Fondation de l'abbaye des dames de Montmartre.

1136

Première mention des paroisses Sainte-Croix, Saint-Pierre-des-Arcis et Saint-Pierre-aux-Bœufs, érigées à l'emplacement de l'ancien couvent des religieuses de Saint-Éloi. — Reprise de l'enseignement d'Abélard, dispensé dans la chapelle Saint-Hilaire appartenant à l'abbaye de Saint-Marcel.

1137

Autorisation du pape Innocent II à la création d'un personnel spécialisé de clercs attachés à l'évêque par serment, à l'origine de l'officialité. — Installation d'un marché neuf aux Champeaux, origine des Halles. Il remplace le marché de la place de Grève.

1139

Installation probable de l'ordre du Temple au Vieux Temple, au voisinage de l'église Saint-Gervais.

1140

Début de l'enseignement de Pierre Lombard à l'école de Notre-Dame.
Juillet : Condamnation des thèses d'Abélard par le concile de Sens. Le théologien quitte Paris pour Cluny.

1141

Concession aux bourgeois par le roi du port de la Grève.

1144

11 juin : Consécration de la nouvelle basilique de Saint-Denis, un des premiers monuments de l'architecture gothique. La construction a débuté en 1132.

1146

Première mention de la corporation des bouchers dont les coutumes sont confirmées par Louis VII en 1162.

1147

Premier chapitre de l'ordre du Temple dans sa maison de Paris, en présence de Louis VII et du pape Eugène III. Partant pour la croisade, le roi confie son trésor aux templiers et la régence à Suger, abbé de Saint-Denis, jusqu'à son retour en 1149.
21 avril : Consécration de l'église Saint-Pierre-de-Montmartre par le pape Eugène III.
Mai : Bagarre dans l'abbaye de Sainte-Geneviève en présence du roi et du pape. La réforme de l'abbaye est ordonnée après ce scandale.

1148

Dérivation de la Bièvre par les chanoines de Saint-Victor. La rivière se jette désormais dans la Seine à la hauteur de l'actuelle rue de Bièvre.

1150

Mention par saint Bernard du premier moulin à vent sur la butte Copeaux.

1154

Début de l'assainissement par les chanoines de Sainte-Opportune des marais situés entre Montmartre et la ville.

1158

Première mention du bourg Saint-Marcel.

1163

Première mention du bourg Saint-Médard. — Début de la reconstruction de Notre-Dame. Elle est achevée en 1245.

21 avril : Consécration du chœur de l'église abbatiale de Saint-Germain-des-Prés par le pape Alexandre III. L'évêque Maurice de Sully se voit refuser l'entrée par les moines qui rejettent toute ingérence du pouvoir épiscopal.

1164

Percement de la rue Neuve-Notre-Dame lors de la reconstruction de la cathédrale. Il entraîne la démolition de l'Hôtel-Dieu qui est réédifié le long du petit bras de la Seine, au sud du parvis.

1165

20 avril : Confirmation par le pape Alexandre III des privilèges du chapitre de Notre-Dame, qui est exempté de la juridiction épiscopale. Il reconnaît aussi à l'évêque la propriété de terres situées sur la rive droite et dites Couture-l'Évêque.

1166

Extension d'une à deux semaines de la foire Saint-Lazare en raison de son succès.

1170

Confirmation des privilèges des marchands de l'eau par Louis VII. — Début de la construction de Saint-Julien-le-Pauvre.

1171

Fondation par Josse de Londres du premier collège pour étudiants : une chambre de l'Hôtel-Dieu est réservée à dix-huit clercs élèves des écoles, c'est le collège des Dix-Huit. — Création de l'hôpital Saint-Gervais ou Saint-Anastase.

1175

Attestation de l'existence du bourg de Saint-Germain-des-Prés qui compte déjà plusieurs paroisses.

1176

Nomination d'Étienne de Tournai comme abbé de Sainte-Geneviève. Il en fait le principal centre des études, supplantant Saint-Victor en déclin. — Première mention de la foire Saint-Germain dont Louis VII se réserve la moitié des profits.

1178

Construction d'un aqueduc captant les eaux de Belleville pour le couvent de Saint-Lazare.

1180

5 février : Arrestation des dirigeants de la communauté juive. Ils sont condamnés par Philippe Auguste à une amende de 15 000 marcs d'argent.

1181

Rachat par le roi de la foire annuelle tenue près de la léproserie de Saint-Lazare depuis 1131. Elle est transférée aux Champeaux, à l'emplacement des futures Halles. — Fondation de la succursale Sainte-Agnès dépendant de Saint-Germain-l'Auxerrois jusqu'à son érection en paroisse en 1223 sous le vocable de Saint-Eustache.

1182

Avril : Expulsion des juifs de la Cité. Leur synagogue devient l'église de la Madeleine. Ils obtiennent l'autorisation de revenir en 1198, moyennant le paiement de fortes taxes.

19 mai : Consécration du maître-autel de la nouvelle cathédrale Notre-Dame.

1183

Construction de deux bâtiments au marché des Champeaux, les premières Halles.

1184

Érection en paroisse de la chapelle située près du prieuré de Saint-Martin-des-Champs sous le vocable de Saint-Nicolas-des-Champs.

1185

Création de l'hospice de Sainte-Catherine, dit aussi de Sainte-Opportune, rue Saint-Denis.

1186

Ébauche d'une politique urbaine : les principales rues sont pavées sur ordre du roi Philippe Auguste.

1187

Clôture du cimetière des Innocents par un mur pour le séparer du marché des Champeaux et mettre un terme aux désordres qui s'y produisaient.

1190

Départ de Philippe Auguste pour la croisade. Six bourgeois de Paris font partie du Conseil de régence, chacun possédant une clé du Trésor royal. Avant de partir, il ordonne d'enclore la ville dans une enceinte. Elle est achevée en 1208 pour la rive droite et construite entre 1209 et 1213 pour la rive gauche.

1191

Première mention de la bannière royale, d'azur « a flours de lys d'or pourtraicte ».

1194

3 juillet : Perte des archives royales lors de la bataille de Frèteval. Philippe Auguste décide de les faire reconstituer en double exemplaire, l'un d'eux devant impérativement rester à Paris. C'est le début apparent de l'installation à demeure de l'administration royale dans la ville.

1197

Mars : Inondation qui rompt les ponts sur la Seine. Le roi est contraint de quitter son palais de la Cité pour se réfugier à Sainte-Geneviève tandis que l'évêque se replie sur Saint-Victor.

1198

Fondation par Foulques, curé de Neuilly-sur-Marne, d'un établissement destiné aux femmes repenties. L'évêque Eudes de Sully le transforme en 1204 en abbaye rattachée à l'ordre de Cîteaux, l'abbaye de Saint-Antoine.

Vers 1200

Apparition des premières enseignes pour permettre l'identification des habitations privées, puis, cent ans plus tard, des auberges ou hôtelleries.

1200

Rixe entre les sergents du prévôt de Paris et les étudiants, mort de cinq étudiants liégeois. Philippe Auguste désavoue son prévôt et cède aux universitaires qui menacent de quitter la ville : il confirme le privilège des maîtres et étudiants d'être jugés exclusivement par le tribunal de l'évêque. C'est l'émergence d'un nouveau pouvoir, l'Université.

1201

Organisation de l'officialité par l'évêque Eudes de Sully.

1202

Achèvement de la construction du Louvre. — Création de l'hôpital de la Trinité ou des Enfants-Bleus sur la route de Saint-Denis. — Achat du clos Garlande par l'abbé de Sainte-Geneviève qui y fait bâtir des maisons. De nombreux étudiants s'y installent et la rue du Fouarre devient le centre de l'enseignement des arts tandis que le clos Bruneau abrite les écoles de droit.

1204

Première mention de la paroisse Saint-Honoré. — Fondation des abbayes cisterciennes de Port-Royal et de Saint-Antoine-des-Champs.

1206

Introduction de la monnaie tournois (de Tours) après l'annexion au domaine royal de l'Anjou et de la Touraine. Devenue officielle sous Louis IX, la monnaie tournois évince peu à peu la livre parisis (de Paris). Une livre tournois de 20 sous vaut 16 sous parisis.

Décembre : Crue de la Seine qui emporte trois arches du Petit Pont et détruit de nombreuses maisons.

1207

Limitation à huit des chaires de théologie par Innocent III.

1209

Début de la construction de l'enceinte de la ville sur la rive gauche. Elle est achevée en 1213. — Autorisation du pape Innocent III aux maîtres de l'Université de se faire représenter par un syndic. — Fondation du deuxième collège d'étudiants par la veuve d'Étienne Bérot, le collège des pauvres écoliers de Saint-Honoré, destiné à treize étudiants pauvres. — Installation des chanoines réguliers de la Sainte-Trinité pour la rédemption des captifs dans la chapelle de Saint-Mathurin, rue des Mathurins (rue Du Sommerard).

1210

Autorisation du pape pour l'organisation des maîtres de l'Université en corporation. — Condamnation pour hérésie des disciples d'Amaury de Chartres. Ils sont brûlés aux Champeaux et les restes d'Amaury sont déterrés du cimetière de Saint-Martin-des-Champs et brûlés avec ses écrits, condamnés pour avoir poussé trop loin l'étude de la *Métaphysique* d'Aristote.

1211

Création des paroisses Saint-André-des-Arts et Saint-Côme après la cession de leurs territoires à l'évêque par l'abbé de Saint-Germain-des-Prés qui conserve le bourg Saint-Germain et la paroisse Saint-Sulpice.

1212

Confirmation par Innocent III au chancelier de Notre-Dame du privilège d'accorder la licence d'enseigner. Mais le pape restreint ses pouvoirs en lui interdisant d'exiger des serments de fidélité des maîtres, ce qui renforce la corporation universitaire et l'incite à prendre ses distances avec l'évêque en s'installant dans l'ancien clos Garlande, au bas de la montagne Sainte-Geneviève.

1213

Érection en paroisse de l'église Saint-Jean-en-Grève.

1214

27 août : Manifestation de patriotisme : Philippe Auguste reçoit un accueil triomphal à son retour victorieux de Bouvines.

1215

Août : Don de ses statuts à l'Université par le légat pontifical, Robert de Courson.

1218

Installation des dominicains rue Saint-Jacques, après un séjour de quelques mois dans l'île de la Cité.

1219

Début de la construction du monastère des chanoines de la Trinité pour la rédemption des captifs, dits mathurins (rue Du Sommerard).

31 mai : Licence d'enseigner conférée par le pape à l'abbaye de Sainte-Geneviève.

16 novembre : Interdiction par Innocent III de l'enseignement du droit romain à Paris.

13 décembre : Début du conflit entre l'évêque et l'Université soutenue par le pape Honorius III.

1222

Érection en paroisse de l'église Saint-Étienne-du-Mont. — Apparition de la division en nations de l'Université.

Novembre : Forma pacis entre le roi, l'évêque et le chapitre. Le roi obtient la juridiction sur les Halles et le monceau Saint-Gervais, l'évêque garde celle des bourgs de Saint-Germain-l'Auxerrois, de la Couture-l'Évêque, du Clos-Bruneau.

1223

Démembrement de la paroisse Saint-Germain-l'Auxerrois : la succursale Sainte-Agnès, aux Champeaux, devient l'église paroissiale Saint-Eustache.

1225

Agitation des étudiants après la destruction par le légat du pape du sceau dont l'Université s'était dotée en 1221 : deux des hommes du légat sont tués.

1225 ou 1226

Fondation de la maison des Filles-Dieu, pour les filles publiques repenties, à Saint-Martin-des-Champs.

1227

Collation des grades universitaires par l'abbé de Sainte-Geneviève, alors qu'ils étaient jusque-là du domaine exclusif du chancelier de Notre-Dame.

1229

Première mention de l'église Sainte-Catherine-du-Val-des-Écoliers.

26 février : Bagarres durant le carnaval entre étudiants et sergents du prévôt du roi. L'Université proteste.

15 avril : Départ de l'Université en signe de protestation. Certains de ses maîtres s'installent à Oxford et à Cambridge. Mais les moines mendiants restent et les dominicains ouvrent leur couvent aux écoliers.

Vers 1230

Renouveau de l'école d'enluminure avec le *Psautier de Paris*. Son style va s'imposer dans tout le royaume au cours du siècle.

1230

Création d'une chapelle au Chardonnet où se développe un nouveau quartier. — Établissement du premier couvent franciscain, rue des Cordeliers (de l'École-de-Médecine).

1231

Défrichement des marais de la Couture-l'Évêque.

13 avril : Fin du conflit de l'Université avec la bulle *Parens scientiarum* qui accorde aux écoliers le privilège du « canon » et les assimile à des clercs.

1233

2 juin : Dédicace de l'église abbatiale de Saint-Antoine-des-Champs.

1235

Fondation de la chapelle Saint-Leu-Saint-Gilles.

1236

Décembre : Inondation qui couvre toute la rive droite sauf la chaussée Saint-Martin et la rive gauche jusqu'à la rue Galande.

Vers 1240

Sur ordre de l'évêque Guillaume d'Auvergne, réglage des sonneries des cloches par des horloges, premier signe de l'importance croissante du temps en liaison avec le développement du travail artisanal.

1243

Érection en paroisse de la chapelle Saint-Nicolas-du-Chardonnet.

1246

Autonomie financière et judiciaire de l'Université qui reçoit son sceau propre. — Fondation du collège et prieuré Saint-Bernard, dit des bernardins, par Étienne de Lexington, abbé de Clairvaux, pour y loger les cisterciens venus étudier la théologie à l'Université.

1248

Enseignement de saint Bonaventure à l'Université jusqu'en 1257, puis de 1267 à 1274.

26 avril : Consécration de la Sainte-Chapelle, construite pour abriter les reliques acquises par Louis IX.

Vers 1250

Constitution de la *Curia regis* ou Parlement avec ses premières sessions uniquement judiciaires. Vers 1255, le greffier Jean de Montluçon ouvre le premier de ses registres, les *Olim*.

1250

Installation des moines augustins vers la porte Montmartre, près de la chapelle Sainte-Marie-l'Égyptienne.

1251

Serment des bourgeois de Paris en tant que communauté à la régente Blanche de Castille.

1252

Fondation par les prémontrés d'un collège, rue des Cordeliers (de l'École-de-Médecine). — Début de l'enseignement de Thomas d'Aquin à l'Université. Il séjourne à Paris jusqu'en 1259 et de 1269 à 1272.

1254

Création par Louis IX de l'hospice des Quinze-Vingts destiné à trois cents aveugles, rue Saint-Honoré près du Louvre. — Arrivée d'un éléphant offert par Louis IX à Henri III d'Angleterre. Les Parisiens n'en avaient jamais vu.

Juin : Premier hôtel construit par un grand seigneur, Alphonse de Poitiers, frère du roi, près du Louvre, futur hôtel d'Alençon. Son exemple est suivi par tous les grands personnages du royaume.

1255

14 avril : Bulle *Quasi lignum vitae.* Alexandre IV prend le parti des moines mendiants contre les maîtres séculiers de l'Université, dont le plus virulent, Guillaume de Saint-Amour, est condamné par Rome en 1257.

1256

10 juin : Pose de la première pierre du couvent de Longchamp par Isabelle, sœur du roi, avec une règle inspirée des clarisses.

1257

1er septembre : Ouverture du collège fondé par Robert de Sorbon, future Sorbonne.

1258

Installation des chartreux à Vauvert, dans la rue d'Enfer (boulevard Saint-Michel). — Établissement des serfs de la Vierge dans la rue des Blancs-Manteaux qui a pris le nom de leur costume.

1259

Établissement des carmes sur la paroisse Saint-Paul.

1260

Premier gardien de la ville connu, Geoffroy de Courfraud. Il va devenir le chevalier du guet, chargé de la sécurité de la ville. — Création de la corporation des chirurgiens et barbiers.

1261

Nomination du premier prévôt de Paris qui soit fonctionnaire royal, Étienne Boileau. — Création d'un collège pour les étudiants de l'ordre de Cluny.

1262 ou **1263**

6 juin : Dédicace de l'église Sainte-Madeleine du couvent des cordeliers (rue de l'École-de-Médecine).

1263

Premier prévôt des marchands connu, Évroïn de Valenciennes.

1268

Compilation du *Livre des métiers de Paris* par le prévôt royal Étienne Boileau qui mentionne les statuts de cent trente-deux métiers.

1269

Juin : Expulsion des usuriers italiens et cahorsins.

1270

10 décembre : Condamnation par l'évêque Étienne Tempier des thèses averroïstes de Siger de Brabant.

1272

25 mars : Scission à l'Université à l'occasion de l'élection du recteur, entre partisans et adversaires de Siger de Brabant.

Vers 1275

Développement des ateliers de copistes pour satisfaire les besoins de l'Université et instauration du système de la *pecia* («cahier») permettant de faire copier un manuscrit par plusieurs scribes à la fois.

1275

7 mai : Fin de la scission de l'Université : le légat du pape nomme Pierre d'Auvergne recteur.

1277

7 mars : Condamnation par l'évêque Étienne Tempier de Siger de Brabant et de deux cent dix-neuf propositions, certaines formulées par Thomas d'Aquin. Les tentatives de rapprochement entre vérité scientifique et foi chrétienne sont interrompues. Le déclin de la faculté de théologie commence.

1280

Décembre : Crue de la Seine qui emporte deux arches du Grand Pont, une arche du Petit Pont et encercle la rive droite.

1283

19 avril : Interdiction aux juifs d'ouvrir de nouveaux cimetières, mais ils peuvent agrandir celui de la rue de la Harpe.

1288

Don du couvent des serfs de la Vierge Marie ou Blancs-Manteaux (supprimés en 1274) aux guillemites ou ermites de Saint-Guillaume.

1290

9 avril : Miracle de l'hostie profanée par le juif Jonathas. A l'emplacement de sa maison est construite la chapelle du Miracle, future église des Billettes (rue des Archives).

1291

Mai : Expulsion des usuriers lombards.

1292

Apogée de l'Université qui reçoit du pape le droit d'enseigner dans toute la chrétienté. — Première mention, dans le livre de la taille, des concierges employés à la surveillance des palais, couvents et hôtels particuliers.

1293

Déménagement des ermites de Saint-Augustin dans le couvent cédé par les frères Sachets (quai des Grands-Augustins). Ils étaient installés depuis 1250 environ près de la chapelle Sainte-Marie-l'Égyptienne (rue des Vieux-Augustins, actuelles rues Hérold et d'Argout).

1296

Extension du Palais de la Cité dont les fortifications sont rasées. En 1314, il est en état d'accueillir l'administration royale en entier. Les travaux s'achèvent en 1324. — Apparition d'un Conseil de Ville, composé de vingt-quatre prud'hommes.

21 décembre : Inondation, chute du Petit Pont puis du Grand Pont (24 décembre) et du Petit-Châtelet. La crue dure cinq mois.

1299

Première mention de la construction d'une horloge.

Vers 1300

Première liste de noms de rues dans *Le dit des rues de Paris* de Guillot.

1301

23 mars : Ordonnance de transformation des clercs du prévôt de Paris en notaires du Châtelet.

1302

10 avril : Réunion à Notre-Dame des premiers états généraux de langue d'oïl. Philippe IV les a convoqués pour obtenir leur soutien dans sa lutte contre le pape Boniface VIII.

1303

Reconnaissance par Philippe IV de la corporation des clercs du Palais (de justice), la basoche, qui possède sa propre juridiction. — Désignation d'un pilote, dit « avaleur de nefs », pour le passage sous le Grand-Pont.

18 mars : Ordonnance fixant à Paris le siège du Parlement. Il est installé dans le Palais de la Cité depuis 1250 environ.

13 juin : Nouvelle réunion des états de langue d'oïl pour soutenir le roi contre le pape.

1304

Installation des changeurs sur le Grand-Pont qui prend le nom de pont aux Changeurs ou au Change. — Fondation du collège de Navarre par la reine Jeanne.

1306

Avril : Fondation par Étienne Haudry de l'hôpital des pauvres de la Grève.

21 juillet : Expulsion des juifs et confiscation de leurs biens. Ils sont autorisés à revenir en juillet 1315 et retrouvent le tiers de leurs créances.

4 octobre : Ordonnance imposant le paiement des loyers en monnaie forte.

30 décembre : Révolte contre les hausses de loyer. Le roi est assiégé au Temple. Vingt-huit émeutiers sont pendus le 5 janvier 1307.

1307

13 octobre : Arrestation des templiers.

1308

Fondation du collège de Bayeux par l'évêque de cette ville.

1310

Construction d'une horloge, installée au Palais de la Cité et achevée en 1314.

Juin : Bûcher en place de Grève pour Marguerite Porette, illuminée originaire du Hainaut, ainsi que pour une juive relapse.

1311

Expulsion des usuriers lombards.

1313

Construction du premier quai de la ville, entre le couvent des Grands-Augustins et l'hôtel de Nesle.

13 juin : Réunion des états généraux de langue d'oïl au Louvre pour soutenir le roi dans son conflit avec la papauté et en appeler à un concile.

1314

19 mars : Bûcher pour les templiers à la pointe occidentale de l'île de la Cité.

1315

Avril : Pluies presque continuelles et froid exceptionnel jusqu'à la fin de juillet : les moissons ne peuvent mûrir.

1316

Construction d'un hôpital pour les pèlerins de Saint-Jacques, rue Saint-Denis, par Imbert de Lyon. En 1319, un autre hospice est édifié par une confrérie de bourgeois de la ville, l'hôpital Saint-Jacques.

1317

Famine à la suite de mauvaises récoltes.

1320

Décembre : Organisation définitive du Parlement en trois chambres : grand-chambre, enquêtes, requêtes.

1321

14 septembre : Création de la première confrérie de musiciens, celle de Saint-Julien-des-Ménétriers.

1322

Autorisation par le prévôt du roi du travail de nuit jusqu'alors interdit afin d'éviter le travail clandestin et les défauts de fabrication découlant de l'insuffisance de l'éclairage. En 1395, l'interdiction du travail de nuit est rétablie.

1323

Parution du premier guide de Paris, écrit par Jean de Jandun. — Grave épidémie durant l'été.

1326

6 janvier : Débâcle de la Seine : les ponts en bois sont détruits par la glace. Les habitants de la Cité sont ravitaillés par bateaux durant cinq semaines.

18 mai : Fondation de l'hôpital du Saint-Sépulcre.

1328

Février : Épidémie particulièrement meurtrière.

1336

Création par Jean de Hubant du collège de l'Ave Maria pour les étudiants natifs du Nivernais.

1337

Début de la construction du château de Vincennes.

1339

Apparition de deux confréries se consacrant au théâtre : la Confrérie de la Passion pour les mystères, les Gallants sans souci pour les farces.

1342

20 mars : Institution de la gabelle, impôt sur le sel qui suscite de vives résistances et n'est définitivement imposé qu'en 1383.

1346

2 février : Réunion des états de langue d'oïl pour voter les nouveaux impôts nécessaires à la poursuite de la guerre contre l'Angleterre.

1347

30 novembre : Réunion des états pour voter des subsides militaires après la défaite de Crécy.

1348

Fin août : Début de l'épidémie dite Peste noire. Elle dure deux ans. Le Conseil royal quitte la ville en mai 1349, au paroxysme de l'épidémie.

1350

Ouverture du premier égout à ciel ouvert, celui du Pont-Perrin, partant de la place Baudoyer pour se diriger vers l'Est par la rue Saint-Antoine, où il va se déverser plus tard dans les fossés de la Bastille.

1351

16 février : Réunion des états généraux à qui sont demandés à nouveau des subsides pour la poursuite de la guerre.

1352

Installation des célestins dans l'ancien couvent des carmes dans la paroisse Saint-Paul.

1354

Accession d'Étienne Marcel à la prévôté des marchands.

1355

2 décembre : Réunion des états généraux. Étienne Marcel, prévôt des marchands, parle au nom des bonnes villes. Le 28 décembre, l'ordonnance de clôture prévoit la levée d'un impôt sous le contrôle des états. Trois bourgeois de Paris sont choisis pour participer à ce contrôle : Imbert de Lyon, Jean de Saint-Benoît, Maurice d'Épernon.

1356

1er mars : Nouvelle session des états généraux.

8 mai : Troisième session des états jusqu'au 26, durant laquelle les bourgeois parisiens jouent un rôle dominant.

15 octobre : Décision de construction d'une nouvelle muraille pour protéger la ville : c'est l'enceinte dite de Charles V, achevée en 1383.

17 octobre : Nouvelle session des états après la capture du roi à Poitiers. Robert Le Coq, évêque de Laon, dirige les débats et exige la destitution de plusieurs officiers royaux.

1357

19 janvier : Convocation d'Étienne Marcel à Saint-Germain-l'Auxerrois par le Dauphin Charles. Le prévôt des marchands est accompagné de bourgeois en armes et refuse la fabrication de monnaie dévaluée.

5 février : Réunion des états de langue d'oïl au couvent des cordeliers.

3 mars : Grande ordonnance de réformes imposée par les États au Dauphin en échange de subsides.

7 juillet : Achat par Étienne Marcel de la maison aux piliers de la place de Grève pour y installer la municipalité.

7 novembre : Nouvelle réunion des états au couvent des cordeliers.

1358

14 janvier : Nouvelle session des états au couvent des cordeliers.

24 janvier : Assassinat du trésorier du Dauphin Jean Baillet par le changeur Marc Perrin qui se réfugie à Saint-Merry. Le maréchal de Normandie fait fracturer les portes de l'église. Marc Perrin est pendu au gibet de Montfaucon le 25. Le lendemain, l'évêque excommunie le maréchal et exige la restitution du corps du supplicié.

11 février : Nouvelle session des états de langue d'oïl au couvent des cordeliers en l'absence de la noblesse.

22 février : Invasion du Palais de la Cité par les bourgeois en armes sous la conduite d'Étienne Marcel. Sous les yeux du Dauphin, ils massacrent les maréchaux de Champagne et de Normandie. Le prévôt des marchands prend le Dauphin sous sa protection en le coiffant du chaperon bleu et rouge aux couleurs de son parti.

24 février : Promesse du Dauphin devant le Parlement de respecter la grande ordonnance de mars 1357. Quatre bourgeois parisiens entrent dans son Conseil : Étienne Marcel, Robert de Corbie, Charles Toussac, Jean de L'Isle.

4 mai : Entrée du roi de Navarre dans Paris.

28 mai : Jacquerie, révolte des paysans en Beauvaisis. Étienne Marcel envoie trois cents hommes pour les soutenir.

9 juin : Défaite des Jacques et de leurs alliés parisiens devant Meaux. Le 10 juin, ils sont exterminés par les troupes de Charles de Navarre après la capture de leur chef, Guillaume Carle.

11 juillet : Sortie des Parisiens assiégés par les troupes du Dauphin. Ils sont repoussés au Petit-Bercy.

19 juillet : Levée du blocus de Paris par le Dauphin à court d'argent.

21 juillet : Rixe de cabaret entre Parisiens et mercenaires anglais de Charles de Navarre. Une trentaine d'Anglais sont tués et une cinquantaine capturés.

22 juillet : Rassemblement, place de Grève, pour exiger une expédition contre les mercenaires anglais installés à Saint-Cloud et à Saint-Denis. Les Parisiens se font massacrer dans un guet-apens. Charles de Navarre quitte Paris.

31 juillet : Tentative d'Étienne Marcel pour faire ouvrir les portes de la ville aux mercenaires du roi de Navarre. Il est tué à la bastide Saint-Antoine par les partisans du Dauphin.

2 août : Entrée du Dauphin dans la ville. Après quelques exécutions de partisans d'Étienne Marcel et du roi de Navarre, une amnistie est proclamée le 10.

1359

25 mai : Réunion des états généraux qui refusent de ratifier le traité de paix signé par Jean II en captivité et votent des subsides pour la poursuite de la guerre.

1360

13 mai : Convention entre les bourgeois de Paris et les Anglais pour le rachat de dix places fortes qui gênent les communications et le ravitaillement de la ville.

Novembre : Achat de l'hôtel d'Étampes par le Dauphin désireux de s'installer dans le quartier Saint-Paul. Il acquiert d'autres maisons, notamment l'hôtel des archevêques de Sens en 1365, et constitue l'hôtel Saint-Paul où il vit jusqu'à sa mort.

1361

Fondation de l'hôpital du Petit-Saint-Antoine.

1362

Création de l'hôpital du Saint-Esprit.

1364

6 mars : Ordonnance de réglementation du guet.

1365

Construction du couvent des célestins.

1368

Détournement de la Bièvre par les fossés Saint-Bernard : elle se jette désormais dans la Seine au niveau de la Tournelle, la partie restée dans Paris étant transformée en égout.

1369

Construction du quai de la Saunerie ou de la Mégisserie.

1370

Ordre du roi que toutes les églises sonnent les heures et les quarts d'heure en se conformant à l'heure marquée par l'horloge à poids et à sonnerie d'Henri de Vic, installée dans la cour carrée du Palais de la Cité, aujourd'hui la plus ancienne horloge subsistante.

22 avril : Pose de la première pierre de la Bastille.

13 septembre : Consécration de l'église des célestins.

1371

Érection d'une corporation des menuisiers distincte des charpentiers, indice de l'essor et de la diversification du mobilier.

1373

Inondation : on circule en barque dans la rue Saint-Denis, de la rue Saint-Antoine à l'abbaye du même nom et on attache les bateaux à la Croix-Hémon, au-dessus de la place Maubert. Le Grand-Pont est rompu.

1377

Octroi par le pape Grégoire XI du pallium à l'évêque de Paris, mais il refuse l'érection du diocèse en archevêché que demandait Charles V. — Bûcher au marché aux Pourceaux de la porte Saint-Honoré pour des turlupins, descendants des adamites, qui prêchent le dénuement et la nudité.

1378

Construction du pont Saint-Michel, achevé en 1387 et d'abord nommé Pont Neuf.

1380

11 novembre : Réunion des états généraux. Le 14, le prévôt des marchands, Jean Fleury, réclame l'abandon de toute fiscalité royale.

15 novembre : Capitulation du Conseil du roi devant l'effervescence populaire : il annonce l'abolition des impôts. La foule détourne sa colère contre les juifs que le prévôt du roi, Hugues Aubriot, prend sous sa protection.

20 décembre : Convocation d'états généraux pour régler les problèmes financiers de la royauté. L'impôt est rétabli pour un an à partir du 1er mars 1381.

24 décembre : Obsèques de Charles V. Les chanoines de Notre-Dame et ceux de la Sainte-Chapelle se battent pour des questions de préséance. Le prévôt Hugues Aubriot rétablit l'ordre, plusieurs clercs sont blessés ou emprisonnés.

1381

17 mai : Condamnation au bûcher d'Hugues Aubriot pour avoir brutalisé des clercs. Il n'échappe à la mort qu'en faisant amende honorable.

1382

15 janvier : Convocation à Vincennes du prévôt des marchands et des notables : ils s'opposent au rétablissement des impôts indirects. Le Conseil du roi passe outre et décide, le 17, le rétablissement des impôts indirects au 1er mars.

1er mars : Insurrection quand les fermiers tentent de percevoir les taxes. La foule s'arme de maillets de plomb pris à l'Hôtel de Ville, d'où le nom de révolte des maillotins. Le roi, déjà aux prises avec la révolte de Rouen, suspend la levée des impôts indirects.

1er juin : Soumission au roi des bourgeois qui sont condamnés à verser 80 000 livres d'amende.

1383

Achèvement de la nouvelle enceinte, dite de Charles V, décidée en 1356 par Étienne Marcel. Elle ne concerne que la rive droite, la muraille de Philippe Auguste ayant seulement été améliorée sur la rive gauche.

27 janvier : Suppression de la prévôté des marchands, de l'échevinage et de la milice bourgeoise.

1389

27 janvier : Concession du roi à l'amour-propre des bourgeois : Jean Jouvenel reçoit le titre de garde de la prévôté des marchands.

22 août : Apparition du premier coche à coffre suspendu ou carrosse lors de l'entrée solennelle d'Isabeau de Bavière. Très coûteux, ce véhicule reste longtemps une rareté : il n'y en a que trois sous François Ier.

1390

29 octobre : Premier procès de sorcellerie : Jeanne de Brigue, dite la Cordière, est jugée par le Parlement et brûlée le 19 août 1391.

1391

Août : Création de la première confrérie de peintres, dits « peintes et tailleurs d'images ».

1393

Premier livre de recettes culinaires raisonnées, le *Ménagier de Paris*.

28 janvier : Bal des Ardents en l'hôtel Saint-Paul : déguisé en sauvage ainsi que cinq grands seigneurs, le corps couvert d'étoupes, Charles VI échappe de peu à la mort, une torche tenue par Louis d'Orléans ayant embrasé les costumes et causé la mort de quatre de ses compagnons.

1394

Consultation à l'Université pour tenter de mettre fin au schisme : ses membres sont invités à se prononcer par écrit et à déposer leurs propositions dans une urne placée dans l'église des mathurins. La majorité opte pour la réunion d'un concile.

17 septembre : Édit d'expulsion des juifs de France. Renouvelé le 23 mars 1615, il signifie la disparition légale de cette communauté pour quatre siècles.

1398

Timide début de laïcisation de l'Université : le mariage des étudiants et des professeurs de la faculté de médecine est autorisé.

28 juillet : Vote de trois cents prélats, ducs et docteurs de l'Université en faveur de la soustraction d'obédience à la papauté d'Avignon.

1402

14 janvier : Réconciliation publique de Philippe le Hardi avec la reine Isabeau et Louis d'Orléans. L'impopularité de la reine et du duc d'Orléans est très forte.

1404

Mai : Sermon du moine augustin Jacques Le Grand devant la Cour le jeudi de l'Ascension : il critique vivement la reine et lui conseille de parcourir la ville déguisée en pauvre femme pour mesurer son impopularité.

18 août : Fuite de la reine Isabeau de Bavière et de Louis d'Orléans qui emmènent le Dauphin. Le 19, le duc de Bourgogne fait une entrée triomphale dans Paris.

1407

Description de Paris par Guillebert de Metz. — Première mention d'une dissection officielle et licite à la faculté de médecine. La pratique ne devient courante qu'au XVIᵉ siècle.

21 novembre : Chutes de neige puis froid rigoureux : des charrettes circulent sur la Seine gelée, l'encre gèle au bord des plumes.

23 novembre : Assassinat de Louis d'Orléans, rue Vieille-du-Temple, par des tueurs soudoyés par le duc de Bourgogne, Jean sans Peur.

1408

31 janvier : Dégel et chute du Petit Pont et du Grand Pont.

28 février : Arrivée de Jean sans Peur à la tête d'une petite armée. Il est acclamé par les Parisiens. Il doit quitter la ville en juillet pour aller réprimer la révolte de Maestricht.

8 mars : Apologie du tyrannicide et du meurtre de Louis d'Orléans par le théologien Jean Petit, avocat de Jean sans Peur, à l'hôtel Saint-Paul, devant la Cour, les représentants de l'Université et de la municipalité.

1411

11 septembre : Mise en état de siège de la ville par les partisans du duc de Bourgogne.

23 octobre : Installation à Paris de Jean sans Peur.

1412

20 janvier : Ordonnance rétablissant la prévôté des marchands et l'échevinage.

1413

30 janvier : Réunion des états généraux de langue d'oïl à l'hôtel Saint-Paul. Ils réclament des réformes avant de voter des subsides.

24 février : Capitulation du Conseil du roi à court d'argent : révocation de la plupart des officiers de finance, du prévôt du roi, Pierre des Essarts, du prévôt des marchands, Pierre Gencien.

27 avril : Prise de la Bastille par Pierre des Essarts, rappelé par le Dauphin. Le lendemain, la foule en armes, sous la conduite du boucher Simon Caboche, envahit l'hôtel Saint-Paul et capture les conseillers du Dauphin qui sont ensuite massacrés.

22 mai : Nouvelle invasion de l'hôtel Saint-Paul. La foule réclame des arrestations dans l'entourage de la reine. Jean sans Peur tente en vain de s'interposer. Les bourgeois modérés commencent à fuir la ville.

26 mai : Ordonnance réformatrice dite «cabochienne», préconisant des réformes et des économies.

13 juillet : Intervention du Parlement en faveur d'une négociation avec les Armagnacs. Une assemblée de notables parisiens se prononce dans le même sens.

2 août : Victoire des partisans de la paix. Les Cabochiens commencent à fuir la ville le 4. Une amnistie est accordée aux partisans du duc de Bourgogne le 29, à l'exception de Simon Caboche et des principaux meneurs.

1414

Février : Apparition d'une maladie nouvelle, le «tac» ou «horion» qu'on nomme aujourd'hui coqueluche.

1er novembre : De Toussaint jusqu'à Pâques, pluies incessantes : on circule en barque entre le Temple et la rue Saint-Antoine. La décrue s'amorce le 15 avril 1415.

1416

15 février : Ordonnance de réglementation détaillée de la juridiction de la prévôté des marchands.

18 avril : Découverte d'un complot bourguignon. Nombreuses arrestations et exécutions.

13 mai : Ordonnance de destruction de la Grande-Boucherie. En août, les statuts de la corporation des bouchers sont modifiés et leurs privilèges réduits, sanction de leur soutien à la cause bourguignonne.

1417

Déviation de l'égout du Pont-Perrin vers l'enclos du Temple par la rue de l'Égout (de Sévigné).

1418

Épidémies de peste et de variole.

14 mai : Échec des négociations entre Armagnacs et Bourguignons. Un complot se forme pour ouvrir les portes de la ville à l'armée du duc de Bourgogne.

29 mai : Entrée dans la nuit des troupes bourguignonnes par la porte Saint-Germain-des-Prés qui leur a été ouverte par des bourgeois. Les chefs du parti armagnac sont capturés au lit. Les prisonniers sont massacrés le 12 juin.

14 juillet : Entrée de Jean sans Peur et de la reine Isabeau par la porte Saint-Antoine.

20 août : Disette et rumeur de complot armagnac. La populace, emmenée par le bourreau Capeluche, pille et massacre pendant deux jours. Appuyé par les éléments modérés, Jean sans Peur rétablit l'ordre, fait exécuter Capeluche et d'autres chefs de l'émeute.

1420

30 mai : Serment de l'Université et d'une assemblée de bourgeois de respecter le traité de Troyes qui fait d'Henri V d'Angleterre l'héritier de Charles VI.

1er décembre : Entrée de Charles VI, d'Henri V et de Philippe de Bourgogne. Henri V s'installe au Louvre et Charles VI à l'hôtel Saint-Paul.

1422

Juin-Juillet : Épidémie de variole.

21 octobre : Mort de Charles VI. Les rois séjournent désormais rarement à Paris. Ce n'est qu'en 1528 que François Ier se réinstalle dans la capitale.

1423

Février : Serment de fidélité des Parisiens au duc de Bedford, représentant du roi d'Angleterre. La défense de la ville repose sur la milice bourgeoise, la garnison anglaise ne dépassant pas cent hommes.

1424

Août : Peinture de la plus ancienne danse macabre connue au cimetière des Innocents.

1425

1er septembre : Introduction, rue aux Ours, par les soldats de la garnison anglaise, d'un nouveau divertissement, le mât de cocagne.

1426

Juin : Inondation jusqu'au 10 juillet. Le jour de la Saint-Jean, l'eau monte brusquement et éteint le feu allumé sur la place de Grève.

1427

13 avril : Début de pluies incessantes jusqu'au 9 juin. Le 12 juin, l'île Notre-Dame (Saint-Louis) est submergée. Le 14 juin, l'eau monte deux pieds plus haut que l'année précédente.

17 août : Arrivée des premiers gitans, dits aussi tsiganes, bohémiens, etc. L'évêque excommunie les diseuses de bonne aventure et les fidèles qui auraient recours à cet acte de sorcellerie.

Automne : Épidémie de grippe ou « dando ».

1429

8 septembre : Échec de Jeanne d'Arc : elle est blessée à l'attaque de la porte Saint-Honoré.

1431

16 décembre : Sacre à Notre-Dame de Henri VI, un enfant de neuf ans, par son oncle, le cardinal d'Angleterre.

1432

Mars : Inondation : les marais restent submergés jusqu'au 8 avril de la porte Saint-Antoine à la porte Saint-Martin.

1433

Mars : Épidémie de variole.

1436

28 février : Amnistie promise par Charles VII aux Parisiens compromis avec les Anglos-Bourguignons. Ses troupes encerclent la ville.

13 avril : Insurrection contre la garnison anglaise tandis que les troupes de Charles VII entrent par la porte Saint-Jacques. Le 15, les soldats anglais et leurs partisans sont autorisés à s'embarquer pour Rouen.

1437

12 novembre : Entrée de Charles VII à Paris, mais il n'y reste que trois semaines, préférant les châteaux des pays de Loire.

1438

Épidémies de peste et de variole.

1442

Avril : Crue atteignant l'Hôtel de Ville à deux reprises, le 1er avril et au début de mai.

1444

Juin : Reprise de la foire du Lendit. Interrompue en 1418 à cause de la guerre, elle n'avait pu avoir lieu qu'en 1426, 1427 et 1428.

1445

Épidémie de variole.

1446

26 mars : Signe du déclin de l'Université, elle est soumise à la juridiction du Parlement.

1447

Installation au bord de la Bièvre, dans le faubourg Saint-Marcel, de la manufacture de tapis de la famille Gobelins.

1448

Novembre : Sécheresse exceptionnelle : on traverse à pied sec de la place Maubert à Notre-Dame.

1450

26 juillet : Ordonnance sur l'élection du prévôt des marchands et des échevins.

1455

5 juin : Meurtre du prêtre Philippe Sermoise par François Villon, auteur en 1456 du *Petit Testament*.

1458

1er janvier : Création de la première chaire de grec à l'Université. Elle est confiée à Gregorio di Citta di Castello, dit le Tifernate.

1464

Représentation de la *Farce de Maître Pathelin*, première pièce importante du théâtre français.

1465

7 juillet : Échec du comte de Charolais et de la Ligue du Bien public qui ne peuvent prendre la ville d'assaut.

18 juillet : Repli de Louis XI sur Paris après la bataille indécise de Montlhéry. Il se rallie les bourgeois, le clergé et l'Université en rétablissant les franchises qu'il avait abolies en 1461.

3 septembre : Siège de la ville par les princes de la Ligue du Bien public, jusqu'à la paix de Saint-Maur-des-Fossés du 29 octobre.

1467

Juin : Suppression de la milice bourgeoise par quartiers, remplacée par soixante et une bannières de métiers que le roi passe en revue le 14 septembre.

1470

Naissance de l'imprimerie avec les *Lettres* de Gasparin de Bergame imprimées par Ulrich Gering, Michel Friburger, Martin Crantz, installés à la Sorbonne.

1473

Départ de la Sorbonne de l'imprimerie qui va s'installer dans la maison à l'enseigne du « Soleil d'or », rue Saint-Jacques.

1474

Reconstruction de l'hôtel de Sens par l'archevêque Tristan de Salazar.

1er mars : Ordonnance interdisant l'enseignement à l'Université du nominalisme de Guillaume d'Ockham. Elle est annulée en 1481.

1476

Impression de la première Bible parisienne.

1477

Création de la poste royale ou poste aux chevaux.

1480

4 avril : Attestation de la première horloge à ressort : Jean de Paris, horloger du roi, reçoit 16 livres 10 sous de Louis XI pour une horloge « pour porter avec lui en tous lieux où il ira ». L'invention en a été faite à Nuremberg.

1482

Projet de réforme de l'Hôtel-Dieu par un chanoine de Notre-Dame dans le *Livre de vie active*.

1483

Mars : Création d'une nouvelle foire à Saint-Germain-des-Prés.

1484

30 juillet : Scandale à la Sorbonne : Jean Lailler, candidat à la licence de théologie, oppose l'autorité de la Bible à celle de la tradition de l'Église et critique vivement le pape. Il fait amende honorable le 29 juin 1486 et obtient le pardon de l'évêque, à la fureur d'Innocent VIII, mis en cause par l'accusé.

1485

Construction de l'hôtel des abbés de Cluny. — Impression de la première affiche par Jean Du Pré.

1491

3 juin : Sacrilège à Notre-Dame : le prêtre Jean Langlois profane les hosties durant la messe. Il nie la présence réelle dans l'Eucharistie lors de son procès et se voit condamner au bûcher.

1492

Début de la reconstruction de l'église Saint-Étienne-du-Mont achevée en 1626.

1494

Refus par la municipalité d'un prêt de 100 000 écus au roi pour son expédition en Italie. Elle refuse à nouveau en 1496 une contribution financière à ce qu'elle désapprouve comme une aventure stérile.
15 mars : Fondation à Chaillot d'un couvent de minimes.

1496

Septembre : Premiers cas de syphilis, maladie rapportée de Naples par les soldats de Charles VIII. Le 6 mars 1497, les étrangers à la ville atteints par ce mal sont expulsés.

1497

Création du premier lazaret pour isoler les malades contagieux, surtout les syphilitiques. Il est installé dans une partie inhabitée du faubourg Saint-Germain.
7 janvier : Inondation : la Seine couvre la place de Grève, la place Maubert, la rue Saint-André-des-Arts.

1499

Mai : Ordonnance imposant à l'Université les règles de conduite édictées en 1452 par le cardinal d'Estouteville et jamais appliquées. Cette décision provoque des troubles et Louis XII doit l'imposer en lit de justice après être entré dans la ville à la tête d'une petite armée.
25 octobre : Écroulement du pont en bois de Notre-Dame. Accusés de négligence, prévôt des marchands et échevins sont emprisonnés. Ils sont condamnés le 9 janvier 1500 par le Parlement.

1500

6 juillet : Début de la reconstruction en pierre du pont Notre-Dame, sous la direction du moine italien Giovanni Giocondo. Elle est achevée en 1514.
28 juillet : Arrêt du Parlement interdisant la création de nouvelles confréries

de gens de métier, car elles sont considérées comme des « assemblées faites au préjudice de la chose publique ».

1503

25 août : Messe de la Saint-Louis à la Sainte-Chapelle. Devant le Parlement réuni, un écolier originaire d'Abbeville, Hémon de La Fosse, arrache l'hostie au prêtre en criant : « Et durera toujours cette folie ! » Niant la divinité du Christ, il périt sur le bûcher.

1504

Juillet : Arrêt du Parlement pour l'éclairage de la ville : dès neuf heures du soir, les Parisiens doivent allumer une chandelle dans une lanterne placée à leur fenêtre. La prescription n'est guère appliquée. Elle est renouvelée les 18 juin 1524, 16 novembre 1526, 12 décembre 1551, etc.

1505

Premier livre d'heures imprimé en caractères romains par Thielmann Kerver. L'écriture gothique va disparaître lentement au cours du siècle.

5 avril : Changement de direction à l'Hôtel-Dieu : les chanoines de Notre-Dame sont remplacés par huit gouverneurs laïques élus parmi les bourgeois de Paris par l'Assemblée de la Ville.

1508

17 février : Décision de soigner les malades atteints de syphilis hors de l'Hôtel-Dieu pour éviter la contagion : les femmes seront soignées à la maladrerie du Roule, les hommes au faubourg Saint-Germain.

15 juillet : Arrêt du Parlement interdisant la construction ou le renforcement des encorbellements.

1512

Fonte par Gilles de Gourmont du premier alphabet grec destiné à l'imprimerie parisienne.

1515

13 mai : Établissement des pères de la Merci dans les dépendances de l'hôtel d'Albret (rue des Francs-Bourgeois) qu'ils quittent ensuite pour la montagne Sainte-Geneviève (rue des Sept-Voies).

1521

15 avril : Condamnation par la Sorbonne des thèses de Luther.

1522

4 février : Édit de Saint-Germain-en-Laye élevant le nombre des notaires de soixante à cent.

22 juin : Ouverture du Grand Livre de la dette municipale et constitution de la première rente sur l'Hôtel de Ville. L'édit du 10 octobre permet au roi d'emprunter par l'intermédiaire de la Ville.

1523

Publication par Simon de Colines de la traduction du *Nouveau Testament* par

Jacques Lefèvre d'Étaples. En 1525, la faculté de théologie interdit la traduction des Saintes Écritures.

Mars : Création d'un troisième corps pour assurer la sécurité : cent arquebusiers s'ajoutent aux cent vingt archers et aux soixante arbalétriers.

8 août : Bûcher pour le premier martyr de la Réforme, le moine augustin Jean Vallière qui a soutenu que Jésus avait été conçu comme les autres êtres humains.

1527

15 mars : Lettres patentes pour la construction du quai du Louvre, achevé en 1538.

20 décembre : Lit de justice : la Ville verse 150 000 livres pour la rançon des Enfants de France en captivité à Madrid.

1528

Construction pour François Ier d'un énorme pavillon pour héberger la Cour durant les chasses au bois de Boulogne, le château de Madrid.

28 février : Début de la démolition du donjon du Louvre.

15 mars : Annonce par François Ier de son intention de faire de Paris sa principale résidence.

11 juin : Procession le jour de la Fête-Dieu. François Ier remplace la statue de la Vierge d'une maison de la rue du Petit-Saint-Antoine (22, rue du Roi-de-Sicile) mutilée dans la nuit du 3 au 4. La statue endommagée est portée à Saint-Gervais où elle fait des miracles sous le nom de Notre-Dame-de-Souffrance puis de Notre-Dame-de-Bonne-Délivrance.

1529

17 avril : Bûcher en place de Grève pour Louis de Berquin, protégé du roi et de sa sœur, Marguerite de Valois. La Sorbonne a profité de leur absence pour se saisir de l'hérétique.

19 août : Bûcher, place de Grève, pour Miles Regnault, secrétaire de l'évêque de Paris, converti au luthéranisme et condamné comme blasphémateur.

1530

Première fonderie typographique française importante créée par Claude Garamond.

Mars : Fondation par François Ier du Collège des lecteurs royaux ou Collège de France pour remédier aux carences de l'Université.

1531

Décembre : Épidémie de peste. Le cimetière des Innocents étant saturé, un nouveau lieu d'inhumation est ouvert pour les pestiférés dans la plaine de Grenelle, « face aux Bonshommes » de Chaillot.

1532

19 août : Pose de la première pierre de la nouvelle église Saint-Eustache. Elle n'est achevée qu'en 1637.

22 décembre : Présentation du projet de nouvel Hôtel de Ville de Dominique de Cortone. La première pierre est posée le 15 juillet 1533.

1533

Avril : Ordonnance de Fontainebleau ordonnant la démolition des portes inutiles et gênantes de l'enceinte de Philippe Auguste sur la rive droite.

16 mai : Manifestation contre Marguerite d'Angoulême, sœur du roi, qui a fait prêcher au Louvre un membre du «cercle de Meaux», Gérard Roussel, interdit par la Sorbonne. Les meneurs sont jugés par le Parlement qui se contente de les exiler.

1er novembre : Rentrée universitaire. Le recteur Nicolas Cop fait scandale en lisant un discours inspiré par Jean Calvin.

1534

15 août : Vœux d'Ignace de Loyola : au pied de la butte Montmartre, ses compagnons et lui décident de se consacrer à Dieu et au pape, jetant les bases de la Compagnie de Jésus.

17-18 octobre : Affaire des placards : des calvinistes affichent dans la nuit un texte du pasteur Marcourt jusque sur la porte de la chambre du roi (absent) au Louvre. Le Parlement fait arrêter deux cents suspects dont six sont brûlés dès le soir du 18. De nombreux autres subissent le même sort avant la fin de l'année.

17 novembre : Premier bûcher pour un imprimeur, place Maubert, Antoine Augereau, coupable d'avoir publié le *Miroir de l'âme pécheresse* de Marguerite de Navarre (ou d'Angoulême), sœur du roi François Ier.

1535

23 janvier : Premier bûcher pour une femme hérétique, Marie La Catelle, maîtresse d'école, qui a fait lire l'Évangile en français à ses élèves.

15 février : Bûcher pour Étienne de La Forge qui a fait imprimer l'Évangile à ses frais pour le distribuer aux pauvres.

1536

29 juillet : Travaux pour construire de nouvelles fortifications, abandonnés au bout de six mois, dès que s'éloigne la menace militaire espagnole.

1538

19 juillet : Explosion de la tour de Billy, bastion sud-est de l'enceinte de Charles V et réserve de poudre, touchée par la foudre.

6 août : Pénurie d'eau. Réglementation stricte de son utilisation et réfection des fontaines du Ponceau et de l'Apport-Baudoyer (rebaptisée Saint-Jean).

1539

17 janvier : Création par François Ier des imprimeurs du roi pour le grec auxquels Claude Garamond fournit en 1540 ses magnifiques caractères, origine de la future Imprimerie royale.

Septembre : Ordonnance sur la voirie mentionnant pour la première fois l'affichage public.

1540

1er janvier : Entrée solennelle de Charles Quint.

27 janvier : Ordonnance royale réglementant le guet.

1544

19 août : Publication par la Sorbonne du premier *Index* de livres interdits.

7 novembre : Création du Grand Bureau des Pauvres. François Ier enlève au Parlement l'assistance aux indigents, mendiants et vagabonds pour la confier au Bureau de la Ville.

1546

2 août : Lettres patentes de François Ier pour la reconstruction de l'aile occidentale du Louvre, confiée à Pierre Lescot à qui va être adjoint Jean Goujon pour la décoration.

3 août : Bûcher place Maubert pour l'imprimeur Étienne Dolet. Le 19, c'est le tour d'un autre imprimeur, Michel Vincent, le 13 septembre, celui de Pierre Gresteau, également imprimeur.

1547

22 avril : Arrivée du premier train de bois de chauffage, conduit par Charles Leconte et venant du Nivernais. C'est le début du flottage en train dont l'invention est généralement attribuée à Jean Rouvet en 1549.

8 octobre : Édit de Blois créant au Parlement une commission chargée de la poursuite des protestants, nommée Chambre ardente.

Décembre : Effondrement du pont Saint-Michel sous le choc d'un bateau. Philibert Delorme est chargé de le reconstruire.

1548

30 août : Inauguration de la première salle de théâtre, située en l'hôtel de Bourgogne et utilisée d'abord par les Confrères de la Passion.

23 novembre : Édit de Saint-Germain-en-Laye interdisant la construction de nouvelles maisons dans les faubourgs.

1549

16 juin : Mise en service aux Halles de la fontaine des Saints-Innocents décorée par Jean Goujon.

1550

8 septembre : Lettres patentes d'Henri II pour la construction d'une nouvelle enceinte protégeant les faubourgs de la rive gauche.

1551

5 octobre : Bornage de la future enceinte de la rive gauche. Le projet n'ira pas plus loin.

1552

4 janvier : Acceptation du devis de Pierre Lescot pour la reconstruction du Petit-Pont.

1553

Introduction des sorbets glacés par des limonadiers italiens.

Février : Première tragédie classique française, *Cléopâtre captive* d'Étienne Jodelle, jouée devant le roi.

7 août : Pose de la première pierre d'un boulevard entre le couvent des célestins et l'emplacement de la tour de Billy, nouvelle fortification qui suit le tracé de l'enceinte de Charles V.

1554

7 février : Interdiction par le Parlement des écoles clandestines, dites « buissonnières ».

12 juillet : Pose de la première pierre de la Porte Neuve, dite ensuite Porte de la Conférence, à l'extrémité occidentale du jardin des Tuileries.

1555

Septembre : Implantation de l'Église réformée par le pasteur Jean Le Maçon de Launay, sieur de La Rivière, qui procède au premier baptême parisien selon le rite calviniste.

1557

11 août : Exode des Parisiens à l'annonce de l'approche de l'armée espagnole victorieuse à Saint-Quentin. Le 13, la reine Catherine de Médicis obtient 300 000 livres de la Ville et rétablit la confiance.

4-5 septembre : Découverte durant la nuit d'une assemblée protestante, rue Saint-Jacques. Émeute des catholiques contre les réformés.

1558

13 mai : Rassemblement de milliers de réformés au Pré-aux-Clercs pour célébrer ouvertement leur culte en cette période de Rogations. Ces attroupements se poursuivent jusqu'au 19 en dépit des menaces des autorités.

1559

25 mai : Premier synode calviniste, rue des Marais (Visconti). Il s'achève le 29 avec la constitution de l'Église réformée de France.

30 mai : Suppression du guet bourgeois ou « guet assis ».

10 juin : Mercuriale au Parlement : les conseillers catholiques modérés ayant critiqué l'édit d'Écouen mettant hors-la-loi les protestants, Henri II vient siéger en personne pour faire taire les opposants. Séguier et Harlay, catholiques irréprochables, défendent la liberté du Parlement et Anne Du Bourg prononce un discours audacieux. Le roi le fait arrêter ainsi que Louis Du Faur.

30 juin : Fêtes pour le mariage de la sœur et de la fille du roi avec le duc de Savoie et le roi d'Espagne. Lors d'une joute, rue Saint-Antoine, Henri II est mortellement blessé à l'œil par la lance de Montgomery.

6 septembre : Ordre du Parlement aux propriétaires et aux hôteliers de déclarer aux commissaires du Châtelet et aux quarteniers les personnes qu'ils hébergent.

23 décembre : Pendaison puis bûcher en place de Grève pour Anne Du Bourg.

1560

9 juillet : Arrêt du Parlement pour la surveillance de la population. Ses membres se répartissent entre les quartiers pour y assurer la police des consciences et superviser l'action des commissaires du Châtelet et des quarteniers.

1561

12 octobre : Affrontements entre catholiques et protestants à l'issue d'un prêche rassemblant six mille réformés près de Saint-Antoine-des-Champs.

27 décembre : « Tumulte » de Saint-Médard : les catholiques s'en prennent aux protestants qui célèbrent leur culte dans la maison du Patriarche, proche de l'église Saint-Médard. Le 28, la maison est incendiée par les catholiques.

1562

28 janvier : Explosion d'un magasin de poudre qui détruit partiellement le Petit-Arsenal.

4 avril : Incendie des chaises et bancs des temples protestants de Popincourt et de Jérusalem sur ordre du connétable de Montmorency.

17 mai : Modification de la milice bourgeoise : le commandement est enlevé aux quarteniers pour être confié à des capitaines nommés par le Bureau de la Ville.

1563

2 juillet : Ouverture par les jésuites du collège de Clermont, futur collège puis lycée Louis-le-Grand.

Novembre : Édit de création du tribunal des juges consuls, ancêtre du tribunal de commerce. Il est installé dans l'abbaye de Saint-Magloire, rue Saint-Denis.

1564

Début de la construction des Tuileries confiée par Catherine de Médicis à Philibert Delorme.

1er janvier : Fixation du début de l'année civile au 1er janvier et non plus au 1er avril. De cette époque date la tradition des étrennes et du « poisson d'avril ».

14 juillet : Modification des élections municipales par l'ordonnance de Crémieu : les villes doivent présenter deux listes entre lesquelles le roi choisit.

28 décembre : Neige jusqu'au 24 février 1565. A la débâcle, les eaux couvrent la place de Grève le 1er mars.

1565

9 mars : Lettres patentes sur les façades des maisons : les colombages de bois en encorbellement doivent être remplacés par des parois en pierre de taille ou en moellon avec chaux et sable « pour la décoration de ladite ville ».

1er août : Construction décidée d'un quai le long du couvent des minimes de Nigeon (Chaillot).

1566

Aménagement du Marché Neuf à l'ouest du Petit Pont. En même temps est construit le quai de la Gloriette.

12 juillet : Début de la construction du nouveau rempart qui doit inclure le palais et le jardin des Tuileries.

1567

4 février : Ordonnance imposant le retour au pavé de sept ou huit pouces de côté à la place des carrés de grès de six ou sept pouces.

12 décembre : Condamnation pour hérésie de l'orientaliste Guillaume Postel. En raison de sa grande science, le savant n'est pas brûlé mais relégué au couvent de Saint-Martin-des-Champs.

1568

24 janvier : Nouvelle organisation de la milice bourgeoise : les dizaines sont groupées en compagnies sous les ordres de capitaines et les compagnies regroupées par quartier en colonnes commandées par des colonels.

1569

30 juin : Condamnation à mort de plusieurs membres de la riche famille protestante des Gastines. Leur maison, au début de la rue Saint-Denis, doit être rasée en exécution de l'ordonnance du 4 septembre 1560 et une croix expiatoire érigée à son emplacement.

1570

15 novembre : Achat par les juges consuls de l'hôtel du président Baillet (17-21, rue du Renard) pour y installer leur tribunal de commerce.

1571

6 mars : Arrivée de la première troupe de comédiens italiens, *I Gelosi*, bientôt interdite par le Parlement.

16-19 décembre : Émeutes catholiques lors de la démolition de la pyramide de la croix des Gastines exigée par les protestants. La croix est transférée au cimetière des Innocents.

1572

18 août : Mariage d'Henri de Bourbon, roi de Navarre, et de Marguerite de Valois, sœur de Charles IX. La ville est pleine de protestants venus avec leur chef et de partisans des ultra-catholiques Guise.

22 août : Attentat contre Coligny, rue des Poulies. Maurevert ne réussit qu'à le blesser. Affolement de Catherine de Médicis qui a ordonné ce crime. Le 23 au soir, elle convainc le roi d'ordonner le massacre des protestants.

24 août : Début du massacre de la Saint-Barthélemy, vers quatre heures du matin, lorsque sonne la cloche de Saint-Germain-l'Auxerrois. La tuerie dure jusqu'au 30 et fait environ deux mille victimes chez les réformés.

1573

Début de la construction par Jean Bullant de la nouvelle résidence de Catherine de Médicis, le futur hôtel de Soissons, achevée en 1584. — Apparition de la technique de la taille-douce introduite par Gabriel Tavernier.

1574

Juillet : Installation des capucins, rue Saint-Honoré.

1576

Création d'une École de pharmacie par Nicolas Houel, le premier et long-temps l'unique centre d'enseignement du royaume pour la formation des apothicaires.

19 mai : Première représentation des comédiens italiens *I Gelosi* dans la salle du Petit-Bourbon, avec un énorme succès.

8 juin : Constitution de la Sainte Ligue à Péronne. Ses représentants à Paris sont le président à mortier Pierre Hennequin, l'apothicaire et épicier Jean de La Bruyère et son fils Mathieu, lieutenant au Châtelet.

1577

7 novembre : Nomination d'une commission pour étudier la construction du futur Pont Neuf. Le 15 février 1578, Henri III choisit le projet de la pointe occidentale de l'île de la Cité.

1578

27 avril : Duel au Marché-aux-Chevaux (place des Vosges) de trois mignons d'Henri III contre trois hommes des Guise, un seul survivant.

31 mai : Pose de la première pierre du Pont Neuf par Henri III.

1579

8-9 avril : Crue soudaine de la Bièvre qui fait entre vingt et soixante victimes.

1580

Épidémie de peste et d'une variété de coqueluche particulièrement meur-trière.

1581

24 septembre : Premier ballet de cour français, *Circé* de Balthazar de Beaujoyeux, joué au Louvre à l'occasion du mariage d'Anne de Joyeuse, favori du roi, avec Marguerite de Vaudémont.

1582

9 décembre : Entrée en vigueur du calendrier grégorien et suppression de dix jours : le lendemain du 9 décembre devient ainsi le 20 décembre.

1583

13 mars : Création des confréries de flagellants blancs, noirs et bleus sous l'impulsion d'Henri III qui prend modèle sur Charles Borromée en Italie. La première procession a lieu le 25 mars : le roi et les courtisans défilent sous la pluie et les huées de la foule scandalisée par cette forme de dévotion qui lui est inconnue.

1584

Construction de l'hôtel d'Angoulême (à l'angle des rues Pavée et des Francs-Bourgeois) par Jacques Androuet Du Cerceau, premier édifice parisien à adopter l'ordre colossal.

1587

Création d'une chaire d'arabe au Collège de France.

20 mars : Fuite de Charles de Mayenne, frère du duc de Guise, impliqué dans un projet d'attentat contre Henri III.

21 juillet : Dernière procession du roi et des pénitents, sous la conduite du cardinal de Bourbon.

2 septembre : Émeute après l'incarcération de trois prédicateurs ligueurs sur ordre du roi qui souhaite une réconciliation avec les protestants. Henri III finit par céder, libère les prêtres et quitte la capitale pour se mettre à la tête de l'armée. Il est de retour le 22 décembre.

1588

9 mai : Entrée triomphale d'Henri de Guise, acclamé par les Parisiens.

12 mai : Journée des barricades, insurrection contre Henri III qui abandonne la ville aux Guise le soir du 13 et se replie vers la Loire.

18-20 mai : Mainmise de la Ligue sur l'administration municipale. Michel Marteau, seigneur de La Chapelle, est élu prévôt des marchands par une assemblée de bourgeois.

21 juillet : Enregistrement par le Parlement du saint édit d'Union : Henri de Guise est nommé lieutenant général des armées.

1er août : Édit donnant des noms de lieu permanents aux seize quartiers qui portaient jusqu'alors le nom de leur quartenier.

8 septembre : Installation des feuillants dans leur couvent de la rue Saint-Honoré, à proximité des Tuileries.

16 octobre : Ouverture des états généraux à Blois. La députation parisienne se distingue par la violence de ses propos ligueurs.

25 décembre : Révolte à la nouvelle de l'assassinat du duc et du cardinal de Guise à Blois. La Sorbonne déclare les Français déliés de leur obéissance à Henri III et la municipalité confie le pouvoir à un conseil de quarante membres. Le 26, le duc d'Aumale, cousin des victimes, est élu gouverneur de Paris.

1589

16 janvier : Incarcération des membres du Parlement hostiles au pouvoir de la Ligue. Le 26, les ligueurs imposent Barnabé Brisson à la place d'Achille de Harlay comme premier président.

12 février : Entrée de Charles de Mayenne, frère d'Henri de Guise. Il est nommé lieutenant général de l'État royal par les Seize de la Ligue. Le 7 mars, le Parlement confirme son titre. Le 13, la Ligue proclame roi le cardinal de Bourbon sous le nom de Charles X.

1er août : Assassinat d'Henri III à Saint-Cloud par le dominicain Jacques Clément alors qu'il s'apprêtait à attaquer la capitale.

1er novembre : Échec d'une attaque par surprise de l'enceinte de la rive gauche par l'armée d'Henri IV. La Ligue inquiète épure la milice.

1590

7 mai : Assaut manqué d'Henri IV contre les faubourgs Saint-Denis et Saint-Martin. Il recommence le siège de la ville.

14 mai : Première grande procession de la Ligue pour maintenir le moral des assiégés. Il y en aura beaucoup d'autres, les plus importantes étant celles des 31 mai et 3 juin.

8 août : Révolte populaire. Aux cris de « du pain ou la paix », des milliers de manifestants affamés se rassemblent dans la cour du Palais de Justice. Un capitaine ligueur de la milice est tué. La sévère répression contre ces manifestants détourne les Parisiens de la Ligue.

10-11 septembre : Échec d'une attaque de nuit d'Henri IV entre les portes Saint-Jacques et Saint-Marcel. Il lève le siège peu après à l'annonce de l'approche d'une armée espagnole.

1591

3 janvier : Sécheresse. Pierre de L'Estoile note dans son *Journal* que le niveau de la Seine est si bas qu'on peut presque se rendre à pied sec du quai des Augustins à l'île de la Cité.

20 janvier : Journée des Farines. Déguisés en paysans et conduisant des ânes chargés de farines, des officiers de l'armée d'Henri IV tentent en vain de s'emparer de la porte Saint-Honoré.

1er avril : Nouvelle épuration du Parlement par les ligueurs. Le président Brisson figure parmi les bannis.

6 avril : Affaire Brigard : proche de Mayenne, procureur du Roi et de la Ville, Brigard est accusé d'intelligence avec Henri IV et embastillé. Le Parlement le bannit en octobre pour lui permettre d'échapper aux Seize.

2 septembre : Lettre des Seize à Philippe II d'Espagne pour lui offrir la couronne de France.

15 novembre : Action punitive des Seize contre le Parlement : le président Brisson et deux autres magistrats sont jugés et pendus. Leurs corps sont exposés en place de Grève le 16. Malgré cette démonstration de force, l'opinion se détache de plus en plus des extrémistes.

28 novembre : Entrée de Mayenne à la tête d'une petite armée. Il contraint Bussy-Leclerc à lui livrer la Bastille, le 1er décembre.

4 décembre : Arrestation des Seize ordonnée par Mayenne. Quatre d'entre eux sont pendus au Louvre. Le 9, Mayenne doit s'expliquer devant la Sorbonne scandalisée. Le 10, il accorde une amnistie générale à ceux des Seize qui ne sont pas en fuite ou qui n'ont pas été pendus.

1593

26 janvier : Ouverture au Louvre des états généraux de la Ligue, convoqués pour abroger la loi salique et offrir la couronne à la fille de Philippe II d'Espagne. Les députés s'y refusent le 20 juin.

16 mai : Décision publique d'Henri IV d'abjurer le protestantisme.

15 juillet : Convocation à Mantes des curés parisiens par Henri IV.

25 juillet : Abjuration du catholicisme par Henri IV dans la basilique de Saint-Denis.

1594

2 mars : Réunion de la Ligue au couvent des carmes. En pleine déconfiture, elle ne rassemble pas trois cents hommes.

6 mars : Fuite de Mayenne avec sa famille et son mobilier.

14 mars : Négociation entre un fidèle du roi, Saint-Luc, et son beau-frère, le comte de Brissac, nommé par la Ligue gouverneur de Paris : il accepte de livrer la ville à Henri IV contre de l'argent et la promesse du bâton de maréchal.

22 mars : Ouverture de deux portes à l'armée du roi qui s'empare de la capitale.

24 mars : Entrée solennelle d'Henri IV acclamé par la foule.

12 mai : Expulsion des jésuites, « ennemis de l'État », requise du Parlement par le recteur de l'Université.

27 décembre : Tentative d'assassinat du roi par Jean Chastel, élève des jésuites. Il est exécuté le 29.

1595

8 janvier : Expulsion de trente-sept jésuites considérés comme impliqués dans l'attentat de Jean Chastel.

9 janvier : Début des adjudications pour la construction de la galerie du Bord-de-l'Eau qui doit relier le Louvre aux Tuileries.

1596

Premier ouvrage sur les mœurs des mendiants de la capitale et leur jargon ou argot, *La Vie généreuse des mercelots, gueuz et bohémiens*, par Pechon de Ruby.

23 décembre : Effondrement du pont aux Meuniers. Il est reconstruit en 1609 sous le nom de pont Marchand.

1598

13 avril : Édit de pacification de Nantes. Le culte protestant public est interdit à Paris et à cinq lieues autour de la ville. Le premier lieu de culte est installé à Grigny, puis à Ablon. Le Parlement n'enregistre l'édit que le 25 février 1599.

1600

18 septembre : Promulgation des nouveaux statuts de l'Université dans l'église des mathurins. Ils renforcent l'autorité royale et diminuent la participation des étudiants.

1601

Établissement à Picpus des pénitents réformés du tiers ordre de saint François.

1602

Introduction des techniques bruxelloises de tissage par des tapissiers venus de Flandre qui ont repris l'entreprise des Gobelins.

2 janvier : Début de la construction de la fontaine-pompe de la Samaritaine.

12 novembre : Nomination de Sully à la surintendance des bâtiments. Il supervise les travaux du Louvre et des Tuileries. Il devient voyer de Paris le 24 mai 1603.

1603

20 juin : Franchissement du Pont Neuf par le roi. Les travaux ne sont achevés qu'en juillet 1606. C'est le premier pont construit avec des trottoirs et sans maison.

26 juillet : Début de l'édification du couvent des ursulines dans la rue du même nom. La construction de la chapelle débute le 22 juin 1620.

1er septembre : Lettres patentes de rétablissement des jésuites. Le Parlement ne les enregistre que le 2 janvier 1604.

1604

29 juin : Fondation du couvent des capucines de la rue Saint-Honoré.

17 octobre : Établissement de carmélites espagnoles au prieuré de Notre-Dame-des-Champs. Le 12 novembre 1605, vœux de la première professe française.

12 décembre : Édit de la paulette. Les charges d'officier deviennent héréditaires contre paiement d'une taxe annuelle de transmission.

1605

30 mars : Adjudication des travaux de l'égout du Ponceau.

5 août : Enregistrement des lettres patentes ordonnant la création de la place Royale (des Vosges).

1606

Création de l'hôpital de la Charité (39-45, rue des Saints-Pères) par les frères de la Charité, établis en 1602 dans la rue de Seine. — Installation au Louvre d'une fabrique de tapis de soie « à la façon de Perse et de Turquie » qui est à l'origine de la Savonnerie.

1er août : Autorisation de construction d'un temple protestant à Charenton.

1607

6 février : Ouverture de la rue Dauphine, bientôt complétée par les rues Christine et d'Anjou-Orléans.

28 mai : Lettres patentes d'ouverture de la place Dauphine.

20 juin : Fondation de l'hôpital Saint-Louis pour soigner les pestiférés.

1608

1er janvier : Inauguration de la galerie du Bord-de-l'Eau reliant le Louvre aux Tuileries.

21 juillet : Ordre de remplacer le pavé dit de la Ligue, car datant de cette époque. Par souci d'économie, il avait été fait de cailloux longs, étroits et pointus.

3 octobre : Début de l'alimentation en eau des Tuileries par la pompe de la Samaritaine, édifiée sur le Pont Neuf. Elle fut démolie en 1813.

1609

25 septembre : Début de la réforme de l'abbaye de Port-Royal-des-Champs par Angélique Arnauld qui restaure la règle cistercienne.

1610

Ouverture d'un noviciat de jésuites (80, rue Bonaparte).

14 mai : Assassinat d'Henri IV par Ravaillac, rue de la Ferronnerie, où son carrosse était immobilisé par un encombrement.

18 août : Pose de la première pierre du bâtiment destiné au Collège royal (Collège de France) à l'emplacement du collège de Tréguier.

1611

Début de la publication annuelle du *Mercure français* par Jean Richer, relatant les événements survenus dans l'année, avec des retours en arrière jusqu'en 1605. — Début de la fabrication par les carmes de la rue de Vaugirard d'un élixir, l'eau de mélisse.

13 juillet : Découverte d'une chapelle souterraine lors de travaux à l'abbaye de Montmartre. Elle devient un lieu de pèlerinage, car elle passe pour être le site du martyre de saint Denis.

16 septembre : Lettres patentes pour l'établissement de dominicains réformés au couvent de l'Annonciation de la rue Saint-Honoré.

18 septembre : Pose de la première pierre de l'église des minimes de la place Royale (des Vosges).

11 novembre : Fondation de l'Oratoire de France par Pierre de Bérulle.

1612

Fondation par Adrien Bourdoise de la communauté des prêtres de Saint-Nicolas-du-Chardonnet.

5-7 avril : Grand carrousel pour l'inauguration de la place Royale (des Vosges).

1613

5 janvier : Duel en plein jour, rue Saint-Honoré : le chevalier de Guise tue le baron de Luz, puis son fils le 31 janvier. Ce fait divers pourrait avoir inspiré *Le Cid* à Corneille.

6 février : Pose de la première pierre du couvent des carmes déchaussés sur le chemin de Vaugirard.

1614

19 avril : Contrat pour l'aménagement des îles Notre-Dame et aux Vaches. Associé à Poulletier et Le Regrattier, Christophe Marie comble le fossé séparant les deux îles, lotit la future île Saint-Louis et construit le pont Marie, achevé en 1635, qui la relie à la rive droite.

30 août : Dédicace de l'église de l'Annonciation du couvent des récollets, rue du Faubourg-Saint-Martin.

27 octobre : Ouverture des états généraux. Le clergé siège au couvent des grands augustins, la noblesse au couvent des cordeliers, le tiers état à l'Hôtel de Ville. Ils se terminent sans résultat concret le 23 février 1615.

1615

2 avril : Début de la construction du palais du Luxembourg pour Marie de Médicis sur des plans de Salomon de Brosse. Elle s'achève en 1621.

1616

30 janvier : Débâcle de la Seine : le pont Saint-Michel est emporté, le pont aux Changeurs endommagé.

24 juillet : Pose par Louis XIII de la première pierre de la nouvelle église Saint-Gervais. Elle est édifiée en cinq ans.

1617

24 avril : Assassinat de Concini, favori de la reine mère, sur le pont d'entrée du Louvre, sur ordre de Louis XIII. Marie de Médicis et Richelieu sont exilés à Blois et à Luçon.

22 octobre : Lettres patentes accordant le privilège du transport en « chaise à bras » (chaise à porteurs) à trois particuliers, Petit, capitaine aux gardes du roi, Regnault-Descuville et Douet.

1618

Juin : Lettres patentes faisant passer libraires, imprimeurs et relieurs du contrôle ecclésiastique au pouvoir civil : ils doivent prêter serment et se faire enregistrer au Châtelet.

1619

6 avril : Installation des premières visitandines au faubourg Saint-Jacques, d'où elles émigrent en 1621 vers la rue du Petit-Musc.

27 juillet : Pose de la première pierre du couvent de la Trinité des petits augustins réformés (aujourd'hui École des beaux-arts).

1620

Construction du pont de la Tournelle par Christophe Marie. En bois, il est emporté par les glaces en 1637, puis en 1651. Il est reconstruit en pierre en 1654.

20 février : Fondation par les oratoriens du séminaire Saint-Magloire, rue Saint-Jacques.

1621

26 septembre : Incendie du temple de Charenton et émeute contre les protestants à l'annonce de la mort du duc de Mayenne sous les murs de Montauban.

27 septembre : Pose de la première pierre de l'église de l'Oratoire, rue Saint-Honoré.

20 octobre : Installation par Anne d'Autriche au Petit-Bourbon de bénédictines venues du Val-de-Grâce de Notre-Dame-de-la-Crèche, près de Bièvres-le-Châtel, origine lointaine du Val-de-Grâce.

23 octobre : Incendies simultanés des ponts Marchand et aux Changeurs, construits en bois. Le peuple en attribue l'origine à une vengeance des protestants.

1622

Construction du moulin du Palais sur la butte Montmartre, devenu moulin de la Galette dans la seconde moitié du XIXe siècle.

2 septembre : Élection de Richelieu comme proviseur de la Sorbonne.

22 octobre : Érection de l'évêché de Paris en archevêché.

1623

Création de la paroisse Saint-Louis-en-l'Ile.

6 mai : Contrat de fondation du couvent des feuillantines qui donne son nom à une rue.

19 mai : Arrivée des eaux d'Arcueil au réservoir de la rue d'Enfer (près de l'Observatoire).

11 juillet : Ordre du Parlement d'arrêter Théophile de Viau. La protection du duc de Montmorency lui évite le bûcher, mais les libertins sont terrorisés et n'osent plus afficher leur athéisme.

1624

Début de la construction de Notre-Dame-de-Bonne-Nouvelle.

24 avril : Mise en adjudication des travaux de reconstruction de l'aile nord du Louvre. Le 28 juin est posée la première pierre du futur pavillon de l'Horloge.

31 juillet : Pose par Anne d'Autriche de la première pierre du monastère du Val-de-Grâce.

1625

17 avril : Création par Vincent de Paul de la congrégation de la Mission, les lazaristes.

18-19 mai : Crue exceptionnelle de la Bièvre.

16 juin : Établissement de Port-Royal de Paris.

1626

Construction du pont au Double. — Exhibition d'un éléphant devant Louis XIII, le second qu'aient vu les Parisiens depuis 1254.

Janvier : Édit de fondation du Jardin royal des plantes médicinales, mais son emplacement n'est pas encore déterminé.

Février : Édit d'interdiction des duels.

25 février : Consécration de l'église Saint-Étienne-du-Mont dont la construction a débuté en 1492.

25 avril : Agitation aux Halles et au cimetière Saint-Jean à cause de la cherté du pain, la récolte de 1625 ayant été désastreuse.

6 juillet : Marché de maçonnerie pour la construction de la nouvelle Sorbonne.

23 août : Établissement des visitandines au faubourg Saint-Jacques.

1er décembre : Création officielle d'un culte luthérien à la chapelle de l'ambassade de Suède.

1627

7 mars : Pose de la première pierre de la maison professe des jésuites, rue Saint-Antoine. Le 10 est posée la première pierre de l'église Saint-Louis (actuellement Saint-Paul-Saint-Louis).

12 mai : Duel sur la place Royale : Montmorency-Boutteville, Rosmadec-Deschapelles et La Berthe tuent Bussy d'Amboise et blessent Buquet. Des Chapelles et Montmorency sont décapités le 21 juin.

29 juillet : Défense de bâtir au-delà des limites de la ville.

1628

Parution du *Jargon de l'argot réformé* de Chéreau qui décrit un royaume d'Argot parisien, organisé comme une monarchie et parallèle au pouvoir royal, dont le souverain est le Grand Coësre. — *Récit véritable des vertus et propriétés des eaux minérales d'Arcueil* par Pierre Habert, première étude des sources de la capitale.

8 août : Pose de la première pierre des nouveaux bâtiments du collège de Clermont.

1629

Début de la construction du Palais-Cardinal (futur Palais-Royal) pour Richelieu. Il est achevé en 1636. — Création du premier bureau de placement ou « bureau d'adresses » par Théophraste Renaudot, rue de la Calandre.

29 janvier : Instauration par le recteur de l'Université d'une fête des écoles, la Saint-Charlemagne.

9 décembre : Pose par Louis XIII de la première pierre de la chapelle des augustins déchaussés ou petits-pères. Elle est remplacée en 1633 par l'église Notre-Dame-des-Victoires.

29 décembre : Attribution de l'hôtel de Bourgogne aux Comédiens du roi.

1630

Construction du pont Saint-Landry entre les îles de la Cité et Saint-Louis.

2 septembre : Pose par Gaston d'Orléans de la première pierre de l'église Saint-Jacques-du-Haut-Pas. Elle n'est terminée qu'en 1685.

1631

16 mai : Achat par les dominicains d'une maison à l'angle de la rue du Bac et du chemin aux Vaches (rue Saint-Dominique) pour y installer leur noviciat.

30 mai : Premier numéro de *La Gazette de France* de Théophraste Renaudot, le plus ancien journal français.

9 octobre : Contrat pour la construction d'une nouvelle muraille renforcée de bastions. Les travaux durent jusqu'en 1647.

1632

Construction du pont Rouge ou Barbier qui remplace le bac qui a laissé son nom à la rue du Bac. Reconstruit en pierre en 1689, il devient le pont Royal.

11 mai : Marché de la Ville avec Antoine Le Nain pour un grand tableau représentant les membres du Bureau de la Ville.

13 août : Consécration de la chapelle Saint-Dominique du noviciat des dominicains réformés, rue du Bac.

1633

Création des paroisses Saint-Roch et Saint-Jacques-du-Haut-Pas.

21 février : Achat par l'État d'un terrain au faubourg Saint-Victor pour les plantations du Jardin royal des plantes médicinales. Il représente environ le quart de l'actuel Jardin des Plantes.

25 juillet : Inauguration des conférences spirituelles du mardi destinées aux prêtres de Paris et présidées par Vincent de Paul ou un lazariste.

23 novembre : Arrêt du Conseil ordonnant la construction de nouvelles défenses pour protéger les faubourgs Saint-Honoré et Montmartre et la Villeneuve. Ce sont les «Fossés-Jaunes» achevés en 1636.

29 novembre : Installation des filles de la Charité au faubourg Saint-Victor.

1634

13 mars : Première séance de l'Académie française. Elle est instituée officiellement par lettres patentes du 27 janvier 1635.

13 octobre : Conséquence de la consommation croissante d'eau-de-vie, la corporation des distillateurs et vendeurs d'eau-de-vie se détache de celle des vinaigriers dont elle faisait jusqu'alors partie.

1635

15 mai : Pose de la première pierre de la chapelle de la Sorbonne reconstruite sur les plans de Jacques Le Mercier.

1636

Début de la consommation de thé à Paris signalé par Delamare dans son *Traité de la police.*

6 juin : Don par Richelieu à Louis XIII du Palais-Cardinal qui vient d'être achevé et qui va devenir le Palais-Royal.

15 août : Panique causée par l'afflux de réfugiés fuyant l'avance espagnole en Picardie après la chute de La Capelle, du Catelet, de Roye et de Corbie.

Décembre : Énorme succès du *Cid* de Corneille donné au jeu de paume du Marais par la troupe de Montdory, dite «troupe du roi au Marais».

1637

26 avril : Consécration de l'église Saint-Eustache dont la construction a débuté en 1532.

24 août : Création des petites écoles de Port-Royal. Leur succès excite l'hostilité des jésuites qui obtiennent leur suppression le 13 mars 1661.

1638

15 janvier : Arrêt du Conseil ordonnant la pose de trente et une bornes jalonnant les limites de la ville et au-delà desquelles il est interdit de bâtir. Il est complété par un arrêt du 4 août.

1640

Création de l'Imprimerie royale au Louvre.

7 mars : Installation des dominicains de la rue Vieille-du-Temple dans leur nouveau couvent de la rue Neuve-Saint-Augustin (rue des Filles-Saint-Thomas).

1641

Première mention du jansénisme après la publication de l'ouvrage sur la grâce de Cornelius Jansen.

16 janvier : Inauguration d'une salle de théâtre au Palais-Cardinal (Palais-Royal).

29 mai : Début de l'enseignement des filles de la Charité dans la paroisse Notre-Dame.

16 juin : Installation des filles de la Providence, dites aussi filles de Saint-Joseph, rue Saint-Dominique.

29 décembre : Fondation du séminaire de Vaugirard par Jean-Jacques Olier, futur curé de Saint-Sulpice.

1642

15 février : Fondation par Vincent de Paul d'un séminaire dans le collège des Bons-Enfants.

30 août : Lettres patentes confirmant au marquis de Gesvres la cession faite en février de terrains pour construire un quai et ouvrir quatre rues.

1643

Échec du premier établissement vendant du café. Le succès ne vient qu'en 1672.

25 mars : Fondation par Jean Eudes de la congrégation de Jésus et Marie.

Mai : Parution de *De la fréquente communion* d'Antoine Arnauld qui fait scandale à la Sorbonne et confirme l'essor du jansénisme.

5 juin : Duel à cheval place Royale : Souscarrière affronte Villandry.

7 octobre : Départ du roi et de la Cour du Louvre pour le Palais-Royal, à la merci d'une émeute.

11 octobre : Location par Mazarin de l'hôtel Chevry-Tubeuf, rue des Petits-Champs, derrière le Palais-Royal, amorce du palais Mazarin.

12 décembre : Duel pour les beaux yeux de la duchesse de Longueville : le duc de Guise blesse mortellement Maurice de Coligny.

1644

1er janvier : Ouverture, dans le jeu de paume des Mestayers, de l'Illustre Théâtre de Madeleine Béjart et Jean-Baptiste Poquelin dit Molière, protégés du duc d'Orléans.

15 janvier : Édit du Toisé : démolition sous peine d'amende de 50 sous par toise bâtie des constructions édifiées dans une zone de deux cents toises au-delà des murailles. Le Parlement dénonce cet expédient fiscal.

1645

28 février : Première représentation d'un opéra à Paris, dans la salle du Palais-Royal, *La Finta Pazza*, œuvre attribuée à Marco Marazzoli.

1er avril : Pose par Louis XIII de la première pierre de l'église du Val-de-Grâce.

1646

20 février : Début de la construction de l'église Saint-Sulpice. Elle n'est à peu près achevée qu'en 1788.

22 septembre : Édit du Tarif : forte augmentation des droits d'octroi. Le Parlement demande en vain que son application soit limitée aux riches marchands des Six-Corps et ne l'enregistre que le 7 septembre 1647.

1647

2 mars : Triomphe de l'opéra *Orfeo* de Luigi Rossi dont les ingénieuses machineries sont l'œuvre de Torelli.

1648

15 janvier : Lit de justice : enregistrement forcé par le Parlement d'une série d'édits fiscaux. L'avocat général Omer Talon critique vivement le gouvernement. Le 16, le Parlement annule le lit de justice. Le Grand Conseil, la Chambre des comptes, la Cour des aides lui apportent leur soutien.

27 janvier : Fondation de l'Académie de peinture et de sculpture par Charles Le Brun et Eustache Le Sueur.

13 mai : Arrêt d'Union des quatre cours souveraines. Leur opposition à Mazarin se durcit. Elles délèguent des représentants qui se réunissent dans la chambre Saint-Louis, la grande salle du Palais de la Cité, pour « réformer les abus de l'État ».

27 juillet : Inauguration de l'église Sainte-Anne-la-Royale des théatins (quai Voltaire).

26 août : Arrestation des présidents de Blanc-Mesnil et Charton et du populaire conseiller Broussel sur ordre de Mazarin. Début de l'insurrection.

27 août : Journée des Barricades : plus de mille deux cents barrent les rues. Les prisonniers sont libérés et le calme revient le 29.

13 septembre : Le roi, la reine mère et Mazarin s'installent à Rueil puis à Saint-Germain-en-Laye. Des négociations s'engagent avec le Parlement, maître de la capitale. Le 22 octobre, une déclaration royale avalise les propositions de la chambre Saint-Louis. Le 30, la Cour regagne Paris.

1649

5-6 janvier : Dans la nuit, fuite de la reine mère et du roi pour Saint-Germain-en-Laye.

11 janvier : Réunion de tous les opposants à Mazarin. Conti se met à la tête des forces armées parisiennes. Le 18, les chefs de la Fronde prêtent un serment d'union contre le cardinal. Les troupes royales de Condé font le blocus de la capitale.

14 janvier : Inondation : le faubourg Saint-Antoine et le Marais sont sous les eaux ainsi que l'île Saint-Louis et le faubourg Saint-Germain. En février, le pont des Tuileries ou pont Rouge s'effondre en partie.

11 mars : Paix de Rueil : amnistie pour les frondeurs contre le retour de la Cour. L'accord est mal reçu par le Parlement. Les négociations reprennent.

30 mars : Accords de Saint-Germain-en-Laye, acceptés par le Parlement. La répression contre les auteurs de mazarinades maintient une certaine tension quoique la justice les acquitte la plupart du temps.

19 septembre : Faillite de l'Hôtel de Ville : à l'échéance, les rentes ne peuvent être payées.

22 septembre : Émeute des rentiers. Agitation dans la ville jusqu'à la fin de l'année.

11 décembre : Attentat manqué contre Condé. Le Parlement ne prend pas au sérieux cette tentative d'assassinat, ce qui lui vaut des insolences de Condé.

1650

Découverte des sources d'eau minérale de Passy (à l'emplacement de l'actuelle rue des Eaux) en vogue jusqu'à la fin du XIXᵉ siècle.

18 janvier : Arrestation de Condé, Conti et Longueville sur ordre de Mazarin.

25 novembre : Refus par Mazarin du chapeau de cardinal pour Gondi. Celui-ci intrigue et réconcilie la Fronde des parlementaires et celle des princes.

30 décembre : Députation à la reine mère, à l'instigation de Gondi, pour demander la libération des princes frondeurs.

1651

21 janvier : Inondation qui emporte la moitié du pont de la Tournelle et une arche du pont au Change.

30 janvier : Refus de la reine mère de libérer les princes. Union des Frondes contre le pouvoir.

3 février : Duel à Picpus pour l'amour de Madame de Gondran : le chevalier d'Albret tue le marquis de Sévigné.

6-7 février : Fuite de Mazarin.

16 février : Arrivée des princes libérés reçus en triomphe par les Parisiens, accueillis par Gaston d'Orléans et Gondi. Le 17, le Parlement les amnistie.

15 mai : Première course de chevaux au bois de Boulogne.

5 juillet : Fuite de Condé qui croit qu'on vient l'arrêter. Début de son conflit avec Gondi.

21 août : Querelle de préséance entre Condé et Gondi qui en viennent aux mains.

16 septembre : Départ de Condé pour la Guyenne dont il a été nommé gouverneur.

21 septembre : Ralliement secret de Gondi à la reine mère.

4 décembre : Enregistrement par le Parlement de la déclaration royale proclamant les chefs de la Fronde coupables de lèse-majesté.

1652

11 avril : Entrée de Condé dans la capitale, l'armée royale sur ses talons.

2 juillet : Bataille de Paris : sur le point d'être vaincu par l'armée royale que commande Turenne, Condé est sauvé par la Grande Mademoiselle qui fait ouvrir la porte Saint-Antoine à ses troupes en déroute.

4 juillet : Attaque de l'Hôtel de Ville par les soldats de Condé : pour s'imposer à la capitale, il lui faut intimider la municipalité favorable à la paix.

6 juillet : Simulacre d'assemblée de notables à l'Hôtel de Ville : les princes font élire Broussel prévôt des marchands. Beaufort est nommé gouverneur de Paris.

20 juillet : Duel au pistolet derrière l'hôtel de Vendôme : le duc de Nemours est tué par son beau-frère, le duc de Beaufort. C'est la fin de l'unité de la Fronde des princes.

24 septembre : Manifestation royaliste au Palais-Royal. Les Six-Corps contraignent Broussel à renoncer à la prévôté des marchands.

13 octobre : Délégation parisienne reçue par le roi à Saint-Germain-en-Laye.

14 octobre : Décomposition de la Fronde : Beaufort renonce au gouvernement de Paris et Condé quitte la ville.

21 octobre : Entrée triomphale de Louis XIV qui s'installe au Louvre. Un lit de justice, le 22, proclame l'amnistie, sauf pour les chefs de la Fronde.

19 décembre : Arrestation de Gondi qui est enfermé à Vincennes.

1653

Début de la construction de l'église Saint-Roch, achevée en 1740.

3 février : Retour triomphal de Mazarin.

29 mars : Réception officielle de Mazarin à l'Hôtel de Ville où il est couvert de louanges alors qu'il y avait été qualifié de «plus grande ordure du siècle» en juin 1652. Le 4 juillet, la municipalité lui offre un banquet et un feu d'artifice en place de Grève.

18 juillet : Privilège royal au comte de Villayer pour établir une poste locale. Elle commence à fonctionner le 8 août, mais c'est un échec.

1654

28 mars : Démission de Gondi de Retz de son siège d'archevêque en échange de sa libération et de son exil à Rome. Il reprend sa démission dès son arrivée en Italie.

1655

13 avril : Séance de la «flagellation» au Parlement : Louis XIV intime brutalement aux magistrats d'avoir à lui obéir.

1656

27 avril : Fondation de l'Hôpital général pour lutter contre la mendicité. Il est ouvert le 7 mai 1657 et devient un lieu de détention pour les indigents.

1657

22 avril : Bénédiction de l'église du couvent de la Merci (rues de Braque et du Chaume).

1658

1er mars : Crue violente qui détruit le pont Marie, pourtant construit en pierre. C'est la plus forte crue connue de la Seine : 8,81 mètres contre 8,50 mètres en 1910.

24 octobre : Privilège de jouer devant le roi accordé à la troupe de Molière qui se trouve ainsi dans la même situation que les acteurs de l'hôtel de Bourgogne et les comédiens italiens.

1659

10 mai : Représentation par Molière de *L'Étourdi* au Louvre. Il y joue à nouveau le 21 octobre *Les Précieuses ridicules*.

28 novembre : Privilège de faire et vendre du chocolat accordé par le roi au premier valet de chambre du comte de Soissons, David Chaillou, début de la mode de cette boisson.

1660

Début de la mode du café, apparu en 1626 à Marseille. Elle s'impose en 1669 lors du séjour de l'ambassadeur du Grand Turc.

26 août : Grande fête sur une place aménagée spécialement à l'est du faubourg Saint-Antoine pour l'entrée de Louis XIV et de son épouse, Marie-Thérèse, la place du Trône (aujourd'hui de la Nation).

1661

20 janvier : Installation de la troupe de Molière au Palais-Royal.

3-7 mars : Testament de Mazarin, fondation du collège des Quatre-Nations pour l'éducation de soixante jeunes nobles des provinces récemment annexées (Alsace, Pignerol, Artois, Roussillon). Le Vau va édifier ce qui est aujourd'hui l'Institut de France.

1662

14 février : Inauguration de la salle des Machines (salle de spectacles) des Tuileries. — Annonce de la démission de l'archevêque de Paris, Paul de Gondi, cardinal de Retz, en exil à Rome depuis 1654.

Mars : Lettres patentes accordant à Laudati de Caraffa, abbé italien, le privilège de créer des stations de porte-flambeaux et porte-lanternes pour escorter les Parisiens amenés à se déplacer la nuit.

18 mars : Inauguration de la première ligne de transports en commun urbains sur le trajet de la porte Saint-Antoine au Luxembourg. Conçus par Pascal, ces « carrosses à 5 sols » disparaissent en 1677.

30 mars : Lettres patentes pour l'établissement de l'Académie royale de danse.

5-6 juin : Grand carrousel qui laisse son nom à la place située entre Louvre et Tuileries.

6 juin : Achat par le roi de la manufacture des Gobelins.

1663

6 janvier : Banquet au Louvre, à la fin duquel est jouée *L'École des femmes* de Molière.

3 février : Première réunion de l'Académie des médailles, à l'origine de celle des inscriptions et belles-lettres.

8 février : Organisation de l'Académie de peinture par Louis XIV et Colbert.

30 octobre : Consécration de l'église du monastère prémontré du Saint-Sacrement, place de la Croix-Rouge.

1664

6-13 mai : Fêtes des plaisirs de l'Île enchantée.

1665

Première exposition d'œuvres des membres de l'Académie royale de peinture, qui est à l'origine des Salons. Le premier livret est imprimé pour l'exposition de 1673.

5 janvier : Premier numéro du *Journal des savants*.

27 août : Exécution des assassins du lieutenant criminel de robe courte Jacques Tardieu et de son épouse. Ce crime a causé un grand émoi dans la capitale où règne une insécurité croissante. Le 25 septembre, le roi réunit au Louvre un Conseil de la réformation de la justice.

Octobre : Lettres patentes de création de la manufacture royale de glaces de Reuilly.

1666

Octobre : Création d'un Conseil pour la réformation de la police de la ville, prévôté et vicomté de Paris.

11 décembre : Quadruplement des effectifs du guet et édit «portant règlement général pour la police de Paris».

22 décembre : Installation de l'Académie des sciences.

1667

17 février : Réduction à trente-six du nombre d'ateliers d'imprimerie autorisés afin de mieux surveiller la production de livres.

Mars : Fondation de l'Observatoire.

15 mars : Édit de création de la lieutenance de police au Châtelet. Le premier titulaire, Gabriel-Nicolas de La Reynie, est nommé le 29.

21 juin : Observations astronomiques pour déterminer l'emplacement où doit être érigé l'Observatoire, point d'origine du méridien de Paris. Le gros œuvre est achevé en 1672 et les aménagements sont terminés en 1683.

18 août : Ordonnance «contenant règlement pour la hauteur des maisons dans la ville et fauxbourgs de Paris».

2 septembre : Ordonnance pour l'éclairage de la ville : La Reynie fait installer deux mille sept cent trente-six lanternes à chandelles réparties entre neuf cent douze rues.

15 septembre : Arrêt du Conseil pour l'arasement et le lotissement de la butte des Moulins (entre la rue des Petits-Champs et Saint-Roch). Achevé en 1677, ce terrassement permet d'ouvrir douze nouvelles rues.

Décembre : Édit instituant la manufacture royale des meubles de la Couronne.

1669

Construction de l'hôpital des Enfants-Trouvés.

28 juin : Lettres patentes pour l'Académie royale de musique attribuées à Pierre Perrin. Lully met la main sur cette académie le 13 mars 1672. Elle est l'ancêtre de l'Opéra.

1670

27 février : Marché pour la construction d'une pompe au pont Notre-Dame. Le 31 mars, un autre marché est conclu pour l'installation d'une seconde pompe sur le même pont. Elles fonctionnent dès 1673. Elles ont été démolies en 1858.

7 juin : Ordre de démolition des enceintes de Charles V et de Louis XIII pour édifier à leur place des boulevards plantés d'arbres.

1671

Mise en service de la première caserne de la capitale, celle des mousquetaires gris, rue du Bac.

17 janvier : Représentation à la salle des Machines des Tuileries de *Psyché*, œuvre associant Molière, Quinault, Corneille et Lully.

10 février : Louis XIV abandonne définitivement Paris pour Versailles.

11 mars : Arrêt du Conseil ordonnant le percement du boulevard ou nouveau cours à l'emplacement des fortifications. Il est prévu de l'orner de portes monumentales à la gloire du roi.

30 novembre : Pose de la première pierre de l'hôtel des Invalides. Sa construction a été confiée à Libéral Bruant. Il est inauguré dès octobre 1674.

Décembre : Fondation de l'Académie d'architecture.

1672

26 janvier : Ordonnance de police du Châtelet réglementant la construction des cheminées pour éviter leur chute et les incendies.

Février : Création du premier café à la foire Saint-Germain.

Avril : Premier numéro du *Mercure galant*, devenu *Mercure de France*. Les premiers textes sur la mode vestimentaire vont y être publiés en 1678.

26 août : Règlement fixant les limites de l'accroissement de la ville.

1673

Création de la paroisse Notre-Dame-de-Bonne-Nouvelle.

17 mars : Arrêt du Conseil pour la construction du quai Neuf qui va devenir le quai Le Pelletier.

21 mars : Édit sur les corps de métiers, transformant les corporations en jurandes.

1674

Février : Édit de suppression des justices seigneuriales.

28 avril : Arrêt du Conseil ordonnant la plantation de trente-cinq bornes délimitant Paris.

1676

17 juillet : Exécution de Marie-Madeleine d'Aubray, marquise de Brinvilliers, principal personnage de l'affaire des Poisons.

15 septembre : Installation de cygnes en aval du Cours-la-Reine, sur ordre de Colbert. Cela vaut à l'île Maquerelle de devenir l'île des Cygnes. Elle sera rattachée sous Louis XV à la rive gauche au niveau du Gros-Caillou.

Novembre : Autorisation aux possesseurs de jeux de paume de posséder dans leurs établissements des billards, nouveau jeu à la mode.

1677

Novembre : Début de la construction au Louvre de la colonnade de Perrault. Elle est à peu près achevée en 1682.

1679

Février : Titre de Grand décerné à Louis XIV par la municipalité après la signature de la Paix de Nimègue.

7 avril : Installation à l'Arsenal de la Chambre ardente chargée de l'instruction de l'affaire des Poisons. Elle est suspendue en août 1680, les interrogatoires ayant révélé qu'une partie de la Cour est compromise.

1680

22 février : Bûcher en place de Grève pour Catherine Deshayes, femme Monvoisin, dite la Voisin, impliquée dans l'affaire des Poisons.

18 août : Constitution de la Comédie-Française.

1681

Juillet : Édit de transformation en offices des charges de l'Hôtel de Ville à l'exception de celles du prévôt des marchands et des échevins.

27 octobre : Ouverture d'une Assemblée extraordinaire du clergé de France au couvent des Grands-Augustins. Elle siège jusqu'au 1er juillet 1682 pour soutenir le roi contre le pape dans la querelle de la régale.

1682

Mars : Ordre de Colbert de recenser les protestants de Paris et avertissement pastoral du clergé aux adeptes de la « religion prétendument réformée ».

6 mai : Fixation officielle de la monarchie à Versailles.

Novembre : Transformation du collège de Clermont en collège royal de Louis-le-Grand.

1685

Début de la mode du café au lait. Madame de Sévigné en parle dans une lettre du 17 décembre 1688. Appelé « lait cafeté » ou « café laité », il va conquérir jusqu'aux couches les plus humbles de la société.

17 avril : Arrêt du Conseil ordonnant la destruction de la porte Saint-Marcel et le pavage de la rue de la Contrescarpe pour mettre le quartier Saint-Victor en communication avec les quartiers Saint-Marcel, Saint-Jacques et Saint-Michel.

4 juillet : Achat par l'État de l'hôtel de Vendôme et du couvent des capucins en vue de la création de la place Louis-le-Grand (Vendôme).

20 août : Présentation au Bureau de Ville par Jules Hardouin-Mansart de ses plans pour la future place des Victoires.

22 octobre : Enregistrement au Parlement de l'édit de Fontainebleau du 18 octobre portant révocation de l'édit de Nantes. Le jour même débute la démolition du temple de Charenton.

25 octobre : Pose de la première pierre du pont Royal qui doit remplacer le pont Rouge. Il est achevé en juin 1689.

1686

28 mars : Inauguration de la place des Victoires : il n'y a que la statue du roi au centre, des toiles peintes figurent les futures maisons.

1687

8 novembre : Arrêt du Conseil ordonnant l'ouverture de la rue du Cardinal-Lemoine.

1688

26 janvier : Bail accordé aux époux Vilain pour établir des bains depuis le cours la Reine jusqu'au pont Marie.

1689

14 juillet : Inauguration dans la cour de l'Hôtel de Ville de la statue de Louis XIV par Coysevox, la seule qui ait échappé à la destruction à la Révolution. Elle se trouve aujourd'hui au musée Carnavalet.

1692

Février : Création de l'office de lieutenant général du roi au gouvernement de la ville, prévôté et vicomté de Paris. Jean-Baptiste Le Ragois est le premier des quatre titulaires jusqu'en 1789.

1693

Mars : Création de quatre commissaires généraux de la voirie de Paris et de ses faubourgs.

20 octobre : Début de la distribution de pain aux pauvres. Elle se termine par une terrible bousculade avec de nombreux morts.

1694

Mars-avril : Distributions de blé scandinave qui ne peuvent compenser l'accaparement des grains par les spéculateurs.

1695

6 août : Scandale : l'archevêque François de Harlay de Champvallon meurt dans les bras de sa «bonne amie», la duchesse de Lesdiguières.

1697

Juin : Interdiction de la comédie italienne après la représentation à l'hôtel de Bourgogne de *La Fausse prude* par les comédiens italiens : Madame de Maintenon s'y est reconnue et a obtenu du roi le renvoi de la troupe.

1698

18 septembre : Incarcération à la Bastille d'un homme portant «un masque de velours noir». Voltaire en a fait la légende du «masque de fer» dans *Le Siècle de Louis XIV*.

1699

Création de la paroisse Saint-Jacques-Saint-Philippe-du-Roule. — Début des observations météorologiques quotidiennes à l'Observatoire.

Avril : Modification de la place Louis-le-Grand (Vendôme) : elle devient octogonale. Quatorze ans après la décision de sa création, une partie des terrains à construire n'a toujours pas trouvé d'acquéreur.

1700

Juin : Édit définissant les attributions respectives du lieutenant de police du Châtelet et du prévôt des marchands afin de limiter les conflits de compétence.

1701

Décembre : Édit de division de la ville en vingt quartiers de police pour les commissaires du Châtelet, se superposant aux seize quartiers de l'Hôtel de Ville. Un autre édit crée vingt «recenseurs des deniers destinés pour l'entretien des lanternes et pour le nettoiement des rues».

1702

17 février : Arrêt du Conseil pour le nouveau découpage de la ville en vingt quartiers.

1704

26 juillet : Fondation des servantes des pauvres par Jeanne Delanoue.

18 octobre : Arrêt du Conseil ordonnant l'extension du boulevard planté d'arbres au quartier de Saint-Germain-des-Prés et la création du quai de la Grenouillère (d'Orsay).

1706

18 février : Première mention d'un tambour et d'une contrebasse dans un orchestre lors de la représentation à l'Opéra de *L'Alcyone* de Marin Marais.

28 août : Consécration de l'église des Invalides par l'archevêque en présence du roi.

1709

5 janvier : Chute de température exceptionnelle : – 40° C. Gel de la Seine, interruption du ravitaillement de la ville. Énorme mortalité : de vingt-quatre mille à trente mille décès durant le mois.

15 mars : Dégel du fleuve et grande inondation.

5 avril : Arrivée du premier bateau apportant une cargaison de blé aux Parisiens affamés.

6 août : Ordre d'ouvrir des ateliers pour employer les pauvres à des travaux de terrassement.

20 août : Insurrection. Six mille hommes se présentent pour travailler aux ateliers alors que rien n'est prêt. Ils se révoltent et sont soutenus par la foule. La troupe doit tirer, la ville est mise en état de siège.

29 octobre : Expulsion des moniales de Port-Royal-des-Champs. La destruction du couvent est ordonnée le 22 janvier 1710.

1712

Création de la paroisse Sainte-Marguerite.

1713

14 mars : Arrêt du Conseil fixant le nouveau plan du quartier Gaillon : prolongement de la rue Saint-Augustin et percement de la rue Neuve-des-Petits-Champs.

8 septembre : Relance de la querelle janséniste : bulle *Unigenitus* de Clément XI condamnant le janséniste Quesnel, refusée par l'archevêque Noailles.

1714

7 août : Arrêt du Conseil interdisant de construire le long des boulevards, de la porte Saint-Honoré à celle de Saint-Antoine, sans autorisation du Bureau de Ville.

1715

2 septembre : Annulation par le Parlement du testament de Louis XIV, mort le 1er. Philippe d'Orléans devient régent. Le jeune Louis XV préside le 12 un lit de justice validant la régence.

15 septembre : Édit rendant au Parlement ses prérogatives et son droit de remontrance.

30 décembre : Retour du roi et de la Cour dans la capitale.

31 décembre : Ordonnance autorisant le premier bal public, le bal masqué de l'Opéra.

1716

2 mai : Fondation par Law de la première banque privée, la Banque générale de dépôt, de change et d'escompte.

18 mai : Retour triomphal des comédiens italiens, chassés en 1697. Luigi Riccoboni donne la première représentation au Palais-Royal, dans l'opéra du régent. Le 1er juin, les Italiens s'installent à l'hôtel de Bourgogne.

1er juin : Édit reconnaissant définitivement aux membres du Bureau de la Ville le droit à l'anoblissement.

8 août : Nomination de trois trésoriers du bureau des finances pour l'entretien des ponts et chaussées de la généralité de Paris. En 1719, un quatrième est chargé du pavé de la capitale.

1717

4 septembre : Fondation par Law de la Compagnie d'Occident, dite « le Mississippi ».

16 septembre : Création par les frères Pâris de l'Antisystème, compagnie rivale de celle de Law.

1718

27 mars : Recouvrement de la capitation enlevé à la municipalité au profit de receveurs qui toucheront le vingtième de la recette.

27 avril : Incendie du Petit Pont et de l'Hôtel-Dieu.

10 juillet : Marché de construction de l'hôtel d'Évreux (palais de l'Élysée), achevé en 1720.

4 décembre : Érection de la banque de Law en banque royale.

1719

26 août : Adjudication de la ferme générale des impôts à Law.

1720

Achèvement de la place Louis-le-Grand (Vendôme) commencée en 1685.

22 mars : Assassinat d'un courtier de la rue Quincampoix par un lointain parent du régent, le comte de Hornes.

24 mars : Fermeture de la banque de Law, rue Quincampoix, dans l'incapacité de rembourser les souscripteurs.

29-30 avril : Émeutes contre les « bandouliers » qui enlèvent des adolescents pour les envoyer peupler la Louisiane.

3 juillet : Émeute des souscripteurs à la banque de Law, rue Quincampoix.

10 juillet : Attaque de la Banque royale, rue Vivienne, par la foule qui veut échanger ses billets contre de l'argent. Les portes de la banque sont à nouveau forcées le 17.

10 octobre : Arrêt du Conseil supprimant tout usage monétaire aux billets de la banque Law. Le banquier s'enfuit à Bruxelles le 12 décembre.

1721

20 juillet : Création d'une école de langues orientales au collège Louis-le-Grand, les «jeunes de langues» destinés au commerce dans le Levant.

12 octobre : Arrestation du bandit Louis-Dominique Cartouche. Exécuté le 28 novembre, il est le premier brigand français qui soit devenu un héros populaire à l'instar du Robin des Bois anglais. Les comédiens français lui rendent visite au Châtelet afin de jouer aussi fidèlement que possible son personnage dans la pièce de Legrand, *Cartouche ou les voleurs*, qu'ils interprètent avec un grand succès dès le 14 octobre.

1722

Début de la construction du Palais-Bourbon, achevé en 1728.

15 juin : Retour du roi et de la Cour à Versailles.

1723

23 février : Règlement royal renouvelant l'obligation pour les imprimeurs de travailler exclusivement dans le quartier de l'Université. Il est permis de tenir boutique au Palais de Justice et de vendre des livres de prières à proximité de Notre-Dame.

1724

Naissance du premier club français, le Club de l'Entresol, qui se réunit chaque semaine chez l'abbé Alary, à l'entresol de l'hôtel du président Hénault, place Louis-le-Grand (Vendôme). Considéré comme un foyer d'opposition, il est fermé par la police en 1731.

18 juillet : Déclaration royale sur la délimitation de Paris et la limitation de son accroissement. Elle est complétée par les déclarations du 29 janvier 1726, des 23 mars et 28 septembre 1728.

24 septembre : Réouverture de la Bourse, fermée depuis 1720, installée dans l'hôtel de Nevers, rue Vivienne. Les agents de change se constituent en monopole.

1725

Première loge maçonnique, rue des Boucheries.

5 juillet : Dernière procession de la châsse de sainte Geneviève pour implorer la fin de la disette. On la promenait à chaque calamité naturelle. L'insuccès de la procession de 1725 et les progrès de l'esprit des Lumières amènent sa suppression.

14 juillet : Émeute de la faim au faubourg Saint-Antoine, un boulanger ayant demandé 34 sous pour un pain de 4 livres vendu d'ordinaire 8 sous.

24 août : Émeute au faubourg Saint-Antoine : les pauvres s'attaquent aux boulangeries. Le 29, le lieutenant général de police Ravot d'Ombreval, compromis dans les accaparements de grains, est remplacé par René Hérault.

14 décembre : Ordonnance du Bureau des finances délimitant les avancées autorisées dans les rues : saillies de deux pieds et demi pour les auvents, de huit pouces pour les seuils, marches, bornes, etc.

1726

24 janvier : Envoi à Sèvres par le prévôt des marchands de deux cents soldats aux gardes, un échevin à leur tête, pour rompre la glace dans la Seine et rétablir le commerce fluvial.

25 février : Ordonnance d'organisation des milices en temps de paix pour constituer une armée de réserve.

1727

1er mai : Mort du diacre janséniste Pâris, dont la vie exemplaire est connue de toute la ville. Le 3, durant son enterrement, une paralytique est guérie en touchant sa dépouille. La foule afflue au cimetière de Saint-Médard, des miracles ont lieu, c'est le début de l'affaire dite des « convulsionnaires de Saint-Médard ».

1728

16 janvier : Première signalisation des rues : « deux feuilles de fer blanc sur lesquelles est le nom de la rue en gros caractères noirs ». L'ordonnance du 30 juillet 1729 remplace ces feuilles trop faciles à arracher et à voler par des tables de pierre gravées.

28 février : Premier numéro du périodique janséniste clandestin *Les Nouvelles ecclésiastiques*. Il dure jusqu'en 1803.

10 mars : Déclaration royale interdisant les presses à rouleaux, trop peu bruyantes et trop faciles à transporter, dont l'existence gêne la police dans sa surveillance des imprimeries.

1729

8 novembre : Regroupement des vidangeurs de fosses d'aisance dans une compagnie à monopole.

1730

Création d'un spectacle de combats d'animaux à la barrière de la rue de Sèvres puis à la barrière Saint-Martin. Il fut interdit en 1843.

24 mars : Déclaration royale exigeant du clergé la reconnaissance de la bulle *Unigenitus* de 1713. Son enregistrement déclenche un conflit avec le Parlement.

1731

18 décembre : Réunion inaugurale de la Société académique des chirurgiens de Paris, devenue, par lettres patentes du 2 juillet 1748, l'Académie royale de chirurgie.

1732

29 janvier : Fermeture par le lieutenant général de police du cimetière de Saint-Médard pour arrêter les manifestations des convulsionnaires sur la tombe du diacre Pâris.

22 avril : Lettres patentes de suppression de la porte Saint-Honoré.

1733

Création de la Société du Caveau par Collé, Crébillon fils, Piron, etc., dans un cabaret de la rue de Buci, ancêtre lointain du cabaret chantant moderne.

1735

10 septembre : Arrêt du Conseil facilitant les perquisitions chez les éditeurs et les libraires.

1737

Couverture du Grand Égout décidée par le prévôt des marchands.

8 septembre : Extension de 8 à 10 lieues de la zone affectée au ravitaillement exclusif de la capitale en céréales.

26 octobre : Incendie au Palais de Justice et destruction de la Chambre des comptes.

1738

Création de la manufacture de porcelaine de Vincennes, transférée en 1756 à Sèvres.

24 juin : Naissance de la Grande Loge de France.

1739

29 août : Fête pour le mariage de Louise-Élisabeth, fille de Louis XV, avec l'infant d'Espagne. Une explosion du feu d'artifice tue une quarantaine de personnes.

1740

31 juillet : Dérogation aux interdictions de bâtir : il est permis de construire des maisons à portes cochères dans le faubourg Saint-Honoré.

22 septembre : Disette et rationnement des détenus de Bicêtre qui se révoltent.

26 décembre : Maximum de la crue : l'eau atteint Sainte-Marguerite et l'abbaye Saint-Antoine, la Salpêtrière, la rue Saint-Dominique, couvre la place Louis-le-Grand (Vendôme) et les Champs-Élysées.

30 décembre : Arrêt du Parlement ordonnant aux Parisiens de verser le trentième de leurs revenus pour la subsistance des pauvres de leur paroisse.

31 décembre : Interdiction aux pâtissiers et aux boulangers de vendre des gâteaux des rois en raison de la disette.

1743

Première mention de l'estampille dans les statuts de la corporation des huchiers-menuisiers pour garantir la qualité des meubles fabriqués au faubourg Saint-Antoine.

10 février : Règlement sur le recrutement de la milice parisienne. Le 20, les marchands des Six-Corps envoient une délégation à Versailles pour demander que leurs fils ne fassent pas partie de cette milice.

Mars : Nouvelle maladie qui attrape, «grippe» très rapidement ses victimes, la grippe.

Décembre : Édit recréant le monopole de la caisse de Sceaux et de Poissy à cause de la pénurie persistante de viande. Il sera aboli en 1776.

1745

Naissance du premier journal durable d'annonces publicitaires, les *Affiches de Paris*.

26 mars : Premier privilège d'édition pour l'*Encyclopédie*.

18 mai : Interdiction par le Parlement des gazettes manuscrites.

31 mai : Proposition du procureur du roi et de la Ville d'adopter pour l'éclairage public les réverbères à huile inventés par Dominique-François Bourgeois de Châteaublanc. Ils ne seront installés que vingt ans plus tard.

1746

Construction de l'hôpital des Enfants-Trouvés par Boffrand, face à Notre-Dame, à l'emplacement des églises Saint-Christophe et Sainte-Geneviève-des-Ardents.

1747

11 février : Feu d'artifice pour le mariage du Dauphin : de nombreux morts et blessés lors d'une bousculade.

14 février : Création par Daniel Trudaine de l'École des Ponts et Chaussées.

23 août : Première remise des prix du concours général aux élèves des classes supérieures des collèges. L'institution existe toujours.

1748

Création de la paroisse Saint-Denis-du-Pas.

1749

Création par Garon, au faubourg Saint-Antoine, de la première maroquinerie utilisant les méthodes marocaines de travail du cuir.

Mars : Exhibition à la foire Saint-Germain du premier rhinocéros qu'aient vu les Parisiens.

1750

23 mai : Émeutes contre les exempts de la police qui arrêtent des enfants et des adolescents pour peupler la Louisiane.

1er août : Condamnation à mort de trois émeutiers par le Parlement qui réglemente les arrestations diurnes et exige que les personnes arrêtées soient présentées à un commissaire du Châtelet.

20 octobre : Déclaration royale ordonnant la détention des mendiants à l'Hôpital général.

1751

10 janvier : Grande manifestation janséniste lors du transfert à la chapelle Saint-Jean-de-Beauvais du corps de Coffin, conseiller au Châtelet, à qui le curé de Saint-Étienne-du-Mont a refusé l'absolution.

22 janvier : Création de l'École militaire.

1752

31 janvier : Condamnation de l'*Encyclopédie* par l'archevêque.

15 décembre : Fuite du curé et des vicaires de Saint-Médard, chassés par leurs paroissiens pour avoir refusé les derniers sacrements à une religieuse janséniste des filles de Sainte-Agathe. En représailles, l'archevêque ferme le couvent et l'école de cette communauté le 29.

1753

1er janvier : Interdiction par l'archevêque des pères de la Merci taxés de jansénisme.

10 mai : Exil à Pontoise de la Grand-Chambre du Parlement à la suite de ses «grandes remontrances». Elle est rappelée le 8 octobre, le roi en ayant besoin pour enregistrer des édits fiscaux.

20 juillet : Approbation par le roi du projet de place Louis XV (de la Concorde) conçu par Boffrand et confié à Gabriel.

1756

Première vaccination contre la variole à Paris, celle des enfants du duc d'Orléans.

13 décembre : Lit de justice au Parlement. Le roi supprime deux des quatre chambres des enquêtes pour châtier les magistrats.

1757

28 mars : Exécution de Robert-François Damiens en place de Grève, auteur d'un attentat contre le roi à Versailles, le 5 janvier. Son supplice suscite l'apitoiement de l'opinion en sa faveur et une hostilité certaine contre Louis XV.

2 mai : Approbation royale du projet de construction d'une nouvelle église Sainte-Geneviève (actuel Panthéon). Décision de reprendre les travaux au Louvre pour terminer la cour carrée.

1758

5 mars : Lettres patentes pour l'établissement d'une «petite poste» à l'intérieur de Paris.

26 décembre : Arrêt du Conseil ordonnant le dégagement de la colonnade du Louvre.

1759

Janvier : Naissance du premier périodique français destiné aux femmes, le *Journal des dames*.

1760

Fondation de l'Institution des sourds et muets par l'abbé de l'Épée.

9 juin : Début du fonctionnement de la petite poste, la première à desservir la capitale : le courrier est distribué neuf fois par jour dans la ville et sa banlieue, moyennant une taxe de 2 sols.

9 août : Définition d'une nouvelle ligne de délimitation au sud-est : boulevards d'Enfer, Saint-Jacques, de la Santé, de la Glacière, des Gobelins, de l'Hôpital.

1761

13 mars : Lettres patentes autorisant Poitevin à installer un bateau à bains chauds au pont Royal.

2 août : Déclaration royale ordonnant aux jésuites de produire dans les six mois les titres de leur établissement en France. Le 6, le Parlement interdit aux sujets du roi d'entrer dans la Société de Jésus et dans ses écoles.

1762

16-17 mars : Dans la nuit, destruction de la foire Saint-Germain par un incendie.

6 août : Arrêt du Parlement interdisant la Compagnie de Jésus en France.

25 novembre : Lettres patentes pour le percement de la rue de Viarmes entourant la nouvelle halle au blé (actuelle bourse de commerce) achevée en 1767.

1763

6 avril : Incendie et destruction de la salle du Palais-Royal. L'Opéra s'installe pour sept ans à la salle des Machines des Tuileries.

20 juin : Inauguration de la statue du roi et de la place Louis XV au cours d'une grande fête.

1764

3 avril : Pose de la première pierre de l'église de la Madeleine, achevée en 1842.

13 juillet : Ordonnance de police interdisant à l'avenir les gouttières en saillie sur la voie publique.

3 août : Réforme L'Averdy supprimant la vénalité des charges municipales et instituant un système électif. Elle ne sera jamais appliquée.

6 septembre : Pose de la première pierre de la nouvelle église Sainte-Geneviève (Panthéon). Elle est achevée en 1790.

2 octobre : Pose de la première pierre de l'arcade de la nouvelle place Saint-Sulpice.

Novembre : Édit de suppression de la Compagnie de Jésus en France, expulsion des jésuites.

1765

Boulanger propose aux Parisiens des « restaurants », c'est-à-dire un choix de plats de bouillon, de viandes et d'œufs, faisant concurrence aux traiteurs et cabaretiers, mais le premier véritable restaurant n'est créé qu'en 1786.

10 février : Dérogation aux interdictions de construire le long de la grande rue du Faubourg-Saint-Honoré et de la rue du Faubourg-du-Roule.

16 mai : Levée des interdictions de 1724 et de 1726 de construire dans les faubourgs. Des précisions nouvelles figurent dans les lettres patentes du 28 juillet 1766.

1766

3 mars : Séance de la flagellation : le roi fustige le Parlement durant un lit de justice.

1767

12 mai : Lettres patentes interdisant de construire dans le quartier du Louvre, le roi désirant créer une place entre la colonnade et l'église Saint-Germain-l'Auxerrois.

31 juillet : Lettres patentes pour la construction du quai Saint-Michel.

18 septembre : Arrêt du Conseil pour la construction, quai de Conti, d'un nouvel hôtel des Monnaies, prévu en 1765 sur la place Louis XV (de la Concorde).

1768

Premier magazine pour enfants d'une existence durable, le *Journal d'éducation*. En 1757, un *Magasin des enfants* n'avait eu qu'une parution éphémère.

Avril : Création du premier journal de mode, le *Courrier de la Mode ou Journal du Goût*.

23 juin : Suppression du feu de la Saint-Jean qui n'a plus de succès.

8 septembre : Apparition du pianoforte dans la capitale, utilisé par Mlle Le Chantre.

25 octobre : Crise frumentaire. La population soupçonne le roi et les grands seigneurs de la Cour d'accaparer les grains. Des affiches font craindre une insurrection de la faim.

1769

6 septembre : Premier projet de toilettes publiques pour la capitale. Quelques années plus tard, lors de l'aménagement du Palais-Royal, le duc d'Orléans y fait installer douze cabinets d'aisance payants.

13 novembre : Crise frumentaire, pain rare et cher, mécontentement du peuple. Affiches, place Maubert et au faubourg Saint-Antoine : « Nous sommes cinquante déterminés à tout, nous mettrons le feu aux quatre coins de Paris. »

1770

25 janvier : Inauguration de la nouvelle salle de spectacles du Palais-Royal.

30 mai : Catastrophe à la fin des fêtes données pour le mariage du Dauphin et de Marie-Antoinette : bousculade sur la place Louis XV, cent trente-deux morts.

15 décembre : Lettres patentes pour l'ouverture de la rue de Provence. Elle n'est percée qu'en 1775.

1771

19 janvier : Exil des magistrats du Parlement par le chancelier Maupeou.

23 février : Édit d'abolition de la vénalité des charges de judicature et de démembrement du Parlement.

13 avril : Installation d'un nouveau Parlement ou Parlement « croupion ».

1772

22 septembre : Décintrement du pont de Neuilly.

1773

13 août : Arrêt du Conseil pour l'ouverture de la rue Taitbout, percée en 1775.

22 octobre : Création du Grand Orient de France par le duc de Chartres.

1774

28 mars : Inauguration de la halle aux veaux à l'emplacement du jardin des bernardins.

26 août : Invasion du Palais de Justice : les Parisiens s'en prennent aux magistrats du Parlement « croupion » nommé par Louis XV.

12 novembre : Lit de justice de Louis XVI rétablissant l'ancien Parlement.

1775

27 avril : Début de la « guerre des farines » en Île-de-France. Elle dure jusqu'au 10 mai.

3 mai : Émeute. La garde municipale doit protéger des sacs de blé sur le quai de la Grève. La foule tente d'imposer une « taxation populaire » en obligeant les boulangers à vendre le pain au prix normal de 2 sous la livre.

1776

Création de la paroisse Notre-Dame-de-Bonne-Délivrance du Gros-Caillou.

12 janvier : Incendie du Palais de Justice. La Sainte-Chapelle est sauvée de justesse.

Février : Édit de suppression des communautés de métiers.

10 mars : Déclaration royale sécularisant les cimetières à l'intérieur des villes : tous les cimetières urbains vont être supprimés.

24 mars : Création de la Caisse d'escompte.

Août : Émancipation des marchandes de modes : elles cessent de faire partie de la corporation des merciers et constituent la communauté des marchandes de modes-plumassières-fleuristes.

10 août : Première fabrique d'acide sulfurique et d'eau-forte, d'abord installée à Épinay-sur-Seine puis à Javel, dans la plaine de Grenelle, où elle produira aussi du chlore.

23 août : Ordonnance rétablissant jurandes et confréries. Institution du livret ouvrier dans la plupart des communautés. Le 28, les corporations sont rétablies.

1777

1er janvier : Premier numéro du plus ancien quotidien français, le *Journal de Paris*.

4 avril : Création d'un service chargé de localiser et de combler les excavations sous la ville, le futur service des carrières, à la suite d'éboulements à Ménilmontant et aux abords de la route d'Orléans.

25 avril : Érection en collège de pharmacie du corps des apothicaires « afin de prévenir le danger qui peut résulter du débit médicinal des compositions chimiques confié à des marchands qui ont été jusqu'à présent autorisés à faire commerce, sans être obligés d'en connaître les propriétés ».

1er septembre : Plan de Bélanger pour l'aménagement du parc de Bagatelle pour le comte d'Artois.

9 décembre : Lettres patentes instituant un mont-de-piété.

1778

30 mars : Triomphe de Voltaire.

Avril : Édit d'ouverture des boulevards du Temple, Saint-Martin, Saint-Denis, Bonne-Nouvelle.

16 novembre : Ordonnance interdisant aux prostituées le racolage sur la voie publique.

1779

Premier numérotage des maisons à partir du projet de Martin Kreenfelt, éditeur de l'*Almanach de Paris.*

10 août : Lettres patentes pour le percement de cinq rues (Racine, Voltaire puis Casimir-Delavigne, du Théâtre-Français puis de l'Odéon, Crébillon et Regnard) rayonnant à partir de la nouvelle salle du Théâtre-Français (Odéon), sur des terrains ayant fait partie de l'hôtel du prince de Condé.

Décembre : Lettres patentes pour le transfert de l'hospice des Quinze-Vingts dans l'hôtel des Mousquetaires noirs de la rue de Charenton.

1780

7 septembre : Protection du comte d'Artois accordée à la manufacture de Javel qui devient rapidement une importante usine chimique.

1781

Construction des premiers trottoirs, rue de l'Odéon.

2 avril : Première course officielle de chevaux dans le bois de Vincennes.

5 avril : Inauguration du marché à la paille et au foin du faubourg Saint-Antoine.

8 juin : Incendie de l'Opéra dans la salle du Palais-Royal refaite en 1770. Il s'installe sur le boulevard Saint-Martin.

17 juin : Lettres patentes autorisant le duc de Chartres à vendre les terrains en bordure du Palais-Royal. Ils vont permettre le percement de trois rues portant le nom de ses fils, Montpensier, Beaujolais, Valois, et la construction d'un théâtre par Victor Louis qui fut inauguré le 15 mai 1790.

8 août : Mise en service de l'usine élévatrice d'eau des frères Périer ou pompe à feu de Chaillot (4, avenue de New-York, à l'angle de la rue des Frères-Périer).

11 décembre : Inauguration du musée des sciences de Monsieur, rue Sainte-Avoye.

1782

Construction de l'hôtel de Salm, achevée en 1784.

26 février : Lettres patentes autorisant le lotissement des marais de la couture du Temple. Ils vont devenir la « nouvelle ville d'Angoulême ».

1783

Création du premier cirque français, faubourg du Temple, par Philip Astley, fondateur du Cirque moderne de Londres.

19 mars : Fondation de l'École des Mines de Paris.

10 avril : Déclaration royale imposant un rapport entre la hauteur des maisons et la largeur des rues. Ce prospect est modifié par lettres patentes du 25 août 1784.

8 juillet : Déclaration royale exigeant que les rues nouvelles aient au moins une largeur de 30 pieds (près de 10 mètres).

20 août : Pose de la première pierre d'un nouveau marché à la paille et au foin dans la couture Sainte-Catherine.

27 août : Envol du Champ-de-Mars du ballon *Le Globe*, gonflé à l'air chaud par Charles et les frères Robert. Sans personne à son bord, il se pose à Gonesse où le curé l'exorcise avant que ses paroissiens le détruisent.

21 novembre : Première ascension humaine libre de l'histoire de l'humanité. Pilâtre de Rozier et le marquis d'Arlandes s'envolent du parc de la Muette dans une montgolfière et se posent à la Butte-aux-Cailles. Charles et Robert cadet, partis des Tuileries, leur succèdent dans les airs le 1er décembre.

1784

21 février : Fin d'un hiver particulièrement rigoureux. Il a gelé sans interruption depuis le 14 décembre 1783 et il est fréquemment tombé 20 centimètres de neige en une journée.

Juillet : Exhibition à la foire Saint-Laurent de la première otarie qu'aient vu les Parisiens.

23 octobre : Inauguration du théâtre Beaujolais (actuel théâtre du Palais-Royal) destiné aux spectacles de marionnettes.

1785

Fermeture du cimetière des Saints-Innocents. L'église est fermée en 1786 et démolie en 1787.

Janvier : Fondation de l'Institution des jeunes aveugles, rue Coquillière, par Valentin Haüy.

23 janvier : Approbation du projet de Ledoux pour la construction du mur des fermiers généraux. Il est achevé en 1788, mais non les barrières qui le percent.

Juillet : Création par Barthélemy Turquin de la première école de natation au pont de la Tournelle, où quatre bateaux amarrés entre eux délimitent une piscine dans la Seine.

20 octobre : Règlement municipal déterminant les attributions des membres du Bureau de la Ville.

1786

Création au Palais-Royal, par Antoine Beauvilliers, du premier restaurant.

8 avril : Lettres patentes pour l'ouverture de la rue Le Peletier.

24 juillet : Pose de la première pierre de la pompe à feu du Gros-Caillou (à l'angle du quai d'Orsay et de la rue Jean Nicot) destinée à fournir de l'eau de Seine aux habitants de la rive gauche.

Septembre : Édit ordonnant la destruction des maisons construites sur les ponts et sur certains quais. Elle est effective en 1788.

1787

Vente par le duc de Chartres des arcades du Palais-Royal pour divers commerces, restaurants et cafés principalement. En 1790, trente-sept acheteurs ont acquis cent soixante-six arcades.

22 février : Assemblée des notables à Versailles, renvoyée le 25 mai.

27 février : Adjudication de la construction du pont Louis XVI (de la Concorde).

14 août : Exil du Parlement à Troyes. Il est rappelé le 20 septembre.

Novembre : Édit de tolérance qui reconnaît les droits civils aux protestants. Il n'est pas appliqué, le Parlement et l'Église catholique s'y opposant.

1788

3 mai : Condamnation par le Parlement de la réforme judiciaire du garde des sceaux Lamoignon. Dans la nuit du 4 au 5, le gouvernement tente de faire arrêter les conseillers Goislard de Montsabert et Duval d'Espremesnil, meneurs de la révolte des magistrats. Ils se réfugient au Palais de Justice qui est assiégé par les forces de l'ordre jusqu'à ce qu'ils acceptent de se livrer.

8-10 mai : Lit de justice et enregistrement forcé de la réforme de Lamoignon.

13 juillet : Orage exceptionnel, ravageant Beauce, Brie, Soissonnais et Picardie orientale. La moisson est hachée par la grêle. La pénurie de grains provoque l'afflux à Paris de paysans affamés et une forte hausse du prix du pain qui n'est pas sans effet sur les événements révolutionnaires de 1789. L'Académie des sciences établit à cette occasion la plus ancienne carte météorologique connue.

16 août : Faillite de l'État : faute d'argent, il met en circulation des billets pour payer la solde des troupes, les pensions et les rentes. Pour restaurer la confiance, le roi rappelle Necker le 25. Les paiements en numéraire reprennent le 14 septembre.

26 août : Manifestations, surtout aux abords du Pont Neuf. Le 28, la garde de Paris charge pour dégager le pont. Le 29, le corps de garde du Pont Neuf est incendié.

16 septembre : Émeute partie du Pont Neuf, réprimée au prix de plusieurs morts et de nombreux blessés.

23 septembre : Déclaration royale rétablissant le Parlement. Dès le 25, il se prononce pour la réunion d'états généraux.

10 décembre : Doublement de la députation du tiers état demandé par la pétition du docteur Guillotin. Le Conseil du Roi l'accorde le 27.

1789

27-28 avril : Émeute contre Réveillon, fabricant de papiers peints au faubourg Saint-Antoine.

5 mai : Premier numéro du *Moniteur universel* créé par Panckoucke pour rendre compte des états généraux. Quotidien à partir du 24 novembre, c'est le journal officiel de l'État du 28 décembre 1799 à la fin de 1868.

12-19 mai : Élection des députés de Paris aux états généraux alors que ceux-ci siègent depuis le 5 à Versailles.

30 juin : Invasion de la prison de l'Abbaye par des révolutionnaires qui libèrent des gardes-françaises incarcérés pour insubordination.

12 juillet : Pillage d'armureries à l'annonce du renvoi de Necker, affrontements aux Tuileries avec les dragons allemands de Lambesc. Les barrières de l'octroi sont incendiées dans la soirée.

14 juillet : Prise de la Bastille, exécution de son gouverneur, de Launay, et massacre de Flesselles, prévôt des marchands.

15 juillet : Élection de Bailly comme maire de Paris et de La Fayette à la tête de la milice bourgeoise baptisée garde nationale parisienne. Le 17, le roi se rend à l'Hôtel de Ville et y reçoit la cocarde tricolore, avalisant la Révolution.

29 août : Premier numéro du *Journal des débats* qui rend compte des débats de l'Assemblée nationale. Il a disparu en 1944.

5-6 octobre : Marche de femmes sur Versailles. Elles en ramènent la famille royale qui s'installe aux Tuileries. Le 19 octobre, les députés de l'Assemblée nationale s'établissent à leur tour dans la capitale, d'abord à l'archevêché, puis à la salle du Manège des Tuileries, le 9 novembre.

1790

21 mai : Décret d'organisation de la municipalité. Les soixante districts sont remplacés par quarante-huit sections.

14 juillet : Fête de la Fédération au Champ-de-Mars.

2 septembre : Émeute à l'annonce de la répression de la révolte des soldats du régiment suisse de Châteauvieux à Nancy.

1791

13 mars : Élection de Gobel comme évêque de Paris.

3 avril : Transformation de l'église Sainte-Geneviève en Panthéon : Mirabeau y est inhumé le premier, dès le 4 avril, suivi par Voltaire le 11 juillet.

20-21 juin : Fuite de la famille royale dans la nuit. Elle est ramenée le 25.

15 juillet : Scission au club des jacobins. Barnave, Duport, Lameth créent le club des feuillants.

17 juillet : Pétition en faveur de la République au Champ-de-Mars. L'Assemblée nationale ordonne au maire de disperser la foule. Bailly proclame la loi martiale et fait tirer sur la foule par la garde nationale : une cinquantaine de victimes.

19 septembre : Démission de Bailly, très affecté par la fusillade du Champ-de-Mars.

8 octobre : Démission de La Fayette de son commandement de la garde nationale. Il brigue la mairie.

14 novembre : Élection de Pétion comme maire.

1792

15 avril : Fête de la Liberté organisée par la Commune en l'honneur des Suisses de Châteauvieux.

25 avril : Première exécution avec la guillotine : le bandit Nicolas Pelletier est décapité en place de Grève.

3 juin : Fête de l'Assemblée législative à la mémoire de Simoneau, maire d'Étampes, massacré par des émeutiers alors qu'il s'opposait à la taxation des grains.

20 juin : Invasion des Tuileries par les sans-culottes. Le roi est coiffé d'un bonnet rouge et boit un verre de vin, mais refuse de lever son veto sur les décrets litigieux.

6 juillet : Suspension du maire Pétion et du procureur de la Commune, Manuel, dans le cadre de l'enquête sur le 20 juin.

20 juillet : Levée de volontaires pour l'armée. Le 21, proclamation de « la patrie en danger ».

3 août : Demande de déchéance du roi présentée à l'Assemblée nationale par Pétion au nom de quarante-sept des quarante-huit sections.

9 août : Constitution d'une Commune insurrectionnelle.

10 août : Insurrection : prise des Tuileries et suspension du roi.

2-5 septembre : Massacre de plus de mille personnes dans les prisons.

19 septembre : Décret de l'Assemblée législative prévoyant des élections pour constituer une municipalité légale à Paris.

21 septembre : Proclamation de la République par la nouvelle Assemblée, la Convention.

Octobre : Apparition du célérifère de Civrac (ou Sivrac), ancêtre de la bicyclette. Il est à la mode chez les muscadins en 1795. Version améliorée, les premiers vélocifères apparaissent le 22 janvier 1804.

15 octobre : Réélection de Pétion à la mairie, mais il préfère siéger à la Convention.

21 novembre : Élection d'un modéré, Lefèvre d'Ormesson, à la mairie. Il refuse cette dangereuse fonction.

30 novembre : Élection d'un autre modéré, Chambon, à la mairie.

1793

21 janvier : Exécution de Louis XVI, place de la Révolution (de la Concorde).

2 février : Chambon renonce à la mairie. Pache est élu maire le 14 février.

10 mars : Création du Tribunal révolutionnaire de Paris, le jour même de l'échec d'une insurrection fomentée par les Enragés que dirige Jacques Roux.

4 mai : Décret sur les subsistances voté par la Convention sous la pression des sans-culottes.

31 mai : Invasion de la Convention par les sans-culottes qui réclament en vain l'arrestation des girondins.

2 juin : Nouvelle insurrection : sous la menace des canons, la Convention vote la mise en accusation des députés girondins.

1er août : Institution de cartes de rationnement du pain dans la capitale.

7 août : Première réunion du conseil général de la Commune après plus de six mois de procédures électorales.

5 septembre : Invasion de la Convention par des manifestants qui font voter le maximum des prix.

17 septembre : Loi sur les suspects.

5 octobre : Adoption du calendrier républicain.

7 novembre : Abjuration de l'évêque Gobel qui renonce à la prêtrise.

8 novembre : Ouverture du musée du Louvre.

10 novembre : Fête de la Raison à Notre-Dame.

12 novembre : Tutoiement obligatoire décrété à Paris.

23 novembre : Fermeture de toutes les églises de la capitale.

4 décembre : Loi soumettant les municipalités au pouvoir central.

9 décembre : Création d'une armée révolutionnaire parisienne.

1794

4 mars : Au club des cordeliers, appel des hébertistes à l'insurrection.

13 mars : Arrestation des dirigeants hébertistes. Hébert est guillotiné le 24 mars.

30 mars : Arrestation de Danton, de Desmoulins et de leurs amis. Ils sont exécutés le 5 avril.

10 mai : Destitution de Pache, remplacé à la mairie par une créature de Robespierre, Fleuriot-Lescot. Épuration de l'administration municipale.

8 juin : Fête de l'Être suprême, apothéose de Robespierre.

11 juin : Décrets instaurant la Grande Terreur. Du 11 juin au 27 juillet, le tribunal révolutionnaire prononce mille trois cent soixante-seize condamnations à mort.

27 juillet : Vote par la Convention de la mise en accusation de Robespierre et de ses partisans. Tentative d'insurrection de la Commune. Les robespierristes sont guillotinés le 28.

24 août : Suppression des comités de section remplacés par douze comités d'arrondissement.

29 août : Première manifestation sur les boulevards de la «jeunesse dorée» hostile aux sans-culottes.

31 août : Suppression de la municipalité : Paris se trouve sous la tutelle directe de l'État.

10 octobre : Décret de création du Conservatoire national des Arts et Métiers.

22 octobre : Ouverture de l'École centrale des Travaux publics (future École polytechnique) créée par décret du 11 mars.

24 décembre : Abolition de la loi du maximum, effondrement de l'assignat.

1795

20 janvier : Ouverture de l'École normale supérieure.

30 mars : Création de l'École nationale des langues orientales vivantes.

1er avril : Invasion de la Convention par la foule aux cris de «Du pain et la Constitution de l'an I».

20 mai : Insurrection de la faim et nouvelle invasion de la Convention. Les 22 et 23, les troupes fidèles à l'Assemblée investissent le faubourg Saint-Antoine et désarment les sans-culottes.

5 octobre : Insurrection des sections royalistes réprimée par le général Bonaparte.

11 octobre : Nouvelle division de Paris en douze municipalités. Le département de Paris devient département de la Seine.

25 octobre : Création de l'Institut de France.

1796

Création par Turquin d'une nouvelle école de natation reprise en 1808 par son gendre Deligny. Les bains Deligny ont duré jusqu'au 8 juillet 1993.

9 septembre : Tentative de soulèvement babouviste au camp de Grenelle. Fin de la conspiration des Égaux.

4 décembre : Reprise du culte dans la capitale.

1797

9 janvier : Naissance d'une nouvelle et éphémère religion, la théophilanthropie, dans la chapelle Sainte-Catherine.

Juillet : Mise au point de l'impression en monotype par l'imprimeur parisien Louis-Étienne Herhan.

4 septembre : Coup d'État des Assemblées du Directoire contre les royalistes, accompli par le général Augereau. Le 5, épuration des municipalités parisiennes.

22 octobre : Premier saut mondial en parachute : Garnerin saute d'une montgolfière à une altitude de 700 mètres et atterrit dans la plaine de Monceau.

1798

15 avril : Élection pour le renouvellement des Conseils. L'assemblée électorale de la Seine se divise, la minorité favorable aux Directeurs quittant la salle de l'Oratoire pour le Louvre.

11 mai : Annulation des élections à Paris et en province, qui avaient donné la majorité aux néo-jacobins, appelée abusivement «coup d'État» du 22 floréal.

21 septembre : Ouverture de la première Exposition nationale des produits de l'industrie au Champ-de-Mars.

18 octobre : Rétablissement de l'octroi supprimé le 1er mai 1791.

1799

18 juin : Coup d'État des Conseils, dominés par les néo-jacobins, contre les Directeurs : deux d'entre eux sont contraints à la démission.

16 octobre : Arrivée de Bonaparte de retour d'Égypte.

9-10 novembre : Coup d'État de Bonaparte : dissolution des Conseils et du Directoire.

15 décembre : Proclamation de la Constitution instituant le Consulat avec Bonaparte comme premier Consul.

1800

13 février : Création de la Banque de France.

17 février : Nouvelle organisation administrative de Paris, avec douze maires d'arrondissement nommés et sans pouvoir, deux préfets de police et de la Seine, un conseil général de la Seine faisant fonction de conseil municipal.

19 février : Installation de Bonaparte aux Tuileries que Percier et Fontaine commencent à restaurer.

1er juillet : Arrêté définissant les attributions du préfet de police.

10 octobre : Complot des poignards pour assassiner Bonaparte. Ceracchi et ses complices sont arrêtés, jugés et guillotinés.

24 décembre : Attentat de la rue Saint-Nicaise contre Bonaparte.

1801

Création par La Tynna de l'*Almanach du commerce de Paris*, continué depuis 1819 par Sébastien Bottin, dit aujourd'hui *Bottin*.

24 février : Création de l'internat des hôpitaux de Paris.

12 mars : Arrêté du préfet de la Seine décidant la création de trois cimetières hors de la ville : au nord (cimetière Montmartre), à l'est (Père-Lachaise), au sud (Montparnasse).

15 mars : Loi pour la construction de trois ponts : Austerlitz, Saint-Louis et des Arts.

22 juin : Rétablissement des courtiers de commerce à la Bourse.

29 juin : Concile national du clergé constitutionnel, menacé de disparition par les négociations du Concordat.

29 juillet : Réorganisation de la Bourse.

18 septembre : Exposition de l'industrie nationale dans la cour du Louvre.

9 octobre : Arrêté consulaire pour l'ouverture des rues de Castiglione, des Pyramides et de Rivoli.

1802

8 avril : Nomination d'un archevêque, Mgr de Belloy. Le 18 avril, le Concordat est promulgué à Notre-Dame.

19 mai : Décret ordonnant le creusement du canal de l'Ourcq.

2 juillet : Arrêté décidant la construction du quai d'Orsay.

6 juillet : Création du Conseil de salubrité, début d'une politique sanitaire dans la capitale.

23 septembre : Début des travaux du canal de l'Ourcq.

4 octobre : Création de la garde municipale de Paris, origine de la garde républicaine.

1803

Janvier-février : Grave épidémie de grippe.

11 avril : Création d'une École de pharmacie.

14 avril : Privilège exclusif de l'émission des billets pour la Banque de France.

9 août : Démonstration sur la Seine du bateau à vapeur de Fulton.

24 septembre : Ouverture aux piétons du pont des Arts : un péage de 5 centimes par personne est perçu.

1804

22 janvier : Apparition des premiers vélocifères, succédant aux célérifères nés en octobre 1792.

9 mars : Arrestation de Cadoudal venu à Paris préparer un attentat contre Bonaparte. Il est jugé et exécuté avec ses complices le 28 juin.

21 mars : Exécution du duc d'Enghien dans les fossés du château de Vincennes.

18 mai : Proclamation de Bonaparte comme empereur des Français sous le nom de Napoléon Ier.

15 juillet : Première distribution de légions d'honneur aux Invalides.

2 décembre : Sacre de Napoléon Ier à Notre-Dame.

1805

4 février : Décret sur le numérotage des rues : il débute à la Seine, les numéros pairs sur le côté droit, les numéros impairs sur le côté gauche.

3 septembre : Panique déclenchée par la guerre : des queues se forment aux caisses de la Banque de France. Il y a un début d'émeute le 6 novembre pour obtenir les remboursements.

1806

1er janvier : Retour au calendrier grégorien.

27 mars : Décision de création d'un pont de fer en face de l'École militaire, baptisé pont d'Iéna le 13 janvier 1807.

2 mai : Décision de création de quinze fontaines publiques.

7 juillet : Pose de la première pierre de l'arc de triomphe du Carrousel.

15 août : Pose de la première pierre de l'arc de triomphe de l'Étoile, inauguré en 1836.

5 octobre : Première course de chevaux au Champ-de-Mars.

24 novembre : Ouverture du pont d'Austerlitz.

2 décembre : Décret de Posen prévoyant la construction d'un monument « aux soldats de la Grande Armée », le temple de la Gloire (future Madeleine).

1807

9 février : Ouverture du Grand Sanhédrin des juifs qui se termine le 9 mars.

5 mars : Ouverture de l'avenue de l'Observatoire.

13 juin : Décision de percement d'une voie dans l'axe du Panthéon, la rue Soufflot.

29 juillet : Décret réduisant le nombre des théâtres à huit : Opéra, Opéra-Comique, Théâtre-Français, théâtre de l'Impératrice (Odéon), Vaudeville, Variétés, Ambigu, Gaîté. S'y ajoutent ensuite l'Opéra italien, le Cirque olympique et le théâtre de la Porte-Saint-Martin.

1808

11 mars : Décision de construction du quai des Invalides.

24 mars : Pose de la première pierre de la Bourse conçue par Brongniart. Elle est ouverte en 1827.

2 décembre : Fête célébrant l'arrivée des eaux du canal de l'Ourcq et pose de la première pierre de la fontaine de la place de la Bastille qui doit être ornée de la statue d'un éléphant. Elle restera à l'état de modèle en bois recouvert de plâtre.

1809

29 mars : Décret de construction du quai de Catinat (de l'Archevêché).

13 avril : Nomination du consistoire israélite de Paris qui couvre trente-trois départements.

16 août : Inauguration du marché aux fleurs, quai Desaix (de Corse).

9 décembre : Décret instaurant une taxe des pauvres sur les billets de théâtre.

1810

5 février : Limitation à soixante du nombre des imprimeurs.

4 avril : Pose de la première pierre du palais du ministère des Relations extérieures, quai d'Orsay, achevé en 1838.

1er juillet : Incendie lors du bal à l'ambassade d'Autriche donné en l'honneur du mariage de Napoléon et de Marie-Louise. La femme de l'ambassadeur périt brûlée.

15 août : Inauguration de la colonne Vendôme.

1811

18 février : Installation des fripiers au marché du Temple.

17 juin : Ouverture d'un concile national pour tenter de régler le conflit entre l'empereur et le pape.

15 août : Pose de la première pierre de la halle aux vins et du marché Saint-Martin-des-Champs.

26 août : Début de la construction d'un nouveau bâtiment pour l'hôtel des postes, à l'angle des rues de Castiglione et de Rivoli. Achevé en 1822, il est affecté au ministère des Finances et incendié par les Communards en mai 1871.

18 septembre : Organisation d'un bataillon de « sapeurs-pompiers ».

1812

2 janvier : Naissance du sucre de betterave : Napoléon en goûte pour la première fois dans la raffinerie installée depuis 1801 à Passy par Benjamin Delessert.

1er mars : Gratuité de l'eau aux fontaines publiques.

15 octobre : Décret de Moscou réorganisant la Comédie-Française.

23 octobre : Coup d'État du général Malet qui échoue à cause du général Hulin, commandant militaire de la place de Paris. Malet et ses complices sont fusillés le 29 octobre.

1813

15 août : Ouverture du canal de l'Ourcq à la navigation entre Claye et Paris.

1814

30 mars : Bataille de Paris. Marmont et Mortier défendent la ville contre les Alliés. La capitulation est signée le 31 à deux heures du matin.

1er avril : Réclamation du retour de Louis XVIII par le Conseil général de la Seine, sur l'initiative de Bellart.

6 avril : Abdication de Napoléon Ier. Le Sénat fait appel à Louis XVIII

3 mai : Entrée de Louis XVIII dans la capitale occupée par les armées des coalisés.

1815

17 janvier : Émeute lors des obsèques de Mlle Raucourt, ancienne comédienne : le curé de Saint-Roch ayant refusé d'admettre le corps, la foule force les portes de l'église.

19 mars : A minuit, fuite de Louis XVIII. Dans la soirée du 20, Napoléon prend sa place aux Tuileries.

1er juin : Assemblée du Champ-de-Mai au Champ-de-Mars, proclamation des résultats du plébiscite sur l'Acte additionnel aux Constitutions de l'Empire.

22 juin : Seconde abdication de Napoléon.

6 juillet : Entrée des troupes alliées, suivies par Louis XVIII le 8.

19 août : Exécution du général de La Bédoyère pour s'être rallié à Napoléon.

21 novembre : Procès de Ney par la Chambre des pairs. Il est condamné pour s'être rallié à Napoléon et fusillé le 7 décembre, avenue de l'Observatoire.

20 décembre : Évasion de Lavalette grâce à un échange de vêtements avec sa femme. Il avait aussi été condamné à mort en raison de son ralliement à Napoléon.

1816

21 mars : Rétablissement des quatre Académies, épurées de vingt-deux de leurs membres.

26 avril : Acquittement du général Cambronne par le conseil de guerre qui rechigne à condamner les officiers ralliés à Napoléon durant les Cent-Jours.

27 juin : Procès du groupe des «patriotes», conspirateurs contre la monarchie. Condamnés à mort le 6 juillet, trois d'entre eux sont exécutés en place de Grève.

20 août : Lancement à Bercy du *Charles-Philippe*, bateau à vapeur construit par Jouffroy d'Abbans pour desservir la ligne Paris-Montereau.

Décembre : Introduction de l'éclairage au gaz : un cafetier du passage des Panoramas est le premier à l'utiliser.

1817

22 mars : Bagarre à la première représentation du *Germanicus* d'Arnault, Talma s'étant fait la tête de Napoléon. Le spectacle est interdit.

1er juin : Inauguration du marché Saint-Germain.

8 juillet : Ouverture des promenades aériennes ou «montagnes russes» du jardin Beaujon.

27 août : Transport de passagers du port Saint-Nicolas à Saint-Cloud par le *Génie-du-Commerce*, bateau à vapeur construit par Jouffroy d'Abbans.

20 septembre : Procès de l'association secrète antiroyaliste dite de l'Épingle noire. Les accusés sont acquittés le 4 octobre.

1818

1er janvier : Création du premier gymnase française par Amoros, le gymnase de l'Institution Durdan, rue d'Orléans (Daubenton).

20 mars : Incendie du théâtre de l'Odéon. Il est reconstruit sur place et inauguré le 1er octobre 1819.

5 avril : Première démonstration dans les jardins du Luxembourg de la draisienne, ancêtre de la bicyclette.

29 juillet : Création de la Caisse d'épargne et de prévoyance de Paris par Benjamin Delessert et le duc de La Rochefoucauld-Liancourt, la plus ancienne caisse d'épargne de France.

15 novembre : Inauguration de l'église Saint-Ambroise.

1819

6 janvier : Rattachement à Paris du village d'Austerlitz.

15 février : Inauguration du marché des Carmes.

3 juillet : Violente manifestation des élèves de l'École de droit sur le boulevard du Montparnasse après la suspension d'un de leurs professeurs, Bavoux, pour avoir exprimé des opinions trop libérales.

19 août : Ouverture du marché des Blancs-Manteaux.

1820

Création de l'École spéciale puis supérieure de commerce de Paris par les négociants Brodard et Legret.

13 février : Assassinat du duc de Berry par Louvel, à la sortie de l'Opéra, salle Montansier, rue de Richelieu.

3 mai : Pose de la première pierre de l'École des beaux-arts.

3 juin : Manifestation libérale aux cris de « Vive la Charte ! ». L'étudiant Lallemand est tué par un soldat sur la place du Carrousel. Ses funérailles, le 6, sont l'occasion d'une nouvelle manifestation. Le 9, plusieurs personnes sont tuées lors d'une charge de cuirassiers contre des manifestants sur le boulevard de Bonne-Nouvelle.

31 juillet : Incendie de l'entrepôt de Bercy.

13 août : Début de la construction d'une nouvelle salle d'opéra, rue Le Peletier.

20 décembre : Ordonnance de création de l'Académie de médecine.

1821

12 avril : Bagarre à l'occasion des obsèques de l'agent de change Manuel : la foule contraint les prêtres de Saint-Louis à dire des prières pour le défunt.

14 mai : Ouverture du canal de Saint-Denis.

23 juillet : Formation de la plus ancienne société de géographie du monde, celle de Paris.

16 août : Ouverture de la nouvelle salle de l'Opéra, rue Le Peletier.

7 novembre : Ordonnance créant une organisation militaire pour les sapeurs-pompiers placés sous l'autorité du préfet de police.

26 décembre : Ordre de restitution au culte du Panthéon sous son nom primitif de Sainte-Geneviève.

1822

27 février : Troubles à l'église des Petits-Pères : les prêtres prêchant une mission sont houspillés par la foule dans laquelle se trouvent deux députés libéraux, de Corcelles et Demarçay.

5 mars : Inauguration de la synagogue de la rue Notre-Dame-de-Nazareth.

7-8 mars : Troubles à l'École de droit, deux cents arrestations.

3 mai : Début des travaux du canal Saint-Martin.

1er juillet : Inauguration du Diorama de Daguerre et Bouton, 4, rue Samson.

15 juillet : Ouverture du Café de Paris, à l'angle du boulevard des Italiens et de la rue Taitbout.

21 septembre : Exécution en place de Grève des quatre sergents de La Rochelle, comploteurs contre la monarchie.

1823

3 mars : Troubles dans les rues jusqu'au 6 à la suite de l'exclusion de la Chambre des députés du libéral Jacques-Antoine Manuel.

2 juillet : Débuts à l'Ambigu de Frédérick Lemaître dans *L'Auberge des Adrets*, mélodrame qu'il sauve de l'échec en transformant son personnage de Robert Macaire.

5 août : Pose de la première pierre de Notre-Dame-de-Lorette.

1824

27 juin : Lotissement du quartier Beaugrenelle.

25 août : Pose de la première pierre de l'église Saint-Vincent-de-Paul.

Octobre : Ouverture du premier magasin de confection de série, «La Belle Jardinière», fondée par Pierre Parissot, qu'on peut considérer comme le plus ancien grand magasin du monde.

13 décembre : Marquage pour la première fois en France du prix des articles en chiffres au magasin «La Fille d'honneur», 26, rue de la Monnaie.

1825

Naissance du canotage sur la Seine

3 juin : Premier essai d'éclairage public au gaz, place Vendôme.

4 novembre : Inauguration du canal Saint-Martin. Il est ouvert aux péniches le 15 novembre 1826.

30 novembre : Funérailles à Notre-Dame-de-Lorette et enterrement au Père-Lachaise du général Foy, grande manifestation de l'opposition libérale.

1826

Création de la première ligne régulière de bateaux à vapeur sur la Seine, entre Paris et Saint-Cloud. — Fondation de la librairie de Louis Hachette.

16 juillet : Fondation par Maurice Alhoy du journal *Le Figaro*, le plus ancien titre de quotidien subsistant.

21 octobre : Obsèques de Talma, acteur favori de Napoléon. Suivie par des dizaines de milliers d'opposants politiques, sa dépouille est conduite au Père-Lachaise sans passer par une église.

4 novembre : Inauguration du palais de la Bourse.

1827

12 mars : Vote de la loi restreignant la liberté de la presse, qualifiée par *Le Moniteur* de «loi d'amour et de justice».

30 mars : Funérailles du duc de La Rochefoucauld-Liancourt. Affrontements, rue Saint-Honoré, entre la police et les élèves de l'École des arts et métiers de Châlons qui veulent porter le corps du défunt. Le cercueil tombe et se brise.

29 avril : Revue de la garde nationale au Champ-de-Mars. Sur le passage de Charles X, les gardes crient : «A bas les ministres ! A bas les jésuites ! Vive la Charte ! Vive la liberté de la presse ! » Le roi dissout la garde nationale.

30 juin : Arrivée au Jardin des Plantes de la girafe offerte à Charles X par le pacha d'Égypte, la première que les Parisiens aient jamais vue.

24 août : Obsèques de l'ex-député libéral Manuel au Père-Lachaise, occasion d'une grande manifestation de l'opposition.

19-20 novembre : Agitation à l'occasion des élections législatives : barricades dans les quartiers Saint-Martin et Saint-Denis.

1828

Février : Fondation par François Habeneck de la Société des concerts du Conservatoire, qui donne son premier concert le 9 mars.

11 avril : Création des omnibus, voitures de dix-huit à vingt-cinq places, au prix de 25 centimes la place.

10 décembre : Procès de Béranger pour offense au roi et outrage à la morale publique : neuf mois de prison et 10 000 francs d'amende.

1829

1er janvier : Éclairage au gaz de la rue de la Paix.

12 mars : Création du corps des sergents de ville.

20 juin : Parution dans *L'Album* du « Mouton enragé », article de Fontan hostile à Charles X. Condamné à cinq ans de prison et 10 000 francs d'amende, Fontan se réfugie en Belgique.

10 août : Article du *Journal des débats* contre le ministère formé le 8 par Polignac. Son directeur est condamné à six mois de prison et 500 francs d'amende.

15 octobre : Premier numéro du journal *Le Temps*.

1830

25 février : Bataille d'*Hernani*, manifeste romantique, première représentation houleuse de la pièce de Victor Hugo au Théâtre-Français.

16 mars : Adresse au roi de deux cent vingt et un députés de l'opposition, début d'une intense agitation politique.

Juillet : Premiers essais de vespasiennes sur les boulevards, colonnes à double usage, affichage publicitaire et urinoirs. Elles sont adoptées définitivement en 1841.

25 juillet : Publication de trois ordonnances de dissolution de la Chambre des députés, de changement du mode d'élection et de suppression de la liberté de la presse. Le 26, protestation des journalistes d'opposition réunis au siège du *National*.

27-29 juillet : Les Trois Glorieuses : insurrection contre Charles X. Après trois journées de combats, les insurgés victorieux installent un gouvernement provisoire à l'Hôtel de Ville.

31 juillet : Acceptation par le duc d'Orléans de la lieutenance générale du royaume. Il devient roi des Français le 9 août sous le nom de Louis-Philippe Ier.

6 août : Nomination d'un Conseil municipal provisoire.

17 septembre : Ordonnance de désignation des membres du Conseil municipal.

15 décembre : Début du procès des ministres de Charles X. Malgré des émeutes les 21 et 22, ils ne sont pas condamnés à mort mais à la prison à vie.

1831

15 janvier : Transformation de Sainte-Pélagie en prison politique.

14 février : Émeute à cause de la célébration d'un service pour l'anniversaire de la mort du duc de Berry. L'église Saint-Germain-l'Auxerrois est saccagée et l'archevêché détruit.

27 juillet : Pose de la première pierre de la colonne de Juillet à la mémoire des victimes des Trois Glorieuses.

1er octobre : Départ de Louis-Philippe du Palais-Royal, il s'installe aux Tuileries.

19 novembre : Condamnation de Philipon à six mois de prison et à 2 000 francs d'amende pour avoir donné à Louis-Philippe l'aspect d'une poire dans *La Caricature*.

1832

19 février : Première victime de l'épidémie de choléra qui prend une ampleur exceptionnelle à partir du 29 mars et tue plus de dix-huit mille cinq cents Parisiens jusqu'au 1er octobre.

1er-3 avril : Émeute des chiffonniers qui se révoltent contre l'enlèvement des immondices ordonné par les autorités pour assainir la ville ravagée par le choléra.

5-6 juin : Insurrection républicaine et bonapartiste à l'occasion des obsèques du général Lamarque, mort du choléra. L'état de siège dure jusqu'au 29.

28 août : Procès des saint-simoniens pour constitution d'association interdite par la loi et publication d'écrits outrageant la morale publique : un an de prison pour Enfantin, Michel Chevalier, Duverger.

1833

23 décembre : Arrivée d'Égypte de l'obélisque de Louqsor. Il est érigé le 25 octobre 1836.

1834

16 février : Loi interdisant aux crieurs publics des brochures et journaux l'exercice de leur profession sans autorisation de la municipalité. Elle provoque des troubles du 21 au 23.

12-14 avril : Insurrection républicaine. Elle s'achève avec le massacre par la troupe des habitants du 12, rue Transnonain.

20 avril : Loi d'organisation municipale de la capitale.

14 juin : Énorme succès du *Robert Macaire* de Frédérick Lemaître.

30 octobre : Inauguration du pont du Carrousel.

1835

Naissance de l'Agence Havas.

28 juillet : Attentat de Fieschi, boulevard du Temple. Sa machine infernale manque Louis-Philippe mais tue dix-huit personnes dont le maréchal Mortier.

12-14 novembre : Procès de Lacenaire, assassin romantique dont les *Mémoires* ont un énorme succès.

1836

2 juin : Arrestation des comploteurs républicains de la Société des Familles. Parmi eux, Barbès, Blanqui, Lisbonne.

1er juillet : Création par Émile de Girardin du premier quotidien à bas prix, *La Presse*. Son concurrent, *Le Siècle*, créé par Armand Dutacq, commence à paraître le même jour.

22 juillet : Duel de journalistes au bois de Vincennes : Émile de Girardin blesse mortellement Armand Carrel.

29 juillet : Inauguration de l'arc de triomphe de l'Étoile. Sa construction avait débuté en 1806.

15 décembre : Consécration de l'église Notre-Dame-de-Lorette.

1837

1er-15 février : Épidémie de grippe : cent cinquante-huit décès le 12, au paroxysme de l'épidémie.

3 mai : Inauguration de la mairie de Montmartre.

26 août : Ouverture de la ligne de chemin de fer de Paris à Saint-Germain-en-Laye. La gare se trouve rue de Londres et le trajet dure une demi-heure.

1838

5 mars : Ouverture d'une voie reliant la rue des Archives et la rue Montorgueil, la future rue Rambuteau.

24 août : Ordonnance d'organisation de la garde municipale.

1839

12-13 mai : Insurrection organisée par la Société des Saisons de Barbès et Blanqui. Elle est écrasée par l'armée et la garde nationale.

2 août : Ouverture aux voyageurs de la ligne de chemin de fer de Paris à Versailles par la rive droite de la Seine.

7 septembre : Expériences du daguerréotype faites par Daguerre au palais du quai d'Orsay, renouvelées les 11 et 14.

1840

Début des travaux de canalisation de la Seine.

16 mai : Inauguration de la nouvelle salle de l'Opéra-Comique, place Favart.

14 juin : Revue houleuse de la garde nationale par le roi au Carrousel. Aux cris de « Vive le roi ! » se mêlent ceux de « Vive la Réforme ! ».

28 juillet : Inauguration, place de la Bastille, du monument à la mémoire des combattants de juillet 1830.

4 septembre : Émeute dans le quartier des Quinze-Vingts.

1er octobre : Début de l'utilisation de cuisinières à gaz au cours de cuisine de la rue Duperré.

15 décembre : Translation des restes de Napoléon Ier aux Invalides.

24 décembre : Apparition de la coutume germanique de l'arbre de Noël, introduite par la princesse Hélène de Mecklembourg, épouse de Ferdinand-Philippe, duc d'Orléans.

1841

27 février : Mise en service à Grenelle du premier puits artésien, profond de plus de 560 mètres.

3 avril : Loi de création d'une enceinte fortifiée pour protéger la capitale. Dite de Thiers, du nom du président du Conseil du moment, cette enceinte est terminée en 1845.

3 mai : Loi sur l'expropriation pour cause d'utilité publique, instrument juridique essentiel pour la politique d'urbanisme.

1842

Fabrication des premières cigarettes françaises à la manufacture du Gros-Caillou.

8 mai : Première catastrophe ferroviaire en France, sur la ligne de Versailles rive gauche, à hauteur de Meudon : cinquante-sept morts dont Dumont d'Urville, plus de trois cents blessés.

13 juillet : Mort du duc d'Orléans, héritier de la couronne, porte Maillot : ses chevaux se sont emballés, il s'est brisé le crâne en sautant à bas de la voiture.

14 juillet : Création par le préfet de la Seine d'une Commission des Halles pour « rechercher les moyens de mettre les halles d'approvisionnement en rapport avec les besoins de la population ».

1843

4 mars : Premier numéro de *L'Illustration*, créée par Alexandre Paulin, Adolphe Joanne et Édouard Charton, hebdomadaire faisant une large place à l'image sur le modèle de l'*Illustrated London News*.

22 avril : Triomphe à l'Odéon de la tragédie classique de Ponsard, *Lucrèce*, acte de décès du romantisme : *Les Burgraves* de Hugo ont subi un échec retentissant le 7 mars au Théâtre-Français.

2 mai : Essor du chemin de fer avec l'ouverture de la ligne Paris-Orléans, puis, le lendemain, de celle de Paris à Rouen.

7 juillet : Inauguration du quai Henri IV créé par rattachement à la rive droite de l'île Louviers.

20 octobre : Première expérience d'éclairage à l'électricité, place de la Concorde.

1844

8 février : Remise des prix aux lauréats du premier Concours général d'animaux gras, ancêtre du concours agricole. Il se tient tous les ans à Poissy jusqu'à son transfert au marché aux bestiaux de La Villette en 1868.

16 mars : Ouverture du musée de Cluny.

21 octobre : Inauguration de l'église Saint-Vincent-de-Paul dont la construction a débuté en 1824.

14 novembre : Création à Chaillot par Jean-Baptiste Marbeau de la première crèche.

29 décembre : Ordonnance de création d'un Conseil des prud'hommes. Il est installé le 11 mars 1845 au Palais de Justice.

1845

22 avril : Joute musicale au Champ-de-Mars : le saxophone d'Adolphe Sax triomphe de son concurrent. Il est adopté par les orchestres militaires et breveté le 22 juin 1846.

27 avril : Réussite du premier essai de liaison télégraphique électrique entre Paris et Rouen. Le 3 juillet 1846, une loi décide la création d'une ligne Paris-Lille.

1er juillet : Création par Charles Duveyrier de la Société générale d'Annonces, place de la Bourse. Combinant les idées d'Havas et d'Émile de Girardin, elle possède la régie publicitaire des six principaux quotidiens. Elle s'unit à l'Agence Havas en 1857.

4 juillet : Ouverture de l'Hippodrome de la barrière de l'Étoile. Il est incendié le 27 juillet 1846.

29 novembre : Pose de la première pierre du ministère des Affaires étrangères, quai d'Orsay.

1846

7 janvier : Achèvement de la gare du Nord. La ligne de chemin de fer du Nord est inaugurée le 14 juin.

15 avril : Arrêté préfectoral réglementant la construction des trottoirs.

21 avril : Pose de la première pierre du nouvel hôtel du Timbre et de l'Enregistrement, rue de la Banque.

7 juin : Inauguration de la ligne de chemin de fer de Paris à Sceaux.

30 septembre : Émeute au faubourg Saint-Antoine à cause de la cherté du pain.

1847

Parution des *Scènes de la vie de bohème* d'Henri Murger qui décrivent un type social apparu vers 1840.

2 février : Décision de construction, boulevard Mazas (Diderot), de la gare de la ligne Paris-Lyon. Les travaux durent jusqu'en 1853.

19 février : Inauguration du Théâtre historique d'Alexandre Dumas père avec son drame *La Reine Margot*. Un marchand ambulant vend pour la première fois aux gens faisant la queue un produit appelé à un grand succès, le bouillon.

1er avril : Constitution du Cercle de la Librairie et de l'Imprimerie pour défendre et promouvoir les intérêts de ces professions.

28 juin : Arrêté préfectoral ordonnant le renouvellement complet du numérotage de toutes les propriétés sises sur les voies publiques. L'opération débute le 1er juillet et s'achève en janvier 1851. Des plaques en porcelaine émaillée, avec des chiffres blancs sur fond bleu, sont scellées sur les façades. Cette réglementation subsiste jusqu'en 1939.

9 juillet : Ouverture de la campagne des banquets. L'opposition tourne l'interdiction gouvernementale des réunions publiques en réunissant mille deux cents convives dans le jardin du Château-Rouge à Montmartre.

17 août : Assassinat de la duchesse de Choiseul-Praslin par son époux qui s'empoisonne le 24.

19 septembre : Pose de la première pierre de la nouvelle mairie des Batignolles, rue des Batignolles, qui se substitue à celle de la rue Truffaut. Elle est inaugurée le 21 octobre 1849.

15 octobre : Décision du Conseil municipal de supprimer les distributions de pain commencées après l'émeute du 30 septembre 1846. En onze mois, quatre cent cinquante mille personnes ont reçu 30 millions de bons d'une valeur de 10 millions de francs.

1848

22-24 février : Interdiction du dernier banquet de l'opposition qui suscite de violentes manifestations. Le roi annonce, le 23, le remplacement de Guizot par Molé. Dans la soirée, une fusillade devant le ministère des Affaires étrangères, résidence de Guizot, fait de nombreux morts. Le 24 à l'aube, la ville est couverte de barricades, le régime s'effondre, la République est proclamée, Garnier-Pagès est nommé maire de Paris.

27 février : Création des ateliers nationaux pour employer les chômeurs.

9 mars : Armand Marrast remplace Garnier-Pagès à la mairie.

23-26 juin : Insurrection de l'est parisien à l'annonce de la suppression des ateliers nationaux. Elle est écrasée par l'armée commandée par le général Cavaignac. L'état de siège n'est levé que le 19 octobre.

3 juillet : Décret de création d'une Commission provisoire municipale et départementale.

1er août : Premier « train de plaisir » de Paris à Dieppe, début du tourisme ferroviaire et de l'exode bientôt traditionnel des habitants de la capitale au mois d'août.

10 décembre : Élection de Louis-Napoléon Bonaparte à la présidence de la République.

1849

10 janvier : Réorganisation de l'Assistance publique.

3 mars : Début d'une épidémie de choléra qui dure jusqu'en septembre et fait plus de seize mille morts.

8 mai : Pose de la première pierre de la cité ouvrière de la rue de Rochechouart, achevée en 1851 et baptisée cité Napoléon, premier exemple de la politique de logement social de Napoléon III.

13 juin : Insurrection organisée par Ledru-Rollin. Vite circonscrite aux quartiers de la rue Saint-Martin, elle est réprimée par l'armée : huit morts.

5 juillet : Inauguration de la ligne de chemin de fer de l'Est.

12 août : Inauguration de la ligne de chemin de fer de Paris à Lyon.

8 septembre : Décret créant une Commission municipale provisoire qui va durer jusqu'à la chute du Second Empire.

1850

3 février : Émeute, boulevard Saint-Martin, contre l'arrachage des arbres de la Liberté plantés en 1848.

24 février : Dépôt de couronnes à la mémoire des victimes de la révolution de 1848 au pied de la colonne de la Bastille. Ces manifestations de l'opposition durent jusqu'à ce que le préfet de police ordonne, le 11 mars, l'enlèvement de «tous les emblèmes séditieux ou contraires aux règlements de police».

28 avril : Élection d'Eugène Sue comme député socialiste de la Seine.

19 mai : Inauguration de la prison Mazas.

1851

5 juin : Début des travaux de rénovation du Louvre. La première pierre des nouvelles ailes est posée le 25 juillet 1852.

15 septembre : Pose de la première pierre du pavillon n° 2 des nouvelles halles centrales que construit Victor Baltard.

2 décembre : Coup d'État de Louis-Napoléon Bonaparte. Résistance sporadique au faubourg Saint-Antoine et dans le quartier du Temple.

10 décembre : Décret de création du chemin de fer de ceinture. Les 38 kilomètres de voies sont achevées en 1870.

1852

Création par Elisa Lemonnier de la première école professionnelle pour filles, où l'on enseigne notamment lingerie et couture.

26 mars : Décret sur l'expropriation des immeubles anciens, touchés par le percement des voies ou situés en dehors des alignements. Il est complété par un texte du 27 décembre 1858.

28 mars : Fondation de la Banque foncière de Paris, devenue le 10 décembre le Crédit foncier de France, installée rue Neuve-des-Capucines.

2 avril : Inauguration de la synagogue de la rue Notre-Dame-de-Nazareth.

2 décembre : Proclamation du Second Empire.

11 décembre : Inauguration du Cirque Napoléon, aujourd'hui Cirque d'Hiver, œuvre d'Hittorff, boulevard du Temple.

1853

Fondation du Rowing Club de Paris réunissant les amateurs de canotage.

9 mars : Décret d'ouverture de la rue de Rennes entre le boulevard du Montparnasse et les rues de Vaugirard et Notre-Dame-des-Champs.

13 mars : Ouverture de l'hôpital Lariboisière, décidé en 1839, dont la construction a débuté en 1846.

1er juin : Association d'Aristide Boucicaut et des frères Videau pour exploiter un magasin de nouveautés, «Au Bon Marché», rue de Sèvres, appelé à un très grand succès : douze employés en 1852, mille sept cent quatre-vingt-huit en 1877.

15 novembre : Décret d'ouverture d'une avenue nouvelle, l'avenue Napoléon puis de l'Opéra, dont le percement débute en 1867 seulement.

21 novembre : Première démonstration du tramway entre le quai Debilly (avenue de New York) et le Cours-la-Reine. Une ligne est créée, reliant la Concorde au pont de Sèvres.

14 décembre : Décret de création de la Compagnie générale des Eaux, société privée chargée de la distribution de l'eau aux particuliers.

1854

2 avril : Premier numéro du nouveau *Figaro* lancé par Villemessant.

19 juin : Consécration de l'église Saint-Lambert à Vaugirard.

24 juin : Pose de la première pierre de l'église Saint-Jean-Baptiste de Belleville.

1er septembre : Ayant survécu à l'épidémie de choléra, Proudhon écrit : « l'homéopathie m'a sauvé ». On compte alors dans la ville cent cinquante médecins qui la pratiquent, plusieurs dispensaires et deux pharmacies exclusivement homéopathiques.

1855

22 février : Création de la Compagnie générale des omnibus regroupant les entreprises de transports en commun de la ville.

26 mars : Création du grand magasin « Au Louvre ».

2 mai : Loi sur les grands travaux de Paris.

15 mai : Ouverture de l'Exposition universelle. A sa clôture, le 15 novembre, elle a accueilli plus de cinq millions de visiteurs.

5 juillet : Ouverture du théâtre des Bouffes-Parisiens sous la direction de Jacques Offenbach, alors situé en face du cirque des Champs-Élysées, puis, à partir du 29 décembre, passage Choiseul.

19 juillet : Constitution de la Compagnie parisienne d'éclairage par le gaz possédant le monopole de la distribution.

4 août : Institution d'une taxe sur les chiens.

11 août : Décrets d'ouverture des boulevards Saint-Michel et Saint-Germain.

1856

27 avril : Achat de terrains par Napoléon III, boulevard Mazas (Diderot), pour y faire édifier des logements à bon marché pour les ouvriers.

29 juin : Ouverture du Pré-Catelan au bois de Boulogne.

11 octobre : Première liaison ferroviaire Paris-Marseille. La compagnie P.L.M. est constituée en juin 1857.

28 décembre : Inauguration de la Maison Eugénie-Napoléon au 262 de la rue du Faubourg-Saint-Antoine, destinée à la formation professionnelle de jeunes filles pauvres.

1857

Création du « Bazar de l'Hôtel de Ville » par Xavier Ruel. — Généralisation de l'habitude de fumer en public dans les cafés, comme le note l'auteur de l'*Histoire des cafés de Paris* : « Le cigare et la pipe ont tout envahi. »

26 avril : Inauguration de l'hippodrome de Longchamp.

14 août : Inauguration des nouveaux bâtiments du Louvre.

29 août : Décrets d'ouverture de l'avenue des Amandiers (de la République) et du boulevard du Prince-Eugène (Voltaire).

1858

Naissance de la haute couture avec l'installation de Charles Frédéric Worth au 7, rue de la Paix. Il devient le couturier de l'impératrice Eugénie. — Construction d'un chalet (6, rue de la Cure) pour les curistes venant prendre les eaux minérales d'Auteuil, connues depuis le XVIe siècle. La source Quicherat vendait cent quarante mille bouteilles par an vers 1900, lorsque les travaux du métropolitain la firent tarir.

14 janvier : Attentat contre Napoléon III à son arrivée à l'Opéra. Il échappe aux bombes d'Orsini qui font cent cinquante-six morts et blessés.

24 février : Instauration de la liberté du commerce de la boucherie et suppression de la caisse de Poissy.

5 avril : Inauguration du boulevard de Sébastopol.

19 mai : Vote de la loi sur les grands travaux de Paris. Leur durée prévue est de dix ans et la dépense estimée à 180 millions de francs par la Ville. Le 19 novembre est créée la Caisse des travaux de Paris, sous l'autorité du préfet de la Seine, Haussmann.

1859

16 février : Décret d'annexion à Paris, au début de janvier 1860, des territoires des communes périphériques inclus dans l'enceinte de Thiers.

3 mars : Pose de la première pierre de l'église orthodoxe russe de la rue de la Croix-du-Roule (Daru). Elle est consacrée le 11 septembre 1861.

16 juin : Loi divisant la ville, dans ses limites élargies, en vingt arrondissements et quatre-vingts quartiers.

22 août : Décret disposant que, dans les rues et les boulevards de 20 mètres ou plus de large, la hauteur des immeubles peut être portée jusqu'à 20 mètres, à condition de ne pas édifier plus de cinq étages.

1860

1er janvier : Annexion à Paris des communes limitrophes, ce qui porte le nombre des arrondissements de douze à vingt.

5 mai : Début des concerts-promenades, dits concerts Musard.

15 août : Inauguration de la fontaine Saint-Michel et du nouveau pont au Change.

6 octobre : Inauguration du Jardin d'acclimatation.

1861

25 avril : Premier numéro du quotidien *Le Temps*, fondé par Auguste Nefftzer.

13 août : Inauguration du boulevard Malesherbes.

1862

1er février : Création du premier périodique consacré exclusivement aux événements de la vie quotidienne, *Faits divers*. Il est bientôt concurrencé par *Le Journal illustré*.

14 juillet : Ouverture aux voyageurs du chemin de fer de ceinture.

21 juillet : Pose de la première pierre du nouvel Opéra, architecte Charles Garnier. Il est inauguré le 5 janvier 1875.

19 août : Inauguration du Cirque olympique (théâtre du Châtelet). Le Théâtre-Lyrique, qui lui fait face sur la place du Châtelet, est ouvert le 30 octobre.

22 novembre : Premier dîner littéraire, chez Magny, 9, rue Mazet.

7 décembre : Inauguration du boulevard du Prince-Eugène (Voltaire).

1863

1er février : Création du *Petit Journal*, le moins cher de France (cinq centimes), par Moïse-Polydore Millaud.

31 mai : Hippisme : premier Grand Prix de Paris à Longchamp.

22 juin : Décret accordant aux boulangers la liberté du travail et supprimant la limitation du nombre des boulangeries.

1864

20 mai : Consécration de Notre-Dame après plusieurs années de travaux de restauration menés par Viollet-Le-Duc.

17 décembre : Triomphe de *La Belle Hélène*, opéra-bouffe d'Offenbach, livret de Meilhac et Halévy, au théâtre des Variétés.

1865

Premier paris mutuels sur les hippodromes mis au point par Joseph Oller.

11 mai : Création du grand magasin « Au Printemps » par Jules Jaluzot.

11 septembre : Capture des eaux de la Dhuis pour les besoins de la capitale. Elles sont distribuées aux Parisiens à partir du 15 octobre.

22 septembre : Épidémie de choléra : plus de quatre mille morts en deux mois.

1866

19 juillet : Proposition du journal *Le Figaro* de créer un musée parisien dans un bâtiment ancien, l'hôtel Lambert ou l'hôtel Carnavalet.

2 septembre : Apparition de la bière dans les cafés, servie pour la première fois au café de la Rotonde.

10 octobre : Visite de l'empereur au chantier des Halles centrales.

31 octobre : Triomphe de *La Vie parisienne* d'Offenbach, paroles de Meilhac et Halévy, au théâtre du Palais-Royal.

4 novembre : Ouverture de la place du Roi-de-Rome (du Trocadéro).

1867

1er janvier : Ouverture de l'abattoir de La Villette.

15 mars : Inauguration par « La Ville de Saint-Denis » (91-95 rue du Faubourg-Saint-Denis) de son nouveau magasin qui possède le premier ascenseur installé en France.

1er avril : Ouverture de l'Exposition universelle au Champ-de-Mars. Apparition, à cette occasion, des premières brasseries, sortes de restaurants imités de l'Allemagne.

14 avril : Mise en service des bateaux-mouches sur la Seine à l'occasion de l'Exposition universelle.

1er mai : Ouverture de l'asile d'aliénés Sainte-Anne.

20 octobre : Ouverture du marché aux bestiaux de La Villette.

1868

Création par la Ville d'une école gratuite de dessin, future École des Arts décoratifs.

28 mai : Inauguration de l'église Saint-Augustin.

30 mai : Premier numéro de *La Lanterne,* virulent hebdomadaire d'opposition rédigé par Henri Rochefort. Il est saisi dès le numéro 11 du 8 août.

31 mai : Première course officielle de l'histoire du cyclisme dans le parc de Saint-Cloud, près de Paris.

1er juillet : Premières colonnes publicitaires portant des affiches de Richard et Gabriel Morris.

5 juillet : Premier numéro du journal *Le Gaulois,* fondé par Henri de Pène et Edmond Tarbé.

1869

1er janvier : Premier numéro du *Journal officiel.*

17 juillet : Brevet d'invention de la margarine délivré à Hippolyte Mège-Mouriès. Il la fabrique dans une ferme de Vincennes.

28 décembre : Procès Troppmann, assassin d'une famille de sept personnes. L'affaire a suscité une émotion énorme et l'exécution du meurtrier, le 19 janvier 1870, rassemble devant la prison de la Roquette des dizaines de milliers de personnes contenues par deux régiments.

1870

1er janvier : Prise à bail par Théodore-Ernest Cognacq du magasin de nouveautés « A la Samaritaine » auquel il donne une importance exceptionnelle : quatre employés en 1870, vingt-cinq en 1875.

10 janvier : Assassinat du journaliste Yvan Salmon, dit Victor Noir, par le prince Pierre Bonaparte. Grande manifestation de l'opposition lors de ses obsèques, le 12.

4 septembre : Manifestation et proclamation de la République à l'annonce de la capture de Napoléon III et de la capitulation de l'armée à Sedan. Le 5, Étienne Arago est nommé maire de Paris.

7 septembre : Nomination de Jules Ferry comme délégué du gouvernement et du ministère de l'Intérieur près de l'administration du département de la Seine. Constitution du corps des gardiens de la paix après dissolution de celui des sergents de ville.

19 septembre : Encerclement de la capitale par l'armée allemande.

23 septembre : Envol du premier ballon de la ville assiégée. Jusqu'au 28 janvier, soixante-six ballons et cent passagers parviennent à quitter Paris.

31 octobre : Invasion de l'Hôtel de Ville par les bataillons de la légion Flourens de la garde nationale. Prisonnier, le gouvernement parvient à s'échapper.

3 novembre : Plébiscite sur la question : « La population de Paris maintient-elle, oui ou non, les pouvoirs du gouvernement de la défense nationale ? » 557 996 « oui », 62 638 « non ».

14 novembre : Premiers pigeongrammes du siège : photos microscopiques de journaux et de cartes transportées par des pigeons voyageurs.

15 novembre : Nomination de Jules Ferry comme maire de Paris à la place d'Étienne Arago.

31 décembre : Statistique des puits de Paris : 30 042, il n'y en a jamais eu autant.

1871

28 janvier : Armistice et capitulation de Paris.

1er mars : Défilé des soldats allemands sur les Champs-Élysées.

18 mars : Début de la Commune de Paris : la garde nationale refuse de livrer à l'armée les canons de la butte Montmartre. Les généraux Lecomte et Thomas sont fusillés et le gouvernement de Thiers se replie sur Versailles.

27 mars : Proclamation de la Commune de Paris au lendemain d'élections municipales.

14 avril : Loi municipale votée à Versailles par l'Assemblée nationale. Elle maintient le statut de tutelle de la capitale, mais institue un Conseil municipal élu au suffrage universel.

21-28 mai : « Semaine sanglante » : écrasement de la Commune par l'armée, incendie de nombreux édifices publics par les Communards.

19 juin : Nomination d'une commission chargée de la reconstitution de l'état civil détruit dans les incendies.

Septembre : Pose de la première fontaine Wallace, boulevard de La Villette.

1872

13 janvier : Ouverture de l'École libre des sciences politiques.

27 janvier : Création de la Banque de Paris et des Pays-Bas.

23 septembre : Début des conférences de la Commission internationale du mètre au Conservatoire des Arts et Métiers : les mesures métriques sont adoptées dans la majeure partie des pays du monde.

1873

26 mars : Institution de la taxe de balayage.

27 avril : Triomphe de l'opposition républicaine : lors d'une élection législative partielle, Barodet bat le ministre des Affaires étrangères, Rémusat.

24 juillet : Loi prévoyant l'érection sur la butte Montmartre d'une église consacrée au Sacré-Cœur, en expiation des crimes de la Commune.

1874

15 avril : Première exposition des impressionnistes dans l'atelier du photographe Nadar.

Août : Premiers tramways à vapeur entre les gares Montparnasse et d'Orléans.

1er août : Premier numéro du *Bulletin* de la Société de l'histoire de Paris, qui s'est constituée le 7 mai à l'École des Chartes.

12 août : Arrivée des eaux de la Vanne dérivées pour les besoins des Parisiens.

3 septembre : Inauguration de la synagogue de la rue de la Victoire.

1875

5 janvier : Inauguration de l'Opéra construit par Charles Garnier.

5 février : Colossal succès de l'emprunt municipal : il est couvert quarante-deux fois et demi avec plus de neuf milliards souscrits.

15 juin : Pose de la première pierre du Sacré-Cœur.

7 octobre : Constitution du Conseil supérieur de l'Université catholique de Paris.

1876

3 octobre : Ouverture du premier congrès ouvrier tenu à Paris.

15 octobre : Premier numéro du *Petit Parisien,* créé par Louis Andrieux, remplacé en août 1944 par *Le Parisien libéré.*

1877

12 mai : Loi instituant la publicité des débats des conseils municipaux.

27 juin : Fondation de la Société de médecine publique et d'hygiène professionnelle de Paris, qui va jouer un rôle éminent dans l'amélioration de la salubrité urbaine.

19 octobre : Inauguration de l'avenue de l'Opéra.

1878

25 mars : Installation du Crédit lyonnais dans son nouveau siège du 19, boulevard des Italiens.

1er mai : Ouverture de l'Exposition universelle au palais du Trocadéro.

30 mai : Essai d'éclairage électrique de l'avenue de l'Opéra et de la place de l'Étoile.

6 juin : Inauguration de l'hôtel Continental.

5 octobre : Fondation de la Société des Hydropathes au Quartier latin, préfiguration du « Chat noir ».

1879

24 mars : Arrivée aux Halles des premières « witloof » (« feuilles blanches » en flamand), les endives, en provenance de Belgique.

Juillet : Début de mise en place d'un réseau téléphonique.

11 juillet : Décret fixant la largeur des trottoirs en fonction de celle des rues.

1880

3 janvier : Dégel et crue spectaculaire : la Seine monte de près de 2 mètres en moins de trois heures et emporte le pont des Invalides en cours de reconstruction.

9 mai : Pose de la première pierre de la clinique nationale ophtalmologique de l'hospice des Quinze-Vingts.

30 juin : Expulsion des jésuites de leur couvent du 33, rue de Sèvres, en exécution des décrets des 29-30 mars prononçant la dissolution de la Compagnie de Jésus en France.

10 juillet : Loi d'amnistie totale pour les condamnés de la Commune.

14 juillet : Première célébration officielle depuis 1802 de la fête nationale en commémoration de la prise de la Bastille.

1881

Création de l'École des hautes études commerciales.

9 mars : Destruction du magasin « Au Printemps » par un incendie. Paul Sédille va le reconstruire.

17 mars : Ouverture du laboratoire municipal pour l'analyse chimique des produits alimentaires.

1er août : Exposition internationale d'électricité coïncidant avec l'éclairage électrique des grands boulevards.

18 novembre : Ouverture du premier cabaret moderne, « Le Chat noir », par Rodolphe Salis, à Montmartre.

1882

10 janvier : Ouverture du musée Grévin, passage Jouffroy, galerie d'actualités avec mannequins de cire.

12 avril : Inauguration du Musée ethnographique du Trocadéro.

20 avril : Constitution du Racing-Club de France par des élèves du lycée Condorcet. En 1883, des élèves du lycée Saint-Louis créent le Stade Français.

13 juillet : Inauguration de l'Hôtel de Ville, incendié par les Communards, reconstruit par Théodore Ballu et Pierre Joseph Édouard Deperthes.

14 juillet : Création par Louis Bonnet de *L'Auvergnat de Paris*, journal des intérêts des expatriés du Massif central, qui paraît toujours.

1883

16 juin : Premier numéro du quotidien catholique *La Croix.*

14 juillet : Inauguration de la statue de la République sur la place du même nom.

Août : Première colonie de vacances envoyée en Haute-Marne par la caisse des écoles du IXe arrondissement. Le Comité parisien des colonies de vacances se constitue en 1887.

22 septembre : Ouverture du premier lycée pour jeunes filles, le lycée Fénelon.

1884

26 février : Premier numéro du quotidien *Le Matin*, disparu le 17 août 1944.

7 mars : Arrêté préfectoral instituant les « boîtes à ordures ménagères », dites poubelles du nom du préfet.

12 mai : Décret de création de deux nouveaux cimetières parisiens à Bagneux et à Pantin.

8 juillet : Inauguration de la première piscine, 31, rue du Château-Landon.

23 juillet : Loi portant à sept le nombre d'étages autorisés pour les immeubles d'habitation.

7 novembre : Dernière épidémie importante de choléra.

1885

2 février : Décision du Conseil municipal : les femmes pourront être admises comme internes dans les hôpitaux.

15 février : Installation de tubes pneumatiques pour la distribution accélérée du courrier.

1er juin : Obsèques nationales pour Victor Hugo. Il est inhumé au Panthéon où le culte a été célébré pour la dernière fois le 28 mai.

3 août : Pose de la première pierre des nouveaux bâtiments de la Sorbonne.

1886

19 avril : Inauguration au Trocadéro du musée de sculpture comparée.

1er juillet : Inauguration du Cercle militaire.

5 juillet : Loi rendant publiques les séances du Conseil municipal.

1887

Janvier : Début des travaux de construction de la tour Eiffel, qui suscite la réprobation unanime du monde artistique et littéraire.

3 février : Inauguration de la Bourse du travail, rue Jean-Jacques Rousseau.

25 avril : Inauguration du pari mutuel à l'hippodrome de Vincennes.

25 mai : Incendie de l'Opéra-Comique durant la représentation de *Mignon* : plus de cent victimes.

20 novembre : Arrêté préfectoral imposant l'usage de la chasse d'eau dans les toilettes publiques et privées.

1888

30 juillet : Vote d'un crédit d'un million par le Conseil municipal pour la construction d'une usine électrique, début de l'électrification de l'éclairage de la capitale.

14 novembre : Inauguration de l'Institut Pasteur, rue Dutot (du Docteur Roux).

1889

Publication de la première liste annuelle des abonnés au téléphone de Paris et de sa banlieue, l'*Annuaire*.

27 janvier : Élection triomphale du général Boulanger comme député de la Seine. Il n'ose pas tenter un coup d'État.

30 janvier : Première incinération en France, au Père-Lachaise, celle du fils du docteur Jacoby.

2 avril : Achèvement de la tour Eiffel. Les invités montent à pied les 300 mètres : les ascenseurs ne sont inaugurés que le 19 mai.

6 mai : Ouverture de l'Exposition universelle : vingt-cinq millions de visiteurs à sa clôture, le 6 novembre.

5 août : Inauguration du grand amphithéâtre de la nouvelle Sorbonne.

18 novembre : Ouverture de l'école municipale Estienne préparant aux métiers de l'imprimerie.

10 décembre : Épidémie d'influenza. Les écoles sont fermées le 21 pour limiter la contagion. La maladie atteint son paroxysme le 4 janvier 1890, puis disparaît rapidement.

1890

20 janvier : Fondation du Touring-Club de France.

1er mai : Première célébration par les socialistes, dans l'illégalité, de la fête du Travail, quelques bagarres.

4 mai : Déroute des boulangistes aux élections municipales.

1891

23 février : Première célébration, au musée Guimet, d'un office bouddhiste.

15 mars : Instauration d'une heure unique en France, celle de Paris.

20 mai : Inauguration de l'école professionnelle de cuisine, rue Bonaparte.

21 juillet : Canicule et pénurie d'eau potable : quatre arrondissements doivent être approvisionnés avec de l'eau de la Seine.

1892

Première utilisation du béton armé à Paris pour la construction d'un immeuble (1, rue Danton) par François Hennebique.

29 février : Premier attentat de l'anarchiste Ravachol, contre l'hôtel du prince de Sagan, rue de Berri. Il récidive le 10 mars (136, boulevard Saint-Germain) et le 27 mars (39, rue de Clichy), mais est arrêté le 30 au restaurant Véry.

20 avril : Création par Édouard Drumont du quotidien antisémite *La Libre Parole*, dont le siège est au 14 du boulevard Montmartre. *La Croix* est le plus ancien quotidien antisémite : il s'est proclamé, le 30 septembre 1890, le «journal le plus antijuif de France, celui qui porte le Christ, signe d'horreur aux juifs ! »

25 avril : Bombe au restaurant Véry où Ravachol a été arrêté.

8 juillet : Début d'une épidémie de choléra qui dure jusqu'au 8 octobre.

4 octobre : Lancement au parc Montsouris du premier ballon-sonde à usage météorologique.

8 novembre : Découverte d'une bombe, avenue de l'Opéra, au siège de la Société des mines de Carmaux. Transportée au commissariat de police de la rue des Bons-Enfants (Radziwill), elle y explose, faisant six morts et de nombreux blessés.

1893

7 janvier : Violente bagarre au Tivoli-Wauxhall durant une réunion publique sur le scandale de Panama.

Avril : Ouverture du vélodrome Buffalo, porte Maillot.

7 avril : Fondation du restaurant Maxim's, rue Royale.

12 avril : Ouverture du music-hall l'Olympia, boulevard des Capucines.

11 mai : Premier record du monde de l'heure à bicyclette : Henri Desgrange parcourt 35,325 km au vélodrome Buffalo.

3 juillet : Bagarres au Quartier latin. Le sénateur Bérenger ayant dénoncé la licence vestimentaire du bal des «Quatre z'arts», les étudiants organisent contre «le Père la Vertu» un monôme qui dégénère, faisant un mort. Les troubles se prolongent jusqu'au 8. La préfecture de police est assiégée. Le 11, Lépine est nommé préfet pour rétablir le calme.

Décembre : Ouverture du Vélodrome d'hiver, rue de Suffren, dans la Galerie des Machines de l'Exposition universelle de 1889.

9 décembre : Attentat à la bombe de l'anarchiste Auguste Vaillant à l'Assemblée nationale : quarante-six blessés.

1894

Premier championnat de France de football, opposant les six équipes parisiennes : victoire du Standard Athlétic Club de Paris dont l'équipe compte un Français et dix Britanniques.

10 janvier : Premier Salon du cycle, salle Wagram.

12 février : Bombe de l'anarchiste Émile Henry sur les consommateurs du café Terminus, gare Saint-Lazare : vingt-quatre blessés dont un mortellement.

15 mars : Attentat à l'église de la Madeleine : l'anarchiste Pauwels est tué par sa bombe.

25 mars : Installation du préfet de la Seine à l'Hôtel de Ville.

4 avril : Attentat anarchiste au restaurant Foyot, rue de Tournon : plusieurs blessés dont l'écrivain Laurent Tailhade qui avait salué «la beauté du geste de Vaillant», le 9 décembre 1893.

23 juin : Premier Bol d'or au vélodrome de Buffalo.

10 juillet : Loi sur l'assainissement de Paris et du département de la Seine, instituant l'obligation du tout-à-l'égout.

22 juillet : Première mondiale : la course automobile Paris-Rouen organisée par *Le Petit Journal.* La plus ancienne course officielle est le Paris-Bordeaux du 10-12 juin 1895.

1er septembre : Création d'une École supérieure des industries féminines.

31 octobre : Révélation par la presse de l'affaire Dreyfus.

11 novembre : Inauguration du siphon de Clichy-Asnières pour l'adduction de la totalité des eaux d'égout de la capitale vers la plaine d'Achères.

1895

Création des Galeries Lafayette par Théophile Bader et Alphonse Kahn.

22 mars : Première séance privée mondiale de cinématographe au 44, rue de Rennes, pour illustrer une conférence de Louis Lumière sur l'industrie cinématographique.

25 mars : Inauguration du Musée social, fondé par le comte de Chambrun, 5, rue Las-Cases.

10 août : Fondation de la Société Gaumont, première firme importante de production de films avec Pathé.

12 novembre : Constitution de l'Automobile-Club de France par le marquis Albert de Dion, en son hôtel du quai d'Orsay.

28 décembre : Première séance publique et payante mondiale de cinématographe, au sous-sol du Grand Café, à l'angle du boulevard des Capucines et de la rue Scribe. Trente-huit spectateurs, dont Méliès, assistent à la projection de films de Louis Lumière.

1896

Disparition des lichens du jardin du Luxembourg à cause de la pollution atmosphérique.

19 avril : Création de la course cycliste Paris-Roubaix.

10 septembre : Tempête exceptionnelle. C'est le mois de septembre le plus pluvieux depuis 1769 : 149 mm d'eau à l'observatoire de Montsouris.

6 octobre : Pose de la première pierre du pont Alexandre III par le tsar Nicolas II.

7 décembre : Approbation du projet de métropolitain par le Conseil municipal.

1897

4 avril : Arrêté autorisant les jeunes filles et les femmes de quinze à trente ans à fréquenter l'École des beaux-arts. Nombreuses protestations étudiantes contre leur admission.

4 mai : Incendie du Bazar de la Charité, cent trente-cinq morts.

13 juillet : Inauguration du musée de l'Armée aux Invalides.

5 août : Jugement du tribunal de Paris autorisant la constitution de l'Académie Goncourt. Elle décerne son premier prix en 1903.

5 septembre : Création de la première salle de cinéma. Georges Méliès affecte pour trois mois à cet usage son théâtre Robert-Houdin du boulevard des Italiens.

1898

13 janvier : Lettre ouverte d'Émile Zola au président de la République, *J'accuse*, dans *L'Aurore*, manifeste en faveur de l'innocence d'Alfred Dreyfus.

20 février : Fondation de la Ligue des droits de l'homme par les partisans de Dreyfus.

20 avril : Première course de vitesse à motocyclette à Longchamp.

13 juin : Ouverture, sur l'esplanade des Tuileries, du Salon de l'Automobile. Un premier salon s'était tenu du 4 au 10 décembre 1897 dans un coin du Salon du Cycle, au Palais des Sports, rue de Berri.

19 septembre : Début des travaux du métropolitain.

26 octobre : Première mondiale de liaison sans fil entre la tour Eiffel et le Panthéon, réalisée par Eugène Ducretet et Ernest Roger.

1899

23 février : Tentative de coup d'État de Déroulède à l'issue des funérailles du président Félix Faure.

21 mars : Constitution de la Société Renault à Billancourt.

4 juin : Agitation en rapport avec l'affaire Dreyfus : au steeple-chase d'Auteuil, le baron de Christiani frappe Émile Loubet, président de la République.

12 août : Début du siège par la police du « fort Chabrol » (51, rue de Chabrol) où se sont réfugiés Jules Guérin, directeur de *L'Antijuif*, et ses amis. Ils se rendent le 20 septembre.

19 novembre : Inauguration, place de la Nation, du *Triomphe de la République*, monument de Jules Dalou, qui avait déjà fait l'objet d'une inauguration provisoire le 20 septembre 1889, alors qu'il était inachevé.

1900

13 février : Sifflets pour les agents de police chargés de la circulation.

24 février : Premières actualités cinématographiques, sur la guerre anglo-boers, projetées à l'Olympia.

1er avril : Création d'une brigade fluviale de la police.

14 avril : Inauguration de l'Exposition universelle et du pont Alexandre III. A la clôture, le 12 novembre, elle a reçu plus de cinquante millions de visiteurs.

19 avril : Installation des premiers panneaux en bois pour les affiches des candidats aux élections municipales.

1er mai : Inauguration du Palais des Beaux-Arts (Grand et Petit-Palais).

13 mai : Élections municipales : victoire de la droite nationaliste après vingt ans de domination de la gauche.

14 mai : Début des deuxièmes Jeux olympiques. Ils s'achèvent le 28 octobre dans l'indifférence la plus totale, l'attention étant accaparée par l'Exposition universelle.

11 juin : Mise en service de l'aqueduc acheminant vers Paris les eaux du Loing et du Lunain.

4 juillet : Inauguration de la gare d'Orsay.

19 juillet : Mise en service de la ligne nº 1 du métropolitain, Porte de Vincennes-Porte Maillot.

15 septembre : Ouverture du métropolitain de cinq heures trente à minuit. En raison du grand nombre de fraudeurs, les appareils de contrôle automatique ont été remplacés par des poinçonneurs.

4 décembre : Loi autorisant les femmes licenciées en droit à exercer la profession d'avocat. Le 5, Mme Petit, Française d'origine russe, se présente au Palais de Justice pour prêter serment. Le 19, Jeanne Chauvin, unique femme docteur en droit, prête serment à son tour. Elle va être la première femme à plaider.

1901

Construction des studios de cinéma Pathé à Vincennes. Leur est adjoint en 1904 un dépôt à Montreuil.

1er janvier : Publication au *Journal officiel* de la loi autorisant la Ville à établir de nouvelles taxes pour remplacer les droits d'octroi sur les boissons supprimés à la fin de 1900. Sont créées des taxes sur la propriété foncière, la valeur locative, les lieux de réunion, les ordures ménagères et sont doublées les taxes sur les automobiles et les ventes publiques.

23 janvier : Réception de la première femme, Marthe Francillon, à l'internat des hôpitaux de Paris.

15 mars : Inauguration du champ de courses de Saint-Cloud.

1er avril : Inauguration des nouveaux bâtiments de la gare de Lyon.

1er juillet : Mise en service de la ligne électrique Invalides-Versailles, première ligne européenne de chemin de fer électrifiée.

28 septembre : Championnat d'Europe de lawn-tennis à Paris pour la première fois.

25 novembre : Premier Concours Lépine, créé par le préfet de police à l'origine pour relancer l'industrie du jouet, puis étendu à tous les inventeurs.

1902

26 janvier : Premiers paquets de cigarettes « Gitanes ».

28 mars : Vote par le Conseil municipal d'un crédit pour équiper du téléphone les commissariats et postes de police.

23 avril : Début de l'affaire Humbert.

31 mai : Fin du procès Manda et de l'affaire Casque d'or. A cette occasion, le journaliste Victor Morris a inventé le terme « apache » pour assimiler la férocité des malfaiteurs de la capitale à celle des indiens apaches d'Amérique du Nord.

4 juin : Ouverture du musée des Arts décoratifs. Inachevé, il est inauguré le 29 mai 1905.

16 octobre : Première identification d'un meurtrier grâce à ses empreintes digitales par Alphonse Bertillon, chef du service anthropométrique de la préfecture de police.

1903

17 mai : Expulsion des congrégations de prédicateurs : incidents à l'église de Belleville et à Notre-Dame-de-Plaisance où le préfet Lépine est frappé à coups de bouteille.

1er juillet : Départ de Montgeron du premier tour de France cycliste. Il arrive le 19 à Ville-d'Avray et un défilé d'honneur a lieu au Parc des Princes.

10 août : Catastrophe dans le métro à la station Couronnes : quatre-vingt-quatre morts.

30 août : Premier tour de Paris à la course à pied.

1er septembre : Création de la maison de couture de Paul Poiret.

20 décembre : Ouverture d'un vélodrome d'hiver dans la galerie des Machines du Champ-de-Mars.

1904

6 février : Ouverture du music-hall l'Alhambra, rue de Malte.

17 mars : Première Foire de Paris sur le vieux marché du Temple.

18 avril : Premier numéro du quotidien socialiste *L'Humanité*.

8 mai : Victoire des socialistes et des radicaux aux élections municipales.

25 août : Mise en service des premiers « taxamètres », fiacres à compteurs horokilométriques, futurs taxis. Le premier fiacre automobile est mis en service le 20 décembre.

23 octobre : Consécration de la première église construite en ciment armé, Saint-Jean-l'Évangéliste de Montmartre.

25 décembre : Inauguration de l'école Breguet, rue Falguière.

1905

Construction aux Buttes-Chaumont des studios de cinéma de Léon Gaumont.

10 août : Première traversée de Paris à la nage, du pont National au viaduc d'Auteuil, 12 kilomètres.

27 octobre : Première démonstration de jiu-jitsu, sport de défense japonais, à Courbevoie.

13 novembre : Mise en service du premier « lavatory » souterrain, place de la Madeleine.

1906

31 janvier : Début des inventaires des biens du clergé. Très nombreux incidents, les plus graves à Sainte-Clotilde et à Saint-Pierre-du-Gros-Caillou.

22 mars : Premier match de rugby France-Angleterre au Parc des Princes.

11 juin : Mise en service des premiers autobus à essence sur la ligne Montmartre-Saint-Germain-des-Prés. Ils éliminent rapidement les omnibus à chevaux qui circulent pour la dernière fois le 12 janvier 1913.

23 octobre : Vol de *L'Oiseau de proie*, avion de Santos-Dumont : il parcourt 60 mètres à 3 mètres au-dessus du sol à Bagatelle.

Novembre : Création par Charles et Gabriel Voisin de la première usine d'aviation du monde à Billancourt. Depuis le 26 mars 1904, ils testent leurs appareils à Issy-les-Moulineaux, le plus ancien aérodrome du monde.

1907

20 janvier : Ouverture de l'Université des *Annales*, rue Saint-Georges, dans les locaux de la revue *Les Annales* : c'est une université féminine fondée par Yvonne Sarcey.

22 février : Premier permis de conduire un taxi (« taxauto ») accordé à une femme. Le 11, les premières licences de cocher de fiacre avaient été données à deux femmes.

24 mars : Inauguration du stade de Colombes, construit aux frais du journal *Le Matin*. Il va être confié au Stade français.

25 mars : Création du premier sens giratoire pour les véhicules, place de l'Étoile.

1908

1er janvier : Installation des premières corbeilles à papier, place de l'Opéra.

3 janvier : Révolte des voyageurs qui mettent à sac la gare Saint-Lazare parce que les trains ont des retards considérables et ne sont pas chauffés : il fait entre - 7° et - 12° C.

13 mars : Installation du premier distributeur automatique de timbres à l'hôtel des postes de la rue du Louvre.

31 mai : Meurtre mystérieux, impasse Ronsin, début de l'affaire Steinheil.

7 septembre : Début de la fermeture hebdomadaire, le lundi, du pavillon des fruits et primeurs des Halles.

1909

1er mars : Inauguration du premier escalier roulant dans le métro, à la station Père-Lachaise.

29 mai : Ouverture du parc d'attractions de la porte Maillot, Luna-Park.

1er juillet : Premier passage souterrain pour les piétons aux Champs-Élysées, à hauteur de la rue Marbeuf.

25 septembre : Ouverture au Grand Palais de la première Exposition internationale de locomotion aérienne.

13 décembre : Création du premier sens unique pour la circulation dans les rues de Mogador et de la Chaussée-d'Antin.

1910

Mise en vente des premières cigarettes de la marque « Gauloise ».

14 janvier : Ouverture du « skating » Victor Hugo, rue Saint-Didier, pour satisfaire l'engouement pour le patin à roulettes.

29 janvier : Maximum de la crue de la Seine à 8,50 mètres, la plus forte inondation depuis 1658 : quatorze mille immeubles sont touchés, le sixième des bâtiments de la capitale.

13 février : Ouverture du Vélodrome d'hiver, boulevard de Grenelle, pour remplacer celui de la galerie des Machines du Champ-de-Mars qui vient d'être détruit.

3 mars : Premier tournoi des Cinq Nations : l'Angleterre bat la France par 11 à 3 au Parc des Princes.

14 mai : Première attaque à main armée en automobile, rue de Laborde.

16 août : Ordonnance du préfet de police sur la circulation automobile et hippomobile.

3 décembre : Première utilisation du néon pour illuminer le Grand Palais. La première enseigne publicitaire apparaît en 1912, boulevard Montmartre.

1911

24 janvier : Départ de Paris du premier rallye automobile de Monte-Carlo.

6 février : Installation au carrefour Richelieu-Drouot du premier abri pour les personnes qui attendent l'autobus.

25 mai : Port d'un revolver automatique pour les agents de police affectés à des missions dangereuses.

22 août : Vol de la *Joconde* au musée du Louvre. Elle est retrouvée à Florence le 13 décembre 1913.

25 décembre : Première agression de la bande à Bonnot, rue Ordener.

1912

15 février : Ouverture, 255, rue Saint-Honoré, de la « Maison de Beauté » d'Helena Rubinstein.

28 avril : Mort de Bonnot à Choisy-le-Roi. Le reste de sa bande est anéanti le 14 mai à Nogent-sur-Marne.

4 mai : Création de la brigade criminelle de la Sûreté pour affronter la grande criminalité.

1er juin : Premier championnat du monde de tennis au stade de la Faisanderie à Saint-Cloud.

1913

13 janvier : Début des premiers Six Jours cyclistes de Paris au Vélodrome d'hiver.

31 mars : Inauguration du théâtre des Champs-Élysées, construit en béton armé par Auguste Perret.

8 juin : Première rencontre française de catch au Nouveau Cirque.

1er octobre : Remplacement des tombereaux par des camions automobiles pour le ramassage des ordures ménagères.

24 décembre : Premier arbre de Noël de l'Élysée sur la place du Trocadéro : cette coutume germanique y est introduite par le Lorrain Raymond Poincaré.

1914

16 mars : Assassinat par Henriette Caillaux de Gaston Calmette, directeur du *Figaro*. Elle est acquittée le 28 juillet.

15 juin : Orage exceptionnel : des effondrements de la chaussée font dix morts et dix-sept blessés.

31 juillet : Assassinat de Jean Jaurès par Raoul Villain au Café du Croissant, rue du Croissant.

1er août : Mobilisation générale. Le 3, déclaration de guerre à l'Allemagne.

6 septembre : Réquisition des taxis «G7» qui assurent le succès de la bataille de la Marne.

9 décembre : Retour du gouvernement et des députés qui s'étaient repliés à Bordeaux le 2 septembre.

1915

5 juillet : Ouverture des guichets de la Banque de France pour ceux qui, «dans une pensée patriotique», souhaitent échanger leurs pièces d'or contre du papier-monnaie.

10 septembre : Premier numéro du *Canard enchaîné*.

20 octobre : Explosion d'une fabrique de grenades, 173, rue de Tolbiac : quarante-huit morts et une centaine de blessés.

30 octobre : Affichage à la porte des écoles, le samedi, des prix des denrées alimentaires pour décourager la spéculation.

25 novembre : Lancement du premier emprunt de guerre, dit de la Victoire.

1916

20 janvier : Apparition de viande frigorifiée dans deux boucheries des rues de Ménilmontant et de Sambre-et-Meuse.

29 janvier : Premier bombardement meurtrier d'un zeppelin : vingt-six morts, trente-deux blessés à Belleville.

1er mars : Mise en place de l'impôt sur le revenu. La date limite du dépôt des déclarations est fixée au 30 avril.

30 juillet : Inauguration, porte Molitor, du stade Jean-Bouin, propriété de la Société générale.

27 août : Arrivée, gare de Lyon, de mille sept cents Chinois venus travailler dans les usines d'armement, notamment chez Renault à Billancourt, où l'on fabrique les premiers chars d'assaut.

2 octobre : Ouverture de l'École de haut enseignement commercial pour jeunes filles, symbole de la promotion féminine dans le monde du travail grâce à la guerre.

15 décembre : Entrée en fonction de la première conductrice de tramways.

1917

24 janvier : Pénurie de charbon en partie liée à la vague de froid qui, depuis le 14, paralyse les transports fluviaux.

9 février : Fabrication d'une seule sorte de pain, vendu le lendemain de sa cuisson.

29 avril : Cartes de lait pour les enfants de moins de trois ans et les vieillards.

15 mai : Première grève victorieuse de la guerre : les couturières réclament et obtiennent le 23 une indemnité de vie chère d'un franc par jour et la semaine anglaise de cinq jours. Leur exemple est contagieux et de multiples grèves ont lieu en mai et en juin, le plus souvent couronnées de succès.

28 juin : Règlement pour les chauffeurs de taxis : obligation de répondre à l'appel du client et de le conduire où il le désire. Toujours en vigueur, il n'est pas toujours respecté.

1er septembre : Mise en service d'une carte de rationnement du charbon.

25 novembre : Ordonnance du préfet de police créant des places réservées aux aveugles et aux mutilés de guerre dans les transports en commun.

1918

29 janvier : Rationnement du pain : carte de 300 grammes par jour et par personne.

30 janvier : Dans la nuit, première attaque aérienne massive : vingt-huit avions bombardent la capitale, faisant soixante-cinq morts et deux cent cinq blessés. Nouveaux bombardements importants les 8 et 11 mars.

11 mars : Panique lors d'une attaque aérienne : soixante et onze personnes piétinées et asphyxiées à la station de métro Bolivar.

23 mars : Premier bombardement d'artillerie à longue portée : la « Grosse Bertha » lance dix-huit obus sur la ville, faisant quinze morts et trente-six blessés. Le dernier bombardement a lieu le 16 septembre.

29 mars : Bombe de la « Grosse Bertha » sur Saint-Gervais pendant l'office : quatre-vingt-huit morts, soixante-neuf blessés.

1er juillet : Mise en service du centre de chèques postaux.

3 octobre : Recrudescence de la grippe espagnole qui contraint les autorités à reconnaître l'existence de cette épidémie qui sévit depuis le début de l'année. A son maximum, durant la troisième semaine d'octobre, elle tue mille sept cent soixante-dix-huit personnes.

11 novembre : Armistice, fin de la guerre.

1919

8 février : Ouverture de la première ligne aérienne commerciale du monde entre Paris et Londres. Le 22 mars se met en place la première ligne de transport aérien de passagers entre Paris et Bruxelles.

6 mars : Ouverture des « baraques Vilgrain » où sont vendus à bon marché les stocks alimentaires de l'armée.

12 avril : Arrestation à Montmartre de Landru. L'affaire prend vite un tour exceptionnel.

19 avril : Loi autorisant la destruction des fortifications édifiées entre 1840 et 1844 et entourant la ville. La démolition débute le 5 mai.

1er juin : Suppression de la carte de pain, les problèmes de ravitaillement se résorbent progressivement.

14 juillet : Grandiose défilé de la Victoire de la porte Maillot à la place de la République.

16 octobre : Consécration du Sacré-Cœur.

1920

25 février : Premier essai d'arroseuses-balayeuses automobiles de Dion-Bouton.

19 mars : Arrivée aux Halles des premiers produits alimentaires acheminés par avion de Nice au Bourget.

19 août : Vote d'un crédit de 500 000 francs par l'Assemblée nationale pour la construction d'une mosquée près du Jardin des Plantes.

22 novembre : Inauguration du premier restaurant universitaire, rue Pierre-Curie.

1921

28 janvier : Inhumation des restes du Soldat inconnu sous l'arc de triomphe de l'Étoile.

28 juin : Loi de subvention de la construction de la Cité universitaire.

7 juillet : Création de la première gare frigorifique de Paris-Ivry.

28 juillet : Sirocco, vent sec saharien, 37° C, l'été le plus chaud depuis cent soixante-quatre ans.

28 septembre : Destruction presque totale des magasins du Printemps par un incendie. Ils avaient déjà brûlé le 9 mars 1881.

10 novembre : Inauguration du premier entrepôt frigorifique des Halles.

26 novembre : Premier concert radiodiffusé par l'émetteur de la tour Eiffel.

1922

19 mars : Pose de la première pierre de la mosquée de Paris.

Avril : Installation du premier feu de signalisation tricolore au carrefour de la rue de Rivoli et du boulevard de Sébastopol.

1er mai : Première utilisation par la police d'un avion équipé de la T.S.F. pour surveiller les manifestations.

6 octobre : Mise en service du premier poste de radiodiffusion privé, les concerts Radiola, futur poste Radio-Paris, installé boulevard Haussmann.

1923

27 février : Premier numéro du quotidien *Paris-Soir.*

24 mai : Inauguration de l'Institut médico-légal, place Mazas, qui remplace la morgue.

29 mai : Vote par le Conseil municipal d'un projet de construction d'habitations à loyer modéré.

18 octobre : Premier salon des Arts ménagers au Champ-de-Mars, où sont vendus les premiers réfrigérateurs.

23 novembre : Mort mystérieuse de Philippe, fils de Léon Daudet, scandale politico-judiciaire.

1924

22 janvier : Calcul des distances routières à partir de l'étoile de bronze qui vient d'être installée sur le parvis de Notre-Dame.

8 juin : Inauguration de la piscine Georges Vallerey ou des Tourelles, avenue Gambetta.

5 juillet : Ouverture des septièmes Jeux olympiques au stade de Colombes.

27 août : Loi autorisant la Ville de Paris à emprunter 300 millions pour la construction d'habitations à bon marché.

1925

26 février : Parution dans le quotidien *Excelsior* de la première grille de mots croisés.

23 avril : Affrontements, rue Damrémont : des communistes ouvrent le feu sur des membres de la Jeunesse patriote, quatre morts, quarante blessés.

28 avril : Inauguration de l'Exposition des Arts décoratifs et industriels modernes.

9 juillet : Inauguration de la Cité universitaire internationale.

3 octobre : Premier journal parlé diffusé par l'émetteur radio de la tour Eiffel.

1926

15 juillet : Inauguration de l'Institut musulman.

11 août : Ordonnance du préfet de police instituant l'affichage obligatoire des prix des denrées et des chambres d'hôtel.

21 août : Autorisation de la vente au détail à prix de gros aux Halles après la fermeture du marché de gros.

7 octobre : Ouverture du premier Salon nautique international.

18 octobre : Présentation à l'Académie des sciences par Louis Lumière du premier film parlant.

1927

15 janvier : Inauguration de la dernière section du boulevard Haussmann, entre les rues Drouot et Taitbout.

8 mars : Création par Marcel Bleustein-Blanchet de l'agence Publicis qui remplace la « réclame » par la « publicité ».

21 mai : Première liaison aérienne New York-Paris par Charles Lindbergh sur le *Spirit of Saint Louis*. Il se pose au Bourget que Nungesser et Coli, disparus au-dessus de l'Océan, avaient quitté le 9.

26 novembre : Fondation des Croix de Feu, organisation d'anciens combattants, par le lieutenant-colonel François de La Rocque.

19 décembre : Naissance du chauffage urbain avec la cession par le Conseil municipal de l'usine de Bercy du métropolitain à la Compagnie générale française de chauffage urbain.

1928

14 février : Ouverture du Lido.

2 avril : Naissance du service téléphonique Danton Police, précurseur de Police Secours.

29 juillet : Inauguration du stade Roland-Garros, construit pour accueillir les « mousquetaires » qui doivent y défendre la coupe Davis qu'ils ont gagnée.

22 septembre : Mise en service du central Carnot, le premier central téléphonique automatique.

9 novembre : Premier numéro de *Gringoire*, hebdomadaire profasciste et antisémite créé par Horace de Carbuccia.

4 décembre : Arrestation de Marthe Hanau, directrice de *La Gazette du Franc*, début d'un scandale politico-financier.

1929

2 mai : Pose de la première pierre de la Maison de la Mutualité, à l'angle des rues Saint-Victor et de Pontoise.

28 juillet : Victoire de la France sur les États-Unis en coupe Davis de tennis au stade Roland-Garros.

5 octobre : Bagarre au gymnase Japy : plus de cent blessés après l'attaque par les communistes d'une réunion des jeunesses socialistes.

1930

5 avril : Ouverture du premier jardin d'enfants, place du Cardinal-Amette.

16 avril : Naissance du pari mutuel urbain (P.M.U.) grâce à l'article 186 de la loi de finances.

19 octobre : Record du monde du kilomètre par Jules Ladoumègue au stade Jean-Bouin.

7 novembre : Dépôt de bilan de la banque Oustric, début d'un nouveau scandale politico-financier.

29 novembre : Création de l'hebdomadaire *Je suis partout.*

1931

14 avril : Première émission publique mondiale de télévision réalisée par René Barthélemy dans l'amphithéâtre de l'École supérieure d'électricité de Malakoff.

18 avril : Publication du premier horoscope dans un quotidien, *Paris-Soir.*

6 mai : Inauguration de l'Exposition coloniale au bois de Vincennes. Elle ferme ses portes le 15 novembre après avoir reçu près de trente-trois millions et demi de visiteurs.

10 juin : Début de la série des *Maigret* de Georges Simenon, célébré par un « bal anthropométrique » organisé à la Boule Blanche par les éditions Arthème Fayard.

1932

6 mai : Assassinat, rue Berryer, de Paul Doumer, président de la République, par le Russe blanc Pavel Gorgoulov.

5 août : Essais de signalisation automatique aux carrefours : modification des signaux lumineux lorsque les voitures passent sur des bandes de caoutchouc.

31 octobre : Victoire de Marcel Thil au championnat du monde de boxe des poids moyens au Parc des Princes.

1933

14 février : Inauguration de la première horloge parlante du monde, accessible par téléphone, due à Ernest Esclangon, directeur de l'Observatoire.

30 août : Création d'Air France.

7 novembre : Premier tirage de la Loterie nationale.

7 décembre : Inauguration de la cité-refuge de l'Armée du Salut, 12, rue Cantagrel.

29 décembre : Début de l'affaire Stavisky.

1934

3 janvier : Inauguration du premier prolongement du métro en banlieue, jusqu'au pont de Sèvres.

12 janvier : Débat à l'Assemblée nationale sur l'affaire Stavisky et violentes manifestations dans les rues.

6 février : Émeute contre la corruption parlementaire : onze morts, plus de trois cents blessés.

24 mars : Présentation du premier modèle d'automobile à traction avant, la « 7CV » de Citroën.

2 juin : Création du zoo de Vincennes.

1935

26 avril : Première émission officielle de télévision à partir du ministère des P.T.T., rue de Grenelle.

18 mai : Neige exceptionnellement tardive sur la région parisienne.

5 juillet : Pose de la première pierre des musées d'Art moderne de l'avenue de Tokyo.

14 juillet : Manifestation commune de la gauche, naissance du Front populaire.

1er août : Premier transport aérien de poisson : les sardines pêchées le matin à La Baule sont mises en vente à Paris à dix-neuf heures.

17 novembre : Création du service de renseignements téléphoniques S.V.P.

1936

3 mai : Victoire du Front populaire aux élections législatives.

26 mai : Début d'une vague exceptionnelle de grèves.

7 juin : Accords salariaux de Matignon.

31 juillet : Record absolu de pluie pour le mois de juillet avec 153 millimètres. Le maximum précédent, en 1829, était de 126 millimètres.

9 septembre : Fondation de la Cinémathèque française par Henri Langlois, Georges Franju et Jean Mitry.

1937

1er mai : Première fête du Travail officielle et chômée.

15 mai : Premier crime dans le métro, entre les stations Porte de Charenton et Porte Dorée.

24 mai : Inauguration de l'Exposition internationale des Arts et des Techniques.

27 août : Inauguration au Trocadéro du musée des Monuments français.

11 septembre : Attentats à la bombe contre les sièges de la Confédération générale du patronat français et de l'Union des industries mécaniques, rues de Presbourg et Boissière.

1938

5 février : Inauguration du stade Pierre de Coubertin.

17 juin : Inauguration du centre de transfusion sanguine de l'hôpital Saint-Antoine.

30 septembre : Accueil triomphal pour Édouard Daladier, président du Conseil, de retour de Munich où il a abandonné la Tchécoslovaquie à Hitler.

1939

10 mars : Distribution des premiers masques à gaz à la population civile.

19 mars : Affichage indiquant les emplacements des abris contre les raids aériens.

21 avril : Décret-loi restreignant les attributions du Conseil municipal. Il est complété par le décret-loi du 13 juin.

25 août : Saisie des journaux communistes *L'Humanité* et *Ce Soir* pour avoir écrit que le pacte germano-soviétique favorisait la paix.

31 août : Début de l'évacuation des enfants de la capitale.

1er septembre : Mobilisation générale et état de siège. La guerre est déclarée le 3.

1940

29 février : Mise en place de la carte d'alimentation.

3 juin : Bombardement aérien : deux cent cinquante-quatre morts, six cent cinquante-deux blessés.

10 juin : Départ du gouvernement pour Tours puis pour Bordeaux. Paris est déclarée ville ouverte le 13. Les Allemands y entrent le 14.

6 septembre : Sur les ondes de la B.B.C. à Londres, la radio de la France libre, sur l'air de la *Cucaracha*, lance le slogan : « Radio-Paris ment, Radio-Paris ment, Radio-Paris est allemand. »

18 octobre : Instauration d'un statut spécial pour les juifs par les autorités allemandes d'occupation.

11 novembre : Manifestation des étudiants à l'arc de triomphe de l'Étoile.

26 décembre : Loi suspendant le Conseil municipal.

1941

14 mai : Arrestation de cinq mille juifs d'origine étrangère.

1er juillet : Carte de rationnement du textile.

20 août : Ouverture du camp de Drancy, centre de transit pour les juifs avant leur déportation.

21 août : Assassinat à la station de métro Barbès d'un officier allemand par Pierre Georges, dit Fabien. Riposte des autorités d'occupation : institution du système des otages.

29 août : Exécution au mont Valérien des premiers résistants, parmi eux Honoré d'Estienne d'Orves.

2 septembre : Serment de fidélité au maréchal Pétain des magistrats parisiens : un seul refuse.

16 septembre : Exécution des dix premiers otages.

16 octobre : Loi d'organisation municipale provisoire.

1942

10 mars : Manifestation antinazie au lycée Buffon : cinq élèves sont arrêtés et fusillés.

7 avril : Obligation de possession d'une carte d'identité à partir de seize ans.

29 mai : Obligation du port de l'étoile jaune de David par les juifs de la zone occupée.

16-17 juillet : Grande rafle des juifs : treize mille personnes arrêtées et enfermées au Vélodrome d'hiver.

1943

15 février : Création d'un Service du travail obligatoire (S.T.O.) de deux ans pour tous les Français de vingt à vingt-trois ans.

27 mai : Première réunion, rue du Four, du Conseil national de la Résistance (C.N.R.), présidé par Jean Moulin.

3 septembre : Bombardement aérien par les Alliés : quatre cent cinq morts.

1944

21 avril : Bombardement aérien du quartier de La Chapelle : six cent quarante et un morts. Le 26, le maréchal Pétain vient leur rendre hommage. C'est sa première visite dans la capitale depuis 1940.

19 août : Insurrection contre les Allemands. La ville est libérée le 25.

27 août : Premier Conseil des ministres à l'hôtel Matignon depuis 1940.

30 octobre : Création d'une Assemblée municipale provisoire. Elle ne siège qu'en mars-avril 1945.

18 décembre : Premier numéro du journal *Le Monde* qui s'est substitué au *Temps*.

1945

13 avril : Ordonnance de création d'un Conseil municipal élu.

29 avril : Premières élections municipales depuis la guerre. Les femmes votent pour la première fois.

4 juin : Échange des billets de banque jusqu'au 16.

4 juillet : Premier grand prix du théâtre à Paris décerné à Jean Vilar.

4 septembre : Institution de la Sécurité sociale.

1946

7 février : Premier « hold-up » au Crédit lyonnais de l'avenue Parmentier du « gang » des tractions avant de Pierre Loutrel, dit Pierrot le Fou.

28 février : Premier numéro du quotidien sportif *L'Équipe*.

8 avril : Nationalisation du gaz et de l'électricité, création de Gaz de France et d'Électricité de France.

13 avril : Fermeture des maisons closes.

25 mai : Exécution du docteur Marcel Petiot, auteur de vingt-sept assassinats dans son cabinet de la rue Lesueur.

1947

12 février : Premier défilé de haute couture, celui de Christian Dior, au 30, avenue Montaigne.

16 avril : Création des Nouvelles messageries de la presse parisienne qui possèdent le monopole de la diffusion de la presse française.

2 juin : Canicule, record du siècle avec plus de 33° C.

28 juillet : Nouveau record de chaleur, 40,4° C.

26 octobre : Émergence du Rassemblement du peuple français (R.P.F.) à l'issue du second tour des élections municipales.

1948

21 mars : Création de la Régie autonome des transports parisiens (R.A.T.P.).
26 juin : Inauguration du nouvel aéroport d'Orly, le plus grand d'Europe.
20 novembre : Première émission de télévision en 819 lignes.
15 décembre : Mise en service au fort de Châtillon de Zoé, première pile atomique française.

1949

25 mars : Premier numéro de *Paris-Match.*
29 juin : Premier journal télévisé pour quelques centaines de possesseurs de récepteurs de télévision.
Août : Record de chaleur depuis 1872 et sécheresse exceptionnelle : 6 millimètres d'eau de pluie en un mois.

1950

11 février : Adoption du salaire minimum interprofessionnel garanti (S.M.I.G.).
13 avril : Premier numéro hebdomadaire de *L'Observateur,* devenu *France-Observateur* puis *Le Nouvel Observateur.*
10 juillet : Inauguration du port de Gennevilliers.
7 novembre : Mise en vente du disque microsillon à longue durée.

1951

1er mai : Bagarre entre manifestants algériens et la police durant le défilé.
13 juin : Avertissement de l'Académie de médecine aux Parisiens : les pigeons de la capitale sont porteurs d'une maladie transmissible aux êtres humains, l'ornithose.
6 juillet : Célébration du bimillénaire de Paris : réception de cent vingt maires de grandes villes du monde entier dans le parc de Bagatelle.
1er septembre : Nomination de Jean Vilar comme directeur du Théâtre national populaire (T.N.P.).

1952

5 janvier : Réalisation du premier relais hertzien de télévision sur 819 lignes entre Paris et Lille.
18 mai : Manifestation d'Algériens aux Champs-Élysées en faveur du dirigeant indépendantiste Messali Hadj.
25 décembre : Première greffe du rein réussie à l'hôpital Necker.

1953

24 janvier : Point culminant de l'épidémie de grippe : dix millions de Français malades et quatre cents des trois mille sapeurs-pompiers de la capitale alités.
1er mars : Début du déclin du parti communiste : disparition du quotidien *Ce Soir.*
8 mai : Première commémoration officielle de la chute du Troisième Reich nazi en 1945.
17 mai : Pose de la première pierre du mémorial du martyr juif inconnu, rue Geoffroy-l'Asnier.

14 juillet : Violentes bagarres lors des cérémonies de la fête nationale provoquées par des Algériens encadrés par le parti communiste : sept morts, cent vingt-six blessés.

30 octobre : Publication par la préfecture de police d'un livre jaune sur les problèmes de la circulation automobile.

1954

1er février : Appel de l'abbé Pierre pour venir en aide aux sans-logis.

10 février : Décret de réorganisation des Halles centrales et transfert du marché de gros des fruits et légumes à la gare de Bercy.

1er août : Ordonnance du préfet de police interdisant l'usage du klaxon dans le département de la Seine, « sauf en cas de danger ».

25 août : Minimum de température depuis 1873 : 15° C.

1955

1er janvier : Naissance d'une nouvelle station de radio consacrée aux informations et aux variétés, Europe Numéro Un.

8 janvier : Décret prévoyant la mise en œuvre d'une politique de décentralisation industrielle, conséquence du livre de J.-F. Gravier, *Paris et le désert français*, publié en 1947.

11 janvier : Ouverture de la gare routière internationale du Bourget.

25 mars : Maximum de température depuis 1873 : 25,7° C.

20 avril : Nouveauté mondiale dans la presse quotidienne : *Le Parisien libéré* paraît avec une page préimprimée en héliogravure à quatre couleurs insérée dans le corps du journal.

15 septembre : Troisième semaine de congés payés aux usines Renault de Boulogne-Billancourt.

13 octobre : Première enquête sur l'avortement et la limitation volontaire des naissances lancée par le quotidien *Libération*.

1956

31 janvier : Mise en service des premiers taxis équipés d'appareils émetteurs et récepteurs de radio.

27 mars : Premiers essais, dans un studio de la capitale, du procédé français de télévision en couleurs d'Henri de France.

7 novembre : Violentes manifestations après l'intervention militaire soviétique en Hongrie : le siège du parti communiste est attaqué par des milliers de Parisiens. Un arrêté du 15 mars 1957 donne au carrefour où il se dresse le nom de place Kossuth, patriote hongrois qui défendit son pays contre les Russes en 1848. Le parti communiste déménage place du Colonel-Fabien pour ne pas subir cet affront.

8 novembre : Inauguration de la première rame de métro sur pneus sur la ligne 11, Châtelet-Mairie des Lilas.

1957

19 février : Vote d'une loi rendant obligatoire l'installation dans les immeubles d'un dispositif d'ouverture automatique sur les portes d'entrée.

31 août : Jeux universitaires de Paris jusqu'au 8 septembre.

6 novembre : Instauration de la première zone bleue et du disque de stationnement.

7 décembre : Inauguration du central automatique télex.

1958

11 février : Décret d'autorisation de construction de deux bâtiments à la Halle aux vins pour l'extension de la faculté des sciences.

22 mars : Naissance du mythe des blousons noirs avec la condamnation à mort de deux jeunes gens de dix-neuf ans auteurs d'un double meurtre dans le parc de Saint-Cloud.

19 mai : Conférence de presse de Charles de Gaulle au palais d'Orsay : après la révolte d'Alger, le 13, il se déclare prêt à prendre la tête du «gouvernement de la République française si le peuple le veut».

1er juin : Investiture de Charles de Gaulle par l'Assemblée nationale.

4 septembre : Présentation du projet de Constitution de la Ve République par Charles de Gaulle, place de la République. Elle est approuvée le 28.

21 novembre : Première mondiale à l'hôpital Curie : greffe de moelle osseuse sur des savants yougoslaves atteints par des radiations atomiques.

1959

27 avril : Démolition du Vélodrome d'hiver construit en 1910 et dans lequel, le 17, Roger Rivière vient d'établir un nouveau record du monde de l'heure cycliste.

16 octobre : Mystérieux attentat manqué contre le député François Mitterrand, avenue de l'Observatoire, à une heure du matin. Arrêté, l'ex-député poujadiste Pesquet prétendra qu'il s'agissait d'un simulacre d'attentat.

30 décembre : Naissance d'une nouvelle idole, Johnny Halliday, lors d'un radio-crochet, «Paris-Cocktail».

1960

28 février : Record de chaleur : 21° C.

20 mars : Création d'une «force de police auxiliaire musulmane» pour lutter contre le terrorisme algérien.

12 avril : Inauguration au départ de Paris de l'autoroute du Sud.

3 octobre : Manifestation d'anciens combattants, place de l'Étoile, pour protester contre le «manifeste des cent-vingt-et-un» du 6 septembre incitant les militaires à l'insoumission.

1961

6 janvier : Début des attentats à la bombe de l'Organisation armée secrète (O.A.S.)

24 février : Inauguration de la nouvelle aérogare d'Orly.

17 octobre : Manifestation d'Algériens contre le couvre-feu qui leur est imposé depuis l'émeute du 20 septembre : très nombreuses victimes.

26 octobre : Ouverture d'un centre de contraception, le second en France après Grenoble.

3 novembre : Décret de création du district de Paris regroupant Seine, Seine-et-Oise, Seine-et-Marne.

1962

17 janvier : « Nuit bleue » : dix-sept attentats à la bombe de l'O.A.S.

8 février : Manifestation contre l'O.A.S. Interdite par le préfet, elle dégénère : huit morts à la station de métro Charonne.

28 juin : Suppression de l'obligation du port de la soutane pour le clergé catholique du diocèse de Paris.

4 août : Loi Malraux sur la protection du patrimoine historique, créant des « secteurs sauvegardés » dans les villes.

29 décembre : Allongement à quatre semaines des congés payés aux usines Renault de Boulogne-Billancourt.

1963

22-23 juin : Nuit du rock, place de la Nation, à l'appel d'Europe Numéro Un, pour le premier anniversaire du journal *Salut les copains.*

13 août : Décret de mise en œuvre de la loi Malraux avec une campagne de nettoyage des façades.

1er octobre : Suppression des lettres de l'indicatif du centre téléphonique remplacées par des chiffres : Balzac devient 225 et Richelieu 742.

5 novembre : Pose de la première pierre de l'université de Nanterre.

14 décembre : Inauguration de la Maison de la Radio.

1964

13 janvier : Décision de construction d'un nouvel aéroport à Roissy-en-France pour remplacer Le Bourget.

14 mars : Division du pays en vingt et une régions dont une Région parisienne.

Juin : Premier festival du Marais.

10 juillet : Loi de redécoupage de la Région parisienne en huit départements dont un pour Paris.

6 septembre : Première émission de télévision en couleurs sur l'hippodrome de Longchamp.

1965

6 avril : Codification des immatriculations des automobiles dans les nouveaux départements de la Région parisienne : 75 pour Paris.

29 octobre : Enlèvement de l'opposant marocain Mehdi Ben Barka devant la brasserie Lipp. Son corps n'a jamais été retrouvé.

27 décembre : Débuts de Mireille Mathieu à l'Olympia.

1966

4 mai : Naissance de la Banque nationale de Paris (B.N.P.) issue de la fusion de la Banque nationale pour le commerce et l'industrie (B.N.C.I.) et du Comptoir national d'escompte de Paris (C.N.E.P.).

22 juillet : Record de froid depuis 1873 : 16,3° C.

1er octobre : Création de la zone verte où sont réglementés le stationnement et la circulation des poids lourds.

9 octobre : Création de huit diocèses catholiques en Région parisienne, calqués sur les nouveaux départements.

23 décembre : Procédure d'expropriation dans le quartier des Halles.

1967

21 avril : Dernier duel célèbre au bois de Boulogne entre les députés Defferre et Ribière.

9 octobre : Saisie à Saint-Germain-des-Prés de quatre mille doses de L.S.D., la nouvelle drogue venue des États-Unis d'Amérique.

26 octobre : Inauguration de la gare routière de Rungis.

29 novembre : Inauguration de l'autoroute Paris-Lille.

22 décembre : Inauguration de la voie express rive droite.

1968

1er février : Début de l'emploi du « sabot de Denver » pour immobiliser les automobiles en stationnement irrégulier.

22 mars : Premiers troubles graves à l'université de Nanterre.

3 mai : Intervention de la police à la Sorbonne.

10 mai : Barricades, rue Gay-Lussac, et nuit d'émeute au Quartier latin.

13 mai : Grève générale et défilé de la République à Denfert-Rochereau.

27 mai : Accords de Grenelle entre les syndicats et le gouvernement.

30 mai : Manifestation de soutien au général de Gaulle sur les Champs-Élysées.

8 juillet : Bilan officiel des émeutes de mai : 2 500 000 de francs de dégâts sur la voie publique, les Ve, VIe et XIVe arrondissements vont être déclarés zones sinistrées.

1er octobre : Mise en service d'un billet unique pour le métro et l'autobus.

1969

28 février : Départ des Halles pour Rungis.

18 juillet : Approbation du plan d'aménagement des Halles par le Conseil de Paris.

14 décembre : Inauguration du premier tronçon du Réseau Express Régional (R.E.R.) : Nation-Boissy-Saint-Léger.

1970

1er janvier : Mise en place du Port autonome de Paris créé par la loi 68-917 du 24 octobre 1968.

20 janvier : Ouverture de l'autoroute H6, Paris-Rungis.

20 février : Inauguration du premier tronçon ouest du R.E.R. : Défense-Étoile.

27 avril : Première mondiale à l'hôpital Broussais : implantation d'un stimulateur cardiaque sur une femme de cinquante-huit ans.

26 août : Première manifestation du Mouvement de libération de la femme (M.L.F.) à l'arc de triomphe de l'Étoile.

29 octobre : Vote par le Conseil de Paris du projet d'aménagement des Halles.

1971

7 mars : Ouverture de l'aérogare d'Orly Ouest.

15 septembre : Installation du premier horodateur, place des Pyramides, pour le paiement à l'heure du stationnement automobile.

18 novembre : Inauguration du tronçon du R.E.R. d'Étoile-Charles-de-Gaulle à Auber.

1972

2 février : Ouverture du Musée des Arts et traditions populaires dans le bois de Boulogne.

20 avril : Ouverture du premier Salon de la Médecine (Medec) dans la gare désaffectée de la Bastille.

22 avril : Première manifestation contre la pollution : défilé de cinq mille cyclistes de la porte Dauphine à la porte de Vincennes.

14 juin : Ouverture du musée du Cinéma Henri Langlois au palais de Chaillot.

5 octobre : Ouverture du premier Salon de la Consommation.

1973

6 février : Incendie du collège (C.E.S.) Édouard-Pailleron : vingt et un morts.

25 avril : Achèvement du dernier tronçon du boulevard périphérique.

13 septembre : Inauguration de la tour Maine-Montparnasse.

1974

1er janvier : Gratuité pour les personnes de plus de soixante-cinq ans sur le réseau du métro et des autobus.

28 février : Inauguration du Palais des Congrès de la porte Maillot.

8 mars : Inauguration de l'aéroport Charles-de-Gaulle à Roissy.

4 avril : Premier numéro du *Quotidien de Paris*.

25 avril : Installation permanente de la police dans six stations de métro pour lutter contre l'insécurité.

18 novembre : Début d'un conflit au *Parisien libéré* entre la direction et le syndicat du livre C.G.T. Le conflit dure jusqu'au 16 août 1977.

1975

1er juillet : Création de la « carte orange » pour les transports en commun de la Région parisienne.

15 novembre : Transfert provisoire de la salle des ventes de la rue Drouot à la gare d'Orsay.

31 décembre : Loi de réforme du régime administratif de Paris qui place la capitale dans le régime commun.

1976

28 mai : Inauguration du second tunnel routier de Saint-Cloud.

13 septembre : Installation de l'École polytechnique à Palaiseau.

6 octobre : Grève du personnel de la Caisse d'épargne de Paris jusqu'au 6 janvier 1977.

12 novembre : Candidature de Michel d'Ornano à la mairie de Paris.

1977

19 janvier : Candidature de Jacques Chirac à la mairie de Paris.

31 janvier : Inauguration du Centre d'art et de culture Georges-Pompidou.

18 février : Premier numéro du quotidien socialiste *Le Matin de Paris.*

27 février : Occupation de l'église Saint-Nicolas-du-Chardonnet par les catholiques traditionalistes.

25 mars : Jacques Chirac est élu maire de Paris.

8 décembre : Inauguration de la station Châtelet-les Halles, interconnexion du métro et du R.E.R.

1978

17 février : Explosion due au gaz, rue Raynouard, douze morts, plus de cent blessés.

7 mars : Pillage de trente-quatre magasins de la rue La Fayette par des groupes gauchistes « autonomes ».

1er mai : Pillage de quatre-vingt-trois magasins par les « autonomes » à l'issue du défilé.

4 juillet : Saisie de 40 kilogrammes de cocaïne à l'aéroport de Roissy-Charles-de-Gaulle.

1979

13 janvier : Saccage du quartier de la gare Saint-Lazare par les « autonomes ».

23 mars : Marche sur Paris des sidérurgistes C.G.T. du Nord et de l'Est : cent vingt et un magasins saccagés et plus de deux cents blessés.

1er mai : « Nuit bleue » : douze attentats à la bombe des autonomistes corses du F.L.N.C. Ils récidivent le 2 et le 31.

25 août : Record de froid depuis 1873 : 13,4° C.

4 septembre : Inauguration du Forum des Halles.

4 octobre : Inauguration du premier bureau de poste « télématique ».

1980

28 janvier : Autorisation des premières « sanisettes », toilettes publiques individuelles payantes.

24 mars : Métro-poubelle : grève du personnel de nettoiement jusqu'au 1er mai.

12 juin : Premier attentat sanglant du groupe terroriste Action directe : sept blessés à l'aéroport d'Orly.

3 octobre : Attentat contre la synagogue de la rue Copernic : quatre morts, vingt blessés.

1981

19 janvier : Accident dans le R.E.R., deux rames se heurtent à la station Auber : un mort, soixante et onze blessés.

22 mai : Premier Salon du Livre au Grand Palais.

22 septembre : Inauguration du Train à grande vitesse (T.G.V.) sur la ligne Paris-Lyon.

3 décembre : Inauguration de la jonction Châtelet-Gare-du-Nord du R.E.R.

1982

4 janvier : Grève à la Société générale. Elle n'est vraiment terminée que le 4 juin.

17 février : Dix-sept attentats du F.L.N.C. en région parisienne.

2 mars : Loi d'extension du pouvoir municipal.

22 avril : Voiture piégée, rue Marbeuf : un mort, soixante-trois blessés. Les services secrets syriens sont mis en cause.

21 juin : Première Fête de la Musique.

30 juin : Annonce du projet gouvernemental de municipalités de plein exercice dans chacun des arrondissements de Paris et protestation de Jacques Chirac.

1er juillet : Mise en service des premières « motos nettoyeuses » pour l'entretien des trottoirs, plus familièrement dites « motos-crottes ».

9 août : Attentat palestinien contre le restaurant Jo Goldenberg, rue des Rosiers : six morts, vingt-deux blessés.

17 septembre : Explosion de la voiture piégée d'un diplomate israélien, rue Cardinet, devant le lycée Carnot : quarante-sept blessés.

31 décembre : Loi d'organisation municipale de Paris, Lyon et Marseille, créant des assemblées d'arrondissement élues.

1983

7 janvier : Loi de transfert aux régions de compétences en matière de développement économique, de formation professionnelle, d'aménagement et de planification.

13 mars : Grand chelem pour Jacques Chirac aux élections municipales : ses listes triomphent dans les vingt arrondissements.

25 mai : Choix par le président de la République, François Mitterrand, de l'architecte danois Otto von Spreckelsen pour l'aménagement de la Défense.

15 juillet : Attentat terroriste arménien à l'aéroport d'Orly : huit morts, cinquante-quatre blessés.

17 novembre : Choix du projet de l'architecte canadien Carlos Ott pour le futur Opéra de la Bastille.

1984

12 janvier : Inauguration de la salle de concert du Zénith dans le parc de La Villette.

22 janvier : Acceptation du projet de Grand Louvre avec une pyramide de verre conçue par l'architecte américain d'origine chinoise Ieoh Ming Pei.

3 février : Inauguration du palais omnisports de Bercy avec les Six Jours cyclistes de Paris.

30 mars : Suppression du service postal pneumatique créé en 1867.

1er avril : Première victoire d'une femme jockey, Darrie Boutboul, dans la course du tiercé à Longchamp.

24 juin : Manifestation de près de deux millions de personnes en faveur de la liberté d'enseignement et contre la suppression des écoles privées.

1985

25 janvier : Inauguration de la grande halle de La Villette.

26 janvier : Création par Coluche des Restaurants du Cœur.

23 février : Bombe dans le magasin Marks et Spencer, boulevard Haussmann : un mort, une cinquantaine de blessés.

29 avril : Annonce par le maire de la mise en place d'un réseau de télévision par câble destiné aux Parisiens.

6 mai : Inauguration de la Géode à la Cité des Sciences et de l'Industrie de La Villette.

14 juin : Première Fête du Cinéma : possibilité de voir autant de films qu'on le souhaite avec un seul billet.

26 août : Emballage du Pont Neuf par Christo dans une toile en polyamide gris jaune.

23 septembre : Inauguration du musée Picasso dans l'hôtel Salé, rue de Thorigny.

25 octobre : Changement de la numérotation téléphonique : huit chiffres au lieu de sept, le quatre étant l'indicatif de Paris.

7 décembre : Terrorisme islamique, bombes aux Galeries Lafayette et au Printemps, quarante et un blessés.

1986

3-5 février : Terrorisme au nom de l'islam : une vingtaine de blessés en plusieurs attentats.

13 mars : Inauguration de la Cité des Sciences et de l'Industrie de La Villette.

20 mars : Bombe aux Champs-Élysées, dans la galerie Point-Show : deux morts.

4 mai : Marathon de Paris, onze mille concurrents.

9 juillet : Bombe d'Action directe dans les locaux de la brigade de répression du banditisme : un mort, vingt-deux blessés.

17 septembre : Attentat au magasin Tati de la rue de Rennes : sept morts, cinquante et un blessés. Du 4 au 17, le terrorisme islamique a fait onze morts et cent cinquante-six blessés.

1er décembre : Inauguration du musée d'Orsay.

4-5 décembre : Manifestations étudiantes contre le projet Devaquet de réforme de l'université. Le ministre démissionne le 6, le projet est abandonné le 8.

29 décembre : Loi d'extension des pouvoirs administratifs et financiers de la Ville.

1987

1er février : Création par la Ville de la Société anonyme de gestion des eaux de Paris (S.A.G.E.P.) pour l'eau potable de Paris.

24 mars : Contrat pour l'installation d'un parc d'attractions Eurodisneyland à Marne-la-Vallée.

20 mai : Inauguration du parc d'attractions Mirapolis à Cergy-Pontoise.

29 juin : Siège de l'ambassade d'Iran par la police jusqu'à ce que, le

29 novembre, Wahid Gordji, impliqué dans les attentats islamiques de 1986, accepte de déférer à la convocation du juge Boulouque avant d'être expulsé vers Téhéran.

30 novembre : Inauguration de l'Institut du monde arabe, quai Saint-Bernard.

3 décembre : Inculpation de Thierry Paulin et de Jean-Thierry Mathurin, assassins de vingt et une vieilles dames habitant principalement le XVIIIe arrondissement.

1988

7 février : Ouverture au Forum des Halles de la Vidéothèque de Paris.

4 mars : Inauguration de la pyramide de la cour Napoléon du Louvre, entrée du musée du Grand Louvre.

16 mars : Inauguration du Palais de l'Image et du Son, au palais de Tokyo.

21 mars : Ouverture de l'hôpital pour enfants Robert-Debré, boulevard Sérurier.

23 mars : Inauguration du Centre d'accueil et de recherches des Archives nationales (C.A.R.A.N.), rue des Quatre-Fils.

30 mai : Vote par le Conseil de Paris d'un nouveau plan d'occupation des sols (P.O.S.).

27 juin : Catastrophe à la gare de Lyon : le train Paris-Melun tamponne un convoi à l'arrêt : cinquante-six morts.

14 juillet : Annonce par le président de la République de la construction d'une nouvelle bibliothèque nationale.

6 août : Nouvelle catastrophe ferroviaire : un train en provenance de Château-Thierry heurte le butoir à la gare de l'Est : un mort, cinquante-six blessés.

25 septembre : Mise en service de la ligne C du R.E.R. de Montmorency-Ermont aux Invalides.

1989

17 janvier : Pose de la première pierre du Grand Écran, complexe audio-visuel de la place d'Italie.

19 mars : Nouveau grand chelem de Jacques Chirac dont les listes emportent les vingt mairies d'arrondissement.

29 mars : Inauguration du Grand Louvre.

9 mai : Inauguration de la grande fête des Tuileries commémorant le bicentenaire de la Révolution.

26 juin : Ouverture des nouveaux bâtiments du ministère des Finances à Bercy.

13 juillet : Inauguration de l'Opéra de la Bastille.

18 juillet : Inauguration de la Grande Arche de la Défense.

18 septembre : Mise en place d'un Groupe d'intervention Paris-réseau (G.I.P.R.) pour assurer la sécurité dans le métro.

20 septembre : Inauguration de la ligne du T.G.V. Atlantique entre Paris et Le Mans.

3 octobre : Ouverture de la Cité de la Musique à La Villette.

1990

10 janvier : Présentation par le maire d'un projet visant à redonner une image prestigieuse aux Champs-Élysées.

6 février : Présentation du Livre blanc du gouvernement sur l'aménagement de l'Île-de-France.

24 juin : Promotion de l'agriculture : des paysans du Centre national des jeunes agriculteurs plantent un champ de blé d'1,5 hectare sur les Champs-Élysées et le moissonnent sous les yeux des citadins.

25 juin : Vote par le Conseil de Paris du projet d'aménagement du quartier Tolbiac-Masséna.

11 septembre : Création des premiers «axes rouges» de circulation automobile, sur lesquels l'arrêt et le stationnement sont interdits.

1991

31 mai : Prise de contrôle financier par la chaîne de télévision privée Canal Plus du club de football Paris-Saint-Germain.

1er août : Suppression de la première classe dans le métro.

1er octobre : Inauguration de la ligne de métro Orlyval reliant la gare R.E.R. d'Antony à l'aéroport d'Orly.

7 novembre : Transfert en province d'une vingtaine d'organismes publics décidé par le gouvernement socialiste d'Édith Cresson. Sont visées au premier chef l'École nationale d'administration expédiée à Strasbourg et la S.E.I.T.A. destinée à Angoulême.

31 décembre : Mise en service d'un nouveau type de rame de métro, le Boa, sur la ligne n° 7.

1992

12 avril : Ouverture à Marne-la-Vallée du parc d'attractions Eurodisneyland.

22 juin : Ouverture du procès de quatre responsables du Centre national de transfusion sanguine accusés d'avoir transmis le virus du sida par transfusion de sang contaminé à plus de mille quatre cents hémophiles notamment.

23 octobre : Condamnation de trois des quatre dirigeants mis en examen du Centre national de transfusion sanguine.

4 novembre : Présentation par le gouvernement du Schéma directeur d'aménagement de l'Île-de-France.

1993

28 mars : Élections législatives. Déroute des socialistes qui enlèvent un seul siège sur vingt et un à Paris.

22 avril : Mise en service du Bi-Bop, téléphone de poche.

18 mai : Inauguration de la ligne Paris-Lille du T.G.V.

8 juillet : Naufrage de la piscine Deligny dont la création remonte à 1796.

20 novembre : Ouverture de l'aile Richelieu du Grand Louvre qui devient ainsi le plus grand musée du monde.

23 décembre : Création par la Ville d'un Service d'aide médicale d'urgence (S.A.M.U.) social.

1994

6 février : Élection législative partielle dans la 19ᵉ circonscription (XVIIIᵉ et XIXᵉ arrondissements) : victoire de Daniel Vaillant, candidat socialiste.

31 mars : La dernière d'une dizaine de violentes manifestations contre le contrat d'insertion professionnelle (C.I.P.) se solde, comme les précédentes, par des voitures incendiées et le pillage de magasins, malgré l'abandon du projet par le gouvernement.

25 juin : Réouverture de la galerie de l'évolution du Muséum national d'histoire naturelle, fermée depuis 1965 pour réfection.

14 juillet : Premier défilé en temps de paix de troupes allemandes sur les Champs-Élysées.

3 septembre : Inauguration du nouveau stade Charléty.

13 novembre : Ouverture de la gare de Roissy (Charles-de-Gaulle), la première au monde où les voyageurs passent directement de l'avion au train ou au R.E.R.

18 décembre : Occupation d'un immeuble inhabité de la rue du Dragon par des membres de l'association Droit au Logement soutenus par l'abbé Pierre, début d'une campagne de surenchère entre Jacques Chirac et Édouard Balladur au sujet du logement des personnes sans domicile fixe.

20 décembre : Mise en service de la carte bancaire à puce dans les cabines téléphoniques.

1995

12 janvier : Inauguration de la Cité de la Musique enfin terminée.

22 avril : Premier tour des élections présidentielles : le candidat socialiste Lionel Jospin arrive en tête avec 23,8 % (26 % à Paris) des suffrages exprimés, devant Jacques Chirac (20,3 % et 32,2 % à Paris) et Édouard Balladur (18,6 % et 16,6 % à Paris).

7 mai : Second tour des élections présidentielles : victoire de Jacques Chirac, maire R.P.R. de Paris, sur le socialiste Lionel Jospin par 52,67 % des suffrages exprimés contre 47,33 %. A Paris, Jacques Chirac dépasse les 60 %, mais le candidat socialiste l'emporte de peu dans le XXᵉ arrondissement.

13 mai : Victoire de Paris-Saint-Germain sur Strasbourg (1-0) en finale de la Coupe de France de football.

22 mai : Jean Tibéri succède à Jacques Chirac comme maire de Paris.

24 mai : Mise en examen de Georges Pérol, ancien directeur général de l'O.P.A.C. (présidé par Jean Tibéri), pour trafic d'influence dans l'affaire des fausses factures en Île-de-France.

29 mai : Affaire de pots-de-vin pour l'attribution d'un logement social révélée par le quotidien *Info Matin*. Les témoignages se multiplient les jours suivants.

11 juin : Premier tour des élections municipales : la majorité R.P.R.-U.D.F. enlève huit arrondissements fortunés de l'ouest et du centre.

14 juin : Révélations du *Canard enchaîné* et de *Libération* sur l'attribution de logements dans des immeubles de prestige appartenant à la Ville moyennant des loyers très inférieurs à la normale : le premier ministre Alain Juppé est impliqué ainsi que de nombreuses autres personnalités.

18 juin : Second tour des élections municipales : grave déconvenue pour la majorité R.P.R.-U.D.F. qui perd six arrondissements (IIIe, X^e, XIe, XVIIIe, XIXe, XXe) au profit de l'opposition de gauche conduite par les socialistes.

25 juin : Jean Tibéri (R.P.R.) est réélu maire par 98 voix sur 163.

25 juillet : Bombe dans une rame du R.E.R. à la station Saint-Michel : sept morts, quatre-vingt-quatre blessés. L'attentat serait l'œuvre d'islamistes algériens.

17 août : Bombe dans une poubelle, avenue de Friedland, près de la place de l'Étoile : dix-sept blessés dont trois graves.

6 octobre : Bombe près de la station de métro Maison-Blanche : treize blessés légers.

9 octobre : Jusqu'au 13, records de pollution automobile par dioxyde d'azote.

11 octobre : Le procureur de la République de Paris, Bruno Cotte, classe l'affaire de l'appartement d'Alain Juppé tout en estimant la faute établie et sous réserve que le trouble cesse d'ici la fin de l'année. Alain Juppé et son fils déménagent à la fin d'octobre.

17 octobre : Attentat à la bombe dans le R.E.R. C entre les stations musée d'Orsay et Saint-Michel : vingt-neuf blessés dont cinq graves.

21 octobre : Organisation d'un référendum d'initiative populaire par le maire du XIXe arrondissement au sujet de l'aménagement des terrains de la Société française de production aux Buttes-Chaumont : 85 % des votants rejettent le projet Bouygues approuvé par Jacques Chirac, alors qu'il était encore maire.

23 octobre : Les maires d'arrondissement appartenant à l'opposition de gauche réclament davantage de pouvoir. Jean Tibéri saisit le préfet de région qui doit trancher après avis du tribunal administratif.

QUATRIÈME PARTIE
DICTIONNAIRE

ABATTOIR

Jusqu'au début du XIXe siècle, les bouchers ont abattu, dépecé et découpé les animaux qu'ils vendaient sur leurs étaux : bœufs, veaux, moutons, porcs, dans les arrière-cours de leurs magasins. Sébastien Mercier, dans son *Tableau de Paris*, publié à partir de 1782, dénonce à plusieurs reprises ces abattoirs artisanaux ou «tueries» : «Quoi de plus révoltant et de plus dégoûtant que d'égorger les bestiaux et de les dépecer publiquement ? On marche dans le sang caillé. Il y a des boucheries où l'on fait passer le bœuf sous l'étalage des viandes : l'animal voit, flaire, recule ; on le tire, on l'entraîne ; il mugit, les chiens lui mordent les pieds, tandis que les conducteurs l'assomment pour le faire entrer au lieu fatal... Quelquefois le bœuf, étourdi du coup et non terrassé, brise ses liens, et furieux, s'échappe de l'antre du trépas ; il fuit ses bourreaux, et frappe tous ceux qu'il rencontre, comme les ministres ou les complices de sa mort ; il répand la terreur, et l'on fuit devant l'animal qui la veille était venu à la boucherie d'un pas docile et lent. Des femmes, des enfants qui se trouvent sur son passage, sont blessés ; les bouchers qui courent après la victime échappée, sont aussi dangereux dans leur course brutale que l'animal que guident la douleur et la rage.»

Dans le *Miroir de Paris*, paru en 1807, Prudhomme ajoute : «Rien de plus affreux que de voir ruisseler le sang ; vos souliers en sont imprégnés... Il est donc urgent qu'on établisse hors Paris des tueries, qu'on n'entende plus les cris plaintifs du bœuf et du mouton.»

Il va être entendu : le décret du 9 février 1810 ordonne la création de cinq abattoirs, trois sur la rive droite et deux sur la rive gauche. La construction du premier a débuté dès 1808, c'est l'abattoir dit «de Montmartre», édifié par l'architecte Poidevin à l'emplacement de l'actuel lycée Jacques-Decour. Les quatre autres sont construits entre 1810 et 1818 par Gisors, Leloir et Petit-Radel : abattoirs de Ménilmontant (square Maurice-Gardette), du Roule (avenue de Messine), de Grenelle (entre les rues César-Franck et Rosa-Bonheur), de Villejuif (école des arts et métiers du boulevard de l'Hôpital).

L'extension de Paris en 1860 double le nombre des abattoirs par l'adjonction de ceux des Batignolles (impasse Chalabre et gare de marchandises), de La Villette (avenue Corentin-Cariou) et de Belleville (rues Rébeval et de l'Atlas), abattoirs à porcs de la rue des Fourneaux (rues Mizon et Brown-Séquard) et de la rue de Château-Landon (emplacement du collège Colbert).

L'ouverture, en janvier 1867, de

vastes abattoirs à l'emplacement de ceux de La Villette fait disparaître tous les autres établissements, à l'exception de ceux des Fourneaux et de Villejuif, qui fermèrent respectivement en 1899 et 1902. Villejuif fut remplacé par l'abattoir de Vaugirard (rue Brancion), construit par Moreau en 1894-1897 et destiné plus spécialement à l'abattage des chevaux et mulets. Les abattoirs de Vaugirard et de La Villette furent supprimés, au début des années 1970, au profit d'espaces verts et d'équipements culturels. Il n'existe plus d'abattoirs dans Paris, sauf, peut-être, ceux qu'entretiennent clandestinement quelques musulmans pratiquants.

• *Voir aussi* **BOUCHER, BOUCHERIE**; **VIANDE**.

ABBAYE
 Voir **COUVENT D'HOMMES**; **COUVENT DE FEMMES**.

ABEILLE
Le sucre est à peu près absent de l'alimentation des Européens jusqu'à la découverte de l'Amérique et à la mise en culture de champs de cannes à sucre aux Antilles et au Brésil. Au Moyen Âge, c'est le miel qui sert à sucrer les boissons et les aliments, pâtisseries et confitures. La Provence et le Languedoc envoyaient de grandes quantités de miel vers Paris, le plus estimé étant celui de Corbière, près de Narbonne. Ce miel était vendu par les épiciers ou les apothicaires, selon qu'il était utilisé dans la nourriture ou pour la confection de médicaments. Le contrôle des tonneaux de miel incombait aux jaugeurs de vin.

Mais les régions proches de Paris produisaient aussi du miel en abondance, notamment le Gâtinais. La ville elle-même possédait des ruches et les livres de la taille de 1292 et 1300 mentionnent un « abeiller ». On estimait encore à mille cinq cents le nombre de ruches à Paris vers 1900. Il doit en subsister une bonne centaine aujourd'hui.

Le rucher de l'école d'apiculture du jardin du Luxembourg, créé en 1856, produit 2 tonnes de miel par an. Il existe un autre rucher important dans le parc Georges-Brassens et la production parisienne totale est estimée à 7 tonnes. Outre un nombre inconnu de ruches « pirates » non déclarées par leurs possesseurs, il y a des ruches reconnues, « officielles », installées dans les endroits les plus divers, notamment dans le jardin du couvent des augustines de Port-Royal et sur les vastes toits de l'opéra de Garnier.

ACADÉMIE
Venu d'Italie au début du XVIe siècle, le terme d'académie s'est d'abord appliqué, selon la définition de Furetière, à une « assemblée de gens de lettres où l'on cultive les sciences et les beaux-arts », c'est-à-dire à l'Académie française, à l'Académie d'architecture, etc. (Voir ACADÉMIE FRANÇAISE.) On évoque, pour mémoire, l'académie de Saint-Luc, constituée en 1649 à partir de l'ancienne maîtrise des « peintres et sculpteurs de la ville et banlieue de Paris », présidée par Simon Vouet puis par Mignard. Ce dernier lutta — jusqu'à la suppression de son académie décidée par le roi le 15 mars 1777 — contre l'influence de l'Académie royale de peinture et de sculpture. Il existait aussi des clubs de jeux s'intitulant « académies », notamment des académies de billards.

Mais le terme d'académie évoquait surtout, aux XVIIe et XVIIIe siècles, les institutions qui accueillaient les enfants de la noblesse dont les parents désiraient qu'ils aient la connaissance du métier des armes tout en possédant une formation intellectuelle qui leur permît de faire bonne contenance dans les salons et à la Cour. L'Université et les collèges de jésuites ne formaient que des cuistres, des singes savants, ne pratiquant aucune culture physique ni intellectuelle convenant à la noblesse d'épée. Pension à l'usage des jeunes nobles, l'académie enseignait l'équitation (d'où le nom de manège souvent synonyme d'académie), le maniement des armes, le tir et l'escrime, mais aussi la danse, la musique, l'écriture, le blason, l'arithmétique, le dessin, des rudiments de l'art des fortifications et des sièges. La première académie aurait été installée à Paris entre 1594 et 1598, date à laquelle l'ambassadeur vénitien, Pietro Duodo, la mentionne : « Sa Majesté, pour élever sa noblesse le plus vertueusement possible, a fondé une académie à Paris, où, chaque jour, les exercices sont conduits par le grand écuyer du roi. Celui-ci doit fournir aux jeunes gens des chevaux qu'il tire des écuries royales. Il leur enseigne à monter à cheval et tous les exercices qui se rapportent à l'éducation. Il leur procure des maîtres d'escrime, de table, de musique, de mathématique, et il leur fournit un ou deux valets selon la qualité de chacun d'entre eux ; le tout moyennant une somme de 700, 800 ou 1 000 écus l'an. A l'exemple de cette académie, d'autres se sont établies dans différentes villes du royaume, à Rouen, à Toulouse. Si cela continue, il est à croire que l'on verra beaucoup moins de jeunes Français en Italie, et que notamment la ville de Padoue en souffrira. » En effet, jusqu'à cette date, la jeunesse noble française devait s'expatrier en Italie pour acquérir une éducation martiale.

Installé rue Saint-Honoré, près des écuries royales, Antoine de Pluvinel ne se cachait pas d'avoir été l'élève du maître napolitain Pignatelli et d'avoir pris modèle sur lui. Il fut l'organisateur du carrousel de la place Royale en 1612. A sa mort, en 1620, il eut pour successeur son élève Benjamin de Hanniques, dont l'académie — ou manège — s'est trouvée rue des Bons-Enfants, rue des Fossés (Monsieur-le-Prince) et en l'hôtel d'O de la rue Vieille-du-Temple. L'établissement de la rue Saint-Honoré avait subsisté, dirigé par M. de Toise. Benjamin eut pour suc-

cesseurs Arnolfini de Lucques, qui enseigna l'équitation à Louis XIV, puis Bernardi. On ne compte pas moins de six académies en 1650 : au coin de la rue des Canettes et de celle du Vieux-Colombier ; rue des Égouts (Saint-Benoît) ; rue des Fossés-Saint-Germain-des-Prés puis rue Neuve-Saint-Lambert, tenue par Arnolfini ; rues du Four et du Vieux-Colombier, tenue par le sieur del Campo ; rue de Sorbonne, tenue par M. Forestier ; rue Neuve-Saint-Honoré, tenue par M. de Toise.

Bernardi avait créé un vaste terrain d'exercices, baptisé « le fort », près du Luxembourg, à l'angle de la rue de Condé et de celle des Fossés-Monsieur-le-Prince, qui figure sur le plan de 1676 de Bullet et Blondel sous le nom de « fort des Académistes ». D'après *Le Mercure galant*, il arrivait que des foules de plusieurs milliers de personnes se rassemblent pour assister aux exercices. Ce fort disparut en 1686. Les académies commençaient à décliner et le roi les réglementa, les réduisant à deux : celle de Bernardi et de M. de Longpré, installée au carrefour Saint-Benoît (rue du Dragon) et celle de MM. de Vandeuil, de Roquefort et d'Auricourt, établie rue des Canettes. Il y eut des dérogations et le nombre des académies était remonté à quatre à la fin du règne de Louis XIV : outre celles de Longpré et de Vandeuil, il y avait celles de La Guérinière et de Du Guast. Cette dernière jouissait d'une réputation internationale, car Nemeitz raconte qu'il y rencontra le cardinal Bentivoglio, venu assister aux exercices de la fille de Du Guast : cette jeune personne, « âgée de dix-huit ans, faisoit le manège d'une façon admirable et surpassoit de beaucoup tous les écoliers qui avoient appris déjà longtemps auprès de son père ». Quant à La Guérinière, il utilisait le manège des Tuileries que le départ de Louis XIV pour Versailles avait libéré. C'est là que s'installera l'Assemblée nationale à la fin de 1789.

ACADÉMIE DE SAINT-LUC
Voir PEINTRE.

ACADÉMIE FRANÇAISE

Institution nationale et non pas seulement parisienne, l'Académie française fut créée par lettres patentes du 27 janvier 1635. Elle fut conçue par le cardinal de Richelieu pour exercer la tutelle du pouvoir sur les écrivains. A la veille de la Révolution de 1789, à la suite de nombreux autres critiques, Sébastien Mercier, dans son *Tableau de Paris*, dénonce ainsi l'institution :

« Richelieu ne pouvait former un établissement, même par instinct, qui ne tendît au despotisme. L'institution de l'Académie est visiblement une institution monarchique. On a fait venir dans la capitale les gens de lettres, comme on y a fait venir les grands seigneurs, et par les mêmes motifs, pour les avoir sous la main. On les tient plus en respect de près que de loin.

L'écrivain qui veut être de l'Académie, est contenu bien avant que d'y entrer. Sa plume mollit lorsqu'il songe qu'il lui faudra un jour l'agrément de cette cour, qui peut lui fermer la porte, malgré le suffrage unanime du corps. L'écrivain cherche à ne pas déplaire, à éviter du moins ce désagrément ; et la vérité n'a plus, sous une expression dénaturée, une physionomie vivante...

L'Académie française n'a de considération et ne peut en avoir qu'à Paris ; les épigrammes qu'on lui lance de toutes parts contribuent même à la sauver de l'oubli.

Ce goût exclusif qu'elle s'arroge est d'ailleurs bien fait pour éveiller le ridicule. Tous les hommes sont appelés à juger par eux-mêmes des arts de sentiment. Ils les sentent ; ils trouveront donc toujours extraordinaire qu'une poignée d'hommes osent donner leurs idées sur les arts comme les idées les plus justes, et leur esprit pour l'esprit par excellence. Leur goût particulier ne peut pas former le goût général...

Les services que l'Académie française a rendus à la langue sont faibles, pour ne pas dire nuls. La langue, sans ce corps, eût fait sans doute des progrès plus rapides et plus audacieux. Quoi de plus fatal que de l'avoir "fixée" au milieu de tant d'arts féconds en conceptions neuves ? Quoi de plus ridicule que le ton dogmatique qu'elle prend quelquefois ? Tout en se moquant de la Sorbonne, ne va-t-elle pas citant de "vieux mots" et de "vieilles autorités", comme des théologiens qui ergotent sur les bancs ?

Ce corps, composé d'ailleurs de bons écrivains de la nation, mais qui est loin de les renfermer tous, vaut beaucoup, mais individuellement ; rassemblés, ils subissent la fatale loi des corps. Ils deviennent petits, n'ont plus que de petites idées, emploient de petits moyens et sont conduits par de petits motifs. »

ACCOUCHEMENT
Voir MATERNITÉ ; SAGE-FEMME.

ADRESSE
Voir ENSEIGNE ; NUMÉROTAGE DES MAISONS.

AÉROPORT

En 1912, il avait été question de créer un port aérien dans la région de Paris, mais l'administration n'avait pas donné suite à ce projet déposé par une entreprise privée. C'est la guerre qui amène l'armée à installer une escadrille de sept avions au Bourget, après les bombardements aériens allemands de la capitale des 8, 11 et 12 octobre 1914, le Service d'aviation au camp retranché de Paris. Le 18 août 1918, c'est là que naît l'aviation postale avec un premier courrier pour les troupes américaines débarquées à Saint-Nazaire. Le 8 février 1919, c'est encore du Bourget que s'envole le premier vol commercial, douze passagers à destination de Londres, ouvrant la plus ancienne ligne aérienne internationale du monde. La compagnie des Messageries aériennes organise, le 12 février, la première liaison Paris-Lille. En septembre

1919, l'aéroport est officiellement ouvert à la circulation aérienne publique. Le 12 novembre 1937, une aérogare neuve est ouverte au Bourget qui cumule les activités commerciales civiles et militaires. La progression a été très rapide : 6 421 passagers et 112 tonnes de fret en 1920, 138 267 passagers et 2 303 tonnes en 1938. Orly est alors un aéroport militaire dont une partie est utilisée par les aéro-clubs. La Luftwaffe s'empare des deux aérodromes durant l'occupation allemande et construit sur chacun deux pistes bétonnées. L'ordonnance du 24 octobre 1945, complétée par le décret du 4 janvier 1947, amorce l'organisation de l'Aéroport de Paris, constitué de quinze aéroports et aérodromes dont les principaux sont Orly pour les liaisons intercontinentales, Le Bourget pour l'Europe et l'Afrique du Nord, Toussus-le-Noble, aéroport international pour l'aviation de tourisme. Orly devient rapidement prédominant, passant de 30 % des mouvements d'avions en 1948 à plus de la moitié dès 1953, lorsque Air France quitte Le Bourget pour le nouvel aéroport au sud de Paris. Le Salon de l'aéronautique ne peut arrêter le déclin du Bourget qui est fermé à la fin de mai 1969. En décembre 1966 ont débuté les travaux d'un nouvel et gigantesque aéroport, à Roissy-en-France. Il est ouvert au public le 13 mars 1974 sous le nom de Roissy-Charles-de-Gaulle et prend rapidement une place très importante, dépassant Orly au début de la décennie 1990. Aujourd'hui, Aéroport de Paris assure le trafic de près de cinq cent mille avions, cinquante millions de passagers et un million de tonnes de fret, ce qui le place au deuxième rang européen, en concurrence avec Londres comme principale plaque tournante européenne. En 1977, Issy-les-Moulineaux, le plus vieil aérodrome homologué du monde, est devenu l'héliport de Paris : cet aérodrome méconnu a été, en effet, homologué par une loi du 31 juillet 1890 et son terrain a été

acheté par la Ville de Paris en 1893. C'est là qu'a été brevetée la première femme pilote du monde, la baronne de Laroche, le 6 mars 1910, trente-sixième pilote à avoir reçu ce brevet.

AÉROSTAT

Paris peut s'enorgueillir d'être, avec Annonay, dans l'Ardèche, le berceau de l'aérostation. En effet, après avoir démontré, le 4 juin 1783, devant les états du Vivarais, que leur ballon rempli d'air chaud pouvait voler, les frères Joseph et Étienne Montgolfier viennent chercher la consécration dans la capitale. Le 27 août 1783, devant la foule, au Champ-de-Mars, une montgolfière s'élève dans le ciel et disparaît pour retomber à Gonesse où des paysans terrorisés la mettent en pièces après que le curé l'eut exorcisée. Le 19 septembre 1783, un ballon de 13 mètres de diamètre, en coton bleu décoré aux chiffres du roi, s'envole de la cour du palais de Versailles, transportant dans sa nacelle un mouton, un coq et un canard qui atterrissent sains et saufs à Vaucresson. Le 15 octobre 1783, le premier homme à réaliser le rêve d'Icare est François Pilâtre de Rozier qui s'élève, retenu par des cordes, jusqu'à plus de 80 mètres au-dessus du jardin du fabricant de papiers peints Réveillon, rue de Montreuil. Après plusieurs ascensions en ballon captif, le 21 novembre 1783, la montgolfière partie du jardin de la Muette emporte, pour le premier vol libre de l'espèce humaine, Pilâtre de Rozier et François Laurent, marquis d'Arlandes. Au bout d'une vingtaine de minutes d'errance au gré du vent, ils se posent sans encombre sur la Butte-aux-Cailles après être montés jusqu'à 1 000 mètres. Le 1er décembre, c'est au tour de Jacques-Alexandre-César Charles et de Marie-Noël Robert jeune de s'envoler du bassin central des Tuileries devant des dizaines de milliers de Parisiens. Au bout de deux heures de vol, ils se posent à Nesles, près de l'Isle-Adam.

ASCENSION DE CHARLES ET ROBERT AUX TUILERIES, LE 1er SEPTEMBRE 1783

Dans son *Tableau de Paris* (livre X, chapitre 801), Sébastien Mercier décrit l'enthousiasme des Parisiens : « Jour mémorable ! Charles et Robert s'élevèrent dans les airs, à la vue d'un peuple immense, remplissant ou escaladant le jardin des Tuileries, dont les portes furent forcées. Quand on a vu ce spectacle, il n'y a plus rien à voir, en fait d'assemblée nombreuse, ondulante et variée. Deux cent mille hommes, levant les bras au ciel dans les attitudes de la surprise, de l'admiration, de la joie et de l'étonnement... Non, jamais la physique n'a créé sur le globe un moment plus extraordinaire, plus propre à verser l'enthousiasme dans les cœurs, et jamais ce jour unique ne se représentera. »

L'aérostation entre vite dans les mœurs et les ascensions en ballon deviennent une attraction très prisée sous le Directoire à Tivoli, rue de Clichy et dans les autres jardins transformés en lieux de plaisir. Garnerin, inventeur du parachute, fait de nombreuses démonstrations et initie les premières femmes à l'aérostation, Mlle Henry, puis sa future épouse, Jeanne-Geneviève Labrosse, qui, le 10 novembre 1798, devient la première femme à être montée seule en montgolfière et à avoir sauté en parachute.

Le 2 avril 1794, la première compagnie d'aérostiers militaires fut créée et installée au petit château de Meudon. C'est dans cette ville, dans le parc de Chalais, que fut institué en 1875 le Service de l'aérostation militaire. Le 5 septembre 1870, sur la place Saint-Pierre, à Montmartre, Nadar, Dartois et Duruof avaient constitué une compagnie d'aérostiers militaires qui se distingua en transportant du courrier durant le siège (voir BALLON POSTAL) et en observant les mouvements des assiégeants.

AFFICHE

Au Moyen Âge, les décisions administratives, celles de la monarchie comme de la municipalité, étaient lues publiquement à divers endroits de la cité par le crieur du roi et de la ville qu'accompagnaient trois jurés trompettes. Malgré l'invention de l'imprimerie, cette tradition se maintient jusqu'à la Révolution de 1789. Cette criée s'accompagne de l'affichage manuscrit « en grosses lettres ». Au XVIIe siècle, les particuliers reçoivent l'autorisation d'apposer des affiches et le premier annuaire parisien, *Les Adresses de la ville de Paris... Livre commode...*, publié en 1691 et 1692 par Abraham Du Pradel, mentionne les sieurs La Folie et Thévenot qui « affichent pour le public ». Un règlement du 13 septembre 1722 crée un corps d'afficheurs limité à quarante personnes, nommées par le lieutenant général de police sur présentation du syndic de la librairie, qui doivent arborer une plaque attestant de leur fonction. Quant aux affiches, elles sont soumises au contrôle de la lieutenance de police. Dans le *Tableau de Paris*, Sébastien Mercier décrit avec esprit le fonctionnement de l'affichage dans la capitale : « Ils sont quarante, ainsi qu'à l'Académie française ; et pour une plus grande similitude, aucun afficheur ne peut être reçu s'il ne sait lire et écrire. On dispense l'afficheur de tout autre talent, ainsi qu'il arrive quelquefois dans l'illustre compagnie créée par le ministre despotique et versificateur. Ils ont à leur boutonnière une plaque de cuivre ; ils portent une petite échelle, un tablier, un pot à colle et une brosse. Ils affichent ; mais ils ne s'affichent point. Les quarante immortels n'ont pas toujours cette sage modestie...

On ne peut rien afficher sans l'attache du lieutenant de police ; et si vous avez perdu un chien ou un bracelet, il faut aller demander la signature du magistrat. Il est vrai qu'elle est toute prête, et qu'il y a un bureau de blancs-seings pour favoriser la retrouvaille des épagneuls, des perroquets, des manchons et des cannes perdues... Les affiches des spectacles sont en couleurs, mais un peu trop exhaussées. On en voit six ou sept qui forment une véritable échelle, le grand opéra en tête, et les danseurs de corde au dernier rang. »

AFFICHES (PETITES-)

Le 14 octobre 1612, par brevet royal, Théophraste Renaudot obtenait l'autorisation d'imprimer des annonces, affiches et avis divers : c'est le premier journal d'annonces et de réclames. On y trouvait, dans l'ordre : 1. Terres seigneuriales à vendre ; 2. Maisons et héritages aux champs en roture à vendre ; 3. Maisons de Paris à vendre ; 4. Maisons de Paris à donner à loyer ; 5. Maisons à Paris qu'on demande à prendre à loyer ; 6. Rentes à vendre ; 7. Bénéfices à permuter ; 8. Offices à vendre ; 9. Meubles à vendre ; 10. Affaires mêlées. C'est l'origine des *Petites-Affiches* qui ont survécu à travers quatre siècles. L'entreprise prospéra si bien qu'en 1779 elle était vendue pour 700 000 livres, alors qu'elle comptait plus de cinq mille abonnés à Paris, une trentaine de concessionnaires en province et rapportait près de 200 000 livres par an.

AIR

Le contrôle de la qualité de l'air a été mis en place en 1973 par le Laboratoire central de la préfecture de police. En 1979, le premier réseau centralisé, « Airparif », est installé ; il comprend douze stations de surveillance à Paris. En 1988, ce réseau de surveillance de la pollution atmosphérique en Île-de-France est fortement développé avec trois cent quatre paramètres suivis et mesurés sur cent soixante-treize sites de la capitale. La désindustrialisation de Paris et de sa banlieue, l'introduction de normes rigoureuses pour les usines qui subsistent, ont entraîné une nette diminution de la pollution de l'air. Ainsi, la pollution soufrée (SO^2 et SO^3) et chlorhydrique, dénommée acidité forte, provenant de la combustion des fuels et des charbons, a baissé de plus de 300 microgrammes en 1957 à

47 en 1987. Les fumées noires, poussières en provenance des chaudières et des diesels, ne représentent plus que 47 microgrammes au mètre cube contre près de 200 en 1957. Le plomb, issu de l'essence, a diminué de moitié : de 4 microgrammes en 1978 au rond-point des Champs-Élysées, il est passé en dessous de la limite des 2 microgrammes fixée par la Communauté européenne. Mais, à la porte des Lilas, aux périodes de forte circulation automobile, on relève 14 microgrammes à proximité du boulevard périphérique. Pollution d'origine automobile, monoxyde de carbone, monoxydes et dioxydes d'azote sont en augmentation, de même que les hydrocarbures, imbrûlés des chaudières et moteurs, souvent cancérigènes, qui ne régressent pas malgré une amélioration du réglage des brûleurs et carburateurs. L'îlot de chaleur parisien (voir CLIMAT) et les vents qu'il génère engendrent de graves troubles de santé chez les plus fragiles, asthmatiques notamment, et accroissent les maladies des voies respiratoires chez les enfants. En été, les émissions de polluants sont moindres en raison de l'arrêt des chauffages, de la baisse de l'activité industrielle et de la diminution de la circulation automobile. Certaines conditions météorologiques peuvent cependant annuler ces aspects positifs, avec notamment l'apparition d'une couche d'inversion de température au-dessus de la ville, qui fait office de couvercle et bloque au sol les polluants. Les anticyclones engendrent une stabilité de l'atmosphère, l'absence de vent fort et de précipitations, jointes à l'ensoleillement et à la chaleur, favorisent les réactions dites photochimiques entre polluants. Ainsi, par forte chaleur et ensoleillement, le monoxyde d'azote (NO) et d'autres rejets provenant des pots d'échappement de voitures peuvent s'unir dans des réactions conduisant à la formation de dioxyde d'azote (NO^2) et d'ozone (NO^3). Durant l'année 1992, soixante-cinq heures de dé-

passement ont été enregistrées pour ces deux substances, dont vingt-six heures durant les mois d'été. En revanche, les émissions de monoxyde d'azote (NO) et de dioxyde de soufre (SO_2) diminuent fortement durant l'été. Depuis une vingtaine d'années, les études sur la pollution de l'air à Paris se sont multipliées et un colloque a même eu lieu les 10 et 11 février 1993 sur les facteurs de l'environnement, publié dans le n° 44 des *Cahiers du Centre de recherches et d'études sur Paris et l'Île-de-France*.

ALCHIMIE

Art hermétique, fusion de la mystique et de la chimie, recherche de la pierre philosophale, l'alchimie a donné lieu à une énorme littérature, très souvent dépourvue de toute valeur. A Paris vécurent bon nombre d'alchimistes plus ou moins avérés, dont les plus célèbres furent Nicolas Flamel aux XIVe-XVe siècles, le comte de Saint-Germain et Cagliostro au XVIIIe, Antoine Fabre d'Olivet, Touzet-Duchanteau, Cambriel, Cyliani, Éliphas Lévi, Auguste Rodez, Remi Pierret, Saint-Yves d'Alveydre, Stanislas de Guaita, Gérard Encausse alias Papus, Yvon Le Loup ou Sédir, Albert Poisson au XIXe siècle, Fulcanelli au XXe siècle. Dans Paris, un certain nombre de lieux posséderaient des vertus ou un passé alchimistes. On en trouve une liste dans le n° 24 de 1975 de la revue *Connaissance de Paris et de la France*. Voici les principaux : église Saint-Gervais-Saint-Protais (2, rue François-Miron), pour ses «miséricordes» et ses figurations alchimiques de la chapelle de la Vierge ; la tour Saint-Jacques ; l'église Saint-Merri (78, rue Saint-Martin) pour ses vitraux, son tableau mystérieux et les sculptures de sa crypte ; la maison de Nicolas Flamel (51, rue de Montmorency), la plus ancienne maison de Paris ; la maison où demeurait Cagliostro (1, rue Saint-Claude) ; le portail central ou portail du Christ et le portail Saint-Marcel ou portail des Alchimistes de Notre-Dame ; l'église Saint-Étienne-du-Mont (place Sainte-Geneviève) pour les vitraux alchimiques de sa chapelle des catéchismes ; le musée de Cluny (place Paul-Painlevé) qui possède la pierre tombale de Nicolas Flamel, des vitraux alchimiques et la tapisserie chargée de symboles dite de *La Dame à la Licorne*, etc.

ALIÉNÉ

Le plus ancien hôpital de Paris, l'Hôtel-Dieu, était le seul établissement où, sous l'Ancien Régime, on tentait de soigner les déments, en les envoyant en pèlerinage auprès de saints réputés guérisseurs de la folie, notamment à Saint-Mathurin de Larchant (Seine-et-Marne) et Saint-Hildevert de Gournay (Seine-Maritime). Dans ce dernier, les fous étaient hébergés dans la salle Saint-Louis pour les hommes et la salle Sainte-Geneviève pour les femmes. On ne les gardait que trois mois : ils recevaient bains, douches, saignées, purges, cataplasmes et, s'ils n'étaient pas guéris au bout de ce délai, on les expédiait à Bicêtre ou à la Salpêtrière. A Bicêtre, ils étaient enfermés au quartier Saint-Prix, à la Salpêtrière au logis Sainte-Catherine. En 1557, l'ancienne maladrerie Saint-Germain avait été rénovée ; le square Boucicaut en occupe aujourd'hui l'emplacement. Ses nombreuses petites loges lui valurent l'appellation de «Petites-Maisons». On y installa des impotents, des malades atteints de la teigne et de la syphilis, et un certain nombre d'aliénés. Les lazaristes recevaient, dans leur maison de la rue du Faubourg-Saint-Denis, les malades dont la famille avait les moyens de payer l'entretien. La Bastille n'abritait pas que des faussaires ou des détenus politiques, mais aussi quelques fous de bonne famille ; le marquis de Sade en fut l'hôte. Enfin, à Charenton, les frères de la Charité dirigeaient un hospice de grande renommée. D'après «l'état des fous et épileptiques des deux sexes renfermés dans les hôpitaux de Paris», dressé en 1791, on dénombrait 42 fous et 32 folles à l'Hôtel-Dieu, 150 folles furieuses, 150 femmes imbéciles et 300 épileptiques à la Salpêtrière, 92 fous furieux, 138 imbéciles et 15 épileptiques à Bicêtre, 82 fous et 22 folles aux Petites-Maisons, 1 fou, 77 imbéciles et 4 épileptiques à Charenton. Dix-huit pensions privées s'occupaient d'environ 20 % des 1 330 hospitalisés parisiens, dont près de la moitié n'étaient pas originaires de la capitale. Le principal établissement actuel, Sainte-Anne, n'a été édifié qu'entre 1864 et 1867.

• *Voir aussi* FOLIE ; HÔPITAL.

ALIGNEMENT

Opération grâce à laquelle l'administration détermine unilatéralement la limite entre la voie publique et la propriété riveraine, l'alignement est un des principaux instruments de l'urbanisme, car il prend surtout sa justification à partir des critères esthétiques. Célestin Morin écrit au début de son savant ouvrage, publié en 1888, *De l'alignement*, pages 26-27 : «L'alignement a pour objet principal de donner aux rues des villes, aux routes et chemins publics, la largeur et la direction qui leur convient, d'obtenir une régularité de lignes comme condition de la beauté d'aspect, de faire disparaître les renfoncements dont la malveillance pourrait profiter et où l'incurie pourrait accumuler des dépôts de matières putrescibles et capables de nuire à la propreté et à la salubrité de la cité ; enfin, de redresser, d'élargir, ou d'ouvrir économiquement les voies suivant les nécessités de la circulation, les besoins des habitants, de prendre les mesures de police nécessaires pour garantir les droits du domaine public contre les négligences, les usurpations individuelles, qui nuiraient à la liberté de la circulation, à la salubrité de la ville, à la sécurité et au bien-être de tous en général. L'alignement en tant qu'on le considère comme

une attribution de l'autorité administrative chargée de le donner, tient donc à la fois du bornage, de la servitude d'utilité publique et de l'expropriation. »

Il existe toute une législation de l'alignement à partir du XVIᵉ siècle : édit du 14 mai 1554, ordonnances de janvier 1560 et du 22 septembre 1600, édit de décembre 1607, qui pose les règles fondamentales dans ses articles 3, 4 et 5, dont les dispositions se sont perpétuées durant trois siècles.

Après avoir approuvé au coup par coup, par arrêts du Conseil, lettres patentes et ordonnances du Bureau des finances, les alignements de quelques rues de Paris, notamment les nouveaux percements, l'autorité se décide à se doter d'un plan général de la capitale à usage de plan d'alignement. C'est l'arrêt du Conseil du 27 février 1765, approuvé par des lettres patentes de juillet 1766, qui en confie l'exécution au Bureau de la Ville. La confection de ce plan d'alignement ne progressant pas de façon satisfaisante, une déclaration du roi du 10 avril 1783 réitère l'ordre de «la levée des plans de toutes les rues de la ville et faubourgs de Paris». Edme Verniquet, dont la vie et l'œuvre ont été magistralement étudiées par Jeanne Pronteau, est chargé de l'exécution de cet énorme travail.

Achevé à l'aube de la Révolution, le plan de Verniquet sert longtemps de référence. L'arrêté du Directoire du 2 avril 1797 (13 germinal an V) sanctionne la naissance de ce premier plan d'alignement dans son article premier : «Le ministre de l'Intérieur est autorisé à régler, sur le plan des rues de Paris, les élargissements et le redressement de chacune d'elles.» En 1845, l'échelle métrique fut appliquée à la confection de plans au 1/100 pour les parcellaires en vue d'expropriation, au 1/200 pour les plans proprement dits, au 1/500 et au 1/1 000 pour les plans d'ensemble. Le Service du plan de Paris a été organisé par l'arrêté préfectoral du 13 juillet 1874.

L'ordonnance du 23 août 1835 régit les conditions de fixation et de modification des alignements. Le plan d'alignement est déposé à la mairie de l'arrondissement concerné où les habitants peuvent le consulter durant quinze jours. A l'expiration de ce délai, un commissaire désigné par le préfet de la Seine recueille à la mairie, durant trois jours consécutifs, les déclarations des habitants sur le tracé et l'alignement proposés. Le registre des déclarations est transmis au maire avec les autres pièces de l'enquête, puis revient au préfet qui le soumet au conseil municipal. Au terme d'une chaîne complexe, le plan d'alignement est arrêté en Conseil d'État. Le décret du 13 août 1902 n'a pas modifié cette procédure et n'a changé les règles d'alignement qu'en ce qui concerne certaines saillies.

• *Voir aussi* SAILLIE.

ALMANACH

« Calendrier ou table où sont écrits les jours et les fêtes de l'année, le cours de la lune, etc. », selon la définition du *Dictionnaire* de Furetière, l'almanach est une publication avant tout populaire, dont l'« almanach » ou « calendrier » distribué actuellement à la fin de l'année par les employés de la poste est le dernier avatar. Plus répandu dans les campagnes qu'à la ville, contenant souvent des éléments astrologiques malgré l'interdiction de l'Église, l'almanach a été étudié par John Grand-Carteret, dans *Les Almanachs français... 1600-1895*. Le premier almanach imprimé à Paris est *La Grande Prognostication générale du cercle solaire...*, paru en 1599, qui contient les prédictions pour les années 1599 à 1624. Lui succède en 1600 *Le Grand Calendrier et compost des bergers...*, imprimé par Nicolas Bonfons. Grand-Carteret recense plus de trois mille six cents almanachs parisiens. Le genre évolue dans tous les sens et recouvre largement la notion actuelle d'annuaire, l'*Almanach royal*, né en 1700, étant essentiellement un annuaire de l'administration. Au XVIIIᵉ siècle, l'almanach s'étend à tous les domaines imaginables, de la littérature à la galanterie en passant par le costume et la mode. Sébastien Mercier en parle dans le *Tableau de Paris* : « C'est une manufacture telle qu'il n'y en a point dans le reste du monde ; on en envoie des ballots dans les provinces et chez l'étranger ; étrennes mignonnes, almanachs chantants, etc. Il faudrait un catalogue pour les nommer tous. Cette marchandises, qui forme des murailles de papier noirci, est prête à la fin d'octobre ; puis viennent les couvertures brillantes, ouvrages des relieurs... Tel compose un almanach pour 24 livres ; tel autre, comme M. Sautreau, éditeur célèbre de l'*Almanach des muses*, a trouvé le secret de se faire 1 800 livres de rente, en ne faisant que rassembler quelques vers d'autrui... Tous ces almanachs passent de main en main et puis meurent dès le mois de février : on ne conçoit pas ce que devient cette espèce de marchandise qui s'éparpille dans les innombrables poches des grisettes ; car toute fille a un almanach chantant qu'elle reçoit au nouvel an. »

ALTITUDE

Les altitudes par rapport au niveau de la mer varient de 26 mètres au bord de la Seine à Grenelle à 129 mètres à la station de métro « Télégraphe ».

Liste des principaux sommets parisiens :

Télégraphe : 129 mètres
Montmartre : 128 mètres
Ménilmontant : 118 mètres
Belleville : 115 mètres
Buttes-Chaumont : 101 mètres
Montsouris : 78 mètres
Charonne : 65 mètres
Montagne Sainte-Geneviève : 60 mètres
Butte-aux-Cailles : 60 mètres
Maison-Blanche : 53 mètres.

AMBASSADE

C'est la république de Venise qui introduit au XVᵉ siècle l'usage d'ambassades permanentes auprès de puissances étrangères. L'Angleterre crée sa première ambassade auprès du roi de France en 1519 et François Ier organise la fonction diplomatique. Pendant longtemps, les représentations étrangères auprès de la cour de France seront peu nombreuses. L'*Almanach royal* ne les recense qu'à partir de la Régence et, dans son édition de 1717, ne mentionne que six ambassades : le nonce du pape, les ambassadeurs ordinaires du roi de Sicile et de l'ordre de Malte, les ambassadeurs extraordinaires d'Espagne, de Portugal et de Suède, la Grande-Bretagne étant représentée par un ministre. En 1789, cet *Almanach* mentionne onze ambassadeurs, autant de ministres plénipotentiaires, deux envoyés extraordinaires, deux chargés d'affaires et l'agent des villes hanséatiques. Il n'y a qu'un seul représentant des États non européens, Thomas Jefferson, ministre plénipotentiaire des «États-Unis de l'Amérique septentrionale». Aujourd'hui, la presque totalité des États du monde possède une représentation à Paris et on dénombre environ trois mille diplomates dans la capitale. La plupart de ces ambassades sont installées dans les XVIe, VIIIe et VIIe arrondissements, les autres se trouvant, à de rares exceptions près, dans les XVe et XVIIe.

Les ambassadeurs extraordinaires, venant à la Cour pour un séjour limité, ont fait l'objet d'un traitement particulier de la fin du XVe siècle à la Révolution. D'abord logés dans divers bâtiments énumérés par Robert de Courcel dans un article paru en 1939 dans le *Bulletin de la Société de l'histoire de Paris et de l'Île-de-France*, ils eurent droit à partir de 1621 à un hôtel dit des Ambassadeurs extraordinaires, situé rue de Tournon. A l'exception des années 1643-1668, durant lesquelles divers logements furent utilisés, l'hôtel de Tournon hébergea les ambassadeurs extraordinaires jusqu'en 1748. Il fut alors remplacé par l'hôtel de Pontchar-

train, rue Neuve-des-Petits-Champs, de 1748 à 1756, le Palais-Bourbon de 1756 à 1764, l'hôtel de Pompadour, avenue Marigny, de 1765 à 1773, l'hôtel Beaujon, rue du Faubourg-Saint-Honoré, l'actuel palais de l'Élysée, de 1786 à 1788.

ANGLE (immeuble d')

Paris possédait sous l'Ancien Régime une réglementation originale pour la construction de maisons à l'angle de deux rues. Il fallait, outre l'alignement normal demandé au Bureau des finances, en solliciter un second auprès du lieutenant général de police. Ce dernier exigeait que l'encoignure soit un peu dégagée grâce à un pan coupé d'une soixantaine de centimètres. Ce sont ces dispositions du droit parisien qui expliquent que les façades des maisons d'angle aient fait systématiquement l'objet d'un traitement architectural particulier. Les immeubles d'angle prennent une importance particulière sous le second Empire avec l'urbanisme haussmannien, ainsi que le note Françoise Boudon en 1975 dans les *Annales* : «C'est avec la parcelle d'angle que l'on mesure le mieux le changement morphologique apporté dans le tissu parcellaire par le nouvel urbanisme. Deux tendances inverses (élargissement de la maille parcellaire et rétrécissement de la surface de l'îlot) conduisent à multiplier les parcelles d'angle. Elles ont, dans la typologie parcellaire de l'époque industrielle, une place privilégiée.» Les urbanistes distinguent cinq types d'angles, mais, écrit encore Françoise Boudon, «l'angle aigu est la forme la plus caractéristique et la plus fréquente : c'est la forme géométrique qui impose le plus de contraintes et qui va se prêter le mieux à des solutions originales». L'angle droit est parfois coupé à 45 degrés, mais l'angle vif est conservé quand il n'y a pas de contraintes importantes de circulation. L'angle obtus forme dans les carrefours un long pan coupé les agrandissant. Souvent, une rupture de la moulu-ration et des balcons mettent en valeur ces immeubles d'angle. La rotonde, caractéristique par exemple, de la place de la Nation, apparaît vers 1865. Le règlement d'administration du 22 juillet 1882, le décret du 23 juillet 1884 et celui du 13 août 1902 ont permis d'introduire de nouvelles modifications, une liberté plus grande. Dans les carrefours, un supplément de hauteur est accordé aux immeubles d'angle, ce qui permet d'accentuer le caractère monumental de ces édifices.

• *Voir aussi* ALIGNEMENT ; SAILLIE.

ANIMAL

Voir ABEILLE ; ANIMAL SAUVAGE ; CHAT ; CHEVAL ; CHIEN ; COCHON ; COMBAT D'ANIMAUX ; MÉNAGERIE ; PROCÈS D'ANIMAUX ; VOLIÈRE.

ANIMAL DOMESTIQUE

Voir CHAT ; CHEVAL ; CHIEN ; CO-CHON.

ANIMAL SAUVAGE

Les premiers animaux sauvages élevés en captivité furent des bêtes de nos forêts, cerfs, daims, chevreuils, renards, loups et surtout ours impressionnants par leur taille. Mais les rois de France furent aussi très vite tentés par les animaux exotiques, singes, léopards, lions. Dès le XIIIe siècle, ils possèdent vraisemblablement des lions dans leur ménagerie et la rue des Lions-Saint-Paul perpétue leur souvenir (voir MÉNAGERIE). Aux XVIe et XVIIe siècles, la mode est aux singes : Henri IV en avait un, nommé Robert, qui le suivait partout au Louvre et aux Tuileries. Son épouse, Marie de Médicis, possédait dans ses appartements un sapajou et une guenon avant de se prendre de passion pour les écureuils. Louis XIII enfant était environné d'animaux dont un chameau offert par le duc de Nevers. Mazarin vivait entouré de singes et les mazarinades ne manquent pas de s'en moquer :

Par votre petite calote,
Par votre tête un peu falote,
Par les singes que vous aimez,
Qui sont comme vous parfumez...

Il n'était pas le seul à s'être entiché de ces bêtes. Mme de Longueval avait sa guenon et celle de Mme de Guébriant était

Dans tout Paris si renommée
Par ses gestes et faits divers

que son décès fut mentionné dans la *Gazette* en vers de Loret du 19 juin 1655.

Paris vit son premier rhinocéros en mars 1749, exhibé par un Hollandais à la foire Saint-Germain. Il déclencha une véritable mode de perruques, de bonnets, de coiffures « à la rhinocéros ». Le roi n'ayant pas voulu payer les 100 000 écus demandés par son maître, le rhinocéros continua son tour d'Europe et périt en novembre dans le naufrage du bateau qui le transportait de Rome à Naples. L'année suivante, les Parisiens virent à la foire Saint-Germain deux lions et un tigre qui les étonnèrent à peine quoiqu'ils fussent dressés « et obéissent au commandement de leur maître comme font les chiens les plus dociles », ainsi que l'indiquait l'annonce publicitaire. En revanche l'otarie de la foire Saint-Laurent eut un énorme succès en juillet 1784 et l'on vint en foule voir l'animal évoluer dans un grand bassin rempli d'eau salée.

Mais le roi des animaux, l'animal presque mythique des Parisiens, c'était l'éléphant. Ils n'avaient, certes, pas conservé le souvenir de ceux qui hantaient les bords de la Seine aux temps préhistoriques : on a découvert en 1903, lors du creusement du métro, une molaire de l'*Elephas primigenus* sur les pentes de Belleville. Ils n'avaient pas pu voir les éléphants de combat d'Hannibal qui ont traversé le Languedoc et la Provence pour combattre Rome, non plus que celui que le calife de Bagdad, Haroun al-Rachid, envoya à Charlemagne entre 801 et 803, un éléphant nommé Aboulabbas que le juif Isaac eut la tâche de conduire jusqu'à Aix-la-Chapelle où il mourut en 810. Il faut attendre le retour de croisade de saint Louis, en 1254, pour que les Parisiens ébahis voient leur premier éléphant, un cadeau de leur roi à Henri III d'Angleterre. L'événement eut un tel retentissement que Mathieu Paris crut devoir le mentionner dans sa *Chronique*, ajoutant : « Nous ne croyons pas qu'on eût jamais vu jusque-là d'éléphant en Angleterre, ni même en deçà des Alpes ; aussi les populations s'empressaient-elles autour d'un spectacle si nouveau. » Les Parisiens devront attendre plus de trois siècles avant de pouvoir admirer à nouveau un éléphant, celui que le Hollandais Sevender présente à Louis XIII en 1626. Mais le roi, qui adorait pourtant les animaux, ne s'y intéressa pas au point de garder auprès de lui le pachyderme ; aussi fut-il promené à travers la France pour divertir ses sujets. On en parle à Montreuil-sur-Mer, à Rouen (1627), à Toulon (1631). L'éléphant avait tellement frappé les imaginations qu'il entra dans les projets architecturaux de la capitale : en 1758, il fut question d'élever, sur la butte et future place de l'Étoile, un énorme animal de pierre couronné d'un kiosque, contenant des salles de concert et même des appartements. Le projet fut repris, mais place de la Bastille, en 1808, par Napoléon Iᵉʳ qui souhaitait qu'on élevât une fontaine représentant un éléphant « portant une tour à la manière des Anciens » et crachant de l'eau par sa trompe. Un modèle grandeur nature fut élevé à l'emplacement de l'ancienne gare de Vincennes et de l'Opéra actuel, haut de 15 mètres sans la tour et long de 16. Cette maquette de plâtre et de bois ne disparut qu'en 1847. Repaire de milliers de rats, elle servit de refuge au Gavroche des *Misérables* de Victor Hugo.

Les Parisiens eurent une nouvelle émotion le 30 juin 1827 avec l'arrivée au Jardin des Plantes de la girafe femelle offerte par le pacha d'Égypte à Charles X. Parti le 14 novembre 1826 de Marseille, l'animal avait lentement traversé la France pour le plus grand plaisir des campagnards venus en masse le contempler. Très blasés, élevant des pythons et des guépards dans leurs appartements, les Parisiens du XXᵉ siècle finissant feront quand même un triomphe au couple de pandas géants offert par la Chine au président Pompidou et installé au zoo de Vincennes.

ANNÉE (commencement de l')

L'année romaine débutait le 1ᵉʳ janvier. Si cet usage demeure pour l'année astronomique, l'Église chrétienne en revanche, par haine du paganisme, préfère débuter son calendrier par une fête importante : la Nativité, la Circoncision, l'Annonciation ou Pâques ; aussi plusieurs styles chronologiques ont-ils été adoptés. A Paris et en Ile-de-France, c'est le style de Pâques qui est utilisé, le plus irrationnel, car Pâques est une fête mobile pouvant varier sur trente-cinq jours, ce qui engendre des années de treize mois et d'autres de onze. En 1236, par exemple, Pâques tombe le 30 mars, alors qu'en 1237 cette fête est célébrée le 19 avril : ainsi la période de 30 mars au 18 avril s'est trouvée deux fois en 1236, au début et à la fin de l'année ! A Paris même, il semble qu'il y ait eu une anomalie à partir de 1470, les prieurs du collège de Sorbonne ayant renoncé au style de Pâques pour faire commencer l'année, soit au 25 décembre, soit au 1ᵉʳ janvier, ce qui n'a pu être établi avec précision. Au XVIᵉ siècle, le style du 1ᵉʳ janvier s'impose rapidement en Europe occidentale, d'abord à Venise, puis en Espagne, au Portugal et aux Pays-Bas vers 1550 ; en Prusse, en Suède et au Danemark en 1559. En France, Charles IX ordonne de débuter l'année le 1ᵉʳ janvier par un édit de janvier 1563 (en fait 1564). Les parlements de Bordeaux et de Toulouse l'enregistrent rapidement, mais ce n'est qu'en 1567 que le parlement de Paris se résigne à faire de même. De ce fait, l'année 1566, commencée à Pâques le 14 avril et terminée le 31 décembre, n'eut que huit mois et dix-sept jours.

ANTIQUAIRE

Le terme d'antiquaire désigne actuellement les commerçants en meubles et objets d'occasion, après avoir été appliqué jusqu'à la fin du XIXe siècle aux savants «versés dans la connaissance des monuments de l'Antiquité». Mais le commerce des objets anciens est bien antérieur à l'apparition des antiquaires contemporains. Au Moyen Âge, la recherche et la vente d'objets anciens prestigieux pour des collectionneurs fortunés était l'apanage des orfèvres. C'est ainsi que Jean, duc de Berry, devait une grande partie de collections qu'il avait accumulées à l'aube du XVe siècle dans son hôtel de Nesle à l'orfèvre Baude de Gut. Quant aux objets d'occasion de faible valeur, ils étaient revendus par les brocanteurs, branche de la corporation des fripiers, dans le cimetière des Innocents. Le commerce organisé des objets d'art se met en place à la Renaissance, avec le trafic des œuvres d'art rapportées d'Italie. Les «marchands de curiosités» figurent en bonne place dans le *Livre commode* d'adresses de Paris de 1692. Au XVIIIe siècle, le commerce des objets anciens se combine avec celui d'œuvres d'art modernes. Le prestige de cette profession est tel que les négociants en objets d'art anciens et modernes sont assimilés à la treizième classe des merciers, le troisième des Six-Corps qui dominent l'économie de la capitale. Quant aux brocanteurs, ils ne sont plus autorisés «à faire commerce ailleurs que dans les rues, halles et marchés». Vers 1740, ce commerce a pris une grande ampleur et certains marchands de curiosités ont acquis une position éminente, mettant des annonces publicitaires dans le *Mercure de France*. Les plus célèbres sont François-Edme Gersaint, sur le pont Notre-Dame, qui a fait peindre son enseigne par Watteau puis par François Boucher, et Lazare Duvaux, fournisseur de la Cour, rue Saint-Honoré. La Révolution ruina la profession en faisant disparaître la clientèle d'amateurs fortunés. Par milliers, les meubles et objets confisqués et volés étaient offerts à un prix dérisoire par les brocanteurs sur la place du Carrousel. Sous le Consulat et l'Empire, la soldatesque au pouvoir ne s'intéressait guère aux antiquités et œuvres d'art. Ce marché ne reprend vraiment son essor que sous le règne de Louis-Philippe. Les collectionneurs reparaissent, dans la bourgeoisie enrichie par le commerce ou l'industrie. L'État donne l'exemple, achetant en 1842 les collections rassemblées par Alexandre du Sommerard dans l'hôtel de Cluny. L'antiquaire le plus célèbre du monde, Samuel Spitzer, est établi à Paris sous le second Empire. Seligman eut son heure de gloire à la Belle Époque. Après 1918, la vulgarisation du goût anglais, l'élévation au rang d'antiquités des meubles Louis-Philippe ou Napoléon III, ont dégradé la marchandise. Depuis 1945, les boutiques d'antiquaires sont envahies par des souvenirs désuets ou pittoresques et la marchandise, qualifiée de «drouille» par les commerçants de la vieille école, est surtout composée d'objets démodés de fabrication industrielle. Depuis 1962 se tient à Paris une Biennale internationale des antiquaires. Le *Guide Emer* répertorie chaque année les antiquaires.

APACHE

Emprunté au castillan par l'intermédiaire de l'anglais, le terme «apache» apparaît en 1751 dans la langue française pour désigner une tribu indienne d'Amérique du Nord ayant une réputation particulière de férocité. Gustave Aimard la fera connaître du grand public par ses romans populaires. En 1902, les journalistes du *Matin* et du *Journal*, notamment Victor Moris et

Arthur Dupin, utilisent le mot «apache» pour désigner les bandes de jeunes délinquants des faubourgs, à l'occasion notamment de l'affaire Casque d'Or, qui eut pour cadre Belleville et Charonne et se termina au couteau dans la rue du Chemin-Vert, le 10 janvier. Les journalistes, désireux d'appâter les lecteurs, exagérèrent la férocité de ces affrontements entre souteneurs et qualifièrent ces bandes rivales d'«apaches». Le mot fit aussitôt fortune et les journaux ouvrirent des rubriques «Paris-Apache» pour faire frémir d'angoisse les bourgeois. *Le Gaulois* du 13 septembre 1907 définit ainsi l'Apache : «Sous ce vocable, on a réuni l'escroc, l'escarpe, le rôdeur de barrière, le cambrioleur, le faquin à poignard clandestin, l'homme qui vit en marge de la société, prêt à toutes les besognes pour ne pas accomplir un labeur régulier, le misérable qui crochette une porte, ou éventre un passant, parfois pour rien, pour le plaisir.» Entre 1902 et 1907, l'Apache alimente une peur collective, un fantasme d'insécurité, cristallise les angoisses d'une société en crise, en mutation. Ce phénomène n'est pas propre à la capitale : on dénonce les «nervis» à Marseille et les «kangourous» à Lyon. Gérard Jacquemet, dans «La Violence à Belleville au début du XXᵉ siècle», remarquable article publié en 1978 dans le *Bulletin de la Société de l'histoire de Paris et de l'Île-de-France*, a replacé cet épisode du journalisme et de la criminalité dans la capitale dans le contexte plus large de l'afflux de main-d'œuvre et de populations diverses à l'occasion de l'Exposition universelle de 1900 et de la campagne pour ou contre l'abolition de la peine de mort qui eut lieu en 1906-1907.

APOTHICAIRE

Voir ÉPICIER ; PHARMACIE, PHARMACIEN.

APPARENCE PHYSIQUE

Voir CHEVEUX (couleur des) ; TAILLE ; YEUX (couleur des).

AQUEDUC

Ce sont les Romains, beaucoup plus soucieux que les frustes Gaulois de la qualité d'une eau qu'ils utilisaient en abondance, notamment dans leurs thermes ou bains publics, qui se sont les premiers souciés d'acheminer vers Lutèce une eau plus pure que les flots d'une propreté douteuse de la Seine. Ils vont capter les sources du plateau méridional de Rungis et les acheminer par un aqueduc de 16 kilomètres, édifié dans la seconde moitié du IIᵉ siècle, qui suit le cours de la Bièvre qu'il franchissait en aval de Cachan pour continuer à la longer, mais sur la rive gauche. Cet aqueduc était couvert de dalles en calcaire brut. D'après le dépôt de tartre de la rigole on a pu estimer à près de 2 millions de litres par jour le débit de cet aqueduc. Ce chef-d'œuvre des ingénieurs du Haut-Empire a, sans doute, cessé d'être utilisé après le saccage de Lutèce en 275-276.

La découverte en 1734 des restes d'un aqueduc au bas de la colline de Chaillot a fait croire à l'existence d'un second aqueduc gallo-romain qui n'était, en fait, qu'un ouvrage construit vers 1566-1567 par Bernard Palissy, sur ordre de Catherine de Médicis qui voulait acheminer vers le jardin du palais des Tuileries l'eau de la source de sa propriété de Saint-Cloud. Cet aqueduc ne fut jamais utilisé, la reine ayant fait interrompre les travaux.

Il faut attendre le XIIᵉ siècle pour que les sources des pentes des collines de Belleville et de Ménilmontant soient captées. En 1178, le couvent de Saint-Lazare passe un accord pour l'établissement d'un aqueduc primitif, conduite en poterie allant du village du Pré-Saint-Gervais au prieuré, situé à l'angle de la rue du Faubourg-Saint-Denis et du boulevard Magenta. Des regards permettaient l'entretien de cet aqueduc dont le débit était faible : guère plus de 150 000 litres par jour.

L'aqueduc de Belleville a capté les eaux de l'abondante source de Savies, à l'emplacement de la rue homonyme.

C'est sans doute aussi au XIIᵉ siècle qu'il a été construit conjointement par le prieuré de Saint-Martin-des-Champs et par le Temple. Négligé durant la guerre de Cent Ans, l'aqueduc fut partiellement reconstruit en 1457. Un nouvel abandon lié aux troubles de la Ligue entraîna une restauration menée à bien en 1633. Une nouvelle remise en état fut nécessaire en 1722. Comme l'aqueduc du Pré-Saint-Gervais, l'aqueduc de Belleville disparut avec l'urbanisation sous le second Empire, mais des regards ont subsisté.

A sa construction, au début du XVIIᵉ siècle, l'hôpital Saint-Louis acquit les sources de l'actuelle place des Fêtes et les conduisit vers un regard d'où partait un tuyau de plomb acheminant l'eau vers l'hôpital tout en captant au passage quelques sources du flanc méridional des Buttes-Chaumont, nommées « sources des Esmocouards ». Ayant obtenu au début du XVIIIᵉ siècle la totalité des eaux de Belleville, l'hôpital déversa l'ensemble de ses eaux dans l'aqueduc de Belleville.

Ayant décidé de se faire construire un palais à l'emplacement de l'hôtel de François de Luxembourg, Marie de Médicis voulut un vaste jardin agrémenté de jets d'eau, de grottes et de fontaines rappelant les jardins de Boboli du palais Pitti de son enfance florentine. Reprenant le tracé de l'aqueduc gallo-romain d'Arcueil, Salomon de Brosse, assisté de l'ingénieur Thomas Francini, fit bâtir un aqueduc de 13 kilomètres reliant le Grand Carré de Rungis au regard de l'Observatoire. Cette construction monumentale n'a jamais acheminé plus de 240 000 litres par jour, car les fontainiers, qui travaillèrent entre 1613 et 1623, étaient moins doués pour trouver les sources que leurs confrères antiques.

Il n'y eut pas d'autre aqueduc construit à l'intérieur de Paris.
• *Voir aussi* EAU ; REGARD.

ARBALÉTRIER

Il faut distinguer trois catégories d'arbalétriers. Les fabricants d'arba-

lètes sont attestés au nombre de trois puis de quatre dans les livres de la taille de 1292 et de 1300. Leur profession disparut avec les progrès de l'armement et fut réunie aux arquebusiers. Des lettres patentes de 1359 font état d'une Compagnie royale des chevaliers de l'arbalète et de l'arquebuse de Paris, confrérie placée sous le patronage de saint Denis dont la fête est célébrée le 9 octobre en l'église Sainte-Catherine-du-Val-des-Écoliers. Cette confrérie, vouée au « noble et plaisant jeu de l'arbaleste », s'entraîne dans l'île inhabitée de Notre-Dame (future île Saint-Louis) et obtient en 1390 du roi un terrain proche de la muraille, auquel elle accède par la rue des Arbalétriers, sise entre les rues Saint-Denis et Montgueil. L'extension de la ville contraignit au transfert du terrain d'entraînement vers le boulevard ou moulin d'Ardoise, sur le rempart, entre les portes du Temple et Saint-Antoine. Cette confrérie servit de vivier à une troisième catégorie d'arbalétriers, instituée par lettres patentes du 11 août 1410 formant une « compagnie d'arbalétriers » dans la « ville de Paris », commandée par un capitaine et forte de soixante hommes, chargée du maintien de l'ordre (voir TROIS NOMBRES). Cette troupe, recrutée parmi les meilleurs éléments de la confrérie, disposa à partir de 1579 de son propre terrain d'entraînement, comprenant « une maison, jardin et allée le long des fossez et murs près de la porte de Montmartre ».
• *Voir aussi* ARCHER ; ARQUEBUSIER.

ARBRE

Le nombre des arbres poussant dans Paris est estimé à un demi-million, répartis entre quatre-vingts essences et trois cents variétés. De la forêt environnant le site de la capitale ne subsistent que les bois de Boulogne et de Vincennes. A l'origine, c'étaient des chênes rouvres, des érables, hêtres, aulnes, frênes, châtaigniers, charmes. On estime que la pollution urbaine abrège de 30 à 40 % la vie des arbres de la capitale. Sur les 85 000 arbres plantés en bordure des rues, on compte 35 000 platanes, 13 500 marronniers, 7 500 sophoras, presque autant de tilleuls, 5 300 érables, plus de 2 500 robiniers, 2 300 frênes, 2 180 cédrelas, 1 400 peupliers, 1 130 paulownias. Les ormes, au nombre de 23 000, ont été décimés par une maladie et ne sont plus que 1 350 (voir ORME).

L'arbre le plus ancien est aujourd'hui le robinier faux-acacia que Jean Robin reçut d'Amérique en 1601 et que l'on peut encore voir dans le square Viviani, son jumeau de 1636 étant installé au Jardin des Plantes. C'est dans ce jardin que se trouvent les arbres les plus vénérables : érable de Crète planté par Tournefort en 1702, pistachier d'avant 1716, cèdre du Liban de 1734, sophora de 1747, pin laricio de 1747, et, plantés par Buffon durant les années 1780, platane d'Orient, arbre de Judée ainsi que le marronnier d'Inde de 1785 de Thouin. Le plus original des arbres parisiens est le gingko biloba ou « arbre aux quarante écus », originaire de Chine, dont les cinq premiers plants, arrivés en France à la fin du XVIIIᵉ siècle, auraient été vendus 40 écus pièce. Dernier représentant de la famille des gingkoacés, proches des conifères qui couvraient l'hémisphère Nord il y a plus de cent millions d'années, c'est le plus ancien fossile vivant de la planète. Le parc Monceau possède le plus gros arbre de la capitale, un platane d'Orient de plus de 7 mètres de circonférence.

ARBRE DE NOËL
Voir NOËL (sapin de).

ARCHÉOLOGIE
Voir CASIER ARCHÉOLOGIQUE.

ARCHER
Les archers ou « arctiers » sont les fabricants d'arcs. Le livre de la taille de 1292 en mentionne huit ainsi qu'un « fléchier », fabricant de flèches. Cette corporation est, bien entendu, placée sous le patronage de saint Sébastien. Les archers ont vite décliné au profit des arbalétriers, mais il existait encore au XVIIIᵉ siècle, dans la capitale, un « arctier-fléchier » nommé Bletterie. Le terme d'archers s'est aussi appliqué à un corps de police institué par des lettres royales du 12 juin 1411. Elles créent simultanément une « Confrairie entre les archers de Paris » et une « Compagnie de six-vingt d'entre eux » pour le service du roi et de la ville. La Compagnie, formée des « six-vingt des mieux jouans », des cent vingt meilleurs archers de la Confrérie ou association sportive, exerce le même rôle de police que la compagnie d'arbalétriers fondée en 1359. Dès le règne de François Iᵉʳ, l'arc est abandonné et remplacé par une javeline de barde. En 1566, arbalétriers et archers sont équipés de pistolets et d'arquebuses. Pour s'entraîner, les archers disposent depuis 1508 d'un terrain près de la porte de Buci et des murs d'enceinte longeant l'enceinte à l'emplacement du débouché de l'actuelle rue Dauphine. Henri II leur enlève ces terrains et leur cède en contrepartie le parc des Tournelles, mais l'échange, sans cesse retardé, n'a lieu qu'à la fin de 1582, en exécution d'un arrêt du Conseil du 12 octobre. Le terme d'« archers » s'étend au début du XVIIᵉ siècle aux trois compagnies d'arbalétriers, d'archers et d'arquebusiers, ainsi qu'en témoigne le mandement du Bureau de la Ville du 9 janvier 1601. Le 18 juin 1656, un autre mandement évoque des « gardes et archers de la Ville » qui deviennent « gardes de la Ville » dans l'arrêt du Conseil d'État du 8 novembre 1695. Réduits à cent depuis 1566, les archers furent alignés sur les effectifs des compagnies d'infanterie française par lettres patentes du 14 décembre 1769 et ramenés à soixante-quinze hommes. En 1792, les archers en âge de porter les armes furent versés dans la gendarmerie.

• *Voir aussi* ARBALÉTRIER ; ARQUEBUSIER ; TROIS NOMBRES.

ARCHEVÊCHÉ

C'est dans l'édifice construit sous l'épiscopat de Maurice de Sully (1160-1196), le long du versant méridional de la cathédrale, que l'évêque, devenu archevêque de Paris à partir de 1622, vécut jusqu'en 1831. Mgr de Quélen, considéré comme un des inspirateurs des ordonnances de Charles X et de la politique cléricale de la Restauration, fut une des premières cibles de la révolution des 27, 28 et 29 juillet 1830. Au soir de la victoire du 29, une foule se porta vers l'archevêché et le saccagea. L'archevêque réclama la restauration du palais archiépiscopal à un gouvernement fort mal disposé à son égard et se réinstalla dans quelques pièces sommairement aménagées. Le 14 février 1831, l'Église catholique provoquait, une fois de plus, le peuple de Paris en célébrant une messe à la mémoire du duc de Berry dans l'église Saint-Germain-l'Auxerrois. La foule ravagea l'église, puis se porta vers l'archevêché, le mit une nouvelle fois à sac et se rendit jusqu'au château de Conflans, aux portes de Charenton, pour piller la résidence de campagne de l'archevêque. Fort pointilleux sur ses prérogatives, Mgr de Quélen exigea la reconstruction du palais détruit. Le gouvernement refusa, proposant d'installer l'archevêché dans un bel hôtel au 5 de la rue du Regard, puis dans l'hôtel même du ministère des Cultes, au 28 de la rue des Saints-Pères (aujourd'hui École des ponts et chaussées). On finit par lui attribuer le 2 de la rue de Lille, hôtel acheté par l'État en 1825 pour y installer la Grande Aumônerie. Mais l'arrogant archevêque refusa jusqu'à sa mort, à la fin de 1839, toutes les solutions qu'on lui proposait. Se qualifiant d'«archevêque errant» il vécut tantôt à Saint-Leufroi, dans le département de l'Eure, tantôt au couvent des dames de Saint-Michel, rue Saint-Jacques, tantôt dans celui des dames du Sacré-Cœur de la rue de Varenne (musée Rodin). En mai 1840, Mgr Affre, son successeur, accepta d'habiter l'hôtel de Chenizot, 56, rue Saint-Louis-en-l'Île, loué par le gouvernement jusqu'au 1er octobre 1849. Les archevêques furent ensuite somptueusement logés au 127 de la rue de Grenelle, dans l'hôtel dit du duc du Châtelet (ministère du Travail actuel). C'est dans cet hôtel que Mgr Sibour fut poignardé à mort par un prêtre et que trois des quatre autres archevêques terminèrent plus paisiblement leur existence. Lorsque la loi de séparation de l'Église et de l'État affranchit enfin la collectivité nationale de l'entretien des prêtres, Mgr Richard de La Vergne fut expulsé de cet hôtel, le 17 décembre 1906. Il fut d'abord hébergé par le député de Paris Denys Cochin, au 51 de la rue de Babylone, puis s'installa chez les dames de Saint-François-de-Sales, au 50, rue de Bourgogne. En septembre 1913, l'archevêché s'installa dans l'hôtel de Rambuteau, 30, rue Barbet-de-Jouy. Il y resta jusqu'à la fin de 1972. L'archevêché franchit alors la Seine pour s'établir au 8 de la rue de la Ville-l'Évêque, dans des bâtiments neufs et froids, fonctionnels et en béton, qui correspondent mieux à l'esprit de l'Église catholique d'aujourd'hui, davantage consacrée aux œuvres sociales qu'à la célébration des mystères de la foi..

ARCHEVÊQUE

Deux mois après la mort du cent douzième évêque de Paris, Henri de Gondi, la bulle *Universi Orbis Ecclesiae* du 20 octobre 1622 érige Paris en archevêché. Liste des archevêques :

113. Jean-François de Gondi (14.XI. 1622-21.III.1654).
114. Jean-François-Paul de Gondi (21.III. 1654-14.II.1662).
115. Pierre de Marca (26.II.1662-29. VI.1662).
116. Hardouin de Péréfixe de Beaumont (30.VI.1662-31.XII.1670).
117. François Harlay de Champvallon (2.I.1671-6.VIII.1695).

118. Louis-Antoine de Noailles (19. VIII.1695-4.V.1729).
119. Charles Gaspard Guillaume de Vintimille du Luc (12.V.1729-13.III. 1746).
120. Jacques Bonne Gigault de Bellefonds (2.VI.1746-2.VII.1746).
121. Christophe de Beaumont du Repaire (19.IX.1746-12.XII.1781).
122. Antoine Éléonor Léon Leclerc de Juigné (23.XII.1781 à 1801).
123. Jean-Baptiste Joseph Gobel (24. III.1791-26.IV.1794), évêque constitutionnel ou métropolitain.
124. Jean-Baptiste Royer (15.VIII.1798-10.X.1801), évêque constitutionnel.
125. Jean-Baptiste de Belloy (8.IV. 1802-10.VI.1808).
126. Jean Siffrein Maury (14.X.1810-11.V.1817).
127. Alexandre Angélique de Talleyrand-Périgord (8.VIII.1817-20.X.1821).
128. Hyacinthe Louis de Quélen (20.X. 1821-31.XII.1839).
129. Denis Auguste Affre (26.V.1840-27.VI.1848).
130. Marie Dominique Auguste Sibour (10.VII.1848-3.I.1857).
131. François Nicolas Madeleine Morlot (24.I.1857-19.XII.1862).
132. Georges Darboy (10.I.1863-24.V. 1871).
133. Joseph Hippolyte Guibert (19.VII. 1871-8.VII.1886).
134. François Marie Benjamin Richard de La Vergne (8.VII.1886-20.I.1908).
135. Léon Adolphe Amette (28.I.1908-29.VIII.1920).
136. Louis Ernest Dubois (13.IX.1920-23.IX.1929).
137. Jean Verdier (18.XI.1929-9.IV. 1940).
138. Emmanuel Célestin Suhard (11.V. 1940-30.V.1949).
139. Maurice Feltin (15.VIII.1949-1.XII.1966).
140. Pierre Veuillot (1.XII.1966-14.II. 1968).
141. François Marty (26.III.1968-27.II. 1981).
142. Jean-Marie Lustiger (depuis le 27.II. 1981).
• *Voir aussi* ÉVÊQUE.

ARCHITECTE

L'utilisation du terme d'architecte ne semble pas apparaître avant le XVIᵉ siècle. Au Moyen Âge, on ne connaît que le «maître d'œuvre» qui dresse les plans, établit les devis, achète les matériaux, surveille la construction, paie les ouvriers. Raymond Du Temple, qui reconstruit partiellement le Louvre en 1365, est dit «maître des œuvres de maçonnerie de Monseigneur le roi». Au XVIᵉ siècle l'appellation d'architecte est couramment liée à une qualification qui en précise la fonction : on dit architecte des bâtiments du roi, architecte ordinaire du roi, le premier étant une fonction, le second un titre. En 1608, Salomon de Brosse reçut la plus haute titulature : architecte et conducteur des bâtiments du roi et de la reine. Mais le terme d'architecte n'est pas réservé aux serviteurs du roi et de sa famille. Beaucoup de maçons, sans doute pour impressionner favorablement la clientèle, se parent du titre d'architecte ou de maître architecte. D'ailleurs, à l'aube du XVIIᵉ siècle, tous les grands architectes sont issus directement de dynasties de maçons ou de charpentiers : c'est le cas de Brosse, de Le Vau, de Mansart, des Le Mercier et Métézeau. Même pour construire des hôtels prestigieux, on a encore souvent recours, au début du XVIIᵉ siècle, à un entrepreneur qui donne le dessin général de l'édifice, signe le marché et sous-traite avec les divers corps de métier. Pour une construction plus modeste, le propriétaire traite aussi souvent directement avec le charpentier, le couvreur, le maçon. Des manuels existent pour faciliter la tâche de ceux qui veulent diriger eux-mêmes la construction de leur maison, notamment *L'Architecture française des bâtiments particuliers* composée par le médecin du roi Louis Savot et publié en 1624. Lorsqu'il le réédite en 1673 et en 1685, François Blondel annonce que cet ouvrage fut écrit «pour tirer les honnêtes gens des griffes des entrepreneurs et ouvriers». L'architecte ne s'imposera vraiment qu'au XIXᵉ siècle pour la construction de tous les édifices d'une certaine importance à Paris.

ARCHITECTURE (patrimoine)
Voir COMMISSION DU VIEUX PARIS.

ARDOISE
Voir TOIT.

ARGILE
Sous la couche du calcaire grossier parisien se trouve une épaisseur de plus de 10 mètres de glaise dite «argile plastique». Cette richesse du sous-sol a été exploitée dès l'époque gallo-romaine. Les fouilles effectuées dans les environs du Luxembourg et du Panthéon ont révélé de nombreux puits d'exploitation par les potiers gallo-romains ainsi qu'une multitude de fragments de poteries. Le directeur de ces recherches, Michel Fleury, a publié les résultats dans *Les Cahiers de la Rotonde*. Aux 26 et 36, rue de Vaugirard, des restes particulièrement importants ont été exhumés, notamment un four avec ses chambres de chauffe et de cuisson. Briques et tuiles ont dû être aussi fabriquées en abondance à cette époque. L'exploitation s'est maintenue à cet endroit jusqu'au XIIᵉ siècle. C'est alors que se sont ouvertes d'autres carrières en souterrain, éparses à travers les actuels XIIᵉ, XIIIᵉ, XIVᵉ, XVᵉ et XVIᵉ arrondissements. La production des potiers et tuiliers ne cesse qu'au XVᵉ siècle, lorsque triomphe le grès de Beauvais, beaucoup moins perméable et peu coûteux. De nouvelles carrières d'argile continuent cependant à s'ouvrir pour la fabrication de briques et de tuiles. Les Tuileries doivent leur nom au site d'une ancienne fabrique de tuiles : l'un des fours retrouvés est exposé au Louvre voisin. Dans le quartier de Vaugirard, une rue de la Briqueterie, près de la porte de Vanves, atteste d'une production spécifique qui porte encore aujourd'hui le nom de «brique

de Vaugirard». La dernière carrière d'argile, située à Arcueil, a cessé d'être exploitée en 1915. L'argile était parfois associée à des bancs de lignite.
• *Voir aussi* CHARBON DE TERRE (mine de).

ARGOT
L'argot est une langue parlée par des catégories sociales particulières qui veulent s'exprimer de façon incompréhensible au reste de la population. Il existe toutes sortes d'argots, ceux de professions diverses, celui des malfaiteurs, des militaires, il y a même des argots scolaires ou sportifs. En France, l'argot apparaît dès le XIIIᵉ siècle en provençal pour désigner le langage propre aux malfaiteurs, dit «jargon». Au XVᵉ siècle, François Villon emploie aussi le terme de «jobelin». Au siècle suivant apparaissent les mots «blesquin», «baragouin», «narquois». C'est en 1628, dans *Le Jargon ou Langage de l'argot réformé* d'Olivier Chereau, que l'argot fait son apparition au sens premier de «conjuration de voleurs». Les exploits de Cartouche incitent les Parisiens à «rouscailler bigorne». Mais ce sont surtout les *Mémoires* de l'ex-bagnard Vidocq qui révèlent aux romantiques en quête d'exotisme et de mystère l'argot des malandrins parisiens. Toujours excessif, Victor Hugo s'exclame : «L'argot, c'est le verbe devenu forçat !» *La Dernière Incarnation de Vautrin* de Balzac, *Les Misérables* de Hugo, *Les Mohicans de Paris* de Dumas, *Les Mystères de Paris* d'Eugène Sue, etc., font appel au pittoresque de «ce patois de la caverne et du bagne, cette langue ensanglantée et grotesque», comme l'écrit encore l'ineffable Victor. Mais il faut attendre la troisième République pour que l'argot triomphe : «Nous assistons à une véritable invasion, tout conspire à favoriser le progrès de l'argot, l'anarchie qui est dans la langue et la démocratie qui grandit dans l'État», écrit l'éminent historien du langage Ferdinand

Brunot. Zola, Huysmans, Francis Carco, Édouard Bourdet, René Fallet, Jacques Perret, presque tous les romanciers entre 1880 et 1950 font entrer plus ou moins d'argot dans leurs œuvres et la « langue verte » se voit reconnaître un rôle privilégié dans le roman policier. Louis-Ferdinand Céline a excellé dans une langue populaire qui n'est peut-être déjà plus vraiment de l'argot, car il semble que l'argot langage secret pour initiés soit mort. Lazare Sainéan l'explique : « L'argot et le bas langage ont désigné, jusque vers le milieu du XIXᵉ siècle, deux catégories linguistiques foncièrement distinctes. Ces deux idiomes, malgré des croisements plus ou moins fréquents, ont longtemps gardé un caractère à part et des tendances absolument divergentes. Ce n'est que de nos jours, et grâce à des raisons d'ordre social, que ces deux langages se sont rapprochés et peu à peu fondus en un idiome unique : l'argot parisien. Constitué depuis des siècles, le vulgaire parisien, grossi en dernier des différents argots professionnels, en même temps que des survivances de l'ancien jargon des malfaiteurs, est aujourd'hui parlé par le menu peuple de Paris et de la France. » Écrites à la veille de la Grande Guerre, ces lignes sont restées valables jusqu'aux années 1950. L'immigration massive d'Africains, noirs ou maghrébins, d'Asiatiques, de Portugais, a désagrégé la société populaire de langue maternelle française. Paris s'est embourgeoisé et sa banlieue a été conquise par de nouvelles formes de langage populaire imprégnées de tournures étrangères au français. Le « verlan » est devenu une sorte d'argot banlieusard et l'argot de Céline, de Boudard ou de San Antonio est réservé aujourd'hui à une élite instruite et vieillissante. L'argot parisien est mort.

ARLEQUINS

Dans *L'Estomac de Paris*, publié en 1887, A. Coffignon évoque une curiosité des Halles : « A l'autre extrémité de la rue Berger, il existe encore un petit marché de légumes dans le pavillon formant angle sur la rue Pierre-Lescot. Il est d'ailleurs peu achalandé et les places qu'il contient ne sont guère recherchées. La Ville les loue plutôt à des marchands de graines et de légumes secs, et même à des commerces absolument étrangers à l'alimentation. C'est là aussi que s'exerce l'industrie des "bijoutiers", qui a succédé à l'invention légendaire de l'"azard de la fourchette". Leur désignation officielle est celle de marchands de viandes cuites. Mais l'argot des Halles appelle les marchands des "bijoutiers" et les viandes cuites des "arlequins". Ils quittent les Halles de grand matin et vont traînant une charrette dans les quartiers riches de Paris, où sont situés les hôtels particuliers, les ambassades, les ministères, etc. C'est en effet la desserte de ces tables qu'ils vont chercher chaque jour, en vertu d'un contrat verbal passé avec le cuisinier de la maison, auquel le bijoutier paye une redevance mensuelle, suivant l'abondance plus ou moins grande de la desserte, calculée sur une période d'essai de huit jours. Quand sa récolte est terminée, le bijoutier reprend le chemin des Halles. Il se hâte de descendre dans le sous-sol sa provision du jour pour en opérer le triage ; car, sauf les pièces de choix enveloppées dans des papiers graisseux, tout a été versé pêle-mêle dans les paniers de la charrette. Croûtes de pâtés, restants de légumes, os de gigot à moitié rongés, carcasses de poulets, poissons, il y a de tout ; et ce n'est pas une petite affaire pour le bijoutier que de parer sa marchandise, de lui donner un air appétissant, après l'avoir répartie entre de nombreuses assiettes. Le contenu de ces assiettes varie, comme prix, de 20 à 50 centimes, et il ne manque pas d'yeux avides pour passer en revue l'étalage… L'étal des bijoutiers est tout d'abord la providence des bonnes âmes qui gâtent les petits chiens : levrettes en paletot, bichons en panier, roquets de toutes espèces, choyés à qui mieux mieux. Indépendamment de cette clientèle, bien des gens viennent chercher dans les assiettes d'arlequins un repas à bon marché... Quant aux pièces à peu près intactes dont nous parlions tout à l'heure, elles servent à agrémenter le menu du jour de certains petits restaurateurs, qui ne dédaignent pas de visiter ce coin pittoresque des Halles centrales. Comme conclusion, les bijoutiers rendent de réels services. Ils sont rigoureusement surveillés, et leurs clients, peu difficiles il est vrai, n'ont toutefois à choisir qu'entre des aliments parfaitement sains ; mais il faut qu'ils choisissent vite, car il est rare qu'un bijoutier n'ait pas fini sa journée avant une heure de l'après-midi. Faut-il ajouter que les bijoutiers arrivent tous à la fortune ; je me suis laissé dire que leurs fils devenaient notaires et que leurs filles étaient largement dotées. »

ARMOIRIES

C'est avec le développement des villes et l'essor des libertés communales, aux XIe-XIIe siècles, qu'apparaissent les premiers sceaux municipaux portant des emblèmes distinctifs ou armoiries. Le navire, symbole de l'activité commerciale fluviale ou maritime, figure dans les armoiries de nombreuses villes, notamment Paris, Dieppe, Morlaix, Nantes, La Rochelle, Libourne. Sur les origines des armoiries de la ville de Paris, les opinions les plus farfelues ont été émises. On les trouvera résumées dans le gros livre de Coëtlogon sur *Les Armoiries de la ville de Paris*. Certains y ont même vu des origines égyptiennes et ont cru que la nef parisienne n'était autre que la barque de la déesse Isis.

Il semble, bien prosaïquement, que ces armoiries aient été choisies par la communauté des marchands de l'eau qui a constitué le noyau de la municipalité. Vivant du commerce fluvial sur la Seine et ses affluents, ils ont très lo-giquement choisi une simple barque pour symboliser leur institution. Cette barque apparaît pour la première fois sur un sceau du début du XIIIe siècle qui est appendu à un accord sur la vente du sel entre les marchands de Rouen et de Paris. Elle est entourée de la légende : *Sigillum mercatorum aque Parisius*, « sceau des marchands de l'eau de Paris ». Ce sceau n'évolue pratiquement pas durant un siècle et demi. Sur un acte passé par Étienne Marcel, prévôt des marchands, le 18 avril 1358, on retrouve la même barque avec ses trois cordages à gauche et à droite du mât central, la seule innovation consistant dans l'adjonction d'une voile quadrangulaire déployée.

Une importante transformation a lieu peu après : dans un acte du 11 décembre 1358, soit après la mort d'Étienne Marcel, alors que la ville est revenue dans le giron de l'autorité royale, une fleur de lys apparaît immédiatement au-dessus de l'avant et de l'arrière du bateau dont la proue et la poupe sont désormais ornées d'une tête d'animal difficilement identifiable, ressemblant vaguement à un serpent. Un acte du 20 avril 1366 possède un sceau nettement plus grand sur lequel l'animal darde sa langue ; au haut du mât bat une flamme ou banderole se terminant par trois pointes refendues et portant un semé de fleurs de lys. Les fleurs de lys ne cessent plus de figurer dans les armes de Paris, mais changent fréquemment de place : lorsque la flamme est trop petite pour qu'elles puissent s'y inscrire lisiblement, elles sont semées sans nombre dans le champ du sceau. On les trouve aussi parfois inscrites sur la voile. A partir de 1415, le semis de fleurs de lys figure exclusivement en chef (en haut) du sceau ; il constitue ce qu'on appelle un « chef de France ».

Quant à la légende du sceau, elle se modifie seulement vers le milieu du XVe siècle, un sceau de 1472 portant la mention : *Sigillum prepositure merca-*

torum aque Parisius, « sceau de la prévôté des marchands de l'eau de Paris ». Au XVIe siècle, le latin s'efface au profit du français : « Scel de la prévôté des marchands de la ville de Paris ». Quant à la modeste barque à voile unique, elle grandit sans cesse pour devenir un orgueilleux vaisseau de guerre, ponté, muni de château d'avant et d'arrière, les gueules de canons béant par les sabords.

Au lendemain de la chute de la monarchie, le 10 août 1792, les armoiries de la municipalité s'enrichissent hâtivement d'un bonnet phrygien au bout d'une pique au-dessus de l'écu. Puis fleurs de lys et nef disparaissent pour laisser place au trois couleurs nationales, qui sont elles-mêmes rapidement éliminées au profit de dates et de devises : 14 juillet 1789, 10 août 1792, Liberté, Égalité, puis Liberté, Égalité ou la Mort. Après l'exécution de Louis XVI, le 21 janvier 1793, apparaissent de nouvelles armoiries : une femme vêtue à l'antique, s'appuyant de la main droite sur la table des droits de l'homme, tenant de la main gauche une pique surmontée du bonnet phrygien.

La noblesse et les armoiries ayant été rétablies par Napoléon Ier, un décret du 17 mai 1809 permet à la Ville de Paris de retrouver son bateau. Les fleurs de lys abolies sont remplacées en chef par trois abeilles, emblème de l'Empire, tandis que le navire devient une grotesque embarcation à l'antique portant la statue de la déesse Isis à sa proue et une sorte de lanterne en forme de losange à la poupe ; dans le champ, à la dextre, est ajoutée une étoile. Les abeilles sont couleur or, le navire et les flots couleur argent, le tout sur fond rouge (de gueules).

Par lettres patentes du 20 décembre 1817, Louis XVIII rétablit le semis de fleurs de lys et un vaisseau moderne : « De gueules au vaisseau équipé d'argent soutenu d'une mer de même, au chef d'azur semé de fleurs de lys d'or sans nombre ; l'écu surmonté d'une couronne murale de quatre tours d'argent et accompagné de deux tiges de lys, aussi d'argent, formant supports. »

La révolution de 1830 et Louis-Philippe font disparaître les fleurs de lys et suppriment le chef où elles figuraient ou les y remplacent par un semis d'étoiles d'or. Il faut attendre la décision préfectorale du 24 novembre 1853 pour qu'un texte officiel détermine à nouveau les armoiries de Paris. Haussmann et Napoléon III décident de rendre à la ville ses armoiries traditionnelles : « de gueules au navire équipé d'argent, voguant sur des ondes de même, au chef d'azur semé de fleurs de lys d'or ; l'écu timbré d'une couronne murale de quatre tours d'or ». Depuis, ces armoiries n'ont guère varié. Elles ont été affublées de la croix de guerre en 1919. Cédant à la mode des « logos », la Ville s'est dotée au début des années 1990 d'un ridicule semblant de navire extrêmement schématique.

• *Voir aussi* COULEURS.

ARMORIAL

Les armoiries seraient apparues vers 1120 dans les régions du royaume de France situées au nord de la Loire. Contrairement à ce que beaucoup croient, elles n'étaient pas réservées à la noblesse et apparaissent sur des sceaux de corporations parisiennes dès le XIIIe siècle, notamment sur celui des orfèvres-joailliers. Les armoiries demeurèrent libres pour toutes les classes de la société, malgré les efforts des rois pour en contrôler le foisonnement. Ainsi, en 1487, Charles VIII avait-il institué un maréchal d'armes pour établir les registres des armoiries des personnes autorisées à en porter. Charles IX en 1560 et Henri III en 1579 reprirent l'idée mais elle ne fut pas appliquée. En 1615 est institué l'office de conseiller du roi, juge général des armes de France. Après Chevriers de Saint-Maurice et à partir de 1641, cet office appartient à la famille d'Hozier. En novembre 1696, soucieux de renflouer ses finances, Louis XIV promulgue un édit interdisant de porter des armoiries sans les avoir fait préalablement enregistrer, l'enregistrement étant soumis à un droit de 20 livres pour les personnes, 50 pour les corps de villes et communautés d'arts et métiers. Cet édit est à l'origine de l'armorial général.

La partie concernant Paris a été publiée en 1965-1966 par Jacques Meurgey de Tupigny d'après le manuscrit de Charles d'Hozier conservé à la Bibliothèque nationale, sous le titre d'*Armorial de la généralité de Paris*. Ainsi que l'observe l'éditeur, «l'armorial de la généralité de Paris est une prodigieuse galerie de notables. En sont naturellement absents les gagne-deniers et la plupart des domestiques : parmi ces derniers, seuls figurent dans l'armorial des personnes attachées au service des grandes familles aristocratiques et des personnages importants.»

A cet armorial, dont le domaine géographique dépasse largement le cadre de la capitale, s'ajoute l'*Armorial de la ville de Paris* gravé par Beaumont de 1735 à 1753 et tenu à jour jusqu'en 1789. Il a été réimprimé en 1977 par les soins de René Héron de Villefosse. Il contient, depuis l'origine de la charge, les armoiries des gouverneurs, capitaines et lieutenants généraux de la Ville, celles des prévôts des marchands et échevins, des procureurs du roi et de la ville, des greffiers, receveurs, conseillers, quartiniers. On trouve aussi, à la fin du volume *Variétés parisiennes* de la série «La vie privée d'autrefois» due à Alfred Franklin, la liste alphabétique des armoiries des corporations d'après l'armorial de 1696, des aiguilliers aux vitriers.

ARQUEBUSIER

Première arme à feu individuelle, l'arquebuse se diffuse vers la fin du XVe siècle. Les archers se reconvertissent dans sa fabrication et prennent le nom d'«artilliers», puis d'arquebusiers pour ceux qui se spécialisent dans cette arme. Les fabricants d'arquebuses sont érigés en corporation en 1575 et reçoivent, le 23 mars 1576, leurs premiers statuts d'arquebusiers. En mai 1634, leur corporation absorbe les «artilliers» qui fabriquaient tous les autres types d'armes de jet ou de tir. A la veille de la Révolution, la corporation, placée sous le patronage de saint Éloi, comptait environ soixante-dix maîtres. L'édit du 24 février 1524 crée un corps de cent arquebusiers pour la protection de la ville et le maintien de l'ordre à l'intérieur de ses murs. Leurs rôles et leurs privilèges sont identiques à ceux des arbalétriers et archers. Pour s'entraîner au tir, les arquebusiers demandèrent «ung lieu et jardin dedans la ville et hors d'inconvénient pour exercice du jeu de la hacquebute» et firent savoir au Bureau de la Ville que le terrain, à leur avis, le mieux adapté à la fonction de champ de tir se situait «le long des murs, près la rivière et port des Célestins, entre la granche de l'artillerye de ladicte ville et la tour de Billy». Les religieux objectèrent que le bruit des détonations les gêneraient dans leurs prières et pour l'exercice du culte, mais la Ville maintint son choix, l'assortissant d'une étroite réglementation imposée aux tireurs. En 1558, les arquebusiers reçurent l'ordre de se déplacer un peu plus au nord, «pour faire leur jardin à tirer et jouer de la hacquebute, les murs et remparts depuis la porte Saint-Martin jusqu'à la première guérite, en attendant que le grant boulevart soit achevé pour leur estre ordonné place audict boulevart». Par bail du 25 juin 1590, ils emménagèrent enfin à l'endroit qu'ils devaient utiliser jusqu'à la Révolution, sur le boulevard, un peu à gauche de la porte Saint-Antoine. Ce terrain, dit «jardin des arquebusiers», apparaît sur la plupart des plans de Paris à partir de celui de Gomboust (1652) et se situe au début de la rue de la Roquette. Comme les arbalétriers et archers, les arquebusiers furent supprimés en 1792 et ceux qui étaient aptes à porter les armes furent incorporés dans la gendarmerie.

• *Voir aussi* ARBALÉTRIER ; ARCHER ; TROIS NOMBRES.

ARRONDISSEMENT

La loi du 11 octobre 1795 divise Paris en douze municipalités. Le 1er janvier 1860, par l'annexion des communes limitrophes, la ville est portée de douze à

et A. Raffalovich précise au sujet des articles de Paris : « On dit encore les "articles de luxe", de "fantaisie", de "goût" ; à ce dernier point de vue, on s'occupe plus particulièrement de la fabrication parisienne. Les "articles de Paris" sont, en effet, célèbres dans le monde entier, et forment cette masse si variée de l'industrie la plus divisée, qui se distingue par la recherche incessante

Correspondance approximative entre les arrondissements tels qu'ils ont existé de 1795 à 1859 et les arrondissements actuels, créés en 1860 :

Ancien
Ier : VIIIe + ouest du Ier
IIe : IXe + ouest du IIe
IIIe : nord-est du Ier + centre du IIe + ouest du Xe
IVe : est du Ier
Ve : centre-est du IIe + centre-est du Xe
VIe : est du IIe + nord et ouest du IIIe + nord-ouest du IVe + nord du XIe
VIIe : sud-ouest du IIIe + sud-ouest du IVe
VIIIe : est du IIIe + nord-est du IVe + centre et sud du XIe + nord du XIIe
IXe : sud du IVe avec est de l'île de la Cité et île Saint-Louis
Xe : VIIe et frange nord du XVe + nord-ouest du VIe
XIe : pointe ouest de la Cité (Ier) + est et sud-est du VIe + nord-ouest du Ve
XIIe : est et sud-est du Ve et frange nord du XIVe

Superficie des arrondissements actuels

	ha		ha
Ier	182,7	XIe	366,5
IIe	99,2	XIIe	637,7 [1]
IIIe	117,1	XIIIe	714,6
IVe	160,0	XIVe	562,0
Ve	254,0	XVe	850,2
VIe	215,4	XVIe	784,6 [2]
VIIe	408,8	XVIIe	566,9
VIIIe	388,1	XVIIIe	600,5
IXe	217,9	XIXe	678,7
Xe	289,2	XXe	598,4

1. bois de Vincennes (994,7 hectares) non compris.
2. bois de Boulogne (852,2 hectares) non compris.

vingt arrondissements, à peu près dans ses limites actuelles (voir chap. « Paris et Parisiens », p. 269 et suiv. et chap. « Administration », p. 306 et suiv.).

• *Voir aussi* QUARTIER.

ARTICLE DE PARIS

Publié au début du XXe siècle, le *Dictionnaire du commerce...* d'Y. Guyot

de la nouveauté. Ils proviennent d'une quantité de fabrications distinctes, dont les principales ont été énumérées comme suit dans le rapport d'enquête fait par la chambre de commerce de Paris en 1860 : la bimbeloterie, comprenant une quantité d'objets, tels que poupées de toutes sortes, jouets divers, petits meubles, instruments de musique, jeux divers, etc., etc. ; les boutons en corne, en os, en corozo, papier verni, bois durci, etc. ; boutons en métal et en tissu ; le cartonnage : ouvrages courants, boîtes à bonbons, cartonnages décoratifs ; les postiches et ouvrages en cheveux ; les éventails ; la gainerie : gaines, boîtes pour couteaux, couverts, étuis de toutes sortes, écrins ; les nécessaires ou objets à carcasses de bois recouvertes de cuir, et ensuite les petits meubles servant de jouets, se distinguant des meubles de bimbelotiers par l'emploi du cuivre ; les parapluies et ombrelles, à la fabrication desquels se joint celle des cannes, fouets, cravaches ; les peignes en bois, corne, ivoire, corne de buffle, écaille et ses imitations, celluloïd, etc. ; les plumes (plumes de coiffure) ; les fleurs artificielles ; les portefeuilles et articles de maroquinerie, constituant une spécialité distincte de celle de la gainerie ; la tabletterie... L'enquête de 1860 comptait que la fabrication des articles de Paris occupait 5 142 fabricants ou patrons, 25 748 ouvriers, et que le chiffre d'affaires était de 127 546 540 francs. Aucune autre enquête n'a été faite depuis qui nous permette de donner des chiffres précis.» La concurrence de la main-d'œuvre à vil prix d'Extrême-Orient (Chine, Formose, Hong-Kong, Corée, principalement) a porté un coup très rude à l'industrie des articles de Paris.

ASPECT PHYSIQUE
Voir CHEVEUX (couleur des) ; TAILLE ; YEUX (couleur des).

ASSISTANCE
A la veille de la Révolution, il existe quatre types d'institutions d'assistance. La plus ancienne est l'Hôtel-Dieu, dont la création — peut-être en 651 — est à rattacher à l'époque franque. Apparaissent, au XIIIᵉ siècle, des fondations charitables nombreuses dues à la générosité des rois, des reines, de seigneurs plus ou moins importants, d'ecclésias-

tiques et de bourgeois. Alors que l'Hôtel-Dieu reçoit tous les misérables, sans aucune distinction, ces institutions sont, en général, destinées à une catégorie précise de malheureux, enfants abandonnés ou orphelins, veuves ou vieillards sans ressources, infirmes, aveugles notamment. Avec Louis XIV s'impose un autre type d'institutions, l'Hôpital général, avant tout une prison destinée à recueillir et à employer au travail forcé les milliers de mendiants et de vagabonds qui font régner l'insécurité dans la rue et les prostituées qui offusquent la vue des tartuffes. Un dernier type d'institution charitable, très diffus, difficile à cerner, est constitué par les distributions de secours à domicile faites par des organismes variés, paroisses, ordres religieux ou même hôpitaux.

L'Hôtel-Dieu, à cheval sur le petit bras de la Seine, accepte tous les malades, sans distinction aucune, comme ses administrateurs, bourgeois de Paris depuis 1505, s'en glorifient : « Son institution est de n'exiger d'autres conditions pour y être admis que celle d'être attaqué par une maladie curable.» Le budget est essentiellement alimenté par des donations, des droits sur les spectacles et une partie des recettes de l'octroi. S'il est vrai que tous les malades y sont accueillis, c'est dans des conditions plutôt sommaires. Les rapports de Tenon, dans les années 1780, signalent qu'on n'y dénombre jamais moins de quatre mille hospitalisés alors qu'il y a tout juste un peu plus de mille deux cents lits. Trois cent quarante-cinq patients se partagent les cent onze lits de la salle de chirurgie : le malade est opéré dans son lit et, note Tenon, « tourmente, par le spectacle qu'il offre et par ses cris, les malades qui seront bientôt soumis aux mêmes douleurs». Ceux qui sont atteints de la variole sont isolés des autres malades, mais entassés à quatre et même à six par lit. Tenon déplore l'omniprésence de la gale : «Les médecins, [...] et les infirmiers la contractent ou en soignant les malades ou en maniant leurs linges. Les malades guéris qui l'ont contractée la portent dans leur famille, et l'Hôtel-Dieu est une source inépuisable d'où cette maladie se répand dans Paris.» Les aliénés disposent de vingt-six lits qu'ils se partagent à trois ou quatre et sont soignés par hydrothérapie.

Les fondations hospitalières créées entre 1171 et 1789 sont trop nombreuses pour pouvoir être même énumérées. Parmi les plus importantes, il faut citer l'hospice pour aveugles des Quinze-Vingts créé par Louis IX, l'hospice du Saint-Esprit pour les orphelins, l'hôpital de la Charité fondé par Marie de Médicis, le seul où il n'y ait qu'un malade par lit, l'hôpital Saint-Louis pour les contagieux, singulièrement les pestiférés, ouvert en 1616. Ces fondations se multiplient à la fin de l'Ancien Régime, dues à Mme Necker, au financier Beaujon, au curé de Saint-Jacques-du-Haut-Pas, Cochin, etc. En 1789, on dénombre une douzaine d'établissements pour enfants, une vingtaine d'asiles pour vieillards et même dix-neuf pensions bourgeoises pour les plus aisés, dont celle du docteur Belhomme, appelée à la célébrité sous la Terreur.

Institué par l'édit du 27 avril 1656, l'Hôpital général a pour but, sous prétexte de charité, d'enfermer les mendiants et les vagabonds. Il est constitué de cinq établissements. Deux n'ont qu'une importance accessoire : la Savonnerie de Chaillot où on emploie les «enfermés» à des travaux de tapisserie, et la Maison Scipion, près des Gobelins, dite aussi Sainte-Marthe, où l'on accueille d'abord des enfants en bas âge, mais qui est surtout affectée à partir de 1670 à la «paneterie, boulangerie, boucherie, chandellerie» de l'ensemble de l'Hôpital général. La presque totalité des douze mille pauvres est emprisonnée à la Pitié, qui loge mille deux cents enfants en 1789, à la Salpêtrière, où sont détenues six mille femmes, et à Bicêtre, où sont entassés plus de quatre

mille personnes : vieillards aussi bien qu'enfants, paralytiques, syphilitiques, aliénés, détenus de droit commun, notamment les condamnés au bagne en attente de départ pour Brest ou Toulon. A la différence des institutions précédentes, dont les pensionnaires sont venus de leur plein gré, l'Hôpital général n'héberge que des gens amenés par la force. C'est une prison et un lieu de travaux forcés qui ne mérite qu'accessoirement le nom d'hôpital. Le règlement de 1684 donne une idée précise de la terrible condition des détenus. En voici un extrait concernant les enfants : «Lesdits enfants, garçons et filles, seront vêtus de tiretaine [laine grossière] et auront des sabots comme les autres pauvres dudit Hôpital. Ils auront une paillasse, des draps et une couverture pour se coucher, et du pain, du potage et de l'eau pour leur nourriture [...]. On les fera travailler le plus longtemps et aux ouvrages les plus rudes que leurs forces et les lieux où ils seront le pourront permettre [...]. Leur paresse et leurs autres fautes seront punies par le retranchement de potage, par l'augmentation du travail, par la prison et autres peines usitées dans le même Hôpital.» L'avocat général du Parlement déplorait l'autorité absolue et arbitraire dont jouissaient les administrateurs de l'Hôpital général : «Il n'y a point de corps dans le royaume auquel il ait été donné des pouvoirs aussi étendus.» Visitant Bicêtre, Mme Necker constatait en 1780 : «une salle affreuse où cinq à six cents hommes mêlés ensemble s'infectaient mutuellement de leurs haleines et de leurs vices, où le désespoir sourd aigrissait sans cesse des caractères furieux. On n'y pouvait entrer pour leur porter des aliments que la baïonnette au bout du fusil.»

L'assistance à domicile est presque insaisissable, tant elle est multiforme et ancienne. Il y a eu, dès le Moyen Âge, des associations professionnelles d'aide aux pauvres, aux veuves, aux orphelins, le plus souvent dans le cadre des confréries, mais aussi des compagnies pour le rachat des chrétiens en esclavage dans les pays musulmans, pour l'assistance aux prisonniers, la dernière de l'Ancien Régime créée en 1787 par André-Jean Boucher d'Argis pour «donner aux pauvres des défenseurs gratuits» et indemniser les victimes d'emprisonnements injustifiés. L'aide à domicile peut prendre les formes les plus diverses : distributions de vivres, de vêtements, de bois de chauffage, d'argent, constitution de dots pour les filles sans ressources, paiement d'années d'apprentissage pour les enfants de parents indigents. En 1788, une des dernières associations créées est la Société de charité maternelle, formée sous la protection de la reine Marie-Antoinette pour «rappeler à la nature des mères infortunées qui, dégradées par la misère, abandonnent leurs enfants».

Mis à bas par la Révolution, le système d'assistance est réorganisé sous le Consulat et donne naissance à Paris à l'Assistance publique. Les institutions caritatives religieuses se reconstituent dans un foisonnement impossible à décrire, mais que l'on peut retrouver, pour l'époque actuelle, dans le *Guide pratique du Paris religieux* de P. Clémençot, F. Dumitrescu et F. Since. Avec la télévision, le *charity business*, comme disent les Américains, a pris une ampleur exceptionnelle et représente parfois une source de profits pour les dirigeants de la mendicité organisée.

• *Voir aussi* ALIÉNÉ ; ASSISTANCE PUBLIQUE ; BUREAU DE BIENFAISANCE ; BUREAU DES PAUVRES ; CONFRÉRIE ; ENFANT ASSISTÉ ; ENFANT MALADE ; ENFANT TROUVÉ ; GRAND BUREAU DES PAUVRES ; HÔPITAL ; MENDICITÉ.

ASSISTANCE PUBLIQUE

Jusqu'à la Révolution, l'assistance est multiforme et ne relève pas de l'État, mais d'initiatives privées. Le Directoire instaure un cadre étatique homogène pour toute la France, avec, pour Paris comme pour le reste du pays, une commission administrative de cinq membres chargée de gérer les hôpitaux de la capitale. C'est le préfet de la Seine, Frochot, qui dote Paris d'une structure spécifique. L'arrêté consulaire du 17 janvier 1801 (27 nivôse an IX) institue un conseil général d'administration des hospices de Paris ayant la maîtrise des dépenses et des recettes de ces établissements. Ses onze membres nommés par le gouvernement représentent la haute finance, la magistrature, les sciences, etc., sous la présidence du préfet de la Seine. Une commission administrative de cinq puis de six membres nommés par le ministre de l'Intérieur sur présentation du conseil général de la Seine assure l'exécution des mesures décidées par le Conseil général. Un arrêté ministériel du 12 avril 1813 institue un bureau de bienfaisance par arrondissement sous la tutelle du conseil général d'administration des hospices.

Le 10 janvier 1849, une loi crée une administration générale de l'Assistance publique à Paris, dirigée par un directeur assisté par un conseil de surveillance qui ne peut émettre que des avis. Nommé par le ministre de l'Intérieur sur proposition du préfet de la Seine, le directeur possède des pouvoirs très étendus. Son administration est installée dans la Maison de la Couche du parvis Notre-Dame, local choisi en 1797 par la commission administrative instituée par le Directoire. La destruction de la plupart des édifices anciens de l'île de la Cité, sur ordre d'Haussmann, entraîne le départ de l'Assistance publique pour le bâtiment qu'on vient de lui construire entre le quai de Gesvres, l'avenue Victoria et la place de l'Hôtel-de-Ville, où elle se trouve toujours.

L'Assistance publique connaît un essor spectaculaire jusqu'en 1914. Dès 1878, «aux religieuses dévouées mais inexpérimentées au point de vue technique et toujours animées d'un esprit de prosélytisme peu compatible avec le principe de la liberté de conscience», on substitue «un personnel laïc, également dévoué et plus instruit et, en même temps, tolérant en matière religieuse». En 1905, plus aucune religieuse n'était employée dans les hôpitaux de l'Assistance publique. Pour assurer le recrutement d'infirmières, deux écoles d'infirmières ont été ouvertes à la Salpêtrière et à Bicêtre. Les bâtiments se multiplient. Le nouvel Hôtel-Dieu, reconstruit sur la rive nord de l'île, ouvre ses portes en 1877 ; l'hôpital Saint-Antoine voit sa capacité portée de deux cents à neuf cents lits. L'hôpital Tenon, dit aussi de Ménilmontant, est ouvert en 1879, l'hôpital Bichat en 1882, Broussais est créé en 1883 pour les victimes de l'épidémie de choléra... Dix-sept établissements sont construits hors du département de la Seine : à Forges-les-Bains, à Berck, à Hendaye pour les tuberculeux, et même une ferme-école à Berrouaghia, en Algérie.

Entre les deux guerres, on se limite à la modernisation des hôpitaux existants, à la construction de l'hôpital Raymond-Poincaré à Garches et de trois sanatoriums à La Bruyère, à Draveil et à Champcueil. Les grands travaux se multiplient au retour de la paix, à partir de 1949. Vers 1956, l'Assistance publique est devenue une énorme organisation, comprenant 18 hôpitaux généraux (dont douze possèdent plus de mille lits), 12 hôpitaux spécialisés, 3 hôpitaux suburbains, 4 sanatoriums, 4 maisons maternelles, 7 établissements de convalescence, un établissement psychiatrique, 31 hospices ou maisons de retraite, 4 institutions pour enfants assistés, un orphelinat, soit près de cinquante mille lits et environ quatre cent mille admissions par an, avec un personnel dépassant quarante mille personnes.

Depuis 1961, une série de réformes a tenté de réduire le coût et d'améliorer l'efficacité d'une Assistance publique aux dimensions monstrueuses. Elle a notamment perdu sa fonction d'assistance aux plus démunis, confiée aux bureaux d'aide sociale des municipalités. Mais on lui a rattaché tous les hôpitaux publics de Paris et de l'Île-de-France, soit quarante-neuf établissements et les trois quarts des cinquante-huit mille lits de la région.

• *Voir aussi* ALIÉNÉ ; ENFANT ASSISTÉ ; ENFANT MALADE ; ENFANT TROUVÉ ; HÔPITAL.

ASSURANCE

La plus ancienne compagnie d'assurances parisienne semble être la Chambre ou Société d'assurances générales fondée le 20 septembre 1753 par Hilaire de Maisonneuve et installée rue Croix-des-Petits-Champs. En 1770, Piarron de Chamousset propose de créer une assurance-maladie. Un projet d'assurance contre l'incendie est publié en 1776. Il est mis à exécution par les frères Périer en juin 1786 dans le cadre de leur Compagnie des eaux. En septembre 1786, c'est au tour de financiers genevois de créer une Compagnie d'assurances contre les incendies pour les maisons de Paris. Elle se double d'une Compagnie d'assurances sur la vie. Ces premières compagnies ont été étudiées par Jean Bouchary dans le tome III des *Compagnies financières à Paris à la fin du XVIIIᵉ siècle*. La Révolution brise ces compagnies et il faut attendre la Restauration pour que renaisse cette activité, avec notamment la Compagnie d'assurance mutuelle contre l'incendie. Constituée le 29 juin 1816, c'est la doyenne à la fois des sociétés d'assurances et des mutuelles françaises subsistantes, encore qu'elle ait été associée à La Paternelle puis incluse dans le Groupe de Paris puis incorporée au groupe Axa. Elle s'installa au 4 de la rue du Marché-Saint-Honoré et son dernier siège se trouvait au 5 de la rue de Castiglione. Les premières plaques d'assurances furent apposées sur les maisons sous Louis XVI avec la mention M.A.C.I. (maison assurée contre l'incendie). Parmi les grandes compagnies typiquement parisiennes à l'origine, il faut mentionner l'Union, l'Urbaine, la Séquanaise, fusionnées en 1968 et qui ont donné naissance à l'Union des assurances de Paris (U.A.P.), un des plus grands groupes français. Actuellement, une partie des activités des compagnies d'assurances a été décentralisée en banlieue, singulièrement dans les tours de la Défense, mais le IIe et surtout le IXe arrondissement restent une zone de concentration exceptionnelle de ce type d'activité. Une étude publiée dans *Entreprise* en juillet 1959 montrait que 85 % des effectifs de l'assurance étaient concentrés à Paris. 56 % des primes perçues par les sociétés françaises étaient versées dans le IXe arrondissement où se regroupaient quatre-vingt-dix-sept des cent cinquante-deux principales compagnies ayant leur siège dans la capitale. Quelques rues rassemblent les géants de l'assurance : Le Peletier, Laffitte, La Fayette, Taitbout, de la Victoire, de Londres, Drouot.

ATLANTE
Voir **CARIATIDE.**

ATTENTAT POLITIQUE

L'obscure époque mérovingienne mise à part, Paris est une ville politiquement calme durant la majeure partie du Moyen Âge. La peste noire de 1348, la désastreuse guerre contre l'Angleterre et la crise économique déstabilisent la ville et le pouvoir royal, surtout après la capture du roi Jean à Poitiers, le 19 septembre 1356. Le conflit entre le prévôt des marchands, Étienne Marcel, et le Dauphin, qui exerce la Régence, provoque le meurtre, au palais de la Cité, le 22 février 1358, des maréchaux de Champagne et de Normandie, conseillers du Dauphin, sous ses yeux, et Charles n'échappe au massacre que grâce à l'intervention du prévôt qui le coiffe de son chaperon. Le prévôt est à son tour assassiné par les partisans du Dauphin, alors qu'il tentait d'ouvrir aux Anglais la porte de la bastide Saint-Antoine, le 31 juillet 1358. La ville va connaître une vie politique agitée pendant deux tiers de siècle, mais les attentats politiques seront le fait de grands seigneurs qui se disputent le pouvoir. Le 13 juin 1392, à sa sortie de la résidence royale de l'hôtel Saint-Paul, le connétable de Clisson est laissé pour mort par une troupe de tueurs soudoyés par Pierre de Craon, avec qui il était en conflit pour une question de succession en Bretagne. Le 23 novembre 1407, Jean sans Peur procède de même pour éliminer son oncle Louis d'Orléans : alors qu'il revenait d'une visite à la reine Isabeau récemment accouchée à l'hôtel Barbette, Thomas Courteheuse, valet de chambre du roi, l'attire dans un guet-apens, rue Vieille-du-Temple, et le fait massacrer par une quinzaine d'hommes d'armes. L'assassinat de Jean sans Peur en 1419, sur le pont de Montereau, sur ordre du Dauphin, futur Charles VII, constituera la vengeance posthume du duc d'Orléans.

Il n'y a plus d'attentat politique à Paris jusqu'à la tentative d'assassinat de l'amiral de Coligny par Maurevert, rue des Poulies, le 22 août 1572, commandité par la reine mère, Catherine de Médicis. Le massacre de la Saint-Barthélemy, le 24, est la conséquence directe de cet échec. C'est à Saint-Cloud et non à Paris que le moine dominicain Jacques Clément poignarde mortellement Henri III, le 1er août 1589. Son successeur, Henri IV, protestant converti au catholicisme, est l'objet de plusieurs attentats, sans doute organisés par les jésuites, mais en province. Le dernier, le 14 mai 1610, est l'œuvre de l'ex-moine François Ravaillac : profitant d'un embarras de la circulation dans la rue de la Ferronnerie il poignarde le roi dans son carrosse.

Il n'y a plus d'attentat politique dans

Paris jusqu'à l'époque troublée de la Révolution. Celle-ci déclenche une discorde civile qui ne peut qu'engendrer la violence politique. Le premier attentat a lieu dès le 14 juillet 1789 : Jacques de Flesselles, prévôt des marchands, est opportunément massacré devant l'Hôtel de Ville, ce qui permet aux révolutionnaires de placer l'un des leurs, Bailly, à la tête de l'administration de la capitale. Le 22 juillet, c'est au tour de l'intendant de la généralité de Paris, Bertier de Sauvigny, d'être tué, ce qui permet de démanteler ce qu'il pouvait subsister du pouvoir royal. Si l'intention politique des meurtriers est évidente, peut-on parler d'attentat politique à propos de ces assassinats et de bien d'autres qui suivront ? C'est bien d'un attentat politique qu'il s'agit, le 20 janvier 1793, lorsque l'ex-garde du corps, Paris, assassine au Palais-Royal le député Le Peletier de Saint-Fargeau, à qui il reprochait d'avoir voté la mort de Louis XVI. L'assassinat de Marat par Charlotte Corday, le 13 juillet 1793, est aussi un attentat politique visant un des meneurs populaires de la Révolution.

Les royalistes, ne se résignant pas à voir la Révolution se prolonger dans le pouvoir militaire de Bonaparte, organisent contre lui un attentat. Alors qu'il se rend à l'Opéra, le soir du 24 décembre 1800, une machine infernale explose, rue Saint-Nicaise, sur le passage de la voiture du Premier consul, tuant quatre personnes mais épargnant Bonaparte. La haine suscitée par la politique réactionnaire et cléricale de la Restauration suscite un attentat contre l'héritier de la couronne, le duc de Berry, neveu de Louis XVIII et fils du futur Charles X. Cette fois, c'est à la sortie de l'Opéra (à l'emplacement du square Louvois) que l'ouvrier sellier Louvel plonge une alêne mortelle dans la poitrine du prince.

Personnage exaspérant par son physique inexpressif et son insensibilité profonde, le roi-bourgeois Louis-Philippe aura l'honneur d'être le chef d'État français qui subira, sans succès, le plus grand nombre d'attentats. Giuseppe Fieschi inaugure la série, le 28 juillet 1835, boulevard du Temple, tuant dix-huit personnes dont le maréchal Mortier avec son ingénieuse machine infernale, mais manquant le roi à tête de poire. Le 25 juin 1836, aux portes des Tuileries, le jeune Louis Alibaud rate encore la royale cible. Le 27 décembre 1836, le maladroit Meunier tire au hasard un coup de pistolet sur la voiture du monarque. Le 15 octobre 1840, c'est Marius Darmès qui tire un coup de carabine sans atteindre personne. Le 29 juillet 1846, Joseph Henri tire en vain deux coups de pistolet sur le souverain en train d'écouter un concert du balcon du pavillon de l'Horloge. Entre-temps, le 13 septembre 1841, François Quénisset a été tout aussi maladroit lorsqu'il a tiré sur un des fils du roi, le duc d'Aumale, au faubourg Saint-Antoine, au niveau de la rue Traversière, alors que le prince entrait dans Paris à la tête de son régiment. Henri d'Alméras a pu écrire avec esprit que « le roi était le seul gibier dont la chasse fût permise toute l'année ».

Napoléon III n'aura pas l'honneur de servir aussi souvent de cible. Le 28 avril 1855, l'Italien Pianori tire aux Champs-Élysées deux coups de pistolet au hasard en direction de l'empereur. Le 9 septembre suivant, c'est devant le Théâtre-Italien que Delmarre tire deux autres coups de pistolet tout aussi inefficaces. Le 14 janvier 1858, les trois bombes de Félix Orsini et de ses complices explosent devant l'Opéra de la rue Le Peletier : les chevaux sont tués et le carrosse se renverse, mais l'empereur est indemne avec un chapeau troué. Autour du carrosse, huit morts et cent quarante-huit blessés. Satisfaits par l'intervention militaire française et la formation du royaume d'Italie en 1859, les Italiens vont cesser de prendre Napoléon III pour cible et la libéralisation du régime permettra aux républicains d'exprimer leur opposition de manière moins violente. La fin du second Empire n'est marquée que par un seul attentat important, le 6 juin 1867 : à la revue militaire de Longchamp, le réfugié polonais Berezowski tire sur le tsar Alexandre II et le rate.

Les anarchistes se manifestent de façon explosive de 1892 à 1894 : Ravachol dépose des bombes, le 29 février 1892, à l'hôtel de Sagan (rue de Berri), le 10 mars au 136, boulevard Saint-Germain, le 27 mars au 39 de la rue de Clichy. Le restaurant Véry, où il a été reconnu et arrêté, saute le 25 avril. Il est impossible d'énumérer tous les attentats anarchistes, le plus spectaculaire étant celui d'Auguste Vaillant à la Chambre des députés, le 9 décembre 1893, qui fait une soixantaine de blessés. L'apothéose et la fin du terrorisme anarchiste auront lieu à Lyon, le 24 juin 1894, où Caserio poignarde mortellement le président de la République, Sadi Carnot.

Le XXᵉ siècle a connu un nombre important d'attentats politiques. On se limite ici aux plus importants. Jean Jaurès est assassiné le 31 juillet 1914 au Café du Croissant, à la veille de la mobilisation générale. Le 6 mai 1932, le Russe blanc Gorgoulov blesse mortellement le président de la République, Paul Doumer, venu assister à l'«Après-midi du livre» organisé par les Écrivains combattants, au 11, rue Berryer. Les attentats politiques à partir de 1940 sont trop nombreux pour être comptabilisés, de la Résistance au terrorisme islamique en passant par l'O.A.S. et les gauchistes. Le plus sanglant et le plus spectaculaire, œuvre de terroristes musulmans, eut lieu au magasin Tati de la rue de Rennes, le 17 septembre 1986, faisant sept morts et cinquante et un blessés.

ATTRACTIONS (PARC D')
Voir PARC D'ATTRACTIONS.

AUTOBUS
Précurseur oublié, Charles Dietz a expérimenté avec succès, le 26 septembre 1834 puis le 11 septembre 1835, l'ancêtre de l'autobus : une voiture à vapeur remorquant une diligence à trente-deux places a parcouru en une heure et quart le trajet de Paris à Versailles qu'effectuaient normalement en six à huit heures les lourds carabas tirés par huit chevaux. Mais l'heure n'est pas encore venue pour la vapeur qui n'est tolérée que sur les rails de chemin de fer. Les tramways font leur apparition en 1853, mais ils restent tirés par des chevaux jusqu'en 1875.

Il faut attendre 1905 et l'affirmation de l'automobile particulière pour que la Compagnie générale des omnibus (C.G.O.) demande aux constructeurs automobiles d'étudier un véhicule destiné au transport en commun urbain. Neuf entreprises présentent des voitures utilisant la vapeur ou l'essence. Après expérimentation de ces voitures du 8 au 24 octobre 1905, est finalement retenu le châssis Brillié équipé d'un moteur Schneider.

Les premiers omnibus automobiles, bientôt nommés autobus, sont mis en service le 11 juin 1906 sur la ligne AM, Montparnasse-Saint-Germain-des-Prés. Ils emportent trente voyageurs dont quatorze sur l'impériale, roulent plus vite que les omnibus à chevaux et montent les côtes plus aisément. Leur succès est immédiat. Des progrès très rapides sont accomplis dans le confort et la vitesse qui atteint jusqu'à 19 kilomètres à l'heure. En 1912, les impériales ont disparu des nouveaux autobus, fabriqués par Brillié-Schneider et De Dion-Bouton, qui circulent sur quarante-trois lignes, au nombre de plus de mille.

Au 1ᵉʳ janvier 1921, la Société des transports en commun de la région parisienne (S.T.C.R.P.), qui prend la succession de la C.G.O., possède 1 100 kilomètres de lignes de tramways contre 258 de lignes d'autobus. Les autobus sont sans cesse perfectionnés : seize modèles se succèdent entre 1921 et 1939, Renault conquérant progressivement le marché. Le conseil municipal ayant décidé la mort du tramway en 1929, celui-ci disparaît dès 1937. Roulent alors quatre mille autobus contre deux mille en 1932.

A partir de 1950, l'invasion de la voie publique par l'automobile privée porte un grave préjudice à l'autobus qui, pris dans les encombrements, perd sans cesse de la vitesse. De près de neuf cents millions de passagers en 1948, la fréquentation décline jusqu'à un peu plus de trois cents millions qui utilisent une soixantaine de lignes couvrant un peu plus de 500 kilomètres. L'autobus ne correspond plus qu'à 10 % des déplacements urbains. Pourtant, les voitures ont été sans cesse améliorées, les couloirs réservés aux autobus ont été multipliés, mais ce qui décourage la clientèle, c'est la lenteur désespérante des véhicules qui parcourent la capitale à une vitesse moyenne inférieure à 10 kilomètres à l'heure.

• *Voir aussi* TRANSPORT (moyen de).

AUTOMOBILE

Il n'est pas nécessaire de remonter à 1763 et au fardier de Cugnot pour évoquer l'intrusion de l'automobile dans la ville. En fait, comme l'ont noté Bardou, Chanaron, Fridenson et Laux dans *La Révolution automobile*, le début de l'ère automobile se situe vers 1870-1880, mais il n'y a pas de «révolution automobile» avant 1890. Cette année-là naît le Touring-Club de France qui compte vingt mille membres et édite des cartes routières dès 1895, date de la fondation de l'Automobile-Club. Ce club organise son premier Salon en 1898. De décembre 1894 date le premier numéro de la revue *La Locomotion automobile*, bientôt suivie par *L'Auto-vélo, L'Auto-cycle* et, en 1896, par *La France automobile*. Les milieux mondains, pourtant férus d'hippisme, sont les plus fervents partisans du nouveau mode de locomotion. Aussi, les constructeurs automobiles s'installent-ils surtout dans les quartiers occiden-

taux de la capitale où réside cette clientèle fortunée. Les premières automobiles, comme les voitures attelées, sont fabriquées à la demande, l'acheteur choisissant la forme de la carrosserie et les matériaux, cuirs, bois, métaux. En 1903, on dénombre dans Paris soixante-douze usines fabriquant des automobiles de façon encore artisanale. Mais, si un véhicule automobile coûte nettement plus cher à l'achat qu'un engin hippomobile, sa rentabilité est évidente, 50 kilomètres en auto coûtant 4,50 francs, soit deux fois moins qu'une voiture attelée de deux chevaux. Les critères de la rentabilité condamnaient donc le cheval. Le triomphe de l'automobile est assuré à partir de 1910, les constructeurs mettant au point des véhicules moins luxueux et meilleur marché pour toucher une clientèle plus large.

En 1914, à la veille de la guerre, sont en place les éléments fondamentaux de la circulation automobile, les derniers omnibus à chevaux ont disparu au profit d'autobus et les premières voies à sens unique ont été mises en place. La largeur des voies haussmanniennes permet d'absorber sans trop de difficulté l'accroissement du parc automobile. Le plan Prost propose en 1939 un réseau ambitieux de rocades et de radiales. Il est ressorti des tiroirs en 1950 quand le parc régional de voitures particulières atteint cinq cent mille véhicules. De 1950 à 1972, ce parc quintuple. Dans la ville engorgée, saturée, des solutions de fortune sont mises en place : limitation du stationnement à une heure puis institution de la zone bleue en 1957. Des kilomètres de trottoirs sont pris aux piétons, un millier de feux tricolores sont installés aux carrefours.

A partir de 1972, des solutions de rechange sont mises en place grâce au Plan global transport de la Direction régionale de l'équipement et à la mise en place du système de la carte orange. Les couloirs réservés aux autobus, apparus en 1968, atteignent une centaine de kilomètres en 1976. Cette même année, une amorce de plan de circulation prévoit le quadrillage de Paris par un réseau d'axes radiaux et de rocades, dont une partie à sens unique et l'autre à sens «préférentiel». Il n'a jamais été appliqué et l'administration a préféré découper la ville en onze zones dans lesquelles des aménagements ponctuels doivent améliorer la circulation. La question essentielle du stationnement est éludée au profit de solutions de routine : parcmètres, parcs de stationnement souterrain, et, depuis 1980, le recours à l'électronique. La municipalité ne se résout pas encore à appliquer des solutions plus radicales. Pourtant, les automobilistes sont parfois prêts à entendre la voix de la raison, ainsi qu'en témoigne cet extrait d'un article paru en mars 1980 dans *L'Action automobile* : «Il semble qu'en confiant uniquement cette tâche du plan de circulation à des mathématiciens, avec l'ordre de "faire du nouveau", on ait oublié la philosophie de cette grande fonction d'urbanisme visant à améliorer la qualité de la vie. Lorsqu'on est à peu près sûr de ne pas y parvenir, ce qui est nettement le cas dans cette affaire de circulation en zone centrale, alors il faut avoir la sagesse d'épargner l'argent et les nerfs des contribuables en leur expliquant clairement la situation.» Dans le n° 65, de la fin de 1988, de *Transports urbains*, Jean Macheras conclut : «Les édiles parisiens doivent prendre conscience qu'ils n'ont pas été élus par des automobilistes, mais par des citoyens qui sont aussi des piétons, qui aspirent, comme tout le monde, à une certaine qualité de vie et de déplacements.»

AVION

Si leur envol à la verticale a permis aux montgolfières de prendre leur essor à Paris (voir AÉROSTAT), l'avion nécessite une piste de décollage qu'une grande ville ne peut lui offrir. Pourtant, les Tuileries ont été la scène d'un des premiers vols, d'après le *Guide du Paris mystérieux* : «Le 18 août 1871, dans le jardin, près des ruines du palais, un jeune homme maladif, soutenu par des béquilles, lançait un petit appareil, baptisé planophore, dont l'insolite aspect surprit tous ceux qui le découvraient : il se composait d'un fuselage axial, d'un petit plan stabilisateur, d'un gouvernail et d'une hélice propulsive, mue par un ressort en caoutchouc tordu. Pour obtenir la force motrice nécessaire, on devait tourner l'hélice environ deux cent quarante fois sur elle-même. Le planophore s'envola franchement, s'éleva jusqu'à une vingtaine de mètres, décrivit les courbes prévues par son inventeur et, tant que l'hélice fonctionna, se maintint dans l'air en parfait équilibre. C'était le premier appareil plus lourd que l'air qui eût jamais quitté le sol.» Le premier concours d'appareils volants plus lourds que l'air eut lieu à Paris, à la galerie des Machines du Champ-de-Mars, le 11 février 1905 : une trentaine d'aéroplanes furent lancés du haut d'un pylône de 38 mètres et accomplirent des vols de vingt à quarante secondes. Peu après, les 8 juin et 18 juillet 1905, Gabriel Voisin effectuait ses premiers essais d'aéroplane à flotteurs sur la Seine, au pont de Billancourt. Le 22 juillet 1906, c'est au-dessus du parc de Bagatelle que Santos-Dumont effectuait son premier essai en aéroplane. Le 23 octobre suivant, l'*Oiseau-de-proie*, toujours piloté par Santos-Dumont, effectuait un vol de 50 mètres au-dessus de la pelouse de Bagatelle. C'est aux portes de Paris, à l'aérodrome d'Issy-les-Moulineaux (voir AÉROPORT), propriété de la Ville de Paris depuis 1893, qu'est établi par Léon Delagrange le record de distance et de durée : près de 4 kilomètres en six minutes et demi. Le 21 mai 1911, toujours à Issy-les-Moulineaux, est donné le départ de la course d'aéroplanes Paris-Madrid, en présence de huit cent mille spectateurs.

C'est seulement le 7 août 1912

qu'une ordonnance du préfet de police interdit les atterrissages d'aéroplanes dans la capitale. Cela n'empêche pas Jules Védrines de réussir l'exploit de se poser sur la terrasse des Galeries Lafayette, le 19 janvier 1919, puis Charles Godefroy, le 7 août suivant, de passer sous la voûte de l'arc de triomphe de l'Étoile, à bord d'un appareil Nieuport de 8,10 mètres d'envergure, la voûte faisant à peine plus de 14,5 mètres de diamètre. Cet exploit a été renouvelé pour la dernière fois en août 1988 par le « baron noir », Albert Maltret.

B

BAC
Voir BATELIER.

BACHOTEUR
Voir BATELIER.

BADAUD

Il a beau être d'origine provençale («badar» signifie «regarder bouche bée») et avoir été introduit dans la langue française par le Tourangeau Rabelais, le mot «badaud» est pourtant typiquement parisien et désigne une activité — ou plutôt une inactivité — particulière aux habitants de la capitale. Par exemple, Zola écrit : «Aussi, dehors, y avait-il beaucoup de monde. Le Paris endimanché et badaud, que le moindre rayon fait sortir en foule pour les promenades.» La meilleure description du badaud se trouve dans le premier livre du *Tableau de Paris* de Sébastien Mercier, publié en 1783. Intitulé «Des parfaits badauds», le chapitre 36 débute ainsi : «D'où vient le sobriquet de badaud qu'on applique aux Parisiens ? Est-ce pour avoir battu le dos des Normands ? est-ce à raison de l'ancienne porte Baudaye ou Badaye, ou du caractère du Parisien, qui s'amuse de tout ? Quelle que soit l'étymologie, on veut dire que le Parisien qui ne quitte pas ses foyers, n'a vu le monde que par un trou ; qu'il s'extasie

sur tout ce qui est étranger, et que son admiration porte je ne sais quoi de niais et de ridicule. Pour se moquer à la fois de l'ignorance et de l'indolence de certains Parisiens qui n'ont jamais sorti de chez eux que pour aller en nourrice et pour en revenir, qui n'osent se hasarder à quitter les vues coutumières du Pont Neuf et de la Samaritaine, et qui prennent pour des endroits fort éloignés les pays les plus voisins, un auteur a fait, il y a vingt ans, une petite brochure intitulée : *Le Voyage de Paris à Saint-Cloud par mer, et le retour de Saint-Cloud à Paris par terre.* J'en donnerai ici un petit extrait : "Le Parisien qui entreprend ce long voyage, prend toute sa garde-robe, se munit de provisions, fait ses adieux à ses amis et parents. Après avoir offert sa prière à tous les saints, et s'être recommandé spécialement à son ange gardien, il prend la galiote ; c'est pour lui un vaisseau de haut bord. Étourdi de la rapidité du bateau, il s'informe s'il ne rencontrera pas bientôt la Compagnie des Indes. Il estime que les échelles des blanchisseuses de Chaillot sont les échelles du Levant ; il se regarde comme éloigné de sa patrie, songe à la rue Troussevache, et verse des larmes… Il rentre dans sa famille ; on le reçoit avec des acclamations. Ses tantes, qui, depuis vingt ans, n'ont été aux Tuileries, admirent son courage, et le regardent comme le plus hardi et le plus intrépide voyageur." Tel est ce badinage, qui, dans son temps, eut du succès, parce qu'il peint d'après nature l'imbécillité native d'un véritable Parisien. Ajoutons que, quand il revient dans ses foyers, il lui manque encore une grande connaissance ; car on ne peut pas tout apprendre : il ne sait pas démêler dans un champ l'orge d'avec l'avoine, et le lin d'avec le millet. J'ai vu d'honnêtes bourgeois, d'ailleurs instruits des pièces de théâtre et bons raciniens, qui, d'après les estampes et les statues, croyaient fermement à l'existence des sirènes, des sphinx, des licornes et des phénix. Ils me disaient : nous avons vu dans un cabinet des cornes de licornes. Il a fallu leur apprendre que c'était la dépouille d'un poisson de mer ; et c'est ainsi qu'il faut aux Parisiens, non leur donner de l'esprit, mais leur désenseigner la sottise, comme dit Montaigne. Ce benêt qu'on fit lever de grand matin pour voir passer l'équinoxe porté sur un nuage, c'était un Parisien. »

BAIN

De l'Antiquité gallo-romaine, les Parisiens ont conservé des bains publics ou étuves qui connaissent un nouvel essor avec les croisades, les croisés ayant rapporté d'Orient le goût des bains. Le livre de la taille de 1292 mentionne vingt-six étuves réparties dans presque tous les quartiers de la ville. Le métier d'étuveur était franc, c'est-à-dire qu'on pouvait s'installer étuveur sans payer de redevance. Les bains se prenaient dans des baquets, des cuves, des tonneaux en bois. Les étuves avaient mauvaise réputation et passaient pour des lieux de débauche.

La désaffection pour l'eau et l'hygiène, qui se produit à la fin du XVe siècle, leur porte un coup très grave. Condamnées par les médecins, les prédicateurs catholiques et les ministres protestants, elles disparaissent peu à peu et sont reléguées dans les boutiques des barbiers (voir BARBIER). Ceux-ci sont d'ailleurs officiellement chargés des étuves par les statuts du 23 mars 1673 créant la corporation des barbiers-baigneurs-étuvistes-perruquiers. Subsistent cependant, à cette époque, deux établissements rappelant les anciennes étuves, rue Marivaux (aujourd'hui rue Nicolas-Flamel) et rue du Cimetière-Saint-Nicolas (rue Chapon).

Au XVIIIe siècle, le retour en faveur de l'hygiène corporelle et des bains favorise la multiplication des étuves, mais l'abus de vente d'offices par la monarchie désargentée entraîne une sévère concurrence et bien peu d'établissements parviennent à subsister, si bien qu'il n'y a guère qu'une dizaine d'entreprises à la fin de ce siècle.

L'arrivée des eaux de l'Ourcq, la baisse consécutive du prix de l'eau, favorisent la renaissance des bains chauds et de vapeur : on en recense soixante-dix-huit en 1832. A la fin du XIXe siècle apparaissent les bains-douches municipaux, les hammams ou bains maures, les saunas à la finlandaise. En 1993, on dénombre une bonne vingtaine de saunas et hammams et dix-neuf bains-douches situés en majorité dans les arrondissements populaires (XIe, XVIIIe, XIXe et XXe arrondissements).

La baignade en rivière n'a jamais cessé et, aujourd'hui, malgré l'interdiction officielle et la pollution, quelques baigneurs s'aventurent dans l'eau de la Seine, surtout à la belle saison. Ces bains froids — par opposition aux bains chauds des étuves — se sont longtemps pris et se prennent encore à la bonne franquette. S'il y avait des installations pour les baigneurs, elles ne sont guère connues que par ce passage des *Caquets de l'accouchée* (1622) : « Comme je fus arrivée aux baings où d'ordinaire nous avons coustume entre nous autres de rafraîchir, je me trouvay au milieu d'une bonne et agréable compagnie de bourgeoises et dames de Paris qui estoient venues au mesme lieu pour ce subject.» On sait aussi que le premier bateau à bains froids fut installé en amont de l'île Louviers en 1680.

La première attestation précise d'un aménagement est le bail accordé par la Ville aux époux Vilain, le 26 janvier 1688, pour établir des bains froids depuis le Cours-la-Reine jusqu'au Pont-Marie. Alors que la nudité était jusqu'alors de mise, le prévôt des marchands exige des concessionnaires qu'ils mettent des caleçons de bain à la disposition des baigneurs. Ces bains sont constitués d'un bateau à fond plat en sapin, appelé toue, destiné à l'origine au transport du bois, et qui, une fois arrivé à Paris, n'était pas ramené à son lieu d'origine, le coût de la traction étant trop élevé par rapport au coût de fabrication de l'embarcation. Amené à la berge et couvert d'une toile, le bateau sert de vestiaire aux clients qui descendent dans le fleuve par des échelles, des pieux de bois délimitant l'aire de baignade, tandis que d'autres sont plantés au milieu du bain et reliés entre eux par des cordes servant de main courante aux baigneurs qui, le plus souvent, ne savent pas nager. Vers 1770, on recense une vingtaine d'établissements, les bains Poulain (quai du Louvre), les deux bains Duhamel (quai de Conti), les bains Daniel (face au Palais-Bourbon), etc. Les chanoines de Notre-Dame avaient ouvert en 1731 les bains du Terrain, à la pointe orientale de l'île de la Cité. Il existe aussi, pour ceux qui désirent ne pas se mêler au peuple, des installations plus petites, appelées gores, qui se situent en dehors de l'espace réservé aux concessionnaires par la Ville, quai de la Rapée ou près de la porte Saint-Bernard, en amont du pont de la Tournelle.

Les pudibonds s'offusquent des bains. En 1723, le lieutenant général de police, le comte d'Argenson, juge indésirables les établissements de bains : « A l'égard des bains couverts, on ne devrait pas non plus les permettre dans Paris, mais seulement dehors et de telle

manière que les bains des hommes fussent très éloignés de ceux des femmes. On a souvent vu des hommes nus aller du bain des hommes à celui des femmes et même des hommes aller nus dans de petits bateaux presque d'un pont jusqu'à l'autre, à la vue de tout le monde, qui était sur les quais et aux fenêtres ; cela arriva l'année dernière.»

En 1724, le procureur général au Parlement, Joly de Fleury, est scandalisé par les gens qui se baignent en dehors des établissements : « C'est un horrible scandale que celui d'un grand nombre de libertins qui se baignent nus dans Paris à la vue de tant de personnes, principalement de l'autre sexe. Ils vont même effrontément, en cet état, autour des bateaux où les femmes lavent le linge, et où il se dit de part et d'autres toutes sortes d'infamies. Ils commettent aussi des abominations avec ceux de leur sexe. Il serait à souhaiter qu'il fût absolument défendu de se baigner dans la rivière, depuis un bout de Paris jusqu'à l'autre.» L'ordonnance de police du 3 juin 1783 interdit les bains diurnes en rivière, mais permet cependant, moyennant autorisation spéciale et sous la responsabilité des établissements, la baignade en pleine eau. Les bains nocturnes restent autorisés de même que les baignades de jour en amont et en aval de la ville.

Au XIXᵉ siècle triomphe un nouveau type de bains à bon marché, les bains à 4 sous ou 20 centimes. Situés entre les ponts d'Austerlitz et d'Iéna, formés d'un assemblage d'embarcations supportant des palissades en bois entourant un bassin, ils font l'objet de critiques et de caricatures soulignant leur aspect misérable et l'entassement des baigneurs. Dans *Paris dans l'eau*, Eugène Briffault le décrit ainsi en 1844 : «Dans l'été, le soir, lorsque la chaleur de toute une journée a bien chauffé la fournaise de nos rues, brûlé les murs et le pavé, pour contempler dans son ingénuité la jeune population plébéienne de Paris, il faut aller un samedi dans un bain à vingt centimes. Imaginez une bande de démons, noire de charbon et de fumée, ou bien des cyclopes, arrachés tout à coup à leurs fourneaux et à leurs forges, et plongés dans un bain qu'un seul instant rend épais et fangeux, et vous n'aurez encore qu'une faible idée de ces masses de batraciens à face humaine, grouillant et pataugeant dans cette vasque immonde. Le soir, à la lueur fumeuse des lanternes, c'est un spectacle infernal. »

Il subsiste cependant des bains plus distingués, notamment ceux de Deligny, installés quai d'Orsay (Anatole-France) en amont du pont de la Concorde. C'est un quadrilatère entouré aussi de palissades, mais beaucoup plus vaste que les bains à 4 sous, possédant des galeries intérieures soutenues par des colonnettes et disposant de cabines de déshabillage, le tout reposant sur des bateaux flottants maintenus solidaires et rigides entre eux. Le même Briffault, qui stigmatisait les bains à 4 sous, s'extasie sur les bains Vigier du pont Royal : « C'est là que le paisible bourgeois s'enfonce douillettement dans les profondeurs de sa baignoire ; il se trempe à l'heure ; il a su s'entourer de toutes les sensualités qui lui sont chères : sa montre, son thermomètre, le mouchoir, la tabatière, les bésicles bien affermies sur le nez, et sous ses yeux son livre bien-aimé, voilà ses délices. Il fait et refait son bain, le gradue avec art, voit avec orgueil flotter sur l'eau le ballon de son abdomen. Au bain, le bourgeois de Paris rêve l'Orient, ses délices, ses voluptés, ses parfums et ses odalisques, l'opium et ses extases. »

Les bains Deligny ont subsisté jusqu'à leur naufrage, le 8 juillet 1993, dernier témoin des établissements sur la Seine, progressivement remplacés par des piscines.

• *Voir aussi* PISCINE.

BAL PUBLIC

Si les Parisiens n'ont jamais manqué une occasion de danser, dans les circonstances les plus diverses — le célèbre bal des Ardents de 1393 à l'hôtel Saint-Pol, où Charles VI faillit périr brûlé vif, en est l'exemple le plus fameux —, il faut attendre l'ordonnance royale du 31 décembre 1715 pour que soit autorisé le premier bal public de la capitale. Il s'agit du bal masqué de l'Opéra, qui doit se tenir les jeudi, samedi et dimanche à partir de la Saint-Martin et jusqu'à la fin du carnaval, avec interruption durant l'Avent. La Comédie-Française, la Comédie-Italienne, l'Opéra-Comique tentèrent sans succès de concurrencer l'Opéra qui conserva jusqu'en 1789 l'exclusivité des bals publics et le droit d'accorder des licences d'exploitation. L'austère Révolution bannit les bals. La vie reprit ses droits après l'exécution de Robespierre et les bals des Victimes fleurirent au faubourg Saint-Germain et rue de Provence où les danseurs devaient avoir eu au moins un parent guillotiné. Les jardins d'agrément du XVIIIe siècle, Ranelagh, Vauxhall, Tivoli renaissent et l'Empire voit se créer les premières salles d'hiver. Il existe des bals de cour, d'ambassades, de ministères, des bals mondains organisés par l'aristocratie et la haute finance, des bals de salon, des bals de charité, des bals de société où on se rend sur invitation. Le bal public est défini officiellement par ordonnance du 30 novembre 1830 de la préfecture de police : « Les bals publics sont des lieux où se donnent des danses et dans lesquels le public est admis indistinctement en payant. »

C'est à partir de 1820 que le bal public s'impose comme phénomène de société. Il connaît son apogée entre 1830 et 1848. Outre les guinguettes de la périphérie, il existe de nombreux bals au cœur de la capitale : le bal du Prado à l'emplacement du tribunal de commerce, dans l'île de la Cité, fréquenté par les étudiants auxquels se mêlent les boutiquiers le dimanche et les ouvriers le lundi ; le bal de la Redoute ou Tivoli d'hiver, rue Jean-Jacques-Rousseau, aux Halles ; le bal des Étrangers, rue de Valois, près du Palais-Royal, qui recevait, outre quelques étrangers, des cordonniers, des peintres en bâtiment, des garçons coiffeurs ; on trouvait trois bals, rue de la Chaussée-d'Antin, les bals d'Antin, de Sainte-Cécile, le Casino Paganini. Aux Champs-Élysées revient la palme du succès sous les règnes de Louis-Philippe et de Napoléon III. C'est là que s'est installé le Napoléon du bal public, Philippe Musard, qui a créé en 1833 les Concerts des Champs-Élysées, puis les Concerts-Musard. Le bal Mabille de l'avenue Montaigne durera jusqu'en 1875. Sa succession fut assurée à proximité par le Jardin de Paris qui s'éteignit en 1914. A Mont-

martre, si l'Élysée-Montmartre est surtout un bal de quartier, le Moulin-Rouge est appelé à une célébrité mondiale. Au lendemain de la Seconde Guerre mondiale, les boîtes de nuit ont pris la relève des derniers bals parisiens.

• *Voir aussi* **GUINGUETTE**.

BALAYAGE
Voir **NETTOIEMENT**.

BALCON
Voir **SAILLIE**.

BALLET

La danse a toujours été pratiquée. Le livre de la taille de 1292 cite un « baleur », sans doute un maître de danse, mais la danse professionnelle est liée

BAL DE LA GRANDE-CHAUMIÈRE, BOULEVARD DU MONTPARNASSE, EN 1884

au ballet et à la création, le 30 mars 1661, de l'Académie royale de danse, qui donne, le 17 août suivant, la première comédie-ballet, *Les Fâcheux*, conçue par Molière, Beauchamp et Lully. En 1669, cette académie est intégrée à l'Académie royale de musique et le ballet fait désormais partie des activités de l'Opéra. Le premier opéra-ballet, *L'Europe galante*, musique de Campra, chorégraphie de Louis Pécour, est joué en 1697. En 1714, le nombre des danseurs du corps de ballet est limité à quatre-vingt-deux personnes. Peu considérés, les danseurs sont nettement moins bien payés que les chanteurs. Pour vivre, ils sont généralement contraints d'accepter des contrats extérieurs. Les premiers danseurs s'efforcent d'empêcher les remplaçants et les doubles d'apparaître sur scène, craignant leur concurrence. Il faut codifier les emplacements et introduire une clause permettant aux doubles de se produire au moins trois fois consécutivement. Le maître de ballet est à la tête de la troupe et, jusqu'en 1830, possède le monopole de la chorégraphie. Pour permettre le perfectionnement des danseurs, l'École de danse des Magasins leur est ouverte en 1713. Il faut attendre 1776 pour que soit évoquée l'idée d'une école de danse ouverte aux enfants. Elle s'installe boulevard du Temple, en 1779, sous le nom d'École de danse de l'Opéra, et constitue la source de recrutement principale du corps de ballet : depuis 1880, chaque enfant désigne parmi ses aînés le « petit père » ou la « petite mère » qui le patronne. Sous la troisième République, les enfants sont astreints à suivre aussi un enseignement scolaire. En 1987, l'École a quitté l'Opéra pour des locaux neufs à Nanterre.

BALLON POSTAL

Le 19 septembre 1870, Paris est encerclé par les armées allemandes et les fourgons de la poste doivent rebrousser chemin et rentrer dans la capitale avec leurs sacs de courrier. Le Comité de défense n'ignore pas que l'armée bloquée dans Metz utilise depuis le 5 septembre de petites montgolfières en papier pour envoyer ses dépêches. Nadar a organisé à Montmartre, sur la place Saint-Pierre, une compagnie d'aérostiers pour faire des reconnaissances aériennes (voir AÉROSTAT). La Direction des télégraphes signe un traité avec elle pour l'acheminement du courrier et le gouvernement de la Défense nationale promulgue, le 27 septembre, deux décrets organisant la première poste aérienne qui ait été créée au monde. Le 23 déjà, Duruof s'est envolé à bord du ballon *Neptune* qui s'est posé près d'Évreux. On construit en hâte trois nouveaux ballons destinés à la poste, deux en étoffe jaune, *Armand-Barbès* et *George-Sand*, le dernier, *Louis-Blanc*, en tissu blanc, bien sûr. Gabriel Mangin est parti le 26 avec *La Ville de Florence*, suivi par *Les États-Unis* de Louis Godard le 29, *La Céleste* de Gaston Tissandier le 30. Il faut attendre l'achèvement de nouveaux aérostats pour qu'aient lieu d'autres départs : *George-Sand* avec Revilliod le 7 octobre, qui décolle en même temps qu'*Armand-Barbès* qui emporte Gambetta et Spuller. Jusqu'au 28 janvier 1871, il y a soixante-six départs de ballons montés ou non montés (la liste figure notamment aux pages 146-168 de *Paris et sa poste* par Roger Valuet et dans *La Poste à Paris pendant le siège et sous la Commune, 1870-1871*, par Léon Chamboissier) dont cinquante-quatre transportent du courrier, près de deux millions et demi de lettres pesant plus de 11,5 tonnes. Le poids maximum des lettres est de 4 grammes dont l'affranchissement coûte 20 centimes, les cartes-postes de 3 grammes payant 10 centimes. Deux de ces ballons s'abîmèrent en mer, trois tombèrent aux mains des Allemands, certains s'égarèrent à l'étranger, surtout en Belgique, et *La Ville d'Orléans*, partie dans la nuit du 14 au 15 novembre 1870, par-

45. Marchands de poisson d'eau douce et pêcheurs;
46. Libraires, parcheminiers, copistes («escripvains»), enlumineurs;
47. Marchands drapiers et chaussetiers;
48. Épiciers et apothicaires;
49. Fabricants de tapisseries, «tandeurs», teinturiers de fil, de soie et de toile;
50. Merciers, lunetiers, «tapiciers sarrasinois»;
51. Maraîchers, jardiniers;
52. Vendeurs d'œufs, fromages et herbes («egrun»);
53. Charpentiers;
54. Hôteliers et taverniers;
55. Peigneurs et cardeurs de laine;
56. Vignerons;
57. Couvreurs et manœuvres;
58. Cordiers, bourreliers, courtiers et vendeurs de chevaux;
59. Buffetiers, potiers de terre, faiseurs de nattes et de balles;
60. Notaires, bedeaux et autres praticiens en cours d'Église mariés;
61. Cour de Parlement, Chambre des comptes, Châtelet, Prévôté de Paris, Prévôté des marchands, etc.

BARBIER

Au nombre de cent cinquante et un dans le registre de la taille de 1292, les barbiers se confondent longtemps avec les chirurgiens, appartenant à la même confrérie de Saint-Côme-et-Saint-Damien. Ils cumulaient soins de toilette et opérations de chirurgie. Les chirurgiens émergent progressivement de cette profession. En décembre 1637, Louis XIII, pour faciliter la distinction entre ces deux types d'activités, autorise la création d'une communauté de «barbiers-barbants» à laquelle est interdite toute opération chirurgicale. L'affaire est portée devant le Parlement par les barbiers chirurgiens et, malgré un édit de décembre 1659, n'aboutit qu'en mars 1673. En mars 1674, ces barbiers-barbants reçoivent des statuts et sont placés sous l'autorité du premier chirurgien du roi. Afin que la différence soit évidente, les barbiers-barbants devaient avoir «des bou-

tiques, peintes en bleu, fermées de châssis à grands carreaux de verre, et mettre à leurs enseignes des bassins blancs pour marque de leur profession et pour faire différence de ceux des chirurgiens qui en ont des jaunes». Cette corporation de barbiers-baigneurs-étuvistes-perruquiers était placée sous le patronage de saint Louis. Elle comptait à peu près sept cents maîtres dans la seconde moitié du XVIIIᵉ siècle. Ils étaient déjà concurrencés par les coiffeurs qui allaient les évincer à la Révolution.

• *Voir aussi* CHIRURGIEN; COIFFEUR.

BARRIÈRE

Lorsque les fermiers généraux décident de mettre fin à la fraude des Parisiens en assurant l'étanchéité de l'octroi grâce à une enceinte de près de 24 kilomètres encerclant la capitale, ils confient à un architecte mégalomane, Claude-Nicolas Ledoux, l'édification des soixante portes ou barrières où devront être installés les employés haïs de la population qui percevront les droits d'octroi sur les marchandises entrant dans Paris. En raison de leur coût colossal, ces barrières ne seront que cinquante-quatre au lieu de soixante et bien des projets initiaux de Ledoux seront ramenés à des proportions raisonnables. Des Propylées que ce visionnaire édifia ne subsistent aujourd'hui que quatre vestiges: la barrière du Trône, celle de Denfert-Rochereau, des restes des barrières de Monceau et de La Villette (la célèbre rotonde). On en trouvera l'emplacement sur la carte établie par Rochegude et Dumolin, reproduite dans ce volume à l'article ENCEINTES. En voici la liste, en commençant à l'est par la rive gauche: barrières de la Gare (1), de l'Hôpital ou des Deux Moulins (2), d'Ivry (3), de Fontainebleau, dite aussi d'Italie, des Gobelins ou Mouffetard (4), de Croulebarbe (5), de la Glacière ou de Lourcine (6), de la Santé (7), Saint-Jacques, d'Arcueil ou de la Fosse-aux-Lions (8), d'Enfer (9), du Montparnasse (10), du Maine (11), des Fourneaux ou de la Voirie (12), de Vaugirard (13), de Sèvres (14), des Paillassons (15), de l'École militaire (16), des Ministres ou de Grenelle (17), de la Cunette (18); rive droite, d'ouest vers l'est : barrières de Passy, dite aussi des Bonshommes ou de la Conférence (19), Sainte-Marie (20), de Longchamp (21), de la Pompe ou de Chaillot, dite aussi des Réservoirs ou des Bassins (22), de l'Étoile ou de Neuilly (23), du Roule (24), de Courcelles (25), de Chartres (26), de Monceau (27), de Clichy (28), Blanche ou de la Croix-Blanche (29), Montmartre, Royale ou Pigalle (30), des Martyrs ou de Clignancourt, dite aussi parfois Montmartre (31), du Télégraphe ou Poissonnière, dite aussi Sainte-Anne (32), Saint-Denis ou de La Chapelle (33), des Vertus (34), de La Villette ou de Senlis (35), avec la rotonde Saint-Martin ou de La Villette la séparant de celle de Pantin (36), du Taureau ou du Combat, dite aussi Saint-Louis ou de Meaux (37), de la Chopinette (38), de Belleville (39), de Ramponneau (40), des Trois-Couronnes (41), de Ménilmontant (42), des Amandiers (43), de la Folie-Regnault ou d'Aunay (44), des Rats (45), de Fontarabie ou de Charonne (46), de Montreuil (47), du Trône ou de Vincennes (48), de Saint-Mandé (49), de Picpus (50), de Reuilly (51), de Charenton ou de la Grande-Pinte (52), de Bercy ou des Poules (53), de la Rapée (54). De ces cinquante-quatre barrières, huit furent fermées entre 1818 et 1855, mais neuf autres furent ouvertes en compensation entre 1820 et 1854 : barrières de Montrouge (9 *bis*), de La Motte Picquet (16 *bis*), Franklin (19 *bis*), des Batailles (19 *ter*), d'Iéna (20 *bis*), de la Réforme (27 *bis*), de Rochechouart (28 *bis*), de la Boyauderie ou de la Butte-Chaumont (36 *bis*) et de la Roquette (44 *bis*).

BASOCHE

C'est en 1303 que Philippe IV le Bel aurait reconnu la corporation des clercs du Palais de la Cité, la Basoche. Le terme de «basoche» dérive du latin «basilica» («palais royal») ainsi que l'atteste cet extrait de poème publié dans *Les Clercs du Palais* d'Adolphe Fabre :

> *De ce beau nom latin* Bazilica
> *Signifiant ainsi qu'on explica*
> *Palais royal ou aultre lieu célèbre,*
> *Où jugemens et conseilz on célèbre,*
> *Est procédé leur nom. Par ces moyens*
> *Dire on les doibt de Baziliciens,*
> *Et leur Bazoche on doit dire Bazine*
> *Société de royaulté voysine.*

Dans son *Histoire de la ville de Paris*, Félibien confirme que la juridiction de la Basoche «s'étend sur tous les clercs qui ne sont ni mariés ni pourvus d'offices de procureur». Plaidant en 1604, l'avocat Favier disait que la juridiction de la Basoche avait été créée et tolérée afin que les clercs, sur des affaires légères, puissent apprendre et s'exercer à la pratique de la procédure. Le Parlement reconnaissait formellement la Basoche, exigeait que ses officiers soient respectés et que les différends mineurs entre clercs du Palais soient réglés devant elle.

Le chef suprême de l'association des clercs du Palais s'intitulait «roi» de la Basoche. Il était assisté d'un chancelier, de maîtres des requêtes, de procureurs, de trésoriers, d'huissiers, etc. Les trésoriers percevaient un droit d'entrée sur les nouveaux membres ou «becjaunes». Dans son très sérieux *Dictionnaire des arrêts du Parlement*, Brillon consigne que «nul n'était reçu clerc ni praticien, qu'il n'eût pris lettre du roi de la Bazoche». Tous les ans avait lieu la «montre», la revue des clercs de la Basoche, regroupés en compagnies de cent hommes, qui parcouraient les rues de la ville, précédés de tambours et de hautbois. La cérémonie s'achevait par un spectacle théâtral. Dans son *Traité de la pratique du théâtre*, l'abbé d'Aubignac reconnaît que le théâtre comique est en grande partie né des pièces satiriques jouées au Palais, mais déplore que l'honnêteté des mœurs ait été « maltraitée par les Bazochiens qui furent comme les premiers comédiens en ce royaume ». Jouées souvent sur la Table de marbre du Palais, ces farces, sotties et moralités faisaient parfois l'objet de poursuites du Parlement. Le poète Henri Baude fut même incarcéré au Châtelet pour une pièce jouée le 1er mai 1486. Dareau rappelle aussi une autre coutume farcesque de la Basoche : « Il est comme de fondation à la Bazoche du Palais d'y plaider tous les ans une cause solennelle un des jours gras, depuis neuf heures jusqu'à midi, et c'est pour cela qu'on l'appelle la "cause grasse". Le sujet est inventé. Il porte ordinairement sur un fait de sédition ou sur le mécontentement d'un mari. La pudeur y était très peu ménagée anciennement. M. le premier président de Lamoignon donna des ordres pour qu'on y mît plus de décence, et, depuis ce temps-là, on y a plaidé ces sortes de causes avec plus de circonspection. » La cour basochiale tint jusqu'en 1789 ses audiences deux fois par semaine, suivant la même procédure que le Parlement. Il y avait deux concours de plaidoiries par an, le grand en février, mai et août, sur des questions de droit et d'ordonnances, le petit, en mars, avril, juin et juillet, sur des questions de procédure. Un des derniers documents publiés par la Basoche est son *Almanach* pour l'année 1786.

Les clercs du Châtelet possédaient leur propre Basoche qui se prétendait plus ancienne que celle du Palais. Les clercs de la Chambre des comptes formaient une communauté comparable sous le titre d'Empire de Galilée, probablement du nom de la maison, rue de Galilée, dans laquelle la corporation tenait ses séances. Mais l'abbé Lebeuf, rappelant qu'en bas latin « galilea » si-gnifie « galerie », pense que l'Empire devait son nom à la galerie où se tenaient les réunions.

BATEAU A VAPEUR

C'est le 9 août 1803 que le premier bateau à vapeur a flotté sur la Seine. Conçu par Fulton, il ne rencontra que l'indifférence de Bonaparte, décidément bien peu sensible à la marine et à la navigation. Il faut attendre 1816 pour qu'ait lieu la première véritable navigation sur la Seine : le 29 mars, l'*Élyse* arrive aux abords des Tuileries, le 20 avril, le *Charles-Philippe* de Jouffroy d'Abbans navigue à son tour sur le fleuve. A partir de 1825, la navigation par bateau à vapeur, à roues ou à aubes, se généralise. En 1826, apparaît la première ligne régulière desservant Paris-Saint-Cloud vers l'aval et Paris-Montereau vers l'amont. En 1836 est créée une ligne Paris-Rouen avec embarcadère au quai d'Orsay. La création, l'année suivante, de la ligne de chemin de fer Paris-Saint-Germain-en-Laye entraîne, dès 1838, le report au Pecq de l'embarquement des voyageurs acheminés jusque-là par train. La navigation fluviale à vapeur décline inexorablement à partir de 1860, victime de la concurrence du chemin de fer, beaucoup plus rapide que des « Dorades » ou « Étoiles » ne dépassant pas les 20 kilomètres à l'heure.

• *Voir aussi* TRANSPORT (moyen de).

BATEAU-COCHE
Voir COCHE D'EAU.

BATEAU-LAVOIR

Depuis les origines de Paris, les lavandières avaient coutume de « battre la rivière », c'est-à-dire de se rendre au bord de la Seine pour y laver leur linge. Des ordonnances, souvent renouvelées, indice qu'elles n'étaient guère respectées, leur interdisaient les endroits où l'eau était particulièrement corrompue et pouvait présenter des dangers pour la santé publique. C'était notamment le cas pour le petit bras du fleuve, entre la place Maubert et le Pont Neuf, « à cause de l'infection et impureté des eaux qui y croupissent, capables de causer de graves maladies », écrit Nicolas de Lamare dans son *Traité de la police* (1705-1738). C'était, en effet, à cet endroit que se déversaient les eaux usées de l'Hôtel-Dieu, chargées d'une infinité de microbes.

Vers la fin du Moyen Âge apparaissent les premiers bateaux-lavoirs, barges ou bachots à fond plat installés à des endroits désignés par le prévôt, protégés des intempéries par des toits de planches ou de chaume. Le plan de Lacaille de 1714 mentionne « quatre-vingts petits bateaux servant aux blanchisseuses, posés le long du cours de la rivière », mais il n'en situe que six, amarrés deux par deux, à l'entrée de la rue des Rats (de l'Hôtel-Colbert, rive gauche, face à Notre-Dame), à l'abreuvoir Mâcon (près du pont Saint-Michel) et à l'entrée de la rue du Pavé (rue des Grands-Degrés, à quelques mètres de la rue de l'Hôtel-Colbert). Le *Dictionnaire de commerce* de Savary des Bruslons précise : « On appelle à Paris bateaux de selles de grands bateaux, plats et couverts, qui ont le long de chaque bord des bancs ou espèces de tables, sur lesquels les blanchisseuses lavent leur linge, moyennant un certain droit qu'elles payent aux propriétaires des bateaux. »

En 1805, tous les permis des « bateaux à lessive » furent supprimés sous prétexte qu'ils gênaient le trafic fluvial. Ils reparurent plus nombreux encore sous la Restauration. Pour lutter contre la concurrence des blanchisseries industrielles, ils accrurent leur capacité, devenant de véritables cités flottantes. Les emplacements préférés restaient sur la rive droite, mieux exposée au soleil et plus favorable au séchage du linge. Sous la Monarchie de Juillet, ces bateaux-lavoirs comportent en général deux étages : les lavandières travaillaient au ras de l'eau, protégées du soleil ou de la pluie par des auvents, et l'étage supérieur était constitué de vastes salles couvertes destinées au séchage. A la fin du XIXe siècle, le plus imposant des bateaux-lavoirs est l'*Arche Marion*, situé entre les ponts Notre-Dame et d'Arcole. Long de 200 mètres, il est formé de douze barges et peut accueillir deux cent cinquante lavandières. Les derniers bateaux-lavoirs, ceux du Pont-Marie, ont disparu en 1937.

• *Voir aussi* **BLANCHISSERIE**.

BATEAU-MOUCHE

C'est à Lyon que s'est créée en 1864 la Compagnie des bateaux à vapeur omnibus, exploitant les premiers bateaux à hélice pour la circulation urbaine des voyageurs sur la Saône. Construits dans le quartier de la Mouche, ces bateaux obtiennent l'autorisation de s'implanter à Paris à l'occasion de l'Exposition universelle de 1867 qui coïncide avec la mise en service du barrage de Suresnes donnant une profondeur d'1,60 mètres au cours de la Seine à l'intérieur de la capitale. Ce nouveau mode de locomotion connaît un énorme succès initial. En 1886, les différentes sociétés en compétition fusionnent au sein d'une Compagnie générale des bateaux parisiens qui dessert 39 kilomètres de lignes dans la capitale et en banlieue avec 47 pontons-stations et 107 bateaux-mouches représentant 27 200 places. Avec une vitesse moyenne de 16 kilomètres à l'heure, ces bateaux transportent huit millions de voyageurs en moyenne par an. Leur nombre double lors de l'Exposition universelle de 1889. Les bateaux-mouches déclinent avec l'apparition de nouveaux modes de transport plus rapides, tramways, autobus et métropolitain. Après 1918, ils ne vivent plus guère que de la clientèle touristique. La création d'une ligne de bateaux-bus (Batobus) du quai de l'Hôtel-de-Ville à la tour Eiffel, le 1er mai 1989, n'a pas eu le succès escompté en raison du prix

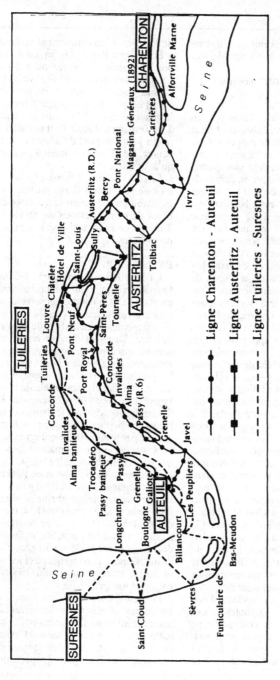

PLAN ITINÉRAIRE DES BATEAUX PARISIENS
VERS 1899-1900

Source : Indicateur illustré des Bateaux Parisiens
(s.d. ; publié après 1895)

● ● ● **Ligne Charenton - Auteuil**

■ ■ ■ **Ligne Austerlitz - Auteuil**

- - - - **Ligne Tuileries - Suresnes**

A partir de 1902, l'itinéraire des deux premières lignes a été modifié par suite de l'interversion du parcours à partir de la station Hôtel de Ville. Désormais, la ligne Charenton-Auteuil a desservi les pontons de la rive droite et celle joignant Austerlitz à Auteuil, ceux de la rive gauche.

élevé du billet et l'avenir des liaisons fluviales urbaines à Paris semble très compromis.

• *Voir aussi* TRANSPORT (moyen de).

BATELIER

Pendant des siècles, Paris n'a eu qu'un seul lieu de franchissement de la Seine, sur deux ponts de part et d'autre de l'île de la Cité. A la fin du XVIᵉ siècle, il n'y en avait encore que quatre. Pour faire passer le fleuve en dehors de ces ponts fort encombrés, il y avait des passeurs d'eau, dits aussi bateliers. Le livre de la taille de 1292 mentionne vingt-neuf passeurs et un batelier. Leurs premiers statuts semblent dater de 1297. Leur nombre est alors réduit à sept et le point de départ de leurs bateaux établi aux ports de la Grève, de Saint-Landry et de Saint-Gervais. L'ordonnance de 1415 leur accorde aussi l'accès aux ports du Louvre, de Notre-Dame, Saint-Bernard et de la rue des Barrés et impose un apprentissage de sept ans aux futurs bateliers. Aucune traversée n'est autorisée de nuit. Avec la multiplication des ponts, le rôle des passeurs ou bateliers décline. L'ordonnance de 1672 ne mentionne plus que deux ports d'attache à Saint-Paul et à la Tournelle et l'apprentissage ne dure plus que deux ans. Les maîtres passeurs d'eau sont tenus « d'avoir flottes en nombre suffisant et en bon état » et de « passer quand il se trouvera dans leur bateau le nombre de cinq personnes, sans qu'ils puissent faire attendre les passagers ». En 1760, les bateaux ont pour point de départ les ports de la Rapée, du Mail, de la Grève, Saint-Nicolas et de la Conférence. Le prix du passage est de 2 sous 6 deniers. Si une personne seule veut traverser sans attendre, elle doit payer pour cinq.

En aval de Paris, les passeurs d'eau prenaient le nom de bachoteurs. Les bachots, dits batelets au XVIIIᵉ siècle, ne pouvaient embarquer plus de seize passagers. Ils étaient numérotés et inspectés tous les quinze jours par un officier de la Ville. L'embarquement se faisait près du Pont-Royal. On payait 4 sous pour se rendre à Sèvres ou à Saint-Cloud, 2 sous 6 deniers pour Auteuil et 2 sous pour Chaillot et Passy. Pour 5 sols on pouvait embarquer à bord de la galiote de Saint-Cloud qui, de Pâques à la Toussaint, faisait le trajet aller et retour jusqu'au pont de Sèvres en deux heures. De là, on continuait à pied jusqu'à Versailles.

Le seul bac qui ait existé à Paris — il a laissé son nom à la rue du Bac — a été établi en 1550 pour la traversée des blocs de pierre destinés au palais des Tuileries en construction et non pour le passage des Parisiens.

BATELLERIE

La batellerie a longtemps été une fonction vitale pour l'approvisionnement de Paris, lui apportant son blé, ses vins et alcools, son bois de chauffage et de charpente, son charbon de bois ou de terre. La navigation est restée une activité assez périlleuse jusqu'à la canalisation de la Seine à partir de 1840. Le prévôt des marchands commandait tout un personnel responsable de la navigation : avaleurs de nefs responsables des navires descendant le fleuve et chableurs de pertuis qui aidaient à le remonter par halage. Ils seront remplacés au XVIIIᵉ siècle par des maîtres de pont qui ne disparaîtront qu'en 1854, avec l'achèvement du barrage et de l'écluse de la Monnaie, avec l'introduction du touage à la vapeur sur chaîne noyée au fond de la rivière, tenté dès 1839, repris de 1844 à 1848, puis avec le toueur *Austerlitz* en 1850, concédé enfin par décret du 6 avril 1854 à Eugène Godeaux. Depuis, le remorquage et les péniches à moteur ont rendu superflu halage et touage.

Le fleuve était encombré jusqu'à la fin du XIXᵉ siècle par les embarcations les plus diverses : moulins-nefs, bateaux-lavoirs, bateaux-bains et piscines, canots et yoles de plaisance, barquettes à fond plat de pêcheurs, flûtes, toues, dragues, chalands, marnais, coches d'eau, bateaux à vapeur à roues à aubes, bateaux-mouche, péniches enfin, sans oublier les trains de bois flotté.

L'accroissement du trafic du port de Paris a été considérable avec les progrès de la canalisation de la Seine : 35 000 bateaux en 1863, 67 300 en 1913, maximum de l'époque, que suit un effondrement à partir de 1931 : 33 600 en 1938. A cette évolution quantitative correspond une transformation. La péniche flamande a régné à partir de 1870, bateau ponté rectangulaire, légèrement bombé à l'avant et à l'arrière, pouvant transporter de 280 à 350 tonnes avec un enfoncement de 1,60 à 2,20 mètres. Avec l'amélioration du mouillage apparaît le chaland à partir de 1886-1890. Sa longueur peut atteindre 62,50 mètres et sa largeur 8,10 mètres. Il y avait aussi les berrichons et bâtards au tonnage inférieur à 100 tonnes, les flûtes de l'Ourcq de 100 tonnes, en position de monopole sur ce canal, des nivernais et des montluçons de 150 à 160 et de 190 tonnes, les margotats de 20 tonnes. La vapeur permet des bateaux pouvant transporter jusqu'à 750 tonnes à partir de 1890. Après la Première Guerre mondiale se multiplient les moteurs à essence ou à huile lourde. Aujourd'hui, le port de Paris est accessible à des bateaux de 3 000 à 5 000 tonnes de port en lourd.

BEURRE

Faute de moyens de réfrigération, le beurre frais est venu jusqu'au XIXᵉ siècle des régions proches de la capitale. Le jeudi et le vendredi arrivaient aux Halles et sur les marchés secondaires de la ville le beurre des environs : Argenteuil, Saint-Germain-en-Laye, Gâtinais, Brie. Il était apporté directement, à bras, dans des paniers, par les femmes et les enfants des paysans producteurs. Le plus renommé de ces beurres était celui de Vanves, vendu en petits pains ronds d'une centaine de grammes portant sur le dessus les armes de France en relief. La vente se faisait surtout au cimetière Saint-Jean, à proximité de la place de Grève (de l'Hôtel-de-Ville) et rue Saint-Antoine, près de l'église Saint-Paul. Le mercredi et le vendredi arrivaient les voitures apportant le beurre de Normandie et d'autres régions de l'Ouest, Perche et pays chartrain principalement. Les beurres de Gournay représentaient une part considérable des ventes. Le plus renommé, celui d'Isigny, n'était acheminé que de novembre à mai, la chaleur rendant son transport impossible le reste du temps. Les beurres de Blois avaient une réputation exceptionnelle. Supportant des transports plus longs, les beurres salés provenaient de Normandie, de Bretagne, du Boulonnais, de Flandre, et même de l'étranger, Hollande et Irlande. Ils étaient vendus au détail par les épiciers et non par les fruitiers. Les meilleurs beurres salés étrangers venaient de Dixmude (Belgique). Parmi les beurres bretons, le plus célèbre était celui de Prévalais, débité en petits pots de grès contenant un quart ou une demi-livre. Il existait aussi des beurres fondus, cuits dans de grandes chaudières pour séparer le lait de ses impuretés. Ils pouvaient se conserver deux ans et étaient vendus dans des récipients en grès de 6 à 40 livres ou dans des tinettes de 200 livres (près de 100 kilogrammes). Dans *L'Estomac de Paris*, A. Coffignon révèle une pratique curieuse, qui pourra paraître répugnante mais qui était courante en 1886 : «La vente à la criée des beurres commençant à dix heures du matin, les fruitiers, pour pouvoir procéder à cette dégustation, ne doivent pas fumer dans la matinée. Beaucoup ne fument même jamais, afin de conserver une finesse de goût nécessaire à la reconnaissance des marchandises. Il leur suffit de mastiquer le morceau de beurre retiré avec la sonde, puis ils le jettent à terre après cette dégustation. Mais, comme aux Halles, moins que partout ailleurs, rien ne se perd, le beurre ainsi rejeté ne tombe pas à terre, mais sur la paille recouvrant le sol. Cette paille est balayée à la fin de la journée par les hommes de peine des facteurs, à qui ce petit profit est abandonné. Ceux-ci la brûlent et recueillent le beurre qui fond. Le placement du beurre ainsi obtenu est des plus faciles : des traiteurs s'en servent pour leurs fritures.»

BIBLIOTHÈQUE

Paris possédait des centaines de bibliothèques à la veille de la Révolution de 1789, mais bien peu étaient publiques; la plupart appartenaient à l'Église catholique : bibliothèque de l'archevêché ou collections de couvents lentement composées au long des siècles, avec un grand nombre de manuscrits du Moyen Âge. Quelques grands seigneurs et bourgeois fortunés possédaient également leur propre bibliothèque et c'est l'un d'eux, Antoine Moriau, qui est à l'origine de la première bibliothèque publique de la Ville de Paris. En effet, jusqu'au milieu du XVIIIe siècle, seules étaient ouvertes au public la bibliothèque de Mazarin et celle du roi, les autres grands établissements pouvant parfois s'ouvrir sur demande aux amateurs et aux érudits. A sa mort, Moriau lègue sa bibliothèque, installée dans l'hôtel de Lamoignon, à la Ville de Paris, à condition qu'elle devienne publique à l'image de celle de l'Hôtel de Ville de Lyon. Le prévôt des marchands inaugure, le 13 avril 1763, la première bibliothèque publique de la Ville de Paris. Elle connaîtra une histoire difficile, sera dépouillée de ses fonds au profit de l'Institut en 1795 et restera longtemps l'unique bibliothèque d'une municipalité qui ne s'intéresse pas du tout au livre et à la lecture. Le préfet de police Delessert propose en vain, en 1836, de créer une bibliothèque dans chaque arrondissement. C'est d'une initiative privée, celle de l'Association polytechnique

créée par d'anciens élèves de l'École polytechnique, que naissent les premières bibliothèques de consultation et de prêt d'arrondissement, dans le IIIe en 1861, dans le XVIIIe en 1862. Le maire du XIe en ouvre une dans des locaux dépendant de la mairie à la fin de 1865, un commis des postes est à l'origine de celle du XXe au début de 1869. Entre-temps, Haussmann s'est ému de cette situation et a nommé Alexandre de Saint-Albin inspecteur des bibliothèques d'arrondissement, bibliothèques sur le papier. Balayé avec le second Empire, Saint-Albin disparaît et avec lui le grand projet. Il est repris en 1878 par le préfet de la Seine, Ferdinand Duval, qui crée une inspection des bibliothèques et un chef de bureau avec un seul employé. Ferdinand Herold le remplace en janvier 1879 et s'attaque enfin à la question des bibliothèques parisiennes. Soutenu au sein du conseil municipal par le poète José Maria de Heredia, il met très rapidement en place un réseau de vingt bibliothèques, une par arrondissement, auxquelles vont s'ajouter des bibliothèques de quartier. On passe ainsi de moins de trente mille prêts en 1878 à près d'un million trois cent mille en 1888. En 1894, on a atteint l'apogée avec un million sept cent mille prêts et la Ville cesse de faire des efforts en faveur de son jeune réseau de bibliothèques : il y a deux millions trois cent mille prêts en 1948. Ernest Coyecque et Gabriel Henriot, inspecteurs des bibliothèques entre 1916 et 1940, dénoncent en vain l'inertie de la Ville et la sclérose du réseau municipal. Une politique de rénovation et de création se met en place dans les années 1960 et la constitution d'une administration municipale moins dépendante de l'État, en 1977, permet d'accroître le dynamisme de cette action. Actuellement fonctionnent cinquante-neuf bibliothèques, souvent dans des locaux neufs et agréables mais terriblement exigus. Le réseau parisien, victime de plus de soixante ans d'oubli, est très inférieur à celui des villes d'Europe du Nord où la lecture publique est un phénomène vivace et ancien, remontant parfois au XVIIᵉ siècle.

BIENS NATIONAUX

La confiscation des biens du clergé au début de la Révolution, puis de ceux des condamnés et des émigrés, a mis sur le marché immobilier une quantité considérable de terrains et d'immeubles. Entrepris au début du XXᵉ siècle par Henri Monin et Lucien Lazard, le *Sommier des biens nationaux de la Ville de Paris* n'est toujours pas terminé et seuls ont été recensés les biens des neuf premières municipalités d'avant 1860, soit la rive droite et les îles. Cela représente quatre mille deux cent soixante-dix articles, dont les plus importants avaient appartenu à cent dix communautés religieuses. Il y eut un peu plus de deux mille acquéreurs. Mais ce qui fait l'intérêt principal de ces biens nationaux, c'est l'usage qui en a été imaginé par la commission dite des Artistes. Cette commission informelle, constituée en mai 1793, dissoute en 1797, étudia la distribution et la largeur des voies publiques, les aménagements qui pouvaient être introduits grâce aux biens confisqués. Travaillant sur les planches gravées du plan de Verniquet, elle reprit des projets antérieurs et en proposa de nouveaux. Certains ne virent jamais le jour, la place en étoile prévue à la Bastille notamment. D'autres furent réalisés durant le XIXᵉ siècle : la rue de Rivoli et le grand axe est-ouest de la capitale, de la porte de Neuilly à la porte de Vincennes, en sont l'exemple le plus spectaculaire. Mais les Artistes avaient aussi conçu des projets plus modestes, utilisant les terrains confisqués : la rue Rambuteau, le prolongement de la rue des Archives au nord de la rue Portefoin, la rue Froissart, les rues Sibour et de la Fidélité, le marché à l'emplacement du Temple, la rue du Val-de-Grâce, les rues Pascal, Broca, Léon-Maurice Nord-

mann, la rue des Ursulines, le prolongement de la rue d'Ulm, les rues de Pontoise et de Poissy. Il serait, par ailleurs, intéressant d'établir la proportion des biens ecclésiastiques par rapport aux biens des condamnés et des émigrés, de dresser la carte des biens nationaux et d'en connaître les acquéreurs. Toutes ces études sont encore à faire.

BIÈRE
Voir **BRASSERIE.**

BIJOUTIER
Voir **ARLEQUINS ; ORFÈVRE, ORFÈVRERIE.**

BILLARD

Les hypothèses les plus diverses ont été faites sur l'origine du jeu de billard. Certains en attribuent l'invention aux Chinois, d'autres croient qu'il fut emprunté aux Arabes et introduit en France au retour de la première croisade. L'Angleterre, l'Espagne, la France, l'Italie revendiquent l'honneur de l'avoir inventé, mais certains archéologues ont cru discerner sur des bas-reliefs grecs ou romains des joueurs le pratiquant. Il semble que ce jeu soit apparenté au croquet, car, note Alfred Franklin dans son *Dictionnaire historique des arts, métiers et professions exercés à Paris depuis le XIIIᵉ siècle*, « il consistait à pousser des billes ou des boules avec un manche de bois nommé "billard", "billouer" ou "quinque", sous de petits arceaux. Il se joua successivement sur la terre, et il était dit alors "billard de terre", puis sur une table disposée à cet effet. » Le livre de la taille de 1292 mentionne déjà un « billardier » qui fabriquait et vendait probablement les objets nécessaires à ce jeu. Le 23 janvier 1393, lors d'un bal costumé donné à la Cour, fut exécuté un quadrille des Jeux suivi de danses de la Paume, des Dés, des Échecs et du Billard. La première table de billard dont l'existence soit avérée figure en 1469 dans les comptes de Louis XI pour qui elle fut construite par le menuisier Henri de Vigne. En 1610, est attestée la corpora-

LE SALON DU GRAND CAFÉ EN 1855

tion des billardiers-paumiers, qui obtient en février 1727 le monopole de ce jeu. Le tarif est ainsi fixé : « Et feront payer les parties de billard à tous également…, au moins six blancs le jour et cinq sols à la chandelle. » Sous le règne de Louis XIII, passionné de ce jeu, en 1630, l'installation de cent vingt billards publics était autorisée. Mais l'essor formidable et durable du jeu date de 1676, lorsque Michel de Chamillart insuffle la passion du billard à Louis XIV. La royale caution donne au billard ses lettres de noblesse et les courtisans délaissent massivement le jeu de paume pour ce nouveau divertissement royal. On y jouait même dans les couvents et l'Église avait consenti pour lui à faire une entorse à son interdiction de tous les jeux. Après une période faste au XIXᵉ siècle et durant la première moitié du XXᵉ, le billard a été victime de la spéculation immobilière. Les vastes salons occupés par les académies ont été convoités pour des usages plus rentables et Paris ne compte plus en 1995 qu'une quinzaine d'académies, dont trois dans le XIᵉ arrondissement, le mieux pourvu, mais il subsiste quelques très belles salles, notamment à l'hôtel Concorde-Saint-Lazare, à l'académie de Clichy-Montmartre et à l'académie de billard de Paris de l'avenue Wagram.

BISTROT

Institution typiquement parisienne, le bistrot peut se définir comme un café ou un restaurant d'apparence modeste, à prix modiques, ayant une clientèle d'habitués qui concourt à donner une ambiance de convivialité. L'origine du terme est confuse ; certains le rattachent au russe « bistro », « vite », et racontent qu'il serait apparu en 1814, lors du séjour des soldats russes à Paris. Profitant de la moindre occasion pour déjouer l'attention de leurs officiers, les cosaques pénétraient dans les débits de boisson pour se rafraîchir le gosier en criant au patron ou au serveur « bistro, bistro », « vite, vite », puis disparaissaient rapidement, la rasade avalée. D'autres y ont vu une origine argotique : devenu en louchebem — langage particulier des bouchers — lostroquem, le mastroquet aurait été transformé par la langue populaire en listroquet, troquet, bistroquet et finalement bistrot. Le tenancier, primitivement nommé aussi bistrot, est devenu bistrotier ou bistrote.

Le cadre des bistrots est sans originalité, ordinaire, avec partout les mêmes publicités, cendriers et sucriers. C'est la clientèle qui les différencie, inactifs, ouvriers, employés, retraités et bien évidemment les piliers de bistrot avec leurs durillons de comptoir, présents de l'ouverture à la fermeture et consommateurs exclusifs de boissons alcoolisées. Cette clientèle se coopte insensiblement, se salue, sympathise, bavarde, généralement debout au comptoir ou, à l'heure du déjeuner, serrée autour de petites tables couvertes de nappes en papier.

Ces habitués consomment invariablement les mêmes boissons : café ou café crème pour les abstinents, petit blanc matinal pour les alcooliques, puis rosé ou gros rouge, apéritif pour les cadres à midi et à la sortie du bureau, jeu de dés (le 421) avec la tournée payée par le perdant, la bière remplaçant de plus en plus le vin chez les jeunes générations depuis une vingtaine d'années.

La langue est codée et les commandes incompréhensibles à l'étranger ou au provincial : le petit noir est un café, le kir, la tomate, le perroquet désignent divers mélanges colorés. Ces noms varient suivant une mode souvent liée à l'actualité politique : vers 1955, le verre de vin rouge était un staline, celui de rosé un socialiste, le lait un mendès-france, l'eau minérale, rarement demandée, un chômeur.

Beaucoup d'éléments contribuent aujourd'hui au déclin des bistrots : la population des quartiers se renouvelle rapidement et les habitués changent ; les ouvriers et surtout les employés consacrent de moins en moins de temps au déjeuner ; une grande partie de la main-d'œuvre parisienne quitte précipitamment son travail, le soir, pour affronter les transports qui la ramènent vers la banlieue dortoir. On peut cependant espérer que l'ambiance intime et conviviale des bistrots survivra encore quelques années à l'accélération du temps.

BLANCHISSERIE

Le livre de la taille de 1292 recense quarante-trois lavandiers et lavandières. Il n'y en avait pas davantage, parce que, dans la plupart des familles, le linge était lavé à la maison. Pour blanchir les tissus, on se servait de cendres de bois : versée sur ces cendres, l'eau traversait le linge en emportant la potasse. Une fois « coulée », la lessive était rincée, tordue, battue au lavoir. Vers la fin du XVe siècle apparaissent les premiers bateaux-lavoirs. Des ordonnances de police souvent renouvelées, 19 juin 1666, 8 juin 1667, 15 avril 1669, etc., défendent aux blanchisseuses de laver en été dans le petit bras de la Seine, entre l'île de la Cité et la rive gauche, « à cause de l'infection et impureté des eaux qui y croupissent, capables de causer de graves maladies ». Les blanchisseuses de gros étaient établies sur la rive gauche, vers le Gros-Caillou et la Grenouillère (actuel quai d'Orsay). Le linge n'était pas d'une blancheur irréprochable et les Parisiens les plus fortunés et les plus raffinés faisaient blanchir leur linge à l'étranger, en Hollande principalement, au XVIIIᵉ siècle. Les blanchisseuses de la capitale faisaient pourtant de leur mieux et n'obtenaient un blanc irréprochable qu'au détriment du linge qu'on leur confiait. Dans son *Tableau de Paris*, Sébastien Mercier note vers 1782 : « Il n'y a pas de ville où l'on use plus de linge qu'à Paris, et où il soit aussi plus mal blanchi. Telle chemise d'un pauvre ouvrier, d'un précepteur et d'un commis passe tous les quinze jours sous la brosse et le battoir ; et les huit ou dix chemises du pauvre hère sont bientôt limées, trouées, déchirées et disparaissent pour les manufactures de papier... On entend à un quart de lieue le battoir retentissant des blanchisseuses ; elles font aller ensuite la brosse à tour de bras ; elles râpent le linge au lieu de le savonner ; et quand il a été cinq à six fois à cette lessive, il n'est plus bon qu'à faire de la charpie. » Les blanchisseries industrielles apparaissent à la fin du XVIIIᵉ siècle, en aval de l'île aux Cygnes, non loin de l'endroit où travaillaient déjà les blanchisseuses de gros. Des buanderies publiques, créées sous forme de sociétés par actions, se constituent dès 1805. Leur nombre était de six en 1830, d'une centaine en 1850. La déplorable qualité de l'eau de Seine et le manque de place pour des établissements industriels firent que cette activité déserta la capitale avant la fin du XIXᵉ siècle pour se concentrer dans quelques communes de banlieue : Arcueil-Cachan (150 blanchisseries vers 1900), Boulogne (quatre cents employant sept mille ou huit mille personnes), Courbevoie (une cinquantaine), Gentilly (une cinquantaine aussi, dont cinq très importantes), Le Perreux (quarante), Puteaux (quinze), Saint-Maur-des-Fossés (dix-huit), Vanves (environ quatre-vingts et un millier d'employés).

• *Voir* BATEAU-LAVOIR.

BLOCUS
Voir SIÈGE.

BŒUF GRAS
« A Paris et dans la plupart des grandes villes du royaume, les garçons bouchers de chaque quartier se rassemblent ordinairement tous les ans le jeudi gras, et promènent dans la ville, au son des instruments, un bœuf qu'ils choisissent de belle encolure et qu'ils parent de rubans et de fleurs et autres ornements : on l'appelle à Paris le Bœuf gras et dans plusieurs villes de province le Bœuf villé, parce qu'on le promène par la ville. » Voilà ce qu'écrit Boucher d'Argis en 1752 dans le premier tome des *Variétés historiques, physiques et littéraires*. Il y a très peu de textes de qualité sur la tradition du bœuf gras. Il semble qu'elle remonte au Moyen Âge et qu'elle ait été instituée par la corporation des bouchers. Un voyageur napolitain décrit cette fête en 1522 dans une lettre à sa famille et Rabelais l'évoque dans *Gargantua*. La procession partait de l'Apport-Paris, proche de la Grande Boucherie, face au Châtelet, franchissait la Seine et allait saluer le Parlement au palais de la Cité avant de se terminer par la mort de la bête à son point de départ. Boucher d'Argis précise : « Tout ce qu'il y a de plus à Paris, c'est que l'on met sur le bœuf gras un enfant qui tient en main un sceptre et que les bouchers appellent "leur roi"... Je vis en 1739 cette cérémonie faite par les garçons bouchers de la boucherie "de l'Apport" à Paris. Ils n'attendirent pas cette année le jour ordinaire pour faire leur fête du Bœuf gras ; dès le mercredi matin, veille du jeudi gras, ils se rassemblèrent et promenèrent par la ville un bœuf qui avait sur la tête, au lieu d'aigrette, une grosse branche de laurier-cerise, et il était couvert d'un tapis qui lui servait de

housse. Le jeune roi de la fête, qui était monté sur le bœuf gras, avait un grand ruban bleu, passé en écharpe, tenait d'une main un sceptre doré et de l'autre une épée nue. Les garçons bouchers qui l'accompagnaient, environ au nombre de quinze, étaient tous vêtus de corsets rouges avec des trousses blanches, ayant sur la tête une espèce de turban ou de toque rouge, bordé de blanc. Deux d'entre eux tenaient le bœuf par les cornes et le conduisaient ; plusieurs avaient des violons, fifres et tambours, les autres portaient des bâtons. » La Révolution interdit la fête du Bœuf gras. Elle fut rétablie en 1805. Sous Napoléon III apparut la coutume de donner un nom au bœuf : « Père Goriot », « Dagobert », « Chilpéric », « Monte-Cristo », etc. Avec l'ouverture de nouveaux abattoirs à La Villette, c'est de cet endroit que partit le cortège. Interrompue par la guerre de 1870, la tradition fut reprise en 1895. A nouveau suspendue par la guerre de 1914, elle eut beaucoup plus de peine à recommencer. Au lendemain de la Seconde Guerre mondiale, le cortège se limitait au trajet des abattoirs à la mairie du XIXe arrondissement. Depuis 1952, la fête est interdite sous prétexte qu'elle gêne la circulation automobile.

BOHÈME

C'est vers 1840 qu'apparaît à Paris un nouveau type social, le bohème. Inspiré des tziganes errants venus de Bohême, il se présente comme un étudiant ou un artiste « viveur, joyeux, insouciant du lendemain, paresseux et tapageur ». Ce portrait sera bientôt infléchi par les *Scènes de la vie de bohème* d'Henri Murger, parues en 1847. Le bohème s'écarte des normes bourgeoises de la vie sociale pour « vivre » sa jeunesse avant de faire son « entrée dans le monde officiel ». Vers 1880, une nouvelle catégorie de bohèmes apparaît. Ce sont maintenant des révoltés qui refusent tout compromis avec l'ar-

gent et les plaisirs vulgaires des foules, qui dénoncent le « nivellement des jouissances ». Refusant de s'amuser et de travailler comme les autres, les bohèmes vivent entre eux au Quartier latin ou à Montmartre. En 1888, dans ses souvenirs, *Dix Ans de bohème*, Émile Goudeau, fondateur de la Société des hydropathes, précurseur du *Chat noir*, raconte leur existence que résume Léon Xanrof dans sa chanson, *Les Bohèmes* : des « cafés au style étrange », où se rassemblent

Les ratés et les insoumis,
Drapés de paletots à franges...

BOIS

Paris possède deux bois qui représentent les trois quarts de ses espaces verts. Aménagés pour le public sous le second Empire, ils ont une histoire ancienne. Le plus vaste, le bois de Vincennes (995 hectares) fait partie du domaine royal dès le XIe siècle, à peu près dans ses dimensions actuelles. En 1183, Philippe Auguste le fait entourer d'un haut mur pour empêcher les braconniers de tuer le gibier qu'il réserve à ses chasses et y fait construire une habitation qui va devenir le château de Vincennes. Louis XV fait reboiser Vincennes en traçant des avenues rectilignes et des ronds-points. Napoléon III fait creuser des lacs, aménager des îles et restructurer le bois en parc à l'anglaise. Le 24 juillet 1860, il le cède à la Ville de Paris. Le bois de Boulogne, vestige de la forêt de Rouvray, est cédé à Philippe Auguste par l'abbaye de Saint-Denis. En 1256, sainte Isabelle, sœur de Louis IX, y établit l'abbaye de Longchamp. Louis XI fait restaurer le bois ravagé durant la guerre de Cent Ans et percer deux routes de Passy à Boulogne et de Passy au bac de Neuilly. François Ier y fait édifier en 1531 le château de Madrid. Henri IV tente d'acclimater le ver à soie avec la plantation de quinze mille mûriers. Louis XIV y fait percer des allées droites convergeant en étoiles. Au

XVIIIᵉ siècle, les châteaux se multiplient à proximité du bois : la Muette, Neuilly, folie Saint-James, Bagatelle. C'est près du château de la Muette qu'ont lieu, en présence de la Cour, les premières expériences de montgolfières. Ravagé durant la Révolution, saccagé par les troupes alliées qui y bivouaquent en 1814-1815, le bois devient propriété de l'État en 1848, puis est cédé en 1852 à la Ville de Paris. Sous l'autorité de Napoléon III, Alphand et Barillet-Deschamps redessinent le parc dans le style anglais, aménageant des allées sinueuses, des lacs, des rivières et donnent au bois de Boulogne à peu près son aspect actuel.

BOIS DE CHAUFFAGE

Jusqu'au début du XIXᵉ siècle, les Français ont vécu dans une civilisation du bois, indispensable à l'artisanat, au bâtiment, à la cuisson des aliments et au chauffage des habitations, alors que le pays était beaucoup moins boisé qu'aujourd'hui. La médiocrité des voies terrestres de communication, le poids et le coût des charrois de bois font que la majeure partie de ce matériau est acheminée vers Paris par la voie fluviale, par train de bois flotté ou par bateau. Le flottage du bois aurait été inventé en 1549 par Jean Rouvet, à qui la ville de Clamecy a élevé une statue, mais il est avéré que le premier train de bois arriva à Paris le 22 avril 1547 sous la conduite de Charles Leconte. Clamecy sera le centre du flottage du bois du Morvan à destination de Paris jusqu'à sa disparition en 1877. Les forêts des environs de la capitale, Vincennes, Boulogne, Bondy, Sénart ne produisent guère que des fagots et il faut faire venir le bois de chauffage de Champagne, de Bourgogne, de Normandie. Les cours de l'Andelle et de l'Epte acheminent le bois des pays de Bray et du Vexin. Par l'Aisne et l'Oise arrivent les bois des forêts d'Argonne, du Valois, de Compiègne, de Chantilly. Mais l'essentiel de l'approvisionnement pa-

risien se fait par la Marne et l'Aube, qui portent les produits du plateau de Langres, et surtout par l'Yonne et ses affluents, la Cure, l'Armançon et le Beuvron, le Morvan fournissant à lui seul plus de quatre cent mille voies de bois consommées par les Parisiens. Auteur d'un remarquable travail sur l'approvisionnement de Paris en bois au XVIIIᵉ siècle, publié en 1970 dans les *Études d'histoire du droit parisien*, Marie-Hélène Bourquin a calculé que ces sept cent mille voies rempliraient plus de six fois l'intérieur de Notre-Dame.

Au XVIIIᵉ siècle, une véritable pénurie de bois due à l'évolution du mode de vie existe, ainsi que l'observe en 1752 l'auteur de la présentation commentée de l'ordonnance de 1669 sur les eaux et forêts : « Ce qui a encore beaucoup augmenté la consommation de bois, c'est le grand nombre de feux qu'on fait aujourd'hui dans les ménages de gens médiocres, alors qu'autrefois, même des gens distingués n'en faisaient qu'un seul, recevaient et travaillaient dans une chambre commune. » Quelques années plus tard, Sébastien Mercier fait la même remarque dans son *Tableau de Paris* : « Depuis le luxe, introduit par la finance, a eu tout perverti parmi nous, il a allumé dans tous les coins de nos demeures des feux inextinguibles, et promené la hache infatigable dans toutes nos forêts... La cuisine, l'antichambre, le salon, vingt chambres particulières dans la même maison dévorent le bois... Autrefois ce qui composait le domestique se chauffait à un foyer commun ; aujourd'hui la femme de chambre a sa cheminée, le maître d'hôtel a sa cheminée. » Et Mercier de conclure : « Ce que le chauffage de la capitale coûte de peines, de soins et d'industrie, ne saurait être compris que par ceux qui ont suivi ces travaux ; et personne ne réfléchit sur les détails immenses qui préparent cette consommation prodigieuse. »

A la veille de la Révolution, l'approvisionnement en bois de la capitale est une des principales activités de la municipalité qui a lancé plusieurs enquêtes, principalement dans le bassin de l'Yonne, la dernière en mai 1789. En 1784, elle a ordonné la remise en état des ruisseaux flottables du Morvan. En janvier 1789, le grand froid incita le Bureau de la Ville à organiser des distributions gratuites de bois de chauffage aux pauvres et aux indigents.

Ce bois s'empilait sur les ports de la rive gauche (port Saint-Bernard, port de la Tournelle, port aux Mulets, actuel port de Montebello, port de la Grenouillère, aujourd'hui quai d'Orsay) et, sur la rive droite, au port au Plâtre (port de la Rapée actuel), à celui de la Grève ou de l'Hôtel de Ville, au port Saint-Paul (quai des Célestins), au port Saint-Nicolas (quai du Louvre). L'île Louviers fut retenue à partir de 1736 pour le déchargement des «bois neufs à brûler et charbons de bois des ports Saint-Paul et de la Grève», à l'imitation de ce qui avait été fait en aval dès 1721 à l'île aux Cygnes. Outre ces ports, existaient des chantiers où l'on stockait le bois déchargé, en général non loin de la Seine. Il y en aurait eu une soixantaine à la veille de la Révolution et Mercier écrivait à leur sujet : «Ce bois que le fleuve amène et qu'on entasse en piles hautes comme des maisons, va disparaître dans l'espace de trois mois. Vous le voyez en pyramides carrées ou triangulaires, qui vous dérobent la vue des environs ; il sera mesuré, porté, scié, brûlé et il n'y aura plus que la place.»

A l'aube du XIXe siècle, la consommation annuelle de chaque Parisien pour son chauffage est estimée à deux stères de bois et une voie et quart de charbon de bois. La houille va rapidement le remplacer. Les deux stères de bois de 1800 ne sont plus qu'un vers 1835, un demi en 1850, un quart en 1870. Le gaz puis l'électricité achèvent de faire disparaître le bois de chauffage, pour le plus grand bien des forêts.

• *Voir aussi* CHAUFFAGE.

BONNETIER

Dits «coiffiers», «aumussiers», «chaussetiers», «chapeliers de coton», puis figurant dans les statuts de 1315 sous le nom de «chapeliers de gants de laine et de bonnets», ce n'est qu'avec l'ordonnance dite des Bannières de juin 1467 que les bonnetiers prennent leur nom définitif. Ils connaissent alors une extension et une prospérité exceptionnelles et se proposent en 1514 de remplacer les changeurs, ruinés, au sein des Six-Corps où leur est attribué le cinquième rang parmi les représentants officiels du commerce de Paris. Les bonnetiers fabriquent et vendent bonnets de laine et de drap, mitaines, bas, chaussons, calottes, chemisettes «et toutes autres marchandises de soye, estame, laine, fil et cotton brochées sur grosses et menues aiguilles». La majeure partie des bas n'est pas fabriquée dans la capitale, mais à Dourdan «et lieux circonvoisins de la Beauce». La profession est administrée par quatre, puis, à partir de 1638, six jurés ou gardes. Les bonnetiers eurent à subir dans la seconde moitié du XVIIe siècle la concurrence des faiseurs de bas au métier, utilisant la machine d'origine anglaise introduite par Jean Hindret. L'arrêt du 12 avril 1723 mit fin aux contestations entre bonnetiers et maîtres fabricants de bas en réunissant en une seule la corporation des marchands bonnetiers et celle des tisseurs de bas. On comptait un peu plus de cinq cents maîtres bonnetiers au XVIIIe siècle. Dans *Les Précieuses ridicules*, Molière fait dire à Madelon son admiration pour les rubans du plus célèbre bonnetier de l'époque, Perdrigeon, dont la boutique à l'enseigne des Quatre Vents se trouvait près de l'église Saint-Denis de la Chartre, rue de la Lanterne, dans l'île de la Cité. Les bonnetiers avaient pour patron saint Fiacre à qui la légende attribuait l'invention du tricot et célébraient sa fête, le 30 août, dans la chapelle qu'ils avaient dans l'église Saint-Jacques de la Boucherie. Le bureau de la corporation était situé à proximité immédiate de cette église, dans la rue des Écrivains.

• *Voir aussi* CHAPELIER.

BORNE

Dans son *Dictionnaire de voierie* (1782), Perrot fait observer pertinemment : « C'est sans fondement qu'on a donné ce nom aux pierres qui sont plantées contre les murs et édifices, pour les garantir du choc des voitures et empêcher qu'ils ne soient dégradés pas les essieux qui en approcheroient trop près. Celui de "Chasse-roues", dont il est parlé en quelques anciennes ordonnances, seroit plus convenable, parce qu'en effet, les pierres dont il s'agit, chassent les roues en les écartant des murs. » Il existe deux types de chasse-roues : des bornes isolées plantées devant des églises ou des hôtels particuliers, sur des places publiques ; les bornes adhérentes aux murs et aux maisons (voir TROTTOIR). Deux ordonnances du Bureau des finances des 22 et 26 février 1737 ont interdit de planter des chasse-roues dans les faces des pans coupés des maisons, à cause des accidents qui peuvent y être occasionnés.

Les véritables bornes, toujours d'après Perrot, « sont celles qui séparent les lieux et héritages, ou qui servent à fixer les distances d'un lieu à un autre ». Ces dernières sont dites « bornes milliaires » (voir POINT ZÉRO). Il existe des bornes ou « pierres de limites », posées en application des déclarations royales des 18 juillet 1724, 29 janvier 1726 et 23 mars 1728. On en trouvera le détail à l'article « Limites » du *Dictionnaire de Perrot*.

BORNE-FONTAINE

« Je fis exhausser et sortir en quelque sorte de terre les bornes-fontaines dont l'eau, avant moi, jaillissait sur le trottoir à fleur de pavé. J'ai encore devant les yeux l'image de femmes accroupies recueillant avec une écuelle cette eau si précieuse et si rare qui maintenant coule à flots, car je voulus que chacun pût puiser librement pour tous ses besoins à des fontaines jaillissantes à cinquante centimètres du sol », écrit le comte de Rambuteau, préfet de la Seine de 1833 à 1848, dans ses *Mémoires*. Au nombre de cent quarante-six en 1830, ces bornes-fontaines étaient deux mille en 1848. Avec la généralisation de l'eau dans les maisons, les bornes-fontaines disparurent rapidement et Maxime Du Camp, dans son *Paris, ses organes, ses fonctions*, paru en 1874, déplore « qu'on les ait presque toutes supprimées, sous prétexte qu'elles éclaboussaient les passants et qu'elles encombraient la voie publique ». Belgrand reconnaissait qu'elles étaient très demandées « dans les quartiers habités par la classe ouvrière, et notamment dans toute la zone annexée ». Il estimait à trois cent six les bornes-fontaines à repoussoir qui existaient encore au 31 décembre 1876. On trouve encore des bornes-fontaines à repoussoir dans quelques jardins publics.

• *Voir aussi* EAU.

BORNE MILLIAIRE
Voir POINT ZÉRO.

BOUCHE D'EAU

La mise en service des pompes à incendie à partir de 1699 pose le problème de leur approvisionnement en eau. Jusqu'alors, on tirait l'eau des puits, des fontaines ou de la rivière et l'on arrosait le foyer d'incendie avec des seaux d'eau ou des « seringues ». Souvent était constitué, à proximité de la chaîne des sauveteurs, un batardeau, sorte de mare artificielle où l'on s'approvisionnait. Mais cette eau mêlée de terre et de déchets obstruait les pompes et les détériorait rapidement malgré l'emploi de tamis en osier. Aussi chercha-t-on des moyens d'approvisionnement nouveaux permettant de déverser l'eau directement dans les pompes. Après l'incendie du Petit-Pont,

Jean Beausire, maître des œuvres et contrôleur général des Bâtiments de la Ville, propose en 1718 «de parvenir à avoir de l'eau des principaux tuyaux de fontaines dans les carrefours de la ville, par le moyen de tuyaux branchés et de robinets qui seraient encastrés dans les murs de face des maisons les plus convenables». En janvier 1723, Dumouriez du Périer, directeur des pompes, dresse un plan de Paris portant l'emplacement de cent vingt-trois prises d'eau, mais le coût de l'entreprise l'empêche d'aboutir. Il faut les graves incendies des 1er août et 27 octobre 1737 à l'Hôtel-Dieu et à la Chambre des comptes pour que le prévôt des marchands se décide à ordonner l'installation d'un regard sous le pavé de la place Baudoyer, près de l'Hôtel de Ville, avec une canalisation «embranchée sur le gros tuyau de la conduite d'eau, à l'effet de fournir promptement et abondamment de l'eau dans les incendies». L'essai a lieu le 11 juillet 1738 et s'avère concluant et le Bureau de la Ville décide l'installation de soixante bouches d'eau à travers Paris. L'insuffisance du réseau d'approvisionnement en eau de la capitale entrave l'extension des bouches d'eau et l'on doit créer en 1764 des tonneaux d'incendie, réserves d'eau en cas de sinistre. Ils ne seront supprimés qu'en 1887, lorsque le nombre des nouvelles bouches d'incendie créées en 1872 sera suffisamment important. Au début de 1916, on comptait près de huit mille prises d'eau spéciales sur la voie publique et plus de sept cent cinquante à l'usage d'établissements publics ou privés. Il y en avait plus de vingt-huit mille en 1985, dont plus de trois mille privées. On peut lire avec profit l'article du capitaine Cherrière dans le *Bulletin de la Société historique et archéologique du IVe arrondissement de Paris. La Cité*, en avril 1917, et l'ouvrage du lieutenant-colonel Aristide Arnaud, *Pompiers de Paris*, dont la plus récente édition date de 1985.

• *Voir aussi* INCENDIE ; POMPE A INCENDIE ; POMPIER.

BOUCHER, BOUCHERIE

La corporation des bouchers semble la plus anciennement attestée : Louis VII confie en 1146 au maître des bouchers le soin de distribuer aux lépreux une rente de viande et de vin. En 1153 et en 1156, le même roi confirme ces privilèges et coutumes. En 1162, il fait remonter ceux-ci au règne de son père Louis VI. En 1182, Philippe Auguste affirme à nouveau leurs privilèges en les détaillant en quatre articles : liberté d'achat et de vente du bétail et de la viande, sans droits à payer dans la banlieue, faculté de faire le commerce des poissons de mer et d'eau douce, obligation de payer les droits du «past» et de l'«abeuvrement» pour faire partie de la communauté. A partir de 1250 semble s'instaurer l'usage de ne plus admettre dans la communauté que des fils de bouchers. Seules les lettres royales de maîtrise permettent d'introduire de temps à autre des familles nouvelles dans ce monde fermé. En juin 1381 paraissent des statuts très complets en quarante-deux articles, dont le vingt-troisième stipule : «Nul ne peut être bouchier de la grant boucherie de Paris, ne faire fait de bouchier ne de boucheire se il n'est filz de bouchier de ycelle boucherie.» Le 30 septembre 1406, Charles VI autorisa les bouchers de la Grande Boucherie à fonder dans leur chapelle à Saint-Jacques-de-la-Boucherie une confrérie en l'honneur de la nativité du Christ, allusion au bœuf de l'étable de Bethléem. Compromis avec la faction bourguignonne, les bouchers furent punis en août 1416 par l'abolition de leur communauté. Mais le retour des Bourguignons au pouvoir en 1418 la leur restitua. Depuis le XIVe siècle, les opulents maîtres bouchers de la Grande Boucherie avaient renoncé à exercer personnellement leur profession, louant leurs étaux à des «valets détaillants» sans aucune compétence. Ces valets détaillants répercutaient sur le prix de la viande le coût de la location et les profits qu'ils en tiraient. Ce renchérissement émut le Parlement qui, par un arrêt de 1466, ordonna aux maîtres d'exercer personnellement leur métier ou, au moins, de payer de leur bourse les garçons à leur service. Les bouchers ne cédèrent pas et le Parlement se résigna, par arrêt du 4 mai 1540, à ordonner la location annuelle des étaux, par autorité de justice, pour 16 livres parisis, et autorisa par la même occasion la multiplication des boucheries dans Paris, rue Saint-Martin, rue Saint-Honoré, place Maubert, etc. En 1587, les bouchers locataires de ces étaux furent autorisés à former une nouvelle corporation dite des « bouchers de la ville de Paris ». Les bouchers avaient le monopole de la vente de la viande crue. Les charcutiers n'apparaissent qu'en 1476, après qu'ils se furent séparés de la corporation des cuisiniers, et n'ont d'abord le droit de vendre que de la viande cuite. Des lettres patentes de juillet 1513 les autorisèrent à faire le commerce des porcs vivants. Enfin, ils obtinrent le 24 octobre 1705, au détriment des bouchers, le droit exclusif de vendre la viande de porc, soit crue, soit cuite.

Il n'y eut pas d'abattoir à Paris avant le XIXe siècle et chaque boucher tuait et dépeçait les animaux dans sa cour. La tuerie et l'écorcherie engendraient une pollution et une puanteur qu'il fallait combattre par un nettoyage abondant. Les boucheries devaient donc se trouver à proximité de la Seine, où elles pouvaient s'approvisionner en eau de lavage, et qui leur servait aussi d'égout pour l'évacuation des parties non comestibles des animaux détaillés. La plus ancienne boucherie connue consistait en un seul étal situé sur le parvis Notre-Dame. Les autres boucheries étaient regroupées à la porte de Paris. Leur installation est liée à l'héritage fait en 1096 par l'abbaye de Montmartre de la

maison de Guerry le Changeur ou Guerry de la Porte, convertie par le monastère en vingt-trois étaux loués à des bouchers. La Grande Boucherie s'étendit progressivement à la porte de Paris ou Apport-Paris jusqu'à toucher aux murs septentrionaux du Châtelet. Au nord, elle bordait la rue Saint-Jacques-de-la-Boucherie. A l'ouest, à l'est, elle s'étendait jusqu'à l'actuelle Chambre des notaires de l'avenue Victoria. Démolie en 1416 en châtiment du ralliement des bouchers à la cause bourguignonne, la Grande Boucherie fut reconstruite en 1418, au retour du duc de Bourgogne dans la capitale.

Il existait d'autres boucheries, d'une importance minime en comparaison du véritable quartier que représentait la Grande Boucherie. Les Templiers avaient obtenu en 1282 l'autorisation d'avoir deux étaux dans leur enclos. En 1354, le prieur de Saint-Éloi fit installer des étaux dans la rue Saint-Paul. Vers la même époque, les religieux de Saint-Germain-des-Prés créèrent une boucherie de trois étaux à proximité de leur monastère. Vers 1360, les moines de Sainte-Geneviève firent construire une boucherie pour les habitants du bourg environnant l'abbaye. Peu après, les moines de Saint-Germain-des-Prés firent construire, pour la population du bourg Saint-Germain, une boucherie importante située entre le bourg et l'enceinte de Philippe Auguste, à l'emplacement de la rue des Boucheries-Saint-Germain, détruite lors du percement du boulevard Saint-Germain. En octobre 1471, Louis XI fit détruire trois étaux de la Grande Boucherie pour percer une voie conduisant au Pont-au-Change, mais donna en compensation trois étaux au cimetière Saint-Jean (au début de la rue du Bourg-Tibourg).

L'extension de la ville rendit nécessaire l'ouverture de nouvelles boucheries. L'arrêt du Parlement du 4 mai 1540 en ordonne la création dans les rues Saint-Martin, Saint-Honoré, place

Maubert et dans tout autre lieu « commode ». Car les désagréments occasionnés au voisinage par l'établissement d'une tuerie, écorcherie, boucherie, justifient un sévère contrôle par le voyer de Paris, ainsi que l'attestent de multiples textes des 29 avril 1597, 17 novembre 1615 et 4 février 1683 notamment. Le *Livre commode* d'Abraham Du Pradel, publié en 1691-1692, énumère les boucheries de Paris : près de l'Apport de Paris, place aux Rats, quartier des Quinze-Vingts (porte Saint-Honoré), marché du Temple, au coin de Saint-Paul, porte Saint-Antoine, Marché-Neuf, montagne Sainte-Geneviève, place Maubert, fontaine Saint-Séverin, quartier Saint-Nicolas-des-Champs, rue Montmartre, rue Comtesse-d'Artois, pointe Saint-Eustache, rue de Buci, Petit-Marché, Croix-Rouge, rue des Boucheries-Saint-Germain. En 1710, le nombre et la dispersion des boucheries s'étaient encore accru : il y avait trois cent sept étaux répartis entre les vingt quartiers de la ville.

Les bouchers s'approvisionnaient sur les marchés aux bestiaux de Montmorency, Saint-Denis, du Bourget, de Montlhéry, et encore plus loin, mais deux d'entre eux assuraient la majeure partie des transactions : Poissy et Sceaux qui avaient été substitués à Bourg-la-Reine par lettres patentes du 9 septembre 1610. En décembre 1743, pour faciliter les achats, avait été créée la caisse dite de Poissy. Dans chacun de ces deux marchés, cette caisse avançait aux bouchers les sommes nécessaires à leurs achats moyennant une rétribution d'un sol par livre. Plusieurs fois supprimée et rétablie, abolie à la Révolution, rétablie en 1812, la caisse de Poissy a disparu avec l'ouverture, le 21 octobre 1867, du marché aux bestiaux de La Villette. Marché et abattoirs ont disparu depuis 1974 et la viande arrive désormais de province ou de l'étranger aux Halles de Rungis.

On dénombrait quarante-deux bouchers dans le livre de la taille de 1292, soixante-douze dans celui de 1300. La fermeture du métier avait provoqué un resserrement extraordinaire de la profession : les étaux de la Grande Boucherie n'appartenaient plus en 1637 qu'à quatre familles. On trouvera d'anciennes mais solides études sur la boucherie dans Hubert Bourgin, « L'industrie de la boucherie à Paris pendant la Révolution » et « L'industrie de la boucherie au XIXe siècle » (dans *L'Année sociologique*, 1903-1904), et dans *Les Consommations de Paris* d'Armand Husson.

• *Voir aussi* **ABATTOIR** ; **VIANDE**.

BOUCHERIE CHEVALINE

Longtemps considérée comme impure par l'Église chrétienne, qui ne faisait que reproduire l'interdit juif, la viande de cheval faisait toujours l'objet d'une interdiction à la vente au XVIIIe siècle et son renouvellement par les ordonnances des 19 mars 1762 et 31 mars 1790 révèle l'existence d'un commerce clandestin. En 1803, la cherté des autres viandes contraint les Parisiens les plus pauvres à manger du cheval. En 1811, en pleine crise économique et sociale, les saisies sont opérées dans les boucheries des quartiers populaires, aux Halles, rues Saint-Victor et de la Huchette.

Alors que toute l'Europe du Nord a renoué avec les traditions alimentaires des anciens Germains et recommencé depuis longtemps à consommer de la viande de cheval, à Paris, à partir de 1825 seulement, Parent-Duchâtelet et plusieurs autres notables font campagne en sa faveur. Le premier banquet hippophagique a lieu le 1er décembre 1855 à Alfort, le second se déroule à Paris, le 6 février 1856, dans les salons du Grand Hôtel, en présence de cent trente-deux invités, banquiers, industriels, journalistes, vétérinaires, etc.

L'administration finit par se dégager du préjugé religieux. L'ordonnance du 9 juin 1866 autorise la vente de viande de cheval et la première boucherie hippophagique est ouverte un mois plus tard, le 9 juillet, au 3, boulevard d'Italie (Auguste-Blanqui), non loin du marché aux chevaux. Les deuxième et troisième boucheries s'ouvrent bientôt, elles aussi dans des quartiers ouvriers, au 101 de la rue de Clichy le 2 septembre et, le 20 octobre, au 10 de la rue Desnoyers à Belleville.

La guerre de 1870 et le siège de Paris contraignent beaucoup d'habitants de la capitale à consommer de la viande de cheval. L'ayant appréciée, ils continuent à en manger au retour de la paix. Le nombre des abattages atteste l'énorme progression de la boucherie chevaline : moins de 3 000 animaux par an avant 1870, environ 7 000 entre 1872 et 1876, de 17 000 à 18 000 entre 1885 et 1900, 40 000 en 1905, plus de 62 000 en 1911. Depuis 1907, l'offre est inférieure à la demande et il faut importer des chevaux de boucherie. A la fin de 1908, on dénombre trois cent onze boucheries chevalines à Paris et deux cents étaux sur les marchés. Les arrondissements aisés ont peu de boucheries hippophagiques : aucune dans le VIIIe, une dans le Ier, 2 dans le IXe, 3 dans les VIIe et XVIe, alors qu'elles sont nombreuses dans les quartiers pauvres : 36 dans le XXe, 27 dans le XVIIIe, de 23 à 21 dans les XIe, XIIIe et XIVe.

En 1932, le Français était le troisième consommateur du monde avec 1 800 grammes de viande par habitant et par an, précédé par le Belge (3 500 grammes) et le Néerlandais (2 600 grammes). En 1962, on abattait à Brancion-Vaugirard cent onze mille six cent soixante-quinze chevaux pour la consommation de Paris qui comptait cinq cent cinquante-neuf boucheries chevalines. La moitié des bêtes étaient importées d'Europe orientale. Depuis, sans doute à cause de la raréfaction des chevaux et de l'augmentation du prix de cette viande, il semble qu'il y ait eu une régression considérable, car l'annuaire du téléphone de 1994 ne recense plus qu'une cinquantaine de boucheries chevalines.

BOUE
Voir **NETTOIEMENT**.

BOULANGER, BOULANGERIE

C'est sous le nom de talemeliers que les boulangers apparaissent d'abord. Ce nom serait synonyme de «tamisier» et ferait référence à l'obligation où ils se trouvaient de tamiser leur farine. Le terme de boulanger ne devient courant qu'au XVIe siècle et serait issu du francique «bolla» : il se rapporterait à la forme ronde affectée alors par les pains, les pains longs n'étant pas apparus avant le XVIIe siècle. Le développement de cette profession fut entravé par l'existence du four banal qui réservait la cuisson du pain au seigneur du lieu. L'évêque avait son four dans la Cité, rue de la Juiverie et rue Sainte-Aure, dit «four d'enfer», sans doute à cause de ses flammes. Toutes les abbayes possédaient leur four banal ainsi que les seigneurs laïcs, mais Philippe Auguste autorisa les talemeliers à faire cuire et à vendre le pain dans toute l'étendue du domaine royal. Philippe le Bel alla plus loin et autorisa en 1305 chaque Parisien à cuire son pain à son domicile.

Le talemelier est assisté d'un geindre ou premier garçon, de vanneurs, de bluteurs, de pétrisseurs. Le métier est étroitement contrôlé par l'autorité royale qui taxe le pain lorsqu'il atteint un prix trop élevé, afin de prévenir tout risque d'émeute de la faim. Les boulangers n'avaient pas le droit de mettre en vente de pain plus gros que la valeur de 2 deniers et de plus petits que la valeur d'une obole. Cependant, le samedi, ils avaient le droit de vendre sur le marché des pains de tous prix, à condition qu'ils n'excèdent pas 12 deniers. Le grand pannetier du roi fut dessaisi de sa justice correctionnelle sur les talemeliers en 1350 au profit du prévôt des marchands qui fut appelé à présider à l'élection des jurés de la corporation et à infliger les amendes pour inobservation des règlements sur la qualité ou le poids du pain. Le Bureau de la Ville avait la garde des poids à peser blés et farines.

L'expansion de la ville rendit nécessaire la multiplication des marchés au pain. A l'origine, il n'y en avait qu'un, se tenant le samedi dans la Cité, à proximité de l'ancienne halle au blé de la rue de la Juiverie. Sous le règne de Louis IX, les boulangers forains, c'est-à-dire n'habitant pas la ville, vendent leur pain le samedi sur la place de Grève, aux Halles, dans la rue aux Fers, devant le cimetière des Innocents. Les boulangers de la banlieue avaient l'autorisation de vendre le dimanche, entre le parvis Notre-Dame et l'église Saint-Christophe, le pain invendu la veille « pour être trop dur, ars ou échaudé, trop levé ; pain aliz ou mestourné, c'est-à-dire trop petit ; pain raté, que les rats auraient entamé ». Les boulangers de la ville avaient aussi le droit de vendre au même endroit leurs pains « de bonne qualité et de poids, à condition de l'y apporter dans des corbillons ou bachoues, l'y exposer en vente sur des tables qui n'auraient pas plus de cinq pieds de long, et d'être sujets à la visite des jurés ». Les boulangers de la ville se plaignirent de cette facilité accordée aux boulangers forains. Des lettres patentes du 12 mars 1366, complétées le 16 avril par un règlement de police, transférèrent le marché de Notre-Dame à la place Maubert. Une ordonnance du 23 novembre 1546 mentionne ce marché en compagnie de ceux des Halles, du cimetière Saint-Jean et de la rue Neuve-Notre-Dame. Ces marchés se multiplièrent avec la croissance de la ville et on en dénombrait quinze à la veille de la Révolution, fréquentés par mille cinq cent trente-quatre boulangers, en majeure partie forains, venant de Gonesse, Corbeil, Saint-Germain-en-Laye, etc.

Les derniers statuts des boulangers furent établis en mai 1746. Il fallait alors, pour devenir maître, avoir vingt-deux ans échus, être catholique, présenter un certificat de bonne vie et mœurs, n'« être atteint d'aucun mal dangereux qui se puisse communiquer », avoir fait trois années d'apprentissage, trois autres de compagnonnage, et avoir accompli le chef-d'œuvre, consistant à « convertir en diverses sortes de pâtes et de pains trois setiers de farine ». Les fils de maîtres étaient dispensés de ces obligations. La confrérie des boulangers était placée sous le patronage de saint Honoré :

Saint Honoré,
Dans sa chapelle,
Est honoré
Avec sa pelle.

Aussi longtemps que le pain a constitué la base de l'alimentation des classes populaires, l'État a surveillé de très près son prix pour éviter des troubles sociaux. Sébastien Mercier en était conscient à la veille de la Révolution de 1789, qui écrivait dans son *Tableau de Paris* : « Dans des temps fâcheux et difficiles, et certains moments de crise, le gouvernement vient tacitement au secours des boulangers, les indemnise, leur paye pendant un temps l'excédent du prix des farines, afin d'éviter les brusques et dangereuses mutations et de maintenir le pain à un taux où le pauvre puisse atteindre sans murmure. On leur enjoint surtout de ne jamais rebuter et encore moins effrayer la sensibilité de la misère : c'est une vigilance paternelle, un sacrifice sage, une politique humaine, un bienfait inappréciable, car la crainte et l'effroi de manquer de la principale nourriture, s'exagéreraient et se propageraient parmi une multitude immense, à un point qui briserait le frein de la police ; une grande population commande donc un régime tout particulier. »

La première école de boulangerie fut créée en 1780 par le lieutenant général de police Lenoir dans la rue de la Grande-Truanderie. Des cours gratuits y étaient dispensés deux fois par semaine par Parmentier et le pharmacien Cadet de Vaux. Sébastien Mercier lui consacre un chapitre élogieux dans le *Tableau de Paris* : « L'école de boulangerie est gratuite et doit changer sensiblement la routine pour y substituer des procédés plus simples et plus heureux. Elle enseigne tout ce qui concerne cet art jusqu'ici méconnu dans ses premiers principes. Elles expose les manipulations différentes qui doivent être employées pour toutes les espèces de pains. Voilà une science toute nouvelle qu'on ne soupçonne point ailleurs, et dont on se moque peut-être avec la bêtise de l'ignorance. Pendant ce temps, le professeur chimiste tire une farine belle et savoureuse de ce qu'on livrait précédemment à l'amidonnier, et de ce qu'on abandonnait à la nourriture des animaux. »

• *Voir aussi* PAIN.

BOULEVARD

Maurice Tassart écrit dans le *Dictionnaire de Paris* : « Tant qu'ils furent réellement les plus importants de la capitale, les Grands Boulevards se passèrent d'épithète. On disait simplement "les Boulevards", ou même "le Boulevard". Le besoin d'un qualificatif ne se fit sentir qu'après 1860, quand il fallut distinguer le vieux Boulevard du boulevard circulaire désormais compris dans l'enceinte de Paris. On déclara "grand" le plus petit des deux, tout en persistant à dire "extérieur" celui qui ne l'était plus. Toutefois, le paradoxe n'est qu'apparent : du fait de leur position centrale, de leur caractère et de leur passé, les Grands Boulevards méritent encore d'être considérés comme tels. »

L'origine du boulevard, comme l'atteste l'origine et le sens germanique du mot, est militaire. C'est Louis XIV qui le crée, à partir de 1670, lorsqu'il décide de faire de Paris une ville ouverte, de faire raser les enceintes de Charles V et de Louis XIII et de leur substi-

tuer un cours planté d'arbres, large de 19 toises (environ 36 mètres). Cette promenade de plus de 4 kilomètres de long constitue la limite officielle de la ville sur la rive droite, ce qui explique que les rues de la capitale changent de nom lorsqu'elles la traversent : les rues du Temple, Saint-Martin, Saint-Denis, Poissonnière, Montmartre, deviennent, le boulevard franchi, les rues du Faubourg-du-Temple, du Faubourg-Saint-Martin, etc. Historiquement, le Boulevard débute à la Bastille avec l'actuel boulevard Beaumarchais et s'achève par le boulevard de la Madeleine, portant successivement, d'est en ouest, le nom de boulevard des Filles-du-Calvaire, du Temple, Saint-Martin, Saint-Denis, Bonne-Nouvelle, Poissonnière, Montmartre, des Italiens, des Capucines.

Jusqu'à la fin du XVIIIe siècle, le Boulevard demeure un lieu agreste, presque campagnard, en bordure duquel s'élèvent quelques hôtels particuliers. Les panoramas du passage du même nom, le cabinet de figures de cire de Curtius sur le boulevard du Temple, commencent à attirer le public à la charnière des XVIIIe et XIXe siècles, ajoutant au rôle de promenade familiale du Boulevard une fonction d'attraction, de distraction, l'amorce d'un spectacle. Le théâtre va, en effet, envahir le Boulevard sous la Restauration et la Monarchie de Juillet. Le *Petit Atlas pittoresque*, d'A. M. Perrot, qui donne l'état de Paris en 1834, situe cinq théâtres sur le boulevard du Temple (Cirque olympique, Folies dramatiques, théâtre de la Gaîté, Funambules, théâtre Saqui) à qui les sombres mélodrames qu'on y joue vaudront le surnom de « boulevard du Crime ». Le boulevard Saint-Martin porte déjà l'Ambigu-Comique et le théâtre de la Porte-Saint-Martin, le boulevard Bonne-Nouvelle le Gymnase dramatique, le boulevard Montmartre le théâtre des Variétés. Les chambardements haussmanniens vont être fatals au boulevard du Crime. Mutilé lors de l'agrandissement de la place du Château-d'Eau (de la République) en 1862, il voit disparaître dans les démolitions la plupart de ses salles au public populaire, une perte que ne compense pas l'édification du Cirque d'hiver sur le boulevard des Filles-du-Calvaire. Déchue, la partie orientale du Boulevard est éclipsée par l'essor exceptionnel, sous le second Empire, de la section occidentale et singulièrement du boulevard des Italiens, centre de tous les plaisirs de la vie mondaine, cafés, restaurants, spectacles. Constatant le déclin et l'abandon du Palais-Royal, Edmond Texier écrit en 1852 dans son *Tableau de Paris* : « Les boulevards ont hérité de tant de splendeur et de gloire. Ils sont devenus, à leur tour, le rendez-vous de l'univers, le point de ralliement de tous les peuples : forum cosmopolite ouvert à toutes les langues, centre merveilleux où aboutissent les chemins des cinq parties du monde. » Mais l'entrée en service du métro en 1900, le continuel glissement de la vie parisienne vers l'ouest fortuné, relèguent le Boulevard au rang des lieux démodés. Le directeur du quotidien *Le Gaulois*, Arthur Meyer, constate en 1911 : « Mon pauvre Boulevard, je t'aperçois des fenêtres de mon cabinet : toi aussi, tu es un roi en exil ; seulement, on restaure parfois un trône, on ne restaure pas un quartier démodé ; la place des Vosges est désertée, le Palais-Royal lutte désespérément ; rien ne sert de vouloir endiguer le flot qui pousse toutes les capitales vers l'ouest. Le perron de Tortoni conduit à une boutique de chaussures ; l'administration a installé un bureau de poste, *modern' style*, à la Maison dorée... »

Le Boulevard avait perdu dès le début du XXe siècle une grande partie de sa vie mondaine et nocturne. Les gens fortunés se sont repliés vers les Champs-Élysées et le XVIe arrondissement, les intellectuels et les artistes se sont dispersés entre Montmartre, Mont-

parnasse, Saint-Germain-des-Prés, même les journaux ont progressivement abandonné à partir des années 1950 leurs sièges sociaux. Dans les années 1970, la crise du cinéma a sonné le glas des salles obscures. Seul le théâtre a résisté de son mieux, un théâtre qui revendique encore largement par son répertoire le titre de « théâtre de boulevard ». Le rapatriement des Français d'Afrique du Nord entre 1960 et 1962 a contribué à ranimer quelque peu le Boulevard, mais ce sont surtout les rues adjacentes, la rue du Faubourg-Montmartre notamment, qui en ont bénéficié.

BOUQUINISTE

Paris est l'unique ville à posséder des boîtes à livres installées sur ses quais. Elles sont le fonds de commerce des bouquinistes, le mot « bouquin » (dérivé du flamand *boeckin*, « petit livre ») ayant rapidement pris en français la connotation un peu péjorative de vieux livre de peu de valeur. Dans son *Dictionnaire de commerce* (1723), Savary définit ainsi les bouquinistes, qu'il nomme « estaleurs » : « Pauvres libraires qui, n'ayant pas le moyen de tenir boutique ni de vendre du neuf, estaloient de vieux livres sur le Pont Neuf, le long des quais et en quelques autres endroits de la ville. »

Apparus dès le seizième siècle, concurrents des libraires-jurés avec « enseigne peinte », ces humbles marchands étalaient, sur des tréteaux ou par terre sur des toiles, des livres en plus ou moins bon état. D'autres disposaient d'une boîte en bois ou en osier qu'ils portaient attachée par une courroie autour du cou et allaient par les rues proposer leur marchandise. Craignant qu'ils ne vendent des livres interdits, brochures politiques ou religieuses, les autorités faisaient la chasse à ces marchands que leur dénonçaient les libraires agréés hostiles à ces concurrents déloyaux. Un arrêt du 27 juin 1577 assimilait ces petits marchands aux voleurs et aux receleurs.

Le bailli du Palais de justice tente de réglementer la profession. Une sentence du 22 septembre 1578, confirmée par un arrêt en avril 1579, interdit « à toutes personnes de vendre et colporter livres par la ville », mis à part douze colporteurs autorisés qui doivent impérativement se tenir deux par deux à six emplacements : au bout du pont Saint-Michel, de chaque côté de ce pont, devant la barrière des Sergents, devant l'horloge du Palais, devant le pont aux Meuniers à la Vallée de Misère, au marché Pallu devant Notre-Dame.

Il semble qu'outre ces douze colporteurs autorisés, il en ait subsisté beaucoup d'autres exerçant dans l'illégalité. Dès l'ouverture du Pont Neuf, c'est vers ce lieu très fréquenté qu'ils se portent presque tous et ils s'y trouvent à nouveau en concurrence avec les libraires. En effet, en 1614, on signale un marchand libraire, Pierre Douleur, qui loue à bail pour neuf ans à la Ville un emplacement au coin du Pont Neuf et du quai de la Mégisserie. Les colporteurs agréés sont tenus à partir de 1618 au port d'une « marque ou écusson de cuivre » sur le devant de leur pourpoint, avec la mention « colporteur ».

A plusieurs reprises, les autorités ordonnent le départ des libraires-colporteurs-bouquinistes. L'édit du 30 janvier 1619 réserve le Pont Neuf et les rues avoisinantes aux libraires-jurés. Un nouvel arrêt du 29 janvier 1628 leur intime de se réunir à leurs confrères installés près de la chapelle Saint-Yves, rue Saint-Jacques. Il ne semble pas qu'ils aient durablement déménagé car, durant la Fronde, c'est toujours au Pont Neuf qu'on peut acheter à ces colporteurs-bouquinistes les pamphlets politiques ou mazarinades. Les interdictions sont renouvelées périodiquement, en 1649, 1673, 1686, 1697, 1717, 1721, 1740, 1749, 1755, 1756, etc., ce qui prouve qu'elles n'étaient guère respectées. En 1732, le nombre des bouquinistes est estimé à cent vingt. Sous la Révolution, ils prolifè-

rent. Sébastien Mercier note dans son *Nouveau Paris* : « les rebords des quais sont couverts de livres ». Mme de Genlis se désole d'y trouver de nombreux ouvrages portant les armes de personnes de sa connaissance, émigrées ou guillotinées, dont les bibliothèques ont été dispersées à l'encan ou pillées. Les libraires ayant boutique se plaignent de cette concurrence dans un *Mémoire pour le corps de la librairie contre au moins trois cents particuliers, vendeurs, brocanteurs, receleurs et étaleurs de livres*, écrit vers 1796-1797.

L'ordonnance du 31 octobre 1822 reconnaît et réglemente la profession de bouquiniste. Elle est complétée par une nouvelle ordonnance qui restera en vigueur plus d'un siècle. En 1834, Alphonse Karr écrit : « Il y a sur les quais, sur les boulevards, auprès du Louvre et dans quelques rues retirées, plus de deux cents bouquinistes. » Les grands travaux d'Haussmann menacent leur existence, mais le décret du 10 octobre 1859 consacre leur maintien. Ils ont été pour la première fois recensés en 1857 et sont au nombre de soixante-huit : deux dans l'île de la Cité, onze sur la rive droite, le reste sur la rive gauche, trente-cinq, plus de la moitié, concentrés sur les quais de Conti, Malaquais et Voltaire. Chacun d'eux a droit à 10 mètres de parapet. En 1891, ils obtiennent la permission de laisser les boîtes à bouquins en permanence sur les parapets. Auparavant, ils les emportaient chaque soir dans des voitures à bras.

En 1892, Octave Uzanne recense cent cinquante-six bouquinistes possédant mille six cent trente-six boîtes. Constitués en chambre syndicale depuis 1904, ils sont environ deux cent cinquante actuellement. Il existe toute une littérature sur les bouquinistes, l'ouvrage principal étant *Les Bouquinistes des quais de Paris* (1956) de Louis Lanoizelée.

• *Voir aussi* **LIBRAIRIE**.

BOURG

Plusieurs bourgs sont mentionnés dans les limites de la capitale antérieures à l'annexion en 1860 de onze communes limitrophes. Cette appellation en bourg implique une existence autonome, distincte de la ville de Paris. Le plus anciennement mentionné de ces bourgs est celui du «Mont Cetard» sur lequel a été édifiée une chapelle à la mémoire de saint Marcel, évêque de Paris, et qui va devenir le bourg Saint-Marcel. Cette dénomination persistera jusqu'au XVIIᵉ siècle et il faut bien distinguer à cette époque le bourg Saint-Marcel du faubourg du même nom, souvent dit également faubourg Saint-Marceau. Le bourg Saint-Médard est aussi très ancien, attesté dès le XIIᵉ siècle. Il conserva longtemps l'appellation de bourg avant d'être englobé dans le faubourg Saint-Marcel. Dans son *Dictionnaire*, dont l'article «Paris» a été imprimé en 1768, d'Expilly mentionne la paroisse Saint-Médard, «fort avant dans le faubourg» Saint-Marcel. Deux autres bourgs ont été enclavés dans Paris dès le règne de Philippe Auguste et ont laissé leur nom à des rues : le Beau-Bourg (rue Beaubourg) et le bourg Thiboust (rue du Bourg-Tibourg). Un troisième bourg fut partiellement enclavé à la même époque dans l'enceinte que ce roi fit édifier, le bourg Saint-Germain-des-Prés dont la partie orientale constitua les paroisses parisiennes nouvelles de Saint-André-des-Arts et Saint-Côme. Sous Charles V, deux autres bourgs sont englobés dans la nouvelle enceinte, le Bourg-l'Abbé (de l'abbaye de Saint-Martin-des-Champs, dont il dépendait) et le bourg Saint-Éloi, proche du bourg Thiboust et de la porte Barbette. A la même époque, l'expansion de la ville transforme en faubourgs les bourgs Saint-Germain-des-Prés et Saint-Victor. Jean Lebeuf, historien du XVIIIᵉ siècle, mentionne aussi dans son *Histoire de la ville et de tout le diocèse de Paris*, publiée de 1754 à 1758, le bourg de l'abbaye Sainte-Geneviève, le bourg Saint-Julien(-le-Pauvre), très tôt annexés à Paris, ainsi que le bourg Saint-Germain-l'Auxerrois, sans doute englobé sous Charles V. Le bourg de la Ville-l'Évêque, qui s'étendait au XIIIᵉ siècle de la place du Palais-Royal jusqu'au Roule, était un fief de l'évêque. Il devint faubourg en 1722 et fut englobé en 1787 dans l'enceinte des Fermiers généraux. Un bourg Richelieu, au voisinage de la rue du même nom, est mentionné à la fin du XVIIᵉ siècle, mais se distingue difficilement du faubourg Richelieu.

BOURGEOIS

Il ne s'agit pas ici de disserter sur la notion si controversée et si décriée de «bourgeois», mais de se limiter à celle de «bourgeois de Paris» telle qu'elle apparaît sous l'Ancien Régime. Roland Mousnier, qui a étudié de très près la stratification sociale de Paris du XVIᵉ au XVIIIᵉ siècle, reconnaît que l'appellation de «bourgeois de Paris» est «une qualité très embarrassante». Est reprise ici l'analyse qu'il en a fait dans le premier volume des *Institutions de la France sous la monarchie absolue*. «Pour être électeur, il fallait être "bourgeois de Paris". Selon l'ordonnance de Philippe le Bel de 1295 et les actes de réception de bourgeois contenus dans les registres de délibérations du Bureau de la Ville, il fallait déclarer son intention de devenir "bourgeois de Paris", élire domicile dans la capitale et y résider effectivement avec sa famille et l'essentiel de ses biens depuis au moins un an, en fait pour une période qui pouvait aller jusqu'à trente ans avant d'obtenir cette qualité ; produire une attestation du curé de la paroisse d'une participation régulière au culte divin ; acquitter les taxes municipales *personnellement*, ce qui était une faveur accordée par le Bureau de la Ville à des propriétaires ou à de principaux locataires, qui se chargeaient de lever les taxes sur leurs voisins et de les verser aux receveurs "bourgeois"; prendre la garde et pour cela s'armer à ses frais; obtenir en conséquence de cet ensemble des "lettres de bourgeoisie". Les quartiniers dressaient la liste des candidats à la qualité de "bourgeois de Paris" selon les critères ci-dessus et selon le montant du loyer. Par conséquent, suivant les quartiers, "bourgeois de Paris" désignait des gens de fortune et de revenus différents. Il fallait un montant de loyer moins élevé s'il s'agissait de locaux à usage d'habitation ou pour l'exercice d'une profession libérale, plus élevé s'il s'agissait de locaux commerciaux. En général, cette qualité est prise chez les notaires par des officiers ministériels ou domaniaux, des marchands, un artisan sur dix. La plupart des maîtres de métier, des compagnons, des "gagne-deniers" ou portefaix, des très petits propriétaires, sont exclus de cette qualité. Les gens immigrés de province à Paris, les fils de "laboureurs" ou de "marchands" provinciaux, recherchaient ce titre. Dans les registres de délibération du Bureau de Ville, "bourgeois de Paris" désigne parfois les rentiers vivant de leurs rentes noblement, sans pratiquer métier ni marchandise, ou des "financiers" maniant les deniers du roi. Dans des mémoires, des correspondances, des rapports, "bourgeois de Paris" désigne des gens qui sont libres, qui ne sont pas intégrés dans une profession ou dans un corps, souvent des retraités de la "marchandise" ou des "arts", c'est-à-dire des métiers.»

BOURREAU

Indispensable mais marqué d'infamie, le bourreau était rejeté de la société et de la ville ainsi que sa famille. Un usage ancien lui interdisait de résider dans Paris, sauf dans le logement qui lui était accordé gratuitement au rez-de-chaussée du pilori des Halles. Un arrêt du 31 août 1709 rappelle cette disposition. Payé à la tâche, le bourreau percevait aussi un droit de havage sur les marchandises vendues aux Halles. Il louait les places lors des exécutions capitales et le peuple avait recours à lui comme rebouteur. Il vendait aussi les cadavres des suppliciés à la faculté de médecine et aux chirurgiens. Parfois très pauvre en province, où les exécutions étaient rares, le bourreau devait procéder à Paris à des exécutions presque quotidiennes qui lui assuraient de substantiels revenus. L'arrêt du Parlement du 1er octobre 1721, qui remplace le droit de havage par une indemnité forfaitaire, lui assure 16 000 livres par an.

Le plus ancien bourreau connu est Tevenot, mentionné dans le livre de la taille de 1292. Capeluche est célèbre pour avoir pris la tête du parti bourguignon en 1418 dans la capitale, ce qui lui coûta la vie. Il expliqua lui-même à son successeur comment il devait s'y prendre pour l'exécuter selon les règles, ainsi que le raconte le Bourgeois de Paris dans son *Journal* : «Et ordonna le bourreau au nouveau bourreau la manière comment il devait couper tête, et fut délié et ordonna le tronchet pour son cou et pour sa face, et ôta du bois au bout de la doloire et à son coustel, tout ainsi comme s'il voulait faire ledit office à un autre, dont tout le monde était ébahi ; après ce, cria merci à Dieu et fut décollé par son valet.» Méprisés et craints, rejetés par le reste de la population, les bourreaux sont souvent amenés à se fréquenter et à nouer des unions entre familles, constituant de véritables dynasties apparentées auxquelles l'Église a sans cesse accordé des dispenses pour permettre les mariages consanguins.

La dynastie des Sanson est célèbre pour sa longévité et par les *Mémoires* apocryphes publiés sous son nom. Le premier connu est Charles Sanson, qui commença à exercer en 1688. Six Sanson se succèdent de père en fils aîné jusqu'à Henry-Clément, révoqué le 18 mars 1847 après avoir fait de la prison pour dettes. Il est remplacé le lendemain par Charles-André Férey, issu d'une famille d'exécuteurs exerçant à Rouen depuis plus de deux siècles. Il est réformé au bout de deux ans, à la fin de mars 1849, à cause de son absentéisme : une exécution importante, qui avait mobilisé de gros effectifs de troupes, avait dû être reportée parce qu'il ne s'était pas présenté. Son premier aide, Jean-François Heidenreich, lui succède. Il appartient lui aussi à une ancienne famille d'exécuteurs de Sélestat apparentée aux bourreaux de Strasbourg et de Stuttgart. A sa mort, le 29 mars 1872, son premier aide le remplace. C'est Nicolas Roch, issu d'une dynastie de bourreaux lorrains. Il décède le 24 avril 1879 après avoir guillotiné quatre-vingt-deux personnes en quatre-vingt-quatre mois. Louis-Antoine-Stanislas Deibler, premier aide de Roch, prend sa place avec des gages de 6 000 francs par an. Il fait partie d'une fameuse famille de bourreaux allemands ayant exercé en Wurtemberg, à Biberach, de 1694 à 1833. Il prend sa retraite à soixante-quinze ans passés et, le 1er janvier 1899, son fils, Anatole, prend sa place. Terrassé à soixante-quinze ans par une crise cardiaque, le 2 février 1939, Anatole gagnait 25 000 francs par an. Jules-Henri Desfourneaux, nommé le 15 mars 1939, descend d'une lignée de bourreaux ayant exercé plus de deux siècles en Berry et en Champagne. Il meurt, lui aussi, d'une crise cardiaque, le 1er octobre 1951, âgé de près de soixante-quinze ans. Apparenté à Desfourneaux et à Deibler, André Obrecht, ancien aide-bourreau reconverti dans la fabrication de crèmes glacées, exerce jusqu'à l'âge de soixante-dix-sept ans, jusqu'au 30 septembre 1976, faisant tomber cinquante et une têtes. Son successeur, Marcel Chevalier, un de ses aides, avait épousé sa sœur. Il n'a procédé qu'à deux exécutions, à Douai et à Marseille, avant l'abolition de la peine de mort en 1981. La profession n'était

plus guère rentable : il gagnait à peine plus de 3 000 francs par mois.

BOURSE

Le commerce des marchandises et de l'argent se faisait au Moyen Âge par l'intermédiaire de courtiers et de changeurs. Les courtiers étaient des fonctionnaires publics assermentés qui servaient d'intermédiaires entre les vendeurs et les acheteurs. Ils étaient nommés par le prévôt des marchands. Il y avait des courtiers-jurés pour presque toutes les sortes de marchandises. Les changeurs n'exercent d'activité bancaire que par défaut d'autre spécialiste. L'essor des activités bancaires amène à la création de huit courtiers de change en 1595. Ils prennent en 1639 le titre d'agents de banque et de change. Leur nombre, porté jusqu'à cent seize, est limité à soixante à la veille de la Révolution. Supprimés en 1791, les agents de change ont été rétablis dès 1795. En retard sur les pays d'Europe du Nord, la France ne dispose d'une bourse informelle qu'au temps de l'expérience de Law, sous la Régence. Haut lieu de l'agiotage, la rue Quincampoix est remplacée, le 24 septembre 1724, par une bourse officielle installée à l'hôtel de Nevers, rue Vivienne. Les marchés à terme et à découvert n'y existent pas encore, les effets devant être négociés dans les vingt-quatre heures. Toutes les transactions doivent passer par un agent de change. En 1794, la Bourse quitte la galerie Vivienne du palais Mazarin (actuellement partie de la Bibliothèque nationale) pour les anciens appartements d'Anne d'Autriche au Louvre. En 1796, elle revient près de son premier domicile, dans l'église des Petits-Pères (dite Notre-Dame-des-Victoires), qu'elle quitte en 1809 pour le Palais-Royal. De 1818 à 1827, les séances de la Bourse se tiennent dans le magasin de décors de l'Opéra de la rue Feydeau. Le palais Brongniart étant enfin terminé, la Bourse emménage dans ses bâtiments actuels.

Le marché libre des valeurs, la coulisse, s'est longtemps tenu sous le péristyle occidental, à l'extérieur du bâtiment. Émile Zola le décrit dans *L'Argent* : « Et le monument lui-même n'était plus qu'un cube de pierre, strié régulièrement par les colonnes, un cube d'un gris sale, nu et laid, planté d'un drapeau en loques. Mais, surtout, les marches et le péristyle étonnaient, piquetés de fourmis noires, toute une fourmilière en révolution, s'agitant, se donnant un mouvement extraordinaire qu'on ne s'expliquait plus. » En 1942, la coulisse a été remplacée par l'institution officielle des courtiers en valeurs dont le marché est alors installé au premier étage du bâtiment. Ceux-ci ont disparu à leur tour, le 1er janvier 1962, ayant fusionné avec les agents de change. Les opérations, de plus en plus rapides, nombreuses et complexes, sont aujourd'hui gérées par informatique dans un marché mondial continu, dans le cadre du « marché à terme d'instruments financiers » (MATIF). Les femmes sont admises à la Bourse depuis 1967 et près de trois mille personnes sont habilitées à pénétrer dans le palais Brongniart, dont l'accès est étroitement surveillé depuis l'attentat à la bombe du 20 octobre 1980.

• *Voir aussi* CHANGEUR.

BOUTIQUE

Jusqu'à la fin du XVIIIe siècle, les magasins ont gardé une simplicité qui les rattachait nettement à leurs origines médiévales. Alfred Franklin observe dans son *Dictionnaire des métiers* qu'au XIIIe siècle, les boutiques « se composaient en général d'une grande arcade divisée par un ou plusieurs montants de pierre. La porte d'entrée se trouvait, non au milieu, mais à l'un des côtés de l'arcade, le reste était consacré à l'étalage. Les volets de la boutique s'ouvraient horizontalement par le milieu ; celui d'en bas s'abaissait vers le mur d'appui, et, dépassant l'alignement, recevait les marchandises exposées ;

celui d'en haut se relevait, était maintenu en l'air par des crochets, et abritait l'étalage ; souvent aussi, glissant dans une rainure, on se contentait de le remonter, et alors un auvent en bois ou en tôle protégeait la façade du magasin. Presque toutes les affaires se traitaient ainsi en pleine rue ; rarement, dans la boutique, au plafond bas, assombrie par le cintre de l'arcade et par des objets exposés en vente. De là, le nom de fenêtres donné aux magasins. Le mot "boutique" ne figure pas une seule fois dans le *Livre des métiers*, qui se sert toujours des expressions fenêtre ou ouvroir : l'ouvroir, c'était l'atelier, la fenêtre, c'était l'étalage, et [...] tous deux devaient être réunis dans une même pièce. Il était de règle que chaque maître ne pouvait avoir qu'une seule boutique, et celle-ci resta pendant bien longtemps conforme à la description qui précède. Plus tard, les volets cessèrent de faire corps avec la devanture et durent être enlevés chaque matin ; les auvents, au contraire, devinrent fixes et prirent parfois de vastes proportions. Les devantures vitrées datent de la fin du XVIIe siècle. Jusque-là, le marchand était exposé à toutes les intempéries des saisons, n'avait pour se garantir du froid qu'un réchaud de braise. Quant à l'éclairage, il se compose jusque-là soit de lanternes, soit de chandelles placées dans des verres cylindriques. Les boutiques les plus luxueuses, celles des apothicaires, par exemple, qui, au XVIe siècle, n'avaient encore pour ornement que les lourdes amphores, les mortiers de fer et les boîtes grossièrement décorées où reposaient les médicaments, prirent au début du XVIIe siècle une moins misérable apparence. Elles devinrent plus claires et plus vastes, on les garnit de boiseries finement travaillées, et d'élégants tiroirs furent rangés méthodiquement autour de la pièce. » Les étalages empiétaient souvent sur la rue et les autorités devaient sans cesse intervenir pour maintenir la liberté du passage sur la voie publique.

Le règlement de police du 22 septembre 1660 interdit « tous estalages excédans huit pouces [environ 20 centimètres] après le gros mur ès plus grandes rues ». On nommait échoppes « mobiles » ou « sédentaires » les boutiques installées sur la voie publique, avec ou sans permission. Elles entravaient la circulation et firent l'objet de nombreux textes. Des lettres patentes de mai 1787 renouvelaient, une fois de plus, l'ordre de démolition des échoppes sédentaires ou demi-sédentaires, « même celles adossées à nos palais du Louvre et des Tuileries, hôtels et maisons des princes et à tous édifices publics ». Étaient seulement autorisées, « en faveur des pauvres maîtres et veuves de pauvres maîtres », les échoppes mobiles, qui étaient posées le matin et enlevées le soir.

BOW-WINDOW
Voir SAILLIE.

BRASSERIE
Ce terme a d'abord désigné les fabriques de bière et, accessoirement, les cabarets avoisinants où on consommait ce breuvage. Le *Livre des métiers* donne le statut de « cervoisiers » ou brasseurs. La taille de 1292 mentionne trente-sept cervoisiers et un « braceur », celle de 1300 quarante cervoisiers. La bière n'était guère appréciée des Parisiens et Louis IX n'en buvait qu'à l'époque du Carême, pour faire pénitence. Par lettres patentes du 26 septembre 1369, Charles V accorda le monopole de la fabrication de la bière à vingt et un cervoisiers, réservant à quatre hôpitaux le droit de brasser pour leur propre consommation. Le nombre des brasseurs s'élevait à soixante-dix-huit à la veille de la Révolution. Il n'existe aujourd'hui qu'une seule brasserie qui a pris le nom de Lutèce, mais la consommation de bière des Parisiens a tendance à croître au détriment du vin.

On désigne aussi sous le nom de brasserie une sorte de restaurant où l'on peut se faire servir à manger à toute heure. Ces brasseries eurent leur heure de gloire de 1867 à la fin du XIXe siècle. Lors de l'Exposition universelle de 1867 au Champ-de-Mars, de nombreux débits de boisson attirèrent la clientèle en employant un personnel féminin vêtu de costumes nationaux qui servait, selon les établissements, de la vodka, du schiedam, de l'ale, du faro, du chianti, etc. Après l'Exposition, la mode se perpétua avec la brasserie de l'Espérance, rue Champollion, au Quartier latin, bientôt imitée. Vers 1890, on comptait dans ce quartier quarante-deux brasseries employant quelque trois cents serveuses costumées et munies d'une sacoche pour l'encaissement des consommations. La concurrence avait amené une surenchère de goût douteux. A côté de la brasserie des Amours, de la brasserie de la Vestale, de la brasserie des Belles Marocaines, de la brasserie des Excentriques Polonais, du Paradis de Mahomet, la brasserie des Apothicaires servait le bock comme un clystère. Beaucoup de filles de brasserie s'adonnaient occasionnellement à la prostitution. Toutefois, Maurice Barrès a décerné un brevet de bonne conduite aux « déesses de la sacoche » : « Coquetterie et flirtage, sans beaucoup plus. De tous les cafés, la brasserie des femmes est le seul admissible. » Passées de mode au début du XXe siècle, les brasseries de femmes se replièrent vers les boulevards où elles végétèrent jusqu'à la Grande Guerre.
• *Voir aussi* BISTROT ; CAFÉ ; RESTAURANT.

BRIGADE FLUVIALE
Par sa position sur la Seine, la ville de Paris est tenue de posséder une police fluviale. Au point de vue commercial, elle était exercée sous l'Ancien Régime par les marchands de l'eau qui sont à l'origine de la municipalité. Des lettres patentes de Charles VI précisent

en février 1415 cette police des cours d'eau et de la navigation assurée par des sergents de l'eau aux activités multiples : réglementation des activités du port, intervention ou prévention des accidents dus à la navigation ou aux crues de la Seine. La Révolution confirme l'existence de cette police fluviale : « La municipalité de Paris sera seule chargée de faire exécuter les règlements et d'ordonner toutes les dispositions sur la rivière de la Seine, ses ports, ses rivages, berges et abreuvoirs dans l'intérieur de Paris, sans préjudice du renvoi à la police correctionnelle à l'égard des faits qui en sont susceptibles. » En 1800, la police de la navigation dans le département de la Seine est confiée au préfet de police. Ses moyens restent longtemps limités à une unique chaloupe. En 1845 est tentée une expérience sans succès de « chiens de sauvetage » censés venir au secours des personnes qui se noient. En 1855 est mis en service le premier bateau-pompe. Le préfet Louis Lépine s'intéresse particulièrement à la Seine et fait revoir en 1895 toute la réglementation relative à la navigation et aux ports. Prévoyant l'afflux de millions de visiteurs pour l'Exposition universelle et désirant prévenir accidents et noyades, il crée, par arrêté du 30 juin 1900, la brigade fluviale, composée d'un bachot à rames, de scaphandriers et d'une vingtaine d'« agents plongeurs ». Après une phase expérimentale, le 5 avril 1902, la brigade fluviale est confirmée dans ses fonctions et dotée de moyens renforcés. Le 28 juin 1904, un arrêté étend son champ d'intervention à toutes les communes situées dans le ressort de la préfecture de police. En 1906, lorsque la brigade fluviale passe sous le contrôle direct de la police municipale, elle compte quarante hommes : un inspecteur principal, trois sous-brigadiers et trente-six gardiens de la paix. Elle dispose depuis 1904 de deux canots automobiles, *La Vigie* et *La Mouette*, cette

dernière étant équipée en 1907 d'une motopompe. Cette même année, une nouvelle expérience de « chiens de sauvetage » échoue encore. En 1991, la brigade fluviale surveille la Seine d'Ablon à Bougival, mais aussi une vingtaine de kilomètres de la Marne, les canaux Saint-Martin, Saint-Denis et de l'Ourcq de Pantin à Sevran et à Villeparisis, ainsi que les plans d'eau des bois de Boulogne et de Vincennes, de Créteil et de Choisy-le-Roi. Soixante-quatre policiers spécialisés sont affectés à cette tâche, dont quarante-sept plongeurs. Le commandement est exercé par un commissaire principal. Il dispose de six vedettes, d'un remorqueur-pousseur, de trois embarcations pneumatiques... La brigade fluviale a effectué mille huit cents interventions en 1990. Installée depuis 1949 au 36, quai Henri-IV, elle a quitté la rive droite pour la gauche, le 15 mai 1991, et se trouve désormais sur le quai Saint-Bernard.

BRIQUE

Voir **ARGILE**.

BROUILLARD

L'observation des brouillards est complexe et a longtemps été subjective, car difficile à mesurer. A ceux qui, à l'exemple de Londres, attribuent les brouillards parisiens en grande partie à la pollution industrielle, on peut opposer un chapitre du *Tableau de Paris* de Sébastien Mercier, publié entre 1781 et 1788. Intitulé « Brouillards », il débute ainsi : « Ils sont fréquents, la ville étant coupée par une rivière qui a plusieurs bras. J'ai vu des brouillards si épais que les flambeaux ne se distinguaient plus ; les cochers descendaient de leurs sièges, et tâtaient le coin des rues pour avancer ou reculer. On se heurtait dans les ténèbres sans s'apercevoir ; on entrait chez son voisin au lieu d'entrer chez soi. Dans une année, les brouillards furent si denses, qu'on s'avisa de louer à l'heure des quinze-vingts [aveugles de l'hospice des Quinze-Vingts], qui vous guidaient en plein midi dans tous les quartiers. On leur donna jusqu'à 5 louis par jour, ces aveugles connaissant mieux la topographie de Paris que ceux qui en avaient gravé ou dessiné le plan. Et voici comme on voyageait dans ces brumes qui dérobaient la vue des rues et des carrefours : on tenait le quinze-vingts par un pan de sa robe, et d'une marche plus sûre que celle des clairvoyants, l'aveugle vous traînait dans les quartiers où vous aviez à faire. »

• *Voir aussi* CLIMAT.

BUREAU D'AIDE SOCIALE
Voir BUREAU DE BIENFAISANCE.

BUREAU DE BIENFAISANCE
Le principe de l'assistance communale est la base des secours distribués aux pauvres et aux indigents. L'ordonnance de Moulins de février 1566 le rappelle dans son article 73 : « Et oultre ordonnons que les pauvres de chacune ville, bourg ou village, seront nourris et entretenus par ceulx de la ville, bourg ou village dont ils seront natifs et habitans, sans qu'ils puissent vaguer et demander l'aumosne ailleurs qu'au lieu duquel ils sont. » Cette assistance communale est à l'origine de la taxe des pauvres qui s'impose lorsque François Ier confie, en 1544, au Grand Bureau des pauvres la gestion des miséreux de Paris. Mais il y avait aussi des « pauvres honteux » qui répugnaient à s'inscrire au Grand Bureau des pauvres. Ceux-ci relevaient des bureaux de charité établis dans chaque paroisse sous la direction du curé. La paroisse était divisée en un certain nombre de quartiers et, dans chacun d'eux, une dame de charité visitait les pauvres et leur versait des secours en argent et en nature qui lui étaient confiés par un trésorier commis par le curé. Des sœurs de charité visitaient et soignaient les malades. Elles tenaient un registre où étaient inscrits

le nom, le domicile et la qualité des malades. Tous les jours un ou des médecins passaient le consulter à la maison de charité avant de faire leurs visites aux pauvres. Mais si, au bout de trois semaines, « il n'y a point d'apparence que la personne malade guérisse, la charité la fait porter à l'Hôtel-Dieu ou en quelque autre endroit destiné à recevoir les pauvres malades ». Les bureaux de charité possédaient la personnalité civile, pouvaient recevoir dons et legs. Ils faisaient des quêtes et disposaient de troncs dans les églises. Un fonds des pauvres, institué par Colbert, versait 80 000 livres par an aux curés de la capitale, qui les distribuaient en majeure partie en nature : vêtements, bois de chauffage, aliments... Les communautés religieuses distribuaient des soupes ou du pain ou versaient de l'argent aux curés des paroisses sur le territoire desquelles elles étaient établies.

La Révolution abolit la charité et la remplace par la bienfaisance, créant des bureaux de bienfaisance par la loi du 28 novembre 1796 (7 frimaire an V). L'arrêté consulaire du 2 février 1801 (13 pluviôse an IX) désigne le préfet de la Seine comme président du Comité général de bienfaisance chargé de coordonner les efforts des quarante-huit bureaux de quartier. L'arrêté du ministre de l'Intérieur du 12 avril 1813 réduit leur nombre à douze, un par arrondissement, adjoignant aux administrateurs des commissaires-visiteurs et des dames de charité. La Restauration rétablit l'appellation « bureau de charité » et introduit des prêtres auprès des administrateurs. La Monarchie de Juillet élimine les ecclésiastiques et rétablit le nom de bureau de bienfaisance. Ces bureaux ont dépendu de l'Assistance publique jusqu'au décret 69-83 du 27 janvier 1969 qui a créé le Bureau d'Aide sociale de Paris, rattaché à la mairie, et qui a enlevé à l'Assistance publique ses attributions en matière d'aide sociale.

• *Voir aussi* ASSISTANCE.

BUREAU DE CHARITÉ
Voir BUREAU DE BIENFAISANCE.

BUREAU DE PLACEMENT

Le plus ancien bureau de placement daterait de 1184. Il aurait été ouvert dans l'hôpital ou «hostellerie» Sainte-Catherine, nommé à l'origine hôpital Sainte-Opportune à cause de la proximité de l'église placée sous ce vocable, et se situait à l'angle de la rue des Lombards et de la rue Saint-Denis. C'était un lieu d'hébergement gratuit pour les femmes, filles ou veuves venues à Paris chercher un emploi. Il existait aussi des établissements payants tenus par des commandaresses ou commanderesses, dites aussi recommandaresses ou recommanderesses. Le livre de la taille de 1292 en mentionne deux vivant dans la rue aux Commanderesses. Un édit de 1350 de Jean le Bon fixe la commission des recommandaresses à 2 sols pour le placement d'une nourrice et à 18 pour celui d'une servante ou chambrière. En février 1615, des lettres patentes de Louis XIII confirment les privilèges des quatre «recommandaresses jurées des servantes et nourrices de la ville de Paris» et un arrêt du Parlement interdit de conduire des nourrices ailleurs qu'aux quatre bureaux des recommandaresses. Une déclaration du 29 janvier 1715 place ces quatre bureaux sous l'autorité du lieutenant général de police et indique leur emplacement : rue du Crucifix-Saint-Jacques (près de Saint-Jacques-de-la-Boucherie), rue de l'Échelle, rue des Mauvais-Garçons au faubourg Saint-Germain (rue Grégoire-de-Tours) et place Maubert. En 1729, ils furent transférés rue de la Vannerie (avenue Victoria), rue Planche-Mibray (au début de la rue Saint-Martin) et les deux derniers dans la rue Saint-Jacques-de-la-Boucherie.

En 1769, la diminution du nombre de postulantes au rôle de nourrice entraîna la réunion en un seul bureau divisé en deux directions : recrutement rue Saint-Martin et paiement des avances rue Quincampoix.

En 1628, les nourrices ont été séparées des servantes et un Bureau des domestiques a été ouvert au palais de la Cité, dans la cour de Lamoignon. Il a été complété en 1678 par un «Bureau d'adresses établi pour les maîtres qui cherchent des serviteurs et pour les serviteurs qui cherchent des maîtres».

Il existait aussi des places ou des rues où se pratiquait l'embauche des différents métiers. Le *Livre des métiers* de 1269 mentionne notamment que les foulons se rendaient au travail à l'heure où les maçons et les charpentiers se réunissaient sur la place où on venait les embaucher. Les foulons avaient même deux emplacements différents selon qu'ils voulaient travailler à l'année ou se louer à la journée. Les premiers doivent se rendre «en la place jurée, à l'Aigle ou quarrefour des Chans», les seconds «au chevet Saint-Gervais». En règle générale, les ouvriers à la recherche d'un emploi s'adressaient au bureau de leur corporation. Jusqu'à la veille de 1789, les maçons, manœuvres et bien d'autres professions se faisaient engager sur la place de Grève. C'est par référence à ces rassemblements d'ouvriers sans emploi qu'est née l'expression «faire grève», qui avait à l'origine le sens de «chercher du travail», «attendre l'embauche en place de Grève». Le passage au sens moderne de «refus de travail» ne se produit que vers 1845-1848, la grève étant auparavant nommée «sédition».

BUREAU DES PAUVRES
Voir GRAND BUREAU DES PAUVRES.

CABARET

Ancêtre du restaurant actuel, le cabaret se distingue de la taverne parce qu'il vend du vin « à assiette » alors que la taverne le vend « à pot ». Vendre le vin à assiette signifie le débiter au détail, couvrir la table d'une nappe et y servir en même temps de la nourriture. Villon, Rabelais, Régnier, bien d'autres encore ont célébré le cabaret, lieu de joyeuse convivialité. Une brochure de 1574 annonce que « chacun aujourd'hui veut aller dîner chez Le More, chez Sanson, chez Innocent et chez Havard, ministres de voluptés et de dépense ». La Fontaine, Molière et Racine fréquentèrent Le Mouton blanc de la rue du Vieux-Colombier, puis La Croix de Lorraine, place du Cimetière-Saint-Jean (rue du Bourg-Tibourg aujourd'hui). Marivaux allait à L'Épée de bois, rue Quincampoix, Rousseau et Diderot ont dîné ensemble rue Tirechappe au Panier fleuri.

Les Cabarets de Paris, ouvrage paru en 1821 et attribué à Cuisin, mentionne l'habitude des convives, échauffés par le vin, de pousser la chansonnette. Mais il ne semble pas qu'à cette époque il y ait eu de véritable organisation de programmes de chansons dans les cabarets, cafés ou tavernes. Seuls deux célèbres établissements, le Café des Muses et le Café d'Apollon présentent des numéros d'artistes, saynètes comiques, pantomimes, prestidigitation, pouvant les faire considérer comme des cafés-spectacles. Dans ses *Scènes de la vie de bohème* de 1847, Henri Murger ne mentionne pas de débit de boissons où se produisent des chanteurs et la seule musique qu'on y entend sort des gosiers des clients en fête. On peut cependant citer un ancêtre, la société du Caveau, association privée créée en 1733 dans le cabaret du même nom, rue de Buci, par Collé et d'autres écrivains, poètes, peintres et musiciens pour dîner et discuter en commun tout en composant des poèmes et en les chantant. Le premier Caveau disparaît en 1742. Un second cénacle se constitue de 1762 à 1792 sous l'égide de Crébillon fils. Il renaît de 1796 à 1802, de 1806 à 1816 avec Goffé, Désaugiers et Béranger, qui se réunissent le 20 de chaque mois Au Rocher de Cancale, rue Montorgueil. Le Caveau est dissous en 1816, en raison de son opposition au régime.

Il faut attendre le 18 novembre 1881 pour que naisse vraiment le cabaret moderne avec Le Chat noir, au pied de Montmartre, 84, boulevard de Rochechouart. Surmonté de l'enseigne dessinée par Willette, ce local exigu se trouve dans le quartier à la mode où la bourgeoisie vient s'encanailler au contact du peuple, près de Pigalle, du bal de l'Élysée-Montmartre, du cirque Médrano. Il prend la suite de la Société des hydropathes créée par cinq poètes autour d'un piano dans la salle du premier étage d'un café du Quartier latin, à l'angle de la rue Cujas et du boulevard Saint-Michel, le 5 octobre 1878. L'histoire du Chat noir a été plusieurs fois écrite et les écrivains du temps ne se sont pas privés de le dépeindre. Paul Bourget a décrit sa clientèle : «Fantastique mêlée d'écrivains et de peintres, de journalistes et d'étudiants, d'employés et de viveurs, sans parler des modèles, des demi-mondaines et des vraies grandes dames en quête d'impressions pimentées, le tout présidé par un personnage de haute mine, la barbe rousse aiguisée en pointe, l'œil gouailleur, la lèvre impudente, qui s'intitulait lui-même gentilhomme-cabaretier.» Polémiste, improvisateur génial, ce gentilhomme-cabaretier nommé Rodolphe Salis fascinait son auditoire par ses monologues, taquinant les bourgeois, ridiculisant les députés et exploitant l'actualité pour faire rire. C'est là que se produisaient aussi Charles Cros, récitant ses chansons d'amour et le célèbre *Hareng saur*, Maurice Rollinat, auteur de *L'Enterré vif*, maître de l'épouvante comique, Mac Nab, à qui l'on doit le *Grand Metingue du Métropolitain* et le *Bal de l'Hôtel de Ville*. C'est au Chat noir que Bruant commence sa carrière. A l'étroit, le cabaret déménagea le 10 juin 1885 à minuit sonnant, en grand cortège, et vint s'établir au 12, rue de Laval, dans un décor étonnant où le Petit Théâtre devint «une sorte de Bayreuth des ombres chinoises» grâce au génie d'Henri Rivière, de Caran d'Ache, d'Uzès, de Somm, de Robida.

Le succès du Chat noir lui valut d'innombrables imitations à Paris et dans le monde entier. Repris par Aristide Bruant, le local du boulevard de Rochechouart devient Le Mirliton. En 1891, Gabriel Salis crée l'Âne rouge,

Jules Jouy Les Décadents de la rue Fontaine en 1893, en 1894, les Soirées parisiennes sont animées par Paul Delmet et Victor Meusy dans la galerie Vivienne avant leur association avec Jules Jouy en 1895 pour créer Le Chien noir.

A la mort de Rodolphe Salis, en 1897, Georges d'Avenel dresse un bilan peu flatteur des cabarets de Paris : «une dizaine de music-halls et autres exhibitions promenades, plus cinquante-six cafés à musique, boîtes à chanson, et cabarets méritoires, où se vendent des consommations qui valent quinze centimes jointes à des couplets qui, pour la plupart, ne valent rien». Le véritable cabaret, celui où l'on dit des monologues ou chante des chansons sans autre décor que celui d'un débit de boissons, est déjà moribond, remplacé par de nouvelles attractions, plus spécialisées. C'est ainsi que Henri Dreyfus, dit Fursy, dans sa Boîte à Fursy, invente en 1899 la revue de cabaret articulée sur les problèmes et événements de l'actualité, s'en prenant aux hommes politiques dans des «chansons rosses». Il existe aussi des cabarets à attractions spécialisés dans le macabre ou le pornographique qu'annonce leur décor provocant. Maxime Lisbonne a costumé ses serveurs en dieux de l'Olympe et présente des tableaux vivants proches de la pornographie dans le Cabaret de la fin du monde. Beaucoup de cabarets ne sont plus guère que de petites salles de théâtre où l'on joue des pièces en un acte de Courteline, de Jean Lorrain, d'Henri Céard... C'est le cas du Carillon, du Grand Guignol, devenu célèbre en 1897 grâce à l'interdiction de *Mademoiselle Fifi* d'après Maupassant, parce que la pièce met en scène des officiers allemands. A la veille de 1914, André Warnod constate que «les cabarets artistiques ont à peu près fait leur temps» et son «devenus de petits théâtres où les chansonniers viennent faire leur tour de chant et s'en vont chacun de leur côté». Les seuls qui aient encore une valeur sont, sur la rive gauche, le Cabaret des noctambules, rue Champollion, et à Montmartre, Le Lapin agile. Au sous-sol du bistrot Le Soleil d'or, à l'angle du quai et du boulevard Saint-Michel, dans une salle enfumée, Guillaume Apollinaire, Paul Fort, Paul Géraldy, André Salmon récitent leurs vers. Le café chantant ou café-concert a détrôné le cabaret.

• *Voir aussi* CAFÉ CHANTANT ; MUSIC-HALL.

CABINET D'AISANCES
Voir TOILETTES PRIVÉES ; TOILETTES PUBLIQUES.

CABINET DE LECTURE
Dans son *Dictionnaire historique des arts, métiers et professions... de Paris*, Alfred Franklin cite un extrait du poème burlesque de 1666 de François Colletet, *Le Tracas de Paris*, comme première mention du cabinet de lecture, sous le nom de « petite boutique ». Il rappelle que, selon Lottin, le premier cabinet de lecture attesté est celui que Jacques-François Quillau créa en 1761, rue Christine. Il sera suivi l'année d'après par le libraire Grangé, qui annonce que, « pour trois sous par séance, on aura la liberté de lire, pendant plusieurs heures de suite, toutes les nouveautés ». D'autres cabinets de lecture se créent et connaissent un succès tel que, selon Mercier, vers 1782, il fallait, pour les ouvrages très consultés, « couper le volume en trois parts, afin de fournir à l'empressement des lecteurs ». En 1807, dans le *Miroir de Paris*, L. Prudhomme décrit le fonctionnement d'un cabinet de lecture : « Indépendamment des bibliothèques publiques, il y a à Paris plus de cent cinquante cabinets littéraires. Cela prouve que le goût de la lecture s'est répandu dans toutes les classes de citoyens. On donne un catalogue où l'on choisit ce qui peut convenir, moyennant trois ou six francs par mois, et douze francs de nantissement pour les livres qu'on emporte chez soi. Dans plusieurs, on lit

par séance, moyennant six sous, les journaux. » Les cabinets de lecture ont connu leur apogée sous la Restauration, ainsi que l'a montré Françoise Parent-Lardeur dans *Lire à Paris au temps de Balzac*. Elle a dénombré quatre cent soixante-trois cabinets de lecture entre 1815 et 1830. Leur répartition montre une écrasante prédominance de l'ouest et du centre. Le *Petit Atlas... de Paris* publié en 1834 par Perrot indique par un signe spécial l'emplacement de ces cabinets. La plus forte densité se trouve au Palais-Royal. La prolifération de ces « boutiques à lire » s'arrête sous la Monarchie de Juillet. La naissance en 1836 de journaux à 5 sous, *La Presse* et *Le Siècle*, prive les cabinets de lecture des lecteurs de quotidiens. La baisse du prix des livres et l'amélioration du niveau de vie de leur clientèle, essentiellement bourgeoise, ont également contribué à cette désaffection au profit de la constitution de bibliothèques personnelles.

• *Voir aussi* BIBLIOTHÈQUE.

CADASTRE
Les Archives nationales recèlent un grand nombre de plans pré-cadastraux concernant des parcelles, des îlots, voire des quartiers de Paris, dispersés dans les fonds les plus divers, notamment au Minutier des notaires. On peut considérer le Terrier du Roi (Q1*1099), dressé vers 1710, comme un prototype lacunaire du cadastre. Ce n'est qu'avec la loi du 15 septembre 1807 qu'est entreprise une couverture cadastrale de Paris et de la France. Un premier cadastre a été établi sommairement de 1807 à 1821 sur le plan de Verniquet. Il a été repris de façon détaillée (à l'échelle du 1/200) de 1810 à 1854.

On trouve une bonne notice sur le cadastre dans *Les Archives de l'Île-de-France. Guide des recherches* (1989, page 146), qui vaut la peine d'être partiellement reproduite ici : « Le cas de Paris est unique : la levée d'un cadastre complet n'y a jamais été réellement effectuée avant la mise en place d'un service du cadastre de Paris en 1974. La capitale ne dispose donc de documents cadastraux comparables à ceux du reste du territoire que pour les communes annexées en 1860. Les Archives nationales conservent cependant sous les cotes F31 1 à 96 des plans cadastraux provenant de la direction des contributions directes de la Seine et qui devraient donc à ce titre être normalement conservés aux Archives de Paris : deux atlas de plans cadastraux par quartiers (1807-1821), soixante-dix cartons de feuilles d'immeubles, vingt-quatre atlas de plans de maisons par îlots (1810-1836) ; il faut aussi joindre à cet ensemble une collection de deux cent neuf plans d'édifices civils et religieux levés entre 1807 et 1834.» L'instrument de recherche pour ce fonds est dû à Michel Le Moël, *Archives nationales. Catalogue général des cartes, plans et dessins d'architecture. Répertoire des plans cadastraux de Paris* (1969). Les Archives de Paris, quant à elles, conservent des plans par masses de culture antérieurs au cadastre parcellaire et concernant des communes de l'ancien département de la Seine, dont Montmartre et La Villette. On trouve aussi dans la sous-série départementale 6P2 des plans cadastraux reliés en atlas (1808-1812) ou en feuilles (1805-1840) ainsi que des plans parcellaires et des tableaux d'assemblage. Quant aux matrices et états de section, qu'ils concernent les communes annexées à Paris en 1860 et les nouveaux arrondissements ainsi créés ou les autres communes de l'ancien département de la Seine, ils sont rangés dans la sous-série départementale 5P2 et en versements.

Pour Paris, les archives départementales possèdent encore des documents abusivement appelés «calepins du cadastre» et qui ressemblent davantage à des matrices-rôles fabriquées par les services des contributions directes. Leur exploitation ne saurait être assimilée à celle des matrices cadastrales. Ces documents, inventoriés dans la sous-série départementale 1P4, existent pour la période 1852-1900 sous la forme de cahiers dressés immeuble par immeuble et classés dans l'ordre alphabétique des rues. Ils constituent une source fondamentale pour l'étude de l'histoire foncière de Paris au XIXe siècle.

Il faut signaler encore aux Archives de Paris, dans la sous-série 2P4, des documents fragmentaires pour la période 1852-1925 : calepins d'établissements industriels, bulletins de constructions nouvelles (1900-1920), pouvant compléter utilement les dossiers de demande de permis de construire et les calepins du cadastre déjà cités. Enfin, la sous-série 3P4 possède quelques registres statistiques concernant les années 1869-1879, mais contenant des renseignements pouvant remonter jusqu'en 1846.

En l'absence de véritable cadastre, on peut avoir recours à un certain nombre de plans qui peuvent en tenir lieu. C'est le cas du plan au 1/1 000 par îlots, dressé entre 1827 et 1836 par Philibert Vasserot et J.-H. Bellanger, sous le titre de *Plan détaillé de la ville de Paris*. Ses cent cinquante-cinq feuilles sont conservées aux Archives nationales et à la Bibliothèque historique de la Ville de Paris (exemplaires imprimés et manuscrits incomplets mais se complétant à peu près). Un double incomplet se trouve aussi au département des manuscrits de la Bibliothèque nationale (manuscrit des Nouvelles Acquisitions françaises nº 20 687).

De 1831 à 1836, Théodore Jacoubet a fait lithographier cinquante-deux planches au 1/2 000 sous le titre d'*Atlas général de la ville, des faubourgs et des monuments de Paris*. Elles ne portent qu'une amorce de délimitation des parcelles en bordure de la voie publique, mais ce plan est superposable au plan parcellaire et peut donc servir dans un cadre cadastral.

Les feuilles du plan de Vasserot et

Bellanger ont été remplacées par le « Plan de Paris », service créé en 1856 par Haussmann et aujourd'hui installé au 17, boulevard Morland (préfecture de Paris). Il tient à jour depuis 1900 l'*Atlas administratif de la ville de Paris*, plan parcellaire à diverses échelles (1/500, 1/1 000 et 1/2 000), que complètent soixante-dix-sept mille fiches d'immeubles. La Bibliothèque historique de la Ville de Paris conserve un exemplaire de ce plan parcellaire, avec les éditions successives de chaque feuille.

Ce n'est qu'en 1974 qu'a été enfin mis en place un service du cadastre de Paris (6, rue Clisson, XIIIe, pour Paris-Sud ; 6, rue Paganini, XXe, pour Paris-Est et Ouest ; 38, rue de la République, à Montreuil, pour Paris-Centre). Le plan de Paris et le cadastre sont en cours de saisie sur une banque de données informatisées. Lire à ce sujet André Picarle, *Le Plan de Paris*, dans *Génie urbain*, avril 1988, pages 23-28.

CADRAN SOLAIRE

Jusqu'à la vulgarisation des horloges à poids et des montres, l'heure était donnée aux Parisiens par les sonneries de cloches, les clepsydres et les cadrans solaires (voir HEURE). La Société astronomique de France a constitué une commission des cadrans solaires qui a déjà recensé plus de huit mille cadrans en France. En 1993, Andrée Gotteland et Georges Camus ont publié un remarquable catalogue des *Cadrans solaires de Paris*, au nombre de cent neuf, dont quatre-vingt-huit concentrés dans les huit premiers arrondissements. Les plus anciens datent du XVIe siècle seulement, ceux du Moyen Âge ont disparu. Les cinq premiers traités de gnomonique, sur la fabrication des cadrans solaires, rédigés en langue française, ont été imprimés à Paris entre 1556 et 1569. Les plus anciens cadrans parisiens sont inscrits dans le tympan de l'église Saint-Eustache et dans le transept de l'église Saint-Gervais-Saint-

Protais, et sont datés de 1532-1545 pour le premier, de 1578 pour les cadrans jumeaux de Saint-Gervais. Vers 1730, Grandjean de Fouchy invente la courbe en forme de 8 qui se place autour des cadrans solaires pour indiquer le temps moyen, celui des horloges et des montres. Quant aux horlogers, ils tentent de faire marquer le temps vrai du cadran solaire à leurs montres et horloges. Le *Mercure de France* signale en 1738 : « Plusieurs horlogers se voyent tous les jours exposés aux reproches de leurs pratiques, qui prétendent que leurs montres ne sont pas justes, parce qu'elles ne s'accordent pas avec le temps solaire, que chacun affectionne dans son quartier. » En effet, l'heure solaire, qui varie fortement suivant les saisons, demeure l'heure officielle et les mécaniques les plus perfectionnées et exactes ne peuvent s'adapter automatiquement aux variations solaires. Au XVIIIe siècle, se multiplient les méridiennes, les plus célèbres étant celles de l'Observatoire et de l'église Saint-Sulpice. L'astronome Jacques Cassini observe en 1732 : « Il y en a une dans toutes les maisons royales où le roi fait sa demeure, qui y ont été dressées par son ordre et sous ses yeux. » Dans l'*Encyclopédie méthodique* de Panckoucke, un autre astronome, Jérôme de La Lande, écrit en 1784 : « La méridienne du temps moyen est une des choses qui méritent le plus d'être tracées sur de grands écrans, parce que le temps moyen et uniforme est celui que l'on devrait toujours employer dans l'usage de la vie comme dans les observations et tables astronomiques. » Si les projets de canons méridiens de la Samaritaine et de l'Observatoire n'aboutissent pas, deux autres voient le jour, l'un dans le jardin du Palais-Royal en 1786, l'autre au labyrinthe du Jardin du Roi, l'actuel Jardin des Plantes. L'adoption du temps moyen en 1816 signifie le triomphe des horloges et la fin des cadrans solaires, qui n'ont plus qu'une fonction décorative et pédagogique. Les anciens cadrans solaires sont souvent ornés de devises, relevées dans *Cadrans solaires de Paris*. Beaucoup ont des prétentions philosophiques et évoquent la fuite du temps : «Sicut umbra dies nostri» («Nos jours fuient comme l'ombre»). D'autres exaltent l'astre du jour : «Omnia Sol temperat» («Le soleil gouverne tout»), etc.

• *Voir aussi* HEURE.

CAFÉ

De la péninsule arabique, le café pénètre en Europe par Venise via Le Caire et Constantinople. Si vers 1644 le sieur de La Roque rapporte du café de cette dernière ville, c'est dès 1643 qu'un Levantin chercha sans succès à en vendre, en grains ou en décoction, sous le nom de «cahove» ou «cahouet», dans le passage couvert conduisant de la rue Saint-Jacques au Petit-Pont. Vers 1660, Mazarin fit venir d'Italie un certain More qui savait préparer cette nouvelle boisson. En 1662, à son retour d'Orient, Jean Thévenot servait du café à ses invités, mais le succès ne fut pas au rendez-vous malgré l'apparition dans la capitale d'Arméniens venus vendre des balles de grains. Il faut attendre le séjour à Paris en 1669 de Soliman Aga Mustapha Raca, ambassadeur du sultan Mahomet IV, pour que la mode de cette boisson se répande.

En 1672, un Arménien nommé Pascal ouvre un café ou maison de café à la foire Saint-Germain, puis s'établit sur le quai de l'École où il vend son breuvage pour 2 sous 6 deniers la tasse. Mais il n'a qu'un succès limité, le café restant considéré comme une boisson médicamenteuse et non d'agrément. Parti exercer son commerce à Londres, il est remplacé par un autre Arménien, Maliban, installé rue de Buci, qui joint à son commerce le débit de tabac et de pipes et finit par quitter Paris pour la Hollande. Son garçon, Grégoire, natif d'Ispahan, en Perse, prend sa succession et s'établit près de la Comédie-Française, rue Mazarine. Lorsque les comédiens déménagent, il les suit en 1689 dans la rue des Fossés-Saint-Germain. Pour son triomphe, le café doit attendre celui d'un gentilhomme sicilien, Francesco Procopio dei Coltelli. Entré comme garçon au service de l'Arménien Pascal en 1672, il fait des économies et parvient à acheter le café déjà existant en face du Théâtre-Français, rue des Fossés-Saint-Germain. Le Procope se trouve encore aujourd'hui à son emplacement primitif. Servant café, thé, chocolat, liqueurs, glaces, confitures, etc., dans un cadre luxueux, il fit fortune.

Ouverts tard le soir, les cafés se multiplièrent — il y en avait trois cents quatre-vingts environ en 1723 — et devinrent des lieux de réunion et de discussions littéraires. Dans son *Dictionnaire du commerce*, Savary donne une brillante description des établissements à cette époque : «Les caffez de Paris sont pour la plupart des réduits magnifiquement parez de tables de marbre, de miroirs et de lustres de cristal, où quantité d'honnêtes gens de la ville s'assemblent, autant pour le plaisir de la conversation et pour y apprendre des nouvelles, que pour y boire cette boisson qui n'y est jamais si bien préparée que lorsqu'on la fait préparer chez soi. Les marchands de caffé en envoyent aussi par la ville avec un cabaret portatif. Et même les dames de la première qualité font très souvent arrêter leur carrosse aux boutiques des caffez les plus fameux, où on leur en sert à la portière sur des soucoupes d'argent.»

A la fin du XVIIIᵉ siècle, la bonne société a déserté le cabaret et la taverne au profit du café. Hurtaut et Magny notent dans leur *Dictionnaire de Paris* de 1779 : «Les cafés sont fréquentés par d'honnêtes gens qui vont s'y délasser des travaux de la journée. On y apprend les nouvelles, soit par la conversation, soit par la lecture des papiers publics. On n'y souffre personne de suspect, de mauvaises mœurs, nuls tapageurs, ni soldats, ni domestiques, ni quoi que ce soit qui pourroit troubler la tranquillité de la société. »

Dix ans plus tard, avec la Révolution naissante, l'atmosphère y est bien changée et les cafés sont devenus des lieux révolutionnaires. Sébastien Mercier écrit dans son *Tableau de Paris* : « Nos pères allaient au cabaret, et l'on prétend qu'ils y maintenaient leur bonne humeur : nous n'osons plus guère aller au café, et l'eau noire qu'on y boit est plus mal-faisante que le vin généreux dont nos pères s'enivraient. La tristesse et la causticité règnent dans ces sallons de glaces, et le ton chagrin s'y manifeste de toutes parts [...]. Chaque café a son orateur en chef ; tel, dans les fauxbourgs, est présidé par un garçon tailleur ou par un garçon cordonnier. »

Passés de mille huit cents à la veille de la Révolution à plus de quatre mille en 1807, selon le *Miroir de Paris* de Prudhomme, les cafés se diversifient : certains évoluent vers le cabaret où l'on chante, d'autres vers la guinguette où l'on danse, d'autres encore se transforment en café chantant ou café-concert. Sous la Restauration et la Monarchie de Juillet, les cafés les plus renommés sont aussi des glaciers. On les trouve au Palais-Royal, repaire d'officiers bonapartistes en demi-solde jusqu'à son déclin à partir de 1830, sur les grands boulevards, avec le célèbre Tortoni, le Café de Paris, le Café Anglais, le Café Riche. La bohème fréquente le Café Momus, rue des Prêtres-Saint-Germain-l'Auxerrois, et surtout la rive gauche, avec le Café Génin, rue Vavin et les nombreux établissements du boulevard Saint-Michel. En 1848, comme en 1789, les cafés redeviennent des lieux d'agitation politique : Café du Progrès, faubourg du Temple, Café de la Liberté, faubourg Saint-Antoine, France Nouvelle, faubourg Saint-Martin, Café de

l'Union, lieu de ralliement des femmes socialistes, rue du Roule-Saint-Honoré...

Sous le second Empire, les pentes de Montmartre deviennent à la mode, avec la Brasserie des Martyrs, mais c'est au Quartier latin que les poètes et romanciers restent fidèles pendant près d'un siècle : le Café Vachette, fréquenté par Verlaine, Moréas, Barrès, le Mahieu, le Balzar, la Source. Près de Saint-Germain-des-Prés se trouve la trinité des cafés littéraires : le Flore, les Deux Magots, Lipp. Paul Fort réunit ses amis, un peu à l'écart, en haut du Boul' Mich', à la Closerie des Lilas. Vers 1910, abandonnant Montmartre, les peintres font de Montparnasse la nouvelle Mecque des intellectuels et des artistes, avec la Rotonde, la Coupole, le Dôme. Léon-Paul Fargue écrit, à propos des « années folles » : « Lorsque le monde eut appris que le meilleur de l'art, que l'élite de la poésie obscure, géométrique, nuancée, farcie, hermaphrodite et même banale ; que l'état-major de la bohème, de la noce, du pré-gangstérisme, de l'avant-jazz, du terrorisme russe, du marxisme international, de la chanson populaire, de la science amusante et du laisser-aller, se trouvaient sur une bande de terre allant de la gare Montparnasse au carrefour Raspail-Montparnasse, le monde afflua, le monde envoya ses carènes, ses yachts et ses autochenilles à l'assaut de cette forteresse parisienne où les insurgés, les combattants, les indigènes et les explorateurs communiaient dans une même joie. »

Aujourd'hui, le café en tant que lieu de sociabilité est moribond. Le dernier survivant de la grande époque, le Café de la Paix de la place de l'Opéra, n'est plus qu'une vitrine pour touristes. Quelques autres établissements survivent, mais sans leur âme, qui s'est réfugiée, bien amoindrie, dans les bistrots, eux-mêmes en décadence.

• *Voir aussi* BISTROT ; CABARET ; CAFÉ CHANTANT ; GUINGUETTE.

CAFÉ CHANTANT ou
CAFÉ-CONCERT

C'est, semble-t-il, à Amsterdam qu'est né le café chantant. Samuel Sorbier, mort en 1670, décrit, « près de la halle au blé, un certain cabaret où il y avait, trois fois le jour, musique de violon et d'orgue. Cela attirait continuellement du monde à boire. » A Paris, l'*Histoire des spectacles de la Foire* signale en 1740 un café où, moyennant un prix de consommation légèrement majoré, on peut assister à des saynètes et à des parades. L'entreprise périclita, un client ayant découvert dans son breuvage un bout de chandelle, ce qui valut au café le nom de Café des Bouts de chandelle. Mais elle avait séduit le public parisien et les émules ne manquèrent pas. Il y eut le Café des Aveugles et le Café des Nymphes à la foire Saint-Ovide en 1771-1772, le Café des Muses, quai Voltaire, où avaient lieu des séances de prestidigitation, le Café d'Apollon, les cafés des Arts, Alexandre, Goddet, boulevard du Temple, d'autres au Palais-Royal. En 1779, dans leur *Dictionnaire de Paris*, Hurtaut et Magny écrivent : « Il semble que l'on ait voulu, depuis quelques années, imiter les cafés turcs, qu'ils appellent "cavéhanes", où l'on admet des joueurs d'instruments que le maître paye pour divertir ceux qui prennent du café. Les musiciens ne sont que passagers dans les cafés de la ville, mais ils sont à la journée dans ceux des promenades, comme aux boulevards. On y exécute de bonnes symphonies, des bouffons y chantent des ariettes avec tout le burlesque dont elles sont susceptibles, et des cantatrices des airs d'opéra-comique. Les voix sont passablement bonnes. Ils font tous de leur mieux pour amuser le public, mériter ses suffrages, et en tirer quelques pièces de monnaie à la fin de chaque air : il est rare que l'on ne donne point à chaque quêteuse. »

Mais c'est aux Champs-Élysées qu'on situe le véritable essor des cafés chantants, vers 1839-1840. Cette avenue champêtre servait de promenade et les Parisiens venaient s'y désaltérer à de nombreuses guinguettes. Celle qui portait le nom de Café du Bosquet était aussi appelée le Concert à la Corde, car, sous une toile de tente, séparé du public par une simple corde, jouait un orchestre de trois musiciens qui accompagnait l'aboyeur Fleury lorsqu'il poussait sa rengaine préférée, *Le Chiffonnier de Paris*. Fleury se perchait aussi sur un tonneau pour chanter devant les clients du Café du Midi voisin. Le succès de ces musiciens et chanteurs incita le patron d'un autre établissement des Champs-Élysées, le Café des Ambassadeurs, à engager une troupe d'artistes ambulants. Le succès fut tel qu'en 1843, une salle fut construite pour abriter le concert des Ambassadeurs. Quand Napoléon III eut décidé de faire des Champs-Élysées « une promenade unique au monde », le triomphe du café chantant ou café-concert était assuré.

La mode essaima dans tout Paris. Il y avait un Estaminet lyrique, passage Jouffroy, près des Grands Boulevards, le Café de France du palais Bonne-Nouvelle, le Casino français de la galerie Montpensier du Palais-Royal, le Concert Béranger du boulevard Beaumarchais, le Café Moka de la rue de la Lune, le Concert des Arts ou Café du Géant dont le propriétaire édifia ensuite le Ba-Ta-Clan, chinoiserie du boulevard du Prince-Eugène (aujourd'hui Voltaire). Le plus grand était l'Eldorado inauguré en 1858, boulevard de Strasbourg. Il écrasait par sa taille et son luxe tous les autres établissements sauf l'Alcazar d'hiver du Faubourg-Poissonnière.

Le café-concert connut son apogée entre 1880 et 1900. C'était la seule distraction que pouvaient s'offrir les classes pauvres et l'on pouvait dénombrer plus de cent cinquante cafés chantants dans la capitale en 1900. Le cinéma leur porta un coup fatal et les dancings drainèrent la jeunesse après la guerre de 1914-1918. Ne subsistèrent que Bobino, L'Européen, Pacra, Le Petit Casino, Les Folies Belleville. Après d'ultimes feux vers 1950, le café chantant s'est éteint.

• *Voir aussi* MUSIC-HALL.

CAISSE D'ÉPARGNE

La première a vu le jour à Hambourg en 1778. Le reste de l'Allemagne, la Suisse, la Grande-Bretagne créent des caisses d'épargne avant que cette institution apparaisse en France. A début de 1792, un certain Thiberge avait déposé un projet qui ne fut pas retenu. Le cinquième article des premiers statuts de la Banque de France, arrêtés le 13 février 1800, prévoyait «une caisse de placements et d'épargnes» qui ne vit pas le jour. C'est au manufacturier, financier et philanthrope calviniste Benjamin Delessert que revient le mérite d'avoir créé la plus ancienne caisse d'épargne française, la Caisse d'épargne de Paris. Autorisée par ordonnance du 29 juillet 1818, elle est ouverte au public le dimanche 15 novembre 1818 au 104 de la rue de Richelieu. L'institution a de la peine à se développer et Delessert obtient en 1835, par une loi votée le 5 juin, que les caisses d'épargne cessent d'être des «sociétés anonymes» pour devenir des «établissements d'utilité publique» dont les fonds sont recueillis en comptes courants par le Trésor, puis par la Caisse des dépôts. De 1832 à 1840, le bureau initial s'accroît de treize succursales, le plus souvent installées dans des mairies. En 1844, après un bref séjour rue Baillif, la Caisse d'épargne de Paris s'installe dans ses locaux actuels du 9 de la rue Coq-Héron. Après avoir failli disparaître dans la tourmente politique et économique de 1848, avoir vu ses dépôts fondre de quatre-vingts millions à dix millions de francs, la Caisse d'épargne retrouve un niveau de cinquante millions à la fin de 1852 et obtient sa reconnaissance officielle par la loi du 7 mai 1853. L'agence centrale ouvre désormais ses portes tous les

jours de la semaine, le dimanche compris, et crée des succursales en banlieue proche, à Courbevoie, Vincennes, Charenton, Pantin, Ivry, Aubervilliers. Ayant subi sans problème la guerre et le siège de 1870, la Caisse d'épargne prend une nouvelle dimension à la fin du siècle en collaborant avec les premières sociétés d'habitations à bon marché (H.B.M., ancêtres des H.L.M.). En 1937, on dénombre cinquante succursales. En 1942 est adopté comme symbole puis logo de la Caisse d'épargne le personnage de Didy l'écureuil. La loi Minjoz de 1950 permet d'accorder des prêts pour le financement du logement social. En 1965, apparaissent les livrets d'épargne logement. Confrontée à la concurrence accrue des banques, la Caisse d'épargne de Paris entre en 1969 dans l'Union nationale des Caisses d'épargne de France et diversifie encore davantage ses activités, pratiquant l'assurance-vie, le change, ouvrant ses premiers comptes-chèques le 15 novembre 1978, créant le Codevi en 1983… La loi de réforme du 1er juillet 1983 et la loi bancaire du 24 janvier 1984 assimilent les caisses d'épargne aux banques. Cela donne une nouvelle impulsion à la Caisse d'épargne de Paris dont le résultat net quadruple entre 1985 et 1989 tandis que doublent les fonds propres. En 1991, une série de regroupements et de fusions donne naissance à la Caisse d'épargne Île-de-France - Paris dont fait partie la lointaine caisse de Saint-Pierre-et-Miquelon.

CALENDRIER

Le culte des saints a longtemps connu de très importantes variations d'une région à l'autre. En 1634, Urbain VIII, renonçant à remettre en question les «canonisations» plus ou moins fantaisistes, accorda aux cultes locaux la «prescription centenaire», c'est-à-dire une tolérance globale pour tous les cultes existant en 1534. Au lendemain du concile de Trente fut dressé un catalogue de tous les saints, imprimé en 1584 sous le nom de *Martyrologe romain*. Mais, jusqu'au xvie siècle et même au-delà, se sont maintenus des cultes locaux et des calendriers caractéristiques de chaque région. Les livres d'heures parisiens révèlent ainsi des cultes de saints propres à Paris et à l'Île-de-France, dont voici une liste sommaire :

3 janvier : naissance de sainte Geneviève, patronne de Paris, originaire de Nanterre ;

5 janvier : saint Siméon, premier stylite, ermite de Syrie qui aurait été en contact avec sainte Geneviève ;

7 janvier : saint Fraimbaud, Frambaud ou Fraimbourg, moine de Micy, près d'Orléans, de vi^e siècle, dont les reliques furent transférées soit à Senlis où une collégiale lui était dédiée, soit à Ivry ; il était aussi vénéré au Roule ;

8 janvier : réception à Notre-Dame de Paris, en 1362, des reliques de saint Rigobert, archevêque de Reims au viiie siècle ;

9 janvier : saint Lucien, évangélisateur du Beauvaisis, dont Notre-Dame possédait une châsse et à qui était dédiée l'église de La Courneuve ;

11 janvier : saint Guillaume, archevêque de Bourges, adversaire de l'hérésie albigeoise, canonisé en 1217, huit ans après sa mort, choisi comme patron par la Nation de France de l'université de Paris ;

15 janvier : saint Maur, moine du vi^e siècle, dont la châsse fut transférée vers 868 de Glanfeuil (Saint-Maur-sur-Loire) à Saint-Maur-des-Fossés ;

16 janvier : saint Fursy, moine irlandais du viie siècle, fondateur du monastère de Lagny ;

17 janvier : saint Sulpice, archevêque de Bourges au viie siècle, patron de la paroisse parisienne ;

28 janvier : saint Charlemagne dont la fête ne remonte qu'à la fin du xive siècle et dont le culte a été prescrit par Louis XI en 1475, alors que l'Église n'a jamais reconnu sa canonisation ;

29 janvier : sainte Bathilde, épouse du roi Clovis II, morte en 678 au monastère de Chelles qu'elle avait fondé ;

31 janvier : saint Mettran, saint copte

d'Alexandrie du iiie siècle, dont la commémoration est curieusement une particularité du calendrier de Paris ;

16 février : sainte Julienne, qui vécut en Orient, à Nicomédie, et qui était vénérée à Saint-Jacques-du-Haut-Pas et à Saint-Sulpice ; elle était honorée au Val-Saint-Germain, près de Dourdan, où plus de deux cents paroisses se rendaient en procession ;

26 février : sainte Venice (ou Véronique), patronne de nombreuses confréries féminines, notamment des blanchisseuses et lingères du quartier des Halles ;

27 février : translation des reliques de sainte Honorine en 898 de Graville (diocèse de Rouen) à Conflans (dit depuis Sainte-Honorine) où avait lieu un pèlerinage ;

8 mars : translation de saint Potentien, patron de Sens, archidiocèse dont dépendait Paris ;

11 mars : saint Blanchart, dont la châsse était conservée dans l'église Saint-Barthélemy de la Cité ;

18 mars : saint Vulfran, archevêque de Sens vers 800, sans doute confondu avec un prêtre parisien du même nom dont la châsse se trouvait à Saint-Germain-l'Auxerrois ;

30 mars : saint Rieul, qui serait venu de Rome avec saint Denis ; il ensevelit la dépouille de Denis et de ses deux compagnons et fut le premier évêque de Senlis ;

22 avril : invention des restes des saints Denis, Rustique et Éleuthère, ainsi que natalice de sainte Opportune à qui une église était dédiée ;

29 avril : sainte Germaine ou Grimonie dont les reliques étaient conservées à Laon, dans l'église Saint-Vincent ;

30 avril : natalice de saint Eutrope, dont le culte avait été introduit à Paris par Philippe IV le Bel et la reine Jeanne ;

5 mai : saint Fortunat, évêque de Poitiers vers 600, dont le principal mérite était d'avoir écrit la vie de deux grands évêques parisiens, saint Marcel et saint Germain ;

8 mai : célébration à Notre-Dame et à la Sainte-Chapelle de la translation, en 1306, du chef (de la tête) de saint Louis à la Sainte-Chapelle ;

19 mai : saint Yves, Breton canonisé

en 1347, qui possédait sa chapelle sur la montagne Sainte-Geneviève, fondée par des clercs bretons étudiants à l'Université;

29 mai: natalice de saint Germain, évêque de Paris au VIᵉ siècle; l'abbaye de Saint-Vincent prit en son honneur le nom de Saint-Germain-des-Prés;

8 juin: saint Médard, évêque de Noyon au VIᵉ siècle, dont les reliques se trouvaient à Soissons; dès le VIIIᵉ siècle, une église lui était dédiée près de la Bièvre, origine du bourg Saint-Médard;

10 juin: saint Landry, évêque de Paris au VIIᵉ siècle, à qui était attribuée la fondation de l'Hôtel-Dieu; sa châsse se trouvait à Notre-Dame;

20 juin: saint Leufroy, moine normand du VIIᵉ siècle, dont les reliques furent transférées à Paris, où une chapelle lui fut consacrée;

24 juin: saints Agoard et Aglibert, martyrisés au Vᵉ ou au VIᵉ siècle à Créteil;

25 juin: translation à Notre-Dame de Paris, en 1212, d'un bras de saint Éloi offert par l'église de Noyon; un couvent portait son nom dans la Cité;

8 juillet: saint Nom, qui aurait converti le Pincerais, dont la châsse se trouvait à Villepreux;

13 juillet: saint Turiaf, translation de Dol, en Bretagne, à Saint-Leufroy puis à Saint-Germain-des-Prés vers 893;

18 juillet: saint Arnoul, martyrisé vers 524 dans la forêt d'Yveline-en-Parisis;

25 juillet: translation, en 755, du corps de saint Germain, évêque de Paris, de la chapelle Saint-Symphorien à l'abbaye de Saint-Vincent (devenue Saint-Germain-des-Prés);

26 juillet: translation en 945 à Notre-Dame du corps de saint Marcel, évêque de Paris, dont la dépouille avait d'abord reposé dans le cimetière dit Saint-Marcel;

31 juillet: saint Germain, évêque d'Auxerre au Vᵉ siècle, patron de la «paroisse royale» dite Saint-Germain-l'Auxerrois;

1ᵉʳ août: saint Spire, premier évêque de Bayeux, dont la châsse avait été mise à l'abri des invasions normandes à Corbeil; une de ses reliques avait été déposée à la Sainte-Chapelle;

4 août: saint Yon, venu évangéliser la Gaule avec saint Denis, dont les reliques se trouvaient à Notre-Dame de Corbeil;

7 août: saint Justin, martyrisé sous Dioclétien à Louvres-en-Parisis;

12 août: réception à Paris de la couronne d'épines du Christ, en 1239;

25 août: saint Louis, mort le 25 août 1270 devant Tunis, canonisé en 1297;

27 août: translation en 858 des reliques de saint Georges de Cordoue, massacré par les musulmans, à Saint-Germain-des-Prés; les moines de cette abbaye envoyèrent une partie de ces reliques dans une de leurs propriétés qui devint Villeneuve-Saint-Georges;

29 août: translation des reliques de saint Merri, abbé de Saint-Martin d'Autun, dont une collégiale parisienne a pris le nom;

30 août: saint Fiacre, dont les reliques étaient conservées à Meaux; un grand pèlerinage avait lieu à Saint-Fiacre-en-Brie; la Saint-Fiacre était l'occasion d'une foire aux Loges, en forêt de Saint-Germain-en-Laye; de nombreuses confréries étaient placées sous le patronage de ce saint;

3 septembre: saint Chrodegang, évêque de Sées, en Normandie, inhumé à l'Isle-Adam;

7 septembre: saint Cloud, fondateur de la ville du même nom;

27 septembre: saint Céran, évêque de Paris au début du VIIIᵉ siècle, enterré à Sainte-Geneviève;

30 septembre: fête des reliques de la Passion de la Sainte-Chapelle;

3 octobre: sainte Aure, qui avait fondé un couvent dans la Cité;

18 octobre: saint Erbland ou Hermeland, abbé de l'île d'Aindre, près de Nantes, dont les reliques se trouvaient à Bagneux;

19 octobre: saint Leutherne ou Louthiern, saint breton dont les reliques furent abritées dans la Cité à l'époque des invasions normandes;

22 octobre: translation à Pontoise, à l'époque des incursions normandes, des reliques de saint Mellon, premier évêque de Rouen;

24 octobre: translation des reliques du saint breton Magloire dans l'église Saint-Barthélemy de la Cité;

28 octobre : translation des reliques de sainte Geneviève et de saint Yves ;

30 octobre : saint Lucain, martyrisé à Loigny-en-Beauce, dont la châsse se trouvait à Notre-Dame ;

3 novembre : translation des reliques du saint breton Guénaël ou Guénaud à Corbeil ; natalice de saint Marcel (voir 26 juillet) ;

9 novembre : saint Mathurin, inhumé à Larchamp, près de Nemours, dont des reliques étaient déposées dans la chapelle des Mathurins de la rue Saint-Jacques ;

14 novembre : transfert des reliques du saint breton Maclou à Saint-Barthélemy dans la Cité ;

15 novembre : saint Eugène, disciple de saint Denis, martyrisé à Deuil ;

18 novembre : sainte Aude, amie de sainte Geneviève, dont la châsse était à Sainte-Geneviève ;

19 novembre : saint Edme de Canterbury, mort en 1240 à Pontigny, archevêque de Sens ;

24 novembre : saint Séverin, moine inhumé à Paris ;

26 novembre : fête de sainte Geneviève en souvenir du « miracle des ardents » en 1131 ;

1er décembre : natalice de saint Éloi (voir 25 juin) ;

17 décembre : saint Lazare dont la léproserie parisienne portait le nom ;

19 décembre : saint Séverin (voir aussi le 24 novembre), moine fondateur de l'abbaye de Château-Landon, patron de l'église du même nom ;

29 décembre : saint Thomas Becket dont des reliques étaient conservées à l'abbaye de Saint-Victor.

• *Voir aussi* SAINT.

CANAL

C'est avec la mise au point du barrage mobile par l'ingénieur Poirée que la canalisation de la Seine débute à partir de 1837. Entre 1850 et 1870, l'établissement d'un barrage mobile à hauteur de la Monnaie et la construction de quais et de murs le long du petit bras de la Seine permettent à la navigation de l'emprunter. La Seine va se transformer progressivement en voie d'eau artificielle, régularisée par vingt-huit barrages mobiles puis par des lacs et bassins de retenue pour écrêter les crues en amont, en même temps que ses ports disparaissent de Paris intra-muros au profit d'une banlieue plus ou moins lointaine. Un canal est aménagé pour relier le bassin de la Seine à celui de l'Escaut et de la Meuse, et amener une eau destinée à la consommation des Parisiens. C'est le canal de l'Ourcq, décidé par décret du 19 mai 1802 (29 floréal an X) et achevé en 1822. Long de 108 kilomètres, il est rejoint au bassin de La Villette par le canal Saint-Denis, long de 6,5 kilomètres, achevé en 1821, qui permet de rejoindre la Seine en aval et d'éviter la traversée de la capitale aux bateaux. Du bassin de La Villette à celui de l'Arsenal et à la Seine, le canal Saint-Martin, inauguré en 1825, long de 4,5 kilomètres, est souterrain entre la rue du Faubourg-du-Temple et la Bastille.

CANOTIER

Le canotage apparaît à Paris vers 1825. A la différence du sport tel que le pratiquent les Anglais, c'est une activité populaire, occasion de déjeuners sur l'herbe, de chansons, de fêtes. C'est la première manifestation du besoin d'évasion des Parisiens vers la campagne. D'abord pratiqué par de jeunes artistes et étudiants, le canotage fait l'objet d'un premier ouvrage de souvenirs en 1858, *Le Canotage en France*, rédigé par Alphonse Karr, Léon Gatayes, Alfred de Chateauvillard, Lucien Môre, Gilbert Viard, Eugène Jung et Frédéric Lecaron. La littérature s'empare de cette activité avec *Sous les tilleuls* (1832) et *Les Guêpes* (1841) d'Alphonse Karr, suivis de deux « vaudevilles aquatiques », *Les Canotiers de la Seine* (1858) joué aux Folies-Dramatiques et *Le Carnaval des canotiers* (1864) d'Adolphe Dupeuty, tandis que les musiciens Ernest Bourget et Adolphe Sédillon composent, l'un le *Roi des régates* (1846) et *Le Sire de Franc Boisy* (1855), l'autre *Les Canotiers pa-*

risiens (1869), barcarolle dédiée à la Société du Canot-Concert.

Léon Gatayes, élève de septième avec Alphonse Karr en 1825, narre ainsi ses débuts : « On se réunissait au Pont-Royal et, en se cotisant, on louait trente sous un immense bateau — toujours le même —, le plus grand, le plus lourd et le plus mauvais d'un certain pêcheur de sable dont j'ai oublié le nom. Puis, avec deux malheureux avirons, sans pelles et longs comme une canne, avec une gaffe, une perche et un mauvais cordeau composé de bouts de câble et de bouts de ficelle noués tant bien que mal ensemble, on remontait résolument jusqu'à Bercy ou Charenton pour redescendre à la nage sur Paris ; et l'on rentrait, vers onze heures ou minuit. »

Ces promeneurs d'un nouveau genre profitaient d'une Seine qui n'était pas encore canalisée et présentait souvent de réels dangers. Le canotage ne se popularise qu'avec les débuts de la canalisation du fleuve, vers 1850, qui rend cette pratique plus facile. Les étudiants et les artistes sont alors rejoints par les employés de ministères puis les commis et enfin les boutiquiers que l'on voit se mêler aux premiers dans la *Partie de campagne* de Jean Renoir. En 1854, Eugène Chapus, dans *Le Sport à Paris*, évalue à sept mille le nombre de canotiers. Dans un article du 15 juillet 1854, *L'Illustration* constate que les immatriculations de bateaux de plaisance à la préfecture de police sont passées de mille deux cents en 1850 à quatre mille en 1854. Les « stations » de canotage les plus fréquentées sont, en amont de la capitale, Bercy, Charenton, Joinville, Nogent, en aval Neuilly, Asnières, Argenteuil, Chatou, Bougival.

Sous le second Empire, le « Smuggler », une grosse embarcation gréée en lougre de corsaire et munie de seize avirons en couple, servait à une association de canotiers musiciens, la Société du Canot-Concert de l'Union, qui remontait le fleuve tous les mercredis

soir de l'Hôtel de Ville à Bercy. Entre 1860 et 1880, la plupart des canotiers ralliaient leur port d'attache en train, de Saint-Lazare pour l'aval, de la gare de la Bastille pour l'amont et la Marne. Outre le film de Renoir déjà cité, on peut, pour se faire une idée du dimanche du Parisien au bord de la rivière, voir *Nogent, Eldorado du dimanche* (1929) de Marcel Carné. Le canotage n'est bientôt plus qu'un aspect annexe du plaisir que l'on prend dans les bals et guinguettes. *Bel-Ami* de Maupassant, *Au Bonheur des dames* de Zola contiennent d'excellentes descriptions de ces fêtes champêtres. Dans *La Femme de Paul*, extrait de *La Maison Tellier* (1881), Maupassant donne une description sans complaisance du bal flottant de la Grenouillère, au large de Bougival : « On sent là, à pleines narines, toute l'écume du monde, toute la crapulerie distinguée, toute la moisissure de la société parisienne : mélange de calicots, de cabotins, d'infimes journalistes, de gentilshommes en curatelle, de boursicotiers véreux, de noceurs tarés, de vieux viveurs pourris : cohorte interlope de tous les êtres suspects, à moitié connus, à moitié perdus, à moitié salués, à moitié déshonorés ; filous, fripons procureurs de femmes, chevaliers d'industrie à l'allure digne, à l'air matamore qui semble dire : "le premier qui me traite de gredin, je le crève !" Ce lieu sue la bêtise, pue la canaillerie et la galanterie de bazar ! Mâles et femelles s'y valent. Il y flotte une odeur d'amour et l'on s'y bat pour un oui ou pour un non, afin de soutenir des réputations vermoulues. »

L'ordonnance impériale sur la navigation de la Seine du 20 juin 1867 interdit le canotage à l'intérieur de la capitale, car il gêne le service des bateaux-mouches desservant l'Exposition universelle. L'industrialisation de la banlieue porte un coup fatal à ces plaisirs champêtres. Comme le note avec finesse Frédéric Delaive dans sa remarquable étude sur le canotage, « en 1884, on sent une certaine dégradation sur la peinture de Georges Seurat, *Une baignade à Asnières* : on se baigne, on canote, les personnages sont tristes et au loin les cheminées d'usines fument. Insensiblement le paysage de campagne s'est transformé en banlieue. Peu à peu la Seine et la Marne ont perdu leur charme. Le port fluvial de Paris et l'industrialisation changent la périphérie de la capitale.» Le tourisme fluvial en canot automobile que lance le Touring Club de France vers 1900 contribue davantage encore à marginaliser un canotage qui ne survivra pas à la Grande Guerre.

CAPITAINE DE PARIS
Voir GOUVERNEUR DE PARIS.

CARIATIDE
Née de l'Antiquité classique, la cariatide et son homologue masculin, l'atlante, n'ont guère été utilisés dans l'architecture parisienne avant le XVIe siècle. Au Moyen Âge leur usage se limitait aux statues-colonnes des portails de cathédrales et aux pleurants des tombeaux. Jean Goujon et Germain Pilon créent les premières cariatides parisiennes vers 1560 ; le premier avec la tribune des cariatides du Louvre, le second sur le monument funéraire du cœur d'Henri II et dans un fragment de la chaire à prêcher de l'église des Grands-Augustins. Elles sont d'abord réservées aux intérieurs, notamment comme ornement des cheminées monumentales. Sous Louis XIII apparaissent les premières cariatides extérieures, sculptées en 1624 à l'étage supérieur du pavillon de l'Horloge du Louvre. En 1994, on dénombre environ cinq cents cariatides et atlantes soutenant balcons et corniches des immeubles parisiens, la plupart récentes, rarement antérieures à l'urbanisme d'Haussmann des décennies 1850-1860. Un inventaire des plus spectaculaires a été fait par Jacqueline Nebout dans *Les Cariatides de Paris*.

CARNAVAL
Aujourd'hui complètement déchu, le carnaval a été longtemps une des grandes fêtes parisiennes, célébrée avec ferveur encore plus par le peuple que par les gens riches. On n'a guère de description des festivités au Moyen Âge, mais, en 1586, un étudiant hollandais, Arnold Van Buchel, en a rédigé une relation : « Pendant les fêtes du carnaval, les gentilshommes et les gens de la Cour poussent la licence jusqu'à une extrême insolence ; vêtus d'habits de couleurs variées et de forme bizarre, montés sur des chevaux, ils renversent tout, à coups de lance sur leur passage, ils frappent les spectateurs avec des œufs, du sable, de la farine et des bâtons ; le principal endroit de leurs exploits est le pont Notre-Dame où les reines, une foule de grandes dames et les princes viennent les admirer.» Au Palais de justice, on plaidait suivant l'usage une «cause grasse», un procès bouffon. Les bourgeois festoyaient et Furetière, dans *Le Roman bourgeois*, en 1666, en fait mention : «Mais sa plus grande dépense fut au temps du carnaval où il donnait à manger à son tour aussi bien que les autres.» Sous la Régence, la ville est en folie, le voyageur allemand Nemeitz s'en émerveille : «Ici tout est permis, et plus un masque est bizarre, plus on l'admire.» Il ajoute que le mardi gras, «à minuit, la duchesse du Maine donne régulièrement tous les ans un bal magnifique dans son château de Sceaux, et ainsi finit le carême prenant», c'est ainsi qu'on nomme le carnaval à Paris. Chaque année, à la mi-carême, les garçons de boutiques contraignent les nouveaux apprentis engagés chez les artisans des Halles à embrasser le groin de la Truie-qui-File, enseigne d'une maison située tout près des Halles, près du marché aux Poirées. Vers 1782, Sébastien Mercier note dans le *Tableau de Paris* : «Une des bêtises du peuple de Paris, c'est ce qu'on appelle "attrape" en carnaval. On vous attrape de

toutes parts. On applique aux mantelets noirs des vieilles femmes qui sortent pour aller aux prières de quarante heures des plaques blanches qui ont la forme de rats ; on leur attache des torchons, on sème des fers brûlants et des pièces d'argent clouées au pavé ; enfin, ce qu'on peut imaginer de plus ignoble divertit infiniment la populace. » Interdit par la Révolution, rétabli par Bonaparte en 1800, le carnaval atteint son apogée sous la Monarchie de Juillet (1830-1848) avec la descente de la Courtille, Milord l'Arsouille, le cortège du Bœuf gras (voir BŒUF GRAS). Lire sur ce sujet l'ouvrage excellent d'Alain Faure, paru en 1978, *Paris carême-prenant, du carnaval à Paris au XIXᵉ siècle*, qui décrit bien le déclin de l'institution qui, prise en main par le commerce parisien vers la fin du siècle, perd son caractère populaire et sa spontanéité, avant que l'invasion automobile accapare la chaussée et contribue puissamment à son agonie.

CARRIÈRE

Pendant près de deux mille ans, la pierre servant à construire les maisons de Paris a été extraite de son sous-sol. Émile Gerards, au début de ce siècle, et René Suttel, voilà dix ans, ont étudié les carrières de la capitale. Suttel observe : « Environ deux cent cinquante kilomètres de galeries de carrières taillées dans le roc ou muraillées cheminent sous la capitale. On estime qu'il existe, en outre, une centaine de kilomètres de galeries secondaires. Les parois en sont irrégulières, souvent éboulées, formant d'inquiétants labyrinthes. Ces zones sont parfois situées approximativement. Il n'est pas rare de trouver sur les plans officiels de l'Inspection des carrières la mention "carrière inexplorée". Ces galeries mal connues sont cependant localisées, et rares sont les découvertes de cavités totalement insoupçonnées. » D'abord exploitées à ciel ouvert, les carrières de pierre de construction et de gypse

ou pierre à plâtre, voire d'argile, firent l'objet dès le XIIᵉ siècle d'une extraction en souterrains variant de 5 à 35 mètres de profondeur et communiquant avec la surface par des puits dits « trous de service ». La plus ancienne des méthodes d'extraction était dite à « piliers tournés », des piliers de consolidation constitués par des pierres non extraites soutenant le « ciel » des galeries. L'exploitation par hagues et bourrages apparaît au XVIᵉ siècle et s'impose à la fin du XVIIIᵉ : elle consiste à enlever la totalité du banc et à remplir les vides avec les déchets d'extraction ou des terres apportées de l'extérieur. Elle présente l'avantage de limiter les risques de « fontis », affaissements de terrain.

Le premier acte de réglementation des carrières de Paris est une ordonnance du lieutenant civil, François Miron, du 10 septembre 1600, qui ordonne notamment de combler « toutes carrières et autres lieux creusés ou ouverts ès dits chemins et ès environs d'iceux ». Mais l'édit de juin 1601 d'Henri IV, en faisant remise aux propriétaires du dixième des produits des carrières dû auparavant à la Couronne, supprime tout contrôle de l'État sur leur exploitation. De graves abus sont vite constatés par Francini, intendant général des fontaines, et un arrêt du Conseil d'État du 9 mars 1633 interdit de fouiller à proximité des fontaines, conduits de fontaines, grands chemins et édifices publics. Cette interdiction, insuffisamment respectée, est renouvelée à plusieurs reprises et, le 29 mars 1754, le Bureau des finances ordonne de dresser un état des carrières existantes. Il faut attendre l'ordonnance du 30 avril 1772 pour que ce recensement soit entrepris et que soient dressés les premiers plans. La découverte des vastes exploitations situées sous la barrière d'Enfer suscita l'émotion et l'inquiétude de la population. Le 15 septembre 1776, un arrêt du Conseil du roi prescrivait l'établissement de soutènement partout où cela s'avérerait nécessaire et commettait l'ingénieur Dupont à la surveillance des carrières. Le 4 avril 1777, un nouvel arrêt instituait l'inspection générale des carrières. Le premier inspecteur, Charles-Axel Guillaumot, était nommé le 24 avril suivant. La loi du 21 avril 1810 sur les mines, complétée par le décret du 22 mars 1813 portant règlement général sur les carrières dans la Seine et la Seine-et-Oise, constituent l'armature juridique de l'exploitation des carrières (voir PLÂTRE, pour les conditions spéciales d'extraction du gypse ou pierre à plâtre). Le plan d'ensemble des carrières, dressé au 1/500, est gravé et publié en atlas au 1/1 000 entre 1856 et 1859. Il fait l'objet de remises à jour permanentes.

On trouve des carrières sous presque tous les arrondissements de Paris, les quatre premiers du centre exceptés. Vers Lonchamp, sous Passy et le Trocadéro jusqu'à la limite sud des Champs-Élysées se trouve la première zone. Sous Montmartre et Belleville se situe la deuxième, qui s'étend sous les XVIIIe, XIXe et XXe arrondissements ; débordant sur la frange nord du Xe, c'est le domaine de l'extraction du gypse. Il y a aussi quelques exploitations dans le XIIe, certaines s'étendant sous le bois de Vincennes. La plus importante se situe au voisinage de la Fontaine-aux-lions de la place Félix-Éboué (ex-Daumesnil). Sur la rive gauche, les carrières constituent un énorme ensemble presque continu, séparé uniquement par le cours de la Bièvre. Seuls sont épargnés le VIIe arrondissement ainsi que la moitié occidentale du XVe. Les exploitations qui se trouvent sous le Panthéon ont occasionné d'insurmontables problèmes à l'architecte Soufflot qui mourut sans avoir pu terminer l'édifice. Pour assurer la stabilité du monument, ses successeurs durent renoncer à la plupart des fenêtres prévues pour éclairer le sanctuaire. Les carrières sous le Sénat ont été aménagées

en abris durant l'occupation allemande. Ces carrières se prolongent sous le jardin du Luxembourg où se trouvaient les carrières des Chartreux et sous le Théâtre de l'Odéon. Les bâtiments du couvent des Feuillantines furent à plusieurs reprises endommagés par des fontis. Le Val-de-Grâce est situé au-dessus d'un vaste réseau souterrain. Son portier, Philibert Aspairt, descendit l'explorer en novembre 1793 et ne reparut jamais. En 1804, des ouvriers effectuant des relevés topographiques découvrirent un corps décharné qui fut identifié grâce à son trousseau de clés. Le cadavre fut inhumé à l'endroit où il avait été trouvé et un cénotaphe se dresse à cet endroit. L'Observatoire repose sur des carrières et un puits de 28 mètres correspondant à la hauteur égale du bâtiment, ce qui constitue un ensemble de 56 mètres destiné aux observations astronomiques et physiques. L'hôpital Sainte-Anne a aménagé une petite partie des carrières sur lesquelles il s'étend en abris pour son personnel et ses malades durant la Seconde Guerre mondiale. Près de 3 kilomètres de galeries courent sous le parc Montsouris et, à proximité, avenue Reille, un escalier de cent vingt marches, construit en 1874, descend sous les réservoirs d'eau de la Vanne. Mille légendes circulent sur les carrières. On en trouvera un aperçu dans *Catacombes et carrières de Paris* de René Suttel, qui ne saurait dispenser de lire l'ancien mais exceptionnel *Paris souterrain* d'Émile Gerards.
• *Voir aussi* PIERRE ; SOUTERRAIN.

CARROSSE

Pendant de nombreux siècles, Paris n'a pas eu de moyen de transport pour les personnes, en dehors de chevaux de selle, de mules et d'ânes. Dans les rues étroites circulaient très difficilement des chars, charrettes et « menues voitures qui suivent les marchés », l'équivalent de nos modernes voitures ou camions de livraison. Les personnes incapables de se déplacer par elles-mêmes étaient transportées dans des litières. Par une ordonnance de 1294, Philippe le Bel a décidé que seul le roi pouvait circuler en char dans la ville.

C'est le 22 août 1389, lors de son entrée solennelle à Paris, qu'Isabeau de Bavière utilise le premier coche à coffre suspendu ou carrosse, alors nommé «chariot branlant». Ce véhicule très coûteux reste longtemps rare : il n'y en a que trois sous François Ier et Henri IV partage le sien avec la reine. On compte cependant trois cents carrosses à Paris vers 1660. Ils se généralisent ensuite très vite : il y en a quatorze mille en 1722.

La voiture publique de louage apparaît le 22 octobre 1617, d'abord sous forme de chaise à porteurs, suivie bientôt par le carrosse et le coche de louage. Nicolas Sauvage, premier loueur de carrosses de Paris, a installé le siège de son entreprise rue Saint-Martin, face à la rue de Montmorency, dans l'hôtel Saint-Fiacre qui va donner son nom aux carrosses de louage ou fiacres. L'arrêt du Parlement du 25 février 1623 réglemente la charge et le tarif maximum de chaque catégorie de carrosses : 7 livres pour un carrosse à deux chevaux chargé de huit personnes; 12 pour un carrosse à quatre chevaux chargé de dix personnes et ne faisant que 13 ou 14 lieues par jour.

Une nouvelle étape est franchie avec les lettres patentes du 19 janvier 1662 : «Sa Majesté, voulant faciliter autant qu'il est possible la commodité de ses sujets, donne à MM. de Rouanès, de Sourches et de Crenan la faculté et permission d'établir dans la ville et faubourgs de Paris, et autres de son obéissance, tel nombre de carrosses qu'ils jugeront à propos, et aux lieux qu'ils trouveront les plus commodes, qui partiront à heures réglées, pour aller continuellement de quartier à autre, où chacun de ceux qui se trouveront aux dites heures, ne paiera que sa place pour un prix modique.» C'est l'acte de naissance des transports en

commun parisiens, conçus par Blaise Pascal et financés par trois de ses amis.

Les premiers carrosses à huit places, marqués aux armes et écussons de la ville de Paris, leurs cochers portant une tenue aux couleurs de la ville, entrent en service le 18 mars 1662. Ils desservent cinq itinéraires annoncés par des affiches : de la rue Saint-Antoine au Luxembourg par le Pont Neuf, de la rue Saint-Antoine à la rue Saint-Denis par la rue des Francs-Bourgeois, du Luxembourg à la rue Montmartre, la ligne circulaire dite du Tour de Paris, enfin la ligne du Luxembourg à la rue de Poitou par le pont Notre-Dame et la rue Saint-Martin.

Ces carrosses à 5 sols — c'est le tarif des places — connaissent d'abord un énorme succès puis périclitent. Ils disparaissent en 1677 et l'on en revient aux voitures de louage. Il existe de nombreux types de véhicules. La Crenan porte le nom d'un des partenaires de Pascal dans l'entreprise des carrosses à 5 sols; c'est une sorte de chaise sur roues, tirée par un cheval ou un homme, qui peut recevoir une ou deux personnes et préfigure les fiacres du XIXe siècle. Il y a aussi des vinaigrettes, dites également roulettes ou brouettes, perfectionnées par Pascal. Les cabriolets, dont un des chevaux est monté par le cocher, sont à la mode au XVIIIe siècle ainsi que les berlines, nées à Berlin, qui transportent deux ou quatre passagers. On trouve aussi le carrosse coupé à trois places, la «désobligeante» à une seule place pour misanthrope. Le trajet très fréquenté de Paris à Versailles est assuré par le lourd coche de Versailles ou carabas à huit chevaux qui accueille vingt voyageurs, mais on peut aussi faire le chemin dans des «pots de chambre» et des «coucous» à un seul cheval. Sous le règne de Louis XVI arrivent de Grande-Bretagne «whiskys» et «carricks». Sous le Directoire, le phaéton, le landau, la «demi-fortune» sont à la mode. Durant l'Empire voient le jour les «agréables» et les «landaulets».

Ce n'est qu'en 1828, un siècle et demi après la disparition des carrosses à 5 sols, que renaissent à Paris les transports en commun, les omnibus.
• *Voir aussi* CHEVAL ; FIACRE ; OMNIBUS.

CARROUSEL

La mort d'Henri II en 1559, lors du tournoi de la rue Saint-Antoine, marque la fin de ce genre de divertissement qui est remplacé par des exercices sportifs moins dangereux : quintaine (mannequin de bois qu'il faut frapper entre les deux yeux), course de bague (il faut faire passer une lance ou un javelot à l'intérieur d'un anneau), course de têtes (on doit toucher des têtes de Méduse, de Maure, de Turc), compétitions organisées parfois dans le cadre d'un grand divertissement équestre baptisé carrousel (de l'italien «carosello» ou «garosello»). Le premier carrousel auquel la Cour assista à Paris eut lieu en 1605 dans la grande salle de l'hôtel du Petit-Bourbon, près du Louvre, qui servait de salle de fêtes annexe au palais. Mais son souvenir a été oblitéré par le fastueux carrousel des 5, 6 et 7 avril 1612, organisé pour l'inauguration de la place Royale (des Vosges). Louis XIV en donna un autre, encore plus somptueux, les 5 et 6 juin 1662, pour célébrer la naissance du Dauphin, sur la place séparant le Louvre des Tuileries, dite aujourd'hui du Carrousel. Il y en eut encore plusieurs organisés pour le roi, mais ils eurent tous lieu à Versailles. A Paris, l'académie de MM. de Vandeuil, de Roquefort et d'Auricourt en organisa plusieurs à la fin du XVIIᵉ siècle. On peut supposer qu'il s'en déroulait aussi auparavant dans le «fort des Académistes» de Bernardi (voir ACADÉMIE). Dans ses *Mémoires*, le maréchal de Bassompierre évoque plusieurs courses de bagues données à l'Arsenal à la fin du règne d'Henri IV.

CASERNE

La construction de casernes est tardive en France. C'est après avoir dé-

couvert celles qu'avaient construites les Espagnols dans les provinces qu'il venait de conquérir, l'Alsace, la Franche-Comté, la Flandre, le Roussillon, que Louis XIV décide d'en faire bâtir. Jusque-là, le logement des troupes incombait aux particuliers, mais la ville de Paris en était dispensée. La plus ancienne caserne de la capitale a été édifiée entre 1660 et 1671, aux frais de la ville, à l'emplacement du 13-17, rue du Bac, pour héberger la compagnie des mousquetaires gris de la garde du roi. Une caserne pour les mousquetaires noirs, au 28 de la rue de Charenton, est construite en 1699.

Par ordonnance du 14 juillet 1692, le roi exige du prévôt des marchands qu'il fasse édifier des casernes pour les gardes-françaises et les gardes-suisses. La municipalité renâcle devant ces dépenses nouvelles et fait traîner les choses, se bornant à louer des maisons qui sont adaptées aux besoins des militaires : quelques logements, mais surtout des écuries et des entrepôts de matériel et de munitions, la grande majorité de la troupe continuant à loger chez les habitants des faubourgs. Une liste des casernes des gardes-françaises au 14 juillet 1789 mentionne dix-sept casernes, les deux plus anciennes, rue de Bourgogne et rue Mouffetard, datant de 1765. On en trouve la liste dans l'article de Valère Fanet publié en 1904 dans les *Mémoires de la Société de l'histoire de Paris et de l'Île-de-France*, et dans ceux d'Henri Zeller parus en 1962 dans *Le Souvenir français*. Douze petites casernes logent une compagnie tandis que les cinq grandes en réunissent chacune trois. De ces grandes casernes, trois ont été occupées après la Révolution par la garde républicaine, celles des rues de Babylone, de Penthièvre (alors rue Verte) et du Faubourg-Poissonnière (caserne de la Nouvelle-France). Il y en avait une quatrième, rue de l'Oursine (ouvrant sur le boulevard de Port-Royal) et la dernière, dite de Pologne puis de la Pépinière, a laissé place au Cercle militaire (place Saint-Augustin). Les gardes suisses possèdent trois casernes dans la ville, rues de Chaillot (de Berri aujourd'hui), de la Grange-Batelière, du Faubourg-Poissonnière.

Pendant et après la Révolution, l'armée s'installe généralement dans les couvents désaffectés : casernes de l'Ave-Maria, des Célestins, de l'Assomption, des Carmélites de la rue de Grenelle, des Petits-Pères, des Filles-du-Calvaire de la rue de Vaugirard, du Pentémont ou de Bellechasse, des Capucines, des Minimes, etc. Dans le Quartier latin, ce sont les collèges qui abritent les militaires, ceux de Maître Gervais, de Lisieux, de Presles, de Dormans, de Montaigu, du Cardinal-Lemoine, des Bons-Enfants. Napoléon Ier cantonne des troupes dans l'aile occidentale du Louvre qu'il fait construire par Percier et Fontaine, transforme en caserne Napoléon l'arrière de l'École militaire, fait aménager la caserne de la police du quai d'Orsay, mais ne fait, en définitive, construire qu'une seule caserne, située en bordure de Paris, à Bercy, et destinée à la cavalerie.

La Restauration et la Monarchie de Juillet aménagent des locaux existants : rue de Tournon (hôtel de Concini au 10), place Monge (l'ex-hôpital des religieuses de la Miséricorde), rue de Reuilly (l'ancienne manufacture de glaces). Napoléon III flanque l'École militaire de deux casernes d'artillerie et de cavalerie, transforme la partie sud-ouest des Invalides en caserne La Tour-Maubourg et fait édifier les casernes Dupleix, de la Cité, du Prince-Eugène (place du Château-d'Eau, devenue de la République), Napoléon et Lobau derrière l'Hôtel de Ville. La troisième République a procédé à la réfection de la plupart des anciennes casernes, mais en a créé fort peu, situées à la périphérie de la ville, caserne des Tourelles (boulevard Mortier) et de Clignancourt (boulevard Ney). Une fois exclues les casernes de la garde républicaine, des

compagnies républicaines de sécurité et des sapeurs-pompiers, l'armée proprement dite ne dispose plus que des trois casernes de Reuilly, de Clignancourt et Mortier ou des Tourelles.

• *Voir aussi* GARDE DE PARIS ; GARDES-FRANÇAISES.

CASIER ARCHÉOLOGIQUE

Créée à la fin de 1897, la Commission du Vieux Paris décide, le 8 avril 1916, la constitution d'un inventaire permanent des immeubles et éléments architecturaux présentant un intérêt archéologique et artistique. Cet inventaire reçoit le nom de «Casier archéologique et artistique de Paris». Sa constitution débute avec la séance de la Commission du 10 juin 1916. En 1921, la prospection était achevée pour dix arrondissements. Pour la ville entière, mille sept cent quatre-vingt-six dossiers étaient établis. Très tôt, les membres de la Commission du Vieux Paris témoignent d'un sens aigu de la protection des monuments modernes aussi bien qu'anciens : en 1918, elle demande le classement des entrées de métro dessinées par Hector Guimard moins de vingt ans auparavant. Elle n'obtiendra gain de cause de l'administration qu'en 1965 ! Le fichier actuellement constitué comporte quatre-vingt mille fiches ordonnées topographiquement et par architectes. Le premier volume de la *Carte archéologique de Paris* est publié en 1971, contenant neuf cent trois notices donnant tous les résultats de fouilles dans les quartiers centraux de la capitale de 1898 à 1968.

• *Voir aussi* COMMISSION DU VIEUX PARIS.

CATACOMBES
Voir CIMETIÈRE ; SOUTERRAIN.

CATHERINETTE
Sainte Catherine d'Alexandrie, selon une légende forgée vers le XIIe siècle, aurait célébré son «mariage mystique» avec le Christ avant de subir le mar-

tyre. Devenue symbole de fidélité et de chasteté, elle fut la patronne des filles à marier. A Paris, elle était la protectrice, entre autres, des fabricants de pourpoints. Il est aussi possible qu'il y ait eu une confusion de sens à propos du couvent de Sainte-Catherine-de-la-Couture, le mot « couture » signifiant au Moyen Âge « culture », « terre cultivée », et que ce terme, mal compris, ait poussé les couturières à la prendre pour patronne. Quoi qu'il en soit, la fête de Sainte-Catherine, patronne des cousettes et modistes, n'apparaît que tardivement à Paris, peut-être sous le second Empire. Le mot « catherinette » n'est attesté qu'en 1882 avec le sens de « jeunes filles célibataires âgées de vingt-cinq ans, qui coiffent sainte Catherine », le 25 novembre, jour de sa fête. Selon Larousse, comme on ne choisissait que des vierges pour coiffer la statue de la sainte dans les églises, on considéra cette tâche comme dévolue à celles qui vieillissaient sans espoir de mariage et « coiffer sainte Catherine » a signifié entrer définitivement sous le patronage de la sainte, c'est-à-dire devenir vieille fille. Avec le temps, la tradition a évolué et ce n'est plus la statue de la sainte qui est coiffée du bonnet, symbole de sa condition virginale, mais la jeune fille ayant atteint vingt-cinq ans. Dans *Les Reines de l'aiguille*, paru en 1902, Arsène Alexandre observe que, « jadis, les couturières et les modistes célébraient assez pauvrement la fête de cette bonne sainte. Toute la festivité se bornait à quelques charges et quelques amusements à la dérobée, en cachette des patronnes qui, lorsqu'elles étaient magnifiques, accordaient une heure de moins de travail dans la soirée. » Mais, au début du XXᵉ siècle, la fête était devenue un véritable événement et les rues proches des Champs-Élysées, où se trouvaient les maisons de couture, prenaient une animation particulière. Arsène Alexandre en témoigne : « A neuf heures du matin, les rues dans les quartiers de l'élégance ont presque le même aspect de fébrilité qu'en plein midi. Les marchandes de fleurs ont, ce jour-là, dans leur assortiment, des brassées de petits piquets de fleurs d'oranger : bouquets emblématiques, ironiques parfois, que l'on s'accrochera au-dessus de l'oreille ; il y a, pour la grosse gaieté, quelques bouquets de pissenlits qui sont arborés par celles qui ont la fonction habituelle de boute-en-train. Enfin, comme c'est le moment des chrysanthèmes, chaque atelier en acquiert, par petites liasses, de véritables bottées. » Les catherinettes se distinguent à cette époque par un bonnet de dentelle portant des rubans verts et jaunes. Ce n'est que plus tard qu'apparaissent des coiffures excentriques. En 1925, le curé de l'église de Notre-Dame-de-Bonne-Nouvelle associe pour la première fois la religion catholique à cette nouvelle façon de célébrer la sainte d'Alexandrie, suivi par les curés de la Madeleine et de Saint-Roch. Jusqu'en 1970, la fête du 25 novembre est célébrée joyeusement et avec éclat. La crise économique entraîne une éclipse durant les années 1970 et l'Église catholique, qui a retiré sainte Catherine du calendrier romain en 1969, cesse de s'associer à la manifestation. Les années 1980 ont vu un regain de la fête.
• *Voir aussi* COUTURE (haute).

CAVE

Pratiquement tout Paris est construit sur des caves, les édifices n'en disposant pas étant rarissimes. Les immeubles construits à partir des années 1960 remplacent les caves par plusieurs niveaux de parkings automobiles. Les caves de la capitale, d'après les estimations officielles des services de la mairie, occupent 43 millions de mètres cubes, davantage que les carrières, le métro et le R.E.R., les diverses voiries souterraines, les parkings, les égouts, etc., réunis. Dès l'époque gallo-romaine, les techniques de la cave actuelle sont à peu près au point, ainsi qu'en font foi les nombreux vestiges découverts : sous les thermes de Cluny, rues Amyot et Gay-Lussac notamment. Dans cette région de la montagne Sainte-Geneviève ont pu être observés jusqu'à quatre étages de cave, les plus profonds et anciens datant parfois du XIe siècle, mais, dans la majeure partie de la capitale, on rencontre rarement plus d'un étage. Ces caves anciennes communiquaient fréquemment entre elles et permettaient de fuir en cas d'incendie. Elles servaient généralement de celliers où l'on conservait les aliments et l'on y trouvait souvent des puits fournissant l'eau à la maisonnée. Les Gallo-Romains y entretenaient aussi le culte des dieux domestiques, les lares. A toutes les époques, les caves ont servi de lieu de refuge et de réunions aux personnes recherchées par la police, aux comploteurs et membres de sociétés secrètes, lorsqu'elles n'étaient pas aménagées en tripots, comme c'était souvent le cas au Palais-Royal, au Quartier latin et aux Halles. Une de ces caves est toujours en activité, le Caveau de la Huchette, où, en 1765 déjà, on pouvait passer la nuit à boire et à s'amuser. Les monastères possédaient de vastes celliers dont subsistent quelques vestiges encore impressionnants : maison de l'abbaye d'Ourscamp (rue François-Miron), collège des Bernardins (rue de Poissy), couvent des minimes de Chaillot (square Charles-Dickens). Les caves les plus célèbres et les plus mystérieuses dans l'esprit du grand public sont celles de l'Opéra et de la Banque de France. La présence de la nappe aquatique de l'ancien bras de la Seine, qui a également posé problème lors du creusement des stations de métro et du R.E.R., a accrédité la légende d'un lac ou d'une rivière souterraine sous l'édifice, exploitée par Gaston Leroux qui a inventé le « fantôme de l'Opéra ». Ces caves ne présentent, en réalité, aucun mystère : immenses, elles sont peu profondes. En revanche, les caves de la Banque de France peuvent faire rêver. Les réserves d'or de la France reposent par 27 mètres de profondeur, en dessous de la nappe phréatique, dans une immense chambre forte de 110 mètres de côté, protégée par des blindages et les systèmes de détection et d'alarme les plus perfectionnés. Un de ces systèmes permet d'inonder les salles souterraines grâce à des cuves placées au-dessus d'elles.

CERCLE
Voir **CLUB.**

CHAISE A PORTEURS
Il semble que ce soit l'obèse Marguerite de Valois, éphémère épouse d'Henri IV, qui ait introduit la chaise à porteurs, dite alors « chaise à bras », au début du XVIIe siècle. C'est le plus ancien moyen de transport public à Paris. Des lettres patentes du 22 octobre 1617 accordent le privilège de leur exploitation au capitaine des gardes du roi P. Petit, associé au financier Regnault-Descuville et à Jean Douet. Ceux-ci sous-traitent leur monopole, ainsi que l'atteste cet avis imprimé : « Ceux qui désireroient avoir permission de se servir du privilège pour porter des chaises devront s'adresser au bureau establi en la rue du Grand-Huleu, en la maison de Charles Chaignet, maître menuisier, où l'on voit le modèle desdites chaises. » D'abord découvertes, ces chaises furent couvertes à l'imitation de celles importées de Londres. Le privilège passa plus tard à François de Cavoye, capitaine des mousquetaires du cardinal de Richelieu et au marquis de Montbrun, par un brevet du 13 mars 1639, confirmé par lettres patentes du 31 mars suivant et établi pour une durée de quarante ans. Le marquis de Montbrun passa un accord, le 21 mars 1644, avec la veuve de Cavoye et devint détenteur des deux tiers du privilège jusqu'à sa mort en 1670. A partir de 1671, les chaises à porteurs furent concurrencées par les chaises rou-

lantes, nommées aussi « brouettes », « roulettes » et « vinaigrettes ». Ces chaises, formées d'une boîte reposant sur deux roues et supportée par des ressorts, étaient tirées par un ou plusieurs hommes appelés « tireurs de chaises ». Des conflits entre porteurs et tireurs de chaises furent réglés par une ordonnance de police du 1er avril 1671. Louis Dauger, marquis de Cavoye, détint le privilège d'exploitation des chaises à porteurs jusqu'au milieu du règne de Louis XV, tandis que Dupin, ses associés et successeurs, notamment Louis Bontems, valet de chambre du roi, Henri et Jean de Cazaus, détenaient aussi durablement celui des chaises roulantes. L'ordonnance de police du 15 juillet 1729 réglementa toutes ces chaises, car leur mauvais état, l'insolence, la brutalité et la malhonnêteté des porteurs et tireurs suscitaient l'indignation de leur clientèle. Elle stipule notamment : « A partir de huit jours à compter de cette ordonnance, les propriétaires devront faire numéroter de grands chiffres de couleur jaune peints à l'huile toutes les chaises qui ne le sont point. Défense aux porteurs ou tireurs de porter ou tirer les chaises qui ne porteront pas ces chiffres. » Des emplacements sont désignés pour le stationnement. Il y en a trente-deux pour les chaises et vingt-sept pour les brouettes ou chaises roulantes. Ces emplacements figurent sur les cartes publiées à la fin de l'ouvrage d'Alfred Martin, *Étude historique et statistique sur les moyens de transport dans Paris*, ouvrage qui, malgré son ancienneté (il est paru en 1894), reste indispensable. Les chaises pouvaient se louer à la journée, à l'heure ou à la course. Le prix de base était de 15 sols par heure au minimum et la location à la journée se situait entre 5 et 6 livres. Alors que chaises roulantes et à porteurs étaient en voie de disparition, évincées par fiacres et carrosses, l'ordonnance de police du 31 mai 1782 fixe pour la première fois leur tarif. Le porteur de

chaise reçoit 30 sous pour la première heure, 24 pour chacune des suivantes. Le tireur a droit à 18 et 16 sous.

CHAISE ROULANTE
Voir **CHAISE A PORTEURS.**

CHAMBRE DE COMMERCE
C'est un arrêté du Premier consul, Napoléon Bonaparte, qui crée, le 25 février 1803 (6 ventôse an XI), la Chambre de commerce de Paris. Plusieurs entreprises l'ont précédée. Sur l'avis de Barthélemy de Laffemas, Henri IV avait institué, par lettres patentes des 21 juillet et 16 août 1602, une Assemblée du commerce au Palais à Paris qui semble avoir cessé ses activités à la mort du roi. Le 20 novembre 1616, à l'initiative de François Du Noyer, des lettres patentes de Louis XIII ont porté « establissement de la Chambre du Commerce général tant dedens que dehors le royaume, establie à Paris, dans le Palais, en la Chambre de Saint-Louis ». C'est à elle que s'adresse Champlain pour solliciter de l'aide en vue de la colonisation du Canada. Cette institution semble sommeiller vers la fin du règne de Louis XIII. En 1664, Louis XIV est à l'origine d'un Conseil de commerce dont le champ couvre la France entière. Un arrêt du 29 juin 1700 crée un Conseil général du commerce comprenant six fonctionnaires et douze négociants, « dont toujours deux de la Ville de Paris », qui institue des chambres de commerce dans les principales villes du royaume, notamment à Paris. La Révolution a supprimé ces chambres de commerce par le décret du 29 septembre 1791.

Logée provisoirement à l'Hôtel de Ville à sa création, en 1803, la Chambre de commerce s'installe en 1826 dans la Bourse qui vient d'être terminée. En 1853, elle s'établit à proximité immédiate, dans l'hôtel abandonné par les commissaires-priseurs (2, place de la Bourse et 23, rue Notre-Dame-des-Victoires). En 1923, à l'étroit dans ces locaux, la Chambre de commerce achète l'hôtel Potocki (27, avenue de Friedland), où elle est toujours.

La Chambre de commerce de Paris a fait preuve d'un grand dynamisme, créant très tôt des établissements d'enseignement commercial de haut niveau : École supérieure de commerce en 1819, écoles commerciales de la rive droite (1863), de la rive gauche (1908), École commerciale de jeunes filles et surtout École des hautes études commerciales en 1881. Par ses rapports, ses enquêtes, ses projets et ceux qu'elle a soutenus, la Chambre de commerce a joué un rôle éminent dans la vie économique de la capitale, dirigeant l'aménagement du port de Gennevilliers, assumant conjointement avec le Conseil municipal et le Conseil général le fonctionnement du Comité de tourisme de Paris et de la Foire de Paris, etc.

CHAMP

La toponymie a gardé la trace de quelques champs parisiens aujourd'hui recouverts par le bitume, la pierre ou le béton. Un des plus anciens est le champ des Bretons, qui a précédé l'ouverture, vers 1230, de la rue Sainte-Croix-de-la-Bretonnerie. Il ne faut pas le confondre avec le fief de la Bretonnerie qui se situait vers la rue Soufflot. Avec les Champs-Élysées et la rue des Champs dans le XXe arrondissement, correspondant aux rues de la Bidassoa, Malte-Brun et des Prairies, ce sont les seuls champs de la rive droite. Construite beaucoup plus tard, livrée longtemps à l'agriculture et à la viticulture, la rive gauche compte beaucoup plus de champs, de clos et d'enclos (voir ENCLOS). Dans les Ve et VIe arrondissements, Quartier latin et bourg Saint-Germain-des-Prés, outre les prés (voir PRÉ), on dénombre bon nombre de champs : champ d'Albiac (rues Gracieuse et de l'Épée-de-Bois), champ Gaillard (rues Alfred-Cornu et d'Arras), champ Malouin (rue Saint-Romain), champ Petit (rue du Jardinet). Ces champs étaient tout aussi nombreux à la périphérie de ces arrondissements : champ de la Vierge (avenue Bosquet) et Champ-de-Mars dans le VIIe, champ d'Asile (rue Froidevaux) dans le XIVe, champ des Capucins (boulevard de Port-Royal), champ de l'Alouette (rue Corvisart), champ Maillard (rue Albert). Les Halles furent construites à l'emplacement des Champeaux, petits champs ou pré. L'Arsenal fut édifié au XVIe siècle sur un terrain dit le champ au Plâtre, mais était-ce vraiment un champ ?

• *Voir aussi* COUTURE.

CHAMPIGNON

Les spirituels auteurs du *Guide de la nature, Paris et banlieue*, Philippe J. Dubois et Guilhem Lesaffre, ont rédigé une notice sur les champignons dans la capitale qui mérite d'être citée : « La capitale possède de vastes richesses mycologiques. Le coprin micacé, par exemple, se rencontre en formation serrée au pied des platanes. Le bel armillaire couleur de miel croît en touffes sur quelques arbres, comme dans les jardins du Trocadéro, ou même sur une souche oubliée […] à proximité du palais des Congrès. L'agaric des trottoirs — au nom évocateur — fait parfois émerger son chapeau blanchâtre des fentes du bitume ou du ciment. Enfin, l'agaric champêtre (ou rosé-des-prés) pousse sur quelques pelouses, telles celles du square de la Butte-du-Chapeau-Rouge, dans le XIXe arrondissement. Ce champignon est un proche parent de l'agaric cultivé, plus connu sous le nom de "champignon de Paris". »

CHANGEUR

Au Moyen Âge, la multiplicité des monnaies nécessitait le recours à des changeurs. Afin de mieux les surveiller, Louis VII leur interdit, en 1141, d'exercer leur profession ailleurs que sur le Grand-Pont, qui sera rebaptisé Pont-aux-Changeurs ou au Change. En 1305, à la suite de la reconstruction du pont, une ordonnance leur assigne le côté attenant au Châtelet, entre l'église Saint-Leufroi et la grande arche, l'autre côté étant réservé aux orfèvres. Les changeurs ajoutaient à leurs activités celles de prêteurs, ce qui leur valait souvent l'appellation de «lombards». La taille de 1292 énumère seize changeurs et vingt lombards. Les fréquentes mutations monétaires, dévaluations déguisées, à partir du XIVe siècle, amènent la royauté à contrôler de plus en plus étroitement cette profession. En 1439, Charles VII la soumet à la juridiction des gardes des monnaies, en première instance, des généraux maîtres des monnaies en dernier ressort. Dans la seconde moitié du XVe siècle, la profession décline fortement, concurrencée par la banque introduite par les Italiens. La ville de Paris, avec trente-deux changeurs, se situe au même niveau que Limoges et Lyon, est dépassée d'une unité par La Rochelle, et bien plus nettement par Rouen qui en compte cinquante. En 1514, lors de l'entrée à Paris de la reine Marie d'Angleterre, les changeurs déclarèrent n'être pas en mesure de contribuer aux frais de la cérémonie et renoncèrent à l'honneur coûteux de faire partie des Six-Corps regroupant l'élite bourgeoise de la ville, laissant leur place aux bonnetiers. Un édit de 1555 fixa le nombre des changeurs à vingt-quatre et déclara leurs charges héréditaires. Un édit de 1596 créa trois cents offices de commis aux changes chargés de récupérer et même de rechercher, par des perquisitions chez les particuliers, les monnaies décriées, c'est-à-dire mises officiellement hors de la circulation. En 1705, cent vingt-quatre de ces offices, qui n'avaient toujours pas trouvé de titulaire, furent supprimés. Les changeurs avaient saint Mathieu pour patron.

CHANTEUR AMBULANT

Les chanteurs des rues, jusqu'à la Révolution, ont fait partie de la corporation des jongleurs ou ménestrels. La première mention d'un Robert le chan-

teur figure dans le livre de la taille de 1313 ; un compte de 1372 fait aussi mention de «chanteresses». Dans son *Tableau de Paris*, Sébastien Mercier consacre deux chapitres aux «chanteurs publics» et au «concert ambulant», écrivant : «Un étranger, le lendemain de son arrivée, entend sous ses fenêtres quelques airs exécutés sur la basse et le violon. La curiosité lui fait ouvrir sa croisée qui donne sur la cour : quelle est sa surprise ? Il ne voit qu'un homme qui accompagne sur un instrument l'air qu'il joue sur un autre ; et voici comment un seul homme compose l'orchestre adossé contre la muraille. Il tient en main son violon, une basse est étendue devant lui, et, par le moyen d'un archet attaché à son pied droit, il en tire une sorte de ronflement continu, qui du moins suit quelquefois la mesure de l'air qu'il joue avec les mains.» A propos des chanteurs publics, il écrit : «Il y en a deux sortes ; les uns lamentent des saints cantiques, les autres débitent des chansons gaillardes ; souvent ils ne sont qu'à quarante pas l'un de l'autre. L'un vous offre un scapulaire bénit qui chasse le diable, peint en habit rouge dans son tableau avec la queue qui passe ; l'autre célèbre la fameuse victoire remportée ; tout cela est mis au rang des miracles ; et les auditeurs debout ont l'oreille partagée entre le sacré et le profane […]. Celui qui parle en faveur des choses saintes a les cheveux plats et l'air niais ; celui qui chante les batailles a l'air d'un huron, sa trogne est enluminée ; le groupe est plus nombreux près de ce dernier, et ce contraste représente assez bien le petit nombre des élus et la foule des réprouvés.» Ces chanteurs des rues vendent le texte de leurs chansons et complaintes. Ange Pitou connut une célébrité risquée sous la Révolution avec ses chansons royalistes, Charles-François Aubert commença par chanter ses propres chansons avant de s'établir éditeur en 1808 dans la rue de la Parcheminerie. La police surveille de très près les textes, y cherchant la moindre trace de subversion politique ou sociale. Elle n'a plus de souci à se faire aujourd'hui : l'automobile, en occupant la rue et en imposant un bruit permanent, a réduit au silence les derniers chanteurs de rues durant les années 1960. Seuls subsistent dans la capitale de rarissimes joueurs d'orgue de Barbarie qui accompagnent leur instrument de leur voix.

CHAPELIER

Ce n'est qu'en 1578 que les chapeliers sont unifiés au sein d'une unique communauté. Auparavant, existaient des chapeliers de coton, ancêtres des bonnetiers, des chapeliers de feutre, des chapeliers de fleurs, des chapeliers d'orfrois qui fabriquaient les couvrechef les plus somptueux, brodés d'or, de perles, de pierres précieuses, des chapeliers de soie, exclusivement des femmes ainsi que l'attestent les statuts de 1268 : «C'est l'ordenance du mestier des tesserandes de queuvrechiefs de soie.» On peut y adjoindre les aumussiers, faiseurs d'aumusses, capuchons pointus couvrant la tête et les épaules, les coiffiers, fabricants de coiffes (sortes de bonnets), les chapeliers de paon, faiseurs de coiffures à base de plumes de paon, qui finirent par être absorbés par les plumassiers ou artisans de la plume. Les maîtres chapeliers tombés dans la misère étaient autorisés à vendre dans les rues les chapeaux restaurés et étaient dits «chapeliers en vieux». Les chapeaux étaient le plus souvent de couleur grise jusqu'à la mise à la mode du noir en 1670 par Louis XIV. La mode des perruques faisait qu'on ne portait presque jamais les chapeaux sur la tête à la fin du XVIIe et au XVIIIe siècle. Le *Mercure de France* note en 1726 : «Les chapeaux sont d'une grandeur raisonnable, on les porte sur le bras et presque jamais sur la tête.» Le tricorne est d'ailleurs souvent désigné sous le nom de chapeau de bras. En 1786, J.F. Sobry écrit : «Le chapeau est une coiffure infiniment

commode, mais de peu d'agrément. On le porte, d'ailleurs, fort souvent à la main.» La corporation était divisée en cinq classes, fabricants, teinturiers, marchands de neuf, marchands de vieux, crieuses. L'édit de 1776 réunit en une unique communauté les bonnetiers, les pelletiers et les chapeliers qui constituèrent alors le troisième des nouveaux Six-Corps. Il y avait alors environ trois cent vingt maîtres chapeliers. La corporation était placée sous le patronage de saint Michel et se réunissait d'abord à l'église Sainte-Opportune, puis à Saint-Jacques-de-la-Boucherie. Les chapeliers des faubourgs étaient placés sous le patronage de saint Jacques et saint Philippe. Ceux de Saint-Germaindes-Prés se réunissaient à l'église Saint-Sulpice, ceux de Saint-Marcel à la petite église Saint-Martin. La chapellerie parisienne, très prospère au XIXe siècle, a été presque totalement ruinée lorsque, à partir de 1950, le port du chapeau est tombé en désuétude, sans doute en raison de la généralisation de l'automobile et de la gêne que ce couvre-chef occasionnait dans ce mode de transport.

• *Voir aussi* **BONNETIER**.

CHARBON DE BOIS

Pour se chauffer et faire la cuisine, les Parisiens utilisaient surtout du bois jusqu'au début du XIXe siècle. La grande ordonnance de décembre 1672 a prévu le débit en fagots ou la transformation en charbon de bois des «menus bois estant au-dessous de six pouces» de circonférence. Provenant des mêmes régions que le bois de chauffage, le charbon de bois arrive, lui aussi, surtout par voie d'eau. L'ordonnance du 9 septembre 1738 du Bureau de la Ville a fixé à quinze le nombre de bateaux chargés de charbon de bois autorisés à l'amarrage dans les ports de la capitale : quatre au port Saint-Paul, trois à celui de la Tournelle, cinq au port de la Mégisserie et trois à celui des Saints-Pères. On distinguait différentes qualités de charbon selon l'espèce de bois dont il était fabriqué et l'on différenciait très nettement le charbon de bois dur du charbon de bois blanc qui était employé spécialement pour polir les métaux et fabriquer la poudre à canon. Au début du XIXe siècle, les magasins de vente figurent sur la liste des établissements dangereux, insalubres ou incommodes de seconde classe. On estime alors la consommation annuelle de Paris à une voie et quart de charbon par habitant, soit 700 000 à 800 000 voies, la voie correspondant à peu près à 2 stères. Le charbon de bois résiste mieux que le bois à la concurrence de la houille. Sa consommation progresse jusqu'en 1840 : 3 hectolitres par habitant et par an en 1830, 6 en 1840. Les Parisiens n'en consomment plus que 3 en 1870. La constitution en 1868 d'une Chambre du commerce des charbons de terre présidée par le Flamand Euryale Dehaynin sonne le glas des marchands de charbon de bois du Morvan. Le gaz puis l'électricité feront disparaître les derniers consommateurs, ne laissant au charbon de bois que des usages en cuisine, notamment pour les barbecues.

• *Voir aussi* BOIS DE CHAUFFAGE ; CHARBON DE TERRE.

CHARBON DE TERRE

Extraite et utilisée dès le Moyen Âge en Angleterre et dans la région de Liège, la houille est mentionnée au XVIe siècle en France : un arrêt de la faculté de médecine de juillet 1520 déclare que sa fumée n'est pas nuisible et que les forgerons peuvent s'en servir sans crainte. L'ordonnance de décembre 1672 réglemente son commerce à Paris, limitant son achat aux « artisans et forgerons ». Au XVIIIe siècle, la partie de l'actuel quai des Célestins s'étendant du pont Marie à la rue Saint-Paul était dite « quai du charbon de terre ». Dans son *Tableau de Paris*, Sébastien Mercier souhaite en 1782 que son emploi soit étendu au chauf-

fage des Parisiens. Le *Dictionnaire de l'approvisionnement de Paris en combustibles* de C.-P. Rousseau signale : « Le bois étant devenu très rare et très cher à Paris en 1774, on y amena quelques bateaux de charbon de pierre, qui se débitèrent d'abord assez bien aux ports de l'École et de Saint-Paul. Le peuple y courut en foule, et même plusieurs bonnes maisons voulurent en essayer dans les poêles et cheminées des antichambres, mais la malignité de ses vapeurs et son odeur de soufre en dégoûtèrent bientôt ; et la vente des premiers bateaux n'ayant pas réussi, les nouveaux marchands de charbon de pierre cessèrent d'en faire venir pour la consommation de Paris. » La houille reparaît sous la Restauration, l'ordonnance du 29 décembre 1815 la soumettant à un droit de 33 centimes par hectolitre. En 1820, la consommation s'élève à 500 000 voies de 2 hectolitres, soit 1 million d'hectolitres, un peu plus de la moitié de la consommation de charbon de bois. Encore faut-il noter que l'essentiel de cette houille est consommé par les industries. Rousseau note en 1841 dans son *Dictionnaire* : « La prévention contre la houille s'est dissipée sans doute avec raison. Néanmoins, il est indubitable que pour le chauffage des appartements, elle présente toujours cette malignité de vapeurs de soufre et cette fumée épaisse qui va s'attaquant à tous les meubles et draperies. A la vérité, le coke est exempt de ces graves inconvénients, mais il a un désavantage marqué sur la houille et sur le bois : il brûle sans flamme et ne présente à l'œil qu'une flamme ardente et rouge, au lieu de cette flamme vive et pétillante qui fait l'agrément du foyer et quelquefois le délassement de celui qui se chauffe. Aussi, pour le chauffage des appartements, la préférence doit, à juste titre, rester au bois. » Toutefois, dès l'année suivante, en 1842, la *Revue générale de l'architecture* note : « Aujourd'hui, tous les calorifères des édifices publics et des grands hôtels particuliers sont organisés pour brûler de la houille : la dernière adjudication du chauffage des hospices comprenait la houille pour cinquante-deux mille hectolitres. De Paris, elle s'est répandue dans la banlieue ; les rôtisseries, les buanderies s'en servent ; et, bien plus, un boulanger de la banlieue vient de faire construire un four qui brûle de la houille. C'est donc une révolution complète qui s'opère, et probablement, avant peu, on ne brûlera plus de bois que chez ceux qui ne pourront s'habituer à l'odeur de la houille, et encore est-il bien probable que l'industrie arrivera à construire des appareils de chauffage qui feront disparaître entièrement cet inconvénient. » Le charbon de terre évince irrésistiblement le charbon de bois sous le second Empire. En 1868 se constitue la chambre de commerce des charbons de terre. Les marchands de bois morvandiaux laissent la place aux négociants en charbon de Saint-Étienne, Firminy, Brassac, et surtout aux représentants des charbonnages de Belgique et du Pas-de-Calais. Le premier président de la chambre du commerce des charbons de terre n'est-il pas le Flamand Euryale Dehaynin ? L'emploi industriel de la houille pour fabriquer du gaz crée un concurrent supplémentaire au bois et au charbon de bois. Gaz, électricité et pétrole s'allient au XXᵉ siècle pour évincer à peu près totalement le charbon de terre de la consommation des Parisiens, pour le plus grand bien de leurs poumons et des façades des immeubles que n'encrassent plus les résidus de combustion.

• *Voir aussi* CHARBON DE BOIS.

CHARBON DE TERRE (mine de)

Les plans de Delagrive (1728), Roussel (1731), Deharme (1763), portent l'indication, à proximité immédiate de l'hôpital Sainte-Anne, d'une « carrière de charbon de terre », dont le puits d'extraction a été retrouvé à l'extrémité nord-ouest du jardin de la clinique des aliénés, presque à l'angle des rues Broussais et Cabanis. Il s'agit de lignite se trouvant dans les couches supérieures de l'argile plastique qu'on extrayait aussi au même endroit. Le chapitre XI de l'excellent *Paris souterrain* d'Émile Gerards est consacré à cette curiosité du sous-sol de la capitale.

CHARITÉ
Voir ASSISTANCE ; ASSISTANCE PUBLIQUE ; BUREAU DE BIENFAISANCE ; GRAND BUREAU DES PAUVRES ; MENDICITÉ.

CHARLES V (enceinte de)
Voir ENCEINTES.

CHARLES IX et LOUIS XIII (enceinte de)
Voir ENCEINTES.

CHARPENTIER
Voir MENUISIER.

CHASSE-ROUES
Voir BORNE.

CHAT
Présent dans toutes les maisons, le chat a théoriquement pour tâche la chasse aux souris, mais il est, avant tout, un animal de compagnie fascinant. On attribue au savant Peiresc l'introduction en France, au début du XVIIᵉ siècle, du chat angora et de diverses autres espèces qu'il fit venir d'Orient à Aix-en-Provence, puis à Paris. Au XVIIᵉ siècle, les étrangers de passage dans la capitale avaient coutume de visiter l'hôtel de Lesdiguières, rue de la Cerisaie, pour y regarder un sarcophage de marbre noir, surmonté d'une chatte noire reposant sur un coussin de marbre blanc. C'était le monument que Mme de Lesdiguières avait fait élever à sa chatte Menine. On lisait sur le côté gauche du piédestal :

CI GIST
MENINE, la plus aimable et la plus aimée
de toutes les chattes

Et sur le côté droit :

Ci-gît une chatte jolie.
Sa maîtresse, qui n'aima rien,
L'aima jusques à la folie.
Pourquoi le dire ? On le voit bien.

L'engouement pour les animaux atteint un niveau surprenant sous le règne de Louis XVI. La baronne d'Oberkirch raconte comment M. d'Andlau fut reçu chez Mme Helvétius : « Mme Helvétius habite une superbe maison à Auteuil ; elle y vit entourée des plus beaux chats angoras du monde. M. d'Andlau arrive avec son introducteur ; il est d'abord ébloui d'une grande magnificence. Il salue, on le nomme ; la maîtresse de la maison le reçoit à merveille, le laquais cherche à lui avancer un siège. Voici la conversation textuelle :

— Monsieur, j'ai l'honneur de vous saluer… Que faites-vous donc, Comtois ? vous dérangez Marquise. Laissez ce fauteuil… Charmée, monsieur, de faire connaissance avec vous… C'est encore pis cette fois, Aza est malade ; il a pris ce matin un remède…

— Mais, madame, c'est que…

— Vous êtes un imbécile, cherchez mieux. Messieurs, vous voici par un temps superbe… Pas par ici, misérable ! c'est la niche de Musette ; elle y est avec ses petits et va vous sauter aux yeux.

Pendant ce temps, le baron d'Andlau et son cousin sont debout, au milieu du salon, ne sachant où prendre un siège, et se trouvant entourés de vingt angoras énormes de toutes couleurs, habillés de longues robes fourrées, sans doute pour conserver la leur et les garantir du froid en les empêchant de courir. Ces étranges figures sautèrent au bas de leurs bergères, et alors les visiteurs virent traîner des queues de brocart, de dauphine, de satin, doublées de fourrures les plus précieuses. Les chats allèrent ainsi par la chambre, semblables à des conseillers au parlement, avec la même gravité, la même sûreté de leur mérite. Mme Helvétius les appela tous par leurs noms, en offrant ses excuses de son mieux. M. d'Andlau se mourait de

rire, et n'osait le laisser voir ; mais tout à coup la porte s'ouvrit, et on apporta le dîner de ces messieurs dans de la vaisselle plate, qui leur fut servie tout autour de la chambre. C'étaient des blancs de volaille ou de perdrix, avec quelques petits os à ronger. Il y eut alors mêlée, coups de griffes, grognements, cris, jusqu'à ce que chacun fût pourvu et s'établit en pompe sur les sièges de lampas qu'ils graissèrent à qui mieux mieux. »

Exagérément aimés par certains, les chats subissaient aussi parfois d'effroyables sévices. Le feu de la Saint-Jean, le 23 juin au soir, était l'occasion de brûler en place de Grève une ou deux douzaines de ces animaux, enfermés dans un sac ou un tonneau suspendu à un arbre de près de 20 mètres de haut auquel on mettait le feu. Charles IX éprouvait le plus grand plaisir à écouter leurs miaulements d'agonie, de même qu'il s'était réjoui du massacre des protestants sous ses yeux durant la nuit de la Saint-Barthélemy. En revanche, le petit Dauphin, futur Louis XIII, obtint en 1604 « la grâce des chats que l'on voulait mettre au bûcher », nous rappelle Héroard dans son *Journal*. Il semble qu'il n'y ait plus eu de sacrifice de chats lors du feu de la Saint-Jean à partir du milieu du XVIIe siècle.

Parmi les autres tortures auxquelles furent soumis les chats, on peut encore citer le « concert miaulique » qui eut lieu à la veille de la Révolution de 1789 au bal des Veillées qui se tenait dans la Cité : « Donné dans le jardin anglais de la salle de bal, devant une foule immense, ce spectacle consistait en ceci : vingt chats, dont on n'apercevait que les têtes, étaient disposés sur un clavecin. Lorsqu'on sollicitait l'instrument, chaque touche, remplacée par une lame pointue, frappait la queue d'un chat, lequel poussait un cri de douleur. Chaque cri répondant à une note de musique, le concertiste obtint un inexprimable charivari, dont on parla et rit beaucoup. »

• *Voir aussi* **ANIMAL DOMESTIQUE**.

CHAUFFAGE
Voir BOIS DE CHAUFFAGE ; CHARBON DE BOIS ; CHARBON DE TERRE ; CHAUFFAGE URBAIN ; CHEMINÉE ; ÉLECTRICITÉ ; GAZ.

CHAUFFAGE URBAIN
Les Romains savaient transporter à distance l'eau et la vapeur. Il faut attendre 1928 pour que naisse le réseau parisien de chauffage urbain, à l'usine de Bercy, entre le quai de la Rapée et la rue de Bercy. Le premier kilomètre est construit rue de Bercy et boulevard Diderot pour desservir notamment la gare de Lyon, où l'on chauffait les trains à la vapeur avant leur départ. En 1935, l'Hôtel de Ville est atteint par une canalisation située sous le quai de la Rapée. L'Opéra est desservi en 1937 par une galerie désaffectée reliant l'Hôtel de Ville au Palais-Royal. En 1945, le réseau s'étend sur 27 kilomètres pour quatre cent quarante clients. En 1974, la Compagnie parisienne de chauffage urbain (C.P.C.U.) possède deux mille huit cent vingt clients et 193 kilomètres de réseau. Au début des années 1990, la Ville de Paris, principal actionnaire de cette société, dispose d'un réseau de chaleur de 315 kilomètres, ayant quatre mille huit cent sept abonnés et alimenté par douze centres de production utilisant le charbon, le fioul, le gaz, l'énergie produite par trois usines d'incinération d'ordures ménagères et l'eau chaude extraite d'un puits géothermique. Ce réseau est plus long mais moins dense que celui de New York. Il est le deuxième d'Europe après celui d'Helsinki.
• *Voir aussi* CHAUFFAGE.

CHEMIN DE FER
Le premier essai de transport de voyageurs par traction vapeur en France a lieu en 1831 sur le trajet Saint-Étienne-Lyon. La loi du 11 juin 1842 constitue le véritable point de départ de ce nouveau moyen de locomotion qui atteint sa plénitude dès 1870 avec un réseau de 22 000 kilomètres. La ligne de Paris à Saint-Germain-en-Laye a été construite par Pereire entre 1835 et 1837 pour convaincre les Parisiens et les financiers de l'utilité de ce nouveau moyen de transport. Elle a été suivie par la ligne de Paris à Versailles, autorisée le 9 juillet 1836 et sur laquelle eut lieu la première catastrophe ferroviaire française, le 8 mai 1842, ce qui n'empêcha pas l'inauguration des lignes Paris-Orléans et Paris-Rouen, les 2 et 3 mai 1843. En dix ans, six têtes de lignes furent greffées sur le tissu urbain de la capitale, qualifiées, non sans grandiloquence, par Théophile Gautier, de « cathédrales de l'humanité, l'endroit attirant, le point de rencontre des nations, le centre où tout convergerait, le noyau de gigantesques étoiles aux rayons de fer s'étendant jusqu'au bout de la terre ». L'histoire du chemin de fer relève de l'histoire nationale et non de celle de Paris, qui n'est concernée que pour le chemin de fer de ceinture et les gares.
• *Voir aussi* CHEMIN DE FER DE CEINTURE ; GARE.

CHEMIN DE FER DE CEINTURE
La solution d'une gare unique, proposée par Pereire, est écartée au profit de la mise en service de plusieurs gares — aussi nombreuses que les compagnies exploitant le réseau de chemin de fer national. Se pose alors très vite le problème du transbordement des marchandises d'une gare à l'autre. Les 9 et 10 décembre 1851, le gouvernement décide la création d'un chemin de fer intra-muros pour transporter marchandises et voyageurs de la gare des Batignolles à celle d'Orléans (Austerlitz). Les cinq compagnies dites de Rouen, d'Orléans, de Strasbourg, du Nord et de Lyon versent chacune 1 million de francs et constituent un syndicat de gestion sous le contrôle de l'État qui contribue pour 4 millions au projet. La compagnie de l'Ouest (Montparnasse) n'est pas concernée et la rive gauche

parisienne est, pour l'essentiel, exclue du projet. L'*Almanach des chemins de fer* de 1854 en donne la description suivante : « Le chemin de fer de ceinture se détache du chemin de fer de Rouen à l'extrémité de la gare des Batignolles, franchit en viaduc les routes de Clichy et de Saint-Ouen, côtoie la route militaire jusqu'au chemin d'Aubervilliers et atteint La Villette après avoir passé sous les chemins de fer du Nord et de Strasbourg. La Villette, les routes de Flandre et d'Allemagne, ainsi que le canal de l'Ourcq, sont traversés en viaduc, à peu de distance des fortifications ; puis, et après s'être infléchi aux abords du canal, le tracé se dirige vers les coteaux de Belleville et de Charonne, où il se trouve en souterrain, pour de là descendre vers la Seine, en traversant à niveau le cours de Vincennes et l'avenue de Saint-Mandé, en se tenant au-dessous de la route de Charenton, et, un peu plus loin, au-dessus du chemin de fer de Lyon. De la route de Charenton à la Seine, le chemin de fer de ceinture ne cesse pas d'être accolé à la route militaire ; mais aussitôt après avoir atteint la rive gauche, il s'en éloigne en décrivant un quart de cercle de trois cent soixante mètres de rayon qui le raccorde avec le chemin de fer d'Orléans. »

Le décret du 14 juin 1861 déclare d'utilité publique « le prolongement du chemin de fer de ceinture, sur la rive gauche de la Seine, entre Auteuil et la gare d'Orléans » pour un coût de 22 millions. S'y ajoute bientôt le raccordement sur la rive droite entre Auteuil et les Batignolles. La boucle terminée, l'ouverture du chemin de fer de ceinture maintenant circulaire a lieu le 25 mars 1869. Il est constitué de 14 kilomètres de voies ferrées entre les Batignolles et Austerlitz, de 12 autres kilomètres sur la rive gauche et des 8 kilomètres de la rive droite entre Auteuil et les Batignolles. Vingt-cinq stations jalonnent en 1875 ce circuit : Point-du-Jour, Auteuil, Passy, Avenue-

du-Bois-de-Boulogne, Neuilly-Porte-Maillot, Courcelles (Ceinture et Levallois), Batignolles, Avenue-de-Clichy, Avenue-de-Saint-Ouen, Boulevard-Ornano, Nord-Ceinture (ou Chapelle-Saint-Denis), Pont-de-Flandre, Belleville-Villette, Ménilmontant, Charonne, Avenue-de-Vincennes, Bel-Air-Ceinture, La-Rapée-Bercy, Orléans-Ceinture, Maison-Blanche, La-Glacière-Gentilly (plus tard Parc-de-Montsouris), Montrouge, Ouest-Ceinture, Vaugirard-Ceinture, Grenelle. Quelques stations supplémentaires seront créées : Avenue-du-Trocadéro (ou Avenue-Henri-Martin), Est-Ceinture, Rue-d'Avron, Claude-Decaen.

A peine achevé, le chemin de fer de ceinture va servir à transporter huit cent mille hommes de troupe du 16 juillet 1870 au 17 mars 1871. Mais le trafic des voyageurs n'y a jamais été satisfaisant et le compte d'exploitation est difficilement équilibré. A partir de 1918, il devient désastreusement déficitaire. Le cap des vingt millions de voyageurs par an a été franchi en 1889 et une vive progression a permis de frôler les quarante millions de passagers en 1900, grâce à l'Exposition universelle. Le déclin est rapide : 32 millions d'usagers seulement dès 1901, 24 millions en 1910, 12 millions en 1920.

Le 7 juin 1931, le Conseil municipal prend connaissance d'un rapport concluant à la fermeture du chemin de fer de ceinture au trafic des voyageurs. Son auteur, Georges Prade, rappelle qu'à l'époque florissante des années 1890-1900, il n'a jamais assuré plus de 10 % des transports en commun intramuros, et qu'en 1930, il représente à peine plus de 1 %. La suppression des trains de voyageurs a lieu le 1er avril 1934. Le 16 juillet suivant, la ligne d'autobus de petite ceinture (PC) remplace le chemin de fer.

Le 1er janvier 1938 naît la Société nationale des chemins de fer français (S.N.C.F.) qui démantèle progressivement la petite ceinture. La déclaration d'utilité publique en 1980 de la ligne C du Réseau express régional (R.E.R.), la V.M.I. (Vallée de Montmorency-Invalides) permet de sauver les voies desservant les XVIIe et XVIe arrondissements. La réactivation de la ceinture sud fait l'objet d'études approfondies dans le cadre des projets Meteor et T.V.S. (Tramway Val-de-Seine).

Il ne faut pas confondre le chemin de fer de ceinture de Paris, dit parfois de «petite ceinture», avec le chemin de fer de grande ceinture, organisé entre 1875 et 1884. D'une longueur de 91,5 kilomètres, il entoure la capitale à une certaine distance et possède trente-trois gares en banlieue, dont Épinay, Stains-Pierrefitte, La-Courneuve-Dugny, Le-Bourget, Bobigny, Noisy-le-Sec, Neuilly-sur-Marne, Bry-sur-Marne, Sucy-Bonneuil, Villeneuve-Saint-Georges, Massy-Palaiseau, Versailles-Chantiers, Saint-Cyr, Saint-Germain-en-Laye, Poissy, Houilles-Sartrouville, Argenteuil.

CHEMINÉE

Le rôle et la technique de fabrication des cheminées ont beaucoup évolué au cours des siècles. Au Moyen Âge, la cheminée sert surtout à cuire les aliments. A partir de la fin du XVIIe siècle, se développe un nouveau type de cheminée, plus petite, destinée au chauffage des pièces. On passe ainsi d'une cheminée par appartement, pour deux ou trois pièces en moyenne, à une cheminée par pièce. Dans son *Histoire des techniques*, Bertrand Gille décrit l'évolution de la cheminée entre 1710 et 1740. Les cheminées présentent un double danger : risque de chute en cas de tempête ou de mauvais entretien, danger d'incendie. Aussi est-il normal qu'elles fassent l'objet d'une surveillance et d'une législation particulières. Le texte fondamental est l'ordonnance de police du Châtelet du 26 janvier 1672, souvent rappelée, notamment dans les textes réglementaires des 1er juillet 1712, 24 mars 1713, 28 avril 1719, etc. Les incendies de cheminée ont long-temps représenté un véritable et fréquent péril, figurant pour plus des trois quarts dans les sinistres parisiens. Certaines compagnies d'assurances s'adjoignaient les services d'entreprises de ramonage pour les immeubles qu'elles assuraient. A la fin du XIXe siècle, les incendies de cheminée ne représentaient plus que la moitié des sinistres. Actuellement, le chauffage électrique ou au gaz a réduit ce genre d'accident à très peu de chose.

• *Voir aussi* CHAUFFAGE.

CHEVAL

Le cheval a été le principal moyen de locomotion en France jusqu'à son déclin causé par la mécanisation automobile durant le XXe siècle. Cette révolution récente n'est guère perçue en cette fin de siècle, peu de personnes ayant connu cette civilisation défunte du transport hippomobile.

La profession de marchand de chevaux a toujours été libre à Paris. Si le livre de la taille de 1292 n'en mentionne que trois, on en dénombre une centaine à la veille de la Révolution. Cette profession est très prospère durant le XIXe siècle : 46 marchands et loueurs de chevaux en 1850, 85 en 1865, 118 en 1900. Le déclin est rapide et il n'y en a plus que 83 en 1914. Le riche VIIIe arrondissement est le plus gros acheteur, le reste du commerce se concentrant dans les XIIe et XIIIe, à proximité du marché aux chevaux.

Au Moyen Âge, celui s'est tenu près de la porte Saint-Honoré, puis, de 1565 à 1605, à l'emplacement de l'hôtel des Tournelles (place des Vosges). De 1605 à 1633 il s'établit sur le revers oriental de la butte Saint-Roch (carrefour des rues de l'Échelle et Molière) ; de 1633 à 1687, dans un bastion de l'enceinte de Louis XIII (entre les rues Louis-le-Grand, des Petits-Champs, des Capucines et le boulevard des Capucines) ; de 1687 à 1857, au faubourg Saint-Victor (entre la rue Duméril et le boulevard de l'Hôpital) ; de 1857 à

1907, boulevard de l'Hôpital (entre le boulevard Saint-Marcel et la rue Jeanne-d'Arc). Enfin, il s'installe rue Brancion où se trouvait aussi l'abattoir, car 95 % des transactions étaient alors le fait des bouchers hippophagiques (voir BOUCHERIE CHEVALINE). De 1878 à 1880, il y eut un second marché aux chevaux à côté du marché au fourrage du boulevard d'Enfer (à l'angle des rues Huyghens, Delambre et du boulevard Raspail), mais il périclita très vite.

Dans sa thèse sur *Le Cheval à Paris de 1850 à 1914*, Ghislaine Bouchet a estimé à plus de cinquante mille le nombre des personnes vivant des métiers du cheval vers 1900, dont plus de vingt mille loueurs de voitures et cochers de fiacres. De 1867 à 1900, la carrosserie parisienne a dominé le marché européen aux dépens des Britanniques évincés. Le rapport de l'Exposition universelle de 1878 dénombre à Paris 70 constructeurs de voitures de luxe, 28 selliers-carrossiers, 120 fabricants de voitures de commerce, 60 constructeurs de grosses voitures.

La traction hippomobile a dominé les transports en commun parisiens jusqu'à la fin du XIXᵉ siècle. Les omnibus aussi bien que les tramways ont été très longtemps tirés par des chevaux, de même que les bateaux remorqués au long des chemins de halage. La Compagnie générale des omnibus utilisait des percherons pour près des deux tiers de sa cavalerie, moins de 10 % de chevaux du pays de Caux, 6 % de bêtes venant du Berry et autant des Ardennes.

Un recensement obligatoire de la population chevaline parisienne ayant été institué en 1877, on connaît avec précision le nombre des chevaux à partir de 1880. Il y en a alors 78 908. En 1912, quand l'automobile commence à s'imposer dans les rues de la capitale, il en reste 55 418 et l'on dénombre encore 17 305 voitures à traction animale contre 14 428 voitures automobiles. La Compagnie générale des omnibus a connu l'apogée de ses effectifs entre 1892 et 1900, années durant lesquelles elle a entretenu de 15 000 à 17 000 chevaux. Mais, dès 1907, leur nombre chute en dessous de 10 000. En 1912-1913 disparaissent les derniers omnibus et tramways hippomobiles.

La guerre de 1914-1918 achève les chevaux. Il n'y a plus que 500 fiacres en 1919 et le dernier «sapin» disparaît en 1928 au profit du taxi automobile. En 1994, on compte deux clubs hippiques au bois de Vincennes, quatre au bois de Boulogne et deux à La Villette, réunissant moins de cinq cents chevaux, à peu près le même nombre qu'à la caserne des Célestins de la garde républicaine.

• *Voir aussi* CARROSSE ; COCHER ; FIACRE ; TRANSPORT (moyen de).

CHEVEUX (couleur des)

Les données sur l'apparence physique des Parisiens et ses variations au cours des siècles sont rares et souvent sujettes à caution, elles proviennent le plus souvent d'observations plus ou moins sérieuses de voyageurs ou d'écrivains. Les registres de contrôle de l'armée permettent d'avoir quelques éléments pour les hommes et de rares anthropologues ont entrepris des analyses statistiques sur des échantillons souvent très restreints, dépassant rarement deux mille individus. L'évolution de la couleur des cheveux des Parisiens est la plus difficile à établir, car les critères sont variés et les nuances nombreuses. Une enquête établie vers 1810 à partir de plus de deux mille soldats fait apparaître 19 % de blonds et châtain clair, un peu plus de 20 % de cheveux bruns et noirs, le reste étant défini comme châtain et châtain foncé, avec six roux pour mille. Vers 1860, Topinard a trouvé, sur moins de deux mille personnes, un peu plus de 17 % de blonds, 19 % de clairs, 37,5 % de foncés et 26 % d'intermédiaires, ignorant les roux. Sur un échantillon très limité, Mme Chamla a constaté un éclaircissement des teintes des cheveux entre 1880 et 1940, conséquence (?) d'un afflux de personnes du Nord fuyant la guerre et restées à Paris au retour de la paix : les blonds et châtain clair auraient augmenté de près de 10 %, dépassant le quart de l'échantillon de 1940, tandis que les chevelures brunes et noires tombaient de près de 33 % à moins de 27 %, les roux augmentant de moitié, de douze à dix-huit pour mille. A partir de deux mille femmes et autant d'hommes, le docteur Tisserand est arrivé en 1951 à un tiers de cheveux bruns et noirs, un autre tiers de cheveux moyennement foncés, le dernier tiers se partageant entre blonds (18,5 %) et clairs, les roux représentant treize pour mille. Cela indiquerait une immigration importante de Méridionaux bruns entre 1810 et 1880, compensée après 1880 par la démographie plus vigoureuse des populations claires des régions du Nord et du Nord-Est (Alsaciens et Lorrains).

• *Voir aussi* TAILLE ; YEUX (couleur des).

CHIEN

Utilisé pour la chasse et la garde, le plus fidèle ami de l'homme est présent sous toutes ses espèces dans la capitale : espagnols ou épagneuls introduits vers la fin du XIVe siècle, dogues anglais offerts à Charles IX par Élisabeth d'Angleterre en octobre 1572, bichons d'Henri III. Au début du XVIIe siècle apparaît la mode de chiens minuscules que les dames ont l'habitude de porter sur leurs bras ou dans leur manchon. Ces chiens de manchon, originaires d'Artois et du Boulonnais, étaient issus d'un croisement de doguin et de carlin. Cette race dégénéra et Buffon la signale comme pratiquement éteinte vers le milieu du XVIIIe siècle. Elle fut remplacée par le chien dit « de Burgos », sorte de basset à jambes torses, au museau allongé et aux oreilles pendantes, puis par le chien-loup, la mode revenant sous la Régence aux chiens d'Espagne ou épagneuls. Sous Louis XV, ces animaux furent concurrencés par les énormes lévriers danois et les king's-charles anglais, puis par les caniches et les griffons. On lisait déjà, à cette époque, dans les rares journaux d'annonces, des avis de recherche et des promesses de récompenses rédigés par des maîtres éplorés : « Un louis d'or à gagner. Il a été perdu, depuis le mercredi des Cendres, une chienne de chasse, ayant un collier avec une plaque de cuivre où est écrit : "J'appartiens à M. Dupin de Francueille, receveur général des finances, rue Plâtrière". Cette chienne est de moyenne taille, vieille et toute blanche, excepté une tache noire à l'oreille droite. Ceux qui l'auront trouvée sont priés de la ramener chez M. Dupin ; on donnera la récompense promise. »

Pour soigner les chiens de la rage, on les conduisait dans la nef de l'abbaye de Saint-Denis où on leur administrait une bénédiction spéciale. Dans son *Traité des superstitions*, J.-B. Thiers raconte en 1757 : « Pour guérir les chiens de la rage, on les mène aux chapelles de Saint-Denis et on les plonge dans les puits et les fontaines voisines, et on leur jette de l'eau sur le corps, ensuite on leur fait appliquer à la tête les clefs des chapelles ou un fer chaud. » Sous Louis XVI apparaissent les chiens de Terre-Neuve. Sébastien Mercier dénonce alors dans son *Tableau de Paris* la passion des chiens : « Les femmes du peuple ont des chiens qui font des ordures dans les escaliers, et l'on se passe mutuellement cette dégoûtante malpropreté, parce qu'à Paris on aime mieux avoir des chiens que d'avoir des escaliers propres [...]. Point de misérable qui n'ait dans son grenier un chien pour lui tenir compagnie. On en interrogeait un, qui partageait son pain avec ce fidèle camarade ; on lui représentait qu'il lui coûtait beaucoup à nourrir, et qu'il devrait se séparer de lui. "Me séparer de lui, reprit-il, et qui m'aimera ?" [...] La folie des femmes est poussée au dernier période sur cet article. Elles sont devenues gouvernantes de roquets, et ont pour eux des soins inconcevables. Marchez sur la patte d'un petit chien, vous êtes perdu dans l'esprit d'une femme. Elle pourra dissimuler, mais elle ne vous le pardonnera jamais : vous avez blessé son manitou. Les mets les plus exquis leur sont prodigués ; on les régale de poulets gras, et l'on ne donne pas un bouillon au malade qui gît dans le grenier. On voit de petites maîtresses, fardées et bien mises, porter leurs petits chiens à la promenade et laisser leurs enfants à la servante [...]. Et, ce qu'on ne voit qu'à Paris, ce sont de grands imbéciles qui, pour faire leur cour à des femmes, portent leur chien publiquement sous le bras dans les promenades et dans les rues ; ce qui leur donne un air si niais et si bête qu'on est tenté de leur rire au nez pour leur apprendre à être hommes. »

Le fanatisme imbécile de l'époque révolutionnaire est à l'origine d'une sentence de mort contre un chien. Rue Saint-Nicaise vivait un invalide nommé Prix. Il fut accusé de « manœuvres contre-révolutionnaires » et condamné à mort le 17 novembre 1793 (27 brumaire an II). Il vivait avec un chien qui fut accusé de partager les opinions « réactionnaires » de son maître et d'aboyer de façon hostile à l'approche des « habits bleus » des soldats de la République. Les Archives nationales conservent le dossier du Tribunal révolutionnaire traitant de cette affaire, avec le procès-verbal suivant :

Au nom de la Loi,
Aujourd'hui vingt-huit brumaire, l'an deuxième de la République Française une et indivisible.

En vertu d'un jugement rendu par le tribunal révolutionnaire établi par la loi du 4 mars, qui condamne le nommé Prix, dit Saint-Prix, portant peine de mort, également par ledit jugement que le chien dudit Saint-Prix serait assommé, que ledit tribunal ayant envoyé les ordres en conséquence au Comité de surveillance de la section des Tuileries. Ledit comité désirant faire mettre à exécution ledit

ordre, et en vertu de l'arrêté dudit comité, nous nous sommes transportés, nous, Claude-Charles Georges, commissaire dudit comité, accompagné du citoyen Pierre-Louis Hosteaux, inspecteur de police, dans une maison appelée « le Combat du Taureau », tenue par la citoyenne Macquart, où étant nous avons trouvé la citoyenne Macquart, et après lui avoir exhibé l'ordre dont nous sommes porteurs, en l'invitant de nous représenter ledit chien mentionné ci-dessus, à quoi elle s'est soumise, nous avons de suite requis le citoyen Bonneau, sergent de la section des Arcis, de garde au poste du Combat, pour être présent à l'exécution du dit ordre ; nous avons, au désir du tribunal, assommé en sa présence le chien du sus désigné.

De tout ce que dessus, nous avons dressé procès-verbal, après en avoir donné lecture en présence des personnes sus désignées, qui l'ont reconnu véritable et ont signé avec nous : Bonneau, sergent de poste ; femme Macquart ; Georges, commissaire ; Hosteaux.

Pour copie conforme à l'original :
Signé : CHARVET, secrétaire.

Aujourd'hui à l'abri de la justice révolutionnaire, les chiens restent cependant menacés à cause de leurs déjections sur la voie publique. Grâce à la taxe canine instituée en 1855, on peut constater que leur population est restée stable durant le siècle qu'a duré cette imposition : 51 031 animaux en 1871, 56 090 en 1936. Les personnes à faibles revenus ont davantage recours à la compagnie des chiens : 6 101 bêtes en 1936 dans le XVIIIe arrondissement contre 4 902 dans le XVIe, de races assurément beaucoup plus aristocratiques. Dans les *Annales d'hygiène publique, industrielle et sociale*, le Dr Clerc dénonce en décembre 1928 les fèces canines : « Si quelques dizaines de mères de famille décidaient de faire faire leurs petits besoins à leurs enfants au milieu des trottoirs, elles se verraient dresser procès-verbal comme responsables de leurs enfants. Comment admettre que le même texte permette à 56 000 chiens d'uriner et de déféquer à leur aise sur les mêmes trottoirs de Paris, c'est-à-dire d'accomplir impunément le même délit sous le regard de leurs propriétaires responsables et d'agents de police ?... Le spectacle de ces fèces, qu'elles soient jaunâtres, foncées ou noirâtres ; homogènes ou panachées ; glaireuses ou non ; qu'elles s'érigent en petites crottes ou s'étalent en masse, est répugnant. Que dire du malheureux étourdi, de l'intellectuel égaré dans des spéculations transcendentales glissant soudain sur l'un de ces dépôts infects !»

Ce grave problème fera l'objet de la thèse du Dr Steinberg en 1938 : *La Souillure des rues des villes par les excréments des chiens*. En 1942, le conseiller municipal Marron évoque cette question d'actualité et propose de doubler la taxe sur les chiens d'agrément et d'instituer une médaille attestant du paiement de l'impôt.

Il revenait à Jean-Claude Decaux de trouver une parade avec les «motos nettoyeuses», plus communément nommées «motos-crottes», qui sont entrées en usage le 1er juillet 1982. Le coût de ce cri ultime de la technique avoisine vingt millions de francs par an répartis entre tous les Parisiens, même ceux qui n'ont pas de chien. Plus récemment, des «canisettes» ou emplacements réservés aux chiens pour leurs besoins, ont été mis en place. Mais les chiens ne savent pas lire et continuent à faire leurs besoins n'importe où. En désespoir de cause, il ne reste plus qu'à avertir le piéton parisien du péril : *Cave canem*!

• *Voir aussi* ANIMAL DOMESTIQUE.

CHIFFONNIER

Récupérateurs de tissus usagés, mais aussi de vieux souliers, plus tard de verre cassé, de vieux papiers et cartons, les chiffonniers constituent une des classes les plus humbles et les plus pauvres de la société. La police se méfiait de cette profession marginale et une ordonnance de 1698 leur interdit de «vaguer et aller par les rues et fau-

bourgs avant la pointe du jour». Cette interdiction ne fut guère respectée et une autre ordonnance, du 10 juin 1701, la renouvelle, sur «plusieurs plaintes, tant des bourgeois et des propriétaires que des locataires de la rue Neuve-Saint-Martin, de ce que plusieurs particuliers chiffonniers et autres, demeurant en ladite rue, cul-de-sac d'icelle et ès environs, se mettent de trafiquer de chiens pour la nourriture desquels ils font provision de chair de chevaux qui infectent le quartier [...] comme aussi de ce que luy, commissaire, a eu avis qu'au préjudice des ordonnances et règlements de police qui font défense aux chiffonniers de vaguer et aller dans les rues de cette ville et faubourgs qu'à la pointe du jour ; aucuns d'eux se sont mis en usage depuis quelques années [...] de sortir de leurs maisons à minuit et de marcher dans les rues sous prétexte d'amasser des chiffons ; ce qui peut donner lieu à la plus grande partie des vols qui se font tant des auvents, que des grilles et des enseignes, même causer et favoriser les ouvertures des boutiques, salles et cuisines qui sont au rez-de-chaussée, estant facile ausdits chiffonniers d'en tirer avec les crocs dont ils se servent, les linges et la plupart des choses qu'on a coutume d'y laisser.» L'ordonnance du 1er septembre 1828 prescrit aux chiffonniers de se munir d'une médaille portant leur nom et signalement, afin «de les distinguer des rôdeurs de nuit qui essayaient de se mélanger avec eux». La hotte sur le dos, la lanterne dans une main, le crochet dans l'autre, les chiffonniers font partie du paysage parisien, parcourant la ville dès la tombée de la nuit pour fouiller les tas d'ordures. Leur nombre est estimé à mille huit cents en 1832, à quinze mille en 1880. En 1832, en pleine épidémie de choléra, ils provoquèrent une sanglante émeute lorsque, par crainte de la contamination, il leur fut interdit d'exercer leur métier. Ayant besoin de place pour trier leur pauvre récolte, ils sont relégués à la périphérie de la grande ville, s'installent souvent dans des constructions de fortune au pied des fortifications, peuplant la zone. Sa collecte terminée, le « coureur » revient chez lui et fait le tri, le « tricage » de sa hotte, en vendant parfois le contenu à un « trieur ». Cette opération terminée, il se rend chez le maître chiffonnier pour lui vendre sa marchandise. Celui-ci est un véritable entrepreneur, disposant d'un vaste hangar. La récupération des vieux chiffons représente en 1889 un chiffre d'affaires de 116 millions de francs à Paris, dont 25 millions sont tirés des poubelles de la capitale. On nomme « placier » ou « biffin » le chiffonnier qui possède le monopole des fouilles sur un territoire, « chineur » celui qui achète et revend. La profession s'est paradoxalement éteinte progressivement au lendemain de la Seconde Guerre mondiale, alors que, le niveau de vie s'élevant, les poubelles recèlent davantage de richesses.

CHIRURGIEN

Jusqu'au XVIIe siècle, se livrer à un travail manuel était dégradant et les chirurgiens en subissaient les conséquences : si un chirurgien entreprenait des études de médecine, il devait s'engager, pour obtenir la licence, à renoncer à pratiquer des opérations. Vers le milieu du XIIIe siècle, certains barbiers auraient cessé de tondre et de raser pour se consacrer à des opérations chirurgicales. Ils auraient constitué une confrérie placée sous le patronage des saints Côme et Damien et obtenu une charte de Louis IX. Dans le *Livre des métiers*, le prévôt Étienne Boileau exige d'eux qu'ils dénoncent à la police les meurtriers et les voleurs qui auraient recours à leurs services. Le registre de la taille de 1292 mentionne cent cinquante et un barbiers-chirurgiens. On distinguait deux classes : les barbiers laïcs ou barbiers chirurgiens ou chirurgiens à robe courte, les barbiers clercs ou chirurgiens barbiers, dits encore chirurgiens de Saint-Côme

ou chirurgiens de robe longue. Pour s'imposer face à leurs homologues, les chirurgiens de Saint-Côme se soumettent en 1510 à la tutelle de l'Université : ils passeront leurs examens de maîtrise devant un jury composé d'un docteur en médecine et de deux chirurgiens jurés du Châtelet. En échange, les barbiers se voient interdire la chirurgie et doivent se limiter à faire des saignées, soigner les clous, les anthrax, bosses et charbons. En 1515, la confrérie de Saint-Côme s'érige en collège au sein de la faculté. François Ier crée en 1544 une faculté de chirurgie, mais l'Université refuse de la reconnaître. Le conflit dure deux siècles. En 1672, Louis XIV crée un enseignement de la chirurgie au Jardin du Roi et le confie à Dionis, chirurgien de Saint-Côme, malgré l'opposition de la faculté. C'est le début de l'enseignement de la chirurgie à Paris et celui de la reconnaissance du savoir chirurgical. En 1686, ayant remarquablement réussi l'opération de la fistule du roi, Félix Tassy est anobli, l'Université en est scandalisée. Enhardis par ce succès, les chirurgiens achètent, le 16 juin 1691, un terrain au couvent des Cordeliers pour y faire édifier un amphithéâtre d'anatomie. En 1724, Louis XV autorise la création de cinq chaires à Saint-Côme. Le 18 décembre 1731, la Société académique des chirurgiens de Paris tient sa première séance. Elle devient en 1748 l'Académie royale de chirurgie. En 1750, l'entrée des chirurgiens dans l'Université est enfin autorisée. En 1768, commencent à s'édifier les nouveaux bâtiments de l'Académie, face au couvent des Cordeliers, où sont soutenues les premières thèses de chirurgie en 1776. La Révolution achèvera de mettre la chirurgie sur un pied d'égalité avec la médecine.

• *Voir aussi* **BARBIER** ; **COIFFEUR**.

CHOCOLAT

Découverte vers 1520 par les Espagnols au Mexique, la fève de chocolat fut introduite en France vers 1640 par le frère aîné du cardinal de Richelieu, Alphonse-Louis Du Plessis, archevêque de Lyon, qui s'en servait «pour modifier les vapeurs de sa rate». En 1642, le célèbre médecin parisien René Moreau le consulte sur les propriétés thérapeutiques de ce produit pour sa traduction du traité sur le chocolat d'Antonio Colmenero. Un peu plus tard, la reine Marie-Thérèse le met au goût du jour à son arrivée à la Cour après son mariage avec Louis XIV en juin 1660. On peut aussi supposer que Mazarin en consommait, comme beaucoup d'Italiens.

C'est, en tout cas, le 28 novembre 1659 que le roi accorde au premier valet de chambre du comte de Soissons, David Chaliou ou Chaillou, le privilège de «faire, faire faire, vendre et débiter dans toutes les villes du royaume le dit chocolat [...] en liqueur, en pastilles ou en boëttes». Le premier chocolatier de France s'établit à Paris, rue de l'Arbre-Sec, près de la Croix-du-Trahoir et de la rue Saint-Honoré, et, profitant de son monopole, se mit à vendre très cher son chocolat aux gens de la Cour et aux bourgeois fortunés. Approuvée par la faculté de médecine dès 1661, la consommation de chocolat fut vite à la mode. Olympe Mancini, nièce de Mazarin et femme du comte de Soissons, le protecteur de Chaillou, avait à son service un maître d'hôtel qui devint vite célèbre, Audiger. Ancien soldat, il avait appris, durant ses séjours en Italie et en Espagne, à confectionner des liqueurs, des entremets, des boissons à base de thé, de café et de chocolat. Au début du XVIIIe siècle, l'usage du chocolat s'est définitivement imposé et Philippe d'Orléans, le futur Régent, dégustait sa boisson favorite dans un grand salon où l'on venait le saluer. On appelait cela «être admis au chocolat».

Expiré au bout de vingt-neuf ans, le privilège de Chaillou ne fut pas renouvelé et, dès 1689, d'autres chocolatiers s'établirent à Paris : Rere rue Dauphine, Renard à l'enseigne du Jeu de Metz et l'apothicaire de Blégny, quai de Nesle (Conti). En janvier 1692, le privilège fut rétabli pour six ans au profit de François Damame ou Damaine, mais il y renonça dès mai 1693 en raison d'une conjoncture difficile. Désormais en vente libre, le chocolat n'a sa consommation limitée que par son prix élevé. Les fabricants parisiens les plus célèbres au XVIIIe siècle sont Labastide, rue de la Monnaie, Onfroy au Café Cuisinier de la place du Pont-Saint-Michel, Delandre, épicier droguiste de la rue des Lombards, inventeur en 1772 du «chocolat homogène, stomachique et pectoral» ainsi que du «chocolat purgatif», tandis qu'un médecin, Lefebvre, invente le chocolat «aphrodisiaque ou antivénérien» pouvant contribuer au traitement de la syphilis. En 1777 est mentionné un «fabricant de chocolat de Madame la Dauphine et des princes et seigneurs de la Cour», nommé Fernandez et limonadier de profession. Cette corporation, en effet, avait le droit de vendre le chocolat «en pain, en tourteau et en dragées», mais la majeure partie de la production et de la commercialisation était aux mains des confiseurs, membres de la corporation des épiciers.

L'industrie se développe dès le début de la Monarchie de Juillet avec sept fabriques en 1834 dont six utilisent des machines à vapeur pour le broyage, la pulvérisation, etc. La fabrique la plus importante est celle de Turpin, rue de Montpensier, avec cinquante ouvriers produisant plus de 500 kilogrammes par jour. Guérin-Boutron, 27, boulevard Poissonnière, possède une importance comparable. Sous le second Empire, Borel et Kohler, à La Villette, 14, rue de Flandre, prend une importance particulière.

Faute de place, les chocolateries ont déserté la capitale. Le *Bottin* mentionne dix entreprises en 1990, mais ce sont surtout des sièges sociaux et non plus des usines. Un club de croqueurs de chocolat s'est constitué vers 1983 à Paris et organise des dégustations pour gastronomes.

CHOLÉRA

Dernière venue des grandes maladies épidémiques, le choléra a été étudié de façon magistrale sous la direction de Louis Chevalier. Il apparaît pour la première fois en France et à Paris en 1832, faisant 18 402 morts entre mars et septembre. Il reparaît en mars 1849 et s'éteint à la fin de l'été après avoir emporté 16 165 Parisiens. De septembre à novembre 1865, il fait 4 349 victimes, les autorités ayant appris à mieux le combattre par l'hygiène et l'isolement des malades. En 1873, il ne tue plus que 869 personnes, moins que la typhoïde qui sévit en permanence à cause de la mauvaise qualité de l'eau. L'épidémie de novembre 1884 emporte encore 980 personnes. En juillet 1892, un début d'épidémie sera rapidement enrayé. Le choléra a cessé de tuer.

• *Voir aussi* ÉPIDÉMIE.

CIMETIÈRE

Refusant la crémation couramment pratiquée par la Grèce et par Rome, les chrétiens ont recours à l'inhumation. Chaque lieu de culte est flanqué d'un cimetière et, sous le dallage du chœur, de la nef et des bas-côtés sont enterrés les notables de la paroisse. Lorsque ces caveaux changent de propriétaire, les ossements des précédents occupants sont extraits et entassés dans les combles de l'église. Il y a donc autant de lieux de sépulture que d'édifices religieux, soit, selon une statistique de 1747, 59 cures, 13 chapitres, 10 abbayes, 11 prieurés, 124 couvents, 90 chapelles, plus de 300 sites au total, de dimensions souvent très limitées : les cimetières de Saint-Landry, de la Sainte-Chapelle ou de Saint-Cosme font moins de 100 mètres carrés. Le plus grand, celui des Saints-Innocents, dépasse à peine 7 000 mètres carrés,

alors que le Père-Lachaise en couvre actuellement 440 000.

Pourtant, ce sont plus de deux millions de cadavres qui ont été accueillis aux Innocents, provoquant un exhaussement du sol de plus de 2 mètres et une puanteur permanente empoisonnant tout le quartier des Halles. Depuis 1554, les habitants des environs en réclamaient la fermeture. Sensible à leurs plaintes et redoutant les risques d'épidémies, le Parlement avait vainement limité, le 21 mai 1765, le nombre des inhumations dans les églises, puis ordonné, le 1er janvier 1766, la fermeture de tous les cimetières paroissiaux intramuros. L'opposition du clergé avait fait échouer ces projets et Voltaire pouvait, à bon droit, s'indigner dans son *Dictionnaire philosophique*, faisant observer qu'on «portait à une lieue les immondices des privés alors que l'on entassait depuis mille deux cents ans dans la même ville les corps pourris dont ces immondices étaient produites».

Le 30 mai 1780, l'éboulement d'une fosse commune du cimetière des Innocents dans une cave de la rue de la Lingerie provoque de telles émanations que bon nombre d'habitants de la maison manquent de mourir asphyxiés. Le chapitre de Notre-Dame a beau faire épandre de la chaux vive et boucher la brèche, une puanteur intolérable persiste et le cimetière est fermé le 1er décembre 1780. L'enquête de l'Académie royale des sciences aboutit à l'arrêt du Conseil du 9 novembre 1785 ordonnant la suppression du cimetière. Les ossements sont transférés dans les carrières souterraines de la Tombe-Issoire qui deviendront les Catacombes. Les ossements de six millions de Parisiens y sont accumulés, provenant de tous les cimetières désaffectés jusqu'à la fin du XIXe siècle.

Le 12 mars 1801 (21 ventôse an IX), Frochot, préfet de la Seine, ordonne la création de trois enclos de sépulture publique : les cimetières du Nord, de l'Est et du Sud. Celui du Nord ou de Montmartre, installé dans les Grandes Carrières, était né au lendemain du 10 août 1792 : on y avait jeté les corps de trois cents gardes suisses massacrés aux Tuileries. En 1798, l'administration du Directoire l'avait agrandi et affecté à l'inhumation des Parisiens des quatre premiers arrondissements de la rive droite (actuels Ier, IIe, VIIIe et IXe arrondissements). Dépassant à peine 1 hectare au temps de Frochot, il est agrandi jusqu'à 9 hectares en 1847. Le cimetière de l'Est ou du Père-Lachaise est ouvert le 21 mai 1804 et destiné aux habitants du Ve au VIIIe arrondissements (actuels IIIe, IVe, Xe, XIe et XIIe partiellement). Le cimetière du Sud ou Montparnasse n'est ouvert que le 25 juillet 1824, pour remplacer les cimetières de Vaugirard et Sainte-Catherine (rue du Fer-à-Moulin) qui ont continué jusque-là à recevoir les dépouilles des habitants de la rive gauche.

Le 1er janvier 1860, l'annexion à Paris des zones périphériques situées à l'intérieur de l'enceinte de Thiers fait entrer dans la ville les cimetières de onze communes : Auteuil, Passy, les Batignolles-Monceaux, Montmartre (deux cimetières), La Chapelle, La Villette, Belleville, Charonne, Bercy, Vaugirard, Grenelle. S'ajoutant aux trois grands cimetières, ces petits cimetières couvrant à peine 22 hectares ne suffisent pas pour accueillir les Parisiens décédés. Il faut ouvrir de nouveaux lieux d'inhumation hors de la capitale : à Saint-Ouen en 1872, Ivry en 1874, Bagneux et Pantin en 1886, Valmy (bois de Vincennes) en 1906 et Thiais en 1929. Depuis la destruction des fortifications en 1919 et leur annexion au territoire parisien, se trouvent sur le territoire communal de la capitale les cimetières de Gentilly, de Montrouge et de Saint-Mandé sud. Unique nécropole privée subsistante, le cimetière de Picpus est réservé aux descendants des personnes guillotinées inhumées au 35, rue de Picpus.

Exclus des cimetières chrétiens, les juifs ont possédé au Moyen Âge des lieux d'inhumation dans le secteur des rues Pierre-Sarrazin et Galande, rive gauche, et peut-être, rue de la Verrerie, sur la rive droite. La petite communauté qui se reforme vers la fin du XVIIe siècle possède un cimetière rue de Flandre (au 46 puis au 44) et un autre à Montrouge (94-96, rue Gabriel-Péri). L'Empire leur ayant donné accès aux cimetières parisiens, les juifs cessent d'avoir des lieux particuliers d'inhumation à partir de 1809-1810.

En 1576, les protestants obtiennent une bande de terrain dans le cimetière dit de la Trinité (vers le 20-22 de la rue de Palestro et le passage Basfour) ainsi que le cimetière dit des Pestiférés (186, boulevard Saint-Germain) qu'ils doivent abandonner en 1604 pour s'établir au cimetière des Saints-Pères (au 30 de cette rue). L'édit de Nantes leur octroie en 1598 un troisième lieu de sépulture, rue des Poules (à l'angle des rues Laromiguière et Amyot actuelles). Devenus hors-la-loi en 1685, les protestants français doivent enterrer leurs morts à la sauvette, dans des champs, des jardins, des chantiers. A partir de 1725, la police fermant les yeux, ils procèdent aux inhumations dans la zone du Port-au-Plâtre (sur le quai de la Rapée) dans les chantiers de Champtecotte et de Moreau. En 1777, ils obtiennent du roi l'autorisation d'ensevelir leurs morts dans le cimetière des protestants étrangers de la rue de la Grange-aux-Belles, ouvert en 1762 à la place du cimetière de la porte Saint-Martin, créé en 1720 et fermé en 1762.

Les Deux Cents Cimetières du vieux Paris de Jacques Hillairet offrent une bonne étude des nombreux sites d'inhumation parisiens avec la liste des personnages importants qui y reposent. On peut consulter avec grand profit les volumes de l'*Épitaphier du vieux Paris*.

• *Voir aussi* SOUTERRAIN.

CINÉMA (salle de)

Jusqu'à la création de l'Association française de recherche sur l'histoire du cinéma et à la publication de sa revue, *1895*, à partir de 1984, l'histoire du cinéma en tant qu'industrie et commerce n'était guère étudiée en France. Depuis, les travaux se multiplient et le musée Carnavalet a organisé en 1995 une exposition intitulée *Paris Grand-Écran. Splendeurs des salles obscures (1895-1945)*. Né en 1895, à Paris, le cinéma a d'emblée rencontré le succès. N'ayant pas encore de salle qui lui soit consacrée, il a d'abord dû se satisfaire de celles existantes de cafés-concerts, de music-halls, de théâtres. En 1907, lorsque Charles Pathé décide de ne plus vendre ses films mais de les louer, il crée de véritables circuits d'exploitation, inaugurant ainsi un nouveau type de spectacle, dans des salles ouvertes à cet effet. Le circuit Pathé comprend vite une vingtaine de salles. Le premier Cinéma Palace voit le jour en 1907 au 42, boulevard Bonne-Nouvelle. Pour 1913, Jean-Jacques Meusy dénombre, dans la revue *1895*, numéro d'octobre 1993, environ cent quatre-vingts salles consacrées principalement à la projection de films. La répartition de ces salles est assez régulière, avec une densité particulièrement forte dans les quartiers populaires de la périphérie (XIe, XIIIe, XIVe, XVIIIe, XIXe et XXe arrondissements). Le nombre de salles le long des Grands Boulevards explique l'importance des IIe, IIIe, IXe et Xe arrondissements, seize salles dans le IXe et quatorze dans le Xe. Le royaume des étudiants (Ve et VIe arrondissements), les quartiers huppés (VIIe, VIIIe, XVIe arrondissements) boudent le cinéma jusqu'en 1913. En 1911, Léon Gaumont a inauguré l'immense salle de six mille places du Gaumont Palace, à l'emplacement de l'Hippodrome de la place de Clichy, consacrant le septième art comme un spectacle de masse. De 1914 à 1930, le nombre des salles stagne. C'est l'avènement du cinéma parlant qui donne son second souffle au septième art. Le nombre de salles de spectacle bondit de 191 en 1930 à 336 en 1940 et culmine en 1954 avec 354 salles contenant deux cent quarante mille places. Les recettes du cinéma muet, négligeables en comparaison des autres formes de spectacles, représentent dès 1933 pour le cinéma parlant le double de celles des théâtres, music-halls et cafés-concerts réunis. La géographie des salles se confirme : présence écrasante sur les Grands Boulevards où les théâtres sont éclipsés sur leur propre terrain, cinémas «emphatiques et imposants» sur les Champs-Élysées. Mais les boulevards extérieurs s'enrichissent aussi d'une douzaine de nouvelles salles et même les quartiers périphériques à faible densité de population se couvrent de salles neuves. Deux styles de construction se disputent ces nouveaux temples du rêve : l'Arts-Déco est magnifié par le Rex, construit en 1932 par Bluysen et Éberson, et le «style international» de l'avant-garde européenne est illustré par le Gaumont Palace reconstruit en 1930 par Belloc. Outre ces géants somptueux, de multiples autres salles luxueuses voient le jour : le Marignan en 1933 aux Champs-Élysées, l'Eldorado en 1933 aussi, boulevard de Strasbourg, le Victor Hugo dès 1931, rue Saint-Didier.

En 1950, rien ne laisse prévoir le déclin de la fréquentation des cinémas. Paris enregistre soixante-dix-sept millions d'entrées dans l'année. Une enquête parue en 1953 dans *Urbanisme et Habitation* signale qu'il y a, selon les arrondissements, un fauteuil de cinéma pour onze (XIIIe arrondissement) à vingt-deux (VIIe) habitants. On compte alors environ soixante salles d'exclusivité, situées à peu près toutes sur les Champs-Élysées, les Grands Boulevards de la Madeleine à la République, autour de la place Clichy.

Le déclin des cinémas est parallèle à la multiplication des postes de télévision et s'amorce dès les années 1960. Les exploitants cherchent une parade dans le morcellement des grandes salles qu'ils n'arrivent plus à remplir et leur remplacement par des ensembles de petites salles ou multisalles. Alors qu'on ne comptait que sept de ces multisalles en 1960 et quatorze en 1970, elles sont cent dix-neuf en 1980, pour un total de deux cent trente-neuf salles. Tous les quartiers sont atteints par le déclin, les arrondissements populaires de la périphérie au premier chef, leur clientèle ayant abandonné le cinéma, trop cher, pour la télévision. Mais les Champs-Élysées et les Grands Boulevards paient aussi un lourd tribut. Le Quartier latin, grâce à sa forte concentration de lycéens et d'étudiants, résiste mieux, tandis que les centres commerciaux de création récente, Montparnasse, Halles, Beaugrenelle, se dotent de salles qui leur faisaient défaut.

Depuis 1980, Paris a perdu plus de la moitié de ses cinémas. On comptait au début de 1995 environ cent établissements, dont soixante-dix multisalles. Les Grands Boulevards sont sinistrés et ne comptent plus que deux îlots, près de l'Opéra et boulevard Poissonnière avec le Rex et le Max Linder. Les Champs-Élysées ont mieux résisté, de même que le Quartier latin. A la périphérie, des multisalles ont subsisté, place de Clichy, près de la Nation, aux abords de la Bastille, place d'Italie et avenue des Gobelins, boulevard du Montparnasse, etc.

CINÉMA (studio de)

A peine terminée la fameuse séance de cinéma du 28 décembre 1895, la production de films débute en région parisienne, singulièrement à l'est de la capitale. C'est à Montreuil que Georges Méliès construit son studio et qu'en 1904 Charles Pathé s'installe dans la rue du Sergent-Bobillot. En 1905, Méliès construit un second studio, toujours à Montreuil, tandis que Charles Pathé s'établit rue des Vignerons, à

Vincennes. Léon Gaumont, quant à lui, implante sa firme dans le XIXe arrondissement, rue des Alouettes aux Buttes-Chaumont, dans des locaux que reprendra la Société française de production (S.F.P.). En 1907, la Société Éclair s'installe à Épinay-sur-Seine. Après avoir fait de mauvaises affaires, Méliès vend ses studios de Montreuil en 1923. En 1915, la société Louis Aubert, qui fusionnera plus tard avec Gaumont, crée de nouvelles installations de production à Saint-Maurice, rue des Réservoirs. En 1919, la société Albatros rachète les locaux de Pathé à Montreuil. La concurrence des États-Unis affecte gravement l'industrie française du cinéma au lendemain de la guerre. Pourtant, en 1919, Henri Niepce n'hésite pas à reconvertir son usine d'aviation de Billancourt en studios de cinéma; c'est là que sera tourné en 1925 le *Napoléon* d'Abel Gance. En 1922, Jean Sapene, propriétaire du journal *Le Matin*, principal actionnaire de la société Cinéromans Films de France, loue les hangars d'une entreprise de location de meubles et accessoires de théâtre à Joinville et y installe des studios.

En 1926, la société Cinéromans en ouvre de nouveaux à Montmartre, au 6 de la rue Francœur. Les deux établissements seront repris successivement par Bernard Natan, par Pathé en 1936, par Franstudio de 1948 à 1961, par la société Radio Île-de-France, puis par la S.F.P. qui les fermera en 1992. Le cinéma parlant relance l'industrie cinématographique, mais exige des conditions d'insonorisation particulières qui justifient la création de deux nouveaux studios en 1930 et 1936, le premier au 42 *bis*, boulevard du Château, à Neuilly-sur-Seine, le second à Courbevoie, au bord de la Seine. En 1940, un incendie détruit aux quatre cinquièmes les studios de Joinville et les autorités d'occupation installent une société allemande, La Continentale, dans ceux de Billancourt et de Neuilly. Un studio naît en

1941 à Boulogne, avenue Jean-Baptiste-Clément, puis rue de Silly en 1946. A Billancourt, à l'emplacement de la cantine des établissements Niepce, un nouveau studio s'élève, rue du Fief. Un autre fonctionne à Paris, rue François-Ier. Durant les années 1960, les studios de la rue de Silly à Boulogne vont prendre une extension considérable, mais ils sont détruits dès 1972, victimes de la crise du cinéma, évincé par la télévision, et de la spéculation immobilière. Saint-Maurice subit le même sort à la même époque. A partir de 1980, la multiplication des tournages en extérieurs et l'effondrement de la fréquentation des salles obscures provoquent la débâcle des studios. La S.F.P. installe cependant des studios à Bry-sur-Marne tandis que se crée à Arpajon le Studio 91.

CINQUANTENIER

Le cinquantenier est un sous-officier de la milice bourgeoise commandant à cinquante hommes. Les cinquanteniers sont d'origine modeste, « mécaniques » ou artisans le plus souvent, et exclus depuis l'édit de 1554 de l'assemblée électorale, c'est-à-dire de l'échevinage. Dépouillés de leur fonction militaire par le règlement du 24 janvier 1568, les cinquanteniers voient leurs charges érigées en offices en 1690. Mais ceux-ci ne semblent guère attirer les candidats, malgré leur prix dérisoire, entre 450 et 600 livres : sur les soixante-quatre offices de cinquanteniers, 25 sont pourvus en 1690, 15 en 1745, 18 en 1762, 23 en 1783.

• *Voir aussi* DIZAINIER ; QUARTINIER.

CIRQUE

En 1770, Philip Astley, écuyer pratiquant exclusivement des exercices équestres, crée le premier cirque à Londres. Le 16 octobre 1783, le même Astley inaugure à Paris l'Amphithéâtre Anglois : c'est le début du cirque en France. Astley ajoute aux programmes équestres des numéros de funambules et d'acrobates, un spectacle d'ombres chinoises. Il doit fuir la France en 1792 à cause de sa nationalité anglaise et laisse le cirque à son associé, l'Italien Antonio Franconi. Revenu après la paix d'Amiens, en 1802, Astley retrouve son cirque du faubourg du Temple, tandis que Franconi et ses fils s'installent dans l'ancien couvent des capucins (rue Neuve-Saint-Augustin). Expropriés en 1806 pour le percement de la future rue de la Paix, les Franconi s'installent à proximité, rue du Mont-Thabor, et baptisent le nouvel établissement Cirque olympique. Invités à partir lors de la construction du ministère des Finances, rue de Rivoli, les Franconi rachètent l'établissement d'Astley du boulevard du Temple et inaugurent, le 8 février 1817, leur second Cirque olympique. Détruit en 1826 par un incendie, il est reconstruit tout près, toujours sur le boulevard du Temple. En 1835, une annexe, un chapiteau en toile, est édifiée au carré Marigny des Champs-Élysées. Le Cirque olympique est transformé en théâtre en 1847 et démoli en 1862. Depuis 1841, le chapiteau a laissé la place à un cirque de pierre nommé Cirque d'État des Champs-Élysées. Depuis 1852, à la jonction des boulevards du Temple et des Filles-du-Calvaire, s'élève le Cirque d'Hiver, le seul édifice qui ait survécu jusqu'à aujourd'hui. Le Cirque d'Été ferma en 1898. En 1886, le Nouveau Cirque s'était installé à l'emplacement du premier établissement des Franconi, l'ancien couvent des capucins. Il disparut en 1926. Un riche excentrique, Ernest Mollier, installa un cirque dans son hôtel particulier de la rue Bénouville où il donna des représentations de 1880 à 1933. Le 25 juin 1875, au 63 du boulevard de Rochechouart, le cirque Fernando inaugurait le cirque en pierre qui remplaçait le chapiteau de toile. Devenu cirque Médrano, il a fermé ses portes en 1963, puis a été démoli. Il y a eu aussi un grand nombre de cirques ambulants qui ont planté leur chapiteau un peu partout dans la capitale.

CIRQUE OLYMPIQUE

CLIMAT

« Les Parisiens se plaignent volontiers du climat dans lequel ils vivent. Ils souffrent de l'humidité, de la grisaille et de la pollution. Pourtant ils ont tort car ils sont, objectivement, plutôt favorisés si on compare leur situation à celle de bien d'autres métropoles. Cet état favorable, ils le doivent tout d'abord à l'influence océanique, corrigée par le cadre continental. Ciel nuancé, "grisaille vaporeuse", temps peu contrasté mais cependant très variable, tels sont quelques-uns des traits caractéristiques du climat parisien. » Ainsi s'exprime Jacqueline Beaujeu-Garnier dans sa magistrale géographie de Paris, intitulée *Paris : hasard ou prédestination ?* On y trouvera tous les éléments nécessaires à la connaissance du climat de l'Île-de-France. Les aspects spécifiques du climat urbain — et parisien en particulier — sont déterminés par l'importance de l'agglomération et par le développement des activités industrielles. Ne disposant de données suivies que depuis 1872, c'est sur un siècle que Jacques Dettwiller a étudié l'*Évolution séculaire du climat de Paris. Influence de l'urbanisation* (Monographie 52 du Mémorial de la Météorologie nationale).

Les températures sont influencées par la masse bâtie qui arrête le vent ou limite ses effets, par les revêtements de la chaussée qui ont fait disparaître le ruissellement des eaux et empêché le sol naturel de jouer son rôle, par l'élimination de la verdure qui a freiné l'évaporation, tandis que le chauffage, l'industrie, l'automobile accroissaient la production de chaleur artificielle. Dettwiller observe une stabilité relative de la température au cours du XIXᵉ siècle et un réchauffement qui s'amorce vers 1887-1890, aboutissant à une élévation de 1,2° C entre 1888 et 1947. Cette évolution semble s'être accélérée depuis et «l'îlot de chaleur urbain» est une réalité incontestable. Pour les années 1971-1980, l'écart moyen des minima entre la station météorologique la plus centrale, celle de la tour Saint-Jacques et les stations de la périphérie dépasse 4° C pour l'ensemble de l'année et 5° C pour le mois de juillet. Le nombre des jours de gel augmente aussi très fortement du centre vers la périphérie : 23 jours par an à Saint-Jacques, 32 au parc Montsouris, 56 à Trappes, 61 à Melun. Le phénomène est encore plus accentué pour le brouillard : moins de 4 jours par an dans le centre de la capitale, 14 à Montsouris, 33 au Bourget, 58 à Trappes. La cartographie de l'îlot de chaleur parisien le montre s'étendant sur presque toute la rive droite à l'exception du sud du XVIᵉ arrondissement, tandis que la rive gauche n'est concernée que pour le Vᵉ et les bords de la Seine limitrophes de cet îlot. Le cœur, le pôle de chaleur de cet îlot, se situe sur le VIIIᵉ arrondissement, au nord des Champs-Élysées, où la température dépasse de 2° C celle de la tour Saint-Jacques. Cette amplitude thermique explique l'existence, comme au bord de la mer, de vents provoqués par ces différences de température. Ainsi, la nuit et au début de la matinée, des «brises de campagne» soufflent doucement en direction de l'îlot de chaleur, concentrant sur le VIIIᵉ arrondissement et le nord du XVIᵉ une forte quantité de polluants.

Jacqueline Beaujeu-Garnier ajoute : «A une échelle encore plus microclimatique, on voit se manifester la dissymétrie des artères orientées de l'ouest vers l'est, entre ce que l'on pourrait appeler "l'adret et l'ubac" : les Champs-Élysées en offrent la meilleure image avec les terrasses multipliées le long du versant ensoleillé et beaucoup plus rares sur l'autre face. Par temps de vent, l'orientation de certaines rues ou la présence de carrefours renforcent les courants en les canalisant et rendent la circulation du piéton peu agréable. Il en est de même sur et sous les grandes dalles qui accompagnent la construction des ensembles de grands immeubles élevés comme ceux du Front de Seine dans le XVᵉ arrondissement. »

L'étude des précipitations est plus difficile, l'importance des pluies variant fortement d'une année à l'autre. Jacques Dettwiller penche pour une certaine stabilité sur un siècle et demi (entre 1811 et 1960) avec une moyenne annuelle se situant autour de 600 millimètres. Le nombre des jours de pluie est nettement plus faible à Paris qu'en banlieue, de même que la durée des précipitations : 529 heures par an à Montsouris contre 818 au Bourget, 840 à Orly, pour la période 1961-1980. En revanche, l'intensité des précipitations est plus forte. Gisèle Escourrou fait observer dans «Les problèmes posés par le climat parisien» (*Cahiers du CREPIF*, nᵒ 22, 1988) : «En hiver, lorsque les masses d'air sont relativement stables, le centre de l'Île-de-France est proportionnellement plus sec : humidité relative moindre, rotation du vent dans un sens anticyclonique peu favorable aux précipitations et surtout, semble-t-il, comme nous le montrent certaines images de radar, le front paraît se scinder en deux et contourner Paris au nord et au sud, les précipitations étant nulles ou très faibles à Paris et en banlieue proche. Pendant la saison chaude, le phénomène est contraire, l'augmentation de la rugosité, du nombre de poussières ou d'aérosols, la chaleur plus élevée, une ondulation du vent sur l'agglomération avec une partie cyclonique donc plus favorable aux précipitations, autant de raisons qui développent la convection des masses d'air instables, chaudes et humides.» Ce phénomène peut provoquer de véritables trombes d'eau qui inondent certaines galeries du métro, provoquent des coupures d'électricité, etc.

En conclusion, il semble qu'en un siècle, le climat de Paris se soit légèrement modifié avec un adoucissement des températures et une répartition plus déséquilibrée des précipitations, ce que Gisèle Escourrou résume ainsi : «La ville a pris une nuance plus océanique pour ses températures (elle serait assez proche de La Rochelle) et plus continentale pour ses précipitations.»

• *Voir aussi* MÉTÉOROLOGIE.

CLOCHARD

On peut définir le clochard comme une personne qui vit sur les lieux publics et ne dispose pas d'un espace privé personnel. Le mot vient de «clocher», «boiter», et date de 1895. Auparavant, le clochard était nommé mendiant ou vagabond. Quant à la notion de «sans abri», elle date de 1935, et celle de «sans domicile fixe» est une création du vocabulaire administratif encore plus récente. L'image pittoresque du clochard, anarchiste refusant toute discipline, individualiste en marge de la société, s'est constituée à la fin du XIXᵉ siècle et s'est prolongée jusqu'aux années 1960, durant près d'un siècle relativement prospère durant lequel il était possible d'avoir un travail et un logement sans trop de difficulté. L'époque antérieure, l'Ancien Régime notamment, se caractérisait par une telle masse de vagabonds et d'indigents, peut-être 10 % de la population, que cette catégorie sociale apparaissait comme un péril et non comme une frange folklorique de la société. Depuis la vague de chômage qui n'a cessé de croître depuis 1974 et frappe en 1995 plus de trois millions de personnes en France, le clochard a, de nouveau, cessé d'être un original situé plus ou moins volontairement en marge de la société pour se fondre dans une masse

de plusieurs centaines de milliers d'individus sans domicile fixe. Ces gens, psychologiquement en situation de faiblesse, en période de prospérité et de plein emploi, n'auraient pas eu de problème, mais ils se sont trouvés à la rue dès que la conjoncture est devenue difficile. La solitude, l'insouciance, la liberté caractérisaient le clochard de la première moitié du XXᵉ siècle. Il trouvait une partie de sa subsistance aux Halles et sur les marchés, roulait des cigarettes avec les mégots récupérés par terre, avait ses restaurants et ses cafés attitrés, rue Mouffetard, rue Lagrange, aux Halles et aux alentours des portes de Saint-Ouen, de Clignancourt, de Pantin, de Montreuil, où il exerçait une petite activité de chiffonnier occasionnel. Chaque quartier commerçant avait ses clochards attitrés, rendant de menus services en échange d'un peu de nourriture ou d'alcool. Tant que le clochard ne représentait qu'un pourcentage infime de la population, un ou deux Parisiens sur mille, sa présence était tolérée. Ces temps heureux ont disparu et le nombre des «sans domicile fixe» en quête d'un toit et d'un travail est aujourd'hui autrement élevé, multiplié par dix ou par vingt, et ressuscite le péril social que l'on croyait disparu depuis un siècle. Le clochard est un personnage révolu dans le Paris du XXᵉ siècle finissant, perdu qu'il est dans une masse de gens clochardisés qui ne savent comment échapper à une condition qui leur est insupportable.

• *Voir aussi* CHIFFONNIER.

CLOCHE

L'origine des cloches remonte à quatre mille ans au moins. Les Annales de la Chine mentionnent vers 2260 avant J.-C. des fonderies de cloches. La Phénicie, l'Égypte utilisaient des clochettes et, selon la Bible, le grand-prêtre Aaron en portait au bord inférieur de sa robe. Des cloches gallo-romaines ont été mises au jour à l'occasion de fouilles. Charlemagne ordonna «que tous les prêtres fassent sonner leurs cloches à certaines heures du jour» et le concile de 801 à Aix-la-Chapelle décréta que la sonnerie des cloches était un acte sacré et qu'en conséquence les prêtres devaient en assumer la tâche. En 817, un autre concile décide que chaque église paroissiale devra posséder au moins deux cloches, une collégiale au moins trois et une cathédrale au moins six. Quelques cloches du Haut Moyen Âge sont parvenues jusqu'à nous, notamment celle de Saumans, près d'Avignon, datée de 910. La cloche fait connaître aux paroissiens l'heure des prières, mais, dans les villes, elle sert aussi à rythmer le temps de travail (voir HEURE). Un dicton populaire dit que la cloche est «le premier et le dernier ménétrier de la vie», car, dans la religion chrétienne, les cloches annoncent aussi bien la naissance que la mort. Également instrument de musique, elle relie le ciel et la terre et le lyrique Victor Hugo s'extasie :

La cloche, écho du ciel placé près de la
[*terre!*
Voix grondante qui parle, à côté du tonnerre,
Faite pour la cité comme lui pour la mer!
Vase plein de rumeur qui se vide dans l'air.

Plus réaliste, Boileau déplore en 1663 le tintamarre que font les centaines de cloches des églises et chapelles parisiennes :

Tandis que dans les airs mille cloches
[*émues*
D'un funèbre concert font retentir les nues,
Et se mêlant au bruit de la grêle et des
[*vents,*
Pour honorer les morts font mourir les
[*vivants.*

Longtemps négligée, l'étude des cloches est aujourd'hui menée très activement par la Société française de campanologie qui publie une «Documentation campanaire» d'excellente qualité. Son secrétaire général, Éric Sutter, fait paraître une bibliographie, *Sources documentaires concernant les cloches, clochettes et carillons et leurs divers usages* (deuxième édition en 1992) et est l'auteur de *La Grande Aventure des cloches* publiée en 1993. Cette même année, dans *Patrimoine campanaire*, bulletin de cette société, a été publié un numéro hors série sur les «Cloches civiles et religieuses de Paris» qui recense les huit cent quarante-six cloches de la capitale. Cent dix-huit d'entre elles sont antérieures à 1800. La plus ancienne cloche de Paris est la cloche d'horloge de l'église Saint-Merri. Elle date de 1331, ainsi que l'atteste l'inscription gravée sur elle : «Je porte le non de saint Merri. Jehan de Dinant nous fit en l'an de grace M CCC XXXI et me firent faire les p(ar)roissiens au mois d'aoust.» Un peu plus récente, la cloche baptisée Macée a été fondue en 1412 pour l'église Saint-Séverin. Les cloches de Notre-Dame furent descendues après le 10 août 1792 et servirent à fabriquer des canons pour les armées de la Révolution. Le bourdon, baptisé Marie, fondu en 1474, est longuement évoqué par Victor Hugo dans *Notre-Dame de Paris*. Il en fait la cloche favorite du sonneur Quasimodo, qui se suspendait à elle lors des sonneries. Mais la cloche la plus célèbre du point de vue historique, aussi appelée Marie, date de 1527 et se trouvait dans la tour méridionale de Saint-Germain-l'Auxerrois jusqu'à son classement comme monument historique et sa dépose en 1982. C'est elle qui, vers quatre heures, au matin du 24 août 1572, donna le signal du massacre des protestants, celui de la Saint-Barthélemy. La Société française de campanologie a calculé que les cloches parisiennes représentaient 285 tonnes d'airain et a dressé la liste de tous les fondeurs connus. Les fondeurs de cloches ou saintiers ne furent jamais nombreux à Paris. Le livre de la taille de 1300 n'en mentionne qu'un, celui de 1313 en cite deux. On connaît le saintier Jean Jouvence qui fondit la cloche du palais de la Cité, Guillaume Sifflet qui fit la Jacqueline de Notre-Dame en 1430. La difficulté du transport d'objets aussi lourds fit que, durant des siècles, on fondait les cloches à proximité des églises auxquelles elles étaient destinées. Ainsi, en 1682, Florentin Leguay fondit-il le petit bourdon de Notre-Dame, baptisé Emmanuelle Marie-Thérèse mais connu sous le nom d'Emmanuel, sur le Terrain, amoncellement d'alluvions et de gravats constituant la pointe orientale de l'île de la Cité. Au XVIIIe siècle, les frères Godiveau travaillèrent pour Saint-Sulpice, Saint-Victor et fondirent le gros bourdon de Saint-Germain-des-Prés.

CLOS

Voir ENCLOS.

CLUB

Le développement précoce du régime représentatif ou parlementaire en Angleterre est à l'origine des clubs qui y prospérèrent très tôt. Centres de vie politique, ils ont aussi exercé une fonction sociale importante. En France, la monarchie absolue ne pouvait tolérer des institutions qu'elle ne contrôlait pas totalement. Aussi le Club de l'Entresol, constitué d'une vingtaine de personnes réunies par l'abbé Alary à l'entresol de l'hôtel du président Hénault, place Vendôme, pour y discuter des événements du jour, n'eut-il qu'une existence éphémère durant les années 1720. Les débats d'idées durent se réfugier dans les académies, sociétés savantes tout juste tolérées. La Révolution de 1789 vit fleurir les clubs politiques les plus divers, mais ils disparurent en 1800, le Premier consul ne pouvant tolérer une forme d'expression indépendante. Discrédités par le rôle qu'ils avaient joué durant les premières années de la Révolution, les clubs ne peuvent renaître sous ce nom. C'est donc sous l'appellation de «cercles» qu'ils se recréent durant la phase libérale des débuts de la Restauration. Ces cercles correspondent beaucoup plus à une nécessité sociale que politique, car la société de cour et les salons se sont

désagrégés durant l'époque révolutionnaire et impériale (voir TOUT-PARIS). Dès 1816, Anglais et Allemands de la capitale sollicitent l'autorisation de se constituer en cercle, mais se heurtent au refus des autorités. Le 15 juin 1819, un cercle de commerçants se constitue rue de Grammont et communique ses statuts au préfet, invoquant le précédent du Cercle du Commerce de Paris qui se réunissait depuis juillet 1817 et regroupait les principaux banquiers et négociants de la capitale. Mais, lorsque, en 1823, le Cercle du Commerce sollicite le renouvellement de son autorisation, en raison de son déménagement de la rue de Richelieu à la rue Saint-Marc, la préfecture de police la refuse et ordonne sa dissolution. En 1826, le cercle de la rue de Grammont, qui ne bénéficiait que d'une simple tolérance, est à son tour interdit, comme le Cercle français, constitué en 1824 dans la même précarité. En 1828, le duc de Guiche et les membres les plus réactionnaires de l'aristocratie obtiennent de Charles X l'autorisation de créer le Cercle de l'Union, mais le roi leur dit : «Mes amis, je ne puis rien vous refuser, mais c'est la mort de la société française que nous décrétons là.» C'était, en tout cas, la mort de la monarchie absolue et de son dernier rejeton, renversé deux ans plus tard. La Monarchie de Juillet autorise les cercles sans cesser de les surveiller de près. C'est alors qu'apparaissent le Jockey Club, le Cercle agricole, etc. (voir JOCKEY-CLUB). On dénombre mille six cent un clubs dans la France entière à la fin de 1843. Maurice Agulhon a étudié l'origine, la structure et le rôle de ces cercles dans *Le Cercle dans la société bourgeoise (1810-1848)*. Dans la seconde moitié du XIXe siècle, le cercle stagne alors que se développent les clubs sportifs. Aujourd'hui, clubs de loisirs et de sports constituent la presque totalité des associations et les cercles à caractère mondain, recrutant dans un milieu très restreint, sont très peu nombreux.

COCHE D'EAU

Jusqu'à la mise en service du chemin de fer, la voie d'eau était le moyen le plus sûr et le moins fatigant pour se déplacer. Les bateaux-coches ou coches d'eau étaient le principal mode de transport des Parisiens. C'étaient, écrit Savary au XVIIIe siècle, dans son *Dictionnaire universel du commerce*, «de grands bateaux couverts, tirés par des chevaux, qui partent à heure et jour nommés, pour la commodité des voyageurs et du commerce, et sur lesquels les personnes peuvent s'embarquer et faire charger leurs hardes, paquets et marchandises. Tels sont ceux qui partent de Paris chaque semaine pour Sens, Melun, Joigny, Auxerre, etc.» Les coches d'eau étaient amarrés aux ports Saint-Paul et de la Tournelle, car leur destination était presque exclusivement en amont de la Seine. A partir de 1825, les bateaux à vapeur commencent à évincer les coches d'eau tirés par des chevaux depuis le chemin de halage. Le halage fut remplacé par le touage par un décret du 4 avril 1854 qui autorisait Eugène Godeaux à établir «à ses risques et périls un service de touage à la vapeur sur chaîne noyée au fond de la rivière». Mais le touage a surtout servi pour les péniches de marchandises, le transport de voyageurs étant alors déjà entièrement assuré par des bateaux à vapeur semblables à celui que décrit Flaubert en 1869 dans *L'Éducation sentimentale*.
• *Voir aussi* BATEAU A VAPEUR; TRANSPORT (moyen de).

COCHER

Les premiers conducteurs de voitures de place furent nommés «fiacres», du nom des voitures qu'ils conduisaient, avant d'être appelés «cochers», c'est-à-dire «conducteurs de coches», un autre type de voiture, sous le règne de Louis XIV. Dès le début,

les cochers eurent une exécrable réputation d'insolence, d'insubordination, de brutalité, d'ivrognerie, de malhonnêteté. Dans la *Lettre écrite par un Sicilien à l'un de ses amis*, en date du 20 août 1692, attribuée à Saint-Évremond, on peut lire : «Les cochers sont si brutaux, ils ont la voix si enrouée, si effroyable, et le claquement continuel de leurs fouets augmente le bruit d'une manière si sensible qu'il semble que toutes les Furies soient en mouvement pour faire de Paris un enfer.» Dans le récit de son *Séjour de Paris* en 1716, le voyageur allemand Nemeitz donne des conseils pratiques sur l'attitude à tenir à l'égard des cochers et mentionne le pourboire qui est de tradition : «L'on donne au cocher qui vous a charrié tout le jour une pièce de dix sols ou un peu plus, pour boire.» Il conclut par ce proverbe : «Paris est le paradis des femmes, le purgatoire des hommes et l'enfer des chevaux.» En mai 1723, dans son *Journal*, Barbier note cet incident : «Jeudi, jour de l'Ascension, six particuliers voulurent prendre un fiacre contre les Innocents. Le fiacre ne voulut point marcher ; cela forma querelle. Le fiacre ayant reçu quelques coups, voulut jouer de son fouet ; quatre vinrent sur lui l'épée à la main et le poursuivirent jusque dans l'église des Innocents, où il s'enfuit ; on disait vêpres ; ils y entrèrent l'épée à la main, blessèrent le fiacre et le suisse de la paroisse, causèrent bien du tumulte, ce qui fit cesser le service.» Résidant à Paris entre 1783 et 1786, une Anglaise, Mme Cradock, s'indigne dans son *Journal* : «Il y avait trois fiacres sur la place, pourtant, telle est la nature des gens du peuple à Paris, que j'eus beau offrir trois fois le prix du tarif ordinaire, tous refusèrent de me conduire, répondant qu'ils avaient, ce jour-là, de quoi souper et boire, et que rien ne les forcerait à bouger.» A la même époque, Sébastien Mercier fait observer dans son *Tableau de Paris* : «Quand les fiacres sont à jeun, ils sont assez dociles ; le soir, ils sont intraitables ; les rixes fréquentes qui s'élèvent sont jugées chez les commissaires ; ils inclinent toujours en faveur du cocher. Plus les cochers sont ivres, plus ils fouettent leurs chevaux, et vous n'êtes jamais mieux mené que quand ils ont perdu la tête. » En 1807, la police impériale se montrait moins complaisante, ainsi qu'en témoigne cet extrait du *Miroir de l'ancien et du nouveau Paris* de Louis Prudhomme : « A jeun, les cochers sont assez traitables ; vers les deux heures, plus difficiles ; le soir, à l'heure du spectacle, ils sont intraitables. La police est très sévère à leur égard ; si les cochers veulent vous faire la loi, il faut vous faire conduire chez le commissaire de police le plus voisin. » La Monarchie de Juillet s'efforça de protéger les usagers et les passants des abus des cochers et des innombrables accidents que leur conduite en état d'ivresse provoquait. Dès 1830, ils durent remettre à leurs clients une carte portant le numéro de leur voiture. En 1841, des surveillants furent installés à chaque station afin de contrôler les fiacres et de recevoir les réclamations du public. Depuis 1821, une sorte d'uniforme leur a été imposé : chapeau haut de forme, grande tunique à larges boutons dorés, manteau à plusieurs collets ou carrick durant la saison froide. Petits entrepreneurs propriétaires de leur fiacre et de leurs chevaux ou employés de grandes compagnies pour la moitié d'entre eux, les cochers ont transmis leur détestable réputation à leurs successeurs, les taxis.

• *Voir aussi* CARROSSE ; FIACRE ; OMNIBUS.

COCHON

La société médiévale accordait une large place aux cochons, qui présentaient le double avantage de manger à peu près tout, y compris les restes des repas des hommes ou les épluchures des légumes, et d'offrir une viande appréciée, facile à conserver, ainsi que des produits divers de charcuterie. Chaque famille ou presque élevait son cochon, même dans les villes, et les pourceaux erraient librement dans les rues de Paris. En 1131, le fils aîné de Louis VI se promenait à cheval dans la rue Saint-Jean (devenue ensuite du Martroi et supprimée en 1837), près de l'Hôtel de Ville, lorsqu'il fut désarçonné et écrasé sous son coursier qu'avait effrayé un cochon venu courir entre ses pattes. Rigord, Suger, Nicole Gille rapportent l'accident qui frappa les esprits : « Cestuy roy Philippe, par un pourceau qui se mit soudainement entre les jambes de son cheval, tomba sur le pavement si impétueusement qu'il se brisa toute la teste tellement qu'il mourut tantost ; dont ledict roy Loys, son père, et les François furent fort courroucés et esbahis. »

Ce fait divers entraîna sans doute l'interdiction de laisser vaguer les porcs dans les rues, mais elle se relâcha puisqu'il faut que l'ordonnance du 30 janvier 1350 stipule dans son article 248 : « Nul ne soit si hardy d'avoir, tenir, nourrir, ne soustenir dedans les murs de la ville de Paris aucuns pourceaux. Et qui sera trouvé faisant le contraire, il payera dix sols d'amende. Et seront les pourceaux tuez par les sergens ou autres qui les trouveront. Et aura le tuant la teste, et sera le corps porté aux Hostels-Dieu de Paris, qui payeront les porteurs d'iceux. » Le bourreau fut ensuite chargé de délivrer Paris des porcs errants : il recevait 5 sous par bête amenée à l'Hôtel-Dieu.

Il n'existait qu'une dérogation à cet interdit pour les religieux du prieuré du Petit-Saint-Antoine (au croisement des rues de Fourcy et François-Miron alors dite Saint-Antoine) qui étaient autorisés à posséder douze porcs et à les envoyer chercher leur pâture dans les rues. Pour être reconnus et pour avertir de leur présence, ils portaient une sonnette au cou marquée d'un « T », marque distinctive du couvent. François Ier confirma ce droit et les *Cris de Paris* en 1545 mentionnent :

N'y a il rien pour les pourceaux de Saint Antoine ?

Chambrières, regardez-y.

En 1622, les *Essais de Mathurine* contiennent cette phrase : « Vous l'eussiez veu aller de porte en porte, comme le pourceau de Saint-Anthoine. » La graisse de ces porcs, dans laquelle avait été trempée une relique de saint Antoine, était réputée guérir le « feu de Saint-Antoine » ou « mal des Ardents ».

Sauval raconte une anecdote amusante sur les cochons : « En 1425, le dernier samedi du mois d'août, quatre aveugles armés de toutes pièces et d'un bâton en main, furent promenés par tout Paris avec deux hommes qui marchoient devant, dont l'un jouoit du hautbois, et l'autre portoit une bannière, où étoit représenté un pourceau. Le lendemain, équipés de même, ils se trouvèrent dans la cour de l'hôtel d'Armagnac, situé à la rue Saint-Honoré, vis-à-vis celle de Froid-Manteau, où à présent se voit le Palais Cardinal ; et là, bien pis que les "Andabates", qui combattoient à ïeux clos, au lieu d'attaquer un pourceau qui devoit appartenir à celui qui le tueroit, c'étoit eux-mêmes qu'ils attaquoient, et croyant frapper la bête, s'entredonnoient de si rudes coups, que sans ces armes défensives dont ils étoient couverts, qui pourtant ne les sauvoient pas de blessures, ils se seroient bientôt entr'assommés. »

La coutume du baiser à la truie était très populaire à Paris à l'époque de la mi-carême. A l'issue d'une beuverie, les jeunes gens s'emparaient d'un garçon et d'une fille ayant participé à la fête et les hissaient sur leurs épaules jusqu'à une enseigne située à l'angle des rues de la Cossonnerie et Pierre-Lescot. Cette enseigne de « la truie qui file » représentait une truie assise, faisant le beau comme un chien, tenant une quenouille dans une patte, un fuseau dans l'autre, et allaitant de nombreux petits. Le garçon et la fille devaient embrasser le corps de la truie, puis se cracher au visage pour signifier que, ce jour-là, seule la truie devait être honorée. Au cas où l'un des deux aurait contrevenu à cette règle et embrassé l'autre, les deux fautifs auraient été déculottés et fouettés en public.

• *Voir aussi* **ANIMAL DOMESTIQUE.**

COIFFEUR

A l'origine, le coiffeur a exercé les professions de chirurgien et de coiffeur. Dès le XVe siècle, apparaissent des coiffeuses — nommées « atourneresses », « atourneuses », « achemeresses », etc. —, surtout employées lors des grandes fêtes. Le barbier avait, en temps ordinaire, la clientèle des femmes comme des hommes, mais leur art n'était pas suffisamment élaboré pour satisfaire pleinement la coquetterie féminine. Les femmes de chambre n'avaient pas non plus les compétences nécessaires. C'est vers 1635 qu'apparaît le premier coiffeur pour dames, le sieur Champagne. La Martin, signalée par Mme de Sévigné dans sa correspondance, eut aussi son heure de gloire et les coiffures féminines se firent de plus en plus complexes au XVIIIe siècle. Les coiffeurs prennent alors le pas sur les coiffeuses. Classés dans la catégorie des chambrelans ou ouvriers en chambre, ils exercent leur art en habit et portent l'épée. Legros fait paraître *L'Art de la coeffure des dames françoises* qui connaît un très grand succès et prétend créer une académie de coiffure, suscitant l'ire des barbiers qui engagent plusieurs procès contre ces concurrents. Le Parlement tranche par deux arrêts des 27 juillet 1768 et 7 janvier 1769 qui ordonnent aux coiffeurs d'entrer dans la corporation des barbiers-perruquiers. Les coiffeurs ne se soumettent qu'en 1777, lorsque Louis XVI crée six cents coiffeurs de femmes qui doivent payer chacun 600 livres pour obtenir le privilège d'exercer leur profession. C'est alors l'époque des coiffures extravagantes et les coiffeurs, se considérant comme des artistes, ont honte de faire partie de la corporation des barbiers. Ils tentent de s'en séparer, mais l'arrêt du Parlement du 25 janvier 1780 rejette leurs prétentions et leur interdit de mettre sur leurs enseignes les mots « académie de coiffure ». La suppression des corporations par la Révolution met fin au conflit, mais ruine aussi les coiffeurs, leur clientèle fortunée ayant émigré. Constituée d'une juxtaposition d'entreprises artisanales, la coiffure connaît des heures difficiles en raison de la surabondance de salons. Le 1er janvier 1819, pour lutter contre la détresse matérielle de beaucoup de membres de la profession, la Société de secours mutuel des coiffeurs est fondée. La Chambre syndicale patronale des coiffeurs de Paris verra le jour en 1873.

• *Voir aussi* **BARBIER ; CHIRURGIEN.**

COLLÈGE

A l'origine, les collèges sont des sortes d'hôtels ou de pensions de famille où se logent les provinciaux et les étrangers venus étudier à Paris. Le plus ancien est celui dit des Dix-Huit fondé en 1171 par un pèlerin de retour de Jérusalem, Josse de Londres. Il avait acheté une salle de l'Hôtel-Dieu et l'avait fait aménager en dortoir pour dix-huit écoliers. En 1208, Ronald Chérein et Étienne Belot créent le collège des Bons-Enfants Saint-Honoré (rue des Bons-Enfants) pour treize étudiants. Exceptionnellement, ces deux premiers collèges sont situés sur l'île de la Cité et sur la rive droite. Ils seront ensuite exclusivement implantés sur la rive gauche, dans le quartier de l'Université, dit aujourd'hui Quartier latin.

A l'hébergement s'ajoute au XIVe siècle une fonction plus scolaire : les collèges entretiennent désormais des enseignants assurant un rôle de répétiteur et chargés de la surveillance des écoliers.

Il faut distinguer deux catégories de collèges très différentes : ceux qui sont destinés aux religieux et aux novices des grands ordres venus étudier la théologie, et les collèges séculiers, beaucoup plus nombreux, mais aux effectifs restreints. Jean Favier a calculé qu'au début du XVe siècle une cinquantaine de collèges séculiers abritaient environ six cent quatre-vingts écoliers sur un effectif global de quatre mille maîtres et étudiants pour les quatre facultés de l'Université.

La plupart des collèges séculiers ont été créés entre 1250 et 1350. En effet, après les fondations initiales déjà citées des collèges des Dix-Huit de l'Hôtel-Dieu (1171) et des Bons-Enfants (1208), il faut attendre 1250 pour voir apparaître un second collège des Bons-Enfants (à l'emplacement du début de l'actuelle rue des Écoles) et un autre dit des Bons-Enfants d'Arras (impasse Chartière). La Sorbonne ouvre ses portes le 1er septembre 1257 et Robert de Sorbon crée aussi, en 1271, le collège de Calvi (rue des Poirées, place de la Sorbonne actuelle), dit aussi Petite Sorbonne. Le collège du Trésorier (place de la Sorbonne) est créé en 1268 pour accueillir vingt-quatre écoliers du pays de Caux. Un éphémère collège de Danemark ou de Dace apparaît vers 1275, rue de la Montagne-Sainte-Geneviève. Fondé par l'évêque de Coutances en 1280, le collège d'Harcourt (rue de la Harpe, aujourd'hui 42-44, boulevard Saint-Michel) est réservé à quarante Normands. Vers 1283, l'évêque de Tournai fonde, rue Descartes, un établissement pour les ressortissants de son diocèse. Datant de 1292, le collège des Cholets (rue Cujas), créé par Étienne Cholet, évêque de Beauvais, est destiné à des étudiants picards des diocèses de Beauvais et d'Amiens. La même année, l'évêque de Skara crée le collège du même nom, rue Jean-de-Beauvais, pour douze écoliers suédois. En 1286 ou 1291, avait déjà été créé le collège de Suesse ou d'Upsal (rue Serpente), également pour des Suédois. Le collège de Vendôme (rue de l'Éperon) date aussi du XIIIe siècle, mais l'époque de sa fondation n'est pas connue.

En 1302, le cardinal Lemoine ouvre, dans la rue qui porte aujourd'hui son nom, un très important collège pour cent vingt étudiants du nord de la France. Jeanne de Champagne, épouse de Philippe le Bel, crée en 1304 le collège de Navarre (rue de la Montagne-Sainte-Geneviève) destiné à soixante-dix élèves. En 1309, le collège de Bayeux, financé par l'évêque de cette ville, s'ouvre pour six étudiants originaires du diocèse du Mans et autant du diocèse d'Angers. Les Suédois créent en 1312 un nouveau collège, celui de Linköping (rue des Carmes). Le collège de Presles et de Laon (rue des Carmes), fondation de Raoul de Presles, secrétaire de Philippe le Bel, et de Gui de Laon, chanoine de Laon et trésorier de la Sainte-Chapelle de Paris, est ouvert en 1313 pour vingt-huit écoliers pauvres de Laon et de Soissons. En 1323, il devient le collège de Presles, un collège de Laon s'étant constitué dans son voisinage immédiat. C'est Gilles Aycelin, archevêque de Rouen, qui fonde en 1314 le collège qui porte bientôt le nom de son neveu, Pierre de Montaigu, évêque de Laon. Situé à l'emplacement de la place du Panthéon, cet important collège héberge une centaine d'élèves au temps de sa plus grande gloire, à la fin du XVe siècle, sous la férule de Jean Standonck.

L'archevêque de Narbonne, Bernard de Farges, ouvre en 1317 le collège de Narbonne (boulevard Saint-Michel) pour les jeunes gens pauvres de son diocèse. Le collège de Cornouaille (rue Domat), fondé en 1321 par Nicolas Galeran, dit de Grève, est destiné à cinq écoliers bretons. Fondation en 1322 de Geoffroy Du Plessis, secrétaire de Philippe V, le collège du Plessis ou du Plessis-Sorbonne (rue Saint-Jacques) est destiné à quarante étudiants. Chantre de Tréguier, Guillaume de Coatmohan a fondé en 1325 le collège de Tréguier pour huit écoliers de ce diocèse breton. L'évêque de Murray, en

Écosse, fonde en 1326 un collège des Écossais (rue d'Écosse, devenue rue du Cardinal-Lemoine). Associé à des bourgeois de Modène, Pistoie et Plaisance, André Ghini de Malpighi, évêque d'Arras et de Tournai, ouvre, en 1330, un collège des Lombards, dit aussi de Tournai ou d'Italie, réservé à onze écoliers italiens.

La reine Jeanne de Bourgogne, veuve de Philippe V, participe, sur sa cassette, à l'ouverture en 1331 du collège de Bourgogne (rue de l'École-de-Médecine) pour vingt écoliers pauvres de cette province. En 1332, l'abbé de Saint-Vaast d'Arras a fondé, rue d'Arras, le collège du même nom, dit aussi de Saint-Vaast. Édifié aux frais de l'archevêque de Tours en 1333, le collège de Tours (rue Serpente) est réservé à six écoliers tourangeaux. Guy d'Harcourt, évêque de Lisieux, ouvre en 1336 le collège de Lisieux ou de Torcy (rue des Prêtres-Saint-Séverin) pour des étudiants des diocèses de Caen et de Lisieux. Jean de Huban, président de la Chambre des enquêtes du Parlement, fonde en 1339 le collège de Huban ou de l'Ave-Maria (rue de la Montagne-Sainte-Geneviève) pour six étudiants natifs de Huban en Nivernais.

Le collège de Thou ou de Toul (rue d'Écosse) date de 1340. Il est absorbé par Sainte-Barbe en 1556. L'évêque d'Autun a fondé en 1341 le collège d'Autun (rue Saint-André-des-Arts) pour dix-huit élèves. Le collège de Rethel (place de la Sorbonne), créé en 1342 par Gauthier de Launoy, a été uni au collège de Reims (impasse Chartière), fondé en 1412 par l'archevêque de Reims. Jean Mignon, archidiacre de Blois, ouvre en 1343 le collège Mignon (rue Mignon), dit plus tard de Grandmont, réservé à douze écoliers de la famille Mignon. Il a fallu l'association des évêques de Langres, de Laon et de Cambrai pour réunir l'argent nécessaire à la création en 1348 du collège de Beauvais ou des Trois-Évêques. Guillaume de Chanac, évêque de Paris, fonde en 1348 pour ses compatriotes du Limousin le collège Saint-Michel, dit aussi de Chanac ou de Pompadour (rue de Bièvre).

Pierre de Bécoud a fondé en 1353 le collège de Boncourt (rue Bordelle, actuelle rue Descartes) pour huit écoliers du diocèse de Thérouanne dans le nord du royaume. Jean de Justice, chantre de Bayeux, finance en 1354 le collège de Justice (boulevard Saint-Michel) destiné à douze étudiants des diocèses de Rouen et de Bayeux. Étienne Vidé, chanoine de Laon, et Geoffroy Vidé, chanoine de Chartres natif de Boissy-le-Sec, s'associent en 1359 pour ouvrir le collège de Boissy (rue Suger) pour douze écoliers pauvres de la famille Vidé ou originaires de Boissy-le-Sec. Jean de La Marche crée en 1362 le collège de la Marche (impasse Maubert) pour des étudiants de La Marche, dans le duché de Bar.

Le cardinal Jean de Dormans, évêque de Beauvais et chancelier du roi, prend sur sa fortune de quoi héberger douze élèves de Dormans, en Champagne, au collège de Dormans-Beauvais (rue Jean-de-Beauvais), ouvert en 1370. Maître Gervais, chanoine de Bayeux et de Paris, médecin de Charles V, a ouvert en 1370 le collège de Maître-Gervais (rue du Foin, à l'emplacement du boulevard Saint-Germain), pour vingt-quatre écoliers du diocèse de Bayeux. Trois membres de la famille de Dainville s'associent pour financer en 1380 l'ouverture du collège de Dainville (rue de l'École-de-Médecine) réservé à six étudiants d'Arras et six autres de Noyon. Pierre Fortet, chanoine de Paris, s'est servi de sa fortune pour créer, en 1394, le collège de Fortet (rue Valette) destiné à quatre écoliers d'Aurillac et quatre autres de Paris.

Le collège de Sées (boulevard Saint-Michel), créé en 1428 par l'évêque de cette ville, accueille huit élèves, quatre du diocèse du Mans, autant de celui de Sées. Vers 1439, Nicolas Coquard, prévôt de Notre-Dame d'Amiens, fonde le collège de Coqueret ou Coquerel (impasse Chartière). Très célèbre mais tardif, seul survivant aujourd'hui des collèges médiévaux, le collège Sainte-Barbe (rue Valette) n'a été créé qu'en 1460 par Geoffroy Le Normant, professeur de grammaire au collège de Navarre. Le collège de Carembert ou de Léon (rue Valette), destiné aux écoliers bretons du Léon, fut établi dans le courant du XVe siècle.

Il faut attendre 1526 pour que se crée un nouveau collège, celui du Mans (impasse Chartière), fondation du cardinal Philippe de Luxembourg, évêque du Mans, pour douze écoliers de ce diocèse. En 1532, Pierre Baquelier finance un collège des écoliers du Dauphiné qui n'accueille que très peu d'élèves, quatre en 1534. Les jésuites ont fondé en 1540 le collège de Clermont qui, réorienté vers l'enseignement secondaire, est devenu aujourd'hui le lycée Louis-le-Grand. La dernière création est le collège des Grassins (rue Laplace), fondé par Pierre Grassin, sieur d'Ablon, conseiller au Parlement, pour dix-huit écoliers de Sens.

Les collèges religieux, peu nombreux, possèdent des effectifs bien plus importants que les établissements séculiers. Les premiers installés sont les dominicains, établis dès 1218 au couvent et collège des Jacobins de la rue Saint-Jacques. Les franciscains ouvrent leur propre collège dit des Cordeliers (rue de l'École-de-Médecine) vers 1230. Étienne de Lexington, abbé de Clairvaux, finance en 1244 le collège des Bernardins (24, rue de Poissy) pour les bénédictins de l'ordre de Cîteaux. L'ordre de Prémontré loge ses religieux en 1252 dans le collège du même nom, rue de l'École-de-Médecine. Vers 1259, les carmes fondent leur propre collège, quai des Célestins puis rue des Carmes, pour les membres de leur ordre. Yves de Vergy, abbé de Cluny, crée en 1261 le collège de Cluny (place de la Sorbonne) pour les religieux de son abbaye. En 1293, le collège des Augustins a été installé, quai des Grands-Augustins, pour recevoir les religieux de toutes les maisons de cet ordre. D'une époque indéterminée, au XIIIᵉ siècle, datent les Charités Saint-Denis, séminaire pour les religieux de l'abbaye de Saint-Denis fondé par l'abbé Mathieu de Vendôme. Les religieux de Marmoutier ouvrent leur propre établissement en 1328. Le collège de Marmoutier se situait au niveau du 123, rue Saint-Jacques. Enfin, derniers venus, les religieux de la Merci ouvrent leur collège, rue Valette, en 1515.

Au XVIIIᵉ siècle subsistaient trente-neuf collèges attachés à l'université de Paris. Mais ils ne représentaient plus grand-chose : quand tous les boursiers des vingt-neuf petits collèges furent regroupés, en 1763, au collège Louis-le-Grand, les quatre cent quatre bourses attribuées à cet établissement permirent seulement d'y accueillir cent quatre-vingt-treize écoliers.

COLOMBAGE
Voir PAN DE BOIS.

COMBAT D'ANIMAUX

Remontant aux Romains qui en raffolaient, les combats d'animaux furent longtemps une distraction royale. Les fils dégénérés d'Henri II et de Catherine de Médicis y prenaient un vif plaisir. Deux mois après le massacre des protestants durant la nuit de la Saint-Barthélemy, le 15 octobre 1572, Charles IX ordonne de verser 200 livres tournois à Nicolas Audry «pour le récompenser de quatre vaches à luy appartenant que Sa Majesté a faict estrangler par ses grands lévriers». Quatre jours plus tard, les comptes royaux mentionnent le paiement de 125 autres livres à Robert Escorse «pour le récompenser d'un mulet que Sa Majesté a faict prendre de luy pour faire combattre à ses lyons». Ces combats d'animaux se déroulaient dans le jardin du Louvre et mettaient aux prises des dogues, des taureaux, des ours, des lions. Mais, raconte Pierre de l'Estoile, une nuit de janvier 1583, Henri III rêva qu'il était dévoré par ses fauves. Le lendemain matin, après avoir fait ses dévotions dans un couvent et avoir donné 100 écus aux religieux pour le salut de son âme, le roi revint au Louvre «où arrivé, il fit tuer à coups d'arquebuze les lions, ours, taureaux et autres semblables bestes qu'il souloit nourrir pour combattre contre les dogues».

La tradition des combats d'animaux ne tarda pas à être reprise. Louis XIII, qui adorait les bêtes et était intervenu pour qu'on épargnât les chats destinés au bûcher lors de la Saint-Jean (voir CHAT), ne négligeait pas ces féroces joutes : le 14 juin 1610, il assiste aux Tuileries au combat d'un chien contre un lion attaché à un arbre. Son fils, Louis XIV, apprécie aussi ces combats. Lors des fêtes données à l'occasion de la naissance du duc de Bourgogne, en août 1682, le Dauphin, rapporte le *Mercure galant*, «alla à la ménagerie de Vincennes, et y vit combattre plusieurs animaux les uns contre les autres. Les chiens combattirent d'abord contre un ours, et ensuite contre un taureau. Ce combat fut suivy de celuy d'une vache contre la tygresse offerte à Sa Majesté par les ambassadeurs du Roy du Maroc. La vache vainquit et eut le mesme avantage contre une lionne et puis contre un tygre. Après cela, on la fit combattre contre un lyon. Elle l'attaqua, et quoiqu'on luy eût dépouillé la hanche et qu'elle en fût demeurée boiteuse, elle ne laissa pas de le vaincre, aussi bien qu'un loup qu'elle combattit encore. On la fit retirer, et l'on amena un lévrier de M. le grand louvetier pour combattre contre le loup. Le lévrier fit merveilles ; il mordoit sans cesse les jarrets du loup et le colleta à vingt reprises.»

Il était bien injuste que de telles réjouissances fussent réservées aux grands personnages et à la Cour. Ce préjudice fut réparé en 1730, avec l'installation, près de la barrière de la rue de Sèvres, au niveau du numéro 125, d'une arène où se donnaient des combats d'animaux, principalement durant la semaine sainte, pendant laquelle les théâtres étaient fermés. Ce champ clos, nommé Combat du Taureau, fut transféré près de la barrière Saint-Martin, sur la route de Pantin, dans le triangle formé aujourd'hui par les rues des Chaufourniers, de Meaux et Mathurin-Moreau, où la première «représentation» eut lieu le 16 avril 1781. L'annonce publiée dans le *Journal de Paris* était ainsi libellée : «Il y aura demain, jour de Pâques, au-delà de l'hôpital Saint-Louis, grand combat d'animaux féroces et courses de taureaux à l'espagnole suivies d'un taureau mis à mort par les taureadores tel que ce spectacle se fait en Espagne, le tout terminé par l'enlèvement du bouledogue anglais au milieu d'un double feu d'artifice. On commencera à cinq heures.»

La réalité était moins brillante, comme le note Victor Fournel dans *Le Vieux Paris* : «Des dogues, fournis par l'établissement ou amenés par les amateurs, étaient lâchés contre des animaux sauvages de tous genres : sangliers, loups, et même, dans les grandes circonstances, léopards, tigres et lions, mais surtout contre des taureaux. Les jours de fête, pour allécher le public, on portait la mort du taureau sur les affiches, et cette partie du programme s'exécutait au son des fanfares les plus éclatantes. Des flèches, garnies de pétards et de fusées, étaient décochées à ces pauvres bêtes, affaiblies par l'âge et par le jeûne. Puis, lorsqu'elles étaient suffisamment exaspérées et ahuries, on les faisait déchirer par une meute. Le tout se terminait généralement par un feu d'artifice.» Malgré l'opposition de la municipalité de Belleville, qui percevait un pourcentage sur les recettes pour ces pauvres, le préfet de police, Gabriel Delessert, fit interdire ce spectacle ignoble en 1843.

• *Voir aussi* ANIMAL SAUVAGE.

COMÉDIE-FRANÇAISE

Abusivement nommée «Maison de Molière», la Comédie-Française a été constituée par lettre de cachet de Louis XIV, le 21 octobre 1680, sept ans après la mort du comédien. Par cet acte, le roi ordonne la fusion de deux troupes rivales en une compagnie unique dite des Comédiens du roi. L'une de ces troupes, issue de l'Illustre Théâtre de Molière et d'Armande Béjart, est alors dirigée par La Grange. A la mort de Molière, en février 1673, elle a été chassée de son théâtre, situé à l'angle des rues Saint-Honoré et de Valois, par Lully qui y installe son Opéra. Les comédiens déménagent dans la salle dite de la Bouteille ou théâtre Guénégaud, passage du Pont Neuf (rue Jacques-Callot actuelle), où l'Opéra de Perrin avait fait ses débuts. C'est dans cette salle qu'ils sont rejoints par d'anciens adversaires, la troupe de l'hôtel de Bourgogne. En 1689, le collège des Quatre-Nations, qui ne veut pas du voisinage pernicieux d'un théâtre pour ses étudiants, obtient l'expulsion de la troupe qui s'installe plus au sud, rue des Fossés-Saint-Germain-des-Prés (au 14 de l'actuelle rue de l'Ancienne-Comédie). En 1770, la vétusté des locaux contraint les Comédiens-Français à quitter le quartier pour la rive droite et la salle des machines du palais des Tuileries. En 1782, ils abandonnent cet endroit trop grand et mal adapté au théâtre pour la nouvelle salle qui vient d'être édifiée pour eux sur la rive gauche et qui prendra en 1797 le nom d'Odéon. A la Révolution, la troupe subit les passions de l'époque et se scinde. Ses éléments favorables à la monarchie, restés sur place, sont arrêtés et n'échappent que de justesse à la guillotine. La salle est fermée le 3 septembre 1793, après le scandale de *Paméla ou la Vertu récompensée* de François de Neufchâteau. De 1794 à 1799, les Comédiens-Français de la rive gauche errent entre diverses salles jusqu'à leur retour auprès de la fraction

révolutionnaire qui, autour de Talma, s'était installée dans la salle construite par Victor Louis pour l'Opéra, à l'emplacement actuel du Théâtre-Français. Cette troupe favorable aux idées nouvelles avait arboré les noms de Théâtre de la Liberté et de l'Égalité puis de Théâtre de la République et avait donné dans le pompiérisme romain et révolutionnaire. Le Directoire a flanqué la société des comédiens d'un «commissaire du gouvernement», prédécesseur des commissaires politiques du XXe siècle. Napoléon Ier parachève la mise en tutelle avec le décret de Moscou du 15 octobre 1812, mais, grand admirateur de Talma, dote aussi la Comédie-Française d'un statut privilégié. Plusieurs fois transformé, victime d'incendies plus ou moins graves, le théâtre édifié entre 1786 et 1790 par Victor Louis abrite encore la troupe des Comédiens-Français, qui a aussi, par intermittence, bénéficié, en outre, de la salle de l'Odéon.
• *Voir aussi* THÉÂTRE.

COMMANDARESSE
Voir BUREAU DE PLACEMENT.

COMMISSAIRE DE POLICE
C'est au début du XIVe siècle, sous le règne de Philippe le Bel, qu'apparaît l'ancêtre du commissaire de police, le commissaire-examinateur, nommé ensuite commissaire-enquêteur. Il y en a huit, un par quartier. Ils sont portés à seize en 1419 et affectés aux seize quartiers avec une dizaine de sergents à verge sous leurs ordres. En 1521, ils reçoivent leur titre définitif de commissaires au Châtelet de la prévôté et vicomté de Paris. Ils sont au contact direct avec la population, doivent veiller à la sécurité et à l'ordre publics, assurer la police des vagabonds, de l'hygiène, du culte, des mœurs, de la voirie... Ils reçoivent les plaintes, établissent les procès-verbaux pour les procès criminels, interrogent les témoins et les accusés. Leur statut de magistrats de robe leur donne une situation sociale honorable. Depuis que la ville a été découpée en 1702 en vingt quartiers de police, leur nombre a été fixé à quarante-huit et leur répartition faite en fonction de l'importance numérique de la population. Comme toutes les autres institutions de l'Ancien Régime, les commissaires disparaissent en 1789.

A leur place apparaît la fonction élective de commissaire de police, à raison d'un pour chacun des quarante-huit districts de la capitale. Ils cessent d'être élus en 1795 pour être choisis par la municipalité. Le Consulat confie leur nomination au Premier Consul, c'est-à-dire à l'État, et les place sous l'autorité du préfet de police. Depuis la loi du 9 juillet 1966, les personnels de la préfecture de police ont fusionné avec ceux de la Sûreté nationale pour constituer le nouveau corps de la Police nationale.
• *Voir aussi* POLICE.

COMMISSAIRE-PRISEUR
Les origines des commissaires-priseurs remontent au moins au règne de Louis IX (1226-1270). Il existait alors des sergents à pied à compétence judiciaire, qui travaillaient en collaboration avec des huissiers et des maîtres-fripiers qui dirigeaient les ventes. L'édit de février 1556 d'Henri II crée des offices de «priseurs-vendeurs» qui coexistent avec les sergents-priseurs. L'édit de juillet 1576 accorde aux sergents à verge qui le désirent l'union de leur office avec celui de maître-priseur, permettant la fusion des deux professions. L'édit de février 1691 limite à cent vingt «le nombre des huissiers à verge du Châtelet ayant droit de faire des prisées» et leur accorde le droit de «faire bourse commune des droits à eux attribués pour lesdites prisées et ventes de meubles». Les huissiers-priseurs de Paris sont supprimés le 17 septembre 1793, mais les abus qu'entraîne leur absence décident Bonaparte à rétablir, par la loi du 18 mars 1801 (27 ventôse an IX), quatre-vingts com-

missaires-priseurs à Paris, organisés en Compagnie. L'Empereur portera les effectifs à cent quelques années plus tard. La loi du 20 avril 1924 permet aux femmes d'exercer cette profession, mais la première femme commissaire-priseur ne sera nommée qu'en 1978. La Compagnie comptait cent huit commissaires-priseurs au début de 1995. Domiciliés au Châtelet, les sergents, huissiers et priseurs y effectuaient une grande partie des ventes aux enchères, mais elles pouvaient aussi avoir lieu dans des couvents — aux Grands-Augustins notamment — ou dans les hôtels de particuliers. Quelques ventes très importantes eurent même lieu dans le salon Carré du Louvre. En 1806, la Compagnie des commissaires-priseurs acquiert l'ancien hôtel Séguier, ex-hôtel des Fermiers-Généraux (45, rue de Grenelle-Saint-Honoré, aujourd'hui au 35-51, rue Jean-Jacques Rousseau). Le 1er juillet 1817, elle loue l'hôtel Bullion tout proche (3, rue Jean-Jacques Rousseau) où elle vend jusqu'à la fin de 1833. Elle s'établit alors dans l'hôtel qu'elle vient de faire construire à l'angle de la place de la Bourse et du 23, rue Notre-Dame-des-Victoires. Elle le cède en 1852 à la Chambre de commerce et part s'installer au 9, rue Drouot, où ont toujours lieu les ventes. L'hôtel Drouot fut reconstruit entre 1976 et 1980 et les ventes eurent lieu durant ces cinq années à la gare d'Orsay. C'est l'ordonnance du 2 novembre 1945 qui régit la profession. Elle dispose que « le commissaire-priseur est l'officier ministériel chargé de procéder, dans les conditions fixées par les lois et règlements en vigueur, à l'estimation et à la vente publique aux enchères des meubles et effets mobiliers corporels ».

COMMISSION DU VIEUX PARIS

Lors de la délibération du 15 novembre 1897, le conseiller municipal Alfred Lamouroux (1840-1901) fait adopter par les autres élus la création de la Commission du Vieux Paris. Comme le précise l'article premier de l'arrêté préfectoral du 18 décembre 1897, « cette Commission sera chargée de rechercher les vestiges du vieux Paris, de constater leur état actuel, de veiller, dans la mesure du possible, à leur conservation, de suivre, au jour le jour, les fouilles qui pourront être entreprises et les transformations jugées indispensables et d'en conserver des preuves authentiques ». La composition de cette Commission est tripartite : conseillers municipaux, représentants de l'administration, savants divers. Elle est divisée en trois, puis quatre sous-commissions : de l'inventaire, qui établit le Casier archéologique ; des fouilles, dont l'activité concerne aussi la surveillance des démolitions, des nivellements et alignements « pouvant menacer la topographie de Paris et menacer les monuments » ; des « aspects pittoresques et artistiques », c'est-à-dire que cette troisième sous-commission s'attache à « conserver les aspects à l'aide de la photographie [...] de façon à assurer le souvenir des parties de la ville appelées forcément à disparaître » ; la quatrième sous-commission, créée plus tard, a repris les activités du Comité des inscriptions parisiennes, chargé de surveiller le texte et l'emplacement des plaques commémoratives apposées sur les immeubles. Les *Procès-verbaux* de la Commission ont commencé à paraître dès 1898. En 1978 s'y est ajoutée une nouvelle publication à périodicité irrégulière, les *Cahiers de la Rotonde*, dont le nom évoque la rotonde de La Villette, où la Commission dispose, depuis 1976, des équipements nécessaires à la préparation, à la conduite et à l'exploitation des fouilles. En 1971 est paru le premier volume de la *Carte archéologique...* de la capitale. Il est impossible d'énumérer les très nombreuses fouilles entreprises. Les résultats obtenus ont permis de renouveler largement l'histoire de la ville. Les travaux de la

Commission représentent près de quatre-vingt mille fiches d'immeubles et une quantité impressionnante de clichés de monuments disparus, transformés ou restaurés. En 1980, la Commission a organisé une exposition sur ses activités dans les mairies des Ve et X^e arrondissements, dont le précieux catalogue s'intitule : *La Commission du Vieux Paris et le Patrimoine de la Ville (1898-1980)*.

• *Voir aussi* CASIER ARCHÉOLOGIQUE.

COMPAGNIE DES EAUX
Voir EAUX (compagnie des).

COMTE

Lorsque les Francs évincent les vestiges du pouvoir gallo-romain, vers 480, ils remplacent le système des cités ou «civitates» par des comtés. Un comté de Paris est attesté sous les Mérovingiens et les Carolingiens et ses titulaires appartiennent soit à la famille royale, soit à la plus haute noblesse du royaume. Une sorte de tradition attribue généralement le comté de Paris à des cadets ou à des bâtards de la famille royale. Les Carolingiens perpétuent cet usage : le comte Bégon est gendre de Charlemagne, Gérard II est beau-frère de Lothaire Ier. Sous le règne de Charles le Chauve, le comte Conrad, un Welf, frère de l'impératrice Judith, mère du roi, semble avoir été comte de Paris. Hugues l'Abbé, lui aussi un Welf, cousin germain de Charles le Chauve, fait attribuer ce comté, non plus à son cousin Conrad en disgrâce, mais au jeune Eudes, fils de Robert le Fort, qui se distingue lors du siège de Paris par les Normands en 885-886. Lorsqu'il accède au trône de France, le comté passe à son frère Robert et aux descendants de ce dernier, Hugues le Grand et Hugues Capet. Au Xe siècle, Hugues le Grand possède un important ensemble de comtés formant le duché de France, et c'est son fils, Hugues Capet, qui en hérite en 956. Ils délèguent l'administration du comté de Paris au vicomte Grimaud et à ses successeurs, Thion et Alleaume. Portant encore le titre de vicomte dans un acte de 936, Thion semble s'être ensuite approprié celui de comte, car c'est avec ce titre qu'il souscrit une donation de 941. Hugues le Grand, qui prit le titre de duc de France vers la même époque, semble s'être accommodé de cette promotion du vicomte en comte. Sous Hugues Capet, c'est le comte de Vendôme, Bouchard le Vénérable, qui possède aussi les comtés de Paris et de Melun. Son fils, Renaud, évêque de Paris, prend les titres de comte de Corbeil et de Vendôme en 1007, à son décès, mais ne semble pas avoir droit à celui de comte de Paris. Le roi Robert le Pieux a, d'ailleurs, repris, à cette date, le palais de la Cité, résidence du comte, pour son usage personnel. Louis-Philippe rétablit ce titre disparu depuis plus de huit siècles pour son petit-fils, Henri d'Orléans, fils de Ferdinand-Henri-Joseph d'Orléans et d'Hélène de Mecklembourg-Schwerin, à sa naissance en 1838. C'est le titre dont se parent les prétendants français actuels à la couronne de France issus de la branche des Bourbons-Orléans.

CONCERT

Dès le milieu du XVIIe siècle s'instaure l'usage de donner des concerts occasionnels ou périodiques au domicile de grands seigneurs ou de riches bourgeois amateurs de musique. Mais, en 1673, excipant du monopole de l'Opéra qu'il avait obtenu du roi, Lully obtient une ordonnance faisant «deffense à tous comédiens de se servir de musiciens externes». De nombreux procès attestent des infractions et de l'exaspération des mélomanes qui faisaient grief à l'Opéra d'empêcher la tenue de concerts et de n'en pas organiser lui-même. C'est à Anne Danican dit Philidor que revient le mérite de briser cette interdiction. Le privilège royal du 22 janvier 1725 lui accorde «d'établir et faire des concerts publics de musiques spirituelles dans cette ville de Paris pendant l'espace de trois années à commencer du 17 mars prochain, et ce, les jours où il n'y aura point de spectacle, comme les trois semaines de Pasques, la Pentecoste, la Toussaint, Noël et touttes les festes de Vierges et veilles.» Le concert spirituel, dont l'histoire a été écrite par C. Pierre, était né et devait durer jusqu'en 1790. Au XIXᵉ siècle, la tradition du concert est reprise d'abord par la Société des Concerts du Conservatoire, fondée en 1828 par François Habeneck et Luigi Cherubini, alors directeur du Conservatoire. Jules Pasdeloup, désireux de faire connaître au grand public la musique de son temps, donne au Cirque Napoléon (aujourd'hui Cirque d'Hiver), le 27 octobre 1861, le premier des concerts Pasdeloup. Dix ans plus tard, c'est au Châtelet qu'Édouard Colonne installe les concerts Colonne. En 1880, c'est à la salle Pleyel que Charles Lamoureux fait entendre la musique des compositeurs d'avant-garde. Ces quatre orchestres de concert sont rejoints en 1931 par l'Orchestre national de la radiodiffusion française. Il y a bien d'autres formations musicales à Paris, mais elles n'ont pas le prestige des plus anciennes. La Jeunesse musicale de France (J.M.F.) s'efforce d'initier les jeunes oreilles à la musique classique et contemporaine grâce à des places à prix réduits.

CONCIERGE

A l'origine, concierges et portiers sont peu nombreux et chargés de fermer et ouvrir la porte d'entrée ainsi que de surveiller l'intérieur des demeures afin d'empêcher les domestiques de voler. Le livre de la taille de 1292 recense vingt-quatre concierges, treize portiers, deux «closiers», tous préposés à la garde de palais, de demeures de grands seigneurs ou de couvents. Le Louvre possède deux portiers mais pas de concierge alors que le palais de la Cité a un concierge logé dans ce qui

demeure encore la Conciergerie. Dans la *Maison réglée*, publiée en 1692, Audiger consacre un long article au «suisse» ou «portier» et à ses obligations : «Il faut qu'il ait soin de tenir la porte fermée quand on dit la messe ou qu'on fait la prière, et de bien exécuter ce que l'écuyer lui prescrit au sujet des gens de livrée, pour qu'ils ne sortent ni qu'ils entrent aux heures indues, ni qu'ils emportent rien qui appartienne à la maison.» Dans son *Tableau de Paris*, composé à partir de 1780, Sébastien Mercier consacre deux chapitres aux portiers. Il écrit dans le premier : «Toute porte cochère a son portier bien ou mal soudoyé. Dans les maisons particulières, le portier est cordonnier, tailleur ou écrivain ; il travaille à son métier sédentaire, et n'a que le cordon à tirer. Dans les grosses maisons, le portier n'a rien à faire ; oisif, il boit et se chauffe toute la journée dans sa loge.» Il précise plus loin que «portiers et suisses sont devenus synonymes en France. Les suisses ont le privilège de garder les portes des édifices publics, des jardins royaux, du chœur des églises, de devenir sentinelles sous le vestibule des palais, et d'être comme inhérents aux hôtels de la capitale.» Moins fortunés que l'aristocratie, les bourgeois doivent se contenter de portiers. Mercier ne les flatte pas : «Le portier chez les bourgeois est ordinairement un savetier bancal, borgne ou bossu, à qui vous êtes forcé de parler poliment, quand le soir vous voulez vous rendre dans la rue : ouvrez la porte ne suffirait pas ; il faut y ajouter, s'il vous plaît. Ce qu'il y a de plaisant, c'est qu'on dit ces mots du ton le plus impératif ; mais enfin on les dit, et rien ne prouve mieux l'étiquette de la politesse parisienne. L'emploi des portiers est de siffler, quand on vient vous rendre visite, autant de coups qu'il y a d'étages pour arriver à l'appartement que vous occupez ; ce qui donne le temps, quand on reçois ses amis, de cacher bien vite tout ce qu'on n'aime point qu'ils voient, et d'arranger au contraire tout ce qu'on veut qu'ils aperçoivent. Rien n'est plus commode dans un pays où l'on a toujours mille petits secrets à taire.»

Dans son excellente étude, *Premières Loges. Paris et ses concierges au XIXᵉ siècle*, Jean-Louis Deaucourt montre bien qu'à l'aube du XIXᵉ siècle, il n'y a de portier que dans les immeubles occupés par une unique famille, les immeubles collectifs n'ayant aucun gardien. Le nombre important des portiers dans le Marais, au faubourg Saint-Germain, dans les quartiers des Tuileries ou des Champs-Élysées, leur absence dans des zones pauvres comme les Arcis, montrent bien que cette profession est employée par l'aristocratie et la bourgeoisie aisée en possession de demeures particulières.

C'est sous l'Empire que le portier se transforme progressivement en concierge et s'impose jusque dans les «maisons à allée» ou immeubles ayant plusieurs occupants, essentiellement des locataires. Deaucourt observe : «En 1807, Louis Prudhomme, dans son *Miroir de l'ancien et du nouveau Paris*, se moque des nouveaux riches "qui ne pouvant avoir de suisse, font mettre une pancarte au-dessus de la loge de leur portier, 'parlez au concierge'". Sa remarque sur la bataille autour des dénominations implique que la présence d'un gardien constitue encore, comme au XVIIIᵉ siècle, une marque de distinction et pourtant, d'après le recensement nominatif effectué cette année-là rue du Bac, il apparaît déjà dans des maisons à allée. Les loges gagnent rapidement du terrain : les chroniques de l'Hermitte de la Chaussée d'Antin, parues en 1812-1813, évoquent des portiers gardant manifestement des maisons populaires.»

La frénésie de spéculation immobilière sous la Restauration et la Monarchie de Juillet fait disparaître les hôtels particuliers au profit d'immeubles locatifs. Le propriétaire y installe un concierge pour surveiller ses locataires, empêcher les déménagements à la cloche de bois et les dégradations. Créé en 1836, *Le Journal des concierges* précise la fonction de ce représentant du propriétaire : «Il est le point de jonction, l'anneau intermédiaire qui rattache l'un à l'autre le propriétaire et le locataire. Il est donc nécessairement l'homme de confiance de celui-ci et de celui-là […]. Locations des appartements, des chambres et des cabinets, payement des loyers, que de commissions délicates à remplir !»

La *Gazette des tribunaux* met bien en évidence la fonction sociale du concierge : «Le portier dans une maison tant soit peu considérable joue un rôle important. En l'absence du propriétaire, il le remplace, il répond à tout et à tout le monde. Venez-vous visiter les appartements à louer, il vous vantera la fraîcheur et l'heureuse et commode disposition. C'est le portier qui reçoit les loyers et donne aux mauvais locataires leur congé : on le charge de commissions, et quelquefois, on lui fait des confidences.»

«Version civile de la guérite de la sentinelle», la loge est souvent exiguë, mal aérée, parfois située dans des endroits bizarres. Balzac évoque à propos de l'une d'elles une «cage à poulet sous la voûte» et utilise les mots «niche, cage, boîte, sentine» pour les définir : la plupart d'entre elles occupent de 8 à 15 mètres carrés. Ces conditions de logement font des concierges des célibataires ou des couples sans enfant en très grande majorité, souvent originaires de province, s'assurant ainsi un logement gratuit. La féminisation de la profession se fait progressivement. Au recensement de 1925, les femmes constituent une écrasante majorité.

De quarante-six mille en 1864, les effectifs ont culminé à quatre-vingt-cinq mille en 1939, pour retomber à soixante mille en 1965. L'image du «pipelet» ou de la «pipelette» omniprésente, fouinant partout s'efface rapidement. La concierge de souche provinciale ou parisienne disparaît rapidement au profit des Portugaises, Espagnoles, Yougoslaves et même Africaines du Nord. Le Bardamu du *Voyage au bout de la nuit* de Céline serait aujourd'hui bien déçu, lui qui éructait : «Une ville sans concierge ça n'a pas d'histoire, pas de goût, c'est insipide telle une soupe sans poivre ni sel, une ratatouille informe. Oh ! savoureuses raclures ! Détritus, bavures à suinter de l'alcôve, de la cuisine, des mansardes, à dégouliner en cascades par chez la concierge, en plein dans la vie, quel savoureux enfer !»

CONCOURS DE FAÇADES

Voir FAÇADES (concours de).

CONCOURS GÉNÉRAL

Le 4 février 1733, un an avant sa mort, l'abbé Louis Legendre, chanoine de Notre-Dame, crée une rente annuelle sur les biens composant sa fortune personnelle afin d'instituer un concours de poésie et de musique ayant lieu tous les quatre ans à l'imitation des Olympiades antiques. Ses héritiers ayant attaqué le testament, l'arrêt du Parlement du 1er juillet 1744 décide d'accorder la jouissance de ce legs à l'Université à condition d'acquitter trois obits fondés par le testateur «et d'employer le surplus à une distribution de prix, soit de prose ou poésie, latine et françoise, à des estudiants ès arts de la dite Université». Celle-ci accepte et l'arrêt définitif du Parlement du 8 mars 1746 institue une distribution solennelle des prix pour les grands collèges de Paris. A l'origine, quatre compositions ont été prévues : deux discours en prose, l'un en latin, l'autre en français, une pièce de vers latins, une version de grec en français. Le premier concours général eut lieu du 15 au 28 juin 1747 et la distribution des prix se fit à la Sorbonne le 23 août, de façon solennelle en présence de professeurs de l'Université et de magistrats du Parlement venus en grand costume. Dix collèges avaient concouru. Celui du Plessis domina la compétition, enlevant huit des vingt-quatre prix et dix des cinquante-cinq accessits. On dispose d'une excellente *Notice historique sur le concours général entre les collèges de Paris*, par Taranne, qui décrit en détail les débuts de cette institution. Parmi les lauréats du XVIIIe siècle ont figuré les poètes Jacques Delille et André-Marie Chénier, le critique Jean-François Laharpe et Maximilien de Robespierre. La dernière distribution de ce siècle eut lieu en 1793 et le concours général fut aboli par la Convention jusqu'à son rétablissement en 1801, en exécution de l'arrêté préfectoral du 13 octobre 1800 (21 vendémiaire an IX). Il était destiné aux élèves des écoles centrales et comprenait des épreuves de dessin, de langues anciennes, de mathématiques, de physique et de belles-lettres. A partir de 1805, le concours général se disputa entre les quatre lycées de la capitale, portant actuellement les noms de Louis-le-Grand, Charlemagne, Condorcet, Henri-IV. La philosophie apparut au concours de 1810, l'histoire en 1815 et de nouveaux lycées furent admis à concourir : celui de Versailles en 1819, Saint-Louis en 1821, les collèges Stanislas et Sainte-Barbe en 1822. En 1838, Salvandy, ministre de l'Instruction publique, tenta d'élargir le concours à la France entière, mais on revint dès l'année suivante aux huit établissements de Paris et de Versailles. Nommé à la tête de ce ministère en 1863, Victor Duruy imposa son extension à tout le pays. Le concours général fut supprimé en 1904 par le Conseil supérieur de l'Instruction publique. Il a été ressuscité par un arrêté du 21 juillet 1921 et existe toujours.

CONFRÉRIE

«La confrérie est la face religieuse de l'association ouvrière sous l'Ancien Régime, commé la corporation en est la forme professionnelle. Les membres sont les mêmes de part et d'autre. Mais la corporation est ordonnée surtout en vue de la pratique du métier tandis que la confrérie a un caractère exclusivement religieux et charitable et tend uniquement à procurer la sanctification de ses membres et leur mutuelle assistance. Les prières des confréries sont très significatives à cet égard. Celle de la confrérie de saint Fiacre à Saint-Sulpice, pour les jardiniers, débute par ces belles paroles : "Grand Saint, qui nous apprenés par votre exemple l'estime que nous devons faire de nostre estat et de nos occupations laborieuses." Celle de la confrérie de Notre-Dame-des-Vertus pour les bourreliers, à Saint-Honoré, a quelque chose de plus touchant encore : "Je vous supplie très humblement, ma très chère Mère, de prendre ma pauvre famille et nôtre Vacation sous vôtre Sainte Protection." » Ainsi s'exprime l'abbé Jean Gaston dans son ouvrage fondamental, *Les Images des confréries parisiennes avant la Révolution*, qu'il faut compléter depuis 1992 par *Images de confréries parisiennes* de José Lothe et Agnès Virole. La majeure partie des ressources de la confrérie était consacrée à faire la charité aux membres malades ou blessés, à assister les veuves et les orphelins, mais aussi à faire célébrer des messes et à organiser des fêtes et des banquets. Les recettes étaient importantes, assurées par un droit d'admission, des cotisations annuelles, des libéralités volontaires, mais aussi des amendes infligées pour absence aux réunions ou malfaçon dans le travail. L'Église catholique, à qui échappait le contrôle de cette forme d'assistance mutuelle et de dévotion laïque, éprouvait une grande méfiance à l'égard des confréries. Le *Répertoire universel et raisonné de jurisprudence civile, criminelle, canonique et bénéficiale*, paru en 1784, note : « On ne connaissait point dans les premiers siècles de l'Église toutes ces dévotions particulières qui existent aujourd'hui parmi nous. La religion, simple dans son culte, n'exigeait, comme elle n'exige encore actuellement, que la réunion des cœurs sous le gouvernement d'un seul pasteur, qui était l'évêque [...]. Ces confréries, dans l'origine, n'offraient rien qui ne fût louable. On permettait à une infinité de communautés, de l'un et de l'autre sexe, de se former pour la pratique d'une vie plus édifiante [...] mais l'abus fut la suite inévitable de cette tolérance. Les suppôts de ces sociétés accoutumées à leurs pratiques particulières [...] négligeaient les exercices de leurs paroisses, méconnaissaient souvent la voix de leurs premiers pasteurs, et introduisaient une espèce de schisme avec les autres paroissiens. »

Jean-Baptiste Le Masson a publié en 1621 un très intéressant *Calendrier de toutes les confréries de Paris*, réimprimé en 1875 par Valentin Dufour et qui énumère les fêtes des différentes confréries, dont voici quelques exemples :

3 janvier : mouleurs de bois à Saint-Jean-en-Grève ;

6 janvier : cartiers ou faiseurs de cartes à Saint-Magloire ;

17 janvier : langueyeurs aux Quinze-Vingts ;

20 janvier : archers à Notre-Dame et esguilletiers à Saint-Eustache ;

22 janvier : vignerons à Saint-Paul ;

25 janvier : cordiers à Sainte-Geneviève-des-Ardents ;

28 janvier : messagers de l'Université, colporteurs d'édits et d'almanachs, boteleurs de foin aux Mathurins ;

2 février : brodeurs à Sainte-Opportune ;

3 février : maçons et charpentiers à Saint-Séverin ;

19 mars : compagnons charpentiers à Saint-Nicolas-des-Champs ;

25 mars : fabricants de chapelets à Saint-Magloire ;

1er avril : marchands drapiers à Saint-Eustache ;

23 avril : plumassiers et vendeurs de panaches à Saint-Denis-de-la-Châtre, sergents du guet en la chapelle Saint-Michel du Palais, armuriers à Saint-Jacques-de-la-Boucherie ;

25 avril : vitriers à Sainte-Croix-de-la-Bretonnerie ;

1er mai : revendeurs de fruits et beurre à Saint-Eustache ;

6 mai : peintres aux Augustins, bahutiers à la Sainte-Chapelle, écrivains à Sainte-Croix-de-la-Bretonnerie, parcheminiers à Saint-André-des-Arts, papetiers, libraires, imagiers, relieurs aux Mathurins, imprimeurs à Saint-Jean-de-Latran, doreurs aux Augustins ;

9 mai : notaires du roi au Châtelet, bateliers aux Haudriettes, tonneliers et avaleurs de vin à Saint-Bon, avocats, procureurs, clercs et basochiens au Palais ;

16 mai : boulangers à Saint-Honoré ;

27 mai : faiseurs de peignes, tabletiers, marquetiers à Sainte-Croix-de-la-Cité, cordonniers à Notre-Dame ;

11 juin : baquetiers à Saint-Leufroy ;

16 juin : scieurs de long aux Billettes ;

23 juin : pareurs en peaux à Saint-Eustache, ceinturiers à Saint-Barthélemy, deuxième fête des tonneliers et avaleurs de vin à Saint-Bon, fourbisseurs aux Augustins, ramoneurs de cheminées à Saint-Jean-en-Grève, compagnons tonneliers à Saint-Jean-de-Latran ;

25 juin : orfèvres à Saint-Éloi, marchands et courtiers de chevaux à Saint-Leu-Saint-Gilles, serruriers à Saint-Martial, batteurs d'or à Saint-Magloire ;

29 juin : marchands poissonniers, reyeurs ou faiseurs de filets à Saint-Jean-en-Grève ;

30 juin : cordiers à Sainte-Geneviève-des-Ardents ;

1er juillet : compagnons baudroyeurs à Saint-Josse ;

5 juillet : sergents à cheval à Sainte-Croix-de-la-Bretonnerie ;

17 juillet : chaînetiers ou faiseurs de cottes de maille aux Innocents ;

18 juillet : verriers-bouteillers aux Billettes, brodeurs à Sainte-Opportune, maîtres et compagnons des basses œuvres à Saint-Nicolas-des-Champs ;

20 juillet : liniers et recommandaresses à Saint-Bon, mégissiers et blanchisseurs de laine à Saint-Germain-l'Auxerrois ;

25 juillet : portefaix de la halle, poulaillers et marchands de beurre au Saint-Sépulcre, compagnons orangers à Saint-Leufroy, crocheteurs à Saint-Bon et à Saint-Paul, porteurs de grains au Saint-Esprit, déchargeurs de bateaux à l'Ave-Maria, jardiniers à Saint-Nicolas-des-Champs, portefaix pour les poissonniers de la halle à Saint-Martin-des-Champs, d'autres crocheteurs à Saint-Séverin, les portefaix du roi à la Sainte-Chapelle ;

27 juillet : orfèvres à Notre-Dame, menuisiers aux Billettes, gantiers aux Innocents ;

1er août : nattiers à Saint-Pierre-aux-Bœufs, savetiers à Saint-Pierre-des-Arcis ;

15 août : grande confrérie de dévotion de Notre-Dame, aux seigneurs, prêtres, bourgeois et bourgeoises à Sainte-Madeleine, gagne-deniers sur l'eau à Sainte-Catherine-du-Val-des-Écoliers, faiseurs d'aiguilles aux Augustins, rôtisseurs aux Billettes, tondeurs de draps à Saint-Leufroy, compagnons corroyeurs à Saint-Julien-le-Pauvre ;

16 août : fripiers et rôtisseurs à Saint-Eustache, raccoutreurs de bas d'étamine à Saint-Magloire, cardeurs de laine à la Sainte-Chapelle, tapissiers à Saint-Paul, ferronniers et vendeurs de vieille ferraille à Saint-Leufroy ;

25 août : marchands merciers au Saint-Sépulcre, compagnons merciers et tapissiers à la Sainte-Chapelle, retordeurs de laine à Saint-Martin-des-Champs, porteurs de blé à Saint-Eustache, faiseurs de cordons, retordeurs de boyaux pour faire des raquettes aux Augustins, pêcheurs à verge à Saint-Leufroy, Sept-Vingts aveugles de Paris aux Quinze-Vingts, maçons à Sainte-Catherine-du-Val-des-Écoliers, sergents à verge à Sainte-Croix-de-la-Bretonnerie ;

26 août : paveurs à Sainte-Catherine-du-Val-des-Écoliers ;

29 août : couteliers aux Billettes ;

30 août : bonnetiers à Saint-Jacques-de-la-Boucherie, chaudronniers au Saint-Sépulcre, jardiniers à Saint-Martin-des-Champs, Saint-Yves ou Sainte-Geneviève, layetiers à Saint-Éloi ;

1er septembre : marchands de chevaux à Saint-Leu-Saint-Gilles ;

7 septembre : cloutiers à Saint-Jacques-de-la-Boucherie ;

8 septembre : cuisiniers au Saint-Sépulcre, charcutiers, fourreurs et pelletiers aux Billettes, nattiers et potiers de terre à Saint-Pierre-aux-Bœufs, drapiers chaussetiers à Saint-Denis-de-la-Châtre, épingliers à Saint-Julien-le-Ménétrier, passementiers au petit Saint-Laurent à Saint-Martin-des-Champs ;

9 septembre : lingères et toilières à Saint-Sauveur ;

16 septembre : tapissiers à Saint-Paul ;

21 septembre : changeurs à Saint-Leufroy ;

22 septembre : teinturiers au Saint-Sépulcre, à Saint-Denis-de-la-Châtre, Saint-Barthélemy, Saint-Leufroy ;

27 septembre : médecins, maîtres myrrhes, chirurgiens, sages-femmes à Saint-Côme-Saint-Damien ;

28 septembre : balanciers aux Innocents, pâtissiers et oublieurs à Saint-Michel au Palais, fripiers de bois à Saint-Eustache, chapeliers à Sainte-Opportune, maîtres d'armes à Sainte-Geneviève-des-Ardents ;

4 octobre : maîtres tapissiers à la Sainte-Chapelle ;

9 octobre : arbalétriers à Saint-Magloire, arquebusiers à Sainte-Catherine-du-Val-des-Écoliers ;

15 octobre : orangers et coquetiers à Saint-Eustache, baudroyeurs à Saint-Merri ;

18 octobre : médecins à l'École de médecine, peintres au Saint-Sépulcre ;

25 octobre : maîtres cordonniers à Notre-Dame ;

26 octobre : cordiers à Sainte-Geneviève-des-Ardents ;

1er novembre : gainiers au Saint-Sépulcre ;

3 novembre : fondeurs et sonnetiers à Saint-Julien-le-Ménétrier ;

5 novembre : verriers et bouteillers aux Billettes, boisseliers à Saint-Leu-Saint-Gilles ;

9 novembre : potiers d'étain à Sainte-Opportune ;

11 novembre : sergents à cheval à Sainte-Croix-de-la-Bretonnerie, meuniers au Saint-Esprit ;

13 novembre : boursiers, brayers et colletiers à Saint-Barthélemy ;

23 novembre : « la confrérie des musiciens et organistes, en l'église Notre-Dame, aux Augustins, tantôt çà et là. Celle des faiseurs d'instruments, et raccoutreurs de luths et épinettes » ;

25 novembre : émouleurs, dits aussi gagne-petit aux Augustins, charrons à Sainte-Catherine-du-Val-des-Écoliers, pourpointiers à Sainte-Catherine-de-l'Hôpital, paroisse de Saint-Jacques-de-la-Boucherie ;

1er décembre : orfèvres à Saint-Éloi, charretiers à Sainte-Catherine-du-Val-des-Écoliers, maréchaux à Saint-Jacques-de-l'Hôpital, paroisse de Saint-Eustache, tireurs d'or à Saint-Martin-des-Champs, selliers et taillandiers au Saint-Sépulcre ;

4 décembre : une bande de crocheteurs à Sainte-Geneviève-des-Ardents, vergetiers aux Billettes, paulmiers ou tripotiers aux Mathurins et à Saint-Sulpice, carillonneurs aux Innocents, arbalétriers à Sainte-Catherine-du-Val-des-Écoliers, canonniers à l'Ave-Maria ;

6 décembre : marchands de vin à Saint-Jacques-de-l'Hôpital, avocats, procureurs, greffiers, clercs, solliciteurs du Palais et Parlement à l'autel de la salle du Palais [de justice], notaires du Châtelet à l'autel de la chapelle haute dudit lieu, procureurs de la Chambre des comptes aux Billettes, maîtres jurés vendeurs de vin sur l'eau à Saint-Gervais, maîtres tondeurs de draps et pêcheurs d'engins à Saint-Leufroy, huiliers-chandeliers aux Mathurins, porteurs de charbon à l'hôpital Saint-Gervais, bateliers aux Haudriettes, maîtres tonneliers, jaugeurs et déchargeurs à Saint-Bon, grainetiers à Saint-Eustache ;

19 décembre : faiseurs de bas d'étamine aux Jacobins, raccoutreurs de bas d'étamine à la chapelle Saint-Clair près de Saint-Honoré, boisseleurs de la halle ou faiseurs de boisseaux à Saint-Leu-Saint-Gilles, verriers et bouteillers aux Billettes ;

27 décembre : secrétaires du roi et de ses finances aux Blancs-Manteaux.

Cette liste est loin d'être exhaustive et exclut les très nombreuses confréries de dévotion.

• *Voir aussi* **CORPORATION** ; **MÉTIER**.

CONFRÉRIE (saint patron de)

Chaque métier parisien possédait sa confrérie placée sous la protection d'un saint patron. José Lothe et Agnès Virole, dans *Images de confréries parisiennes*, ont dressé une liste des métiers et de leurs patrons, largement reprise ici :

aiguilletiers : saints Louis et Sébastien ;

apothicaires : saint Nicolas ;

arbalétriers : saint Denis ;

archers : saint Sébastien ;

armuriers : saints Georges et Sébastien ;

arquebusiers : saint Denis ;

bahutiers : saint Jean l'Évangéliste ;

baigneurs : saint Louis ;

balanciers : saint Michel ;

baquetiers : saint Barnabé ;

barbiers : saints Côme et Damien ou saint Louis ;

basoche : saint Nicolas ;

bâtiers : Notre-Dame des Vertus ;

batteurs : saints Maur et Fiacre ;

batteurs d'or : saint Éloi ;

baudroyeurs : Assomption, saints Maur et Thibaut ;

bedeaux : saint Joseph et sainte Barbe ;

beurriers : Notre-Dame de Bonne Délivrance, saint Christophe ;

boisseliers : saints Clair et Claude ;

bonnetiers : saints Médard et Michel ;

bossetiers : saints Hubert et Éloi ;

bouchers : saint Antoine et Saint-Sacrement ;

boulangers : saints Honoré et Lazare ;

bourreliers : Notre-Dame des Vertus ;

boursiers : saints Brice et Brieuc ;

bouteillers : saint Clair ;

boutonniers : saint Louis ;

brasseurs : saint Léonard ;

brodeurs : saint Clair ;

brossiers : sainte Barbe ;

canevassières : saint Louis et sainte Véronique ;

cardeurs de laine : saints Blaise et Roch ;

carillonneurs : saint Joseph et sainte Barbe ;

carriers : saint Jean-Baptiste ;

cartiers : Épiphanie ;

ceinturiers : saint Jean-Baptiste ;

chaînetiers : saint Alexis ;

chandeliers : Assomption, saints Nicolas et Jean l'Évangéliste ;

changeurs : saint Mathieu ;

chapeliers : saints Jacques et Philippe, saint Michel ;

charbonniers : saint Nicolas ;

charcutiers : Nativité de la Vierge ;

charpentiers : saints Blaise et Joseph ;

charpentiers de bateaux : saint Nicolas ;

charretiers : saint Éloi ;

charrons : sainte Catherine ;

châssetiers : saint Clair ;

chaudronniers : saints Maur et Fiacre ;

chirurgiens : saints Côme et Damien ;

ciseleurs : saints Hubert et Éloi ;

clercs de la Ville : saints Jacques et Nicolas ;

cloutiers : saint Cloud ;

colporteurs : saint Charlemagne ;

comédiens de l'Hôtel de Bourgogne : sainte Marie l'Égyptienne ;

commis du Bureau général des Postes : Annonciation et ange Gabriel ;

compteurs de marée : Immaculée Conception ;

conseillers du Roi : saint Jean Porte-Latine ;

coquetiers : Notre-Dame de Bonne Délivrance, saints Christophe et Léonard ;

cordiers : saint Paul ;

cordonniers : saints Crépin et Crépinien ;

corroyeurs : Assomption et saint Thibaud ;

courtiers de chevaux : saint Éloi ;

courtiers en vin : saint Martin ;

couteliers : saint Jean-Baptiste ;

couturiers : saint Louis ;

couvreurs : sainte Trinité ;

crieurs de corps : saint Martin ;

crieurs de vin : saint Martin ;

crocheteurs : saints Jacques et Christophe ;

cuisiniers : Nativité de la Vierge ;

cureurs de puits : saint Clair ;

débardeurs : saint Nicolas ;

déchargeurs de vin : saint Nicolas ;

déchireurs de bateaux : saint Nicolas ;

découpeurs-égratigneurs : saint Clair ;

dinandiers : saints Maur et Fiacre ;

distillateurs : Saint-Esprit ;

doreurs sur cuir : saint Clair et saint Jean Porte-Latine ;

doreurs sur cuivre, fer, laiton : saint Éloi ;

drapiers : saint Nicolas ;

drapiers d'or et de soie : Nativité de la Vierge ;

écrivains : saint Jean Porte-Latine ;

enlumineurs : saint Jean l'Évangéliste ou Porte-Latine ;

éperonniers : saints Leu et Gilles ;

épiciers : saint Nicolas ;

épingliers : Nativité de la Vierge ;

escrimeurs : saint Michel ;

étainiers : saint Cloud ;

étuvistes : saint Louis ;

éventaillistes : saint Louis ;

fabricants d'aiguilles : Assomption ;

fabricants de carreaux : Nativité de la Vierge ;

faiseurs d'instruments de musique : sainte Cécile ;

faiseurs de bas d'étamine : saint Médard ;

faiseurs de braies : saint Brice ;

faiseurs de cages d'oiseaux : saint Michel ;

faiseurs de cordons : saint Louis ;

faiseurs de filets : saints Pierre et Paul ;

ferblantiers : saint Éloi ;

ferronniers : saints Cloud et Lubin ;

fondeurs : saints Hubert et Éloi ;

fondeurs de lettres : saint Jean l'Évangéliste ;

forgerons : saint Éloi ;

fossoyeurs : saint Joseph et sainte Barbe ;

foulons de draps : saints Pierre et Paul ;

fourbisseurs : saint Jean-Baptiste ;

fourreurs : Nativité de la Vierge, saints Germain et Vincent ;

frangers : Nativité de la Vierge ;

fripiers : saints Roch et Sébastien, sainte Trinité, sainte Croix ;

fripiers d'habits : saints Roch et Gan ;

fromagers : Notre-Dame de Bonne Délivrance, saint Christophe ;

frotteurs : saint François ;

fruitiers : Notre-Dame de Bonne Délivrance, saints Christophe et Léonard ;

gagne-deniers sur l'eau : Assomption ;

gagne-petit : sainte Catherine ;

gantiers : saintes Anne et Madeleine, saint Gan ;

gens de dessus le port : saint Nicolas ;

gourmets en vin : saint Martin ;

grainiers : saint Nicolas ;

graveurs : saint Jean Porte-Latine ;

hongroyeurs : Notre-Dame des Vertus ;

huiliers : Assomption ;

huiliers-chandeliers : saints Nicolas et Jean l'Évangéliste ;

imagiers : saint Jean l'Évangéliste ;

imprimeurs : saint Jean Porte-Latine ;

inspecteurs sur les porcs : saint Antoine ;

inspecteurs sur les veaux : saint Louis ;

jardiniers : saint Fiacre et sainte Véronique ;

jaugeurs : saint Nicolas ;

joailliers : sainte Anne et saint Marcel ;

joueurs d'instruments : saints Julien et Genest ;

langueyeurs de porcs : saint Antoine ;

lanterniers : saint Clair ;

lapidaires : saint Louis ;

layetiers : saint Fiacre ;

libraires : saint Jean l'Évangéliste ;

limonadiers : Pentecôte et saint Louis ;

lingères : saint Louis et sainte Véronique ;

lormiers : saint Cloud ;

loueurs de carrosses : saint Éloi ;

loueurs de chevaux : saint Éloi ;

lunetiers : saints Clair et Jean Porte-Latine ;

maçons : saints Blaise et Louis ;

maîtres à danser : saints Julien et Genest ;

maîtres des petites écoles : saint Nicolas ;

malletiers : saint Jean l'Évangéliste ;

marchands carriers : saint Jean-Baptiste ;

marchands d'eau-de-vie : Saint-Esprit sous le nom de saint Louis ;

marchands de beurre : saint Christophe ;

marchands de bois : saint Nicolas ;

marchands de chevaux : saint Éloi ;

marchands de marée : Immaculée Conception ;

marchands de vin : saint Nicolas ;

marchands drapiers : Nativité de la Vierge ;

marchands tapissiers : saint François ;

maréchaux : saint Éloi ;

mariniers : saint Nicolas ;

mégissiers : sainte Marie-Madeleine ;

menuisiers : saint Joseph, sainte Anne ;

merciers : saint Louis ;

mesureurs de grains : Sainte Vierge ;

meuliers : saint Jean Porte-Latine ;

meuniers : saint Martin ;

miroitiers : saint Clair et saint Jean Porte-Latine ;

mouleurs de bois : sainte Geneviève ;

musiciens : sainte Cécile ;

notaires royaux : saint Jean Porte-Latine et saint Nicolas ;

officiers garde-nuit : saint Pierre d'Alcantara ;

officiers plancheieurs ou parqueteurs : saints Pierre et Paul ;

orangers : saints Christophe et Léonard ;

orfèvres : saint Éloi, parfois sainte Anne, saint Marcel ;

organistes : sainte Cécile ;

papetiers : saint Jean l'Évangéliste ;

parcheminiers : saints Jean l'Évangéliste et Louis ;

parfumeurs : saintes Anne et Marie-Madeleine, saint Gan ;

passementiers : Nativité de la Vierge, saint Louis ;

passeurs de pont : saint Nicolas ;

patenôtriers : saint Clair, Nativité de la Vierge ;

patenôtriers en émail : Annonciation ;

pâtissiers : saint Michel ;

paumiers : sainte Barbe ;

paveurs : saints Roch et Sébastien ;

peaussiers : saints Clair et Jean-Baptiste ;

pêcheurs à engins : saints Louis et Nicolas ;

pêcheurs à verge : saint Louis ;

peigniers : Notre-Dame de Pitié, saint Hildevert ;

peintres : saint Luc, saint Jean Porte-Latine ;

peintres sur verre : saint Marc ;

pelletiers : Nativité de la Vierge ;

plombiers : sainte Trinité ;

plumassiers : saint Georges ;

portefaix : saints Jacques et Christophe ;

porteurs de blé : saint Christophe ou saint Louis ;

porteurs de chais : saints Jacques et Christophe ;

porteurs de grains : saint Christophe ;

porteurs de sel : saint Louis ;

potiers : Nativité de la Vierge ;

potiers d'étain : saint Fiacre ;

poulaillers : saint Christophe ;

pourpointiers : sainte Catherine ;

prêtres : saint Jacques ou Nicolas ;

procureurs de la Chambre des comptes : saint Nicolas ;

racoutreurs de bas : saints Clair et Roch ;

racoutreurs de luths, épinettes et orgues : sainte Cécile ;

ramoneurs de cheminées : saint Jean-Baptiste ;

raquetiers : sainte Barbe ;

rebordeurs de laine : saint Louis ;

relieurs de livres : saint Jean l'Évangéliste ;

rémouleurs : sainte Catherine ;

rôtisseurs : saint Laurent ;

rubaniers : saint Michel ;

savetiers : saint Pierre aux liens ;

scieurs de long : saint Cyr et sainte Julitte ;

sculpteurs : Notre-Dame des Peuples, saint Luc, saint Jean Porte-Latine ;

secrétaires du roi : saint Jean l'Évangéliste ou Porte-Latine ;

selliers : saint Éloi ;

sergents à cheval de la Ville : saint Martin ;

sergents à verge : saint Louis ;

sergents d'armes : saint Denis ;

sergents du guet : saints Georges et Michel ;

serruriers : saints Éloi et Jean-Baptiste ;

sonnetiers : saints Hubert et Éloi ;

tabletiers : Notre-Dame de Pitié et saint Hildevert ;

taillandiers : saint Éloi ;

tailleurs d'habits : sainte Trinité ;

tailleurs de pierre : sainte Trinité, Ascension ;

tanneurs : saint Barthélemy, saints Gervais et Protais ;

tapissiers : saints François, Lubin, Louis, sainte Geneviève ;

teinturiers : saint Maurice, Sainte Vierge ;

tireurs d'arc : saint Sébastien ;

tireurs d'or : saint Éloi ;

tireurs de pierre : saint Jean-Baptiste ;

tisserands : sainte Trinité ;

tissutiers-rubaniers : Nativité de la Vierge ;

toilières : saint Louis et sainte Véronique ;

tondeurs : saint Antoine ;

tondeurs de drap : Assomption, saints Michel et Nicolas ;

tonneliers : saint Nicolas ;

tourneurs : saint Michel, sainte Anne ;

traiteurs : Nativité de la Vierge ;
tripotiers : sainte Barbe ;
tueurs de pourceaux : saint Antoine ;
tuiliers : saint Michel ;
vanniers : saint Antoine ;
vendeurs de pain d'épices : saint Claude (?) ;
vendeurs de vaisselle de faïence : Annonciation ;
vendeurs de vin en gros sur l'eau : saint Nicolas ;
vendeurs-contrôleurs de vin : Immaculée Conception ;
vergetiers : sainte Barbe ;
verriers-bouteillers : saint Clair ;
vidangeurs : saint Clair ;
vielleurs : sainte Cécile ;
vignerons : saint Vincent ;
vinaigriers-distillateurs : Nativité de la Vierge ;
vitriers : saint Marc ;
voituriers par eau : saint Nicolas ;
voituriers par terre : saint Éloi.
• *Voir aussi* SAINT.

CORDONNIER

C'est au « cordouan », peau de chèvre traitée suivant un procédé spécial mis au point en Espagne, à Cordoue, que les cordonniers doivent leur nom. Ils étaient fort nombreux : le livre de la taille de 1292 en mentionne deux cent vingt-six, celui de 1300 en énumère deux cent soixante-quinze et pouvaient constituer à eux seuls une compagnie en 1467. Ces effectifs étaient suffisamment importants pour justifier une hiérarchie très compliquée de vingt-quatre dignitaires : un doyen, un syndic, deux maîtres des maîtres dits aussi visiteurs des visiteurs, deux jurés du cuir tanné dits aussi jurés du marteau, deux jurés de la chambre chargés de la comptabilité, quatre jurés de la visitation royale chargés de faire une visite de toutes les boutiques tous les trimestres, douze petits jurés chargés de visites moins approfondies et de l'inspection des boutiques des savetiers. Vers 1725, il y avait environ mille cinq cents maîtres, occupant de trois à douze compagnons. A la veille de la Révolution, ils étaient plus de mille huit cents. Plusieurs rues

portaient le nom de la rue de la Cordonnerie, de la Cordouanerie, de la Vieille-Cordonnerie. Les cordonniers étaient placés sous le patronage de saint Crépin et saint Crépinien.

CORPORATION

Alfred Franklin a bien défini et étudié les corporations dans un ouvrage déjà ancien mais qui n'a pas été remplacé, le *Dictionnaire historique des arts, métiers et professions exercés dans Paris depuis le XIIIe siècle*, paru en 1906. Il écrit notamment au début de son article « Corporations » : « Celui qui voulait se livrer à une industrie ou à un commerce devait, avant tout, être accepté par ceux dont il allait devenir l'allié. Il lui fallait prouver qu'il était homme de bien, ensuite qu'il avait fait un apprentissage sérieux et acquis une instruction professionnelle complète, enfin qu'il possédait les capitaux nécessaires au négoce qu'il désirait entreprendre. Ces conditions remplies, il était solennellement admis, comme maître ou patron, dans ce que l'on nomma d'abord le commun du métier, le métier juré ou le corps du métier, et plus tard la communauté ou la corporation. On entendait par ces mots l'association, reconnue par l'État, d'individus exerçant la même profession. Le corps de métier avait ses privilèges, ses charges, sa hiérarchie. Il réglait lui-même sa discipline, exposée dans des statuts rédigés en commun, et auxquels chaque membre de l'association jurait obéissance ; ces statuts, une fois approuvés par le souverain ou son représentant, avaient force de loi vis-à-vis de tous les citoyens. La corporation constituait ainsi une personne morale, capable d'acquérir, d'aliéner, de faire tous les actes de la vie civile. »

Même si certaines corporations revendiquent un passé très lointain, il semble qu'aucune d'entre elles n'ait été constituée avant le milieu du XIIe siècle. Un texte de 1146 atteste l'existence de la corporation des bouchers dont les statuts sont confirmés en 1162. Les mégissiers sont attestés en 1160, les drapiers et les fourreurs en 1183. Le *Livre des métiers* du prévôt du roi, Étienne Boileau, fournit la première liste des professions possédant un statut officiel, des corporations.

Chacune d'elles a son organisation propre, mais elles ont généralement en commun le fait d'être composées d'apprentis, de valets, compagnons ou ouvriers, de maîtres, placés sous le contrôle et l'autorité de jurés ou gardes élus par la communauté. Un nombre variable d'années d'apprentissage était indispensable pour être reçu valet ou ouvrier. Il pouvait alors s'établir à son compte. Au XVe siècle, les maîtres, soucieux de limiter l'accession des ouvriers à leur condition, obtinrent la création du compagnonnage, qui imposait à l'ouvrier un certain nombre d'années de service comme salarié d'un patron avant de pouvoir accéder à la maîtrise. Les années de compagnonnage terminées, l'ouvrier devait encore, pour devenir maître, confectionner un chef-d'œuvre.

Jurés ou gardes, en général élus par l'ensemble de la corporation, assuraient la discipline et le respect des statuts tout en représentant la communauté devant l'autorité royale, le prévôt de Paris. Lors des événements solennels, avènement, entrée, mariage, obsèques, naissances, processions, l'ensemble des corps de métiers étaient représentés par les jurés des six plus importants d'entre eux, nommés les Six-Corps (voir SIX-CORPS).

La royauté favorisait le maintien des corporations existantes et la création de nouvelles pour des raisons largement financières, les nouveaux maîtres devant payer une taxe de 10 à 30 écus selon la corporation. Des ordonnances en 1567, 1577, 1581, 1597 facilitèrent l'accès des ouvriers aux corporations afin d'accroître les ressources fiscales de l'État. Colbert va encore plus loin en 1673, exigeant que soient constitués en corporations les métiers restés libres ou indépendants. Louis XIV et Louis XV eurent recours à de nombreuses créations d'offices pour renflouer les finances du royaume, ces officiers, inspecteurs ou contrôleurs pléthoriques, se payant à leur tour aux dépens des corporations placées sous leur coupe.

Le nombre des corporations a sans cesse varié, restant cependant en moyenne autour de cent vingt. Au nom de la liberté et de l'égalité, la Révolution a aboli les corporations le 2 mars 1791, avec un décret portant dans son article 7 : « A compter du 1er avril prochain, il sera libre à toute personne de faire tel négoce ou d'exercer telle profession, art ou métier qu'elle trouvera bon. » Les activités religieuses et charitables des corporations s'inséraient dans le cadre des confréries.

• *Voir aussi* CONFRÉRIE ; MÉTIER.

CORPORATION (saint patron de)
Voir CONFRÉRIE (saint patron de).

COULEURS

Si les sceaux n'indiquent pas les couleurs des armoiries de la Ville de Paris, si la gravure et la sculpture n'ont commencé à exprimer les couleurs et les métaux des diverses pièces des écussons qu'au début du XVIIe siècle, on connaît cependant les couleurs de Paris grâce aux bannières, tapisseries et autres éléments décoratifs utilisant des couleurs. Comme l'écrit Coëtlogon dans son gros livre sur *Les Armoiries de la Ville de Paris*, « le champ des armes est de gueules, c'est-à-dire rouge, et le navire, dans toutes ses parties, corps, mâture, voilure, flamme et pavillon, est d'argent, ainsi que les ondes qui le portent. Assigner une origine incontestable au choix de ces couleurs, fixer la date de leur apparition, semble une chose impossible. » Le fond rouge correspond à la bannière de l'abbaye de Saint-Denis, bannière du patron de la ville et donc de la commune. A l'argent ou blanc de la nef, emblème et devise de la municipalité, s'ajoutent à la fin de 1358 (voir ARMOIRIES) l'or (ou jaune) des fleurs de lys et l'azur ou bleu du champ dans lequel elles s'inscrivent. On arrive donc au blason suivant : « de gueules, au navire équipé d'argent, voguant sur des ondes de même, au chef cousu d'azur, semé de fleurs de lys d'or ». Les livrées du personnel municipal confirment ces couleurs. Jusqu'en 1358, alors que les fleurs de lys ne figurent pas encore dans les armoiries, prévôt des marchands, échevins, greffier, sergents de la Marchandise et du Parloir aux Bourgeois arborent des robes mi-parties rouge violacé et blanc (rouge à gauche, blanc à droite). C'est donc une erreur d'affirmer que le chaperon mi-parti bleu et rouge du prévôt Étienne Marcel et de ses partisans durant les troubles de 1358 représentait les couleurs de la municipalité parisienne d'alors. La *Chronique de Saint-Denis* note d'ailleurs, au début de l'année 1358 : « La premiere semaine de janvier ensuyvant, ceuls de Paris ordenèrent que ils aroient tous chapperons partiz de rouge et de pers [variété de bleu], et fut commandé par les hostelz de par le prevost des marchands que l'en preist tel chaperon. » Plus loin, le chroniqueur précise que le rouge se portait à gauche, le bleu à droite. Ce chaperon bleu et rouge n'est donc que le signe de ralliement des partisans d'Étienne Marcel. Le bleu n'entre dans les armoiries de la Ville que bien après l'adjonction des fleurs de lys d'or sur champ azur, vers 1415. Encore n'apparaît-il que dans les livrées des subalternes, le rouge subsistant seul sur la robe du prévôt des marchands et des échevins. Le 24 septembre 1467, la milice bourgeoise que Louis XI passe en revue porte le hocqueton rouge à la croix blanche, sans trace de bleu. Seuls les simples agents municipaux, les petits officiers portent la livrée mi-partie, rouge à gauche, bleu à droite. C'est le cas des sergents de la ville, des mouleurs de bois, des mesureurs de sel, etc.

Au début du XVIᵉ siècle se produit un dernier changement. Désormais et jusqu'en 1789, la robe de livrée du prévôt des marchands, des échevins et du greffier devient mi-partie rouge cramoisi (à gauche) et tanné, c'est-à-dire de la couleur brune du tan, tirant sur le marron (à droite). On suppose que le tanné, mélange de rouge et de noir, a été choisi parce qu'il était la couleur portée ordinairement par les gens de métier, notamment les membres des six corporations principales de la Ville. Le procureur, officier du roi, n'appartenant pas au Corps de Ville, était en rouge. Les conseillers et quartiniers étaient vêtus de satin noir ou tanné et le receveur de la Ville arborait une robe de velours tanné brun ou de damas noir.

• *Voir aussi* ARMOIRIES.

COUR DES MIRACLES

Historien de Paris décédé en 1679, Henri Sauval écrit dans ses *Recherches et Antiquités de la ville de Paris*, imprimées en 1727 : « Pour les cours de miracles dans lesquelles se retirent les gueux ou les mauvais pauvres, elles sont peut-être aussi anciennes à Paris que les gueux et la gueuserie. Ceux qui savent que truand et truanderie signifient gueux et gueuserie, se doutent que la rue de la Truanderie a pris son nom des gueux qui y ont autrefois demeuré, et que ce n'étoit pas seulement autrefois une cour de miracles, mais que c'étoit peut-être la premiere et la plus ancienne de Paris. On établit la seconde vers l'année 1350, en la rue des Francs-Bourgeois, dans une grande maison composée de vingt-quatre chambres, et nommées tantôt les petites maisons du Temple, tantôt les maisons des aumônes, dites des Francs-Bourgeois. En 1415, un bourgeois, nommé Le Mazurier, les donna au Grand-Prieur de France, à la charge d'y loger quarante-huit pauvres, et à d'autres conditions que j'ai déduites ailleurs. Parce que les misérables qu'on y retiroit, étoient exempts, ou francs de payer ni boues, ni pauvres, ni lanternes, à quoi sont sujets les bourgeois de Paris, on les appela les francs-bourgeois, et on donna à leur rue le nom de la rue des Francs-Bourgeois, au lieu de celui de la rue des Poulies qu'elle prenoit auparavant. Tandis qu'ils y demeurèrent ils y firent tous les désordres que font d'ordinaire les mauvais pauvres ; le long du jour ils insultoient la plupart des passants ; la nuit ils étourdissoient les voisins par leur tintamarre ; le soir ils pilloient et voloient tout ce qui se rencontroit en leur quartier ; en un mot, à toute heure leur rue et leur maison étoit un coupe-gorge, et un asyle de débauche et de prostitutions. Ils ont continué d'y mener la même vie jusqu'au commencement de ce siècle, qu'on y bâtit de grandes maisons, et que d'honnêtes gens, qui commencèrent à s'y établir, les contraignirent d'en sortir. »

C'est Drachier d'Amorny (anagramme de Richard de Romany) qui utilise le premier l'expression de « cour des miracles » en 1616, dans une facétie intitulée *Le Carabinage ou la Matoiserie soldatesque*. Dans leur *Dictionnaire historique de Paris*, paru en 1779, Hurtaut et Magny donnent l'origine de ce nom : « On donna à ce lieu et aux autres qui étaient habités par de pareils gens, le nom de cour des miracles par ironie, et pour se moquer de ces gens imposteurs qui, contrefaisant dans les rues les borgnes, les boiteux, les aveugles, les moribonds, escroquent les aumônes qu'on ne leur aurait pas fait sans cette supercherie, et qui n'étaient pas plutôt dans leurs repaires qu'ils se débarbouillaient, se dégraissaient et devenaient sains et gaillards en un instant, et sans miracle. »

La principale cour des miracles était attenante au couvent des Filles-Dieu (237, rue Saint-Denis) et débouchait par un dédale de ruelles vers les rues Montorgueil, Saint-Denis et Neuve-Saint-Sauveur (aujourd'hui rue du Nil). Sauval a visité et décrit cet endroit : « J'y ai vu une maison de boue à demi enterrée, toute chancelante de vieillesse et de pourriture, qui n'a pas quatre toises [8 mètres] en quarré, et où logent néanmoins plus de cinquante ménages chargés d'une infinité de petits enfants légitimes, naturels et dérobés. » Cet historien consciencieux et fiable énumère toute une série d'autres cours des miracles : la cour du roi François près du Ponceau, la cour Sainte-Catherine presque vis-à-vis ; celles de la rue de la Mortellerie, dans les cours Brisset et Gentien ; celle de la rue Montmartre, dans la cour de la Jussienne, autour de l'église Sainte-Marie-l'Égyptienne. Un peu plus loin, il y avait aussi de petites cours des miracles, dans la rue Saint-Honoré à proximité de la Boucherie, sur la butte Saint-Roch, aux faubourgs Saint-Germain et Saint-Marcel.

En 1668, peu après sa nomination au poste de lieutenant général de police, qui avait été créé pour lui, La Reynie décida de mettre un terme à l'impunité dont jouissaient les mendiants de la cour des miracles. Il fit investir la grande cour de la rue Neuve-Saint-Sauveur. On raconte qu'après avoir envoyé à trois reprises des commissaires et des détachements armés, trois fois repoussés à coups de pierres par la foule des gueux, il s'y rendit en personne, accompagné de cent cinquante soldats du guet, d'un demi-escadron de gendarmes de la maréchaussée, d'une escouade de sapeurs pour forcer les portes, d'un commissaire et de plusieurs exempts. Malgré une résistance farouche, les sapeurs finirent par éventrer les murs. La Reynie aurait pu se saisir de tous les truands, mais eut la mansuétude de les laisser s'enfuir, se contentant de raser leurs masures. Les terrains dégagés furent lotis et construits et firent partie du quartier de Bonne-Nouvelle.

• *Voir aussi* CLOCHARD.

COURSE DE CHEVAUX
Voir HIPPODROME.

COUTUME
Au XIIe siècle encore, le terme latin *consuetudo* (« coutume ») ne signifie

que redevance usuelle. Ce n'est que vers la fin de ce siècle qu'il prend le sens d'un droit, d'une coutume ayant une assise territoriale, *juxta consuetudinem terre* ou *patrie*. En 1196 une donation fait mention pour la première fois des *usus et consuetudines Parisienses* («us et coutumes parisiens»). A l'extrême fin du XIIIᵉ siècle, les textes commencent à parler des coutumes de la ville et vicomté de Paris, notamment l'ouvrage de procédure intitulé les *Constitutions démenées au Châtelet de Paris*. Examinateur au Châtelet, Jacques d'Ableiges rédige, à la fin du XIVᵉ siècle, le *Grand Coutumier de France*, rassemblant tous les textes utiles dans la juridiction de Paris et de l'Île-de-France.

L'esprit de cet ouvrage reflète le triomphe de la bourgeoisie parisienne. Tenant compte de la montée en puissance de cette nouvelle classe, la royauté lui permet de se rapprocher de la noblesse : «le fief n'est plus une tenure strictement grevée du service militaire à cheval et par là même réservée à ceux que la noblesse de leur naissance consacre au devoir militaire. C'est une propriété assez semblable aux autres, sauf le devoir formaliste de foi et d'hommage, et sauf aussi de plus lourds droits de mutation. La théorie nouvelle, si favorable à la bourgeoisie, apparaît clairement dans les textes où s'est précisée la jurisprudence du Châtelet.» Olivier Martin, auteur de la fondamentale *Histoire de la coutume de la prévôté et vicomté de Paris*, ajoute : «Nul doute qu'en s'attachant uniquement à la qualité des biens, à partir du XIVᵉ siècle, le droit parisien n'ait acquis cette clarté et cette logique souveraines que soulignent l'obscurité et la complexité de certaines autres réglementations coutumières. Mais cette clarté ne fut acquise qu'en s'éloignant d'une tradition qui avait eu aussi sa logique et sa force. Et il faut bien reconnaître qu'elle servit avant tout les intérêts de la bourgeoisie parisienne, dont l'esprit s'ins-

talla au Châtelet pour dominer de ce point privilégié l'évolution de la coutume.» Guy Fourquin parle de «droit des notables» à propos de la coutume de Paris dans sa contribution au volume d'*Études d'histoire du droit parisien*.

Au XVIᵉ siècle débute l'ère des rédactions officielles et imprimées des coutumes. Pour Paris, la rédaction est entreprise en 1510. Charles Du Moulin se livre à un commentaire détaillé de cette coutume entre 1558 et 1566. Christophe de Thou aboutit à une réformation de la coutume de Paris en 1580. C'est elle qui va être appliquée au Canada français, c'est à elle que se réfère Antoine Loisel dans ses *Institutes coutumières* pour résumer la substance du droit coutumier français, de même que Charondas Le Caron dans ses *Pandectes françoises*, Bourjon dans son *Droit commun de la France*, le président de Lamoignon dans ses *Arrêtés*. En 1783, Henrion de Pansey se distingue en classant de façon moderne les commentaires de Du Moulin. La Révolution seule viendra à bout de la coutume de Paris au profit d'un droit unificateur commun à toute la France.

COUTURE

Désignant un terrain mis en culture, champ ou jardin, le terme «couture» ou «culture» a survécu dans la toponymie. Sont notamment attestées les coutures du Temple (rue Vieille-du-Temple), Sainte-Catherine (rue de Sévigné), Saint-Gervais dont le nom subsiste dans la rue des Coutures-Saint-Gervais.

• *Voir aussi* **CHAMP** ; **ENCLOS**.

COUTURE (haute)

La naissance de la haute couture remonterait à Rose Bertin, marchande de modes de Marie-Antoinette, et à Hippolyte Leroy, qui habillait l'impératrice Joséphine. Il est, en outre, généralement admis que c'est Charles Frederick Worth qui a su, le premier, en 1857, accentuer le caractère très luxueux de sa production et de son magasin, tout en organisant commercialement sa maison de couture à l'échelle d'une véritable industrie. Grâce à Napoléon III et à son épouse, l'impératrice Eugénie, les salons et ateliers de Worth vont finir par occuper tout l'immeuble du 7 de la rue de la Paix et donner à cette voie alors peu commerçante un prestige exceptionnel. En 1900, l'essor de la haute couture est tel qu'un pavillon entier lui est consacré à l'Exposition universelle. C'est là que sont présentés, sur des mannequins de cire, les plus beaux modèles des vingt maisons parisiennes, toutes apparues entre 1873 et 1899 : les fils Worth, Margaine-Lacroix, Laferrière, Raudnitz, Sara Mayer-A. Morhange, Redfern, Rouff, Perdoux-Bourdereau-Véron, Blanche Lebouvier, Vaganey, P. Barroin, Paquin, Bonnaire, Callot, Ney, Félix, Aine-Montaillé, Boué, G. Doeillet. La plupart d'entre elles n'emploient pas plus de cinquante personnes, mais six ou sept comptent de quatre cents à neuf cents employés. La rue de la Paix et la place Vendôme rassemblent le plus grand nombre de ces maisons et certaines sont installées sur les Grands Boulevards proches. Le premier défilé de mannequins en public a eu lieu en 1908, à Londres, mais Paris a aussitôt adopté ce mode de présentation des collections. L'effritement des grandes fortunes au lendemain de la Première Guerre mondiale est compensé par l'opulence nouvelle des marchands d'armes et trafiquants de tous genres ainsi que par une soif de jouissance qui a valu aux années 1920 le surnom d'« années folles ». On dénombre soixante-douze couturiers à l'Exposition internationale des arts décoratifs de 1925 que dominent Paul Poiret, Callot, Jenny, Lanvin, Worth. La crise économique des années 1930 frappe très durement la profession : le pavillon de l'Élégance de l'exposition de 1937 ne rassemble que vingt-neuf maisons.

La Seconde Guerre mondiale précipite le déclin : seules deux mille femmes se font alors habiller par un grand couturier. La haute couture trouve des parades : vente de modèles à l'étranger, ce qui l'oblige à lutter contre les contrefaçons qui se multiplient, collaboration avec l'industrie du prêt-à-porter. Depuis les années 1930, le centre de gravité de la haute couture s'est déplacé vers l'ouest pour se rapprocher de sa clientèle fortunée : c'est désormais aux abords des Champs-Élysées, notamment avenue Montaigne, rue François-Ier, rue Marbeuf, rue du Faubourg-Saint-Honoré que se concentrent les boutiques. De nouveaux noms sont apparus, Coco Chanel dès 1925, puis Patou, Schiaparelli, Madeleine Vionnet, Balenciaga, Jacques Heim, Molyneux, Nina Ricci et, après 1945, Christian Dior et Jacques Fath, Yves Saint-Laurent, Pierre Balmain, Pierre Cardin, Hubert de Givenchy, Guy Laroche. En 1976, une récompense, le Dé d'or, est instituée pour tenter de relancer la haute couture : Mme Grès, âgée de soixante-dix ans, est la première à le recevoir. Curieuse manière de vouloir rehausser le prestige d'une industrie de luxe et d'innovation, en attribuant la récompense à une créatrice des années 1930 ! Pierre Cardin le recevra en 1977, 1979 et 1982. En 1995, dix-huit maisons de haute couture seulement sont en mesure d'assumer les frais de deux collections annuelles : Carven, Dior, Chanel, Lapidus, Guy Laroche, Torrente, Givenchy, Christian Lacroix, Nina Ricci, Lecoanet Hemant, Ungaro, Jean-Louis Scherrer, Pierre Balmain, Yves Saint-Laurent, Paco Rabanne, Louis Féraud, Pierre Cardin et Hanae Mori. Six maisons présentent irrégulièrement des collections ou ont renoncé récemment au défilé de mode de haute couture pour se consacrer au prêt-à-porter de luxe : Lanvin, Grès, Per Spook, Jean Patou, Courrèges, Jacques Fath.

• *Voir aussi* **CATHERINETTE**.

COUTURIÈRE

Pendant des siècles, les tailleurs ont été les seuls autorisés à habiller les hommes et les femmes. Le quatrième article de leurs statuts de 1660 formule expressément ce privilège : « Il n'appartiendra qu'auxdits maîtres marchands tailleurs d'habits de faire et vendre toutes sortes d'habits et accoutrements généralement quelconques à l'usage d'hommes, de femmes et d'enfants. » Le terme de couturière s'applique durant des siècles à l'activité très humble de lingère ou de couseuse, qui consiste à réparer ou à faire de menues retouches. Pourtant, peu à peu, se crée une activité féminine de fabrication de vêtements pour femmes, dont les membres se qualifient de couturières vers le milieu du XVIIᵉ siècle. Les tailleurs mènent contre ces concurrentes sans statut légal une lutte acharnée. En 1675, elles obtiennent enfin leur reconnaissance, Louis XIV ayant érigé « la profession de couturières en titre de maîtrise jurée, pour faire à l'avenir un corps de métier ». Elles obtiennent le droit de fabriquer, pour les femmes exclusivement, les vêtements flous de dessous : robes de chambre, jupes, corps de jupes, camisoles ; la robe ou vêtement de dessus demeurant le monopole des tailleurs. A leur reconnaissance officielle, le nombre de couturières est estimé à trois mille. Chaque maîtresse n'a droit qu'à une apprentie qui peut aspirer à la maîtrise au bout de cinq ans. Les nouveaux statuts du 5 février 1782 confirment les dispositions de l'édit d'août 1776, à savoir le droit de fabriquer, en concurrence avec les tailleurs, des robes de dessus, corps, corsets et paniers baleinés, et aussi celui de poser toutes les garnitures, concurremment avec les marchandes de modes. Au XIXᵉ siècle et durant la première moitié du XXᵉ, la couturière connaît son âge d'or, qu'elle soit artisan à son compte habillant sur mesure les bourgeoises du quartier, petite main ou cousette dans les ateliers de haute couture, employée dans les usines de confection. On trouvera d'amusantes descriptions de ces différents milieux vers 1900 dans les livres de Louis Morin, *Les Cousettes, physiologie des couturières de Paris*, et d'Arsène Alexandre, *Les Reines de l'aiguille, modistes et couturières, étude parisienne.* Le prêt-à-porter a réduit couturières et tailleurs artisanaux à de maigres effectifs. La couturière industrielle de 1995 porte moustache, parle turc ou kurde, ou est d'origine chinoise. De très nombreux ateliers, souvent clandestins, débordent du quartier du Sentier sur les IIIᵉ, Xᵉ et XIᵉ arrondissements.

• *Voir aussi* CATHERINETTE.

COUVENT D'HOMMES

Consacrée le 24 décembre 520, la basilique Sainte-Geneviève peut être considérée comme la plus ancienne abbaye de Paris. Exempte de la juridiction épiscopale, elle était desservie, non par des moines, mais par des chanoines réguliers ou séculiers. Aussi est-ce avec les bénédictins que commence réellement l'histoire monastique de Paris. La première de leur abbaye est Saint-Vincent, fondée en 558-559 et bientôt rebaptisée Saint-Germain-des-Prés. Cet ordre crée ensuite Saint-Martin-des-Champs, qui n'était à l'origine, au VIᵉ siècle, qu'un simple oratoire élevé à l'emplacement d'un miracle présumé de saint Martin. En 1133, Louis VI cède à Saint-Martin l'église Saint-Denis-de-la-Chartre dans la Cité, qui devient le siège d'un nouveau prieuré bénédictin. En 1261, l'abbé de Cluny acquiert un terrain près de la Sorbonne et fait édifier un collège pour instruire les jeunes moines de son ordre. En 1288, les guillemites, branche des bénédictins, reprennent le prieuré, créé en 1258 par des moines augustins, des serfs de la Vierge Marie dits aussi Blancs-Manteaux à cause de leur vêtement. Autre branche des bénédictins, les célestins obtiennent en 1367 de Charles V un don leur permettant de fonder un prieuré situé à l'emplacement de l'actuelle caserne du boulevard Henri-IV. Enfin, chassés de leur pays par la Réforme, des bénédictins anglais s'installent à Paris en 1611 et y créent le prieuré de Saint-Edmond qui occupe successivement plusieurs maisons du faubourg Saint-Jacques.

L'ordre de Cîteaux s'implante en 1246 avec le collège et prieuré de Saint-Bernard, à proximité du Quartier latin (rue des Bernardins). Séparés des cisterciens, les feuillants s'installent dans la forêt de Vincennes en 1587, puis rue Saint-Honoré, à proximité des Tuileries, grâce à la protection d'Henri III. En 1621, ils établissent leur noviciat rue d'Enfer (en haut du boulevard Saint-Michel), en face de la chartreuse de Vauvert. Les chartreux s'y étaient installés en 1259, dans un château royal en ruines et prétendument hanté.

Les chanoines réguliers se sont établis en 1113 en dehors de la ville, à l'embouchure de la Bièvre, à l'emplacement de l'actuelle faculté des sciences de Jussieu, fondant Saint-Victor. En 1148, ils évincent les chanoines séculiers de l'abbaye Sainte-Geneviève et obtiennent, en 1168, de dépendre directement du Saint-Siège. En 1229 l'église de leur prieuré de Sainte-Catherine-du-Val-des-Écoliers (entre les rues Saint-Antoine et de Jarente) est consacrée. Fondé en 1220 par saint Norbert, l'ordre des Prémontrés s'installe en 1252 dans un collège et prieuré situé à l'angle des rues actuelles de l'École-de-Médecine et Hautefeuille. En 1661, cet ordre fonde le monastère royal du Saint-Sacrement, rue de Sèvres, dont l'église s'ouvre sur la place de la Croix-Rouge.

Aux augustins, Paris doit trois couvents. A partir de 1293, les ermites de Saint-Augustin — ou grands augustins — vivent sur le quai qui porte leur nom, après avoir séjourné, depuis 1250, à proximité de Saint-Eustache (vers les rues Hérold et d'Argout, autrefois dites des Vieux-Augustins). Ces grands au-

gustins s'installent sur le quai dans des bâtiments cédés par les frères de la Pénitence ou frères Sachets, ainsi appelés car ils étaient vêtus d'une robe de bure sans ceinture en forme de sac. Grâce à la protection de la reine Margot, première épouse d'Henri IV, les petits augustins déchaussés sont logés en 1608 à côté de son hôtel, au Petit-Pré-aux-Clercs, à l'emplacement de l'actuelle École des beaux-arts, au début de la rue Bonaparte. Excédée par leurs remontrances sur sa vie privée, elle les chasse en 1612, prétextant qu'ils lui écorchent les oreilles en chantant faux. En 1619, ces religieux reviennent du Comtat Venaissin où ils s'étaient repliés et s'installent dans une maison du faubourg Montmartre. En 1628, ils achètent un terrain et font édifier leur couvent et son église Notre-Dame-des-Victoires. Débarrassée des augustins déchaussés, la reine Margot les a remplacés par des augustins réformés de la province de Bourges qui édifient le couvent dit des Petits-Augustins ou prieuré de la Sainte-Trinité.

Les chanoines réguliers de la Sainte-Trinité pour la rédemption des captifs, ou trinitaires, ont été fondés en 1198 pour racheter les chrétiens prisonniers des musulmans. Ils s'installent en 1209 dans une annexe de l'église Saint-Benoît dont la chapelle conserve des reliques de saint Mathurin d'où le nom de mathurins qui leur est souvent donné. Leur couvent jouxte l'hôtel des abbés de Cluny, rue des Mathurins (aujourd'hui du Sommerard). S'occupant aussi de la délivrance des chrétiens captifs, l'ordre de Notre-Dame de la Merci, né en 1223, ne s'installe à Paris qu'en 1515, dans une maison attenante à l'hôtel d'Albret, rue des Sept-Voies (aujourd'hui Valette), sur la montagne Sainte-Geneviève. A ce prieuré et collège de la Petite-Merci s'ajoute un monastère créé en 1613 et installé à l'emplacement du 45-47 de la rue des Archives.

Créé en 1118 à Jérusalem, l'ordre du

Temple s'est sans doute établi dès 1139 à Paris dans ce qui va devenir l'enclos du Temple. Supprimé en 1312 par Philippe le Bel, il est remplacé par l'ordre de Saint-Jean de Jérusalem, dit de Malte, qui possède également la commanderie de Saint-Jean-de-Latran (rue de Latran au Quartier latin), fondée en 1130, et le prieuré du Petit-Saint-Antoine (entre les rues Saint-Antoine et du Roi-de-Sicile), créé en 1093 par l'ordre de Saint-Antoine.

La présence des ordres mendiants est importante dans la capitale. Les franciscains sont installés depuis 1230 au grand couvent des Cordeliers (entre les actuelles rue Racine et de l'École-de-Médecine), au couvent royal de l'Annonciation des récollets (rue du Faubourg-Saint-Martin, face à l'église Saint-Laurent) depuis 1603, au couvent royal de Notre-Dame-de-Grâce des pénitents du tiers ordre de Saint-François, bâti en 1611 à Picpus, au couvent de Notre-Dame-de-Nazareth des pères de Nazareth, face à l'enclos du Temple, en 1630, et au 160, rue de Belleville, en 1638.

Aux capucins appartiennent le couvent de la rue Saint-Honoré, édifié sur un terrain donné en 1574 par Henri III, celui dit «des petits capucins du Marais», établi en 1623 rue Charlot, avec son église Saint-Jean-Saint-François, ceux du faubourg Saint-Jacques puis de la Chaussée-d'Antin datant de 1613 et 1780.

Les dominicains se répartissent entre quatre établissements : le couvent de la rue Saint-Jacques établi dès 1218, celui de Sainte-Croix-de-la-Bretonnerie qui date de 1258, celui de l'Annonciation, créé en 1611, rue Saint-Honoré, et le noviciat général bâti en 1632, rue Saint-Dominique.

Les carmes sont présents à Paris depuis 1254 ou 1259, dans la rue des Carmes, près de l'Université où ils enseignent. Ils occupent aussi, depuis 1631, le couvent des Billettes créé en 1295 par la communauté séculière des hospitaliers de la Charité Notre-Dame,

ainsi que le couvent des Carmes déchaussés de la rue de Vaugirard, établi en 1610-1611.

Dernier ordre mendiant, les minimes ont deux monastères, fondés en 1493 à Chaillot et en 1610 place Royale (des Vosges).

Quatre ordres de clercs réguliers disposent d'établissements dans la capitale. Les jésuites ont une maison professe édifiée en 1625 rue Saint-Antoine, un noviciat ouvert en 1610 au 80 de l'actuelle rue Bonaparte, et le collège de Clermont (aujourd'hui lycée Louis-le-Grand, rue Saint-Jacques). Les barnabites ont été installés en 1631 à l'abbaye Saint-Martial dite aussi Saint-Éloi, près de Notre-Dame. Depuis 1648, les théatins occupent le monastère Sainte-Anne-la-Royale, dans la partie du quai Malaquais rebaptisée quai Voltaire. Les Frères de la Charité sont présents à trois endroits : hôpital de la Charité, créé en 1602 rue de la Petite-Seine (Bonaparte), hôpital des Convalescents, rue du Bac, depuis 1652, et hôpital de la Santé aux Gobelins (rue Cabanis).

Les congrégations séculières disposent d'une foule de maisons qu'on ne peut toutes citer. L'Oratoire, qui possède sa maison généralice rue Saint-Honoré depuis 1616, s'est fait donner en 1618 l'abbaye de Saint-Magloire dans la Cité et, en 1650, un terrain (avenue Denfert-Rochereau actuelle) sur lequel ont été édifiées l'Institution de l'Oratoire et l'église de la Sainte-Trinité. Les sulpiciens ont commencé en 1643 la construction de l'église Saint-Sulpice et de leur séminaire voisin. Les lazaristes se sont fait donner Saint-Lazare en 1624. Eudistes, spiritains, missions étrangères, pères de la Doctrine chrétienne, frères des Écoles chrétiennes ont aussi disposé de locaux dans la capitale.

La presque totalité des bâtiments conventuels de Paris ont été détruits après la Révolution. On trouvera de précieuses indications sur les institutions monastiques et leurs édifices dans l'ouvrage de Paul et Marie-Louise Biver, *Abbayes, monastères et couvents de Paris* (1970).

COUVENT DE FEMMES

En 1789, à la veille de leur suppression, on dénombrait une centaine de couvents de femmes, deux fois plus que de monastères d'hommes. Mais, à la différence des établissements pour hommes, ceux des femmes sont rarement anciens. Une douzaine de couvents de femmes seulement datent du Moyen Âge, les autres ont presque tous été fondés à l'époque de la Contre-Réforme, surtout entre 1610 et 1660. Dans ce cadre limité, il est impossible de les évoquer tous, fût-ce rapidement. L'ouvrage de Paul et Marie-Louise Biver, *Abbayes, monastères, couvents de femmes à Paris* (1975), donnera à ceux qui le désirent de plus amples informations. On se borne donc ici à une nomenclature chronologique.

660, l'Hôtel-Dieu, près de Notre-Dame, confié à des augustines.

1134, l'abbaye royale de Montmartre, habitée par des bénédictines.

Entre 1180 et 1198, constitution de l'abbaye royale de cisterciennes de Saint-Antoine-des-Champs, au faubourg Saint-Antoine.

1185, hospice des augustines de Sainte-Catherine ou de Sainte-Opportune, à l'angle des rues Saint-Denis et des Lombards.

1204, abbaye cistercienne de Port-Royal, faubourg Saint-Jacques, dont les religieuses jansénistes sont dispersées en 1709, sur ordre de Louis XIV.

1225, hôpital des Filles-Dieu, 229-239, rue Saint-Denis, repris en 1483 par les religieuses de Fontevrault.

Vers 1230, béguines puis clarisses (1471) de l'Ave-Maria (rue de l'Ave-Maria).

1256, cordelières de Longchamp, transférées en 1289 à l'endroit où s'élève aujourd'hui l'hôpital Broca.

1288, béguines ou filles de Sainte-Avoye, devenues ursulines en 1620, rue du Temple et passage Sainte-Avoie.

Vers 1300, augustines, filles de Saint-Gervais, prieuré et hôpital de Sainte-Anastase, rues Vieille-du-Temple et des Rosiers.

1306, hôpital des pauvres de la Grève, fondé par Étienne Haudry, dont les religieuses, dites haudriettes, sont transférées aux augustines de la rue Saint-Honoré en 1622.

1492, monastère royal de Saint-Magloire, rue Saint-Denis, confié en 1572 à des augustines de l'ordre de la Pénitence qui vivaient auparavant à l'hôtel d'Orléans, rue Coquillière.

1602, carmel de l'Annonciation, premier couvent de carmélites établi en France, 284, rue Saint-Jacques.

1603, couvent des ursulines (rue des Ursulines), chef d'ordre comme le carmel voisin.

1604, couvent des capucines, rue Saint-Honoré, reconstruit à proximité après la création de la place Vendôme.

1610, augustines desservant l'hôpital Saint-Louis.

1612, bénédictines du prieuré Notre-Dame-de-Grâce, dépendant de Montmartre, à la Ville-l'Évêque (place de la Madeleine).

1613, trinitaires de la petite rue de Reuilly (rue Érard).

1614, franciscaines de Sainte-Élisabeth, rue du Temple.

1617, carmélites du couvent de la Sainte-Mère-de-Dieu (rue Chapon).

1618, augustines du prieuré royal des Madelonnettes (rues Volta et du Vertbois).

1619, filles de la Visitation Sainte-Marie au monastère Notre-Dame-des-Anges, rue Saint-Antoine, dont l'église est devenue le temple Sainte-Marie.

1620, filles du Calvaire (boulevard du même nom).

1621, filles du Calvaire de la rue de Vaugirard.

1621, abbaye bénédictine de Notre-Dame-du-Val-de-Grâce, fondée par Anne d'Autriche, rue Saint-Jacques.

1622, annonciades célestes ou filles bleues, rue de Sévigné.

1622, augustines de la rue Saint-Honoré ou nouvelles haudriettes (voir 1306).

1623, visitandines du faubourg Saint-

Jacques (193, rue Saint-Jacques), venues de la rue Saint-Antoine (voir 1619).

1623, feuillantines (rue des Feuillantines).

1624, franciscaines puis augustines (1625) de l'hôpital de la Charité Notre-Dame (rues des Tournelles, des Minimes et du Parc-Royal).

1626, dominicaines ou filles de Saint-Thomas (rue Tournefort, puis rue Vieille-du-Temple, enfin en 1652 à l'emplacement de la Bourse).

1627, monastère des récollettes de l'Immaculée-Conception, rue du Bac.

1632, religieuses de Sainte-Claire ou de la Nativité (rues des Francs-Bourgeois et Payenne, puis au 15 de la rue de Grenelle en 1687), cordelières venues de la rue de Lourcine (voir 1256).

1633, filles de la Charité, fondées par saint Vincent de Paul au faubourg Saint-Denis. Elles seront appelées à soigner les blessés aux Invalides et à l'École militaire.

1633, augustines de Notre-Dame-de-la-Miséricorde (rue du Vieux-Colombier).

1633, augustines de Notre-Dame-de-Consolation (rue du Cherche-Midi).

1633, chanoinesses régulières réformées anglaises de Notre-Dame-de-Sion (rue du Cardinal-Lemoine).

1634, nouvelles catholiques du couvent de l'Exaltation-de-la-Sainte-Croix et de Sainte-Clotilde (rue Sainte-Anne).

1635, filles de la Conception, franciscaines de la rue Saint-Honoré.

1635, bernardines réformées dites du Précieux Sang, que leur pauvreté oblige à déménager plusieurs fois : rues Bonaparte, du Bac, Honoré-Chevalier.

1635, chanoinesses du Saint-Sépulcre (rues Saint-Dominique et de Grenelle).

1636, hospitalières augustines de la Roquette (143, rue de la Roquette).

1636, filles de Sainte-Geneviève ou miramiones (quai des Tournelles).

1636, bénédictines de Notre-Dame de Liesse (à l'emplacement de l'hôpital Necker).

1637, annonciades de l'Abbaye-aux-Bois (rue de Sèvres).

1637, bénédictines de Notre-Dame-des-Prés (rues de Picpus, puis du Bac et de Vaugirard).

1638, augustines de Sainte-Périne (rue Chardon-Lagache).

1639, filles de Saint-Joseph du couvent de la Divine-Providence (8-12, rue Saint-Dominique).

1640, filles de la Croix (impasse Guéménée).

1640, filles du Saint-Esprit (rue Notre-Dame-des-Champs).

1641, filles de la Croix (rue de Charonne).

1642, chanoinesses régulières augustines de Notre-Dame-de-la-Victoire et de Saint-Joseph (rue de Picpus).

1643, augustines du Verbe-Incarné et du Saint-Sacrement de l'abbaye royale de Pentemont (rues de Grenelle et Saint-Dominique).

1643, bénédictines de l'Adoration perpétuelle du Saint-Sacrement (rue Cassette).

1643, filles de la Providence (rues Rateau et de l'Arbalète).

1643, communauté de Sainte-Pélagie ou du Refuge (rues du Puits-de-l'Ermite, de la Clef et Lacépède).

1643, dames de Charonne de la congrégation de Notre-Dame-de-la-Paix (rue de Bagnolet).

1644, bénédictines anglaises du Champ-de-l'Alouette (rue du même nom).

1646, chanoinesses régulières de Sainte-Périne ou Pétronille à La Villette (rue de Flandre), transférées à Chaillot en 1742 (voir 1638), mais la sœur Malo resta à La Villette, y créant la communauté de la Sainte-Famille.

1648, bénédictines de Notre-Dame-de-Bon-Secours (rue de Charonne).

1650, bénédictines de la Présentation Notre-Dame (rue Lhomond).

1651, visitandines de Chaillot (avenue de New-York).

1651, filles de l'Instruction chrétienne (rues Madame puis Bonaparte).

1652, religieuses de la Magdeleine du Trainel (près de Nogent-sur-Seine) installées au 100, rue de Charonne.

1652, annonciades de Popincourt (rue de la Folie-Méricourt).

1652, chanoinesses régulières de la Miséricorde de Jésus à l'hospice Saint-Julien et Sainte-Basilisse, venues de Dieppe au 61, rue Mouffetard.

1656, carmel royal de Sainte-Thérèse (rue de Grenelle), maison de retraite dépendant du carmel de l'Annonciation (voir 1602).

1656, filles de la Croix (rue Dauben-ton).

1658, religieuses franciscaines anglaises dites de la Conception (rue de Charenton).

1660, visitandines de la rue du Bac.

1664, filles de la Croix (rue des Barres).

1669, filles de la Charité à l'hôpital des Enfants-Trouvés du faubourg Saint-Antoine.

1670, filles de la Charité à l'hôpital des Enfants-Trouvés, près de Notre-Dame.

1674, bénédictines de l'Adoration perpétuelle du Saint-Sacrement (rue de Turenne).

1678, filles de Sainte-Agnès, près de Saint-Eustache (rues Plâtrière et du Jour).

1678, filles de Saint-Maur ou dames de l'Instruction publique de l'Enfant-Jésus (rue Saint-Maur, dite aujourd'hui de l'Abbé-Grégoire).

1678, filles de la Mère-de-Dieu dont les orphelins sont logés rue du Vieux-Colombier.

1678, filles de Sainte-Thècle, à l'angle des rues de Vaugirard et Notre-Dame-des-Champs.

1679, filles de Sainte-Marguerite ou de Notre-Dame-des-Vertus (rue Basfroi, puis rue Saint-Bernard).

1683, filles de Saint-Chaumont ou de l'Union chrétienne (à Charonne, puis 224-226, rue Saint-Denis).

1683, filles de Sainte-Anne dont l'école était voisine de l'église Saint-Roch.

1686, filles pénitentes de la congrégation du Bon Pasteur (38, rue du Cherche-Midi).

1687, filles de Sainte-Aure, augustines de l'Adoration du Sacré-Cœur de Jésus (rues Tournefort, Bonaparte, puis Lhomond).

1687, filles de l'Adoration du Saint-Sacrement (rue Saint-Blaise).

1688, filles de Sainte-Perpétue (rue Tournefort).

1697, filles de Sainte-Agathe, cisterciennes déplacées de la rue Lhomond à La Chapelle, puis rue de l'Arbalète et rue Tiquetonne.

1699, filles pénitentes du Sauveur (rue du Temple près de la rue Portefoin, puis rue Béranger).

1700, religieuses hospitalières de Saint-Thomas de Villeneuve, augustines du tiers-ordre (5, rue de Sèvres).

1706, pénitentes de Sainte-Valère (rue de Grenelle et esplanade des Invalides).

1712, dames de Saint-Thomas de Villeneuve, à la maison royale de l'Enfant-Jésus (à l'emplacement de l'hôpital des Enfants-Malades, rues de Sèvres et du Cherche-Midi).

1713, filles de Sainte-Marthe (rue du Faubourg-Saint-Antoine, puis rue des Boulets).

1724, augustines de Notre-Dame de la Charité du prieuré de Saint-Michel (rue Lhomond).

CRÉDIT MUNICIPAL

C'est à Pérouse, en 1462, que le moine Bernabo de Terni fonde le premier mont-de-piété pour prêter de l'argent à faible taux d'intérêt aux pauvres jusqu'alors obligés d'avoir recours à des usuriers. Nommé par Richelieu Commissaire général des pauvres, le protestant Théophraste Renaudot, fondateur en 1631 du plus ancien journal français, la *Gazette*, est autorisé par un arrêt du Conseil du 27 mars 1637 à prêter sur gages à un taux d'intérêt de « six deniers par livre du prix de la chose vendue ou échangée », soit 2,5 %. Malgré le succès de ce mont-de-piété, Renaudot est victime, après la mort du Cardinal, son protecteur, d'une cabale unissant catholiques et usuriers. L'arrêt du Parlement du 1er mars 1644 ordonne la suppression de l'institution. Pendant plus d'un siècle, les prêteurs continuent à pratiquer des taux atteignant jusqu'à 10 % par mois, suscitant les protestations des philosophes. Sur le conseil du lieutenant général de police Jean Charles Pierre Lenoir, Louis XVI signe, le 9 décembre 1777, des lettres patentes instituant un Mont-de-Piété. A part une interruption entre 1795 et 1797, liée à l'effondrement de l'assignat, le Mont-de-Piété n'a cessé de fonctionner, Bonaparte lui confirmant, en février 1804, le monopole du prêt sur gages. Installé dès sa création au 55

LE MONT-DE-PIÉTÉ VERS 1820

de la rue des Francs-Bourgeois, le Mont-de-Piété ouvre dès 1804-1805 des succursales rue Vivienne et rue Bonaparte. Il atteint son apogée en 1890 avec vingt-six succursales. Devenu en 1918 le Crédit municipal de Paris, le Mont-de-Piété décline rapidement, concurrencé par les banques et les institutions d'assistance, bureaux d'aide sociale, etc. Il doit vendre ou fermer toutes ses succursales. Menacé de disparition, il est intégré dans la loi bancaire du 24 janvier 1984 et assimilé aux autres établissements de crédit. En 1987, il ouvre en banlieue et jusqu'à Melun et à Chartres une série de huit succursales, puis développe en 1988 et 1989 de nouvelles activités : département de conservation Munigarde, puis Municonseil, Espace Art et Patrimoine,

organisant plus d'une centaine de ventes publiques par an avec la collaboration des commissaires-priseurs. Le chiffre d'affaires décuple entre 1983 et 1989 pour atteindre cinq milliards de francs. De nombreux écrivains ont évoqué le Mont-de-Piété : Balzac dans *Splendeurs et misères des courtisanes*, Hugo dans *Les Misérables*, Zola dans *L'Assommoir*, Giraudoux dans *Siegfried et le Limousin*, Mauriac dans *Génitrix*, Camus dans *L'Étranger*, Cendrars dans *Bourlinguer*.

CRI

L'origine des cris de Paris se confond sans doute avec celle de la ville. Rues et carrefours de l'agglomération étaient parcourus par des foules de commerçants ambulants qui faisaient retentir leurs cris distinctifs afin d'attirer l'attention de la clientèle. Des règles de bonne conduite ont été très tôt édictées. Ainsi, le *Livre des métiers* d'Étienne Boileau, composé vers 1270, interdit aux commerçants, non seulement d'appeler l'acheteur avant qu'il ait quitté la boutique voisine, mais aussi de déprécier la marchandise d'un confrère. En général, les corporations voyaient d'un mauvais œil le colportage et la vente à la criée dans les rues, mais il était impossible d'empêcher les petits marchands de fruits, de légumes, de poissons, etc., d'aller offrir leurs services et leurs denrées de porte en porte aux ménagères. A la fin du XIIIe siècle, Guillaume de Villeneuve, dans *Les Crieries de Paris*, décrit les marchands ambulants qui parcourent les rues de Paris :

Or vous dirai en quele guise
Et en quele manière vont
Cil qui denrées à vendre ont,
Et qui penssent de lor preu fère ;
Que jà ne fineront de brère
Parmi Paris jusqu'à la nuit.

Les premiers cris, à l'aube, étaient ceux du valet de l'étuviste :

Oiez c'on crie au point du jor :
Seignor, quar vous alez baingnier
Et estuver sanz delaier,
Li baing sont chaut, c'est sanz mentir.

Puis passaient les marchands de poissons, de volailles, de viande fraîche ou salée, d'ail, de miel, d'oignons :

Puis après orrez retentir
De cels qui les frès harens crient.
Or au vivet li autre dient.
Sor et blanc harenc frès poudré,
Harenc nostre vendre voudré.
Menuise vive orrez crier,
Et puis aletes de la mer.
Oisons, pijons et char salée,
Char fresche moult bien conraée,
Et de l'aillie à grant plenté.
Or au miel, Diex vous doinst santé !
Et puis après, pois chaus piléz,
Et fèves chaudes par deléz.

Venaient ensuite les marchands de cresson, cerfeuil, salades, fromages et beurre frais :

Puis après, cresson de fontaine,
Cerfeuil, porpié tout de venue.
Puis après porete menue,
Letues fresches demanois,
Vez ci bon cresson orlenois.
[...]
J'ai bon frommage de Champaingne,
Or i a frommage de Brie.
Au burre frès n'oublie mie.

Des femmes crient la farine, le lait, les fruits, pommes, poires, pêches, cerises. Les raccommodeurs de vêtements, de meubles, de vaisselle font de même. Les religieux mendiants mêlent leurs appels à l'aumône à ce tintamarre. Tout cela est encore énuméré dans *Les Crieries de Paris*.

Le criage, service public, dépend d'abord du domaine royal, mais le roi finit par l'affermer à un certain Simon de Poissy qui fait administrer la corporation des crieurs par deux maîtres des crieurs, un pour la rive droite, l'autre pour la rive gauche. Mort sans héritier avant 1189, Simon de Poissy laisse ses droits à sa veuve, puis le criage revient au roi. En 1220, Philippe Auguste le cède, moyennant une rente annuelle de 320 livres, à la hanse des marchands de l'eau. Le livre de la taille de 1292 signale que le maître des crieurs de la rive droite se nomme Yves le Breton et habite rue Guillaume-Bourdon (rue Perrault) tandis que celui de la rive gauche s'appelle Hervi et réside rue de la Serpent (Serpente). La grande ordonnance de 1415 consacre son neuvième chapitre à la communauté des crieurs. Leur patron est saint Martin, dit saint Martin le bouillant, car sa fête est célébrée à la Saint-Martin d'été, le 5 juillet. Le nombre des crieurs publics fut réduit progressivement à vingt-quatre.

Il existe toute une littérature et une abondante illustration consacrées aux cris de Paris. On en trouve un aperçu dans l'ouvrage du vicomte de Savigny de Moncorps, *Petit métiers et cris de*

Paris. Ce livre paru en 1905 signale déjà le déclin des cris parisiens : «En l'an de grâce 1904, nous n'avons donc plus qu'une vingtaine de petits métiers au lieu de cent dessinés par Vernet sous la Restauration.» Depuis, l'automobile a fait disparaître les derniers métiers de la rue et ce n'est qu'exceptionnellement qu'on peut encore entendre le cri du rémouleur, du vitrier ou la rengaine du chanteur de rue accompagnée à l'orgue de Barbarie.

CRIMINEL CÉLÈBRE

La littérature sur le crime est surabondante et la lecture de la *Gazette des tribunaux* une source inépuisable. Il s'agit ici de se limiter aux cas les plus célèbres. Les grands forfaits du Moyen Âge sont soit non prouvés — c'est le cas des templiers brûlés en 1314 — soit tombés dans l'oubli, à l'exception de Gilles de Rais, Barbe-Bleue jugé à Nantes. Un criminel célèbre du Moyen Âge survit dans notre mémoire, auréolé de son génie poétique, François Villon, meurtrier du prêtre Philippe Sermoise, le 5 juin 1455. Au XVIᵉ siècle, seuls ont réussi à se faire un nom ceux qui pratiquaient le meurtre au nom de Dieu, catholiques ou protestants, et leurs assassinats relèvent davantage de l'acte politique que du fait divers crapuleux. La vie parisienne, sous les règnes de Louis XIII et de Louis XIV à ses débuts, se déroule dans un tel climat d'insécurité qu'aucun nom n'émerge dans la longue liste des criminels. Seule l'indignation de l'opinion publique après le meurtre, le 24 août 1665, du lieutenant criminel Tardieu et de son épouse, décide le roi à créer un lieutenant général de police, le 29 mars 1667. La Reynie consacrera trente ans de son existence à faire de Paris une ville à peu près sûre. Ce sont alors les manœuvres criminelles de personnages intimement liés à la Cour qui vont faire apparaître deux femmes au palmarès des empoisonneuses, la marquise de Brinvilliers (exécutée le

17 juillet 1676) et Catherine Deshayes, femme Monvoisin, dite la Voisin (brûlée le 22 février 1680). Dans la ville bourdonnante de spéculations financières de la Régence, un membre de l'illustre famille des Montmorency, le comte de Hornes, acquiert la célébrité pour avoir détroussé et assassiné un courtier le 22 mars 1720, rue Quincampoix. Malgré une lointaine parenté avec le meurtrier, le Régent ordonna que justice soit faite et qu'il expie son crime par la mort, déclarant : «Messieurs, quand j'ai du sang mauvais, je me le fais tirer.» A la même époque, le chef de bande Dominique Cartouche devint le premier bandit populaire français, une sorte de Robin des Bois parisien ; il fut le héros d'une pièce de théâtre contemporaine de son exécution, le 28 novembre 1721. La Révolution, comme le XVIᵉ siècle, voient trop de meurtres politiques pour que les acteurs de faits divers crapuleux puissent se faire un nom. C'est Lacenaire, petite gouape d'origine lyonnaise, médiocre poète exalté par les romantiques, qui renoue avec la tradition des criminels célèbres en 1835. Le crapuleux fait irruption dans la plus haute société, le 17 août 1847, quand le duc de Choiseul-Praslin assassine son épouse. Avec l'ère industrielle, le crime à la chaîne commence à connaître le succès : Jean Troppmann assassine, le 20 septembre 1869, les sept membres de la famille Kinck. La bande à Bonnot s'illustre en 1911-1912, en inaugurant les agressions en automobile. Désiré Landru recrutait ses fiancées par petites annonces entre 1915 et 1919 et leur offrait un voyage sans retour vers son pavillon de Gambais. Eugène Weidmann fait une brillante mais brève carrière d'assassin de juillet à novembre 1937 et son exécution, le 17 juin 1939, à Versailles, est la dernière qui ait eu lieu en public. Le docteur Marcel Petiot apporte sa contribution personnelle à la politique hitlérienne d'extermination des juifs : dans son cabinet de la rue Lesueur, il

en assassine vingt-sept qu'il avait fait venir sous prétexte de faciliter leur fuite vers l'Afrique du Nord. Il est guillotiné le 25 mai 1946. Le « gang des tractions avant » multiplie les attaques de banques en 1946 jusqu'à la mort de son chef, Pierre Loutrel dit Pierrot le Fou, dans l'attaque d'une bijouterie, le 6 novembre 1946. Il est difficile d'apprécier, sans recul historique, la probabilité qu'ont les criminels des cinquante dernières années de figurer au palmarès du crime. On peut supposer que Thierry Paulin, qui a assassiné vingt et une vieilles dames en 1986-1987, y figurera.

CULTURE
Voir **COUTURE**.

DAME DE LA HALLE
Voir **POISSARDE**.

DANSE
Voir **BAL PUBLIC** ; **BALLET**.

DENTISTE
Pendant des siècles, les soins de la bouche ont été assurés par les barbiers, corporation d'où sont issus coiffeurs, chirurgiens et dentistes actuels. Il y avait aussi des charlatans, exerçant la profession d'arracheurs de dents, sur des tréteaux érigés sur la voie publique, dont le plus célèbre est peut-être le Grand Thomas, installé sur le Pont Neuf. Le métier s'apprenait par l'apprentissage. Un édit de mai 1699 interdit de soigner les dents à tous ceux qui n'auront pas été agréés par le premier chirurgien du roi. Au XVIIIe siècle, à côté d'une poignée de chirurgiens qui se sont spécialisés dans cet art, existent des « experts » agréés par le Premier Chirurgien. Dans son *Tableau de Paris*, Jèze mentionne en 1761 trois « maistres en chirurgie » et trente « experts ».

Cette profession fait de notables progrès après la publication du traité de Pierre Fauchard, *Le Chirurgien dentiste, ou Traité des dents*, qui connaît trois éditions entre 1728 et 1786. Dans son *Tableau de Paris*, Sébastien Mercier fait l'éloge du dentiste durant les années 1780 : « Les habiles dentistes s'attachent plus à conserver les dents qu'à les extirper. Ils n'arment plus si fréquemment leurs mains de l'acier douloureux. Le plus étonnant dans son art se nomme Catalan, rue Dauphine. A la légèreté de la main, il a réuni les observations les plus judicieuses et les plus fines ; enfin, il est créateur d'une espèce de merveille. Il vous fera (tant en cette partie ses connaissances anatomiques sont étendues), il vous fera, dis-je, un râtelier complet avec lequel vous broierez tous les aliments sans gêne et sans efforts. Il a su deviner le jeu de la mastication ; il a su l'imiter à un tel point de perfection, que cela m'a paru d'un mérite trop rare et de trop grande utilité pour qu'il me fût permis de taire ici et le nom et l'éloge de l'artiste. Si une rage de dents vous saisit dans la rue, vous n'avez qu'à lever les yeux. Une enseigne qui représente une dent molaire, grosse comme un buisson, vous dit "montez". Le dentiste vous fait asseoir, relève sa manchette de dentelle, tire votre dent d'une main leste, et vous offre ensuite un gargarisme ; vous le payez et vous continuez votre chemin sans douleur. Cela n'est-il pas commode ? » La prothèse en porcelaine, si importante pour l'esthétique, est mise au point à Paris en 1786. La Révolution fait table rase et oublie les dentistes lorsqu'elle légifère, créant des docteurs en médecine et en chirurgie, des sages-femmes, des officiers de santé, mais non des dentistes. Il faut attendre le 29 avril 1879 pour que se fonde la Chambre syndicale de l'Art dentaire, précédée de trois semaines par le Cercle des Dentistes de Paris. Le 15 novembre 1880, elle inaugure ses cours dans ses locaux au 23, rue du Rocher. L'ensei-

gnement dentaire voit enfin le jour. Le 7 janvier 1884, au 3 de la rue de l'Abbaye, est inauguré l'Institut odontologique. La loi du 30 novembre 1892 institue le diplôme de chirurgien-dentiste. L'Ordre national des chirurgiens-dentistes voit le jour le 24 septembre 1945, l'Académie de chirurgie dentaire en 1956, le doctorat en chirurgie dentaire le 10 octobre 1971.
• *Voir aussi* BARBIER; CHIRURGIEN; COIFFEUR.

DÉPARTEMENT

Le terme de « département » apparaît dans la seconde moitié du XVIIIe siècle dans le sens de « circonscription administrative ». Sébastien Mercier l'utilise vers 1782 dans le *Tableau de Paris* pour désigner le champ des attributions du secrétaire d'État — il utilise déjà le mot de « ministre » — chargé de la gestion de Paris : « Le département de Paris est un district qui réunit les choses les plus opposées. Il entre dans cette administration des détails variés, intéressants, et il faut une grande souplesse d'esprit et d'imagination, pour embrasser du premier coup d'œil les événements singuliers qui naissent en foule [...]. Le département de Paris est une espèce de royaume, attendu que le gouvernement de la capitale a une très grande influence, et qu'il s'étend au loin. » La Révolution s'approprie dès 1789 le mot « département » pour désigner les nouvelles circonscriptions. Le décret du 13 janvier 1790 définit un département de Paris : « La ville de Paris formerait à elle seule un département avec sa banlieue de trois lieues de rayon au plus à partir du parvis Notre-Dame. » Ce département constitue donc approximativement un cercle d'une douzaine de kilomètres de rayon autour de la capitale. Sorte de district fédéral, comme celui de Washington aux États-Unis, c'est le plus petit département français, entièrement situé à l'intérieur de la Seine-et-Oise. Il fut divisé, en 1794, en deux districts de Saint-Denis

et de Bourg-la-Reine et prit le nom de département de la Seine. En 1801, Sceaux remplaça Bourg-la-Reine à la tête de ce qui était devenu un arrondissement. Depuis la loi du 10 juillet 1964, il existe à nouveau un département de Paris, limité aux vingt arrondissements de la capitale.

DEVISE

A l'origine, la ville de Paris n'a pas d'autre devise que la barque de la communauté des marchands de l'eau. Ainsi que l'écrit Coëtlogon dans *Les Armoiries de la Ville de Paris*, « une telle devise, parlant d'elle-même aux yeux, n'avait pas besoin de légende explicative ; c'était la barque même, emblème du principal négoce de Paris. Avec le temps, diminua l'importance relative du commerce particulier des nautes parisiens ; il se confondit dans le commerce général de la grande et opulente cité, après l'avoir absorbé pendant un temps plus ou moins considérable. La barque, au contraire, grandit, prit les proportions d'un navire et devint l'emblème, la devise de la municipalité parisienne. Aussi les anciens auteurs, tels que Favyn, Tristan de Saint-Amand, Le Roy et autres, quand ils parlent des armoiries de Paris, emploient indifféremment, en parlant du navire, les termes d'"emblème" et de "devise". » Les jetons municipaux émis par la prévôté de la fin du XVe siècle à 1789 portent des devises variant presque chaque année. En 1581 est utilisée la devise *Fluctuat at nunquam mergitur*. Modifiée en *Fluctuat nec mergitur*, elle figure sur des jetons de 1582, 1584, 1585, 1586, puis disparaît au profit d'autres. Le plan de Paris de François Quesnel, imprimé en 1609, porte comme devise de la Ville : « un Dieu, un Roy — une Foy, une Loy », devise attestée déjà sur un jeton de 1581. Cependant, deux ouvrages semblent privilégier l'éphémère devise des années 1580. Dans *La Vraye et Parfaicte science des armoiries*, parue en 1660, Pierre Palliot écrit : « La ville capitale de ce grand royaume, Paris, a pris dès longtemps pour son symbole un navire qui flotte, comme estant [...] la principale marque de son opulence, *Fluctuat nec mergitur.*» Et Durey de Noinville, dans ses *Recherches sur les fleurs de lys et sur les villes, les maisons et les familles qui portent des fleurs de lys dans leurs armes* (parues à la fin du tome III du *Dictionnaire généalogique...* de La Chesnaye des Bois, en 1757), note : «Paris, ville capitale du royaume de France : de gueules à un navire d'argent flottant sur des ondes de même, au chef cousu d'azur semé de France, avec ces mots pour devise : *Fluctuat nec mergitur.*» Il faut cependant rappeler, en citant à nouveau Coëtlogon, que «l'Armorial général de France de 1696, le brevet d'enregistrement des armes de Paris en 1697, et les lettres patentes de concession d'armoiries obtenues par cette ville, de Napoléon Ier en 1811, de Louis XVIII en 1817, ne font nullement mention d'une devise municipale». On peut donc dire que l'adoption définitive d'une devise unique, *Fluctuat nec mergitur* («il flotte et ne coule pas») ne date que de la décision préfectorale d'Haussmann, le 24 novembre 1853.

DIMANCHE

Si le sinistre dimanche anglo-saxon mérite bien sa réputation, le dimanche parisien ne vaut guère mieux. Sébastien Mercier en donnait déjà une description bien triste à la veille de la Révolution dans le *Tableau de Paris* : «Au reste, les dimanches et fêtes s'annoncent par la fermeture des boutiques. On voit sortir de bonne heure les petits bourgeois tout endimanchés, qui se hâtent d'aller à la grand-messe pour avoir le reste du jour à eux. Ils arrangent un dîner à Passy, à Auteuil, à Vincennes, ou au bois de Boulogne. Les gens de bon ton ne sortent pas ces jours-là, fuient les promenades, les spectacles, et les abandonnent au peuple. Les spectacles donnent ce qu'ils ont de plus usé ; les acteurs médiocres s'emparent de la scène : tout cela est bon pour des parterres moins difficiles, et pour qui les pièces les plus anciennes sont toujours des pièces nouvelles.» Paradoxalement, c'est la République qui, dans sa période la plus laïque et anticléricale, a institué le repos dominical par la loi du 13 juillet 1906, présentée par Georges Clemenceau, alors ministre de l'Intérieur.

• *Voir aussi* WEEK-END.

DIOCÈSE

Le diocèse de Paris a sans doute été calqué à l'origine sur la cité gallo-romaine des Parisis, un territoire d'environ 2 500 kilomètres carrés. Il touchait au diocèse de Beauvais dont les premières paroisses étaient l'Isle-Adam et Viarmes, face à Méry-sur-Oise et Luzarches qui dépendaient de Paris. La limite avec l'évêché de Senlis passait entre Survilliers et Marly-la-Ville. Avec Meaux, la frontière se situait entre Mitry-Mory et Tremblay-lès-Gonesse, Coupvray et Lagny, Fontenay-Trésigny et Gretz-Armainvilliers. Le diocèse de Sens allait au-delà de Melun, aux portes de Corbeil, incluant Étréchy et Étampes, mais laissant Chamarande à Paris. L'évêque de Chartres exerçait encore son ministère au nord de Dourdan, à l'est de Rambouillet et de Saint-Cyr-l'École, les premières paroisses du diocèse parisien étant Arpajon, Limours, Le Mesnil-Saint-Denis, Villepreux. Enfin, le diocèse de Rouen, dont dépendait Pontoise, commençait à l'ouest de l'Oise. Paris possédait une enclave dans le diocèse de Sens, correspondant aux possessions de l'abbaye de Champeaux.

Le diocèse de Paris se divisait en trois archidiaconés de Parisis, de Brie et de Hurepoix, comprenant chacun deux doyennés (voir le «Moyen Âge», p. 342 et suiv.). En plus de Paris, l'évêque exerçait son autorité sur 363 églises paroissiales, 28 chapelles, 66 prieurés, 16 abbayes.

Au terme du Concordat de 1801, la carte des diocèses s'est adaptée à celle des départements nés en 1790. Celui de Paris correspond à la Seine. A la suite du redécoupage de la région parisienne en huit départements, érigeant la ville de Paris en département, le diocèse de Paris a aussi été, en octobre 1966, restreint à la capitale et formé de cent cinq paroisses regroupées en dix-huit doyennés.

DIORAMA
Voir PANORAMA.

DISETTE
Voir FAMINE.

DISTRICT
Voir QUARTIER.

DIZAINIER
Le dizainier ou dizenier est un sous-officier de la milice bourgeoise qui commande à dix hommes. En 1571, le rôle de la taxe mentionne cent cinquante dizaines, le règlement de 1585 en prévoit cent quarante. D'origine modeste, souvent «mécaniques», c'est-à-dire artisans, les dizainiers sont exclus depuis 1554 de l'assemblée électorale parisienne et donc de l'échevinage. Un règlement du 24 janvier 1568 les a dépouillés de leur rôle militaire, les habitants des dizaines ayant été regroupés en compagnies sous le commandement d'un capitaine. Transformées en offices en 1690, les charges des dizainiers, quoique de faible prix, de 450 à 600 livres, n'attirent guère de postulants. Alors qu'il est prévu 256 dizainiers, on n'en dénombre que 100 en 1690, 67 en 1745, 72 en 1762, 76 en 1783.
• *Voir aussi* CINQUANTENIER ; QUARTINIER.

DOMAINE
Le domaine de la Ville de Paris est extrêmement complexe sous l'Ancien Régime. En font partie la surveillance du commerce sur la Seine et ses affluents, héritage de la hanse des marchands de l'eau, des droits sur la voie publique, voirie, nettoiement, éclairage, taxe des boues et lanternes, la fourniture de l'eau, les halles et marchés publics avec les droits afférents, les droits d'octroi, divers droits domaniaux comme ceux de saisine et de lods et ventes, etc. Yves-Noël Genty a bien étudié *Le Domaine de la Ville de Paris au XVIIIᵉ siècle*, dans un livre paru en 1986. Aujourd'hui, le patrimoine de la Ville est principalement formé d'immeubles lui appartenant. Il y a plus d'un siècle, Alfred Des Cilleuls a dressé la liste de ces possessions immobilières dans *Le Domaine de la Ville de Paris dans le présent et dans le passé*. C'est la gestion de ce domaine immobilier par la mairie qui fait depuis le début de 1995 l'objet d'une polémique, à propos notamment du logement à des prix très inférieurs au marché de nombreuses personnalités liées avec les partis politiques au pouvoir.

DOMESTIQUE
La domesticité a longtemps constitué une proportion importante de la population parisienne. On l'estimait, au XVIIIᵉ siècle, au dixième ou au quart des habitants de la ville. Les domestiques étaient traditionnellement engagés soit à la Saint-Jean, soit à la Saint-Martin, et étaient payés, tantôt à gages, tantôt à récompense, c'est-à-dire selon le bon vouloir de leurs maîtres. Les comédies de Regnard et de Dancourt mettent en scène des valets «à récompense». L'image habituelle du domestique, jusqu'au XIXᵉ siècle compris, est celle d'un rural de la plus humble origine, poussé par la misère ou l'ambition à venir tenter fortune à Paris. La coutume de les nommer suivant leur lieu d'origine confirme ce constat : les Picard, Bourguignon, Langevin, Champenois, Beauvais, sont légion. Cette population plus ou moins flottante est suspecte à la police. La déclaration

royale du 21 février 1565 prétend leur imposer un livret qui devrait «faire apparoir à leurs maistres par acte valable et authentique de quel part, maison et lieu, et pour quelle occasion ils sont sortis». Défense est faite d'engager un domestique sans certificat et de le congédier sans lui «bailler acte de l'occasion de son congé». Ces exigences semblent avoir été très irrégulièrement respectées, car, le 6 novembre 1777, une ordonnance rappelle, une fois de plus, que tout domestique, avant d'être engagé, doit présenter un certificat de son dernier maître. La sévérité de la justice témoigne de la méfiance de la société à l'égard de cette catégorie sociale, et surtout de la nature même de la relation entre maître et serviteur, fondée sur la plus grande confiance. Tout acte commis par le domestique au préjudice de son maître devient un abus de confiance justifiant les plus graves sanctions. Le délit le plus fréquent, le vol, assimilé à une trahison, relève de la peine de mort. Un traité de droit criminel, paru en 1757, fait état de la contestation qui commence alors à s'élever contre une peine aussi extrême et mentionne : «A Paris, l'on est dans l'usage de condamner au fouet et à la fleur de lys, et quelquefois aux galères, pour des vols domestiques, lorsque le voleur est jeune, et que le vol est modique et sans effraction.»

La situation des domestiques est très variable. Les gages les plus bas et les plus fréquents se situent entre 100 et 150 livres par an, mais il y a aussi des appointements atteignant 1 000 livres. Ces gages sont payés très irrégulièrement et les domestiques ont parfois quelque peine à les toucher, car le maître les considère souvent comme superflus. En effet, le domestique a très peu de dépenses : il est nourri et logé dans la presque totalité des cas. Ce logement varie considérablement suivant la condition du maître. Dans la bourgeoisie modeste, la bonne ou le serviteur n'a droit qu'à un réduit ou à un lit dans un coin de la cuisine. Dans l'aristocratie et la bourgeoisie fortunées, les chambres peuvent être individuelles et, dans ce cas, souvent situées à proximité immédiate du lieu de travail : les cochers et les postillons couchent audessus de l'écurie, les valets et femmes de chambre tout près de leurs maîtres. Dans les grands hôtels particuliers, le personnel est regroupé dans les ailes ou logé à l'entresol. Outre le logement, le maître fournit le vêtement, le mobilier, le chauffage et la chandelle de l'éclairage. La durée du service varie considérablement selon les relations entre maître et serviteur — les mauvais maîtres doivent sans cesse renouveler leur personnel — et suivant le caractère plus ou moins instable de l'employé de maison. Mais les donations testamentaires récompensent parfois cinquante ou soixante ans de bons et loyaux services. Plus on monte dans l'échelle sociale, plus la domesticité est diversifiée. La maison d'un grand seigneur comporte un maître d'hôtel, un chef d'office, un intendant, un secrétaire ; à l'écurie, le cocher est assisté de postillons ; le service de la bouche est dirigé par un cuisinier entouré d'aides et de marmitons ; valets et femmes de chambre sont assistés de filles de garderobe... Les maisons princières seules possèdent un aumônier, un médecin ou un chirurgien : Marat était médecin du comte d'Artois à la veille de la Révolution.

Les gens de maison figurent parmi les professions les moins portées à la revendication sociale. Leur premier journal, *Le Journal des gens de maison*, fondé en septembre 1869, n'a que huit numéros. En 1885, est créé *Le Serviteur*, «organe spécial des gens de maison», en mars 1886, apparaît la *Gazette des gens de maison*, qui s'occupe surtout du placement. La Chambre syndicale ouvrière des gens de maison, fondée en novembre 1886, a pour principal objectif la lutte contre les officines de placement qui pressurent leurs clients. En 1910, il existe seize syndicats de domestiques dans la France entière, dont neuf à Paris, regroupant moins de sept mille adhérents. Déjà à cette époque, les effectifs des domestiques sont en nette diminution. Ils vont s'effondrer au lendemain de la Grande Guerre : on comptait quatre-vingt-quatre domestiques pour mille familles en 1896, il n'y en a plus que cinquante-sept en 1936. En 1975, on ne dénombrait plus dans la France entière que deux cent trente-quatre mille « gens de maison ». Les domestiques suscitent un regain d'intérêt des historiens depuis quelques années. Outre *La Vie quotidienne des domestiques en France au XIXe siècle* de P. Guiral et G. Thuillier, on peut, entre autres, mentionner les excellents ouvrages de Jacqueline Sabattier, *Figaro et son maître : les domestiques au XVIIIe siècle* et *La Place des bonnes : la domesticité féminine à Paris en 1900* d'Anne Martin-Fugier.

• *Voir aussi* BUREAU DE PLACEMENT.

DRAPIER

Les drapiers sont attestés dès 1183 : Philippe Auguste leur confie vingt-quatre maisons confisquées aux juifs et situées dans une rue de l'île de la Cité qui va devenir la rue de la Draperie puis de la Vieille-Draperie (la rue de Lutèce traverse son emplacement). Les statuts de 1573 se réfèrent à des statuts anciens, datés de 1188, aujourd'hui perdus. L'activité drapière se développe surtout au XIIIe siècle et les drapiers figurent alors parmi les plus riches bourgeois de la ville : le livre de la taille de 1313 en mentionne trois parmi les personnes les plus imposées. Ils sont alors nommés « tisserands de lange » ou de laine. Ils figurent en tête des Six-Corps qui incarnent le commerce parisien. Il faut distinguer les fabricants ou « tisserands » des « marchands drapiers ». La fabrication décline à partir des années 1330 et disparaît au début du XVe siècle. Mais

le commerce assure aux drapiers le maintien d'une situation prééminente, Paris étant le principal centre de distribution de la production drapière pour la France entière. Ce commerce de gros s'appuie sur une industrie d'apprêt et de teinturerie très prospère. Jusqu'aux guerres de Religion, les drapiers parisiens étendaient leur réseau de distribution jusqu'à Toulouse et à Lyon. Mais, à la fin du XVIe siècle, l'intrusion de la draperie étrangère désorganise le monopole des Parisiens et, au XVIIe siècle, la draperie était bien déchue. C'est pourtant à Paris que des lettres patentes du 12 novembre 1691 autorisent la création d'une manufacture royale de laine. Bernard de Granville, François Julienne et trois associés installent leur manufacture au faubourg Saint-Marcel où elle prospère, mais n'atteint jamais à une production très importante, Paris ne représentant guère plus de 3 % de l'activité drapière française. Le nombre des maîtres drapiers stagne autour de cent quatre-vingt-dix durant tout le XVIIIe siècle. Le bureau de la corporation est installé rue des Déchargeurs. A sa démolition, la façade fut remontée dans la cour du musée Carnavalet. La confrérie, placée sous le patronage de saint Nicolas et de sainte Marie l'Égyptienne, avait sa chapelle en l'église des Saints-Innocents.

• *Voir aussi* SIX-CORPS.

DUEL

Inconnu de l'Antiquité, le duel est introduit par les peuples germaniques sous la forme du duel judiciaire : procédure criminelle devant permettre de connaître la vérité, Dieu ne pouvant laisser vaincre l'innocent. Cet usage disparaîtra avec l'affirmation de la justice du roi et de la cour du Parlement. Mais les guerres d'Italie firent découvrir aux Français une autre forme de duel, pratiquée par les Italiens et officialisée par les juristes locaux, qui faisait de l'insulte un crime capital pouvant être réparé non par des juges, mais uniquement par un affrontement armé entre les deux parties concernées. Malgré les interdictions répétées de l'Église catholique et de rois plus ou moins complaisants, le duel prend un essor remarquable en France.

Comme le reste de la France — le fameux duel de Jarnac et de La Châtaigneraie a lieu devant la Cour à Saint-Germain-en-Laye —, Paris va être le théâtre d'innombrables duels. Le 27 avril 1578, au marché aux chevaux (future place Royale puis des Vosges), les trois mignons d'Henri III, Caylus, Maugiron et Livarot, affrontent les hommes des Guise, Entragues, Ribérac et Schomberg. Cinq périssent sur le champ et le préféré du roi, le beau Caylus, agonisera trente-trois jours non loin de là, à l'hôtel de Boissy, rue Saint-Antoine.

Le 5 janvier 1613 se déroule une tragédie qui a un immense retentissement et pourrait bien avoir inspiré plus tard à Corneille son *Cid* : le chevalier de Guise s'en prend au baron de Luz qui descend de son carrosse et le transperce avant même qu'il ait pu porter la main à l'épée. Le 31, le fils du baron provoque Guise et se fait tuer à son tour. Le meurtre du baron, rue Saint-Honoré, fut considéré comme un assassinat par l'opinion, mais le triomphe de Guise sur le fils de la victime, dans un duel, cette fois régulier, lui valut la popularité générale.

La place Royale devient rapidement le terrain favori des duellistes : c'est là qu'au début de janvier 1614, à minuit, le marquis de Rouillac transperce et tue Philippe Hurault, sieur des Marais, fils de la duchesse de Sully. Le comte de Montmorency-Boutteville se distingue le jour de Pâques 1624 en se battant en duel et en accompagnant cet acte sacrilège de blasphèmes contre la religion. Il doit fuir mais revient à Paris pour braver l'édit d'interdiction des duels qui vient d'être publié et se bat, le 12 mai 1627, place Royale, sous les fenêtres du cardinal de Richelieu, inspirateur de l'interdiction. Accompagné de La Berthe et Des Chapelles, il affronte à l'épée le marquis de Beuvron, Bussy d'Amboise et Buquet. Bussy est tué, La Berthe blessé, Beuvron et Buquet s'enfuient en Angleterre, mais Des Chapelles et Montmorency sont arrêtés, condamnés à mort et décapités en place de Grève, le 21 juin 1627. Montmorency-Boutteville en était à son vingt-troisième duel et se distinguait par son hostilité à la religion, privilégiant le carême ou la période pascale pour tirer l'épée. Bon sang ne pouvant mentir, son fils, le maréchal de Luxembourg, fut un grand homme de guerre.

La mort de Montmorency-Boutteville, victime de l'absolutisme et des dévots, ne fait pas reculer les plus braves. Le 31 mai 1643, Pierre de Bellegarde, sieur de Souscarrière, se rend à l'église des Minimes de la place Royale et y soufflette Villandry. Le 5 juin, entre quatre et cinq heures du matin, les deux hommes s'affrontent sur la place Royale devant une foule nombreuse. Ils combattent à cheval avec pistolet et épée. Richelieu étant mort quelques mois auparavant, cet acte de provocation délibérée de l'autorité royale aussi bien qu'ecclésiastique ne sera pas sanctionné.

Le 12 décembre de la même année, toujours place Royale, le duc de Guise et Maurice de Coligny s'affrontent à trois heures de l'après-midi, à l'ouverture des théâtres, sur une place noire de monde, pour les beaux yeux de la duchesse de Longueville et de Mme de Montbazon. Coligny, blessé au bras, mourra des suites de la gangrène en mai suivant. Aucune sanction ne sera prise.

C'est à Picpus, le 3 février 1651, que la marquise de Sévigné perdra son époux, lors d'un duel avec le chevalier d'Albret, dépité d'avoir moins de succès que le marquis auprès de Mme de Gondran.

Sous la pression des dévots regroupés autour du marquis de Fénelon, la répression des duels va reprendre.

Mais, le 30 juillet 1652, l'après-midi, derrière l'hôtel de Vendôme, le duc de Nemours est abattu de deux balles dans le cœur par son beau-frère, le duc de Beaufort. L'attitude très ferme de Louis XIV, soucieux de préserver sa noblesse pour sa gloire plutôt que de la voir défendre un honneur et une dignité dont il n'a que faire, va arrêter les duels.

Le Régent se montre plus respectueux des droits des individus. Le 17 février 1716, le duc de Richelieu et le comte de Gacé, fils aîné du maréchal de Matignon, peuvent se battre en plein Paris sans autre préjudice qu'un bref séjour à la Bastille. A la veille de la Pentecôte 1721, rue de Richelieu, à midi et demi, le chevalier de Breteuil, capitaine des gardes du corps, est tué par le chevalier de Gravelles, lieutenant au même corps, sans que la justice intervienne. Le 28 mai 1727, le duc de Crussol, âgé de dix-sept ans et difforme, vient à bout du comte de Rantzau derrière les jardins du Luxembourg.

L'hostilité des philosophes envers le duel a plus d'effet que toutes les excommunications religieuses et le duel passe progressivement de mode à la fin du XVIIIe siècle. Le 13 novembre 1790, la foule saccage l'hôtel du marquis de Castries en le traitant d'assassin car il s'était disputé avec son collègue de l'Assemblée nationale, Charles de Lameth, et l'avait légèrement blessé au cours d'un duel. Dans les armées de l'Empire, les duels sont très fréquents malgré les interdictions de Napoléon, soucieux, comme Louis XIV, de réserver la chair à canon à son usage personnel.

Au XIXe siècle sont livrés quelques duels fameux. Le belliqueux Armand Carrel, rédacteur en chef du *National*, finit par trouver plus fort que lui en la personne d'un autre journaliste, Émile de Girardin, qui le blesse mortellement au bois de Vincennes le 22 juillet 1836. Deux ans auparavant, au bois de Boulogne, cette fois, le général Bugeaud avait envoyé *ad patres* le présomptueux Dulong, avocat et député de l'Eure, touché d'une balle en plein front, un tir splendide ! Mais, dans l'ensemble, la bourgeoisie se révèle beaucoup moins pointilleuse et courageuse que la noblesse. Selon l'*Annuaire des duels*, s'il y a bien quatre cent vingt-deux duels entre 1875 et 1890, ils ne font que douze morts. Seuls des caractères ardents, comme Clemenceau, se hasardent à risquer leur vie au bout d'une épée ou d'un pistolet. Le dernier duel célèbre mettra aux prises les députés Defferre et Ribière, le 21 avril 1967, au bois de Boulogne.

Le duel, vilipendé par les lâches et les pacifistes, condamné par l'Église, n'a plus sa place dans les sociétés capitalistes ou socialistes d'abeilles ou de cloportes. Pourtant, Montesquieu n'a-t-il pas remarqué que « l'honneur, qui veut toujours régner, se révolte et il ne connaît pas de loi ». Micheline Cuénin, historienne du duel auquel elle est hostile, doit constater : « N'y aurait-il pas, dans les manifestations les plus défendables du point d'honneur, une continuité historique : le désir légitime de quitter la vie quand elle est devenue incompatible avec la représentation morale que l'on s'en fait ? »

EAU

L'alimentation en eau est un des éléments essentiels de la vie d'une ville. Paris dépend à l'origine surtout de la Seine, car la nappe phréatique se confond avec la nappe alluviale à 5 mètres sous la surface. Seule la Bièvre constitue un apport complémentaire modeste. Les rus descendant des collines et les sources constituent de modestes appoints. La pollution du fleuve est forte dès le Moyen Âge. Il charrie les immondices des agglomérations situées en amont et se charge à Paris des déchets les plus divers : denrées avariées, résidus des tanneurs, des mégissiers, des bouchers, infiltration des liquides des corps en décomposition des cimetières, etc. Consciente de cette pollution, l'administration royale défend en 1348 de balayer les rues par temps de pluie afin de limiter le rejet des ordures dans le fleuve. Au XVIIIe siècle, le lieutenant général de police interdit en été, à l'époque des basses eaux, de puiser l'eau de la Seine entre le port Saint-Paul (actuel quai des Célestins) et le quai de l'École (quai du Louvre aujourd'hui). Les usagers réagissent de façon opposée. Le médecin anglais Martin Lister note en 1698 : « À notre arrivée, on nous avait mis en garde contre l'insalubrité de l'eau, et suffisamment engagés à n'en point

boire ; pourtant, il nous fut presque impossible d'en éviter les mauvais effets ; car, dans le mois, les deux tiers de notre compagnie eurent des flux d'entrailles, et quelques-uns de vraies dysenteries dont ils furent très malades. Les Français qui viennent de la province en souffrent autant que les étrangers. On nous avait dit que faire bouillir cette eau l'améliorerait, mais c'est un conte. » En revanche, en 1775, Parmentier, reprenant le point de vue généralement admis des Parisiens, prétend que « loin que l'eau de la Seine se vicie en traversant Paris, il me semble au contraire qu'elle y acquiert de la qualité par l'augmentation de son mouvement [...]. Si les buveurs d'eau voulaient goûter avec attention celle de la Seine, ils trouveraient sans doute de la différence dans l'eau puisée au-dessus de Paris ou dans son enceinte ; cette dernière a évidemment plus de ténuité, de légèreté et de saveur ; ce n'est point qu'elle renferme une plus grande quantité de matières salines et extractives, mais elle possède une surabondance d'air qui s'y forme au moyen du mouvement augmenté dans son passage par l'impulsion que lui communique l'arrivée des matières qu'on y jette. »

Il faut attendre l'arrivée à la préfecture d'Haussmann pour que ce mythe de l'excellente qualité de l'eau de

Seine soit remis en question. Dans ses *Mémoires*, le baron écrit : « Je suis étonné moi-même du courage, de l'audace même dont je fis preuve, dès mon arrivée à l'Hôtel de Ville, en osant le premier, et longtemps le seul, mettre en doute la valeur de l'eau de Seine en tant qu'eau potable. Ce préjugé formait comme un article de foi pour la population si peu croyante de Paris, et bien plus, pour des corps savants dans le sein desquels cette légende a persisté jusqu'à nos jours. »

Les premières analyses confirment la méfiance d'Haussmann : le titre hydrotimétrique de 40° est considéré comme la limite acceptable pour l'eau potable, or il atteint entre 150° et 200°. L'eau de Paris est donc non seulement impropre à la consommation, mais constitue un véritable danger pour la santé et un vecteur redoutable d'épidémies comme le choléra ou la typhoïde.

Il va falloir mettre en place une politique de la qualité de l'eau, les époques antérieures s'étant surtout occupées de la collecter grâce à des aqueducs, des puits ou des pompes et de la diffuser par des fontaines, bornes-fontaines ou des porteurs d'eau. En outre, cette eau infecte n'est pas disponible en quantité suffisante.

Haussmann va s'atteler à cette tâche exceptionnelle avec l'aide d'un remarquable ingénieur qu'il avait distingué lors de son passage à la préfecture de l'Yonne, Eugène Belgrand, qui entre au Service municipal des Travaux publics le 1er mars 1855. Une distinction est établie entre le Service des Eaux de la Ville dont le rôle est limité à l'alimentation des fontaines monumentales, au lavage des rues et des égouts, soit à l'eau non potable qui continuera d'être puisée en rivière, et la Compagnie des Eaux qui se voit attribuer la distribution de l'eau potable en 1860.

Ayant réussi à faire repousser par le conseil municipal le projet d'utilisation de l'eau de la Loire qui aurait fourni un liquide de médiocre qualité et aggravé les difficultés de la navigation sur un fleuve au niveau fréquemment insuffisant, Haussmann fait adopter son projet de dérivation des sources de bonne qualité de la Champagne crayeuse. En 1863, débutent les travaux de capture des eaux du bassin de la Dhuis acheminées dès 1865 vers Paris par un aqueduc de 131 kilomètres et stockées dans un immense réservoir à Ménilmontant. En 1865, ce sont les eaux de la Vanne qui sont à leur tour conduites jusqu'au réservoir de Montsouris par un aqueduc de 173 kilomètres. Retardés par la guerre, les travaux ne seront achevés qu'en 1874. A sa mort, en 1878, Belgrand pouvait s'enorgueillir de la distribution de 448 millions de litres par jour, dont 126 provenant de sources et de puits artésiens, le reste de l'Ourcq, de la Seine et de la Marne. Cela représente 200 litres par habitant et par jour, soit dix fois plus qu'au début du second Empire.

Mais la quantité d'eau de source disponible était insuffisante en période de grandes chaleurs. On devait alors lui substituer de l'eau de rivière. Les hygiénistes ne tardèrent pas à faire le rapprochement entre l'utilisation de l'eau de l'Ourcq et les épidémies de choléra et de typhoïde. La municipalité dut se résoudre à capter les eaux de l'Avre, affluent de l'Eure à la limite des départements de l'Eure et de l'Eure-et-Loir. Un aqueduc les conduisit en 1893 au réservoir de Montretout près de Saint-Cloud.

En 1892, reprenant un projet de Belgrand, la Ville capte les eaux du Loing et du Lunain près de Moret et de Nemours et les achemine vers le réservoir de Montsouris.

La dernière dérivation importante fut réalisée entre 1922 et 1925 pour acheminer, par l'aqueduc du Loing, les eaux de la Voulzie et de ses affluents, le Durteint et le Dragon, prises en Champagne, aux environs de Provins.

De grands projets de dérivation ont éclos au XXe siècle pour accroître les

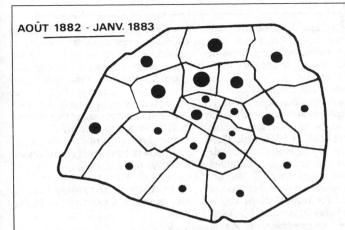

AOÛT 1882 · JANV. 1883

EAU : CONSOMMATION DOMESTIQUE JOURNALIÈRE

par arrondissement :   1   2   3   4   5 millions
de litres

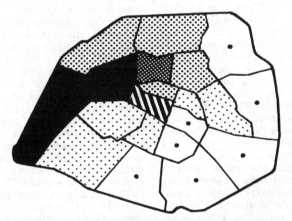

EAU : CONSOMMATION DOMESTIQUE JOURNALIÈRE

par habitant :

moyenne 21 → 10   15   20   25   30   35   40   45   50 litres

Extrait de Julia Csergo, *La Morale des corps. Le soin de propreté corporelle à Paris. Évolution des normes et des pratiques (1850-1900)*, thèse de doctorat, E.H.E.S.S., Paris, 1986.

ressources en eau de la capitale : adduction des eaux de l'Ain, de celles des collines du Perche ou des sources de Normandie. Deux études ont failli aboutir : la capture des eaux du lac Léman et du val de Loire. La première se heurta à l'opposition de la Suisse, le Léman n'appartenant que partiellement à la France, la seconde fut déclarée d'utilité publique en 1931, mais l'opposition des populations riveraines de la Loire fut telle que le décret d'utilité publique fut abrogé en 1957. Aujourd'hui, tout nouveau projet doit prendre en compte des considérations écologiques négligées auparavant. L'aménagement de barrages-réservoirs sur la haute Seine permet d'écrêter les crues et de constituer des réserves d'eau potable après filtrage et traitement qui paraissent largement suffisantes.

La qualité de l'eau est surveillée depuis 1900 par le Service de contrôle des Eaux de la Ville de Paris devenu le Centre de recherche, étude, contrôle des eaux de Paris (CRECEP) dont sept des neuf sections sont regroupées au 144-146, avenue Paul-Vaillant-Couturier. La section des eaux filtrées est constituée des trois laboratoires de Saint-Maur, Ivry et Orly. La section des eaux souterraines est formée des quatre laboratoires surveillant les dérivations de la Voulzie à Provins, de la Vanne à Sens, du Loing à Nemours, de l'Avre à Verneuil-sur-Avre.

Pour l'eau non potable (environ 400 millions de litres par jour) utilisée pour le lavage de la chaussée, des trottoirs et des égouts ainsi que l'arrosage des jardins publics, la Ville possède trois usines : celle du 29, quai d'Austerlitz, date de 1862, celle d'Auteuil, entre le 75 de l'avenue de Versailles et le quai Louis-Blériot, remplace depuis 1900 l'ancienne usine élévatoire d'Auteuil construite en 1830, celle de La Villette, 2, rue de Soissons, remplace depuis le début de ce siècle l'usine de l'Ourcq.

La distribution de l'eau se fait aujourd'hui grâce à 1 700 kilomètres de conduites régulièrement rénovées et desservant environ soixante mille immeubles. Dans chaque rue existent deux conduites parallèles, l'une pour le service public, l'autre pour le service privé, avec de l'eau potable. Les Parisiens consomment chaque jour 900 millions de litres d'eau potable.

• *Voir aussi* AQUEDUC ; BAIN ; BATELIER ; BORNE-FONTAINE ; COCHE D'EAU ; EAU CHAUDE ; EAU (compagnie des) ; EAU (service des) ; ÉGOUT ; FONTAINE ; PISCINE ; POMPE A FEU ; POMPE A INCENDIE ; PORTEUR D'EAU ; PUITS ; RÉSERVOIR.

EAU CHAUDE

« On vient d'installer sur divers points de Paris des distributeurs automatiques d'eau chaude. En introduisant dans l'appareil une pièce de cinq centimes, il laisse écouler un certain volume [8 litres] d'eau chaude. Le chauffage de l'eau est obtenu par un système analogue à celui employé par M. Robin pour sa distribution d'eau chaude dans les maisons. C'est un faisceau de tubes en cuivre de petit diamètre enroulés au-dessus d'une couronne de brûleurs à gaz. Le temps que met l'eau à parcourir ces tubes suffit pour la porter à 60° environ. Le faisceau de tubes est directement en communication avec la conduite en charge de la Ville. Aussitôt que de l'eau est prise à ce faisceau, un dispositif placé à l'arrivée de l'eau dans ce faisceau détermine l'ouverture de l'arrivée du gaz au foyer ; dès que le puisement de l'eau cesse, par le même dispositif le foyer est ramené à l'état de veilleuse. Les distributeurs automatiques fournissant l'eau contre une pièce de monnaie portent en outre un auget mesureur mis en mouvement par l'introduction de la pièce de monnaie » (*La Nature*, 1891). La Société anonyme des fontaines d'eau chaude venait, en 1891, d'obtenir de la municipalité une concession pour établir sur la voie publique et exploiter pendant quinze ans quatre-vingts de ces fontaines. Mais leur dysfonctionnement chronique et quelques explosions dangereuses entraînèrent leur retrait dès 1895. Elles correspondaient cependant à un besoin du public : quatre-vingts à cent personnes les utilisaient chaque jour, davantage encore le dimanche, jour traditionnel de lessive et de décrassage des enfants. Il faudra attendre la généralisation des chauffe-bain et des chauffe-eau pour que le Parisien puisse disposer à domicile d'eau chaude en abondance.

EAU MINÉRALE

Il a existé plusieurs sources aux vertus minérales dans Paris. La plus célèbre est celle de Passy qui fut découverte vers 1650 à l'emplacement de l'actuelle rue des Eaux. Une thèse de médecine de 1657 de Pierre Cressé lui attribuait des vertus laxatives et antianémiques et la comparait à celle de Forges-les-Eaux. D'autres eaux furent découvertes à proximité immédiate en 1719, dans la propriété de l'abbé Le Ragois, sur le quai de Passy (avenue du Président-Kennedy actuelle). La première de ces trois sources était, paraît-il, ferrugineuse, la seconde vitriolique, la troisième sulfureuse et balsamique. Les premières eaux de Passy, fréquentées par Boileau et Molière, furent supplantées par les secondes que vinrent « prendre » les Helvétius, Condorcet, Benjamin Franklin, Mmes Denis et de Tencin. Des voisins de l'abbé Le Ragois, le sieur Guichon puis les Casalbigi, découvrirent à leur tour des eaux ferrugineuses dans leur jardin. La vogue des eaux de Passy dura jusqu'à la fin du XIX\e siècle. Le banquier Benjamin Delessert, ayant acquis le domaine en 1800, fit aménager un parc thermal avec un chalet suisse qui subsista jusqu'en 1913. La multiplication des constructions à Passy bouleversa le sous-sol et tarit les sources.

Auteuil possédait aussi ses sources riches en sels minéraux, sulfate de calcium et fer notamment. Elles furent découvertes dès le XVI\e siècle par le président de Broé. En 1628, le médecin Pierre Hébert publiait un *Récit véritable des vertus et propriétés des eaux minérales d'Auteuil*. En 1842, Jules Quicherat découvrit au 6, rue de la Cure, une source aux propriétés digestives, censée guérir également l'anémie et la gravelle. Lorsque les travaux d'aménagement du métropolitain la firent disparaître à la fin du XIX\e siècle, la source Quicherat vendait encore cent quarante mille bouteilles par an.

On trouvait encore des eaux ferrugineuses et sulfureuses aux Ternes, 21, rue Pierre-Demours. Exploitées après autorisation ministérielle du 23 juin 1856, elles disparurent bientôt, les travaux du chemin de fer de ceinture les ayant taries. Non loin, aux Batignolles, 11, rue Sauffroy, d'autres eaux aux vertus identiques, curatives de maladies respiratoires, furent exploitées de 1852 à 1884.

A Belleville, 6, impasse Saint-Laurent (rue de l'Atlas aujourd'hui), les frères Lapostolet découvrirent une source en 1852 dans leur usine. Exploitée de 1853 à 1880, elle avait un débit important, atteignant trois cent cinquante mille bouteilles par an. Un petit établissement de thermes fut édifié en 1876 avec casino, jardin, piscine, salles de bains, salons, mais n'eut pas de succès.

Quelques sources mineures sont évoquées dans divers textes, notamment, au XVIII\e siècle, celle découverte par le médecin Billet dans son jardin du faubourg Saint-Antoine. En 1764, au 15 de la rue Blomet, une source minérale fut temporairement exploitée.

EAUX (compagnie des)

Incapable d'assurer aux Parisiens un approvisionnement satisfaisant en eau, la Ville se résout en 1776 à accepter la proposition des frères Perier. Ils voulaient fournir à leurs frais chaque jour 3 millions de litres d'eau au moyen de pompes à feu en échange d'un privilège de quinze ans. Victime d'erreurs de gestion et de campagnes menées contre elle par les porteurs d'eau, la Compagnie des Eaux de Paris disparaît et l'État se retrouve, en 1788, propriétaire de ses biens : les pompes à feu de Chaillot et du Gros-Caillou et les conduites qui en dérivent.

Durant la première moitié du XIXᵉ siècle, plusieurs compagnies industrielles éphémères se constituent pour distribuer l'eau dans les maisons moyennant rétribution, mais toutes finissent par faire faillite et laisser leur réseau à la Ville. Il faut attendre Haussmann pour que le décret impérial du 14 décembre 1853 consacre l'apparition d'une société privée, la Compagnie générale des Eaux, chargée de la distribution de l'eau aux particuliers : « Il nous a paru qu'il fallait prendre immédiatement aux yeux du gouvernement et du public le caractère d'une grande institution d'utilité communale, apportant son concours à l'autorité municipale pour une des œuvres les plus nécessaires à la salubrité publique. »

L'annexion à Paris des communes limitrophes au début de 1860 entraîne l'extension du domaine de la Compagnie. Le traité de régie du 11 juillet 1860, conclu pour cinquante ans, transfère à la Ville la propriété des immeubles de la Compagnie dans les communes annexées. La Compagnie reçoit 1 160 000 francs par an, plus une prime du quart des recettes entre 3 600 000 et 6 000 000 de francs et du cinquième au-delà de 6 000 000. En échange, elle doit s'occuper des abonnements, des compteurs, des encaissements, surveiller la distribution de l'eau. La Compagnie prend une extension nouvelle à partir de 1869, la Ville lui laissant le champ libre pour s'implanter dans les communes de banlieue et en province. Elle va devenir la première entreprise de distribution d'eau du monde. Le 1ᵉʳ janvier 1985 s'en détache une filiale, la Compagnie des Eaux de Paris, chargée de la distribu-

tion de l'eau sur la rive droite de la Seine (les deux tiers du réseau), la Lyonnaise des Eaux obtenant la rive gauche avec sa filiale, la Société parisienne des Eaux.

Pour réaliser son œuvre, la Compagnie des Eaux utilise les techniques de pointe. Elle dispose, par exemple, du système de cartographie informatisée le plus performant d'Europe, d'un centre de contrôle et de télégestion permettant de suivre simultanément quatre-vingt-dix paramètres (volume, niveau des réservoirs, pression, qualité de l'eau, etc.), baptisé Centre Eugène-Belgrand en hommage au véritable créateur du réseau des eaux de la capitale, ingénieur responsable du Service des Eaux de Paris de 1854 à sa mort en 1878.

• *Voir aussi* EAU.

EAUX (service des)

C'est aux moines de Saint-Laurent, Saint-Lazare, Saint-Martin-des-Champs que l'on doit, sans doute dès le XIIᵉ siècle, les premiers travaux d'adduction et de distribution des eaux de Belleville et du Pré-Saint-Gervais. Philippe Auguste acheta, en 1183, la foire Saint-Lazare aux religieux du même nom ainsi qu'une partie de leur eau et fit établir aux Halles — alors en construction — la première fontaine, ébauche d'un Service des Eaux, car le roi faisait valoir l'utilité publique et déclarait que la distribution des eaux était un privilège royal.

Mais le roi se laissa vite circonvenir et commença à accorder des concessions, le plus souvent à titre gracieux, aux maisons religieuses et aux grands seigneurs. Ces abus furent révoqués par l'édit du 9 octobre 1392, supprimant les concessions privées, sauf celles dont jouissaient les logis du roi et des princes du sang. La royauté étant absorbée par la guerre, c'est la municipalité qui lui enlève progressivement son privilège, d'abord en réparant l'aqueduc de Belleville (1457), puis en accordant des concessions. Cet empiétement fut ratifié par François Ier qui demanda, par une lettre du 22 novembre 1528, au prévôt des marchands et aux échevins d'octroyer de l'eau à l'évêque de Castres qui se faisait bâtir une maison à La Villette. Mais le roi se réserve la propriété de l'eau qu'il utilise au Louvre et dans ses autres propriétés. L'ordonnance du prévôt des marchands du 22 janvier 1655 remplace les concessions à titre gratuit par des concessions payantes : le premier, le surintendant des Finances Fouquet paye 10 000 livres pour un pouce d'eau qui lui est accordé le 4 juin 1655. Incapable de fournir suffisamment d'eau aux Parisiens, la Ville se résigne à accepter l'intervention privée. La Compagnie des Eaux de Paris, constituée en 1776 par les frères Périer, a une vie éphémère et disparaît dès 1788.

La remise en ordre de la propriété des eaux de Paris est l'œuvre de Bonaparte. L'arrêté consulaire du 25 mai 1803 (6 prairial an XI) donne à la Ville la propriété de toutes les eaux jusqu'alors partagées entre l'État (Samaritaine, pompes à feu, 4/10e d'Arcueil) et la Commune (sources du nord, pompes du pont Notre-Dame et 6/10e d'Arcueil). Le décret impérial du 4 septembre 1807 réunit les eaux en une seule administration dirigée par le préfet de la Seine et confie aux ingénieurs des Ponts et Chaussées l'exclusivité des travaux.

A la veille de la modernisation décisive que va entreprendre Haussmann à la fin de 1853, le service public (gratuit) compte 33 fontaines monumentales, 69 fontaines de puisage, 1 779 bornes-fontaines, 105 bouches d'eau, 111 poteaux d'arrosement, 58 bouches d'eau. Quant au service privé (payant), concédé à d'éphémères compagnies privées, il dispose de 13 fontaines marchandes, 157 concessions à l'État, 3 au département, 223 aux établissements municipaux, 7 388 abonnés particuliers.

Désireux de donner aux Parisiens l'eau qu'ils réclament sans se lancer dans des frais excédant ses ressources, le préfet Haussmann fait accepter le principe de l'intervention du service privé, notant au passage : « Vaincre la résistance des préjugés, lever les obstacles d'une première dépense pour la distribution de l'eau dans l'intérieur des maisons, faire fléchir les incertitudes par l'abondance et la diversité des offres de service est un rôle que l'industrie privée peut seule remplir. » Le décret impérial du 14 décembre 1853 consacre la création d'une Compagnie générale des Eaux chargée de la distribution d'eau aux particuliers.

Le Service des Eaux de la Ville conserve la gestion matérielle de l'eau, usines élévatoires, réservoirs, fontaines, canalisations, c'est-à-dire l'exploitation technique, la Compagnie générale des Eaux devenant son régisseur intéressé chargé des abonnements et des recettes. Les progrès sont rapides : 60 litres par jour et par habitant en 1854, 168 en 1875 et le nombre des abonnements bondit à 14 289 dès 1860 et 40 596 en 1875. En 1878, la Ville dispose de 9 usines de production d'eau de rivière : 6 sur la Seine (3 à Paris, à Chaillot, Auteuil et Austerlitz, 3 en banlieue à Port-à-l'Anglais, Maisons-Alfort et Saint-Ouen), 1 sur la Marne (à Saint-Maur), 2 sur le canal de l'Ourcq (Trilbardou et Isles). Entre 1881 et 1889, 3 nouvelles usines sont créées à Bercy, Javel et Ivry. Entre 1875 et 1900, la production quotidienne d'eau de sources ou de rivières est pratiquement doublée de même que la longueur du réseau de distribution (1 397 kilomètres en 1876, 2 533 en 1901), le nombre d'abonnés passant de 42 520 à 91 388. Actuellement, 900 millions de litres environ sont distribués chaque jour, une augmentation de 20 % par rapport à 1900 alors que la population a diminué de 30 %. L'eau non potable représente 400 millions de litres destinés au lavage des égouts, de la chaussée, des trottoirs, à l'arrosage des espaces verts.

Depuis le 1ᵉʳ janvier 1985, le Service technique des Eaux de la Ville manquant de souplesse dans sa gestion, la distribution de l'eau a été confiée à deux sociétés privées : la Compagnie des Eaux de Paris, filiale de la Générale des Eaux, chargée de la rive droite, et la Société parisienne des Eaux, filiale de la Lyonnaise des Eaux, rive gauche, la Ville gardant la production, le transport et la responsabilité de l'exploitation du réseau. Ces dernières tâches ont été concédées, le 1ᵉʳ février 1987, par la municipalité à la Société anonyme de Gestion des Eaux de Paris (SAGEP), société d'économie mixte appartenant pour 70 % à la Ville de Paris, 14 % à la Générale des Eaux, 14 % à la Lyonnaise des Eaux. La ville continue à assurer le contrôle de la qualité de l'eau grâce au Centre de recherche, étude, contrôle des eaux de Paris (CRECEP).
• *Voir aussi* EAU.

ÉBÉNISTE
Voir MENUISIER.

ÉCHAUDÉ
En 1202, un accord entre l'évêque de Paris et l'abbé de Sainte-Geneviève fait, pour la première fois, état de « panes qui eschaudati dicuntur » (« pains nommés échaudés »). Durant le XIIIᵉ siècle, les boulangers, à qui il est interdit de cuire le jour des Morts, ont cependant l'autorisation de confectionner ce jour-là des « eschaudés à donner à Dieu », c'est-à-dire à distribuer aux pauvres. Le livre de la taille de 1292 mentionne deux « eschaudeurs ». La forme des échaudés a souvent varié : au XVᵉ siècle, ils sont ronds avec des bords festonnés, au XVIᵉ, ils possèdent deux ou trois cornes, mais d'autres affectent la forme d'un cœur. A Paris, l'usage était de nommer « échaudé » un îlot de maisons ayant la forme d'un triangle. On nommait rue de l'Échaudé une des rues

constituant la base ou un des côtés de ce triangle. Quatre rues de la capitale ont ainsi porté ce nom lié à cette particularité, mais une seule subsiste, qui débouche sur la rue de Seine.
• *Voir aussi* PAIN.

ÉCHELLE DE JUSTICE
Les seigneurs haut-justiciers n'ayant pas droit à un pilori là où le roi en possédait un, les haut-justiciers de la capitale devaient se contenter d'une échelle de justice. Il s'agit d'une échelle de bois se terminant par une plate-forme d'exposition portant deux planches verticales échancrées en leur milieu et vers leurs extrémités. La tête et les mains du condamné étaient passées dans les échancrures et on rabattait la planche supérieure sur le cou et les poignets. L'évêque de Paris avait son échelle devant le portail nord de la cathédrale Notre-Dame. Celle du grand-prieur du Temple se situait au carrefour des rues du Temple et des Haudriettes (qui s'appelait autrefois la rue de l'Échelle-du-Temple). Le prieur de Saint-Martin-des-Champs avait la sienne dans la cour Saint-Martin, au chevet de l'église Saint-Nicolas-des-Champs. L'abbé de Saint-Germain-des-Prés l'avait dressée au carrefour de Buci. Il existait d'autres échelles, disparues avant la fin du XVIᵉ siècle : au port Saint-Landry pour le chapitre de Notre-Dame ; place Sainte-Geneviève (du Panthéon) pour l'abbé de Sainte-Geneviève ; en face du portail de l'église Saint-Nicolas-des-Champs pour l'abbé de Saint-Magloire ; place Baudoyer pour le prieur de Saint-Éloi ; place Jussieu pour l'abbé de Saint-Victor ; à l'emplacement du 107 de la rue du Faubourg-Saint-Denis pour le prieur de Saint-Lazare, etc. Dans la banlieue d'alors, les seigneurs d'Auteuil avaient leur échelle devant leur demeure, au 1 de la rue Chardon-Lagache, l'abbesse de Montmartre place du Tertre, les seigneurs de Charonne sur la place des Grès (rue de la Justice), ceux de Bercy

à proximité de l'actuel lac Daumesnil du bois de Vincennes, etc.
• *Voir aussi* EXÉCUTION CAPITALE ; GIBET ; GUILLOTINE ; PILORI.

ÉCHEVIN

La municipalité parisienne est dirigée par le prévôt des marchands et quatre échevins, dits aussi «jurés de la marchandise» ou «jurés de la confrérie des marchands». Prévôt des marchands et échevins sont élus par un collège composé de 77 personnes : prévôt et échevins sortants, 24 prud'hommes, 16 quartiniers et 32 notables. Les échevins sont élus pour deux ans et renouvelés par moitié, à partir de 1450, le 16 août de chaque année. A partir du XVᵉ siècle, l'élection des échevins devient de pure forme, le roi imposant ses candidats. La haute bourgeoisie commerçante est progressivement évincée au profit des officiers du roi, membres du Parlement, des Cours des aides et des comptes. Depuis 1577, l'échevinage peut conférer la noblesse héréditaire à condition que le candidat à l'anoblissement et son père aient exercé cette charge sans avoir dérogé. Un édit de juin 1716 a définitivement reconnu aux échevins et au prévôt des marchands le privilège d'être anoblis. Désormais, dès leur prestation de serment et leur entrée en fonction, ils se voient conférer la noblesse au premier degré. Les profits d'un échevin sont considérables et estimés, au XVIIIᵉ siècle, à 25 000 livres par an. Depuis le début du XVIIᵉ siècle, une certaine spécialisation s'est imposée et la gestion de la Ville est répartie en cinq départements. Le premier échevin s'occupe du budget, le second des chantiers, des corps de garde et des ports, le troisième des boulevards, des places et de leurs implantations, le quatrième des fontaines et des égouts, le procureur du roi ayant en charge le dernier département, celui de l'approvisionnement en bois et en charbon.

ÉCHOPPE
Voir BOUTIQUE.

ÉCLAIRAGE

Durant près de deux millénaires, les Parisiens se sont éclairés avec des chandelles (mélange de suif et de cire) et des bougies de cire pure réservées aux plus riches. Le livre de la taille de 1292 mentionne neuf ciriers, marchands et/ou fabricants de bougies. Au XVIIᵉ siècle se répandit la lampe de Cardan, lampe à huile perfectionnée, dite aussi «lampe à la jésuite». En 1782, le Genevois Argand perfectionna les lampes en usage grâce à des mèches creuses. Le pharmacien Quinquet les améliora encore et le quinquet fut adopté dès 1785 au Théâtre-Français. En 1803 apparut la lampe inventée par l'horloger Carcel. Il y eut une foule d'autres appareils jusqu'au triomphe de l'électricité.

L'éclairage public a sa lointaine origine dans l'ordonnance de janvier 1318, qui exige du greffier du Châtelet qu'il veille à l'entretien d'une chandelle durant la nuit, devant la porte du bâtiment qui servait alors de tribunal et de prison. Il y a aussi, à cette date, la lanterne des morts du cimetière des Saints-Innocents, qui rappelle aux passants attardés qu'ils doivent prier pour l'âme des morts, et le fanal de la tour de Nesle qui indique aux mariniers l'entrée de Paris, soit trois lanternes publiques pour une ville de deux cent mille habitants.

En des occasions exceptionnelles, les autorités ordonnent aux Parisiens d'allumer des lanternes à leur porte. Ainsi, le 7 octobre 1409, l'arrestation de Montagu ayant provoqué une émeute, le prévôt de Paris prend des mesures de sécurité exceptionnelles : «Et furent les lanternes commandées à allumer, comme autrefois et de l'eaue à huis, et toutes les nuys le plus bel gué à pié et à cheval qu'on vi guères oncques à Paris et le faisoient les mestiers l'un après l'autre.» Le 3 août 1413, la paix civile revenue, le Bourgeois de Paris note dans son *Journal* : « Et ce jour fut terminé qu'on meist des lanternes par nuyt. »

En juin 1524, il est ordonné « qu'on mist des chandelles allumées dedans les lanternes devant les huis de nuict ». Cette ordonnance est renouvelée le 16 novembre 1526, mais semble n'être observée que lorsque l'insécurité atteint des paroxysmes. Le 29 octobre 1558, le Parlement ordonne « qu'il y aura au coin de chaque rue [...] un fallot ardent depuis les dix heures du soir jusqu'à quatre heures du matin, et où les dictes rues seront si longues que le dict fallot ne puisse esclairer d'un bout à l'autre, en sera mis ung au milieu des dictes rues ou plus selon la grandeur d'icelles. »

Mais le roi et le Parlement ne veulent pas assumer les frais de cette première tentative d'éclairage public permanent, et la population rechigne devant la lourde charge. Le 21 février 1559, le Parlement se résigne à mettre fin à l'expérience et ordonne que « les matières desdites lanternes, potences pour icelles asseoir et pendre et aultres choses à ce nécessaires qui n'avoient esté mises en œuvre seroient vendues aux enchères publiques et que le produit de cette vente seroit distribué aux pauvres ouvriers ».

Les troubles de la Ligue favorisent la réapparition d'un éclairage public embryonnaire. Une ordonnance de police de 1594 prescrit « d'establir des lanternes dans chaque dizaine ou section de quartier » et d'élire des notables chargés de gérer l'éclairage et d'en percevoir les frais. Un progrès technique important, la vulgarisation du vitrage, permet de donner aux lanternes une luminosité très améliorée. En 1626, dans son *Espadon satirique*, Claude d'Esternod évoque un éclairage public qui le dissuade d'attaquer les passants :

Le diable me tentait d'arracher des
[manteaux,
Et de tirer la laine à quelques
[cocardeaux,

Et j'eus touché peut-être en ces harpes
[modernes,
Si l'on ne m'eût cognu au brillant des
[lanternes,
Et si je n'eus pas craint qu'un chevalier
[du guet
M'eût fait faire aux prisons mon premier
[coup d'essai !

En mars 1662, l'abbé Laudati Caraffa obtient du roi des lettres patentes lui accordant le privilège d'exploitation d'un service public assuré par des porte-flambeaux ou porte-lanternes qui, moyennant rétribution, se chargent d'éclairer les personnes qui doivent se déplacer de nuit dans Paris. L'arrêt d'enregistrement du Parlement du 26 août 1662 est d'une grande précision : « Tous les flambeaux dont le sieur Laudati Caraffe ou ses commis se serviront, seront pris et acheptez chez les maistres épiciers de ceste ville de Paris, seront d'une livre et demie, marquez des armes de la ville et divisés en dix portions égales, sur lesquelles seront réservés trois pouces qui seront enclavés dans un morceau de bois, afin que les dix portions puissent brusler antérieurement pour faire service. Ceux qui voudront se servir desdits flambeaux payeront cinq sols pour chascune des dix portions esgalles du flambeau, et celles desdites portions qui sera entamée sera payée cinq sols. A l'égard des porte-lanternes, ils seront divisés par postes, qui seront chacun de huit cens pas, valant cent toises, pour lequel poste sera payé par ceux qui s'en voudront servir un sol marqué. Pourront aussi lesdits porte-lanternes esclairer ceux qui vont en carrosse ou en chaise et pour chacun quart d'heure sera payé cinq sols. A ces effets lesdits porte-lanterne auront un sable, juste d'un quart d'heure, marqué aux armes de la ville, qu'ils porteront attaché à leur ceinture, et les gens de pied qui voudront se servir desdites lanternes payeront par chaque quart d'heure trois sols ; le tout sans que personne puisse estre contrainct de se servir desdits porte-flambeaux ou porte-lanternes.»

L'ordonnance du 2 septembre 1667 instaure enfin un véritable éclairage public couvrant tout Paris : «Il aurait esté remarqué que la plupart desdits vols estoient faits à la faveur de l'obscurité et des ténèbres dans quelques quartiers et rues où il n'y a aucunes lanternes establies, d'autant qu'il importe de remédier à un si grand mal et qu'il est d'une extrême conséquence d'establir dans tous les quartiers et dans toutes les rues de Paris des lanternes pour les éclairer et ce faisant qu'il fut ordonné que dans toutes les rues, places et aultres endroits de la Ville où il n'y eût jusques à présent de lanternes pendant l'hyver, il en sera mis ès endroits les plus commodes et les propriétaires des maisons tenus chacun de contribuer à la dépense à cet effet nécessaire suivant les roolles qui en seront faits ainsi qu'il se pratique dans les aultres quartiers de la Ville, où il y a des lanternes establies.»

Louis XIV fut si fier de cet éclairage qu'il fit frapper en 1669 une médaille commémorative portant la devise : *Urbis securitas et nitor* («la sécurité et la clarté de la Ville»). Dès cette année, on recense près de trois mille lanternes. Il y en aura le double en 1729. En 1698, le voyageur anglais Martin Lister note : «Les rues sont éclairées tout l'hiver et même en pleine lune ! Les lanternes sont suspendues au milieu de la rue à une hauteur de vingt pieds et à une distance de vingt pas l'une de l'autre. Le luminaire est enfermé dans une cage de verre de deux pieds de hauteur couverte d'une plaque de fer ; la corde qui les soutient, attachée à une barre de fer, glisse de sa poulie dans une coulisse scellée dans le mur.»

Toutefois, cet éclairage n'était pas suffisant et les porte-lanternes se sont perpétués jusqu'en 1789. Sébastien Mercier les évoque dans son *Tableau de Paris* : «Voilà le falot ! Ce cri s'entend après souper, et ces porteurs de lanternes se répondent ainsi à toute heure de nuit, aux dépens de ceux qui couchent sur le devant. Ils s'attroupent aux portes où l'on donne le bal ou assemblée. Le falot est tout à la fois une commodité et une sûreté pour ceux qui rentrent tard chez eux ; le falot vous conduit dans votre maison, dans votre chambre, fût-elle au septième étage, et vous fournit de la lumière quand vous n'avez ni domestique, ni servante, ni allumettes, ni amadou, ni briquet, ce qui n'est pas rare chez les garçons coureurs de spectacles et batteurs de boulevards.» Supprimés à la Révolution, les falots reparurent timidement au début de l'Empire. Prudhomme note dans le *Miroir de l'ancien et du nouveau Paris* : «Depuis quelque temps, on voit reparaître quelques falots, principalement aux grands spectacles. Il serait à désirer qu'ils se multipliassent comme autrefois dans tous les quartiers de Paris. Cela est très commode pour ceux qui ne peuvent trouver de voiture.»

De sensibles progrès avaient été réalisés avec le remplacement progressif des lanternes par des réverbères entre 1745 et 1769. Mercier s'en félicite dans le *Tableau de Paris* : «Il n'y a plus de lanternes depuis seize ans, des réverbères ont pris leur place. Autrefois, huit mille lanternes avec des chandelles mal posées, que le vent éteignait ou faisait couler, éclairaient mal et ne donnaient qu'une lumière pâle, vacillante, incertaine, entrecoupée d'ombres mobiles et dangereuses. Aujourd'hui l'on a trouvé le moyen de procurer une plus grande clarté à la ville et de joindre à cet avantage la facilité du service. Les feux combinés de douze cents réverbères jettent une lumière égale, vive et durable.» A la veille de la Révolution, on dénombre cinq mille six cent quatre-vingt-quatorze réverbères. En 1817, Paris possède quatre mille six cent quarante-cinq réverbères améliorés par Bordier de Versoix et n'offrant plus qu'un seul foyer lumineux.

C'est alors que l'éclairage au gaz

commence à s'imposer. C'est Philippe Lebon qui a mis au point le procédé sous le nom de « thermolampe » dans un brevet du 28 septembre 1799. Il en fait la démonstration à partir de novembre 1800 à l'hôtel de Seignelay, rue Saint-Dominique. Après son assassinat, sa veuve fait une nouvelle démonstration en janvier 1811 au 11 de la rue de Bercy. L'Allemand Winsor éclaire au gaz le passage des Panoramas en janvier 1817. Il obtient la concession de l'éclairage de la Chambre des pairs au palais du Luxembourg, mais les adversaires du gaz font abandonner l'expérience sous prétexte qu'il y a risque d'explosion. L'éclairage au gaz demeure limité au Café du Gaz hydrogène de la place de l'Hôtel-de-Ville et à un établissement de bains de la rue de Chartres.

Il faut attendre le 1er janvier 1829 au soir pour que la municipalité mette en service quatre appareils à gaz sur la place du Carrousel et douze autres dans la rue de Rivoli. Un spécimen de colonne-réverbère est choisi et installé rue de la Paix en avril. La place Vendôme, la rue de Castiglione, le carrefour, la place et la rue de l'Odéon sont pourvus de l'éclairage au gaz durant cette même année. A partir de 1839, les becs de gaz évincent peu à peu les becs à huile. En août 1857, le triomphe est définitif avec l'illumination au gaz des Grands Boulevards. Mme Émile de Girardin en rend compte dans une de ses *Lettres parisiennes* : « Ce qui enchante le plus les Parisiens, c'est le nouvel éclairage des Boulevards. Le soir, cette promenade est admirable. Depuis l'église de la Madeleine jusqu'à la rue Montmartre, ces deux allées de candélabres, d'où jaillit une clarté blanche et pure, font un effet merveilleux. » Sans cesse amélioré, l'éclairage au gaz est cependant bientôt menacé par l'électricité. Après avoir connu l'apogée en 1890, il va lentement décliner et disparaître entre les deux guerres mondiales.

Si, depuis 1843, les essais d'éclairage électrique se sont multipliés, il a fallu attendre 1873 pour que la première installation permanente fonctionne dans les ateliers de la société Gramme. Lors de l'incendie de l'Opéra-Comique, le 25 mai 1887, l'émotion est telle que des voix s'élèvent pour demander le remplacement de l'éclairage au gaz, responsable de la catastrophe, par l'électricité.

En avril 1889, le conseil municipal confie à des sociétés privées l'électrification de la capitale divisée en six secteurs. Le réseau se développe assez lentement, en fonction de la rentabilité : les Champs-Élysées disposent très vite de l'éclairage électrique, mais aucune canalisation n'est encore posée dans le XXe arrondissement en 1905. Un effort est entrepris entre 1907 et 1913 et, au 1er janvier 1914, le réseau est unifié sous la direction de la Compagnie parisienne de distribution d'électricité. Après un début difficile dû à la guerre et à la pénurie de charbon, la consommation de la capitale progresse rapidement : 130 millions de kilowattsheure en 1913, 250 en 1920, plus de 500 en 1925, 1 milliard en 1938. Sans cesse modernisé, l'éclairage de Paris a pris sa forme actuelle.

• *Voir aussi* ÉLECTRICITÉ ; LANTERNE.

ÉCRIVAIN

L'apparition de l'imprimerie, en 1470, réduit rapidement au chômage les nombreux scribes qui reproduisaient à la chaîne les manuscrits destinés à l'enseignement universitaire ou aux amateurs. La profession doit se reconvertir. Certains de ses membres deviennent professeurs de dessin et d'écriture, d'autres, maîtres d'école ou écrivains publics. En 1570, ils sont constitués en communauté. Après avoir vainement tenté d'étendre leur autorité sur les petites écoles où l'on apprenait à lire et à écrire et d'imposer que les utilisât exclusivement pour la vérification des écritures, ils se résignent, dans leurs statuts de 1727 aux titres de « jurés écrivains, expéditionnaires et arithméticiens, teneurs de livres de comptes, établis pour la vérification des écritures, signatures, comptes et calculs contestés en justice.» Pour être maître écrivain — il y en a alors environ soixante-cinq —, il faut, pendant trois jours, passer un examen portant sur l'orthographe, l'arithmétique, les vérifications d'écritures, etc. En 1779, un Bureau académique d'écriture est organisé sous la présidence du lieutenant général de police, car, une des grandes responsabilités des maîtres écrivains était la vérification des écritures contestées en justice. Leurs expertises étaient loin d'emporter la conviction générale et Sébastien Mercier observe : «L'*Encyclopédie* soutient que cette "vérification" n'est qu'une science conjoncturale; les experts disent qu'il y a des règles fixes et certaines pour convaincre les faussaires. Les experts usent de fortes loupes dans l'examen : mais ne faut-il pas autre chose qu'une loupe pour décider dans des cas semblables? Voyez dans le dernier procès du maréchal de Richelieu, la confusion et l'ambiguïté des rapports.» Aujourd'hui encore, les expertises en écriture sont parfois contestées et contestables.

ÉCRIVAIN DE PARIS
Voir **POÉSIE** ; **ROMAN**.

ÉCRIVAIN PUBLIC
Issus des copistes de manuscrits ruinés par l'invention de l'imprimerie, les écrivains publics font partie de la communauté plus vaste des écrivains fondée en 1570. On a plusieurs fois annoncé leur disparition au XXe siècle : en 1922, il n'y en avait plus qu'un, dont l'échoppe s'adossait à la prison Saint-Lazare; en 1949, *France-Illustration* faisait un reportage sur «le dernier écrivain public», toujours au faubourg Saint-Denis, mais au fond de la cour d'un immeuble, l'échoppe ayant été démolie en même temps que la prison en 1938. L'immigration africaine a récemment relancé ce métier qui survit

dans des conditions précaires et, dans certains bureaux de poste, des écrivains publics sont à la disposition de la clientèle analphabète. Jusqu'aux années 1780, la majorité des écrivains publics étaient installés dans le charnier du cimetière des Innocents. Sébastien Mercier en a brossé un amusant portrait : «Il faut qu'ils vivent tout comme les théologiens. Plus utiles qu'eux, ils sont les dépositaires des tendres secrets des servantes. C'est là qu'elles font écrire leurs déclarations ou leurs réponses amoureuses. Elles parlent à l'oreille du secrétaire public, comme à un confesseur; et la boîte où est l'écrivain discret ressemble à un confessionnal tronqué. Le scribe, la lunette sur le nez, la main tremblante, et soufflant dans ses doigts, donne son encre, son papier, sa cire à cacheter et son style, pour cinq sols. Les placets au roi et aux ministres coûtent douze sols, attendu qu'il y entre de la bâtarde, et que le style en est plus relevé. Les écrivains des Charniers sont ceux qui s'entretiennent le plus assidûment avec les ministres et les princes : on ne voit à la Cour que leurs écritures. Au commencement du règne [de Louis XVI], ils étaient menacés de faire fortune. On recevait tous les placets, on les lisait, on y répondait. Tout à coup, cette correspondance entre le peuple et le monarque a été interrompue. Les écrivains des Charniers, qui avaient déjà acheté des perruques neuves et des manchettes, ont vu leur bureau désert, et sont retombés dans leur antique indigence. Sans la secrète correspondance des cœurs, qui n'est pas sujette aux vicissitudes, ils iraient augmenter le nombre déjà prodigieux des squelettes qui sont entassés au-dessus de leurs têtes, dans des greniers surchargés de leur poids.»

ÉDITION
Longtemps l'éditeur a confondu plus ou moins complètement son activité de publication avec celles d'impression et de vente, de librairie, qu'il assumait

souvent conjointement. Ce n'est qu'au XIXᵉ siècle que l'édition devient une profession distincte de l'imprimerie et de la librairie. Le terme d'éditeur n'apparaît dans le *Dictionnaire de l'Académie* qu'en 1835 avec cette définition : «Celui qui fait imprimer l'ouvrage d'autrui en se donnant quelques soins pour l'édition. Par extension, les libraires prennent quelquefois le titre d'éditeurs des ouvrages qu'ils publient à leurs frais.» On voit par ce texte, qu'à cette époque, la différence entre éditeur et libraire n'est pas encore bien établie. La plus grande maison d'édition française actuelle porte témoignage de cette confusion longuement maintenue avec l'appellation de «Librairie Hachette». Il est impossible d'esquisser ne serait-ce que l'histoire de l'édition parisienne : elle se confond avec celle de l'édition française, car au moins 80 % des maisons d'édition françaises, et les plus importantes, ont leur siège à Paris. Exclusivement concentrées dans le quartier de l'Université, les Vᵉ et VIᵉ arrondissements avec leur extension du VIIᵉ arrondissement, jusqu'au début des années 1970, ces maisons d'édition ont actuellement tendance à le déserter progressivement pour la périphérie, voire la proche banlieue. Le manque de place dans les trois arrondissements privilégiés, le coût énorme des bureaux dans le «croissant fertile» de l'édition, encouragent les entrepreneurs d'aujourd'hui à réaliser des opérations financières très fructueuses : ils vendent les anciens sièges sociaux et s'installent, à moindres frais, dans de vastes locaux hors ou à la limite de Paris.

• *Voir aussi* IMPRIMERIE ; LIBRAIRIE.

ÉGOUT

Après avoir réexaminé les papiers laissés par Théodore Vacquer à la fin du XIXᵉ siècle, Didier Busson vient de mettre au jour le grand égout de la Lutèce gallo-romaine. Les résultats de sa découverte sont exposés dans le deuxième des *Documents d'histoire parisienne* publiés par l'Institut d'histoire de Paris que dirige Michel Fleury. Ce grand égout suit approximativement le tracé du boulevard Saint-Michel et se jette dans la Seine au niveau de la place Saint-Michel. Il fut abandonné après le saccage de la ville par les envahisseurs germaniques, vers la fin du IIIᵉ siècle. Les hommes du Moyen Âge se bornèrent à organiser sommairement l'évacuation des eaux usées, utilisant la pente naturelle de la montagne Sainte-Geneviève et, sur la rive droite, celle de l'ancien bras de la Seine partant de l'emplacement de l'actuel bassin de l'Arsenal, longeant les boulevards Beaumarchais, des Filles-du-Calvaire, du Temple, passant par la place de la République, les rues du Château-d'Eau, des Petites-Écuries, Richer, Saint-Lazare, de la Pépinière, de La Boétie, du Colisée, Marbeuf, pour rejoindre le cours du fleuve au niveau de la place de l'Alma. La partie orientale de ce fossé naturel fut choisie pour servir de douves à l'enceinte de Charles V. A partir de la porte du Temple, un fossé creusé de main d'homme bordait l'enceinte qui suivait un itinéraire plus méridional (voir ENCEINTES) que l'ancien cours du fleuve. Ces deux fossés, naturel et artificiel, servaient d'égouts à ciel ouvert aux eaux sales des Parisiens et se déversaient au bas de la colline de Chaillot, constituant ce qu'on appelait le «Grand Égout».

Le plus ancien texte parisien évoquant un égout est une donation, faite en 1325 par l'apothicaire Jean Roussigneul à l'Hôtel-Dieu, de deux maisons mitoyennes de la rue du Sablon, formant le coin du côté de «l'Égout l'Évêque». Cet Égout l'Évêque était une voûte passant sous les bâtiments de l'Hôtel-Dieu et se déversant dans le petit bras de la Seine. On trouve mention au XIVᵉ siècle d'autres égouts ou portions d'égouts, dans le quartier des Halles, rue Saint-Denis et place Baudoyer. La tradition, rapportée par la

Chronique du Religieux de Saint-Denys, veut que ce soit le prévôt royal Hugues Aubriot qui ait entrepris le premier de creuser de nouveaux égouts et qui ait songé à faire couvrir ces cloaques pour protéger les habitants de leurs émanations. Le plus ancien égout couvert aurait donc été entrepris vers 1370 : il aurait débuté rue Montmartre, au coin de la rue d'Argout, au-delà de l'enceinte de Philippe Auguste, pour s'écouler dans le fossé de l'enceinte de Charles V, à la porte Montmartre, s'étendant environ sur 300 mètres. L'égout de la rue Saint-Denis, à peu près de la même époque, traversait cette rue au ponceau Saint-Denis, empruntait la rue du Ponceau et aboutissait à la porte du Temple. Un égout couvert, partant de la place Baudoyer, longeait la rue Saint-Antoine et obliquait vers le nord au niveau de la Bastille jusqu'aux actuelles rues Froissart et Commines. Comme il passait devant l'hôtel Saint-Paul, résidence du roi, et incommodait les narines de Charles VI et de sa cour, il fut dévié en 1413 par la rue du Val-Sainte-Catherine (aujourd'hui rue de Turenne). Il y avait toute une série d'autres égouts de dimension plus modeste : l'égout de la rue du Temple, l'égout du Pont-aux-Biches, continuation de celui du Ponceau, qui suivait la rue Meslay, etc. Une grande enquête sur la voirie fut entreprise en 1636. Elle permet de dresser la carte des égouts à cette époque. On en trouve un bon résumé dans l'article de H. Lemoine, *Les Égouts de Paris du XIVe siècle à 1825*, paru en 1929-1930 dans la *Revue de la Chambre syndicale de maçonnerie*. L'ensemble des égouts voûtés ne dépassait pas alors 23 kilomètres. Sur la rive gauche, c'est la Bièvre qui servait d'égout à ciel ouvert. Le Grand Égout fut reconstruit de 1736 à 1740, mais l'extension du réseau ne dépasse pas 3 kilomètres entre 1636 et 1800.

Le 18 juin 1805, Emmanuel Bruneseau, depuis 1786 inspecteur général de la salubrité de Paris, était nommé inspecteur des égouts. Patrice Boussel rapporte, dans le *Dictionnaire de Paris*, cette anecdote : « Napoléon, un jour de 1805, se trouva à Paris ; son armée était là, au repos ; les héros se bousculaient à sa porte. "Sire, dit le ministre de l'Intérieur à Napoléon, j'ai vu hier l'homme le plus intrépide de votre empire. — Qu'est-ce que cet homme ? dit brusquement l'Empereur, et qu'est-ce qu'il a fait ? — Il veut faire une chose, sire. — Laquelle ? — Visiter les égouts de Paris." Cet homme existait et se nommait Bruneseau. » De 1805 à 1812, aidé de son gendre, Félix Nargaud, qui devait lui succéder, il travaille sans relâche. Victor Hugo, qui lui a rendu hommage dans *Les Misérables* avec l'anecdote napoléonienne citée par Patrice Boussel, a longuement décrit ses visites dans « l'intestin de Léviathan ». Son lyrisme échevelé se retrouve dans cette description qui vaut la peine d'être reproduite ici : « Tortueux, crevassé, dépavé, craquelé, coupé de fondrières, cahoté par des coudes bizarres, montant et descendant sans logique, fétide, sauvage, farouche, submergé d'obscurité, avec des cicatrices sur ses dalles et des balafres sur ses murs, épouvantable, tel était, vu rétrospectivement, l'antique égout de Paris. Ramifications en tous sens, croisements de tranchées, branchements, pattes d'oie, étoiles, comme dans les sapes, caecums, culs-de-sac, voûtes salpêtrées, puisards infects, suintements dartreux sur les parois, gouttes tombant des plafonds, ténèbres ; rien n'égalait l'horreur de cette vieille crypte exutoire, appareil digestif de Babylone, antre, fosse, gouffre percé de rues, taupinière titanique où l'esprit croit rôder à travers l'ombre, dans de l'ordure qui a été de la splendeur, cette énorme taupe aveugle, le passé. » Les papiers de Bruneseau révèlent que les 26 kilomètres de l'égout parisien se divisaient en cent quatre-vingt-six petits égouts, constituant un invraisemblable dédale justifiant la description d'Hugo, et qui sont détaillés dans l'étude déjà citée de Lemoine. Parent-Duchâtelet les décrit en 1824 dans son remarquable *Essai sur les cloaques ou égouts de la ville de Paris* et précise qu'on comptait alors près de 25 kilomètres d'égouts couverts sur la rive droite, 9,5 sur la rive gauche et 387 mètres dans les îles. Les égouts à découvert représentaient un peu plus de 2 kilomètres, la Bièvre non comprise.

L'épidémie de choléra de 1832 attira l'attention sur la nécessité d'un réseau moderne et de travaux d'assainissement. Le curage des égouts fut facilité par l'écoulement, réglé en galerie et suivant les besoins, des eaux du canal de l'Ourcq qui servirent à chasser les vases accumulées sur le sol ou radier. La construction de galeries prit un rythme annuel moyen de 8 kilomètres. Vers 1840, le réseau atteignait 96 kilomètres et l'on commença à installer dans les égouts les conduites de distribution des eaux, ce qui facilita leur entretien et leur inspection permanente. En 1851, un nouveau type d'égout, de modèle anglais, à section ovoïde, entra en service : ayant un minimum d'1,80 m de hauteur, il permit une circulation beaucoup plus facile des égoutiers. Le décret-loi du 26 mars 1852 porta que toute construction nouvelle dans une rue pourvue d'égout devrait être conçue de façon à y amener les eaux pluviales et ménagères. La même clause devait s'appliquer à tous les bâtiments anciens dans un délai de dix ans.

En 1854 s'ouvre la grande époque des égouts modernes : Haussmann confie à Eugène Belgrand l'exécution d'un vaste système d'égouts qui est à l'origine du réseau actuel. Les 163 kilomètres du réseau vont passer à 536 en 1870, soit 35 kilomètres de canalisations par an. Entre la chute du second Empire et la naissance du XXe siècle, la troisième République n'en creusera pas plus de 25 par an, développant un réseau d'un millier de kilomètres au total. Une hiérarchie fut établie, de l'égout

élémentaire à l'émissaire en passant par le collecteur. On trouvera une étude détaillée sur les égouts de la seconde moitié du XIXe siècle dans l'inégalé *Paris souterrain* d'Émile Gerards. Des champs d'épandage recueillent ces eaux à Gennevilliers, Achères, Méry-Pierrelaye, Carrières-Triel, l'ensemble représentant près de 5 000 hectares. Quant à la Bièvre, elle fit l'objet d'un muraillement entre 1828 et 1844 qui la fit couler dans un canal maçonné et fut progressivement recouverte dans tout son tracé parisien. Détracteur de Napoléon III, le spécialiste des égouts, Victor Hugo, sut reconnaître son mérite, au moins dans ce domaine, écrivant : « Aujourd'hui, l'égout est propre, froid, droit, correct. Il réalise presque l'idéal de ce qu'on entend en Angleterre par le mot "respectable". Il est convenable et grisâtre ; tiré au cordeau, on pourrait presque dire à quatre épingles. Il ressemble à un fournisseur devenu conseiller d'État. On y voit presque clair. La fange s'y comporte décemment. » La statistique nous révèle que le réseau a doublé au cours du XXe siècle, dépassant aujourd'hui les 2 100 kilomètres (la distance de Paris à Saint-Pétersbourg ou à Sofia) qui transportent plus d'un milliard de mètres cubes d'eaux de pluie ou usées. Dix-huit mille bouches d'égout et vingt-six mille regards d'accès sont entretenus et inspectés par près d'un millier d'égoutiers. Une quarantaine de milliers de curieux participent chaque année à des visites qui leur permettent de découvrir quelques centaines de mètres de ce monde souterrain évoqué par Giraudoux dans *La Folle de Chaillot* et par Gaston Leroux dans *La Double Vie de Théophraste Longuet*.

• *Voir aussi* NETTOIEMENT ; REGARD.

ÉLECTRICITÉ

Étudiée par Galvani, Volta, Ampère, etc., l'électricité entre lentement dans la vie des Parisiens. La première expérience d'éclairage électrique est tentée le 20 octobre 1843, place de la Concorde, sur les genoux de la statue figurant Lille ; elle est relatée dans *L'Illustration* du 28 octobre. Le 16 avril 1849, l'opéra *Le Prophète*, paroles de Scribe, musique de Meyerbeer, est la première œuvre à bénéficier, grâce à l'électricité, d'un effet de soleil levant. Des illuminations électriques ont lieu occasionnellement : les 15 août 1865 et 1866 à l'arc de triomphe de l'Étoile, le 30 mai 1866 dans le jardin de la princesse Mathilde, le 11 juin suivant dans les jardins des Champs-Élysées, le 19 juillet dans le jardin de l'ambassade de Grande-Bretagne...

La première tentative d'éclairage public a lieu en février 1878 sur la place de l'Opéra, puis sur l'avenue du même nom et place du Théâtre-Français. En 1879, des essais sont faits sur la place du Château-d'Eau (de la République), aux Halles, place de la Bastille, rue Soufflot. En mai 1880, la société Lontin éclaire la place du Carrousel et la cour du Louvre. Le 14 juillet est l'occasion d'illuminer la gare Montparnasse et la colonne de Juillet sur la place de la Bastille. Les premiers candélabres, en métal galvanisé, comme ceux du gaz, sont implantés en 1881 sur la place du Carrousel. Le 14 juillet 1881, les Grands Boulevards sont éclairés de la rue de la Chaussée-d'Antin à la rue Laffitte. L'exposition d'électricité d'août 1881, au palais des Champs-Élysées, favorise la vulgarisation de la lumière électrique.

Mais il faut l'incendie de l'Opéra-Comique, le 25 mai 1887, provoqué par une rampe à gaz, pour que la municipalité se décide à adopter l'éclairage électrique. Le 30 juillet 1888, un crédit d'un million est affecté à la construction d'une usine municipale d'électricité. Inaugurée le 1er décembre 1889, elle est installée dans le sous-sol des Halles. Mais la Ville recule devant le coût et préfère concéder la création et l'exploitation du réseau à six compagnies se partageant autant de secteurs pour dix-huit ans.

A la fin de 1905, alors que les concessions vont expirer, la Ville constate que les tarifs sont trop élevés et que la rentabilité a conduit à privilégier les zones riches : les Champs-Élysées ont été électrifiés en premier, mais les canalisations ne sont pas encore creusées dans le XXe arrondissement. Les discussions avec les industriels aboutissent à un régime transitoire de 1907 à 1913. Le 1er janvier 1914, la Compagnie parisienne de distribution d'électricité (C.P.D.E.) prend en main la production et la distribution dans toute la ville et doit très vite faire face aux difficultés liées à la guerre et à la pénurie de charbon qui en résulte.

A partir de 1920, la victoire de l'électricité est totale et la consommation croît très rapidement, dépassant toutes les prévisions : 250 millions de kilowatts-heure en 1920, le double dès 1925, un milliard en 1938. A partir de 1926, l'électricité produite par l'usine hydro-électrique d'Éguzon, en bordure septentrionale du Massif central, ravitaille la capitale. Au 1er janvier 1930, la C.P.D.E. renonce à participer à la production et achète le courant au consortium formé par l'Union d'électricité et Électricité de Paris et de la Seine. Elle consacre ses efforts à la normalisation de son réseau et à l'unification progressive des six secteurs ainsi qu'au développement des usages électrodomestiques. En 1939, la puissance de pointe a été multipliée par six par rapport à 1913, l'achat de courant est huit fois plus important, le nombre des abonnements a décuplé et les canalisations sont deux fois et demi plus développées.

En 1946, la loi de nationalisation confie l'exploitation du réseau à Électricité de France. Le courant continu finit par disparaître au cours des années 1960 ; le diphasé de la rive droite et le monophasé de la rive gauche ont été progressivement remplacés depuis

1963 par le triphasé qui devrait régner seul avant l'an 2000.

• *Voir aussi* ÉCLAIRAGE.

ÉLÉPHANT
Voir ANIMAL SAUVAGE.

EMBAUCHAGE, EMBAUCHE
Voir BUREAU DE PLACEMENT.

EMBLÈME
Voir ARMOIRIES ; DEVISE.

ENCEINTES

ENCEINTE DE PHILIPPE AUGUSTE (1190-1220)

Construite entre 1190 et 1208 pour la rive droite, de 1209 à 1213 pour la gauche, l'enceinte de Philippe Auguste était longue d'environ 5 400 mètres (2 800 au nord de la Seine et 2 600 au sud). Cette muraille était vraisemblablement percée de dix portes, toutes encadrées et protégées par deux tours : portes Baudoyer (route de Sens), Barbette (vers Meaux), Saint-Martin (vers Senlis), Saint-Denis (vers Rouen), Saint-Honoré (vers le Roule et Neuilly) sur la rive droite ; portes Saint-Germain (route de Dreux), Saint-Michel ou Gibart (vers Chartres), Saint-Jacques (vers Orléans), Saint-Marcel (vers Sens et l'Italie), Saint-Victor (vers l'Italie). La muraille comptait vraisemblablement — espacées de 60 mètres — quarante-deux tours sur la rive droite, dont les grosses tours Barbeau et du Coin en bordure du fleuve, et trente-trois autres sur la rive gauche, y compris les tours de la Tournelle ou Saint-Bernard et Philippe-Hamelin ou de Nesle près du fleuve, sans compter les paires de tours des portes. La muraille avait une épaisseur de 3 mètres environ à sa base. Sa hauteur pouvait atteindre 10 mètres. Le chemin de ronde possédait des créneaux mais pas de mâchicoulis. Confiant dans la force de cette enceinte et dans le nombre de ses défenseurs potentiels, Philippe Auguste n'avait pas jugé nécessaire de la renforcer par des fossés. Extérieur à l'enceinte, le Louvre, édifié entre 1190 et 1202, constituait une solide défense d'appoint du côté le plus menacé, la Normandie, possession du roi d'Angleterre. Pour le tracé de cette enceinte, se reporter aux cartes pages 846 et 847.

ENCEINTE DE CHARLES V (1358-1383)

Précédée par des travaux ordonnés en 1356 par le prévôt des marchands Étienne Marcel, l'enceinte a été décidée, une fois la paix civile rétablie, par Charles V. Édifiée entre 1358 et 1383, elle se borne à la rénovation et à l'amélioration de l'enceinte de Philippe Auguste sur la rive gauche. Sur la rive droite, c'est une nouvelle enceinte de 4 900 mètres qui est élevée avec les portes Saint-Antoine, du Temple, Saint-Martin, Saint-Denis, Montmartre, Saint-Honoré. Elle constitue un ensemble bien plus complexe que le rempart de Philippe Auguste : large de 80 mètres environ, comportant une courtine de 13 mètres de haut avec chemins de ronde intérieur et extérieur, un premier fossé d'une trentaine de mètres de large, profond de 7 à 8, doublé d'un second fossé de 15 mètres de largeur et de 5,5 mètres de profondeur. Cette redoutable muraille était renforcée à ses portes par de véritables forteresses : la Bastille ou bastide Saint-Antoine entreprise en 1370, les bastides Saint-Martin et Saint-Denis au débouché des deux voies, énormes constructions rectangulaires en saillie sur le fossé flanquées de quatre tours d'angles. Les portes du Temple, Montmartre et Saint-Honoré étaient plus légèrement défendues. Quant au Louvre, il avait perdu son importance militaire et se trouvait désormais à l'intérieur de l'enceinte, ce qui n'avait pas détourné Charles V de l'idée de renforcer ses défenses. Les impressionnantes fondations de ses tours, intégrées par Michel Fleury dans une crypte archéologique, font aujourd'hui partie du musée du Grand Louvre. L'île Saint-Louis (alors dite Notre-Dame), déjà dotée d'un mur de défense dans le sens de la largeur, fut coupée par un fossé-canal à l'emplacement de la rue Poulletier. C'est sans doute à cette époque que se met en place le système de barrage de la Seine par des chaînes en période d'insécurité. On peut se reporter aux cartes des enceintes pages 846 et 847 pour le tracé de cette enceinte.

ENCEINTE DE CHARLES IX ET DE LOUIS XIII (1566-1635)

Longue de 6 200 mètres et située exclusivement sur la rive droite, elle est formée de quatorze bastions d'une largeur variant entre 30 et 290 mètres pour le plus important, avec des fossés de 25 à 50 mètres de large. Les bastions étaient reliés par une courtine. Entre la porte de la Conférence et la porte Saint-Honoré se trouvait le premier bastion. Les bastions deux et trois se situaient entre celle-ci et la porte Gaillon. Le petit bastion quatre, dit de Grammont, était immédiatement à l'ouest de la porte de Richelieu qui n'était reliée à celle de Montmartre que par une courtine. Le bastion cinq commençait immédiatement à l'est de la porte Montmartre et s'étendait jusqu'à la porte Sainte-Anne ou Poissonnière. Le bastion six ne dépassa pas le stade du boulevard gazonné et se terminait à la porte Saint-Denis. Il était suivi par deux autres boulevards jusqu'à la porte du Temple. Entre elle et la porte Saint-Louis ou poterne du Marais se trouvait le boulevard neuf. Les bastions reparaissaient entre cette poterne et la porte Saint-Antoine, au nombre de deux. Le bastion douze était placé en avant de la Bastille, les petits bastions treize et quatorze se situaient entre cette forteresse et la Seine. C'étaient les seuls dont les fossés étaient en permanence remplis d'eau.

ENCEINTE OU MUR DES FERMIERS GÉNÉRAUX (1784-1787)

Construit, non dans une intention militaire mais dans un but fiscal : empêcher les Parisiens de frauder l'octroi, ce mur d'environ 24 kilomètres de long n'avait qu'une hauteur de 3,30 mètres. Il était longé, à l'intérieur, par un chemin de ronde de 12 mètres de large, à l'extérieur, par un boulevard de 60. Comme il était interdit de construire à l'extérieur de la ville à moins de 100 mètres du mur, il existait une distance de 112 mètres entre les dernières maisons de Paris et les premières des faubourgs. Cela n'empêcha pas les fraudeurs de passer grâce à des tunnels qui ont pu atteindre, au niveau du boulevard de l'Hôpital, plus de 200 mètres. Cette enceinte devait être percée de soixante barrières dont la construction avait été confiée à Ledoux, et deux pataches, à la Rapée en amont, aux Invalides en aval, devaient surveiller les entrées par eau. Cette muraille marqua la limite administrative de Paris jusqu'à l'extension du 1er janvier 1860. C'est alors seulement que commença sa démolition, les chemins de ronde devenant les boulevards dits extérieurs.

ENCEINTE DE THIERS (1841-1844)

Dépourvue de fortifications, la capitale n'a pu résister aux Alliés en 1814 et 1815. Une commission de défense du territoire, créée en 1818, a conclu, le 18 juillet 1820, à la « nécessité de mettre Paris en état de défense », mais aucun projet n'a abouti. Un comité de fortification, créé en 1830, relance la question mais les points de vue sont irréductibles entre les partisans d'une vaste enceinte englobant les faubourgs et ceux d'un camp retranché autour de la capitale, constitué d'une série de forts avec une « enceinte de sûreté » aux portes de Paris. Une nouvelle commission, dite de « défense du royaume », créée en 1836, fait adopter, le 6 juillet 1838, un plan combinant les deux systèmes. Il faut attendre 1840, année de tensions entre la France, l'Angleterre et l'Union des états allemands, pour qu'Adolphe Thiers, président du Conseil et ministre des Affaires étrangères, fasse déclarer d'utilité publique la construction d'une nouvelle enceinte, sous la

ENCEINTES SUCCESSIVES
DE PARIS

B. de Courcelles
B. de Chartres
B. de Monceau
B. de Clichy
B. du Roule
FERMIERS
B. de l'Étoile
P. St.Honoré
B. de la Pompe
ou de Chaillot
LOU
B. de Longchamp
P. de la
Confére
B. Ste. Marie
B. de Passy
ou
des Bonshommes
B. de la Cunette
FERMIERS
B. des Ministres
B. de l'École Militaire
B. des Paillassons
GE
B. de Sèvres
B. de Vaugirard
B. des Fourneaux
ou de la Voirie
B. du Maine
B. du Montparnasse
B. d'Enfe
THIERS
B.d'Ente
S

0   1500 m

conduite des généraux Dode de La Brunerie et Vaillant. Voté par les deux Chambres, le projet est promulgué le 3 avril 1841. Paris doit être enfermé dans une immense ellipse de près de 34 kilomètres, 39 en comptant les saillants et rentrants des bastions. Édifiée entre les actuels boulevards dits des Maréchaux et la limite actuelle de la capitale, cette enceinte de ville est la plus vaste du monde. Elle comporte une zone où il est interdit de bâtir, dite en latin *non aedificandi*, de 250 mètres en avant du fossé. La fortification elle-même fait 140 mètres de large et comporte, de l'intérieur vers l'extérieur : un caniveau d'évacuation des eaux usées de 2 mètres de large, une chaussée empierrée ou « rue du rempart » de 6 mètres de large, bientôt supplantée par une rocade large de 40 mètres et complétée dès 1861 par les boulevards des Maréchaux qui empiètent par endroits de 30 mètres à l'intérieur sur des propriétés privées, le terre-plein du rempart, haut de 10 mètres, épais de 3, renforcé de contreforts tous les 6 mètres, des banquettes de tir au sommet du terre-plein, un fossé d'une quarantaine de mètres, une contrescarpe et un glacis marquant à partir de 1860 la limite de Paris.

Cet ensemble impressionnant est divisé en dix chefferies militaires, de Bercy, de Charonne, de Belleville, d'Aubervilliers, de La Chapelle, des Batignolles, du bois de Boulogne, de Vaugirard, du Petit-Montrouge, de la Maison-Blanche. Il y a quatre-vingt-quatorze bastions garnis de six cent cinquante-huit pièces d'artillerie. Partant de l'est, on trouve successivement, sur la rive droite : la porte de Bercy, les bastions 1 et 2, le passage du chemin de fer de Lyon, le bastion 3, la porte de Charenton, le bastion 4, la porte de Reuilly, le bastion 5, la porte de Picpus, les bastions 6 et 7, la poterne de Montempoivre, le bastion 8, la porte de Saint-Mandé, le bastion 9, la porte de Vincennes, les bastions 10 et 11, la porte de Montreuil, les bastions 12, 13 et 14, la porte de Bagnolet, les bastions 15 et 16, la porte de Ménilmontant, les bastions 17 et 18, la porte de Romainville ou des Lilas, les bastions 19 et 20, la porte du Pré-Saint-Gervais, les bastions 21, 22 et 23, la porte Chaumont, dite aussi poterne du Pré-Saint-Gervais, le bastion 24, la porte de Pantin, les bastions 25 et 26, le passage du canal de l'Ourcq, le bastion 27, le passage du chemin de fer de l'Est, le bastion 28, la porte de La Villette, le bastion 29, le passage du canal Saint-Denis, les bastions 30 et 31, la porte d'Aubervilliers, les bastions 32 et 33, le passage du raccordement de ceinture créé après 1860, la porte de La Chapelle-Saint-Denis, le bastion 34, le passage du chemin de fer du Nord, la porte des Poissonniers ouverte après 1860, les bastions 35 et 36, la porte de Clignancourt, les bastions 37 et 38, la poterne Montmartre érigée en porte en 1860, les bastions 38 et 39, la porte de Saint-Ouen, le bastion 40, la porte Pouchet ouverte après 1860, les bastions 41, 42 et 43, la porte de Clichy, le bastion 44, le passage du chemin de fer de Normandie (Saint-Lazare), le bastion 45, la porte d'Asnières, les bastions 46 et 47, la porte de Courcelles, la porte de la Révolte supprimée en 1860, le bastion 48, la porte de Champerret créée après 1860, le bastion 49, la porte de Villiers, le bastion 50, la porte de Sablonville supprimée après 1860, la porte des Ternes, le bastion 51, la porte de Neuilly, dite aussi Maillot, les bastions 52, 53, 54, la porte Dauphine, les bastions 55, 56 et 57, la porte de la Muette, les bastions 58 et 59, la porte de Passy, les bastions 60, 61 et 62, la porte d'Auteuil, le bastion 63, la porte Molitor ouverte après 1860, les bastions 64 et 65, la porte de Saint-Cloud, le bastion 66, la porte du Point-du-Jour, les bastions 67 et 67 bis, la porte de Billancourt.

Sur la rive gauche se succèdent la porte du Bas-Meudon, les bastions 68 et 69, la porte de Sèvres, le bastion 70, la porte d'Issy, le bastion 71, la porte de Versailles, le bastion 72, la porte ou poterne de la Plaine, le bastion 73, la porte de Plaisance, le bastion 74, la porte Brancion, ouverte après 1860, le bastion 75, le passage du chemin de fer de Bretagne (Montparnasse), la porte de Vanves, le bastion 76, la porte Didot ou de Malakoff créée après 1860, les bastions 77 et 78, la porte de Châtillon, le bastion 79, la porte de Montrouge, la porte d'Orléans, les bastions 80 et 81, la porte d'Arcueil, le bastion 82, le passage du chemin de fer de Limours (ligne de Sceaux, ligne B du R.E.R.), le bastion 83, la porte de Gentilly, les bastions 84 et 85, la poterne des Peupliers et le passage de la Bièvre, le bastion 86, la porte de Bicêtre, le bastion 87, la porte d'Italie, le bastion 88, la porte de Choisy, le bastion 89, la porte d'Ivry, les bastions 90 et 91, la porte de Vitry, le bastion 92, le passage du chemin de fer d'Orléans (Austerlitz), le bastion 93, un petit passage pour le chemin de fer ouvert après 1860, le bastion 94, la porte de la Gare qui jouxte la Seine.

Il subsiste quelques vestiges de l'enceinte de Thiers : la totalité des bastions 1 et 44, des fragments des bastions 28 et 45, un bout du mur de courtine entre les bastions 1 et 2, la poterne des Peupliers, un morceau de la porte d'Arcueil, des éléments du passage du canal Saint-Denis.

Une couronne de seize forts, le plus éloigné à 5 kilomètres de l'enceinte, complète la défense de la capitale. Ce sont les forts de Charenton, de Vincennes, de Nogent, de Rosny, de Noisy-le-Sec, de Romainville, d'Aubervilliers, de Saint-Denis, de la couronne du Nord, de La Briche, du mont Valérien, d'Issy, de Vanves, de Montrouge, de Bicêtre, d'Ivry.

L'enceinte de Thiers n'a servi que durant le siège de 1870. La loi du 19 avril 1919 a décidé sa destruction. Les habitants de ce qu'on appelait la zone, des chiffonniers bien souvent, ont dû partir pour laisser la place à des ensembles d'habitations à bon marché (H.B.M.) ou à loyers modérés (H.L.M.) que frôle maintenant la dernière ceinture de la capitale, le boulevard périphérique.

• *Voir aussi* **BARRIÈRE** ; **PORTE** ; **ZONE**.

ENCLOS

Deux établissements religieux détenaient des terres et des bâtiments d'une assez vaste étendue, enclos de murs et possédant une juridiction particulière : le Temple, dit la Villeneuve-du-Temple au XIIIᵉ siècle, qui possédait le droit d'asile, la maison Saint-Lazare, qui se situait à peu près à l'emplacement de la place La Fayette. Les clos, à l'origine terrain cultivé entouré de murs, étaient assez nombreux. Sont mentionnés au Moyen Âge celui des Mureaux ou Francs-Mureaux (à cause de l'exemption d'impôt dont jouissaient les habitants dès le XIIᵉ siècle, situé près de l'abbaye de Port-Royal), les deux clos Bruneau (l'un correspondant au passage du Clos-Bruneau du Vᵉ arrondissement, l'autre situé à l'emplacement de la rue de Condé dans le VIᵉ), le clos du Chardonnet, dit aussi terre d'Alez ou d'Aleps ou clos Tiron (à l'emplacement de l'actuelle église Saint-Nicolas-du-Chardonnet), le clos Mauvoisin (rue de la Bûcherie) et le clos Garlande contigu, le clos aux Bourgeois, qui appartenait à la confrérie des bourgeois de la Ville (à l'emplacement duquel fut ouverte la rue des Francs-Bourgeois-Saint-Michel, aujourd'hui rue Monsieur-le-Prince), le clos des Arènes (rue Monge), le clos Cadet (rue Cadet), le clos Payen (vers la rue du Champ-de-l'Alouette).

• *Voir aussi* **CHAMP** ; **COUTURE** ; **PRÉ**.

ENCOIGNURE

Voir **ANGLE (immeuble d')**.

ENFANT

Voir **GAMIN**.

ENFANT ASSISTÉ

Lorsqu'ils n'étaient pas pris en charge par la famille ou par la corporation des défunts, les orphelins étaient, au Moyen Âge, accueillis à l'hôpital du Saint-Esprit. Fondé le 9 avril 1364 par «plusieurs bons bourgeois et habitans de nostre bonne ville de Paris meuz de grant aumosne, charité et compacion», primitivement situé rue de l'Arbre-Sec, mais peu après transféré en place de Grève, près de l'Hôtel de Ville, cet établissement ne recevait que les enfants légitimes jusqu'à l'âge de cinq puis de sept et neuf ans.

En janvier 1545, le Parlement renforce l'accueil des enfants assistés en affectant l'hôpital de la Trinité (142-164, rue Saint-Denis) aux enfants des indigents âgés d'au moins cinq ans. Vêtus d'une robe de drap bleu, d'où leur nom d'Enfants bleus, garçons et filles commençaient dès l'âge de sept ans l'apprentissage d'un métier. Les orphelins et abandonnés en bas âge sont confiés à la Maison de la Couche. Après la création de l'Hôpital général, en 1656, ils sont envoyés à la Maison de Saint-Denys, autre nom de la Salpêtrière. Après quatre ans, ces enfants sont confiés à la petite Pitié pour les garçons, à Notre-Dame-de-la-Pitié pour les filles. Énumérer les institutions charitables s'occupant des enfants assistés est impossible, vu leur nombre. Les principaux établissements se consacrant aux orphelins sous l'Ancien Régime étaient les Filles de la Providence (rue du Vieux-Colombier, à l'emplacement de la caserne de pompiers), Sainte-Anne, la Mère de Dieu et l'hôpital de la Miséricorde, dit aussi des Cent-Filles pour le distinguer de celui de la rue Mouffetard. La tendance à la confusion entre enfants trouvés et enfants assistés triomphe en 1838 lorsque l'hospice des Enfants-Trouvés du 74, rue Denfert-Rochereau, est débaptisé et devient l'hospice des Enfants-Assistés.

• *Voir aussi* ASSISTANCE ; ASSISTANCE PUBLIQUE ; BUREAU DE BIENFAISANCE ; CONFRÉRIE ; ENFANT TROUVÉ ; GRAND BUREAU DES PAUVRES ; HÔPITAL ; MENDICITÉ.

ENFANT MALADE

La création d'établissements de soins réservés aux enfants malades est récente. Ils sont restés très longtemps mêlés aux adultes dans les différents hôpitaux et hospices. Il existait cependant, à la Maison de la Couche ou hôpital des Enfants-Trouvés du parvis Notre-Dame, un service de médecine et un autre de chirurgie dirigés en 1789 par deux médecins. Néanmoins, pour les enfants contagieux atteints de la teigne, un petit hospice avait été aménagé à l'emplacement du 20, rue de la Chaise. Dépendance de l'ancienne maladrerie Saint-Germain, il était nommé hospice Sainte-Reine ou hospice des Teigneux. Quant aux enfants atteints de syphilis, ils étaient soignés à l'hôpital de Vaugirard, vers les 355-371 de cette rue. Dès 1802, le Conseil des hospices propose la création d'un établissement où seraient réunis et soignés tous les enfants malades de la capitale. Il est installé, le 29 avril 1802, dans l'ex-hôpital de l'Enfant-Jésus (149, rue de Sèvres). Les deux cent cinquante lits de 1802 passeront à cinq cents à la laïcisation de l'hôpital des Enfants-Malades, en 1886, et l'établissement ne cessera de s'étendre jusqu'à nos jours.

• *Voir aussi* ASSISTANCE ; ASSISTANCE PUBLIQUE ; ENFANT ASSISTÉ ; ENFANT TROUVÉ ; ÉPIDÉMIE ; HÔPITAL.

ENFANT TROUVÉ

Jusqu'au XVIe siècle, les enfants privés de soutien familial, abandonnés, trouvés ou orphelins, sont pris en charge par les seigneurs ou communautés d'habitants et entretenus aux frais de ceux-ci dans les hospices qui accueillent déjà malades et indigents. A Paris, c'est le chapitre de Notre-Dame qui s'occupait des enfants nouveau-nés abandonnés nuitamment «à val les rues » ou déposés à l'entrée des églises. Ces nourrissons étaient confiés à l'Hôtel-Dieu qui fut administré par les chanoines de la cathédrale jusqu'en 1505. Le Bureau de la Ville, qui prend la relève, s'indigne des conditions de vie des jeunes enfants mêlés aux mendiants et aux grabataires et s'adresse au roi. Dans sa lettre patente du 14 mai 1515, François Ier reconnaît le bienfondé des plaintes : les enfants sont logés dans la salle dite de l'infirmerie, réservée en principe aux malades les plus graves et aux agonisants. Sur sept ou huit lits, vingt-cinq à trente enfants de moins de cinq ans sont rassemblés, « desquels enffans, qui sont tendres et delicatz, à cause du gros ayr qui est en ladite enfermerie, meurt la plus part tellement que de vingt en rechappe pas ung ». En 1531, la question n'est pas réglée et une enquête mentionne la prise en charge de soixante à soixante-dix nouveau-nés par an, le double en année de peste. Interrogée, sœur Hélène, religieuse à l'Hôtel-Dieu, estime qu'il en meurt quatre sur cinq.

En janvier 1536, des lettres patentes de François Ier créent enfin un établissement spécial destiné exclusivement aux enfants trouvés. Installé dans l'hôpital des Enfants-Dieu (rue Portefoin), cet établissement prend rapidement le nom d'hôpital des Enfants-Rouges, car ses pensionnaires sont vêtus de drap rouge, faisant « enseigne de charité ». Il ne faut pas le confondre avec l'hôpital des Enfants-Bleus réservé aux enfants assistés. Il existe une autre institution pour les enfants trouvés, les Enfants-Rouges ayant très tôt refusé de recevoir les enfants de moins de quatre ans. Bouchel en évoque l'origine dans son *Trésor du droit français* (édition de 1671) : « Quand il se trouve par les rues de Paris quelque enfant exposé, il n'est loisible à personne de le lever, fors au commissaire de quartier, ou à quelque autre passant son chemin. Et se doit porter aux Enfants trouvez à Nostre-Dame, en la maison destinée pour les nourrir et allaicter, qui est auprès la maison épiscopale et fait le bas d'une ruelle descendante à la rivière [...]. Et quant à lever l'enfant trouvé, si le commissaire ou autre ne s'en entremet, craignant la dérision et soupçon l'enfant estre de son fait, on envoye quérir la dame des enfans-trouvez qui ne fait difficulté de l'enlever, en luy payant cinq sols pour le domicilier, à la porte ou estau duquel ledit enfant aura esté trouvé. » Ces enfants nouveau-nés sont logés dans des maisons du port Saint-Landry. En 1570, le Parlement fait inspecter ces maisons et nomme deux veuves pour s'occuper des petits enfants. Cet endroit, nommé Maison de la Veuve ou Maison de la Couche, surveillé en principe par les chanoines de Notre-Dame, est géré dans la pénurie permanente, faute de ressources financières suffisantes, et des trafics d'enfants y ont lieu : vente d'orphelins aux couples sans enfant ou à des mendiants qui leur rompent bras et jambes pour apitoyer les passants, cession à des nourrices pour remplacer ceux qu'elles ont laissé mourir, etc.

Vincent de Paul tente de remédier à cette situation déplorable en organisant, en 1638, les Dames de la Charité. Après un mois d'essai chez Mlle Le Gras (Louise de Marillac), une maison est louée dans la rue des Boulangers où s'installent les Filles de la Charité et douze enfants tirés au sort. Dès 1640, l'organisation accepte tous les enfants qu'on veut bien lui confier. En 1648, quatre mille enfants ont été recueillis. Le roi a mis à leur disposition son château de Bicêtre, mais l'air y est jugé « trop vif » pour les enfants, et les Filles de la Charité s'installent en 1656 dans le couvent du 94-114, rue du Faubourg-Saint-Denis, où l'on amène les enfants à leur retour de nourrice, vers l'âge de six ans. Il y avait aussi une annexe près de l'Hôtel-Dieu, rue Neuve-Notre-Dame, nouvelle Maison de la Couche réservée aux tout-petits, dite aussi « la Marguerite », où fut porté notamment un enfant trouvé sur les marches de Saint-Jean-le-Rond en 1717 : d'Alembert. Agrandi et reconstruit en 1748, cet endroit deviendra l'hôpital des Enfants-Trouvés du parvis Notre-Dame, qu'il ne faut pas confondre avec celui du faubourg Saint-Antoine. Celui-ci se trouvait à l'emplacement du square Trousseau et sa première pierre avait été posée en 1674.

Après la création, en 1656, de l'Hôpital général, on envoya en grand nombre les petits enfants à la Salpêtrière, où on s'occupait d'eux jusqu'à quatre ans. Le nombre des enfants trouvés ne cessa de s'accroître avec l'atroce misère engendrée par la folie des grandeurs de Louis XIV. A partir de 1686, le nombre des enfants reçus à l'hospice des Enfants-Trouvés n'est jamais inférieur à mille. Durant les années de famine, en 1693-1694, il approche ou dépasse trois mille et avoisine deux mille cinq cents en 1697 et 1709. Les naissances indésirées se multiplient au XVIIIe siècle : les enfants trouvés sont plus de deux mille chaque année à partir de 1724, plus de trois mille entre 1739 et 1751, plus de quatre mille de 1752 à 1757, les cinq mille sont constamment dépassés ensuite, avec des pointes à plus de sept mille en 1771-1772. Malgré l'énorme accroissement de la population parisienne au XIXe siècle, jamais plus on ne comptera autant d'enfants trouvés.

La Convention leur affecte le monastère du Val-de-Grâce, mais ils ne l'occupent que du 13 juillet au 17 octobre 1794, le Val-de-Grâce étant finalement destiné à devenir hôpital militaire. C'est non loin de là, dans un autre couvent, à Port-Royal, qu'on loge les femmes accouchées et les enfants trouvés. Ceux-ci sont d'abord installés dans le couvent même, baptisé Hospice d'Allaitement, tandis que les femmes se trouvent à l'Oratoire. Les deux établissements permutent, sur décision du 29 juin 1814 du Conseil des hospices. L'établissement de l'Oratoire prend

alors le nom d'hospice des Enfants-Trouvés. De 1836 à 1838, de nouvelles constructions s'élèvent pour accueillir les enfants trouvés et les orphelins auparavant hébergés à l'hospice du faubourg Saint-Antoine. Le 15 septembre 1838, le nom d'Enfants-Trouvés est remplacé par celui d'Enfants-Assistés. Le tour, sorte d'armoire tournante installée dans l'épaisseur du mur à l'entrée de l'hôpital, où l'on pouvait déposer sans être vu les enfants que l'on abandonnait, restera en usage jusqu'en 1882. Lamartine a évoqué « cette ingénieuse invention de la charité chrétienne qui a des mains pour recevoir et qui n'a point d'yeux pour voir, point de bouche pour révéler. Un tintement de cloche annonçait que le tour avait été visité. » Depuis le 21 mai 1942, cet établissement est nommé l'hôpital-hospice Saint-Vincent-de-Paul.

• *Voir aussi* ENFANT ASSISTÉ.

ENSEIGNE

Seul moyen pour reconnaître les demeures privées, les enseignes semblent dater du début du XIIIe siècle. Berty n'a pu en identifier que trois pour ce siècle : la Corbeille aux Champeaux, l'Aigle au cloître Notre-Dame, le Paon blanc dans la Cité. Il en signale une dizaine au siècle suivant. C'étaient, à l'origine, des armoiries sculptées au-dessus des portes ou des statues en plâtre ou en bois placées dans des niches des façades. Les enseignes professionnelles n'apparaissent que vers 1300, d'abord pour signaler au voyageur les auberges et tavernes. Ce ne furent, au départ, que de simples bouchons de paille suspendus au-dessus de la porte, d'où le nom de « bouchon » donné à certains cabarets encore aujourd'hui. La prolifération des enseignes est rapide et, au XVe siècle, à peu près toutes les maisons et boutiques en arboraient.

La typologie était limitée. En premier lieu venaient les images de saints et les sujets religieux (Annonciation,

Couronnement de la Vierge, Rois mages, sept ou huit variétés de croix, le nom de Jésus n'apparaissant qu'au XVIᵉ siècle). Les figures humaines étaient fréquentes (tête noire, tête de Maure, barbe d'or, trois pucelles...) ainsi que les astres (étoiles, croissant, soleil) et les animaux (lion, cheval rouge, blanc ou noir, cygne, dauphin, mouton, pigeon, paon, lévrier, limace, écrevisse ; hure de sanglier, queue de renard, pied de biche, corne de cerf ; mais aussi âne souffleur, chien qui rit, truie qui file, chat qui pelote ou qui pêche, pie qui parle...). Les plantes étaient abondamment représentées (roses diverses, pommes de pin, pommes rouges, chênes, ormes, figuier, franc mûrier, simple souche...). On voyait aussi de nombreuses pièces de vêtement : heuses (gilets), chapeaux de diverses formes et couleurs, gants, sabots, patins, pantoufles, bonnets. Les armes et les ustensiles ne manquent pas : heaume, épée de bois ou de fer, arbalète, flèche, hallebarde, lance, homme armé ; barillet, soufflet, gobelet, gril, cuillère, clef, lanterne, balances, panier, cerceau, moulinet ou moulin à vent. Deux instruments de jeu seulement : le cornet à dé et surtout l'échiquier qui donne son nom à une rue. Les instruments de musique sont plus rares : harpe, cornemuse, tambour. On trouve aussi des outils : maillet, rabot, faux, serpe, ciseaux. Quelques monnaies se balancent au vent : gros tournois, carolus, écu au soleil, roupie. La mythologie n'apparaît que vers la fin du XVᵉ siècle : griffon, sirène, licorne, amour ou Cupidon. Fabliaux et légendes inspirent les enseignes du Chevalier au Cygne, des Trois Marchands, des Trois Morts et des Trois Vifs. Les blasons étaient innombrables, avec souvent des armes parlantes. Une maison de la place Maubert, possédée par un nommé Faucheux, arborait un Faucheur ; Jacques Coytier, « mire et physicien » de Louis XI, s'étant fait construire un hôtel à l'extrémité de la rue Saint-André, fit sculpter sur la porte d'un escalier, dans sa cour, un abricotier, l'Abri Coytier, version médiévale du Sam Suffit du XXᵉ siècle. Les enseignes-rébus étaient très appréciées : Au Bout du Monde représenté par un os, un bouc, un duc (ou grand-duc, parent de la chouette) et un globe terrestre ou monde ; aux Trois Forbans (trois bancs de chêne massif), à la Vieille Science (une vieille femme sciant une anse de panier), à la Botte pleine de Malice (une botte d'où émergeaient une femme, un singe et un chat), à la Vertu (un « U » peint en vert). Au XVIIᵉ siècle, le pieux Boursault s'indigne : « Ne devrait-on pas condamner à une grosse amende un misérable cabaretier qui met à son enseigne un *cerf* et un *mont* ? Ce qui autorise les ivrognes à dire qu'ils vont tous les jours au sermon, ou qu'ils en viennent ! »

Si les enseignes sculptées dans la pierre et dans le bois ne posent pas de problème, celles en tôle peinte qui pendent au vent présentent parfois un danger pour les passants et le prévôt de Paris s'efforce de réglementer leur usage. Une ordonnance du 22 septembre 1600 interdit la pose d'une enseigne sans l'autorisation du grand voyer. Un arrêt du 22 octobre 1666 tente de réduire la dimension des auvents et des enseignes. Mais il faut l'énergie du nouveau lieutenant de police, La Reynie, pour mettre de l'ordre. Il réunit, en 1669, les jurés des Six-Corps, prend leur avis et publie une longue ordonnance de réglementation, dont voici un extrait : « La réduction des enseignes à une même grandeur, hauteur et avance sur les rues, est à désirer pour la décoration de la ville et pour empêcher l'abus de plusieurs marchands et artisans qui attachent à leurs maisons des enseignes d'une dépense et d'une grandeur excessives, et qui, pour les mieux exposer en vue, les avancent à l'envy l'un de l'autre, quelquefois jusques au-delà du ruisseau et du milieu des rues, en telle sorte, qu'avec les autres incommodités que le public en reçoit, ce désordre empêche que plusieurs quartiers ne soient assez éclairez pendant les nuits d'hyver.» Les dimensions des enseignes sont désormais fixées sur un modèle uniforme qui doit présenter 3 pieds de saillie sur la rue seulement. Le tableau suspendu à la penture ne devait pas dépasser 18 pouces de large sur 2 pieds de haut (49 et 66 centimètres) et la partie inférieure devait s'élever à 13,5 pieds, 4,35 mètres au-dessus du pavé.

L'autorité de La Reynie et la menace de sanctions sévères portèrent leur fruit, car le médecin anglais Lister, qui visite Paris en 1698, célèbre l'obéissance des commerçants. Mais, La Reynie disparu, il semble que les abus aient repris, *L'Enseigne* de Watteau le prouve. A nouveau, de colossales enseignes commencent à gêner la circulation des piétons et des cavaliers. Le 25 mai 1761, à la requête des Six-Corps, le lieutenant de police Sartine rend une ordonnance qui limite l'enseigne entière, y compris «la potence de fer, l'écriture et les étalages y pendans», à 2 pieds de large sur 3 de haut (environ 65 centimètres sur 1 mètre). L'enseigne doit être située au moins à 15 pieds de hauteur (environ 5 mètres) avec une saillie maximum de 3 pieds (1 mètre) dans les grandes rues, de 2,5 pieds (80 centimètres) dans les petites. Les commerçants ayant, dans leur majorité, semble-t-il, négligé d'obtempérer, Sartine prend une mesure radicale, le 17 décembre suivant : toutes les enseignes saillantes sont interdites et ne seront désormais autorisées que les enseignes appliquées contre les murs des maisons ou les devantures des boutiques. Cette décision est appliquée avec rigueur et Sébastien Mercier peut noter dans son *Tableau de Paris*, vers 1782 : «Les enseignes sont maintenant appliquées contre le mur des maisons et des boutiques, au lieu qu'autrefois elles pendaient à de longues potences de fer ; de sorte que l'enseigne et la po-

tence, dans les grands vents, menaçaient d'écraser les passants dans les rues.» C'est aussi de cette époque que date le déclin des enseignes : devenues beaucoup moins visibles, elles perdent de leur importance et cessent d'être indispensables au commerce. A notre époque plus libérale, la plupart des enseignes demeurent sagement appliquées aux murs, l'électricité et les rampes de néons permettant de les rendre plus visibles.

ENTRÉE ROYALE

Les entrées solennelles des rois et des reines de France après leur sacre ou leur mariage étaient l'occasion de fêtes extraordinaires. Le cortège pénétrait généralement dans la capitale par la porte Saint-Denis, franchissait la Seine par le Grand-Pont et faisait halte à Notre-Dame avant de se rendre au Palais (de justice). Tout au long de cet itinéraire, la municipalité avait décoré la rue et organisé des spectacles. Les fontaines, celles de Saint-Denis et du Ponceau notamment, étaient ornées d'un décor symbolique, déversaient du vin et du lait au lieu d'eau, et, sur des échafauds, des groupes figuraient des scènes religieuses puis mythologiques à la Renaissance, parfois même chantaient des hymnes à la gloire du souverain ou jouaient de courtes pièces de théâtre écrites pour la circonstance. La chronique de Jean de Troyes décrit ainsi l'entrée de Louis XI et de son épouse en 1461 : «A l'entrée que fit le roi en ladite ville de Paris, par ladite porte de Saint-Denis, il trouva une moult belle nef en figure d'argent, en signifiance des armes de ladite ville, dedans laquelle nef étaient les trois États, et aux châteaux de devant et derrière d'icelle étaient Justice et Équité, et à la hune du mât de ladite nef qui était en façon d'un lis, hissait un roi habillé en habit royal que deux anges conduisaient. Et en avant dedans ladite ville étaient à la fontaine du Ponceau hommes et femmes sauvages qui se combattaient

et faisaient plusieurs contenances, et il y avait encore trois bien belles filles faisant personnages de sirènes toutes nues, et leur voyait-on le beau tétin droit, séparé, rond et dur, qui était chose bien plaisante, et disaient de petits motets et bergerettes. Et près d'eux jouaient plusieurs bas instruments qui rendaient de grandes mélodies. Et pour bien rafraîchir les entrants en ladite ville, il y avait divers conduits en ladite fontaine jetant lait, vin et hypocras, dont chacun buvait qui voulait, et un peu au-dessous dudit Ponceau, à l'endroit de la Trinité, y avait une Passion par personnages et sans parler : Dieu étendu en la croix, et les deux larrons en dextre et senestre. Et plus avant, à la porte aux Peintres, étaient autres personnages moult richement habillés. Et à la fontaine Saint-Innocent y avait aussi personnage de chasseurs, qui accueillirent une biche, et faisait moult grand bruit de chiens et de trompes de chasse.» Au XVIᵉ siècle, à l'imitation de l'Antiquité et de l'Italie, les arcs de triomphe et diverses architectures éphémères se multiplient, les scènes religieuses sont évincées au profit de rappels de l'Antiquité : Jupiter, Hercule, nymphes et satires. La dernière entrée royale marquée par une pompe et un décor exceptionnels fut celle de Louis XIV et de sa jeune épouse, Marie-Thérèse d'Autriche, le 26 août 1660. Sur le chemin de Vincennes, un trône monumental fut édifié, soutenu par quatre colonnes et surmonté d'un dôme, ce qui valut à l'endroit le nom de place du Trône (aujourd'hui de la Nation). Le roi s'y assit et y reçut les clés de la ville du prévôt des marchands ainsi que l'hommage des corps constitués. Le cortège mit ensuite quatre heures pour se rendre de la place du Trône au Louvre.
• *Voir aussi* FÊTE.

ENTRESOL
Logement bas de plafond, généralement ménagé entre le rez-de-chaussée et le premier étage, l'entresol est signalé pour la première fois en 1607 par Henry Havard dans son *Dictionnaire de l'ameublement et de la décoration*. Crespin le mentionne en 1616 dans son *Thrésor des trois langues, françoise, italienne et espagnole*. C'est donc à la fin du XVIᵉ siècle ou au début du XVIIᵉ que naît l'entresol. Jean-Pierre Babelon lie son existence à une occupation mixte, commerce-habitation, ainsi qu'on le constate pour la place Dauphine. Il est utilisé systématiquement à Paris pour la presque totalité des immeubles sur arcades, de la place des Vosges à la rue de Rivoli en passant par le Palais-Royal, les rues des Colonnes et de Castiglione. Très répandu au XVIIIᵉ siècle, il était, selon Michel Fleury, un lieu d'habitation généralisé vers 1830-1840, «avec l'usage des menuiseries métalliques». Sous le second Empire, le boulevard de Sébastopol, pourtant dépourvu d'arcades, se voit affecter partout des entresols. Leur présence contribue à rehausser le premier étage, l'étage «noble», et à accroître son prestige. L'entresol survit jusque vers 1900-1910, surtout dans des immeubles de rapport, mais il est condamné depuis l'apparition de l'ascenseur qui déplace l'étage «noble» du premier au dernier étage.

ENVIRONNEMENT (protection de l')
C'est avec la naissance de la société industrielle qu'est apparu le souci de protection de l'environnement. Le décret du 15 octobre 1810, la loi du 19 décembre 1917 sur les établissements dangereux, incommodes ou insalubres, et tout l'arsenal législatif mis en place à partir de la loi du 19 juillet 1976, donnent à l'administration des pouvoirs très larges. A Paris, c'est le préfet de police qui est chargé de veiller à la protection de l'environnement, en application de l'article 47 du décret d'application du 21 septembre 1977. La préparation des décisions administratives est réalisée par la Direc-

tion de la prévention et de la protection civile. Les contrôles techniques et l'élaboration des prescriptions de sécurité propres à chaque installation incombent au Service technique d'Inspection des installations classées (STIIC). Le corps technique des commissaires-inspecteurs des installations classées, créé par délibération de la Commission départementale de la Seine du 14 décembre 1863, est actuellement constitué de trente et un inspecteurs. On compte environ 12 000 installations classées dans la capitale, appartenant à 107 types différents : plus de 500 sont des entreprises de distribution de liquides inflammables, plus de 400 des ateliers d'emploi de liquides halogénés ; il y a de 300 à 400 ateliers d'application de vernis et parcs de stationnement automobiles, etc. Près de deux cents affaires sont instruites chaque année par les commissaires-inspecteurs, qui pratiquent environ cinq mille interventions. L'Agence de Bassin Seine Normandie, la Direction départementale de l'équipement et le Centre de recherche interdépartemental pour le traitement des eaux (CRITER) exercent une surveillance particulière sur les ateliers de traitements de surface, principaux responsables de la pollution de l'eau. Le Service des pollutions du Laboratoire central effectue non seulement des études sur la pollution liée à la circulation automobile et des enquêtes consécutives à des phénomènes de pollution à l'intérieur des locaux habités ou occupés, mais aussi des mesures analytiques des gaz et composés rejetés dans l'atmosphère par les installations classées, unités thermiques ou industrielles. Depuis 1991 est installé, au 11 de la rue George-Eastman, le Département santé et hygiène urbaine de la Ville de Paris, réunissant le Laboratoire d'hygiène, le Laboratoire d'études des particules inhalées et le Service municipal d'actions de salubrité.

ÉPICIER

Deuxième des Six-Corps représentant l'élite commerçante de Paris, la corporation des épiciers-apothicaires figure dans les livres de la taille de 1292 et 1313 qui énumèrent vingt-huit puis soixante-neuf « espiciers ». Elle se définit comme le corps de marchands « où se fait le commerce des drogues et autres marchandises comprises sous le nom d'épices ». Le jour de la Saint-Nicolas, patron de la corporation, les maîtres se réunissaient pour élire deux gardes, un épicier et un apothicaire. Les épiciers se divisaient eux-mêmes en droguistes, confituriers et ciriers ou ciergiers. La déclaration royale du 25 avril 1777 dissocia les épiciers des apothicaires et confia aux seuls épiciers la vente des denrées alimentaires. Pratiquant le commerce de denrées exotiques, les épices, rares et recherchées, notamment pour donner du goût aux plats, les épiciers étalaient très tôt leur opulence. Le centre principal de leur activité était, au Moyen Âge, la rue des Lombards où se trouvaient des boutiques telles que Le Mortier d'or, Le Bras d'or, Le Soleil d'or. Lorsque Louis XI reçut le roi Alphonse V de Portugal en 1470, il le fit héberger dans la maison de l'épicier Herbelot, rue des Prouvaires. Après la suppression des corporations, à la Révolution, la profession d'épicier déchut considérablement et se confondit largement avec celle du regrat, c'est-à-dire de la vente au détail de denrées alimentaires (voir REGRAT). Caricaturé par les romantiques, incarnation de la respectabilité bornée et petite bourgeoise, l'épicier devient dans les années 1830 la tête de Turc des intellectuels romantiques et du petit peuple aux dépens duquel il construit sa fortune. « C'est la classe tampon, la digue contre laquelle vient se briser la marée révolutionnaire ; c'est la meilleure garantie de la société actuelle ; son existence est une nécessité sociale », écrivent les défenseurs de la profession en 1911. Mais la multiplication des super, puis des hypermarchés a progressivement ruiné l'épicier parisien. Aujourd'hui à Paris, les magasins d'épicerie, trop peu rentables, sont aux mains de commerçants d'origine marocaine pour la plupart, ouverts jusqu'à dix heures du soir ou parfois minuit, providence coûteuse de ménagères imprévoyantes. Les derniers témoins de l'ancienne et prestigieuse profession de l'épicerie sont de luxueux magasins comme Fauchon ou Hédiard, place de la Madeleine, ou, plus modestement, La Mère de Famille, à l'angle des rues de Provence et du Faubourg-Montmartre.

• *Voir aussi* SIX-CORPS.

ÉPIDÉMIE

De nombreuses épidémies ponctuent l'histoire de la capitale. La peste, apparue en 1348, a frappé régulièrement la ville jusqu'au milieu du XVIIᵉ siècle. La terreur qu'elle engendrait s'est reportée au XIXᵉ siècle sur le choléra. Plus diffuses, la grippe et la variole ont prélevé jusqu'au début du XXᵉ siècle de lourds tributs. D'autres maladies ont sévi en permanence et les Parisiens ont dû vivre dans leur crainte. La lèpre à peine disparue, la syphilis a pris la relève à la charnière des XVᵉ et XVIᵉ siècles. La tuberculose, en voie de disparition, connaît un inquiétant regain lié à l'immigration africaine et au sida. Les progrès de l'hygiène, la généralisation de la vaccination, ont fait disparaître les grands fléaux du passé. En 1890, c'est, dans l'ordre décroissant, la diphtérie, la rougeole et la typhoïde qui, avec la coqueluche, constituaient la presque totalité des décès liés aux maladies épidémiques, un peu plus de cinq mille. La tuberculose, qui n'était pas rangée dans les maladies épidémiques, faisait deux fois et demi plus de victimes. En 1910, alors que la tuberculose continuait à tuer près de treize mille personnes, rougeole et coqueluche venaient en tête des maladies épidémiques avec, respectivement, plus

de sept cents et plus de trois cents décès. L'amélioration de la qualité de l'eau fournie aux Parisiens avait fait chuter la typhoïde de sept cent vingt-trois à cent quatre-vingt-huit morts par an. En 1930, la coqueluche ne compte plus que pour cent dix-neuf décès, la typhoïde pour cent deux, mais rougeole et diphtérie emportent encore environ deux cent cinquante personnes. La tuberculose est tombée au-dessous de sept mille morts. En 1950, la tuberculose causait moins de mille cinq cents décès annuels, la coqueluche vingt-cinq, la typhoïde douze, la diphtérie cinq. Les plus récentes données épidémiologiques, limitées aux déclarations de cas, ne laissent subsister que quelques cas de typhoïde, rien en comparaison de la tuberculose et du sida qui font jeu égal avec un millier de déclarations annuelles.

• *Voir aussi* CHOLÉRA ; GRIPPE ; PESTE ; SYPHILIS ; VARIOLE.

ESCRIME

Le livre de la taille de 1292 mentionne sept escrimeurs. Ils se constituent en communauté en décembre 1567 et prennent en 1585 le nom de maîtres d'armes. Leurs statuts leur interdisent d'ouvrir une salle dans le quartier de l'Université, de crainte «que les escholiers ne se divertissent de leurs estudes» en pratiquant l'escrime. C'est pourtant dans ce quartier et au faubourg Saint-Germain que l'on trouve presque tous les maîtres d'armes vers la fin du XVIIᵉ siècle. La corporation est alors limitée à vingt maîtres et des lettres patentes de mai 1656 ont accordé la noblesse héréditaire aux six plus anciens maîtres d'armes ayant au moins vingt années d'exercice de leur profession. Leurs armoiries ont été fixées par l'*Armorial général* en 1696 : «D'azur, à deux épées d'argent passées en sautoir, les poignées et les gardes d'or, accompagnées de quatre fleurs de lys de même, une en chef, deux aux flancs et une en pointe.» Leurs établissements portent le nom d'académies d'armes.

Jusqu'à la fin du XIXe siècle, l'escrime reste très couramment pratiquée, à la fois comme art d'agrément et comme préparation au duel. Dans *Amateurs et salles d'armes de Paris* (1885), Adolphe Tavernier observe que « tout hôtel un peu bien aménagé a désormais sa salle d'armes, comme il a a sa bibliothèque, comme il a sa salle de billard ». Les principaux maîtres d'armes sont alors Mérignac (48, rue Monsieur-le-Prince et 32, rue Joubert), Rüé (rue Godot-de-Mauroy), Mimiargue (350, rue Saint-Honoré), Jean-Louis (6, place Saint-Michel), Bergès (54, rue des Acacias), etc. Tous les grands gymnases, la plupart des lycées et des casernes possèdent leur salle d'escrime.

Ce n'est qu'en 1896, avec la création d'un championnat annuel de fleuret, que l'escrime se transforme en sport. On compte actuellement cinq salles dans la capitale.

• *Voir aussi* ACADÉMIE.

ESPACE VERT
Voir BOIS ; JARDIN ; PARC.

ESTAMPES (marchand d')

A peu près contemporaine de l'imprimerie, la gravure et son commerce ne commencent qu'à prendre une certaine importance qu'à la fin du XVIe siècle. Jusqu'au XVIIIe siècle, la profession de marchand d'estampes n'apparaît pas toujours bien distinguée de celle de graveur ou fabricant d'estampes, beaucoup de graveurs pratiquant également la vente de leurs œuvres et celles de leurs émules. Le monde de la gravure au XVIIe siècle a été parfaitement étudié par Marianne Grivel dans *Le Commerce de l'estampe à Paris au XVIIe siècle* et Corinne Le Bitouzé a soutenu une thèse de l'École des chartes sur *Le Commerce de l'estampe à Paris dans la première moitié du XVIIIe siècle*. Un *Dictionnaire des éditeurs d'estampes à Paris sous l'Ancien Régime* complète cet ensemble de travaux des années 1980.

Professions nouvelles, les métiers de la gravure échappent au carcan médiéval des corporations et s'opposent farouchement à leur embrigadement et contingentement dans des communautés et des maîtrises. Si les imprimeurs en taille douce sont contraints, en février 1677, de se doter de statuts, puis de se constituer « en corps et communauté de maîtrise et jurande », les graveurs, marchands et éditeurs d'estampes parviennent à éviter cette contrainte. Les marchands et éditeurs d'estampes sont, pour la plupart, établis rue Saint-Jacques. Ils écoulent leur production grâce à un réseau de colporteurs qui, au XVIIIe siècle, sont tous originaires de la région d'Avranches. Parmi les principales dynasties de marchands d'estampes parisiens, on peut retenir les noms des Aveline, Bailleul, Barbery, Basan, Basset, Bénard, Berey, Bonnart, Boussy, Chéreau, Chevillard, Crépy, Fessard, Firens, Guérard, Jaillot, Jollain, Landry, Langlois, Larmessin, Leblond, Leclerc, Mariette, Mathonière, Poilly (illustrés par une thèse de José Lothe), Tavernier, Thévenart. Sébastien Mercier s'indigne de la manie de l'image en 1782 dans son *Tableau de Paris* : « Les libraires peuvent s'intituler marchands d'estampes. L'auteur spécule aujourd'hui qu'en donnant tant au graveur, il gagnera telle somme sur les gravures. On a fait en Suisse, pour le *Tableau de Paris*, des gravures à l'eau-forte, les plus plates et les plus discordantes. Vainement je m'y suis opposé : un bailli et un libraire, unis ensemble pour cette bizarre opération, ont donné un soufflet aux beaux-arts, et tous les mauvais artistes, le bailli en tête, ont conspiré contre mon livre [...]. Je n'en soutiendrai pas moins que c'est un vrai agiotage, de nous forcer de payer chèrement des livres enrichis d'inutiles figures en taille-douce, et qu'il y a plus que de la folie de prétendre amuser tout un grand peuple éclairé, avec des

images, comme des enfants.» On peut se demander ce que Mercier aurait pu écrire en cette fin du XXe siècle dominée, obsédée par les images.
• *Voir aussi* GRAVEUR ; GRAVURE ; LIBRAIRE.

ÉTALAGE
Voir BOUTIQUE.

ÉTAT CIVIL
Jusqu'à la Révolution, ce sont les autorités ecclésiastiques qui ont tenu les registres de baptêmes, mariages et décès. Le registre le plus ancien était celui des mariages de la paroisse de Saint-Jean-en-Grève qui commençait en avril 1515. Les premiers registres de baptêmes apparaissent en 1525 à Saint-André-des-Arts et Saint-Jacques-de-la-Boucherie. C'est à Saint-Josse et à Saint-Landry que sont mentionnés les premiers registres de décès, en 1527. Avant l'ordonnance de 1539 qui rend obligatoire l'état civil, quinze paroisses parisiennes tenaient des registres de baptême, trois des registres de mariages et une seule des registres de décès. L'Hôtel de Ville contenait près de cinq mille registres antérieurs à 1792 et environ sept mille cinq cents autres pour les années 1792-1859. Les incendies allumés par les Communards à la fin de mai 1871 ont fait disparaître tous ces registres et près de huit millions d'actes : les originaux ont brûlé avec l'Hôtel de Ville et les doubles en même temps que le Palais de justice. La loi du 12 février 1872 a ordonné la reconstitution de l'état civil détruit, qui a pu être faite jusqu'au tiers environ des pertes. Ont échappé à la destruction les registres d'état civil conservés dans les vingt mairies d'arrondissement entre 1860 et 1870 et ceux des communes dont une partie seulement a été annexée en 1860, comme Saint-Mandé, Neuilly ou Pantin. Les recherches sont aujourd'hui facilitées par l'existence de l'excellent *Guide des sources de l'état civil parisien* de Christiane Demeulenaere-Douyère,

paru en 1982, qui mentionne notamment des fonds se trouvant ailleurs qu'aux Archives de Paris : aux Archives nationales, à la Bibliothèque nationale, aux Archives de l'Assistance publique ou au Bureau des cimetières de la Ville.

ÉTUVE
Voir BAIN.

ÉTYMOLOGIE DE PARIS
Vertu bien française et parisienne, le chauvinisme s'est efforcé de fabriquer un passé prestigieux à la capitale. Afin d'égaler ou de surpasser le passé de Rome, les historiens du Moyen Âge, Rigord, moine de Saint-Denis en tête, ont rattaché la fondation de Paris à la prise de Troie et à l'émigration des Troyens survivants qui se seraient installés sur les rives de la Seine et auraient donné à la cité qu'ils venaient de créer le nom de Pâris, amant d'Hélène et fils de Priam. Au début du XVIe siècle, Baptiste le Mantouan, dans sa *Vita Sancti Dionysii*, prétend que les Parisiens sont descendants des Parrhasiens, habitants de Parrhasia, cité d'Arcadie, et compagnons d'Heraklès/Hercule. On dérive aussi le nom de Paris du grec «parisia» qui signifie «audace». Selon Gilles Corrozet, dans *La Fleur des antiquitéz... de la plus que noble et triumphante ville et cité de Paris*, parue en 1532, Paris devrait son nom à un temple d'Isis (Par Isis) dont une statue se trouverait dans l'église Saint-Germain-des-Prés. Quant à Lutèce, il n'est pas question d'accepter l'ignoble étymologie des linguistes, qui dérivent son nom du celtique «lut» signifiant «marais». Il est inconcevable que la plus belle ville du monde soit «la cité au milieu des marécages». Selon François de Belleforest, auteur en 1575 d'une *Cosmographie universelle*, la ville tirerait son nom de son premier roi, un Celte appelé Luce. André Thevet, auteur, la même année, d'une autre *Cosmographie universelle*, dans son chapitre sur «la grande et excellente

cité de Paris», estime que Lutèce tire son nom du grec «leukos» signifiant «blanc», à cause de la merveilleuse blancheur de la pierre de ses édifices. Mais il semble que ce soit le grand, l'énorme François Rabelais qui ait la clé de ces énigmes philologiques. Au chapitre 17 de *Gargantua*, le géant, tourmenté, poursuivi par les Parisiens, curieux de l'approcher, se réfugie au haut des tours de Notre-Dame et s'écrie : «"Je croy que ces marrouffles veulent que je leur paye icy ma bien venue et mon 'proficiat'. C'est raison. Je leur voys donner le vin, mais ce ne sera que par ryz." Lors, en soubriant, destacha sa belle braguette, et, tirant sa mentule en l'air, les compissa si aigrement qu'il en noya deux cens soixante mille quatre cens dix et huyt, sans les femmes et petitz enfans. Quelque nombre d'iceulx évada ce pissefort à legièreté des pieds, et quand furent au plus hault de l'Université, suans, toussans, crachans et hors d'halène, commencèrent à renier et jurer, les ungs en cholère, les aultres par rys : "Carymary, caramara ! Par saincte Mamye, nous son baignéz par rys !" Dont fut depuis la ville nommée *Paris*, laquelle auparavant on appeloit *Leucèce*, comme dict Strabo, lib. III, c'est-à-dire, en grec, *Blanchette*, pour les blanches cuisses des dames dudict lieu. Et par autant que à ceste nouvelle imposition du nom tous les assistans jurèrent chascun les saincts de sa paroisse, les Parisiens, qui sont faictz de toutes gens et toutes pièces, sont par nature et bons jureurs et bons juristes, et quelque peu oultrecuydéz, dont estime Joaninus de Barranco, *libro De copiositate reverentiarum*, que sont dictz *Parrhésiens* en grécisme, c'est à dire fiers en parler.»

ÉVÊCHÉ
Voir **ARCHEVÊCHÉ**.

ÉVÊQUE
Liste des évêques de Paris d'après celles de l'*Almanach de Paris* et de l'*Histoire des diocèses de France*.

1. Saint Denis (vers 250)
2. Mallo
3. Massus
4. Marc
5. Adventus
6. Victorin (en 346)
7. Paul
8. Prudent
9. Saint Marcel
10. Vivien
11. Félix
12. Flavien
13. Ursicin
14. Apedemius
15. Heraclius (en 511)
16. Probatus
17. Amelius (en 533 et 541)
18. Saffarac (en 549, déposé en 552)
19. Eusèbe ou Libanus
20. Saint Germain (vers 555-576)
21. Ragnemodus (576-591)
22. Eusèbe
23. Faramodus
24. Simplicius (en 601)
25. Saint Céran (en 614)
26. Leudebert (en 626-627)
27. Audebert (en 647-653)
28. Saint Landry (en 653-654)
29. Chrodebert (en 657 et 663)
30. Sigebrand (mort en 664)
31. Importunus (665)
32. Agilbert (en 665 et 673)
33. Sigofroid (en 690 et 692)
34. Turnoald (en 693 et 697)
35. Adulphe
36. Berneharius
37. Saint Hugues (mort en 730)
38. Merfridus
39. Fedolius
40. Ratbert
41. Ragnecapdus
42. Madalbert
43. Deofroid (en 756)
44. Erchenrad (en 775)
45. Ermenfred
46. Inchad (en 814 et 829)
47. Erchenrad (en 832, mort en 856)
48. Énée (856-870)
49. Ingelvin (871-883)
50. Gozlin (884-886)
51. Achery (886-910)
52. Théodulphe (en 911 et 918)
53. Fulrad (en 925)
54. Adelelme

55. Gautier (en 937 et 941)
56. Albéric
57. Constant (vers 954)
58. Guérin
59. Élisiard (984-991)
60. Renaud de Vendôme (991-1016)
61. Aubert de Tronchienne, dit Ascelin (1016-1018)
62. Francon (1018-1030)
63. Imbert de Vergy (1030-1060)
64. Geoffroy de Boulogne (1061-1095)
65. Guillaume de Monfort (1096-1102)
66. Foulques (1103-1104)
67. Galon (1104-1116)
68. Gilbert (1116-1124)
69. Étienne de Senlis (1124-1142)
70. Thibaud (1144-1158)
71. Pierre Lombard (1158-1160)
72. Maurice de Sully (1160-1196)
73. Eudes de Sully (1197-1208)
74. Pierre de Nemours (1208-1219)
75. Guillaume de Seignelay (1220-1223)
76. Barthélemy (1223-1227)
77. Guillaume d'Auvergne (1228-1249)
78. Gautier de Château-Thierry (1249)
79. Renaud de Corbeil (1250-1267)
80. Étienne Tempier (1267-1279)
81. Jean de l'Alleu (1280, élu mais non sacré)
82. Renaud de Homblonnière (1280-1288)
83. Adenulphe d'Anagni (1289-1290, élu mais non sacré)
84. Simon Matifas de Bucy (1290-1304)
85. Guillaume de Baufet (1305-1319)
86. Étienne de Borret (1320-1325)
87. Hugues de Besançon (1326-1332)
88. Guillaume de Chanac (1332-1342)
89. Foulques de Chanac (1342-1349)
90. Audouin Aubert (1349-1350)
91. Pierre de La Forêt (1350-1352)
92. Jean de Meulan (1352-1363)
93. Étienne de Paris (1363-1368)
94. Aimery de Maignac (1368-1383)
95. Pierre d'Orgemont (1384-1409)
96. Gérard de Montaigu (1409-1420)
97. Jean Courtecuisse (1421-1422, élu mais non sacré)
98. Jean de La Roche-Taillée (1422-1423)
99. Jean de Nanton (1423-1426)
100. Jacques du Châtelier (1427-1438)
101. Denis du Moulin (1439-1447)
102. Antoine du Bec Crespin (1447-1449)
103. Guillaume Chartier (1449-1472)
104. Louis de Beaumont (1473-1492)
105. Jean Simon de Champigny (1492-1502)
106. Étienne Poncher (1503-1519)
107. François Poncher (1519-1532)
108. Jean du Bellay (1532-1551)
109. Eustache du Bellay (1551-1563)
110. Guillaume Viole (1564-1568)
111. Pierre de Gondi (1569-1597)
112. Henri de Gondi (1598-1622)

Henri de Gondi meurt le 22 août 1622. Par bulle du 20 octobre 1622, dite *Universi Orbis Ecclesiae*, l'évêché de Paris est érigé en archevêché. Le frère d'Henri, Jean-François de Gondi, est préconisé archevêque le 14 novembre 1622 et sacré le 19 mars 1623.
• *Voir aussi* ARCHEVÊQUE.

EXÉCUTION CAPITALE

Jusqu'à la Révolution, la justice était rapide et expéditive et les modes d'exécution alliaient la variété à la cruauté. Par exemple, en mars 1599, un faux-monnayeur fut arrêté un jeudi, jugé puis exécuté le vendredi soir. Il eut la chance de bénéficier d'une exécution relativement peu douloureuse : il fut pendu et son cadavre livré aux flammes alors qu'aux siècles précédents il aurait été ébouillanté.

La place de Grève, où s'élevait l'Hôtel de Ville, était le principal lieu d'exécution. Les premières personnes qui semblent y avoir été suppliciées ont été Marguerite Porette, Guyard de Cressonnessard, clerc du diocèse de Beauvais, condamnés pour hérésie, et un juif relaps. Ils furent brûlés vifs le jour de la Pentecôte 1310. En 1314, les frères Philippe et Gautier d'Aunay, amants des princesses de Bourgogne, belles-filles de Philippe le Bel, y furent écorchés vifs, castrés puis décapités. Le 19 décembre 1475, le connétable Louis de Luxembourg, comte de Saint-Pol, fauteur de complots contre Louis XI, y fut décapité. Parmi les centaines de suppliciés, il convient de citer les plus célèbres. On compte parmi les condamnés pour fait de religion, le conseiller au Parlement Anne Du Bourg, pendu puis brûlé le 23 décembre 1559. On écartela plusieurs régicides : Jean Châtel (1594), moins chanceux que Ravaillac (1610), Damiens (1757) dont le supplice dura plus d'une heure et souleva une émotion considérable. Des comploteurs comme La Môle et Coconnas (1574), des favorites déchues comme Éléonora Galigaï, maréchale d'Ancre (1617), ou des ministres en disgrâce comme le maréchal de Marillac (1632) ont péri à cet endroit ainsi que les duellistes Montmorency-Boutteville et son cousin Des Chapelles, la marquise de Brinvilliers et la Voisin, empoisonneuses. On pendait aussi en place de Grève les accusés qui avaient succombé sous les tortures de la question au Châtelet. Auteur de *Paris ridicule* en 1655, Claude Le Petit eut le poing coupé et fut brûlé avec ses œuvres. Il avait écrit :

Malheureux espace de terre,
Au gibet public consacré,
Terrain où l'on a massacré
Cent fois plus d'hommes qu'à la guerre ;
Certes, Grève, après maint délit,
Vous estes, pour mourir, un lit
Bien commode pour les infâmes.

Une des dernières exécutions par pendaison fut celle du marquis de Favras qui avait conspiré pour faire évader le roi de Paris. La guillotine fut inaugurée sur cette place pour le voleur Nicolas Pelletier, le 25 avril 1792.

Les Halles étaient surtout célèbres pour leur pilori où étaient exposés les condamnés. La potence y fut rarement plantée, car les commerçants se plaignaient des mauvaises odeurs que dégageaient les corps en putréfaction : les pendus demeuraient des mois entiers au bout de leur corde. En revanche, l'échafaud y fut fréquemment dressé pour des décapitations de personnages importants : Olivier de Clisson, père du connétable, en 1344, Jacques de Rue et Pierre Du Tertre, chambellan et secrétaire du roi de Navarre, en 1378, l'avo-

cat général Jean Desmarets et douze bourgeois parisiens impliqués dans la révolte des Maillotins, en 1383, Jean de Montaigu, surintendant des Finances de Charles VI, en 1409, Jacques d'Armagnac, duc de Nemours, qui avait comploté contre Louis XI, en 1477, etc.

Sur la minuscule place de la Croix-du-Trahoir, à l'intersection des rues de l'Arbre-Sec et Saint-Honoré, une potence était érigée pour la justice de l'évêque. Le nom d'Arbre-Sec évoque sans doute l'instrument de supplice. Dans *Les Tracas de Paris*, François Colletet écrit en 1666 :

C'est ici la Croix du Tiroir,
Place où Thémis punit le vice,
Du honteux et dernier supplice.

Le marché aux pourceaux était installé sur le versant oriental de la butte Saint-Roch, à l'emplacement de l'actuelle place du Théâtre-Français. Il était réservé au supplice des voleurs, faussaires, faux-monnayeurs et blasphémateurs et hérétiques qui y étaient brûlés ou jetés dans une cuve pleine d'eau bouillante.

La place Maubert est surtout célèbre pour les exécutions d'imprimeurs et de libraires protestants. Louis de Berquin (1529), Étienne Dolet (1546), figurent parmi les plus illustres martyrs.

Outre ces cinq endroits «privilégiés», il y avait de nombreux autres lieux plus ou moins occasionnels où l'on suppliciait les condamnés. Aux quatre portes principales de la ville, ombragées chacune par un grand orme, on utilisait cet arbre pour «brancher» (pendre). Le 5 janvier 1307, les émeutiers du 31 décembre condamnés à la pendaison sont répartis ainsi : huit à la porte Saint-Jacques, sept à la porte Saint-Antoine, et autant à la porte Saint-Denis, six à la porte Saint-Honoré. On procédait aussi à des exécutions sur le parvis de Notre-Dame, au carré Sainte-Geneviève, au carrefour de Bucy et à la porte Baudoyer, au Pré-aux-Clercs, au cimetière

Saint-Jean, dans la cour du Palais de justice, sur la place de l'Estrapade, sur le pont Saint-Michel et sur le Pont Neuf. La cour du mai du Palais de justice servait surtout pour marquer au fer rouge les condamnés. L'estrapade, supplice d'origine italienne infligé aux soldats voleurs ou déserteurs, a laissé son nom à l'ancien carrefour de Braque.

• *Voir aussi* BOURREAU ; ÉCHELLE DE JUSTICE ; GIBET ; GUILLOTINE ; PILORI.

EXPOSITION UNIVERSELLE

Si c'est l'Angleterre qui inaugure la série des expositions universelles à Londres en 1851, c'est la France qui en organise le plus grand nombre, six sur vingt-six, seul un pays aussi fier de lui-même et un État aussi centralisé, aussi puissant et dépensier que la France de Napoléon III et de la troisième République étant disposé à assumer le déficit énorme de ce genre de manifestation. Ces expositions universelles se caractérisent par une extension et une mégalomanie croissantes. En 1855, la deuxième Exposition universelle se limite au carré Marigny et au Cours-la-Reine, avec une annexe pour les beaux-arts au bas de l'avenue Montaigne, une surface supérieure d'un tiers à l'exposition de Londres. En 1867, c'est tout le Champ-de-Mars qui est occupé. En 1878, on ajoute au Champ-de-Mars la colline de Chaillot où est édifié le palais du Trocadéro. En 1878, au Champ-de-Mars et au Trocadéro s'ajoutent l'esplanade des Invalides et toute la rive gauche comprise entre ces deux extrémités. En 1900, on adjoint à tous ces espaces ceux déjà occupés en 1855 et toute la rive droite située entre le Cours-la-Reine et la colline de Chaillot. L'Exposition internationale des arts décoratifs et industriels modernes de 1925 n'est généralement pas considérée comme exposition universelle, non plus que l'Exposition coloniale internationale de 1931 au bois de Vincennes, mais on considère comme universelle l'Exposition internationale des arts et techniques dans la vie moderne de 1937 qui ajoute aux espaces envahis en 1900 les palais du quai de Tokyo et de nombreuses annexes. Le nombre des exposants enfle de manière démesurée, de vingt-quatre mille en 1855 à quatre-vingt-trois mille en 1900. Le nombre des visiteurs peut être contesté, de très nombreuses entrées gratuites, des abonnements venant compliquer le calcul. C'est l'occasion de tester des innovations techniques : tourniquet en 1855, carte avec photographie d'identité en 1878, cellule photo-électrique en 1937. On estime à 4 200 000 le nombre des visiteurs en 1855, 23 millions en 1889, 48 millions en 1900, un record qui ne sera battu qu'en 1970 par Osaka, qui a l'avantage de se situer en bordure de la fourmilière humaine d'Extrême-Orient. Les récompenses connaissent une inflation destinée à satisfaire la vanité des exposants mais qui leur fait perdre toute signification sérieuse : en 1900, plus de deux mille grands prix, plus de douze mille médailles d'argent, au total quarante-deux mille récompenses permettant d'honorer 55 % des exposants et 62 % des exposants français. La plus bâclée, la plus catastrophique des expositions est celle de 1937. Sabotée par les ouvriers communistes qui ne travaillent guère qu'au pavillon de l'Union soviétique, elle est inaugurée le 24 mai dans un chaos indescriptible, le président Lebrun parcourant un véritable chantier qu'il aurait dû, en principe, inaugurer le 1er mai. A sa fermeture, le 25 novembre, le déficit est colossal : 150 millions de recettes pour 1 443 millions de francs de dépenses. En 1989, le président Mitterrand s'est heurté au refus du maire de Paris de se laisser entraîner dans une telle entreprise et le projet a échoué.

FAÇADES (concours de)

Les touristes étrangers sont généralement frappés par l'unité architecturale de Paris. En effet, une des caractéristiques de la construction et de l'urbanisme parisiens du XIXe siècle et du début du XXe est l'aspect plutôt homogène des façades, une législation pointilleuse et contraignante déterminant, depuis 1783 au moins, l'alignement, l'angle, l'entresol, la gouttière, la hauteur, le nivellement, la saillie des immeubles. Comme l'écrit Henri Bresler dans *Paris-Façades*, dans « La Règle et le Détail », jusqu'à la nouvelle réglementation de 1967, « il y a une cohérence interne dans l'ensemble des façades décrites qui découlent toutes d'un même modèle et qui se succèdent à partir d'altérations minimes contenues partiellement dans le type précédent. Il semble en être de même dans l'évolution des règlements qui, en l'espace de deux siècles, ne modifient quasiment pas le gabarit. » Il ajoute : « Au-delà de leur aspect formel, les façades dans leur ensemble témoignent de la réalité du cadre bâti, de la tradition des métiers du bâtiment et de leur organisation même. Il est frappant de constater combien le cadre de production dominant perdure au-delà de bien des innovations et de bien des transformations. Si toutes ces façades accusent une cer-

taine ostentation, les réponses constructives sont toujours du même ordre. A partir d'un nu de référence, la façade s'épaissit plus ou moins d'un surplus de matière à l'aide de clés et chambranles, de bandeaux et corniches, de pilastres et colonnes, de balcons et balconnets, d'encorbellements et de "bow-windows". C'est dans ce surcroît d'épaisseur en plein ou en creux qu'il faut rechercher les traces d'un ensemble d'enjeux bien souvent contradictoires. La façade peut être considérée comme le lieu privilégié d'une négociation entre différents intervenants : maître d'œuvre, maître d'ouvrage et entrepreneur. »

Plus d'un tiers de siècle après le début de la destruction de l'ancien Paris par Haussmann et Napoléon III, l'œuvre de reconstruction de la capitale est en voie d'achèvement avec l'ouverture de la rue Réaumur. Le conseil municipal souhaite donner un éclat particulier à cette dernière grande opération d'urbanisme et vote, le 6 juillet 1896, l'institution d'un concours de façades pour les immeubles devant être édifiés sur cette rue. Les architectes distingués recevront une prime de 1 000 francs et les propriétaires seront exonérés des droits de voirie, qui s'élèvent en moyenne à 2 000 francs. Dans l'esprit des conseillers municipaux, il s'agit de «réagir contre la monotonie du style par trop primitif de ces anciennes maisons aux façades unies, d'enlever à la rue cet aspect d'uniformité désespérante» qu'avait engendré la réglementation urbaine du second Empire et le décret complémentaire de 1882. Une nouvelle législation, en 1902, entérinera cette recherche de davantage de pittoresque et de «plus de fantaisie artistique». A partir de 1897, le concours est étendu à toutes les constructions nouvelles de la capitale.

Le premier concours est jugé en 1899 pour des maisons édifiées en 1898. Présidés par des architectes et des conseillers municipaux, les jurys pratiquent des choix difficiles. L'un des rapports note : «le jury a récompensé des façades qui sont le résultat de recherches faites au point de vue décoratif dans des sens tout à fait différents. C'est dans la composition de l'ensemble, dans les proportions, les différences de baies, dans la silhouette générale d'un immeuble qu'il faut avant tout chercher la variété.» La plupart des façades primées entre 1898 et 1912 sont aujourd'hui si bien intégrées au paysage parisien qu'elles paraissent banales, mais le jury fit pourtant preuve d'audace : ne décerna-t-il pas une récompense dès 1898 à Hector Guimard pour le Castel Béranger de la rue La Fontaine ? En 1901 et 1905, c'est Lavirotte qui est primé pour le 29 de l'avenue Rapp et le 34 de l'avenue de Wagram (le Céramic Hôtel actuel). Klein est distingué en 1903 pour le 9 de la rue Claude-Chahu et Arfvidson en 1911 avec le 31, rue Campagne-Première.

Interrompu par la guerre, le concours reprit en 1922 pour les immeubles construits en 1913. Un concours de devantures est également organisé. Les deux concours se poursuivent jusqu'en 1936, suivant les nouvelles tendances de l'architecture, répudiant la complexité des formes au profit de «la couleur, la richesse des matériaux, la simplicité». On trouve parmi les architectes primés, Roux-Spitz en 1930 pour le 14 de la rue Guynemer, Guimard en 1931 pour le 18 de la rue Henri-Heine, Marrast en 1933 pour l'entrée de la rue Dauphine, Arfvidson la même année pour la galerie Élysées-La Boétie.

• *Voir aussi* ALIGNEMENT ; ANGLE ; ENTRESOL ; GOUTTIÈRE ; SAILLIE.

FALOT
Voir ÉCLAIRAGE.

FAMINE
Reprenant la définition donnée par Delamare dans son *Traité de la police*, Des Essarts écrit en 1787 à l'article «Disette» du *Dictionnaire universel de police* : «La disette est une famine commencée et la famine n'est autre chose qu'une disette consommée et à sa dernière période […]. Il y a encore cette différence entre ces deux termes, disette et famine, que le premier a une signification bien plus étendue que l'autre : il se dit à la vérité, plus commodément des vivres, mais l'on peut s'en servir aussi pour exprimer le besoin que l'on a de toutes les autres choses qui nous sont nécessaires, soit physiques, soit politiques ou morales ; ainsi l'on dit que l'on a disette de pluies, […] d'habits, de meubles, de logements, et ainsi de tout le reste ; au lieu que le mot de famine ne s'emploie jamais que pour exprimer cet extrême besoin où le pain même nous manque. La raison qu'en rend un ancien, c'est que le pain et l'eau sont les seuls aliments nécessaires à l'homme pour soutenir sa vie.» Il n'est pas question ici de dresser la liste des disettes qui ont sévi à Paris. On a calculé que la ville était touchée une année sur huit par cette calamité entre 1573 et 1789. A titre indicatif, voici la liste des disettes entre 1573 et 1873 :

1573 ; 1574 ; 1591 ; 1592 ; 1595 ; 1596 ; 1597 ; 1598 ; 1626 ; 1631 ; 1632 ; 1649 ; 1650 ; 1651 ; 1652 ; 1661 ; 1662 ; 1663 ; 1693 ; 1694 ; 1699 ; 1700 ; 1709 ; 1710 ; 1713 ; 1714 ; 1725 ; 1741 ; 1789 ; 1793 ;

1794 ; 1795 ; 1802 ; 1812 ; 1816 ; 1817 ; 1829 ; 1831 ; 1847 ; 1853 ; 1854 ; 1855 ; 1856 ; 1861 ; 1867 ; 1868 ; 1871 ; 1873.

Il est impossible, faute de documents, de savoir si la Gaule antique a connu des famines. Selon les biographies de sainte Geneviève, Paris aurait été assiégée et affamée par Clovis, désireux d'y imposer son autorité, vers 486-487. En 588, une famine aurait contraint les Parisiens à fabriquer leur pain à partir de pépins de raisin, de fleurs d'aveline et de racines de fougères. En 640, pour acheter du blé, alors que le Trésor public était vide, Clovis II aurait enlevé les lames d'argent couvrant le tombeau de saint Denis. En 651, saint Landry, évêque de la ville, aurait vendu sa vaisselle, ses meubles et jusqu'aux vases sacrés pour secourir les affamés. On sait que des famines frappèrent les territoires de Charlemagne en 779 et 793, mais on ignore si elles touchèrent Paris. Il en est de même pour l'année 820. En 843, les textes rapportent que les Parisiens mêlèrent de la terre à leur farine. Après le pillage de la ville par les Normands, plusieurs milliers de personnes meurent de faim en 845. Les raids des Scandinaves entraînent une série d'années désastreuses. En 850 sont attestés les premiers cas d'anthropophagie. Nouvelle famine en 855 : les bras manquent pour ensevelir les morts. On dénombre onze années de famine entre 855 et 876. Durant le siège de la ville par les Normands, en 885-886, l'évêque Gozlin et l'abbé Hugues, défenseurs de la ville, succombent à la fatigue et aux privations. De nouvelles famines générales sont signalées en 895 et 899. Des cas d'anthropophagie sont dénoncés à nouveau par les chroniques en 940. En 945, la famine se double d'une épidémie. Le règne d'Hugues Capet est marqué par des famines en 987, 990, 992. Le nouveau millénaire s'ouvre par des famines conjuguées avec des épidémies en 1001, 1003, 1010, 1011, 1013, 1014, de 1021 à 1029 avec de nouveaux cas d'anthropophagie durant les trois dernières années. En 1031, les hommes se nourrissent de cadavres, de racines, d'herbes, de chair humaine. Cette famine se prolonge durant une dizaine d'années et le chroniqueur Raoul Glaber observe : « Les grands, les gens de condition moyenne et les pauvres, tous avaient la bouche également affamée et la pâleur sur le front, car la violence des grands avait enfin cédé aussi à la disette commune. Tout homme qui avait à vendre quelque aliment pouvait en demander le prix le plus excessif, il était toujours sûr de le recevoir sans contradictions. » On mentionne encore des famines en 1045, 1046, de 1053 à 1057, de 1059 à 1065. Au total, quarante-huit famines auraient touché Paris et la France durant les soixante-treize années des règnes d'Hugues Capet, Robert II et Henri Ier. Il n'y en aura que trente-trois pendant les cent vingt ans des règnes de Philippe Ier, Louis VI et Louis VII.

Le début du règne de Philippe Auguste est difficile : famines en 1188, 1189, 1190, 1194, 1196, 1197. Vient ensuite une longue période de rémission avant une nouvelle famine en 1221. On ne compte plus ensuite que des disettes plus ou moins graves que la monarchie s'efforce de juguler par le contrôle des prix. La peste de 1348-1350, la dépopulation et la désorganisation qu'elle engendre, sont contemporaine d'une disette. En 1358, la guerre et le blocus de la ville provoquent une nouvelle famine. En 1381, le duc d'Anjou encercle et affame Paris pour contraindre ses habitants à accepter la fiscalité royale après la révolte des maillotins. La famine reparaît en 1399. Le *Journal d'un Bourgeois de Paris* entre 1405 et 1449 détaille disettes et famines, largement dues à la guerre civile entre Armagnacs et Bourguignons et au pillage des campagnes de l'Île-de-France par les Anglais et les mercenaires. 1410, 1418, 1420 sont des années particulièrement difficiles, de même que 1431, 1436 et 1438. Cette dernière année, un tiers des Parisiens auraient péri de faim ou de maladie. La reprise de Pontoise en 1441 et la défaite des Anglais mettent fin à ce cycle de misère.

Ce ne sont plus que des disettes qui sont alors signalées, dues au prix excessif des grains durant l'hiver 1480-1481, en 1520, 1521, 1523, de 1528 à 1534, en 1548, 1556, 1560, 1565. Elles sont dues à de mauvaises récoltes. Les suivantes sont provoquées par la guerre civile entre protestants et catholiques. On en trouve la liste dans le tableau en tête de cet article. Le siège de la ville par Henri IV au printemps et à l'été 1590 provoque une véritable famine. Un témoin raconte : « Les pauvres mangeaient des chiens, des chats, des rats, des feuilles de vigne et autres herbes. » On ramassait chaque matin dans les rues les cadavres de cent à deux cents personnes mortes de faim. Avec les ossements des morts mêlés à de vieilles graisses, des huiles rances ou corrompues, on fabriqua une pâte qui, une fois cuite, fut appelée « pain de la Montpensier », du nom de la sœur d'Henri de Guise, âme de la résistance à outrance à Henri IV. Les troubles civils de la Fronde engendrèrent aussi des années de misère extrême pour les plus démunis. Louis XIV fait approvisionner la ville en blé étranger quand les récoltes sont insuffisantes, mais il ne peut éviter de véritables famines entre 1692 et 1696, en 1699, et surtout de 1708 à 1710, mais, dans l'ensemble, Paris est moins touché que la province. Dans la *Dîme royale*, Vauban estime à un demi-million les pertes en vies humaines en France entre 1700 et 1706. L'hiver 1708-1709 est terrible. Marcel Lachiver a rassemblé un dossier accablant sur le règne du Roi-Soleil dans *Les Années de misère. La famine au temps du Grand Roi.*

La fin de l'Ancien Régime se caractérise par des difficultés constantes d'approvisionnement, des hausses brutales en période de « soudure » entre deux récoltes, des disettes liées à la cherté des grains, mais on ne peut plus parler de famine. On peut en dire autant des XIXᵉ et XXᵉ siècles, la dernière crise alimentaire ayant frappé les Parisiens se situant durant l'occupation allemande, entre 1940 et 1944. Les Parisiens ont eu froid et faim mais le terme de famine serait très exagéré.

FAUBOURG

« Les faubourgs sont ainsi nommés, parce qu'ils tiennent à la ville, au lieu que les bourgs en sont toujours séparés », note Perrot dans son *Dictionnaire de voierie* paru en 1782. Ces faubourgs sont apparus très tôt, se développant d'abord sous forme d'une rue le long de la route d'accès à Paris. Ils s'accroissent à la fin de la guerre de Cent Ans, la paix et la sécurité revenues : faubourg Saint-Jacques le long de la rue du même nom, faubourg Saint-Marcel au bout de la rue Mouffetard, faubourg Saint-Antoine, faubourg du Temple sur la chaussée de la Courtille (rue du Faubourg-du-Temple), faubourgs Saint-Martin, Saint-Denis, Montmartre, Saint-Honoré. Dès le milieu du XVIᵉ siècle, le pouvoir royal tente d'enrayer la croissance de ces faubourgs, en vain. Au XVIIᵉ siècle, les interdictions de construire sont tout aussi inefficaces, malgré des bornages en 1638 et 1674. En 1702, lorsque sont créés les vingt quartiers de police de la capitale, quatorze faubourgs leur sont rattachés : faubourg Saint-Honoré (rattaché au quartier du Palais-Royal), faubourgs Richelieu et Montmartre (rue Montmartre), faubourgs Saint-Denis et Saint-Lazare (rue Saint-Denis), faubourgs Saint-Martin et Saint-Laurent (rue Saint-Martin), faubourg du Temple (Temple), faubourg Saint-Antoine (rue Saint-Antoine), faubourg Saint-Victor (place Maubert), faubourgs Saint-Marcel et Saint-Jacques (Saint-Benoît), faubourg Saint-Michel (Luxembourg), faubourg Saint-Germain (Saint-Germain-des-Prés). Le faubourg Richelieu, peu important, va bientôt disparaître, mais l'arrêt du Conseil du 17 juillet 1759 maintient le nombre de quatorze faubourgs en donnant ce statut au village de Chaillot sous le nom de faubourg de la Conférence (de la porte qui y conduit). Le mur des Fermiers-Généraux inclut l'essentiel de ces faubourgs dans les limites de l'octroi parisien. Ils seront englobés dans la division de la capitale en districts, sections puis arrondissements et disparaîtront comme faubourgs pour faire partie de la ville. La construction d'une nouvelle enceinte fortifiée de 1841 à 1845 enfermera en compagnie de Paris un certain nombre de communes, sortes de nouveaux faubourgs, incorporés à leur tour en 1860 dans la capitale. On ne parlera plus désormais que de Paris et de sa banlieue.

• *Voir aussi* BANLIEUE.

FÉCONDITÉ

On sait fort peu de chose sur la fécondité des Parisiens. Elle a, sans doute, comme dans le reste de la France, été très importante jusqu'au déclin amorcé au XVIIIe siècle. Dans son *Tableau de Paris*, publié de 1781 à 1788, Sébastien Mercier consacre un chapitre à un reproducteur exceptionnel, nommé Blunet : « C'était un petit bourgeois de Paris, sans rang, sans fortune, sans crédit, sans talents spirituels. Eh ! pourquoi en parlez-vous, me dira-t-on ? Attendez, vous saurez pourquoi. C'est que ce Blunet fit à sa femme vingt et un enfants en sept fois de suite : or il n'y eut peut-être pas dans toute l'Antiquité un exemple de fécondité si prodigieuse. C'est l'Hercule parisien que ce Blunet. Ces enfants tri-jumeaux furent baptisés, vécurent les uns plusieurs jours, les autres plusieurs mois ; et il en resta douze des plus forts, tous grands et en bonne santé. Comme le public émerveillé ne savait à qui attribuer cette espèce de prodige, et qu'on disputait à qui de sa femme ou de lui on en attribuerait l'honneur, Blunet coucha avec une servante qu'il avait, et au bout de neuf mois, la fille accoucha de trois enfants mâles. Blunet mourut en 1685. C'est dommage qu'on n'ait pas suivi l'histoire de ses descendants ; mais alors on avait l'esprit moins porté à l'observation des phénomènes qui tiennent à l'histoire naturelle. Qu'on se moque encore chez l'étranger de la mollesse des Parisiens ! Ils n'auront qu'à répondre. Et Blunet ! Où est parmi vous son pareil ? »

FERMIERS GÉNÉRAUX (enceinte des)
• *Voir* ENCEINTES.

FÊTE

La pratique de la fête était beaucoup plus répandue sous l'Ancien Régime que de nos jours. Il y avait plus de jours chômés, donc d'occasions de s'amuser, et surtout la population avait un esprit festif beaucoup plus développé, connaissant la brièveté et la précarité de l'existence. Les très nombreuses fêtes religieuses étaient la première source de divertissement, chaque métier possédant son saint patron qu'il célébrait ostensiblement. Noël, Pâques, la Trinité, l'Ascension, Pentecôte étaient l'occasion de réjouissances. S'y ajoutaient les pèlerinages et processions, notamment celle de la châsse de sainte Geneviève, patronne de la ville. D'autres fêtes prenaient leurs racines dans un passé païen, comme le premier de l'an ou le feu de la Saint-Jean affublé d'oripeaux chrétiens. Le carnaval constituait l'occasion d'un surprenant défoulement collectif, de même que les fêtes de la basoche.

Jusqu'à la Révolution et même au-delà, les exécutions capitales étaient aussi le prétexte de réjouissances pour les foules nombreuses qu'elles attiraient. Toutes les grandes cérémonies officielles étaient l'occasion de réjouissances, la plus importante étant l'entrée du souverain ou celle de la reine dans la capitale, mais il y avait mainte autre célébration : les victoires militaires, les proclamations de paix faisaient l'objet de *Te Deum* et de liesse populaire. Naissance et baptême, mariage de membres de la famille royale engendraient de grandes fêtes, les enterrements étaient aussi l'occasion de cérémonies, mais la fête revêtait alors un caractère de gravité excluant les réjouissances, sauf lorsque le souverain était détesté : à l'annonce de la mort de Louis XIV et de Louis XV, bon nombre de Parisiens affichèrent bruyamment leur joie d'être débarrassés de ces despotes. D'autres fêtes officielles étaient organisées par le roi ou l'Hôtel de Ville : carrousel, inauguration de la statue du souverain, dîner offert au roi, entrée d'ambassadeur extraordinaire...

La Révolution bouleverse et appauvrit la fête. Les cérémonies religieuses perdent de leur importance ou se laïcisent, Noël faisant moins recette que le païen nouvel an. Les fêtes officielles changent de destination : on célèbre la prise de la Bastille et la Fédération le 14 juillet, la translation des dépouilles des grands hommes au Panthéon. Napoléon Ier instaure des fêtes où règne la froideur : sacre de 1804, confiscation du 15 août pour la célébration du mythique saint Napoléon, et surtout revues et défilés militaires, commémorations de victoires et de paix triomphantes. Tout cela n'attire guère le peuple. La Restauration et la Monarchie de Juillet ne réussissent pas mieux à susciter la liesse populaire, même si Louis-Philippe a recours à l'exotisme, « plantation » de l'obélisque égyptien sur la place de la Concorde, ou à l'utilisation des « restes », colonne de la Bastille pour les morts de l'insurrection de juillet 1830 grâce à qui il est parvenu au trône, récupération de la dépouille de l'Empereur ramenée de Sainte-Hélène. Napoléon III reçoit en grande pompe les souverains étrangers, célèbre ses victoires militaires en Italie et instaure un nouveau type de fête, l'Exposition universelle, qui permet d'atti-

rer des millions d'étrangers et de faire prospérer le commerce parisien. La troisième République ne sait que ressusciter le 14 juillet, associant au caractère officiel et militariste de la revue l'aspect festif des bals populaires qui s'est maintenu vaille que vaille jusqu'à aujourd'hui. On y a rajouté depuis les mornes cérémonies officielles commémorant la fin des deux grandes guerres qui ont détruit l'Europe, le 11 novembre et le 8 mai, la fête du Travail du 1er mai ; tout cela n'est guère joyeux. Mais, pour faire la fête, il faut disposer de place. Or, les rues de la capitale sont envahies par la circulation automobile. Il ne reste plus aux Parisiens qu'à se réfugier dans le sous-sol des boîtes de nuit.

• *Voir aussi* BASOCHE ; BŒUF GRAS ; CARNAVAL ; ENTRÉE ROYALE ; FEU D'ARTIFICE ; FEU DE LA SAINT-JEAN ; PÈLERINAGE ; PROCESSION ; SAINT.

FEU D'ARTIFICE

La Chine a inventé la poudre qui a engendré armes à feu et artillerie mais aussi le feu d'artifice. La « poudre noire », mélange détonant de charbon de bois, de soufre et de salpêtre, en est l'élément principal. Dans la première moitié du XVIe siècle, ont lieu des spectacles proches du feu d'artifice, alliant l'emploi de la poudre et de fusées. La première mention de « quelques tireurs de feux artificiels » est faite, pour Paris, dans le *Journal* de Pierre de l'Estoile, le 10 octobre 1581, à l'occasion du mariage du duc de Joyeuse. De nouveaux feux d'artifices sont tirés le 17 ou le 19 octobre de la même année « au jardin du Louvre ». Après avoir fait peur au début, les feux d'artifice entrent très vite dans les habitudes des Parisiens et Félibien, dans son *Histoire de la ville de Paris*, mentionne, sans y attacher une importance particulière, que « ledit seigneur roi [Henri IV], après avoir allumé le feu de la Saint-Jean, en 1598, s'en retourna à l'Hôtel de Ville et, estant en l'une des fenêtres du petit bureau, l'on fit jouer l'artifice qui estoit audict feu, lequel se trouva bien fait et contenta fort». Le premier grand spectacle pyrotechnique est tiré à la fin du grand carrousel marquant l'inauguration de la place Royale (des Vosges) et le double projet de mariage de Louis XIII avec Anne d'Autriche et de sa sœur Élisabeth avec l'infant d'Espagne, futur Philippe IV, le 7 avril 1612. Deux autres grands feux d'artifice sont tirés cette même année, dans l'île Louviers, près de l'Arsenal, et le jour de la Saint-Louis (25 août) sur la Seine à partir d'un balcon du Louvre. Le feu d'artifice s'inscrit dans un décor et un spectacle souvent allégoriques et mythologiques qui exaltent la monarchie. Ainsi, le double feu d'artifice de la Saint-Jean 1615 présente-t-il sur des échafauds, d'une part «les quatre nations du monde et au milieu un Jupiter sur un aigle», d'autre part «plusieurs figures et entre aultres les forces d'Hercule». Une innovation technique émerveille la foule lors du feu de la Saint-Louis 1618, tiré à l'île Louviers. L'abbé de Marolles l'a consigné dans ses *Mémoires* : par le moyen de la poudre «et de certaines compositions de bitume et de vitriol, les fusées répandirent en l'air des étoiles et des serpenteaux de feu, dont tout le monde fut surpris comme d'une nouveauté qui n'avoit pas encore parue». Le Bureau de la Ville rivalise avec le roi et les princes du sang dans le luxe des feux d'artifice. Roger-Armand Weigert a dressé une liste non exhaustive des brochures publiées à l'occasion de feux d'artifice donnés par la municipalité entre 1612 et 1713, qui compte près de cent titres, les années fastes étant 1613 (quatre feux), 1649 (huit feux), 1660 (six feux), 1682 (neuf feux), 1699 (neuf feux), 1704 (sept feux). Les feux étaient toujours tirés à proximité de la Seine : place de Grève pour la Saint-Jean, Pont Neuf, quai de Conti, quai Malaquais, pont Royal, quai du Louvre. Naissances et mariages dans la famille

royale, signature de traités de paix, Saint-Jean, Saint-Louis, étaient le prétexte de ces manifestations. La couleur générale du feu est dans les tons dorés. Les couleurs apparaissent lentement avec le «feu chinois» vers la fin du XVIIIᵉ siècle et trouvent leur épanouissement avec les inventions de Claude-Fortuné Ruggieri. Véritable dynastie d'artificiers, les cinq frères Ruggieri arrivent de Bologne en 1743, reçoivent des lettres de naturalisation en 1749, deviennent artificiers de la Ville en 1750 et du roi en 1753. Pietro, d'abord domicilié à la barrière de Reuilly, rue des Amandiers, installe ses ateliers en 1753 aux Porcherons, dans une grande propriété, car il est interdit d'établir des fabriques de feux d'artifice à cause des dangers d'incendie. En 1657, la maison de l'entrepreneur prit feu et il périt dans l'incendie avec sa femme et ses deux enfants ; en 1705 un autre incendie se déclara chez un entrepreneur dans la rue Saint-Antoine et l'arrêt du Parlement du 15 mai 1706 interdit aux artificiers de s'établir à l'intérieur de Paris. Les spectateurs ne sont pas à l'abri, malgré les précautions et la proximité de la Seine. Le 29 août 1739, lors de la fête en l'honneur du mariage prochain de la fille de Louis XV, une explosion tue une quarantaine de personnes. Le 30 mai 1770, lors des fêtes du mariage du Dauphin (futur Louis XVI) avec Marie-Antoinette, la machine se renverse et prend feu, entraînant une panique qui fait plus de cent trente morts. Il y eut d'autres catastrophes en 1778, en 1825, avec des bilans moins importants. La maison Ruggieri perpétue aujourd'hui plus de deux siècles et demi de tradition célébrés par P. Bracco et E. Lebovici dans un livre, *Ruggieri : 250 ans de feux d'artifice*, paru en 1988. • *Voir aussi* FÊTE.

FEU DE LA SAINT-JEAN

Fête du solstice, célébration païenne du culte du Soleil à son apogée, la Saint-Jean a été récupérée et intégrée

Pont tenu sur le bois de Vincenne.

Chaudronniers en Bois

L'eu où on faict le Feu de la St Iean

au rite chrétien. A Paris, le 23 juin, veille de la fête de saint Jean Baptiste, on installait sur la place de Grève (de l'Hôtel-de-Ville) une série de bûchers et un arbre haut d'une vingtaine de mètres. Vers sept heures du soir, l'artillerie municipale commençait à tirer des coups de canon, les musiciens se mettaient à jouer. Le Bureau de la Ville, couronné de fleurs, s'avançait sur la place, une torche de cire jaune au poing, et présentait au roi ou à son représentant une autre torche de cire blanche garnie de deux poignées en velours rouge qui servait à mettre le feu à l'arbre, puis aux bûchers. La municipalité prenait ensuite une collation tandis que la foule se ruait sur le vin et le pain qui lui étaient offerts. Les cendres et les tisons des bûchers étaient emportés comme des talismans porte bonheur. Le plus ancien témoignage de participation du roi à la Saint-Jean date de Louis XI en 1471, mais la tradition est bien antérieure : en 1426, les chroniques relatent que la fête fut interrompue par une brusque crue de la Seine qui envahit la place de Grève et noya le bûcher. Une estrade permettait de mieux voir le spectacle. Ses places étaient louées par le bourreau. A partir du XVIᵉ siècle, des feux d'artifice (voir FEU D'ARTIFICE) furent tirés. Boudé par les rois, Louis XIV n'alluma le feu qu'une fois, Louis XV et Louis XVI ne le firent jamais, la Saint-Jean perdit largement de sa solennité au XVIIIᵉ siècle, mais demeura une fête populaire qui dura jusqu'en 1768. Il était de tradition d'accrocher aux branches de l'arbre un ou des sacs remplis de chats et contenant parfois aussi un ou des renards, dont les miaulements et l'agonie dans les flammes réjouissaient fort les spectateurs (voir CHAT). Cette coutume semble avoir été abandonnée vers le milieu du XVIIᵉ siècle.

• *Voir aussi* FÊTE.

◄ FEU DE LA SAINT-JEAN SUR LA PLACE DE GRÈVE EN 1617.

FIACRE

Entre la chaise à porteurs, premier mode de transport public, et le carrosse à 5 sols, le plus ancien des transports en commun parisiens, se situe la naissance du fiacre. Elle n'est pas connue avec exactitude. Le scrupuleux historien de Paris, Henri Sauval, qui vécut entre 1620 et 1670, en fait la mention suivante : « Il y a quelque quarante ans qu'un nommé Nicolas Sauvage, facteur du maître des coches d'Amiens, loua à la rue Saint-Martin, vis-à-vis celle de Montmorency, une grande maison appelée, dans quelques anciens papiers terriers, l'hôtel Saint-Fiacre, parce qu'à son enseigne était représenté un saint Fiacre qui y est encore. Or, cet homme, fort entendu en fait de chevaux et de carrosses de louage, pour les bien ménager et les faire durer longtemps, s'avisa d'un nouveau trafic, qui fut d'entretenir à Paris des chevaux et des carrosses pour les louer au premier venu. D'abord il eut bonne pratique quoiqu'il les louât bien cher, et même incontinent après, il eut des camarades qui s'établirent en divers quartiers et s'enrichirent. Mais parce qu'il n'y en avait point qui allât de son air, comme ayant quelquefois vingt carrosses et quarante à cinquante chevaux à l'écurie ; de plus, parce que d'une maison appelée l'hôtel de Saint-Fiacre, à cause de son enseigne, étoit venue l'invention de ces sortes de carrosses, non seulement le nom de fiacre fut donné aux carrosses de louage et à leurs maîtres, mais aussi aux cochers qui les conduisoient, et même je pense que cette manière de gens a pris saint Fiacre pour patron. » Le *Mémoire instructif pour les loueurs de carrosses et chevaux de la ville et faubourgs de Paris*, paru en 1760, contient cette phrase : « En 1612, le nommé Sauvage imagina le premier de faire construire à ses frais et dépens des carrosses et de les donner à louage à public. » Cette date n'est corroborée par aucun autre texte, mais un arrêt du Parlement du 25 février 1623 confirme l'existence à cette époque de voitures de louage à Paris. Dans son étude sur *Les Fiacres de Paris aux XVIIe et XVIIIe siècles*, Bernard Causse précise l'identité du personnage qui a légué son prénom au fiacre : « L'effigie choisie par Nicolas Sauvage pour servir d'enseigne à son exploitation était celle d'un carme déchaussé du couvent des Petits-Pères. Ce moine possédait des dons exceptionnels pour la prédication et devait ajouter à sa popularité en annonçant à la reine Anne d'Autriche la naissance d'un fils. A la mort du frère Fiacre la vénération qu'on lui portait était si grande que l'ensemble des cochers de cette entreprise et des établissements concurrents collèrent sur leurs voitures l'effigie du bienheureux comme une garantie contre les accidents. Dès lors, les carrosses de louage en circulation dans les villes s'appelèrent fiacres. »

N'ayant pas sollicité de privilège, Sauvage eut vite de nombreux concurrents et des loueurs de fiacres sont signalés rue Saint-Antoine et dans le quartier Saint-Thomas-du-Louvre. Mais, en mai 1657, Pierre Hugon, sieur de Givry, écuyer du roi, reçoit par lettres patentes le monopole de l'exploitation des voitures de louage à traction animale. L'arrêt du Parlement du 3 septembre 1666 fixe le tarif des fiacres : 20 sols pour la première heure et 15 pour chacune des suivantes, 3 livres 10 sols pour une demi-journée et 4 livres 10 sols au cas « où on serait obligé d'y mettre deux chevaux pour aller en campagne ». Le nombre des stations de fiacres ne cessa d'augmenter et on en dénombrait trente-trois en 1779, qui sont figurées sur un des plans de l'étude ancienne mais excellente d'Alfred Martin, *Étude historique et statistique sur les moyens de transport dans Paris*, ainsi que dans l'ouvrage déjà cité de Bernard Causse. Un règlement exigeait depuis 1669 que les voitures fussent numérotées avec des chiffres très grands et lisibles, peints à l'huile de couleur jaune, sur le derrière et les côtés. A la veille de la Révolution, on dénombrait environ huit cents

fiacres et six cent cinquante carrosses de remise qui échappaient au monopole des carrosses de place ou fiacres.

En 1790, le monopole est aboli et les entreprises de fiacre se mettent à proliférer : 45 en 1804, 80 dès 1810, 161 en 1820. Leur nombre stagne ensuite entre 140 et 150 de 1825 à 1854. Le nombre des fiacres enregistrés s'élève à 900 en 1818, plus de 2 600 en 1853. Un tiers des entreprises est propriétaire d'un seul fiacre, un autre tiers en possède de deux à cinq. Une poignée de compagnies possède un parc très important : la Compagnie générale des voitures dispose de deux cent quarante-quatre véhicules, L'Alliance à cent soixante-douze voitures de place. La préfecture de police exerce un contrôle très strict sur les entreprises et leur personnel, les cochers ayant une détestable réputation. Chaque voiture possède un numéro qui est acheté à la Ville et coûte 3 500 francs en 1828, 7 500 en 1854. La police délivre au propriétaire, pour chaque voiture mise en circulation, un livret de maître et un permis de circulation et de station. La préfecture fixe aussi le tarif des courses.

Le décret du 16 avril 1855 approuve la création de la Compagnie impériale des voitures de Paris, émanation des Messageries générales, dont la vocation est de réunir en une seule entreprise toutes les voitures de place de la capitale, de reconstituer, en somme, le monopole de l'Ancien Régime. La Compagnie est tenue de racheter en bloc les numéros de voitures existants, si leurs propriétaires désirent les vendre, et la préfecture lui réserve le monopole d'attribution de nouveaux numéros. A la fin de 1856, la Compagnie a racheté la presque totalité des voitures de place de la capitale : lui échappent seulement dix-huit numéros de fiacres et quarante-huit numéros de cabriolets. Les critiques d'Haussmann, le souci de Napoléon III de donner à son régime un aspect libéral, conduisent à l'abolition du monopole de fait de la Compagnie impériale des voitures de Paris par le décret du 23 mai 1866, qui stipule : « Tout individu a la faculté de mettre en circulation dans Paris des voitures de place ou de remise, destinées au transport des personnes, et se louant à l'heure et à la course. » La préfecture de police distingue désormais trois catégories de voitures de louage : « 1° les voitures de place, proprement dites, qui, moyennant une redevance annuelle de trois cent soixante-cinq francs, peuvent stationner sur l'un des emplacements désignés par la police ; 2° les voitures mixtes, qui, acquittant la taxe municipale, peuvent séjourner indifféremment soit sur place, soit sous remise ; 3° les voitures de remise, qui, ne payant aucune taxe, ne peuvent pas charger sur la voie publique et sont obligées de rester, comme l'indique leur nom, sous la remise, à l'intérieur des maisons. »

Mais la dizaine d'années de monopole a laissé une empreinte profonde sur la profession : la Compagnie générale des voitures à Paris, qui a succédé à la Compagnie impériale, conserve une position dominante. Selon le recensement de 1896, elle emploie plus de cinq mille cochers et plus de la moitié des fiacres en circulation lui appartiennent. Plus de cinq cents autres compagnies se partagent cinq mille autres voitures, dont la moitié n'emploient pas plus de cinq personnes. L'apogée du cheval et du fiacre se situe vers 1900, mais le déclin est extrêmement rapide. En 1900, on dénombre 10 863 fiacres hippomobiles à deux places contre 115 voitures de place automobiles. Dès 1907, le rapport passe à 9 409 véhicules hippomobiles contre 2 359 véhicules automobiles. Le fiacre automobile, bientôt baptisé « taxi », détrône le fiacre à cheval. Le *Mercure de France* du 15 février 1922 annonce avec nostalgie la disparition du dernier fiacre à cheval. Seuls subsisteront, jusqu'aux années 1950, une poignée de fiacres destinés aux riches touristes étrangers ayant la nostalgie du passé. Dès le lendemain de la Première Guerre mondiale, on parlait au passé de ce mode de transport immortalisé par l'air de Xanrof qui fut le premier succès d'Yvette Guilbert :

Un fiacre allait trottinant,
Jaune avec son cocher blanc...

• *Voir aussi* CARROSSE ; COCHER.

FIEF
Voir SEIGNEURIE.

FOIRE

Grands marchés publics se tenant à date fixe ou plusieurs fois dans l'année, les foires ont joué un rôle capital dans l'activité économique au Moyen Âge. La plus importante n'est citée ici que pour mémoire, c'est la foire du Lendit qui ne se tenait pas à Paris mais à Saint-Denis. A l'activité commerciale s'ajoutaient des réjouissances diverses. On distingue les petites foires, très nombreuses et tenues le jour de la fête du saint patron de l'église paroissiale, et les foires principales, au nombre de cinq : foire aux jambons ou du parvis Notre-Dame, foires du Temple, de Saint-Germain, de Saint-Laurent, de Saint-Ovide.

La plus ancienne est sans doute la foire Saint-Ladre ou Saint-Lazare, devenue foire Saint-Laurent. Louis VI le Gros avait octroyé en 1110 une foire au profit des lépreux. Elle se tenait à proximité de la léproserie de Saint-Lazare, à peu près au croisement actuel de la rue du Faubourg-Saint-Denis et du boulevard Magenta, de la fête de saint Marcel (3 novembre) à celle de saint Martin (11 novembre). Le privilège fut confirmé par Louis VII en 1137, qui doubla la durée de la foire et permit en 1170 aux religieux hospitaliers d'en décider l'ouverture à leur convenance. Philippe Auguste l'acquiert en 1181, moyennant une rente perpétuelle versée chaque année au prieuré de Saint-Lazare, et la transfère aux Champeaux pour accroître l'importance des Halles qu'il est en train d'y faire bâtir. La foire Saint-Ladre s'y tient désormais pendant quinze jours par an à la pointe Saint-Eustache, non loin du pilori des Halles. En complète décadence au XVIᵉ siècle, la foire Saint-Lazare ou Saint-Ladre disparut au début du XVIIᵉ siècle.

Au lendemain de la vente de leur foire au roi, les religieux de Saint-Lazare créent une nouvelle foire dite de Saint-Laurent. Elle se tient dès 1183, dans un champ d'une dizaine d'hectares, « sis entre les deux chaussées de Saint-Denys et du Bourget », se terminant près de Paris « aux maisons des fauxbourgs Saint-Lazare et Saint-Denys ». Elle se rapprochera ensuite encore plus de la ville pour s'établir « entre la fausse porte Saint-Laurent et la fausse porte Saint-Martin », tout près de l'église Saint-Laurent. Cette foire est limitée à la seule journée de la Saint-Laurent, le 10 août ; plus tard, son ouverture sera autorisée aussi le 9. En 1616, sa durée est portée à une semaine. En 1663, les religieux édifièrent huit halles, presque en face de leur prieuré, où étaient abrités les marchands. Depuis 1661, la durée de la foire est étendue à quinze jours, à partir du 8 ou du 9 août. En 1705, sa durée fut fixée du 24 juillet au 15 août. Sur la demande des religieux, elle fut portée à trois mois en 1725, du 30 juin au 5 ou 7 septembre. La foire dut longtemps son succès aux distractions qu'on y trouvait, spectacles divers, cafés, restaurants. La ruine de la foire Saint-Laurent est consommée en 1762 par la réunion de l'Opéra-Comique à la Comédie-Italienne et l'autorisation donnée aux spectacles de s'installer sur les Boulevards. On essaya de la relancer après l'incendie qui détruisit en 1777 la foire Saint-Ovide et de nouvelles loges furent édifiées en 1778, mais la clientèle ne revint pas. C'est l'ombre d'une foire qu'abolit la Révolution.

La date de création de la foire Saint-Germain n'est pas connue. En 1176, l'abbé de Saint-Germain-des-Prés en abandonne la moitié des revenus au roi. Elle s'ouvrait quinze jours après Pâques et durait trois semaines. En 1278, à la suite d'une rixe entre les sergents de l'abbé et des étudiants, l'Université obtint la condamnation de l'abbaye. Pour s'exonérer d'une partie de l'amende, l'abbé céda la seconde moitié des droits de la foire au roi qui la transféra aux Halles. Elle y commençait le mardi de la quinzaine de Pâques et durait huit jours. Elle disparut en 1482 quand l'abbé de Saint-Germain-des-Prés obtint de Louis XI le rétablissement de la foire sur son territoire. Cette nouvelle foire Saint-Germain commençait le 1ᵉʳ octobre et durait huit jours. Mais, sur plainte des religieux de Saint-Denis qui considéraient qu'elle concurrençait le Lendit, elle fut reportée à la Saint-Martin d'hiver (11 novembre) puis à la fête de la Purification de Notre-Dame (2 février). Elle se tenait dans une partie des jardins de l'hôtel de Navarre, vers l'actuelle rue Mabillon. La première eut lieu en octobre 1483, la seconde en novembre 1484, la troisième en février 1486. On comptait trois cent quarante loges à l'origine, quatre cent seize dans les bâtiments édifiés en 1512, et les transactions commerciales y étaient très importantes. Au XVIᵉ siècle, la foire Saint-Germain était encore plus célèbre pour le libertinage qui s'y donnait libre cours que pour son commerce : les étudiants s'y adonnaient à la débauche et au jeu et les rixes étaient innombrables. Cette activité lui évita le déclin que connurent les autres foires. Dans la nuit du 17 au 18 mars 1762, un incendie détruisit totalement les loges. Elles furent aussitôt reconstruites et la foire se tint régulièrement de 1763 à 1789.

En 1222, Philippe Auguste avait concédé à l'évêque une foire sur le parvis Notre-Dame. Cette foire aux lards, graisses et chairs de porc ne durait qu'une seule journée, le jeudi de la semaine sainte, puis le mardi à partir de 1684. Abolie à la Révolution, elle réapparut en 1840 sur le boulevard Bourdon comme foire aux jambons et foire à la ferraille, puis partit en 1869 s'installer sur le boulevard Richard-Lenoir. De 1803 à 1832, elle avait été installée sur le quai de la Vallée-de-Misère (de la Mégisserie), de 1832 à 1834 à l'intérieur du marché aux fourrages du faubourg Saint-Martin, de 1835 à 1839 sur le pourtour extérieur de l'entrepôt du Marais.

La foire Saint-Ovide est née en 1665 après le don du pape au duc de Créqui des reliques de saint Ovide extraites des catacombes romaines, et installées dans le couvent des religieuses capucines à proximité de la place Vendôme. L'afflux de pèlerins à la Saint-Ovide (31 août) amena les marchands qui s'établirent un peu partout sur la place. Les embarras occasionnés sur cette place incitèrent le lieutenant général de police à transférer la foire sur la place Louis-XV (de la Concorde) en 1770. Dans la nuit du 22 au 23 septembre 1777, un incendie détruisit toutes les loges et la foire n'y survécut pas.

La foire du Temple remonterait aussi au XVIIᵉ siècle. Elle avait lieu dans la cour du Temple, le 28 octobre, jour de la fête des saints Simon et Jude, anniversaire de la dédicace de l'église du Grand-Prieuré. On y voyait surtout des fourreurs, des merciers. Elle est à l'origine du marché de friperie du Temple.

La seule foire importante qui ait survécu sous la forme de la foire dite du Trône, installée aujourd'hui sur la pelouse de Reuilly, au bois de Vincennes, est une obscure foire alimentaire qui semble s'être tenue dans l'enclos de l'abbaye de Saint-Antoine, dès le XIIIᵉ siècle. On y vendait notamment du pain d'épice qui lui valut son nom de foire au pain d'épice. En 1846, ce n'était encore qu'une modeste foire de barrière, dite du Petit-Landit, qui se tenait durant quinze jours à la barrière du Trône. Les autorités municipales ne soumirent les marchands à un droit de place qu'en 1861.

On doit aussi mentionner une foire Saint-Clair qui se tenait au XVIIIᵉ siècle dans les actuelles rues Jussieu et Linné, durant une semaine en juillet, et qui devait son nom à un saint dont les reliques se trouvaient dans l'abbaye toute proche de Saint-Victor.

• *Voir aussi* FÊTE ; PAIN D'ÉPICE.

FOIRE DE PARIS

C'est le 17 mars 1904 qu'a été ouverte la première Foire de Paris. Quatre cent quatre-vingt-dix-sept exposants présentaient sur 10 000 mètres carrés, au vieux marché du Temple, tous les produits fabriqués dans la capitale. Cette manifestation commerciale annuelle va rapidement acquérir une importance considérable. En 1917, lorsqu'elle quitte le Temple pour l'esplanade des Invalides, elle y occupe 70 000 mètres carrés. En 1921, elle s'installe au Champ-de-Mars sur près de 100 000 mètres carrés. Depuis 1926, elle est établie au parc des expositions de la porte de Versailles, où elle a progressivement doublé la surface de ses stands, atteignant aujourd'hui près de 500 000 mètres carrés de superficie avec près de treize mille exposants, dont trois mille étrangers.

FOLIE

Issu du mot latin *folia* («feuille»), le terme de folie a très vite désigné une maison de campagne entourée de verdure. Ces lieux de repos des riches bourgeois parisiens, puis de l'aristocratie fortunée, ont fait récemment l'objet d'études nombreuses et inégales. Il convient de citer les œuvres de Gilles-Antoine Langlois, *Folies, tivolis et attractions*, et, en collaboration avec Véronique Willemin, *Les Sept Folies capitales*, de même que le catalogue de l'exposition du musée Carnavalet en 1978-1979, *De Bagatelle à Monceau*. Elles ne dispensent pas de la lecture du livre ancien mais solidement documenté de Gaston Capon, *Les Petites Maisons galantes de Paris*. Dans sa préface au texte de Capon, Yve-Plessis explique la prolifération des folies ou «petites maisons» au XVIIIe siècle par le besoin de libération des mœurs éprouvé par la noblesse après les trente-cinq années d'agonie du règne du Roi-Soleil sous la férule hypocrite de la Maintenon, bigote reine de la main gauche. Le Régent, Philippe d'Orléans, s'empressa de donner l'exemple. Yve-Plessis écrit avec esprit : «Le luxe extérieur de ces habitations de plaisance, la somptuosité des fêtes qui y succédaient aux fêtes, l'animation folle qui bouleversait des lieux, déserts et silencieux naguère, firent donner, dit-on, à ces palais champêtres le nom de "folies". Mais cette étymologie n'est rien moins que prouvée. Des lexicographes experts préfèrent tirer le mot du latin, à cause des vertes frondaisons qui masquaient aux yeux profanes ces bâtisses perdues sous la feuillée — *sub foliis*. Ils ajoutent même, à l'appui de leur thèse, que les folies se nommaient ainsi bien avant qu'on y fît des folies, plusieurs siècles avant Louis XV. De ces deux versions, quelle que soit la bonne, il ne semble pas que le terme ait survécu à la Régence. Par un de ces calembours audacieux, par une de ces synonymies fantaisistes où se complaît la langue parisienne de toutes les époques, les folies débaptisées allaient bientôt devenir les "petites maisons". Non que celles-ci fussent d'architecture plus exiguë que leurs devancières, ni plus modestes comme décor ; mais "folie" appelait l'idée de "fol" et les fous étaient menés aux Petites-Maisons, d'où la transition naturelle.»

Les lexicographes ont effectivement raison, car trois des appellations «folies» du faubourg Saint-Antoine sont bien antérieures au règne de Louis XV. La Folie-Cornu, située près de la Grange-aux-Merciers, daterait du XIIIe siècle. La Folie-Régnault est attestée à la fin du XIVe siècle et la Folie-Méricourt appartenait à un maître de la corporation des épiciers-apothicaires, Marcaut, dont le nom fut déformé en Méricourt. Et c'est sous le règne de Louis XIII, entre 1633 et 1635, que le financier protestant Nicolas de Rambouillet se fit édifier la folie qui porta son nom, située à l'emplacement des 160 à 176 de la rue de Charenton, dont les jardins s'étendaient jusqu'à la Seine. Bercy et ses jardins attirèrent plusieurs grands seigneurs en quête de calme et de discrétion. Dans la rue de Bercy, en se dirigeant vers Charenton, on y trouvait successivement les résidences du duc de Chaulnes, du duc de Gesvres, du sire de Graville, «grand maître des eaux et les cours de Paris», de M. de Fontanieux, intendant du garde-meuble de la Couronne, la curieuse et massive bâtisse des banquiers Pâris, surnommée Pâté-Pâris, enfin le nid d'amour de Léon de Rohan qui y dissimulait ses ébats avec la comédienne Florence, ex-maîtresse du Régent. Malgré sa kyrielle de couvents, la rue de Picpus fut aussi un lieu de plaisirs. Une des plus célèbres courtisanes du XVIIe siècle, Ninon de Lenclos, y eut, au déclin de sa vie, ce qu'on nommait alors un «vide-bouteilles». Le musicien Marin Marais, successeur de Lully, le maître des comptes de La Baume, le maître des requêtes de Gourgues, l'actrice Doligny lui succédèrent dans cette maison. Au 14, le vicomte de Gamaches possédait vers 1760 une petite maison. Toujours au faubourg Saint-Antoine, rue de la Roquette, le sieur de La Vallée et l'écrivain La Place se partageaient les faveurs de Mlle Delorme, dans une maison située discrètement dans le cul-de-sac de la Roquette, tandis que, plus haut, au 71 de la rue, puis à son actuelle intersection avec le boulevard Voltaire, des petites maisons beaucoup plus imposantes abritaient des intrigues plus importantes : c'est dans la seconde que le Régent vint à bout des scrupules de Mme d'Averne, avec la bénédiction du complaisant propriétaire, Nicolas Du-noyer, que son métier de fournisseur aux armées avait enrichi. En 1753, le comte de Clermont acquit la folie et y fit construire un théâtre où l'on jouait des pièces licencieuses. Dans la partie de la rue Léon-Frot dite anciennement de la Muette, se trouvait une vaste pro-priété allant jusqu'à la rue de la Ro-quette, appartenant officiellement au sieur Dogeron, où le prince de Rohan venait se dissiper. La rue de Charonne ne possédait pas moins de trois lieux de plaisir voisinant avec des couvents, où venaient s'amuser le marquis de Xime-nés, M. de Pomereux, officier aux gar-des, et Omer Joly de Fleury. La comtesse de Lamotte, célèbre par l'affaire du Collier de la reine, y aurait eu aussi une petite maison. La rue de Montreuil peut se flatter d'avoir possédé une des plus belles et des plus grandes folies des faubourgs parisiens, celle du richissime Maximilien Titon. La rue Popincourt revient souvent dans les rapports de po-lice à cause des noceurs qui venaient s'ébattre dans plusieurs petites maisons difficiles à localiser avec précision au-jourd'hui. Le marquis de Duras avait élu domicile dans la rue de Reuilly et le comte d'Artois, frère du roi, qui devait finir dans la peau d'un sinistre bigot, était installé à Bel-Air, à la barrière de Reuilly. Loin de la ville, à Ménilmon-tant, rue des Amandiers, le comte de Chabot menait joyeuse vie.

Les faubourgs du Nord-Est étaient moins recherchés. Les rapports de po-lice mentionnent cependant cinq petites maisons au faubourg du Temple, mais aucune n'appartient à un personnage important. A proximité immédiate des remparts, on trouvait, rue Amelot, l'hô-tel de la baronne de Vaxheim dont les amants ne se comptaient pas, et, rue du Pont-aux-Choux, la petite maison du duc de Gramont. Au faubourg Saint-Lazare, l'inconduite de deux actrices de l'Opéra-Comique, Mlles Ramont et La Vérité, suscita en 1745 une plainte d'un voisin. Les filles défilaient chez le marquis de Montmorin, boulevard Poissonnière.

Le faubourg Montmartre rivalisait avec le faubourg Saint-Antoine. Rue Cadet, près de la barrière des Porche-rons, on trouvait le duc de Richelieu, le marquis de Paulmy à qui succédèrent le comte de Suze puis le duc de Chartres, le prince de Limbourg, le banquier La Croix. Les petites maisons de la rue de Rochechouart n'abritaient que des per-sonnages secondaires. En revanche, la vaste propriété de Charles de Bourbon-Condé, comte de Charolais, rue de Bel-lefonds, était renommée pour les accès de violence de l'hôte des lieux qu'évo-que plaisamment d'Argenson dans ses *Mémoires* : « Il a toujours été porté au monoputanisme, c'est-à-dire à aimer une seule putain et, avec constance, il en exige chose fort déraisonnable, qui est qu'elle soit fidèle, et comme il y éprouve des contrariétés, sa fureur se porte alors plutôt contre les séducteurs que contre la séduite. » La rue des Mar-tyrs possédait quelques petites mai-sons, notamment celle du duc de La Trémoille et celle de la prétendue ba-ronne de Fraqueville, Mlle Desjardins, entretenue par le duc de Montmorency. La rue Saint-Lazare ne comptait pas moins d'une quinzaine de nids d'amour, dont les plus célèbres occupants étaient le duc de Brancas, le marquis de Gouf-fier, le prince de Nassau, le duc de Chartres. La rue Pigalle était aussi ri-chement pourvue et recelait danseuses d'opéra et actrices de théâtre comme Mlle Masson, Mlle Petit, Mlles La-marre, Marlet, Lannoy. L'architecte Bélanger y avait édifié une ravissante bonbonnière pour Mlle Adeline, dan-seuse à l'Opéra, que fréquentait le prince de Guéménée. La célèbre tragé-dienne Raucourt résidait aussi dans cette rue. Le comte de Vatteville possé-dait une vaste demeure et de grands jardins donnant sur la rue de La Roche-foucauld. La rue Blanche comptait une dizaine de petites maisons où venaient se débaucher les ducs de Chartres, de

Lauzun, de Fronsac, Fitz-James, les marquis de Conflans, de Laval, de Clermont et le comte de Coigny. Le duc de Richelieu y avait aussi une imposante demeure ainsi que l'actrice de la Comédie-Française Mlle Dumesnil. Même abondance de lieux de plaisir dans la rue de Clichy, les plus somptueux étant ceux du duc de Gramont, du fermier général La Bouxière, du duc de Richelieu, du trésorier de la Marine Boutin dont le jardin était nommé « Tivoli ». Rue de la Victoire, le prince de Soubise fit édifier une petite merveille architecturale pour Mlle Dervieux, danseuse à l'Opéra. Sa rivale, la Guimard, était installée à la Chaussée-d'Antin dans un hôtel édifié par Ledoux. Le prince de Soubise possédait un autre hôtel dans la rue de l'Arcade. La rue Basse-du-Rempart (boulevards des Capucines et de la Madeleine) était aussi un lieu de détente et de plaisirs : c'est là qu'y résidaient notamment Mlle Astraudi, actrice de la Comédie-Italienne, Mme Récamier au début du XIXe siècle, Mlle Duthé et le comte de Crussol.

Le faubourg Saint-Honoré ne le cédait en rien au faubourg Montmartre. Le comte de Rochefort y avait un pied-à-terre très fréquenté. Mlle Sabatier était entretenue dans un bel hôtel par le comte de Saint-Florentin. Le comte de Clermont et Mlle Le Duc, danseuse à l'Opéra, roucoulaient non loin de là. Quant au financier Beaujon, sa folie était admirée de tous pour sa somptuosité. Au Roule proche vivaient notamment, avec leurs maîtresses, lord Hylde et de Voyer d'Argenson.

Chaillot et Passy, lointains et discrets, abritaient les amours du duc de Lauzun, du duc de Lauragais, de Mlle de Romans, éphémère maîtresse de Louis XV, du prince de Wurtemberg, du financier Bertin, du duc de Valentinois, du fastueux financier La Popelinière.

La rive gauche était faiblement pourvue en comparaison. Une petite maison à Vaugirard, une dizaine tout au plus pour le faubourg Saint-Germain, dont les principaux occupants furent le duc d'Aumont et M. de Saint-Prix. Les hôtes fortunés des petites maisons du faubourg Saint-Jacques sont peu nombreux et ne figurent pas dans la haute société.

FOLIES (liste des)

On trouve, dans le catalogue de l'exposition du musée Carnavalet sur les folies au XVIIIe siècle, *De Bagatelle à Monceau*, une liste par quartier des principales folies. Elle est ici complétée et classée dans l'ordre alphabétique des noms des folies et petites maisons, parfois aussi dites tout simplement hôtels, et couvre les XVIIe et XVIIIe siècles :

Antier, 43-47, rue d'Auteuil, XVIe

d'Artois ou Bagatelle, au bois de Boulogne, XVIe

d'Aumont, 2, rue Caumartin, IXe

Bagatelle, *voir* Artois, XVIe

Beaujon, rues Beaujon et Balzac, VIIIe

Bélanger, 20, rue Joubert, IXe

petit château de Bercy, quai de Bercy, XIIe

Bertin, 47-49, rue Raynouard, XVIe

Bouëxière, 88, rue de Clichy, IXe

Boufflers, 12, rue Poussin, XVIe

de Boulainvilliers, 17-51, rue de Boulainvilliers, XVIe

de Bourbon-Condé, 12, rue Monsieur, VIIe

Bouret, avenue d'Iéna, XVIe

Boursault, 50, rue Blanche, IXe

Boutin, 27, rue de Clichy et 66-106, rue Saint-Lazare, IXe

de Brancas, avenue du Coq, IXe

château des Brouillards, allée des Brouillards, XVIIIe

de Brunoy, 45, rue du Faubourg-Saint-Honoré, VIIIe

Calais, Callet ou des Cariatides, 23, rue du Montparnasse, VIe

maison du Cèdre, 12-16, avenue de New York, XVIe

de Cellamare, 90, rue de Sèvres, VIIe

de Chanaleilles, 24, rue Vaneau, VIIe

de Charolais, rues de Bellefond et de Chantilly, IXe

de Chartres ou Monceau, parc Monceau, VIIIe

de Clermont, 136, rue de la Roquette, XIe

de Collanges, 16, rue de la Ville-l'Évêque, VIIIe

château du Coq, *voir* Brancas, IXe

château du Coq, 63-73, rue d'Auteuil, XVIe

Dervieux, 44, rue de la Victoire, IXe

Dumesnil, 22-28, rue Blanche, IXe

Duthé, 12, boulevard des Capucines, IXe

de l'Élysée ou d'Évreux, 55, rue du Faubourg-Saint-Honoré, VIIIe

hôtel de la Folie, 18, rue de Passy, XVIe

de Genlis, 28, rue des Amandiers, XXe

folie des Girouettes, après le 111, rue de Sèvres, VIe

de Gramont, 55, rue de Clichy, IXe

Guimard, 11, rue de la Chaussée-d'Antin, IXe

Helvétius, 59, rue d'Auteuil, XVIe

de Jarnac, 8, rue Monsieur, VIIe

de La Bouëxière, *voir* Bouëxière, IXe

de Langeac, 2, rue de Berry, VIIIe

de Lauragais-Brancas, 24, boulevard des Italiens, IXe

de Lauzun, 21-29, rue Raynouard, XVIe

de Lauzun, barrière du Maine (place Bienvenüe), XVe

de Laval, 75-79, boulevard du Montparnasse, XIVe

Leprestre de Neufbourg, *voir* Neufbourg, XIIIe

Maison rouge, 17, rue Pigalle, IXe

Marbeuf, 37-39, avenue des Champs-Élysées, VIIIe

de Marigny, 14, rue de Monceau, VIIIe

Marin-Delahaye, 1, rue Caumartin, IXe

de Massa, 52-60, avenue des Champs-Élysées, VIIIe

Masson, 2, rue Pigalle, IXe

Monceau, *voir* Chartres, VIIIe

de Montesson, 40, rue de la Chaussée-d'Antin, IXe

de Montfermeil, 66, rue de la Chaussée-d'Antin, IXe

de Montigny, 15, rue des Abbesses, XVIIIe

de Montmorency, 2, boulevard des Capucines, IXe

de Monville, entre 29 et 37, rue d'Anjou, VIIIe

Neufbourg, 68, boulevard Auguste-Blanqui, XIIIe

d'Orléans, 19, rue Saulnier et 24, rue Cadet, IXe

pavillon d'Orléans, 47-57, rue de Provence, IXe

Orléans, 44, rue de Paradis, X^e

d'Orliane, 28, rue du Montparnasse, VIe

château de Passy, *voir* Boulainvilliers, XVIe

Pâté Pâris, quai de Bercy, XIIe

Pérard de Montreuil, 60, rue de la Victoire, IXe

Petit Madrid, bois de Boulogne, XVIe

château des Porcherons, *voir* Brancas, IXe

Rambouillet, 160-176, rue de Charenton, XIIe

Richelieu, 34, rue Louis-le-Grand, IIe

Richelieu, 16-38, rue de Clichy, IXe

Rohan-Guéménée, 95, rue de Sèvres, VIe

de la Roquette, *voir* Clermont, XIe

Ruggieri, 10-12, rue Pigalle, IXe

de Saint-Germain, 57, rue Saint-Lazare, IXe

Sandrin, 22, rue Norvins, XVIIIe

Soubise, 22, rue de l'Arcade, VIIIe

de Tamnay, 18-24, rue de Provence, IXe

Thélusson, 30, rue de Provence, IXe

Titon, 31, rue de Montreuil, XIe

Valentinois, 60, rue Saint-Lazare, IXe

Vassal de Saint-Hubert, 3-5, rue Pigalle, IXe

Watteville, 24, rue de La Rochefoucauld, IXe

Waxheim, 102, rue Amelot, XIe.

FONTAINE

Outre les puits et l'eau de rivière, les Parisiens disposent, dès la fin du XIIe siècle, d'un début d'approvisionnement en eau par des fontaines. En 1182, Philippe Auguste achète au prieuré de Saint-Lazare la foire du même nom et se réserve une partie des eaux du Pré-Saint-Gervais, captées par ce prieuré, afin d'alimenter une fontaine aux Halles qu'il fait construire. La fontaine des Innocents, attestée en 1265, est aussi alimentée par l'eau du Pré-Saint-Gervais. Reconstruite en 1549 à l'angle des rues aux Fers et Saint-Denis, elle ne comportait que trois arcades. Démontée en 1786 et complétée par une quatrième arcade, elle fut érigée au milieu du marché aux herbes. Le chef-d'œuvre de Pierre Lescot et de Jean Goujon s'enrichit alors de nouvelles sculptures de Pajou bien intégrées à leur modèle Renaissance. A la suppression du marché aux légumes, Davioud et Duban la démontèrent et elle fut réédifiée en 1865 une troisième fois au milieu d'un square. Le réaménagement des Halles dans les années 1970 lui imposa un quatrième démontage suivi d'une reconstruction. On fait également remonter au règne de Philippe Auguste la fontaine Maubuée, aujourd'hui reconstruite à l'angle des rues Saint-Martin et de Venise, à l'origine au carrefour des rues Saint-Martin et Simon-le-Franc (ex-Maubuée). Son eau provenait de Belleville et paraît avoir été de médiocre qualité, car « Maubuée » signifie « mauvaise lessive ». La fontaine de Sainte-Avoie (56, rue du Temple) semble dater du XIIIe siècle. Également alimentée en eau de Savies ou de Belleville, elle aurait été érigée par les religieux de Saint-Martin-des-Champs. Elle fut légèrement déplacée en 1682 et reconstruite sur des dessins de Bullet avant d'être transférée au croisement des rues du Temple et des Francs-Bourgeois.

A ces quatre fontaines primitives des XIIe-XIIIe siècles, le Moyen Âge finissant ajoute la fontaine de Saint-Julien-des-Ménétriers (168-170, rue Saint-Martin), datée par certains de 1343, les fontaines Saint-Leu, de l'Apport-Baudoyer (près de la place Saint-Gervais), de la rue Barre-du-Bec (partie de la rue du Temple actuelle entre les rues Sainte-Croix-de-la-Bretonnerie et de la Verrerie), du Ponceau (rue Saint-Denis au 142), de la Reine (rue Greneta), de la Trinité (dans le couvent du même nom au 164, rue Saint-Denis), de la rue des Cinq-Diamants. Hors de l'enceinte se trouvaient encore sept fontaines : du Pré-Saint-Gervais, de Saint-Lazare, de Saint-Laurent, de Saint-Martin, du Vertbois, des Filles-Dieu et du Temple. Ainsi la ville dispose-t-elle de douze fontaines à l'intérieur de ses murs et de sept à sa périphérie.

Au XVIe siècle, deux nouvelles fontaines seulement entrent dans le patrimoine parisien : celle de la Croix-du-Trahoir (au carrefour des rues Saint-Honoré et de l'Arbre-Sec), édifiée en 1529, et celle de Birague, payée par le chancelier René de Birague en 1579, Saint-Antoine, près de l'actuelle église Saint-Paul. Peut-on considérer comme une fontaine celle du Chaume ou du Paradis (déplacée et aujourd'hui à l'angle nord-est du croisement des rues des Francs-Bourgeois et des Archives) ? Babou de La Bourdaisière, favori de François Ier, en obtint la concession de la Ville à son usage personnel à condition de faire aménager un réservoir muni d'un robinet à usage public.

Henri IV fit restaurer les fontaines existantes. Sous son règne, en 1598, est accordée la première concession payante : le prévôt des marchands, Martin Langlois, verse une rente annuelle de 35 livres pour obtenir une dérivation de la fontaine de la rue Barre-du-Bec.

Mais c'est surtout entre 1624 et 1628 qu'est entrepris un gros effort, avec la construction de treize nouvelles fontaines : Notre-Dame-des-Champs ou des Carmélites, porte Saint-Michel, fontaines de Saint-Côme, Saint-Benoît, Sainte-Geneviève, de la place Maubert, de Saint-Séverin, du pont Saint-Michel, du parvis Notre-Dame, de la cour du Palais, des places de Grève et Royale, de la rue de Buci.

Des époques ultérieures subsistent les fontaines des Haudriettes (1634, au 53, rue des Archives), du Pot-de-Fer (1671, au 60, rue Mouffetard), Trogneux ou de Charonne (1671, à l'angle des rues de Charonne et du Faubourg-Saint-Antoine), Saint-Louis, dite aussi Royale ou de Joyeuse (attestée dès 1673, au 41, rue de Turenne), Boucherat (1695, au 133, rue de Turenne), de Jarente (1700, impasse de la Poissonnerie), Colbert (1708, au 6, rue Colbert), Louis-le-Grand ou d'Antin (1707, carrefour Gaillon), Garancière (1715, au 12, rue

Garancière), des Quatre-Saisons ou Boucherat (1749, au 57, rue de Grenelle), de l'Abbaye Saint-Germain-des-Prés ou Childebert (1714, square Monge), de Montreuil (1719, à l'angle des rues de Montreuil et du Faubourg-Saint-Antoine), des Blancs-Manteaux (1719, au 12, rue des Blancs-Manteaux).

Napoléon voulut donner de l'eau en abondance aux Parisiens et prit un décret, le 2 mai 1806, ordonnant l'érection de quinze nouvelles fontaines. Ont disparu les fontaines de la Pointe-Sainte-Eustache, de la place de l'École, Censier, Poliveau ou du Marché aux chevaux, du parvis Notre-Dame, de la rue Saint-Denis, du lycée Bonaparte (Henri IV), des marchés Saint-Martin et Lenoir, de la place Maubert. On peut encore voir les exotiques fontaines du Fellah (rue de Sèvres) et du Palmier (place du Châtelet), de Mars ou du Gros-Caillou (129-131, rue Saint-Dominique), de Léda (rue du Regard à l'origine, aujourd'hui adossée à la fontaine Médicis du Luxembourg).

Les fontaines postérieures sont essentiellement décoratives, la fonction utilitaire étant assumée, grâce à Rambuteau, par deux mille bornes-fontaines ; il convient cependant de mentionner l'initiative d'un riche habitant du faubourg Saint-Martin qui dota la rue du Faubourg-Saint-Martin de vingt-huit fontaines, quatorze de chaque côté de la rue, édifiées en 1848-1849. Il n'en subsiste qu'une, placée aujourd'hui dans le square bordant l'église Saint-Laurent. Sont également dues au mécénat les fontaines Wallace et les fontaines Dejean.

• *Voir aussi* BORNE-FONTAINE ; EAU ; FONTAINE DEJEAN ; FONTAINE WALLACE ; FONTAINIER ; PUITS.

FONTAINE DEJEAN

Architecte de la Ville, Eugène Dejean fit, en 1894, un legs important destiné à la création de douze fontaines, à raison de trois par quartiers, dans le XIe arrondissement. Le don fut accepté mais une seule fontaine, œuvre de For-

migé, fut édifiée en 1906, place Pasdeloup, face au cirque d'Hiver. « C'est une sorte de pyramide de pierre dont le sommet est couronné par un cygne aux ailes ouvertes. La partie inférieure supporte deux vasques en forme de coquilles dans lesquelles deux chimères en bronze lancent l'eau à jet continu. Au-dessus de la face est, un médaillon dû au ciseau du sculpteur Marie représente les traits du donateur. »

• *Voir aussi* FONTAINE.

FONTAINE WALLACE

Amateur d'art et philanthrope, propriétaire de Bagatelle, le Britannique Richard Wallace était aussi un francophile fervent et son fils combattit dans l'armée française en 1870. Au lendemain de la guerre, il décida d'offrir aux Parisiens deux fontaines par arrondissement. La première fut posée en septembre 1871, boulevard de La Villette. Leur nombre fut ensuite porté à quatre-vingts. Il en restait soixante-treize en 1960, mais elles ont ensuite échappé de peu à la destruction, la municipalité ayant dû renoncer à les faire disparaître, à la suite d'une campagne de protestations.

Il existe encore une cinquantaine de fontaines du type à cariatides, « reposant sur un socle à huit pans au-dessus duquel une sorte de borne en fonte reçoit l'eau qui coule constamment du sommet d'un petit dôme en forme de calotte, supporté par quatre cariatides ». Sculptées par Lebourg, les figures s'inspirent des Grâces de Germain Pilon. Il ne subsiste plus que deux exemplaires du type « applique », l'une au 181 de l'avenue de Clichy, l'autre à l'angle des rues Geoffroy-Saint-Hilaire et Cuvier.

• *Voir aussi* CARIATIDE ; FONTAINE.

FONTAINIER

Chargé de trouver les sources, d'en collecter l'eau, de l'amener et de la propager, notamment grâce à un bassin ou à une fontaine, le fontainier est une profession très peu représentée à Paris.

Dans les rôles de la taille de 1292 et 1300 il n'en figure qu'un seul. Aussi sont-ils rattachés à la corporation des plombiers. Lorsque est créée en 1623 la charge d'intendant des eaux et fontaines de France, c'est à un Florentin, Tommaso Francini, qu'elle est confiée, faute de fontainiers de qualité en France.

• *Voir aussi* FONTAINE.

FORT DES HALLES

La tradition, consignée dans les registres du Parlement à la date du 31 décembre 1776, veut que les premiers forts des Halles aient été institués par Louis IX lorsque les chasse-marée, les marchands apportant le poisson de mer des côtes de Normandie et de Picardie, commencèrent à fréquenter le marché parisien. L'ordonnance de février 1415 mentionne les futurs forts sous le nom de «porteurs-jurés» et leur attribue le titre d'officiers de la Ville. Ils sont, en conséquence, nommés par le prévôt des marchands et prêtent serment entre ses mains. Ils sont répartis en bandes, chacune régnant sur une halle, au blé, aux draps, aux cuirs, etc. Supprimés à la Révolution, en même temps que toutes les corporations, les forts des halles sont rétablis au début du XIXe siècle par Napoléon Bonaparte sous forme d'un syndicat faisant bourse commune, dont les membres sont nommés et révoqués par le préfet de police. Au nombre de sept cents environ, ils sont tenus d'arborer une plaque portant leur nom et leur numéro d'ordre. Sous les ordres d'un chef-syndic, les «sept cents musclés» sont répartis en cinq compagnies correspondant aux pavillons de gros des fruits et légumes, viandes, beurre et œufs, volailles, marée. Ces compagnies sont elles-mêmes divisées en équipes commandées par des syndics. On distingue des forts-livreurs qui livrent les marchandises aux acheteurs, des forts de ville ayant le privilège exclusif de décharger les voitures de farines destinées aux boulangers.

Les forts ne se limitent pas au transport des denrées, ils en sont responsables. Aussi, doivent-ils, afin d'assurer la surveillance de celles qui ont été mises en resserre, effectuer des rondes de surveillance et assurer des fonctions d'auxiliaires de la police. Les gains de chacun sont versés à une caisse commune et répartis après divers prélèvements pour des caisses de maladie et de retraite. A partir de 1864, tout fort malade ou âgé ayant effectué trente ans de service peut bénéficier d'une rente viagère de 600 francs. La disparition progressive du transport à dos d'homme condamne les forts des halles. En 1952, le recrutement cesse, alors qu'on compte sept cent dix forts. En 1969, lorsque s'ouvre le marché de Rungis, ils ne sont plus que deux cent soixante-neuf. L'ordonnance du préfet de police du 22 février 1969 transforme le corps des forts des Halles en un corps en voie d'extinction d'agents de contrôle et de surveillance, ce qui permet de les reclasser dans divers services de la préfecture de police, aux marchés de Rungis et de La Villette où ils assistent les vétérinaires-inspecteurs. Depuis 1958, la corporation avait cessé d'exister, les forts étant devenus fonctionnaires.

• *Voir aussi* GAGNE-DENIERS ; HALLES.

FORTIFICATION

Voir ENCEINTES ; ZONE.

FOSSE D'AISANCES

L'évacuation des déjections humaines est un problème important pour une grande cité. On estime à 1 250 grammes l'urine produite par un être humain chaque jour, à quoi il faut ajouter 125 à 160 grammes de matière fécale. Pour deux millions de Parisiens, cela représente deux millions et demi de kilogrammes de liquides et au minimum deux cent cinquante mille autres de solides nauséabonds.

Au Moyen Âge, en 1374, il est enjoint «à tous les propriétaires en la ville et faubourgs de Paris, d'avoir latrines et privés suffisants en leur maison». En fait, la pratique courante, comme le dit si joliment Roger-Henri Guerrand, c'est le «tout-à-la-rue», les Parisiens jetant urine et merde par la fenêtre, les plus attentionnés faisant précéder leur geste du cri «Gare dessous!» ou «Gare l'eau!» Même les souverains — le cas est attesté pour saint Louis — ne sont pas épargnés par le contenu d'un pot de chambre. A la pointe du progrès technique, les châteaux et les couvents possèdent souvent des lieux d'aisances construits, pour les premiers en encorbellement au-dessus des fossés, pour les autres au point le plus bas des bâtiments, là où coule le ruisseau dont le courant emporte les excréments.

La nécessité des fosses d'aisances est réaffirmée par un arrêt du parlement de Paris du 13 septembre 1533 qui renouvelle l'ordre d'établir des fosses fixes sous chaque maison. Le *Règlement et ordonnance pour tenir la ville de Paris nette et bien parée* de 1539 est catégorique: «Enjoignons à tous propriétaires des maisons, hôtels ou demeures où il n'y a aucunes fosses de retrait, qu'incontinent et sans délai et à toute diligence ils en fassent faire.»

Dans son *Cours d'architecture* (1675), François Blondel précise les règles de construction de ces fosses: «L'on pourvoit à la netteté et à la commodité des maisons particulières par la construction de fosses d'aisances qui doivent être assez profondes, bien voûtées, bâties de gros murs bien épais et de bonne matière, éloignées des puits, caves, citernes et autres lieux qui peuvent se ressentir de leur puanteur. Il faut s'il se peut les faire traverser par des canaux qui portent l'eau de quelque ruisseau, ou du moins des égouts des pluies; sinon il faut avoir le soin de les vider de temps en temps.»

Les Parisiens semblent avoir bien peu respecté la réglementation puisqu'en 1668, les commissaires du Châtelet notent «qu'en la plupart des quartiers, les propriétaires des maisons se sont dispensés d'y faire des fosses et latrines, quoique ils aient logé dans aucune des dites maisons jusqu'à vingt et vingt-cinq familles, ce qui cause en la plupart de si grandes puanteurs qu'il y a lieu d'en craindre des inconvénients fâcheux». Le nouveau lieutenant de police, Nicolas de La Reynie, rappelle l'obligation de fosses d'aisances par l'ordonnance du 24 septembre 1668, mais, trente ans plus tard, un rapport de 1697 signale que des habitants du quartier Saint-Denis «se sont accoutumés à jeter tant de jour que de nuit dans les rues par les fenêtres de leurs maisons toutes leurs eaux, ordures, saletés, urines et matières».

Cette situation s'est perpétuée encore pendant près de deux siècles, les fosses d'aisances se généralisant laborieusement, les vidangeurs les vidant plus ou moins régulièrement. Il faut attendre Durand-Claye, ingénieur des Ponts et Chaussées, pour qu'apparaisse le projet de réalisation du tout-à-l'égout. Il se heurtera à de farouches résistances des banlieusards voisins des futurs champs d'épandage, des industriels utilisant les excréments et d'une partie du milieu scientifique, Pasteur en tête.

C'est dans cette atmosphère empoisonnée de polémique qu'un ex-jésuite, François Migno, lance une solution de rechange inventée par Jean-Louis Mouras, qui a déposé, le 22 septembre 1881, un brevet «pour une nouvelle fosse d'aisances dite vidangeuse automatique et inodore». Cette invention, qui annonce la fosse septique mise au point en 1896 par le Britannique Donald Cameron, ne fait que retarder la victoire des partisans du tout-à-l'égout. L'ordonnance du 1er juin 1910 interdit dans le département de la Seine les fosses septiques ne disposant pas d'un certificat de vérification. La fosse d'aisances peut être considérée comme en voie de disparition au début du XXe siècle.

• *Voir aussi* TOILETTES PRIVÉES ; TOILETTES PUBLIQUES ; TOUT-A-L'ÉGOUT.

FOSSILE

Les roches sédimentaires du sous-sol parisien révèlent la faune et la flore disparues des ères tertiaire et quaternaire. On trouvera une initiation à ces fossiles dans les «Guides géologiques régionaux», *Paris et environs*, par Ph. Diffre et Ch. Pomerol. Une carte des sites de trouvailles à Paris recense un crocodile et une tortue au Trocadéro, une dent de requin à Courcelles, une sarigue et un palaeotherium (ancêtre à l'ère tertiaire du tapir) à Montmartre, un mammouth et un cerf élaphe découverts place de l'Opéra lors du creusement du métro, un ours des cavernes à Bercy et à Grenelle, un hippopotame à Grenelle, un rhinocéros laineux et un bison boulevard Raspail, tandis qu'une hyène a péri boulevard de Vaugirard. Des milliers d'autres fossiles de toutes sortes d'espèces ont été mis au jour dans la capitale, révélant les énormes variations de climat, de faune et de flore qu'a connu le site en soixante-cinq millions d'années.
• *Voir aussi* GÉOLOGIE.

FOU
Voir ALIÉNÉ.

FOURREUR
Voir PELLETIER.

FOURRIÈRE

Venu du mot «feurre», signifiant «foin», «fourrage», le terme «fourrière» a sans doute une origine médiévale. Les animaux errant dans les rues de la ville étaient sans doute capturés et gardés dans un endroit nommé fourrière. Mais il faut attendre la loi du 6 octobre 1791 pour qu'apparaisse un début de réglementation officielle. La crainte de la rage est à l'origine d'une entreprise de ramassage systématique des chiens errants dans les rues de la capitale, qui est reprise dans les termes de la loi du 21 juin 1898. Maxime Du Camp décrit la fourrière de la rue de Pontoise sous le second Empire : «Chaque chien a sa niche spéciale, très aérée, avec plancher en pente et une bonne toiture. Tous les huit jours, le domaine les vend quand ils en valent la peine et qu'ils n'ont pas été réclamés, sinon ils sont remis à l'équarrisseur, qui les pend. La fourrière reçoit en moyenne neuf cents chiens par mois, dont six cents sont condamnés à mort.» Mais il existe une seconde fourrière, bien connue des automobilistes aujourd'hui, qui regroupe les véhicules en stationnement gênant et illicite. Elle est déjà attestée dans une sentence de police du 24 juillet 1699 qui, invoquant l'interdiction faite aux cochers de donner à manger à leurs chevaux sur la voie publique, prévoit, outre l'emprisonnement du cocher et une amende de 100 livres, la saisie des fiacres, «lesquels seront mis en fourrière jusqu'à ce qu'autrement il en ait été ordonné».

FRANC-BOURGEOIS

Les francs-bourgeois étaient, à l'origine, des Parisiens dispensés (francs) de toute taxe et imposition en raison de leur indigence. C'est à une «maison d'aumône», hospice destiné à leur hébergement, ouverte vers 1334, que la rue des Francs-Bourgeois doit son nom. Au XVIIIᵉ siècle, le terme a évolué dans le sens de «faux pauvre», ainsi que l'atteste le chapitre «Francs-bourgeois» du *Tableau de Paris* de Mercier : «Espèce de pauvres honteux, toujours endimanchés et complètement vêtus de noir, coiffés d'une grosse perruque très poudrée. Ils vous accostent dans les églises et aux promenades, et vous content à voix basse leur prétendue misère. Ils ont le don des larmes et l'art de la persuasion. Plusieurs se contentent de soupirer avec un geste suppliant, et ce geste muet et expressif vous touche plus que toutes les paroles. Si vous les refusez, ils n'insistent pas, et vous quittent avec un véritable signe de douleur; vous êtes ému malgré vous; vous revenez sur leurs pas, et leur donnez quelque chose. Tandis qu'ils jouent leur rôle silencieux, leur femme ou leur maîtresse, mises en demi-dévotes ou en plaideuses, s'introduisent dans les maisons avec des lettres particulières, qui commencent par faire l'éloge du cœur compatissant de la maîtresse du logis. A l'aide de quelques circonstances dont elles sont bien instruites, elles demandent quelques secours pour alléger la situation déplorable où elles se trouvent. Le plus souvent elles ne parlent pas pour elles-mêmes, elles parlent en faveur d'une femme en couches, d'un prisonnier, d'une veuve, d'un orphelin. Le fil de leur histoire est tissu de manière que vous écoutez avec intérêt jusqu'au bout, et que vous déliez les cordons de votre bourse.» Mercier conclut : «Jusqu'à de faux abbés se mêlent de ce métier, dont les ruses enlèvent aux bons pauvres ce que l'humanité leur avait réservé. Il est de ces francs-bourgeois qui, depuis vingt ans, ne subsistent que par le rôle journalier d'indigent, et ils s'en acquittent de manière à tromper les yeux les plus clairvoyants.» Près d'un siècle plus tard, sous le second Empire, les francs-bourgeois existent toujours, mais se sont adaptés à la société nouvelle. Maxime Du Camp les décrit dans *Paris, ses organes, ses fonction et sa vie dans la seconde moitié du XIXe siècle* : «"Les drogueurs de la haute" ou "francs-bourgeois" sont les mendiants qui savent s'introduire dans les maisons et prétendent appartenir à la profession des personnes qu'ils sollicitent. Ils acceptent humblement la moindre aumône, et, si l'on n'y prend garde, décrochent volontiers la montre qui est pendue à la cheminée. Le comédien ruiné par l'incendie du théâtre, l'ecclésiastique modeste qui a fait vœu de se rendre à pied jusqu'à Rome, l'homme de lettres fatalement entraîné dans la faillite de son éditeur, le négo-

ciant qui a eu des malheurs, l'ancien instituteur que des infortunes de famille et sa vertu ont réduit à la misère, sont des drogueurs de la haute; ils ne marchent que munis de certificats en règle et recommandations dont les signatures n'ont pas toujours une pureté irréprochable.» Si le terme «francbourgeois» est tombé en désuétude, l'espèce existe et existera toujours.

• *Voir aussi* ASSISTANCE; **COUR DES MIRACLES**; MENDICITÉ.

FROMAGE

Les fromages étaient vendus sous l'Ancien Régime par la corporation des fruitiers dont les fromagers faisaient partie. Le livre de la taille de 1292 mentionne dix-huit fromagers et celui de 1300 en énumère vingt-six. Pendant tout le Moyen Âge, c'est à peu près exclusivement du fromage de Brie et de Champagne que l'on trouve sur les tables parisiennes. Au XVIe siècle, il commence à être concurrencé par les productions du Vexin, de Normandie, d'Auvergne, du Dauphiné, de Suisse, de Hollande et par le parmesan italien. Avec le chemin de fer, les Halles reçoivent rapidement des fromages d'un peu partout, que les statistiques officielles distinguent souvent de façon confuse ou variable. Le brie domine durant tout le XIXe siècle, représentant la moitié des ventes. Mais ce brie a peu de rapport avec sa région première d'origine, car il provient pour les quatre cinquièmes du Jura, des Vosges, de la Haute-Saône et de Normandie. En revanche, le livarot demeure à 90 % fabriqué dans son pays d'origine, et le camembert pour les trois quarts également. L'Île-de-France, qui avait le monopole de l'approvisionnement de la capitale en fromages frais jusqu'en 1850, est balayée par le triomphe du chemin de fer : vers 1900, c'est la Normandie qui fournit la moitié des fromages frais consommés à Paris, suivie par l'Est qui représente plus d'un quart avec les trois départements du Jura, des Vosges et de la Haute-

Saône. La ration du Parisien s'est considérablement accrue : ses achats de fromage frais ont triplé entre 1841 et 1911 pour avoisiner 5 kilos par personne et par an, ceux de fromage sec ont été multipliés par deux et demi et dépassent les 3 kilos annuels. La vente en gros des fromages se faisait d'abord à la halle au beurre. Comme elle était trop petite, le marché fut transféré en 1836 au marché des Prouvaires, puis au pavillon n° 10 des nouvelles halles centrales à partir de 1858, mais une bonne partie, le quart ou le cinquième, des fromages frais arrivait directement dans les marchés de quartier.

• *Voir aussi* FRUITIER ; GASTRONOMIE.

FRUITIER

D'abord nommés «regrattiers de fruits et aigrun», au nombre de dix-sept dans le livre de la taille de 1292, les fruitiers prennent une importance particulière au XVIIe siècle et s'intitulent dès lors fruitiers-orangers-beurriers-fromagers-coquetiers, incluant beurre, fromage et œufs dans leur commerce. Ils étaient plus de trois cents au XVIIIe siècle et se divisaient en deux catégories. Les fruitiers de la halle centralisaient les arrivages, mais ne revendaient pas aux consommateurs, laissant cette tâche aux fruitiers dits «de la ville», dispersés dans tous les quartiers. Ces fruitiers étaient en conflit permanent avec un circuit concurrent, celui des marchands forains qui apportaient leurs produits sur le carreau de la halle et le vendaient au détail aux regrattiers, qui offraient à leur tour leurs marchandises dans leurs minuscules boutiques ou à la criée dans les rues. Cette activité de regrat, comparable à celle qu'exerçaient durant une grande partie des XIXe et XXe siècles les marchands des quatre-saisons avec leurs éventaires mobiles, suscitait des conflits avec les puissants fruitiers, qui se heurtaient également aux hôteliers, aubergistes, rôtisseurs et traiteurs qui achetaient aux marchands forains avant

même qu'ils aient déballé leurs marchandises aux Halles. Ces conflits permanents, interminables, complexes, ont été remarquablement bien étudiés par P.M. Bondois dans la huitième série des *Mémoires et documents pour servir à l'histoire du commerce et de l'industrie en France*, parue en 1924.

• *Voir aussi* BEURRE ; FROMAGE ; ŒUF ; REGRAT.

FUNICULAIRE

A la différence de villes comme Lyon ou Marseille, Paris ne possède pas un relief présentant de sérieux obstacles à la circulation d'omnibus hippomobiles, de tramways mécaniques ou d'autobus. Aussi la construction de funiculaires n'a-t-elle été entreprise que pour les collines de Belleville et de Montmartre. Le funiculaire de Belleville est conçu selon la technique du câble sans fin à mouvement continu utilisée depuis 1873 à San Francisco. Mis en service le 25 août 1891, il part de la place de la République, emprunte les rues du Faubourg-du-Temple et de Belleville et se termine devant l'église de Belleville, soit une longueur totale d'un peu plus de 2 kilomètres. Destiné à une clientèle populaire, le funiculaire de Belleville est bon marché : 10 centimes dans la journée, 5 durant la première et la dernière heure de service. Il fonctionne dix-huit heures par jour et transporte environ cinq millions de passagers par an, à une vitesse moyenne de 12 kilomètres à l'heure. Il n'a connu qu'un incident grave, le 9 janvier 1906 : la rupture d'un des grips enserrant le câble lui ayant fait dévaler la colline jusqu'à la place de la République à près de 120 kilomètres à l'heure, les voyageurs pris de panique sautèrent en marche et il y eut dix-sept blessés. Le matériel vétuste ne fut pas remplacé et le funiculaire cessa de fonctionner le 18 juillet 1924, remplacé par un service d'autobus.

Le 12 juillet 1900, les Établissements Decauville ont mis en service un funiculaire à contrepoids d'eau avec deux voitures, l'une montant tandis que l'autre descend, pour desservir la basilique du Sacré-Cœur à Montmartre. Les passagers, quarante-huit au maximum par voiture, paient 10 centimes à la montée et 5 à la descente. Le 1er novembre 1931, l'exploitation est arrêtée pour permettre la rénovation de l'installation. Un nouveau funiculaire, électrique cette fois, est mis en service le 2 février 1935. Il a été arrêté du 30 septembre 1990 au 4 octobre 1991 pour une nouvelle modernisation : automatisation de la commande. Il est actuellement exploité par la R.A.T.P.

G

GABARIT
Voir **HAUTEUR DES IMMEUBLES** ;
RUE (largeur de la).

GABELLE
Voir **SEL.**

GAGNE-DENIERS

Les porteurs ou hommes de peine étaient regroupés avant 1789 sous l'appellation d'hommes de peine. Ils se divisaient en quatre classes. Les gagne-deniers proprement dits avaient pour patron saint Christophe et se divisaient en commissionnaires (porteurs de lettres, évincés par la création de la petite poste), crocheteurs (portant toutes sortes de marchandises sur des crochets attachés sur leur dos, qui leur avaient valu le surnom d'« anges de la Grève » en raison de leur forme d'ailes), forts attachés aux différentes halles et nommés par les responsables de celles-ci, hommes de peine, portefaix. La deuxième classe était formée des gagne-deniers sur l'eau : débardeurs, garçons de la pelle (utilisant des pelles pour le déchargement des marchandises), manieurs (remuant à la pelle les cargaisons de blé pour qu'elles ne se gâtent pas), plumets ou gouffiaux, les plus pauvres des gagne-deniers, au service des porteurs-jurés de grains, foin, charbon... Ils possédaient une confrérie sous le patronage de la Vierge. Les porteurs spéciaux à certains métiers, porteurs de bois, de charbon, de chaux, de draps, de foin, de grains, de plâtre, de sel, etc., constituaient la troisième catégorie. Ils vivaient des revenus de leurs charges et abandonnaient leur besogne aux plumets qu'ils employaient. Les porteurs de sel, dits hannouards ou hénouarts, avaient le privilège de porter les dépouilles des rois de Notre-Dame à Saint-Denis. Les gagne-deniers ou forts de la douane formaient la dernière classe de gagne-deniers et étaient placés sous le patronage de sainte Barbe. La plupart des gagne-deniers étaient astreints au port d'une médaille spéciale qui servait à les identifier.
• *Voir aussi* **FORT DES HALLES.**

GALERIE D'ART

Jusqu'au XVIIᵉ siècle, le marché de l'art resta limité à une poignée de rois et de grands seigneurs, à la fois mécènes et collectionneurs, qui s'échangeaient ou se vendaient les uns aux autres les pièces de leurs collections. Aux XVIᵉ et XVIIᵉ siècles, la spéculation gagne le commerce des objets d'art et des gens habiles, gentilshommes, abbés de cour ou même valets astucieux, se construisent des fortunes par l'achat et la revente de tableaux. C'est au XVIIIᵉ siècle qu'apparaissent les pre-

LES PORTEFAIX DE LA HALLE AU BLÉ

miers marchands se consacrant au commerce de l'art. Le premier catalogue français connu est celui que Gersaint rédigea en 1737 à l'occasion de la vente de la collection de la comtesse de Verrue. Quatre années plus tard, ce modeste inventaire manuscrit est éclipsé par le somptueux catalogue imprimé des collections du financier Crozat. Le marché de l'art parisien connaît un essor spectaculaire à cette époque : le comte Tessin se porte acquéreur dans les ventes pour le roi de Suède, Diderot est l'acheteur de la tsarine de Russie et Mettra celui de Frédéric II de Prusse. La Révolution sème le chaos dans le marché de l'art qui ne reprend timidement qu'au début du XIXe siècle. En 1803, Jean-Marie-Fortuné Durand-Ruel a l'idée de mettre dans la boutique de son père, papetier rue Saint-Jacques, quelques tableaux pour orner le rayon des fournitures pour artistes peintres, embryon de la première galerie d'art. En 1840, c'est une véritable galerie d'art qu'il installe dans la rue des Petits-Champs. Son fils, Paul Durand-Ruel, transfère la galerie au 1 de la rue de la Paix en 1855, puis au 16 de la rue Laffitte en 1867. C'est lui qui constitue le prototype du marchand de tableaux et qui a l'audace d'acheter les peintures, refusées au Salon, des Monet, Sisley, Pissarro, Degas et Renoir. D'autres marchands s'établissent à proximité de sa galerie, dans le quartier de l'Opéra, rue Laffitte et rue Le Peletier : Alexandre Bernheim, fils d'un marchand de couleurs de Besançon et ami de Courbet, Beugnet, Tempelaere. En

1895, Ambroise Vollard se taille un succès de scandale en présentant cent cinquante toiles de Cézanne dans la galerie d'art qu'il vient d'ouvrir au 39 de la rue Laffitte. Le cubisme va trouver son promoteur avec Daniel-Henry Kahnweiler dans sa galerie du 28 de la rue Vignon. Léonce et Paul Rosenberg firent la promotion de Juan Gris et de Picasso entre les deux guerres mondiales. Le commerce de la peinture est alors présent partout et essaime vers les foyers artistiques, Montparnasse, Montmartre, mais aussi rue de Seine et boulevard Haussmann. Les premiers travaux des surréalistes sont exposés au 13, rue Bonaparte, par Paul Loeb. Depuis 1945, le commerce de l'art a pris une nouvelle extension. Les «pages jaunes» de l'annuaire téléphonique parisien de 1995 consacrées à la rubrique «galeries d'art» sont au nombre de six, soit près d'un millier d'adresses. Le IX\ arrondissement, berceau de la profession, est bien déchu et ce sont les huit premiers arrondissements qui se taillent la part du lion, le Marais ayant pris depuis quelques années une importance nouvelle. L'installation d'une salle d'opéra à la Bastille a également entraîné la prolifération d'ateliers et de galeries aux alentours, dans le XIIe et surtout dans le XIe arrondissement.

• *Voir aussi* ANTIQUAIRE.

GAMIN

L'enfant de Paris ne semble pas s'être distingué des autres enfants avant le XIXe siècle. Dans *Tableau de Paris*, publié dans les années 1780, Sébastien Mercier, si attentif à ce qui fait la particularité de la grande ville, ne consacre pas de chapitre particulier aux caractéristiques des petits Parisiens. En 1802 est mentionné pour la première fois le «gamin des rues», mais ce n'est qu'après la révolution de juillet 1830 que se crée le type du gamin de Paris. Dans *Paris ou le livre des cent et un*, publié en quinze volumes de 1831 à 1834, on lit : «Faire l'histoire de Paris

sans d'abord parler du gamin!... autant vaudrait commencer celle de Rome à Brutus, en passant sous silence les rois qui l'ont fondée [...]. Le gamin, dont le nom n'a réellement pas de traduction dans aucune langue, est l'enfant de la ville; les rues sont son berceau.» Auteur d'une exposition sur «le Gamin de Paris» en 1985, Luce Abélès écrit : «Le gamin constitue une classe à part dans la population des enfants de la capitale : issu des couches populaires, apprenti de bonne heure, il s'oppose au fils du bourgeois, qui grandit au milieu d'un réseau d'interdits : "Le gamin a de dix à quinze ans; fils d'ouvrier, il est apprenti." Cet état lui laisse la liberté de sillonner les rues pour le compte de son patron. Le gamin, contrairement au petit ouvrier des fabriques, n'est pas rivé à une tâche répétitive, ni astreint à des horaires fixes : la liberté dont il jouit est sa marque distinctive, elle façonne son comportement et son caractère. D'où l'opposition viscérale du gamin à tout ce qui symbolise l'ordre, en premier lieu l'agent de police, et son adhésion spontanée à tout mouvement perturbateur.» C'est le peintre Charlet qui crée l'image du gamin, suivi par Gavarni, Daumier et beaucoup d'autres. Le théâtre du Gymnase présente en 1836 une pièce intitulée *Le Gamin de Paris*. Une *Physiologie du gamin de Paris* paraît en 1841. En 1842-1843, Eugène Sue présente, dans *Les Mystères de Paris*, le personnage de Tortillard, «sceptique, effronté comme un enfant de Paris, corrompu pour ainsi dire à la mamelle», voué au crime et à l'échafaud. Ce n'est pas cette image du gamin vicieux, mais celle du Gavroche des *Misérables* de Victor Hugo qui va s'imposer. Ce personnage littéraire va absorber en lui le gamin de Paris et sa variante, le titi qu'Hugo définissait ainsi : «Le titi est au gamin ce que la phalène est à la larve.» En 1872, Pierre Larousse enregistre dans son *Grand Dictionnaire* la dégénérescence du type : «Le gamin, si admirablement dépeint par Victor Hugo, se fait bien rare, grâce à la sévérité des lois sur le vagabondage ; on rencontre bien encore quelques titis, quelques pâles voyous ; mais le vrai gamin, le gavroche dont le romancier nous a laissé l'inimitable portrait, est disparu. C'est depuis cette époque, surtout, que l'expression "gamin", ne désignant plus une catégorie d'enfants, s'applique à tous les enfants et est devenue synonyme de bambin.» Francisque Poulbot créera, au début du XXᵉ siècle, un dernier type de gamin, spécifiquement montmartrois, qui prendra son nom.

GANTIER
Les statuts des gantiers sont homologués vers 1208. Ils n'avaient le droit de fabriquer que des gants de peau, ceux de laine et de coton revenant aux chapeliers de laine et de coton. On comptait alors vingt-quatre gantiers. Ils prirent une importance considérable au XVᵉ siècle, lorsque les gants devinrent un accessoire indispensable à la toilette. Par lettres patentes de janvier 1614, les gantiers obtinrent «permission de se nommer et qualifier tant maistres gantiers que parfumeurs». En 1689, ils obtinrent le privilège de la fabrication de poudre à poudrer contre les merciers. Ces auxiliaires de la mode et de la toilette étaient environ deux cent cinquante au XVIIIᵉ siècle. Leurs patronnes étaient sainte Anne d'abord puis, plus tard, sainte Madeleine, patronne commune à toutes les professions s'occupant des traitements de la peau.

GARDE DE LA VILLE
Voir **TROIS NOMBRES.**

GARDE DE PARIS
La première mention d'une garde de Paris est faite le 11 décembre 1666 pour désigner la compagnie de cent vingt cavaliers du guet royal lorsque celui-ci est réformé avec un effectif quadruplé de quatre cents archers à pied assistés de cette compagnie de cavalerie. Formée de militaires chargés

de patrouiller dans les rues de la ville, la garde de Paris est rattachée, le 13 octobre 1789, ainsi que le reste du guet, à la garde nationale. Elle renaît le 27 juin 1795 sous le nom de légion de police parisienne et se mutine le 28 avril 1796 lorsqu'il est question de l'envoyer aux armées, ce qui lui vaut d'être dissoute le 2 mai. Le 4 octobre 1802, Bonaparte crée une garde municipale de Paris, unité militaire comptant deux mille cent cinquante-quatre fantassins et cent quatre-vingts cavaliers. Elle est organisée en deux régiments d'infanterie affectés, l'un à la surveillance des ports et des barrières, l'autre à celle de l'intérieur de la ville. Un troisième régiment de dragons effectue rondes et patrouilles. Elle est composée de soldats chevronnés : ses membres doivent avoir fait au moins cinq campagnes, être âgés de trente à quarante ans et signer un engagement de dix ans. L'habit vert et rouge des fantassins leur vaut le surnom de «perroquets». Napoléon l'emploie fréquemment sur les champs de bataille : elle se distingue en Pologne en 1807 et en Espagne de 1808 à 1812. Ses chefs s'étant laissé duper par le général Malet en octobre 1812, la garde municipale est dissoute par Napoléon à son retour de Russie, le 30 décembre 1812. A sa place, le 10 avril 1813, est créé un régiment de gendarmerie impériale de Paris de huit cent quarante hommes, placé sous les ordres du préfet de police.
A la Restauration, la gendarmerie impériale de Paris prend le nom de garde royale de Paris. Durant les Cent-Jours, elle redevient gendarmerie impériale. A son retour de Gand, Louis XVIII la nomme gendarmerie royale de Paris. Sanctionnée pour être restée fidèle à Charles X durant la révolution de juillet 1830, la gendarmerie royale disparaît pour être remplacée, le 16 août 1830, par une garde municipale de Paris forte de deux bataillons d'infanterie et de deux escadrons de cavalerie, soit mille cinq cent dix hommes.

Les «municipaux» participent à la répression des multiples émeutes républicaines contre le régime. La fidélité de ce corps est récompensée par le doublement de ses effectifs entre 1830 et 1848, mais lui vaut une farouche hostilité des opposants. Le 23 février 1848, bon nombre de municipaux sont massacrés par les insurgés.

Un des premiers actes de la République naissante, le 25 février 1848, est la dissolution de la garde municipale, remplacée par trois corps : le bataillon de la garde de l'Hôtel de Ville, dit de la garde républicaine, celui de la garde civique, dit des Lyonnais, et un corps de police spéciale dit des Montagnards. Le 16 mai 1848, après l'échec de la tentative de coup d'État de Barbès, ces trois unités sont dissoutes pour avoir fait preuve de leur inefficacité. Une garde républicaine parisienne les remplace aussitôt. Afin de remédier à l'indiscipline des corps supprimés, la nouvelle garde est constituée de militaires de carrière, deux mille deux cents fantassins et quatre cents cavaliers. Ses hommes se distinguent lors de l'insurrection socialiste des 23-26 juin 1848 : les casernes assiégées des Célestins, du Petit-Musc et des Minimes repoussent tous les assauts des émeutiers qui ne peuvent prendre que celle des Tournelles. Transférée du ministère de l'Intérieur à celui de la Guerre le 1er février 1849, la garde perd le qualificatif de «parisienne» et est intégrée à la gendarmerie avec une affectation spéciale à la ville de Paris. Elle a gardé jusqu'à nos jours ce statut spécial, le garde républicain étant à la fois un militaire et un gendarme. Le 11 décembre 1852, le second Empire instauré, la garde républicaine devient garde de Paris. Le directeur de sa fanfare, Georges Paulus, s'étant distingué par son talent de musicien, un décret impérial du 12 mars 1853 érige cette fanfare en Musique de la garde de Paris. Quatre casernes sont édifiées sous Haussmann pour héberger la garde : la caserne de la Banque pour la sécurité de la Banque de France, les casernes Napoléon et Lobau pour protéger l'Hôtel de Ville, la caserne de la Cité pour défendre la préfecture de police.

Le 10 septembre 1870, après la chute de Napoléon III, la garde redevient républicaine et troque son habit à basques contre une tunique. Elle se distingue durant le siège de Paris. Lorsque le gouvernement se replie sur Versailles, dans la nuit du 18 au 19 mars 1871, elle reçoit l'ordre de l'y suivre, mais tous les gardes n'y parviennent pas. Les communards fusillent trois cavaliers à la caserne des Célestins, le 23 mai. Le 26, rue Haxo, ce sont trente-trois gardes qui sont sauvagement massacrés : sur l'un des corps on relève soixante-neuf impacts de balles et sur un autre, soixante-douze coups de baïonnette. Pourtant, la garde républicaine n'a pris aucune part à la reconquête de Paris par l'armée dite des Versaillais. En juin 1871, pour assurer la sécurité dans une ville dévastée, ses effectifs sont portés à six mille cent hommes répartis entre deux régiments d'infanterie et un corps de cavalerie et disposant de douze canons de montagne. Un décret du 4 octobre 1873 réduit leur nombre à quatre mille quatorze hommes réunis en un seul régiment dénommé légion de la garde républicaine. L'état-major est installé quai de Bourbon, la cavalerie est répartie entre les casernes des Célestins, de la Cité et de Tournon, l'infanterie occupe les casernes Mouffetard, de Tournon, Lobau, Napoléon, de la Banque et Bonaparte. C'est à la garde républicaine qu'incombe la garde du palais présidentiel de l'Élysée, de l'Assemblée nationale et du Sénat, du Palais de justice, de la préfecture de police, la sécurité de l'Opéra, des théâtres, des bals publics, des champs de courses, etc. Le 6 juin 1907, un peloton cycliste de deux cents gardes est créé à la caserne Napoléon. Un embryon d'escadron motocycliste est constitué dès 1937. Le statut de la garde républicaine prévoit qu'elle n'est pas mobilisée en temps de guerre. La totalité de ses officiers, le tiers de la troupe, se porte volontaire durant la guerre de 1914-1918 et deux cent vingt-deux de ses membres tombent au champ d'honneur.

Le 15 août 1940, l'État français modifie la dénomination en garde de Paris et la rattache à la préfecture de police, aucune formation militaire française ne devant plus se trouver dans la zone occupée par le Reich allemand. Le 19 août 1944, la garde est à la pointe du combat pour la libération de Paris, défend l'Élysée, plusieurs ministères, la Banque de France, la poste centrale, la radio nationale et, bien sûr, ses propres casernes. Elle va encore changer plusieurs fois de nom sans que cela affecte ses attributions : garde républicaine de Paris (1945), légion de la garde républicaine de Paris (1952), garde républicaine de Paris (1965), enfin garde républicaine depuis 1978, date à laquelle lui a été redonnée sa structure primitive de 1802 à savoir deux régiments d'infanterie et un régiment de cavalerie, le seul qui subsiste dans l'armée française. Ses trois mille hommes occupent dix-neuf casernes dans la capitale et sa proche banlieue.

GARDE MUNICIPALE
Voir GARDE DE PARIS.

GARDE NATIONALE

Le soir du 12 juillet 1789, alors que les cavaliers du Royal-Allemand viennent de se battre contre une foule de bourgeois endimanchés dans le jardin des Tuileries et sur la place Louis-XV (de la Concorde), tandis que des centaines d'émeutiers des quartiers populaires incendient les barrières de la ville, symboles des taxes sur les denrées et de la vie chère, les électeurs parisiens, réunis en Comité permanent à l'Hôtel de Ville, demandent au roi le rétablissement de la garde bourgeoise. Anticipant une réponse positive fort douteuse de Louis XVI, ils appellent, pour le 13 au matin, les électeurs des districts « aux postes des citoyens armés ». Convoqués au son du tocsin ou du canon, ces électeurs décident, dans plus de la moitié des districts, de se constituer aussitôt en milice bourgeoise. Le Comité permanent avalise leur vote en décidant la formation d'une garde bourgeoise de douze mille hommes, à raison de deux cents pour chacun des soixante districts. Devant l'extension des troubles, dans l'après-midi du 13, il est décidé de porter ces effectifs à quarante-huit mille hommes et d'en confier l'encadrement aux trois mille gardes-françaises en rébellion ouverte contre le gouvernement. En l'absence d'uniforme, le signe de reconnaissance est une cocarde bleu et rouge.

C'est sous prétexter d'armer cette garde bourgeoise qu'est organisée la prise de la Bastille. Le 15 au soir, les délégués de l'Assemblée nationale nomment La Fayette « colonel général de la milice bourgeoise ». Le 16 juillet, La Fayette fait adopter la dénomination de « garde nationale ». Le 31 juillet, l'assemblée générale des représentants de la Commune de Paris adopte les statuts de la garde nationale parisienne. Ses effectifs sont fixés à vingt-quatre mille hommes, quatre cents par district, un bataillon de quatre compagnies de cent hommes. Dix districts forment une division. L'uniforme associe les trois couleurs nationales : habit de drap bleu de roi avec passepoil et collet écarlates, parements, revers, veste et culotte blancs.

Le décret de l'Assemblée nationale du 10 août 1789 reconnaît le fait accompli et avalise la création de gardes nationales à travers tout le royaume. Celles-ci se fédèrent et leur rassemblement, le 14 juillet 1790, sur le Champ-de-Mars, symbolise leur union comme la fédération de tous les Français. La loi martiale du 21 octobre 1789, complétée par le décret du 23 février 1790, définit les formes de leur intervention.

La garde nationale parisienne joue un rôle important dans la Révolution. C'est grâce à elle que la marche sur Versailles des 5-6 octobre 1789 réussit et que la famille royale est ramenée prisonnière à Paris. Mais la fusillade du Champ-de-Mars, le 17 juillet 1791, la dispersion dans le sang des manifestants qui réclament l'abolition de la monarchie, montrent que les citoyens actifs — c'est-à-dire imposables, aisés — qui la composent, ne sont pas prêts à accepter la loi des plus pauvres. Le décret du 29 septembre-14 octobre 1791 confirme l'exclusion des citoyens passifs, non imposables, de la garde nationale. Le 10 août 1792, seuls les bataillons des quartiers populaires participent à l'attaque des Tuileries, la grande masse de la garde nationale bourgeoise demeurant inactive grâce à l'assassinat préalable par les insurgés de Mandat, son commandant général. Au lendemain de l'insurrection, la garde nationale est investie par les sans-culottes, les citoyens passifs, qui la dominent au détriment des bourgeois devenus minoritaires.

A la chute de Robespierre, la Convention épure la garde nationale, élimine les officiers qui ne savent pas lire et écrire et ceux qui étaient compromis avec les « terroristes ». La loi du 29 mai 1795 (10 prairial an III) dispense du service dans la garde « les moins aisés parmi la classe des artisans, journaliers ou manœuvriers », car il ne faut « pas distraire la vertueuse indigence de son labeur ». Désormais dominée par la bourgeoisie aisée, une partie de la garde nationale se laisse entraîner dans l'insurrection royaliste du 5 octobre 1795 (13 vendémiaire an IV). Elle fait preuve de sa faible valeur militaire, vingt-cinq mille gardes nationaux se faisant tailler en pièces par les cinq mille soldats de Barras et de Bonaparte. Le 8 octobre, un décret décapite la garde nationale par la suppression de son état-major. Chaque bataillon est désormais placé

sous les ordres directs du général commandant la division militaire de Paris.

Dépourvue de tout rôle effectif, la garde nationale n'est plus qu'une réserve de l'armée. L'arrêté du 3 octobre 1802 crée une garde municipale soldée grâce à une contribution financière de la capitale. En contrepartie, « les citoyens ne seraient plus tenus de faire un service régulier et journalier ». Le décret du 14 mars 1812 crée des cohortes de la garde nationale complétant les garnisons en prévision du départ de la Grande Armée pour la Russie. Les quatre cohortes de Paris sont absorbées dans l'armée impériale décimée par la campagne de Russie. Encore ne s'agit-il que de gardes nationaux provinciaux casernés dans la capitale et non de Parisiens, car l'Empereur répugne à réveiller une garde parisienne dont il se méfie. Au préfet de police Pasquier qui lui a demandé, le 3 janvier 1814, d'étendre à Paris les dispositions du décret du 17 décembre 1813 sur les cohortes urbaines, il a répondu : « Et qui me répondra de l'esprit dont elle [la garde nationale parisienne] peut être animée. Si cet esprit est mauvais, me trouverai-je bien d'avoir laissé s'organiser derrière moi une pareille force ? » Face à l'invasion alliée, il se résout, le 8 janvier, à mettre en activité « la garde nationale de notre bonne ville de Paris ». Il en limite les effectifs à trente mille hommes et en prend lui-même la tête, assisté du maréchal Moncey. Ces gardes nationaux qui, pour la plupart, voient le feu pour la première fois, se comportent honorablement, le 30 mars 1814, lors de la bataille de Paris, perdant trois cents morts et ayant six cents blessés.

Entré dans Paris, le 12 avril 1814, en tenue de garde national, Louis XVIII décide de l'utiliser à son profit et donc de le maintenir. Le comte d'Artois soutient un projet de garde nationale mi-aristocratique, mi-bourgeoise, soutien de la monarchie et de l'ordre moral, mais les militaires y sont hostiles. Le maréchal Oudinot écrit : « La qualité est préférable au nombre [...]. Lorsque tout le monde est armé, il n'y a plus de force publique. » Si l'ordonnance du 17 juillet 1816 crée une garde nationale dont font obligatoirement partie tous les Français de vingt à soixante ans qui paient des impôts, concession au comte d'Artois, la circulaire du ministre de l'Intérieur du 31 juillet se montre très restrictive, recommandant de n'admettre que les effectifs strictement nécessaires « pour le maintien de l'autorité du roi et de la paix publique ».

Officiellement, trente-deux mille Parisiens figurent sur les états de la garde nationale, mais le pouvoir les utilise aussi peu que possible : un peu moins de mille de garde chaque jour en 1818, mais quatre cent vingt-sept seulement en 1819, deux cents en 1821. L'opposition libérale, dont les idées pénètrent progressivement chez les gardes nationaux bourgeois, défend l'institution contre un gouvernement qui veut la restreindre à presque rien. L'ordonnance du 27 mars 1827 réduit ses effectifs à douze mille hommes. Le 29 avril suivant, Charles X passe en revue cette garde nationale amoindrie. Accueilli par des cris hostiles, il la licencie le soir même.

Ce sont les gardes nationaux, licenciés mais non désarmés, car ils sont équipés à leurs frais, qui chassent Charles X après trois jours de combats, les 27, 28 et 29 juillet 1830, et portent Louis-Philippe sur le trône. Redevenu pour cinq mois leur commandant, La Fayette connaît alors son ultime heure de vaine gloire. Le nouveau roi cultive la bonne entente avec la garde nationale qu'il passe souvent en revue. Celle-ci lui est fidèle et se bat courageusement pour défendre le régime contre les insurgés républicains en 1832 et 1834. Le statut de garde national constitue alors un brevet de bourgeoisie et d'honorabilité. Mais, alors que soixante mille Parisiens appartiennent à la garde nationale, moins de vingt mille possèdent le droit de vote. Les quarante mille exclus vont se montrer de plus en plus favorables à une opposition qui réclame à leur profit l'extension du suffrage politique. A partir de 1840, la garde nationale est à nouveau majoritairement hostile au pouvoir en place. En février 1848, au lieu de se ranger du côté de l'armée, comme en 1832 et en 1834, elle se rallie aux insurgés et provoque la chute de Louis-Philippe.

Sous la deuxième République naissante, la garde nationale se divise comme au temps de la Révolution, les bourgeois se ralliant au parti de l'ordre pour réprimer les émeutes des 16 avril et 15 mai, puis pour écraser l'insurrection socialiste et ouvrière des 23-26 juin, tandis que ses éléments issus du peuple constituent le fer de lance de la révolte. Parmi les victimes de juin 1848, on dénombre deux cents morts dans les « bons bataillons » et près de trois mille chez les gardes nationaux insurgés de l'Est parisien. Trois des douze légions sont dissoutes à la fin de juin. Le reste de la garde nationale est mis en sommeil. Le coup d'État du 2 décembre 1851 se déroule sans qu'elle intervienne. Napoléon III ne la dissout pas mais l'amoindrit et lui confie des tâches peu astreignantes : le service n'exige pas de chaque homme plus de trois jours de présence par an.

Réorganisée en pleine guerre, le 12 août 1870, la garde nationale défend de son mieux la capitale assiégée par les Prussiens. Ses échecs militaires, largement imputables à des chefs médiocres et timorés, la poussent vers des extrémistes alliant nationalisme et socialisme. C'est la fédération républicaine de la garde nationale qui est à l'origine de la Commune, le 18 mars 1871. Officiellement forte de deux cent mille hommes, la garde nationale communarde n'a cependant jamais disposé de plus de quarante mille combattants, en raison de l'inertie des quartiers bourgeois et de l'anarchie brouillonne des éléments révolutionnaires. A l'issue de la « semaine sanglante », la garde nationale parisienne est dissoute par Thiers. Les gardes nationales de province subissent le même sort avec la loi du 25 août suivant. Les milices, bourgeoises ou populaires, les civils en armes, ont cessé de jouer un rôle à Paris et en France.

GARDE RÉPUBLICAINE
Voir GARDE DE PARIS.

GARDES-FRANÇAISES
Corps d'élite créé en 1563 pour assurer la sécurité du roi Charles IX, les gardes-françaises sont le seul régiment dont le cantonnement se situe dans les faubourgs de Paris. Ils sont, en principe, logés chez l'habitant, mais cette obligation a été assez vite remplacée par un impôt sur la valeur locative de la propriété bâtie et les soldats ont reçu une indemnité au lieu de billets de logement. L'arrêt du Conseil du 14 juillet 1692 prévoit le casernement des gardes-françaises aux frais de la municipalité qui fait la sourde oreille. Il faut attendre 1765 pour que le maréchal de Biron, colonel des gardes-françaises, entreprenne de caserner ses compagnies en louant de grandes bâtisses qu'il fait aménager. La taxe de logement est désormais affectée à la location de ces dix-sept casernes.

Paris fournit apparemment un très grand nombre de recrues à ce corps, les trois quarts de l'infanterie vers 1760, encore près de la moitié vingt ans plus tard ; il faut cependant noter que ce sont surtout des provinciaux récemment arrivés dans la capitale qui sont recrutés. Ainsi, au régiment des gardes-françaises, entre 1763 et 1771, moins de 1 % des recrues ont signé leur engagement en province, mais les Parisiens de naissance ne représentent qu'un enrôlé sur sept. Cette tendance s'accentue et, en 1789, 3 % seulement des engagés sont parisiens de souche.

En temps de paix — et il n'y a pas eu de conflit terrestre depuis 1763 —, les gardes-françaises peuvent exercer une activité en dehors de leur service. En contact étroit avec la population parisienne, touchant une solde qui ne leur permet pas de vivre s'ils sont mariés et pères de famille, supportant mal le durcissement de la discipline, à peu près sans encadrement en raison de l'absentéisme des officiers, les gardes-françaises constituent un terreau idéal pour les idées révolutionnaires. Lorsque le vieux maréchal de Biron, très populaire auprès de la troupe, est remplacé par un militaire pur et dur, le duc Du Châtelet, maniaque du pas rythmé et obsédé d'économies, la révolte est inéluctable. Le 31 mai 1789, alors que le régiment commence à se dissoudre de lui-même, son chef, totalement inconscient de la situation pré-insurrectionnelle, écrit à un ami : « Je me borne à placer les soldats sous les armes et à leur apprendre à marcher le pas de soixante-seize à la minute [...]. Mais je suis continuellement dérangé par le service de Paris et par celui de la Cour. » Ralliés massivement à la Révolution, les gardes-françaises constituent le noyau de la garde nationale naissante. Leur régiment est dissous le 1er septembre 1789.
• *Voir aussi* CASERNE.

GARDIEN DE LA PAIX
Licencié le 7 septembre 1870 en raison de sa fidélité à l'Empereur déchu, le corps des sergents de ville est aussitôt remplacé par celui des « gardiens de la paix publique ». Ce corps compte 7 756 hommes en juin 1871. La vague d'attentats anarchistes est à l'origine de la loi du 26 juillet 1892 qui élève ses effectifs à 7 000 gardiens, 950 sous-brigadiers et 80 brigadiers. Il y a 17 000 hommes en tenue en 1938. Actuellement, le préfet de police exerce son autorité sur plus de 15 000 gardiens de la paix.

La spécialisation des personnels s'est faite empiriquement, en fonction des besoins. Le préfet Lépine a créé en

1900 les gardiens de la paix cyclistes dits aussi « sergents à bécane » et « hirondelles » du nom de la marque de leur bicyclette. Ils furent d'abord 18 par arrondissement, 600 dès 1906 et 5 500 en 1947. Très efficaces, car aucun bruit ne trahissait leur arrivée, ils ont disparu progressivement au cours de la décennie 1950, au profit d'une motorisation plus prestigieuse mais plus bruyante et nettement moins efficace. La brigade fluviale a vu le jour à l'occasion de l'Exposition universelle de 1900. Les gardiens des compagnies de circulation, dites auparavant « des voitures », portent un char romain brodé sur la manche de l'uniforme. Ce sont les gardiens motocyclistes apparus au nombre de six en 1900, flanqués aujourd'hui de gardiens cyclomotoristes appelés « mouettes » à cause de la couleur grise et blanche de leur tenue. La police montée, expérimentée en 1923 avec douze cavaliers, n'a eu qu'une existence éphémère. Les gardiens musiciens ont été créés en 1928 pour former un orchestre militaire et symphonique. Les assistantes de police ont commencé à être recrutées en 1935, mais les femmes n'ont été réellement intégrées dans les cadres actifs qu'en 1972.

L'uniforme a évolué : le bâton blanc a été inventé en 1896 par le préfet Lépine, le képi a cédé la place à la casquette en 1985.

• *Voir aussi* **POLICE** ; **SERGENT DE VILLE**.

GARE

La plus ancienne gare parisienne est l'embarcadère de la ligne Paris-Saint-Germain-en-Laye, installé place de l'Europe et inauguré le 26 août 1837. Pereire se battit en vain pour en faire l'unique gare parisienne. Les compagnies de chemin de fer concurrentes exigèrent d'avoir chacune leur terminus. L'embarcadère de la place de l'Europe préfigure la gare Saint-Lazare. Il fut vite remplacé par une gare provisoire édifiée devant la place de

l'Europe, sur la rue de Stockholm. La troisième gare entre en service, rue Saint-Lazare, dès 1841, mais n'est achevée qu'en 1843. Elle accueille les lignes de Saint-Germain, de Versailles et de Rouen. Eugène Flachat couvre entre 1851 et 1853 ses voies d'une halle de 40 mètres de portée qui suscite l'admiration des contemporains. Pour l'Exposition universelle de 1889, la gare est réaménagée par Juste Lisch qui édifie aussi l'hôtel Terminus. La gare Saint-Lazare a été à nouveau réaménagée en 1930 et ses cours de Rome et du Havre en 1936. Ses sous-sols, comme ceux des autres gares parisiennes, ont fait l'objet d'énormes travaux pour l'interconnexion des réseaux du métro, du réseau express régional et de la S.N.C.F. afin de faciliter la circulation des millions de passagers qui transitent entre Paris et la banlieue.

La gare d'Orléans ou d'Austerlitz, place Valhubert, a été inaugurée le 2 mai 1843, mais un premier embarcadère a fonctionné à partir de septembre 1840 pour desservir la ligne Paris-Corbeil. Cette gare est le fruit de la collaboration de l'architecte Félix-Emmanuel Callet avec l'ingénieur Adolphe Jullien. Elle dut être agrandie en 1846 et 1852 et fut reconstruite entre 1862 et 1870, agrandie vers la Seine. En 1969 a été ouverte une gare de banlieue en sous-sol.

En 1900, soucieuse de pénétrer plus profondément dans la capitale, la compagnie d'Orléans ouvre un nouveau terminus, la gare d'Orsay, quai Anatole-France. Œuvre de Victor Laloux, inaugurée le 4 juillet 1900, c'est la première conçue pour accueillir des trains électrifiés. Elle ne put s'adapter ni à l'accroissement du trafic ni à la concurrence du métro et fut partiellement désaffectée en 1939. Après avoir failli disparaître en 1971, elle a été transformée en musée du XIXe siècle entre 1980 et 1986.

Inaugurée le 10 septembre 1840 comme terminus de la ligne de Paris à

Versailles par la rive gauche de la Seine, la gare Montparnasse se trouvait à l'origine sur l'avenue du Maine. Devenue trop petite, elle fut reconstruite de 1848 à 1852 par l'architecte Lenoir assisté de l'ingénieur Baude. Située au débouché de la rue de Rennes sur le boulevard du Montparnasse, elle fut agrandie entre 1898 et 1900, puis restructurée en 1930 en trois gares, banlieue, arrivée des grandes lignes sur la place Bienvenüe, départ des grandes lignes sur l'avenue du Maine. Une gare neuve a été ouverte en 1969 sur la place Raoul-Dautry.

L'embarcadère du chemin de fer de Paris à la frontière belge a été achevé en juin 1846 par l'architecte Léonce Reynaud assisté de l'ingénieur Bréville. Situé en bordure de la rue de Dunkerque, il est trop petit dès 1854. Un édifice trois fois plus grand, conçu par Reynaud et Hittorff, est mis en service en 1864, mais achevé seulement en 1866. La gare est agrandie en 1898 en vue de l'Exposition universelle de 1900. Elle a subi de nouveaux aménagements dans les années 1980.

La gare de l'Est est le dernier témoin de la première génération des gares parisiennes. Elle fut construite entre 1847 et 1850 par l'architecte François-Alexandre Duquesney sur les plans de l'ingénieur Pierre Cabanel de Sermet. Devenue gare de l'Est en 1854, elle a triplé sa superficie entre 1895 et 1899, puis a été de nouveau agrandie entre 1924 et 1931. C'est actuellement la plus vaste des gares de la capitale.

L'embarcadère du chemin de fer de Paris à Montereau a été construit de 1847 à 1852 sur les plans de l'architecte Cendrier. Il a commencé à fonctionner le 12 août 1849 sur l'itinéraire Paris-Tonnerre. Cette gare a été entièrement reconstruite de 1895 à 1902 sur son emplacement primitif par l'architecte Marius Toudoire assisté des ingénieurs Denis, Carthault et Bouvard. Son luxueux buffet, le Train bleu, possède un splendide décor « Belle Époque ». La gare a été agrandie en 1927, puis dans les années 1970-1980 pour accueillir le train à grande vitesse.
• *Voir aussi* CHEMIN DE FER DE CEINTURE.

GARNI
Voir HÔTELLERIE.

GASTRONOMIE
C'est sans doute vers la fin du Moyen Âge que Paris s'affirme comme un des hauts lieux de la bonne chère. C'est dans cette ville que sont rédigés, à la fin du XIVe siècle, *Le Viandier*, livre de recettes dû à Guillaume Tirel dit Taillevent, cuisinier de Charles V, et *Le Ménagier de Paris*, traité d'économie domestique. Au XVIe siècle, alors que la France s'inspire de l'Italie et lui fait des emprunts culinaires, Girolamo Lippomano, ambassadeur de Venise, exprime en 1577 son admiration. Sa lettre mérite d'être assez largement citée : « Paris a en abondance tout ce qui peut être désiré […]. Aussi, quoique la population soit innombrable, rien n'y dure : tout semble tomber du ciel. Cependant le prix des comestibles y est un peu élevé, à vrai dire ; car les Français ne dépensent pour nulle autre chose aussi volontiers que pour manger et pour faire ce qu'ils appellent bonne chère. C'est pourquoi les bouchers, les marchands de viande, les rôtisseurs, les revendeurs, les pâtissiers, les cabaretiers, les taverniers s'y trouvent en telle quantité que c'est une vraie confusion ; il n'est rue, tant soit peu remarquable, qui n'en ait sa part. Voulez-vous acheter des animaux au marché, ou bien la viande ? Vous le pouvez à toute heure, en tout lieu. Voulez-vous votre provision toute prête, cuite ou crue ? Les rôtisseurs et les pâtissiers, en moins d'une heure, vous arrangent un dîner, un souper pour dix, pour vingt, pour cent personnes ; le rôtisseur vous donne la viande, le pâtissier les pâtés, les tourtes, les entrées, les desserts ; le cuisinier vous donne les

gelées, les sauces, les ragoûts. Cet art est si avancé à Paris qu'il y a des cabaretiers qui vous donnent à manger chez eux, à tous les prix, pour un teston, pour un écu, pour quatre, pour dix, pour vingt même par personne si vous le désirez. Mais pour vingt écus, on vous donnera, j'espère, la manne en potage, ou le phénix rôti ; enfin tout ce qu'il y a au monde de plus précieux. Les princes et le roi y vont quelquefois. »

Le XVIIe siècle continue les traditions culinaires raffinées, avec notamment le *Cuisinier françois*, publié en 1651. Les repas de Louis XIV sont restés célèbres et sa belle-sœur, la princesse Palatine, consignait dans sa correspondance : « J'ai vu le roi manger, et cela très souvent, quatre assiettes de différentes soupes, un faisan tout entier, une perdrix, une grande assiette pleine de salade, du mouton coupé dans son jus avec de l'ail, deux bons morceaux de jambon, une assiette pleine de pâtisseries, et des fruits et des confitures. » Plus de trois cents gentilshommes, cuisiniers et laquais sont employés à cette véritable cérémonie, réglée comme un ballet, qu'est le repas du roi.

Au XVIIIe siècle, le repas est devenu un acte d'une importance et d'une valeur sociale telles qu'une pièce lui est consacrée, la salle à manger, qui devient, dans la bourgeoisie moyenne, une pièce d'ostentation, comparable au salon dans les familles de la noblesse fortunée et de la haute bourgeoisie. Le « potager », ancêtre du fourneau ou de la cuisinière, supplante la cheminée dans les maisons parisiennes. L'art de bien manger entre dans la conversation.

Au début du siècle suivant, la gastronomie connaît un essor exceptionnel. Carême, une des plus célèbres figures de cet art, règne sur les cuisines de Talleyrand, du tsar Alexandre Ier, du prince de Galles. Louis XVIII l'autorise à se parer du titre de Carême de Paris. Il est le premier cuisinier « vedette ». Totale-

ment dépourvu d'humour, il mérite cette description que la romancière Fanny Deschamps fera de son neveu, Alain Chapel : « Le cuisinier est une masse de chair émotive emballée dans une peau d'orgueil extraordinairement délicate. Une vraie peau de chapon de Bresse : posez dessus un doigt manquant d'un gramme de respect, vous ferez un bleu. » Deux autres gourmets contribuent à la gloire de ce XIXe siècle naissant, Grimod de La Reynière, créateur du *Journal* puis de l'*Almanach des gourmands*, président du jury dégustateur, et Brillat-Savarin, auteur de *La Physiologie du goût*. Ce dernier, pourtant admirateur de Lyon et de sa cuisine, reconnaît : « Un repas tel qu'on peut l'avoir à Paris est un tout cosmopolite où chaque partie du monde comparaît par ses productions. » Quant à Grimod de La Reynière, il écrit à propos de la capitale : « C'est incontestablement le lieu de l'univers où l'on fait la meilleure chère, et le seul en possession de fournir d'excellents cuisiniers à toutes les nations policées du monde. Quoique Paris par lui-même ne produise rien, car il n'y croît pas un grain de blé, il n'y naît pas un agneau, il s'y récolte pas un chou-fleur, c'est un centre où tout vient aboutir de tous les coins du globe, parce que c'est le lieu où l'on apprécie le mieux les qualités respectives de tout ce qui sert à la nourriture de l'homme, et où l'on sait le mieux les faire tourner au profit de notre sensualité. »

Le marquis de Cussy, préfet du palais de Napoléon Ier, fait observer : « Après avoir mangé dans tous les pays, il faut avouer que la meilleure table du monde est la petite fine table bourgeoise de Paris. » Dans *Paris à table*, publié en 1846, Eugène Briffault note qu'en 1814, « lorsque l'Europe en armes se rua toute entière contre la France, tous les chefs de cette multitude n'avaient qu'un seul cri, Paris ! Et à Paris, ils demandaient le Palais-Royal et, au Palais-Royal, quel était leur premier désir ? Celui de se mettre à table chez les Very, Méot, Robert, Beauvilliers, Frères Provençaux ou au Bœuf à la Mode.»

Durant toute la première moitié du XIXe siècle, la création gastronomique demeure essentiellement parisienne. La thèse de Valérie Ortoli et *Gastronomie française* de Jean-Robert Pitte dressent la géographie fluctuante de la gastronomie parisienne. Vers 1845, les Grands Boulevards prennent le pas sur le Palais-Royal : les quatre meilleures tables sont alignées le long du boulevard des Italiens, Café Anglais au 13, Café Riche au 16, Maison Dorée au 20, Café de Paris au 22. Vers la fin du second Empire, c'est vers l'ouest que se dirigent les gourmets fortunés : le Café de la Paix vient de s'ouvrir sur la place de l'Opéra, Durand est à la Madeleine, Voisin est au bout de la rue Saint-Honoré, Champs-Élysées et bois de Boulogne s'ouvrent aux intrépides avec le Pavillon d'Armenonville, le Château de Madrid... Vers 1900 commence l'agonie des boulevards alors qu'on trouve aux abords de la Madeleine le Café Durand, Lucas, Weber, Larue, et Maxim's rue Royale. Les quais de la rive gauche s'honorent de la Tour d'Argent et de Lapérouse.

Les plus célèbres plats de la cuisine «internationale» sont créés dans la capitale durant le XIXe siècle : sauce béarnaise, sauce Mornay, bouchée à la reine, vol-au-vent, homard thermidor, veau Marengo et Orloff, pommes soufflées, crêpes Suzette, etc.

En cette fin de XXe siècle, Paris n'a plus aux yeux des Français le même prestige gastronomique, sans doute en raison des prix plus élevés et de la nourriture moins «typée» qu'en province. Pourtant, tous les guides gastronomiques accordent à la capitale un nombre d'étoiles ou de toques très supérieur à l'importance démographique de la ville. Raymond Oliver, ancien chef du Grand Véfour, estime que «Paris, c'est le creuset, c'est aussi la consécration». Il ajoute : «Je crois que la cuisine faite à Paris prend des qualités d'exception parce qu'elle ne joue pas sur la facilité de la cuisine du pays dans lequel on passe. En province, on a faim à l'étape et il suffit d'une suggestion qui séduise [...]. A Paris, c'est tout différent — je parle pour la restauration de qualité —, le client n'a pas faim, il est nourri comme il faut chez lui. Alors, au restaurant, il lui faut une carte très variée, inventive.» L'invention est, en effet, ce qui caractérise la cuisine parisienne. C'est à Paris qu'est née la plus récente version de la gastronomie, la «nouvelle cuisine». Le prestige de la restauration parisienne s'est trouvé ravivé par ce phénomène qui arrive opportunément, au moment où il était devenu possible de manger «parisien», c'est-à-dire «international», dans la plupart des métropoles du monde.

GAVROCHE
Voir GAMIN.

GAZ

C'est entre 1796 et 1801 que sont pris les premiers brevets français concernant le gaz. Philippe Lebon dépose notamment en 1800 un brevet d'invention pour des «thermolampes» assurant à la fois éclairage et chauffage. A Londres, l'éclairage au gaz débute en 1805 et Pall Mall est éclairée grâce à ce procédé dès 1807. A Paris, après les expériences des réverbères de Bordier, le 8 novembre 1806, puis de Vivien, le 21 mars 1808, l'éclairage au gaz naît véritablement à la fin de 1816 dans le passage des Panoramas. Le 1er janvier 1829, dix lanternes sont installées rue de la Paix et quatre autres sur la place Vendôme. Vient ensuite la rue de Castiglione, le 7 août suivant. L'approvisionnement est assuré par cinq petites unités de production créées entre 1817 et 1822 au nord et à l'ouest de la capitale.

En 1839, l'Administration concède des périmètres distincts d'exploitation.

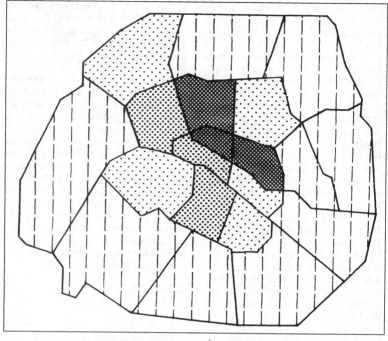

LE GAZ A TOUS LES ÉTAGES EN 1900
Pourcentage de maisons équipées de conduites montantes :

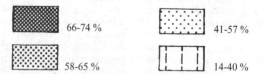

66-74 %

41-57 %

58-65 %

14-40 %

Le 12 décembre 1846, un traité règle les rapports entre la Ville et les compagnies. A l'aube du second Empire, le réseau est encore limité au centre de Paris, entre Louvre, Bourse et Grands Boulevards, au quartier du Temple, à quelques voies au sud de la Seine, entre le Luxembourg et les Invalides.

Le 19 juillet 1855, toutes les compagnies fusionnent pour constituer la Compagnie parisienne d'éclairage par le gaz, pourvue d'une concession de cinquante ans. Le 1er septembre 1907, elle est remplacée par la Société du gaz de Paris, à laquelle se substitue en 1937 la Compagnie du gaz de Paris, nationalisée le 8 avril 1946.

Les multiples usages du gaz ont très largement contribué à son succès : luxe ostentatoire pour l'éclairage des hôtels particuliers, il conquiert le petit artisanat comme force motrice, s'impose comme chauffe-bain puis calorifère, séduit restaurateurs et ménagères : les cuisinières à gaz font leur apparition dès la fin de 1840 au cours de cuisine de la rue Duperré. De moins de 500 kilomètres vers 1850, le réseau de conduites passe à 1 700 en 1905. Le diamètre de ces conduites croît fortement et le tuyau de fonte est évincé au profit de tôle recouverte d'une enveloppe de bitume, le «tuyau Chameroy». Au 31 décembre 1899, 30 % des locaux d'habitation de la capitale emploient le gaz au moyen d'une colonne montante et on estime qu'au moins la moitié de la population utilise le gaz. Dans les IIe, IIIe et IXe arrondissements, les utilisateurs représentent entre les deux tiers et les trois quarts des habitants.

Depuis quelques années, le réseau évolue rapidement et emploie des techniques nouvelles mettant en œuvre acier et polyéthylène, tubage et chemisage. Depuis 1983, le réseau de répartition primaire mis en place est en acier de calibre 300 millimètres sous pression de quatre bars. Il existe aussi des réseaux secondaires et tertiaires. Au total, le réseau gazier représente plus de 2 300 kilomètres, desservant plus de huit cent mille clients.

• Voir aussi CHAUFFAGE ; ÉCLAIRAGE ; ÉLECTRICITÉ ; LANTERNE.

GENDARMERIE DE PARIS
Voir GARDE DE PARIS.

GÉNÉRALITÉ DE PARIS
Voir INTENDANT DE PARIS.

GÉOLOGIE

Lutèce s'est construite sur les alluvions quaternaires de la Seine, épaisses de quelques mètres seulement. Au centre de la ville, ces alluvions reposent sur des bancs calcaires, le calcaire grossier du lutétien qui affleure sur les flancs de la montagne Sainte-Geneviève. En profondeur, on arrive à 2 000 mètres de profondeur aux roches du socle primaire. On trouve dans l'excellent guide géologique régional, *Paris et environs*, de Ph. Diffre et Ch. Pomerol, deux coupes des formations géologiques au-dessus de Notre-Dame et du Sacré-Cœur. Les quatre plates-formes

structurales de l'Île-de-France constituées par les sédiments tertiaires se retrouvent à Paris : le lutétien est présent sur la rive gauche, du Jardin des Plantes à Vaugirard, sur la rive droite dans les «villages» de Passy et d'Auteuil ; le calcaire de Saint-Ouen se trouve de la plaine Monceau à l'Étoile, sous les gares du Nord et de l'Est, entre Montmartre et Belleville ; le calcaire de Brie constitue l'essentiel de la colline de Belleville ; le calcaire de Beauce subsiste au sommet des buttes de Montmartre et de Belleville-Ménilmontant. Les alluvions modernes ont une importante épaisseur à proximité de la Seine : 3 à 5 mètres sous le Jardin des Plantes, l'Institut ou le quai de Grenelle, 8 mètres sous le quai Saint-Bernard, à l'emplacement de l'ancienne confluence de la Bièvre ; dans l'île de la Cité, ces alluvions varient de 3 mètres sous le quai du Marché-Neuf à 6,5 mètres sous la préfecture de police, tandis que le maximum est atteint à la pointe amont de l'île Saint-Louis avec 9 mètres ; sur la rive droite, leur épaisseur varie de moins d'un mètre sous l'Hôtel de Ville à 8 mètres sous le boulevard Saint-Martin avec une importance particulière dans le Marais et sous l'ancien lit de la Seine, à proximité des Grands Boulevards. L'homme a largement contribué à élever le sol, à l'exhausser par des remblais. Les remblais de surélévation ont progressivement canalisé la Seine et surélevé les zones inondables, en sorte que, pour faciliter la circulation, ils ont atteint le niveau des ponts. Les matériaux déposés le long des rues ou des avenues pour régulariser leur pente sont aussi des remblais de surélévation. Par exemple, sous les Champs-Élysées, 8 mètres de remblais ont été mis en place entre la rue Lincoln et la rue Pierre-Charron, ce qui a fait disparaître la rupture de pente correspondant à la limite du lit majeur de la Seine. L'accumulation des détritus et des gravats a aussi joué un rôle important dans la modification du sol. Ces dépôts étaient faits en dehors du bourg proprement dit et s'accumulaient en buttes ou monceaux. Les buttes Saint-Gervais et Saint-Jacques-la-Boucherie étaient déjà ébauchées à l'époque romaine. Les buttes des Moulins et Saint-Roch, entre la rue Sainte-Anne et l'église Saint-Roch, furent aplanies en 1667. Subsistent la butte dominant au sud le boulevard Bonne-Nouvelle, où s'était édifiée au XVIᵉ siècle la Villeneuve-aux-Gravois, et la butte Coypeau, Coupeau ou Copeau à l'extrémité nord-ouest du Jardin des Plantes.

• Voir aussi FOSSILE ; PIERRE.

GIBET

Seul le roi avait droit à un gibet à Paris, symbole de son droit de haute justice. Les pendus restant accrochés jusqu'à leur complète décomposition, il était indispensable d'installer le gibet hors de portée des narines des habitants, à la sortie de la ville. Le gibet de Montfaucon se dressait sur une butte peu importante, un peu au nord de l'intersection des actuelles rues de la Grange-aux-Belles et des Écluses-Saint-Martin. Il fut érigé sous Louis IX et se trouve attesté dès 1233. Au centre était aménagé un charnier pour les suppliciés. D'abord construit en bois, il fut remplacé vers 1325 par un gibet à seize piliers de pierre hauts de plus de 10 mètres. La *Satire Ménippée* le décrit ainsi en 1594 :

A chacun le sien, c'est justice :
A Paris, seize quarteniers,
A Mont-Faucon, seize piliers,
C'est à chacun son bénéfice.

D'illustres personnages se balancèrent au bout d'une corde à Montfaucon : Pierre La Brosse, grand chambellan et favori de Philippe III, pendu en 1378, Enguerrand de Marigny, ministre de Philippe le Bel, exécuté le 30 avril 1315, Gérard de La Guette, ministre des Finances de Louis X, pendu en 1322, Pierre Remy, trésorier des Finances de Charles IV, exécuté en avril

1328 « au haut bout au-dessus des autres voleurs », Olivier de Clisson, père du futur connétable, condamné pour avoir pris parti pour le duc de Bretagne Jean IV de Montfort, en 1344, Jean de Montaigu, ministre des Finances de Charles VI, pendu le 17 octobre 1409, Pierre des Essarts, prévôt de Paris rallié aux Armagnacs, exécuté le 1ᵉʳ juillet 1413, Olivier Le Daim, favori de Louis XI, pendu en juillet 1484 sur ordre de Charles VIII, Jacques de Beaune, baron de Semblançay, pendu le 12 août 1527, à l'âge de soixante-douze ans, victime de la rancune de Louise de Savoie, etc.

Exposé aux intempéries, le gibet devait être fréquemment réparé. Durant la restauration de l'édifice, on utilisait un second gibet construit à proximité immédiate, le gibet de Montigny, formé de quatre piliers de bois hauts de 7 mètres. Lorsque l'hôpital Saint-Louis fut édifié, en 1607, à moins de 400 mètres du gibet, il fallut l'abandonner pour ne pas empuantir les pestiférés qu'on y soignait. Un gibet symbolisant la justice du roi fut édifié à hauteur du 46 de la rue de Meaux. Il ne servait plus de lieu d'exécution mais de sépulture des suppliciés. Le décret du 21 janvier 1790 ayant autorisé l'enterrement des criminels dans les cimetières ordinaires, il perdit son dernier usage et fut démantelé en 1792, la guillotine ayant supplanté ce mode archaïque d'exécution. La grande voirie de Montfaucon s'étendit à son emplacement.

• *Voir aussi* ÉCHELLE DE JUSTICE ; EXÉCUTION CAPITALE ; GUILLOTINE ; PILORI.

GIRAFE
Voir ANIMAL SAUVAGE.

GLACE

Le miroir a joué un rôle fondamental dans l'affirmation de l'individu face à la société. L'Église l'a longtemps condamné sous prétexte qu'il favorisait le développement de la vanité et de la coquetterie et un dicton affirmait que « le miroir est le vrai cul du diable ». Venise a longtemps jalousement préservé son monopole et ses secrets de fabrication et la diffusion des miroirs, produits rares et coûteux, s'est faite lentement. Sur deux cent quarante-huit inventaires après décès échelonnés entre 1581 et 1622, on n'en dénombre que trente-sept, dont seulement neuf en glace de Venise, les autres en cuivre, acier ou verre coloré en bleu. Entre 1638 et 1648, le miroir apparaît dans un tiers des inventaires après décès. A partir de 1650, le miroir commence à s'imposer et figure dans un inventaire sur trois parmi la bourgeoisie.

L'importation de miroirs de Venise était une cause importante de pertes de devises et la monarchie s'est très tôt efforcée de créer une production locale. Henri II parvient à déjouer la surveillance de Venise et fait venir plusieurs miroitiers de la cité des doges qu'il installe à Saint-Germain-en-Laye. Mais l'expérience échoue et le gouvernement vénitien réussit à faire revenir les transfuges. Henri IV tente vainement d'établir des ateliers à Nevers et à Paris. Des lettres patentes du 1er août 1634 autorisent Eustache de Grandmont et Jean-Antoine d'Anthonneuil à ouvrir une manufacture de glaces au faubourg Saint-Antoine, mais l'entreprise semble avoir végété.

L'essor commence vraiment lorsque Louis XIV accorde, en octobre 1665, à Nicolas Dunoyer des lettres patentes lui concédant des privilèges fiscaux et un monopole de fabrication, ainsi que 12 000 livres de subvention qui servent à édifier la manufacture à l'emplacement de l'actuelle caserne de Reuilly. La « Manufacture royale des glaces et miroirs » a quelques difficultés à fonctionner. Dunoyer se plaint notamment de ses ouvriers italiens « qui ne veulent rien enseigner aux Français et, quand celui qui les mène est malade, tout s'arrête ». Les Vénitiens, pour leur part, se plaignent de ne pas recevoir autant qu'on leur avait promis.

Dès 1667, la fabrication de la glace brute avait été transférée à Tourlaville, près de Cherbourg, où l'on pouvait acheter du bois de chauffage à bas prix et d'où l'on pouvait acheminer par mer la matière première vers Paris, où le douci, le poli, l'étamage et la vente étaient effectués, ce qui contribuait à l'emploi de plusieurs centaines d'ouvriers. En 1684, de nouveaux privilèges furent accordés et l'entreprise de Reuilly-Tourlaville dut affronter des concurrents, dont le plus important était installé à Saint-Gobain. Les deux entreprises fusionnent en 1695 et disposent alors de six établissements. Reuilly demeure le site le plus important : 6 500 mètres carrés de bâtiments, quatre cents à six cents ouvriers selon la conjoncture, ce qui en fait la principale entreprise du faubourg Saint-Antoine. Le médecin anglais Martin Lister, en voyage à Paris en 1698, la décrit longuement : « A l'étage inférieur, on passe les glaces brutes au grès pulvérisé. Dans les étages supérieurs, où l'on donne le poli et la dernière main, les ouvriers sont disposés sur trois rangs, deux hommes pour chaque glace qu'ils passent à la sanguine détrempée dans de l'eau. On les met ensuite dans de la potée blanche, sur des tables de pierre. » Et le voyageur s'émerveille de la modicité du prix liée aux procédés économiques de fabrication, ajoutant : « On y a gagné d'avoir des glaces à si bas prix qu'il n'est pas jusqu'à toutes les voitures de remise et la plupart des fiacres qui, par devant, ne soient fermés d'une grande glace. »

Vers 1782, dans son *Tableau de Paris*, Sébastien Mercier note : « Cet établissement jouit d'un privilège exclusif ; il aspire des millions, car on parle aujourd'hui tranquillement de cinquante mille écus de glaces pour meubler tel château. Bientôt le boudoir de la marchande de draps sera tout en glaces ; et où n'en met-on pas ? dans des alcôves, des passages d'escalier, des garde-robes, etc. » A la fin de 1830, la manufacture de Reuilly fut fermée par mesure d'économie et la production de glaces regroupée à Saint-Gobain. De nombreux miroitiers demeurèrent cependant au faubourg Saint-Antoine où on en trouve encore quelques-uns aujourd'hui.

GLACIER

La tradition attribue l'introduction des glaces à Paris au Sicilien Francesco Procopio dei Coltelli, qui s'installe dans la capitale en 1672. L'édit du 21 mars 1673 créant la corporation des limonadiers comprend «les glaces de fruits et de fleurs» parmi les produits qu'ils peuvent vendre, les confiseurs ayant aussi le droit d'en débiter. Les Parisiens s'entichent aussitôt de cette friandise et les glaciers se multiplient rapidement. Le successeur de Procope — il a francisé son nom en 1702 —, Dubuisson, observe Sébastien Mercier dans son *Tableau de Paris*, «est le premier qui se soit avisé de faire des glaces, et d'en vendre toute l'année indistinctement. Dans les ardentes chaleurs de la canicule, tel jour au Palais-Royal, il se vend pour trois cents louis d'or de glaces à douze sols la tasse.» Sébastien Mercier évalue le nombre des limonadiers parisiens à mille huit cents vers 1782 et, la même année, l'*Encyclopédie méthodique* de Panckoucke n'énumère pas moins d'une centaine de variétés de glaces.

• *Voir aussi* BRASSERIE ; LIMONADIER.

GLACIÈRE

La technique de construction de glacières semble avoir été connue en Orient, notamment en Turquie, bien avant le XVIe siècle, époque à laquelle l'usage semble avoir été introduit en France. A la fin de ce siècle, mettre des morceaux de glace dans les boissons pour les rafraîchir était encore considéré comme le fait des «voluptueux». Moins d'un siècle plus tard, en 1665, cet usage paraît s'être généralisé et

Boileau fait dire à la victime de son festin burlesque, en 1665, dans sa troisième *Satire* :

Mais qui l'auroit pensé! Pour comble de
  [disgrâce,
Par le chaud qu'il faisoit nous n'avions
  [point de glace.
Point de glace, bon Dieu! dans le fort de
  [l'été !
Au mois de juin! Pour moi, j'estois si
  [transporté,
Que donnant de fureur tout le festin au
  [diable,
Je me suis vu vingt fois prêt à quitter la
  [table.

Les procédés de fabrication artificielle de la glace sont alors connus et Louis XIV disposait de glacières à Versailles, Trianon et Satory. Elles pouvaient contenir 400 toises cubiques de glace qui était distribuée par un employé spécial, nommé «délivreur de glace». A Paris, des glacières étaient installées dans le jardin des Tuileries. La glace à rafraîchir était vendue par les regrattiers. A Gentilly, entre deux bras de la Bièvre, dans les prairies submersibles, six puits en ciment recouverts de terre conservaient de la glace pour les Parisiens. L'endroit a pris le nom de quartier et rue de la Glacière et se situe depuis l'annexion de 1860 dans le XIIIe arrondissement. Sous le second Empire, une glacière fut créée au bois de Boulogne, alimentée par l'eau des lacs.

GLAISE

Voir ARGILE.

GOUTTIÈRE

Pendant des siècles, gouttières et gargouilles ont déversé impunément sur les passants les eaux des éviers et la pluie tombant sur les toits. L'ordonnance de police du 13 juillet 1764 observe que «ces gouttières réunissant toutes les eaux d'une maison dans une même conduite ont souvent causé de très grands dommages par la chute d'un volume d'eau considérable qui fond tout à coup, soit sur les passants, soit sur les voitures chargées de marchandises ou de denrées ». L'ordonnance du Bureau des finances du 16 juillet 1764 abonde dans le même sens et interdit « d'établir aucune gouttière saillante sur la voie publique ». Afin de ne pas trop léser les propriétaires contraints à la lourde dépense de nouvelles gouttières, il est décidé qu'ils seront exemptés de tout droit pour les descentes d'eau qu'ils établiront « depuis le toit jusqu'au bas des maisons ». Une tolérance est accordée sur l'alignement de la rue : « et ne pourront cependant excéder lesdits tuyaux et leur recouvrement, la saillie de quatre pouces hors du nu du mur », soit un peu moins de 11 centimètres.

• *Voir aussi* TOIT.

GOUVERNEUR DE PARIS

Représentant du roi, révocable à la volonté du souverain, le gouverneur a joué un rôle important jusqu'au début du règne personnel de Louis XIV, qui, craignant l'ambition de ces personnages de haute naissance, ayant souvent des compétences militaires, a limité dès 1661 leur pouvoir à trois années renouvelables et leur a interdit de séjourner dans leur gouvernement sans ordre ou son autorisation. Voici la liste des gouverneurs de Paris et de l'Île-de-France d'après l'*Almanach de Paris* (entre parenthèses, date de nomination) :

Louis, comte d'Anjou et du Maine (5 décembre 1356)
Charles, roi de Navarre (15 juin 1358)
Jean de Duison (1359)
Renaud de Gouillons (1er juin 1359)
Hugues Aubriot (20 septembre 1368)
Jean de Blaisy (1er mai 1392 au 30 avril 1393)
Jean de Berry et Louis de Bourbon (1405)
Pierre des Essarts (5 mai 1408)
Waleran de Saint-Pol (1410-1411)
Élion de Jacqueville (mai 1413)
Jean de Berry (août 1413)
Charles de France (juin 1416)
Jean de Bourgogne (mai 1418)

Philippe de Bourgogne, comte de Saint-Pol (19 janvier 1419)
Thomas de Lancastre, duc de Clarence (décembre 1420)
Thomas Beaufort, duc d'Exeter (mars 1421)
Jean de La Baume-Monterevel (8 juillet 1421)
Jean, duc de Bedford (1422)
Jean de Villiers de L'Isle-Adam (juillet 1429)
Étienne de Vignolles, dit La Hire (1433)
Louis de Luxembourg (1435)
Arthur de Richemont (8 mars 1436)
Bertrand de Beauvau et Charles de Melun (3 janvier 1463)
Charles de Melun (8 mars 1465)
Charles d'Artois (12 août 1465)
André de Laval (septembre 1466)
Charles de Gaucourt (21 juin 1472)
Jean Allarceau (2 juillet 1480)
Louis d'Orléans (9 octobre 1483)
Antoine de Chabannes (2 février 1485 au 25 décembre 1488)
Charles d'Amboise (3 février 1493)
Louis d'Orléans (1493)
Gilbert de Bourbon, comte de Montpensier (9 décembre 1493)
Charles d'Amboise (3 février 1496)
Guillaume de Poitiers (2 juin 1496)
Charles de Bourbon, duc de Vendôme (18 février 1515)
François de Bourbon, comte de Saint-Paul et de Chaumont (16 décembre 1519)
Michel-Antoine de Saluces (mars 1526)
Jean de La Barre, comte d'Étampes (11 décembre 1528)
Antoine de La Rochefoucauld (12 mars 1534)
François de Montmorency (10 février 1538)
Gaspard de Coligny (9 septembre 1551)
François de Montmorency (17 août 1556)
René de Villequier (9 novembre 1579)
François d'O (2 janvier 1586 à sa mort en 1594)

GOUVERNEURS NOMMÉS PAR LA LIGUE :

Charles de Lorraine, duc d'Aumale (24 décembre 1588)
François de Roncherolles (1589)
Pierre d'Épinac (1589)
Charles-Emmanuel de Savoie, duc de Nemours (mars 1590)

Jean-François de Faudoas d'Averton, comte de Belin (27 avril 1591)

Charles II de Cossé, comte de Brissac (15 janvier 1594)

Henri IV avec Antoine d'Estrées pour lieutenant général (1594)

Antoine IV d'Estrées, marquis de Cœuvres (1596)

François de La Grange, seigneur de Montigny (1600)

Charles Du Plessis de Liancourt, marquis de Guercheville (1607)

Hercule de Rohan, duc de Montbazon (12 novembre 1620)

François de L'Hôpital, comte de Rosny (28 décembre 1645)

François de Vendôme, duc de Beaufort, nommé par les frondeurs (du 6 juillet 1652 au 14 octobre 1652)

Ambroise de Bournonville (16 janvier 1657)

Antoine, duc d'Aumont (mai 1662)

Gabriel de Rochechouart, duc de Mortemart (18 juin 1669)

Charles III, duc de Créqui (5 février 1676)

Léon Potier, duc de Gesvres (13 février 1687)

Bernard-François Potier, duc de Tresmes (10 octobre 1704)

François-Joachim-Bernard Potier, duc de Gesvres (1722)

Marie-Charles-Louis d'Albert, duc de Chevreuse, prince de Neufchâtel (22 septembre 1757)

Jean-Paul-Timoléon de Cossé, duc de Brissac (21 octobre 1771)

Louis-Hercule-Timoléon de Cossé, duc de Brissac (12 février 1775).

GRAND BUREAU DES PAUVRES

Jusqu'en 1544, la direction des secours à domicile, la police des pauvres et des mendiants incombaient au Parlement. Il exerçait son action par l'intermédiaire des curés et des marguilliers de chaque paroisse qui, assistés de notables, élisaient « deux bons personnages [...] ou plusieurs, selon la grandeur des paroisses, pour visiter une fois la semaine, ou plus souvent s'il en est besoin, les dits pauvres ». Une taxe spéciale était perçue dans chaque paroisse pour l'entretien de la « Communauté des pauvres ». Or, la plupart des villes du royaume prenaient elles-mêmes soin de leurs pauvres. François Ier jugea bon de donner à la municipalité parisienne l'occasion d'assumer ses responsabilités dans ce domaine, ce qui lui permettait de décharger le Parlement, déjà bien occupé, de cette tâche. Des lettres patentes du 7 novembre 1544 attribuent donc à la Ville « la superintendance et la conduite des choses requises pour l'entretenement de la Communauté des pauvres ».

Installé dans deux maisons de l'hôpital du Saint-Esprit, place de Grève, jusqu'en 1789, le Grand Bureau des Pauvres ne put imposer son autorité qu'à deux établissements hospitaliers, l'hôpital de la Trinité et celui de Saint-Germain, dit aussi des Petites-Maisons, tous les autres conservant jalousement leur indépendance. Assemblée complexe et à plusieurs niveaux, le Grand Bureau des Pauvres a été étudié par Louis Parturier, dans L'Assistance à Paris et par Léon Cahen pour le XVIIIe siècle. Ses ressources étaient constituées par les quêtes, le produit du tronc des pauvres installé dans chaque église, et surtout la taxe des pauvres, qui représentait les neuf dixièmes des recettes, qui se situaient entre 50 000 et 60 000 livres.

Les pauvres devaient adresser une requête au commissaire de leur quartier ou au Grand Bureau pour obtenir leur inscription sur le rôle des pauvres. Les « pauvres honteux », qui n'osaient pas se déclarer, relevaient des bureaux de charité de chaque paroisse. Le Grand Bureau des Pauvres ne se limitait pas à la distribution de secours aux vivants, il assurait aussi les soins médicaux à domicile et la sépulture des morts. Jusqu'à l'établissement de l'Hôpital général, il avait aussi la charge de la police des mendiants et des vagabonds. A partir de 1554, ceux-ci sont enfermés à l'ancienne maladrerie, devenue hôpital Saint-Germain. La création de l'Hôpital général en 1656 permit la transformation de cet hôpital en hospice des Petites-Maisons où étaient accueillis les vieillards et infirmes, les teigneux, les vénériens et les aliénés.

En janvier 1545, le Parlement avait affecté l'hôpital de la Trinité de la rue Saint-Denis aux enfants des indigents âgés de cinq ans au moins. Cet hôpital, dit des Enfants-Bleus, à cause de la couleur de la robe portée par les enfants, relevait du Grand Bureau des Pauvres. Le manque de ressources financières fit décliner les effectifs de trois cents à quatre cents au début à cent garçons et trente-six filles selon le règlement de 1676. Le Grand Bureau des Pauvres disparut en 1789.

• *Voir aussi* ALIÉNÉ ; ASSISTANCE ; BUREAU DE BIENFAISANCE ; CONFRÉRIE ; ENFANT ASSISTÉ ; ENFANT TROUVÉ ; HÔPITAL ; MENDICITÉ.

GRAND MAGASIN

C'est avec l'expansion démographique des villes et l'apparition des transports en commun urbains que se développent, au cœur des grandes villes, des commerces spécialisés attirant la clientèle de toute l'agglomération. Ces établissements peuvent être des bazars de quincaillerie ou des magasins de meubles, mais ceux qui sont destinés au plus grand succès se consacrent aux « nouveautés », aux articles récemment mis sur le marché et concernant la parure : étoffes, lingerie, bijouterie surtout à destination de la clientèle féminine. On fait traditionnellement remonter la naissance du magasin de nouveautés au Tapis Rouge fondé à Paris en 1784, mais c'est seulement sous la Restauration que ce type de commerce commence vraiment à se développer avec La Belle Jardinière (1824), Aux Trois Quartiers (1829), Le Petit Saint Thomas (1830). Balzac s'étend sur leur fonctionnement dans *César Birotteau*. Durant les années 1840, ces établissements grandissent fortement tout en subissant la concurrence de nouveaux venus, La Ville de Paris, La Chaussée d'Antin, etc.

C'est sous le second Empire que triomphe le grand magasin, grâce au renouveau de l'urbanisme parisien, à l'essor démographique de la capitale et au développement exceptionnel des moyens de transport. Deux géants dominent le marché. Sous la gestion de Boucicaut, Au Bon Marché passe d'un demi-million de chiffre d'affaires en 1852 à 5 millions en 1860, 20 millions en 1870, 72 millions à sa mort en 1877 ; les employés, au nombre de douze à l'ouverture, seront près de mille huit cent vingt-cinq ans plus tard. Fondé sur une échelle beaucoup plus importante en 1855 par Chauchard, Hériot et Faré, Au Louvre débute avec plus de 5 millions de recettes, dépasse les 13 millions en 1865, atteint 41 millions de francs en 1875 et un effectif de deux mille quatre cents employés en 1882. Ruel a créé le Bazar de l'Hôtel de Ville en 1857, mais l'extension de l'entreprise ne débute qu'en 1866. Au Printemps est fondé en 1865 par Jaluzot, ex-chef de rayon de Boucicaut au Bon Marché, La Samaritaine par Cognacq au début de 1870. Outre ces grands magasins toujours en place ou encore familiers à la mémoire des Parisiens, plusieurs autres établissements ont été créés durant le second Empire. Au Colosse de Rhodes, construit en 1857 à l'angle des rues Rambuteau et du Temple, est spécialisé dans la literie. Aux Colonnes d'Hercule, ouvert en 1861 au 32 de la rue Richer, propose un vaste choix de meubles. La Grande Maison de Blanc de Meunier est inaugurée en 1863 au 6 du boulevard des Capucines et vend du linge de table, mais aussi des nouveautés. Créé en 1834, repris en 1843 par Renouard, Au Coin de Rue s'installe en 1864 dans des bâtiments neufs au 8 de la rue de Montesquieu. Installé dans l'île de la Cité, Parissot, exproprié, fait franchir la Seine en 1867 à La Belle Jardinière et l'installe sur la rive droite, face au

MAISON DU GRAND-CONDÉ

Pont Neuf. Toujours en 1867, l'ancêtre des grands magasins, le Tapis Rouge, fait peau neuve au 65-67, rue du Faubourg-Saint-Denis. En 1869, La Ville de Saint-Denis inaugure au 91-95 de la même rue des bâtiments rénovés et pourvus du premier ascenseur installé en France. Cette même année, La Paix réouvre son magasin refait à neuf, à l'angle des rues Neuve-Saint-Augustin et de La Michodière, près de la place Gaillon. C'est là que Zola a situé son roman *Au Bonheur des Dames* : « la cathédrale du commerce moderne, solide et légère, faite pour un peuple de clientes ». Le plus jeune des grands magasins, les Galeries Lafayette, ne sont en 1895 qu'une simple boutique de nouveautés à laquelle son patron, Alphonse Kahn, va donner bien vite une dimension exceptionnelle. Il y a encore bien d'autres magasins aujourd'hui disparus : Nouvelles Galeries détruites en 1930 dans un incendie et remplacées par une poste sur le boulevard de Bonne-Nouvelle, les Magasins Dufayel entre le boulevard Barbès et la rue de Clignancourt.

Après un âge d'or qui se situe entre 1880 et la guerre de 1914, les grands magasins ont dû affronter de multiples difficultés qui les ont contraints à de difficiles adaptations. Le développement des banlieues et de leurs hypermarchés a encore aggravé la situation durant les années 1970-1980. En 1995 ne subsistent plus qu'Au Bon Marché sur la rive gauche, rue de Sèvres, le Bazar de l'Hôtel de Ville et La Samaritaine sur l'axe de la rue de Rivoli, Au Printemps et les Galeries Lafayette qui voisinent sur le boulevard Haussmann.

GRAVEUR, GRAVURE

Les graveurs d'estampes, sur bois ou sur métal, étaient assimilés aux peintres sous l'Ancien Régime et appartenaient comme maîtres à l'Académie de Saint-Luc. La gravure ayant Paris pour thème est tardive, les graveurs se consacrant principalement à l'illustration populaire et à celle des livres. A la fin du XVIe siècle apparaissent les premières et sèches élévations de monuments dues à Du Cerceau. Le XVIIe siècle est, en revanche, un grand siècle pour la représentation des monuments et de la vie à Paris. Claude de Chastillon est l'auteur d'une série de splendides vues cavalières illustrant la *Topographie française*. Les plus grands artistes taillent dans le cuivre les monuments de la capitale, de Jacques Callot à Sébastien Le Clerc en passant par Israël Silvestre, Adam et Gabriel Pérelle, Jean Marot et Pierre Aveline, tandis qu'Abraham Bosse se consacre à la description d'intérieurs. Au siècle suivant, les graveurs se contentent très souvent de reproduire en couleurs les œuvres de peintres. Éditeurs de Janinet, Jean et Pierre Le Campion lancent dans les années 1780 des recueils de cris, de costumes et de vues des monuments de Paris. Ces suites de monuments parisiens, souvent de médiocre facture, se multiplient sous l'Empire. La lithographie, technique plus souple et plus rapide que la gravure sur métal, favorise le développement de l'image et sa diffusion à prix réduit. Deux artistes se distinguent particulièrement par leurs vues de Paris, Lancelot-

Rue de la Lanterne où fut retrouvé pendu ▶ *Gérard de Nerval (gravure de Martial Potémont).*

Théodore Turpin de Crissé et Joseph-Louis-Hippolyte Bellangé. Martial Potémont et, avec un génie supérieur, Charles Méryon livrent le dernier combat de la gravure documentaire contre la photographie triomphante, *L'Illustration* et *Le Tour du Monde* demeurant jusqu'à la fin du siècle le refuge des images lithographiées de la capitale. Les photographes, Marville, Atget, etc., prennent leur place dans le domaine de l'imagerie parisienne.

• *Voir aussi* ESTAMPE ; PEINTRE.

GRÈVE
Voir BUREAU DE PLACEMENT.

GRIPPE
Mal connue, difficile à décrire car variant dans sa gravité et ses symptômes, la grippe sévit sans doute depuis longtemps en Europe. Flodoard en mentionne probablement une lorsqu'il écrit dans sa *Chronique* : « En l'an 927, la Gaule et la Germanie furent envahies par une épidémie de fièvre et de toux. » Ce mal, apparemment nouveau, fut nommé « catarrhe ». Orderic Vital rapporte qu'en 1105, « au mois de mai, une peste inflammatoire courut à travers tout l'Occident, et tous les yeux pleurèrent par suite d'une catarrhe qui éprouva cruellement ». On signale maintes fois des épidémies de ce genre en France au Moyen Âge. A Paris, elle est attestée en 1427, en 1510, en 1580, 1610, 1657 ; on y était alors tellement habitué qu'on l'appelait « le mal à la mode ». La grippe s'installe en février 1733 et dure cinq ans. Louis XV, qui en a été atteint, la nomme « la folette ». C'est en mars 1743, lors d'une nouvelle apparition, que cette maladie prend son nom actuel de grippe, car elle saisit, « grippe » brutalement ses victimes. Gresset la décrit alors avec esprit :

Air transi, voix rauque, altérée,
Œil larmoyant, face empourprée,
Rhume, dont on ne connaît pas
La naissance ni la durée.

En 1776, le comte de Tressan l'évo-

que dans ses *Souvenirs* : « Il règne cet hiver une maladie générale dans le royaume, qu'on appelle grippe, qui commence par un rhume et un mal de tête, et qui provient du brouillard et du mauvais air ; depuis quinze jours, il n'y a point de maison dans Paris où il n'y ait eu des malades. » Le 8 janvier 1780, l'Opéra doit faire relâche, la majeure partie des chanteurs et des danseurs étant atteints. En 1781, on la baptise « suette anglaise ». En 1782, comme elle est venue de Russie, elle est « la coquette du Nord ». Les surnoms dont on l'affuble sont changeants : grenade, générale, baraquette, puce, carmélite, petite poste, etc. Durant l'hiver 1802-1803, la grippe frappe avec une rigueur exceptionnelle. Les morts sont si nombreux qu'il faut attendre parfois trois ou quatre jours avant qu'on vienne les enlever. Elle sévit à nouveau avec vigueur en 1817, et en 1837 le chroniqueur Jules Lecomte note : « Paris est un gigantesque hôpital où la moitié des gens soigne l'autre. » Une autre grippe frappe durement en 1889, mais c'est la grippe dite « espagnole » de 1918 qui a le plus profondément frappé les esprits. Elle aurait tué vingt millions de personnes à travers le monde, dont deux cent mille en France, pour moitié des militaires. Du 6 octobre au 9 novembre 1918, on enregistra en moyenne deux cent dix décès quotidiens dans la capitale. La grippe revient régulièrement, mais n'est plus dangereuse aujourd'hui que pour les personnes âgées, faibles ou déjà atteintes d'une autre maladie.

• *Voir aussi* ÉPIDÉMIE.

GRISETTE
Le terme de « grisette » est attesté chez Scarron en 1648 et 1651 : il désigne une étoffe grise de peu de valeur à la mode à cette époque et, par extension, un petit habit de cette étoffe. En 1665, le mot s'applique chez La Fontaine à une jeune fille de condition modeste, le plus souvent employée comme lingère ou couturière, ayant une réputa-

tion de coquetterie et de légèreté de mœurs. A la veille de la Révolution, dans son *Tableau de Paris*, Sébastien Mercier écrit : «On appelle grisette la jeune fille qui, n'ayant ni naissance ni bien, est obligée de travailler pour vivre, et n'a d'autre soutien que l'ouvrage de ses mains. Ce sont les monteuses de bonnets, les couturières, les ouvrières en linge, etc., qui forment la partie la plus nombreuse de cette classe. Toutes ces filles du petit peuple, accoutumées dès l'enfance à un travail assidu dont elles doivent tirer leur subsistance, se séparent à dix-huit ans de leurs parents pauvres, prennent leur chambre particulière, et y vivent à leur fantaisie ; privilège que n'a pas la fille du bourgeois un peu aisé ; il faut qu'elle reste décemment à la maison avec la mère impérieuse, la tante dévote, la grand-mère qui raconte les usages de son temps, et le vieil oncle qui rabâche. Cloîtrée ainsi dans la maison paternelle, la bourgeoise attend longtemps un épouseur qui n'arrive pas. S'il y a plusieurs sœurs, la dot médiocre n'en tente aucun, et toute sa félicité se borne à se requinquer le dimanche, à mettre la belle robe, et à se promener en famille au jardin des Tuileries. La grisette est plus heureuse dans sa pauvreté que la fille du bourgeois. Elle se licencie dans l'âge où ses charmes ont encore de l'éclat. Son indigence lui donne une pleine liberté, et son bonheur vient quelquefois de n'avoir point eu de dot. Elle ne voit dans le mariage avec un artisan de son état qu'assujettissement, peine et misère ; elle prend de bonne heure un esprit d'indépendance. Aux premiers besoins de la vie se joint celui de la parure. La vanité, non moins mauvaise conseillère que la misère, lui répète tout bas d'ajouter la ressource de sa jeunesse et de sa figure à celle de son aiguille. Quelle vertu résisterait à cette double tentation ? Ainsi la grisette devient libre ; à l'abri d'un métier, elle suit ses caprices, et ne tarde pas à rencontrer dans le monde un ami qui s'attache à elle et l'entretient. Quelques-unes ont joué un rôle brillant, quoique passager. Les plus sages économisent et se marient quand elles sont sur le retour.»

• *Voir aussi* PROSTITUTION.

GUET

La nécessité d'assurer une certaine sécurité dans les rues de Paris, surtout la nuit, alors que l'absence d'éclairage public assurait pratiquement l'impunité aux voleurs et assassins, a contraint très tôt les autorités à organiser une garde armée chargée du maintien de l'ordre. Dans son *Traité de la police*, Delamare évoque un édit de 595 de Clotaire II ordonnant que chaque cité du royaume franc possède un guet de nuit. Charlemagne renouvelle cette exigence dans un capitulaire de 813. Obligation désagréable et dangereuse pour les habitants de la ville, ce guet est dit «guet des métiers», car il est effectué la nuit par les représentants de chaque métier, à tour de rôle toutes les trois semaines. Suffisant tant que Paris n'est qu'une petite ville, ce guet n'est plus en mesure d'assurer la sécurité dès que la cité prend de l'importance, sans doute dès le règne de Louis VII ou de Philippe Auguste.

S'ajoute alors au guet des métiers, dit aussi guet bourgeois, guet assis ou guet dormant, parce que ses sentinelles sont installées à des postes fixes, un guet royal. Une ordonnance de décembre 1254 de Louis IX distingue nettement les deux guets et définit leurs tâches. Le chevalier du guet, peut-être nommé à l'origine gardien de la ville, est placé sous l'autorité du prévôt de Paris. Le premier gardien de la ville dont le nom ait été conservé est Geoffroy de Courferraud ou de Courfraud, attesté en 1260. Le chevalier du guet exerce son autorité sur les deux guets. Il est notamment secondé par deux clercs du guet chargés de convoquer les gens de métier devant effectuer leur tour de garde et de noter les défaillances éventuelles. Il dispose de douze sergents, dits sergents de la douzaine, qui assurent le guet de jour, tandis que vingt autres sergents à pied et douze à cheval sont chargés du guet de nuit. Les sergents à cheval patrouillent de poste en poste et s'assurent que les hommes de garde sont bien à leur place. Les gens de métier sont répartis six par six entre ces postes : sur le pavé du Châtelet pour garder les prisonniers, autour du bâtiment pour empêcher les évasions, dans la cour du Palais pour veiller sur les reliques de la Sainte-Chapelle et la résidence du roi, près de l'église de la Madeleine dans la Cité, à la place aux Chats (impasse des Bourdonnais), devant la fontaine des Innocents, sous les piliers de la place de Grève, porte Baudoyer.

L'organisation du guet laissait fort à désirer et son efficacité semblait douteuse, ce qui explique les ordonnances de réorganisation prises par le roi, notamment celle du 6 mars 1363 et celle de 1395 qui institue des concierges ou portiers dans chaque maison pour y assurer la sécurité. En 1461, le guet des métiers est doublé d'une garde bourgeoise appelée occasionnellement à la rescousse en période de troubles.

Peu satisfait de la garde bourgeoise et du guet assis, le roi les supprime le 7 novembre 1558 et le 30 mai 1559, portant les effectifs du guet royal à deux cent quarante archers dont trente-deux à cheval, répartis en quatre compagnies. La garde bourgeoise renaît quelques mois en 1562-1563, puis est à nouveau dissoute le 20 novembre 1563 et remplacée par un guet royal augmenté à quatre cents fantassins et cent cavaliers. Faute d'argent, il est impossible de conserver de tels effectifs et, le 5 août 1566, il faut renforcer le guet royal par la milice bourgeoise, à raison de cent hommes requis par quartier. Des réformes incessantes, contradictoires et inefficaces, faute de moyens financiers, achèvent de désorganiser les forces du guet.

Une insécurité devenue proverbiale oblige le roi à réagir et à créer, en 1667, la lieutenance générale de police qui a la haute main sur la police parisienne, y compris le chevalier du guet. Dès 1666 ont été créées neuf brigades de cavalerie pour patrouiller dans les rues. En 1688, le guet est doté d'un uniforme : justaucorps bleu galonné d'argent, plume blanche et bas rouges pour les sergents ; justaucorps de drap gris fer avec des boutons d'étain, parements de manches rouges, galonné d'argent, avec plume blanche et une bandoulière pour les soldats.

Au XVIIIe siècle, le guet royal est constitué de 4 lieutenants, 8 exempts, 139 archers dont 39 à cheval, 4 tambours, tous constitués en offices. La vénalité des charges a fait perdre au corps son peu d'efficacité et l'essentiel du maintien de l'ordre est assuré par la cavalerie créée en 1666. Formée d'anciens soldats, logés chez l'habitant dans le quartier Saint-Martin, à proximité de l'hôtel de leur commandant, rue Meslay, c'est, au début du siècle, une unité disciplinée et efficace dont les effectifs atteignent cent quarante-neuf hommes en 1750. C'est elle et non le guet qui rétablit l'ordre dans le faubourg Saint-Antoine lors des émeutes de 1709 et 1725. Son chef porte le titre de commissaire inspecteur du guet et de commandant de la compagnie d'ordonnance des gens à cheval. L'arrêt du Conseil du 15 septembre 1719 lui a confié le commandement d'une garde des ports et des remparts de deux cent cinquante-cinq hommes. En 1721, il possède aussi autorité sur la compagnie d'infanterie constituée de sergents et de soldats du guet « par commission », c'est-à-dire non titulaires d'offices, qui assure la garde de douze postes fixes tenus auparavant par des huissiers au Châtelet. Ces « barrières des sergents » sont portées à dix-neuf, le 23 août 1750, à raison de douze hommes par poste. Cette garde, que la population ne distingue guère du guet, apparaît sous la dénomination de garde de Paris dans la déclaration royale du 30 juin 1771.

A la mort du chevalier du guet Choppin en 1733, sa charge reste sans titulaire et le commissaire inspecteur du guet Duval contraint les officiers du guet à servir sous ses ordres et dans ses compagnies, le guet se trouvant ainsi pratiquement intégré dans les nouvelles structures. Ce n'est qu'après trente-deux ans de vacance que la charge de chevalier du guet est à nouveau attribuée, en 1765, au profit du commandant de la garde. L'édit du 5 septembre 1771 supprime la compagnie du guet en charge et en crée une nouvelle de soixante-dix hommes soumis à la discipline militaire de la garde de Paris. Ce guet résiduel ne joue plus qu'un rôle insignifiant dans le maintien de l'ordre, l'essentiel étant assuré par la garde de Paris, forte en 1775 de huit cent cinquante-deux fantassins et de cent onze cavaliers.

Cette institution complexe dans laquelle la garde, de constitution récente et progressive, évince progressivement l'ancien guet, est détestée par la population à la veille de la Révolution à cause de sa brutalité. Mal payée, recrutée dans la lie de la société, dans le rebut des milices provinciales, elle compte fort peu de Parisiens alors que le guet moribond est exclusivement formé d'habitants de la capitale. L'hostilité entre les deux corps est d'ailleurs évidente. Ces soldats non casernés mais soumis à une discipline rigoureuse, victimes de la cupidité du chevalier du guet qui les vole autant qu'il le peut, désertent souvent et le renouvellement des effectifs est incessant. Sébastien Mercier juge sévèrement ces soldats dans son *Tableau de Paris*, les présentant comme une machine « bien montée depuis cinquante ans », mais il avoue que si cette machine « venait à s'arrêter, Paris serait en proie aux horreurs d'une ville prise d'assaut ». La situation bâtarde de ce corps, militaire mais immergé dans la population, explique à la fois la dureté de la répression des premières émeutes en 1788-1789, puis sa contamination par les idées révolutionnaires et sa désagrégation.

• *Voir aussi* GARDE DE PARIS ; POLICE.

GUILLOTINE

Au nom de l'égalité et du progrès, le docteur Guillotin fait abolir l'aimable diversité des supplices d'Ancien Régime (pendaison, décapitation, bûcher, ébouillantage, roue, écartèlement, etc.) au profit « d'une machine dont le jeu trancherait la tête aux criminels en un clin d'œil ». Avec l'aide de Tobias Schmidt ou Schmitt, facteur de pianos et de harpes, le chirurgien Antoine Louis met au point une machine qui paraît avoir déjà existé dès le XIIIᵉ siècle dans les îles Britanniques, en Allemagne, en Italie et dans le midi de la France (où elle servit à l'exécution du maréchal de Montmorency en 1632 à Toulouse).

D'abord surnommée Louison, la guillotine est inaugurée en place de Grève, le 25 avril 1792, pour le voleur Nicolas Jacques Pelletier. Divers malandrins lui succèdent sous la lunette. L'insurrection du 10 août 1792 et la chute de la monarchie livrent à la machine ses premières victimes politiques. En tête vient Collenot d'Angremont, guillotiné le 21 août sur la place du Carrousel, face aux Tuileries qu'il avait eu le front de défendre contre les sans-culottes. Le 25 septembre, un vieillard de soixante-quatorze ans, l'écrivain Cazotte, rescapé des massacres de septembre, livre sa tête au rasoir national. Exceptionnellement, le roi a droit à la place de la Concorde, rebaptisée place de la Révolution, le 21 janvier 1793.

Le 10 mai 1793, la Convention quitte la salle du Manège pour s'installer dans la salle dite des Machines du palais des Tuileries. Effarouchés par les guillotinades, les sensibles députés exigent le départ de la machine. Le 17 mai, elle commence à fonctionner sur la place de la Révolution. Elle y demeure jusqu'au 7 juin 1794, coupant mille deux cent vingt et une têtes, une modeste moyenne d'un peu plus de trois exécutions par jour.

Blasée, la foule parisienne commence à manifester un dégoût certain de ces réjouissances révolutionnaires, ce qui incite la Convention à voter l'éloignement de la guillotine du centre de la ville sous prétexte d'hygiène. Le 9 juin 1794, elle est dressée sur la place Saint-Antoine (rue de la Bastille), près de la Bastille démolie. Elle y coupe soixante-treize têtes en trois jours, mais les sensibles sans-culottes du Marais et du faubourg s'émeuvent à leur tour et exigent l'éloignement de l'engin à cause des risques d'épidémie. Le 13 juin, la guillotine est reléguée à la limite orientale de la ville, place du Trône-Renversé (aujourd'hui dite de la Nation). Grâce au zèle de Robespierre et de ses fidèles, la machine adopte enfin des cadences révolutionnaires. Mille trois cent soixante-seize têtes tombent du 11 juin au 27 juillet, soit près de trente par jour. L'Incorruptible ayant à son tour éternué dans le sac, la fièvre d'exécutions s'apaise.

Revenue place de Grève en 1795 et surtout destinée aux condamnés de droit commun, la guillotine n'en bouge pratiquement pas jusqu'à la révolution de juillet 1830. Le 3 février 1832, elle commence à fonctionner à la barrière Saint-Jacques, dite aussi d'Arcueil, au carrefour des actuels boulevard Saint-Jacques et rue du Faubourg-Saint-Jacques. Les exécutions ont désormais lieu, non plus en plein jour, mais au petit matin, entre quatre et cinq heures, les condamnés arrivant en charrette de la prison de Bicêtre.

La construction en 1831 de la Roquette et le transfert des condamnés à la peine capitale dans cette prison contraint la charrette à un long trajet à travers la capitale. Après l'exécution de Viou, le 18 juin 1851, la barrière Saint-Jacques est abandonnée au profit du rond-point de la Roquette, à l'entrée de la prison, où Humblot est le premier à perdre la tête, le 16 décembre 1851.

Le 1er février 1899 a lieu la dernière exécution à cet endroit, la prison pour hommes de la Grande Roquette ayant été condamnée à la démolition. C'est désormais non loin de l'ancienne barrière Saint-Jacques, boulevard Arago, près du mur de la prison de la Santé, qu'ont lieu les exécutions. En 1939, les exécutions cessent d'être publiques et se font dans la cour de la prison. La guillotine y a été dressée une dernière fois le 28 novembre 1972 pour Claude Buffet et Roger Bontems. En 1981, la peine de mort a été abolie.

• *Voir aussi* BOURREAU ; ÉCHELLE DE JUSTICE ; EXÉCUTION CAPITALE ; GIBET ; PILORI.

GUINGUETTE

C'est sans doute sous la Régence que la guinguette est née. Le *Dictionnaire du commerce* de Savary, paru en 1723, la définit comme «un nom de caprice nouvellement inventé, qu'on donne aux petits cabarets établis aux environs de Paris au-delà des barrières, où le menu peuple va en foule se divertir le dimanche et les fêtes, à cause que le vin y coûte moins, ne payant point ou peu de droits d'entrée. Quelques-uns croient que le mot de guinguette vient de guinguet, qui veut dire petit vin, parce qu'il ne s'en débite point d'autre dans ces sortes de cabarets.»

Dans leur *Dictionnaire de Paris* de 1779, Hurtaut et Magny écrivent que les guinguettes sont des «cabarets établis un peu au-dessus des différentes barrières des entrées de Paris. Les fêtes et dimanches, ils sont remplis d'une multitude innombrable de gens de toutes espèces et surtout d'artisans, gens de métiers et gagne-deniers, qui y vont pour s'y délasser des fatigues de la semaine. Dans le nombre de ces cabarets, il en est quelques-uns plus honnêtes, où les bourgeois, marchands et

UNE GUINGUETTE A BELLEVILLE, LE DIMANCHE SOIR

gens un peu aisés ne répugnent point d'aller avec leurs familles. »

Quoique l'ordonnance de police du 26 juillet 1777 ait interdit aux guinguettiers d'« avoir des violons et tenir des assemblées de danse chez eux les jours ouvriers, si ce n'est en cas de noce », il semble que les guinguettes soient devenues dès le début du XIXᵉ siècle des débits de boisson où l'on danse et le terme en vient à désigner, dans la langue administrative, les bals de petite taille des barrières et même ceux donnés à l'intérieur de la capitale. Dans son étude sur *Guinguettes et lorettes*, François Gasnault dresse la statistique des progrès des guinguettes : 367 en 1830, dont 138 à Paris et 229 à la périphérie, 496 en 1834, dont 235 à Paris et 261 aux environs. La plupart des communes annexées à la capitale en 1860 comptaient un grand nombre de guinguettes. Montrouge, avec les établissements des barrières d'Enfer, du Maine et du Montparnasse, Belleville, avec les barrières de la Courtille, des Trois Couronnes, de Ménilmontant, des Amandiers, Montmartre et Vaugirard semblent en avoir eu la plus forte densité.

Les orchestres des guinguettes paraissent avoir été très limités, trois ou quatre instrumentistes au maximum, violon, clarinette ou flageolet, tambour, grosse caisse. La clientèle des guinguettes est particulière et l'on s'y trouve en pays de connaissance, entre maçons, militaires, clercs de notaires, Auvergnats... Dans son *Tableau de Paris* de 1850, Edmond Texier note que ces lieux de danse, « démocratiques en apparence, sont au fond plus exclusifs que les salons du noble faubourg. Jusques aux chiffonniers qui, par droit de conquête, se sont réservés d'inabordables sanctuaires à la barrière du Maine.»

Le peuplement de la banlieue garantit aux guinguettes de banlieue une clientèle locale qui en éloigne les Parisiens. L'annexion de 1860, les usines, l'urbanisation refouleront les guinguettes hors de l'agglomération, le long de la Marne et de la Seine, à Nogent, Joinville, Suresnes...

• *Voir aussi* **BAL PUBLIC** ; **CABARET**.

GYMNASE

Redécouverte à la Renaissance, la gymnastique gréco-romaine est longtemps limitée aux académies où la noblesse fait instruire ses enfants (voir ACADÉMIE). On y enseigne pêle-mêle des rudiments d'histoire, de mathématiques, d'art militaire, l'équitation, la danse, l'escrime.

Il faut attendre Amoros pour que la gymnastique au sens moderne soit enseignée à Paris. Cet Espagnol, rallié à Napoléon et contraint de fuir son pays en 1813, ouvre le premier établissement public français d'éducation physique le 1er janvier 1818, le gymnase de l'Institution Durdan, au 9, rue d'Orléans (Daubenton). La description qu'en donne le docteur Jean Philippe, dans la *Revue pédagogique* du 15 novembre 1913, confirme qu'il s'agit bien d'un gymnase au sens moderne, destiné à la pratique de l'éducation physique. L'établissement connut un vif succès. Balzac, qui le fréquenta, évoque, dans *La Rabouilleuse*, «ces diables [qui] devinrent alertes comme des élèves d'Amoros».

L'enseignement de la gymnastique aux sapeurs-pompiers par Amoros s'étant révélé fort utile, le ministre de la Guerre décide la création d'un gymnase militaire pour former des moniteurs d'éducation physique. Le 1er mai 1820 est inauguré le gymnase normal militaire et civil de Grenelle (22-24, place Dupleix), confié à Amoros. Par souci d'économie, il sera supprimé en janvier 1838.

Prévoyant sa disparition — l'Administration avait cessé de le subventionner dès 1833 —, Amoros crée, en 1834, un gymnase civil et orthosomatique au 14, rue Jean-Goujon. Il lui survivra et durera au moins jusqu'en 1856.

Concurrent malheureux de Francisco Amoros, le Suisse P.H. Clias, auteur en 1819 de *La Gymnastique élémentaire*, réussit à se faire nommer inspecteur de la gymnastique pour les établissements scolaires en 1841. Il crée sa propre école au 75 de la rue Saint-Lazare où il enseigne aux enfants des écoles. Elle deviendra en 1848 le gymnase du Mont-Blanc.

En 1852, la création de l'École de Joinville, réservée aux militaires, marque un nouvel essor de la gymnastique, introduite dans le domaine scolaire en 1854 et devenue obligatoire pour les garçons en 1869. Jusque-là, l'éducation physique demeure l'apanage d'établissements privés. On peut citer le gymnase d'Hippolyte Triat, 36, allée des Veuves (avenue Montaigne), ceux de Pascaud, 42, rue de l'Ouest (d'Assas) et 20, rue Saint-Gilles, le Grand Gymnase d'Eugène Paz au 40, rue des Martyrs.

En cette fin du XXe siècle, tous les établissements scolaires possèdent leur gymnase. La faveur dont jouissent «body building», «stretching», «aérobic», etc., a entraîné la prolifération d'innombrables salles et clubs privés.

GYPSE
Voir **PLÂTRE**.

H

HALLE

C'est en 1137 que Louis VI achète le terrain des Champeaux pour y débiter le blé de Beauce jusqu'alors vendu au marché de la rue de la Juiverie dans la Cité. En 1141, ce marché accueille également des commerçants venus de la place de Grève devenue trop petite. Dès son avènement, Philippe Auguste l'entoure d'une muraille bordée de loges abritées par des auvents, et y fait construire, entre 1181 et 1183, deux bâtiments, deux halles, pour protéger les marchandises des voleurs et les garantir des intempéries. Afin d'accroître le rôle de ces Halles, le roi y a transféré dès 1181 la foire Saint-Lazare qu'il a rachetée à la léproserie du même nom. L'expansion des Halles se poursuit : aux deux premières halles destinées aux drapiers et aux tisserands s'ajoutent trois nouvelles sous saint Louis, dont deux consacrées à la vente du poisson. En 1278, Philippe III ajoute une halle de la lingerie et une autre pour les cordonniers et peaussiers. Il y transfère aussi la foire Saint-Germain qu'il avait achetée à l'abbé de Saint-Germain-des-Prés. De petites halles particulières se multiplient pour diverses professions et notamment pour les marchands forains, portant le nom de leur ville d'origine : halles de Saint-Denis, de Gonesse, de Lagny, de Pontoise, de Beauvais, de Chaumont, de Corbie, d'Amiens, d'Aumale, de Douai, de Louvain, de Bruxelles. En 1320, l'ensemble du marché est achevé, véritable bazar où les denrées alimentaires n'occupent qu'une place mineure. Dans son *Tractatus de laudibus Parisiis*, Jean de Jandun écrit en 1328 que « quelques endroits des parties inférieures (de la maison dite les halles de Champeaux) et pour ainsi dire sous des amas, sous des monceaux d'autres marchandises, se trouvent des draps plus beaux les uns que les autres, dans d'autres de superbes pelisses, les unes faites de peaux de bête, les autres d'étoffe de soie […]. Dans la partie supérieure de l'édifice, qui couvre comme une rue d'une étonnante longueur, sont exposés tous les objets qui servent à parer les différentes parties du corps humain. »

A la suite de l'éphémère destruction de la Grande Boucherie (voir BOUCHERIE), des lettres patentes d'août 1416 créent seize étals de bouchers dans une partie de la halle de Beauvais. Jusqu'au XVe siècle, le vin était vendu à l'Étape, certainement située entre le parquet à la marée et les piliers des potiers d'étain, de la rue Pirouette à la rue des Prêcheurs. On y vendait aussi du pain et de la volaille dès le XIIIe siècle. On voit donc qu'à la fin du Moyen

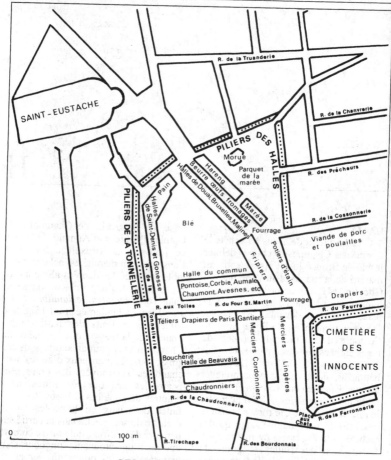

LES HALLES EN CHAMPEAUX

Âge, on commerçait, en gros et en détail, à peu près de tout aux Halles, à l'exception du bétail sur pied.

Entre 1543 et 1572, sous François Ier et ses successeurs, la « réformation » ou rénovation des Halles se fit progressivement ; elles prirent alors à peu près l'aspect qu'elles gardèrent jusqu'au milieu du XIXe siècle. Les Halles étaient entourées d'une galerie couverte formant de grands hangars, connus sous le nom de « piliers des Halles » ou de rue de la Tonnellerie, où étaient installés les fripiers. Il y avait les grands piliers de la rue Saint-Honoré à la pointe Saint-Eustache, et les petits de la rue Pirouette à la rue de la Cossonnerie. On distinguait deux types de halles. Les halles couvertes étaient au nombre de sept : halle aux draps, halle aux toiles, halle aux cuirs, halle à la saline ou fief d'Alby, halle à la marée fraîche, parquet de la marée, halle aux vins. Les halles découvertes se décomposaient en cinq ensembles. La grande halle contenait les halles aux blés et aux grains, à la farine, aux beurres, à la chandelle, aux chanvres, filasses et cordes à puits, aux pots de grès et à la boissellerie, à la chair de porc frais et salé. La halle au poisson d'eau douce se trouvait rue de la Cossonnerie. La troisième était dite halle au pilori. De la rue aux Fers à celle de la Cossonnerie s'étendait la halle aux poirées : herbes, légumes, fruits, fleurs. La dernière halle, celle de la rue aux Fers, était réservée aux jardiniers.

Il y eut cependant quelques modifications avant les Halles de Baltard. La halle au blé fut transférée en 1767 dans de somptueux bâtiments neufs élevés à l'emplacement de l'hôtel de Soissons (rue de Viarmes). Le marché des Innocents fut ouvert le 14 février 1789 à l'emplacement du cimetière désaffecté des Innocents. Un marché des viandes, dit marché des Prouvaires, fut inauguré en 1818 entre les rues des Deux-Écus, du Four, Traînée et des Prouvaires. La vente en gros des fromages y fut transférée en 1836. La halle aux tripes s'installa dans la halle au blé libérée par la nouvelle construction et divers produits changèrent de halle.

L'ordonnance du 17 janvier 1847 décida la construction de halles nouvelles. La première pierre fut posée le 15 septembre 1851. Baltard se vit confier l'édification de dix pavillons en fer occupant près de 3,5 hectares. Ces halles furent condamnées en 1963 et remplacées à partir de 1969 par le marché d'intérêt national de Rungis.

Outre les halles centrales, où ont lieu vente en gros et vente au détail, existent ou ont existé plusieurs halles consacrées au marché de gros. La halle aux vins fut ouverte en 1664 à l'angle de la rue des Fossés-Saint-Bernard et du quai du même nom. Elle disparut dans les années 1960 pour céder la place à la faculté des sciences de Jussieu. Les énormes entrepôts de Bercy, que l'on peut également assimiler à un marché de gros, couvraient plus de 40 hectares. Ils ont été édifiés entre 1809 et 1819 hors des limites de l'octroi pour éviter la taxation. Ils viennent d'être détruits, cédant progressivement leur place à un centre d'affaires permanent de l'industrie agro-alimentaire française et à une cité viti-vinicole. Il y avait aussi une halle au Cordouan ou au cuir. Située à l'origine dans les Halles centrales, rue au Lard, elle fut transférée en 1784 à l'emplacement de l'hôtel de Bourgogne (rues Mauconseil et Étienne-Marcel), d'où elle partit en 1868 pour le Ve arrondissement, à cheval sur la Bièvre, rues Santeuil et du Fer-à-Moulin. Il faut mentionner, à titre de curiosité, la halle au parchemin de l'Université de Paris, située de 1291 à 1726 dans le couvent des Mathurins (rue Du Sommerard).

• *Voir aussi* MARCHÉ.

HAMEAU

Section de village puis de commune, les hameaux étaient nombreux à la périphérie de la capitale. Celui de la Croix-Faubin (XIe arrondissement) a été absorbé dans Paris lors de la construction du mur des Fermiers-Généraux, en 1786-1787. Les autres ne l'ont été qu'en 1860, lors de l'annexion de onze communes périphériques et de parties de treize autres. Ce sont les hameaux du Bel-Air (XIIe), de la Maison-Blanche et de la Gare (XIIIe), de la Glacière, du Petit-Montrouge et de Plaisance (XIVe), de Javel (XVe), des Ternes et de Monceaux (XVIIe), de la Goutte-d'Or (XVIIIe), de Ménilmontant et de Fontarabie (XXe arrondissement). Tous ces hameaux, sauf ceux de la Glacière et de Fontarabie, ont donné leur nom à des quartiers du Paris actuel. La rue du Hameau, dans le XVe arrondissement, a pris ce nom en 1818, parce qu'elle desservait un groupe de maisons construites par le philanthrope Desrues, qui était nommé le « hameau du Brave Homme ». On peut aussi ran-

ger parmi les hameaux le pseudo-village d'Austerlitz.
• *Voir aussi* VILLAGE.

HAUTE COUTURE
Voir COUTURE (haute).

HAUTEUR DES IMMEUBLES

Au Moyen Âge, la hauteur des maisons est très variable, mais, dans une ville aussi densément peuplée que Paris, la plupart s'élèvent au moins sur trois niveaux : rez-de-chaussée, étage et comble, et mesurent au moins une douzaine de mètres du sol au toit. Cette élévation moyenne est figurée sur les miniatures et sur les plans. Plus on s'approche du centre, île de la Cité, environs de l'Hôtel de Ville, bas des rues Saint-Jacques et de la Harpe, plus les maisons sont étroites et élevées. Entre 1630 et 1780 une révolution dans la construction a progressivement lieu : la pierre se substitue au bois, ce qui permet d'édifier des maisons de plus en plus hautes, atteignant jusqu'à 20 mètres. La plus ancienne réglementation est l'ordonnance du Bureau des finances du 18 août 1667 qui limite l'élévation maximum à huit toises (15,5 mètres environ). Mais, ce texte ne concerne la maison que jusqu'à l'entablement, ce qui permet d'élever des combles d'une hauteur démesurée pour y loger des étages supplémentaires.

La déclaration royale du 10 avril 1783, complétée par les lettres patentes du 25 août 1784, établit un rapport entre la largeur des rues et la hauteur des maisons, le prospect. L'article 5 de 1783 est reconsidéré, de façon moins favorable aux propriétaires, dans l'article premier des lettres patentes de 1784 qui fixe ainsi la hauteur des édifices par rapport à la largeur des rues : « Dans les rues de trente pieds [10 mètres environ] de largeur et au-dessus, à cinquante-quatre pieds [17,60 mètres] ; dans les rues depuis vingt-quatre pieds [8 mètres] jusqu'à et y compris vingt-neuf pieds de largeur, à quarante-cinq pieds [14,60 mètres] ; et dans toutes celles en dessous de vingt-trois pieds de largeur, à trente-six pieds [11,66 mètres], le tout mesuré du pavé des rues jusqu'à et y compris les corniches et entablements [...]. Voulons que les façades ci-dessus fixées ne puissent jamais être surmontées que d'un comble, lequel aura dix pieds [3,25 mètres] au-dessus des corniches et entablements pour les corps de logis simples en profondeur, et quinze pieds [4,86 mètres] pour les corps de logis doubles. » Ainsi se trouve fixé par la loi, sous le règne de Louis XVI, l'immeuble à six étages et de 20 mètres de haut qui a constitué la règle générale de l'habitat parisien jusqu'au début du XXe siècle.

Cette réglementation est modifiée sous le second Empire par le décret du 27 juillet 1859 qui fixe la hauteur des maisons, non seulement en bordure des voies publiques, mais aussi dans les cours et les espaces intérieurs. Il reprend les principales dispositions d'arrêtés du 1er novembre 1844 et du 15 juillet-18 août 1848 et accorde les hauteurs suivantes :

11,70 mètres dans les rues de moins de 7,80 mètres de large

14,60 mètres dans les rues de 7,80 mètres à 9,75 mètres de large

17,55 mètres dans les rues de 9,75 mètres et plus.

Toutefois, cette hauteur de façade peut être portée jusqu'à 20 mètres dans les voies publiques de 20 mètres et plus, à condition de ne pas faire plus de cinq étages carrés au-dessus du rez-de-chaussée. Le décret du 23 juillet 1884 élève ces hauteurs à 12, 15, 18 et 20 mètres pour les mêmes gabarits de rues qu'auparavant.

Résultat de six années d'études, le décret du 13 août 1902 fait apparaître la notion de « gabarit », sorte de « contour-enveloppe » ou de profil d'ensemble. Pour les bâtiments en bordure de la voie publique, « le gabarit de la construction proprement dite est déterminé par une ligne verticale tracée à l'alignement. La cote de hauteur de cette ligne, mesurée à partir du niveau du trottoir ou du revers pavé au pied de la façade et prise au point milieu de cette façade, est ainsi calculée : dans les voies qui ont moins de douze mètres de largeur, la hauteur ne peut excéder six mètres, augmentée de la largeur réglementaire de la voie ; dans les voies de douze mètres de largeur et au-dessus, la hauteur ne peut excéder dix-huit mètres, augmentés du quart de la partie de la voirie dépassant douze mètres, sans que, dans aucun cas, cette hauteur puisse dépasser vingt mètres au-dessus du point d'attache. » Ainsi, les quatre catégories de 1884 sont supprimées au profit d'une règle de proportionnalité entre hauteur des bâtiments et largeur des voies. Aux carrefours sont appliquées d'autres règles.

Depuis 1950, cette réglementation a beaucoup évolué avec l'instauration du Coefficient d'utilisation des sols (CUS), rendu public par arrêté ministériel du 21 juillet 1961, auquel s'ajoute les complexes prescriptions du règlement d'urbanisme annexé au Plan directeur d'urbanisme de Paris approuvé par décret du 6 février 1967. En juin 1972, le CUS a été remplacé par le Coefficient d'occupation des sols (COS). Le Plan d'occupation des sols constitue le document de travail déterminant.

• *Voir aussi* ALIGNEMENT ; ANGLE (immeuble d').

HAUTEUR DES MONUMENTS

Quelques monuments émergent du paysage parisien. Voici les plus hauts :

Tour Eiffel : 320,75 mètres.
Tour Maine-Montparnasse : 210 mètres.
Invalides : 105 mètres.
Panthéon : 83 mètres.
Sacré-Cœur : 80 mètres.
Notre-Dame : 69 mètres.
Opéra : 54 mètres.

Arc de triomphe de l'Étoile : 49,54 mètres.
Colonne de la Bastille : 47 mètres.
Colonne Vendôme : 45 mètres.
Centre Georges-Pompidou : 42 mètres.

HEURE

L'Europe occidentale hérite du monde romain un jour civil partagé en vingt-quatre heures de durée inégale, commençant au milieu de la nuit et finissant au milieu de la nuit suivante. Ces heures sont réparties en douze heures de nuit et douze heures de jour de durée très variable, en fonction du cycle solaire, des saisons. Au Moyen Âge, la rareté des sabliers et autres clepsydres, le petit nombre de cadrans solaires, font que l'heure est essentiellement connue par les sonneries de cloches des églises et des couvents. Ce sont donc les heures des prières, dites canoniales ou canonicales, qui rythment la vie des Parisiens : matines (à minuit), laudes (à trois heures du matin), prime (première des douze heures de jour, vers six heures), tierce (neuf heures), sexte (midi), none (trois heures de l'après-midi, neuvième heure du jour romain), vêpres (vers six heures du soir, beaucoup plus tard en juin, plus tôt en décembre), complies (première heure de nuit romaine, vers neuf heures du soir en moyenne). A ces huit sonneries observées partout s'ajoutent d'autres offices également annoncés à son de cloches, que l'on a coutume de nommer « petites heures ». Ainsi, les samedis d'hiver, les fileuses de soie cessaient leur travail à six heures, et en été « puis que l'ausmone est sonée à Saint-Martin des Champs », spécifie le *Livre des métiers* vers 1270. Quant aux meuniers, ils ne devaient pas moudre le dimanche, depuis « que li eaue benoite est faite à Saint-Liefroy dessi adont que l'on sone vespre ». Enfin, les crépiniers quittaient le travail « puis l'eure que queuvrefeu est sonez à Saint-Merri ». Les églises sonnaient le couvre-feu à sept heures du soir en hiver et à huit en été.

Il incombait donc aux religieux, curés ou moines, de rythmer aussi la vie de la société civile. Cela n'allait pas sans mal ni sans fantaisie, les religieux utilisant avec plus ou moins de rigueur la clepsydre et le cadran solaire, lorsqu'ils en possédaient. Albert Babeau a recensé en 1789 quelque 66 églises, 92 chapelles, 13 abbayes et 199 couvents, qui sonnaient souvent en avance ou en retard. L'astronome Delambre se plaignait, à la veille de la Révolution, «d'entendre souvent les horloges publiques sonner l'une après l'autre la même heure pendant au moins une demi-heure». Saint Louis témoignait de sa défiance des sonneries de cloches en préférant régler sa vie par l'emploi de chandelles, dont la longueur était calculée de façon qu'elles fussent consumées en un nombre d'heures précis : «Chascun jour, il s'en raloit en sa chambre, et adoncq estoit alumée une chandele de certaine longueur, c'est à savoir de trois piez ou environ; et en-dementieres que ele duroit, il lisoit en la Bible ou en un autre saint livre; et quant la chandele estoit sur sa fin, un de ses chapelains estoit apelé.» Cette technique avait donné naissance à une nouvelle division du temps, surtout la nuit, partagée en «trois chandelles». Ainsi Ducange donne-t-il en exemple dans son *Dictionnaire* : «Ce faisant, le suppliant mist et vacqua tout ledit jour, et bien jusques à deux chandelles de nuit.»

Une telle imprécision devient difficilement supportable avec le développement économique des villes et l'essor du travail salarié. Un temps plus régulier, plus précis devient indispensable et les cités industrieuses entreprennent de se doter d'horloges à poids à la fin du XIIIe siècle. Charles V, très attaché à l'établissement d'une heure précise, fait brûler en permanence, dans sa chapelle, un cierge marqué de vingt-quatre divisions indiquant les vingt-quatre heures du jour et de la nuit. Des serviteurs lui signalent, à sa demande, la marque atteinte par la flamme. Christine de Pisan, qui nous relate ce procédé, en conclut : «par ceste prudent mesure trouver, est à présumer qu'encore n'estoyent orloges communs». Vers 1370, ce même roi ordonne d'installer au cœur même de Paris, dans son palais de la Cité, une horloge sonnant les heures. Il se fait aussi construire des horloges dans ses deux autres résidences de l'hôtel Saint-Paul et du château de Vincennes et, note Guillaume Durant, évêque de Mende, dans son *Racional des divins offices*, «ce a ordonné le roy Charles à Paris les cloches qui à chascune heure sonnent par pointz à manière d'orloge, si comme il appert en son palais royal et à Sainct Pol et au boys de Vinciennes. Et a fait faire ce, affin que les religieux et aultres gens saichent les heures.» Les Parisiens se trouvent ainsi enfin dotés d'une heure officielle et régulière, qui n'est plus dictée par le soleil ou par les offices religieux. Mais ce monopole royal est vite battu en brèche, les églises Saint-Paul et Saint-Eustache étant déjà dotées d'horloges en 1418.

La mise au point puis la vulgarisation de la montre met l'heure à la disposition des individus. Pourtant, au XVIIIe siècle, loin de disparaître comme des instruments démodés, les cadrans solaires et les méridiennes connaissent un regain de popularité et viennent au secours des horlogers et des particuliers pour leur permettre de vérifier l'exactitude des pendules et des montres. Dans leur *Dictionnaire historique de la Ville de Paris*, paru en 1779, Hurtaut et Magny observent : «Il n'y a presque point de grandes places, de grandes rues, de palais, de jardins publics, où l'on n'ait pris soin de tracer des lignes méridiennes, avec des devises de la plus grande justesse et précision.» Le cadran solaire le plus consulté par les Parisiens, celui du Palais-Royal, est décrit vers 1750 par Casanova dans ses *Mémoires* : «On voit beaucoup de monde dans un coin du jardin, se tenant immobile et le nez en l'air. Je demande à mon nouvel ami ce qu'il y avait de merveilleux : on se tient attentif à la méridienne devant le cadran solaire, chacun a sa montre à la main pour la régler au point de midi. — Est-ce qu'il n'y a pas de méridienne partout ? — Si fait, mais celle du Palais-Royal est la plus exacte. » A la même époque, Balthazar Neel écrit : « Il n'y avait que la vue du soleil qui me rassurait un peu ; je le reconnaissais encore pour être le même que je voyais au Palais-Royal, toutes les fois que j'allais au méridien régler ma montre. » Soucieux de faire connaître aux Parisiens l'heure exacte, telle qu'elle est déterminée à l'Observatoire, le directeur de cet établissement, Jean-Dominique Cassini, propose d'installer un canon méridien « dont la détonation annoncerait chaque jour le midi vrai aux habitants de la capitale ». Son projet est refusé, car le bâtiment est en mauvais état et les détonations risqueraient de le mettre en danger. Le duc de Chartres le reprend à son compte et installe ce canon en décembre 1784 au Palais-Royal. Bachaumont le décrit dans ses *Mémoires secrets* : « Il a tenu parole, car, outre le méridien, il a fait pratiquer, dans la ligne véritable, une petite chambre qu'on remplit de poudre, ce qui forme explosion dès que le soleil y frappe et avertit non seulement les promeneurs, mais tout le quartier, que le Soleil est au milieu de son cours. »

Si la Révolution a donné au monde le système métrique, la Convention n'a pu imposer sa décision de partager le jour astronomique en dix heures au lieu de vingt-quatre, chaque heure comptant cent minutes.

Le problème qui se pose au XIXe siècle naissant n'est pas la décimalisation de l'heure, mais l'adoption d'un temps moyen. L'industrie en plein essor avait besoin d'une heure moyenne ne dépendant plus du soleil et de ses irrégularités. Dès 1770, Genève avait adopté une heure moyenne de durée identique

hiver comme été. Londres l'avait imité en 1792, Berlin suivit en 1810 et Paris en 1816. Mais Chabrol, préfet de la Seine, refuse de signer l'ordre de changement avant d'avoir un rapport favorable du Bureau des longitudes. « Il craignait, raconte Arago, que ce changement n'amenât un mouvement insurrectionnel dans la population ouvrière ; que celle-ci se refusât d'accepter un midi qui, par une contradiction dans les termes, ne correspondrait pas au milieu du jour, un midi qui partagerait en deux portions inégales le temps compris entre le lever et le coucher du soleil. » Cette crainte n'était pas dépourvue de fondement : à certaines dates de l'année, la durée de travail de la matinée pouvait dépasser celle de l'après-midi d'une demi-heure, et inversement. Pourtant, il n'y eut pas de protestation et l'heure ne fut plus mesurée que par des horloges, le soleil fut évincé sans bruit. En 1820, un décret avalisait cette révolution silencieuse en imposant des horloges publiques « dans tous les endroits où il se trouve une certaine réunion d'hommes ». La loi du 14 mars 1891 consacre la prééminence de Paris sur le reste de la France et sur l'Algérie en leur étendant le temps civil de Paris, car, est-il écrit, « le développement des moyens de communication a rendu nécessaire l'unification du temps marqué par les horloges publiques sur le territoire national ».

Étendue à la France entière, l'heure parisienne ne triomphe pas plus de vingt ans : la loi du 9 mars 1911 consacre la mondialisation de l'heure et la disparition de l'heure de Paris au profit de celle de Greenwich, l'observatoire situé à l'est de Londres, déjà méridien d'origine. Laconique, la loi dit : « L'heure légale, en France et en Algérie, est l'heure temps moyen de Paris, retardée de neuf minutes vingt et une secondes. » En compensation, Paris devient le siège du Bureau international de l'heure et le « clocher hertzien » de la tour Eiffel devient le centre horaire principal de la Terre entière. C'est à l'Observatoire de Paris que se trouve le Temps atomique international.

• *Voir aussi* CADRAN SOLAIRE ; HORLOGE, HORLOGER.

HEURES DU JOUR ET DE LA NUIT

Dès la fin du XIIIe siècle, Guillaume de la Villeneuve relate heure par heure les activités dans les rues de la ville dans *Les Crieries de Paris*. Bien d'autres auteurs se sont essayés à la description détaillée de la vie parisienne. On se bornera ici à donner le récit abrégé de Sébastien Mercier dans son *Tableau de Paris*, au début des années 1780, dans le chapitre intitulé « Les heures du jour ».

« Les différentes heures du jour offrent tour à tour, au milieu d'un tourbillon bruyant et rapide, la tranquillité et le mouvement. Ce sont des scènes mouvantes et périodiques, séparées par des temps à peu près égaux.

« A sept heures du matin, tous les jardiniers, paniers vides, regagnent leurs marais, affourchés sur leurs haridelles. On ne voit guère rouler de carrosses. On ne rencontre que des commis de bureaux qui soient habillés et frisés à cette heure-là.

« Sur les neuf heures, on voit courir les perruquiers saupoudrés des pieds à la tête (ce qui les a fait appeler « merlans »), tenant d'une main le fer à toupet, et de l'autre la perruque. Les garçons limonadiers, toujours en veste, portent du café et des bavaroises dans les chambres garnies. On voit en même temps des apprentis écuyers, suivis d'un laquais, qui, montés sur des chevaux, courent battre les Boulevards, et font payer quelquefois aux passants leur malheureuse expérience.

« Sur les dix heures, une nuée noire de suppôts de la justice s'achemine vers le Châtelet et vers le Palais. Vous ne voyez que des rabats, des robes, des sacs, et des plaideurs qui courent après.

« A midi, tous les agents de change et les agioteurs se rendent en foule à la Bourse, et les oisifs au Palais-Royal. Le quartier Saint-Honoré, quartier des financiers et des hommes en place, est très battu, et le pavé n'est rien moins que libre. C'est l'heure des sollicitations et des demandes de toute espèce.

« A deux heures, les dîneurs en ville, coiffés, poudrés, arrangés, marchant sur la pointe du pied de peur de salir leurs bas blancs, se rendent dans les quartiers les plus éloignés. Tous les fiacres roulent à cette heure, il n'y en a plus sur la place ; on se les dispute, et il arrive quelquefois que deux personnes ouvrent en même temps la portière, montent et se placent. Il faut aller chez le commissaire, pour qu'il décide à qui il restera.

« A trois heures, on voit peu de monde dans les rues, parce que chacun dîne : c'est un temps de calme, mais qui ne doit pas durer longtemps.

« A cinq heures et un quart, c'est un tapage affreux, infernal. Toutes les rues sont embarrassées, toutes les voitures roulent en tous sens, volent aux différents spectacles, ou se rendent aux promenades. Les cafés se remplissent.

« A sept heures, le calme recommence : calme profond et presque universel. Tous les chevaux frappent en vain du pied le pavé. La ville est silencieuse, et le tumulte paraît enchaîné par une main invisible. C'est en même temps l'heure la plus dangereuse, vers le milieu de l'automne, parce que le guet n'est pas encore à son poste ; et plusieurs violences se sont commises à l'entrée de la nuit.

« Le jour tombe ; et tandis que les décorations de l'Opéra sont en mouvement, la foule des manœuvres, des charpentiers, des tailleurs de pierre, regagnent en bandes épaisses les faubourgs qu'ils habitent. Le plâtre de leurs souliers blanchit le pavé, et on les reconnaît à leurs traces. Ils vont se coucher, lorsque les marquises et les comtesses se mettent à leur toilette.

« A neuf heures du soir, le bruit recommence : c'est le défilé des spectacles. Les maisons sont ébranlées par le roulis des voitures ; mais ce bruit est passager. Le beau monde fait de courtes visites en attendant le souper.

« C'est l'heure aussi où toutes les prostituées, la gorge découverte, la tête haute, le visage enluminé, l'œil aussi hardi que le bras, malgré la lumière des boutiques et des réverbères, vous poursuivent dans les boues en bas de soie et en souliers plats : leurs propos répondent à leurs gestes. On dit que l'incontinence sert à préserver la chasteté ; que ces femmes "vulgivagues" empêchent le viol ; que, sans les filles de joie, on se ferait moins de scrupule de séduire et d'enlever de jeunes innocentes. Il est vrai que le rapt et le viol sont devenus très rares.

« Quoi qu'il en soit, ce scandale, incroyable pour la province, se passe à la porte de l'honnête bourgeois qui a des filles, spectatrices de cet étrange désordre. Il leur est impossible de ne pas voir et de ne pas entendre ce que ces femmes licencieuses se permettent de dire. Et que deviendra le traité du philosophe sur la pudeur ?

« A onze heures, nouveau silence. C'est l'heure où l'on achève de souper. C'est l'heure aussi où les cafés renvoient les oisifs, les désœuvrés et les rimailleurs dans leurs mansardes. Les filles publiques qui vaguaient n'osent plus se montrer que sur le bord de leurs allées, dans la crainte du guet, qui, à cette heure indue, les "ramasse". C'est le terme usité.

« A minuit et quart, on entend les voitures de ceux qui ne jouent pas et qui se retirent. La ville alors ne paraît pas déserte : le petit bourgeois qui dort déjà est réveillé dans son lit, et sa moitié ne s'en plaint pas.

« Plus d'un petit Parisien doit sa naissance à la brusque commotion des équipages. Le tonnerre est encore, mais comme partout d'ailleurs, un grand populateur.

« A une heure du matin, six mille paysans arrivent, portant la provision des légumes, du fruit et des fleurs. Ils s'acheminent vers la Halle ; leurs montures sont lasses et fatiguées ; ils viennent de sept à huit lieues.

« La Halle est l'endroit où jamais Morphée n'a secoué ses pavots. Là, point de silence, point de repos, point d'entr'acte. Aux marayeurs succèdent les poissonniers, et aux poissonniers les coquetiers, et à ceux-ci les détailleurs ; car tous les marchés de Paris ne tirent leurs denrées que de la Halle : c'est l'entrepôt universel [...].

« Ce tumulte non interrompu forme un contraste avec le sommeil qui occupe le reste de la ville ; car à quatre heures du matin, il n'y a plus que le brigand et le poète qui veillent.

« A six heures, les boulangers de Gonesse, nourriciers de Paris, apportent deux fois la semaine une très grande quantité de pains : il faut qu'ils se consomment dans la ville ; car il ne leur est pas permis de les remporter.

« Bientôt les ouvriers s'arrachent de leurs grabats, prennent les instruments de leur profession, et vont aux ateliers [...].

« Le matin, les libertins sortent de chez les filles publiques, pâles, défaits, emportant la crainte plutôt que le remords ; et ils gémiront tout le jour de l'emploi de la nuit : mais la débauche ou l'habitude est un tyran qui les saisira le lendemain, et qui les traînera à pas lents vers le tombeau.

« Les joueurs plus pâles encore sortent des tripots obscurs ou renommés ; les uns se frappant la tête et l'estomac, jetant au ciel des regards désespérés ; les autres se promettant de revenir à la table qui les a favorisés, mais qui doit les trahir le lendemain... »

HEURE DU REPAS
Voir REPAS (heure du).

HIPPODROME
C'est le 15 mai 1651 qu'a lieu à Paris la première course de chevaux

véritablement organisée. Elle se déroule en présence du jeune Louis XIV et n'oppose que deux cavaliers, le prince d'Harcourt et le maître d'écurie du duc de Joyeuse, Le Plessis du Vernet. Le parcours est long et forme une boucle autour du bois de Boulogne : les chevaux partent du château de la Muette en direction de Saint-Cloud pour arriver au château de Madrid où se tient le roi. Le 25 février 1663, dans la plaine d'Achères, sept chevaux s'affrontent dans trois courses dont la récompense de mille pistoles est offerte par le roi. D'autres compétitions ont lieu épisodiquement, notamment le 1er juillet 1700 à Saint-Germain-en-Laye, en présence de la Cour et du roi Stuart d'Angleterre en exil. Le 6 août 1722, le chevalier d'Estaing, marquis de Saillans, ayant parié 20 000 livres qu'il accomplirait deux fois en six heures le trajet aller et retour de la porte Saint-Denis au château de Chantilly, part à six heures du matin et termine victorieusement sa course une demi-heure avant midi, après avoir parcouru environ 160 kilomètres en utilisant plusieurs montures.

Vers 1775, une dizaine de grands seigneurs disposant d'importantes écuries décident d'organiser des courses à l'imitation des Anglais et créent le premier hippodrome permanent dans la plaine des Sablons à Neuilly. La première course a lieu le 20 avril 1776 en présence d'une partie de la Cour et d'un grand nombre de Parisiens. Le cheval du duc de Chartres triomphe de celui du comte d'Artois. Quoique peu intéressé par ces courses, Louis XVI nomme directeur des courses un des fondateurs de l'hippodrome, le marquis de Conflans, et lui confie la rédaction du premier règlement des courses. Il est publié en 1780 et, dès le 2 avril 1781, dans le parc du château royal de Vincennes, ont lieu des courses organisées officiellement et nommées «plateaux du roi». Ces courses durent jusqu'en 1790 et, de même que celles des Sablons et de Fontainebleau, font

l'objet de commentaires dans le *Journal de Paris*.

Abolies au début de la Révolution, les courses de chevaux ressuscitent en 1796 sur le Champ-de-Mars. Conscient que ces compétitions peuvent contribuer à l'amélioration des races chevalines et donc à celle de sa cavalerie, Napoléon Ier réglemente les courses par le décret du 31 août 1805 signé au camp de Boulogne. Louis XVIII institue en 1819 un Prix Royal qui, changeant de nom avec les régimes, devient National puis Impérial ; il se prolonge jusqu'en 1869, puis prend le nom de Prix Gladiateur.

Sous Louis-Philippe, l'ordonnance du 3 mars 1833 institue un registre des filiations chevalines sur le modèle du *Stud Book* anglais. C'est à cette époque qu'est créé le champ de courses de Chantilly, à l'initiative de lord Seymour, fondateur de la Société d'encouragement pour l'amélioration des races de chevaux en France. Le prix du Jockey-Club, créé le 24 juin 1835, contribue largement au prestige de cet hippodrome. En 1843, le prix de Diane y est couru pour la première fois. La desserte par le chemin de fer à partir de 1846 facilite l'afflux de milliers de Parisiens.

Déchu, le Champ-de-Mars, tantôt boueux tantôt poussiéreux, est concurrencé par le non moins médiocre champ de courses de Satory, près de Versailles. Le duc de Morny suggère dès 1854 à Napoléon III de le remplacer par un nouvel hippodrome installé dans le bois de Boulogne en cours d'aménagement. Situé dans la plaine de Longchamp, il est inauguré le 27 avril 1857. *Le Moniteur* du 17 février 1856 en donne une bonne description : «La plaine était coupée par un bras de la Seine inutile à la navigation. Un mur de clôture et un mamelon élevé, au sommet duquel se trouvait l'ancien cimetière de Boulogne, la séparaient du bois. Le mur a disparu, le mamelon a fourni 420 000 m³ de déblais qui ont été employés à niveler la plaine et à combler le bras du fleuve. Toutefois, afin d'économiser les remblais, on a conservé certaines parties de ce vaste fossé qui forme aujourd'hui trois pièces d'eau réunies par un petit ruisseau. Ce ruisseau aboutit à la porte de Longchamp après avoir serpenté dans la plaine, où il baigne le pied d'un ancien moulin à vent qui sera converti en ruine pittoresque. Le nouvel hippodrome contient deux pistes de trente mètres de largeur. L'une, tracée dans la plaine, a deux mille mètres de longueur, l'autre, qui se développe en partie sur le plateau en pente douce reliant la plaine au bois, est de trois mille mètres. De vastes et élégantes tribunes adossées à la Seine et faisant face au bois pourront recevoir cinq mille spectateurs.» En 1863, y est couru le premier Grand Prix de Paris, ainsi appelé car il est subventionné pour moitié par le Conseil municipal. C'est là que triomphe à partir de 1865 le plus célèbre des chevaux français, *Gladiateur*, dont une statue s'élève sur les lieux de ses exploits. Le prix de l'Arc-de-Triomphe a été fondé à Longchamp en 1920.

Créée en 1863, la Société générale des Steeple-Chases se consacre aux courses d'obstacles. Après avoir utilisé le terrain de Vincennes et celui de la Marche, près de Villeneuve-l'Étang, elle fait aménager l'hippodrome d'Auteuil en 1873.

La Société d'encouragement pour l'amélioration du cheval français de demi-sang voit le jour à Caen le 21 octobre 1864 et organise des courses de trot. Les premières en région parisienne ont lieu en 1878 à Maisons-Laffitte. L'année suivante, la Société obtient du Conseil municipal de Paris la concession du champ de courses du plateau de Gravelle, dans le bois de Vincennes, où sont organisées en 1880 les premières épreuves de trot. A partir de 1883 s'y distingue *Fuschia*, un trotteur exceptionnel, comparable, un siècle plus

tard, à *Idéal du Gazeau*. En 1920, c'est sur l'hippodrome de Vincennes qu'est couru le premier prix d'Amérique. Le 20 juin 1952, les premières courses nocturnes y sont organisées.

Périodiquement transformés ou reconstruits, les trois hippodromes parisiens de Longchamp, Auteuil et Vincennes sont environnés d'une foule de champs de courses suburbains : Saint-Cloud, Maisons-Laffitte, Enghien, Chantilly, Rambouillet, Évry, Fontainebleau...

Il ne faut pas confondre ces champs de courses avec les cinq hippodromes parisiens qui se sont succédé de 1845 à 1907 et ont présenté des spectacles hippiques, de cirque ou de théâtre. Le premier a été ouvert par les Franconi à la barrière de l'Étoile en 1845, mais a disparu dès 1854 à cause de l'aménagement de la place de l'Étoile. Il fut remplacé par l'hippodrome de la porte Dauphine qu'un incendie détruisit en septembre 1869. L'Hippodrome de Paris, inauguré le 7 mai 1878, se trouvait entre les avenues Marceau et George-V. Il disparut en 1892. L'hippodrome du Champ-de-Mars prit la relève en 1894, mais dut fermer pour laisser la place aux bâtiments de l'Exposition universelle de 1900. Le 18 mai 1900 naquit l'hippodrome de la place Clichy qui fut transformé dès 1907 en salle de spectacles puis de cinéma.

• *Voir aussi* CHEVAL.

HÔPITAL

La tradition veut que l'Hôtel-Dieu ait été fondé en 651 par saint Landry, évêque de Paris. Il est assurément le plus ancien établissement hospitalier de la capitale et un texte confirme son existence en 829. Il se trouvait à l'origine sur le versant méridional de l'île de la Cité et fut transféré par Haussmann sur le côté nord du parvis Notre-Dame. Il s'agrandit sans cesse au cours des siècles, demeurant toujours insuffisant pour accueillir les milliers de misérables qui se pressaient à sa porte.

Ses bâtiments anciens, fort austères, disparurent à peu près totalement dans les trois incendies qui les ravagèrent au XVIIIe siècle, dans les nuits du 27 au 28 avril 1718, du 1er au 2 août 1737 et du 29 au 30 décembre 1772.

Il est impossible d'entrer dans le détail de l'histoire des hôpitaux parisiens. On se bornera ici à une nomenclature, en renvoyant à l'abondante bibliographie sur ce sujet, notamment D.-L. Mackay, *Les Hôpitaux et la charité à Paris au XIIIe siècle*, P. Vallery-Radot, *Deux Siècles d'histoire hospitalière, de Henri IV à Louis-Philippe (1602-1836)* et *Un siècle d'histoire hospitalière, de Louis-Philippe jusqu'à nos jours (1837-1949)*, *Dix Siècles d'histoire hospitalière parisienne, l'Hôtel-Dieu de Paris (651-1650)*, exposition de l'Assistance publique en 1961, C. Coury, *L'Hôtel-Dieu de Paris*, etc.

En 1171, on trouve mention d'un nouvel hôpital, dit de Saint-Gervais ou de Saint-Anastase, fondé par Garin le Masson et son fils Archer, qui convertissent en hôpital leur maison située sur le parvis, face à l'église Saint-Gervais. Il fut desservi, semble-t-il, d'abord par des religieux de l'ordre de Grandmont, puis par des sœurs, dites hospitalières de Saint-Anastase ou de Saint-Gervais, à partir de 1300 environ. Rebâti en 1411, mais toujours trop petit, l'hôpital émigra en 1656 vers l'hôtel d'O, rue Vieille-du-Temple, et la rue des Hospitalières-Saint-Gervais conserve son souvenir. Comme la plupart des autres établissements hospitaliers, il disparut à la Révolution et fut vendu comme bien national.

Du 142 au 164 de la rue Saint-Denis s'étendait l'hôpital de la Trinité, fondé par Guillaume Escuacol et Jean Palée en 1201, pour héberger les voyageurs et pèlerins arrivant le soir à Paris après la fermeture des portes de la ville. En 1210, les prémontrés prennent en charge l'établissement. N'ayant pratiquement plus de ressources, l'hôpital de la Trinité disparaît en 1545 et le Parlement affecte ses locaux à des enfants orphelins, dits Enfants bleus, de la couleur de leur tenue.

A l'angle de la rue Saint-Denis et de la rue des Lombards, un hospice aurait été édifié dès le IXe siècle pour héberger les pèlerins affluant vers l'église Sainte-Opportune voisine, mais il n'est pas mentionné dans les textes avant 1188. Il devint très tôt un lieu d'accueil réservé aux femmes pauvres ou malades et à celles qui arrivaient de province pour se placer comme servantes ou nourrices. Administré par des sœurs, il prit le nom d'hôpital de Sainte-Catherine ou des catherinettes.

Il y avait plusieurs autres hospices pour femmes. A l'intersection de la rue du Temple et du passage Sainte-Avoie, Jean Sequence, curé de Saint-Merri, et Constance de Saint-Jacques avaient ouvert en 1288 l'hospice Sainte-Avoie destiné à quarante veuves pauvres. A l'emplacement du jardin situé au sud de l'Hôtel de Ville avait été fondé en 1306 par Étienne Haudri, pannetier de Philippe le Bel, l'hospice des Haudriettes, également réservé à des veuves sans ressources. En 1620, il fut remplacé par une communauté de sœurs augustines. Guillaume d'Auvergne avait créé, avec l'appui de Louis VIII (roi de 1223 à 1226), une communauté monastique et un hôpital, la maison des Filles-Dieu, pour héberger des prostituées repenties. Cette fondation reçut de Louis IX une rente de 400 livres. D'abord établie hors des murs, près de Saint-Lazare, la communauté fut transférée au XIVe siècle à l'intérieur de la nouvelle enceinte de Charles V, vers l'actuel 237 de la rue Saint-Denis, dans l'ancien hôpital d'Imbert de Lyon, fondation privée comme la Maison-Dieu de Philippe de Magny (angle des rues Montorgueil et Tiquetonne) dite aussi hôpital Saint-Eustache, la Maison-Dieu de Jean l'Écuellier, la Maison-Dieu Saint-Marcel attestée en 1233. Il est

VUE DE L'HÔTEL-DIEU, prise du Petit Pont

impossible de citer ici tous ces petits établissements de charité privée.

Parmi les établissements plus importants, Saint-Lazare est traité dans l'article sur les léproseries. On ne sait presque rien de la Maison-Dieu de Saint-Mathurin ou de Saint-Benoît qui se trouvait près des thermes de Cluny, mentionnée dans une bulle de 1197. Il existait deux hospices Saint-Jacques. La commanderie Saint-Jacques-du-Haut-Pas (254, rue Saint-Jacques), filiale d'un ordre hospitalier, militaire et religieux italien, a une origine remontant, selon les historiens, à 1183 ou 1286. Devenu un hôpital destiné aux soldats blessés en 1554, l'établissement fut attribué en 1572 aux religieux de Saint-Magloire qui avaient dû quit-

ter la rue Saint-Denis et fut transformé en couvent. L'hôpital Saint-Jacques-aux-Pèlerins se trouvait à l'opposé du précédent, à l'emplacement des 129-135 de la rue Saint-Denis. Fondé par la confrérie du même nom en 1319, consacré aux pauvres dès le XVe siècle, il disparut, comme les autres, à la Révolution.

Il n'y eut, jusqu'au début du XVIIe siècle, qu'un seul établissement hospitalier important, sans atteindre toutefois l'importance de l'Hôtel-Dieu, la « Maison des povres aveugles » que Louis IX fit édifier entre 1254 et 1260 pour accueillir trois cents aveugles, ce qui lui valut le nom de Quinze-Vingts. Situés à proximité de la porte Saint-Honoré de l'enceinte de Charles V, les Quinze-

Vingts se dressaient à l'emplacement actuel du sud de la place du Théâtre-Français, de l'ouest de la place du Palais-Royal et s'étendaient jusqu'à la rue de Rivoli. Les bâtiments vétustes furent détruits et les Quinze-Vingts transférés en 1780 dans l'hôtel des mousquetaires noirs de la rue de Charenton, où l'institution se trouve toujours.

En 1363, des bourgeois charitables fondent en place de Grève l'hospice du Saint-Esprit pour les orphelins. Ces Enfants bleus en partiront en 1545 pour l'ex-hôpital de la Trinité de la rue Saint-Denis. François Ier leur adjoint en 1534 l'hôpital des Enfants-Rouges, établi au 90 de la rue des Archives pour d'autres orphelins, cette fois-ci vêtus de rouge. Les personnes atteintes de la syphilis furent envoyées à l'hôpital de Lourcine (rue Broca) à partir de 1559, qui fut transformé en 1596 en commanderie de Sainte-Valère pour accueillir les soldats blessés.

Avec Henri IV, les hôpitaux reçoivent une impulsion particulière. La Charité est installée en 1601 au coin du quai Malaquais et de la rue de la Petite-Seine (Bonaparte), à l'emplacement de l'actuelle École des beaux-arts. Géré par les frères de Saint-Jean-de-Dieu appelés par Marie de Médicis, cet hôpital de Saint-Jean-Baptiste de la Charité finira par s'étendre jusqu'à la rue Jacob en 1853. Il n'a été fermé que le 15 avril 1935.

Pour les contagieux, deux établissements sont créés, la Sanitat de Saint-Marcel ou la Santé, aménagée en 1606, qui reste ouverte aux pestiférés jusqu'en 1636. Elle fut remplacée en 1652 par la Sanitat de Sainte-Anne, devenue en 1861 une clinique d'aliénés. Sur la rive droite, en 1616, s'ouvre l'hôpital Saint-Louis, dont le nom rappelle le roi mort de la peste en 1270 devant Tunis. Cet hôpital a été si bien conçu que Tenon, dans le dernier quart du XVIIIe siècle, ne tarit pas d'éloges sur lui, écrivant : « Je ne puis qu'applaudir aux savantes dispositions de cet hôpital,

elles convenaient à un hôpital de pestiférés. »

C'est dans une tout autre intention que de soigner hors de la ville les contagieux qu'est créé en 1612 l'hôpital de la Pitié. Il ne vise qu'à l'incarcération des mendiants très nombreux dans les rues de la capitale. C'est d'ailleurs sous l'appellation d'« Enfermez » que Gomboust le désigne sur son plan vers 1650. Il est le premier élément d'une politique d'enfermement des indigents systématique avec la création en 1656 de l'Hôpital général. Celui-ci comporte aussi Bicêtre (en banlieue), l'ancien hôtel de Scipion Sardini transformé en boulangerie et boucherie de cette immense prison pour pauvres, et la Salpêtrière ou Petit-Arsenal, réservée aux femmes.

En 1634, rue de Sèvres, le cardinal de La Rochefoucauld fait édifier un hospice pour les Incurables, devenu l'hôpital Laënnec. En 1670, « pour loger, nourrir et entretenir de toutes choses les officiers et soldats blessés au service du roy », Louis XIV ordonne la construction des Invalides. Peu après, en 1674, les dames de charité de Saint-Vincent-de-Paul ouvrent au faubourg Saint-Antoine un nouvel hospice pour les enfants abandonnés, les Enfants-Trouvés. L'établissement connaîtra de multiples transformations, deviendra hôpital Sainte-Marguerite, Sainte-Eugénie, des Enfants-Malades, Trousseau, avant d'être démoli en 1902 pour céder la place au square Trousseau. Dernière création officielle importante de l'Ancien Régime, l'hôpital militaire des Gardes-Françaises (rue Dupont-des-Loges) est fondé en 1759. Il gardera son affectation militaire, mais changera plusieurs fois de nom jusqu'à sa destruction en 1896. Il faut mentionner aussi le petit hospice du Collège de chirurgie destiné aux « indigents atteints d'affections chirurgicales graves et extraordinaires », premier établissement parisien pourvu de lits en fer. Reconstruit en 1832, nommé hôpital des

Cliniques, il fut démoli en 1878 pour laisser place à l'École pratique de médecine (rue de l'École-de-Médecine). En 1778, l'épouse du ministre Necker ouvrait un hospice de Charité qui est à l'origine de l'hôpital Necker. De son côté, l'abbé Cochin ouvrait en 1782 l'hospice Saint-Jacques-du-Haut-Pas, précurseur de l'actuel hôpital Cochin. En 1781, la Maison royale de Santé, partiellement financée par la vicomtesse de La Rochefoucauld, commençait à sortir de terre au Petit-Montrouge. Elle fut transformée en maison de retraite dès 1802 et s'élève au 15 de l'avenue du Général-Leclerc. Le riche financier Beaujon est à l'origine d'un établissement pour orphelins ouvert en 1785, au 208 de la rue du Faubourg-Saint-Honoré. Au 111 du boulevard de Port-Royal avait été ouvert en 1784 un hôpital réservé aux personnes atteintes de maladies sexuellement transmissibles, installé dans un ancien couvent de capucins. Il reçut en 1892 le nom du docteur Ricord qui avait été son médecin en chef.

C'est la Révolution qui fait en 1795 de l'abbaye de Saint-Antoine, située dans le faubourg du même nom, un hôpital. Elle venait de décider, en juillet 1793, de transformer le couvent du Val-de-Grâce en hôpital militaire. Quant à Port-Royal, on en fit la Maternité. Les Enfants-Trouvés possèdent leur propre établissement à proximité immédiate dès 1814. Depuis 1942, leur établissement porte le nom d'hôpital-hospice Saint-Vincent-de-Paul.

Les créations sont nombreuses au XIXᵉ siècle : hospice des Ménages (ex-Petites-Maisons des aliénés, rue de Sèvres) ; hôpital militaire Villemin (remplaçant en 1861 l'hospice des Incurables-Hommes dans l'ancien couvent des récollets de la rue du Faubourg-Saint-Martin) ; hôpital des Enfants-Malades (installé en 1802 dans la Maison royale de l'Enfant-Jésus de la rue de Sèvres) ; Maison municipale de Santé (installée en 1802 dans l'hôpital du Saint-Nom-de-Jésus de la rue du Faubourg-Saint-Martin, puis rue du Faubourg-Saint-Denis, dans l'ancienne communauté des sœurs grises sise en face de la prison Saint-Lazare) ; Institution Sainte-Périne (fondée en 1806, « le Louvre des hospices » selon Maxime Du Camp) ; la Maison Saint-Lazare (située dans la prison pour y soigner les femmes malades) ; l'hôpital Broca qui remplace celui de Lourcine en 1834 ; Lariboisière (achevé en 1854) ; Tenon (1878) ; Andral (1880) ; clinique Tarnier (1881) ; hôpital Bichat (1882) ; Broussais (1883) ; clinique Baudelocque (1890) ; hospice Alquier-Debrousse (1892) ; hôpital provisoire du Bastion 29 (de 1893 à 1934) ; Boucicaut (1897) ; Trousseau (1901) ; Bretonneau (1901) ; Hérold (1904) ; hôpital franco-brésilien de la rue de Vaugirard (1921) ; Ambroise-Paré (1922) ; Marmottan (1936), etc. Cette liste omet un certain nombre d'institutions privées souvent importantes.

En 1994, les principaux établissements hospitaliers sont les suivants : Hôtel-Dieu (IVᵉ arrondissement), Val-de-Grâce et Institut Curie (Vᵉ), Cochin et Tarnier (VIᵉ), Laënnec et Invalides (VIIᵉ), Fernand-Widal, Lariboisière, Saint-Lazare, Saint-Louis (Xᵉ), Diaconesses, Quinze-Vingts, Rothschild, Saint-Antoine, Trousseau (XIIᵉ), Pitié-Salpêtrière (XIIIᵉ), Broussais, Cochin, hôpital international de l'Université de Paris, Léopold Bellan, Sainte-Anne, Saint-Joseph, Saint-Vincent-de-Paul (XIVᵉ), Boucicaut, Cognacq-Jay, Necker-Enfants-Malades, Pasteur, Saint-Jacques, Saint-Michel, Vaugirard (XVᵉ), Henry-Dunant, Sainte-Périne-Chardon-Lagache-Rossini (XVIᵉ), Marmottan (XVIIᵉ), Bichat-Claude-Bernard (XVIIIᵉ), fondation ophtalmologique Adolphe-et-Edmond-de-Rothschild, hôpital Robert-Debré (XIXᵉ), Croix-Saint-Simon, Tenon (XXᵉ). L'Assistance publique gère la majeure partie de ces hôpitaux.

• *Voir aussi* **ALIÉNÉ** ; **ASSISTANCE** ; **ASSISTANCE PUBLIQUE** ; **BUREAU DE BIEN-**

FAISANCE ; CONFRÉRIE ; ENFANT AS-
SISTÉ ; ENFANT MALADE ; ENFANT
TROUVÉ ; GRAND BUREAU DES PAU-
VRES ; LÉPROSERIE ; MENDICITÉ.

HORLOGE, HORLOGER

Pendant des siècles, les Parisiens ne disposèrent que des cloches des églises pour connaître l'heure. L'expansion économique des cités médiévales et l'essor du travail salarié qui en était la conséquence firent éprouver le besoin de mieux maîtriser le compte des heures, notamment de travail. Dès la fin du XIIIe et le début du XIVe siècle, les villes d'Angleterre, de Flandre, d'Allemagne, de France, d'Italie, se dotent d'horloges. Ainsi, en 1335, le maire et les échevins d'Amiens obtiennent du roi Philippe VI l'autorisation de faire fabriquer une cloche spéciale destinée à faire connaître aux ouvriers de la ville l'heure du début de la journée de travail, celle de l'arrêt pour déjeuner et celle de la fin du labeur.

A Paris, un vestige du «journal du trésor» (compte) du Louvre conserve la trace du paiement de dix allocations, chacune de 6 livres, entre le 13 mai 1299 et le 4 mars 1300, versées à l'orfèvre Pierre Pipelart «*pro quodam horologio faciendo*», pour la fabrication d'une horloge. Il semble que cela ait été la plus ancienne de Paris. En 1341, une horloge est mentionnée à la Sainte-Chapelle. Mais la seule horloge qui ait subsisté jusqu'à nos jours est celle qu'Henri de Vic installe, sur ordre de Charles V, dans la tour carrée du palais de la Cité. Munie de poids et de sonnerie, cette horloge sonne les heures et les quarts d'heure. Installée en 1370, elle est entretenue par le «garde de l'horloge», Henri de Vic, puis, sans doute, son fils, moyennant 6 sous parisis par jour. Ce garde de l'horloge est attesté dans les comptes jusqu'au XVIIIe siècle. Attachant une grande importance à l'heure, Charles V se fit aussi installer des horloges dans ses demeures préfé-

rées, à l'hôtel Saint-Paul et au château de Vincennes.

Le Lorrain Henri de Vic est peut-être le plus ancien horloger parisien, mais cette profession se développe très rapidement et la renommée des horlogers de la capitale se répand vite : Pierre de Sainte-Béate, fabricant de l'horloge du château de Beauté, dit «nostre horlogeur» par Charles V, est appelé à Avignon dès 1375 par le pape Grégoire XI. En 1377, Pierre Merlin, horloger parisien, construit l'horloge de la cathédrale de Sens, puis, en 1384, celle de la cathédrale d'Angers.

En 1544, sept fabricants d'horloges (Fleurent Valleran, Jean de Presles, Jean Pantin, Michel Potier, Antoine Beauvais, Nicolas Moret, Nicolas Le Contandois) adressent une requête à François Ier et obtiennent, par lettres patentes de juillet, datées de Saint-Maur-des-Fossés, de s'organiser en communauté d'horlogers. La durée de l'apprentissage est fixée à six ans. Chaque maître ne peut avoir plus d'un apprenti à la fois, mais il peut en engager un second lorsque le premier a terminé sa quatrième année d'apprentissage. Ces premiers statuts sont confirmés en novembre 1572 par Charles IX. Vers la fin du XVIe siècle, Paris comptait vingt-deux horlogers, fabricant des horloges et des montres de toutes tailles et de formes très diverses, d'une précision toute relative, variant d'environ un quart d'heure par vingt-quatre heures.

En 1646, les horlogers rédigent de nouveaux statuts, approuvés par lettres patentes du 20 février. Le nombre des maîtres est désormais limité à soixante-douze et la durée de l'apprentissage est portée à huit ans. La plupart des édifices publics de la ville sont alors ornés d'une horloge : l'Hôtel de Ville et la Samaritaine notamment. Deux dynasties d'horlogers parisiens dominent la profession : les Martinet et les Bidault, logés dans les galeries du Louvre avec les meilleurs artistes et artisans du royaume. La révocation de l'édit de Nantes, en 1685, mit fin à l'hégémonie française, les meilleurs horlogers, refusant d'abjurer leur foi protestante, émigrant vers Genève et la Suisse, l'Angleterre, la Hollande. Vers 1750, l'horlogerie parisienne et française était totalement discréditée et une pièce de théâtre publiée vers 1750 contient cette réplique : « Un cocher de fiacre ne porterait pas une montre qu'elle ne fût anglaise. »

Le nombre d'horlogers avait pourtant progressé : ils étaient environ cent quatre-vingts dans les années 1780 et l'*Almanach Dauphin* pour 1772 mentionne parmi les plus réputés : Lepaute (horloger du roi, au Palais-Royal), Lépine (aussi horloger du roi, place Dauphine), Leroux (rue Guénégaud), Berthoud, Leroy (tous deux rue de Harlay), Romilly, Argand (place Dauphine), Divernois, Féron (rue Dauphine), Tavernier, Codevelle (rue de Buci), etc.

Au XIXe siècle se développe l'horlogerie électrique. C'est Louis Breguet qui met en place le premier réseau d'horloges en 1844 à Lyon. Il installe dix horloges électriques à Paris en 1859, mais un réseau d'horlogerie électrique publique à Paris n'est discuté dans la capitale qu'à partir de 1867, sur proposition de l'astronome Urbain Le Verrier, directeur de l'Observatoire. La guerre arrête la réalisation du projet. Un concours est organisé en 1876 pour électrifier quatre horloges publiques à partir du réseau télégraphique : celles de l'Observatoire, de la Bourse, de la gare Saint-Lazare et du Conservatoire des Arts et Métiers. Les essais furent concluants : les horloges ne varièrent pas de plus d'un tiers de seconde. Le réseau parisien fut mis en place à partir de 1878 avec douze centres horaires desservant quarante horloges. Le coût de l'entretien dissuada d'étendre ce réseau et, en 1914, on ne comptait toujours qu'une quarantaine d'horloges.

A ce système, le Conseil municipal préfère les horloges pneumatiques. Le 19 juillet 1881, le préfet de la Seine a approuvé une délibération des élus municipaux autorisant la Compagnie générale des Horloges pneumatiques à établir et conserver des tuyaux pour la conduite d'air comprimé en vue de la distribution pneumatique exclusive de l'heure. Cette technique, mise au point à Vienne par les ingénieurs autrichiens Popp et Resch, fonctionne de façon satisfaisante jusqu'à la rupture entre l'administration et cette société à la fin de 1892. Aujourd'hui, environ dix mille horloges publiques de la capitale sont actionnées par l'électricité : le quart dans les édifices publics, environ quatre mille sur le réseau des bus, du métro et du R.E.R., etc. Au nombre de six, les horlogers de la Ville sont chargés de l'entretien de ce réseau.

Pour terminer, il convient d'évoquer la première horloge parlante du monde. Inventée par Ernest Esclangon, directeur de l'Observatoire, elle a vu le jour à Paris et a été mise en service le 14 février 1933, avec la voix du présentateur vedette de l'époque sur Radio-Paris, Marcel Laporte, dit « Radiolo ». Une nouvelle horloge parlante, utilisant les techniques les plus modernes, a été mise en service le 18 septembre 1991 : désormais, au quatrième « top », deux voix, féminine et masculine, diffusent en alternance l'heure légale française.
• *Voir aussi* CADRAN SOLAIRE ; HEURE.

HÔTELLERIE

L'hôtellerie est attestée dès l'Antiquité. A Paris, le livre de la taille de 1292 recense vingt-quatre hôteliers. Il semble que les hôtels aient été plutôt mal fréquentés au Moyen Âge, les voyageurs préférant souvent le calme et les prix modiques pratiqués par les couvents. L'hôtel, comme l'auberge, qui offre pratiquement les mêmes services, est souvent un lieu de débauche et de prostitution. Louis IX, en 1254, ordonne aux hôteliers de n'héberger que des voyageurs. Une ordonnance de

1325 astreint l'hôtelier ayant gardé les effets d'un étranger mort chez lui à «rendre le triple de ce qu'il avait retenu» afin d'enlever à l'hôte la tentation d'assassiner ses clients. Dès 1407, l'inscription sur un registre des personnes hébergées devient obligatoire. Jusqu'au XVIIᵉ siècle, les hôtelleries demeurent mal tenues et en nombre insuffisant et il est fréquent que les voyageurs aisés préfèrent se loger chez les bourgeois de la ville. La plupart des hôtels hébergent des pensionnaires permanents et méritent ainsi l'appellation d'hôtels «garnis» ou «meublés». En 1788, on dénombrait 439 hôtels meublés, 308 sur la rive droite et 131 sur la rive gauche. Sébastien Mercier en donne une description peu flatteuse : «Les chambres garnies sont sales. Rien n'afflige plus un pauvre étranger, que de voir des lits malpropres, des fenêtres où sifflent tous les vents, des tapisseries à demi pourries, un escalier couvert d'ordures. En général, le Parisien vit dans la crasse : on n'a pas assez pourvu aux besoins des voyageurs ; et cependant qui est-ce qui ne voyage pas ? Un Anglais et un Hollandais, qui se sont fait une jouissance de la propreté la plus délectable, se trouvent couchés dans un lit infecté d'animaux incommodes ; et tous les vents coulis entrent dans leur chambre. Ils quittent le plus tôt possible une ville où tous les sens sont douloureusement affectés et emportent l'argent qu'ils y auraient laissé.» Jusqu'au milieu du XIXᵉ siècle, le voyageur fortuné préfère louer un appartement plutôt que de descendre dans un hôtel. Il faut attendre les travaux d'Haussmann et la multiplication des voyageurs grâce au chemin de fer pour que la capitale se dote, dans les années 1850-1860, d'hôtels de catégories moyenne et de luxe. Ils se multiplient autour des gares, sur les boulevards, dans les quartiers du centre et de l'ouest. Le Grand Hôtel du boulevard des Capucines s'ouvre en 1862, sept ans après l'hôtel du Louvre inauguré

pour l'Exposition universelle de 1855. L'hôtel Continental est inauguré en 1878, non loin de l'hôtel du Louvre, lui aussi rue de Rivoli, à l'emplacement du ministère des Finances incendié par les Communards en 1871. La liste des «palaces», les grands hôtels de luxe de la capitale d'aujourd'hui, s'ouvre par le plus ancien, le Meurice, né en 1817, véritable mythe de la vie parisienne, en compagnie du Grand Hôtel déjà évoqué, du Ritz de la place Vendôme, inauguré en 1898, du Bristol de la rue du Faubourg-Saint-Honoré, ouvert en 1925, du Crillon de la place de la Concorde, ouvert en 1909, du George-V des Champs-Élysées qui date de 1928, de l'Hôtel de la rue des Beaux-Arts, de l'Inter-Continental, du Lancaster, du La-Trémoille, du Louvre, du Lutétia, du Plaza-Athénée, du Prince-de-Galles, du Raphaël, du Royal-Monceau, du Terminus-Saint-Lazare, du Trianon-Palace, etc. Cette hôtellerie prestigieuse est la partie la plus brillante du «parc hôtelier» de Paris et d'Île-de-France constitué d'environ deux mille hôtels offrant cent mille chambres de tourisme homologuées. Les arrondissements jusqu'alors plutôt déshérités sur ce plan, comme les XIIᵉ, XIVᵉ, XIXᵉ et XXᵉ, ont connu les plus fortes progressions d'implantations de nouveaux hôtels durant les années 1980. Au total, à la fin de 1987, Paris comptait soixante-neuf mille chambres à coucher, 72 % de la capacité d'hébergement de la région d'Île-de-France. La situation des hôtels meublés, en revanche, se dégrade dangereusement : ils sont en voie de disparition dans la capitale et dans un état de délabrement qui évoque les pires conditions sanitaires du Paris du XIXᵉ siècle.

HOUILLE
Voir **CHARBON DE TERRE**.

HUÎTRE
Très prisée des Grecs et des Romains, consommée crue ou cuite,

l'huître est cultivée sur toutes les côtes de la Gaule durant l'Antiquité avant de sombrer dans l'oubli au Moyen Âge. Les parcs à huîtres renaissent au XIVᵉ siècle. Dans *Le Viandier* que Guillaume Tirel dit Taillevent rédige vers 1373 pour Charles V, il est recommandé de « toujours eschauder et laver très bien » l'huître, donc de la consommer cuite. Ce n'est qu'à la fin du XVIIᵉ siècle que l'huître connaît un regain de faveur. En 1690, Louis XIV crée six offices de « pourvoyeurs-vendeurs d'huîtres à l'écaille ». Les huîtres à l'écaille arrivent à Paris dans leurs coquilles, alors que les « huîtres huîtrées » ou « huîtres de chasse » sont transportées dépouillées de leurs coquilles. On nomme écaillers les marchands et ouvreurs d'huîtres. Pour des raisons évidentes d'hygiène, à une époque où il n'existe pas de moyens de réfrigération, les ordonnances de police des 1ᵉʳ septembre 1752 et 25 septembre 1771 interdisent le commerce des huîtres en saison chaude, entre le 30 avril et le 1ᵉʳ septembre, ce qui est à l'origine de l'interdit porté sur les « mois en R ». Affermé pour 20 000 livres en temps de guerre et pour 25 000 durant les années de paix, le droit de vendre des huîtres fut abrogé en 1711 et cette vente fut confiée à des factrices commissionnées par le lieutenant général de police. La consommation d'huîtres a pris une importance considérable à la veille de la Révolution. Sébastien Mercier le signale dans son *Tableau de Paris* : « On nous apporte des huîtres de différentes côtes de la Normandie. Les uns les aiment passionnément, les autres ne peuvent les souffrir : il est très dangereux d'en manger à Paris avant les premières gelées. On rançonne le goût des amateurs. L'accaparement fait loi, les renchérit, et devient un monopole. » Au XIXᵉ siècle, la consommation d'huîtres triple entre 1810 et 1860. Les huîtres les plus consommées sont celles de la Manche, dites de Cancale. Les huîtres de luxe sont dites de Marennes (provenant pour moitié de cette région, pour le reste d'Arcachon, de Vendée et de Bretagne) et d'Ostende (huîtres anglaises pêchées à l'embouchure de la Tamise). L'huître du Portugal, peu appréciée, fait une apparition discrète sous le second Empire, le marché étant en phase de pénurie. La majeure partie du commerce des huîtres se fait, depuis le Moyen Âge, au début de la rue Montorgueil, à proximité de la rue Mandar, au terme du chemin de la marée qui entrait dans Paris par le faubourg et la rue Poissonnière.

I-J-K

ÎLE

Il subsiste aujourd'hui trois îles à Paris le long du cours de la Seine, d'amont en aval : les îles Saint-Louis, de la Cité et des Cygnes. Il en existait bien davantage au début de l'ère chrétienne. Évoquons-les brièvement en descendant le cours du fleuve.

Aujourd'hui rattachée à la rive droite, l'île Louviers (dite, au XIVe siècle, des Javiaulx ou javelles) fut achetée au XVe siècle par Nicolas de Louviers et prit son nom. Elle servit longtemps de dépôt de bois flotté, jusqu'au comblement du petit bras de Seine dit du Mail, de l'Arsenal, Grammont ou Louviers, en 1841. C'est sur cet ancien bras que fut édifié le boulevard Morland, l'île proprement dite étant employée pour établir le quai Henri-IV et les rues Agrippa-d'Aubigné et de Schomberg.

L'île Saint-Louis fut d'abord nommée Notre-Dame. Pour l'inscrire dans l'enceinte de Charles V, on la coupa en deux par un canal (à l'emplacement de la rue Poulletier) vers 1360. La partie orientale, légèrement plus petite, devient l'île aux Vaches, l'occidentale garde le nom de Notre-Dame. Restées sans construction, fréquentées par des lavandières, des pêcheurs, des amoureux, elles firent l'objet d'un projet de construction arrêté par l'assassinat d'Henri IV en 1610. L'entreprise aboutit cependant en 1614. Christophe Marie, associé à Poulletier et à Le Regrattier, comble le canal et couvre l'île de splendides hôtels. En 1725, l'île prend le nom de Saint-Louis. La Révolution la rebaptisera brièvement l'île de la Fraternité.

La plus grande et la plus importante, l'île de la Cité ne mesurait pas plus de 8 hectares au temps de Lutèce. Elle en couvre aujourd'hui 17 grâce à des empiétements sur le fleuve et à l'incorporation de trois îlots situés à la pointe occidentale et réunis à l'occasion de la construction du Pont Neuf (1578-1604) : l'île des Juifs, dite aussi aux Treilles, de la Justice, de Galilée, aux Bureaulx ; l'île aux Vaches ou encore Bussy, du Passeur, du Patriarche ; l'îlot de la Gourdaine. A la pointe orientale, la Motte aux Papelards, ou Terrain, semble avoir été aussi un îlot de gravois.

Il ne faut pas confondre l'actuelle île des Cygnes, digue construite artificiellement en 1825 par la société concessionnaire du pont de Grenelle, avec l'île des Cygnes créée naturellement. Celle-ci correspond à un terrain étroit et allongé situé entre la Seine et la rue de l'Université, entre la rue Jean-Nicot et la tour Eiffel. Partiellement acquise en 1773 pour agrandir le Champ-de-

Mars, l'île des Cygnes fut définitivement rattachée à la rive gauche sous l'Empire avec le comblement du bras de Seine. L'île aux Cygnes était constituée de la réunion des îlots des Treilles, aux Vaches, de Longchamp. Elle était appelée au XVIᵉ siècle l'île Maquerelle, non pas qu'elle fût un lieu de prostitution, mais parce qu'on s'y battait en duel, le mot semblant dériver de « Male » (« mauvaise ») querelle.

On citera pour mémoire une petite île nommée Merdeuse, qui se trouvait juste en face de l'actuelle Assemblée nationale et qui a été incorporée au quai d'Orsay.

IMPÔT LOCAL

Les impôts locaux se sont considérablement simplifiés au cours des siècles. Il est impossible d'entrer dans le détail des taxes frappant les marchandises et des impositions touchant les individus ou les familles au Moyen Âge et jusqu'en 1789. Il y a un peu plus d'un siècle, en 1884, Henri de Pontich, dans l'*Administration de la ville de Paris*, énumérait comme impôts locaux : impôt foncier, la taxe de mainmorte, la contribution des portes et fenêtres, la contribution personnelle mobilière, les patentes, la taxe sur les chiens, celle sur les chevaux et voitures, celle sur les billards et les cercles, la taxe de balayage, les droits de voirie, les taxes funéraires, etc. Dans le budget de 1883, l'octroi représentait largement plus de la moitié des ressources avec plus de 143 millions de francs sur 256 millions de recettes. En 1959, dans *Le Régime administratif et financier de la Ville de Paris et du département de la Seine*, d'après Maurice Félix, les ressources fiscales sont réparties entre centimes additionnels issus des « quatre vieilles » (contribution foncière, contribution personnelle-mobilière, contribution des portes et fenêtres, patentes) et taxes communales : sur la valeur en capital des propriétés, sur les locaux à usage d'habitation, sur le déversement à l'égout,

taxes de balayage, d'enlèvement des ordures ménagères, sur les balcons, sur le revenu net des propriétés bâties et sur la valeur locative des locaux professionnels, sur les cercles, sociétés et lieux de réunion, sur les domestiques, précepteurs et gouvernantes, sur les chiens, à quoi s'ajoute une multitude de taxes indirectes. En 1993, selon les calculs de la municipalité, sur 100 francs perçus, à peine plus de 34 proviennent des impôts locaux, qui se répartissent entre quatre impositions directes : taxe d'habitation, taxe professionnelle, taxes foncières sur les propriétés bâties et non bâties. Les versements de l'État représentent plus de 23,5 %, les impôts indirects (taxes sur l'électricité et les droits de mutation, principalement) atteignent 16,5 %, les rémunérations de services rendus (taxes de balayage, d'enlèvement des ordures ménagères, etc.) 8,5 %, les participations du département et d'autres organismes un peu moins de 8 %, le produit des domaines (locations, stationnement payant, droits de voirie, etc.) 6,5 %, diverses recettes à peu près 3 %.

IMPRIMERIE

Mise au point sur les bords du Rhin par le Mayençais Gutenberg dans les années 1450, l'imprimerie est introduite dans le royaume de France en 1470. C'est à Paris qu'est imprimé cette année là le premier livre, les *Lettres* de Gasparino Barzizio, dit Gasparin de Bergame. La Sorbonne se flatte d'avoir été le lieu de son impression, mais les trois imprimeurs venus de Bâle, Martin Crantz, Michel Friburger et Ulrich Gering, qui sont à l'origine de l'ouvrage, quittent bien vite, sans doute par crainte de persécutions, cette faculté de théologie sclérosée. Les imprimeurs prolifèrent rapidement et une trentaine d'ateliers fonctionnent dans la ville vers 1500. Dans son étude sur *L'Apparition du livre...*, Henri-Jean Martin estime que vingt-cinq mille éditions sont sorties des presses parisiennes durant le XVIᵉ siècle. Dès 1488, les imprimeurs ont été autorisés à participer à l'élection des représentants de la librairie, car ils exercent aussi l'activité de libraire en commercialisant ce qui sort de leurs presses. Les statuts de 1618 confirment l'appartenance à une même corporation des libraires, imprimeurs, doreurs et relieurs. Le premier conflit et la plus ancienne grève d'ouvriers imprimeurs sont réglés par l'édit royal du 31 août 1539. L'édit de Gaillon de mai 1571 met fin à une nouvelle contestation et précise le statut des imprimeurs dans la corporation unique constituée avec les libraires : « Les maistres imprimeurs qui sont de présent en la ville de Paris esliront par chascun an deux d'entre eulx, avec deux des vingt et quatre maistres libraires juréz pour la dite année : l'office desquels sera de regarder s'il ne s'imprime aucun livre ou libelle diffamatoire ou hérétique. » En effet, autorités civiles et religieuses ont très vite compris la charge subversive que représente l'imprimerie : le livre, relativement bon marché, diffusé en nombre à la différence du manuscrit, peut servir et sert à diffuser des idées nouvelles et contestataires, notamment le protestantisme, des critiques de la tyrannie et du pouvoir absolu. Rois et papes vont donc tout faire pour contrôler cette invention et la mettre à leur service exclusif. La majeure partie des imprimeurs, gagnée au calvinisme, doit s'exiler en Hollande où se développe une impression de langue française qui va inonder clandestinement la France aux XVIIᵉ et XVIIIᵉ siècles. En effet, la monarchie absolue organise volontairement le déclin de l'imprimerie française afin de limiter et de mieux contrôler la production. Il y a nettement moins d'imprimeurs à Paris durant les deux derniers siècles de l'Ancien Régime qu'au XVIᵉ siècle. On a pu calculer qu'entre 1686 et 1789, cent cinquante imprimeurs seulement ont exercé à Paris, soit à peine une trentaine en même temps. En 1789, leur nombre est toujours limité à trente-six. Mais il y a des imprimeries clandestines traquées par la police. Afin de mieux les repérer, la monarchie a prohibé les progrès techniques tendant à rendre les presses moins encombrantes, plus légères, plus rapides et surtout moins bruyantes : la déclaration royale du 10 mai 1728 a interdit les rouleaux typographiques, parce que leur fonctionnement relativement silencieux complique le repérage des officines clandestines par la police. Le XIXᵉ siècle va apporter de grandes révolutions techniques, permettre d'abaisser les coûts des livres comme des journaux et faire de Paris une des grandes capitales de l'imprimerie. Le manque de place pour des installations de plus en plus importantes, les conflits incessants avec les ouvriers imprimeurs de la fédération du livre de la C.G.T., ont entraîné dans les années 1970 l'abandon de la capitale par la presque totalité des grandes imprimeries qui se sont redéployées vers la banlieue et surtout vers des villes de province où la main-d'œuvre est moins chère et surtout moins vulnérable à l'agitation politique et sociale.

• *Voir aussi* ÉDITION ; LIBRAIRE.

INCENDIE

Le plus ancien incendie connu est mentionné en 52 avant J.-C. : les habitants de Lutèce mirent eux-mêmes le feu aux constructions se trouvant sur l'île de la Cité pour empêcher Labienus, lieutenant de César, de s'en emparer. En 585, un autre incendie détruisit presque entièrement l'île de la Cité. Il y eut d'autres sinistres, mais moins importants, en 1037, 1059, 1132, mais aucun ne menaça la ville entière comme ce fut le cas pour Rouen en 1200, Toulouse en 1463, Bourges en 1487, qui furent pratiquement totalement réduites en cendres. De même, à l'époque moderne, Paris n'a jamais subi une catastrophe de l'ampleur de celle qui, en septembre 1666, anéantit la majeure partie de Londres. Il y eut, certes, de graves incendies, mais circonscrits à un ensemble d'immeubles ou à un grand édifice public. On se contentera ici de mentionner les plus importants.

Dans la nuit du 6 au 7 mars 1618, la grand-salle du Palais de justice, où siège le Parlement, part en fumée. Le 27 juin suivant, des pétards tirés par des jeunes gens incendient sept bateaux de foin et les ponts de Paris échappent de peu à la destruction. Dans la nuit du 23 au 24 octobre 1621, les deux ponts Marchand et aux Changeurs, construits en bois, sont la proie des flammes. Quatorze religieux des ordres mendiants périssent brûlés ou noyés en participant aux secours. Le 26 juillet 1631, la Sainte-Chapelle n'échappe à la destruction que grâce au dévouement de ces religieux, ancêtres de nos modernes pompiers. Le 6 février 1661, la petite galerie du Louvre prend feu alors qu'on installait le décor d'un ballet. Le 2 mars 1671, la Sorbonne subit un sinistre dont le dommage est évalué à plus de 200 000 livres. Le 27 avril 1718, le Petit-Pont et l'Hôtel-Dieu sont ravagés. Il y a deux catastrophes en 1737 : dans la nuit du 1er au 2 août à l'Hôtel-Dieu et dans celle du 26 au 27 octobre à la Chambre des comptes du Palais de justice. La foire Saint-Germain est entièrement détruite dans la nuit du 16 au 17 mars 1762. Le 6 avril 1763, la salle du Palais-Royal de l'Opéra disparaît dans les flammes. Dans la nuit du 29 au 30 décembre 1772, l'Hôtel-Dieu brûle une fois de plus. Dans la nuit du 10 au 11 janvier 1776, c'est à nouveau le Palais de justice qui flambe. Le 8 juin 1781, l'Opéra, installé depuis peu dans sa salle neuve du Palais-Royal, brûle à nouveau. Il y a vingt et un morts dont trois capucins. Le 18 mars 1799, le Théâtre-Français est à son tour sinistré. Le 1er juillet 1810, l'incendie de l'ambassade d'Autriche et la mort de l'épouse de l'ambassadeur durant un bal donné en l'honneur de l'Empereur et de sa nouvelle épouse Marie-Louise fournissentt à Napoléon Ier le prétexte pour réorganiser le corps des sapeurs-pompiers. Le 20 mars 1818, la salle de l'Odéon part en fumée et, dans la nuit du 16 au 17 janvier 1838, c'est le tour du Théâtre-Italien. Le 16 décembre 1844, les grandes orgues de Saint-Eustache sont consumées à cause d'une chandelle tombée à l'intérieur d'un tuyau. Le 14 juillet 1849, le Diorama du boulevard Bonne-Nouvelle est partiellement détruit. Le 12 juin 1858, c'est le tour du Grand Condé, un important magasin de nouveautés de la rue de Seine. Le 5 août 1860, le cas est beaucoup plus sérieux : il faut dix-huit pompes pour venir à bout de l'incendie provoqué dans un entrepôt de Bercy par l'explosion d'une tonne d'alcool. Du 19 au 20 juillet 1861, le magasin des décors de l'Opéra, rue Richer, est anéanti. Mais tout cela n'est rien en comparaison des gigantesques incendies allumés par les Communards en déroute du 23 au 28 mai 1871. Le ministère des Finances, le palais de la Légion d'honneur, les Tuileries, l'Hôtel de Ville, les entrepôts de La Villette et plus de deux cents maisons sont détruits. La dernière grande catastrophe est l'incendie du Bazar de la Charité, le 4 mai 1897, le lendemain de son inauguration : cent trente-cinq personnes sont piétinées, asphyxiées et finalement carbonisées. La catastrophe la plus récente à Paris a été l'incendie du collège d'enseignement secondaire du 32 de la rue Édouard-Pailleron, qui a fait vingt et une victimes.

• *Voir aussi* POMPE A INCENDIE ; POMPIER.

INONDATION

A défaut de repères sur des façades de maisons ou des échelles situées aux ponts Royal et de la Tournelle, qui n'existent qu'à partir du XVIIIe siècle, c'est aux textes qu'il faut se référer pour trouver mention des crues exceptionnelles de la Seine. La première est mentionnée par Grégoire de Tours à la date de 583, qui précise que des bateaux firent naufrage entre la Cité et l'église Saint-Laurent, ce qui signifie que la Seine s'étendit alors de son lit actuel à son lit ancien qui bordait les collines de Belleville, Ménilmontant, Montmartre et Chaillot. Un texte de 1236 d'un religieux de Sainte-Geneviève confirme cette tendance du fleuve à rejoindre son cours primitif en période de crue : il raconte que la Seine « eût fait une île de toute la partie de Paris située au-delà du Grand-Pont, si le bord de cette levée de terre que l'on suit pour aller à Saint-Laurent n'eût arrêté l'inondation et ne se fût pas élevé encore plus haut qu'elle ». Entre le Grand Pont et la vaste courbe du premier lit, s'étendant de la Bastille au pont de l'Alma en passant par la place de la République, la mairie du Xe arrondissement et la place du Havre, se trouve ainsi formée une île encerclée par le fleuve en crue mesurant 3 kilomètres de long sur la moitié de largeur maximale. Cette région de marais, progressivement asséchés entre les XIIe et XVe siècles, subira de nombreuses submersions avant d'être suffisamment exhaussée, naturellement ou artificiellement, pour se trouver à l'abri des eaux.

Une chronologie des inondations jusqu'en 1650 a été établie par Étienne Clouzot en 1911 dans *La Géographie* : elle mentionne 583, 820, 834, 841, 886, 1119, 1175, 1197. En 1206, note Orderic Vital, « la pauvre ville de Paris, chef de ce royaume estoit affligée d'un tel déluge qu'on ne pouvait presque pas aller par les rues, sinon par bateau, de sorte qu'une bonne partie de ses édifices et bâtiments on voyait abattus, les autres en grand branle et prêts à être démolis et bouleversés par l'impétuosité et violence des flots, bref c'était une telle misère et calamité qu'on eût su guère voir de mémoire d'homme

jusque là ce que le Petit Pont, quoiqu'il fût de pierre forte, était nonobstant tellement ébranlé que l'on n'attendait autre chose sinon qu'il vînt à choir. On descendit la châsse de Sainte-Geneviève et on la porta en l'église Notre-Dame comme de coutume, contre un tel danger afin que, comme un Moïse, elle servît de mur et de rempart entre Dieu et son peuple. »

On signale de nombreuses inondations entre 1220 et 1484 (celles de 1220, 1221, 1232, 1236, 1268, 1269, 1280-1281, 1296-1297, 1306, 1326, 1330-1331, 1373, 1400, 1407, 1408, 1415, 1421, 1426, 1427, 1432, 1433, 1438, 1442, 1449, 1460, 1480, 1484). Le 7 janvier 1497, la Seine recouvre la Grève, la Mortellerie, le quartier de Saint-Jacques-de-la-Boucherie, la place Maubert, la rue Saint-André-des-Arts. Pour en perpétuer le souvenir, on érige, près du Châtelet, à la Vallée-de-Misère, un pilier portant l'image de la Vierge, « Mère des Sept Douleurs », sous laquelle est gravé ce quatrain :

Mil quatre cens IIII vingt seize*
Le VII jour de janvier,
Seyne fut ici à son aise,
Battant le siège du pilier.

(* L'année commençait alors à Pâques, il s'agit bien du 7 janvier 1497).

Les textes mentionnent encore beaucoup d'inondations entre 1500 et 1650 (celles de 1505, 1522, 1524, 1526, 1527, 1528, 1529, 1531, 1535, 1564-1565, 1570, 1571, 1573, 1579, 1582, 1583, 1590, 1595, 1607, 1613 [exceptionnellement en juillet], 1616, 1625, 1641, 1649).

Vers le milieu du XVIIe siècle, la municipalité commence à discuter des causes des inondations et tente d'y remédier. En 1651, à l'occasion d'une nouvelle invasion des eaux, il est dit que « la crue des eaux tant extraordinaire provient du rétrécissement du canal de la rivière, lequel se trouve rétréci depuis soixante ans de plus de cent cinquante pieds, par le Pont Neuf, île du Palais, le Marché Neuf, forces avances du côté de l'Université, outre les quais et les ponts, et depuis trente ans par l'île Notre-Dame [aujourd'hui Saint-Louis], les rues de Saint-Louis, de Gesvres, Pont au Change et piles de l'Hôtel-Dieu. » Il est vrai qu'à toutes les époques, pour gagner de l'espace, les Parisiens se sont efforcés de s'agrandir au détriment du fleuve.

En février 1658, deux jeunes Hollandais, les frères de Villiers, racontent dans leur *Journal* cet épisode de la crue : « Et comme, dans les malheurs, il arrive souvent quelques choses qui occupent ceux qui cherchent plus à s'en divertir qu'à s'en affliger, on dit qu'un gros clerc de notaire logé au bout du pont et dont la maison se fendit en deux fut emporté. Le lit dans lequel il était couché fut jeté dans la rue sans qu'il en sentît rien, tellement il dormait profondément et fut tout étonné de se trouver à son réveil ainsi couché au milieu de la rue, de tant de ruines et de débris. L'accident du nouveau marié est plus moral, puisqu'il a joint en même temps ce que cet ancien trouvait de bon au mariage, le premier et le dernier jour. Il n'y avait que deux ou trois heures qu'il était couché avec son épouse qu'il fut obligé de se lever au branle de son lit et de toute sa maison et de se sauver en chemise. Sa chère moitié y périt et il s'est trouvé veuf et marié en moins d'une nuit. » L'eau atteignait l'église Saint-Philippe-du-Roule et l'on circulait en bateau rue Saint-Honoré. 1 666 hectares avaient été submergés.

Les inondations suivantes, en 1701, 1709, 1711, sont moins graves. Celle de 1726 fracasse deux cents bateaux chargés d'approvisionnement. La crue la plus terrible du xviiie siècle atteint son maximum le jour de Noël 1740 et recouvre 720 hectares. L'avocat Barbier en a laissé une description dans son *Journal* : « Actuellement Paris est entièrement inondé. Toutes les boutiques sont fermées ; de tous les côtés, on est réfugié au premier étage, et c'est

un concours de bateaux comme, en été, au passage des Quatre-Nations [devant l'Institut]. Sur le port au Blé [quai des Célestins], l'eau va au-dessus des portes cochères. La place de Grève [de l'Hôtel-de-Ville] est remplie d'eau ; la rivière y tombe par-dessus le parapet ; toutes les rues des environs sont inondées ; dans les maisons à porte cochère les bateaux entrent jusqu'à l'escalier, comme les carrosses feraient. Il y a plus : dans toutes les rues de Paris où il y a des égouts, l'eau de la rivière y gonfle, se répand dans la rue, et il faut y passer dans des bateaux ou sur des planches. »

Le fleuve déborde encore plusieurs fois jusqu'en janvier 1802 (en 1751, 1764, 1784, 1795), date à laquelle une terrible inondation envahit 455 hectares. Celle de 1807 sera presque aussi importante. D'autres crues de bien moindre ampleur se succéderont (en 1817, 1818, 1819, 1820, 1836, 1845, 1847, 1848, 1850, 1853, 1854, 1856, 1861, 1867, 1872, 1876, 1880).

L'inondation de 1910 eut un retentissement énorme, elle fut cartographiée sur ordre de la municipalité et illustrée d'innombrables cartes postales. Sans atteindre le niveau de 1658, la crue dépasse celui de 1740 : 8,50 mètres à l'échelle du pont de la Tournelle en 1910 pour 7,90 en 1740 et 8,81 en 1658. Retrouvant son ancienne voie, l'eau s'infiltre en surface et en sous-sol, envahissant la ville jusqu'à la gare Saint-Lazare et la place du Havre.

Depuis, la construction d'une série de barrages en amont de la Seine et de ses principaux affluents a permis d'écrêter les crues de façon efficace.

• *Voir aussi* CLIMAT ; MÉTÉOROLOGIE.

INSPECTEUR DE POLICE

Créés en février 1708 et possédant depuis le 15 mars 1712 le titre de conseillers du roi, les inspecteurs de police de la ville et des faubourgs de Paris, d'abord au nombre de quarante, furent réduits à vingt en 1740. Placés sous l'autorité du commissaire de police, ils exercent leur autorité chacun sur un quartier de la capitale, mais ont, en outre, une spécialisation dans un des dix-huit départements de la police, les deux derniers se voyant confier des missions spéciales. Ces dix-huit départements sont : jeux, prostitution, pédérastes et voleurs, affaires militaires, étrangers, escrocs et juifs, usuriers, petits charlatans, domestiques, nègres, nourrices, libraires, bourse, cochers et charretiers, vente des bestiaux, éclairage, nettoiement, salubrité.

Supprimés avec les autres institutions d'Ancien Régime en 1789, les inspecteurs reparaissent avec le décret du 29 septembre 1791, sous le nom d'officiers de paix, au nombre de vingt-quatre, nommés pour quatre ans par l'administration municipale. Comme les anciens inspecteurs de police, ils arborent comme signe distinctif un bâton blanc sur lequel est gravée la devise « Force à la loi », et dont la pomme porte l'empreinte d'un œil et le mot « surveillance ». Ils ont pour tâche de se rendre dans les endroits où l'ordre public est troublé, d'arrêter les délinquants et de les conduire au commissaire de police quand il s'agit d'affaires dépendant de la police municipale, auprès du juge de paix si l'affaire relève de la police correctionnelle. Ils sont au nombre de deux cent soixante-quinze sous le Directoire et cent quarante sous la Restauration. Le Consulat les intègre dans la préfecture de police. Le fait qu'ils ne portent pas d'uniforme entraîne de multiples inconvénients, des confusions, des interventions difficiles en cas d'arrestation en flagrant délit, ce qui justifie l'ordonnance du 12 mars 1829 instituant les sergents de ville en uniforme.

• *Voir aussi* **POLICE**.

INTENDANT DE PARIS

Depuis la fin du XVe siècle, le royaume est divisé en quatre grandes circonscriptions financières nommées généralités. En décembre 1542, seize généralités sont constituées, l'une siégeant à Paris. Les receveurs généraux qui se trouvent à leur tête sont inspectés par des commissaires royaux, maîtres des requêtes de l'Hôtel du Roi, qui, à partir de 1637, prennent le titre d'intendant de justice, police et finances. Ils s'installent à titre permanent au chef-lieu de la généralité qui prend alors également le nom d'intendance. Représentant direct du roi, l'intendant contrôle à partir de 1664 à peu près toute l'administration locale, la justice, la police, les finances, les impôts et s'occupe des garnisons, des ponts et chaussées, des subsistances ainsi que de toutes les affaires économiques. Le rôle de l'intendant de Paris dans le contrôle du commerce et de la circulation des grains explique l'impopularité de l'intendant Bertier de Sauvigny massacré par la foule le 22 juillet 1789.

Les services de l'intendant ont pris au cours du XVIIIe siècle une importance croissante qui justifie les cinq déménagements de son administration entre 1744 et 1765. A la veille de la Révolution, elle est installée rue de Vendôme (actuelle rue Béranger) où au moins soixante-cinq employés travaillent dans un hôtel d'une vingtaine de pièces. Le ressort de l'intendance est étendu, couvre près de 23 000 kilomètres carrés, presque le double de la région d'Île-de-France actuelle, s'étirant sur un axe nord-ouest/sud-est de Beauvais et Dreux jusqu'à Tonnerre et Vézelay. 2 113 paroisses sont réparties en 22 élections, rassemblant plus d'un million d'âmes sans compter les Parisiens. La vaste élection de Paris — près de 3 000 kilomètres carrés — possède 447 paroisses fiscales et se décompose en 10 subdélégations : Brie-Comte-Robert, Choisy-le-Roi, Corbeil, Enghien, Gonesse, Lagny, Montlhéry, Saint-Denis, Saint-Germain-en-Laye, Versailles. Deux d'entre elles, Saint-Denis et Choisy-le-Roi, encerclent la capitale. Les intendants sont abolis le 22 décembre 1789, mais la majeure partie de leurs attributions ont été reprises, en 1800, à l'échelle départementale, par les préfets.

INTENDANTS DE PARIS (liste des)

La première commission d'intendant de justice et de police d'Île-de-France date de 1633. Cette liste est dressée d'après l'article d'Arthur de Boislisle paru dans le tome VII (1880) des *Mémoires de la Société de l'histoire de Paris et de l'Île-de-France* (entre parenthèses, date de nomination).

Geoffroy Luillier, seigneur de la Malmaison et d'Orgeval (1633)
Antoine Le Camus, seigneur d'Hémery (1647)
Nicolas Foucquet ou Fouquet (1648)
Louis Le Tonnelier de Breteuil (1653)
Louis Boucherat (1657)
Thomas Le Lièvre, marquis de Fourilles et de La Grange (1658)
Paul Barrillon d'Amoncourt (1665)
Charles Colbert, marquis de Croissy (1668)
Jean-Jacques Charron, marquis de Ménars (1681)
Jean Phélypeaux de Pontchartrain (1690)
Roland-Armand Bignon de Blanzy (1709)
Nicolas-Prosper Bauyn d'Angervilliers (1724)
Louis-Achille-Auguste de Harlay, comte de Cély (1728)
René Hérault (1739)
Marc-Pierre de Voyer de Paulmy, comte d'Argenson (1740)
Paul-Esprit Feydeau, seigneur de Brou (1742)
Louis-Jean Bertier, marquis de Sauvigny (1744)
Louis-Bénigne-François Bertier, marquis de Sauvigny, assassiné le 22 juillet 1789 (1776).

INTERNAT DES HÔPITAUX

A la veille de la Révolution, les médecins et les chirurgiens, chefs de services hospitaliers de l'Hôtel-Dieu, étaient nommés directement par l'administration et choisissaient eux-mêmes les élèves, soit externes, soit internes. Les premiers étaient en nombre illimité, tandis que les seconds étaient au nombre de treize seulement, un premier interne et douze internes ordinaires. Le 23 février 1802 (4 ventôse an X), un arrêté consulaire crée l'internat des hôpitaux pour l'ensemble des hôpitaux et hospices de Paris. Le premier concours eut lieu le 13 septembre 1802 (26 fructidor an X) et vingt-quatre candidats sur soixante-quatre furent admis. Par arrêté du 8 juin 1805 (19 prairial an XIII), seuls les externes nommés au concours pouvaient y prendre part, à condition qu'ils n'aient pas dépassé les quatre absences tolérées chaque mois. En 1809 furent créés les internes provisoires et les femmes furent autorisées à se présenter par décision du Conseil municipal du 2 février 1885. Institution particulière à Paris, l'internat a longtemps joui d'un très grand prestige.
• *Voir aussi* HÔPITAL.

JARDIN

Paris compte environ quatre cents espaces verts et boisés dont on peut trouver la description dans *Les Espaces verts et boisés de la région d'Île-de-France. Inventaire des terrains ouverts au public. Ville de Paris. Décembre 1990*, nomenclature établie par l'Institut d'aménagement et d'urbanisme de la région d'Île-de-France (IAURIF) en juillet 1992, et dans le livre de Jacques Barozzi, paru aussi en 1992, *Guide des quatre cents jardins publics de Paris*.

L'ensemble couvre un peu plus de 2 000 hectares — les deux ouvrages divergent nettement dans leur estimation des superficies des bois —, soit, en théorie, 20 % de la capitale. Mais si les deux bois sont exclus de ce compte, les vingt arrondissements ne disposent plus que d'à peine 500 hectares englobés dans la masse bâtie de la ville, moins de 6 % d'espaces verts. Près de la moitié des arrondissements n'en possèdent même pas la moitié : moins de

1 % d'espaces verts dans les IIe, IXe, X^e arrondissements du centre de la ville, 2 à 3 % dans les IIIe, IVe, XIe, XIIIe, XVIIe et XVIIIe. Les VIIIe, XIVe, XVe, XVIe et XXe arrondissements se situent entre 5 et 9 %. Les trois arrondissements centraux de la rive gauche, V^e, VIe et VIIe, sont à la limite supérieure des 10 %. Le XIXe bénéficie de 12 % de verdure. Le Ier, grâce aux Tuileries, est le seul arrondissement central vert, à 25 %. Le XIIe, grâce à la promenade plantée et au parc de Bercy, vient en tête avec 40 %.

La plupart des espaces verts portent la dénomination de square ou de jardin et possèdent une superficie inférieure à l'hectare. On trouve aussi des allées, des cours, des mails, des promenades, un clos, une esplanade. Cette nomenclature est plutôt floue et les différences ne sont pas évidentes pour le profane entre un square et un jardin. De même, le noble titre de parc, apparemment réservé à de vastes étendues, est décerné indifféremment à une vingtaine d'espaces boisés allant des 30 hectares de La Villette au tout petit parc montmartrois de la Turlure qui n'en couvre pas la moitié d'un.

Les jardins à la française ont une grande et ancienne réputation et, sous l'Ancien Régime, les voyageurs étrangers admiraient ceux des Tuileries, du Luxembourg, du Palais-Royal, de Bagatelle et le Jardin des Plantes. Les grands jardins enclos des monastères restaient hors de vue. Napoléon III a créé les premiers squares, au nombre de vingt-quatre, deux beaux grands parcs à Montsouris et aux Buttes-Chaumont, et aménagé les bois de Boulogne et de Vincennes. C'est avec lui qu'est née une véritable politique des espaces verts, un urbanisme alliant le minéral et le végétal.

Époque de stagnation dans la construction, les années 1920-1930 ont été fécondes dans l'art des jardins avec les beaux squares René-Le-Gall, Saint-Lambert, Sarah-Bernhardt et le parc de la Butte-du-Chapeau-Rouge notamment, et quelques autres aménagements importants à l'emplacement des fortifications démolies de la « zone ». Cette zone a continué à être aménagée au début de la Ve République. Depuis 1977, le maire de Paris a partiellement tenu compte des revendications des citadins et des écologistes et fait aménager 103 hectares de verdure représentant cent vingt-six jardins et parcs nouveaux, notamment le parc Georges-Brassens, le jardin des Halles, le parc de Belleville, le parc André-Citroën, bientôt le parc de Bercy et le jardin Atlantique. Le parc de La Villette est l'œuvre de l'État.

• *Voir aussi* **BOIS** ; **PARC**.

JOCKEY CLUB

C'est sous l'influence anglaise et pour combler certaines lacunes d'une vie sociale bouleversée par la Révolution et l'amoindrissement du rôle de la Cour que les clubs et cercles ont été fondés au XIXe siècle, singulièrement sous la Monarchie de Juillet et sous le second Empire. Le 11 novembre 1833 fut fondé l'un des plus anciens et le plus célèbre des clubs parisiens, la Société d'encouragement pour l'amélioration des races de chevaux en France, plus connue sous le nom de Jockey Club qu'elle n'arbora officiellement qu'à partir de 1903. Quinze membres de la haute aristocratie participèrent à sa fondation et élurent lord Henry Seymour à la présidence. Ils adoptèrent comme signe distinctif un habit en drap vert mélangé orné de boutons marqués au chiffre « JC ». Le Jockey Club fut d'abord logé au premier étage de la maison sise au 2 de la rue du Helder, à l'angle du boulevard des Italiens. Il s'installa ensuite successivement dans les rues de la Grange-Batelière, de Gramont et Scribe avant d'occuper, en 1924, l'hôtel du baron Gérard où il se trouve encore aujourd'hui, au 2 de la rue Rabelais, à l'angle de l'avenue Matignon, à proximité des Champs-Élysées. Avant d'adopter «le cachet de discrète correction qui le distingue aujourd'hui», le Jockey Club se fit remarquer par l'excentricité de ses membres : M. de Châteauvillard jouait au billard à cheval, M. de Machado vivait environné de deux cents perroquets. En revanche, les fantaisies du socialiste Eugène Sue lui valurent sa radiation. Le Jockey Club connut l'apogée sous le second Empire, alors qu'il réunissait aussi bien l'aristocratie légitimiste que la noblesse impériale et quelques représentants particulièrement fortunés de la haute banque, et qu'il jouissait de la présence dans ses rangs du tout-puissant duc de Morny. La fondation du prix du Jockey Club à l'hippodrome de Chantilly, le 18 juin 1835, avait puissamment contribué à l'essor des courses et au renouveau des chevaux pur-sang et demi-sang dont le nombre avait centuplé en trente ans. La troisième République, en revanche, n'apprécie guère l'appartenance à ce cercle aristocratique et le Jockey Club se replie sur lui-même jusqu'en 1914. Les fortunes foncières écornées, l'instabilité monétaire de l'après-guerre, affaiblissent la société qu'incarne le Jockey Club et engendrent des difficultés financières qui se traduisent par un déficit en 1938. Depuis, les effectifs n'excèdent que de peu les mille membres. L'histoire du Jockey Club a été écrite en 1958 par J.A. Roy, en André Siegfried, dans la *Géographie humoristique de Paris*, a montré, à travers la répartition de ses adhérents, le changement du centre de gravité mondain entre 1885 et 1953 : les Ier et IXe arrondissements ont été abandonnés par l'élite ainsi que la plus grande partie du XVIIe. En 1953, 43 % des membres du Jockey Club habitaient dans le XVIe arrondissement, 24 et 23 % dans les VIIIe et VIIe, soit 90 % de l'élite nobiliaire fortunée parisienne dans ces trois arrondissements.

• *Voir aussi* CLUB ; HIPPODROME.

JOURNAL

La monarchie absolue s'est longtemps opposée à la parution de journaux. Sébastien Mercier note dans son *Tableau de Paris* en 1782 : «Il a fallu faire une espèce de violence au ministère pour pouvoir l'établir», en évoquant la création du *Journal de Paris*, le 1er janvier 1777. C'est le plus ancien quotidien français, une feuille de petites dimensions, limitée à quatre pages au contenu parfaitement insignifiant, se bornant à donner les nouvelles autorisées par la censure. Il faut attendre la Révolution de 1789 pour que le journalisme se développe avec la fondation de titres appelés à un avenir durable, comme le *Journal des débats*, et de centaines de publications pamphlétaires de parution irrégulière et vouées à une existence éphémère. A partir de 1792, la plupart de ces publications disparaissent, leurs auteurs redoutant la guillotine, si bien que, lorsque Napoléon Bonaparte devient Premier Consul à la fin de 1799, il n'a guère besoin d'en interdire pour imposer la pensée unique. Il ne reste alors qu'une poignée de quotidiens, treize pour la France entière. La Restauration n'est pas plus favorable à la liberté d'opinion. Pourtant, les quotidiens ne présentent alors qu'un danger réduit pour le pouvoir : ils ont tout au plus quelques centaines et, pour les plus lus, quelques milliers d'abonnés payant très cher «le plaisir de recevoir tous les matins quatre feuilles de papier jaunâtre, imprimées en caractère grisâtre», comme l'écrit avec esprit Robert Burnand. Il faut attribuer à Émile de Girardin la paternité du quotidien moderne : il lance, le 1er juillet 1836, *La Presse*, journal à bon marché (5 centimes) vendu au numéro. Les quotidiens doublent presque leur tirage entre 1830 et 1848, avec un total de cent cinquante mille exemplaires à la veille de 1848 pour vingt-cinq titres. Le second Empire supprime la presse d'opposition, ce qui ramène les titres à douze en 1852. La troisième République redoute beaucoup moins la presse et la laisse se développer : soixante quotidiens à Paris en 1880 avec un tirage de deux millions d'exemplaires. C'est l'âge d'or du journal, qui culmine en 1914 avec quatre-vingts titres et cinq millions et demi d'exemplaires. Au lendemain de la guerre et jusqu'en 1939, la presse parisienne stagne autour d'une trentaine de titres avec un tirage global d'environ cinq millions d'exemplaires. Depuis le déclin n'a cessé de s'accentuer. Après l'éphémère efflorescence de 1946 avec vingt-huit titres, on est tombé à quatorze dès 1952. En 1980, les douze quotidiens parisiens sont descendus sous le seuil des trois millions d'exemplaires. En 1995 subsistent *Le Figaro* (quotidien depuis 1866); *La Croix* (né en 1883); *L'Humanité* (1904); *Le Monde* et *Le Parisien libéré* qui ont succédé en 1944 au *Temps* et au *Petit Parisien*; *France-Soir*, né aussi en 1944, mais qui est moribond et à la remorque du *Figaro*; *Libération* créé en 1973; *Présent* apparu en 1984 et le petit dernier, *Info-matin*, lancé en 1994 et qui a disparu en janvier 1996. Par sa diffusion, *Le Parisien libéré* est le premier de ces quotidiens et le seul qui ait une orientation nettement parisienne, les autres se situant principalement sur le plan national.

• *Voir aussi* PRESSE.

JUGE-CONSUL

Il semble que, durant plusieurs siècles, les différends commerciaux entre marchands aient été jugés dans les assemblées du Parloir aux Bourgeois, organe de la municipalité. C'est un édit royal de novembre 1563 qui organise la juridiction consulaire proprement dite. Le 27 janvier 1564, cent notables marchands et bourgeois de Paris se réunissent dans la grand-salle de l'Hôtel de Ville et y élisent le premier juge des marchands, le mercier Jean Aubry, et les quatre consuls chargés de l'assister. Une précieuse brochure de 1755 donne l'*Ordre chronologique des juges et consuls de la ville de Paris depuis leur établissement*. Ce premier tribunal de commerce de la capitale siège d'abord dans l'abbaye Saint-Magloire. Ayant réuni les fonds nécessaires pour acquérir un immeuble, les juges-consuls s'établissent à la fin de 1570 dans un hôtel vendu par le président Baillet, au cloître Saint-Merri. Ils y resteront jusqu'en 1825. Dans son *Tableau de Paris*, Sébastien Mercier consacre deux chapitres à la juridiction consulaire et fait les plus grands éloges sur le fonctionnement de cette institution à la veille de la Révolution : « Elle expédie plus de procès que tous les autres tribunaux. Elle est extrêmement tumultueuse, parce qu'il y a toujours grande affluence de plaideurs, expliquant leur cause à leurs procureurs, ou plaidant eux-mêmes. Des contestations qui, au Parlement et au Châtelet, séjourneraient plusieurs années, sont jugées en peu d'heures devant les juges et consuls. Leur justice est prompte et loyale. La nuit n'interrompt point leurs fonctions ; ils sont encore sur leurs sièges, lorsque le lendemain commence. Leur zèle est infatigable, et leur patience ressemble à leur zèle. Sans cette juridiction toujours debout, toujours l'oreille ouverte, le commerce serait livré à l'anarchie. » La loi du 16-24 août 1790 remplace les juges-consuls par des tribunaux de commerce dont l'organisation définitive date de la promulgation en 1807 du Code de Commerce. Le tribunal de commerce de Paris a continué de siéger au cloître Saint-Merri jusqu'à l'aménagement de la Bourse en 1825, où il fut installé. Le cloître Saint-Merri continua à héberger les dix gardes du commerce, seuls habilités à mettre à exécution les contraintes par corps prononcées par le tribunal. En 1865, chassé par l'extension des activités boursières, le tribunal de commerce s'installe à son emplacement actuel, sur le boulevard du Palais, face au Palais de justice.

JUSTICE SEIGNEURIALE

A côté de l'autorité royale, au moins vingt-cinq justices seigneuriales ont subsisté à Paris, jusqu'à l'édit de suppression de 1674 (voir SEIGNEURIE). Ainsi, outre la justice du roi rendue au Châtelet, deux seigneurs importants, l'évêque et l'abbé de Saint-Germain-des-Prés, exerçaient un droit de justice. Le bailliage du For-l'Évêque couvre cent cinq rues et a annexé au XVIe siècle les justices de Saint-Éloi et Saint-Magloire. En 1670, on dénombre vingt-quatre prisons appartenant à des seigneurs particuliers, mais deux seulement ont de l'importance, celles du For-l'Évêque et de Saint-Germain-des-Prés : le registre d'écrou de l'abbaye pour 1644, 1645 et 1646 mentionne près de mille cent incarcérations durant ces trois années. Le personnel de la justice seigneuriale est composé du bailli ou du prévôt qui préside les audiences, assisté d'un lieutenant, du procureur fiscal, représentant de l'intérêt général et des intérêts du seigneur, de procureurs, d'huissiers, de sergents. En 1630, on compte à Saint-Germain-des-Prés 6 procureurs et 12 sergents ; en 1674, au For-l'Évêque, 11 procureurs et 12 huissiers. Les profits de justice ne sont pas négligeables : après l'édit de 1674, l'archevêque reçoit, à titre de compensation, une rente de 10 000 francs portée à 16 000 en 1681, et il est déchargé de sa contribution annuelle de 3 000 francs pour l'entretien des enfants trouvés. Pour l'exécution publique des peines, il y avait deux piloris, celui du roi aux Halles et celui de l'abbé de Saint-Germain-des-Prés. Les autres seigneurs n'avaient droit qu'à une échelle, la mieux connue étant celle du For-l'Évêque, à la Croix-du-Trahoir (rue Saint-Honoré, à l'intersection de la rue de l'Arbre-Sec dont le nom désigne sans doute les bois de justice).

• *Voir aussi* ÉCHELLE DE JUSTICE ; PILORI.

KILOMÈTRE ZÉRO
Voir POINT ZÉRO.

L

LABORATOIRE MUNICIPAL

A la fin de 1876, le Conseil municipal décidait la création d'un bureau d'essai où chaque acquéreur pourrait vérifier si son vin était ou non coloré artificiellement. En 1878, le préfet de police fit approuver la constitution d'un laboratoire municipal de chimie qui commença à fonctionner régulièrement le 1er mars 1881. Installé d'abord dans les anciennes écuries de la caserne de la Cité, il mit au point des méthodes de prélèvements d'échantillons et des techniques permettant de déceler les fraudes alimentaires. Le vote de la loi sur la répression des fraudes en 1905 permit d'étendre son champ d'activités : depuis les attentats anarchistes de 1893, il englobait la neutralisation des engins explosifs trouvés sur la voie publique, et, après l'incendie du Bazar de la Charité en 1897, comprenait la surveillance des établissements ouverts au public. Ces deux activités devaient aboutir à la constitution en 1943 du Service des explosifs et du Service d'électricité et d'inspection des établissements à public. En 1959 naît le Service de radioactivité. Depuis la loi du 2 août 1961 sur les problèmes de pollution atmosphérique s'est aussi constitué un Service de salubrité publique et industrielle divisé en cinq sections :

surveillance des denrées alimentaires, contrôle des produits industriels, surveillance de la pollution atmosphérique urbaine, recherche des causes de pollution de l'atmosphère des locaux habités, contrôle des eaux usées. Discret mais efficace, le Laboratoire municipal est aujourd'hui installé au 39 *bis*, rue de Dantzig. Il existe un Laboratoire de toxicologie à l'Institut médico-légal, 2, place Mazas. Tous deux relèvent de la préfecture de police.

LAIT

Les Parisiens n'ont jamais été de gros consommateurs de lait, mais cet aliment indispensable, notamment aux jeunes enfants, y a cependant toujours été largement commercialisé par les laitiers ou crémiers ; les seconds se distinguent des premiers par la vente en boutique tandis que les premiers criaient leur marchandise par les rues. Le livre de la taille de 1292 mentionne huit laitiers et laitières. Dans son *Traité de la police*, Delamare note vers 1710 : « Paris tire ses provisions de lait des villages qui l'environnent dans la distance d'environ deux lieues. Plusieurs femmes, comme l'on sait, l'y apportent tous les matins, le crient dans les rues ou l'exposent en vente sur une petite place proche Saint-Jacques-de-la-Boucherie, que l'on nomme pour cette raison la Pierre-au-Lait. Quelques autres femmes, en très petit nombre, en débitent aussi dans leurs boutiques, qu'elles achètent de ces laitières de la campagne, principalement en été.» Mais Delamare reconnaît aussi que le Parisien est «peu accoutumé au lait», aliment dont on se méfie, car les laitières le dénaturent très souvent, soit en enlevant la crème, soit en ajoutant de l'eau mêlée de farine. L'ordonnance de police d'avril 1742 précise même que souvent les laitières «en vendaient qui était aigre ou tourné; que cet aliment destiné principalement à la nourriture des enfants, et qui faisait aussi une ressource pour les pauvres et pour les malades, deviendrait une substance presque inutile, et même dangereuse pour la santé, s'il n'était remédié aux mauvaises pratiques de ceux qui en font débit». A la fin du XVIIIe siècle, avec la mode du café au lait, qui atteint jusqu'aux couches sociales les plus pauvres, le lait s'impose définitivement dans l'alimentation des Parisiens.

Le profit tiré de la vente du lait encouragea le maintien d'étables ou «vacheries» dans la capitale jusqu'à une date récente. Dans son *Tableau de Paris*, Sébastien Mercier mentionne l'importation de Suisse de vaches qui furent installées aux Champs-Élysées, mais y dépérirent rapidement dans de maigres pâturages, et conclut : «L'entreprise échoua, à la grande surprise des badauds, qui demandaient toujours du bon lait des vaches suisses.» Les nuisances occasionnées par les vacheries, la puanteur du fumier, les nuées de mouches, suscitèrent des plaintes et l'intervention des autorités publiques. L'ordonnance du 12 juin 1802 (23 prairial an X) du préfet de police subordonne l'installation et l'exploitation des vacheries à une autorisation administrative et au respect de diverses mesures d'hygiène. En 1822, un autre texte exige que les vacheries soient situées uniquement «dans les faubourgs

établis au-delà des boulevards intérieurs» ou Grands Boulevards. Une des mieux connues de ces vacheries, qui seraient aujourd'hui situées dans les arrondissements périphériques, constitués par l'annexion de 1860, est la vacherie Sainte-Anne, installée près de la barrière de la Santé (XIVe arrondissement actuel, à la limite du XIIIe). Elle fournissait le lait de plusieurs hôpitaux parisiens. Créée en 1819, elle prit une grande extension en 1825, portant le nombre de ses vaches de trente à cent quarante et distribuant le lait à domicile par abonnement. Vingt-huit dépôts étaient installés dans la ville et le livreur passait dans les rues en agitant une crécelle. Alertés par ce bruit, les abonnés descendaient et échangeaient leurs bouteilles vides contre d'autres hermétiquement fermées, ficelées et pourvues d'un cachet pour empêcher toute altération frauduleuse. L'abonnement, valable pour trente livraisons, coûtait 7 francs pour un demi-litre quotidien, 12,30 francs pour un litre.

Le succès de la laiterie Sainte-Anne suscita la création de nombreuses autres vacheries et, en 1850, les laiteries suburbaines (quartiers annexés en 1860) fournissaient le sixième de la consommation parisienne. Concurrencés par le lait acheminé par chemin de fer, les producteurs de lait des faubourgs et de la banlieue s'organisent en association pour défendre leurs intérêts et garantir la qualité de leurs produits. Ils résistent victorieusement au «lait voyageur» venu de province. Si les vacheries parisiennes, minées par l'urbanisation, voient leur part se réduire au quart de la consommation de la capitale, celles de banlieue portent la leur de 10 % en 1843 à 30 % en 1875. Cependant, les vacheries parisiennes continuent à progresser jusqu'en 1892, date à laquelle on recense près de cinq cents établissements, abritant sept mille vaches qui produisent cent mille litres de lait par jour. Mais le déclin des vacheries est rapide. Elles ne sont plus que trois cents en 1902, deux cents en 1908, une centaine à la veille de la guerre de 1914-1918. La concurrence des grandes sociétés laitières, la difficulté de recruter des garçons vachers mal payés s'ajoutent à la spéculation foncière pour contribuer à la disparition des vacheries parisiennes. L'effondrement est total au retour de la paix : on ne compte plus que trente vacheries en 1920. Le lait pasteurisé achève les entreprises qui subsistent. On n'en comptait plus que trois en 1946, sur le point de fermer leurs portes.

LANTERNE

Alors que la chandelle et la bougie servent à l'éclairage à l'intérieur des maisons, les Parisiens, lorsqu'ils sont contraints de sortir de chez eux à la nuit tombée, utilisent des lanternes circulaires à carcasse de bois ou de métal à l'intérieur de laquelle la lumière d'une chandelle est protégée au moyen d'une matière aussi transparente que possible : toile déliée, talc, vessie de porc ou parchemin. Ces lanternes sont fabriquées par la corporation des lanterniers, plus tard nommés peigniers-tabletiers à cause des minces tablettes de corne ou d'ivoire qu'ils emploient. En 1507, l'évolution des techniques amène la dislocation de cette profession : les fabricants de lanternes en métal rejoignent les ferblantiers, ceux qui font des lanternes en toile ou en papier s'unissent aux dominotiers tandis que la grande majorité d'entre eux, restés fidèles aux lanternes en bois, s'agrègent aux boisseliers, escuelliers et souffletiers qui ajoutent à leurs titres celui de lanternier.

Un important progrès technique apparaît vers la fin du XVIe siècle : le vitrage ; son utilisation donne à la lanterne une luminosité accrue. Un acte du 8 octobre 1599 atteste de son emploi à Paris : « Jehan Destoile, maistre victrier à Paris, demourant rue Saincte-Genevievfe, paroisse Saint-Estienne-du-Mont, confesse avoir vendu et promect

fournir et livrer aux jours de festes de Saint-Simon et Saint-Jude, prochainement venant, à Noël Berteau, maistre tailleur d'habitz à Paris, commis à faire mectre les lanternes et chandeliers du cartier de la place Maubert, de la dizaine du Garnier, à ce point cinq lanternes de verre bonnes et bien jointes, telles que l'on a acoustumé d'en bailler audit cartier. »

Les lanternes se multiplient après l'ordonnance de police du 2 septembre 1667. On en compte près de trois mille en 1669, le double en 1729. Chacune de ces lanternes doit être haute de 18 pouces (environ 50 centimètres) et large de 8 (environ 22 centimètres), avoir une forme de sphéroïde allongé, et être composée de petits morceaux de verre réunis par des bandes de plomb. Pourvues d'une chandelle, ces lanternes sont posées sur les rebords des fenêtres des maisons. La lumière fournie n'est pas excellente, comme en témoigne la *Correspondance secrète* du 29 mars 1777 : « A Paris même, les lanternes, formées de petits vitraux, étaient construites de manière à ne laisser échapper que très peu de la faible lumière qui y étoit entretenue. Les jointures des vitres produisoient dans les rues ces ombres transversales que M. Randin, en revenant de souper en ville, prenoit pour des "poutres" et qu'il franchissoit avec peine en sautant à chaque pas. »

Des améliorations ont été apportées. Par lettres patentes du 23 décembre 1745, l'abbé Matherot de Preigney et le sieur Bourgeois de Châteaublanc ont obtenu le privilège d'une entreprise de nouvelles lanternes. Munies de lampes à huile, pourvues de réflecteurs en métal poli, elles sont appelées « réverbères ». La lumière de ces réverbères est nettement plus forte, mais ils mettront quand même un quart de siècle à s'imposer. Les *Mémoires secrets* de Bachaumont du 25 juillet 1769 font part de leur victoire sur les vieilles lanternes : « Toutes les affaires de ce pays-ci traînent en longueur, surtout quand il s'agit d'innover. Il y a quelque temps qu'on avait annoncé celle du sieur Bourgeois de Châteaublanc pour l'illumination de Paris durant toute l'année, comme prête à se consommer ; la chose est enfin décidée et, par un arrêté du Conseil rendu le 30 juin dernier, il est chargé de l'entreprise de toutes les lanternes pendant vingt ans, conjointement avec des autres associés. C'est une justice qu'on devait d'autant mieux rendre à ce bon citoyen qu'il est le véritable inventeur des lanternes à réverbères, que toutes celles dont on a fait des essais ne sont que des configurations différentes de son modèle, auquel on est obligé de revenir. Il est reconnu que ces lanternes éclairent parfaitement, avec le plus d'économie possible et par une mécanique simple, qui fait infiniment d'honneur aux connaissances et aux talens de cet artiste. Son projet doit s'exécuter au 1er août.»

On trouve une description précise des différents modèles de réverbères dans la convention passée avec le lieutenant général de police Sartine : «La forme des lanternes sera hexagone ; la cage sera en fer brasé sans soudures, et montée à vis et écrous. Celles destinées pour cinq becs de lumière auront deux pieds trois pouces de hauteur y compris leur chapiteau, vingt pouces de diamètre par le haut et dix pouces par le bas [...]. Toutes ces lanternes auront chacune trois lampes de différentes grandeurs, à proportion du temps qu'elles devront éclairer. Chaque bec de lampe aura un réverbère de cuivre argenté mat, de six feuilles d'argent, et chaque lanterne avec un grand réverbère placé horizontalement au-dessus des lumières, lequel entreprendra toute la grandeur de la lanterne pour dissiper les ombres ; ce réverbère sera également de cuivre argenté mat, de six feuilles d'argent ; tous les réverbères auront un tiers de ligne d'épaisseur.»

Perfectionnées vers 1821 par Vivien, ces lanternes à réverbère furent évin-

cées à partir de 1840 par les becs de gaz de l'éclairage au gaz.

Une de ces lanternes à réverbère était destinée à devenir célèbre. Située à l'angle de la place de Grève et de la rue de la Vannerie (vers l'avenue Victoria actuelle), elle fut utilisée pour pendre Foulon et Bertier de Sauvigny, le 22 juillet 1789. Dans son *Discours de la Lanterne aux Parisiens*, Camille Desmoulins se proclame «procureur général de la Lanterne», s'arrogeant par là le droit de désigner à la vindicte populaire les aristocrates et contre-révolutionnaires. Le cri «A la Lanterne !» devint un appel au meurtre durant la Révolution et les paroles de la chanson *Ça ira* contenaient le vers :

«Les aristocrates à la Lanterne !»

• *Voir aussi* ÉCLAIRAGE ; ÉLECTRICITÉ.

LATITUDE

La latitude des principales régions de leur Empire était déjà assez bien connue des Romains. Au XVIIe siècle, les cartographes situaient avec précision Paris et le tracé du méridien à travers la France permit d'affiner la mesure durant le XVIIIe siècle. Aujourd'hui, Paris se situe officiellement par 48 degrés 50 minutes 11 secondes de latitude Nord. Ces 48° 50' 11'' correspondent à l'emplacement de l'Observatoire.

• *Voir aussi* MÉRIDIEN.

LATRINE

Voir FOSSE D'AISANCES ; TOILETTES PRIVÉES ; TOILETTES PUBLIQUES.

LÉGENDE

La tradition parisienne est pauvre en légendes. Une des plus anciennes et des mieux fondées est celle d'Isoré, un Saxon d'une taille gigantesque, champion de l'empereur Othon II, qui aurait affronté en 978 le représentant d'Hugues Capet et aurait été tué par lui en duel. *Le Moniage Guillaume*, chanson de geste du XIIe siècle qui évoque ce combat, le situe près de l'ancienne voie menant à Orléans, près de la nécropole gallo-romaine. Or, c'est bien à cet endroit que Sauval décrit, au XVIIᵉ siècle, une tombe «de pierre de taille, [...] élevée sur une espèce de tertre, et plantée au milieu d'une grande pierre plus longue que large, telles que sont les tombes d'ordinaire». Située à l'intersection de l'avenue du Parc-de-Montsouris, des rues Dareau et de la Tombe-Issoire, cette tombe aurait, selon Ferdinand Lot, été à l'origine de la légende : «Et l'imagination, une fois mise en mouvement, n'avait pas grand'peine à se persuader que le géant avait succombé dans un combat singulier, car on n'a jamais ouï dire qu'un géant soit mort autrement.»

Non loin de là, dans les jardins de l'actuelle avenue de l'Observatoire, le roi Robert le Pieux fit construire une grande maison de campagne au début du XIᵉ siècle, à un endroit dit le «val vert» ou «vauvert». Bientôt abandonnée, cette demeure tomba en ruine et eut la réputation d'abriter des réunions diaboliques, d'où l'expression qui naquit du «diable Vauvert». En 1259, les ruines et le terrain furent cédés par saint Louis aux chartreux et la mauvaise réputation de l'endroit s'effaça.

Les Tuileries eurent leur fantôme : l'Homme rouge. Un écorcheur vivant près de la résidence en construction aurait été assassiné, sur ordre de Catherine de Médicis, par un certain Neuville. Il apparut sous la forme d'une sorte de brouillard à l'astronome de la reine et lui aurait annoncé qu'il hanterait le château jusqu'à ce que la souveraine déménage. L'Homme rouge serait ensuite apparu à Catherine, qui aurait alors fui le palais. La reine Marie-Antoinette l'aurait aussi vu peu après le 10 août 1792 ; elle raconta sa vision à Mme Campan. Peu avant Waterloo, il serait aussi apparu à Napoléon Iᵉʳ. Le comte d'Artois l'aurait également vu, peu avant la mort de Louis XVIII.

Dans son *Dictionnaire infernal*, Col-

lin de Plancy rapporte une autre tradition de la capitale : «Les Parisiens font beaucoup de contes sur un fantôme qu'ils appellent le Moine bourru. Il parcourt les rues pendant la nuit, tord le cou à ceux qui mettent le nez à la fenêtre et fait nombre de tours de passepasse. Il paraît que c'est une espèce de lutin. Les bonnes et les nourrices épouvantent les enfants de la menace du moine bourru. Plus aimables sont les Gobelins, lutins domestiques qui se retirent dans les endroits les plus cachés des maisons parisiennes [...]. On dit que la manufacture des Gobelins doit son nom à un de ces lutins qui, dans l'origine, venait travailler avec les ouvriers et leur apprendre à faire de beaux tapis.» Cette étymologie des Gobelins est, évidemment, fantaisiste.
• *Voir aussi* ORIGINES LÉGENDAIRES DE PARIS.

LÉGION DE POLICE
Voir GARDE DE PARIS.

LÉPROSERIE
La lèpre est attestée dès l'époque gallo-romaine et le concile d'Orléans de 511 prescrit aux évêques de prendre en charge les lépreux. Le capitulaire d'Aix-la-Chapelle de 789 ordonne leur isolement pour éviter la contagion. Mais c'est surtout à partir du XIIᵉ siècle que les léproseries se multiplient, les croisades et les brassages de population en Terre sainte ayant contribué largement à répandre la maladie en Europe occidentale. En 1225, Louis VII lègue par testament 100 sous à chacune des deux mille léproseries du royaume. La plus ancienne léproserie parisienne, Saint-Lazare ou Saint-Ladre, apparue au début du XIIᵉ siècle, est attestée avec certitude en 1124, dans la rue du Faubourg-Saint-Denis. Le nom du premier prieur connu est mentionné en 1152. La communauté est doublement mixte, composée de frères et de sœurs, de religieux sains et lépreux. Pour être admis, les lépreux devaient être nés à Paris et

faire don de tous leurs biens au prieuré. On y trouve aussi bien des nobles que des religieux, des bourgeois et des pauvres. En 1145, Louis VII affecta deux bourgeois de Paris, renouvelables et dispensés de la taille, au service de la léproserie et accorda diverses prestations en nature au prieuré ainsi qu'un moulin sur le Grand-Pont. Louis VI lui avait accordé en 1131 le droit de tenir une foire annuelle de quinze jours entre le 10 et le 24 novembre. Philippe Auguste racheta cette foire en 1181 pour l'établir aux Halles, mais concéda en compensation une foire d'été, la foire Saint-Laurent, qui se tenait les 9 et 10 août, veille et jour de la fête de ce saint. En 1178-1179, les frères de Saint-Lazare captèrent pour leur prieuré les eaux de Belleville et du Pré-Saint-Gervais, dont une partie fut ensuite détournée vers les Halles. La disparition progressive de la lèpre et le saccage du prieuré durant la guerre de Cent Ans furent la cause de son annexion en 1515 aux chanoines réguliers de Saint-Victor. Il existait une seconde léproserie, celle que la corporation des monnayeurs avait fondée vers 1200 au Roule pour ses membres atteints de la maladie. En mai 1206, un acte mentionne un « bourg aux lépreux ». Le 28 mai 1218, le pape Honorius III mit la maladrerie sous la protection du Saint-Siège. En 1279, une convention avec le prieuré Saint-Martin-des-Champs permit au Roule d'accueillir les frères lépreux de ce couvent. Le petit nombre de malades de ce couvent et de la corporation des monnayeurs fit qu'on admit d'autres lépreux, assez riches pour louer des pavillons séparés et vivre en marge de la fraternité déjà existante. Un arrêt du Parlement du 6 avril 1535 ordonna leur expulsion, mais il n'y avait, à l'époque, pratiquement plus de lépreux au Roule. Au XVIIe siècle, la maladrerie du Roule est devenue une simple ferme, appelée « grande maison du Roule ». Il existait aussi, sur la rive gauche, une maladrerie dite Saint-Germain, dont le square Boucicaut occupe l'emplacement et dont on ignore presque tout.

LIBRAIRIE

Par acte du 8 décembre 1275, l'Université s'assure la collaboration de *librarii* (libraires) et de *stationarii* (stationnaires) : les premiers se contentent de recevoir en dépôt et de vendre les manuscrits ; les seconds ajoutent à cette activité la commande et la direction de la fabrication de nouveaux manuscrits, assurant ainsi un rôle de libraire-éditeur. Le livre de la taille de 1292 fait état de huit libraires seulement, dont la profession, insuffisamment rentable, est généralement associée à une autre : ainsi Thomas de Senz et Nicolas l'Anglois sont-ils libraires et taverniers. Très étroitement surveillés par l'Université qui veille à la reproduction manuscrite uniquement de textes contrôlés par elle et d'une parfaite orthodoxie religieuse, les libraires portent le titre de « clients » ou « suppôts » de celle-ci. L'ordonnance de mars 1488 mentionne vingt-quatre libraires, unis dans une seule corporation aux écrivains, enlumineurs, parcheminiers et relieurs. La naissance de l'imprimerie en 1470 à Paris accroît encore le caractère mixte de cette profession, les métiers de libraire et d'imprimeur se recouvrant largement tout en comportant une activité d'édition. Les statuts du 1er juin 1618 rassemblent dans une même corporation libraires, imprimeurs, relieurs et doreurs, tous suppôts de l'Université et astreints à ne tenir boutique que dans le quartier de l'Université. L'édit du 21 août 1686 réunit libraires, imprimeurs et fondeurs en caractères d'imprimerie et n'autorise l'installation en dehors du quartier de l'Université qu'au Palais (de justice) et, pour les marchands de livres d'heures et de prières, « aux environs du Palais et dans la rue Notre-Dame ». A la veille de la Révolution, on dénombrait environ deux cents libraires, imprimeurs, fondeurs de caractères. La

confusion entre librairie, imprimerie et édition est encore totale ainsi qu'en fait foi le chapitre «Libraires» du *Tableau de Paris* de Sébastien Mercier, composé vers 1782 : «Les libraires se croient des hommes de conséquence, parce qu'ils ont l'esprit d'autrui dans leur boutique, et qu'ils se mêlent quelquefois de juger ceux qu'ils impriment.» Il ajoute, quelques lignes plus bas, faisant allusion au sévère contrôle exercé par les pouvoirs monarchiques et religieux, qui entrave la publication des idées nouvelles des philosophes, contraints de se faire éditer en Suisse ou en Hollande : «Comme cette branche de commerce est, à Paris, dans la dépendance la plus humiliante, les libraires sont devenus des marchands de papiers noircis. Ils chérissent de préférence les auteurs féconds, grands manufacturiers du Parnasse, qui font des compilations critiques, historiques, des extraits de voyages, etc. [...]. On emploie à Paris, année commune, environ cent soixante mille rames de papier pour l'impression. La raison philosophique ne saurait en obtenir une page, pour se faire entendre. Les gênes, les entraves, les règlements de toute espèce ont effarouché le commerce, qui demande à être libre pour prospérer.» L'édition ne va se dégager de la librairie qu'au XIXe siècle et les libraires qui feront fortune vont tendre à privilégier l'activité éditoriale au détriment du commerce de librairie proprement dit, le cas le plus éclatant étant celui de la Librairie Hachette. Aujourd'hui, la librairie connaît une situation difficile ; elle subit la concurrence des grands magasins et des supermarchés qui commercialisent de la littérature de consommation courante. Le nombre des libraires de quartier tend à diminuer constamment. Seul le commerce du livre d'occasion résiste, avec bien des vicissitudes, une poignée de libraires de livres anciens maintenant le prestige international de la capitale.
• *Voir aussi* ÉDITION ; IMPRIMERIE.

LIEU D'AISANCES
Voir TOILETTES PRIVÉES ; TOILETTES PUBLIQUES.

LIEU-DIT
Outre les champs, clos, coutures, cultures, enclos, prés (voir CHAMP ; COUTURE ; ENCLOS ; PRÉ), on dénombre quantité de lieux-dits divers à Paris. Il est impossible de les citer tous et l'on doit se limiter aux plus anciens, aux plus fréquemment cités et à ceux qui peuvent créer des confusions. Sont attestés dès le XIIe siècle : Vauvert (rue Henri-Barbusse et avenue Denfert-Rochereau), lieu mal famé, d'où l'expression du «diable Vauvert» ; la terre de Laas ou de Lias, dite aussi parfois clos, située vers la rue de la Huchette et Ablon, rue Saint-Médard. On trouve au XIIIe siècle : les Cendres (rue du Pont-Liveau, devenue Poliveau) ; la Motte aux Papelards, nommée plus tard Terrain, derrière Notre-Dame, à la pointe orientale de l'île de la Cité ; l'Orberie, déformation de l'Herberie, marché aux herbes (légumes), quai du Marché-Neuf. Le Pont-Perrin, rue Saint-Antoine, à peu près à l'emplacement de l'église Saint-Paul-Saint-Louis, a laissé son nom à un égout. La Grange-aux-Merciers (rue Nicolaï) est également du XIVe siècle. Picpus, dont l'étymologie est controversée, s'est aussi écrit Picquepusse. La Saumonière ou Saumonerie se situait sur la rive gauche, en face des Tuileries. Au XVIe siècle sont attestés l'Écorcherie, la Sablonnière, à l'emplacement du quai Malaquais et le Pavé, entre la place Maubert et la Seine. Très connue est la Vallée, dite aussi Vieille Vallée de Misère, la Poulaillerie et même, par euphémisme, la Vallée de Joie. Décidément voué à la volaille, cet endroit commençait au Châtelet et s'étendait vers l'ouest sur une partie de l'actuel quai de la Mégisserie, où foisonnent aujourd'hui les marchands d'oiseaux et autres animaux de compagnie. Situé à proximité de la sombre prison du Châtelet, près de la

puanteur exhalée par les activités des mégissiers et retentissant de cris de détresse des animaux qu'on y vendait, ce lieu méritait largement son nom de Vallée de Misère. Un nom qui évoquerait plutôt, selon Hillairet, une crue de la Seine survenue en janvier 1496, qui aurait ravagé cet endroit. La Vallée de Fécamp, dont le nom subsiste dans la rue de Fécamp, était arrosée par le ru de Montreuil et aurait dû son nom à une possession des abbés de Fécamp. Datent du XVIIe siècle, la Mare devant l'hôpital Saint-Louis, la Grenouillère (quai d'Orsay), la petite Plaine (rue Sainte-Foy), la Rochette puis la Roquette dans la rue du même nom. Au XVIIIe siècle, apparaissent le Point-du-Jour, à la limite de Boulogne, qui tire sans doute son nom d'une enseigne ; la Pologne ou la Petite Pologne (rue de l'Arcade), les Épinettes dont un quartier du XVIIe arrondissement conserve le nom ; les Grandes Carrières, quartier du XVIIIe ; les Carrières d'Amérique, quartier d'Amérique du XIXe arrondissement. Il faut citer, pour lever une ambiguïté, la Grande Pinte, attestée comme partie supérieure de la rue de la Chaussée-d'Antin et comme lieu-dit vers le numéro 300 de la rue de Charenton, dont le nom évoque une auberge, et le Bel-Air, quartier du XIIe arrondissement, également lieu-dit du XIIIe (vers la rue du Tage) et du XVIe (rue Lauriston).

LIEU PRIVILÉGIÉ
Voir PRIVILÉGIÉ (lieu).

LIEUTENANT GÉNÉRAL DE PARIS
Voir GOUVERNEUR DE PARIS.

LIEUTENANT GÉNÉRAL DE POLICE

Créée le 15 mars 1667, la charge de lieutenant général de police couvre un vaste domaine, correspondant à peu près aux attributions actuelles des préfets de police et des préfets de Paris réunis. Le lieutenant général de police est tenu notamment à « assurer le repos du public [...], à purger la ville de ce qui peut causer les désordres et à procurer l'abondance ». Il a donc la responsabilité du maintien de l'ordre, mais aussi de l'entretien, de la propreté, de l'éclairage, de la circulation dans les voies publiques, de l'approvisionnement en eau de la capitale, etc.

Liste des lieutenants généraux de police à partir de l'*Almanach de Paris* :

1. Gabriel Nicolas de La Reynie (29.III.1667-29.I.1697)
2. Marc René de Voyer d'Argenson (29.I.1697-28.I.1718)
3. Louis Charles de Machault d'Arnouville (28.I.1718-26.I.1720)
4. Marc Pierre de Voyer d'Argenson (26.I.1720-01.VII.1720)
5. Gabriel Taschereau de Baudry (01.VII.1720-26.IV.1722)
6. Marc Pierre de Voyer d'Argenson (26.IV.1722-28.I.1724)
7. Nicolas Jean-Baptiste Ravot d'Ombreval (28.I.1724-29.VIII.1725)
8. René Hérault de Fontaine (29.VIII. 1725-21.XII.1739)
9. Claude Henri Feydeau de Marville (21.XII.1739-27.V.1747)
10. Nicolas René de Berryer (27.V.1747-29.X.1757)
11. Henri Léonard Bertin (29.X.1757-21.XI.1759)
12. Jean Gualbert de Sartine (21.XI.1759-30.VIII.1774)
13. Jean Charles Pierre Le Noir (30. VIII.1774-14.V.1775)
14. Joseph Albert (14.V.1775-19.VI.1776)
15. Jean Charles Pierre Le Noir (19.VI. 1775-11.VIII.1785)
16. Louis Thiroux de Crosne (11.VIII. 1785-16.VII.1789).

LIMITE
Voir BORNE.

LIMONADIER

Attestée dès le XIIIe siècle, l'eau-de-vie est d'abord distillée et vendue par les épiciers-apothicaires vinaigriers. Ils furent concurrencés, à la suite de l'arrêt du 7 septembre 1624, par une nouvelle profession qui devint, le 13 octobre 1634, la corporation des distillateurs et vendeurs d'eau-de-vie. Un arrêt du 15 mai 1676 les réunit à la profession, créée au mois de mars précédent, des limonadiers-marchands d'eau-de-vie. Leurs statuts énumèrent les boissons qu'ils sont autorisés à vendre : « Vins d'Espagne, vins muscats, vins de Saint-Laurens et de la Ciotat, vins de la Malvoisie et tous vins de liqueurs, rossoly, populo, esprit de vin, toutes limonades ambrées et parfumées, eaux de gelées, glaces de fruits et de fleurs, eaux d'anis, de cannelle, de frangipane, aigre de cèdre, sorbecs, café, cerises, framboises, noix et autres fruits confits, dragées en détail. » Cette corporation était constituée initialement de deux cent cinquante maîtres qui durent acheter leurs lettres de maîtrise au roi. En décembre 1704, Louis XIV, à court d'argent, eut recours au chantage et ordonna la suppression des maîtrises, contraignant ainsi les limonadiers à se cotiser pour lui offrir 200 000 livres en échange du retrait de cette mesure. Ils ne purent réunir toute la somme et le roi supprima à nouveau la communauté en septembre 1706 pour créer cinq cents nouvelles charges héréditaires dont il confia la vente à un certain Lescuyer. Celui-ci n'avait réussi à vendre que cent trente-huit de ces charges en 1713, lorsque la communauté fut rétablie par un édit de novembre. C'est ainsi que nos rois pressuraient les commerçants pour satisfaire leurs caprices guerriers ou architecturaux. Supprimée à la Révolution en même temps que les autres corporations, la profession continua à prospérer au XIXᵉ siècle et tenta de s'organiser à deux reprises en 1851 et 1869, mais ces deux essais furent des échecs. C'est le 14 janvier 1876 qu'est fondée l'Union syndicale et mutuelle des restaurateurs et limonadiers du département de la Seine, sous la présidence de Bignon aîné, patron du Café Riche. C'est encore aujourd'hui une des plus puissantes associations de commerçants de la capitale.

• *Voir aussi* CAFÉ.

LOGEMENT
Voir NOMBRE DES MAISONS.

LONGITUDE
Voir MÉRIDIEN.

LOTERIE

Créée en 1530 à Florence sous le nom de « lotto », la loterie est introduite en France dès 1533 sous le nom de « blanque » ou « bianque », du mot italien « bianca » désignant le billet blanc qu'on tirait. Le 21 janvier 1539, François Iᵉʳ autorise Jean Laurent à établir une blanque moyennant le versement annuel de 2 000 livres tournois. L'expérience échoue, semble-t-il, car, à part une loterie de bienfaisance organisée en 1570 par Louis de Gonzague, duc de Nevers, on n'entend plus parler de blanque jusqu'en 1656. Des lettres patentes autorisent alors le banquier napolitain Lorenzo Tonti à créer une loterie qui échoue à nouveau. La loterie royale, instituée en 1660 à l'occasion du mariage de Louis XIV, est, en revanche, un succès. Les autorités s'efforcent de contrôler la prolifération des loteries privées, parfois à la limite de l'escroquerie. Vaugelas avait organisé dès 1644 une blanque reprise à sa mort, en 1650, par des protégés des Scudéry, les sieurs Carton et Boulanger, qui parviennent à offrir comme lots vingt-cinq « logis » (maisons) dont la moindre possède une valeur de 15 000 livres. Loret fit de la réclame pour cette entreprise, le 18 novembre 1657, dans sa gazette, la *Muse historique*. Le siège de cette loterie se trouvait dans l'hôtel d'Anjou, rue de Béthisy. Le 2 février 1658, le même Loret déplore les abus auxquels ont donné lieu les loteries et note que, depuis la blanque de Carton et Boulanger, plus de quatre cent trente ont été organisées. En 1661, 1670, 1687 et 1700, des arrêts du Parlement et des ordonnances du lieutenant général de police rappellent que l'autorisation royale est préalable à l'organisation de toute lote-

LA LOTERIE

rie. On distingue des loteries de jeu, de commerce et de charité. Le roi ne se fait pas faute de renflouer ses finances grâce à des loteries : le *Mercure de France* de mars 1681 comporte une planche gravée représentant Louis XIV présidant au tirage des numéros gagnants. Le 30 juin 1776, un arrêt du Conseil rend permanente la loterie royale, source de profits immédiats : dans son compte rendu au roi pour l'année 1781, Necker estime que les tirages, qui ont lieu deux fois par mois, rapportent 7 millions de livres l'an. Un compte de gestion de 1788 fait état de 10 millions de bénéfices pour 36 millions de recettes. Supprimée au nom de la morale le 15 novembre 1793, la loterie nationale fut rétablie par le Directoire, supprimée à nouveau le 21 mai

1836 puis recréée en 1933. Cette institution n'est pas davantage évoquée, c[ar] elle ne concerne pas directement Pari[s]. Pour cette ville, il convient de mentio[n]ner les principales loteries, notamme[nt] celles de charité : en 1713 en fave[ur] des filles de la Conception, en 1714 [en] faveur des théatins, en 1746 pour l'h[ô]pital des Quinze-Vingts. On fit aus[si] des loteries pour financer la constru[c]tion des églises Saint-Roch (1705[?], Saint-Sulpice (1721), Sainte-Geneviè[ve] (1762), de la Madeleine (1764), ma[is] aussi celles de l'École militaire, [du] Pont-Royal, du Colisée, etc.

LOTISSEMENT

C'est au début du XVIIᵉ siècle, sous [le] règne d'Henri IV, que débute la po[li]tique de lotissement à Paris. Comm[e]

l'explique François Laisney dans *Règle et Règlement. La Question du règlement dans l'évolution de l'urbanisme parisien (1600-1902)*, il s'agit d'une «pratique radicalement nouvelle, celle du développement du réseau par l'aménagement de grandes emprises, leur viabilisation et division en parcelles sous l'initiative spéculative d'aménageurs privés (parlementaires, entrepreneurs et financiers). Une négociation et un contrôle sont alors engagés par l'administration des voyers sur le tracé, l'alignement et l'obligation de bâtir dans un temps donné [...]. Le tracé même des voies de lotissement correspond plus à un critère d'économie et de meilleure rentabilité par rapport à la simple desserte des parcelles revendables, qu'à un idéal de forme et de scénographie de l'espace urbain [...]. Les opérations sur la ville ne peuvent s'effectuer que par le rachat du sol, ce qui explique l'extrême pérennité des voies et, par exemple, la lenteur d'exécution d'un grand dessein monumental comme celui du Louvre, qui nécessitait la destruction du tissu avoisinant. Il est utile de remarquer que toutes les créations urbaines du XVIIe et jusqu'à la fin du XVIIIe siècle s'effectueront sans modification majeure de la législation. La pratique du lotissement du XVIIe et du XVIIIe siècle mène au schéma géométrique, à la rectitude des voies et à une largeur suffisante (8 mètres le plus souvent) tout à fait compatible avec la typologie de destination (hôtels ou maisons de rapport de hauteur limitée).»

Les premiers lotissements sont organisés à l'aube du XVIIe siècle par la monarchie en vue de la création de places royales : places Dauphine et Royale (des Vosges). De même, la rue Dauphine, percée sur ordre d'Henri IV pour servir de débouché au Pont Neuf, est liée à une opération de lotissement destinée à calmer le mécontentement des moines augustins en leur offrant l'occasion de profits importants par la construction de maisons en bordure de la nouvelle voie. Le lotissement le plus spectaculaire, qui garde aujourd'hui sa structure primitive, est celui de l'île Saint-Louis par Christophe Marie et ses associés Poulletier et Le Regrattier. Plus modestes sont les lotissements du Séjour d'Orléans, à cheval sur la Bièvre inférieure, qui a donné naissance à la rue de la Clef, du sieur La Barouillère entre les rues de Sèvres et du Cherche-Midi, des jardins de la reine Marguerite, première épouse d'Henri IV, avec les rues de Lille et de Verneuil, du Pré-aux-Clercs, de l'hôtel de Nevers à l'emplacement duquel est percée la rue Guénégaud ou du couvent de Saint-Chaumond en 1784, qui a donné naissance à la rue de Tracy. La Butte-aux-Gravois a fait l'objet d'un lotissement dès 1623 et un réseau de rues parallèles de 8 mètres de largeur a été créé entre la rue Beauregard et le boulevard de Bonne-Nouvelle. Le lotissement du quartier Richelieu entre 1633 et 1637, pensé par Le Barbier, a été un des plus importants, comparable par son étendue à celui des places royales postérieures, places des Victoires et Vendôme. Sous le règne de Louis XVI eurent lieu quelques opérations importantes. L'hôtel de Condé a laissé place à une série de rues (Crébillon, de l'Odéon, Casimir-Delavigne) convergeant vers le théâtre de l'Odéon. L'hôtel de Choiseul a été remplacé par un ensemble centré autour de la Comédie-Italienne, devenue Opéra-Comique au siècle suivant. La famille d'Orléans, pressée par des besoins d'argent, a organisé un centre d'activités commerciales autour du Palais-Royal, tandis que le lotissement du prieuré de Sainte-Catherine-du-Val-des-Écoliers (entre les rues de Sévigné, de Turenne et Saint-Antoine) était aménagé de façon à y établir un marché au centre des rues nouvelles d'Ormesson, Caron, Necker et de Jarente auxquelles était adjointe une impasse de la Poissonnerie destinée au commerce du poisson. Un marché fut pareillement établi lors du lotissement de la place d'Aligre, desservi par les rues de Cotte, d'Aligre et Beccaria. Il faut encore citer, sans vouloir être exhaustif, le lotissement de la partie occidentale des jardins du Luxembourg, résidence du comte de Provence, qui s'est organisé autour de la rue de Fleurus, celui des terrains des chevaliers de Malte autour de la rue de Malte (rues de Crussol, Jean-Pierre-Timbaud, Rampon, du Grand-Prieuré).

Fournis par la confiscation des biens du clergé, les biens nationaux permettent des lotissements sous le Directoire, l'Empire et surtout sous la Restauration. Le clos des Jacobins donne naissance à une rue et au marché Saint-Honoré. Le marché Mabillon est remodelé et environné de voies nouvelles. L'annexion du hameau d'Austerlitz en 1818 permet la création du boulevard de la Gare. On peut encore citer le lotissement du clos des Bernardins, celui de l'enclos du Temple, ceux des enclos de Saint-Martin-des-Champs et des Capucines, au nord de la place Vendôme, avec le percement de la rue de la Paix en 1806, ceux du couvent des Filles-Saint-Thomas dans le quartier de la Bourse et du couvent des hospitalières de la Roquette dans l'actuel XIᵉ arrondissement. Le lotissement du quartier de Sainte-Clotilde, dans le VIIᵉ arrondissement, se fait en 1828. C'est à partir de 1826 qu'ont lieu les plus vastes lotissements. Le plus important est celui de Beaugrenelle ou Grenelle, avec son marché, son église, son théâtre, sa rue commerçante (du Commerce). Moins étendus, les lotissements du quartier Saint-Vincent-de-Paul, de l'Europe et de la plaine de Passy n'en sont pas moins importants avec leur système polycentrique ou plutôt polyétoilé qui préfigure l'urbanisme haussmannien.

A partir du milieu du XIXᵉ siècle, la pratique du lotissement prend un essor considérable, devenant le moyen principal d'urbanisation. La nécessité d'une législation spécifique aboutit à la loi du 14 mars 1919, complétée par la loi Cornudet du 19 juillet 1924. On en trouve une analyse dans un article de Hyacinthe Léna paru dans la revue *Urbanisme* en mai-juin 1978. Ces textes sont complétés par la loi du 15 juin 1943, les décrets du 31 décembre 1958, du 28 juillet 1959, la loi d'orientation foncière du 30 décembre 1967 introduite dans le Code de l'urbanisme (article L 315.4) et le décret numéro 77.860 du 26 juillet 1977. Aujourd'hui, toutes les opérations importantes de construction font l'objet d'opérations de lotissement.
• *Voir aussi* le chapitre «Urbanisme», p. 501 et suiv.

LUNDI

L'absentéisme du lundi, constaté fréquemment dans les entreprises publiques et privées, bien connu des médecins et de la Sécurité sociale sous le nom de «maladie du lundi», plonge ses racines dans le passé parisien. Sébastien Mercier le dénonce déjà en 1782 dans son *Tableau de Paris* : «L'extrême indigence d'une certaine partie du peuple n'a que trop souvent sa source dans les dépenses faites au cabaret le lundi ; tous les ouvriers chôment ce jour-là ; c'est chez eux une vieille et indéracinable habitude.» La littérature moralisante du XIXᵉ siècle condamne sans relâche ceux qui «font le lundi». Le statisticien Moreau de Jonnès estime en 1851 que chaque jour chômé représente une perte de salaire dépassant 2 millions de francs pour la France entière. Il ajoute : «C'est là ce que ravit aux femmes industrielles la détestable coutume de faire le lundi, vestige de temps malheureux, où les serfs s'enivraient le dimanche pour oublier leur misérable condition et prolongeaient jusqu'au-delà du lendemain leur abrutissement de la veille.» Mais c'est bien à tort que ces moralistes croient que la Saint-Lundi n'est qu'une survivance des temps anciens ou la marque d'une faiblesse de caractère. L'enquête de 1848 de la Chambre de commerce de Paris signale, au contraire, que ce sont les ouvriers les mieux payés qui observent la Saint-Lundi, notamment les tailleurs et les cordonniers : « faire le lundi est, en effet, une forme de résistance à la discipline industrielle qu'impose le patronat et ce sont surtout les ouvriers qualifiés organisés en petits ou moyens ateliers qui la pratiquent ». Comme l'écrit Jeffry Kaplow dans un article paru en été 1981 dans la revue *Temps libre*, « tailleurs, cordonniers, métallurgistes avaient en commun non seulement un haut niveau de qualification, mais aussi un vieil esprit de corps, une tradition de camaraderie, une certaine instruction et un haut niveau d'engagement politique. C'est d'eux qu'est venue l'idée de "l'association" des travailleurs, le slogan typique de la génération de 1848. Ce sont eux qui étaient perpétuellement en conflit avec leur patron sur les délais et les salaires, eux qui entretenaient ce "germe permanent de méfiance et d'irritation" dont parle Le Play, eux enfin qui, en période d'agitation politique, transformaient les cabarets en "foyers d'excitation séditieuse". Et pourtant, eux aussi à partir de 1860 céderont peu à peu leur lundi. » La Saint-Lundi va progressivement perdre ses adeptes dans la seconde moitié du XIXᵉ siècle, mais les foules qui emplissent aujourd'hui les cabinets médicaux le lundi témoignent éloquemment d'un malaise plus réel que simulé d'une partie de la population face aux contraintes de la vie actuelle.

• *Voir aussi* DIMANCHE.

LYCÉE

La décadence et la sclérose de l'enseignement supérieur à la fin du XVIIIᵉ siècle, Université et collèges, convainc les contemporains éclairés, notamment les francs-maçons de la Société des Neuf Sœurs, de créer un cycle de conférences publiques. La première séance a lieu le 23 novembre 1780. Parallèlement, un des dirigeants des Neuf Sœurs, Court de Gébelin, organise le Musée de Paris qui a le même objectif et tient sa première assemblée le 21 novembre 1782. Une autre société, nommée aussi Musée, se constitue sous l'égide du physicien et aéronaute Pilâtre de Rozier. Elle tient sa première réunion le 11 décembre 1781. La mort du fondateur en juin 1785 entraîne une réorganisation de la société qui prend alors le nom de Lycée. Devenu Lycée républicain le 2 décembre 1793, il s'intitule Athénée de Paris à partir d'avril 1802 afin d'éviter toute confusion avec l'institution nouvelle des lycées.

C'est la loi du 1ᵉʳ mai 1802 (11 floréal an X) qui crée nos modernes lycées. Fourcroy, qui a inspiré cette loi, a enseigné au Lycée et lui a emprunté son nom. Les lycées sont dirigés par un proviseur assisté d'un censeur chargé de la surveillance des études et d'un économe. Le collège Louis-le-Grand de la rue Saint-Jacques, qui n'avait pas fermé durant la Révolution, est le premier des lycées parisiens sous le nom de Lycée impérial. Il fut le premier lycée où la gymnastique fut introduite, le 27 août 1829. Installée dans la maison professe des jésuites, l'école centrale de la rue Saint-Antoine est rebaptisée lycée Charlemagne. Établi en 1803 dans le cloître des Capucins, le lycée Bonaparte connaît de modestes débuts avec moins d'une centaine d'élèves. En avril 1814, il est rebaptisé collège Bourbon. En 1840, il compte déjà huit cents élèves. La révolution de 1848 le rebaptise lycée Chaptal, mais le second Empire revient au lycée Bonaparte. Il trouve son nom définitif de lycée Condorcet le 22 octobre 1870, mais connaît encore l'appellation de lycée Fontanes du 1ᵉʳ mai 1874 au 27 janvier 1883. Le lycée Napoléon ouvre le 19 août 1804 dans les locaux de l'ancienne abbaye de Sainte-Geneviève. Il devient collège Henri-IV en 1815, lycée Corneille en 1848-1849, lycée Napoléon jusqu'en 1870, à nouveau lycée Corneille de 1870 à 1873, pour fixer son nom sur Henri IV en 1873. La Restauration a ouvert le lycée Saint-Louis à l'emplacement du collège d'Harcourt le 1er octobre 1820. Succursale de Louis-le-Grand à Vanves, Michelet est érigé en lycée le 6 août 1864 sous le nom de lycée du Prince impérial. Devenu lycée Buffon en septembre 1870, puis lycée de Vanves, il porte le nom de Michelet depuis 1888. Le lycée Lakanal a été ouvert le 1er octobre 1885. Annexe de Louis-le-Grand depuis 1881, Montaigne est érigé en lycée le 2 août 1891. Janson-de-Sailly s'est ouvert le 10 octobre 1884, Buffon le 1er octobre 1889, Voltaire, le premier établissement de l'est parisien, le 30 juillet 1890 et Carnot le 1er janvier 1895. Il n'y a plus de création jusqu'à la Grande Guerre.

La République laïque et anticléricale a fondé les premiers lycées pour jeunes filles afin d'enlever les futures femmes à l'obscurantisme des établissements confessionnels. Sept lycées sont nés entre 1883 et 1913 : Fénelon en 1883, Racine en 1887, Molière en 1888, Lamartine en 1891, Victor Hugo en 1895, Victor Duruy en 1912 et Jules Ferry en 1913.

Jusqu'à la prolongation de l'obligation scolaire jusqu'à seize ans, en 1959, la progression des effectifs est lente et les créations de lycées rares : il y a dix-sept lycées de garçons en 1950 alors qu'il y en avait déjà treize en 1895. L'explosion scolaire des années 1960 et 1970 a entraîné la prolifération des lycées. On en dénombre cent vingt-sept en 1992, très souvent installés dans d'anciennes écoles : soixante-quinze bâtiments sont antérieurs à 1914 et un seul a été édifié entre 1980 et 1992.

• *Voir aussi* COLLÈGE.

MAÇON

Les statuts de 1268 font de la maçonnerie un métier libre : « Il puet estre maçon à Paris qui veut, pour tant que il sache le mestier et qu'il œuvre as us et aus coustumes du mestier », mentionne le *Livre des métiers* d'Étienne Boileau. Chaque maître ne peut avoir qu'un seul apprenti à la fois et la durée de l'apprentissage ne peut être inférieure à six ans. Le livre de la taille pour 1292 recense cent quatre maçons, celui de 1300 en dénombre cent vingt-trois. A la fin du XVIIIe siècle, la communauté comptait environ deux cent cinquante maîtres et Sébastien Mercier, dans le *Tableau de Paris*, se fait l'écho du mécontentement des Parisiens et dénonce la malhonnêteté d'une partie de la profession : « Mais où la ruse et la friponnerie du maçon triomphent et se cachent, c'est dans les murs en pierres de taille, en tout ou en partie. Chaque pierre doit avoir l'épaisseur du mur, pour que le mur soit très solide ; et le propriétaire paie cher pour cette dépense fondamentale. Que fait le maçon imposteur ? Il emploie du carreau de pierre de trois pouces d'épaisseur, il le met debout de chaque côté du mur, de manière que les deux carreaux ressemblent parfaitement à une pierre de taille. L'œil est trompé. Si le mur doit avoir vingt pouces d'épaisseur en un seul morceau de pierre, il n'en a que six en deux morceaux ; et si le morceau en pierre vaut six livres, les deux morceaux ne valent que vingt ou trente sols. Il reste un vide de quatorze pouces entre les deux carreaux. Quelquefois le dangereux maçon laisse le vide par économie ; mais quand il a un reste de pudeur, il le remplit avec des débris de cheminées, ou par de petits morceaux de moellon liés avec du mortier ou du plâtre. Ce délit punissable, en terme de coterie ou de maçonnerie, est appelé "faire de la musique", par ressemblance des lignes et des espaces dans les papiers de musique. Ainsi, non seulement le maçon vole, mais il en plaisante encore [...]. Qu'on s'étonne encore de la prompte fortune de ces entrepreneurs. C'est en faisant de la musique de cette sorte qu'ils parviennent à avoir une voiture pour aller à l'Opéra ; et Gluck n'a point tant gagné en traçant les lignes de sa musique sublime. »

La Révolution ayant aboli les corporations, les risques de dérive de la profession étaient encore plus graves. Désireux de limiter les malfaçons d'entrepreneurs indélicats, le préfet de police convoqua vingt-quatre représentants du métier, le 19 août 1809, pour leur demander de se concerter et de nommer des délégués représentant la profession. Le 13 janvier 1810, ils présentèrent à la préfecture des statuts créant un Bureau des entrepreneurs réunissant trois cent quatre-vingt-six membres. En avril 1834, ils adoptèrent de nouveaux statuts, puis constituèrent en 1839 la Chambre des entrepreneurs de maçonnerie. Il y eut de vives polémiques à propos des prix pratiqués dans la profession : le ministère des Travaux publics publiait sa série de prix, la Ville la sienne et la Chambre disposait de la sienne. Au XIXᵉ siècle, la plupart des maçons sont originaires de la Creuse qui se vide de ses habitants à tel point qu'elle ne peut plus assurer le renouvellement de la profession et qu'au début du XXᵉ siècle, ce sont les maçons italiens qui remplacent les Creusois.

• *Voir aussi* MAISON ; PIERRE.

MAGASIN (grand)
Voir GRAND MAGASIN.

MAI
Voir MAY.

MAIRE
Alors que les communes et leurs maires ont été institués depuis plus de deux siècles, au début de la révolution de 1789, Paris a vécu presque constamment sous un régime d'exception la privant de magistrat municipal. Après cinq années d'expériences révolutionnaires, elle n'a retrouvé des maires éphémères que durant les époques troublées de 1848, durant cinq mois, et de 1870-1871, pour dix mois seulement. Ce n'est que depuis 1977 qu'elle dispose d'une institution durable, jusqu'ici incarnée dans un seul titulaire.

Liste des maires de Paris :

1. Jean Sylvain Bailly (élu, 15.VII.1789-18.XI.1791)
2. Jérôme Pétion (élu, 14.XI.1791-15.X.1792 ; suspendu du 6 au 13.VII.1792)
— Philibert Borie, maire intérimaire (6-13.VII.1792)
— René Boucher, maire intérimaire (15.X.-02.XII.1792)
— Henri Lefèvre d'Ormesson (élu le 21.XI.1792 ; refuse la fonction)

3. Nicolas Chambon (élu, 30.XI.1792-02.II.1793)
4. Jean Nicolas Pache (élu, 14.II.1793-10.V.1794)
5. Jean-Baptiste Fleuriot-Lescot (nommé, 10.V.1794-27.VII.1794)
6. Louis Antoine Garnier-Pagès (nommé, 24.II.1848-05.III.1848)
7. Armand Marrast (nommé, 09.III.1848-19.VII.1848)
8. Étienne Arago (nommé, 04.IX.1870-15.XI.1870)
9. Jules Ferry (nommé, 15.XI.1870-05.VI.1871)
10. Jacques Chirac (élu, 25.III.1977-22.V.1995)
11. Jean Tibéri (élu, 22.V.1995-)

• *Voir aussi* MAIRIE ; PRÉVÔT DES MARCHANDS.

MAIRIE
La mairie de Paris a d'abord été installée au Parloir aux Bourgeois, situé au XIIIᵉ siècle en bordure de la rue Saint-Denis, près de la Seine, entre la chapelle Saint-Leufroy et le Châtelet. Il a probablement été transféré au début du XIVᵉ siècle sur la montagne Sainte-Geneviève, vers l'actuelle intersection de la rue Cujas et du boulevard Saint-Michel. En juillet 1357, Étienne Marcel achète au nom de la municipalité la Maison aux Piliers et la mairie de Paris trouve alors son lieu définitif d'implantation où se dresse aujourd'hui encore l'Hôtel de Ville.

La loi du 11 octobre 1795 crée douze municipalités d'arrondissements qui seront portées à vingt au 1ᵉʳ janvier 1860, grâce à l'annexion de onze communes périphériques et de portions appartenant à treize autres communes. Laurence Le Loup a rédigé une étude approfondie sur les mairies d'arrondissement, parue en 1983 dans le tome XXXIV de *Paris et Île-de-France*. Voici la liste des emplacements successifs des mairies des douze arrondissements anciens qu'elle a établie :

Premier arrondissement
1796 : 94, rue du Faubourg-Saint-Honoré, VIIIᵉ (Hôtel de Lastours)

1802 : 18, rue d'Aguesseau, VIIIe (Hôtel de la comtesse de La Cropte-Saint-Arbre)

1811 : 14, rue du Faubourg-Saint-Honoré, VIIIe

1835 : 11, rue d'Anjou, VIIIe (Hôtel de Contades)

1860 : devient mairie du VIIIe arrondissement actuel

Deuxième arrondissement

1795 : 1-3, rue d'Antin, IIe (Hôtel de Mondragon)

1834 : 9, rue Drouot, IXe

1846 : 20, rue Le Peletier, IXe (Hôtel d'Eichtal)

1849 : 6, rue Drouot, IXe (Hôtel Aguado)

1860 : devient mairie du IXe arrondissement actuel

Troisième arrondissement

1795 : place des Petits-Pères, IIe (Couvent des Petits-Pères)

1850 : 8, rue de la Banque, IIe

1860 : devient mairie du IIe arrondissement actuel

Quatrième arrondissement

1796 : 27, rue Coquillière, Ier (Hôtel Gigault de Crisenoy)

1803 : rue du Chevalier-du-Guet (détruite lors du percement de la rue de Rivoli), Ier

1850 : rue du Louvre, Ier (Hôtel d'Angivilliers)

1855 : ex-numéro 6, rue Boucher, Ier

Cinquième arrondissement

1795 : 111, rue du Faubourg-Saint-Martin, X^e (Presbytère de Saint-Laurent)

1801 : 44, rue René-Boulanger, X^e

1811 : 32, rue de Lancry, X^e

1824 : rue Réaumur, IVe

1832 : 3, rue du Château-d'Eau, X^e

1850 : 72-76, rue du Faubourg-Saint-Martin, X^e

1860 : devient mairie du Xe arrondissement actuel

Sixième arrondissement

1795 : prieuré de l'abbaye de Saint-Martin-des-Champs, IIIe

1843 : 11, rue Béranger, IIIe

1860 : devient mairie du IIIe arrondissement actuel

Septième arrondissement

1795 : 71, rue du Temple, IVe (Hôtel de Saint-Aignan)

1823 : 41-45, rue des Francs-Bourgeois, IVe

1840 : 20, rue Sainte-Croix-de-la-Bretonnerie, IVe (Hôtel Le Peletier de Morfontaine)

1860 : devient mairie du IVe arrondissement actuel

Huitième arrondissement

1795 : 14, place des Vosges, IVe

Neuvième arrondissement

1795 : presbytère de Saint-Jean-en-Grève

1802 : 7, rue de Jouy, IVe (Hôtel d'Aumont)

1824 : 23-25, rue Geoffroy-l'Asnier, IVe

Dixième arrondissement

1795 : 66, rue de l'Université, VIIe (Hôtel de Poulpry)

1801 : 244, boulevard Saint-Germain, VIIe

1804 : 13, rue de Verneuil, VIIe (Hôtel de Bouville)

1834 : 7, rue de Grenelle, VIIe (Hôtel de L'Espinasse)

1860 : devient mairie du VIIe arrondissement actuel

Onzième arrondissement

1795 : 2, rue Mignon, VIe (Collège Mignon)

1804 : 21, rue du Vieux-Colombier, VIe

1819 : 8, rue Garancière, VIe (Hôtel de Sourdéac)

1850 : 78, rue Bonaparte, VIe

1860 : devient mairie du VIe arrondissement actuel

Douzième arrondissement

1795 : place du Panthéon, V^e (École de droit)

1805 : 262, rue Saint-Jacques, V^e

1850 : 21, place du Panthéon, V^e

1860 : devient mairie du Ve arrondissement actuel.

Emplacement des mairies des arrondissements actuels, créés en 1860 :

Ier

Depuis 1860 : 4, place du Louvre

IIe

Depuis 1860 : 8, rue de la Banque, ex-mairie de l'ancien IIIe

IIIe

1860 : 11, rue Béranger, ex-mairie de l'ancien VIe arrondissement

Depuis 1867 : 2, rue Eugène-Spuller

IVe

1860 : 20, rue Sainte-Croix-de-la-Bretonnerie, ex-mairie de l'ancien VIIe arrondissement

Depuis 1867 : 2, place Baudoyer

Ve

Depuis 1860 : 21, place du Panthéon, ex-mairie de l'ancien XIIe arrondissement

VIe

Depuis 1860 : 78, rue Bonaparte, ex-mairie de l'ancien XIe arrondissement

VIIe

1860 : 7, rue de Grenelle, ex-mairie de l'ancien Xe arrondissement

Depuis 1867 : 116, rue de Grenelle

VIIIe

1860 : 11, rue d'Anjou, ex-mairie de l'ancien Ier arrondissement

Depuis 1926 : 56, boulevard Malesherbes et 3, rue de Lisbonne

IXe

Depuis 1860 : 6, rue Drouot, ex-mairie de l'ancien IIe arrondissement

Xe

Depuis 1860 : 72-76, rue du Faubourg-Saint-Martin, ex-mairie de l'ancien Ve arrondissement

XIe

1860 : 29, rue Keller

Depuis 1865 : place Voltaire rebaptisée Léon-Blum

XIIe

1860 : 2, rue de Bercy, ex-mairie de Bercy

Depuis 1877 : 130, avenue Daumesnil

XIIIe

1860 : barrière des Fermiers généraux, place d'Italie

Depuis 1877 : 1, place d'Italie

XIVe

Depuis 1860 : 2, place Ferdinand-Brunot, ex-mairie de Montrouge

XVe

1860 : place Adolphe-Chérioux, ex-mairie de Vaugirard

Depuis 1876 : 31, rue Péclet

XVIe

1860 : 67, rue de Passy, ex-mairie de Passy

Depuis 1877 : 71, avenue Henri-Martin

XVIIe

Depuis 1860 : 16-18, rue des Batignolles, ex-mairie des Batignolles

XVIIIe

1860 : 14, rue des Abbesses, ex-mairie de Montmartre

Depuis 1892 : 1, place Jules-Joffrin

XIXe

1860 : 160, rue de Crimée, ex-mairie de La Villette

Depuis 1876 : 5, place Armand-Carrel

XXe

1860 : 136, rue de Belleville, ex-mairie de Belleville

Depuis 1875 : 6, place Gambetta.

Emplacement des mairies des communes annexées en 1860 :

Auteuil

1790 : place d'Auteuil

1844 : 34, rue Boileau

Belleville

1790 : 141, rue de Belleville

1847 : 136, rue de Belleville

1860 : devient mairie du XXe arrondissement actuel

Bercy

1790 : angle des rues de Bercy et de la Grange-aux-Merciers

1833 : 31, rue Soulages, à l'angle de la rue de Bercy

1846 : 2, rue de Bercy

1860 : devient mairie du XIIe arrondissement actuel

Charonne

1790 : chez le maire, adresse inconnue et variable

1812 : 121, rue de Bagnolet

Grenelle, commune créée en 1831 au détriment de Vaugirard

1831 : angle des rues Violet et du Théâtre

1842 : 21, rue Violet

La Chapelle

1790 : au presbytère, 14, rue de La Chapelle

1834 : 11, rue du Bon-Puits (de Torcy actuellement)

1845 : 57, rue Marx-Dormoy

La Villette

1790 : chez le maire

1808 : 25, rue de Flandre

1833 : 2, quai de l'Oise

1852 : 160, rue de Crimée

1860 : devient mairie du XIXe arrondissement actuel

Les Batignolles, commune créée en 1830 au détriment de Clichy-la-Garenne

1830 : 50, rue Truffaut

1849 : 18, rue des Batignolles

1860 : devient mairie du XVIIe arrondissement actuel

Montmartre

1790 : 3, place du Tertre

? : rue André-Antoine (passage de l'Élysée-des-Beaux-Arts)

? : rue Houdon
? : passage des Abbesses
1837 : 14, rue des Abbesses
1860 : devient mairie du XVIIIᵉ arrondissement actuel

Passy
1790 : chez le maire
1804 : 3, rue Franklin
1836 : 67, rue de Passy
1860 : devient mairie du XVIᵉ arrondissement actuel

Vaugirard
1790 : chez le maire
1815 : angle de la rue du Parc et de la Grande-Rue (rue de Vaugirard)
1830 : 18, place de Vaugirard
1845 : de l'autre côté de cette place, angle de la rue Blomet
1860 : devient mairie du XVᵉ arrondissement actuel

• *Voir aussi* MAIRE.

MAISON

Voir ALIGNEMENT ; ANGLE (immeuble d') ; CHEMINÉE ; ENSEIGNE ; ENTRESOL ; FAÇADES (concours de) ; FOSSE D'AISANCES ; GOUTTIÈRE ; HAUTEUR DES IMMEUBLES ; NIVELLEMENT ; NOMBRE DES MAISONS ; NUMÉROTAGE DES MAISONS ; PAN DE BOIS ; PERMIS DE CONSTRUIRE ; PIERRE ; PIGNON ; PLÂTRE ; RAVALEMENT ; RUE (aspect de la) ; RUE (largeur de la) ; SAILLIE ; TOILETTES PRIVÉES ; TOUT-A-L'ÉGOUT.

MAISON (petite)

Voir FOLIE.

MAISON (plus ancienne)

La maison de Nicolas Flamel, au 51 de la rue de Montmorency, est reconnue comme la plus ancienne maison de la capitale depuis qu'il a été établi que celle du 3 de la rue Volta n'avait été édifiée qu'au XVIIᵉ siècle. A sa construction, cette maison était destinée à servir d'hospice à des indigents ainsi qu'en font foi l'acte de fondation du 17 novembre 1406 et l'inscription de 1407 courant sous le larmier qui protège le rez-de-chaussée. Abîmée par le temps et des restaurations excessives à la fin du XIXᵉ siècle, la bâtisse a perdu le haut pignon pointu surmontant son troisième étage qui lui avait valu le nom de « Grand Pignon ». Le rez-de-chaussée a gardé sa disposition d'origine, avec ses trois portes et deux fenêtres encadrées par six piliers décorés dans leur partie supérieure de figures gravées dans la pierre, anges, saints et vieillards. Sur les deuxième et cinquième piliers figurent aussi les lettres « N » et « F », initiales de Nicolas Flamel. Selon la légende, celui-ci aurait été alchimiste et aurait amassé une fortune fabuleuse grâce à la pierre philosophale qui lui aurait permis de transformer tous les métaux en or. Il est plus vraisemblable que la fortune de Flamel lui est venue de ses multiples activités d'épitaphier, enlumineur, libraire et écrivain-juré de l'Université. Peut-être est-ce lui qui est représenté sur le sixième pilier, assis et tenant un livre ouvert sur les genoux.
• *Voir aussi* ALCHIMIE.

MALADRERIE

Voir LÉPROSERIE.

MARAIS

Limité aujourd'hui à un quartier de Paris, le nom de marais s'étendait à l'origine à toute la région inondable de la capitale située entre le lit actuel de la Seine et son cours ancien qui arrosait la base des collines de Belleville, Ménilmontant, Montmartre et Chaillot. Seuls échappaient aux marais les îles ou monceaux insubmersibles : l'île Saint-Martin, les monceaux Saint-Gervais, Saint-Merri, Saint-Jacques-de-la-Boucherie et Saint-Germain-l'Auxerrois.

Le marais semble être entré dès le IXᵉ siècle dans le circuit de la propriété et de la production, sous forme de pâturages. Il était entouré d'une triple auréole : jardins près des maisons des monceaux, terres labourables, vignes enfin sur les pentes des collines. En 1153-1154, le roi et l'évêque accordent l'autorisation de mettre en culture la moitié de cette étendue marécageuse. En 1176-1177, l'autorisation de ces coutures est renouvelée pour tout «le marais qui se trouve entre Paris et Montmartre et s'étend du pont Perrin (place de la Bastille) jusqu'au pied du village nommé Chaillot».

Le drainage s'organise progressivement à partir de la ligne continue des «fossés-le-Roi» qui apparaissent dès 1260 et deviendront les égouts de la capitale. Les premiers travaux transforment en prés fauchables les anciennes pâtures communes. Vers 1217, des légumes remplacent les prés, dès 1229 des céréales se partagent le terrain des marais de la paroisse Saint-Paul. En 1232, le chapitre de Sainte-Opportune semble estimer à une vingtaine d'années le temps nécessaire pour passer des légumes aux céréales. En 1215, le mot «marais» désigne les terrains consacrés à la culture des légumes.

Le quartier qui porte aujourd'hui le nom de Marais semble, paradoxalement, n'avoir été que très partiellement marécageux, la plupart de ses terrains n'étant que riverains de la dépression. Au nord de la chaussée Saint-Antoine, les céréales couvraient au XVe siècle la couture Sainte-Catherine, constituée par le prieuré de Sainte-Catherine-du-Val-des-Écoliers, entre les rues Pavée, du Parc-Royal, Saint-Gilles et Saint-Antoine. Plus au nord se trouvaient les courtilles Saint-Martin, du Temple, Saint-Laurent. Il y avait aussi des propriétés bourgeoises : Folie-Morel, courtilles Barbette, Boucèle ou au Boucelais, Gilles Le Mire, Jacqueline d'Épernon. Il existait aussi un clos Saint-Ladre qui fut absorbé par la couture Saint-Gervais à la fin du XIVe siècle.

A l'ouest de la chaussée du Temple s'étendaient, d'est en ouest, les domaines de la Grange-Batelière et le clos des Mathurins plantés en céréales dès le XIIIe siècle, puis la Ville-l'Évêque. Entre les chaussées du Temple et Saint-Martin, la couture Saint-Martin, entre la chaussée Saint-Denis et le Grand Égout, la couture ou clos des Filles-Dieu sont aussi plantées de céréales. Les marais de Sainte-Opportune s'étendaient de la chaussée du Temple à la chaussée Saint-Martin. A l'ouest de la chaussée Saint-Denis se trouvaient les marais de Paradis et les prés des Filles-Dieu le long du chemin des Poissonniers. Entre ce chemin et celui de Clignancourt, les quelques marais situés au-delà des fossés formaient le lieu-dit la Follye au XVIe siècle et le clos Cadet au XVIIe. La zone comprise entre le fossé Sainte-Opportune, le chemin de Clignancourt et celui de Montmartre porte le nom de «pointes» (dites «constances» au XVe siècle, «oubliettes» au XVIe). On y distinguait les «petits marais» de l'Hôtel-Dieu ou «petit Hôtel-Dieu», le clos de la Grange-Batelière, demeure fortifiée du XIIe siècle qui dominait tout le secteur, le clos Jean de Athis, le pré Gencien. Entre le chemin de Saint-Ouen et celui du pont Hersant existaient quatre domaines : l'hôtel des marais appartenant à l'abbaye de Montmartre, la grange des marais qui va devenir le noyau des «grands marais» de l'Hôtel-Dieu, le «manoir des marais» ou le «marais» qui deviendra la grange des Mathurins, enfin le clos des Mathurins qui atteignait les Porcherons.

Le peuplement des marais se développe vers le milieu du XVIe siècle autour de Saint-Laurent, de Saint-Martin et des Porcherons. La croissance de la ville rejette les maraîchers vers la périphérie. On les trouvera au XVIIIe siècle dans la couture Saint-Éloi, vers la Roquette, à la Rapée, vers La Chapelle, au clos Saint-Ladre ou Saint-Lazare.

• *Voir aussi* COUTURE ; ÉGOUT ; ENCLOS ; PRÉ.

MARCHÉ

Les marchés de Paris n'ont encore fait l'objet d'aucun travail de base et il est malaisé de les connaître dans leur complexité. Il semble qu'il y ait eu, au

Haut Moyen Âge, durant le premier millénaire, plusieurs marchés dans l'île de la Cité, cœur de la minuscule agglomération que formait alors Paris. Un marché se tenait sur le parvis de Notre-Dame où est attesté un étal de boucher. D'autres marchés se tenaient aux abords du Grand Pont et du Petit Pont. A l'est de ce dernier se trouvait le marché Palu ou Palud.

La rapide expansion de la ville sur la rive droite rendit nécessaire la création d'un marché sur la place de Grève (actuelle place de l'Hôtel-de-Ville). Il y eut aussi un marché de la Porte de Paris, devant le Châtelet, dont l'élément dominant fut la Grande Boucherie. Le marché de la porte Baudet ou Baudoyer (place Baudoyer) fut transféré en 1393 à l'emplacement de l'ancien cimetière Saint-Jean (place au tout début de la rue du Bourg-Tibourg). Quant au marché du Petit Pont, il fut transféré à la place Maubert en exécution de l'arrêt du Parlement du 10 décembre 1547. Mais le principal marché parisien fut, durant huit siècles, celui des Halles. Son origine remonte à l'achat en 1137 par Louis VI du terrain dit des Champeaux pour y installer un marché au blé autour duquel vinrent s'agglomérer d'autres marchés qui finirent par couvrir tous les besoins alimentaires des Parisiens. Il y avait également des marchés aux bestiaux : celui des bœufs, veaux et porcs se trouvait d'abord à l'intersection des rues Saint-Honoré, Tirechappe et des Bourdonnais, et fut transféré, après la construction de l'enceinte de Charles V, à proximité de la butte Saint-Roch ; un marché aux moutons se tenait près de la Tour-du-Bois du vieux Louvre, qui fut transféré en 1490 à l'extrémité de la rue des Orties, près de la porte Saint-Honoré ; le premier marché aux chevaux semble avoir été créé vers 1475 au « Pré Crotté », entre les rues Garancière et de Tournon.

L'Administration restreignit aussi longtemps qu'elle le put le nombre des marchés, afin d'en mieux assurer la surveillance fiscale et sanitaire. L'extension considérable de l'agglomération la contraignit à accepter l'ouverture de nouveaux lieux d'approvisionnement pour les régions excentrées. En 1618 est ouvert le marché des Enfants-Rouges, à proximité de l'hospice du même nom, entre les rues de Bretagne et de Berry (Charlot). Un autre marché de quartier s'ouvre en 1645 derrière la boucherie des Quinze-Vingts, à la porte Saint-Honoré (place Colette). A peu près contemporaine est la création du marché aux comestibles du faubourg Saint-Antoine, en face de l'abbaye du même nom. L'arrêt du 20 mai 1684 décida que le marché qui se tenait sans autorisation dans la rue Mouffetard serait transféré dans la cour de l'hôtel des Patriarches, situé dans la même rue. Il y avait également, au XVIIe siècle, des marchés spécialisés, plusieurs marchés au pain et une halle aux poissons de mer dans la rue Saint-Martin, en face de Saint-Nicolas-des-Champs.

Au XVIIIe siècle, alors que les Halles centrales s'agrandissaient encore, le marché du faubourg Saint-Antoine était remplacé, en 1724, par vingt étals de boucherie. Il devait renaître en 1777 sous le nom de marché Beauvau-Saint-Antoine, un peu plus à l'ouest, à l'emplacement de l'actuel marché d'Aligre. En 1721 fut autorisé l'établissement d'un marché dans la place du préau de la foire Saint-Germain, appelé « Petit Marché ». En 1784, le « Marché Neuf » fut agrandi : il avait été créé en 1568 dans le prolongement de l'antique marché Palu. En 1723, d'Aguesseau avait été autorisé à établir un marché sur un terrain lui appartenant, entre les actuelles rues de Surène et du Faubourg-Saint-Honoré. En 1746, il fut rapproché du centre de la ville et installé au début de la rue du Faubourg-Saint-Honoré. En 1767, fut ouvert le marché Saint-Martin-des-Champs, créé par le prieur de l'abbaye dans la rue

Saint-Martin, à la place de deux petits marchés installés sans autorisation près de l'ancienne prison du Temple.

Les marchés aux bestiaux connurent aussi des fortunes diverses. Le marché aux chevaux du Pré-Crotté fut transféré en 1538 à la Saumonière, près du Pré-aux-Clercs, puis s'installa en 1565 à l'emplacement du palais des Tournelles détruit. Il dut partir en 1604 lorsque fut décidée la construction de la place Royale (des Vosges) et se trouva relégué derrière l'hôtel de Vendôme, entre le rempart, les rues Gaillon et d'Antin. Le marché de la porte Saint-Honoré s'installa en 1640 au bout de la rue Poliveau et le marché aux chevaux de la rue Gaillon vint y rejoindre les porcs.

Outre les marchés de gros, traités dans l'article «Halle», il existait des marchés spécialisés comme celui de la volaille, parti de la rue de la Cossonnerie pour grossir la «Vallée de Misère», quai de la Mégisserie, près du Châtelet. Une halle spéciale pour la volaille fut prévue entre les rues Mauconseil et de la Truanderie. Ouverte en 1672, elle fut abandonnée dès 1679 au profit du quai des Grands-Augustins. Le marché aux veaux du pont Notre-Dame fut transféré en 1644 sur le quai des Ormes, entre les ports Saint-Paul et de la Grève. Il en partit en 1774, traversa la Seine et s'établit dans l'enclos des bernardins (rue Cochin). Il y avait un marché aux fleurs et aux arbustes sur le quai de la Mégisserie ainsi que seize marchés au pain au début du XVIIIe siècle, qui disparurent progressivement, remplacés par des boulangeries.

Les vingt dernières années du XVIIIe siècle virent peu de créations : le marché Sainte-Catherine ouvert en 1783 à l'emplacement de l'ancienne église Saint-Louis, entre les rues Saint-Antoine et de Jarente ; le marché des Jacobins-Saint-Honoré, à l'emplacement du couvent du même nom, décidé en 1795, mais inauguré en 1810 seulement.

Un rapport de 1811 précise les intentions ayant présidé à la création des premiers marchés couverts en déplorant les conditions dans lesquelles se tenaient les marchés à la fin de l'Ancien Régime : «Avant le règne de Napoléon, il n'existait dans Paris à proprement parler aucun marché pour les comestibles qui se vendaient sur les places et les marchands ne pouvaient mettre leurs denrées à l'abri de la pluie et du soleil qu'au moyen de parapluies et d'échoppes où les acheteurs étaient toujours à découvert. Sa Majesté, constamment occupée des améliorations qui peuvent intéresser la classe la plus nombreuse, a donné des ordres pour la construction de plusieurs marchés principaux.» Le 30 janvier 1811, la construction de quatre marchés avait été annoncée : marché Saint-Martin à l'emplacement des jardins de l'ancienne abbaye (rue Montgolfier), marché Saint-Germain à l'emplacement de la foire, marché Maubert ou des Carmes, mais le marché Saint-Jean, prévu derrière l'Hôtel de Ville, ne vit jamais le jour. En décembre 1813, avait été ouvert, quai des Grands-Augustins, un marché à la volaille où furent transférés les étals de la Vallée de Misère, situés presque en face, de l'autre côté de la pointe de l'île de la Cité. En 1809, le transfert du commerce de friperie dans une halle au Temple fut décidé. En 1819, on inaugura le marché construit à l'emplacement du couvent des hospitalières Saint-Gervais. Il prit le nom de marché des Blancs-Manteaux.

La Monarchie de Juillet s'occupa d'unifier la gestion des marchés, partagée entre l'Administration des hospices et les deux préfectures, au profit du préfet de la Seine. Elle s'intéressa à la reconstruction des Halles sans prendre de décision finale. Deux marchés découverts réservés aux fleuristes furent ouverts, les 1er et 2 mai 1834, places de la Madeleine et des Vosges. Des particuliers obtinrent l'autorisation de construire des marchés couverts d'alimentation : marché des Patriarches (rue Mouffetard), marché Popincourt (dans la rue Saint-Maur-Popincourt), marché de la place d'Aligre.

Il est impossible de détailler, dans le cadre restreint de ce dictionnaire, les créations du second Empire : en 1860, à la suite de la création de quatre marchés couverts et de l'adjonction de vingt stationnements établis dans les communes annexées, le nombre des marchés a été porté à cinquante et un dont vingt et un couverts. De 1860 à 1870, treize marchés couverts furent construits.

Au 31 décembre 1985, on dénombrait quatre-vingt-deux marchés, dont quatorze couverts. Treize d'entre eux sont des marchés alimentaires totalisant quatre cent trente-quatre places, le quatorzième étant la friperie du carreau du Temple. Ces treize marchés couverts sont : Enfants-Rouges (39, rue de Bretagne), Saint-Germain (3 *ter*, rue Mabillon), Europe (1, rue Corvetto), Saint-Quentin (85 *bis*, boulevard Magenta), Beauvau-Saint-Antoine (rues d'Aligre et de Cotte), Passy (rues Bois-le-Vent et Duban), Saint-Didier (rues Mesnil et Saint-Didier), Batignolles (96 *bis*, rue Lemercier), Ternes (8 *bis*, rue Lebon), La Chapelle (10, rue de l'Olive), Riquet (42, rue Riquet), Secrétan (46, rue Bouret et 33, avenue Secrétan) et le marché provisoire du terre-plein (44-50, rue René Boulanger). Il y a cinquante-sept marchés découverts alimentaires comportant cinq mille cent trente places, trois marchés aux fleurs (places Louis-Lépine, de la Madeleine, des Ternes), un marché aux oiseaux sur l'emplacement du marché aux fleurs de la Cité, un marché aux timbres (carré Marigny), des marchés aux puces au carreau du Temple, sur la place d'Aligre et à diverses portes (notamment portes de Montreuil et de Vanves, le plus grand se trouvant sur la commune de Saint-Ouen, au-delà de la porte de Clignancourt).

• *Voir aussi* HALLE.

MATERNITÉ

L'accouchement médicalisé dans un établissement hospitalier nommé maternité ne s'est progressivement imposé qu'au XXe siècle. Auparavant, les femmes mettaient leurs enfants au monde à domicile. Il a existé cependant très tôt des lieux réservés aux accouchements. Dès le XIIIe siècle, à l'Hôtel-Dieu, sous le règne de Louis IX, deux salles nouvelles ont été ajoutées aux trois qui existaient déjà. Elles sont réservées, la quatrième salle ou « salle neuve » aux femmes malades et « la quinte salle est au-dessoubs de ceste grande salle en lieu destourné et clos et illec sont les femmes grosses et gisans d'enffant, car c'est raison et bien chose convenable que femmes gisans d'enffant soient en lieu clos et destourné et secret et non pas en apparent comme sont les autres malades, et ladicte salle contient vingt et quatre lits ». La première mention d'une sage-femme à l'Hôtel-Dieu est signalée en 1378 sous le titre de « ventrière des acouchiez ». Cette salle inférieure de 12 mètres de large est bien mal située comme l'atteste un rapport établi sous François Ier : « laquelle salle, par faulte d'autre lieu, combien qu'elle soit basse comme ung cellier, est appropriée à gésiner lesdites acouchées qui sont logées en lieu trop bas et acatif, tellement que en hyver que sont les grandes eaues l'eau de Seyne vient à un pied près des fenestres, et deux piedz au-dessus desdits lictz, dont adviennent et peuvent chaque jour advenir grans inconvéniens. » En 1649, cette salle fut désaffectée et les femmes en couches furent installées dans les bâtiments neufs du pont Saint-Charles. Lorsque les bâtiments sur la rive gauche furent achevés, on y transféra, en 1662-1663, les femmes grosses et accouchées, au second étage. La place manquant, on aménagea pour elles le grenier situé au-dessus de la salle. Nommé salle Saint-Joseph, le grenier s'avère très vite insuffisant, les femmes hébergées étant toujours deux cent cinquante environ, alors qu'on en attendait seulement quatre-vingts ou cent. Une délibération du 3 avril 1671 constate : « Le trop grand rapprochement des lits, le peu de hauteur des plafonds et le défaut de jour suffisant pour renouveler l'air, faisait qu'il n'était pas aussi salubre dans cette salle qu'il eût été à souhaiter. » En 1786, Tenon, dans un rapport, donne le plan et la description du service de la maternité de l'Hôtel-Dieu. Six salles et leurs dépendances sont affectées aux femmes enceintes, aux accouchées, aux nourrices et nourrissons. Elles se trouvent au deuxième étage, dans le bâtiment de la rive gauche situé entre la Seine et la rue de la Bûcherie. Ce sont les salles Saint-Joseph, des accouchements, des accouchées, des nourrices, Sainte-Marguerite (pour celles qui n'ont pas encore accouché), et la crèche des nouveau-nés. Les salles Saint-Joseph et Sainte-Marguerite sont réservées aux femmes enceintes. Les femmes grosses saines et protégées se trouvent à Sainte-Marguerite. Cette salle compte deux rangées de lits, dont un grand lit pour quatre personnes et dix pour une. Les autres femmes grosses, saines ou malades, se trouvent à Saint-Joseph, qui comporte quatre rangées de lits et peut contenir cent quatre-vingt-deux femmes dans quarante-deux grand lits à quatre places et quatorze à une place. Tenon constate : « La situation des accouchées est encore plus déplorable. Elles sont de même deux, trois, quelquefois quatre dans le même lit, les unes à une époque de leurs couches, les autres à une autre époque ; leurs évacuations naturelles les infectent, d'autant plus que ces lits sont plus échauffés dans cet état de pression, que la santé des femmes est plus détruite, que leurs humeurs sont plus corrompues ; les tourments qu'elles endurent sont accrus par les circonstances qui accompagnent les suites de couches ; la tension et la douleur aux seins, à la tête, au ventre, la fièvre de lait, une sueur aigrelette qui survient, les augmentent encore. N'est-ce pas dans ces lits que sont confondues les accouchées saines avec les malades ; avec celles qui sont atteintes de cette fièvre puerpérale qui en fait tant périr. Quand on entr'ouvre ces lits de souffrance, il en sort, comme d'un gouffre, des vapeurs humides, chaudes, qui s'élèvent, se répandent, épaississent l'air, lui donnent un corps si sensible, que le matin, en hiver, on le voit s'entr'ouvrir à mesure qu'on le traverse, et on ne le traverse point sans un dégoût qu'il est impossible de surmonter. » Tenon rappelle les effroyables mortalités survenues dans un milieu aussi malsain et notamment qu'en février 1746, « de vingt de ces femmes malades en couches, à peine en échappait-il une ».

Les femmes enceintes n'étaient admises à l'Hôtel-Dieu qu'à partir du huitième mois de grossesse. Au XVIIᵉ siècle, la Salpêtrière commença à accueillir les femmes enceintes de moins de huit mois. Les statistiques montrent un accroissement notable des accouchements à l'Hôtel-Dieu au cours du XVIIIᵉ siècle, de huit cent cinquante-huit en 1722 à mille cinq cent soixante-dix-huit en 1788, mais Tenon précise que les enfants morts-nés ne sont pas pris en compte. A partir de 1658, il est interdit aux femmes enceintes de s'absenter de l'Hôtel-Dieu sans autorisation et, pour contrôler leurs allées et venues, il est décidé, le 3 juillet 1684, que « l'on fera faire des robes spéciales pour les femmes grosses et accouchées, pour les empêcher de sortir quand il leur plaît ». En 1717, des abus ayant eu lieu, des parements bleus sont ajoutés aux vêtements hospitaliers afin que les portiers puissent les identifier plus aisément. Non seulement il est interdit à ces femmes de sortir, mais leurs parents ne peuvent leur rendre visite dans les salles qui leur sont réservées. En effet, celles-ci sont interdites d'accès à toute personne, même de l'Hôtel-Dieu ; seuls l'inspecteur, les officiers de santé et les ecclésiastiques attachés à l'établissement peuvent y pénétrer. Les raisons de ces mesures sont exposées dans un texte du 22 mars 1786 : «La salle des accouchées de l'Hôtel-Dieu n'a rien de commun, quant au régime, avec toutes les autres de cet hôpital ; l'accès de ces dernières est libre au public, celle-là, au contraire, a toujours été consacrée à être l'asile contre le déshonneur ; et pour assurer la tranquillité des familles, il s'y observe un secret impénétrable sur le nom de celles qui y vont ; il n'est inscrit que sur un registre tenu sous la clef par la religieuse de la salle, et dont connaissance, que nous nous interdisons à nous-mêmes, n'est donnée à personne. Vous concevez, monsieur, ce qui a déterminé les règlements faits à ce sujet. Il vient à l'Hôtel-Dieu des mères de familles honnêtes, que des dérangements de fortune forcent d'y avoir recours secrètement ; il y vient des filles même de famille, que l'inexpérience ou une surprise et une faiblesse amènent aussi ; enfin, quelquefois, des femmes qui ont intérêt de se cacher lorsque, pendant l'absence de leur mari, elles ont manqué à leurs devoirs.» Il ressort de ce texte que la clientèle de l'Hôtel-Dieu était surtout composée de femmes très pauvres ou désirant dissimuler leur grossesse.

Le personnel des salles de l'Hôtel-Dieu réservées aux femmes grosses et accouchées était composé de sages-femmes assistées d'apprentisses, de médecins et de chirurgiens. Une maîtresse sage-femme est mentionnée à partir de 1614. Elle a la haute main sur la salle et enseigne à partir de 1620 à six ou sept apprentisses l'art des accouchements. Dionis, chirurgien des Dauphines, écrivait en 1721 : «Il y a de meilleures sages-femmes à Paris qu'en aucune ville du royaume, parce qu'il y a l'Hôtel-Dieu où il se fait une infinité d'accouchements, et où elles sont reçues en apprentissage. Elles y demeurent pendant trois mois ; les premières six se-

maines elles sont à regarder les accouchements que fait celle qui est avant elles, et les autres six semaines elles font tous les accouchements qui se présentent pendant ce temps, et elles les font tous en présence de la maîtresse sage-femme, qui est choisie entre les plus habiles de Paris.» Ce n'est que pour les cas difficiles que la sage-femme faisait appeler le premier chirurgien de l'Hôtel-Dieu. Quant au médecin de service, il n'intervenait pour donner des soins qu'après l'accouchement.

La Révolution crée enfin un établissement réservé aux accouchements. Le décret du 13 juillet 1795 met à la disposition de l'Administration générale des hospices les bâtiments de Port-Royal, qui avaient été affectés en 1793 à la prison dite de Port-Libre. La Maternité se compose à l'origine de deux sections, l'Accouchement et l'Allaitement. L'Allaitement, qui va devenir l'hospice des Enfants-Assistés, est installé dans les bâtiments de Port-Royal même, tandis que l'Accouchement se trouve dans les bâtiments de l'Oratoire. En raison de l'extension de l'École des sages-femmes, les bâtiments de l'Oratoire furent vite insuffisants et, le 29 juin 1814, le Conseil général des hospices décida la mutation des deux maisons et leur séparation. La Maternité et l'École des sages-femmes prirent définitivement possession des bâtiments de l'abbaye de Port-Royal le 1er octobre 1814. La Maternité eut tout de suite une clientèle considérable : les accouchées y passèrent de 1 786 en 1804 à 2 662 en 1813, et l'on passa de cinq à sept ou huit accouchements par jour. La majorité des femmes n'étaient pas mariées et une sur cinq venait de banlieue ou de province. La plupart d'entre elles abandonnaient leur enfant après l'accouchement : entre 1804 et 1813, sur 21 053 accouchées, 2 634 seulement sortirent en compagnie de leur enfant. En revanche, la qualité de l'hébergement et des soins étaient nettement meilleure que sous l'Ancien

Régime : la mortalité, qui frappait une femme sur treize à l'Hôtel-Dieu, était réduite de moitié.

La mortalité reste cependant fort élevée par rapport aux critères sanitaires du XXe siècle. La fièvre puerpérale était la principale responsable des décès : en mai 1856, elle avait tué trente et une des trente-deux femmes accouchées à la Maternité. Certains médecins tentaient, en vain, de faire admettre à leurs collègues le danger de la contagion, nié par la grande majorité du corps médical. Paul Dubois ne craignait pas d'affirmer en 1855, devant l'Académie de médecine réticente, qu'il était moins dangereux pour une femme d'accoucher sans secours dans la rue qu'à la Maternité. Les statistiques lui donnaient raison : alors qu'on comptait un décès pour dix-neuf accouchées à la Maternité, cette proportion tombait à une morte pour trois cent vingt-deux accouchements pratiqués à domicile. Rapporteur d'une commission chargée en 1864 par le Comité consultatif d'hygiène et du service médical des hôpitaux de rechercher la cause de la mortalité des femmes en couches et d'y porter remède, Malgaigne établissait formellement que mille quatre-vingt-dix femmes étaient mortes à Paris à la suite de couches en 1861 et 1862 et concluait aussi que l'accouchement à domicile, c'est-à-dire isolé des autres parturientes, donnait de bien meilleurs résultats que l'accouchement à l'hôpital. Malgaigne préconisait l'isolement par petites chambres, des pavillons séparés, des mesures d'hygiène, c'est-à-dire d'éviter tout encombrement, d'organiser l'aération, la ventilation, la purification des salles. A la suite de ce rapport, la fermeture des services d'accouchement fut sérieusement évoquée. Mais ceux qui soutenaient que la fièvre puerpérale était contagieuse revinrent à la charge, soutenant qu'il ne fallait pas supprimer les maternités, mais y combattre les risques de contagion par une hygiène renforcée et par l'isolement des patientes. Tandis que Tarnier prenait des mesures d'isolement à la Maternité, à la « Maternité annexe » de Cochin, Lucas-Championnière associait à l'isolement la méthode antiseptique préconisée par Lister, obtenant des résultats exceptionnels : en 1878-1879, sur mille quatre cent cinquante-cinq accouchées, il n'y eut que six décès, soit moins d'un sur deux cents. Ces nouvelles méthodes entrèrent progressivement dans les mœurs médicales entre 1880 et 1900 et les maternités cessèrent d'être des mouroirs redoutés pour devenir, dans la seconde moitié du XXe siècle, le lieu presque obligé de tous les accouchements. Cependant, vers 1895, on ne comptait encore qu'une quinzaine d'établissements, tous publics : la Maternité, les maternités des hôpitaux de la Pitié, de l'Hôtel-Dieu, de la Charité, Saint-Louis, Tenon, Lariboisière, Beaujon, Saint-Antoine, Boucicaut, la clinique d'accouchements de la faculté de médecine, rue d'Assas, la maison d'accouchement Baudelocque, clinique de cette même faculté, et le pavillon Tarnier. Aujourd'hui, maternités et cliniques d'accouchements privées se comptent par dizaines dans la capitale.

• *Voir aussi* ENFANT ASSISTÉ ; ENFANT MALADE ; ENFANT TROUVÉ ; NOURRICE ; SAGE-FEMME.

MAY

C'est sous l'invocation de sainte Anne que se crée la confrérie des orfèvres et non sous la protection de saint Éloi, patron traditionnel de la corporation. Le patronage de sainte Anne affirme la dévotion de la confrérie à Marie. S'y ajoute ensuite l'invocation à saint Marcel, évêque de Paris, une façon de rappeler le statut de bourgeois de Paris des orfèvres. Cette confrérie Sainte-Anne-Saint-Marcel est à l'origine du May ainsi que l'attestent les archives de la confrérie : « L'an mil quatre cens quarante neuf, aucuns notables personnages, maistres orfevres en ceste ville de Paris, eurent devotion de presenter, le premier jour de may à l'heure de mynuict, tous les ans ledict jour, un May devant le portail de l'église Nostre-Dame de Paris, en l'honneur et reverence de Dieu et de la glorieuse Vierge Marie, mère de Dieu. » C'est la coutume païenne de planter un arbre, symbole de vie, le 1er mai, que l'Église s'est appropriée, faisant du mois de mai le mois de Marie. Cette plantation du May sur le parvis de Notre-Dame débute en 1449 et précède la constitution formelle de la confrérie des orfèvres qui ne date que de 1460, lorsqu'elle obtient la chapelle Sainte-Anne de Notre-Dame pour ses dévotions. La présentation de l'arbre du May va évoluer notablement. A l'origine, comme ailleurs en France et en Europe, c'est un arbre enrubanné et décoré. A partir de 1482, il est remplacé par un ouvrage en bois, reposoir ou autel portatif, sur lequel un arbre était fiché, à moins qu'on ne se soit contenté d'y coller des rameaux de feuillage. Isaac Trouvé décrit en 1684 ce May suspendu au haut de la voûte de l'église comme une sorte de tabernacle à six faces. Dans chacune des six faces, précise Du Breul, « on voyoit de petites niches, remplies et ornées de diverses figures de soye, or et argent, représentant certaines histoires. Et en bas d'icelles pendoient de petits tableaux, où estoient escrits certains vers françois, pour l'explication d'icelles. » D'après les textes les accompagnant, on sait que ces petits tableaux avaient trait à l'histoire sainte. En 1605, une nouvelle formule est adoptée et le vieux May remplacé par un tabernacle à trois côtés portant chacun un véritable tableau. Ces trois tableaux, changés chaque année, représentent, de 1608 à 1629, le cycle de la vie de la Vierge. Ils sont offerts par des artistes dont les noms sont connus grâce aux archives. On en trouve la liste dans l'article de Patrick Laharie paru dans *Images de confréries*, publié par José Lothe et Agnès Virole. En 1630, la formule change à nouveau, sur « la requête introduite par les maîtres orfèvres de Paris, confrères de la confrérie Sainte-Anne en cette Église de Paris, d'offrir à la très sainte et très glorieuse Vierge chaque année au premier jour de mai, un tableau votif haut de onze pieds (3,50 mètres environ), pour décorer les grands piliers de la nef de l'église ; dans lesquels tableaux, seront représentés les Actes des Apôtres ». De 1630 à 1707, avec une interruption en 1683 et 1684, soixante-seize grands tableaux vont être présentés, certains portant la signature de Sébastien Bourdon, Charles Lebrun, Eustache Le Sueur. Ces œuvres, dit un texte de l'époque, « sont des monumens publicqs de la dévotion des confrères, et font une des plus belles et augustes décorations de cette première église du royaume, pour la magnificence de laquelle les plus sçavans et excellans peintres de l'Académie royale sollicitent à l'envie la charge de faire ce tableau, pour se signaler, et establir leur réputation par l'exercice de ces ouvrages ». Dispersés à la Révolution, ces tableaux ont été retrouvés, pour quarante-trois sur soixante-seize, grâce aux recherches de Pierre-Marie Auzas. A partir de 1679, très sévèrement contrôlée par Colbert, la corporation des orfèvres décline et la confrérie la suit dans la décadence. Les gardes de l'orfèvrerie refusent d'assurer les frais de confection du tableau et les confrères élus pour en assurer le paiement refusent également à plusieurs reprises, ce qui conduit à des procès. En 1707, la confrérie renonce à présenter des tableaux. Le chapitre de Notre-Dame lui intente un procès et le 1er septembre 1712, la confrérie se dissout pour ne pas céder aux injonctions des chanoines.

• *Voir aussi* ORFÈVRE, ORFÈVRERIE.

MÉDECIN, MÉDECINE

Pendant très longtemps, la médecine a fait l'objet d'une transmission empirique de maître à élève et, encore plus souvent, de père en fils ou en fille. Le livre de la taille de 1292 énumère trente mires et huit mirgesses exerçant la médecine à Paris sans posséder aucun diplôme officiel. L'Église, qui détient le monopole de l'enseignement, éprouve une profonde répulsion à l'égard du sang. Le concile de Tours de 1163 a érigé en principe la devise *Ecclesia abhorret a sanguine* («l'Église a horreur du sang») et il est rigoureusement interdit aux prêtres de pratiquer la médecine ou la chirurgie. Elle doit pourtant se résigner à créer un enseignement de la médecine afin de mieux soigner les malades qu'elle accueille à l'Hôtel-Dieu. Mais, alors que l'Université se crée progressivement durant le XIIe siècle et se trouve dotée de statuts pontificaux en 1215, il faut attendre jusque vers 1274 pour que naisse à Paris une faculté de médecine. Cette faculté n'aura longtemps qu'une médiocre réputation et des effectifs très faibles, la faculté de médecine la plus prestigieuse de France étant celle de Montpellier. La bibliothèque de la faculté reflétait bien cette situation avec seulement treize livres en 1395, ne possédant même pas un exemplaire d'Hippocrate. C'est en 1470 seulement que cette faculté se dote de locaux propres, rue de la Bûcherie. L'enseignement, imprégné de théologie, très théorique, se limitait à l'anatomie, la physiologie et des éléments d'hygiène. Les autopsies étaient prohibées par l'Église qui maintint l'obligation du célibat pour les étudiants jusqu'en 1452. A Montpellier, dès 1309, le pape Clément V avait autorisé maîtres et étudiants à se marier. Les capacités professionnelles de ces médecins issus de la faculté étaient presque nulles, généralement inférieures à celles des praticiens ayant acquis leur métier au contact des malades. La faiblesse des effectifs dans une ville dont la population oscille entre deux cent mille et cent cinquante mille âmes entre 1328 et 1500 atteste du rôle insignifiant des médecins : 32 praticiens en 1395, 10 en 1450, 21 en 1500.

C'est au XVIe siècle que la médecine évolue enfin, grâce à des découvertes en anatomie et à l'enseignement de maîtres comme Jacques Dubois, dit Sylvius, ou André Vésale qui organise des expéditions nocturnes au gibet de Montfaucon ou au charnier des Innocents pour se procurer en cachette les cadavres indispensables à son enseignement anatomique. Peut-être dès 1535, Jacques Dubois a commencé à enseigner au Collège de France, mais la première nomination certaine est celle du célèbre anatomiste florentin Guido Guidi. Le plus grand praticien de ce siècle n'est même pas médecin, c'est un simple barbier-chirurgien, Ambroise Paré. Une amélioration certaine des diagnostics et, sans doute aussi, des traitements fait que la population sollicite davantage les médecins, dont le nombre s'accroît sensiblement : ils sont une centaine vers 1600 pour trois cent mille Parisiens.

Véritable révolution, le premier amphithéâtre de dissection est ouvert en 1608, rue de la Bûcherie. Mais, toujours sous la coupe des théologiens de la Sorbonne, la faculté de médecine de Paris se distingue par son étroitesse d'esprit et son refus des connaissances nouvelles : il faut plus d'un demi-siècle pour que soit admis le mécanisme de la circulation du sang mis en évidence par Harvey. L'antimoine et le quinquina déclenchent d'interminables polémiques, la faculté de médecine refusant l'évidence des faits au nom de principes tirés de la médecine antique. Il suffit de voir au théâtre les féroces caricatures de médicastres mises en scène par Molière pour se rendre compte que la médecine au temps de Louis XIV était loin de satisfaire ses patients.

Dans ces conditions, il est normal que les effectifs de médecins parisiens stagnent jusque vers 1740 quoique la population double presque durant la même époque. Dans *La Médecine à Paris du XIIIᵉ au XXᵉ siècle*, André Pecker observe : «La Faculté vaincue, ridiculisée par la bataille de la circulation, mise à mort puis ressuscitée plus tard par la Convention, ne se relèvera que lentement et, au XVIIIᵉ siècle proprement dit, ce sont les philosophes, les scientifiques, des esprits éclairés, les rois et les nobles qui, plus que les médecins, font progresser la médecine.»

Ce n'est qu'au XIXᵉ siècle que la médecine parisienne va commencer à guérir. Encore faudra-t-il que la faculté parisienne se signale par des combats d'arrière-garde, une sommité comme Broussais continuant à prôner l'usage de la saignée et des sangsues. Mais ces conservateurs ne doivent pas faire oublier les Corvisart, Laennec, Claude Bernard et Louis Pasteur. Les mauvais esprits objecteront que pas une de ces gloires nationales n'est originaire de Paris. La création de l'internat des hôpitaux de Paris en 1802 est le seul élément qui singularise la capitale au cours des XIXᵉ et XXᵉ siècles, la formation médicale étant coulée dans le moule national de l'Université.

• *Voir aussi* **BARBIER** ; **CHIRURGIEN**.

MÉGALITHE

C'est approximativement entre 3000 et 1800 avant le début de l'ère chrétienne que s'est développée en Île-de-France la civilisation du cuivre (chalcolithique) avec ses monuments mégalithiques, dolmens et menhirs notamment. Ces populations largement antérieures aux Gaulois, apparus seulement vers 500 avant J.-C., ont laissé à Paris des traces de leur présence, aujourd'hui bien effacées. On en trouvera une description détaillée dans l'*Inventaire des mégalithes de la France* dont le tome IV, dû à John Peek, est consacré à l'Île-de-France. Ces mégalithes ont longtemps fasciné les Parisiens, qui faisaient courir sur eux des légendes fantastiques et en faisaient des lieux de cérémonies à forts relents de paganisme.

Un des plus célèbres mégalithes était le Pet-au-Diable, qui se dressait devant une maison et une rue du même nom, à proximité de l'Hôtel de Ville, à l'emplacement de l'actuelle rue Lobau. Des conflits répétés eurent lieu entre l'autorité prévôtale et les étudiants à partir de 1444 et, au cours d'une émeute, en 1451, les étudiants arrachèrent le menhir et l'emportèrent au Quartier latin, le replantant sur le mont Saint-Hilaire, derrière la place Maubert. Les sergents du roi le reprirent et le mirent dans le jardin du Palais de l'île de la Cité. Venus en nombre, les étudiants reprirent la pierre par la force et la réinstallèrent sur le mont Saint-Hilaire. Le 9 mai 1453, quarante étudiants furent arrêtés et force resta à la loi : la pierre fut à nouveau aux mains des sergents du roi et l'on perd alors sa trace. On suppose qu'elle fut détruite afin de faire disparaître un objet de litiges et un prétexte à émeutes estudiantines. François Villon fut vraisemblablement mêlé à ces événements, car il évoque son «Rommant du Pet au Diable» dans son *Grand Testament*.

A quelques centaines de mètres du Pet-au-Diable se dressait la Pierre-au-Lard, dans une rue du même nom située entre les rues Saint-Merri et Brisemiche. Ce nom, attesté dès le XIIIᵉ siècle, sans doute une déformation de «pierre aux ladres» (lépreux), est l'indice de la présence d'un mégalithe dont on ne sait rien.

Non loin de là, à proximité immédiate de la tour Saint-Jacques, se dressait la Pierre-au-Lait, nommée Pierre-o-let en 1300 dans le *Dit des rues de Paris* de Guillot. Un acte de 1545 mentionne l'existence de cette pierre dont on ignore tout.

Sur la rive gauche, au Quartier latin, sont mentionnées des pierres dont on ne connaît que le nom : la Haute Borne de Saint-Jean de Latran, citée en 1542, qui devait se dresser entre la place Maubert et le Collège de France, dans la rue de Latran ; le Caillou Rouge, lieu-dit figurant dans un acte de 1528, qui se trouvait « près de la Fosse à l'Aumônier » à Saint-Germain-des-Prés. A la lisière méridionale, est mentionnée en 1549 une Haute Borne de Notre-Dame-des-Champs, qu'il ne faut pas confondre avec une autre Haute Borne, située à l'extrémité sud-ouest du VIe arrondissement, entre les rues de Sèvres, du Cherche-Midi, Saint-Romain et le boulevard du Montparnasse. Enfin, Hoffbauer signale que, lors de travaux à l'École des beaux-arts en 1820, on trouva à 5 mètres de profondeur une pierre énorme recouvrant un squelette d'homme.

Dans le VIIe arrondissement, le Gros-Caillou conserve la mémoire d'un énorme bloc de grès siliceux qui servait de limite, au Moyen Âge, entre les seigneuries de Saint-Germain-des-Prés et de Sainte-Geneviève. Il se serait situé à proximité du 58 actuel de la rue Saint-Dominique. Au XVIe siècle, il servait d'enseigne à un bordel. En 1652, cette maison close fut achetée par la Ville et détruite ainsi que la pierre. Celle-ci était si grosse et si dure qu'il fallut employer la poudre pour la briser. Le 14 septembre 1652, une croix fut érigée à son emplacement. Au XIVe siècle, on nommait La Longue Raye ou Le Long Gray une rue qui devait devenir la rue Saint-Dominique. Ce nom est, sans doute, une déformation de « long grès » et a dû servir à désigner le Gros-Caillou, à moins qu'il n'y ait eu un second mégalithe à proximité.

On a aussi découvert des monuments préhistoriques à la périphérie du Paris médiéval. Dans le XIe arrondissement, en 1782, rapportent les frères Lazare, « on trouva une pierre de forte dimension que plusieurs savants présumèrent avoir fait partie d'un autel druidique ». Émile de La Bédollière précise qu'il s'agissait d'« une pierre très large soutenue par deux autres pierres placées

debout », c'est-à-dire d'un dolmen. La rue passant à cet emplacement reçut, en son honneur, le nom de rue de la Pierre-Levée. Il y avait aussi une Haute Borne, dont on ne sait rien, qui s'élevait vers l'intersection de la rue Oberkampf et du boulevard de Ménilmontant. Dans le XIIIe arrondissement, lors des travaux de démolition des fortifications, en 1933, porte de Bicêtre, auraient été découverts des vestiges d'une allée couverte formée de blocs de grès. Au XVIIIe siècle a existé, à l'emplacement de la rue Duméril, une rue dite du Haut-Caillou. Y avait-il là un menhir ?

On est mieux informé sur la Tombe Issoire (voir LÉGENDE). L'historien de Paris du XVIIIe siècle, l'abbé Lebeuf, affirme qu'il y avait à cet endroit un véritable cimetière très ancien, bien antérieur au christianisme, et que l'on y voyait une sépulture de 20 pieds (plus de 7 mètres) de long. Quicherat en parle en 1864 comme d'un « grand tumulus » recouvrant un dolmen. Des préhistoriens comme Mortillet ou Perrault-Dabot y ont vu une allée couverte, ce qui est vraisemblable. Cette Tombe Issoire se situait vraisemblablement vers la rue Bezout.

A proximité immédiate de la place du Trocadéro, un quartier du village de Chaillot était nommé « la Haute Borne ». Le mot même de Chaillot est, selon Roblin, « sans doute une allusion à quelque gros rocher dominant la Seine ». L'existence d'un monolithe a cet endroit semble donc doublement affirmée. A Montmartre aussi se trouvait un lieu-dit nommé « la Haute Borne » et un acte de 1549 fait mention d'une « Grosse Pierre » se trouvant sur la pente orientale de la butte, entre le Sacré-Cœur et la rue de Clignancourt. De même, entre les villages de Ménilmontant et de Belleville, existait jadis un hameau dit « la Haute Borne ». La rue des Couronnes traverse l'emplacement de ce hameau. On possède aussi la mention d'un lieu-dit « les Cailloux » à Belleville, en 1573.

Il ne reste plus aucun vestige des mégalithes parisiens. Sept granitiers de Bretagne se sont unis pour sculpter un menhir qui a été offert à la Ville de Paris et installé au 59 de la rue Vercingétorix, non loin de la gare Montparnasse, dans le square avoisinant l'église Notre-Dame-du-Travail.

MÉNAGE
Voir NOMBRE DES MAISONS.

MÉNAGERIE

Il semble que les rois de France aient eu très tôt une ménagerie près de leur palais de la Cité, dans la rue disparue de la Calandre. Elle fut transférée en 1333 par Philippe VI près du Louvre, à l'extrémité nord-ouest du jardin. Pour y loger ses bêtes féroces, le roi acheta une grange à l'angle des rues de Beauvais et Froidmantel (soit place du Palais-Royal). Nommé Hôtel des lions du roi, cet endroit hébergea de nombreux fauves jusqu'à la fin du règne d'Henri III (1559).

Charles V créa une autre ménagerie dans son immense hôtel Saint-Paul. Il y avait une belle volière, la chambre dite «des tourterelles», celle des «chiens de la reine», un jardin pour les sangliers et un «logis» pour les lions dont le souvenir s'est perpétué dans la rue des Lions-Saint-Paul. Après la vente de l'hôtel vers 1516, la ménagerie fut transférée à proximité immédiate, à l'hôtel des Tournelles. Une nuit de janvier 1583, Henri III rêva qu'il était dévoré par ses fauves. Le lendemain matin, raconte Pierre de l'Estoile, «il fit tuer à coups d'arquebuze les lions, ours, taureaux et autres semblables bestes qu'il souloit nourrir pour combattre contre les dogues».

Au XVIIe siècle, c'est à Vincennes, près de Saint-Mandé, que se trouve la ménagerie royale et l'on s'y rend par la rue du Bel-Air. Elle est supprimée en 1706 et réunie à celle de Versailles où l'on transfère aussi les quelques fauves qui composaient encore la ménagerie

des Tuileries. Les Parisiens étaient autorisés à visiter la ménagerie de Versailles, une fois par an, le dimanche de la Pentecôte.

Elle est installée à Paris en avril 1794 et fait partie du Muséum d'histoire naturelle créé le 10 juin suivant. Elle y est restée depuis et n'a pas connu d'événement marquant, sinon l'abattage d'une grande partie de ses animaux, notamment des éléphants, pour nourrir les habitants durant les derniers jours du siège de Paris, en décembre 1870 et janvier 1871.

Une seconde ménagerie est inaugurée en décembre 1860 au Jardin d'acclimatation créé au bois de Boulogne. Elle n'aura que des dimensions modestes et n'abrite plus guère aujourd'hui que quelques espèces d'herbivores domestiques : ânes, vaches, chèvres… D'une autre envergure est le zoo de Vincennes. D'abord simple parc zoologique de 3 hectares aménagé dans le bois de Vincennes à l'occasion de l'Exposition coloniale de 1931, il fut muni à partir de 1932 de tout un paysage de rochers en béton avec une tour de 68 mètres de haut servant de panorama et de perchoir aux chamois et mouflons. Inauguré le 2 juin 1934, le zoo de Vincennes est aujourd'hui bien décrépit et nécessite une complète rénovation. Il abrite un très grand nombre d'animaux et se place parmi les premiers zoos d'Europe, pouvant se prévaloir de nombreuses naissances, notamment de girafes, lions, éléphants.
• *Voir aussi* ANIMAL SAUVAGE.

MENDICITÉ

Les famines, la peste, la guerre de Cent Ans figurent parmi les calamités qui frappent Paris et la France au cours du XIVe siècle. En 1363, l'évêque déplore «qu'une calamité nouvelle frappe les rues et les places de Paris : elles sont envahies par une foule innombrable de mendiants». La paupérisation de la population et l'afflux de paysans affamés créent une masse de mendiants dans la capitale qui inquiète très vite les autorités et engendre une insécurité croissante. Les estimations de leur nombre sont de la plus grande fantaisie : Guillebert de Metz les évaluait à quatre-vingt mille au début du XVe siècle, soit un habitant sur trois, d'autres sources ne font pas état de plus de quatre mille mendiants professionnels ayant une place fixe à l'entrée d'une église ou d'un couvent. Mais il devait y en avoir beaucoup d'autres. Si l'on adopte pour Paris les conclusions d'Henri Pirenne pour Ypres, on arrive à un nombre de mendiants équivalent à 10 % de la population. Les textes de la fin du XIVe et du XVe siècle font preuve d'une violente hostilité envers cette population, très souvent accusée de contrefaire des infirmités pour profiter de la charité publique et éviter de travailler. Eustache Deschamps souhaite ouvertement leur mort :

> *D'orrible mort puisse chacun mourir,*
> *Par tout soient haïz et diffamez,*
> *Chiens enragiez leur puissent sus courir,*
> *Fuitis soient de l'église et chaciez.*
> *Et au gibet penduz et trainez*
> *[...]*
> *Advisez y, baillis et seneschaulx,*
> *Prenez, pandez, et ce sera bien fet.*

La vie errante favorise l'entrée des mendiants dans le milieu criminel, car elle leur assure largement l'immunité. Les mendiants se transforment souvent en bandes de brigands et l'opinion publique les soupçonne d'être organisés en société parallèle (voir ARGOT, COUR DES MIRACLES).

Les multiples édits royaux et arrêts du Parlement ordonnant aux mendiants de quitter Paris prouvent qu'ils étaient inefficaces. La création en 1544 du Grand Bureau des Pauvres pour tenter de soulager les misères n'a en rien diminué leur nombre. Vers le milieu du XVIIe siècle, Sauval l'estime à quarante mille, un dixième de la population, « un peuple indépendant qui ne connaissait ni loi, ni religion, ni supérieur, ni police ; l'impiété, la sensualité, le liber-

tinage était tout ce qui régnait entre eux ». Des mesures extrêmes sont décidées en 1656, avec l'institution de l'Hôpital général pour incarcérer tous les pauvres. Il n'en contiendra jamais plus de douze mille, détenus dans des conditions effroyables et soumis au travail forcé. Sous la Régence, on déporte une partie des vagabonds arrêtés dans les rues vers la Louisiane, sans grand succès apparemment puisqu'en 1725, le duc de Bourbon, chef du gouvernement, ordonne d'arrêter et de marquer d'un fer rouge au bras tous les mendiants venus des campagnes à Paris. Le 8 juin 1777, Louis XVI écrit : « J'ai été vivement affligé de la grande quantité de mendiants dont les rues de Paris et de Versailles sont remplies… Aux valides le travail, aux invalides les hôpitaux, et la maison de force à tous ceux qui résistent aux bienfaits de la loi. »

La Révolution désorganise la vie sociale et économique et réduit à la misère des dizaines de milliers d'ouvriers et de domestiques, grossissant la masse des mendiants. La Convention réagit comme la monarchie qu'elle vient de renverser et vote en octobre 1793 que « tout citoyen qui sera convaincu d'avoir donné à un mendiant aucune espèce d'aumône sera condamné à une amende de la valeur de deux jours de travail ; au double en cas de récidive ». Elle ajoute : « Toute personne convaincue d'avoir demandé de l'argent ou du pain dans les rues ou voies publiques sera réputé mendiant et arrêté ». Le Consulat et l'Empire ont recours à l'enfermement dans des dépôts de mendicité. Un arrêt de la cour impériale stipule : « L'envoi au dépôt de mendicité n'est point une peine, mais une mesure de police qui est à la discrétion de l'autorité administrative sans qu'il soit possible aux tribunaux de modifier la clause susdite. »

Durant la seconde moitié du XIXe siècle, la mendicité décline avec la diminution du chômage et l'augmentation générale du niveau de vie. En 1869, on dénombre deux mille cinq cent quatre-vingt-huit arrestations de mendiants seulement, dont deux tiers d'hommes, qui sont envoyés à la maison de répression de Saint-Denis. Le trop-plein de mendiants de la population de Paris est installé au dépôt de mendicité de Villers-Cotterêts. La mendicité, qui s'était réduite aux clochards jusqu'aux années 1970, connaît actuellement un regain important dû au chômage et à la précarité de l'emploi. Il est difficile d'évaluer le nombre des mendiants et des sans-abri dans Paris en 1994-1995 : il fluctue selon les organisations caritatives entre cinq mille et vingt mille.

• *Voir aussi* FRANCS-BOURGEOIS ; HÔPITAL.

MENHIR

Voir MÉGALITHE.

MENUISIER

Le mobilier se limitait à fort peu de chose pendant la plus grande partie du Moyen Âge, ce qui explique aisément qu'il n'y eut, au début, qu'une seule corporation pour tous les ouvriers du bois, celle des charpentiers. Elle se divise, sans doute vers 1314, en charpentiers de la grande cognée, se consacrant aux gros travaux de charpente, et en charpentiers de la petite cognée, effectuant des ouvrages « plus menus », d'où leur est venu le nom de « menuisiers ». Mais cette appellation s'impose tardivement : en 1467, il n'est toujours pas fait mention de menuisiers mais de huchiers, fabricants de huches, le meuble le plus commun à cette époque. En 1580, dans de nouveaux statuts, la corporation est dite des huchers-menuisiers. Les ébénistes apparaissent seulement dans les statuts de 1743. En 1789, le nombre des menuisiers-ébénistes était estimé à neuf cents environ. Leur confrérie est placée sous le patronage de sainte Anne dont on célèbre la fête le 26 juillet en l'église des Billettes (rue des Archives). La presque totalité des menuisiers et ébénistes est établie, depuis le XVᵉ siècle au moins, dans le faubourg Saint-Antoine, à l'exception de quelques entrepreneurs prestigieux installés rues de Cléry ou de Bourbon-Villeneuve (Aboukir). Dans le *Tableau de Paris*, vers 1782, Sébastien Mercier s'interroge : « Je ne sais comment ce faubourg subsiste. On y vend des meubles d'un bout à l'autre ; et la portion pauvre, qui l'habite, n'a point de meubles. Les gens de la campagne font les trois quarts des achats ; et en général on ne leur délivre que le rebut de ces marchandises, ou ce qu'il y a de plus grossier dans ce genre de commerce. »

MERCIER

Les merciers occupaient une place importante dans le commerce parisien et figuraient au quatrième rang des Six-Corps qui représentaient l'élite marchande de la capitale. En 1531, ils prirent la troisième place aux pelletiers et la gardèrent jusqu'à la Révolution. Les merciers sont organisés selon des statuts très différents des autres corporations qui fabriquent et vendent, car ils ne fabriquent rien mais ont le droit de vendre tous les articles et produits fabriqués à Paris ou ailleurs. Mentionnés dès 1137 sous le nom de « venditores mercium » (« vendeurs de marchandises »), ces négociants peuvent être considérés comme les ancêtres directs des magasins de nouveautés et même des grands magasins en raison de l'extrême variété des articles vendus : draps de soie, serges, toiles, tapisserie, passementerie, menue mercerie, joaillerie, quincaillerie... (Voir GRAND MAGASIN.) Ces « marchands de tout » étaient au nombre de soixante-dix dans le livre de la taille de 1292, de cent cinquante-deux en 1300 et leur nombre a constamment augmenté jusqu'à deux mille environ à la veille de 1789. Leur corporation passait pour être très riche et Sauval note au XVIIᵉ siècle que « ce corps est plus riche tout seul que les cinq autres corps de marchands, et on lève sur eux autant que sur les autres ensemble quand il s'agit de faire des levées sur les Six-Corps». Les merciers possédaient dès 1264 leur propre halle au marché central dit des Halles et en acquirent d'autres aux XIVᵉ et XVᵉ siècles. Leurs boutiques étaient nombreuses dans les rues avoisinantes : les menus merciers se trouvaient rue au Feurre, les gros marchands de draps de soie rue Saint-Denis, les quincailliers rue de la Ferronnerie. C'est dans la rue Qincampoix que se trouvaient les boutiques les plus opulentes : sur cent vingt-deux commerçants mentionnés dans cette rue par le livre de la taille de 1313, on dénombrait trente-six merciers. Dès 1299, les merciers s'étaient introduits dans l'enclos du Palais (de justice), à proximité du pouvoir royal et du Parlement. Ils s'installent peu à peu dans la galerie reliant la Sainte-Chapelle à la Grand-Salle, la future «galerie mercière», puis débordent au XVᵉ siècle sur la Grand-Salle même. Le *Livre des métiers* d'Étienne Boileau, en 1268, ne mentionne aucune condition d'accès à la maîtrise. Le droit d'entrée n'apparaît qu'en 1470. La profession peut être exercée aussi bien par les femmes que par les hommes et la corporation se montre très ouverte : les deux tiers de ses membres sont, au XVIᵉ siècle, des étrangers. Le contrôle de la mercerie est exercé par des jurés, quatre en 1268, cinq en 1324, six en 1558, sept en 1601. L'un d'eux, le grand-garde, jouit d'une autorité prépondérante à partir de la seconde moitié du XVIᵉ siècle. En revanche, les rois des merciers, personnages importants dans les provinces, n'ont qu'un rôle très faible à Paris où ce roi n'est guère que le titulaire d'une sinécure. Le bureau de la corporation se trouvait dans la rue Quincampoix et la confrérie était placée sous le patronage de saint Louis. Elle se réunissait aux Quinze-Vingts, puis, à partir de 1406, au Palais. Les cérémonies religieuses avaient lieu aux Saints-Innocents, puis au Saint-Sépulcre à partir du début du XVIᵉ siècle.

• *Voir aussi* **HALLE** ; **SIX-CORPS**.

MERCURIALE

Dieu du Commerce, Mercure a donné son nom à la liste des cours officiels des denrées vendues sur un marché public, la mercuriale. A Paris, l'existence de «jurés mesureurs» est attestée très tôt et confirmée par le *Livre des métiers* d'Étienne Boileau rédigé vers 1268. Mais leur activité reste longtemps limitée au mesurage des produits : bois, plâtre, tissus, sel, fruits, grains, farines, vin, etc. Après la crise politique, économique et sociale du début du XVᵉ siècle, l'autorité royale restaurée, Charles VII, soucieux de maintenir la paix sociale et la stabilité des prix indispensable à celle-ci, promulgue les lettres patentes du 19 décembre 1439, complétant une ordonnance du prévôt de Paris du 12 juillet 1438. Le prix du pain est désormais taxé et son poids doit demeurer «toujours ferme et stable», quel que soit le prix du blé. Antérieurement, les variations de cours de la matière première, si elles ne modifiaient pas le prix, entraînaient des changements dans le poids, au grand mécontentement des pauvres. Les mesureurs jurés de grains relèvent donc chaque samedi les cours du grain sur les trois marchés des Halles, de la Grève et de l'École (près de Saint-Germain-l'Auxerrois) : froment de qualité supérieure, froment «de commun», blé méteil (mélangé de seigle), seigle et orge. A ces relevés du samedi s'ajoutent, en période de crise, ceux du mercredi. L'avoine apparaît aussi au début du XVIᵉ siècle. L'ordonnance de 1471 prescrit de relever la région de provenance des grains : France (région située immédiatement au nord de Paris), Beauce, Brie, Picardie. L'ordonnance de Villers-Cotterêts de 1539 étendra le système de la mercuriale à tout le royaume en prescrivant de faire chaque semaine, dans tous les sièges de juridiction ordinaire du pays, un rapport de la «valeur et estimation commune de toutes espèces de gros fruicts comme bleds, vins, foins». Indispensable à l'étude de la vie économique et même sociale, la mercuriale a été étudiée, notamment par Micheline Baulant et Jean Meuvret, dans *Prix des céréales extraits de la Mercuriale de Paris (1520-1698)*.

MÉRIDIEN

Les grandes découvertes ont rendu indispensable l'établissement d'un méridien d'origine pour permettre aux navigateurs de calculer les longitudes. Chaque puissance maritime et coloniale voulut avoir le sien. Une fois entreprise la construction de l'Observatoire, en 1667, on décida d'en faire le point zéro du méridien de Paris, la partie du monde se situant à l'est de ce monument formant l'hémisphère oriental et celle se trouvant à l'ouest constituant l'hémisphère occidental. En 1675, lorsque fut débutée la mesure du méridien de Paris sur toute son étendue en France, une mire fut élevée à Montmartre, plus tard transformée en obélisque, portant l'inscription : «L'an MDCCXXXVI, cet obélisque a été élevé par ordre du roi pour servir d'alignement à la méridienne de Paris du côté du nord. Son axe est à 2 931 toises deux pieds de la face méridionale de l'Observatoire.» C'est une des quatre-vingt-seize mires prévues entre Dunkerque et le mont Canigou pour délimiter le tracé du méridien. En 1806, une autre mire fut placée au sud de l'Observatoire, que l'on peut toujours voir dans le parc de Montsouris, mais sa position n'est pas tout à fait exacte : elle se trouve à 35 mètres à l'est du méridien. Après avoir existé plus de deux siècles concurremment avec une foule d'autres méridiens nationaux, le méridien de Paris a fini par s'effacer au profit du méridien anglais de Greenwich. Cette capitulation s'est effectuée en deux temps : la loi du 9 mars 1911 a modifié l'heure légale de la France, qui est devenue l'heure temps moyen de Paris retardée de neuf minutes et vingt et une secondes, c'est-à-dire pratiquement l'heure temps moyen de Greenwich ; le 19 août 1913, par décision ministérielle, les longitudes portées sur les documents nautiques français publiés à partir du 1er janvier 1914 sont rapportées au méridien international de Greenwich. Depuis 1914, Paris figure donc, sur les cartes, à une longitude de deux degrés, vingt minutes, quatorze secondes Est (à l'est du méridien origine de Greenwich).

Le lundi 14 novembre 1994, l'artiste néerlandais Jan Dibbets a commencé à jalonner le méridien à Paris, fixant dans le sol cent trente-cinq médaillons de bronze de 12 centimètres de diamètre portant le nom de l'astronome et physicien Arago, qui fut directeur de l'Observatoire, et les lettres «N» et «S» pour indiquer le Nord et le Sud. De la cité universitaire à la porte Montmartre, ces médaillons sont implantés dans les XIVe, VIe, Ier, IIe, IXe et XVIIIe arrondissements.

• *Voir aussi* CLOCHE ; HEURE ; HORLOGE.

MÉRIDIENNE
Voir CADRAN SCOLAIRE.

MESURE

Conçu à la Révolution et progressivement entré en usage durant la première moitié du XIXe siècle, le système métrique a évincé un ensemble complexe de poids et mesures variant d'une région à l'autre. Les instruments de mesure d'Ancien Régime étaient d'une précision relativement élevée, de l'ordre du millième, et même parfois du dix-millième à la veille de leur suppression. L'étude faisant autorité sur ce sujet est l'œuvre d'Armand Machabey, *La Métrologie dans les musées de province et sa contribution à l'histoire des poids et mesures en France depuis le treizième siècle*.

Pour les mesures de longueur, l'unité de base est le pied de Paris, dit aussi pied de roi, dont la dimension classique est de 32,48 centimètres, souvent arrondie à 32,50 centimètres dans les calculs actuels de conversion. Cette valeur a été tirée de la division par six d'une des deux toises que La Condamine fit faire en 1735 avant de partir pour le Pérou y mesurer le méridien terrestre. Cette toise est la réplique de l'étalon officiel, la toise du Châtelet, établie en 1667 en remplacement d'une toise antérieure faussée par l'affaissement du pilier sur lequel elle était fixée. Cette toise du Châtelet s'avéra très vite être plus courte de l'équivalent d'un centimètre que l'étalon dit «pied de l'Escritoire» conservé au greffe de la corporation des maçons. Cette toise des maçons, quoique fidèle à la mesure originale, fut supprimée au profit de la toise du Châtelet dès 1668. Le pied se décompose en dix-huit doigts de 1,8 centimètre chacun environ et six pieds forment une toise d'environ 1,95 mètre. Le pied de l'Escritoire faisait 1,9596 mètre. Il existait aussi une autre mesure de longueur dont l'étalon était conservé au bureau des gardes de la corporation des merciers, rue Quincampoix ; c'était l'aune dite des merciers de Paris. Un édit de François Iᵉʳ d'avril 1540 avait fixé sa longueur à 3 pieds 7 pouces 8 lignes du pied du roi, soit environ 118 centimètres avant la modification de 1667 qui porte l'aune à près de 119 centimètres. Il y a douze lignes d'environ 0,225 centimètre dans un pouce et douze pouces d'environ 2,7 centimètres dans un pied.

Les mesures de capacité se divisent en deux catégories, selon qu'elles servent pour des matières sèches ou pour des liquides. Pour les céréales, les noix, les châtaignes, le sel, le charbon de terre, etc., on utilise à Paris le système suivant : le muid valant douze setiers, le setier valant douze boisseaux. La capacité théorique du boisseau varie suivant les estimations de 640 à 644 2/5 pouces cubiques, soit à peu près 12,80 litres, parfois arrondis à 13 litres. On utilise aussi à Paris comme mesures le litron (un seizième de boisseau, soit

0,8 litre), le minot (trois boisseaux) et la mine (deux minots).

Pour les liquides existe un large éventail de mesures. Le muid correspond à une contenance d'environ 268 litres. Il se divise en feuillette (demi-muid), quartau (quart de muid). Il faut neuf setiers pour emplir un quartau. Le setier contient quatre pots ou quartes. Huit pintes font un setier. Il y a donc 288 pintes dans un muid, mais la pratique commerciale parisienne estime le muid de vin tiré au clair à 280 pintes (et à 300 sur lie), ce qui donne à la pinte une contenance variant entre 0,931 et 0,945 litre. Les subdivisions de la pinte étaient la chopine (dite aussi setier, ce qui peut être source de confusion), contenant la moitié d'une pinte, le demi-setier (quart de pinte), le posson (un huitième de pinte), le demi-posson (un seizième de pinte) et la roquille (un trente-deuxième de pinte, soit moins de 3 centilitres). Ces contenances sont valables à partir de la fin du XVᵉ siècle. Il semble, en effet, que le muid de Paris ait doublé de contenance avant 1481, passant de 144 à 288 pintes. En outre, d'après un compte de 1330, on sait qu'à cette époque le muid se composait de 16 setiers (et non de 36), soit 128 pintes pour le vin clair, et de 18 setiers (et non de 37,5) lorsqu'il s'agissait de vin mare et lie, soit 144 pintes. Il faut donc être très prudent pour ces mesures au Moyen Âge. Il semble toutefois établi que la mesure de la pinte (de 0,931 à 0,945 litre) ait été déjà stable dès le XIVᵉ siècle, ce qui permet de faire les calculs à partir d'elle.

Il existe aussi des unités de distance : la lieue de poste de 2 000 toises, soit 3,9 kilomètres environ, ou la lieue terrestre, correspondant à un degré terrestre de 25 lieues, soit 4,445 kilomètres. Les principales unités de surface sont la perche de Paris de 18 pieds de côté, soit environ 34,2 mètres carrés, et l'arpent de Paris, faisant 100 perches,

soit un peu moins de 3 420 mètres carrés et un peu plus d'un tiers d'hectare.
• *Voir aussi* **POIDS**.

MÉTÉOROLOGIE

Il n'est pas question ici de faire l'histoire de la météorologie. On peut se reporter sur ce sujet à Alfred Fierro, *Histoire de la météorologie*. Si l'on s'intéresse au temps qu'il fait à Paris, voir CLIMAT. On se limite ici aux aspects strictement parisiens de cette discipline. Depuis son ouverture, en 1670, l'Observatoire a suivi une politique à éclipses à l'égard de la météorologie. A partir de 1699, Philippe de La Hire est chargé d'observer plusieurs fois par jour les variations du baromètre et du thermomètre, les précipitations et les variations de l'aiguille aimantée, et d'en rendre compte à l'Académie des sciences. A sa mort, en 1718, l'entreprise est poursuivie jusqu'en 1754 par les neveux de Cassini puis par Fouchy. Les relevés s'interrompent ensuite pendant trente ans et ne recommencent qu'en janvier 1785 lorsque sont créés trois postes d'observateurs pour assurer une observation astronomique constante et reprendre des relevés météorologiques réguliers.

Le 16 septembre 1804, Gay-Lussac s'envole du Conservatoire national des arts et métiers, rue Saint-Martin, emportant dans la nacelle de sa montgolfière une foule d'instruments, baromètre, thermomètre, hygromètre, etc., pour faire des observations physiques et météorologiques en altitude. Il s'élève jusqu'à 7 016 mètres, manquant périr de froid, mais ouvrant la voie à la découverte des couches supérieures de l'atmosphère et à l'emploi des ballons-sondes un siècle plus tard.

Le 14 décembre 1852 se tient la première séance de la Société météorologique de France, mais c'est de l'Observatoire que vient le renouveau de la météorologie. Ayant remplacé François Arago à sa tête en 1854, Urbain Le Verrier, astronome de renom,

trouve dans cet établissement un service météorologique rudimentaire qui inscrit quatre fois par jour sur un registre la température, la pression atmosphérique, l'aspect du ciel et la direction du vent. Le Verrier développe fortement le service, publiant les premières cartes de l'état atmosphérique de la France dès le 19 février 1855 et créant le premier *Bulletin (météorologique) international de l'Observatoire de Paris*, le 2 novembre 1857, quotidien à partir du 1er janvier suivant, ancêtre de tous les bulletins météorologiques. La place accordée à la météorologie à l'Observatoire entraîne des heurts avec les astronomes qui aboutissent à la création en 1878 d'un Bureau central météorologique.

A côté de l'Observatoire apparaissent alors d'autres centres d'observations météorologiques. C'est d'abord l'observatoire de Montsouris. Le 21 mai 1857, un violent orage sur la capitale a provoqué des inondations en raison de l'insuffisance du débouché des égouts. L'inspecteur général Belgrand fait alors établir huit stations pluviométriques dans la ville. Le 19 août 1864, le Conseil municipal décide de publier les observations climatologiques parisiennes dans le *Bulletin de statistique municipale*. En 1869, une commission se constitue pour étudier la création d'un observatoire parisien. Elle est composée de Charles Sainte-Claire Deville, Émilien Renou et Belgrand, membres éminents de la Société météorologique de France, d'Hervé Mangon, futur président du Bureau central météorologique, de Marié-Davy, astronome et météorologiste à l'Observatoire de Paris, de Bouchardat, professeur à la faculté des sciences de Paris et du capitaine de frégate Véron-Bellecourt.

La Ville achète le palais du Bardo, copie réduite du palais du bey de Tunis, présentée à l'Exposition universelle de 1867, transportée dans le parc de Montsouris. La Ville met ce bâtiment à la disposition du ministère de l'Instruction publique le 1er avril 1869 et la loi de finances du 27 juillet 1870 lui attribue une dotation annuelle de 60 000 francs. Charles Sainte-Claire Deville en est nommé directeur. La guerre de 1870 entraîne la suspension des observations. A la paix, en 1872, le nouveau gouvernement rattache Montsouris à l'Observatoire de Paris. Le directeur de ce dernier, Delaunay, transfère à Montsouris le service météorologique international dont la direction est confiée à Marié-Davy à dater du 1er avril 1872. Après la mort de Delaunay et le retour de Le Verrier, Montsouris est déchargé du Service météorologique international et recouvre son indépendance en vertu du décret du 13 février 1873.

Hippolyte Marié-Davy en conserve la direction et obtient même, en 1876, la création de vingt stations secondaires d'observation dans Paris. Montsouris est divisé en quatre services : le service de physique et de météorologie proprement dite, le service chimique chargé d'analyser l'air, le sol et les eaux, le service micrographique qui analyse les bactéries dans les trois éléments susdits, le service de la végétation. Le service atteint une certaine célébrité avec la publication dans *L'Illustration*, le 6 mai 1875, de courbes résumant ses travaux.

La création du Bureau central météorologique provoque des frictions, Marié-Davy refusant de se soumettre à la tutelle et aux inspections de ce dernier. Le conflit se règle avec le départ de Marié-Davy en 1886 et la dissolution du contrat entre la Ville et l'État l'année suivante : le décret du 28 décembre 1886 retranche Montsouris des établissements d'État et, le 1er janvier 1887, ce dernier devient l'Observatoire municipal de la Ville de Paris. Il obtient un crédit annuel considérable, 45 000 francs. En 1900, le service micrographique fut installé dans l'ancien marché des Blancs-Manteaux. A Montsouris, le service physique et météoro-logique axe ses recherches sur la pluviométrie, les nuages, les phénomènes optiques, la pollution atmosphérique, l'actinométrie. A partir de 1942, l'Observatoire municipal prend le titre plus adéquat de Service d'études et de statistiques climatiques de la Ville de Paris. Avec la création de la Météorologie nationale à la fin de 1945, le Service réintègre le réseau météorologique national.

Pour être complet, il faut rappeler le rôle de la tour Saint-Jacques dans les observations du temps à Paris. Ce vénérable vestige de l'église Saint-Jacques-de-la-Boucherie, à plus de 50 mètres du niveau du sol, a servi en 1648 à Pascal pour vérifier la variation de hauteur du mercure constatée lors de l'expérience au sommet du puy de Dôme. En août 1885, Joseph Jaubert obtint l'autorisation d'utiliser la tour pour des expériences météorologiques. La Ville de Paris lui accorda des subventions croissantes, 2 000 francs en 1891, 3 000 en 1892, 8 000 l'année suivante. Enfin, l'arrêté préfectoral du 26 août 1895 consacra la municipalisation de la tour et de ses services météorologiques réunis à l'Observatoire de Montsouris au sein du Service de physique et de météorologie de la Ville de Paris.

• *Voir aussi* CLIMAT.

MÉTIER

Le nombre des métiers constitués en corporations a varié sans cesse jusqu'à la Révolution, en raison notamment des regroupements et des scissions liés à l'évolution de chaque groupe. Le *Livre des métiers* d'Étienne Boileau recense cent vingt et un métiers en 1268, l'ordonnance de janvier 1351 en énumère cent vingt-trois, l'ordonnance des bannières de 1467 en compte cent trente-deux, la liste de 1586 en contient cent cinquante et un, les édits de 1691 et 1776 enregistrent cent vingt-six et cent vingt-cinq professions. Toutes ces listes figurent dans l'ancien mais excellent *Dictionnaire historique des arts, métiers et professions exercés dans Paris depuis le XIIIᵉ siècle* d'Alfred Franklin. On peut y ajouter la liste de cent vingt-quatre métiers que donne Expilly dans son *Dictionnaire géographique, historique et politique des Gaules et de la France*, à l'article «Paris» publié en 1768. On se limite ici à une liste de ces métiers avec l'indication de leur première attestation ou apparition sur une de ces listes :

Affineurs d'or et d'argent (taille de 1292)
Aiguilles (fabricants d') (taille de 1292)
Aiguillettes (fabricants d') (1389)
Amidonniers-Cretonniers (1744)
Apothicaires (1268)
Arbalétriers (taille de 1292)
Arctiers ou fabricants d'arcs (1268)
Armes (maîtres d') (1567)
Armuriers (1296)
Arquebusiers (1575)
Artilliers (1576)
Atachiers (taille de 1292)
Aumussiers (taille de 1292)
Bahutiers (taille de 1292)
Balanciers (taille de 1292)
Barbiers (1268)
Barilliers (1268)
Bateaux (constructeurs de) (1268 : «faiseurs de nez»)
Bateliers ou passeurs d'eau (1292)
Batteurs d'archal (1268)
Batteurs d'étain (1268)
Batteurs d'or et d'argent (1268)
Baudroyeurs (1268)
Bimbelotiers (1467)
Blanchisseurs ou lavandiers (1292)
Blasonniers (1268)
Blé (marchands de) (1268 : «blaetiers»)
Bois (marchands de) (taille de 1292)
Boisseliers (1443)
Bonnetiers (1315)
Bouchers (1146)
Boucles (fabricants de) (1268)
Boudins (faiseurs de) (taille de 1292)
Boulangers (1268)
Bouquetières ou fleurières (taille de 1292)
Bourreliers (1268)
Boursiers ou faiseurs de bourses (1268)
Boutonniers (1268)
Boyaudiers (1676)
Braies (faiseurs de) (1268 : «braaliers»)

Brasseurs (1268 sous le nom de «cervoisiers»)
Brigandiniers (1451)
Brodeurs (taille de 1292)
Brossiers (1486)
Cardes (faiseurs de) (1467)
Cardeurs de laine et de coton (1467)
Carriers (1292)
Cartiers (1594)
Cartonniers (1599)
Ceinturiers (corroiers ou chaînetiers) (1292)
Cervoisiers ou brasseurs (1268)
Chaînetiers (1292)
Chandeliers (1268)
Chanevaciers ou marchands de toiles de chanvre (1268)
Chanvriers (1292)
Chapeliers (1268)
Chapuiseurs ou charpentiers (1268)
Charbon (marchands de) (taille de 1292)
Charcutiers-saucissiers (1476)
Charpentiers (1268)
Charretiers (taille de 1292)
Charrons (1268)
Chaudronniers (1268)
Chaufourniers (1467)
Chaussetiers ou chaussiers (1268)
Chevaux (marchands de) (taille de 1292)
Chirurgiens (1268)
Cloutiers (taille de 1292)
Coffretiers ou coffriers (taille de 1292)
Cordiers (1268)
Cordonniers (1268)
Corroiers ou faiseurs de courroies (1268)
Corroyeurs (taille de 1292)
Couteliers (1268)
Couturières (1675)
Couturiers (1268)
Couverturiers (taille de 1300)
Couvreurs (1268)
Crépiniers (1268)
Crieurs de vieux fers (1681)
Crieurs de vin (1268)
Cuisiniers (1268)
Déchargeurs de vin (taille de 1292)
Dés à coudre (fabricants de) (1268)
Dés à jouer (fabricants de) (1268)
Doreurs sur cuir (1558)
Doreurs sur métaux (1565)
Drapiers (1183)
Drapiers d'or et de soie (1268)
Écrivains (1570)
Écuelliers (1268)

Enlumineurs (1351)
Éperonniers (taille de 1292)
Épiciers (1777), auparavant confondus avec les apothicaires
Épingles (fabricants d') (1268)
Estampes (marchands d'), rattachés aux merciers
Étain (batteurs, fondeurs et potiers d') (1268)
Étuveurs ou étuvistes (1268)
Éventaillers ou éventaillistes (1678), auparavant merciers
Fermaux (faiseurs de) (1268)
Ferrons (1351)
Fileurs de chanvre et de lin (1328)
Fileuses de soie (1268)
Foin (marchands de) (1268)
Fondeurs (1268)
Forces (fabricants de) (1288)
Foulons (1257)
Fourbisseurs (1268)
Fourniers (taille de 1292)
Fourreurs (1183)
Fripiers (1268)
Fruitiers (taille de 1292)
Gainiers et furreliers (1268)
Gantiers (1208)
Grainiers (1595), ex-marchands de blé
Graveurs sur métaux (1631)
Greffiers (1268)
Haubergiers (1268)
Heaumiers (1268)
Horlogers (1544)
Huchiers (1268)
Huiliers (1268)
Huissiers, fabricants d'huis ou de portes (1268)
Imprimeurs, rattachés aux libraires
Imprimeurs en taille-douce (1694)
Instruments (faiseurs d') ou luthiers (1599)
Instruments de musique (joueurs d') (1321)
Jardiniers (taille de 1292)
Jaugeurs de futailles (1268)
Laceurs de fil et de soie (1268)
Lambrisseurs (1268)
Lampiers ou lampistes (1268)
Lanciers (1467)
Lanterniers (1268)
Lapidaires (1268 : « cristalliers »)
Layetiers (1291 : « écriniers »)
Libraires (1275)
Limonadiers (1676)
Lingères (taille de 1292)

Liniers (1268)
Lormiers (1268)
Maçons (1268)
Maraîchers (1467)
Marbriers (1609)
Maréchaux (1268)
Mégissiers (1160)
Menuisiers, rattachés aux charpentiers
Merciers (1268)
Meuniers (1268)
Miroitiers (taille de 1292)
Mortelliers (1268)
Moutardiers, rattachés aux vinaigriers
Nattiers (taille de 1292)
Oiseliers (taille de 1292)
Opticiens ou lunetiers (1467)
Orfèvres (1268)
Oublieurs (1270)
Pain-d'épiciers (1596)
Papetiers (1586)
Parcheminiers (taille de 1292)
Parfumeurs, rattachés aux merciers et aux gantiers
Passementiers (1558)
Patenôtriers (1268)
Patiniers (1467)
Pâtissiers (1440)
Paumiers (taille de 1292)
Paveurs (taille de 1292)
Peaussiers (1357)
Pêcheurs (1268)
Peigniers (1268)
Peintres ou imagiers (1268)
Pelletiers, voir fourreurs
Perruquiers (1673), partie des barbiers
Plâtriers (1268)
Plombiers (1548)
Plumassiers (1577)
Poissonniers d'eau douce (1268)
Poissonniers de mer (1268)
Potiers d'étain (1268)
Potiers de terre (1268)
Poulaillers (1268)
Pourpointiers (1323)
Regrattiers (1268)
Reliers (1618), rattachés aux libraires
Rémouleurs (1407)
Rôtisseurs (1467), ex-cuisiniers-oyers
Rubaniers, voir tissutiers
Sages-femmes (taille de 1292)
Salpêtriers (1658)
Savetiers (1268)
Savetonniers (1268)
Sculpteurs (1268 : « ymagiers-tailleurs »)

Selliers (1268)
Serruriers (1268)
Souffletiers (1443)
Tabletiers (1268)
Taillandiers (1463)
Tailleurs d'habits (1268)
Tailleurs de pierre (1268)
Talemeliers, ancien nom des boulangers (1268)
Tanneurs (1345)
Tapissiers (1268)
Tassetiers (1344)
Taverniers (1268)
Teinturiers (1268)
Tireurs d'or et d'argent (1268)
Tisserands de lange, ancien nom des drapiers (1183)
Tisserands de soie (1268)
Tissutiers-rubaniers (1268 : laceurs de fil de soie)
Tondeurs de draps (1384)
Tonneliers (1268)
Tourneurs en bois (1268)
Traiteurs (1599)
Tréfileurs (1268)
Vanniers (1467)
Verriers (1583)
Vinaigriers (1394)
Vin (marchands de) (1268)
Vitriers (1467)
Vrilliers (1268)

De nombreux métiers ne figurent pas sur cette liste, soit qu'ils aient été rattachés à des métiers plus importants, soit qu'ils n'aient pas été constitués en corporations, comme, par exemple, les crocheteurs, gagne-deniers, harengères, hôteliers, modistes, porteurs d'eau, ramoneurs, etc.
• *Voir aussi* CONFRÉRIE ; CORPORATION.

MÉTIER (saint patron de)

Voir CONFRÉRIE (saint patron de).

MÉTROPOLITAIN

Le plus ancien projet de chemin de fer urbain, dit « métropolitain », semble avoir été conçu en 1845 par Fl. de Kerizouet pour la ville de Paris. La construction des gares des différentes compagnies de chemin de fer se partageant le réseau français amène la création d'un chemin de fer de ceinture unissant ces gares afin d'assurer le transbordement des marchandises et des passagers. Mais, situé à la périphérie de la ville, ce chemin de fer ne présente guère d'intérêt pour les Parisiens qui ont besoin d'un réseau convergent vers le centre de la capitale (voir CHEMIN DE FER DE CEINTURE).

Les projets se multiplient sans résultat tandis que Londres (1863), New York (1868), Berlin (1878), Chicago (1892), Budapest (1896), Vienne (1898) créent leur réseau métropolitain souterrain ou aérien. Le premier projet municipal officiel date de 1883, mais l'État s'y oppose. Un conflit acharné se déroule, des années durant, entre les compagnies de chemin de fer, soutenues par le gouvernement, qui souhaitent avant tout réaliser un projet permettant l'interconnexion de leurs gares et faciliter la pénétration dans la ville de lignes desservant la banlieue (un R.E.R. en quelque sorte), et la Ville de Paris qui veut un réseau autonome et urbain limité aux vingt arrondissements, pouvant doubler les transports de surface, tramways et omnibus, insuffisants et saturés. Les conseillers municipaux craignent de tomber sous l'influence des compagnies de chemin de fer s'ils acceptent leur projet, mais ils redoutent aussi que la desserte de la banlieue favorise l'exode de la population et provoque une fraude incontrôlable des droits d'octroi qui constituent une ressource majeure pour les finances communales. Les partisans du réseau strictement parisien sont eux-mêmes divisés entre les tenants d'un métro souterrain et ceux qui préconisent des viaducs aériens.

L'imminence de l'Exposition universelle de 1900, avec les dizaines de millions de visiteurs attendus, contraint à une décision. C'est la Ville qui l'emporte. Le 30 mars 1898 est votée la déclaration d'utilité publique du métropolitain urbain parisien. Il doit être électrique, au gabarit normal (le même que celui du chemin de fer) et compter six lignes totalisant 65 kilomètres.

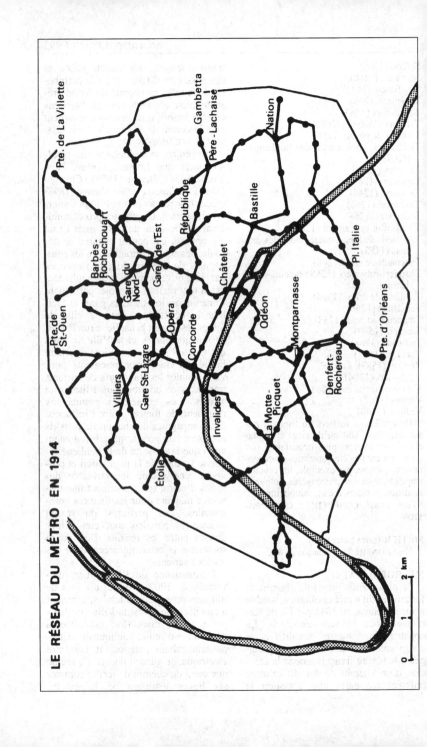

LE RÉSEAU DU MÉTRO EN 1914

Pte. de La Villette
Gambetta
Père-Lachaise
Nation
Barbès-Rochechouart
Gare du Nord
Gare de l'Est
République
Bastille
Châtelet
Pl. Italie
Pte. de St-Ouen
Opéra
Concorde
Odéon
Montparnasse
Pte. d'Orléans
Villiers
Gare St-Lazare
Invalides
La Motte-Picquet
Denfert-Rochereau
Étoile

0   1   2 km

C'est la Compagnie générale de traction du financier belge Édouard Empain qui en obtient la concession et l'ingénieur Fulgence Bienvenüe qui en dirige la construction.

Au coûteux métro londonien, dont les galeries sont creusées très profondément sous terre, est préférée la méthode « belge » : le tracé des tunnels suit celui des rues qu'on éventre au fur et à mesure, voies et stations se situant très près de la surface du sol, ce qui assure un accès aisé aux voyageurs et engendre de faibles coûts de construction. Le seul point difficile est le passage du canal Saint-Martin à la Bastille, car les techniques de construction sous-fluviale ne sont pas encore au point.

La ligne numéro 1, Porte-de-Vincennes-Porte-Maillot, qui doit desservir le Grand Palais et l'Exposition universelle, est construite en priorité et terminée en vingt mois : elle est mise en service le 19 juillet 1900, trois mois après l'ouverture de l'Exposition. Son succès est immédiat : plus de seize millions de passagers de juillet à décembre 1900.

La ligne numéro 2 est ouverte en totalité, de la Porte Dauphine à la Nation, en avril 1903. Il a fallu la construire en viaduc au pied de la butte Montmartre à cause des carrières de gypse. La construction de la ligne numéro 2 sud (actuelle ligne 6), de l'Étoile à la Nation, est terminée à la fin de 1905. Le passage au-dessus de la Seine se fait par les deux viaducs de Passy et de Bercy. Un troisième viaduc est établi à la gare d'Austerlitz. Après 1905, la traversée sous-fluviale, mise au point par Léon Chagnaud, remplace les viaducs. Il y en a cinq : sur la ligne 4 au Châtelet (établie entre 1905 et 1909), ligne 12 en amont de la Concorde (1907-1909), ligne 8 en aval de la Concorde (1908-1911), ligne 10 au pont Mirabeau (1907-1913) et ligne 7 à Sully-Morland (1927-1930). Une sixième liaison sous la Seine a été créée en 1970 pour la jonction entre les lignes 13 et

14 entre les Invalides et Miromesnil, légèrement en amont du pont Alexandre-III. De très grosses difficultés ont été rencontrées lors du passage de la ligne 4 dans la Cité. Les deux stations de la Cité et de Saint-Michel, menacées par les infiltrations de la Seine, ont dû être foncées à l'air comprimé, des caissons ont été descendus dans le sol qui a été congelé durant les travaux afin de le stabiliser.

Rebaptisée Compagnie du métro de Paris (C.M.P.), l'entreprise du groupe Empain a réalisé toutes les lignes sauf l'actuelle ligne 12 (Porte-de-la-Chapelle-Mairie-d'Issy) concédée à la Société du chemin de fer électrique Nord-Sud de Paris de l'ingénieur Berlier dont les conceptions ont été largement reprises par Bienvenüe. Le « Nord-Sud » a dû résoudre de grosses difficultés pour le passage sous la butte Montmartre, qui se fait à 63 mètres de profondeur sous l'avenue Junot.

En 1914, l'essentiel des lignes 1 à 6 et 12 est réalisé, ainsi que des sections des lignes 7, 8, 10 et 13. Près de cinq cents millions de passagers les empruntent chaque année. La guerre n'entrave pas la prolongation de la ligne 7 (Pré-Saint-Gervais-La-Villette-Opéra) jusqu'au Palais-Royal et celle du Nord-Sud de Jules-Joffrin à la porte de la Chapelle. Entre 1919 et 1939, l'allongement des lignes existantes se poursuit avec sept prolongements vers la banlieue tandis que les lignes 9 et 11 sont achevées. En 1939, le réseau a pratiquement sa forme actuelle avec près de 159 kilomètres de voies et trois cent trente-deux stations. Il est géré depuis 1921 par la Société des transports en commun de la région parisienne (S.T.C.R.P.).

De 1940 à 1960, le métro stagne. La Régie autonome des transports parisiens (R.A.T.P.), en charge des transports parisiens depuis le 1er janvier 1949, se lance alors dans un ambitieux programme voulu par le gouvernement de la Ve République, désireux d'insérer la capitale dans une vaste agglomération incluant la banlieue. Le 6 juillet 1961 est donné le premier coup de pioche d'un Réseau express régional (R.E.R.) qui concerne aujourd'hui sept des huit départements de l'Île-de-France et lance ses tentacules jusqu'aux limites de la Seine-et-Marne. L'interconnexion du métro, du R.E.R. et de la S.N.C.F. a donné une ampleur et une efficacité exceptionnelles aux transports en commun. Aujourd'hui, le métro transporte plus d'un milliard deux cents millions de voyageurs, plus d'un milliard et demi en incluant les stations du R.E.R., ce qui correspond à la moitié des déplacements motorisés à Paris. A l'intérieur de la ville, cela représente 158 kilomètres de voies (et 41 en banlieue) pour le métro et 20 kilomètres pour le R.E.R., desservis par trois cent dix-sept stations.

• *Voir aussi* TRANSPORT (moyen de).

MEUBLÉ
Voir HÔTELLERIE.

MI-CARÊME
Voir CARNAVAL.

MIEL
Voir ABEILLE.

MILICE
Outre le guet des métiers chargé du maintien de l'ordre la nuit, Paris possède une milice bourgeoise pour la défense de la ville contre les menaces extérieures. Quartiniers, cinquanteniers, dizainiers encadrent cette force armée qui n'entre en action qu'en période de crise. Le roi offre souvent le choix aux Parisiens entre le service armé dans le cadre de l'arrière-ban et le versement d'une contribution servant à entretenir une troupe armée. Les bourgeois de la ville préfèrent payer que risquer leur vie. Ainsi, en 1337, Paris accorde à Philippe VI une aide financière pour quatre cents hommes à cheval, mais cette aide est consentie sous réserve

que « le commun des gens de la dicte ville » ne sera pas convoqué avec le ban et l'arrière-ban et sera dispensé de l'impôt du sang. Le roi favorise la formation de groupes de bourgeois s'adonnant à des activités martiales, pouvant constituer des forces d'appoint. Ainsi, en 1410-1411, apparaît une compagnie de cent vingt archers renforcée par deux compagnies de trente arbalétriers. En 1523 est constituée une compagnie de cent arquebusiers.

Les francs-archers, institués en 1448, s'étant avérés d'une valeur militaire presque nulle, le roi les supprime en 1480. Louis XI ne renonce pourtant pas à tirer quelque secours militaire de ses bourgeois. En juin 1467, il supprime la milice bourgeoise par quartiers et la remplace par soixante et une bannières correspondant chacune à un métier ou un groupe de métiers. Tous les membres d'une corporation âgés de seize à soixante ans sont tenus d'en faire partie et de s'armer à leurs frais. Le 24 septembre 1467, le roi passe en revue, de la Bastille à Conflans (Charenton), alignés sur plus de 4 kilomètres, au moins trente mille « testes armées ». De telles revues ou « montres » se renouvellent deux ou trois fois puis l'institution sombre dans l'oubli. Louis XII et François Ier créent aussi des « légions provinciales », de faible valeur militaire, qui ne servent pratiquement à rien.

En 1562, alors que monte l'insécurité et la menace d'un conflit religieux, le roi tente d'imposer une garnison à Paris et se heurte à un refus. Il décide alors de réformer la milice pour la rendre plus efficace. En vertu des lettres patentes du 17 mai 1562, elle est désormais commandée par des capitaines qui désignent des sergents-caporaux dans chaque dizaine. Le règlement du 24 janvier 1568 accentue cette militarisation : la milice du quartier est organisée en colonne sous les ordres d'un colonel et les habitants de la dizaine sont regroupés en compagnies sous des capitaines. L'ordonnance du

3 avril 1585 fixe onze lieux de rassemblement : le Marché-Neuf dans l'île de la Cité, la place Maubert et le pont Saint-Michel sur la rive gauche, et, sur la rive droite, la place de Grève, le cimetière Saint-Jean, le parc des Tournelles, l'Apport-Paris, les Saints-Innocents, le cimetière de Saint-Nicolas-des-Champs, les Halles, la Croix-du-Trahoir.

Très rarement convoquée au XVIIe siècle, jamais au siècle suivant, la milice tombe en désuétude de même que les compagnies bourgeoises mi-militaires mi-sportives : la compagnie de l'arquebuse, fondée en 1523, théoriquement portée à deux cents membres, n'en compte plus que cinquante et un en 1762 et dix-huit en 1775. Ses membres, petits marchands ou officiers subalternes du Châtelet, trouvent la cotisation trop lourde et la hiérarchie anachronique. Le terrain de tir, situé au début de la rue de la Roquette, est de plus en plus rarement utilisé. La milice bourgeoise qui, en théorie, devrait aussi s'y entraîner, n'a jamais dépassé le stade embryonnaire depuis qu'elle a été reconstituée, une fois de plus, sur le papier, en 1703. Elle va renaître sous une forme révolutionnaire en juillet 1789, ce sera la garde nationale.

• *Voir aussi* ARBALÉTRIER ; ARCHER ; ARQUEBUSIER ; BANNIÈRE ; CINQUANTENIER ; DIZAINIER ; GARDE NATIONALE ; GUET ; QUARTINIER.

MINISTRE DE PARIS

Toutes les villes de France étaient et sont soumises au contrôle du pouvoir central. Paris, capitale du royaume, siège de l'autorité suprême, y était encore plus assujettie que les autres administrations locales. Le gouvernement y intervenait constamment sous forme d'autorisations préalables ou de contrôles a posteriori. Au XVIIe siècle se précisent les modalités de ces interventions et de ces contrôles. Dès le règne de Charles IX (1560-1574), les dépenses des autorités parisiennes sont soumises au contrôle du surintendant des Finances — ancêtre de nos modernes ministres des Finances — récemment apparu. Parmi les secrétaires d'État, chargés de l'expédition des actes royaux en commandement — également à l'origine de nos ministères —, l'un d'eux, en théorie moins chargé de travail que ses collègues, le secrétaire d'État à la Maison du Roi, possède la ville de Paris dans son département géographique et mérite ainsi l'appellation de ministre de Paris, conjointement avec le surintendant des Finances. Mais, le plus souvent, la situation prééminente assumée par certains personnages, Sully, Richelieu, Mazarin, Colbert, relègue le secrétaire d'État au département de Paris à un rôle mineur. Après Colbert, on en revient au bicéphalisme entre secrétaire d'État à la Maison du Roi et administration des finances, mais la position éminente assurée à cette dernière au temps de Colbert consacre la prééminence du contrôle général des finances sur la gestion parisienne. Cette tendance se renforce au XVIIIe siècle, le secrétaire d'État ayant le département de Paris ne disposant plus que d'une autorité formelle et non réelle. Cette tutelle disparaît à la Révolution pour ressusciter dans le cadre du ministère de l'Intérieur.

MIRACLE

La tradition atteste avec précision quelques miracles à Paris. Le plus ancien date de 1290. Le prêteur juif Jonathas avait remis 30 sous à une femme de la paroisse de Saint-Merri contre ses bijoux et sa plus belle robe déposés en gage. Dom Du Breul raconte ainsi l'histoire : « La dite femme n'ayant moyen de le payer, le supplia de luy prester ses habits seulement pour le jour de Pasques pour estre plus honnestement à la bonne feste. Ce qu'ayant entendu, le juif convint avec ceste malheureuse qu'elle lui porteroit la saincte hostie qu'elle recevroit en la paroisse le jour de Pasques et, moyennant cela, il luy rendroit ses habits sans exiger d'elle aucun argent. Ce qu'elle ayant effectué — c'estoit le 9 avril — et luy ayant livré l'hostie, il s'acharna sur icelle à la picquer de coups de canif, et, non content de ce, avec un cloud, la transperce à coups de marteau et puis se met à la flageller d'estrange façon. A tous lesquels tourments voyant qu'elle jettoit du sang en abondance, il la jeta dans le feu, d'où sortant sans nulle lésion, elle commença à volleter parmy la chambre.» L'alarme fut donnée et Jonathas jugé et brûlé vif. L'église de Saint-Jean-en-Grève reçut l'hostie miraculeuse et un bourgeois pieux, Rainier Flaming, fit édifier dès 1299, à l'emplacement de la demeure de Jonathas, une maison dite des Miracles. Une chapelle y fut consacrée le 13 mai 1408 et prit le nom de chapelle des Billettes. C'est là que se dresse encore le cloître des Billettes.

Le 3 juillet 1418, un soldat suisse ivre frappa de sa dague une statue en pierre de la Vierge placée à l'angle des rues aux Ours et Salle-au-Comte. Le sang jaillit aussitôt de la pierre et le Suisse, arrêté, raconte dom Du Breul, «fut conduit au dict lieu et là, estant lié en un posteau, devant l'image, fut frappé d'escourgées depuis six heures du matin jusques au soir, tant que les entrailles luy sortaient et eut la langue percée d'un fer chaut». Au XVIIIe siècle, une messe annuelle à l'église Saint-Leu et une procession commémoraient chaque 3 juillet ce miracle. Un mannequin d'osier de 6 mètres de haut, vêtu de rouge, la couleur des gardes suisses, était promené dans le quartier avant d'être brûlé devant la statue de la Vierge. Dans son *Tableau de Paris*, Sébastien Mercier décrit la fête à la veille de la Révolution de 1789 : «Tout le monde rit en voyant ce colosse d'osier qu'un homme porte sur ses épaules et auquel il fait faire des révérences et des courbettes devant toutes les vierges de plâtre qu'il rencontre. Le

tambour l'annonce ; et, dès qu'on met le nez à la fenêtre, ce colosse se trouve de niveau à l'œil des curieux. Il a de grandes manchettes, une longue perruque à bourse, un poignard de bois teint en rouge dans sa dextre ; et les soubresauts qu'on imprime au mannequin sont tout à fait plaisants, si l'on considère que c'est un sacrilège que l'on fait danser ainsi.» En 1743, Louis XV ordonna la suppression de l'habit rouge à la demande de ses gardes suisses qui firent valoir que le sacrilège ne pouvait être un des leurs : la première alliance entre le roi de France et les cantons suisses datant de 1444 seulement.

Les religieuses de Port-Royal ayant reçu en 1656 une épine de la couronne du Christ, elles firent toucher cette insigne relique, le 24 mars 1656, à une de leurs pensionnaires, fillette de dix ou onze ans et nièce de Pascal, Marguerite Périer. Elle fut aussitôt guérie de la fistule lacrymale à l'œil gauche qui la défigurait. Une autre pensionnaire, Claude Baudran, atteinte d'une tumeur au ventre, fut guérie aussi instantanément, le 27 mai 1677.

Construite en 1627 et d'aspect campagnard, l'église Sainte-Marguerite fut le théâtre d'un autre miracle. Le 31 mai 1725, durant la procession du Saint-Sacrement, Mme de La Fosse, infirme depuis vingt ans, put se lever après avoir prié Dieu. Cette mère de six enfants vécut en parfaite santé jusqu'en 1760 et l'archevêque fit apposer dans l'église une plaque de marbre relatant l'événement.

Une série de miracles fut attribuée au diacre François Pâris, mort le 1er mai 1727 et inhumé au cimetière Saint-Médard. La tombe de ce pieux janséniste devint aussitôt un lieu de pèlerinage où se rassemblaient des foules en transe. Ces convulsionnaires, au nombre de huit cents environ, étaient divisés en plusieurs sectes. Autour du prêtre Pierre Vaillant se regroupaient les vaillantistes, autour du frère Augustin les augustiniens. Les mélangistes distinguaient deux types de convulsions. Les discernants faisaient des prophéties dans leur délire. Les figuristes représentaient, dans leurs convulsions, les différentes stations de la passion du Christ. Il y eut toutes sortes de guérisons miraculeuses ou prétendues telles : infirmes, bossus, boiteux, estropiés de toutes sortes, malades accoururent par milliers et plusieurs dizaines se dirent guéris soudainement. Pour mettre un terme à cette agitation, le lieutenant général de police fit fermer le cimetière, le 27 janvier 1732. Sur la grille, un homme d'esprit apposa la pancarte :

De par le roi, défense à Dieu
De faire miracle en ce lieu.

Carré de Montgeron, conseiller au Parlement, fit paraître en 1737 un gros livre intitulé *La Vérité des miracles opérés par l'intercession de M. de Pâris démontrée contre M. l'archevesque de Sens*, citant plusieurs miracles et les étayant sur des certificats de médecins et de témoins, ce qui lui valut d'être enfermé à la Bastille.

Il faut citer, pour finir, Catherine Labouré, canonisée en 1947. Fille de la Charité du couvent du 140 de la rue du Bac, elle eut, à partir du 18 juillet 1830, une série d'apparitions de la Vierge qui lui ordonna de faire frapper une médaille dont elle lui fit voir le modèle. Cette médaille, dite miraculeuse, fut vendue à vingt millions d'exemplaires entre 1832 et 1842, un miracle financier pour le couvent. Près de l'autel de la chapelle, un fauteuil où se serait assise la Vierge aurait été à l'origine de la guérison de plusieurs personnes qui s'y assirent, dont un bossu qui fut «redressé».

• *Voir aussi* PÈLERINAGE ; PROCESSION.

MIROIR
Voir GLACE.

MODES (marchande de)
A l'origine les marchandes de modes ne se distinguent pas des merciers, ce qui signifie que, comme eux, elles ne fabriquent rien, mais améliorent, enjolivent, vendent les produits des autres métiers. Il semble que la première attestation d'une marchande de modes figure en 1693 dans *Les Bourgeoises à la mode*, comédie de Dancourt. Cette profession se développe lentement au cours du XVIIIᵉ siècle. C'est la volage et dépensière Marie-Antoinette qui contribue à son extraordinaire fortune en prenant conseil des marchandes de modes, Mme Éloffe et Rose Bertin principalement, à qui elle passe de nombreuses commandes. C'est l'édit d'août 1776 qui distingue les marchandes de modes des merciers et leur accorde le titre de marchandes de modes-plumassières-fleuristes. La mode connaît alors une efflorescence extraordinaire : en 1779, on ne dénombre pas moins de deux cents espèces de bonnets dont le prix varie de 10 à 100 livres. Installée depuis 1773 à l'enseigne du Grand Mogol, rue Saint-Honoré, Rose Bertin s'efface à la Révolution. Louis-Hippolyte Leroy prendra la relève au début du XIXᵉ siècle et Worth passera à une échelle supérieure, celle de la haute couture, en 1857. Mais l'âge d'or des marchandes de modes se situe à la fin de l'Ancien Régime. Sébastien Mercier en rend compte en 1782 dans le *Tableau de Paris* où il consacre deux chapitres à cette profession, écrivant notamment : «Rien n'égale la gravité d'une marchande de modes combinant des poufs, et donnant à des gazes et des fleurs une valeur centuple. Toutes les semaines vous voyez naître une forme nouvelle dans l'édifice des bonnets. L'invention en cette partie fait à son auteur un nom célèbre. Les femmes ont un respect profond et senti pour les génies heureux qui varient les avantages de leur beauté et de leur figure. La dépense des modes excède aujourd'hui celle de la table et celle des équipages. L'infortuné mari ne peut jamais calculer à quel prix monteront ces fantaisies changeantes; et il a besoin de res-

sources promptes pour parer à ces caprices inattendus. Il serait montré au doigt, s'il ne payait pas ces futilités aussi exactement que le boucher et le boulanger [...]. Les modes sont une branche de commerce très étendue. Il n'est que le génie fécond des Français, pour rajeunir d'une manière neuve les choses les plus communes. Les nations voisines ont beau vouloir nous imiter, la gloire de ce goût léger nous demeurera en propre. On ne songera pas même à nous disputer cette incontestable supériorité. »

• *Voir aussi* **BONNETIER** ; **COUTURE** (haute) ; **COUTURIÈRE** ; **MERCIER**.

MONASTÈRE
Voir **COUVENT**.

MONT-DE-PIÉTÉ
Voir **CRÉDIT MUNICIPAL**.

MORGUE
Les prisonniers conduits au Châtelet étaient examinés de façon approfondie dans une salle spéciale afin qu'on puisse les identifier aisément ultérieurement : on disait qu'ils étaient «morgués». Le nom de morgue passa vers 1700 à la basse-geôle où étaient exposés, en vue de leur identification, les cadavres trouvés sur la voie publique ou repêchés dans la Seine. La basse-geôle ou morgue fut fermée le 17 août 1804, lorsque débuta la démolition du Châtelet. Après un bref séjour dans la rue de l'Abreuvoir-Popin (rue Édouard-Colonne actuelle), les cadavres furent exposés dans la vieille boucherie du Marché Neuf (21, quai du Marché-Neuf) qui prit alors officiellement le nom de morgue. En 1864, cette bâtisse étant vouée à la démolition, la morgue fut transférée à la pointe orientale de l'île de la Cité, au chevet de Notre-Dame. Elle quitta cet endroit en 1914 pour son emplacement actuel, quai de la Rapée (2, place Mazas) où elle porte le nom d'Institut médico-légal.

MOULIN A EAU
Les origines du moulin à eau sont mal connues. Il y a deux mille ans, Vitruve décrivait déjà un moulin à eau à axe horizontal et engrenage. Mais il ne semble pas que les Romains, abondamment pourvus en main-d'œuvre servile, aient éprouvé le besoin d'investir dans cette technique. Il faut attendre l'époque carolingienne pour que le moulin à eau se développe vraiment. Le polyptyque d'Irminon signale que l'abbaye de Saint-Germain-des-Prés possédait cinquante-neuf moulins à eau au IXe siècle. A Paris, c'est surtout sur les ponts que sont installés les moulins hydrauliques, selon la technique dite du moulin pendu. En juillet 856, Charles le Chauve fait don à l'évêque de Paris du Grand Pont et des moulins occupant ses arches. En 1070, Philippe Ier accorde aux religieux de Saint-Martin-des-Champs un moulin sur ce pont.

Après sa destruction par une crue en 1296, le Grand Pont de Charles le Chauve est reconstruit, mais les moulins qu'il portait sont désormais installés sur une passerelle nommée le pont aux Meuniers : il y en a treize, en deux groupes, trois contre l'île de la Cité, les dix autres au-delà des deux arches marinières, édifiés sur deux rangs de pilotis entre lesquels tourne la roue. Le pont aux Meuniers disparaît lors d'une crue, le 23 décembre 1596, entraînant dans son effondrement de nombreuses personnes.

A l'emplacement du Grand Pont de l'époque gallo-romaine, des moulins ont été installés sur les piles subsistantes, reliés par une passerelle, une planche à mi-bras, la Planche-Mibray. En 1033, Henri Ier a donné à l'abbaye de Saint-Magloire quatre moulins dont un sur cette Planche-Mibray. Un siècle plus tard, l'évêque cède à Saint-Martin-des-Champs un moulin au même endroit. En 1273, Philippe III le Hardi reconnaît au chapitre de Saint-Merri la propriété de la Planche-Mibray. Cette passerelle est remplacée en 1413 par un pont en bois, le pont Notre-Dame. Ce pont, reconstruit en pierre entre 1500 et 1514, voisine à partir de 1577 avec un moulin-nef établi sur deux bateaux, propriété de Louis Cornillon qui obtient, le 12 juillet 1599, l'autorisation d'installer un, puis deux moulins sous la troisième et la quatrième arche du pont. En 1670, ces deux moulins à farine sont loués par la Ville pour édifier à leur emplacement la pompe Notre-Dame.

En dehors des ponts, l'emplacement des moulins varie fréquemment, quoiqu'ils soient installés de préférence à l'endroit où le courant est le plus fort, c'est-à-dire dans le grand bras de la Seine entre l'extrémité orientale de l'île Notre-Dame (plus tard Saint-Louis) et le pont aux Meuniers, près de la tour de l'Horloge du palais de la Cité. On en compte une trentaine au Moyen Âge. Les mieux connus sont les trois moulins du chanoine Hugues Restoré, installés en 1307 sur des pilotis en pleine rivière en amont du pont Notre-Dame, qui ne disparaîtront qu'en 1649, emportés par une crue. En amont immédiat de la place de Grève, au niveau de la rue de Brosse, se trouvaient les trois moulins dits « de la Grève » qui appartenaient à l'ordre du Temple et figurent sur les plans du XVIᵉ siècle. Ils furent détruits en 1565 en raison de leur délabrement et de la gêne qu'ils occasionnaient à la navigation et à l'approvisionnement de la ville. L'ordre du Temple possédait aussi, depuis la fin du XIIIᵉ siècle, trois moulins « sous Saint-Gervais », dits aussi moulins du Temple ou des Barres, situés au niveau des rues des Barres et Geoffroy-l'Asnier. Ils avaient disparu dès le début du XVIᵉ siècle et ne figurent pas sur les plans de cette époque.

Au fur et à mesure de la disparition des moulins pendus sur les ponts ou les rives, les moulins flottants, dits moulins à bateaux ou moulins-nefs, ont pris leur place pour les usages les plus divers : mouture des céréales, laminage

des métaux, battage du cuivre et du chiffon pour la papeterie, foulage du drap et de la laine. Sur l'îlot de la Gourdaine, en aval de l'île de la Cité, l'église Saint-Eustache possédait un moulin à farine pourvu d'une double digue en forme de V pour augmenter le volume d'eau actionnant la roue. Ce moulin de la Gourdaine fut acheté par Henri II pour alimenter en énergie les laminoirs et ateliers de la Monnaie. Il fut démoli lors de la construction du Pont Neuf, mais la Monnaie installa dans le cours du fleuve un moulin-nef attaché à un pilier de pierre qui continua à fournir de l'énergie et à porter le nom de moulin de la Gourdaine.

Comme ils gênaient la navigation, les moulins disparurent au début du XIXᵉ siècle. Ils subsistèrent plus longtemps sur la Bièvre où ne circulaient pas de bateau et où l'on dénombrait encore en 1860 un moulin à papier, deux moulins à farine et une foule de petites industries utilisant l'énergie hydraulique.

MOULIN A VENT

Les moulins à bras et à eau ont précédé les moulins à vent. Ce sont les croisés qui les ont introduits en France au retour de la première croisade. Le premier est mentionné en 1105 en Normandie où, en souvenir de leurs origines, on les nommait encore « moulins turquois » au XIVᵉ siècle. Le plus ancien moulin à vent parisien est signalé par saint Bernard en 1150 sur la butte Copeaux comme appartenant à l'abbaye de Sainte-Geneviève. Les plans du XVIᵉ siècle font figurer non loin de lui un autre moulin situé à l'emplacement de arènes de Lutèce, près de la rue de Navarre, nommée à l'origine chemin du Moulin-à-Vent. Quant à la butte Copeaux, elle a été remplacée par le labyrinthe du Jardin des Plantes.

D'autres moulins à vent sont attestés sur les plans de Paris du XVIᵉ siècle. Sur la rive gauche, deux moulins dits des Gobelins s'élèvent vers le faubourg

Saint-Jacques, à droite d'un chemin dit rue des Postes. Près de Saint-Germain-des-Prés, depuis 1368 au moins, un moulin surmonte la butte des Rosiers, près de l'actuelle rue Saint-Guillaume. A l'intérieur du cimetière du Montparnasse subsiste une tour ronde, vestige d'un moulin de la fin du XVIe ou du début du XVIIe siècle, dit des Frères de la Charité. A l'emplacement du groupe de l'Union postale universelle sculpté par Carpeaux, avenue de l'Observatoire, se trouvait le moulin des Chartreux, non loin du moulin des Carmes de la rue de Vaugirard, proche du palais du Luxembourg, et du moulin du Séminaire Saint-Magloire, rue d'Enfer, à l'endroit où se trouvent aujourd'hui les sourds-muets.

Au nord de la Seine, les plans du XVIe siècle dessinent des moulins sur les buttes de la Ville-Neuve et de Notre-Dame-de-Bonne-Nouvelle qui était nommée, au milieu de ce siècle, la montagne du Moulin. Les moulins de la butte Saint-Roch ont disparu avec son arasement vers le milieu du XVIIe siècle. Édouard Fournier note dans son *Paris démoli* : « Descendus cahin-caha, les moulins de Saint-Roch furent portés les uns à Montmartre, les autres à la montagne Sainte-Geneviève. Là encore, la ville qui montait, les constructions qui se multipliaient, les firent déguerpir sans beaucoup tarder, et force leur fut d'aller encore plus loin. Un de ces moulins existe encore à Crouy-sur-Ourcq. » Une dizaine de moulins faisaient tourner leurs ailes sur les bastions des portes Ménilmontant, du Temple et Saint-Martin. Leur souvenir fut maintenu par la rue des Hauts-Moulins devenue de Malte. Montmartre possédait un grand nombre de très anciens moulins d'où Étienne Marcel observait, en juillet 1358, les mouvements de troupes autour de la capitale. Sur le chemin de Saint-Denis, à La Chapelle, se dressait un autre moulin qui fut témoin de la rencontre de Charles V et de l'empereur Charles IV

en 1378 ainsi que du premier combat livré par Jeanne d'Arc devant Paris, le 3 septembre 1429. A l'est de ces moulins, les cinq moulins de Saint-Lazare couronnaient les hauteurs de la Goutte-d'Or.

Grâce aux plans du XVIIIe siècle, notamment celui de Roussel, il est possible de dresser la liste des moulins de cette époque. A l'est de la capitale, sur un des coteaux de la vallée de Fécamp, derrière le parc de Bercy, s'élevaient trois moulins nommés les Trois Chandelles. La rue des Moulins est devenue la rue Lamblardie. Entre la barrière du Trône et la rue de Montreuil se trouvaient deux autres moulins. Au croisement des rues Saint-Maur et de Ménilmontant tournaient quatre moulins, de la Haute-Borne, de la Fosse-au-Sang, un moulin brûlé et celui du Petit-Orme. Au-delà de la rue de Ménilmontant, vers la rue des Trois-Couronnes, il y avait deux autres moulins, plus le moulin Joly, du nom de son propriétaire, et, tout près, le moulin de la Courtille sur le chemin dit rue des Moulins, devenu rue Ramponneau puis rue de l'Orillon. Au pied des Buttes-Chaumont, le moulin de l'Hôpital-Saint-Louis, à leur sommet le moulin Maquereau, le Moulin Vieux, les moulins de la Folie, de la Carrosse, de la Tour Chaumont, le Grand Moulin, les moulins des Chopinettes, des Bruyères, du Coq, le Moulin Neuf et celui de la Galette. Sur la butte de Beauregard, séparée des Buttes-Chaumont par la rue de Belleville, tournaient sept autres moulins : Moulin Basset, Moulin Neuf, Moulin Vieux, Petit Moulin, moulins du Coffre et de la Motte, enfin le Moulin Endiablé. Dans le prolongement de la rue du Château-Landon, entre le faubourg Saint-Laurent et le chemin de La Chapelle, les lazaristes possédaient deux moulins des Sureaux et des Potences, car il y avait à proximité une annexe du gibet de Montfaucon. Ils possédaient aussi un peu plus loin, en bordure de la future rue de Bellefonds, le moulin de la ferme Saint-Lazare. Entre Clignancourt et La Chapelle, cinq moulins s'étiraient le long du chemin des Cinq-Moulins, aujourd'hui rue de la Goutte-d'Or.

La butte Montmartre porte les moulins les plus célèbres, étudiés par André et Lydia Maillard : Moulin Vieux (construit vers 1529), moulin de la Galette (1622), de la Vieille Tour (1623), de la Lancette (vers 1635), du Palais (1640), de la Petite Tour ou Tour à Rollin (1647), de la Grande Tour ou Grosse Tour (1649), des Brouillards (antérieur à 1673), Moulin Radet ou Moulin Chapon (vers 1717), moulin de la Fontaine Saint-Denis (1723), moulin des Prés ou de la Béquille (1724), Moulin Neuf (1741), moulin de la Turlure (vers 1770). Un dernier moulin sera construit en 1865 et détruit en 1911, le moulin à Poivre. Le moulin de la Galette n'a pris ce nom que dans la seconde moitié du XIXᵉ siècle : il a été dit du Palais (1622-1640), Bout-à-fin (1640-1795), Blute-à-fin (1795-1835), Blute-fin (1835-1850).

Au pied de la butte Montmartre, entre les rues de Clignancourt et des Martyrs, se trouvaient les moulins des Champs et du Pavé, puis, vers la rue Saint-Lazare, le moulin de la Tour des Dames, propriété des religieuses ou dames de l'abbaye de Montmartre. Aux Batignolles fonctionnaient trois autres moulins, à la Ville-l'Évêque, sur la butte des Grésillons, on en comptait cinq : moulins des Prunes, de la Marmite, de Boute-fin, des Prés, de la Pologne. Sur les hauteurs de Chaillot, quatre derniers moulins : le Moulin Neuf, le moulin de la Tour de Passy, le Moulin Vieux, le moulin de Chaillot.

En face, sur la rive gauche, le moulin de Javelle était proche de la berge du fleuve. Dans la plaine de Vaugirard, à la limite d'Issy, se dressait le moulin de Vaugirard. Vers la plaine de Grenelle se trouvait le moulin de la Tour Berlache dite aussi Tour des Fourneaux, à cause des fourneaux des tuileries voisines exploitant la glaise abondante aux environs. A Plaisance, vers la jonction de la rue des Fourneaux et du chemin (rue) de Vaugirard, voisinaient les moulins de la Pointe, de la Vierge, des Cornets, le Moulin Vieux, le Moulin Neuf, de la Tour de Vanves, le moulin de Beurre, celui de la Tour de Charité. Sur la butte du Montparnasse, le moulin des Frères de la Charité déjà cité surnommé Moulin moliniste par opposition à celui des Trois Cornets dit Moulin janséniste, puis le moulin des Chartreux, celui des Mathurins, dit plus tard Moulin d'Amour. Sur la grande route d'Orléans, à proximité du Petit-Montrouge, s'échelonnaient le Petit Moulin, le moulin de la Croix de Gord, le moulin du Pavé, le Moulin Neuf, le Moulin Vert, le moulin des Bondons. A l'est de cette route, on pouvait voir le moulin des Charbonniers, puis, vers la Tombe-Issoire, les trois moulins de Fort-Vêtu, de la Citadelle, de Ficherolle, puis le moulin de la Tombe-Issoire, le Grand et le Petit Moulin de Montsouris, ceux de la Marjolaine, des Carrières, du Bel-Air. Au-delà de la Bièvre, sur la Butte-aux-Cailles, le gigantesque Moulin Noir dominait les environs. Vers Maison-Blanche se trouvaient le moulin de la Pointe de Gentilly, puis le Moulinet, les moulins de Livry, de la Fortune, d'Ustié, des Couronnes, les moulins Utrau, de la Petite Tour Saint-Marcel, les deux moulins de Trapène, celui de la Pointe de Vitry. Le moulin de la Tour de la Barre se situait au coin de la rue du Banquier et de celle du Marché-aux-Chevaux, face aux deux moulins de la Salpêtrière, le Moulin Neuf et le Moulin Vieux de l'Hôpital.

Progressivement évincés par la vapeur, les moulins à vent ont survécu une partie du XIXᵉ siècle en se transformant en guinguettes.

MUSÉE

Ce sont d'abord des sociétés de vulgarisation scientifique que le terme «musée» a désigné à Paris. Le Musée de Monsieur, sous la protection des comtes de Provence et d'Artois, frères du roi, inaugure ses activités, rue Sainte-Avoye, le 11 décembre 1781, sous l'impulsion du physicien Pilâtre de Rozier. Le Musée de Paris de Court de Gébelin, installé rue Dauphine, tient sa première conférence le 21 novembre 1782. Les animateurs de ces musées proposent des activités diverses dominées par la lecture publique de textes littéraires ou scientifiques.

Plus proches de notre conception actuelle du musée sont les cabinets d'anatomie ou de figures de cire. Desnoues a ouvert le premier, rue de Tournon, sous la Régence. Son exemple n'est suivi que vers 1780 par la demoiselle Biheron, fille d'apothicaire, dont le musée se trouve rue de la Vieille-Estrapade; par le chirurgien Jean-Joseph Sue, installé rue des Fossés-Saint-Germain-l'Auxerrois à l'angle de la rue de l'Arbre-Sec; et par Curtius, établi boulevard du Temple, qui représente en cire et en grandeur nature les célébrités du temps. Cet ancêtre du musée Grévin ne constitue pas à proprement parler un musée d'art.

L'idée d'ouvrir un musée de peintures et de sculptures dans les bâtiments du Louvre, où avaient lieu chaque année, dans le Salon Carré, l'exposition des œuvres des membres de l'Académie royale de peinture et de sculpture, remonte à 1747. Lafont de Saint-Yenne en est l'inventeur, lui qui reproche au roi de conserver pour son plaisir privé ses trésors d'art. Diderot reprend l'idée en 1765 dans l'article «Louvre» de l'Encyclopédie. Le projet, enfin accepté par Louis XVI, commençait à se réaliser en 1789 avec les travaux de réfection de la Grande Galerie du Louvre.

Grande destructrice, la Révolution a également éprouvé le besoin de sauvegarder les témoignages du passé et de créer, pour les héberger, des cimetières de la culture ou musées. Le premier fut le Louvre affecté le 26 mai 1791 aux monuments des sciences et des arts. Le décret de la Convention l'institue le 27 juillet 1793 sous le nom de Muséum de la République et l'inaugure le 10 août 1793, jour anniversaire de la chute de la royauté. Les révolutionnaires créent aussi un Muséum d'histoire naturelle (10 juin 1793) dans l'ancien Jardin des Plantes, un musée des Arts et Métiers (10 octobre 1794) hébergé depuis 1798 dans le prieuré de Saint-Martin-des-Champs, le musée des Monuments français (21 octobre 1795) installé au couvent des Petits-Augustins.

Du Directoire à la chute de l'Empire, les armées françaises pillent les richesses d'art des pays envahis et envoient des milliers d'œuvres enrichir les collections du Louvre. Peu rancuniers, les Alliés victorieux en 1814 avaient laissé au Louvre le fruit de ces rapines. Il faut le retour de Napoléon en mars 1815 et Waterloo pour qu'ils se fâchent et exigent de récupérer plus de cinq mille œuvres leur ayant appartenu, dont deux mille peintures. L'Empereur se borna à enrichir le Louvre et ne créa qu'un seul musée, celui de la Marine, ouvert le 3 août 1801 et installé dans l'ancien Garde-Meuble, place de la Concorde, musée qui connut une totale disgrâce au lendemain de Trafalgar.

Restauration et Monarchie de Juillet créent le musée du Luxembourg (24 avril 1818) destiné aux œuvres des artistes vivants, ancêtre du musée national d'Art moderne; le musée Dauphin (27 novembre 1827) au Louvre, ex-musée de la Marine de la place de la Concorde, installé depuis 1943 au palais de Chaillot; le musée des Monnaies (8 novembre 1833) dans l'hôtel de Monnaies; le musée des Thermes et de l'hôtel de Cluny, constitué par les collections d'objets du Moyen Âge et de la Renaissance rassemblées par Alexandre Du Sommerard et rachetées en 1843 par l'État. Quoiqu'il ait privilégié le Louvre, le second Empire a aussi créé en 1864 le musée instrumental du Conservatoire national supérieur de musique, et, en 1867, le musée de l'Histoire de France dans l'hôtel de Soubise.

Entre 1870 et 1914, la troisième République fonde de nombreux musées. La Ville de Paris en ouvre cinq à elle seule : Carnavalet, Cernuschi, Petit Palais, Victor-Hugo et Honoré de Balzac. L'État réalise le musée de Sculpture comparée du Trocadéro, les musées Gustave Moreau et Auguste Rodin. L'Opéra, l'Observatoire, la préfecture de police, le Val-de-Grâce sont dotés de leurs propres musées. Apparaissent aussi le musée d'Ethnographie du Trocadéro, le musée de la Parole, dit aujourd'hui Charles Cros, le musée de l'Armée aux Invalides. Des institutions privées créent leurs musées : la Société de l'histoire du protestantisme français, la Société du Vieux-Montmartre, la Bibliothèque polonaise avec son musée Adam Mickiewicz. Mais les trois principaux musées privés de cette époque sont le musée des Arts décoratifs fondé par l'Union centrale des Arts décoratifs, le musée Jacquemart-André et le musée Guimet.

Entre 1918 et 1939, la multiplication des musées s'est accélérée : musée Valentin Haüy, musée Clemenceau, musées Branly, Pasteur, Lénine, Eugène Delacroix, Jean-Jacques Henner, Frédéric Masson, Cognacq-Jay, Paul Marmottan, Nissim de Camondo ; mais aussi musées d'institutions : de la Légion d'honneur, de l'Assistance publique, de l'Histoire de la médecine. Quatre grands établissements se distinguent dans ce foisonnement : le musée de la France d'outre-mer (actuel musée des Arts africains et océaniens), celui des Monuments français qui remplace le musée de Sculpture comparée, le musée de l'Homme et le palais de la Découverte.

De 1945 à 1950, nouvelle fièvre de création : musée de la Pharmacie, Musée postal, Musée arménien, musée national d'Art moderne, musée du Jeu de Paume destiné aux peintres impressionnistes, musée Bourdelle, musée d'Art juif. Les créations se ralentissent ensuite jusqu'en 1980 : musées du Costume, du Cinéma, Henri Bouchard, de la Chasse et de la Nature, de l'Affiche, Ernest Hébert et, surtout, le musée national des Arts et Traditions populaires et le musée d'Art moderne du Centre national d'art et de culture Georges-Pompidou. Les années 1980 sont marquées par une véritable frénésie muséographique, le chômage et sa triste gestion socialiste faisant sans doute regretter la « belle époque » défunte : musées de Sculpture en plein air, Zadkine, de la Vie romantique, des Arts de la mode, Bricard, Picasso et surtout le musée scientifique de la cité des Sciences et de l'Industrie à La Villette ainsi que le musée d'Orsay. Quant au Louvre, un projet mégalomane vient d'en faire le plus grand cimetière artistique du monde. L'édition 1990 du *Guide bleu* de Paris recense cent un musées parisiens dans ses deux cent cinquante dernières pages et les classe, aux pages 887-890, en fonction des thèmes de leurs collections.

MUSIC-HALL

Apparu en Angleterre en 1842 et en France en 1862 pour désigner des cabarets anglo-américains, le terme music-hall s'applique à un établissement présentant ce qu'on a coutume d'appeler un spectacle de variétés. Il est employé en 1893 pour la première fois pour un music-hall parisien, *L'Olympia*, mais la naissance en France de ce nouveau genre remonte à 1867, ainsi que l'expliquent Philippe Chauveau et André Sallée dans *Music-hall et café-concert* : « Afin de ne pas concurrencer le privilège des théâtres, interdiction était faite aux artistes du caf'conc' de se costumer : seuls l'habit pour les chanteurs et la robe du soir pour les chanteuses étaient tolérés. Dire un texte non chanté, jouer la pantomime, danser, porter perruque, user d'accessoires était également interdit. Les contrevenants s'exposaient à de sévères amendes : vingt-cinq francs, par exemple, pour le port d'un faux-col excentrique ou l'utilisation d'une canne. C'est Lorge, directeur courageux, qui fut à l'origine de l'événement détonant qui mena à la révolution du café-concert. Il produisit le 1er février 1867, sur la scène de l'*Eldorado*, une tragédienne en rupture de Comédie-Française, Mlle Cornélie. Sans hésiter, cette dernière déclama tout de go, devant un parterre stupéfait, des vers de Corneille et de Racine. Le public, un instant saisi, éclata en une formidable ovation. La presse, emmenée par Jules Claretie et Francisque Sarcey, orchestra une puissante campagne en faveur de Lorge, amenant le ministre des Théâtres de l'époque, Camille Doucet, à signer le 31 mars suivant un décret abolissant le privilège. Cette date est doublement historique, car, tout en libérant le café-concert, elle provoqua la naissance du music-hall.

Sitôt proclamée, l'ordonnance Doucet entraîna un bouleversement général. Le nombre des salles doubla en quelques mois. Au seuil de 1870 s'ouvrirent successivement la Grande Roue (concert d'été né de l'Exposition de 1867), le second XIXe-Siècle, le Grand Concert Parisien, les Folies de Lyon, la Gaîté-Rochechouart et la Gaîté-Montparnasse. Quant aux Folies-Bergère (1869), ce fut le premier théâtre construit pour être exploité en music-hall. Les cafés-concerts se lancèrent dans l'édification de leur nouvelle manière, chacun s'efforçant de trouver la formule susceptible d'attirer à lui la clientèle. Acrobates, danseurs de corde, montreurs d'animaux et d'attractions merveilleuses, tous les artistes des théâtres forains d'avant 1789 purent revivre dans ce qui allait devenir le music-hall de variétés. »

C'est au Catalan Joseph Oller, créateur du *Moulin Rouge*, que l'on doit en 1893 *L'Olympia*, le premier établissement à s'intituler music-hall. En 1902, *L'Alhambra Music-Hall* était inauguré avec un grand spectacle de variétés internationales. L'attraction l'emportait sur la chansonnette. En 1903, porte Maillot, le *Printania*, ouvert seulement en été, proposait dans son « music-garden » de douze mille places un spectacle exceptionnel : « Tour à tour théâtre, cirque, piste, arène, hippodrome [...]. A chaque représentation vingt-cinq numéros, chanteurs et comiques en vogue, acrobates audacieux, chevaux dressés, éléphants, mimes, phoques jongleurs, lions, ours, singes, etc. Tous les jours, deux représentations [...]. Qu'on se le dise ! Par tous les temps [...]. *Printania* vous offre un restaurant ayant vue sur le spectacle. » Désormais, les cafés-concerts se transforment en music-halls : *Bobino Music-Hall, Ba-Ta-Clan Théâtre Music-Hall, Music-Hall de l'Alcazar d'Été*. Le cinéma précipite la mort des cafés-concerts et contraint le music-hall à se redéfinir et à offrir des spectacles de plus en plus variés et complexes. En 1924, *L'Empire* est reconstruit avec une machinerie remarquable. En 1932, *L'A.B.C.* renaît sur le boulevard Poissonnière. Jacques Charles met au point le grand escalier lors d'une revue en 1911 à *L'Olympia*, concurrençant Louis Lemarchand et *Les Folies-Bergère*. Léon Volterra dirige le *Casino de Paris*. Son successeur, Henri Varna, y révèle Mistinguett, Maurice Chevalier, Tino Rossi.

Le coût très élevé de ces spectacles en réserve l'accès à un public fortuné ou à des touristes en goguette. Il ne subsiste aujourd'hui qu'une poignée de music-halls : *Folies-Bergère, Crazy Horse Saloon, Lido, Moulin Rouge, Paradis Latin, Alcazar, Michou*. On trouve un précieux « dictionnaire historique » des salles de music-hall et de café-concert à la fin de l'ouvrage d'André Sallée et Philippe Chauveau, *Music-hall et café-concert*, paru en 1985.

• *Voir aussi* CABARET ; CAFÉ CHANTANT ; CONCERT.

NAPPE PHRÉATIQUE

Le sous-sol abonde en eaux souterraines superficielles ou profondes. A Paris, la nappe alluviale provenant des eaux du fleuve se confond avec la nappe phréatique née de l'infiltration des eaux de ruissellement. Cette nappe est à moins de 5 mètres de profondeur à peu près partout sauf sous la montagne Sainte-Geneviève où elle s'enfonce jusqu'à près de 30 mètres. La possibilité d'extraire cette eau grâce à des puits peu profonds a constitué un élément important du développement urbain de la rive droite. La nappe phréatique, en l'absence d'un véritable réseau d'égouts avant le XIXᵉ siècle, était polluée par les eaux sales, les cabinets d'aisance, le sang des boucheries et des abattoirs, la décomposition des cadavres. Lorsqu'on fit les premières analyses de l'eau des puits sous le second Empire, on découvrit qu'elle était totalement impropre à toute consommation.

Les eaux de la nappe profonde ou albienne, sans être des eaux fossiles, sont emmagasinées à grande profondeur, à plus de 500 mètres. Elles se renouvellent par très lente infiltration des eaux superficielles selon un cycle qui atteint plusieurs siècles. L'infiltration se fait à partir des zones sableuses du pourtour du Bassin parisien et pénètre lentement jusqu'au fond de la cuvette où se trouve Paris. Cette eau longuement filtrée est bactériologiquement très pure et d'une chaleur qui atteint 28 à 30 degrés. Extraite depuis 1841 grâce à des puits artésiens, la nappe albienne n'a guère été exploitée jusqu'aux années 1970. On a alors réalisé des études montrant qu'il était possible de la réalimenter artificiellement, mais les problèmes de recharge sont très complexes et cette eau reste encore peu utilisée, principalement pour le chauffage central d'immeubles collectifs de banlieue.

• *Voir aussi* EAU ; ÉGOUT ; PUITS.

NATATION

S'il existe dès le XVIᵉ siècle des traités sur l'apprentissage de la nage, jusqu'au XIXᵉ siècle très peu de gens sont capables d'échapper à la noyade s'ils se trouvent en eau profonde. La première école de natation parisienne est fondée en 1786 par Barthélemy Turquin dans les Bains chinois qu'il a installés en 1784 en bordure de l'île Saint-Louis, quai de Béthune, près de l'hôtel de Bretonvilliers. L'abonnement, de 48 à 96 livres par an, en fait un établissement réservé aux plus fortunés, tels les enfants du duc d'Orléans qui le fréquentent en 1788. Une partie des leçons est donnée hors de l'eau grâce à des machines créées à cet effet.

ÉCOLE DE NATATION DE L'HÔTEL LAMBERT

Son école ayant été endommagée par les glaces, Turquin en installe une nouvelle le long du quai d'Orsay (Anatole-France) juste en amont du pont de la Concorde où son gendre Deligny lui succède en 1808. Devenus École royale de natation sous la Restauration, les Bains Deligny ont duré jusqu'au 8 juillet 1993.

A son imitation se multiplient les écoles de natation. Au début du XIXᵉ siècle, Petit arrime la sienne au quai de Béthune, à la pointe de l'île Saint-Louis. De 1817 à 1831, Lecour est établi près de la pompe à feu du Gros-Caillou. En 1830, l'école de natation Henri-IV est installée sur le terre-plein du Pont Neuf (square du Vert-Galant). En 1831, Gontard s'ancre sur la rive gauche, en aval du pont Royal. Il y a une école pour femmes devant l'hôtel Lambert, quai d'Anjou. Ouvertes seulement durant la belle saison, ces écoles de natation en bord de Seine vont être remplacées à la fin du XIXᵉ siècle par les piscines couvertes, chauffées et fonctionnant toute l'année.
• *Voir aussi* **BAIN** ; **PISCINE**.

NATURE

Depuis longtemps la nature est menacée à Paris par la pollution engendrée par l'espèce humaine. Dès la fin du XIXᵉ siècle, un botaniste finlandais travaillant au Muséum, W. Nylander mettait en évidence la relation entre la pollution de l'air et les lichens. Alors que ceux-ci étaient très répandus dans le jardin du Luxembourg en 1866, il n'y en avait plus en 1896. En 1986, ils étaient toujours absents selon le spécialiste britannique M. Seaward. Depuis, il a constaté leur réapparition et même leur extension au jardin des Tuileries, au cimetière du Père-Lachaise et aux Invalides. Ce retour des lichens s'explique par la diminution du taux de dioxyde de soufre dans l'air de la capitale à la fin des années 1980, en raison de la diminution de l'utilisation du charbon et du fuel, remplacés par le gaz et l'électricité dans le chauffage et la cuisine des Parisiens.

La municipalité exerce d'ailleurs une surveillance de plus en plus sévère des conditions de vie dans la capitale, grâce à la multiplication des analyses de l'air et de l'eau. En 1986, sous l'impulsion de Jacqueline Nebout, elle a mis en place un service nommé « Paris-Nature » pour faire connaître aux Parisiens les manifestations variées de la nature dans la ville. Un gros effort est entrepris pour rendre sensibles à la nature les jeunes citadins : quarante mille enfants des écoles sont accueillis dans les ateliers de jardinage des serres d'Auteuil, à la Maison des Cinq-Sens (22, avenue Pierre-Gourdault, dans le XIIIᵉ arrondissement) ou dans les « Bus-Nature » (vidéo-bus et labo-bus). Outre la ferme Georges-Ville, l'Arboretum de l'École du Breuil, le Jardin des Papillons du bois de Vincennes et la réserve ornithologique du bois de Boulogne, on peut mentionner la Maison Paris-Nature du parc floral, le jardin sauvage Saint-Vincent de la butte Montmartre, la Maison de l'Air du parc de Belleville et les sentiers Nature des bois de Boulogne et de Vincennes.

NAVIGATION
Voir **BATEAUX ; BATELLERIE ; CANAL ; COCHE D'EAU ; PORT ; QUAI.**

NETTOIEMENT
L'existence d'un aqueduc, de trois établissements de bains et d'un égout dans la petite Lutèce gallo-romaine de moins de dix mille âmes, atteste du souci de propreté de ses habitants. Christianisme et invasions barbares effacent toute trace d'hygiène et il faut attendre Philippe Auguste pour que le pouvoir s'émeuve de la crasse et surtout de la puanteur qui l'environnent. Rigord rapporte qu'en 1184 le roi « s'appuya à une des fenêtres de la salle [du palais de la Cité] à laquelle il s'appuyait aucunes fois pour Seine regarder et pour avoir récréation de l'air. Si advint en ce point que charrettes que on charriait parmi les rues émurent et touillèrent si la boue et l'ordure dont elles étaient pleines, qu'une puanteur en sortit si grande qu'à peine était-il possible de la supporter ; elle monta jusqu'à la fenêtre où le roi était assis [...]. Lors fit-il mander le prévôt et les bourgeois de Paris, et leur commanda que toutes les rues et les voies de la cité fussent pavées bien et soigneusement de grès gros et fort. » C'est ainsi qu'à partir de 1186, les principales rues de la capitale commencèrent à être revêtues de pavé (voir PAVÉ).

Le pavage ménageait, au milieu de la voie, un caniveau destiné à l'écoulement des eaux. Ce ruisseau était le réceptacle des eaux pluviales dégorgées par les gouttières et des eaux usées jetées par les riverains. Mais l'accumulation de déchets solides, boues, gravois, terreaux, « nettoieurs » obstruait souvent le caniveau et même parfois toute la voie publique. L'autorité publique dut intervenir. Le plus ancien texte connu est l'ordonnance du prévôt de Paris du 3 février 1348 qui ordonne aux Parisiens de balayer devant leurs maisons et de faire transporter les boues et ordures dans des endroits désignés à cet effet et qui prendront le nom de « voiries ». Respectée quelques années, les bourgeois de chaque quartier se cotisant pour louer un tombereau et évacuer leurs ordures, cette ordonnance fut vite détournée, les habitants jugeant plus expéditif et moins coûteux de déposer discrètement, durant la nuit, leurs ordures sur les places publiques. L'ordonnance de 1374 nous apprend que la place Maubert, où se tenait un marché, était devenue à peu près inaccessible et que les denrées exposées y étaient empuanties par les immondices environnantes. Bien peu respectées, les ordonnances sont périodiquement renouvelées : mars 1388, 29 novembre 1392, 2 juillet 1393, 9 octobre 1395, 5 avril 1399. Soucieux de bien faire comprendre l'importance du nettoiement de la voie publique, le pouvoir royal rappelle dans celles de 1393 et 1399 que personne n'est exempté de ce devoir, que même les gens d'Église et les grands seigneurs y sont astreints. L'ordonnance de 1395 prévoit «peine d'amende et de prison au pain et à l'eau». L'ordonnance de janvier 1404 ordonne même de curer la Seine, réceptacle de toutes sortes d'immondices. Les textes sont appliqués quelque temps, par crainte de sanctions, puis la population revient au «tout à la rue». La répétition des injonctions atteste de la négligence et de la saleté des Parisiens : 28 juin 1404, 20 octobre 1405, 21 octobre 1414, 19 juin 1428, 24 mars 1472, 24 juin et 10 juillet 1473, etc.

A l'origine, le prévôt ne s'occupe pas des conditions de nettoiement et d'enlèvement des ordures, laissant aux bourgeois le choix des moyens. Les habitants, on l'a déjà dit, se regroupaient pour louer en commun un tombereau qui transportait les boues vers les voiries. Mais les charretiers se révélaient parfois trop exigeants et une ordonnance du 14 novembre 1396 dut taxer chaque tombereau à 10 deniers parisis pour les lieux les plus éloignés des voiries, à 6 ou 4 deniers pour ceux qui en étaient moins loin et à 3 deniers pour ceux qui se trouvaient près de la clôture de la ville.

Les boueurs ne vont pas bien loin avec leurs tombereaux : ils les déchargent à proximité immédiate de l'enceinte fortifiée. Aussi longtemps que dure l'enceinte de Philippe Auguste, ils utilisent deux voiries de chaque côté de la Seine. Sur la rive droite, ils déchargent à la sortie de la porte Saint-Honoré, entre les bâtiments méridionaux de la Banque de France et la place des Victoires, et à la sortie de la porte Montmartre, rue du Mail, au-delà de la rue d'Aboukir. Sur la rive gauche, les voiries se situaient entre la rue des Saints-Pères et la rue de Luynes, et à l'extrémité sud-ouest du Jardin des Plantes, où la butte Coupeau ou Coypeaux constitue l'ultime témoignage, les autres buttes ayant été rasées. Avec l'enceinte de Charles V, les voiries de la rive droite sont reculées et constituent la butte Saint-Roch et une série de points élevés jalonnant les actuels boulevards Bonne-Nouvelle, Saint-Denis, Saint-Martin et Beaumarchais.

Pendant longtemps, l'autorité ne songe pas à taxer les bourgeois et fait confiance, bien à tort, à leur civisme et à un sens de la propreté qui leur est totalement étranger. Toutefois, l'ordonnance de 1374, traitant de la place Maubert, a instauré, pour chaque ménage habitant autour de cette place ainsi que pour toutes les personnes venant y vendre au marché, qu'ils seraient tenus de payer une redevance d'un à deux deniers tournois par semaine pour couvrir les frais de nettoiement de cet endroit. En 1506, le Parlement décide d'appliquer ce système à toute la ville. L'arrêt du 17 novembre 1522 réglemente avec précision cette taxe : deux «commissaires» du Parlement dans chaque quartier désignent des bourgeois chargés de répartir la taxe en proportion de la superficie des lieux occupés et de la quantité d'immondices en provenant. Cette taxe persiste à travers tout le siècle, avec des péripéties liées aux troubles politiques, et le nettoiement fait partie des attributions du prévôt du roi et non de la municipalité, le Parlement s'estimant seul qualifié pour légiférer en la matière. L'ordonnance de François Ier du 28 janvier 1539 détermine même la forme des tombereaux affectés à cet usage. Les textes sont nombreux : ordonnance de septembre 1608, arrêt du Conseil du 3 décembre 1638, règlements du 7 mai 1642, du 30 avril 1663, ordonnances des 3 février 1734, 25 avril 1744, 28 novembre 1750, 9 janvier 1767, 6 novembre 1768, 8 novembre 1780, etc.

Aux obligations passives de ne rien jeter par les fenêtres de jour comme de nuit et de ne «mettre aucunes ordures ni immondices sur le pavé» s'ajoutent des obligations actives de balayage devant les maisons, mentionnées dès 1348, et d'arrosage en période de chaleur, imposées dès 1371. Les professions sont aussi soumises à de strictes obligations, notamment les bouchers, charcutiers, tripiers, rôtisseurs. L'institution de la lieutenance de police en 1667 favorisera l'application de tous ces textes contraignants et plus ou moins bien respectés. L'enlèvement des boues est confié à des entrepreneurs suivant des modalités qui ont varié, entreprises générales en ferme, entreprises de quartier à bail. La taxe des boues et lanternes sert à payer leurs services.

Les résultats ne sont guère satisfaisants. A la veille de la Révolution, Sébastien Mercier s'en prend à la saleté des rues parisiennes : «Un large ruisseau coupe quelquefois une rue en deux, et de manière à interrompre la communication entre les deux côtés des maisons. A la moindre averse il faut dresser des ponts tremblants. Rien ne doit plus divertir un étranger que de voir un Parisien traverser ou sauter un ruisseau fangeux avec une perruque à trois marteaux, des bas blancs et un habit galonné, courir dans de vilaines rues sur la pointe du pied, recevoir le fleuve des gouttières sur un parasol de taffetas. Quelles gambades ne fait pas celui qui a entrepris d'aller du faubourg Saint-Jacques dîner au faubourg Saint-Honoré, en se défendant de la crotte, et des toits qui dégouttent ! Des tas de boue, un pavé glissant, des essieux gras, que d'écueils à éviter ! Il aborde néanmoins ; à chaque coin de rue il a appelé un décrotteur ; il en est quitte pour quelques mouches à ses bas. Par quel miracle a-t-il traversé sans autre encombre la ville du monde la plus sale ? Comment marcher dans la fange en conservant ses escarpins ? Oh ! c'est un secret particulier aux Parisiens, et je ne conseille pas à d'autres de vouloir les imiter. »

Le XIXᵉ siècle va remédier à cette désastreuse situation. Ce sont d'abord des aménagements techniques : trottoirs sur le modèle londonien, réclamés par Mercier en 1782, pavé et revêtements de plus en plus perfectionnés, réseau d'égouts pour absorber eaux ménagères et pluviales, etc. Le balayage pose encore problème, car les riverains de la voie publique, qui y sont astreints quotidiennement, le font mal et rarement. L'administration finit par le prendre entièrement à sa charge. Le décret du 10 octobre 1859 retire le nettoiement au préfet de police pour le confier au préfet de la Seine, sous l'impulsion de qui se développe l'arrosage à la lance et apparaît la machine-balayeuse avec balai-rouleau, dont Paris possède quarante exemplaires dès 1873. La loi du 26 mars 1873 abolit l'obligation du balayage mais instaure une taxe municipale frappant tous les propriétaires. Le préfet Poubelle impose un récipient à ordures qui prend son nom. Dès 1880, le sel est employé pour déglacer la chaussée.

Les tombereaux à chevaux ont cédé la place à partir de 1914 à des voitures automobiles avec des caisses ou bennes entièrement métalliques. Dès 1923, le service municipal du nettoiement dispose de neuf cents «auto-tombereaux» à benne amovible. Des usines de traitement et d'incinération des ordures ménagères se créent aux portes de la capitale, à Romainville, Saint-Ouen, Issy-les-Moulineaux, Ivry.

Aujourd'hui, le Parisien produit environ 2 kilos d'ordures par jour. Elles sont traitées par les trois usines d'Ivry, d'Issy-les-Moulineaux et de Saint-

Ouen, reconstruite voilà une dizaine d'années, qui produisent de la vapeur utilisée pour le chauffage urbain et du mâchefer pour divers usages. Le 25 octobre 1978, un arrêté municipal autorisait une « expérience de collecte hermétique et mécanisée » avec récipients standardisés dans le XVᵉ arrondissement. Cette expérience a connu un succès total : diminution du bruit, des manipulations, amélioration de l'hygiène. Le 10 mai 1983, un arrêté a réglementé « la collecte mécanisée des ordures ménagères » qui a servi de modèle à plusieurs métropoles étrangères. Depuis 1993, des poubelles à couvercle bleu permettent la récupération du papier dans chaque immeuble. Sur la voie publique, des conteneurs verts recueillent le verre, des bennes les objets encombrant dont les Parisiens ne veulent plus : vieux matelas, sommiers, réfrigérateurs, etc. Plus de mille deux cents engins vert et blanc parcourent les rues et les trottoirs pour les nettoyer et les arroser. Seize mille corbeilles vertes sont installées sur la voie publique pour recueillir les détritus, soit une tous les 150 mètres. Plus de six mille « agents de surface » sont employés à maintenir la ville propre, eux aussi vêtus de vert. Une centaine de motos sont spécialement équipées pour le ramassage des déchets, notamment les déjections des chiens, et ont été baptisées « motos-crottes ».

• *Voir aussi* ÉGOUT ; POUBELLE ; TROTTOIR ; VOIRIE.

NIVELLEMENT

Les premiers textes ayant trait au raccordement des immeubles riverains avec le sol des rues remontent au début du XVIIᵉ siècle. L'article 12 de l'édit de décembre 1607 confie au grand voyer la tâche de veiller à ce que « le pavé de neuf soict bien faict et qu'il ne se trouve plus haut élevé que celluy de son voisin ». L'ordonnance du 4 septembre 1645 interdit aux particuliers de relever le seuil des portes ou le pavé des maisons plus haut que ceux des maisons voisines. L'ordonnance du Bureau des finances de la généralité de Paris du 31 mai 1666, confirmée par arrêt du Conseil du 19 novembre 1666, prescrit « aux entrepreneurs du pavé de Paris de faire incessamment baisser toutes devantures qui auroient été faites plus haut que les rez-de-chaussée des maisons voisines et de les réduire au même alignement que celles des voisins ». L'arrêt du Conseil du 22 mai 1725 interdit « à tous propriétaires de maisons de la ville et faubourgs de Paris, architectes et maçons, de poser aucun seuil de porte plus bas ni plus haut que le niveau de pente du pavé des rues ». Un arrêt du Conseil d'État du 3 septembre 1811 a exprimé le souhait qu'à Paris des plans de nivellement soient joints aux plans d'alignement.

Il faut attendre le décret-loi du 26 mars 1852 pour que ce vœu soit exaucé. L'article 3 stipule : « A l'avenir, l'étude de tout plan d'alignement de rue devra nécessairement comprendre le nivellement ; celui-ci sera soumis à toutes les formalités qui régissent l'alignement. Tout constructeur de maisons, avant de se mettre à l'œuvre, devra demander l'alignement et le nivellement de la voie publique au devant de son terrain et s'y conformer. » Un arrêté du 31 mai 1856 du préfet de la Seine précise que le nivellement sera rapporté au point zéro du niveau de la mer. La vérification des cotes de hauteur du nivellement est rapportée à des repères en fonte aux armes de la Ville placés aux carrefours, aux angles des rues, sur les soubassements des monuments, sur les murs des quais, etc. Ces repères portent des ordonnées de comparaison, à savoir trois cotes : celle relative au niveau de la mer qui est celle inscrite sur les plans et délivrée aux particuliers ; celle se rapportant au zéro du pont de la Tournelle (niveau des basses eaux de la Seine en 1719, à 26,25 mètres au-dessus du niveau zéro de la mer) ; celle qui passe à 50 mètres au-dessus du niveau légal des eaux du bassin de La Villette, soit une altitude de 101,49 mètres.

• *Voir aussi* ALIGNEMENT ; ANGLE (immeuble d') ; HAUTEUR DES IMMEUBLES ; POINT ZÉRO.

NOËL (sapin de)

La coutume de l'arbre de Noël est née au XVIe siècle en Alsace. Adoptée ensuite par les pays germaniques luthériens puis catholiques, elle n'est apparue à Paris qu'après le mariage, en 1837, du duc d'Orléans avec la princesse Hélène de Mecklembourg, sans doute en 1840, alors que le comte de Paris, né en août 1838, avait dépassé ses deux ans. Le sapin de Noël est lent à s'imposer et seules quelques familles de la haute société en installent dans leur salon en période de Noël jusqu'en 1870. L'annexion de l'Alsace-Lorraine au Reich allemand provoque l'arrivée dans la capitale de nombreux Alsaciens qui refusent de perdre leur nationalité. Ils amènent avec eux leur coutume du sapin de Noël et la diffusent parmi les Parisiens. Mais il faut attendre Noël 1913 et l'arrivée à la présidence de la République d'un Lorrain, Raymond Poincaré, pour que soit organisé le premier grand sapin de Noël, au Trocadéro, devant quatre mille écoliers.

NOM DES RUES

Outre des références isolées, c'est par les rôles de la taille établis entre 1292 et 1313 que l'on connaît le nom des rues de Paris, ainsi que par un poème écrit vers 1300 par Guillot, *Le Dit des rues de Paris*. On trouve dès l'origine des voies portant indifféremment deux noms distincts : ainsi la rue des Étuves peut aussi apparaître sous le nom de rue de la Nouvelle-Poterne, et la rue du Chaume est aussi dite du Paradis.

Manfred Heid a distingué neuf types de noms de rues au Moyen Âge. En premier viennent les rues qui tirent leur nom d'un particulier ou d'une famille ;

elles représentent le cinquième des rues vers 1300. Parmi celles qui ont survécu jusqu'à nos jours, on peut citer les rues Aubry-le-Boucher, Bertin-Poirée, Boutebrie (déformation de Érembourg-de-Brie), des Bourdonnais (famille de Bourdon), Geoffroy-l'Angevin, Guérin-Boisseau, Jean-Lantier, Jean-Tison, Michel-le-Comte, Pierre-au-Lard, Pierre-Sarrazin, Simon-le-Franc, la place Maubert.

D'autres voies tirent leur nom d'un édifice de culte. La première dénomination de rue attestée, en 820, est de ce type : la *ruga Sancti Germani*, soit la rue Saint-Germain. Une quarantaine de voies étaient de ce type vers 1300. Subsistent les rues Saint-Antoine, Saint-Bon, Saint-Christophe, Saint-Denis, Sainte-Croix-de-la-Bretonnerie, Sainte-Opportune, Saint-Germain, Saint-Jacques, Saint-Julien (-le-Pauvre), Saint-Martin, Saint-Merri, Saint-Paul, Saint-Sauveur, Saint-Séverin, Saint-Sulpice.

D'autres noms évoquent la présence d'un métier, d'un commerce, dans la rue concernée. Cette catégorie est aussi importante que la première, c'est-à-dire un cinquième, soit une soixantaine de rues vers 1300. La plupart de ces dénominations ont disparu avec la mort des métiers ou leur dispersion à travers la cité : Enlumineurs, Écrivains (publics), Parcheminiers, Menestriers. Survivent les rues de la Bûcherie, de la Corderie, de la Cossonnerie, des Déchargeurs, de la Ferronnerie, des Gravilliers, de la Tacherie, de la Verrerie, les quais de la Mégisserie et des Tuileries.

Un quatrième type tire ses dénominations d'un groupe particulier d'habitants. D'une dizaine de voies vers 1300, il passe à une trentaine en 1636 à cause de l'augmentation du nombre des établissements monastiques. Il y a des rues des Blancs-Manteaux, des Carmes, un quai des Célestins, des rues des Bernardins, des Mathurins, des Prêcheurs, des Prêtres-Saint-Séverin, des Prouvaires (prêtres en français ancien). Beaucoup de ces noms ont disparu avec les établissements religieux correspondants à la suite des sécularisations et des destructions de l'époque révolutionnaire. Plus rares sont les rues rappelant la présence de catégories spéciales d'habitants : rues des Anglais (étudiants venus de ce pays), des Lombards (marchands originaires de cette région d'Italie), aux Juifs (la plus récente des voies à avoir porté ce nom a été rebaptisée Ferdinand-Duval en 1900), de la Grande-Truanderie ou des Mauvais-Garçons pour les endroits mal fréquentés, rue des Francs-Bourgeois rappelant le souvenir d'une maison d'aumône qui se serait transformée en lieu de débauche et de prostitution.

Certaines rues tirent leur dénomination de quelque particularité établie à demeure à cet endroit. Cela peut être un four, un puits, une lanterne, un pilori, un colombier, un cimetière, une croix, un établissement de bains (rue des Étuves). L'installation d'un bac sur la Seine en 1580 explique le nom de la rue du Bac. Les plantes contribuent aussi à la toponymie : rues des Amandiers, de la Cerisaie, du Figuier, des Noyers, des Rosiers. D'autres voies sont caractérisées par des demeures particulières : rues de Jouy ou Tiron, résidences de ces deux abbés provinciaux, rue du Roi-de-Sicile où s'élevait l'hôtel de Charles d'Anjou, roi de Sicile, rue du Jour ou du Séjour-du-Roi, évoquant un logis de Charles V. Une dizaine de noms de la liste de 1300 a subsisté jusqu'à nos jours, ainsi que la moitié (soit une trentaine) de ceux de la nomenclature de 1636.

Un sixième type a emprunté la dénomination du lieu traversé par la rue ou du lieu où elle aboutit. C'est le cas notamment des rues Beaubourg, des Petits-Champs, du Bourg-Tibourg, du Bourg-l'Abbé, des Jardins, de Bièvre, de Seine, du Vertbois, de toutes les voies s'intitulant rue du Faubourg.

Quelques rues tirent leur nom d'une caractéristique extérieure à la voie elle-même. C'est le cas de la rue Pavée (il y en eut plusieurs portant ce nom), des rues dites Neuves, des rues Traversaine, Transversale ou Traversière, de la rue Serpente dite en latin en 1263 *Vicus Tortuosus* (« tortueuse »), de la rue Sans-Chief, « sans tête », devenue Censier.

L'existence d'enseignes de maisons ou de commerces a fait naître un certain nombre de dénominations. On peut citer les rues de la Colombe, Coq-Héron, Coquillière, de la Harpe, de l'Hirondelle, de la Huchette, des Singes. Les enseignes étant rares vers 1300, il faut attendre les XVe et XVIe siècles pour que cette catégorie connaisse le succès, atteignant 10 % de la nomenclature entre 1450 et 1555 et presque 15 % en 1636 avec soixante-dix voies.

Certaines rues tirent leur nom de leur mauvaise fréquentation. Le Moyen Âge ne s'en offusque pas et l'on trouve des rues de Mau (« mauvais ») Détour, Mauconseil, Gratecon, Mal-Désirant, Trace-Putain, Tirepet, Pute-y-muce. Ces noms ont été rejetés ou transformés par les époques postérieures, plus puritaines. La rue Maudétour est devenue Mondétour, celle dite Pute-y-muce la rue du Petit-Musc, la rue Poil-au-Con, la rue du Pélican.

Jusqu'à la fin du XVIe siècle, la toponymie parisienne est gouvernée par la coutume. Il faut le règne d'Henri IV et la naissance d'une politique d'urbanisme pour que le pouvoir royal s'occupe de la dénomination des voies. S'il ne réalise pas son projet de place de France, les noms de provinces prévus sont donnés aux rues percées dans ce quartier entre 1626 et 1630 et la nomenclature de 1636 mentionne les rues de Poitou, de Bretagne, de Berry, de Beausse (Beauce), Xaintonge (Saintonge), du Perche, d'Orléans, d'Angoumois, de Beaujolais, de Périgueux, de Forestz (Forez), de la Marche.

A la même époque apparaissent les premiers noms de contemporains, constructeurs ou entrepreneurs. C'est ainsi que le pont au Change porte, au début du XVIIᵉ siècle, le nom de celui qui l'a reconstruit, un certain Marchand, que Christophe Marie laisse son nom à un autre pont conduisant à l'île Notre-Dame (aujourd'hui Saint-Louis), île qu'il lotit en association avec deux autres entrepreneurs, Poulletier et Le Regrattier qui donnent leur nom à des voies nouvelles.

Il faut attendre la seconde moitié du XVIIIᵉ siècle pour que la vanité des magistrats municipaux soit satisfaite. Sébastien Mercier note ce phénomène nouveau dans son *Tableau de Paris* : « Un bourgeois est au terme de la gloire quand il devient échevin. Il est rassasié d'honneurs quand il voit une rue porter son propre nom. » Vingt et une rues percées entre 1760 et 1786 se voient ainsi attribuer des noms de membres de la municipalité. Ce sont les rues Babille, Boucher, Boudreau, Buffault, Caumartin, Chauchat, Daval, Delatour, Estienne, de Fourcy, de La Michodière, Le Peletier, Martel, Mercier, Richer, de Sartine, Taitbout, Trudau, de Vannes, de Varennes, de Viarmes.

En 1782, aux environs du Théâtre-Français, actuel Odéon, on met à contribution les gloires de la littérature avec des rues Corneille, Crébillon, Molière, Racine, Voltaire. Le nouvel Opéra-Comique, ouvert en 1783, est entouré des rues Favart, Grétry, Marivaux.

Les noms provenant de la famille royale ne sont donnés qu'aux voies les plus prestigieuses : places Dauphine, Royale (des Vosges), rues Christine, du Petit-Bourbon, Princesse, Dauphine, d'Anjou, places Louis-le-Grand (Vendôme), Louis-XV (de la Concorde), du Trône (de la Nation). Les rues Monsieur, Monsieur-le-Prince, Madame, honorent, à la veille de la Révolution, le frère du roi (futur Louis XVIII), le prince de Condé et l'épouse du futur Louis XVIII. Quelques grands serviteurs de l'État ont aussi eu droit à leur rue : Richelieu, Colbert, Mazarin, par exemple.

De nouvelles appellations apparaissent sous le règne de Louis XIV. A la place des enceintes de Charles V et de Louis XIII, on aménage de vastes promenades plantées d'arbres et baptisées boulevards ou cours. Sur la rive gauche, des promenades identiques, aménagées un peu plus tard, porteront aussi le nom de boulevard. A la même époque apparaissent les avenues qui, selon l'étymologie (*advenire*) mènent à un endroit et sont aussi plantées d'arbres. Les premières créées sont l'avenue de l'École-Militaire aux Invalides, les avenues de Vincennes, de Saint-Mandé, de Ménilmontant, de Neuilly à Paris. Par souci de simplification, on passe, au début du XVIIIᵉ siècle, du terme « rue du quai » à quai. Le mot « cul-de-sac », jugé trivial, tend à être supplanté par impasse.

A la veille de la Révolution, la toponymie parisienne a besoin d'une sérieuse rénovation. Avec l'accroissement territorial de la capitale, le nombre des rues a plus que triplé et les risques de confusion sont réels : les rues d'Orléans, Saint-Louis, Pavée, des Deux-Portes, Traversière existent chacune à quatre endroits différents ; il y a trois rues de l'Abreuvoir, d'Anjou, Saint-Antoine, des Petits-Champs, de la Croix, d'Enfer, Françoise ou Française, du Paradis, de la Poterie.

La Révolution tente un bouleversement total qui ne dure guère (voir NOM RÉVOLUTIONNAIRE). Napoléon consacre de nombreuses rues à la célébration de ses victoires : Austerlitz, Iéna, Ulm, Lübeck, Aboukir, Pyramides, Castiglione subsistent toujours. Les traces laissées par la Restauration et la Monarchie de Juillet sont plus discrètes, les bouleversements introduits par la révolution de 1848 sont aussi éphémères que la deuxième République. Le percement de nouvelles voies sous le second Empire permet une floraison de noms célébrant les Napoléonides présents et passés, dont les boulevards des maréchaux qui tronçonnent la rue Militaire de l'enceinte fortifiée de 1845.

Sous la troisième République les dénominations de rues font l'objet d'âpres querelles politiques au Conseil municipal. Les socialistes doivent attendre 1905 pour faire adopter le boulevard Auguste-Blanqui et la rue Ferdinand-Gambon, 1930 pour la rue Charles-Delescluze, mais ne peuvent faire aboutir leur désir de laïcisation et de suppression des noms de saints. La tension avec l'Allemagne est à l'origine de la disparition des rues Richard-Wagner (remplacée par Albéric-Magnard, « grand musicien français doublé d'un patriote »), de Berlin (de Liège), d'Allemagne (Jean-Jaurès), de Hambourg (Bucarest). En revanche, les Alliés ont droit au cours Albert-Ier, aux avenues George-V, Victor-Emmanuel-III, Pierre-Ier-de-Serbie, des Portugais, de Tokyo (devenue de New-York en 1945). Joffre, Foch, Pétain, Poincaré, Clemenceau sont honorés entre 1929 et 1936. Durant l'occupation nazie, le juif Henri Heine est évincé au profit de Jean-Sébastien Bach et de Jean Chiappe. Le mouvement se continue aujourd'hui.

Depuis 1844, la Ville publie une *Nomenclature officielle des voies publiques et privées*. La huitième édition date d'août 1972 et une neuvième édition est en préparation.

NOM RÉVOLUTIONNAIRE

Dès 1790, l'Assemblée constituante se propose de modifier les dénominations parisiennes à l'occasion de la création de quarante-huit sections en remplacement des soixante districts. Le rapporteur du projet, Gossin, écrit : « Le comité avait d'abord été tenté de donner à chacune des quarante-huit sections les noms propres des hommes célèbres dont les cendres reposent dans leur enceinte. Il s'est arrêté aux dénominations tirées des places, des fontaines ou des grandes rues. »

Après le 10 août 1792 et la chute de la monarchie, la section de Louis XIV prend le nom du Mail, celle du Théâtre-Français celui de Marseille. En 1793, la section du Roule deviendra celle de la République, celle de la place Royale la section de la place des Fédérés puis de l'Indivisibilité, etc. L'abbé Grégoire, le 6 janvier 1794, fait un rapport au nom du Comité d'instruction publique de la Convention qui propose un bouleversement total de la toponymie empreint d'un redoutable esprit de géométrie : « Paris est composé d'environ neuf cents rues, trente quais, douze ponts, vingt-huit passages, cours ou ci-devant cloîtres, vingt-six places, vingt halles ou marchés, de neuf enclos où l'on passe, que d'oisifs moines possédaient, et de plus de cent culs-de-sac. Voici la distribution que nous nous proposons d'en faire. Les angles des quais porteront les noms des départements du Sud et de l'Ouest ; ceux des anciens boulevards les noms des départements du Nord et du Midi. Les encoignures porteront les noms des communes de la République, suivant l'angle que forme la prolongation de telle rue sur la méridienne ou sur la perpendiculaire. Plusieurs ponts et places sont déjà nommés. On continuera de leur donner des noms qui éternisent la Révolution. Les culs-de-sac prendront le nom des communes environnant Paris, selon le principe adopté pour les rues. Nous réservons l'ancienne Cité, ou Isle de Paris, qui déjà s'embellit et s'embellira encore, pour placer à ses angles nombreux les noms de ceux qui auront bien mérité de la patrie ; ils pourront y figurer à côté des noms de ces hommes dont la vie a été un bienfait pour l'univers. Après avoir employé ce qu'il sera possible de ces noms respectables, les rues qui resteront porteront des noms de nombre, en attendant que celui d'un patriote vertueux y soit placé. »

La disparition de Robespierre empêchera la discussion de ce projet, mais les changements de noms étaient déjà suffisamment nombreux pour troubler un Anglais en visite dans la capitale au lendemain du 10 août 1792 : «On se mit immédiatement à détruire et à effacer toute couronne et toute fleur de lis, ainsi que toute inscription dans laquelle se rencontraient les mots roi, reine, prince royal, ou autres expressions analogues. Les hôtels et les maisons meublées durent gratter et changer leur nom : l'hôtel du Prince de Galles dut s'appeler simplement l'hôtel de Galles et l'hôtel de Bourbon fut forcé de trouver une autre dénomination. Une enseigne *Au lis d'or* fut arrachée avec violence ; le jeu de billard lui-même n'est plus maintenant ni noble ni royal. Le Parc-Royal, le nouveau pont Louis-XVI, la place des Victoires, la place Royale, la rue d'Artois, et bien d'autres voies publiques ont toutes reçues de nouveaux noms.»

En 1794, un *Almanach indicatif des rues de Paris* enregistre les changements de noms suivants :

RUES QUI ONT CHANGÉ DE NOM DEPUIS LA RÉVOLUTION

Noms anciens	*Noms nouveaux*
D'Angoulême	De l'Union
Sainte-Anne	Helvétius
Chaussée-d'Antin	Du Mont-Blanc
D'Artois	De Cérutti
De Bourbon	De Lille
Bourbon-le-Château	De la Chaumière
Du Petit-Bourbon (Saint-Sulpice)	Du 31 mai
Du Petit-Bourbon (Louvre)	Du Petit-Muséum
Bourbon-Villeneuve	Neuve-de-l'Égalité
Du Gros-Caillou	De l'Université
De Calonne ou de La Fayette (des Deux-Écus)	Du Contrat-Social
Honoré-Chevalier	Honoré-Liberté
Comtesse-d'Artois	Mont-Orgueil
De Condé	De l'Égalité
Des Cordeliers	De Marat
Cour au Vilain, ou de Montmorency	De la Réunion
Carrefour de la Croix-Rouge	Du Bonnet-Rouge
Du Dauphin	De la Convention
Dauphine	De Thionville
Saint-Denis (rue et faubourg)	De Franciade
Du Roi-Doré	Dorée
Fontaine-au-Roi	De la Fontaine
Des Francs-Bourgeois	Des Francs-Citoyens
Guisarde	Des Sans-Culotes
De l'Hôpital-Saint-Louis	De l'Hospice-du-Nord
Saint-Jacques (faubourg)	De l'Observatoire
Du Jardin-du-Roi	Du Jardin-des-Plantes
Saint-Laurent (faubourg)	Du Faubourg-du-Nord
Saint-Louis (quai des Orfèvres)	Révolutionnaire
Saint-Louis (en Île)	De la Fraternité
Louis-le-Grand	Des Piques
Martin [*sic*] (faubourg)	Du Faubourg-du-Nord
Michel-le-Comte	Michel-Le-Pelletier
Michodière (actuellement d'Hauteville)	D'Hauteville
Montmartre (rue et faubourg ; rue des Fossés)	Mont-Marat
Montmorency	De la Réunion

Neuve-Notre-Dame	De la Raison
De l'Observance	De l'Ami-du-Peuple
Du Parc-Royal	Du Parc-National
Platrière	De J.-J. Rousseau
Des Fossés-M. le Prince	De la Liberté
Princesse	Révolutionnaire
De Richelieu	De la Loi
Neuve-de-Richelieu (Sorbonne)	Petite rue Chalier
Neuve-Saint-Roch	De la Montagne
Royale [actuellement de Birague]	Nationale (ou du Parc-d'Artillerie)
Royale [actuellement Royale]	De la Révolution
Royale (Barrière-Blanche)	De la République
Royale [actuellement rue des Moulins]	Des Moulins
Du Roi-de-Sicile	Des Droits-de-l'Homme
Des Fossés-Saint-Victor	De Loustalot

PLACES QUI ONT CHANGÉ DE NOM

Carrousel	De la Réunion
Cimetière Saint-Jean	Place des Droits-de-l'Homme
Dauphine	De Thionville
De Grêve	De la Maison-Commune
De Henry IV	Parc-d'Artillerie
De Louis XV	De la Révolution
Du Palais-Royal	De la Maison-Égalité
Parvis-Notre-Dame	Place de la Raison
Royale	Des Fédérés ou Parc-d'Artillerie, [actuellement des Vosges]
Sorbonne	De Chalier
Vendôme	Des Piques
Des Victoires	De la Victoire-Nationale

QUAIS QUI ONT CHANGÉ DE NOM

D'Anjou ou d'Alençon	De l'Union
Des Balcons ou Dauphin	De la Liberté [Île Saint-Louis]
De Bourbon	De la République
De l'Horloge-du-Palais	Du Nord
Des Orfèvres	Du Midi
D'Orléans	De l'Égalité
Des Théatins	De Voltaire

ÉDIFICES QUI ONT CHANGÉ DE NOM

Bourbon (Palais de)	Maison de la Révolution
Charité (Hôpital de la)	Hospice de l'Unité
Consuls (Anciens Juges-)	Tribunal de Commerce
Saint-Denis (Porte-)	Porte de Franciade
Enfants-Trouvés (Hôpital des)	Maison des Enfants de la Patrie

France (Collège royal de)	Collège de France
Geneviève (La Nouvelle Sainte-)	Le Panthéon-Français
Hôtel-Dieu	Grand Hospice d'Humanité
Jardin du Palais-Royal	Jardin Égalité
Jardin du Roi	Jardin des Plantes
Invalides (Hôtel royal des)	Hôtel national des Militaires invalides
Saint-Louis (Hôpital)	Hospice du Nord
Louis XVI (Pont de)	De la Révolution
Louis-le-Grand (Collège de)	De l'Égalité
Roi (Bibliothèque du)	Bibliothèque Nationale
Notre-Dame (Pont)	De la Raison
Pitié (Hôpital de N.-D. de)	Maison des Élèves de la Patrie
Royal (Pont-)	National

Alfred Franklin, dans ses *Variétés parisiennes* terminant la série *La Vie privée d'autrefois*, fournit une liste encore plus détaillée.

A partir de l'automne 1794 et jusqu'à la prise de pouvoir par Bonaparte à la fin de 1799, le retour aux noms anciens se fait progressivement. Parmi les rares conquêtes de la toponymie révolutionnaire, on peut citer les rues de Lille, de l'Université, de l'Observatoire, d'Hauteville, Jean-Jacques-Rousseau, la place des Vosges, le quai Voltaire.

NOMBRE DES MAISONS

	Maisons	Ménages ou logements
1328		61 098 feux
(État des paroisses et des feux)		
1553	12 000	
(De Thou, prévôt des marchands)		
1571	14 625	
(Rôle de la taxe)		
1637	20 300	
(Rôle de la taxe)	à 20 400	
1684	23 223	81 280 cuisines
(Petty d'après Auzout)		ou familles
1684	23 410	
Le Maire, *Paris ancien et nouveau*		
1694	24 000	
(Vauban, *Dîme royale*)		
1714	22 000	
(Plan de La Caille)		
1723	22 000	
(Le Rouge, *Curiositez de Paris*)		
1755	23 565	
(Messance, *Recherches sur la population de la France* et Expilly, *Dictionnaire... France*)		
1759	28 300	
(Moréri, *Dictionnaire historique*)		
1779	23 000	
(Hurtaut et Magny, *Dictionnaire historique de la Ville de Paris*)		

1807	30 000	
(Prudhomme, *Miroir de... Paris*)		
1817 (Recensement)	26 801	224 922
1841	28 699	332 669
1851	30 770	385 191
1859	32 734	451 374
Nouvelles limites		
1861	55 160	567 917
1872	64 203	759 352
1886	68 126	
1896		810 400
1911	80 639	1 123 634
1921	82 127	1 149 366
1962		1 241 903
1968		1 221 954
1975		1 238 732
1982		1 279 730
1990		1 304 398

NOMBRE DES RUES

		Rues
1292	(livre de la taille)	(env.) 300
1300	(Guillot, *Dit des rues de Paris*)	310
1313	(livre de la taille)	(env.) 350
1407	(Guillebert de Metz, *Description de Paris*)	310
1450	(manuscrit de Sainte-Geneviève)	299
1540	(plan dit de la Tapisserie)	309
1543	(Knobelsdorf, *Lutetiae... descriptio*)	500
1555	(Corrozet, *Antiquitez de Paris*)	468
1636	(*Estat... de toutes les rues de Paris*)	515
1647	(plan de Gomboust)	592
1685	(Le Maire, *Paris ancien et nouveau*)	656
1714	(plan de La Caille)	970
1723	(Le Rouge, *Curiositez de Paris*)	960
1763	(*Almanach parisien...*)	967
1779	(Hurtaut et Magny, *Dictionnaire historique de la Ville de Paris*)	1 070
1791	(plan de Verniquet)	1 169
1807	(Prudhomme, *Miroir de... Paris*)	1 229
1819	(Chabrol, *Mémoire... des rues de Paris*)	1 190
1837	(Géraud, *Paris sous Philippe le Bel*)	1 320
1848	(Hillairet, *Dictionnaire historique des rues de Paris*)	1 474
1859	(Merruau, *Rapport... sur la nomenclature des rues de Paris*)	1 694
1860	(Merruau, *Rapport... sur la nomenclature des rues de Paris*)	3 186
1865	(Hillairet, *Dictionnaire historique des rues de Paris*)	3 750
1892	(Hillairet, *Dictionnaire historique des rues de Paris*)	4 090
1898	(*Nomenclature...*)	4 304
1912		4 414
1928		4 608
1946		5 073
1956		5 207
1974		5 281
1992		5 414

NOTAIRE

C'est en 1270 que Louis IX instaure, sans doute sur le modèle de l'officialité, soixante offices de notaires au Châtelet de Paris. Ces «clercs jurés» officient par deux au Châtelet où chacun dispose de son banc et se rendent aussi à l'extérieur pour recevoir des actes. Cette pratique à deux se perd progressivement, mais n'est abolie par la Compagnie des notaires que dans son assemblée générale du 10 décembre 1780. Elle pose, en effet, un grave problème, celui du mélange des minutes signées en premier, tantôt par l'un, tantôt par l'autre des associés, qu'il fallait dissocier lorsqu'ils se séparaient. A l'origine, cette question ne se posait pas car les notaires ne gardaient pas copie des actes qu'ils délivraient. C'est Charles VII qui instaure, en 1437, l'obligation pour les notaires de conserver la minute des actes qu'ils avaient dressés; cette obligation ne commence à être observée réellement qu'en 1539. Le nombre des offices a varié dès l'origine, les prévôts royaux procédant à des créations, ce qui amène Philippe IV le Bel à en supprimer plusieurs entre 1301 et 1304, afin de ramener l'effectif au nombre primitif de soixante. Ayant besoin d'argent pour faire la guerre en Italie, François Ier décide la création de quarante offices, portant le nombre total des notaires parisiens à cent, mais ces offices, d'un prix élevé, ne furent que lentement pourvus de 1522 à 1548. Par un édit du 16 décembre 1561, Charles IX décide de ramener l'effectif à soixante. Seize offices sont supprimés puis rétablis par un édit de novembre 1567. Des lettres patentes du 3 septembre 1570 du versatile Charles IX décident à nouveau la réduction à soixante, par extinction des offices au fur et à mesure des vacances. Six offices disparaissent ainsi mais sont rétablis dès 1575 par Henri III, qui décide la nomination de quatre notaires dans chaque bailliage et de huit nouveaux offices à Paris, portant le nombre total

des notaires parisiens à cent douze. Durant le siège de Paris, un notaire vint à mourir et fut remplacé à la fois par le duc de Mayenne, chef de la Ligue, et par Henri IV, ce qui porta les notaires de la capitale à cent treize. Cet effectif resta inchangé jusqu'en 1789.

Sébastien Mercier consacre deux chapitres aux notaires dans son *Tableau de Paris* et observe qu'au début des années 1780, les offices de notaires procurent une fortune rapide et changent très rapidement de main : «Les charges de notaire passent cent mille écus […], ainsi, quand trois notaires sont assemblés, ils forment un million. Au bout de sept à huit années ils ont fait leurs orges, suivant l'expression du peuple; c'est-à-dire qu'ils se retirent avec une fortune opulente, et ils sont encore imberbes : ce que c'est que de fraterniser si bien avec l'agiotage moderne!» Cette observation de Mercier est corroborée par les savants travaux actuels de Jean-Paul Poisson qui a étudié la durée moyenne d'exercice des notaires de 1575 à 1950. Il note que les notaires ont exercé leur charge plus de vingt ans en moyenne jusqu'au milieu du XVIIIe siècle. Puis la durée s'effondre durablement jusqu'à une phase d'instabilité maximale entre 1826 et 1850, où elle est inférieure à quinze ans. A partir de 1875, les études de notaires retrouvent des titulaires restant en fonction près de trente ans.

La Révolution est une époque de turbulence pour le notariat. Les offices de «conseillers du roi, notaires, gardenotes au Châtelet de Paris» sont abolis et la loi du 6 octobre 1791 institue les notaires «publics». Les troubles de la Terreur affectent gravement la profession : 8 notaires sont guillotinés, 3 se suicident, 8 sont destinés mais 5 d'entre eux reprennent leur étude après la chute de Robespierre, un sixième, Maupas, étant autorisé à créer une nouvelle étude. On arrive ainsi à un effectif de cent vingt : les cent treize études de 1789, l'étude du notaire du Roule, village incorporé à Paris en 1790, les cinq notaires réintégrés et Maupas. Mais les cinq charges dédoublées et celle de Maupas ne donnent pas lieu à succession et, dès 1800, l'effectif de cent quatorze est rétabli. Ce nombre ne varie plus jusqu'à l'annexion, au début de 1860, des communes périphériques. La Chambre des notaires de Paris rassemble en 1995 cent quarante-sept études dont les archives vieilles d'au moins cent vingt-cinq ans sont versées au Minutier central des Archives nationales et constituent, depuis la destruction des archives municipales dans l'incendie de mai 1871, la principale source d'histoire sociale et économique parisienne.

NOURRICE

La présence de nourrices est très anciennement attestée. Il y aurait eu dès 1184 un bureau d'accueil et de placement pour les femmes venant travailler à la ville, situé à l'hospice Sainte-Catherine ou des Catherinettes, souvent nommé Sainte-Opportune, du nom de l'église voisine, située à l'angle des rues Saint-Denis et des Lombards. Des recommandaresses, attestées dans le livre de la taille de 1292, s'occupaient aussi, moyennant une commission, de placer les nourrices (voir BUREAU DE PLACEMENT). En 1350, Jean le Bon promulgue le premier texte officiel sur les nourrices, fixant leur salaire à 150 sols par an pour les nourrices à domicile, et à 300 pour les nourrices « à emporter », qui emmenaient leur nourrisson dans leur village d'origine. En 1615, Louis XIII confirme, par lettres patentes, le privilège des quatre « recommandaresses jurées des servantes et nourrices de la ville de Paris » de recruter les nourrices. Le Parlement menace de sanctions les « meneurs », « meneuses », aubergistes et sages-femmes qui s'entremettraient et conduiraient des nourrices ailleurs qu'aux bureaux des recommandaresses.

Au XVIIIe siècle, les textes se multi-plient pour garantir la rémunération des nourrices et protéger les enfants. Le 29 janvier 1715, une ordonnance interdit à une nourrice d'offrir ses services si elle ne présente pas un certificat de bonne vie et mœurs et de religion catholique ainsi qu'une attestation d'état civil fournis par le curé de sa paroisse. Les recommandaresses sont tenues de tenir un registre visé par la police, donnant des informations sur l'identité et la moralité des nourrices. Il est interdit aux nourrices d'élever deux nourrissons en même temps et elles sont tenues à déclarer leurs grossesses. Une sentence du Châtelet du 1er juin 1756 défend aux nourrices de coucher à côté de leur nourrisson, afin d'éviter de les étouffer durant leur sommeil, et les curés, dans le certificat de moralité qu'ils établissent, sont tenus de mentionner si la nourrice possède un berceau ou une couchette pour l'enfant et un garde-feu pour le protéger du foyer. Le texte de 1715 s'occupe aussi de la garantie du salaire de la nourrice, autorisant le lieutenant général de police à faire poursuivre les débiteurs de mois de nourrice et à procéder à des prises de corps ou incarcérations jusqu'au paiement des sommes dues. Cela n'empêche pas les défaillances en période de crise économique. Cela explique sans doute que vers la fin des années 1760, les nourrices cessent de venir chercher des nourrissons à Paris. Cette « disette » de nourrices conduit à la réorganisation de 1769 et à la création d'un unique « Bureau général des nourrices et recommandaresses pour la ville de Paris ». Cette « disette » est vite résorbée, car Tenon, dans un rapport, estime qu'entre 1770 et 1776 environ dix mille nourrices sont recrutées par ce bureau tandis que les personnes aisées en engagent environ cinq mille. Tenon met bien en évidence les deux types de recrutement. Les bourgeois choisissent eux-mêmes, par relations, leur nourrice dans la proche banlieue, ce qui leur permet de fréquentes visites aux nourrissons. « Les familles pauvres d'ouvriers, domestiques, artisans près du besoin ou indigents », observe-t-il, passent par l'intermédiaire du Bureau et les enfants sont placés « à cinquante lieues de la capitale, en Normandie, en Picardie, en Bourgogne ». Les enfants abandonnés ou illégitimes sont relégués encore plus loin, jusqu'en Bretagne et en Limousin.

La dissolution des associations charitables et la suppression de la contrainte par corps à la Révolution désorganise complètement le Bureau des nourrices. Il faudra attendre 1821 et la découverte d'importants détournements de subventions pour que le Conseil général des hospices assainisse enfin la situation financière. Le Bureau de la direction générale des nourrices, installé de 1804 à 1868 dans la rue Sainte-Apolline, place cinq mille à six mille enfants par an. Le *Dictionnaire des sciences médicales*, à l'article « Nourrice », brosse en 1819 un tableau peu flatté : « Dans les grandes villes et surtout à Paris, il serait impossible à chaque habitant de choisir la nourrice de son enfant, il ne pourrait même le plus souvent lui en procurer une, s'il n'y avait pas un bureau général, espèce d'entrepôt, où vont se rendre les femmes de la campagne qui désirent avoir des nourrissons et où ceux qui ont besoin d'elles vont les choisir. Des hommes appelés "meneurs", et attachés à ce bureau, parcourent incessamment les campagnes, engagent des nourrices, les conduisent à Paris, et là produisent cette espèce de marchandise, qui semble être tout à fait inerte. La plupart des sages-femmes ont un ou deux "meneurs" qui sont en position de leur fournir des nourrices à mesure qu'elles en ont besoin. Le Bureau général, près duquel celles-ci se font toutes inscrire, est régi par plusieurs employés, et un médecin y est attaché pour assurer leur aptitude à l'allaitement ; mais quelle que soit l'espèce de surveillance qui est exercée de cet éta-

blissement, il est très commun d'y rencontrer des femmes âgées, d'un aspect repoussant, et dont les mamelles flétries ne promettent à l'enfant qu'un aliment mal préparé. Plusieurs d'entre elles font depuis vingt ou trente ans leur métier de nourrice, et la grossièreté de leur langage, la rudesse de leurs manières ne peuvent que donner les plus vives alarmes sur le sort des infortunés qui sont confiés à de telles mains. »

Le scandale financier de 1821 entraîne la suppression des meneurs. Cette mesure, théoriquement bénéfique, s'avère désastreuse. En effet, les meneurs évincés, s'appuyant sur leur réseau de nourrices, proposent leurs services aux sages-femmes et aux accoucheurs par l'intermédiaire de petits bureaux de recrutement. Le premier s'ouvre dès 1821 dans la rue des Prouvaires, suivi par celui de Mme Thévenot en 1825 au 13 de la rue Pascal, et bien d'autres, car on en recense une douzaine vers 1850. Cette activité semble fort lucrative : on trouve mention en 1829 d'une Maison centrale de nourrices, 36, rue du Temple, fondée par des médecins et financée par deux cent quarante actionnaires. Le déclin du bureau officiel est rapide : de cinq mille nourrices placées en 1821, il tombe à moins de deux mille dès 1827. Malgré un effort de relance sous le second Empire, le Bureau des nourrices ne représente guère plus de 10 % des nourrices. On estime que, vers 1865, près de vingt-cinq mille nouveau-nés — la moitié des naissances parisiennes — sont mis en nourrice, 50 % des nourrices étant recrutées par des bureaux privés et 40 % étant choisies par les parents eux-mêmes.

L'industrie des nourrices atteint alors son apogée. Déjà, les médecins commencent à la mettre en cause, lui imputant une mortalité excessive des enfants en bas âge. Les campagnes en faveur de l'allaitement maternel commencent à toucher les mères. Le Bureau des nourrices en est la première victime et disparaît en 1876. Les derniers bureaux privés de nourrices ferment en 1898. On trouvera la localisation de tous ces bureaux dans l'étude de Fanny Faÿ-Sallois, *Les Nourrices à Paris au XIXe siècle*. Il y avait encore dix mille nourrices en 1898, on n'en comptait plus deux mille en 1910.

• *Voir aussi* MATERNITÉ ; SAGE-FEMME.

NUMÉROTAGE DES MAISONS

Depuis le travail fondamental de Jeanne Pronteau, le numérotage des maisons de Paris a perdu son secret, même s'il est encore difficile d'établir la correspondance entre un numéro du XIXe siècle et son équivalent actuel.

Lors de la reconstruction du pont Notre-Dame, à partir de 1500, les maisons qui le bordèrent furent affectées de numéros, mais il semble que ce premier numérotage n'ait eu qu'un caractère provisoire, les soixante-huit maisons neuves, une fois louées, étant identifiées grâce aux enseignes apposées par leurs occupants.

Il faut attendre le XVIIIe siècle pour qu'apparaisse une ébauche de véritable numérotage. La déclaration du 29 janvier 1726, visant à éviter la prolifération de maisons à porte cochère hors de l'enceinte de la ville et dans les limites des faubourgs, prescrit qu'un numéro devrait être gravé sur l'un des pieds-droits de chacune de ces portes, numéros qui devaient figurer dans les procès-verbaux de recensement. La déclaration du 28 septembre 1728, interprétant les précédentes en faveur des marchands tanneurs établis sur les bords de la Bièvre, autorisait ceux-ci à faire construire ou à transformer les bâtiments nécessaires à leur commerce. Ces bâtiments feront l'objet de recensements et porteront des séries spéciales de numéros gravés sur les portes des maisons. Ces numéros seront utilisés pour faciliter l'identification des maisons et sont mentionnés pour la première fois dans l'*Almanach royal* de 1762. L'*Almanach de Paris*, à partir de 1772, révèle que la plupart des maisons des rues des faubourgs sont numérotées. A partir de 1778 se répand l'opinion qu'il serait utile d'étendre ce numérotage aux maisons de la ville elle-même.

Depuis le début du règne de Louis XV, les efforts s'étaient multipliés afin de favoriser l'orientation dans la grande ville d'un demi-million d'âmes qu'était alors Paris. En janvier 1728, l'administration a décidé l'inscription des noms des voies de la ville, d'abord sur des écriteaux de fer-blanc peints, puis sur des tables de pierre. L'ordonnance du 1er mars 1768 a prescrit la numérotation des maisons «dans toutes les villes du royaume sans exception et dans les bourgs et villages sujets aux logements des troupes». Mais Paris, qui disposait de casernes, était exempté du logement des gens de guerre, cette mesure ne le concernait donc pas.

Une esquisse de numérotage semble avoir été mise en place à partir de 1765 dans les rues ouvertes autour de la nouvelle Halle au blé, mais ce ne fut qu'un essai sans texte administratif l'instaurant officiellement.

C'est à Martin Kreenfelt, chargé d'affaires de l'électeur de Cologne et rédacteur de l'*Almanach de Paris* à partir de 1779, que l'on doit, cette même année, un projet accepté par le lieutenant général de police. «En 1779, écrit-il, je fis poser le premier numéro rue Gramont, à la petite porte de la police, maintenant le Bureau des nourrices, alors qu'il n'était pas possible de faire comprendre aux habitants de Paris l'importance du service que je leur rendais ainsi qu'aux étrangers ; c'est avec beaucoup de peine qu'ils s'en sont pénétrés et sans être inquiété j'ai continué à le faire à mes dépens jusqu'en 1789.» Le mode de numérotation est connu grâce à un guide de Paris publié chaque année entre 1787 et 1790, *Le Provincial à Paris ou État actuel de Paris*. Comme l'indique Jeanne Pronteau, «le numérotage était effectué, dans chaque rue, en commençant à gauche par le numéro un et en affectant successivement toutes les portes des maisons jusqu'à l'extrémité de la rue ; il était poursuivi, en retour, sur le côté droit de la voie jusqu'à ce que l'on se retrouvât en face du numéro un, de telle sorte que le premier et le dernier numéro étaient en regard l'un de l'autre : on avait donc un numérotage continu, sans séparation de numéros pairs et impairs, fait par portes et non par maisons. »

« On jouissait à peine de cet ensemble de numéros, écrit en 1800 le mathématicien Leblond, lorsque le fanatisme des innovations, trop souvent pris pour le zèle des améliorations, fit adopter aux sections désorganisatrices l'établissement d'une seule série numérique pour tout leur arrondissement. » Le numérotage révolutionnaire découlait du décret du 23 novembre - 1er décembre 1790 qui avait pour but le recensement des propriétés soumises à l'impôt et non la commodité des citadins. Chaque section ayant agi selon sa logique propre, le système de numérotage était incohérent. Ainsi, dans la section de la Réunion (ex-Beaubourg), le numérotage commence par faire le tour de la section, puis pénètre à l'intérieur par les rues principales. Dans la section de l'Indivisibilité (ex-place Royale), on a d'abord numéroté les voies de la partie orientale de la section, puis celles de la partie occidentale, sans faire au préalable le tour de la section. En 1799, note Saint-Aubin dans son *Tableau général... de Paris*, « on ne saurait calculer la perte de temps, les méprises et les embarras sans nombre que cause cette confusion : d'abord non seulement les numéros n'ont aucune suite puisqu'à côté de 36 on trouve 268, à côté de 3 on trouve 1054, etc. ; mais le même numéro se trouve répété deux ou trois fois dans la même rue et, qui pis est, au même côté. Dans les rues infinitésimales, telles que celles du Bac, Saint-Martin, Saint-Denis, c'est un véritable dédale. »

Sensible à cette incohérence, l'administration municipale met au point le système actuel qui est défini par le décret du 4 février 1805. Il stipule : « Article 4. La série des numéros sera formée des nombres pairs pour le côté droit de la rue, et des nombres impairs pour le côté gauche.

« Article 5. Le côté droit sera déterminé, dans les rues perpendiculaires ou obliques au cours de la Seine, par la droite du passant se dirigeant vers la rivière ; et dans celles parallèles, par la droite du passant marchant dans le sens du cours de la rivière. »

Quant à l'article 7, sur observation de Frochot, préfet de la Seine, afin de respecter la logique historique et de faire partir le numérotage du centre et non de la périphérie, il est ainsi modifié : « Le premier numéro de la série, soit paire, soit impaire, commencera dans les rues perpendiculaires ou obliques au cours de la Seine, à l'entrée de la rue prise au point le plus *rapproché* [au lieu d'*éloigné*] de la rivière et, dans les rues parallèles, à l'entrée prise en remontant le cours de la rivière ; de manière que, dans les premières, les nombres croissent en *s'éloignant* (au lieu de *s'approchant*) de la rivière, et dans les secondes, en la descendant. »

Dans cette optique, il faut corriger l'article 5 et écrire « s'éloignant » au lieu de « se dirigeant ».

Le nouveau numérotage est rapidement effectué durant l'été 1805. Le 23 septembre 1805, l'architecte Vaudoyer note dans son *Journal* : « Le préfet du département fait numéroter toutes les maisons de Paris. Les numéros sont peints à l'huile, avec clous, fonds et lettres ombrées. Le tout a été adjugé au rabais en quatre parties. Une a été adjugée à dix-neuf centimes chaque numérotage ; une autre vingt centimes ; une autre, vingt et un centimes ; une autre, vingt-trois centimes. Les nombres sont tous pairs à droite en partant du centre, et impairs à gauche des rues. Ils sont rouges du nord au midy, ils sont noirs du levant au couchant.»

Le manque d'unité dans le choix des plaques qui remplacèrent peu à peu la peinture, la multiplication des constructions nouvelles rendirent indispensable un renouvellement général. Il fut prescrit par Rambuteau, le 28 juin 1847, et s'étala sur plusieurs années. Des plaques uniformes en porcelaine émaillée avec des chiffres blancs sur fond bleu furent scellées dans les façades.

La réglementation de Rambuteau n'a été remplacée qu'en 1939 par un arrêté préfectoral du 17 mars. Les plaques de numéros d'immeubles continuent à porter des chiffres blancs sur fond bleu, mais, pour limiter ou éviter les numéros *bis* ou *ter*, le décret décide qu'une plaque sera apposée sur «tous les immeubles, bâtis ou non». Un dernier décret, du 14 mai 1956, assure l'identification certaine des immeubles, «en consignant leur numéro d'ordre, qui constitue en quelque sorte leur état civil, sur un plan officiel imprimé, tiré en un grand nombre d'exemplaires et par là même à l'abri de la destruction, périodiquement tenu à jour par l'Administration» (Jeanne Pronteau).

OBJET TROUVÉ

C'est le premier préfet de police, Dubois, qui a eu l'idée, en 1804, de créer un service des objets trouvés, invitant les personnes à remettre les objets perdus ou abandonnés au poste de police le plus proche du lieu de leur découverte. Maxime Du Camp, dans *Paris, ses organes, ses fonctions et sa vie...*, décrit le dépôt des objets trouvés dans les fiacres à l'époque du second Empire : «Il est situé à la préfecture de police même et ne chôme guère : c'est un va-et-vient perpétuel. D'après les règlements, tout cocher doit, sous peine de contravention, visiter sa voiture lorsqu'un voyageur en descend et déposer à la préfecture les objets qu'il a pu y trouver. Chacun de ces objets, quel qu'il soit, est inscrit sur un registre, porte un numéro d'ordre particulier, plus le numéro de la voiture où il a été laissé, et est rangé dans un casier qui est le contraire du tonneau des Danaïdes, car il se remplit toujours et ne se vide jamais [...]. Le bureau des objets trouvés dans les voitures serait vite encombré ; aussi, tous les mois, il verse au dépôt central ce qui n'a pas été légitimement repris. Ce dépôt est curieux : c'est une série de pièces obscures, espèces de caves situées au rez-de-chaussée, et où le gaz doit être incessamment allumé. C'est la catacombe des parapluies, jamais je n'en ai tant vu ; ils sont par bottes, en chantier comme des fagots ; chacun d'eux est muni d'une étiquette indicative. La comptabilité est fort bien tenue et varie selon que les objets ont été trouvés dans des voitures de louage, dans des omnibus, dans des wagons de chemins de fer, dans des hôtels garnis, sur la voie publique ou qu'ils proviennent de contraventions. Il y a un registre particulièrement affecté aux parapluies. Les restitutions sont en moyenne de quarante pour cent, et cependant le dépôt central gardait au mois de mars 1867, dix-neuf mille six cent trente-six objets trouvés dans les voitures pendant l'année 1866 et qui n'ont pas encore été réclamés ; sur ce nombre, il faut compter six mille deux cent vingt-cinq parapluies.» Le domaine devient, en ce temps-là, propriétaire des objets non réclamés au bout de trois ans. En 1932, en raison de la place occupée par le dépôt des objets trouvés, il est transféré au 36 de la rue des Morillons où il se trouve encore en 1995. Sa compétence territoriale s'étend à Paris et aux trois départements périphériques. Il emploie cinquante personne et reçoit quotidiennement la visite de trois cents à quatre cents personnes. La provenance des objets trouvés se répartit entre la R.A.T.P. (40 %), les aéroports de Paris et les taxis (36 %) et la voie publique (24 %). Une cinquantaine de travées d'une longueur de 12 mètres, comportant chacune sept cent soixante-dix casiers, accueillent les objets trouvés. Afin de remédier à l'encombrement, l'ordonnance de police du 23 juin 1969 a redéfini les délais de conservation : les objets d'une valeur au moins égale à 50 000 francs sont placés dans un magasin sous sécurité et peuvent être réclamés durant trois ans ; les fourrures, étoffes, gants, clés peuvent être réclamés durant trois mois seulement, les objets n'appartenant à aucune de ces deux catégories extrêmes pouvant être réclamés durant six mois. En 1990, quatre-vingt-quatorze mille objets non réclamés ont été vendus aux enchères dans les ventes domaniales et près de trente-cinq mille cinq cents ont été restitués à ceux qui les avaient perdus ou, à défaut, à ceux qui les avaient trouvés.

OCTROI

Taxe indirecte perçue à l'entrée de Paris sur des objets de consommation, l'octroi a longtemps constitué une des recettes essentielles de la municipalité. On a pu en remonter les origines jusqu'en 1121, jusqu'à l'acte par lequel Louis VI accordait à la corporation des marchands de l'eau le droit de prélever soixante sous par bateau de vin entrant dans Paris à l'époque des vendanges. En 1213, on constate l'existence d'un tarif de droits pour les marchandises pénétrant dans la capitale. Ces droits portent des noms divers : « congié », « tonlieu », « conduit », « chaucée », « rouage »… En 1337, Philippe VI autorise la Ville à établir un droit d'octroi sur les denrées de consommation locale afin de contribuer à la guerre contre l'Angleterre qui vient d'éclater : « Laquelle imposicion et assiette, aucune ville de nostre royaulme ne peut mettre ne assigner sur aucunes denrées ne marchandises sans nostre décret et aucthorité royale, si, comme à nous appartient, il nous est offert quatorze mille

livres tournois, et nous est supplié que nous veuillions *octroier* de nostre grâce spéciale l'imposicion et assiette dessus dicte et estre levée et cueillie sur toutes les denrées et marchandises qui seront vendues et achetées dans nostre dicte Ville de Paris… »

Cause d'enchérissement notable des denrées de consommation courante, l'octroi était extrêmement impopulaire et le premier soin des émeutiers, au début de juillet 1789, fut d'incendier les barrières d'octroi de l'enceinte des Fermiers-Généraux. L'Assemblée constituante abolit les droits d'octroi à compter du 1er mai 1791 par le décret des 19-25 février 1791. Mais les municipalités, privées de leur principale ressource fiscale, se trouvaient dans une situation catastrophique et, le 18 octobre 1798 (27 vendémiaire an VII), une loi du Directoire rétablissait un octroi « municipal et de bienfaisance » au bénéfice de la Ville de Paris. Sans cesse critiqué, objet permanent de propositions parlementaires tendant à sa suppression, l'octroi survit durant tout le XIXe siècle, car il est la principale source de revenus de la munipalité. En 1882, il engendre près de 150 millions de recettes, près de 60 % des revenus de la municipalité, pour des frais de perception inférieurs à 5 % destinés surtout à rémunérer environ deux mille cinq cents employés. La loi du 29 décembre 1897, promulguée sous la pression des viticulteurs, contraint les communes à abaisser les droits d'octroi sur les « boissons hygiéniques » (un euphémisme concernant principalement le vin), mais ne supprime pas l'octroi. Après la guerre de 1914-1918, les progrès de l'automobile, le prolongement des lignes de métro en banlieue, rendent de plus en plus difficile, vexatoire et aléatoire le contrôle et le paiement de l'octroi aux portes de la capitale. Mais il faudra l'occupation allemande en 1940 et les difficultés du ravitaillement pour que l'octroi soit aboli à Paris à dater du 1er août 1943. L'article 215 du décret du 9 décembre 1948 légalisera cette disparition à la date du 1er janvier 1949. Mais les spécialistes du ministère des Finances ne se résigneront pas à renoncer à pressurer le peuple au profit d'un État gaspilleur et irresponsable : ils inventeront la Taxe à la valeur ajoutée, la T.V.A., instrument discret mais redoutable qui permet au gouvernement de prélever environ 20 % sur tout ce qui se fabrique, se vend et se loue, y compris les compteurs de l'Électricité et du Gaz de France. Cette sournoise résurrection de l'octroi est à porter au crédit de Maurice Lauré qui bénéficia du soutien du ministre des Finances, Edgar Faure, lors du vote l'instituant, le 10 avril 1954.

• *Voir aussi* IMPÔT LOCAL.

ŒUF

Le commerce des œufs appartenait aux fruitiers sous l'Ancien Régime. On appelait coquetiers les marchands forains qui venaient vendre des œufs sur les marchés de la capitale. Jusqu'à l'apparition de moyens de réfrigération, au début du XXe siècle, l'approvisionnement de Paris se faisait à partir des régions voisines de Normandie, du Maine et du Perche, du pays chartrain, de Brie, de Picardie. Durant le dernier tiers du XIXe siècle, apparaissent les œufs du Sud-Ouest, d'Auvergne et de Bourgogne. Dans *L'Estomac de Paris*, A. Coffignon décrit le marché des œufs aux Halles en 1886 : « La provenance de ces œufs se reconnaît principalement à l'emballage ; ils arrivent dans des paniers ou des caisses de toutes sortes, depuis les mannes en osier jusqu'aux cercueils, longues caisses en bois blanc ayant réellement l'aspect d'une bière, dont se servent particulièrement les expéditeurs italiens […]. Les marchands, avant de prendre livraison de leurs achats, ont cependant soin d'en faire vérifier la qualité. Les œufs se vendent au mille ; on livrait autrefois mille quarante œufs aux acheteurs afin de compenser les déchets. Mais cet usage ayant été aboli par suite d'une convention passée entre les facteurs et leurs acheteurs, le vendeur de mille œufs fut dès lors tenu d'en livrer mille bons et marchands. Il fallut instituer des experts pour reconnaître la qualité de la marchandise et la préfecture de police créa un corps de compteurs-mireurs, embrigadés comme les forts. Ces ouvriers sont au nombre de quatre-vingts, une partie seulement travaille aux Halles ; l'autre se rend à domicile chez les fruitiers. C'est dans le sous-sol d'un pavillon qu'ils opèrent, le « mirage » demandant une complète obscurité pour être effectué. Ce sous-sol est lugubre à certains endroits ; il y fait nuit noire et les chandelles des compteurs-mireurs éclairant les files des cercueils accentuent encore cette sensation désagréable. Les compteurs mirent les œufs en regardant au travers la flamme de la chandelle placée en face d'eux. Dans le calcul des déchets, les œufs manquants, cassés, perdus et pourris, sont portés pour leur nombre ; les œufs tachés ou les gelés pour moitié. La tache, très facilement perceptible à la lueur d'une chandelle, est de bien des sortes et tient à plusieurs causes […]. Outre l'opération du mirage, les ouvriers-compteurs passaient, jusque dans ces derniers temps, les œufs à la "bague". Tous les œufs passant dans une bague ou un anneau de quatre centimètres de diamètre étaient réputés moyens et ne comptaient que pour deux tiers : les œufs petits étaient ceux passant dans un anneau de trois centimètres huit millimètres et ne comptaient que pour moitié. Les facteurs ont cru devoir supprimer la bague et un conflit très aigu a éclaté entre leur corporation et celle des marchands fruitiers. »

• *Voir aussi* FRUITIER.

OFFICIALITÉ

Tribunal ecclésiastique de l'évêque puis archevêque de Paris, l'officialité

est une juridiction de type spirituel, bien distincte du droit féodal de justice du même évêque en tant que seigneur temporel. L'officialité du diocèse de Paris siège au cloître Notre-Dame dans la maison canoniale de l'archidiacre qui la préside. Ce magistrat, dit official, exerce divers types de justice. Sa compétence criminelle couvre elle-même deux domaines : elle s'exerce sur les prêtres, clercs, moines en raison de leur statut ecclésiastique qui les protège des rigueurs de la justice royale ; elle concerne les délits commis dans les lieux saints, églises, cimetières, notamment. Elle est rendue aussi à titre civil, *ration materiae*, en fonction du délit : administration des biens de l'Église, affaires concernant fiançailles, mariages, bigamie, séparations, grossesses et naissances hors mariage… L'official exerce enfin une juridiction gracieuse, enregistrant les actes les plus divers qui lui sont soumis : contrats de vente, de location, de mariage, testaments, etc. C'est en s'inspirant de cette juridiction gracieuse de l'officialité que Louis IX créera en 1270 les notaires.
• *Voir aussi* NOTAIRE.

OISEAU, OISELIER

Les Parisiens éprouvaient une prédilection pour les oiseaux qu'ils gardaient chez eux dans de belles cages suspendues au plafond. Les « oiselets de chambre », comme on les nommait, étaient recherchés pour leur chant et les couleurs vives de leur plumage. Les principales espèces tenues en captivité étaient les linottes, étourneaux, pinsons, chardonnerets, rossignols, merles, alouettes ou calandres, papegays ou perroquets. Pigeons, tourterelles, colombes domestiques vivaient en liberté dans des pigeonniers ou colombiers. Les grands seigneurs possédaient des paons dans leurs hôtels et des oiseaux de proie pour la chasse.

Les rois de France entretenaient de vastes volières et Charles V poussait sa passion des oiseaux jusqu'à installer dans chaque chambre de l'hôtel Saint-Paul « une cage peinte en vert et treillissée de fil d'archal », le tout dominé par une grande cage octogonale destinée au « papegaut » (perroquet) du roi. A ces cages et à la volière s'ajoutait une basse-cour comprenant poules, coqs, pigeons, paons, chapons de Flandre…

Sous Louis XI, venu des Canaries et de Madère, le serin est introduit en France. Il est suivi au XVIe siècle par le dindon importé d'Amérique, la pintade de Guinée, la tadorne, variété de cane. A la même époque, on dresse l'étourneau à parler comme le perroquet. Pierre Belon écrit en 1555 :

Un estorneau se peult nourrir en cage,
Et s'il est masle, à parler on l'apprend.

En 1672, Colbert demande à l'ambassadeur de France au Danemark de lui envoyer une centaine de cygnes qu'on installe dans l'île Maquerelle rebaptisée île aux Cygnes. A la fin du XVIIe siècle, La Bruyère dénonce la manie des oiseaux : « Diphile commence par un oiseau et finit par mille, sa maison n'en est pas égayée, mais empestée. La cour, la salle, l'escalier, le vestibule, les chambres, le cabinet, tout est volière. Ce n'est plus un ramage, c'est un vacarme ; les vents d'automne et les eaux dans leurs plus grandes crues ne font pas un bruit si perçant et si aigu ; on ne s'entend pas plus parler les uns les autres que dans ces chambres où il faut attendre, pour faire le compliment d'entrée, que les chiens aient aboyé. Ce n'est plus pour Diphile un agréable amusement, c'est une affaire laborieuse et à laquelle à peine il peut suffire. Il passe les jours, ces jours qui échappent et qui ne reviennent plus, à verser des grains et à nettoyer des ordures. Il donne pension à un homme qui n'a point d'autre ministère que de siffler des serins au flageolet et de faire couver des canaries. Il est vrai que ce qu'il dépense d'un côté, il l'épargne de l'autre, car ses enfants sont sans maîtres et sans éducation. »

Cette charge ne paraît pas excessive quand on lit dans les *Mémoires* du duc de Luynes, à la date du 4 décembre 1757, à propos du duc de Gesvres : « Il avait beaucoup d'oiseaux de différentes espèces dans tous les lieux où il habitait. On en a vendu pour environ trois mille livres, somme fort considérable pour pareille marchandise, surtout la plupart n'étant pas des oiseaux fort rares. »

Bernardin de Saint-Pierre, rendant visite en juin 1772 à Jean-Jacques Rousseau, rue Plâtrière, note : « Sa femme était assise, occupée à coudre du linge, et un serin chantait dans sa cage accrochée au plafond. » Sébastien Mercier, dans son *Tableau de Paris*, confirme que la mode atteint les plus humbles : « Les tailleurs, les cordonniers, les ciseleurs, les brodeurs, les cordonniers, les couturières, tous les métiers sédentaires tiennent toujours quelque animal enfermé dans une cage, comme pour leur faire partager l'ennui de leur propre esclavage. »

Les oiseliers ou marchands d'oiseaux étaient installés à l'origine près de Notre-Dame, devant le portail de l'église Sainte-Geneviève-la-Petite. Ils n'étaient que cinq à la fin du XIIIe siècle. Ils déménagèrent, on ne sait quand et pourquoi, et s'installèrent sur le pont au Change, puis à la Vallée de Misère (partie de l'actuel quai de la Mégisserie). Désirant retrouver le pont au Change où ils étaient mieux abrités des intempéries, ils en firent la requête à Charles VI, qui leur accorda cette faveur en échange de la livraison de quatre cents oiseaux à chaque entrée royale dans Paris après le sacre. Cette ordonnance d'avril 1402 déplut aux changeurs et aux orfèvres qui occupaient le pont et n'appréciaient guère ce voisinage. Les rapports furent particulièrement mauvais entre 1573 et 1578. Le Parlement débouta orfèvres et changeurs et envoya, le 27 mai 1577, un huissier au pont au Change pour faire « ficher cloux et estaux ès-boutiques des orfèvres et changeurs, et y mettre les cages et oyseaux des supplians ». Le 4 mars 1578, le plus acharné des adversaires des oiseliers, l'orfèvre Fillacier, fut condamné à 10 écus d'amende et au versement de 20 écus de dommages et intérêts aux plaignants. Les trois corporations finirent par aboutir à un compromis et une partie des oiseliers, dont le nombre avait beaucoup crû, revint s'installer dans la Vallée de Misère. La corporation des oiseliers se réduisit progressivement et, lorsque l'édit d'août 1776 proclama la liberté d'exercice de cette profession, elle ne comptait plus que trente-six membres. Aujourd'hui encore, c'est à l'emplacement de la Vallée de Misère, quai de la Mégisserie, que se trouvent la plupart des animaleries et oiselleries de la capitale, un cas unique de stabilité géographique vieille de plus de six siècles.

• *Voir aussi* VOLIÈRE.

OISEAU SAUVAGE

Malgré la pollution et la présence de deux millions de bruyants prédateurs humains, les oiseaux n'ont jamais déserté le ciel de Paris. Les plus ordinaires sont les moineaux ou « pierrots ». Le moineau domestique, après avoir vécu durant des siècles du crottin riche en grains des chevaux, s'est rabattu sur de multiples sources de nourriture. On voit, par exemple, des nuées de ces passereaux se précipiter sur les trains à leur arrivée dans les gares afin de manger les débris d'insectes accumulés à l'avant des motrices. Les moineaux sont capables de toutes les audaces et envahissent le restaurant du personnel du Muséum ou le « restaurant rapide » installé en face du Centre Georges-Pompidou pour s'y repaître des miettes des repas. Beaucoup plus rare, le moineau friquet se cantonne dans les bois de Boulogne et de Vincennes et dans le cimetière du Père-Lachaise.

Le Centre ornithologique d'Île-de-

France et la Ligue française pour la protection des oiseaux ont recensé en 1993 plus de six cents nids d'hirondelles. Venue d'Afrique noire, l'hirondelle de fenêtre niche sur les bâtiments, élisant domicile sous les balcons ou au creux de motifs sculptés. Quant aux martinets noirs aux longues ailes en forme de lame de faux, c'est dans les anfractuosités des immeubles, dans les trous des murs, qu'ils installent leurs nids.

En 1989, à la suite d'une enquête du Centre ornithologique d'Île-de-France, il a pu être établi que Paris abritait entre vingt-cinq et trente couples de faucons crécerelle, installés en hauteur, sur la tour Saint-Jacques, l'église Saint-Sulpice, l'arc de triomphe de l'Étoile, la basilique du Sacré-Cœur, le dôme des Invalides, la tour Eiffel, Notre-Dame et le Petit Palais.

Sur la Seine, de l'automne au printemps, les mouettes rieuses glanent les déchets flottants. Les goélands les ont suivies dans les années 1970, s'alimentant dans les décharges à ciel ouvert. Au printemps de 1993, on a pu voir pour la première fois à Paris un goéland leucophée niché sur le toit du Printemps-Nation. Le long des berges du fleuve, on peut observer des canards colverts, des foulques macroules, la gallinule poule-d'eau, des bergeronnettes, parfois le martin-pêcheur et le chevalier guignette. Durant l'hiver 1950-1951, une colonie de vingt-sept grands cormorans avait élu domicile à Notre-Dame.

L'hôte le plus banal et le moins désiré du ciel parisien est le pigeon dont la fiente détériore gravement la pierre des bâtiments. Malgré une politique de capture et de déportation en province, l'effectif des pigeons bisets était de deux cent mille au début des années 1970. C'est alors que fut mise en place la distribution de graines contenant des substances contraceptives. Grâce à elles, le nombre des pigeons a pu être réduit à cinquante mille. Depuis 1979, une loi interdit de nourrir les pigeons sous peine d'une amende de 800 francs. Outre le pigeon biset, on trouve à Paris le pigeon ramier et le petit pigeon colombin.

Le Guide de la nature, Paris et banlieue énumère les nombreuses espèces d'oiseaux qui nichent dans les bois de Boulogne et de Vincennes ainsi qu'au Jardin des Plantes où le Parc écologique abrite même des bécasses des bois à certaines époques. Il existe aussi une réserve ornithologique au bois de Boulogne, où quarante espèces ont été recensées en 1992, dont le faisan de Colchide. Depuis 1988, la municipalité a installé plus de quatre cents nichoirs en béton de bois destinés aux oiseaux cavernicoles, mésanges charbonnière ou bleue, grimpereau des jardins et chouette hulotte.

OMNIBUS

C'est à Stanislas Baudry que l'on doit la création d'un réseau de transports en commun à Nantes en 1823, puis à Paris. L'ordonnance de police du 30 janvier 1828 autorise la mise en service de cent voitures omnibus sur dix-huit itinéraires. La course coûte 25 centimes, le même prix que les carrosses à 5 sols inventés par Pascal en 1662 et disparus en 1677. Ainsi, après un siècle et demi d'interruption, le transport en commun renaît-il dans la capitale. Le terme « omnibus » semble provenir de l'endroit où stationnaient à Nantes les voitures, devant le magasin d'un marchand de chapeaux nommé Omnes, qui avait pour enseigne « Omnes Omnibus ».

C'est sous le nom d'Entreprise des Omnibus que Baudry crée sa compagnie parisienne, installée rue de Lancry avec des ateliers quai de Jemmapes. Les premiers omnibus circulent le 11 avril 1828. Le succès est immédiat : plus de deux millions et demi de passagers durant les six premiers mois. Mais, en l'absence de contrôle sérieux, les agents de l'entreprise détournent les recettes et l'entreprise périclite au lieu de prospérer, ce qui pousse Baudry au suicide en février 1830.

Ses associés redressent l'entreprise qui est concurrencée dès septembre 1828 par la compagnie des Dames Blanches. En 1829 se créent les Tricycles, les Favorites, les Carolines, les Diligentes, les Béarnaises, les Citadines, les Écossaises, les Batignollaises. Les voitures circulent de sept heures du matin à sept heures du soir et transportent de douze à dix-huit passagers. La ligne des Boulevards, la plus utilisée, commence son service à huit heures et le termine à minuit. En 1835 sont créées les Hirondelles, les Parisiennes, les Algériennes, les Joséphines, les Sylphides ; en 1836, les Dames Françaises ; en 1838, les Constantines et les Gazelles. En 1840, paraît le premier plan du réseau, formé de vingt-trois lignes exploitées par treize compagnies et comportant cent soixante-sept correspondances. En 1845, sont créées les Excellentes qui rivalisent avec les neuf compagnies subsistantes. L'Entreprise des omnibus est la plus puissante et transporte la moitié des voyageurs.

Afin de mieux organiser la desserte de la ville, le préfet Haussmann contraint les dix entreprises à se regrouper au sein de l'Entreprise générale des omnibus, constituée le 19 juillet 1855, qui se transforme en Compagnie générale des omnibus (C.G.O.) et possède le monopole du transport en commun à Paris, navigation mise à part. L'annexion à Paris des communes périphériques situées à l'intérieur de l'enceinte de Thiers, le 1er janvier 1860, est l'occasion d'un nouveau traité avec la C.G.O. L'État lui accorde la concession du transport en commun jusqu'en 1910. Le réseau est alors constitué de trente et une lignes distinguées par des lettres de A à Z et de AB à AG. Les voitures sont améliorées et leur contenance portée de vingt-quatre à vingt-six places. L'Exposition universelle de 1867 met en évidence l'insuffisance des omnibus. En 1873, le tramway commence à se développer et évince peu à peu l'omnibus qui fait pourtant des efforts d'adaptation : des voitures à quarante places apparaissent en 1880, puis on revient en 1888-1889 à des véhicules plus légers à trente places. Ce sont ces modèles à deux chevaux et à impériale qui restent en service jusqu'en 1913, concurrencés victorieusement par les tramways, puis, à partir de 1906, par les « omnibus automobiles » ou autobus. Le 11 janvier 1913, les journalistes sont conviés à l'ultime voyage du dernier omnibus, sur la ligne Saint-Sulpice-La Villette.

• *Voir aussi* TRANSPORT (moyen de).

OPÉRA

L'opéra français est né du ballet de cour apparu à la cour des rois Valois et de l'opéra italien né à Florence vers la fin du XVIe siècle. C'est à la salle du Palais-Royal qu'est donnée la première représentation, le 28 février 1645, de *La Finta Pazza*, comédie attribuée à Marco Marazzoli. Plus célèbre est l'*Orfeo* de Luigi Rossi, représenté le 2 mars 1647 au Petit-Bourbon. Le théâtre du Marais, pour répondre aux désirs du public, propose des pièces de théâtre accompagnées de musique jouée et chantée, féeries amorçant l'opéra. La première pièce française connue entièrement mise en musique est *Le Triomphe de l'amour* de Beys et Laguerre, de 1655 ; elle sera suivie, en 1659, par la célèbre *Pastorale d'Issy* de Perrin et Cambert, d'abord jouée à Issy, chez M. de La Haye, puis devant le roi à Vincennes. C'est ce même Pierre Perrin, un Lyonnais, qui obtient, le 28 juin 1669, des lettres patentes qui constituent l'acte de naissance officiel de l'opéra à Paris : « Nous avons audit Perrin accordé et octroyé la permission d'établir en notre bonne ville de Paris et autres de notre royaume, des académies composées de tel nombre et qualité de personnes qu'il avisera, pour y représenter et chanter en public des "opéra" et représentations en musique et en vers français pareilles et semblables à celles d'Italie.» Comprenant les profits qu'il pouvait tirer d'un tel monopole, le cupide et intrigant Lully parvient à dépouiller Perrin et à se faire octroyer, par lettres patentes du 29 mars 1672, un nouveau privilège donnant à l'Académie de musique le titre de «royale» et interdisant de représenter sans l'accord du musicien florentin une pièce comportant plus de deux airs et de deux instruments. On ne retracera pas ici la longue histoire de l'opéra, genre musical dépassant largement le cadre parisien, mais on s'efforcera de recenser les diverses salles où l'opéra fut joué.

La première salle fut construite pour Perrin à l'emplacement du jeu de paume dit de la Bouteille, en face de la rue Guénégaud, sur le site de l'actuelle rue Jacques-Callot. Elle fut inaugurée le 4 mars 1671 avec *Pomone*, pastorale de Perrin et Robert Cambert. Lully ouvrit, le 15 novembre 1672, sa propre salle au jeu de paume de Bel-Air, rue de Vaugirard, à un endroit où se trouve aujourd'hui la rue de Médicis. Plus tard, profitant de la mort de Molière, il expulsa les Comédiens-Français de la salle du Palais-Royal, rue Saint-Honoré, et y donna, le 27 avril 1673, son opéra *Cadmus et Hermione*, avec un texte de Quinault. L'Opéra reste dans cette salle jusqu'à sa destruction par un incendie, le 6 avril 1763. En attendant sa reconstruction, les représentations sont données dans la salle des Tuileries située entre les pavillons de l'Horloge et de Marsan, du 24 janvier 1764 au 23 janvier 1770. Le 26 janvier 1770 est inaugurée la salle reconstruite de la rue Saint-Honoré. Elle est incendiée le 8 juin 1781 et la troupe doit se replier sur la salle des Menus-Plaisirs de la rue Bergère, où elle joue trois mois, durant lesquels on construit en hâte un nouveau théâtre à la porte Saint-Martin, inauguré le 27 octobre 1781. Le 7 août 1794, s'ouvre la salle Montansier de la

rue de Richelieu (dite alors de la Loi, à l'emplacement de l'actuel square Louvois). C'est à la porte de cet Opéra qu'est assassiné, le 13 février 1820, l'espoir de la dynastie, le duc de Berry, et Louis XVIII châtie le coupable édifice en le faisant raser. La troupe joue en 1820-1821 au Théâtre italien (salle Favart), du 15 mai au 15 juin 1821 à la salle Louvois (au 8 de la rue du même nom), puis, à partir du 16 août 1821, dans la salle de la rue Le Peletier, construite avec les matériaux de la salle Montansier. Cette salle Le Peletier disparaît dans l'incendie du 29 octobre 1873, alors que l'Opéra de Charles Garnier, décidé en 1860, n'est pas encore achevé. Du 19 janvier 1874 à la fin de cette année, la salle Ventadour (aujourd'hui succursale du Crédit Lyonnais, rue Ventadour) héberge la troupe de l'Opéra en alternance avec le Théâtre italien. Le 5 janvier 1875 est inaugurée la salle actuelle de la place de l'Opéra. On n'y joue plus que des ballets depuis l'inauguration, le 14 juillet 1989, de l'Opéra-Bastille, monstre voulu par le président de la République, François Mitterrand, où les jours de grève sont beaucoup plus fréquents que les représentations, et qui coûte aux contribuables des sommes pharamineuses justifiant ainsi l'appellation donnée primitivement d'Opéra «populaire», c'est-à-dire «payé par le peuple»!

• *Voir aussi* **BALLET** ; **COMÉDIE-FRANÇAISE** ; **THÉÂTRE**.

OPÉRA-COMIQUE

C'est sur les tréteaux des foires Saint-Germain et Saint-Laurent qu'est né l'Opéra-Comique, sous forme de parodies populaires des solennels et ennuyeux opéras de Lully et de Quinault. L'Opéra s'efforça d'interdire ces représentations bouffonnes, de même que la Comédie-Française, les forces de la tradition se liguant contre la critique et l'innovation. Pourtant, le privilège royal du 26 décembre 1714 finit par donner

OPÉRA-COMIQUE EN 1829

une existence légale à deux troupes, le «Nouvel Opéra-Comique de Baxter et Sorin» et le «Nouvel Opéra-Comique de Dominique». Les rivalités avec les Comédies française et italienne ne s'en poursuivent pas moins et l'Opéra-Comique connaît une existence difficile et à éclipses, le génie du librettiste Charles Simon Favart maintenant le succès de ce genre. En 1762, l'Opéra-Comique quitte enfin les tréteaux éphémères de la foire pour s'associer avec sa rivale, la Comédie-Italienne, et partager avec elle l'antique théâtre de l'hôtel de Bourgogne qui menace ruine. Sous le nom de Comédie-Italienne, l'Opéra-Comique y connaît un succès extraordinaire avec, notamment, les œuvres de Grétry. Les bénéfices permettent à société des artistes d'acquérir un rain situé sur les jardins de l'hôtel Choiseul (entre les rues Favart et M vaux et le futur boulevard des Itali et d'y faire édifier une salle de thé inaugurée le 28 avril 1783 et bie surnommée salle Favart. La Révolut ayant aboli les monopoles, de 178 1801, la salle Favart dut subir concurrence du théâtre Feydeau (rue Feydeau, sans rapport avec l'au de théâtre de la Belle Époque). deux troupes finissent par fusionne 1801 et s'installent au théâtre Feyd nommé théâtre de l'Opéra-Comiqu Comédie-Italienne demeurant salle vart. En 1826, la salle Feydeau é vétuste, la construction d'un nouveau théâtre est entreprise : la rue Neuve-Ventadour est en partie aménagée en place quadrangulaire au centre de laquelle est construite une salle dite salle Ventadour (aujourd'hui propriété du Crédit Lyonnais, située à l'ouest du passage Choiseul). Inaugurée le 20 avril 1829, la salle n'attire pas le public et, après quatre faillites, les artistes l'abandonnent en septembre 1832 pour se replier sur le petit théâtre des Nouveautés de la place de la Bourse. L'incendie, le 13 janvier 1838, de la salle Favart, fournit à l'Opéra-Comique l'occasion de revendiquer la reconstruction du théâtre à son profit, en évinçant la Comédie-Italienne. La seconde salle Favart est inaugurée le 16 mai 1840 au même endroit que la première, sa façade donnant non sur le boulevard mais sur la place des Italiens (baptisée Boieldieu en 1852). En 1876, la vétusté des installations est dénoncée et des travaux d'aménagement sont engagés en 1879. L'incendie du 25 mai 1887 fait un grand nombre de victimes et justifie les critiques émises par le député Steenackers le 12 mai précédent. La troupe continue à jouer dans l'ancienne salle du Théâtre-Lyrique, place du Châtelet, à partir du 15 octobre 1887. Après un bref séjour au théâtre du Château-d'Eau, du 26 octobre au 25 novembre 1898, elle se réinstalle, le 8 décembre de cette même année, dans la troisième salle Favart, au même endroit que les deux précédentes, tournant toujours le dos au boulevard des Italiens dont un immeuble de rapport la sépare. L'Opéra-Comique utilise toujours cette salle, mais a subi de graves vicissitudes financières qui lui ont valu d'être fermé le 30 avril 1972 et de n'être plus qu'une succursale épisodique de l'Opéra. En 1990, l'octroi de nouveaux statuts a permis une timide renaissance.

• *Voir aussi* **COMÉDIE-FRANÇAISE** ; **OPÉRA** ; **THÉÂTRE**.

ORDURES MÉNAGÈRES

Voir **NETTOIEMENT** ; **POUBELLE**.

ORFÈVRE, ORFÈVRERIE

Membres du groupe supérieur des Six-Corps, mentionnés en 1268 dans le *Livre des métiers*, les orfèvres ont joué un rôle important dans la vie économique parisienne. On en trouve déjà 116 dans le livre de la taille de 1292 et 253 dans celui de 1300. En 1625, ils sont 425, effectif trop élevé qui nuit à la prospérité de la profession, et ils décident de ne plus recevoir au brevet d'apprentissage que les fils des maîtres déjà en exercice afin de réduire progressivement la profession au chiffre régulier de trois cents membres qu'elle ne devra plus dépasser. L'apprentissage est très long : d'une durée de dix ans dans les statuts de 1268, il n'est plus que de huit ans au XVIe siècle. Beaucoup de provinciaux et d'étrangers viennent apprendre leur métier à Paris. On trouve une précieuse étude sur la condition des apprentis, compagnons et maîtres dans l'ouvrage de Michèle Bimbenet-Privat, *Les Orfèvres parisiens de la Renaissance (1506-1620)*.

Depuis 1275, un poinçon de garantie atteste la valeur du titre des objets d'orfèvrerie fabriqués, qui doit être de dix-huit carats (75 % d'or). Ce titre a été confirmé par la loi du 9 novembre 1798 (19 brumaire an VI) qui régit la profession depuis la fin de l'Ancien Régime. Ces poinçons ont été inventoriés par Henri Nocq jusqu'à la Révolution, par C. Arminjon, J. Beaupuis et M. Bilimoff pour les années 1798-1838 et M. Bimbenet-Privat a renouvelé l'étude de ceux du XVIe siècle.

A la fois artisans fabricants et commerçants, car ils vendent leur production, les orfèvres sont restés jusqu'à la Révolution groupés dans une puissante corporation dont la confrérie avait pour siège la chapelle Saint-Éloi de la rue des Deux-Portes dont on peut voir les vestiges au 8 de l'actuelle rue des Orfèvres. Elle voisinait avec la maison de la corporation (au 10), qui devint ensuite leur hospice, et une série d'autres immeubles acquis au XVIe siècle dans les rues Jean-Lantier et des Lavandières.

L'implantation géographique des orfèvres est d'une exceptionnelle cohérence et continuité. Michèle Bimbenet-Privat l'a remarquablement décrite : « C'est au cœur de la Cité, dans l'île, que l'orfèvrerie parisienne est née et s'est développée. Tout d'abord autour du prieuré Saint-Éloi, placé sous le vocable du patron des orfèvres où, dès le XIIIe siècle, les forges s'étaient massées. La "ceinture Saint-Éloi" était définie par la rue de la Barillerie à l'ouest, la rue de la Calandre au sud, la rue de la Vieille-Draperie au nord. Au XVIe siècle, ces établissements subsistent sporadiquement, mais les orfèvres délaissent petit à petit les ruelles de l'île pour des lieux plus avantageux : le Palais, siège du négoce de quelques privilégiés, le pont au Change où travaillent les hommes les plus en vue de la corporation et, au-delà du pont, la rive droite, nouveau terrain d'expansion des orfèvres au XVIe siècle, autour de la chapelle de la rue des Deux-Portes et des immeubles corporatifs des rues des Lavandières et Jean-Lantier. On peut s'étonner d'un si net regroupement topographique. Trois facteurs peuvent l'expliquer. Le premier est le poids de la tradition : depuis 1296, date de la construction du vieux pont de bois, et sans doute antérieurement, changeurs et orfèvres se sont côtoyés sur le pont au Change. Dans un métier où les dynasties ne sont pas rares, il n'est pas étonnant que les familles déplacent peu leurs forges et que, la population croissant, le pont au Change soit devenu le centre du métier. De tous temps, les orfèvres ont eu besoin d'eau pour exercer leur art, et la proximité de la Seine leur est précieuse. Le second facteur est à chercher dans la stricte réglementation à laquelle sont soumis les orfèvres, et que matérialise la Cour des monnaies. Or les généraux des Monnaies sont installés dès 1358 au Palais, dans des locaux contigus à la Chambre des comptes, et apprécient certainement d'avoir ainsi un coup d'œil aisé sur une profession qu'ils contrôlent. Le gardes du métier les encouragent sans doute à prolonger cette situation : ils n'ont aucune envie de s'essouffler à sillonner la capitale en tous sens, alors que leurs visites de contrôle se font à pied [...]. Un troisième facteur, plus positif, justifie l'installation des orfèvres le long de la rive droite de la Seine. En effet, alors que la rive gauche reste le quartier de l'Université, des écoles et des abbayes où la clientèle ecclésiastique, avec les troubles religieux, voit son pouvoir d'achat décroître, la rive droite en revanche est en pleine expansion, avec ses quartiers neufs, le Louvre en chantier, et la proximité de la Cour, grande cliente des orfèvres. »

A la veille de la Révolution de 1789, Sébastien Mercier, dan son *Tableau de Paris*, consacre un chapitre entier au quai des Orfèvres. Il écrit notamment : « On se mire, en passant sur ce quai, dans les beaux plats d'argent qui tapissent la boutique ; il y en a des oblongs, propres à recevoir le plus long des lièvres ; les larges et épaisses soupières au ventre ciselé surchargent les comptoirs ; les nécessaires, qui n'admettent point de vide, offrent leurs boîtes pleines et pesantes, très artistement fermées. » Il ajoute un peu plus loin : « Ce sont des femmes qui vendent l'orfèvrerie, qui la pèsent ; et comme la marchande a un superbe diamant au doigt, et une belle main, elle pèse plus légèrement, et distrait vos regards sur le mouvement des balances ; mais elle semble être la patronne de son sexe, tant elle parle en faveur des petits présents de noces ; elle détermine toujours le mari à des achats futiles, plus nombreux que ceux qu'il avait conçus. »

Après la Révolution, l'orfèvrerie déserte progressivement son berceau et ses plus opulents représentants voisinent avec les joailliers dès le second

Empire sur la place Vendôme et dans la rue de la Paix, où ils sont toujours.
• *Voir aussi* MAY ; SIX-CORPS.

ORGUE

Instrument mentionné dans la plupart des traités de musique dès le IXe siècle, l'orgue est largement représenté à Paris et la municipalité consacre actuellement 10 millions par an à la restauration des cent trente orgues lui appartenant, les différents cultes en assurant l'entretien. Il existe dans la capitale vingt-quatre associations d'amis de l'orgue parisien et dix-sept classes d'orgue, presque toutes financées par la Ville. En 1992, un ouvrage de synthèse, *Les Orgues de Paris*, contient notamment la nomenclature de tous ces orgues. Les facteurs d'orgues appartenaient, sous l'Ancien Régime, à la corporation des luthiers. Dès le XVe siècle sont connus comme restaurateurs de l'orgue de Notre-Dame Jean Chabencel et le Troyen Jean Robelin. Une dynastie de facteurs apparaît au XVIe siècle, les d'Argillières, dont sept membres sont attestés comme organiers entre 1557 et 1620. Une autre grande famille apparaît à la fin du XVIe siècle, les Languedeul, originaires de Flandre, concurrencés par la dynastie des Le Pescheur, celles des Carlier et des de Héman, également de souche flamande. Chez les organistes, émergent la dynastie des Regnault, qui règne sur l'orgue de Notre-Dame de 1515 à 1568, les Racquet, les Richard, les Chabanceau. De Louis XIV à la Révolution, deux grandes familles de facteurs ou organiers dominent la production et la restauration des orgues de Paris, les Clicquot et les Thierry. A la fin du XVIIe siècle, à la suite de longs procès, les organistes s'émancipent de la juridiction de la corporation des ménétriers ou joueurs d'instruments et quittent la confrérie de Saint-Julien-des-Ménétriers. Les places se transmettent au sein de la même famille : les Couperin règnent sur l'orgue de Saint-Gervais, les La Guerre à la Sainte-Chapelle, les Dandrieu à Saint-Barthélemy, les Thomin à Saint-Jacques-de-la-Boucherie, les Landrin aux Invalides, les Gigault à Saint-Nicolas-des-Champs, les Forqueray à Saint-Séverin, les Fouquet à Saint-Eustache, les Clérambault à Saint-Sulpice, etc. La célébration de nombreux offices fait du métier d'organiste une tâche très prenante mais qui leur permet parfois de faire fortune, surtout si l'on cumule plusieurs orgues et si on donne des leçons de musique et de clavecin. Au lendemain de l'Empire, le Conservatoire national de musique ouvre une classe d'orgue, confiée à François Benoist à qui succédera César Franck. La fabrication des orgues est dominée par la dynastie toulousaine des Cavaillé-Coll, les Parisiens Merklin, Daublaine, Callinet, Ducroquet-Barker, Suret, Stolz, produisant ensemble moins que leur concurrent du Midi. Au XXe siècle, on construit peu d'orgues et ils sont souvent jugés médiocres par les spécialistes.

ORIGINES LÉGENDAIRES DE PARIS

C'est l'historien du règne de Philippe Auguste, Rigord, moine à Saint-Denis, qui fabrique la légende de l'origine troyenne de Paris. En 895 avant le début de l'ère chrétienne, le duc Ibor, fuyant Troie prise et incendiée par les Grecs, serait arrivé avec vingt-trois mille Troyens sur les rives de la Seine. En s'établissant sur le site de la ville, ils auraient pris le nom de Parisiens, soit en souvenir de Pâris-Alexandre, fils de Priam, ravisseur d'Hélène, soit en référence au mot grec *parrhasia* qui signifie « audace ». Vers 376 après Jésus-Christ, un autre groupe de Troyens, devenus les Francs, seraient venus les rejoindre avec leur chef, le duc Marcomir, descendant du fils d'Hector, Francion, qui aurait donné son nom aux Francs. Pharamond, fils de Marcomir, aurait été le premier roi des Francs. A la fin du

XVe siècle, la légende fut simplifiée par Foresti, dit Jacques Philippe de Bergame, qui, reprenant une chronique du siècle précédent, le *Fasciculus temporum*, fait de Pâris-Alexandre le fondateur de la ville après son départ de Troie en compagnie d'Énée et de Francion. A la même époque, Olivier de La Marche raconte qu'à son arrivée, Francion trouva une ville, Lutèce, déjà vieille de cinq cents ans, et qu'il changea son nom en Paris. Un dominicain italien, Giovanni Nanni, dit Annius de Viterbe, publie, en 1498, de prétendus extraits d'auteurs du IIIe siècle de l'ère chrétienne, Bérose de Babylone et Manéthon d'Égypte, corroborant cette thèse. Jean Le Maire de Belges, dans ses *Illustrations de Gaule et singularitez de Troye*, situe la fondation de Paris avant celle de Troie, puisqu'un roi nommé Pâris régnait sur Lutèce au temps du pharaon Aménophis, et qu'avant lui, à l'époque du roi assyrien Belochus, régnait un autre roi nommé Lucus qui aurait légué son nom à Lutèce. L'abbé Jean Le Fèvre, dans *Les Fleurs et Antiquitez des Gaules*, parues en 1532, écrit que la nation franque s'est reconstituée avec Francus, fils d'Hector, mais que ses origines remontent beaucoup plus loin, à Samothès, fils de Japhet et petit-fils de Noé, fondateur du royaume des Francs en 2094 avant Jésus-Christ, trente-sept après la venue de Noé en ces lieux et cent sept ans avant le déluge. Gilles Corrozet reprend ces fables et les amplifie. Paris aurait été fondé soixante-dix ans avant Troie, neuf ans après le déluge, quatre cent quatre-vingt-dix-huit ans avant Rome. Il reprend l'hypothèse de Baptiste le Mantouan dans la *Vita Sancti Dionysii* («Vie de saint Denys») publiée en 1513, pour qui les Parisiens étaient les Parrhasiens, habitants de Parrhasia, cité d'Arcadie, et compagnons d'Héraclès-Hercule. Le héros grec aurait fondé Paris et y aurait laissé ses compagnons lors de sa quête du royaume des Hespérides. A ce mythe d'Hercule, Corrozet ajoute une hypothèse étymologique : la région de Paris serait voisine du temple de la déesse égyptienne Isis ; Yseos serait Melun, construite dans une île comme Paris, dont le nom dériverait aussi d'Isis. D'autres, enfin, comme André Thevet, font venir le nom de Lutèce du grec «leuko», «blanc», qu'ils justifient par la blancheur des édifices de la ville.

• *Voir aussi* LÉGENDE.

ORME

Arbre symbolique, au Moyen Âge emblème de la haute justice, l'orme était fréquent en Île-de-France. L'historien Jaillot rappelle en 1775 que c'était un usage ancien d'en planter devant les églises et les maisons des seigneurs. Sous sa ramure se réunissaient les juges et les paroissiens, à la sortie de l'office. Paulin Paris note qu'au XIVe siècle il y avait un orme à chacune des quatre principales portes de Paris et qu'ils pouvaient occasionnellement servir de potence. Un vieux dicton, «Attendez-moi sous l'orme», était employé ironiquement pour les avocats de petites causes, contraints de recevoir leurs clients en plein air, ainsi que pour les gens qu'on voulait mystifier. C'était, en quelque sorte, l'équivalent de : «Tu peux toujours attendre !» Dans la *Farce de maître Pathelin*, la femme de l'avocat berné lui lance :

Maintenant chacun vous appelle
Partout, advocat dessoubz l'orme.

Il était aussi de tradition de planter des ormes à proximité des hôpitaux, notamment à l'Hôtel-Dieu et à l'hôpital Saint-Louis. Une dizaine de voies parisiennes portaient le nom de quai ou de rue de l'Orme, des Ormes, des Ormeaux. Depuis le milieu du XVIe siècle, la plantation de cette espèce d'arbre était encouragée par le roi qui en utilisait le bois pour la fabrication des affûts de son artillerie. Bien connus sont l'orme de la justice de l'abbaye de Saint-Germain-des-Prés à Vaugirard et celui de la cour des sourds-muets, rue Saint-Jacques, le plus bel orme de France et peut-être d'Europe selon le *Moniteur* en 1855. Mais le plus célèbre est l'orme qui s'élève devant le portail de l'église Saint-Gervais-Saint-Protais. Il figure comme repère topographique sur la plupart des anciens plans de Paris et se trouve attesté dès 1300 dans le *Dit des rues de Paris*. Blason parlant de la paroisse, il faisait l'objet de soins attentifs : la fabrique consacrait chaque année trois livres à son entretien. Car l'arbre était menacé par «les malades qui venoient de loin l'écorcer nuitamment pour se faire des infusions réputées pour guérir les fièvres et autres maux». Replanté à plusieurs reprises, l'orme est toujours là, un peu chétif en comparaison de ses illustres prédécesseurs.

• *Voir aussi* **ARBRE**.

ORPHELIN
Voir **ENFANT ASSISTÉ**.

OUBLIE
A base de farine de qualité supérieure mélangée à de l'eau, du vin, parfois des œufs, cuite entre deux fers ronds, l'oublie est un gâteau très mince à l'origine, évoquant l'hostie dont elle dérive : le mot latin *oblata* («offrande») d'où est issu le français «oublie» ne servait-il pas à désigner l'hostie ? L'oublie est intimement liée à la fête, car sa fabrication accompagne toute réjouissance importante. Elle est mentionnée pour la première fois en langue française dans les *Crieries de Paris* de Guillaume de la Villeneuve au XIIIᵉ siècle, avec ce cri du vendeur ambulant : «Chaudes oublées renforcies.» Les oublies sont fabriquées par les oublayeurs ou oublieurs. Le registre de la taille de 1292 en mentionne vingt-neuf dont «l'oubloier du roi», rue du Marché-Palu. Les premiers statuts des oublieurs datent de 1270. Ceux de 1397 précisent que, pour accéder à la maîtrise, il faut être capable de fabri-

quer dans une journée cinq cents grandes oublies, deux cents supplications et deux cents esterels ou estriers. Les supplications sont vraisemblablement des gaufres et les estriers des oublies roulées en cornets, plus tard nommées «plaisirs» ou «métiers». La composition de l'oublie figure en 1818 dans *La Pâtisserie de la campagne et de la ville* : 5,6 kilogrammes de farine, 1,2 kilogrammes de mélasse, 0,3 kilogramme de beurre, le tout détrempé à l'eau. Étant aussi fabricants d'hosties, les oublieurs sont rigoureusement surveillés et leurs ouvriers doivent mener une vie irréprochable. Les statuts de 1270 sont très clairs : «ne doivent en tenir ouvrier nul pour qu'ils sachent qu'il soit houillier» (l'houillier est un homme qui fréquente les lieux de prostitution, soit comme client, soit comme souteneur). Au XVᵉ siècle, les oublieurs se fondent progressivement dans la corporation des pâtissiers et les nouveaux statuts de 1566 ne mentionnent plus qu'une unique jurande. Cette disparition de l'oublieur a deux causes. La première est la concurrence du pain d'épice au XVᵉ siècle qui relègue l'oublie au second plan comme pâtisserie cérémonielle et friandise délectable. La seconde est l'hostilité croissante des prêtres à la fabrication d'hosties par des laïcs et le remplacement progressif des oublieurs dans cette tâche par les religieuses cloîtrées. Le statut religieux de l'oublie se perpétue cependant jusqu'au XVIIIᵉ siècle : vendeurs et acheteurs restent exclusivement du sexe masculin. Les oublies ne pouvaient s'acheter, mais se jouaient aux dés, le client misant pour entrer dans le jeu et le vendeur jetant les dés sur le dessus du corbillon. Lorsque le corbillon tout entier était mis en jeu, l'oublieur devait chanter une chanson :

Oublie, oublie, hoye à bon prix
Pour les grands et les petits
Des dés charmeront le billon
Je n'y lairrai mon corbillon
Mais je chanterai la chanson.

Au XVIIIe siècle, devenue trop fade pour des palais habitués au sucre arrivant en abondance des îles d'Amérique, l'oublie disparaît progressivement, supplantée par le plaisir. On trouve une remarquable étude sur l'oublie, en 1993, dans la revue *Ethnologie française*, due à Rolande Bonnain.

• *Voir aussi* PAIN D'ÉPICE ; PÂTISSIER ; PLAISIR.

PAIN

Jusqu'au milieu du XIXᵉ siècle, le pain forma la base de l'alimentation des classes populaires et les gouvernements surveillèrent de très près l'approvisionnement en grains et farines de la capitale pour éviter les émeutes qu'aurait pu provoquer une hausse trop forte du prix de cette denrée de base, la taxant fréquemment, subventionnant les boulangers lorsque cela s'avérait nécessaire.

Les différentes sortes de pain ne commencèrent à être distinguées que vers 1350, en fonction de la blancheur ou du goût. Il y avait le pain de Chailli (de Chilly-Mazarin aujourd'hui), le plus blanc, le meilleur ; le pain coquillé, dont la croûte formait de nombreuses boursouflures, appelé en 1659 pain de ménage et devenu le pain bourgeois ; le pain bis, mélange de farine blanche et de gruau. Le prix était le même pour tous, mais le poids variait du simple au double. L'ordonnance de juillet 1372 donna au pain bis le nom de pain faitis ou pain de brode. Une quatrième variété de pain fut ensuite inventée, dont la pâte était affermie et broyée avec tant de vigueur que les bras des boulangers n'y suffisaient pas et qu'ils le travaillaient avec leurs pieds, préalablement lavés à l'eau chaude. Il fut nommé pain de chapitre, et aussi pain

« choine » ou « choesne » (« de chanoine ») parce que c'était le boulanger du chapitre de chanoines de la cathédrale Notre-Dame qui l'avait élaboré.

Outre ces quatre catégories principales, il y avait un grand nombre d'autres variétés de pains. En voici quelques-unes, toutes antérieures au XIXᵉ siècle : pain ballé (contenant encore la balle, enveloppe du grain), pain de bouche ou de courtisan (proche du pain de chapitre), pain de brasse (grossier et destiné aux domestiques), pain de chaland (très blanc et de bonne qualité, venant des environs de Paris à l'exception de Gonesse), pain chapelé (dont la plus grosse croûte a été grattée), pain de citrouille (mêlé avec un peu de citrouille cuite pour le rendre rafraîchissant), pain de condition (pain mollet), pain de deux couleurs (alternant couche de froment et couche de seigne), pain de disette (pain d'orge), pain à la duchesse (pain mollet), pain d'espiotte (variété de pain de seigle), pain d'esprit (pain mollet), pain d'étrennes (offert au curé par les paroissiens aux alentours de Noël), pain de festin (dans la composition duquel entrait du lait, doré par-dessus avec des œufs et cuit à four ouvert), pain à la Fronde (synonyme de pain de Paris), pain grison (de gruau), pain halligourde (comprenant beaucoup de gruau), pain à la

Joyeuse (pain à la mode au moment du mariage du duc de Joyeuse en 1581), pain à la maréchale (pain à la Montauron), pain à la mode (pain mollet), pain mollet (pain de luxe, connu successivement dans ses variantes sous le nom de pain blême, à café, de condition, cornu, à la duchesse, d'esprit, à la mode, à la Montauron, de mouton, à la reine, de Ségovie, etc.), à la Montauron ou à la maréchale (pain mollet au beurre devant son nom au financier à qui Corneille dédia *Cinna*), moussaut (variété de pain de gruau), mouton (mollet dont la croûte était saupoudrée de grains de blé), de munition (destiné aux militaires), pain d'orge ou de disette (le plus grossier des pains), pain paget (du nom du financier Paget qui remplaça Montauron à la ruine de ce dernier), pain de Paris (ou grand pain bourgeois), pain plat (pain blanc valant un denier), pain de pote (pain de luxe dont le prix était laissé à la discrétion du boulanger), pain à la reine (pain de luxe que Marie de Médicis aurait mis à la mode), pain rousset (à base de méteil), pain du Saint-Esprit (donné aux pauvres durant la semaine de Pentecôte), pain de Ségovie (pain mollet).

D'autres appellations étaient liées à la forme ou aux défauts du pain : pain aliz (fait avec des restes de pâtes), pain ars ou eschaudé (trop cuit), pain artichaut (à plusieurs cornes), pain broyé (fabriqué seulement pour le chef-d'œuvre exigé des compagnons boulangers pour accéder à la maîtrise), pain cornu (à quatre cornes), pain ferré (brûlé par en dessous), pain meschevé (vendu à un prix inférieur à celui qui était fixé pour son poids), pain mestourné (pain trop petit), pain raté («que rat ou souris ont entamé», est-il écrit dans le *Livre des métiers* de 1268), pain reboutis (pain défectueux dont la vente est interdite), pain tortillé (de forme tortillée), pain de tranchoir ou tailloir (tranche de pain bis de forme ronde tenant lieu d'assiette, sur laquelle on posait la nourriture jusqu'au début du XVIIe siècle).

Enfin, certains noms faisaient référence au lieu de panification : pain de Chailli ou Chilly déjà cité, pain de Corbeil, pain de Gentilly (fait au beurre), pain de Gonesse (très recherché, considéré jusqu'en 1789 comme le meilleur pain), pain de Melun (aussi très apprécié), pain de Saint-Brice. Il existait encore une foule d'autres dénominations éphémères ou secondaires qu'il est impossible de citer ici. On distinguait aussi le pain de boulanger du pain de cuisson (qui était cuit à domicile par les particuliers), le gros pain du petit pain, les boulangers des faubourgs et de la banlieue n'ayant le droit de cuire que du gros pain débité au poids et non à la pièce.

Vers 1600, les boulangers remirent en usage la levure de bière dans la fabrication du pain. Puis, ils rendirent leur pain plus tendre, plus mollet en y mêlant du lait. L'emploi de la levure engendra une série de procès, certains la jugeant nuisible à la santé. L'arrêt du 21 mars 1670 autorisa définitivement son emploi.

On sait peu de chose sur la quantité de pain consommée. Certains historiens calculent que le pain entrait pour 60 % dans le budget des familles des classes populaires jusqu'à la fin du règne de Louis XIV. Mais, à la veille de la Révolution, se fondant sur une estimation de Lavoisier, certains historiens déclarent que sa part a très fortement diminué. Jean Chagniot écrit dans *Paris au XVIIIe siècle* (pages 273-274) : «Sous réserves d'imperceptibles rectifications, les Parisiens dépensent à l'époque de Lavoisier près de deux fois plus d'argent pour acheter de la viande que pour se procurer du pain. Ce dernier ne représente plus guère en moyenne que 13,3 % de leur budget alimentaire, alors que le rapport s'élève à 43,8 % dans les foyers des canuts lyonnais, 365 livres sur 834 livres 5 sous, si l'on en croit le bilan justement fameux que les maîtres fabricants en soie ont adressé en 1780 à Necker et au consulat de Lyon. Voilà peut-être un privilège essentiel de la capitale. Il ne fait pas de doute qu'un pain de bonne qualité y demeure la nourriture à peu près exclusive de quelques dizaines de milliers de pauvres. »

Et de citer le lieutenant général de police Jean Lenoir, en fonction de 1776 à 1785, qui écrit : « La consommation en viandes de boucherie n'était pas à Paris en proportion de celle des farines ; une grande partie du peuple s'y nourrissait uniquement de pain, de légumes et de fromages. » On trouve dans *Les Consommations de Paris* d'Armand Husson de savantes évaluations de la consommation et du prix du pain à diverses époques. Si la consommation n'a cessé de croître jusqu'au début du XXᵉ siècle, la part du pain dans les budgets familiaux n'a cessé de décliner. Les chemins de fer ont rendu l'approvisionnement de la capitale sûr, rapide et à bas prix et les disettes ont disparu en même temps que s'élevait le niveau de vie des populations. Dans la seconde moitié du XXᵉ siècle, le pain n'est plus sur la table et pour la bourse du Parisien qu'un élément négligeable.

• *Voir aussi* BOULANGER ; PAIN D'ÉPICE.

PAIN D'ÉPICE

Présent comme liant dans la cuisine allemande au XVᵉ siècle, le pain d'épice est encore ignoré à cette époque dans les traités culinaires français. Mais, si les statuts des pain-d'épiciers ne datent que de février 1596, leur existence est attestée dès la fin du XVᵉ siècle : un arrêt du Parlement ordonne en 1508 que l'inspection des pains d'épice soit faite conjointement par deux pain-d'épiciers, deux pâtissiers-oubloyers et un boulanger, « comme il se faisoit dans les temps anciens ». Placés sous le patronage de saint Claude, les pain-d'épiciers ne seront jamais plus d'une vingtaine. Dans son *Traité de la police*, Delamare mentionne en 1705 que les marchands d'oublies ont été évincés par les pain-d'épiciers dans le commerce alimentaire lors des commémorations religieuses : « Anciennement, les jours de Pardon ou de grand concours, les pâtissiers vendaient des gaufres aux portes des églises […]. Il y a longtemps que l'indécence, le scandale et l'incommodité de cet usage l'ont fait cesser. Les pain-d'épiciers, bien plus à propos, ont pris la place des pâtissiers ces jours-là et ils font exposer en vente leur pain d'épice. » De cette tradition subsiste la foire Saint-Antoine, tenue primitivement devant l'abbaye, devenue aujourd'hui la foire du Trône, avec son cochon en pain d'épice. Fabriqué avec de la farine de seigle, du miel, des épices, de l'écorce d'orange, le pain d'épice séduisait par son origine étrangère, son goût très marqué et la facilité de sa conservation. Il était fabriqué en forme de pavé débité à la demande, en couronne, en cœur, en nonnette.

• *Voir aussi* BOULANGER ; FOIRE ; OUBLIE ; PÂTISSIER.

PAN COUPÉ
Voir ANGLE (immeuble d').

PAN DE BOIS

Le *Dictionnaire de voirie* (1782) de Perrot définit ainsi le pan de bois : « Le pan de bois est un assemblage de charpente qui sert de mur de face à un bâtiment ; on le fait de plusieurs manières, parmi lesquelles la plus ordinaire est de sablières, de poteaux à plomb, et d'autres inclinés et posés en décharge. Les panneaux des uns et des autres sont remplis, ou de brique, ou de maçonnerie enduite d'après les poteaux, ou recouverte et lambrissée sur un lattis. On appelloit autrefois les pans de bois, Cloisonnages et Colombages. » Paris est la seule ville de France où les colombages soient prohibés. Cette interdiction, sans doute liée à la crainte des incendies, remonte au XVIᵉ siècle : l'arrêt du 16 juin 1554, qui oblige les propriétaires à abattre les saillies sur rue, prescrit qu'elles ne pourront « être refaites, ni pareillement les maisons qui sont sur rues, d'autres matières que de pierre de taille, brique, ou maçonnerie de moëllon ou pierre». En 1569, l'élargissement de la rue de la Juiverie n'est autorisé que sous la condition que les façades auraient «face de pierre ou moïlon, et non pan de bois». L'ordonnance de police du 22 septembre 1600 défend à nouveau aux ouvriers de réédifier les pans de bois existants, «ne faire ouvrages qui les puissent conforter, conserver ou soutenir». Le grand édit de décembre 1607 interdit formellement de faire des pans de bois aux bâtiments neufs. Le renouvellement fréquent de cette interdiction signifie qu'elle n'était guère respectée. Ainsi, l'ordonnance du Bureau des finances du 18 août 1667 prescrit-elle une visite générale des pans de bois édifiés depuis deux ans et exige des propriétaires «de faire couvrir à l'avenir les pans de bois de lattes, clous et plâtre, tant en dedans que dehors, en telle manière qu'ils soient en état de pouvoir résister au feu». Bien d'autres règlements postérieurs tolèrent les pans de bois à condition qu'ils soient protégés de l'incendie par du plâtre et qu'ils présentent des garanties de solidité. C'est le cas des règlements du maître général des Bâtiments civils des 1er juillet 1712 et 28 avril 1719 qui enjoignent «de mettre des clous de charrettes, de bateaux, et chevilles de fer, en quantité et enfoncés suffisamment pour soutenir les entablements, plinthes-corps, avant-corps, et autres saillies». Le souci de sécurité explique que la déclaration du roi du 10 avril 1783 limite, dans son article 5, la hauteur des maisons à pans de bois à 48 pieds (15,60 mètres). La prohibition des pans de bois à Paris a été maintenue par la législation révolutionnaire et du XIXe siècle, sauf dérogation expresse accordée par l'Administration.

• *Voir aussi* ALIGNEMENT ; PIERRE ; SAILLIE.

PANORAMA

Attraction typique du XIXe siècle, le panorama a été inventé par le peintre écossais Robert Barker en 1787. C'est une peinture circulaire exposée de façon que l'œil du spectateur, placé au centre et embrassant tout son horizon, ne rencontre que le tableau qui l'enveloppe. Ce tableau est abrité dans une rotonde à toit conique. On trouve une description détaillée des divers types de bâtisses par Germain Bapst dans son *Essai sur l'histoire des panoramas et des dioramas*. Le premier panorama fut ouvert par Barker à Londres en 1792. L'Américain Robert Fulton prit en 1799 un brevet d'importation en France qu'il céda à James Thayer. Celui-ci fit construire deux coupoles, boulevard Montmartre, à l'entrée du passage dit depuis des Panoramas, où furent exposés à partir de juin 1800 deux panoramas représentant une *Vue de Paris* prise du dôme des Tuileries et *L'Évacuation de Toulon par les Anglais* en 1793, hommage au Premier consul. Les panoramas eurent tout de suite un succès colossal. David amena ses élèves les voir et leur dit : «Vraiment, Messieurs, c'est ici qu'il faut venir pour étudier la nature.» Dès 1807, Thayer, associé au peintre Pierre Prévost, fit construire un nouveau panorama entre le boulevard des Capucines et la rue Neuve-Saint-Augustin, où l'on exposa *L'Entrevue de Tilsitt*, nouvel hommage à Napoléon. Les vues se succédèrent et Prévost se rendit à Jérusalem, Athènes, Constantinople pour peindre ces cités. En 1827, Pierre Alaux fit édifier une rotonde dans la rue Saint-Fiacre. Dans son Neorama, il exposait surtout des vues d'intérieurs d'églises ou de palais qui n'eurent qu'un succès limité. En 1823, Jacques Daguerre, associé au peintre Charles-Marie Bouton, crée le premier diorama, éclairant le tableau de diverses façons et appliquant les procédés de décomposition de la lumière. Ils ouvrent, le 11 juillet 1823, leur diorama de la rue Sanson (de la Douane), exposant les tableaux deux par deux. Vers 1831, resté seul, Daguerre inaugure les dioramas à double effet, ceux où le spectacle se modifie sous les yeux du spectateur, grâce à une lumière mobile frappant successivement les deux faces peintes de la toile. La rotonde de la rue Sanson fut détruite par un incendie en 1839 et Daguerre se consacra alors à son procédé photographique, le daguerréotype. Vers 1829, le polytechnicien et peintre Jean-Charles Langlois améliora la technique du panorama dans la rotonde qu'il avait fait édifier dans la rue du Marais-du-Temple, qui présenta ses œuvres, jusqu'en 1835. En 1839, au carré Marigny des Champs-Élysées, l'architecte Hittorff a construit une autre rotonde, inaugurée avec *L'Incendie de Moscou* en 1812. Annexé à l'Exposition universelle de 1855, ce bâtiment fut relayé par une nouvelle rotonde, à l'angle de l'avenue des Champs-Élysées et de l'avenue d'Antin (F.-D.-Roosevelt) où furent exposées *La Prise de Sébastopol* et *La Bataille de Solférino* de Langlois. En 1873, on y exposa *Le Bombardement du fort d'Issy* durant le siège de Paris. La Société française des Grands Panoramas, détentrice de l'établissement des Champs-Élysées, le seul qui subsistait alors, émit des actions à la Bourse et fit construire entre 1880 et 1882 deux nouveaux panoramas, rue Saint-Honoré et au carré Marigny. Un «Panorama-National», dû à une initiative concurrente, avait aussi vu le jour en 1880, rue René-Boulanger, mais il disparut dès 1892 pour laisser la place à la Bourse du Travail. En 1882, place d'Austerlitz, c'est un panorama exposant *La Prise de la Bastille* qui est présenté. Il est transféré en 1885 dans une nouvelle rotonde élevée place Mazas. Un autre établissement s'est ouvert en mai 1882, rue de Berri, avec des scènes de bataille dues aux célèbres peintres Édouard Detaille et Alphonse de Neuville. La vogue du panorama connaît son apogée avec l'Exposition universelle de 1889 qui offre sept panoramas au public,

dont un *Panorama de l'histoire du siècle,* présentant les célébrités du siècle expirant par petits groupes assortis, dernier avatar artistique de ce genre pictural, qui eut un succès énorme, de même que *La Bataille de Rezonville* de Detaille et de Neuville du panorama de la rue de Berri. En 1892, l'établissement des Champs-Élysées connut aussi une immense affluence avec *Le Vengeur,* bataille navale de 1795, dont le réalisme subjuguait les visiteurs installés sur une plate-forme identique à un des bricks qui y avait pris part et animée par une installation hydraulique ingénieuse d'un roulis et d'un tangage qui donnaient l'illusion presque parfaite d'être en mer et de prendre part au combat. Avec l'Exposition de 1900, les panoramas traditionnels vivent leurs derniers jours, concurrencés par le Photorama des frères Lumière, le Cinéorama de R. Grimoin-Sanson et le Stereorama d'Hugo d'Alesi. La Société des wagons-lits présente deux Pleorama ou panoramas mobiles, *Le Transsibérien* et un *Mareorama* où le visiteur a l'illusion de faire une croisière en Méditerranée. Mais le cinéma est déjà là et signe l'arrêt de mort des panoramas qui disparaissent au lendemain de l'Exposition. La Géode de La Villette a repris, avec les méthodes les plus modernes, cette immersion totale dans le paysage que constituait le panorama. Depuis 1980, l'étude des panoramas a pris un essor surprenant. Au livre de Bernard Comment, *Le XIXe Siècle des panoramas* (1993), il faut ajouter deux remarquables ouvrages en allemand, *Das Panorama. Die Geschichte eines Massenmediums* (1980) de Stephan Ottermann, *Sehnsucht. Das Panorama als Massenunterhaltung des 19. Jahrhunderts* (1993) et une synthèse en anglais, *The Panorama phenomenon. Mesdag panorama, 1881-1981* (1981). Il existe une International Panorama and Diorama Society qui fait paraître depuis 1985 une *Newsletter.*

PAPIER PEINT

C'est au XVe siècle que le papier peint débute obscurément. Il est fabriqué et vendu par une corporation dont les premiers statuts datent de 1540, celle des cartiers-feuilletiers-maîtres dominotiers-imprimeurs d'histoires. C'est à l'imitation des indiennes, tissus de coton, que le papier peint se développe à la fin du XVIIe siècle et Savary Des Bruslons note dans son *Dictionnaire de commerce*, terminé vers 1713 et publié dix ans plus tard : «C'est aussi un ouvrage de dominoterie que cette espèce de tapisserie sur papier, qui n'avait longtemps servi qu'aux gens de la campagne et au petit peuple de Paris, pour orner et, pour ainsi dire, tapisser quelques endroits de leurs cabanes, et de leurs boutiques et chambres.» Deux graveurs sur bois se distinguent dans cette fabrication, Jean et Jean-Michel Papillon. Jean-Baptiste Réveillon donne à l'industrie parisienne du papier peint une extension considérable dans sa manufacture de la rue de Montreuil, au faubourg Saint-Antoine, qui occupe plus de trois cents ouvriers à son apogée. Jacquemart et Bénard rachètent son affaire en 1791. Au XIXe siècle, la tradition du papier peint se poursuit au faubourg Saint-Antoine avec notamment Dauptain (rue Saint-Bernard), Delicourt (rue de Charenton), Dufour et Leroy (rue Beauvau), Lapeyre (rue de Charenton), Dumas (rue de Reuilly), Turquetil (rue de Charonne), ·Follot (boulevard Diderot). Vers 1860, on dénombre à Paris cent trente fabriques employant quatre mille cinq cents ouvriers. Les progrès du machinisme font tomber les effectifs à trois mille dès 1900, répartis entre vingt-cinq entreprises. La faiblesse de la création artistique, la dégradation des modèles offerts au public ont entraîné une certaine désaffection de la clientèle et, un siècle plus tard, on peut reprendre ce jugement d'Henri Nocq paru dans le *Journal des artistes* du 3 mars 1895 : «Il y a chez nous un certain nombre d'hommes de talent qui suffiraient à alimenter de modèles toutes nos fabriques de papiers peints. La plupart des industriels n'y songent pas, ou redoutent l'habitude du public, et ils renoncent à des combinaison nouvelles par crainte de la routine. Ils se trompent.»

PAPILLON

Il n'est pas fréquent de voir un papillon voleter dans les rues de Paris, mais ce n'est pas impossible. Avec un peu d'attention, on peut observer plusieurs espèces de lépidoptères diurnes ou nocturnes, surtout dans les parcs, jardins, squares et cimetières, à proximité des fleurs qu'ils butinent. Les talus en voie de disparition de la ligne de chemin de fer de petite ceinture attirent de nombreux papillons, car ils portent des végétaux qu'ils apprécient comme l'ortie ou le buddléia, arbuste surnommé « arbre à papillons ». Mais il est bien plus facile de se rendre au bois de Vincennes où, dans le parc floral, a été créé en mai 1989 un Jardin des Papillons. On y cultive spécialement des plantes destinées à la nourriture des chenilles afin d'assurer la reproduction sur place des papillons. Les principales espèces d'Île-de-France, bel argus, machaon, petite tortue, piéride de la rave, etc., volettent librement sous les yeux des visiteurs.

PARACHUTE

C'est à Paris qu'est né le parachute. Jacques Garnerin, qui avait commencé à voler en montgolfière en 1790, cherchait à mettre au point un appareil permettant de quitter l'aérostat en cas d'accident et de se poser au sol sans être tué par la chute. Le 22 octobre 1797, il s'envole du parc Monceau à bord d'un «ballon perdu» et se précipite dans le vide à une altitude d'environ 700 mètres. Son parachute s'ouvre et descend en oscillant, ne possédant pas de trou central pour canaliser l'air et stabiliser la coupole. Garnerin répéta souvent l'expérience lors des fêtes officielles. Sa future épouse, Jeanne-Geneviève Labrousse, devint, grâce à lui, la première femme à être montée seule en montgolfière et à en avoir sauté en parachute, le 10 novembre 1798.

• *Voir aussi* AÉROSTAT.

PARAPLUIE

Le parapluie, dérivé du parasol, n'apparaît pas avant le XVIIe siècle. Le Moyen Âge n'a connu que des capuchons nommés «chapes à pluie» et ce qu'Henri IV commande en 1595 sous ce nom est «un chapeau de pluye garny de taffetas». Tabarin, bateleur du Pont Neuf, prétendait en plaisantant que son immense chapeau aurait donné l'idée du parapluie et c'est dans ses *Farces* que le mot apparaît pour la première fois en 1622. Scarron, en 1648, dans l'*Énéide travestie*, écrit :

*Tous les biens par les Grecs volés
Étaient confusément mêlés.
Des parasols, des parapluies...*

Mais les mémoires de l'époque ne font aucune mention de cet instrument et les estampes ne figurent que quelques rares parasols. Ce n'est que dans les années 1660 que le parapluie apparaît vraiment, lorsqu'un fabricant astucieux pense à revêtir des parasols de toile cirée, sérieuse protection contre la pluie. En 1673, l'inventaire du mobilier de la Couronne mentionne «unze parasols de taffetas de différentes couleurs» et «trois parasols de toile cirée, garnis par le bas de dentelle d'or et d'argent». Mais l'usage en reste encore exceptionnel. En 1680, Richelet écrit dans son *Dictionnaire* à l'article «parapluie» : «Quelques dames commencent à dire ce mot, mais il n'est pas établi et tout au plus on ne peut le dire qu'en riant et c'est ce qu'on appelle un parasol.» Le terme parapluie n'est admis qu'en 1718 par l'Académie française.

La fabrication de cet instrument vient de faire d'énormes progrès qui en facilitent l'emploi et la diffusion. En 1710,

un certain Marius, installé près de la barrière Saint-Honoré, qui avait déjà à son actif des «clavessins briséz qu'on pourroit presque appeler aussi des clavessins de poche», obtient du roi le monopole pour cinq ans de la fabrication d'un «parapluie brisé», s'ouvrant et se refermant comme nos actuels instruments, pesant moins du kilogramme alors que les modèles non pliables joignaient à leur encombrement l'inconvénient de peser 1 600 grammes. Le parapluie brisé fait fureur et, dans une lettre du 18 juin 1712, la princesse Palatine en fait un éloge enthousiaste, évoquant «le parasol-parapluye expéditif qu'on peut emporter partout, en cas où la pluie viendrait à vous surprendre en pleine promenade».

En 1759, Navarre présente à l'Académie des sciences une amélioration notable de l'appareil de Jean Marius, «une canne de laquelle, en pressant un ressort, sort un parapluie». Le parapluie-canne sera amélioré en 1796 grâce à la dragonne remplaçant l'anneau fixé à l'embout, et surtout unie à la ganse que le fabricant René-Marie Cazal met au point quelques années plus tard pour le maintenir fermé et enroulé. Caraccioli décrit le Parisien de 1768 : «L'usage est, depuis quelque temps, de ne jamais sortir qu'avec son parapluie et de s'incommoder à le porter sous le bras pendant six mois pour s'en servir peut-être six fois. Ceux qui ne veulent pas se confondre avec le vulgaire aiment beaucoup mieux courir les risques de se mouiller que d'être regardés dans les promenades comme gens qui vont à pied ; car le parapluie est la marque sûre qu'on n'a pas d'équipage.»

Pour remédier à cette humiliation sociale, la maison Antoine, au Magasin d'Italie, rue Saint-Denis, créa en 1769 une société de location de «parapluies publics». Annie Sagalow écrit avec esprit dans *Les Accessoires du temps : ombrelles et parapluies*, dans le catalogue de l'exposition de 1989-1990 au musée de la Mode et du Costume : «Pour la somme de deux liards, petits marquis et gens de bonne société pouvaient ainsi traverser le Pont Neuf ou la place de Grève "sans se gâcher le teint". Le 14 septembre 1769, Nicolas de Sartines, lieutenant général de police, fit afficher dans les rues de Paris le règlement organisant ce service "afin de procurer aux habitants une commodité de plus et aux gagne-deniers une facilité de gagner leur vie". Ces parapluies (qu'on nomme communément parasols, peut-on lire, encore la confusion des deux mots) de taffetas vert portent un numéro que l'on retrouve sur la lanterne du gagne-denier, permettant ainsi de reconnaître le porteur et de lui faire le paiement de la location. »

La fabrication de ce nouvel instrument donna matière à contestation entre les différents métiers. Les tourneurs en bois fabriquent les manches et les boursiers assemblent les différentes pièces entrant dans la composition des parapluies puis les mettent en vente une fois terminés. Mais les tabletiers, ayant obtenu, en 1741, le droit exclusif d'acheter, façonner et vendre les fanons de baleine, se mirent à leur tour à fabriquer des parasols et parapluies. Ils gagnèrent les procès que leur intentèrent tourneurs en bois et boursiers et le Parlement, par un arrêt du 16 juillet 1759, autorisa boursiers et tabletiers « à vendre et débiter par concurrence les parasols et parapluyes ». Les merciers, « marchands de tout, faiseurs de rien », sont aussi habilités à vendre des parapluies, dans leur dix-huitième classe, celle des marchands de toiles cirées.

La rubrique « fabricants et marchands de parapluies » n'apparaît qu'en 1808 dans l'*Almanach du commerce de Paris*. Ils sont sept, dont Sagnier, rue des Vieilles-Haudriettes, qui dépose, cette même année, le premier brevet d'invention français pour la fabrication de parapluies et d'ombrelles. La profession prospère : il y a déjà 20 fabricants et marchands l'année suivante, 30 en 1811, 42 en 1813, 61 en 1819. Adeline Daumard, dans *La Bourgeoi-*

sie parisienne de 1815 à 1848, recense vers 1848 trois cent soixante-dix-sept fabricants établis dans la capitale, employant mille quatre vingt ouvriers, réalisant 30 % du chiffre d'affaires national. Mais des colporteurs auvergnats, « ravaudeurs » de parapluies, créeront d'autres centres de production et Aurillac finira par devenir la capitale française du parapluie. Aujourd'hui, laminée par la production asiatique, de très mauvaise qualité mais à des prix extrêmement bas, l'industrie du parapluie a pratiquement disparu de la capitale. Des nombreux artisans et petits industriels installés dans la rue Greneta et dans ses alentours ne semblent subsister aujourd'hui, dans *Les Pages jaunes* de 1994, que Georges Gaspar et Piganiol, au 21 et au 39 *bis* de cette rue.

La fabrication de parapluies ou parasols géants ou publicitaires a mieux résisté à la concurrence étrangère. C'est au début du XIXe siècle que les poissardes, marchandes de légumes et autres commerçants en plein air ont adopté l'énorme parapluie de serge rouge pour se protéger ainsi que leur éventaire.

Le parapluie a connu son âge d'or durant la première moitié du XIXe siècle, prenant une dimension mythique et politique. C'est en 1801, dans le vaudeville de Picard *La Petite Ville*, qu'apparaissent les personnages de Pépin et de Riflard, dont les noms sont devenus depuis synonymes de parapluie. Avec Henri Monnier et son Monsieur Prudhomme, le parapluie devient l'emblème caricatural de la médiocrité prudente : « Quand on veut représenter le type du calme, de la médiocrité et de la bonhomie, il suffit de prendre un homme portant sous son bras un parapluie bien solide, bien solennel, un riflard bien conditionné. » La caricature ira même jusqu'à en faire le symbole de la Monarchie de Juillet.

PARATONNERRE

C'est à l'Américain Benjamin Franklin que l'on doit la mise au point du paratonnerre en 1755. Sébastien Mercier, auteur du *Tableau de Paris*, publié de 1781 à 1788, a consacré deux chapitres au paratonnerre et a été témoin de son apparition à Paris en 1782. Il écrit : « Ces grands appareils que la physique moderne a imaginés pour préserver les édifices de la foudre, multipliés dans le sein de plusieurs villes de province, sont rares dans la capitale. Le peuple avait commencé à dire, comme partout ailleurs, que ces conducteurs attiraient la foudre. Bientôt, il n'a plus rien dit, faute d'avoir la moindre idée sur cet objet physique. Ne lui sachons donc pas gré de son silence. M. l'abbé Bertholon, professeur de physique expérimentale des états généraux de la province de Languedoc, est celui qui a montré le plus de zèle pour opposer les armes merveilleuses de la physique aux surprises de la foudre. Il a dirigé la construction des premiers paratonnerres de Paris ; et cet honneur lui était dû après avoir élevé les superbes paratonnerres de Lyon. On en voit deux, l'un placé sur l'hôtel de Charost, faubourg Saint-Honoré. Il a cent quatre-vingt-cinq pieds de longueur ; et la partie qui est dans la terre, aboutit à l'eau, a vingt-huit pieds de profondeur. Le second est à l'autre extrémité de Paris, sur le couvent des religieuses augustines anglaises de la rue des Fossés-Saint-Victor. Il a cent quatre-vingt-huit pieds de long ; et la portion enfoncée dans la terre, qui se perd ensuite sous l'eau, est de quatre-vingt-dix pieds : profondeur à laquelle nul autre paratonnerre dans ce genre ne peut être comparé. » Mercier ne parle pas du paratonnerre du Louvre, qui aurait été le plus anciennement installé selon la *Revue générale de l'architecture et des travaux publics* de 1853. La première instruction officielle sur la construction des paratonnerres a été publiée en 1823 par l'Académie des sciences, à la requête du ministre de l'Intérieur.

• *Voir aussi* **INCENDIE**.

PARC

Parmi les quatre cents espaces verts dénombrés à Paris, une vingtaine ont droit au nom prestigieux de parc. Cette dénomination n'est pas claire, car elle englobe de vastes surfaces, notamment la plus grande après les deux bois, le parc de La Villette, qui couvre 35 hectares, et de tout petits terrains, le parc montmartrois de la Turlure occupant moins d'un demi-hectare. Cependant, dans l'ensemble, ce sont les plus importants espaces verts qui portent le nom de parc : La Villette, déjà citée, les Buttes-Chaumont, Bagatelle, le Champ-de-Mars (entre 23 et 25 hectares), Montsouris (15), André-Citroën, Bercy, Suzanne-Lenglen (13), Georges-Brassens (plus de 7), Ranelagh (6) et, entre 4 et 6 hectares, Belleville, Butte du Chapeau-Rouge, Choisy, Kellermann. Mais il existe aussi plusieurs autres surfaces boisées d'étendue importante qui n'ont pas droit à l'appellation de parc : le jardin des Tuileries (28 hectares), le Jardin des Plantes et celui du Luxembourg (22 à 25 hectares), les jardins des Champs-Élysées et du Cours-la-Reine (près de 14 hectares).

Le plus ancien de ces parcs est celui de Bagatelle, ouvert en 1720. Le terrain de manœuvres du Champs-de-Mars date de 1765-1767. A Napoléon III sont dus le Ranelagh, les Buttes-Chaumont et Montsouris. Choisy, Kellermann et la Butte du Chapeau-Rouge ont été aménagés entre 1937 et 1939. Une politique dynamique, inaugurée en 1977 après l'élection de Jacques Chirac, a abouti à la création de six parcs : Suzanne-Lenglen, Georges-Brassens, Belleville, La Villette (propriété de l'État), André-Citroën, Bercy.

• *Voir aussi* **JARDIN**.

PARC D'ATTRACTIONS

Pour se distraire, les Parisiens ont bénéficié dès le Moyen Âge des fêtes chrétiennes, principalement des processions (voir PROCESSION), des foires où se mêlaient commerce et plaisirs, des fêtes royales organisées à l'occasion des naissances, mariages, victoires, paix. Le bal public naît en 1716 avec la Régence.

Dans la seconde partie du XVIIIᵉ siècle apparaissent les premiers jardins publics payants où sont organisés des spectacles. Le plus ancien est le jardin Torré, installé à l'emplacement du 48 de la rue René-Boulanger par Giovanni Battista Torré, artificier italien. Ouvert au public le 29 août 1764, ce «Vauxhall d'été» comporte une scène et un parterre : après le spectacle pyrotechnique dans le jardin, on danse dans la salle, d'abord simple chapiteau de toile peinte, puis bâtiment léger, peut-être édifié par l'architecte Victor Louis. A la mort de Torré, en 1780, le jardin-spectacle est abandonné puis détruit. Également italiens et artificiers, les frères Ruggieri, voyant les bonnes affaires réalisées par Torré, ouvrent leur propre jardin à l'emplacement des 16-18 de la rue Saint-Lazare. Les premières fêtes pyrotechniques du jardin Ruggieri ont lieu en septembre 1765. Inventeurs du terme «fête champêtre», les Ruggieri joignent aux feux d'artifice des spectacles ayant l'Orient exotique pour thème. Le jardin Ruggieri ferme le 12 juillet 1789. Il est repris par Ducy sous le Directoire, sous le nom de Bosquets d'Idalie, mais végète jusqu'en 1818.

Concurrents des jardins, les vauxhalls arrivent d'Angleterre. Le premier a été ouvert à Londres en 1732. C'est un jardin-spectacle agencé autour d'une salle de fêtes de forme circulaire. Le mot «vauxhall» est la déformation d'un nom français, le «Foulques-Hall», propriété londonienne du Normand Foulques de Bréauté. Le bâtiment du jardin Ruggieri était ovale et non rond, mais on peut toutefois le considérer comme le plus ancien vauxhall. Ouvert en mai 1771, le Colisée a la forme adéquate du cercle avec un plateau de 500 mètres carrés. Mais il est mal situé, vers le 44 de l'actuelle rue du Colisée,

à proximité des Champs-Élysées alors mal fréquentés, et doit fermer ses portes au bout de dix ans. Le Ranelagh a été installé dans le parc de la Muette en 1774. Le grand Vauxhall d'été est inauguré en juillet 1785. Il se trouve à l'emplacement du 1 à 5 de la rue Léon-Jouhaux, non loin du jardin Torré qu'il remplace. En 1795, une rotonde est édifiée au 198-200, rue du Temple, c'est Paphos, du nom d'une ville de Chypre vouée au culte d'Aphrodite, un des hauts lieux de plaisir sous le Directoire.

En pratique intégrée à la foire Saint-Laurent, la Redoute chinoise s'est ouverte le 28 juin 1780 sur le côté nord de la rue Saint-Laurent. Ouverte de midi à onze heures du soir, elle offre, outre son bal, de multiples attractions : balançoires, roues de fortune, jeux de bagues. Rebaptisée Pavillon chinois en 1785, elle connaît un grand succès, mais disparaît avec la foire en 1790.

Les tivolis empruntent leur nom à la célèbre villa d'Hadrien et à ses fastueux jardins, située non loin de Rome. C'est le financier Simon-Charles Boutin qui donne le nom de tivoli à la folie qu'il s'est fait construire, 76-78, rue Saint-Lazare et 27, rue de Clichy. Ouverte en 1771, la folie Boutin est célèbre par l'originalité de son jardin et la splendeur des fêtes qui y sont données. Boutin ayant été guillotiné en juillet 1794, son Tivoli devient un parc d'attractions dirigé par Desrivières associé aux Ruggieri et fréquenté par les muscadins. Mais les héritiers de Boutin récupèrent Tivoli dès 1799 et continuent à y donner des spectacles jusqu'en 1825. Très vite brouillés avec Desrivières, les Ruggieri ouvre dès juillet 1797 leur propre parc d'attractions, Idalie, au 22 de la rue Quentin-Bauchart, dans l'ancienne propriété, jardin et folie, de Marbeuf. Mais l'entreprise périclite dès 1800 et finit par disparaître en 1817.

Confisquée par l'administration révolutionnaire, la folie de Chartres ou jardin Monceau (dit aussi alors Mousseaux), est louée occasionnellement par des organisateurs de fêtes et de foires. C'est là que Garnerin expérimentera son parachute en 1797. Depuis 1797, Augustin-Benoît Howyn exploite un concurrent de Tivoli, le Hameau de Chantilly, avec fêtes, feux d'artifice, jeux de plein air, dans ce qui est aujourd'hui le palais présidentiel de l'Élysée. En 1805, Murat, beau-frère de Napoléon, rachète l'Élysée à Howyn et s'y installe. Bagatelle, folie du comte d'Artois, connaît le même sort que Monceau et l'Élysée. Dès 1797, des spectacles y sont organisés à intervalles irréguliers : l'éloignement de Paris nuit à la fréquentation et seuls les plus fortunés s'y rendent. Duroc achète le domaine en 1806.

Il existe quelques parcs d'attractions plus modestes : le Jardin d'Apollon (25, boulevard des Capucines), Frascati (23, boulevard Montmartre), le pavillon de Hanovre (33, boulevard des Italiens), sur la rive droite, et, sur la gauche, la Grande Chaumière (124, boulevard du Montparnasse), le Jardin Biron puis Jardin de Psyché (77, rue de Varenne).

Sous la Restauration apparaissent de nouveaux parcs d'attractions : Beaujon (114-152, avenue des Champs-Élysées), sur une partie de l'ancienne folie Beaujon, avec ses célèbres montagnes russes, les Montagnes russes (villa des Ternes), les Montagnes de Belleville (rue Bisson), le Jardin du Delta (157-187, rue du Faubourg-Poissonnière), le Nouveau Tivoli (88, rue de Clichy). On peut consulter sur ce sujet *Folies, Tivolis et attractions, les premiers parcs de loisirs parisiens* de Gilles-Antoine Langlois. Ces parcs d'attractions, coûteux et mal gérés, finissent par s'étioler et disparaître, le dernier, le Nouveau Tivoli, en 1842. La Grande Chaumière subsiste mais n'est plus qu'un bal. Car, sous le second Empire, le bal est la grande activité festive, quelques attractions le complétant (voir BAL PUBLIC).

Les expositions universelles se signalent par de nombreuses attractions. La « Grande Roue » de celle de 1900 restera en place jusqu'en 1920. Le 29 mai 1909, le parc d'attractions renaît avec l'ouverture de la « Ville enchantée », le Luna-Park de la porte Maillot. On y trouve les mêmes plaisirs qu'au Tivoli : Palais des Folies (dancing), Water Chute, Scenic Railway... Un petit vauxhall, Magic-City, ouvre ses portes en 1912 sur le quai d'Orsay, à hauteur de la rue Malar, mais disparaît dès 1926, alors que le Luna-Park agonise jusque vers 1948-1950.

Le parc d'attractions connaît une renaissance depuis quelques années, en banlieue, avec Mirapolis créé en 1987 à Cergy-Pointoise, Astérix ouvert en 1989 à Plailly, Eurodisneyland depuis 1992 à Marne-la-Vallée. A Paris même, peut-on qualifier de parcs d'attractions le parc de La Villette, l'Aquaboulevard et la Planète magique ouverts en 1989 ?
• *Voir aussi* FÊTE ; FEU D'ARTIFICE ; FOIRE ; FOLIE ; JARDIN.

PARISIANISME

« Façon de parler propre aux Parisiens », le terme parisianisme apparaît en 1578 sous la plume d'Henri Estienne dans *Deux Dialogues du nouveau langage*. Desgrouais le mentionne en 1766, mais l'usage du mot ne se répand que vers 1840, après avoir été repris par Balzac dans *Les Français peints par eux-mêmes*, sous la forme, qui ne s'imposera pas, de « parisiénisme ». Charles Nisard a dressé en 1876 la liste *De quelques parisianismes populaires... des XVIIe, XVIIIe et XIXe siècles*. L. Sainéan a composé en 1920 un ouvrage sur *Le Langage parisien au XIXe siècle* et Jean-René Klein a recensé en 1976 *Le Vocabulaire des mœurs de la « vie parisienne » sous le Second Empire. Introduction à l'étude du langage boulevardier*. Certains parisianismes sont aujourd'hui complètement intégrés dans la langue commune des Français, comme « dégouliner » au sens de « couler », « à l'œil » pour

«sans payer», «épatant», «énervant», «viveur» au sens de «jouisseur», «gêneur», «raseur»… C'est sous le second Empire que s'affirme un idiome parisien étroitement lié à la mode, celui du boulevard, des coulisses de théâtre, des ateliers de couturières. *Le Figaro* du 8 janvier 1865 mentionne à son propos : «C'est le "parisien"». Cette langue courrait grand risque de n'être pas comprise à dix lieues du théâtre des Variétés (son palais de l'Institut), et comme elle se parle surtout du faubourg Montmartre à la rue de la Chaussée-d'Antin, il faut même l'expliquer parfois aux habitants du quartier Poissonnière.» Cette «langue parisienne» va se diffuser grâce à la presse et au théâtre dit «de boulevard». On a utilisé aussi le terme «parisianisme» avec pour sens l'ensemble des comportements attribués aux Parisiens. Ainsi le Sar Péladan critiquait-il ainsi, en 1892, la peinture de Gervex : «La peinture de M. Gervex empeste de parisianisme, c'est-à-dire de superficiel, de convenu, de vide et de faconde.» Et Léon-Paul Fargue écrivait en 1939 dans *LePiéton de Paris* : «S'il manque de documentation qu'il aille au Fouquet's, Bibliothèque nationale du parisianisme élégant.»
• *Voir aussi* ARGOT.

PARLEMENT

Le parlement de Paris est une institution nationale et non locale. Créé vers 1250, c'est la plus ancienne cour souveraine du royaume et son ressort est immense, à peu près la moitié du territoire actuel de la France : Île-de-France, Picardie, Champagne, Centre, Pays-de-Loire, Poitou-Charentes, Auvergne, la moitié nord du Limousin, le Nivernais ; une quarantaine de départements faisaient partie du territoire du parlement de Paris en 1789. Installé dans le palais primitif de la royauté, qui va devenir le palais, puis le Palais de justice, il est devenu une instance permanente dès 1307. Il rend la justice au nom du roi en dernier recours et ses arrêts ne peuvent être cassés que par le Conseil du roi. Il est divisé depuis le XIVe siècle en trois chambres. La Grand-Chambre, dont les autres ne constituent que des émanations, est seule habilitée à rendre des arrêts et coiffe les Chambres des enquêtes, des requêtes et la Chambre criminelle. Au point de vue de l'histoire parisienne, les archives du Parlement contiennent les appels du Châtelet, des ordonnances ayant trait aux métiers, à l'urbanisme…, des ordonnances et des lettres de naturalisation, de légitimation, de changements de noms, etc., précieuses pour les généalogistes. Le Parlement s'est immiscé à plusieurs reprises dans la politique royale, durant les époques troublées, quand le trône chancelait. Son personnel, parisien ou établi dans cette ville depuis une ou plusieurs générations, constituait une noblesse de robe fortunée et puissante qui a joué un rôle important dans la vie de la cité.

PAROISSE

La naissance des paroisses est mal connue : elles se constituent à la fin du XIe siècle, en général à partir d'églises dont l'origine remonte à l'époque mérovingienne. On en compte 16 au début, une dans l'île de la Cité, 8 sur la rive gauche et 7 sur la rive droite. Vers 1100, l'île de la Cité appartient en totalité à la paroisse épiscopale de Notre-Dame. Sur la rive gauche, Saint-Germain-des-Prés et Sainte-Geneviève dépendent d'abbayes ; Saint-Marcel est une collégiale, une des quatre «filles» de l'évêque, cinq autres paroisses sont issues d'églises mérovingiennes : Saint-Julien, Saint-Séverin, Saint-Baque ou Saint-Benoît, Saint-Étienne-des-Grès et Notre-Dame-des-Champs. Sur la rive droite, Saint-Gervais et Saint-Germain-l'Auxerrois, «filles» de l'évêque, figurent parmi les plus anciennes. S'y ajoutent Saint-Jacques-de-la-Boucherie, Saint-Merri, Saint-Laurent, nées d'édifices mérovingiens sur la route de Senlis, Saint-Merri étant la «fille aînée » du chapitre cathédral. Saint-Nicolas-des-Champs est issue en 1080 du monastère de Saint-Martin-des-Champs fondé en 1060, et Saint-Paul-des-Champs apparaît comme paroisse en 1080, sur une terre appartenant au couvent Saint-Éloi de la Cité.

Aux XIIᵉ et XIIIᵉ siècles, les paroisses se multiplient avec l'accroissement de la population. D'après le rôle de la taille de 1292, on en compte 33. Il y a 14 paroisses sur la rive droite du fleuve, dans la « Ville » : Saint-Germain-l'Auxerrois, Saint-Eustache, Saint-Sauveur, Saint-Leu-Saint-Gilles, les Saints-Innocents, Sainte-Opportune, Saint-Laurent, Saint-Josse, Saint-Nicolas-des-Champs, Saint-Merri, Saint-Jacques-de-la-Boucherie, Saint-Jean-en-Grève, Saint-Gervais, Saint-Paul. L'unique paroisse de la Cité s'est décomposée en 12 paroisses souvent minuscules : Saint-Barthélemy, Saint-Pierre-des-Arcis, Sainte-Croix, Saint-Martial, Saint-Germain-le-Vieux, Sainte-Madeleine, Saint-Denis-de-la-Chartre, Saint-Landry, Saint-Pierre-aux-Bœufs, Sainte-Marine, Saint-Christophe, Sainte-Geneviève-la-Petite. La rive gauche ou « Université » se limite à 7 paroisses : Saint-Séverin, Saint-André-des-Arts, Saint-Côme, Saint-Benoît-le-Bestourné, Saint-Hilaire, Saint-Nicolas-du-Chardonnet, Sainte-Geneviève-la-Grande.

Il y a 43 paroisses en 1789, dont 19 dans la « Ville » qui s'est accrue à sa périphérie de Saint-Pierre de Chaillot, de la Madeleine de la Ville-l'Évêque, de Saint-Roch (créée en 1633), Notre-Dame-de-Bonne-Nouvelle (1673), Saint-Jacques-Saint-Philippe du Roule (1699), Sainte-Marguerite (1712), la paroisse des Saints-Innocents ayant été supprimée en 1786. La Cité en possède 11 : Saint-Denis-de-la-Chartre a été réunie en 1698 à Sainte-Madeleine, Saint-Martial à Saint-Pierre-des-Arcis en 1722, Saint-Christophe et Sainte-Geneviève-la-Petite ou des Ardents à Sainte-Madeleine en 1747, disparitions

en partie compensées par l'apparition des paroisses de la Sainte-Chapelle, de Saint-Louis-en-l'Île (1623) et Saint-Denis-du-Pas (1748). Sur la rive gauche, l'accroissement à 13 paroisses est largement dû à l'absorption d'églises de banlieue : Saint-Sulpice, Saint-Médard, Saint-Martin, Saint-Hippolyte, tandis que Saint-Étienne-du-Mont remplaçait Sainte-Geneviève et qu'étaient créées Saint-Jacques-du-Haut-Pas (1633) et Notre-Dame-de-Bonne-Délivrance du Gros-Caillou (1776).

Enchevêtrées les unes dans les autres, de taille très inégale, les paroisses d'Ancien Régime sont difficiles à dessiner sur une carte, mais l'entreprise a été tentée à la veille de la révolution de 1789 sur ordre de l'archevêque Leclerc de Juigné. Bonaparte et le Concordat ont radicalement simplifié cette carte en 1802 et réduit le nombre des paroisses à 39. Malgré l'accroissement de la ville de 12 à 20 arrondissements en 1860, il n'y avait que 47 paroisses en 1958. Le 9 octobre 1966, à la suite du redécoupage de la région parisienne en 8 départements, un nouveau diocèse limité à Paris a été créé, comprenant 105 paroisses regroupées en 18 doyennés.

PASSAGE

« Il y a une poésie des passages parisiens : c'est la poésie de la verrière et de la vitrine, la poésie d'une serre dont l'ornement serait fait non d'orchidées, de gloxinias ou de cinéraires, mais de jouets d'enfants, d'instruments de musique et de toutes sortes de brillants objets qui vont de la carte postale à granité miroitant aux séries vivement coloriées de nos timbres coloniaux », a écrit Maurice Bedel. Le « passage » est une invention typiquement parisienne : couvert, en général d'une verrière, réservé aux piétons, bordé de boutiques et plutôt étroit (4 à 5 mètres), il est né et s'est répandu à une époque bien précise avant de décliner rapidement. C'est le duc d'Orléans, cousin de

Louis XVI, qui, pressé par des besoins d'argent, a eu l'idée de lotir le jardin de son palais, le Palais-Royal, afin de toucher les loyers des boutiques qui s'y installeraient. C'est l'origine de la galerie de bois, ouverte en 1786, dite parfois « Camp des Tartares ». A ce haut lieu de l'agitation révolutionnaire de 1789 s'ajoute en 1792, au même endroit, la galerie vitrée. La réussite commerciale exceptionnelle du Camp des Tartares, avec ses restaurants, ses cafés, ses tripots, ses prostituées, ses boutiques de modistes, suscite très vite des imitateurs. Le passage Feydeau s'ouvre dès 1790-1791, suivi par le passage du Caire en 1799, celui des Panoramas en 1800, la galerie Saint-Honoré en 1807, le passage Delorme (1808), les galerie et passage Montesquieu (1811 et 1812), le passage de la Ville-l'Évêque (1815), le Bazar français (1819).

Mais, la grande époque de construction des passages se situe entre 1822 et 1848. C'est alors que se créent les quatre cinquièmes d'entre eux : passage de l'Opéra (1822), galerie Vivienne (1823), passages du Pont Neuf, Laffitte, du Trocadéro (1824), du Grand-Cerf, Choiseul, Saucède, Bazars « Incendié » et Saint-Honoré (1825), galeries Colbert, Véro-Dodat, cour du Commerce-Saint-André, passages du Ponceau, Saint-Denis, du Saumon (avec les galeries Mandar, du Salon et des Bains) (1826), galerie de l'Opéra-Comique, passages Vendôme, Brady, du Bourg-l'Abbé, bazar de l'Industrie française (1827), passage Colbert, galeries d'Orléans, Foy, Boufflers (1828), galerie de Fer et passage Saint-Anne (1829), bazar Montesquieu (1830), galeries Saint-Marc, des Variétés, de la Bourse, Montmartre, Feydeau (1834), grande galerie (ou bazar) du Commerce et de l'Industrie, galerie de Cherbourg (1838), passage Puteau (1839), galerie Bergère (1840), passage Richer (1842), passages du Havre, Jouffroy, Verdeau, galerie de la Madeleine (1845), passage de la Sorbonne (1846).

Les créations se raréfient ensuite : second passage de la Sorbonne (1853), passage des Princes (1860), galerie des Champs-Élysées (1895), passage Ben-Aïad ou Mandar (1899), cité Argentine (1903), galeries des Arcades des Champs-Élysées (Le Lido, 1924), passage du Prado ou du Bois-de-Boulogne (1925), portiques des Champs-Élysées (1926), galerie Élysée-La Boétie (1928), galerie du 79, Champs-Élysées et portiques d'Orléans (1930), palacio de la Madeleine (1935). On trouvera bibliographie, liste et description des passages dans le livre de Bertrand Lemoine, *Les Passages couverts en France* et dans ceux de Patrice de Moncan et Christian Mahout, *Les Passages de Paris* et *Le Guide des passages de Paris*. Walter Benjamin a laissé des réflexions capitales sur le rôle des passages.

Le succès des passages s'explique aisément par le confort qu'ils apportent aux piétons, à une époque où les trottoirs sont inexistants, les passants exposés à la boue et à la circulation des fiacres. Ainsi que l'écrit un contemporain, « cette facilité [...] d'aller pendant les frimas au bal, au spectacle en habit léger, en soulier de couleur, sans connaître ni boue ni froid, est un charme si nouveau qu'il suffirait à rendre nos villes et châteaux détestables à quiconque aura passé une journée d'hiver dans un phalanstère » (car Fourier avait adopté le système du passage couvert dans son utopie phalanstérienne). Conscients que le confort est un élément déterminant dans l'afflux des badauds et de la clientèle, les commerçants font tout pour l'accroître, introduisant l'éclairage au gaz dès 1817 au passage des Panoramas. A l'inverse, la généralisation des trottoirs sous la Monarchie de Juillet, puis l'éclairage public électrique à partir de 1880, contribuèrent puissamment au déclin des passages.

PASSEUR D'EAU
Voir BATELIER.

PÂTISSERIE
Le Moyen Âge n'a guère connu de plats sucrés. Jusqu'à la mise en culture de la canne à sucre dans les Antilles au XVIIe siècle, l'Europe ne disposait que de miel et d'importations rares et coûteuses de sucre de canne en provenance des pays musulmans. On ne trouve mention avant le XVIe siècle que des oublies et de produits assimilés à de la pâtisserie mais non sucrés : gaufre, échaudé, raton, petit chou, casse museau très dur, d'où son nom, crêpe, craquelin, beignet... Le sucre apparaît dans le *Cuisinier françois* (1650) dans moins de 20 % des pâtisseries. Le *Pâtissier françois* (1653) le mentionne dans 44 % de ses recettes. En 1750, le sucre triomphe, devenu accessible à toutes les bourses grâce à l'énorme production antillaise. Il est difficile de discerner ce qui, dans la pâtisserie française, est purement parisien. Dans son *Pâtissier royal parisien*, dont la première édition date de 1815, Antonin Carême couvre toute la pâtisserie sans distinction géographique. Il mentionne cependant divers gâteaux dits « à la parisienne » : meringues, mille-feuilles, croque-en-bouche, gros nougat, flan, soufflé aux pommes de rainette, aux abricots et aux fraises, biscuit, charlotte, nougat d'avelines et pistaches, divers gâteaux fourrés. Dans *La Cuisine de Paris et de l'Île-de-France*, publiée en 1975, Roger Lallemand cite comme parisiennes les pâtisseries suivantes : beignets soufflés dits « pets de nonnes », chouquettes, crème Beauvoir, crêpes « de Paris », crêpes Suzette, diplomate, échaudé, flan parisien à la crème, galette des rois « parisienne », galette à la frangipane qui aurait été inventée par le parfumeur italien Frangipani établi à Paris sous Louis XIII, gâteau « parisien » dit « polonais », gaufres, madeleines « de Paris », mousse Fontainebleau, nieulles, nougat « parisien », oublies, Paris-Brest, poires à la Bourdaloue, praliné « parisien », puits d'amour, rigollots, Saint-Honoré, tarte chantilly.
• *Voir aussi* BOULANGER ; OUBLIE ; PÂTISSIER ; PLAISIR.

PÂTISSIER
Le mot pâtisserie est issu du latin « pasticium » qui signifie pâté. Les pâtissiers ne sont donc pas, à l'origine, spécialisés dans la fabrication de plats sucrés. Le livre de la taille de 1292 recense soixante-huit pâtissiers et sept gasteliers. Les pâtissiers fabriquent et vendent des pâtés de viande et de poisson, des tartes et des flans au fromage, les gasteliers des sortes de gâteaux qui ne sont guère que des pains améliorés. Une des spécialités parisiennes, inventée par un certain Jaquet, était le pâté de requête, fabriqué avec des abattis de pigeons très fortement relevés. Longtemps nommés en latin « pistores adipementarii », « boulangers de graisse », préparant, outre les pâtés, des flans, des talmouses, des rissoles, les pâtissiers ne se distinguent des boulangers et des marchands d'oublies, entre lesquels ils se situent, que vers 1440, lorsqu'ils se constituent en corporation, sous le patronage de saint Michel. Ils absorbent alors progressivement les oublieurs qui sont confondus avec eux dans les statuts de 1566. Ces statuts nous apprennent que les pâtissiers avaient le droit de vendre du vin et Furetière, dans son *Essai d'un dictionnaire universel*, écrit que, pour désigner une personne impudente, on se servait de l'expression « elle a passé devant l'huis du pâtissier. Cela vient qu'autrefois les pâtissiers tenaient cabaret et à cause qu'il était honteux de les fréquenter, les gens prudes n'entraient que par la porte de derrière. » A la veille de sa suppression par la révolution de 1789, la corporation des pâtissiers-oubloyers-faiseurs de pain à chanter comptait près de deux

cent cinquante maîtres et leurs activités débordaient très largement du cadre du métier actuel de pâtissier pour empiéter sur ce qu'on nomme aujourd'hui charcuterie, et même sur les traiteurs. Leur chambre syndicale s'est constituée le 1er janvier 1894 sous le nom de Syndicat des pâtissiers de Paris, de la Seine et Seine-et-Oise, publiant un *Annuaire* à partir de 1897. Son premier vice-président, installé au 109, rue du Faubourg-Saint-Honoré, porte un nom qui existe toujours et brille au firmament de la profession : Dalloyau.

• *Voir aussi* BOULANGER ; OUBLIE ; PAIN ; PÂTISSERIE.

PAUME

Le jeu de paume existe depuis l'Antiquité : les Grecs jouaient à la sphéristique. A l'origine, on le pratiquait en plein air sur de vastes espaces, c'était la longue paume. Là où la place était limitée, dans les monastères et dans les villes, se développa la courte paume. On sait que Louis X mourut en 1316 d'un refroidissement à l'issue d'une partie acharnée de longue paume au bois de Vincennes. En 1498, Charles VIII périt en heurtant l'huis d'une porte à Amboise alors qu'il se rendait au jeu de courte paume aménagé dans le château. Sauval signale «qu'en 1368, dans une cour voisine de la rue Froidmanteau (près du Louvre) était établi un jeu de paume où venaient s'exercer le roi et les princes». Dufaure ajoute que le roi jouait aussi «dans celui de la rue Beautreillis, qu'il fit construire dans les dépendances de l'hôtel Saint-Pol. Ce jeu avait 14 toises et demi de long [28,85 mètres] ; il était contigu, à l'est, du cimetière Saint-Pol, et fut détruit en 1552 lorsqu'on ouvrit la rue Beautreillis.» En 1427, une femme se distinguait particulièrement, signale dans son *Journal* le Bourgeois de Paris : «En cet an (1427) ou par devant, vint à Paris une femme nommée Margot, jeune comme de vingt-huit à trente ans, qui estoit du païs de Hénault, laquelle

jouoit le mieulx à la paume que oncques homme eust veu, et avec ce jouoit devant main et derrière main très puissamment, très malicieusement, très abilement, comme pouvoit faire homme, et peu venoit de hommes à qui elle ne gaignast, se ce n'estoit les plus puissants joueux. Et estoit le jeu de Paris où le mieulx on jouoit en la rue Garnier Sainct Ladre [Grenier-Saint-Lazare] qui estoit nommé le Petit Temple. »

Ce jeu ne passionnait pas que les grands seigneurs ; moines, prêtres, bourgeois, artisans, ouvriers s'y adonnaient aussi ardemment, ce qui entraîna une série d'interdictions, en 1292, 1365, etc. Le 22 juin 1397, le prévôt du roi choisit une solution de compromis, défendant de jouer à la paume les autres jours que le dimanche, «parce que plusieurs gens de métier et autres du petit peuple quittaient leur ouvrage et leur famille pendant les jours ouvrables, ce qui était fort préjudiciable pour le bon ordre public ».

Le nombre des tenanciers de jeux de paume ou paumiers était déjà de treize dans le livre de la taille de 1292 et ne va cesser de s'accroître jusqu'à l'apogée de ce jeu, sous le règne d'Henri IV, où l'on dénombrait environ deux cent cinquante salles de jeu. En 1657, il n'y a plus que cent quatorze tripots, car c'est ainsi qu'on les nomme depuis le milieu du XVe siècle. Louis XIV ayant préféré le billard, les paumiers obtiennent en 1676 l'autorisation de posséder des billards ; ils obtiennent même le monopole des tables de billard en 1727. Dans son *État du tableau de la Ville de Paris* (1760), Jèze énumère treize jeux de paume. Il n'y en a plus que dix en 1790. C'est dans la salle du jeu de paume de Versailles que fut prêté, le 20 juin 1789, le célèbre serment. La salle du jeu de paume du jardin des Tuileries, transformée en musée de peinture, est le dernier bâtiment important construit à cet

usage en 1861-1862. Il subsiste, au 54 de la rue Saint-Louis-en-l'Île, dans le cadre d'un hôtel, les structures d'un jeu de paume édifié en 1634. Adapté par les Anglais, le jeu de paume est revenu sur le continent sous la forme du tennis. Les deux principaux ouvrages sur le jeu de paume sont *La Paume et le Lawn-tennis* de E. de Nanteuil, G. de Saint-Clair et Delahaye, et *La Magnifique Histoire du jeu de paume* d'Albert de Luze, parus en 1898 et 1933.
• *Voir aussi* BILLARD.

PAUVRE

Voir ASSISTANCE ; ASSISTANCE PUBLIQUE ; BUREAU DE BIENFAISANCE ; GRAND BUREAU DES PAUVRES ; MENDICITÉ.

PAVÉ

Le système de voies publiques mis en place par les Romains en Gaule et à Paris n'a pas survécu à la chute de leur Empire. Il a fallu attendre le XIXe siècle pour que les archéologues découvrent dans le sous-sol de la capitale, notamment sous la rue Saint-Antoine, les vestiges des vastes dalles qui constituaient le revêtement de surface de voies à la structure interne savamment élaborée.

Au début de son règne, Philippe Auguste déplore que les rues de sa capitale soient de nauséabonds chemins de boue et d'ordures où l'on s'enfonce jusqu'aux chevilles. Rigord, moine de Saint-Denis, relate dans la *Chronique* de l'abbaye, à l'année 1186 : « Philippe, toujours auguste, retenu alors quelque temps à Paris par les affaires de l'État, s'approcha d'une des fenêtres de son palais, où il se mettait ordinairement pour se distraire par la vue du cours de la Seine. Des chariots qui traversaient, en ce moment, la Cité, ayant remué la boue, il s'en exhala une telle puanteur que le roi ne put y tenir. Dès lors, il forma le projet d'un travail bien ardu, mais nécessaire, et qu'aucun de ses prédécesseurs n'avait osé entreprendre, à cause des grands frais et des difficul-

tés que présentait son exécution ; il convoqua les bourgeois et le prévôt de Paris, et, en vertu de son autorité royale, il leur ordonna de faire paver toutes les rues et places de la ville, avec de fortes et dures pierres. »

Des restes de ce pavage ont été retrouvés dès le XVIIIe siècle : il était formé de larges et épais carreaux de pierre dure entremêlés de grès, d'une épaisseur de 35 à 40 centimètres et d'1,50 mètre de côté. Il semble que seule ait été alors pavée la « croisée de Paris », les deux axes est-ouest (de la porte Baudoyer à la porte Saint-Honoré) et nord-sud (de la porte Saint-Denis à la porte Saint-Jacques) qui se coupaient au niveau du Châtelet. Un arrêt du Parlement de 1285 mentionne que la Ville entretient à cette époque les chaussées des quatre chemins faisant suite aux rues de la « croisée », dits chemins de Saint-Antoine, Saint-Honoré, Saint-Denis et Saint-Jacques. L'entretien de ce pavé incombe à la Ville qui perçoit un « droit de chaussée » pour y subvenir.

La difficulté de se procurer des pavés de grande dimension est à l'origine des modifications du revêtement des rues. Un délibération de la Ville du 22 juillet 1296 mentionne des « rabots » ou « carreaux », petites dalles équarries de 5 à 6 décimètres carrés et de 16 à 19 centimètres d'épaisseur, posés de champ. Lorsqu'ils étaient posés à plat, ils étaient nommés « carreaux », ce qui explique les expressions « carreau des Halles », « demeurer sur le carreau », etc. Au début du XVe siècle, les rabots sont remplacés par des pavés en forme de cube. Le règlement du 17 février 1415 est précis : « Doresnavant les quarreaux qui seront amenés pour vendre auront six à sept poulces de haut, de lé et en tous sens », c'est-à-dire des cubes de 15 à 17,5 centimètres. L'article onze des statuts de la communauté des paveurs du 10 mars 1502 exige de ceux-ci la fabrication de pavés « loyaux et marchands, c'est assavoir de six à sept poulces en quatre paremens». L'ordonnance royale du 21 novembre 1577 rappelle que l'échantillon légal est le pavé de 7 à 8 pouces. En 1720, le pavé grossit jusqu'à un cube de 9 pouces ou 23 centimètres de côté. Ces pavés étaient vendus jusqu'à la Révolution «au grand compte», c'est-à-dire que l'acheteur en recevait mille cent vingt-deux pour le prix de mille.

Ils étaient d'abord extraits des carrières de grès de la forêt de Fontainebleau. Mais ce grès trop friable fut proscrit et les pavés furent alors tirés de carrières des environs de Pontoise, à L'Isle-Adam, Méry, Sargy, mais aussi à Herblay, Louveciennes, Vaucresson. A partir de 1720, ce sont les carrières de la vallée de l'Yvette qui sont mises à contribution : Palaiseau, Saulx-les-Chartreux, Orsay, Lozère. A la fin du XIXᵉ et durant la première moitié du XXᵉ siècle, on a surtout exploité la carrière des Maréchaux, dans la commune de Senlisse (Yvelines), près de Chevreuse, qui employait deux cents ouvriers dans les années 1920 et produisait plus d'un million de pavés chaque année. Les maîtres paveurs n'ont jamais été plus de soixante à leur maximum, au XVIIIᵉ siècle. Il n'y a qu'un seul paveur mentionné dans le livre de la taille de 1300 et aucun en 1292. Ils étaient vingt-sept en 1502 lorsqu'ils obtinrent leurs statuts. S. Dupain a publié en 1881 une *Notice historique sur le pavé de Paris* toujours précieuse malgré son ancienneté.

Le voyer de Paris avait la responsabilité du pavé qu'inspectait un visiteur des pavements. En 1599, Henri IV créa pour Sully la charge de grand voyer de France à laquelle fut réunie en 1603 celle de voyer de Paris. La charge de grand voyer fut supprimée dès 1626 et la surveillance du pavé parisien incomba aux trésoriers de France chargés aussi d'établir et de renouveler les baux avec les entrepreneurs. Un bourgeois dans chaque quartier avait mis-

sion de surveiller l'état du pavé, mais les trésoriers de France préférèrent remplacer cette fonction honorifique par un commissaire-visiteur de l'entretien du pavé, institué en mars 1636. Son inspection donne lieu à un rapport très sévère sur l'état des chaussées à Paris : «Or, il est à remarquer qu'encores que nous n'ayons faict mention du pavé que par parcelles, nous ne pouvons dire autre chose de tout le dit pavé, tant de la ville, faulxbourgs que banlieue de Paris, sinon qu'il seroit très nécessaire de refaire la plus grande partie de tout le dit pavé de neuf.» De 1605 à 1758, le toisé, la surface pavée fait plus que tripler, atteignant sous Louis XV près de 580 000 toises (la toise vaut 1,95 mètre). Tous les baux entre 1604 et 1785 ont été soigneusement étudiés par Dupain dans l'étude déjà citée. La surveillance des travaux incombait à un trésorier de France assisté d'un inspecteur général, d'un ingénieur en chef, de quatre sous-inspecteurs ou sous-ingénieurs pris dans le corps des Ponts et Chaussées. Le premier ingénieur appelé à l'Inspection générale du pavé fut Guillaume Bayeux en 1719.

L'Inspection du pavé fut maintenue par la Révolution et par Napoléon qui institua trois conducteurs au pavé de Paris et leur adjoignit des piqueurs en 1807. D'un demi-million en moyenne au début du XIXᵉ siècle, la dépense du pavé a atteint le million vers 1838-1840 et jusqu'à 1852. Les travaux d'Haussmann la portent à près de 2 millions de francs en 1859, qui bondissent à 3 millions en 1860 en raison de l'annexion des communes périphériques. La dépense se tient autour de 4 millions de 1863 à la chute de Napoléon III et descend à 3 millions à partir de 1873.

Cette baisse des dépenses du pavé s'explique par l'apparition de nouveaux procédés de revêtement. En 1842, de premiers essais de pavage en bois n'avaient pas donné satisfaction. De nouvelles tentatives en 1865, rue Madame, et en 1867, boulevard de La Chapelle, sont encore un échec, car une fondation suffisante n'a pas été prévue. En 1868, rue du Dragon, est mis en place un pavage «ligno-minéral», bois sur couche de béton, d'un entretien très coûteux et qu'il faut remplacer dès 1873. En 1870, une tentative, rue du Faubourg-Saint-Martin, donne une durée de huit ans. Mais l'expérience tentée en 1872 sur la place de l'École-de-Médecine est un échec complet et il faut remplacer le pavage au bout de trois ans. Des essais de pavage Norris sur une fondation élastique formée d'un double plancher en sapin goudronné, tentés boulevard Saint-Michel en 1871, rue du Château-d'Eau en 1872 et rue Saint-Georges en 1876, s'avèrent aussi très coûteux et peu durables. Il faut attendre 1881 pour que le pavage en bois connaisse le succès. La compagnie anglaise «Improved Wood Pavement Company» exécute 3 000 mètres carrés de pavage sur fondation en béton dans les rues Montmartre et du Faubourg-Poissonnière qui résistent parfaitement à l'usure. Dès la fin de 1882, la partie des Champs-Élysées située entre la Concorde et le Rond-Point est confiée à la société anglaise. En 1883, une entreprise française, la «Société anonyme de pavage en bois», se voit confier 80 000 mètres carrés sur les Grands Boulevards, rues Royale et de Rivoli, avenue de l'Opéra. Le pavage en bois progresse rapidement et culmine entre 1914 et 1922 à près de 2,5 millions de mètres carrés. On trouve une bonne analyse du procédé dans la conférence de 1925 de L. Biette, *Les Revêtements des voies publiques de Paris*.

On lui doit aussi une excellente description des débuts de l'utilisation de l'asphalte comprimé, en décembre 1837, place de la Concorde, puis rue Laffitte en novembre 1843. Les premiers résultats satisfaisants furent obtenus rue Bergère en 1855. Silencieux et hygié-

nique, ce revêtement entre en concurrence avec le pavé de bois, mais ne commence à être privilégié par l'administration parisienne qu'à partir de 1910.

Le triomphe de l'automobile en 1919 signifie le règne du bitume et du goudron, mais des expériences de chaussée en brique et de pavé de fonte en 1932 sont cependant tentées. La crise économique et le chômage justifient le maintien du pavage à partir de 1930, car il permet d'employer une nombreuse main-d'œuvre. Il ne sera abandonné que dans les années 1950. La chaussée parisienne prend alors la tenue de deuil du bitume jusqu'au milieu des années 1980 : de nouveaux matériaux, notamment pour le revêtement des trottoirs, permettent désormais de l'égayer quelque peu.

• *Voir aussi* ÉGOUT ; NETTOIEMENT ; PIERRE ; VOIRIE.

PÊCHE, PÊCHEUR

En règle générale, les rivières navigables et publiques appartenaient au roi et faisaient partie du domaine royal. Toutefois, dès l'époque mérovingienne, les rois avaient concédé aux monastères des droits de pêche sur certaines parties de ces rivières, car les religieux, de par leur état, consommaient davantage de poisson que les laïques. A Paris, l'abbaye de Saint-Germain-des-Prés avait reçu du roi Childebert la pêcherie depuis le «Grand Vieux-Pont» ou Pont Romain (à l'emplacement du pont au Change) jusqu'au ru de Sèvres. Hugues Capet ou, plus vraisemblablement, Louis VI, avait accordé à l'abbaye de Saint-Magloire (située dans l'île de la Cité, à proximité du Palais), la portion de la Seine allant de la pointe occidentale de l'île Notre-Dame (île Saint-Louis actuelle) jusqu'au pont au Change. En amont de cette «rivière Saint-Magloire», le fleuve restait la propriété du roi. Une foule d'établissements religieux et d'institutions laïques prétendaient à des droits de pêche, souvent âprement contestés et objets d'interminables litiges. Le prévôt des marchands et les échevins disaient avoir le droit de pêche dans les fossés de la ville ainsi que sous la grande arche du pont Notre-Dame. Plusieurs églises revendiquaient le droit de pêcherie sous les arches du pont aux Meuniers, notamment les chanoines de la Sainte-Chapelle de Vincennes, qui en avaient obtenu l'autorisation de Charles V.

L'âpreté des litiges était justifiée par les revenus tirés des droits de pêche, car les pêcheries étaient affermées aux pêcheurs. Cette ferme ne semble pas avoir consisté en un monopole, mais simplement en une autorisation de pêcher moyennant une redevance. Le prix de ce permis de pêche variait suivant les emplacements et les périodes de pêche : l'abbaye de Saint-Germain-des-Prés, par exemple, distinguait la pêcherie d'été, de Pâques à la Saint-Remy (1er octobre), et la pêcherie d'hiver, de la Saint-Remy à Pâques ; celle d'été était la meilleure et la plus chèrement affermée, de 24 à 28 livres parisis au XVe siècle.

Ces droits ne semblent frapper que la pêche aux engins, pratiquée pour la plupart du temps par des pêcheurs professionnels. Au XIIIe siècle, la famille Du Bois possédait, à titre héréditaire, le droit de justice et une partie des revenus des pêcheurs de « l'eau du roi » (en amont de l'île de la Cité) et s'intitulait « maître des pêcheurs », ainsi que le mentionne le *Livre des métiers* d'Étienne Boileau. Le premier cuisinier du roi avait la garde de l'étalon servant à contrôler la largeur des mailles des filets et pouvait les faire saisir si ces dernières étaient trop étroites. De Pâques à la Saint-Remy, il fallait qu'un gros tournois (2,5 centimètres de diamètre) posé à plat sur chaque maille pût aisément passer à travers. De la Saint-Remy à Pâques n'était plus tolérée que la largeur d'un denier parisis (1,5 centimètre). La pêche était inter-

dite de la mi-avril à la mi-mai, « car les poissons fraient en yceluy temps, et laissent leur fraye aux herbes ». Tout aussi réglementée est la pêche aux « gords », pêcheries fixes en pieux, claies, palissades, sortes de fosses-pièges à poisson installées à demeure dans la Seine. Les propriétaires des gords étaient considérés comme des pêcheurs professionnels et formaient la communauté des « pêcheurs à engins », forte d'une centaine de membres et placée sous le patronage de saint Nicolas. Les pêcheurs à verge, protégés par saint Louis, étaient deux fois moins nombreux. En principe, la pêche à la verge (à la ligne) est libre, ainsi qu'il ressort du plaidoyer de leur communauté devant le Parlement, le 27 avril 1422 : « Le pescheurs à verge dient qu'ils ont faculté de peschier à la ligne en tous fleuves publiques et specialement en la rivière de Seyne en toutes saisons, en tous temps, toute manière de poissons de quelque quantité ou grandeur qu'ils soient, exceptés les quatre poissonx royaulx esquels certeine grandeur est requise, c'est assavoir en la carpe, brochet, bresme et barbeau, et peuvent peschier avec nasselle [nasse] ou sans nasselle. » Un arrêt des Requêtes du Palais aurait même précisé que « chascun peut peschier à la ligne, mais qu'il ait ung pié sur terre ».

Au début du XVe siècle, ces pêcheurs à la ligne ne rencontraient de difficultés que dans la partie du fleuve appartenant à l'abbaye de Saint-Magloire. Les moines interdisaient notamment la pêche en bateau, sous prétexte que, pour retenir leur barque, les pêcheurs enfonçaient une perche (un « affiché ») dans le lit de la rivière sans demander leur permission. Dans leur plaidoyer, les pêcheurs à la ligne firent valoir que leur métier était d'intérêt public et que, pauvres eux-mêmes, ils travaillaient pour faire vivre les pauvres : « Ils prennent des petits poissons, dont les malades et autres povres gens sont soubstenus, car les gros marchans poissonniers n'ouvriroient mie leurs bouticles pour ung ou deux poissons pour ung malade ou pour une povre personne.» Par ailleurs, ajoutaient-ils, comment le roi pourrait-il se régaler d'ablettes sans leurs lignes, car ces menus poissons passent à travers les mailles des filets?

Les pêcheurs rencontraient aussi des difficultés à l'occasion de la vente de leur pêche. La vente du poisson d'eau douce était strictement réglementée afin d'assurer aux acheteurs un produit frais et de bonne qualité. Le poisson devait, notamment, être transporté dans des récipients emplis d'eau et être vendu vivant. Sa vente se faisait à trois endroits : à la porte de Paris ou Apport-Paris (près du Grand Châtelet), à la porte Baudet ou Baudoyer (place Baudoyer) et sur le Petit Pont. Ailleurs, les pêcheurs ne pouvaient que pratiquer la vente ambulante à la criée : les plaidoiries décrivent souvent les femmes des pêcheurs allant par les rues, criant leur marchandise en portant, sur la tête ou au bras, les auges et cuveaux dans lesquels frétillaient les menus poissons.

Au XVIIe siècle, le roi concède des droits de pêche à ses familiers. Par une ordonnance du 10 février 1605, Henri IV demande au maître des Eaux et Forêts de privilégier Berault Brissard qui a «trouvé l'invention de pescher en la rivière Seyne les saulmons, lemproies, allozes et aultres sortes de poissons de mer passagers, avec les engins dont il se sert pour pescher en ladicte rivière de Loyre», engins que les pêcheurs parisiens ne connaissent pas. Ce protestant tourangeau, ami du roi, se voit reconnaître le monopole de l'emploi des engins qu'il a mis au point sur la Loire. Le 16 septembre 1634, c'est un des valets de sa garde-robe, Henry Beaubrun, que Louis XIII privilégie, l'autorisant «à pescher et mettre des brayes en dessoubs des ponts de Charenton, aux Doubles et Thuilleries dudict Paris, comme on a faict à ceulx de Nostre-Dame et Saint-Cloud, à la charge

que les dictes brayes n'apporteront aucune incommodité à la navigation». Les brayes sont des sortes de chaluts fixes maintenus par des perches. Le 26 mars 1636, Louis XIII ordonne : «Le roi, désirant manger des saumonneaux, et que pour cet effect il luy en soit servy à sa table, a ordonné et commandé à Nicolas Janot, bourgeois de Paris, de faire tendre son guiddeau pour lui en pescher, et ce nonobstant les deffences portées par ses ordonnances sur les Eaues et Forests.» Plus efficace que les brayes, le guiddeau est un filet en forme de sac allongé, dont l'ouverture, située à contre-sens du courant, permet aux poissons de s'y engouffrer en masse.

Au XVIIIe siècle encore, la Seine abonde en poissons de toutes sortes : en 1738, Louis XV se voit offrir un esturgeon de plus de 2 mètres de long pêché à Paris. Mais le XIXe siècle, l'ère industrielle, avec ses pollutions massives, tue la Seine et ses habitants. Les journaux s'en font l'écho. En 1904, on se pose la question : «La Seine est peu poissonneuse. Est-ce le battoir des blanchisseuses, la puanteur des égouts qui éloignent les gros poissons? Quoi qu'il en soit, on ne trouve plus guère à Paris que l'ablette et le gardonneau.» On compte pourtant alors encore quinze mille pêcheurs, répartis entre de nombreuses sociétés. Trois cent cinquante sont fédérées au sein d'un syndicat central. A l'occasion de l'Exposition universelle de 1900, un concours international de pêche a eu lieu dans le bras de la Seine emprisonné entre l'île des Cygnes et le quai de Grenelle : cinquante-sept concurrents prennent, en deux heures et demi, huit cent quatre-vingt-un poissons, uniquement des ablettes à part deux chevesnes et un gardonneau, la plus belle pièce ne dépassant pas la taille d'un doigt d'enfant. Depuis les catastrophes écologiques se sont multipliées, de gros moyens ont été mis en œuvre pour redonner une vie aquatique à la Seine, mais l'entreprise est ardue.

• *Voir aussi* POISSON.

PEINTRE

Jusqu'au XVIIᵉ siècle, les peintres ne sont pas considérés comme des artistes mais comme des artisans. Ils possèdent leurs statuts dans le *Livre des métiers* de 1268 où ils figurent sous le nom d'«ymagiers-paintres» avec l'autorisation de peindre sur «toutes manières de fust [bois], de pierre, d'os, de cor [corne] et de yvoire». Le 12 août 1391, le prévôt de Paris approuve les statuts de la «Communauté des maistres de l'art de peinture et sculpture, graveurs et enlumineurs de ceste ville et faubourgs de Paris». Ces statuts insistent sur l'emploi de matières et de couleurs de bonne qualité et sur l'interdiction d'importer des œuvres faites hors de France, notamment d'Allemagne, «pour ce qu'ils en apportent moult souvent de fausses et de mauvaises qu'ils n'oseroient vendre en leur pays». Le 16 juillet 1453 est mentionnée une saisie chez trois artisans «du pays d'Alemaigne». Ces statuts sont renouvelés le 24 mai 1558, le 5 janvier 1583, le 16 janvier 1619, avec toujours le même souci de protéger les peintres, artisans et commerçants à la fois, de la concurrence extérieure. On lit dans les statuts de 1619 qu'il est interdit «à toutes personnes, de quelque mestier et condition qu'elles soient, de faire venir aucuns tableaux de Flandres, ou d'ailleurs, hors les temps de la foire Saint-Germain, et autres qui se tiennent en ladite Ville et Banlieue». La censure s'exerce sur une peinture qui est essentiellement à vocation religieuse, mais commence à avoir une clientèle profane désireuse d'acheter autre chose que des tableaux édifiants. Une ordonnance du 24 décembre 1639 interdit la mise en vente de «portraits d'hommes et femmes nues en tout ou en partie, à l'exemple d'Artein [l'Arétin], avec des postures lascives et deshonnestes et autres grotesques qui blessent la chasteté; des-

quelles peintures infâmes, ils [les peintres] trafiquent secrètement et en font venir d'étranges païs [de pays étrangers], qu'ils vendent et débitent aux collèges, hôtels et lieux difficiles d'accès.» Il y a là une allusion aux lieux privilégiés où les jurés de la corporation avaient peine à pénétrer. En 1648, une partie des membres de la profession, désireux de se distinguer de leurs collègues et de s'attribuer un statut d'artiste, constituent l'Académie de peinture et de sculpture, concurrente de l'Académie de Saint-Luc, qui réunissait l'ensemble des peintres et dont on fait remonter l'origine aux statuts de 1391, mais qui n'obtiendra ses statuts, demandés au Parlement afin de s'affirmer contre celle de peinture, que le 17 novembre 1705. Aux salons de l'Académie de peinture s'opposeront ceux de l'Académie de Saint-Luc, qui organise sept expositions entre 1751 et 1774. En février 1776, de même que les autres maîtrises et corporations, la communauté des peintres et l'Académie de Saint-Luc sont supprimées. Les effectifs de cette compagnie n'avaient cessé de croître. Il y avait 33 peintres recensés dans le registre de la taille de 1292, 275 maîtres en 1672, 552 en 1697, 1 140 membres de la compagnie en 1764. Jules Guiffrey a fait paraître en 1915, dans le tome IX des *Archives de l'art français*, une étude monumentale sur *La Communauté des maîtres peintres et sculpteurs dite Académie de Saint-Luc, depuis son origine en 1391 jusqu'à la suppression des maîtrises et corporations en 1776*. Elle contient notamment une liste alphabétique des maîtres, peintres et sculpteurs de 1391 à 1789.

• *Voir aussi* SALON ARTISTIQUE.

PEINTRE

La représentation de Paris dans la peinture débute au XIVᵉ siècle dans les miniatures des manuscrits, notamment dans la *Vie de monseigneur saint Denis* du moine Yves, où la ville, présentée de façon très générale, offre un grand nombre de figurations de métiers. C'est au XVe siècle qu'apparaissent des images d'une grande qualité artistique et d'une exactitude minutieuse, permettant d'avoir un véritable portrait de la ville. C'est le cas pour les *Grandes Chroniques de France* illustrées par Jean Fouquet, les *Très Riches Heures du duc de Berry* illustrées par les frères Pol, Hermann et Jean de Limbourg. De rares peintures sur bois présentent en arrière-plan un précieux panorama de la cité : le *Grand Retable du Parlement de Paris*, la *Pietà de Saint-Germain-des-Prés*. Du XVIe siècle subsistent très peu de tableaux : la *Procession de la Ligue en place de Grève* (1589), et quelques œuvres de l'école flamande, *Le Cimetière des Innocents* (avant 1571) et des vues en arrière-plan dans *L'Enfant prodigue chez les courtisanes* et *Sainte Geneviève gardant ses moutons*. Ce sont encore des Flamands ou des Hollandais qui peignent le Paris de Louis XIII et du début du règne de Louis XIV : anonymes *Vue du Pont Neuf* (vers 1635), du *Pont de bois de la Tournelle et incendie de l'île Saint-Louis* (vers 1645), *Patineurs sur la Seine* (vers 1630-1640), de Jacobz ou Jan Matham, le *Quai et pont de la Tournelle* (vers 1646), d'Abraham Van Verwer, la *Vue de l'hôtel de Nevers et du Louvre, prise du Pont Neuf* (1637), de Regnier Nooms dit Zeeman, *Louis XIV visitant les travaux du Louvre* (vers 1660), d'Hendrik Mommers, *Le Pont Neuf, entrée de la place Dauphine* (entre 1665 et 1669). A la fin du XVIIe siècle et au XVIIIe, des artistes français rejoignent la cohorte flamande : aux Charles-Léopold Grevenbroek, Pierre Casteels s'ajoutent les nombreuses toiles de Pierre-Denis Martin, d'Étienne Jeaurat, de Jean-Baptiste-Nicolas Raguenet, de Pierre-Antoine de Machy, d'Hubert Robert, d'Alexandre-Jean Noël, de Jean-Baptiste Lallemand, de Philibert-Louis Debucourt, de Thomas-Charles Naudet, de Louis-Léopold Boilly, de Louis-Gabriel Moreau. Au XIXe siècle le courant romantique développe la nostalgie du passé et de nombreux aquarellistes anglais viennent peindre le Paris encore largement médiéval de la Restauration et de la Monarchie de Juillet : Richard Parkes Bonington, Thomas Boys, John Scarlett Davis, Henry Edridge, Frederick Nash, Edward John Poynter. Parmi les plus féconds des peintres du paysage parisien de cette époque figurent Giuseppe Canella, Étienne Bouhot, Isidore Dagnan, Jean-Jacques Champin. La photographie modifie profondément la situation du peintre de paysage ou de site et les nouvelles écoles se montrent davantage attirées par l'eau, le ciel, la végétation que par le minéral des monuments et de l'agitation des foules urbaines. Claude Monet, Auguste Renoir ne peignent que rarement des scènes parisiennes ; quelques vues de Paris font exception dans les œuvres de Vincent Van Gogh, Paul Gauguin ou Paul Cézanne. Le Hollandais Johan Barthold Jongkind se montre davantage sensible au charme des berges et des quais. Gustave Caillebotte peint les piétons et Giuseppe de Nittis la vie mondaine. En revanche, Camille Pissarro, Albert Marquet, Maurice Utrillo sont d'authentiques peintres de Paris. Il ne faut pas oublier, au XXe siècle, les scrupuleux peintres de la vie quotidienne Jean Béraud, Maximilien Luce, André Devambez, Frank Myers Boggs, Jean-François Raffaelli. Certes moins prestigieuses, leurs toiles sont d'une plus grande richesse documentaire que celles de peintres talentueux tels qu'Édouard-Jean Vuillard, Raoul Dufy, Robert Delaunay, Marcel Gromaire ou Bernard Buffet qui nous proposent une image de la ville transfigurée. Le musée Carnavalet s'efforce, depuis plus d'un siècle, de rassembler toutes les œuvres d'art ayant trait à Paris et possède des collections exceptionnelles.

PÈLERINAGE

Le principal centre de pèlerinage des Parisiens n'est pas dans leur ville, mais à quelques kilomètres au nord, à l'abbaye de Saint-Denis où sont conservées les reliques du premier évêque et martyr de la capitale. A l'ouverture de la foire du Lendit, le jour de la Saint-Denis, l'évêque de Paris donnait la bénédiction à la foule et lui présentait les saintes reliques, parmi lesquelles le bras de saint Siméon. Les princes faisaient de larges distributions à l'occasion de leur pèlerinage : en 1328, Philippe de Valois se rend du Louvre à la basilique, marchant pieds nus, baisant la main des pauvres sur son chemin, leur faisant distribuer des aumônes en viande et en argent. Il y a sept stations dans le pèlerinage à Saint-Denis : Notre-Dame-des-Champs avec sa crypte souterraine de Saint-Denis ; Saint-Étienne-des-Grès qui abrite la crosse du saint ; Saint-Benoît-le-Bétourné, où le saint aurait prêché le mystère de la Sainte-Trinité dans la crypte ; Saint-Denis-du-Pas, Saint-Denis-de-la-Chartre, l'abbaye de Montmartre, près de laquelle avait eu lieu le martyre, Saint-Denis-de-l'Estrée.

A partir du XVIIe siècle, les pèlerinages perdent leur caractère expiatoire ou pénitentiel pour devenir une affaire de dévotion individuelle. Le pèlerinage du mercredi au vendredi saint, à Longchamp, avait notamment pris un aspect mondain surprenant : Mlle Maure, cantatrice de l'Opéra, avait pris le voile dans cette abbaye mais continuait à chanter aux offices, attirant un public qui offrait à l'abbesse de splendides aumônes à l'occasion de concerts spirituels. L'archevêque de Paris finit par s'en formaliser et par interdire l'accès de l'église aux fidèles. Le public n'en continua pas moins à fréquenter les alentours, ce qui est à l'origine de la promenade de Longchamp.

Le 8 août 1645, le pape Innocent X avait accordé plénière rémission à tous les membres d'une confrérie qui visitaient chaque année la chapelle du Mont-Valérien le jour de l'Exaltation de la Sainte-Croix, depuis les premières vêpres jusqu'au coucher du soleil. A la veille de la Révolution, dans son *Tableau de Paris*, Sébastien Mercier ironise sur ce pèlerinage : « Quantité de femmes, de couturières, de jeunes filles, accompagnées de pèlerins chargés de croix, traversaient le bois de Boulogne et gravissaient avec ferveur la montagne un peu haute et rude. On a réprimé avec sagesse ce que cette piété avait de suspect. Aujourd'hui, les pèlerins et les pèlerines, cahotés dans une charrette pour leurs cinq sols, s'y rendent pendant le jour. On y entend la messe, et l'on redescend ensuite dîner gaiement dans les cabarets de Suresnes. Les pèlerinages eurent en tous temps plus d'une utilité, et la population de la France doit infiniment au père Duplessis, grand planteur de calvaires. » L'allusion grivoise à la fonction d'étalon de certains prêtres est évidente. Elle correspond à une tendance ancienne d'une partie du clergé. Le dominicain italien Barletta ne dénonçait-il pas, au XVe siècle, dans ses prêches, le pèlerinage de Saint-Jacques de Compostelle, disant que « beaucoup de filles y partaient vierges, ou à peu près, et en revenaient putains, en particulier les Anglaises qui se signalaient plutôt par l'ardeur de leur tempérament que par celle de leur foi. Saint Jacques n'y était pour rien. »

Aujourd'hui, le seul mouvement de foule qui puisse mériter le nom de pèlerinage amène au Sacré-Cœur bien plus de touristes nippons mangeurs de pellicule photographique que de croyants tentant de se recueillir dans cette immense auberge espagnole.

• *Voir aussi* **PROCESSION** ; **SAINT**.

PELLETIER

La corporation des pelletiers est déjà constituée en 1183, car, à cette date, Philippe Auguste lui concède, moyennant 73 livres de cens, dix-huit maisons qu'il vient de confisquer aux juifs expulsés. Ces maisons, situées à proximité du Palais (de justice), se trouvaient à l'emplacement du quai aux Fleurs et de l'actuel Tribunal de Commerce dans une rue qui va prendre alors le nom de rue de la Pelleterie et, plus tard, de la Vieille-Pelleterie. Le *Livre des métiers* d'Étienne Boileau, composé peu avant 1270, s'il n'enregistre pas les statuts des pelletiers, mentionne que le maître de la Garde-Robe du roi, le Grand Chambrier, possédait la juridiction sur les pelletiers en matière commerciale. Chaque année, le dimanche suivant la fête de la Trinité, les pelletiers se réunissent dans la halle de la pelleterie. Le Grand Chambrier y désigne leur maire et l'assemblée élit les quatre gardes du métier. Les pelletiers possèdent une confrérie, placée sous le vocable de Notre-Dame, dont la chapelle se situe dans l'église des Saints-Innocents. Le livre de la taille de 1292 compte deux cent quatorze pelletiers, celui de 1300 en énumère trois cent quarante-quatre. En comparaison, les drapiers ne sont que dix-neuf et cinquante-six, ce qui serait l'indice que le drap était encore à cette époque un produit de luxe et que la fourrure et les peaux jouaient un rôle prépondérant dans le vêtement à la fin du XIIIe siècle. Rédigé vers 1250, le *Dictionnaire* de Jean de Garlande mentionne que les pelletiers utilisaient principalement des peaux d'agneau, de chat, de renard, de lièvre, de lapin, d'écureuil, d'hermine, de loutre, de belette, de petit-gris ou vair (sorte d'écureuil), de martre-zibeline et de loir. Le *Livre des métiers* ajoute le chevreuil et le chat sauvage. Mais, dès le XIVe siècle, les progrès des étoffes de soie ou de laine réduisent l'usage des fourrures aux classes les plus fortunées de la société. Le déclin des effectifs et du rôle des pelletiers entraîne leur recul dans la hiérarchie des Six-Corps constituant l'élite marchande de la ville. Les pelletiers, qui prétendaient, sans qu'il y en ait jamais eu la moindre preuve, avoir occupé le premier rang à l'origine, passent en 1531 du troisième au quatrième rang,

permutant avec les merciers promus. Henri III réunit en 1586 dans une seule communauté les trente et un pelletiers et fourreurs dont les rôles étaient jusqu'alors distincts : les pelletiers faisaient le commerce des peaux, les fourreurs cousaient, doublaient et bordaient de fourrure les vêtements. Le déclin des pelletiers-fourreurs se poursuivit jusque vers le milieu du XVIIe siècle : des lettres patentes de décembre 1648 signalent que « les marchands pelletiers qui ont moyen de subsister et de continuer leur trafic, meus de charité envers leurs pauvres confrères », décidèrent « que les riches et accommodez dudit métier seroient tenus d'employer et faire travailler à l'advenir en leur commerce et manufacture lesdits pauvres marchands qui voudront s'assujétir à travailler pour autruy ». La situation s'améliora ensuite et l'on comptait environ soixante pelletiers-fourreurs à la veille de la Révolution.

PERMIS DE CONSTRUIRE

Les guerres de Religion terminées, Henri IV décide de doter Paris d'un urbanisme moderne, à l'italienne, fait édifier la place Dauphine, la place Royale (des Vosges), dresse les plans d'une place de France. Pour toutes ces places, il décide du type des maisons qui devront les border. Voulant étendre à la ville entière des règles qu'il estime indispensables, il nomme Sully, son homme de confiance, grand voyer. L'édit de décembre 1607 définit avec précision ses attributions et fixe les premières règles. L'article 4 interdit les saillies avancées sur la rue, les encorbellements, et décide que le grand voyer donnera « par écrit son procès-verbal de lui signé ou den greffier portant l'alignement des dits édifices ». L'article 5 énumère les avancées interdites et ordonne qu'à la fin de la construction d'un immeuble le propriétaire prévienne le grand voyer, afin que celui-ci vérifie s'il n'a pas été contrevenu aux alignements. Dans ces deux articles apparaissent les germes du permis de construire et du certificat de conformité. En vertu de cet édit, la Ville de Paris accorde des permissions de voirie valables un an.

Un nouveau pas dans la réglementation est franchi avec l'ordonnance du 10 avril 1783 qui impose un rapport entre la largeur des rues et la hauteur des maisons. Un arrêté du 9 octobre 1801 fixe la largeur des rues de Castiglione, des Pyramides, de Rivoli et le type des maisons à y construire. Un contrat est passé entre l'État et les propriétaires tenus de respecter le modèle dessiné par Percier et Fontaine, mais dispensés d'impôts fonciers pour trente ans.

Féru d'urbanisme, le prince-président ajoute une nouvelle contrainte par le décret du 26 mars 1852, dont l'article 3 stipule : « Tout constructeur de maison, avant de se mettre à l'œuvre, devra demander l'alignement et le nivellement de la voie publique au devant de son terrain et s'y conformer. » Au nivellement, dont il est fait mention pour la première fois, s'ajoute le souci de salubrité de l'article 4 : « Le constructeur devra pareillement adresser un plan et des coupes cotées des constructions qu'il projette et se soumettre aux prescriptions qui lui seront faites dans l'intérêt de la sécurité publique et de la salubrité. »

L'édifice législatif est couronné par la loi du 15 février 1902 instituant le permis d'habitation : « Aucune construction neuve ou modification de construction existante ne pourra être entreprise sans autorisation préalable du maire. A cet effet, le propriétaire devra remettre à l'administration municipale, avec sa demande signée par lui, les dessins cotés (plans, coupes, élévations), et à une échelle suffisante, de tous les projets de travaux. Les plans comportent l'indication des dispositions d'évacuation des matières et eaux usées. »

La création de servitudes esthétiques, déjà en germe dans les places royales et dans la place de l'Étoile, était jusqu'alors subordonnée à l'existence d'une loi spécifique pour chaque site. La loi de Finances du 13 juillet 1911 (article 118), complétée par la loi du 31 décembre 1917, modifie l'article 4 déjà cité du décret du 26 mars 1852 en ajoutant au texte : « ainsi que de la conservation des perspectives monumentales et des sites, sauf recours au Conseil d'État par voie contentieuse ». Les lois du 14 mars 1919 et du 19 juillet 1924 instituent la « permission de construire » avec la notion de protection artistique. En bref, celui qui veut bâtir doit demander la permission de construire en vertu des lois de 1919-1924, le permis en application de la loi de 1902 et du décret de 1852. La permission est une mesure de protection pour l'avenir de la ville, le permis pour le présent.

De nombreux textes ont modifié et complété cette législation, pas moins de vingt-huit lois ou décrets entre 1924 et 1940, notamment la loi du 2 mai 1930 et le décret du 27 juillet de la même année créant dans chaque département une commission des monuments naturels et des sites chargée d'établir la liste des monuments naturels et des sites, dont la présence doit être prise en compte dans la délivrance des permis de construire. La loi du 25 février 1943, complétant les lois sur les monuments historiques des 31 décembre 1913, 31 décembre 1921, 18 mars 1924, 23 juillet 1927, précise les conditions de classement et définit l'aire concernée, ce qui détermine les règles de délivrance du permis de construire : « Est considéré comme étant situé dans le champ de visibilité d'un immeuble classé ou proposé pour le classement tout autre immeuble, nu ou bâti, visible du premier ou visible en même temps que lui et compris dans un périmètre n'excédant pas cinq cents mètres. »

La loi du 4 août 1962 (articles L. 313-1 et suivants du Code de l'Ur-

banisme) a créé des secteurs sauvegardés. L'article 70 de la loi du 7 janvier 1983 a institué les zones du patrimoine architectural et urbain. En résumé, tout permis de construire peut, conformément aux dispositions de l'article R. 111-21, être refusé s'il porte atteinte à l'intérêt des lieux avoisinants.
• *Voir aussi* **ALIGNEMENT** ; **ANGLE (immeuble d')** ; **RUE (tracé de la)** ; **VOIRIE**.

PESTE

Maladie transmise du rat à l'homme par l'intermédiaire de la puce, la peste, pneumonique ou bubonique, est mal connue à Paris, en raison de la disparition des archives locales dans l'incendie allumé par les Communards en mai 1871. Elle arrive pour la première fois dans la capitale vers la fin du mois d'août 1348, par le nord, par Roissy et Saint-Denis où elle est signalée le 20 août. Cette célèbre Peste Noire fait de très nombreuses victimes, puis se calme durant l'hiver et reprend vigoureusement au printemps 1349, ainsi que l'attestent les comptes de Saint-Germain-l'Auxerrois. Les filles Dieu de Sainte-Catherine, qui perdaient, en moyenne, quatre ou cinq religieuses par an sur un effectif total de cent trente-six religieuses, enterrent trente-deux des leurs durant ce fatal printemps. Le 25 juillet 1349, c'est l'évêque de Paris, Foulque de Chanac, qui succombe à l'épidémie.

La peste disparaît en 1350, pour revenir de 1360 à 1363, de 1366 à 1369, en 1374, 1379-1380, 1382, 1387. Après une douzaine d'années de répit, elle s'installe à nouveau de 1399 à 1401, reparaît en 1412, 1418, 1421, de 1432 à 1434, en 1438 et, peut-être, en 1439. Cinq autres années d'épreuves commencent en 1448, ou 1449, et finissent en 1452. De nouvelles épidémies éclatent de 1466 à 1468, puis en 1471, 1475, 1478. Après quatre autres années d'épreuves, de 1481 à 1484, la peste ne se manifeste plus jusqu'en 1499-1500, puis en 1510. Elle se fait ensuite plus fréquente : 1519, 1522-1523, 1529-1533, 1544-1546, 1548, 1553-1555, 1560-1562, 1566-1568, 1577, 1580-1581, 1583-1584, 1586. S'écoulent dix années de rémission avant de nouvelles apparitions très meurtrières : 1596-1597, peut-être 1603, 1604 sûrement, 1606 à 1608, 1612, 1618-1619, puis de 1622 à 1631, dix années de suite. C'est la dernière épidémie importante et durable. La peste reparaît en 1636, 1638, et deux dernières fois en 1652 et 1668.

On ne sait pas très bien pourquoi la peste a disparu, sa dernière manifestation très grave ayant eu lieu dans la région marseillaise entre 1720 et 1722. Ce n'est pas l'hygiène inexistante du règne de Louis XIV qui a pu l'éradiquer. Il est certain que les soins corporels de notre époque et, sans doute, la meilleure santé des hommes du XXe siècle expliquent son faible impact aujourd'hui. Car la peste n'a pas totalement disparu de France. Les médecins la décèlent à Paris en 1893 et la dernière épidémie, en 1919-1920, fait quatre-vingt-douze victimes. Mais ce n'est plus aujourd'hui qu'un risque insignifiant et une épidémie très secondaire.
• *Voir aussi* **ÉPIDÉMIE**.

PETITE MAISON
Voir **FOLIE**.

PETITE POSTE
Voir **POSTE**.

PETITES-AFFICHES
Voir **AFFICHES (PETITES-)**.

PHARMACIE, PHARMACIEN

Attestés dans le *Livre des métiers* du prévôt Étienne Boileau en 1269, les apothicaires n'apparaissent pas dans le livre de la taille de 1292, car ils font partie de la corporation des épiciers. L'ordonnance d'août 1484 ne sépare pas les deux professions mais exige de tout épicier désirant être apothicaire qu'il ait servi durant quatre ans comme apprenti et ait passé un examen pour «estre approuvé audit mestier», alors que tout apothicaire peut être épicier sans restriction. L'ordonnance du 5 juin 1514 va plus loin et interdit l'apothicairerie aux épiciers. Les deux professions continuent à cohabiter dans la même corporation mais possèdent des jurés distincts. En 1332, la faculté de médecine a rédigé un règlement précis pour les apothicaires qui, en compagnie de barbiers, chirurgiens et «herbiers» (herboristes), sont placés sous sa surveillance. En 1631, la faculté signe avec les maîtres apothicaires un concordat mettant en évidence sa prééminence dans l'établissement des statuts de la profession. Pour fabriquer les médicaments, les apothicaires utilisent «le livre qu'on appelle *Antidotaire Nicolas*», pharmacopée d'un médecin grec du XIIIe siècle, Nicolas Myrepse, qui contient plus de deux mille cinq cents formules. Il restera l'instrument de référence jusqu'à l'établissement du *Codex* officiel, commencé en 1599 sur ordre de la faculté de médecine et achevé en 1637. Les apothicaires durent lutter contre la concurrence des apothicaireries de couvents et contre les chirurgiens qui fabriquaient eux-mêmes les remèdes externes destinés à leurs patients. La suppression des corporations par Louis XVI en 1774 ne concerne pas les apothicaires. Au contraire, ils se détachent encore davantage des épiciers et se constituent, le 25 avril 1777, en Collège de pharmacie, dont le statut est reconnu par lettres patentes du 10 février 1780. Après avoir aboli toutes les maîtrises et jurandes, l'Assemblée constituante rétablit le Collège de pharmacie par décret du 14 avril 1791. Le 20 mars 1796 (30 ventôse an IV) se constitue la Société libre des pharmaciens de Paris qui organise une «École gratuite». Le 11 avril 1803 (21 germinal an XI) est votée la loi qui régira la profession jusqu'à la nouvelle loi du 11 septembre 1941. En 1840, l'École de pharmacie

est rattachée à l'Université. Elle deviendra faculté en 1920. En novembre 1796 a été créée la Pharmacie centrale des hôpitaux, installée d'abord à l'hospice des Enfants-Trouvés du parvis Notre-Dame, puis en 1812 dans l'hôtel de Miramion, quai de la Tournelle, et depuis 1934 établie au 7, rue du Fer-à-Moulin et au 8, rue des Fossés-Saint-Marcel. Une grande partie de l'industrie pharmaceutique française s'est développée à Paris et dans sa proche banlieue. Étienne Poulenc a fondé en 1859 à Ivry-Port, à partir d'une pharmacie de la rue Saint-Merri, un des fleurons de cette industrie qui a fusionné en 1928 avec les Usines du Rhône, établissement lyonnais. Roussel-Uclaf a son berceau à Romainville et l'Institut Pasteur est installé à Paris même.

• *Voir aussi* **BARBIER**; **CHIRURGIEN**; **ÉPICIER**.

PHILIPPE AUGUSTE (enceinte de).
Voir **ENCEINTES**.

PHOTOGRAPHE
Liste des principaux artistes ayant photographié Paris :

ATGET, Jean-Eugène-Auguste (1856-1927)
BALDUS, Édouard-Denis (1813-1882)
COLLARD, A. Albert (av. 1838 - apr. 1887)
DAGUERRE, Louis-Jacques-Mandé (1787-1851)
DELMAET, Hyacinthe-César (1828-1862)
DELTON, Louis-Jean (av. 1820 - apr. 1899)
DISDÉRI, André-Adolphe-Eugène (1819-1889)
DOISNEAU, Robert (1912-1995)
DURANDELLE, Louis-Émile (1839-1917)
EMONTS, Charles (?)
FEHER, Émeric (1904-1966)
FERRIER, Claude-Marie (1811-1889)
FERRIER, Jacques-Alexandre (?-1912)
FORTIER, Fr.-Alphonse (av. 1825-1882)
FRANCK, François-Marie-Louis-Alexandre Gobinet de Villecholles (1816-1906)
GAILLARD, Paul (?-1890)
GIMPEL, Léon (1878-1948)

GODEFROY, H. (?)
GROS, Jean-Baptiste-Louis (1793-1870)
JAHAN, Pierre (né en 1909)
JEANRENAUD, A. (av. 1835-1895)
LE SECQ, Henri-Jean-Louis (1818-1882)
LIEBERT, Alphonse (1827-1913)
MARVILLE, Charles (1816-1879?)
MAURER, Paul (né en 1951)
MOULIN, F.-Jacques (?-apr. 1869)
MOUNICQ, Jean (né en 1931)
NADAR, Gaspard-Félix Tournachon dit (1820-1910)
NEURDEIN, A.-L. (av. 1840 - apr. 1912)
NEURDEIN, E. (vers 1845 - apr. 1913)
PERSONNAZ, Antonin-A. (1855-1937)
PETIT, Pierre (1832-1909)
QUINET, Achille (?-1900)
RENÉ-JACQUES, René Giton (né en 1908)
RICHEBOURG, A. (av. 1830 - entre 1872 et 1876)
RONIS, Willy (né en 1910)
SEEBERGER, Jules (1872-1932), Louis (1874-1936), Henri (1876-1956), Jean (1910-1979), Albert (né en 1914)
SOULIER, Charles (av. 1840 - apr. 1876)
SOYE, Jean-Noël de (né en 1955)
SUQUET, Jean (né en 1928)
TOURNACHON, Adrien-Alban Nadar Jeune (1825-1903)
VIGNES, Michelle (née en 1928)
ZOLA, Émile (1840-1902)

PHOTOGRAPHIE

L'*Annuaire général du commerce Didot* pour 1840 annonce à la fois l'invention de la photographie et l'entrée dans le domaine public de ce nouveau procédé de reproduction grâce à son rachat par l'État : « Dans sa séance du 15 juin 1839, la Chambre des députés a accordé à MM. Daguerre et Niépce fils une pension viagère de dix mille francs pour la cession faite par eux de leur procédé servant à fixer les images de la chambre obscure. » Remplaçant à moindres frais les traditionnels portraits peints, la photographie a immédiatement un immense succès dans les milieux fortunés, aristocratiques aussi bien que bourgeois et les ateliers se multiplient. Dans *Paris impérial*, Hervé Maneglier décrit l'intérieur d'un photographe célèbre : « C'est en 1860 que

Félix Tournachon, dit Nadar, se trouvant trop à l'étroit dans son atelier de la rue Saint-Lazare, loue, au 35, boulevard des Capucines, un immeuble neuf qu'il va aménager d'une manière fastueuse. Deux cent trente mille francs de dépense pour édifier un palais de verre et de fer peint en rouge, sur lequel sa signature s'étale en lettres géantes. Le rez-de-chaussée et l'entresol servent à la réception du public. Boutique en bas, salons au premier. La décoration intérieure est réalisée dans l'esprit de l'époque. C'est un capharnaüm indescriptible d'objets hétéroclites et exotiques comme on en voit dans les hôtels particuliers des peintres à la mode. Au dernier étage, l'atelier de prise de vue est éclairé par une verrière immense abritée d'un vélum. » Si Nadar s'affirme comme le portraitiste de l'opposition républicaine, Disdéri est le photographe de l'Empereur. Il est installé depuis 1854 au 8 du boulevard des Capucines et dirige une entreprise de près de cent personnes, tirant trois mille à quatre mille portraits par jour. Meyer et Pierson sont au numéro 3 du même boulevard, tandis qu'au 39, Willème fait de la photosculpture. Car les photographes à la mode sont concentrés sur les Grands Boulevards, entre la Chaussée-d'Antin et la Madeleine. L'âge d'or de la photographie, et particulièrement du portrait, se situe sous le second Empire. Catherine Floc'hlay, dans un article paru dans le premier numéro de *La Recherche photographique*, en octobre 1986, dresse la courbe des ateliers de photographie de 1844 à 1871. On en dénombre une cinquantaine en 1851, plus de cent dès 1853, cent cinquante en 1856, plus de trois cents en 1864 et l'on culmine à près de quatre cents à la veille de la guerre de 1870. A partir de 1880, avec les nouveaux procédés, les ferrotypes notamment, le prix des portraits s'effondre et posséder sa photographie devient à la portée de toutes les bourses. La multiplication des photographes amateurs restreint la clientèle des photographes dont la profession se dégrade rapidement ; les grands ateliers du second Empire ne sont plus que de modestes entreprises artisanales comme au temps du daguerréotype des années 1840. Il y a quelques survivants du second Empire : Reutlinger établi depuis 1850, d'abord au 33, boulevard Saint-Martin, puis 112, rue de Richelieu, enfin au 21, boulevard Montmartre ; Pierre Petit au 122, rue La Fayette, portraitiste des présidents de la République. Quelques ateliers se créent au lendemain de la guerre : les frères Manuel s'installent en 1920 dans la rue Dumont-d'Urville, et surtout Cosette Harcourt, qui ouvre son studio, avenue d'Iéna, en 1932 et dont la période faste s'étend jusqu'en 1955. Au lendemain de la Seconde Guerre mondiale, la photographie se développe sur d'autres terrains que le portrait, avec la mode, la publicité, la presse... La Ville de Paris organise un mois de la photographie, tous les deux ans, en octobre.

• *Voir aussi* PHOTOGRAPHE.

PIERRE

Les premiers édifices en pierre de Paris furent des dolmens ou des menhirs, œuvres de prédécesseurs des Gaulois. Les Romains exploitèrent le calcaire grossier du Lutétien dont les bancs s'empilent sur 20 à 30 mètres sous la capitale, mais dont seulement 3 à 7 mètres de la couche supérieure ont été utilisés pour la construction. Les carriers ont extrait deux niveaux séparés par un « banc vert » inutilisable. De l'étage inférieur du Lutétien étaient tirées les lambourdes, calcaire homogène, fin, qui présente la caractéristique de durcir à l'air. La partie supérieure, quand elle est d'un beau grain, est nommée « banc royal ». Ce banc supérieur ne dépasse pas 2 mètres sous Paris, mais s'épaissit fortement au nord et au nord-ouest de la ville, notamment à Carrières-sur-Seine, où il a été largement exploité. L'étage supérieur du Lutétien, épais de 5 mètres sous le Val de Grâce, mais de 2 à 3 mètres seulement à Denfert-Rochereau, présente plusieurs types de bancs au-dessus du banc vert, ainsi distingués, du bas vers le haut : le banc de marche, inexploité, sur lequel le carrier marche, d'où son nom ; le liais, très recherché et apprécié, d'une épaisseur rarement supérieure à un demi-mètre, pierre au grain très fin, très homogène, très dure et résistante, pouvant être utilisée à plat en dalles, marches, linteau, mais aussi en délit, pour des colonnes ou des statues ; le banc de laine, calcaire très tendre, épais d'environ 1 mètre, dont on exploite surtout le cliquart (partie plus dure) ou le grignard (imprégné de cérithes fossiles) ; les bancs francs (épais de 1 à 2 mètres), en calcaire moyennement résistant, plutôt hétérogène et pouvant être utilisé, selon le gisement, en blocs ou en moellons ; enfin, la roche (épaisse de 1 mètre environ), d'un calcaire très dur et riche en cérithes qui, malgré sa qualité, était généralement conservé comme ciel de carrière pour protéger les carriers des risques d'effondrement des « caillasses » du Lutétien supérieur, ce qui fait que, lorsqu'on la détecte sur un monument parisien, on peut en déduire que la roche a été extraite dans une carrière à ciel ouvert.

Dès le Ier siècle, les Gallo-Romains exploitent à ciel ouvert les affleurements du Lutétien dans la vallée de la Bièvre, et, en souterrain, dans la zone du Jardin des Plantes, de la rue Mouffetard et des Gobelins. L'analyse des matériaux des Thermes de Cluny révèle qu'ils proviennent sans doute de la proche vallée de la Bièvre et des pentes mêmes de la montagne Sainte-Geneviève, vraisemblablement de carrières à ciel ouvert. Carriers et maçons antiques semblent avoir ignoré les qualités respectives des différents bancs. Les Mérovingiens furent tout aussi ignorants, mais faisaient venir des pierres dures du Jurassique depuis la Bourgogne pour leurs sarcophages.

C'est au XIIe siècle qu'a lieu la mutation, avec l'expansion urbaine et l'utilisation croissante de la pierre dans la construction aux dépens du bois. Les besoins en pierre amènent l'ouverture de carrières en souterrain. La construction de monuments aussi importants et complexes que Notre-Dame amène les carriers à distinguer les qualités de pierre des différents bancs calcaires et à les employer suivant leur fonction dans le bâtiment. Le liais est employé en grandes dalles de moins de 40 centimètres d'épaisseur pour la sculpture des portails, des tympans, des voussures, des bas-reliefs et, à l'intérieur de Notre-Dame, pour les tailloirs des chapiteaux des colonnes de la nef et du chœur principalement. Sont aussi taillées dans le liais les colonnes monolithes des tribunes. Les bancs francs sont présents pour les claveaux, les ogives, les tambours et les chapiteaux des piliers de la nef. On a fait usage des lambourdes pour élever les murs intérieurs de l'église et les voûtains, car ce calcaire tendre s'altère à l'extérieur et les constructeurs ont préféré l'utiliser à l'intérieur où les risques d'altération étaient beaucoup plus faibles. La roche a été retrouvée sous le dallage de la nef dans les fondations du premier pilier sud. Une grande partie des matériaux de Notre-Dame semble provenir des carrières à ciel ouvert et en souterrain situées aux alentours de l'actuel Val-de-Grâce et de l'hôpital Cochin. Au XIIIe siècle, de nouvelles carrières sont ouvertes dans l'enclos des Chartreux (lycée Montaigne et jardin du Luxembourg). Au XIVe siècle est attesté un nouveau site d'extraction aux abords de la « Tombe Ysoré » (rue de la Tombe-Issoire).

Vers 1480, les maîtres carriers qui travaillent aux « carrières Vieille et Neuve », près de l'actuelle station de métro Saint-Jacques, mettent au point une nouvelle technique d'extraction. Le liais étant vendu très cher, ils délaissent les autres bancs et percent des carrières sur des hauteurs très faibles (à peine plus d'un mètre, boulevard Arago) et construisent des piliers constitués de blocs superposés, dits « piliers à bras », remblayant derrière eux au fur et à mesure qu'ils avancent, en maintenant les remblais par des murs de pierres sèches nommés « hagues ». C'est ce nouveau procédé, dit par « hagues et bourrages », qui s'impose un peu partout.

Au Moyen Âge, la pierre de Notre-Dame, la pierre de Paris, jouit d'un prestige extraordinaire, si bien qu'on la fait venir jusqu'à Chartres et à Étampes pour servir dans la sculpture de la cathédrale à Chartres et de Notre-Dame à Étampes. Inversement, des comptes de 1339-1341 signalent, pour le couvent des Bernardins, l'utilisation de bateaux qui vont charger des pierres extraites des carrières de Saint-Leu-d'Esserent, près de Creil, ou de Vernonnet (village en face de Vernon). On retrouve cette pierre de Saint-Leu à l'église Saint-Séverin et celle de Vernon à la Sainte-Chapelle dans la rose de la façade occidentale.

A partir du XVIe siècle, l'extraction parisienne se limitant au liais et se révélant très insuffisante en quantité pour la fièvre de construire qui a saisi la capitale, l'importation de pierre de Saint-Leu prend des proportions considérables : c'est dans ce matériau qu'est édifiée l'église Saint-Eustache. On le retrouve aussi dans la cour Carrée du Louvre, à Saint-Germain-l'Auxerrois, dans la façade de Saint-Étienne-du-Mont. Au XVIIIe siècle, l'École militaire est édifiée en pierre de Saint-Leu pour les tambours des colonnes du portique tandis que le socle est du calcaire dur à cérithes de Paris. On emploie aussi du calcaire tendre de Melun et du liais extrait des carrières voisines de Vaugirard. Pour les moellons, sont notamment mises à contribution les carrières de Vanves, celles de Verberie et de Saint-Maximin dans l'Oise.

Au XIXe siècle, le développement des voies ferrées et l'essor de la construction entraînent l'emploi de calcaires durs qui viennent de Bourgogne, de Lorraine, du Poitou, tandis que les granites sont apportés de Bretagne et des Vosges. Le Sacré-Cœur est issu des carrières de Souppes et de Château-Landon, le Grand Palais a été construit avec des calcaires jurassiques de l'Yonne, de la Meuse, de la Vienne et le banc franc lutétien de Villiers-Adam pour la façade, les pieds de la tour Eiffel reposent sur un socle en calcaire de Château-Landon, le pont Alexandre-III tire son libage et ses culées en granite de Sénones (Vosges), sa décoration en calcaire jurassique de Chauvigny (Vienne), etc.

Le livre de la taille de 1292 mentionne dix-huit carriers parisiens, qui ne sont plus que neuf en 1300. Les carriers sont associés aux maçons et aux tailleurs de pierre dans les bannières de 1467. Les tailleurs de pierre sont régis par les mêmes statuts que les maçons auxquels ils sont assimilés. On dénombre douze tailleurs de pierre dans le livre de la taille de 1292 et trente et un dans celui de 1313. On trouve une étude approfondie, intitulée « Pierres de Paris », dans la revue *Lithiques*, n° 4, en 1987.

• *Voir aussi* CARRIÈRE ; MÉGALITHE ; PLÂTRE.

PIGEON

Il existe à Paris quatre sortes de pigeons. Le plus fréquemment rencontré est le biset, encore inconnu au début du XIXe siècle, mais qui a migré vers la grande ville à la fin du XIXe siècle à partir des innombrables pigeonniers des campagnes d'Île-de-France. Son cousin, ramier ou palombe, est apparu vers 1830. Le colombin, petit pigeon gris cendré, est souvent confondu avec le biset. La tourterelle turque, observée pour la première fois en 1962, est de plus en plus répandue. Le pigeon est « l'oiseau noir » des services sanitaires de la préfecture. Non seulement ses déjections souillent et attaquent profondément la pierre des édifices, mais

l'oiseau transmet aussi à l'homme des maladies graves : ornithose qui déclenche des viroses broncho-pulmonaires, psittacose, fièvre Q, néorickettsioses, etc. En 1974, le professeur Lépine relevait quatre cent soixante-quatorze cas de pleurésies, maladies des yeux et ornithoses dus à ces volatiles. Une ordonnance de police du 13 juillet 1938 autorisait les propriétaires d'immeubles détériorés par ces oiseaux à les capturer et à les détruire sous réserve de ne pas troubler l'ordre public. Depuis les années 1960, la municipalité a entrepris une campagne de limitation de la population : capture d'oiseaux, distribution de grains de maïs contenant des produits contraceptifs, essai non concluant d'émission d'ondes électromagnétiques, etc. L'interdiction de nourrir ces animaux n'est guère respectée. Le nombre des pigeons parisiens est actuellement estimé à un peu moins de cinquante mille.

• *Voir aussi* NETTOIEMENT ; POSTE PAR PIGEON.

PIGNON

Le Parisien qui visite Arras, Bruges, Gand, Amsterdam ou ce qu'il subsiste du vieil Hambourg, est surpris par les hauts pignons qui somment les maisons. Paris a pourtant longtemps présenté un aspect comparable à Strasbourg ou à Colmar. C'est l'ordonnance du Bureau des finances du 18 août 1667 qui interdit les « pointes de pignon, formes rondes ou quarrées », précisant qu'au-dessus de l'entablement doit être faite obligatoirement une couverture en « croupe de pavillon ». Cette ordonnance fut appliquée avec rigueur et les maisons anciennes perdirent leurs pignons. On n'en rencontre que de rares vestiges, notamment au-dessus des maisons des 11-13, rue François-Miron. Cette interdiction fut renouvelée par l'arrêt du Conseil du 27 février 1765, qui condamnait à une forte amende et le propriétaire et l'entrepreneur qui enfreignaient la loi en

construisant un pignon, même provisoire. La Révolution confirma l'interdiction par l'article 29, titre premier, de la loi des 19-22 juillet 1791, qui est demeurée en vigueur.
• *Voir aussi* MAISON.

PILORI

A Paris, seul le roi avait le droit d'utiliser un pilori, les autres seigneurs haut-justiciers devaient se contenter d'échelles de justice. L'exposition publique au pilori s'appliquait aux commerçants ayant utilisé des poids et mesures falsifiés, aux banqueroutiers, aux concussionnaires, aux faux témoins, aux proxénètes et entremetteurs, aux blasphémateurs. D'abord installé à proximité de la place de Grève, le pilori déménagea aux Halles sous Louis IX. C'était un édifice octogonal en pierre. Au-dessus d'un rez-de-chaussée haut de 3 mètres environ et réservé à l'habitation du bourreau, se trouvait un étage hexagonal en bois avec six larges ouvertures, surmonté d'un toit pointu. Le condamné était exposé à l'une de ces ouvertures, tête et mains prises dans les trous d'une roue horizontale en fer mobile autour d'un axe vertical. La roue tournait chaque demi-heure et le condamné changeait d'ouverture. Tombé en ruine en 1502, le pilori fut remplacé par un nouvel édifice que les Parisiens indignés incendièrent en 1516 durant une émeute provoquée par une décapitation maladroite. Reconstruit, le pilori fut supprimé à la Révolution et remplacé en 1795 par le carcan qui dura jusqu'en 1832. On lui substitua alors une exposition publique dans la cour du Palais de justice qui fut abolie en 1848 par la deuxième République. Jusqu'à son intégration à Paris en 1636, l'abbaye de Saint-Germain-des-Prés posséda son propre pilori au carrefour de Buci. Dans *Gibets, piloris et cachots du vieux Paris*, Jacques Hillairet raconte l'exécution qui y eut lieu en 1557 : « Le 11 septembre de cette année, deux protestants, Nicolas Le Cène, médecin à Lisieux, et Pierre Gavart, solliciteur de procès, du Poitou, arrivèrent à Paris et assistèrent, le soir même, à une réunion secrète de huguenots. Celle-ci ayant été dénoncée, la police survint ; tout le monde put s'enfuir, sauf les deux provinciaux, peu au courant du dédale des rues de Paris. Ils furent condamnés à être brûlés au pilori de l'abbaye, après avoir été étranglés s'ils se rétractaient, ou vifs après avoir eu la langue coupée, s'ils ne se rétractaient pas. Ils n'abjurèrent pas et tendirent eux-mêmes leur langue au bourreau. Après qu'on la leur eut arrachée, on les suspendit à chacune des extrémités d'une barre de fer traversant le pilori et on plaça les fagots de telle sorte que leur corps et leur tête n'étaient pas encore atteints par les flammes alors que les parties inférieures de leurs jambes étaient déjà consumées. »
• *Voir aussi* BOURREAU ; ÉCHELLE DE JUSTICE ; GIBET ; GUILLOTINE.

PISCINE

C'est à P. Christmann, président de la Société des gymnases nautiques, qu'on doit la réalisation de la première piscine. Couverte et alimentée en eau chaude par les eaux de condensation des machines élévatoires de La Villette, c'est la piscine dite de Château-Landon (au 31 de cette rue), inaugurée le 8 juillet 1884. Elle est suivie dès 1885 par celles du boulevard de la Gare (45-47, boulevard Vincent-Auriol), de Rochechouart (au 65 rue de Rochechouart) et Saint-Honoré (au 245-251, rue Saint-Honoré) en 1886, Oberkampf (au 160 de la rue) en 1887, Rouvet (quai de la Gironde) en 1891, Hébert (2, rue des Fillettes) et Ledru-Rollin (au 10 de l'avenue) en 1897.

Le Figaro du 10 octobre 1922 dresse la liste des piscines françaises : il y en a vingt dont sept à Paris où l'on peut nager toute l'année, alors que l'Allemagne en possède mille trois cent soixante-deux et l'Angleterre huit cent six. Consciente de cette carence, la municipalité a nommé en 1897 une commission pour étudier la création de nouvelles piscines. Après vingt-sept ans sans construction, le 4 mai 1924 est inaugurée la piscine de la Butte-aux-Cailles (5, place Paul-Verlaine). Viennent ensuite les piscines Georges-Vallerey ou des Tourelles (148, avenue Gambetta) construite pour les jeux Olympiques de 1924, des Amiraux (6, rue Hermann-Lachapelle) et Molitor (14, avenue de la Porte-Molitor) en 1926, Blomet (17, rue Blomet) et Delormel (119, avenue du Général-Leclerc) en 1929, tandis que sont reconstruites en 1928 les piscines Ledru-Rollin et Rouvet. En 1933, sont inaugurées les piscines des rues de Pontoise (au 19), Édouard-Pailleron (au 22), de la Jonquière (au 79) et Neptuna (28, boulevard de Bonne-Nouvelle), en 1934, les piscines de l'Étoile (32, rue de Tilsitt), et Lutetia (17, rue de Sèvres), celle du Racing-Club au Pré-Catelan en 1936, etc. Aujourd'hui, Paris compte officiellement plus de quatre-vingts piscines dont vingt-sept disposent d'un grand bassin.

• *Voir aussi* BAIN ; EAU CHAUDE ; NATATION.

PLAISIR

L'arrivée en abondance de sucre de canne des Antilles dans la seconde moitié du XVIIᵉ siècle modifie le goût des Parisiens qui se détournent de l'oublie, jugée trop insipide en raison de la très faible quantité de miel qu'elle contient. Dès 1700, des gravures montrent des marchandes de friandises vendant de petits cônes friables (les « estriers » des fabricants d'oublies) nommés « mestier » (« métier »), le plus souvent proposés en même temps que des macarons, ainsi que l'atteste le cri associé à l'image : « Voilà le mestier sucré, voilà des macarons ! » Vers 1740, les métiers changent de nom pour se plier à la mode et s'intitulent « plaisirs ». Alors que l'oublie est réservée à la clientèle masculine et vendue par un homme, c'est une marchande qui propose le plaisir aux femmes et aux enfants. Dans sa *Soirée des boulevards*, mettant en scène les cris de Paris en 1758, Favart lui fait crier :

> V'la la petite marchande de plaisir
> Qu'est-ce qui veut avoir du plaisir ?
> Venez, garçons, venez, fillettes.

Le cri véritable était : « Voilà le plaisir des dames », et la marchande lui associait des couplets grivois, le cornet ou cône étant comparé aux cornes des maris trompés. Le plaisir, comme l'oublie, est associé au jeu. Il n'est pas vendu : on mise et on jette les dés, le perdant recevant le cornet en compensation de sa mise, le gagnant récupérant sa mise en plus du cornet. Vers 1760, les dés sont remplacés par une loterie et des hommes se mettent à vendre aussi du plaisir. Sous la Monarchie de Juillet, les images d'Épinal présentent la marchande de plaisir telle qu'elle va subsister jusqu'à sa disparition vers 1900 : elle porte un cylindre à loterie et tient un « dit-tout », un martelet, sorte de crécelle dont le bruit remplace son cri.

• *Voir aussi* BOULANGER ; OUBLIE ; PAIN ; PÂTISSIER.

PLAN DE PARIS

Par arrêté du 28 décembre 1856, le préfet Haussmann crée un service de techniciens chargés d'exécuter les travaux du plan de Paris, jusqu'alors confiés à des géomètres privés. Les collections de ce service du plan de Paris seront détruites lors de l'incendie de l'Hôtel de Ville en mai 1871. Réorganisé après cette catastrophe, le service du plan de Paris entreprend la réfection systématique des levers du territoire de la capitale et crée ainsi son propre plan parcellaire. Paris se trouve ainsi être la seule commune de France à ne pas posséder de plan cadastral exécuté par l'administration des finances, mais un plan parcellaire levé par les fonctionnaires municipaux. Le plan de Paris exécuté à la fin du XIXᵉ siècle est constitué d'une carte générale de la ville au 1/500 (cent quarante-deux grandes feuilles d'une surface de 4 mètres carrés environ) et de plans de rues au 1/200 au nombre de trois mille neuf cents environ. A la suite de la délibération du Conseil municipal du 21 octobre 1898, la Ville décide de se doter d'un cadastre afin de disposer d'éléments permettant la mise en place d'un impôt foncier. Un plan parcellaire au 1/500 est dressé ; il comprend d'abord sept cent soixante-deux feuilles jointives de format maniable (80 × 55 centimètres), puis des fiches parcellaires établies à partir des travaux effectués par le service du plan de Paris depuis 1871. L'annexion entre 1919 et 1930 des terrains de l'enceinte fortifiée désaffectée, des bois de Boulogne et de Vincennes, du champ de manœuvres d'Issy-les-Moulineaux amène l'administration municipale à procéder à des levers complémentaires au 1/1 000. Le plan parcellaire au 1/500 est ensuite étendu à cette zone et le nombre des feuilles passe de sept cent soixante-deux à huit cent quatre-vingt-sept. Le fichier parcellaire est aussi complété, atteignant soixante-dix-sept mille fiches. En 1938, prenant pour base la nouvelle triangulation exécutée suivant le système de la projection Lambert, l'administration du Plan de Paris établit une polygonale géodésique entourant la capitale. Deux mille repères coordonnés existent à travers la ville, créant le « système Ville de Paris ». Le Plan de Paris est actuellement en cours d'informatisation.

• *Voir aussi* CADASTRE.

PLANTE DES RUES

Malgré le béton et les désherbants répandus par les employés municipaux, des plantes « clandestines » persistent à vivre en dehors des lieux qui leur sont officiellement affectés. Ces « mauvaises herbes » de plantation spontanée peuvent être observées dans tous les quartiers. La ruine de Rome ou linaire cymbalaire se plaît place de la Concorde et le pissenlit a élu domicile sur l'esplanade du Trocadéro. Le plantain majeur est partout, les orobanches prolifèrent près de l'arc de triomphe de l'Étoile. On peut encore citer la vergerette du Canada, le séneçon commun, le galinsoga cilié, la persicaire, un épinard sauvage comestible, le chénopode Bon-Henri. Entre béton et bitume, la flore sauvage poursuit la lutte du végétal contre l'univers minéral du citadin.

• *Voir aussi* JARDIN.

PLÂTRE

Grâce au chantier archéologique du parvis de Notre-Dame de Paris et aux fouilles entreprises sous la direction de Michel Fleury, l'emploi du plâtre est attesté avec certitude dès le premier tiers du IIIe siècle. Ce plâtre d'une finesse remarquable est une des grandes richesses du sous-sol de la capitale. Sur une épaisseur de 40 à 50 mètres, quatre couches de gypse alternent avec des marnes. Les deux couches les plus profondes sont peu importantes et ont de 2 à 4 mètres d'épaisseur. La masse située au-dessus mesure de 8 à 12 mètres d'épaisseur et la masse la plus proche de la surface, dite « haute masse », est encore plus épaisse. On trouve le gypse ou pierre à plâtre au nord et à l'est de Paris. Il est exploité en carrières souterraines sur 65 hectares sous Montmartre (XVIIIe arrondissement), les collines de Chaumont, de Belleville et de Ménilmontant (XIXe, XXe arrondissements et frange septentrionale du Xe). Afin de limiter la portée du « ciel » et d'exploiter au maximum les gisements, les carriers ont creusé des galeries ogivales qui donnent aux carrières l'aspect de cathédrales gothiques. Sous l'actuelle place de Rhin-et-Danube se trouvaient les carrières d'Amérique, particulièrement célèbres et dont le plâtre se serait vendu jusqu'en Amérique : elles n'avaient que 12 mètres de hauteur, mais elles recouvraient en certains endroits des carrières de deuxième et de troisième masse, en sorte qu'on trouvait dans cette zone trois étages superposés de galeries dont les plus profondes étaient à 35 mètres au-dessous du niveau du sol.

L'Antiquité utilisait le plâtre en carreaux et ne s'en est jamais servi, contrairement à une légende tenace, pour recouvrir les murs de Lutèce. Durant le Haut Moyen Âge, c'est surtout pour la fabrication de sarcophages que le plâtre est utilisé. La fouille du cimetière des Innocents a permis d'en mettre au jour. A partir du XIII\ siècle, le plâtre entre de plus en plus largement dans la construction des maisons, notamment pour remplir l'espace entre les poutres des façades à colombages. Ce plâtre est produit par des fours construits à l'intérieur même de la ville. On ne sait pas, à cette époque, conserver le plâtre cuit à l'abri de l'humidité. Aussi, comme le note Marc Viré dans *Lithiques* (n° 4, 1987), « le plâtre est donc cuit quasiment à la commande. Les statuts de métier du XIII\ siècle nous précisent que son prix est plus élevé de la Saint-Martin d'hiver à Pâques, en raison de la consommation domestique de bois plus forte en hiver. De même il est plus cher sur la rive gauche en raison du plus grand éloignement des carrières.»

Un an après l'incendie qui détruisit Londres, l'ordonnance des trésoriers de France du 18 août 1667, «contenant règlement pour la hauteur des maisons dans la ville et fauxbourgs de Paris», contient une clause d'une importance capitale pour la production de plâtre, car elle «enjoint ausdits propriétaires de faire couvrir à l'advenir les pans de bois de lattes, clouds et plastre, tant dedans que dehors, en telle manière qu'ils soient en estat de pouvoir résister au feu». Non seulement le plâtre protège le bois du feu mais, en cas d'incendie, lorsqu'il chauffe, le plâtre dégage de l'eau, ce qui limite encore le risque d'incendie des poutres. Un autre élément joue en faveur d'un usage croissant du plâtre, lié à la mode : les gens aisés commencent à la même époque à préférer des plafonds blancs et lisses aux plafonds à caissons ou à poutres peintes. Ces deux élément expliquent

l'énorme expansion des carrières du nord-est de la capitale, sans parler de celles des environs.

Ces carrières provoquent des accidents graves et des effondrements de la voie publique en 1774, 1775 et 1776. Un arrêt du Conseil du 15 septembre 1776 pose les bases de la création de l'Inspection générale des carrières. Le 27 juillet 1778, une catastrophe attire l'attention sur le danger particulier présenté par les carrières de gypse : sept personnes sont englouties soudainement dans un énorme fontis à l'emplacement du croisement actuel des rues Boyer et de Ménilmontant. Un an auparavant, le 9 mai 1777, trois personnes avaient été sauvées de justesse à proximité de cet endroit. Le 23 janvier 1779, une déclaration royale, enregistrée dès le 5 février suivant par le Parlement, stipule dans son article premier : « Toute exploitation de carrière à plâtre par cavage, cessera d'avoir lieu dans toute l'étendue fixée par l'article III ci-après, à compter du jour de l'enregistrement de notre présente déclaration ; voulons en conséquence que lesdites carrières à plâtre ne puissent à l'avenir être exploitées qu'à découvert et à tranchée ouverte. »

La loi du 21 avril 1810 sur les mines, complétée par le décret du 22 mars 1813 portant règlement général sur les carrières dans la Seine et la Seine-et-Oise, rétablit l'autorisation d'exploitation des carrières à plâtre, mais porte interdiction d'exploiter des carrières autrement qu'à ciel ouvert à l'intérieur des limites de la capitale. L'extraction reprend donc dans les carrières souterraines des communes de Montmartre et de Belleville.

L'annexion des communes suburbaines à Paris, en 1860, met un terme à l'exploitation des carrières de Montmartre et de Belleville qui sont remblayées. Les terrains en surface sont lotis et bâtis sauf les Buttes-Chaumont, profondément mutilées par l'exploitation, qui sont transformées par le génie d'Alphand en un parc d'une grande originalité. Par dérogation spéciale, la carrière « Montéage », sur le site des carrières d'Amérique (place de Rhin-et-Danube), continue à être exploitée jusqu'en 1873. Désormais, la production de plâtre se fait en banlieue proche (Montreuil, Rosny-sous-Bois, Pantin, Vitry, Antony, Châtillon-sous-Bagneux…) ou lointaine, jusqu'en Seine-et-Marne.

A l'origine membres de la corporation des maçons, les plâtriers étaient au nombre de trente-six dans le livre de la taille de 1292. L'ordonnance de 1415 a limité à deux ports le commerce du plâtre : le premier, dit port des Barres, se trouve à l'extrémité de la rue du même nom, légèrement à l'est du port de la Grève ; le second est un peu plus en amont, à la tour de Billy, c'est le port au Plâtre qui va se développer à l'est de cette tour, en direction de Bercy. La capacité des bateaux transportant du plâtre est jaugée par les maîtres des ponts puis par des mesureurs ou toiseurs de plâtre. Une voie de plâtre correspond à 24 boisseaux. La toponymie a gardé le souvenir de quelques emplacements de fours à plâtre. La rue Jehan-Saint-Pol prit, entre 1240 et 1280, le nom de rue du Plâtre à la suite de l'installation de fours. Elle se trouve dans le Marais, entre le 23 de la rue des Archives et le 32 de la rue du Temple. Il existe encore, dans les XIXe et XXe arrondissements, une rue des Plâtrières et un passage des Fours-à-Chaux. Ont porté le nom de rue Plâtrière ou de la Plâtrière les rues Domat, Jean-Jacques-Rousseau, Serpente, de Venise.
• *Voir aussi* **CARRIÈRE** ; **GÉOLOGIE** ; **MAÇON** ; **PIERRE**.

PLOMBIER
La plomberie est un métier de luxe au Moyen Âge. Sans doute inclus dans la communauté des couvreurs, les plombiers sont employés à la couverture en plomb des églises et des palais.

Ils exécutaient alors de véritables œuvres d'art, repoussant le métal au marteau, ornant les toitures de crêtes et d'épis. Avec l'extension de l'usage de ce métal, l'art du plombier devient beaucoup plus grossier. Leurs premiers statuts datent de mars 1548. Il y avait aussi des plombiers-fontainiers. On comptait une quarantaine de maîtres durant tout le XVIIIe siècle. C'est aux XIXe et XXe siècles, avec les progrès techniques, la généralisation de l'eau courante dans les appartements et l'apparition de l'éclairage et du chauffage au gaz que le métier de plombier prend une extension extraordinaire. La corporation était placée sous le patronage de la Trinité et la confrérie se réunissait à l'église du Saint-Sépulcre, rue Saint-Denis où se trouvait aussi le bureau de la communauté.

PNEUMATIQUE
Voir **POSTE PNEUMATIQUE**.

POÉSIE
Le thème poétique de Paris a été étudié de façon magistrale par Pierre Citron dans *La Poésie de Paris dans la littérature française de Rousseau à Baudelaire*, paru en 1961. Le titre est trop modeste, car son auteur débute son travail avec les premiers textes poétiques sur la ville, dès le VIe siècle avec Venantius Fortunatus, qui compare l'église de Saint-Germain-des-Prés au temple de Jérusalem. C'est Eustache Deschamp qui est, à la fin du XIVe siècle, le premier chantre important de Paris, à qui il consacre trois ballades et un rondeau, mais c'est le Parisien François Villon qui apparaît comme le premier poète vraiment parisien. La mythologie et les légendes sur les origines de cette cité constituent les principaux thèmes de la poésie de Paris jusqu'à la fin du XVIe siècle. Au XVIIe, Paris sert de prétexte à une poésie galante ou philosophique, mais ce sont surtout des poèmes familiers ou burlesques qui évoquent la vie quotidienne

des Parisiens et, déjà, les embarras de la circulation. On trouve mainte notation pittoresque chez Saint-Amant, Sarrasin, Scarron, Bensérade, Berthod, Le Petit, Boileau. Mais les classiques de la fin du XVIIe siècle et du XVIIIe répugnent à traiter le sujet trop trivial de la ville et de ses activités. C'est le romantisme qui va créer un nouveau mythe littéraire, celui de l'âme collective, du peuple de Paris, de sa société complexe et mêlée, de ses bâtisses, de son ciel changeant, allant jusqu'à la transfiguration qui fait de la ville un être vivant. Il est impossible de résumer ici la richesse des mille pages de l'œuvre de Pierre Citron, qu'il convient d'avoir lue. Elle se termine par cinq appendices qui simplifient singulièrement les recherches sur ce sujet : liste des poèmes les plus importants entre 1760 et 1862 ; index-catalogue des images employées pour définir Paris ; index des villes et pays comparés à Paris ; index des lieux, sites et monuments parisiens ; index des thèmes parisiens. Pierre Citron a pris la poésie de Paris au sens le plus large, citant le meilleur comme le pire. Voici, par exemple, comment Auguste-Marseille Barthélemy personnifie la Bastille en 1789 :

Du peuple de Paris sinistre sentinelle,
Le front illuminé d'immobiles fanaux [...]
L'orgueilleuse étalait son formidable écrin
De chaînes, de carcans, de bracelets
[d'airain [...]
Voyons ! qui le premier baissera la paupière
Ou du géant de chair, ou du géant de pierre ?

Et Hugo s'en prend ainsi à l'urbanisme d'Haussmann et de Napoléon III :

Aujourd'hui ce Paris énorme est un Éden
Charmant, plein de gourdins et tout
[constellé d'N ;
La vieille hydre Lutèce est morte ; plus de
[rues
Anarchiques, courant en liberté, bourrues,
Où la façade au choc du pignon se cabrant
Le soir, dans un coin noir, faisait rêver
[Rembrandt ;
Plus de caprice ; plus de carrefour méandre
Où Molière mêlait Géronte avec Léandre ;
Alignement ! tel est le mot d'ordre actuel.

• *Voir aussi* ÉCRIVAIN ; SALON LITTÉRAIRE.

POIDS

Étalon monétaire, le marc est aussi devenu l'étalon des poids du commerce. Le marc de Paris était identique au marc de Troyes employé aux foires de Champagne alors que le marc de La Rochelle et celui d'Angleterre étaient semblables, preuves de relations commerciales fort anciennes. Jusqu'au XIVe siècle, la livre de Paris est composée de 15 onces, ainsi que l'atteste une ordonnance de Philippe le Bel de 1307 : « que nul marchand d'avoir-de-pois ne puisse vendre a autre livre que a la nostre, qui est de XV onces, exceptiées espèces confites ». Mais dès la fin de ce siècle ou au début du XVe, s'impose l'usage d'une livre de Paris formée de 2 marcs de 8 onces chacun, sous le nom de « livre-poids-de-marc ». Cette livre pèse 489,5 grammes, ce qui donne au marc une valeur de 244,75 grammes et à l'once un poids de 30,59 grammes. L'once se divise en 8 gros (3,823 grammes). Chaque gros compte 3 deniers (1,274 gramme) et le denier se décompose en 24 grains de 0,0531 gramme chacun. L'étalon de France, autrefois conservé à la Monnaie de Paris, est présenté aujourd'hui au Conservatoire des arts et métiers : il est constitué d'une pile, dite de Charlemagne, pesant 50 marcs et formée de 13 godets en forme de tronc de cône pesant 30 marcs au total, ainsi que d'une boîte de 20 marcs (4,895 kilogrammes). Une autre pile, de 32 marcs, destinée à la prévôté du Châtelet de Paris, fut étalonnée aux termes d'une ordonnance du 14 janvier 1486. Balances et poids faisaient l'objet de vérifications constantes afin de limiter les fraudes, car les plaintes étaient nombreuses contre les commerçants indélicats. Les ordonnances royales des XIIIe et XIVe siècles toléraient l'emploi par les apothicaires d'une livre « soutive » (qu'on peut traduire par « légère » ou « subtile ») de

12 onces. Un étalon de la livre de Paris avait été déposé avant 1268 au Temple. En 1322, cet étalon n'est plus mentionné, mais on signale la création de trois autres étalons déposés au Châtelet, à la jurande des maîtres épiciers, le dernier confié aux peseurs-jurés du poids-le-roi. Les épiciers, alors unis dans une même corporation aux apothicaires, possédaient donc leur étalon. Lorsqu'ils formeront leur blason, en 1629, ils prendront pour devise : *Lances et pondera servant* («ils ont la garde des poids et des balances») rappelant leur privilège de «l'inspection sur les poids et balances de tous les marchands de Paris et des faubourgs». L'ouvrage de base sur les poids et mesures est dû à Armand Machabey : *La Métrologie dans les musées de province et sa contribution à l'histoire des poids et mesures en France depuis le XIIIe siècle.*

• *Voir aussi* **MESURE**.

POINT DE DÉPART DES ROUTES DE FRANCE
Voir **POINT ZÉRO**.

POINT ZÉRO
Le Provincial de Paris, ou état actuel de Paris, à la page 164 de son édition de 1787, mentionne un point initial pour la mesure des distances sur les routes de France à partir de Paris : «En avant du portail [de Notre-Dame], sur la gauche, on a placé un poteau triangulaire aux armes du Chapitre, pour servir de point central à toutes les routes du royaume qui aboutissent à Paris, et, à partir de ce poteau, on a établi, de mille toises en mille toises, des bornes milliaires divisées par des demi-mille et quarts de mille. Cette division exacte et sûre, si elle se prolongeait jusques aux extrémités du royaume, feroit bientôt disparaître l'inégalité des lieues de France, mesure si variable et trompeuse.» Le *Guide des amateurs et étrangers voyageurs à Paris* de Thiéry, dans son édition de 1787 (tome II, p. 88), confirme le texte précédent.

Ce poteau triangulaire occupe-t-il l'emplacement d'une ancienne borne milliaire romaine qui aurait eu la même fonction? Cette borne avait-elle une relation quelconque avec une mystérieuse statue en pierre nommée «le Jeûneur de Notre-Dame» ou «Monsieur Le Gris», disparue en 1748 en même temps que la fontaine voisine? Des lettres patentes du 22 avril 1769, qui n'auraient pas été exécutées, avaient prévu une plaque de bronze pour signaler ce «point zéro». Lucien Lambeau a exposé les questions qui se posent à ce sujet dans les *Procès-Verbaux* de la Commission du Vieux Paris, en 1924, pages 92-94.

Le vendredi 10 octobre 1924 ce «point de départ» a été «matérialisé», à l'issue d'une cérémonie, par un pavé octogonal en bronze de 80 kilos, marqué en son centre par une étoile ou rose des vents au milieu de laquelle sont figurées les armes de la Ville de Paris et des initiales indiquant les points cardinaux.

• *Voir aussi* **BORNE**.

POISSARDE
L'appellation très floue de dames ou femmes de la Halle concernait toutes les femmes exerçant un commerce aux Halles et dans les marchés publics, mais elles étaient plus connues sous le nom de poissardes ou marchandes de poisson. Dans son *Dictionnaire*, Jaubert précise que ce nom ne se limite pas à cette profession, mais concerne aussi les «femmes qui, dans les marchés publics et sous les piliers des halles, vendent des fleurs naturelles ou artificielles, des fruits verts ou secs, des légumes de toute espèce, du fromage, du poisson frais, des salines, etc.» Dans les fêtes auxquelles le peuple était convié, la place d'honneur revenait traditionnellement aux poissardes et aux charbonniers, considérés comme les représentants attitrés de la classe populaire. Le jour où étaient donnés des spectacles gratuits, les poissardes étaient

installées au balcon de la reine, les charbonniers au balcon du roi. Lors de la naissance d'un enfant mâle, les poissardes se rendaient en cortège à Versailles pour complimenter la reine et le roi, dans une langue souvent fort crue. Le prince de Ligne relate ainsi leur visite après que Marie-Antoinette eut mis au monde le premier Dauphin : « Les dames de la Halle vinrent complimenter la reine et furent reçues avec le cérémonial qui s'accordait à cette classe de marchandes. Elles se présentèrent au nombre de cinquante, vêtues de soie noire, ce qui était la grande parure des femmes de leur état ; presque toutes avaient des diamants. La princesse de Chimay fut à la porte de la chambre recevoir trois de ces femmes qui furent introduites jusque auprès du lit. L'une d'elles harangua Sa Majesté. Son discours avait été fait par M. de La Harpe et était écrit dans un éventail, sur lequel elle jeta plusieurs fois les yeux, mais sans aucun embarras. Elle était jolie et avait un très bel organe. La reine fut touchée de ce discours et y répondit avec une grande affabilité. » Les poissardes apparaissent ici plutôt comme des femmes, du peuple certes, mais non dépourvues de fortune. A la différence des tricoteuses assoiffées de sang qui constituaient le public habituel du Tribunal révolutionnaire en 1793-1794, les poissardes ou dames de la Halle manifestèrent des sentiments plus monarchistes que républicains. Michelet le note : « Les républicaines trouvèrent mauvais que les poissardes ne portent pas la cocarde nationale. En octobre 1793, au moment de la mort des Girondins, habillées en hommes, elles se promènent aux Halles et injurient les Dames. Celles-ci, de leurs lourdes mains, les fessèrent. » Avant de s'effacer progressivement au cours de la première moitié du XIXᵉ siècle, l'image de la poissarde ou de la dame de la Halle brilla de façon particulière avec le personnage de Mme Angot, porté dix fois au théâtre entre 1797 et 1803, per-

sonnage ressuscité en 1873 dans l'opérette de Lecocq, *La Fille de Madame Angot.*

• *Voir aussi* **HALLE.**

POISSON

Au XIXᵉ siècle, l'industrialisation a provoqué une pollution catastrophique de la Seine qui a culminé vers 1950. Il ne subsistait alors plus dans le fleuve que quatre ou cinq espèces de poissons. Depuis 1983, le Syndicat intercommunal d'assainissement de l'agglomération parisienne met en œuvre l'opération « Seine propre » visant à supprimer les rejets d'eaux usées dans la Seine et la Marne. Des résultats importants ont été obtenus et aujourd'hui une vingtaine d'espèces peuplent les eaux du fleuve. La plupart sont indigènes, mais quelques-unes proviennent de lâchers par empoissonnement ou alevinage. La situation reste cependant précaire. En 1990 et 1992, de violents orages d'été ont provoqué la saturation du réseau d'égouts et un déversement exceptionnel d'eaux usées dans la Seine : faute d'oxygène, des millions de poissons sont morts. On a ainsi ramassé 200 tonnes de poissons morts en 1990 et 500 tonnes en 1992. Les cyprinidés constituent l'espèce la plus courante : ablette, barbeau fluviatile, brème commune, carassin, carpe, chevesne, gardon, goujon, hotu, rotengle, tanche, vandoise ou chavasson. Mais on trouve aussi anguille, brochet, épinoche, grémille, loche, lote de rivière, perche commune, perche soleil, sandre, truite arc-en-ciel, truite fario, et ont été introduits le poisson-chat et le silure. La taille et le poids de certains poissons pêchés dans la Seine peuvent surprendre : certaines carpes âgées de 35 à 40 ans atteignent 30 kilos, les brochets de plus d'un mètre et de 10 kilos sont fréquents. Le silure glane, introduit en 1979-1980 pour lutter contre la prolifération des écrevisses américaines et des brèmes, atteint actuellement 2 mètres pour un poids

VENTE EN GROS DU POISSON A LA CRIÉE

de 50 kilos et les spécialistes s'attendent à trouver au début du siècle prochain des exemplaires de près de 100 kilos.
• *Voir aussi* ÉGOUT ; NETTOIEMENT ; PÊCHE, PÊCHEUR.

POLICE

Voir COMMISSAIRE DE POLICE ; GARDIEN DE LA PAIX ; GUET ; INSPECTEUR DE POLICE ; LÉGION DE POLICE ; LIEUTENANT GÉNÉRAL DE POLICE ; PRÉFET DE POLICE ; SERGENT DE VILLE.

POLLUTION

Voir AIR ; EAU ; ENVIRONNEMENT (protection de l') ; NATURE.

POMPE

L'eau acheminée par les aqueducs, provenant des rus et des sources du nord de Paris, s'avérant très insuffisante, Henri IV décide d'accroître les prélèvements d'eau dans la Seine. Le service des palais royaux du Louvre et des Tuileries absorbant la moitié de l'eau des Parisiens, il souhaite puiser l'eau à leur usage grâce à une pompe prenant l'eau du fleuve voisin. Pour cela, il fait édifier sur la deuxième arche septentrionale du Pont Neuf, côté aval, une haute bâtisse ornée d'un bas-relief représentant Jésus et la Samaritaine au puits de Jacob, ce qui vaut à cette pompe le nom de Samaritaine.

Entamés le 5 mars 1607, les travaux étaient terminés dès le 3 octobre 1608. Une roue munie de huit fortes pales élevait l'eau. Prévue pour fournir 480 000 litres par jour, elle n'en produisit jamais plus de 20 000 à un prix désastreusement élevé, en raison des réparations très fréquentes. En 1719, Robert de Cotte reconstruisit l'ouvrage qui menaçait ruine. La nouvelle pompe n'était guère plus satisfaisante et une nouvelle restauration fut confiée à Gabriel en 1760. En 1791, le roi donna la pompe à la Ville. Le bâtiment en très mauvais état fut détruit en 1813.

Ce mauvais fonctionnement n'empêcha pas la Ville de conclure, le 27 février 1670, un marché avec Jolly, l'ingénieur en charge de la Samaritaine, pour la construction d'une seconde pompe. Elle fut installée au pont Notre-Dame, à l'aval de la troisième arche du côté du quai de Gesvres, à l'emplacement d'un moulin à blé,

le « Petit Moulin ». Peu après, la V concluait un autre marché avec G laume Fondrinier, le 31 mars 1670, reçut le Grand Moulin et installa à place, sous la seconde arche du mê pont, une autre machine élévatoire. deux pompes fonctionnaient dès 1 et fournissaient un peu moins de 2 m lions de litres par jour. L'eau était as rée dans une bâche par des pom puis refoulée par d'autres pompes d des tuyaux qui l'acheminaient au d nier étage d'une tour carrée sur pilo édifiée entre les deux moulins. De f quentes avaries nuirent, ici aussi, rendement, jusqu'à l'intervention, 1699, du Liégeois Servais Rennequ constructeur de la machine de Mar qui améliora nettement l'extraction. 1737, un nouveau perfectionneme un équipage de relais conçu par l'ing nieur Bélidor, fut installé et donna e tière satisfaction. C'est donc de vétus que périrent les pompes Notre-Dam

LA POMPE DU PONT NOTRE-DAME

en 1858. Entre-temps, de nouvelles machines, les pompes à feu, les avaient détrônées.

• *Voir aussi* AQUEDUC ; EAU ; MOULIN A EAU ; POMPE A FEU.

POMPE A FEU

La première machine à vapeur pour élever l'eau, dite pompe à feu, fut inventée en 1712 par un forgeron anglais, Thomas Newcomen. La vapeur soulevait le piston, le balancier s'abaissait vers la pompe et entraînait la tige jusqu'à la rivière. L'injection d'eau froide et la condensation de la vapeur dans le cylindre faisaient chuter le piston et relevaient le balancier avec l'eau aspirée. Le condenseur, inventé par Watt en 1765, améliora considérablement la machine. A Paris, ce sont les frères Jacques-Constantin et Augustin-Charles Périer qui introduisirent la pompe à feu. Ils triomphèrent de leur concurrent, le chevalier d'Auxiron, et conclurent en 1777 un contrat avec la Ville pour la fourniture d'eau par une pompe à feu installée à Chaillot (à l'emplacement du 4 de l'avenue de New-York, à l'angle de la rue des Frères-Périer, voir illustration page suivante). Constitués en Compagnie des Eaux en 1778, ils firent de mauvaises affaires et finirent par céder la pompe à l'État en 1788.

Ils avaient, cependant, eu le temps de construire pour les habitants de la rive gauche une nouvelle pompe dans le village du Gros-Caillou, dans l'ancienne île des Cygnes récemment réunie à la terre ferme, à côté de la ferme de la Grenouillère, à l'angle du quai d'Orsay et de la rue Jean-Nicot aujourd'hui. Œuvre de l'architecte François-Joseph Bélanger, cette pompe fonctionnait au début de 1788.

Ces deux pompes fournirent de l'eau de Seine aux Parisiens jusqu'au 15 août 1858.

La Compagnie de Eaux disparut avant d'avoir achevé sa troisième pompe, dont l'installation avait commencé, après l'acquisition de l'abbaye de Saint-Victor d'un terrain en bord de Seine, vers l'actuel quai d'Austerlitz, dit alors de la Gare.

Les pompes à feu furent remplacées par l'usine élévatoire d'Austerlitz, construite à l'emplacement de la pompe à feu inachevée de la Gare, 29, quai d'Austerlitz, inaugurée en 1862.

• *Voir aussi* EAU (compagnie des).

POMPE A INCENDIE

La première pompe à incendie paraît avoir été utilisée en 1518 à Augsbourg. Lors de l'incendie qui détruisit Londres en 1666, il semble qu'on ait utilisé de grandes seringues mais non des pompes. En Flandre et dans les Provinces-Unies, les pompes à incendie semblent avoir été d'usage courant et c'est de là qu'elles pénètrent en France, Douai ayant été la première ville à substituer une pompe à incendie hollandaise à l'inefficace « seringue ». Sociétaire de la Comédie-Française, François Dumouriez du Périer fait construire une pompe à incendie et l'expérimente devant Louis XIV à Meudon. Le 12 octobre 1699, un édit royal lui octroie le privilège de « faire construire et fabriquer une pompe propre à éteindre le feu […] vendre, débiter ou louer la dite machine dans toutes les villes, bourgs et autres lieux du royaume que bon lui semblera à l'exclusion de tous autres, pendant le temps et espace de trente années entières et consécutives. » Le roi achète douze pompes à incendie et les donne à la Ville de Paris. Une ordonnance du 12 janvier 1705 autorise une loterie pour l'achat de douze autres pompes qui sont déposées dans des couvents. L'*Almanach royal* pour 1719 indique l'emplacement des pompes : « Outre les quatre pompes qui sont restées dans l'Hôtel de Ville, Sa Majesté, pour la sûreté de chacun, en a fait déposer encore trois dans le couvent des Grands-Augustins, au bout du Pont Neuf ; trois dans le couvent des Carmes de la place Maubert ; trois dans le couvent de la

LA POMPE A FEU DE CHAILLOT VERS 1820

Mercy proche de l'hôtel de Soubise ; et trois aux Petits-Pères de la place des Victoires. » L'arrêt du Conseil du 10 mars 1722 porte le nombre des pompes à trente et crée une « compagnie de gardes-pompes » sous les ordres de du Périer. La direction générale des pompes avait son siège à son domicile, au 30 de la rue Mazarine, communément nommé « hôtel des pompes ». Pour fournir de l'eau à ces pompes, il fallut créer des bouches d'eau. A la fin de 1984, la brigade de sapeurs-pompiers de Paris disposait d'un important matériel d'engins-pompes : 67 premiers secours, 85 fourgons, 16 grande puissance dévidoirs, 86 motopompes d'épuisement, 29 motopompes remorquables.
• *Voir aussi* BOUCHE D'EAU ; EAU ; INCENDIE ; POMPIER.

POMPIER

L'organisation du service de lutte contre les incendies est mal connue jusqu'à la fin du Moyen Âge. Le guet bourgeois se mettait à la disposition du guet et du prévôt royal en cas de sinistre. L'ordonnance du 6 mars 1363 stipule que les deux guets doivent « pourvoir et remédier aux périls, inconvénients et maux qui tous pourraient survenir en ladite ville par le feu ». En 1371, il est ordonné « à toutes manières de gens, de quelques condition ou état qu'ils soient, de mettre un muid plein d'eau à leur huis, crainte du feu, sous peine de dix sols d'amende ».

Arrivés à Paris peu avant 1220, les ordres mendiants ont très tôt assumé un rôle éminent dans la lutte contre l'incendie. Cordeliers ou franciscains, jacobins ou dominicains, augustins et carmes, malgré leur lourde et inflammable robe de bure, se distinguaient par leur intrépidité. Ainsi, dans la nuit du 7 mars 1618, alors que brûlait le Palais de justice, le *Mercure français* note : « On a vu plusieurs religieux augustins disparaître dans les décombres qui brûlaient encore et six carmes qui s'étaient imprudemment avancés sous

la voûte de la Grand-Salle en feu n'ont pas reparu. On a remarqué surtout un père capucin qui a monté par deux fois sur les plombs de la Sainte-Chapelle pour y éteindre les brandons enflammés qui auraient pu compromettre cet édifice. »

En octobre 1699 apparaît un perfectionnement capital : la pompe à incendie inventée au début du XVIe siècle en Bavière. La ville de Douai fut la première ville de France à utiliser une pompe importée de Hollande. Le 12 octobre 1699, un édit octroie à François Dumouriez du Périer le privilège de « faire construire et fabriquer une pompe propre à éteindre le feu ». Le roi achète douze de ces pompes qu'il offre à la Ville. Une ordonnance du 12 janvier 1705 autorise une loterie pour l'achat de douze nouvelles pompes déposées dans divers couvents parisiens. Un arrêt du Conseil du 10 mars 1722 porte le nombre des pompes à trente et crée une compagnie de « gardes-pompes » de soixante hommes, ancêtre des sapeurs-pompiers. En 1750, cette compagnie fut en partie militarisée, dotée d'un uniforme, et son chef fut assimilé à un colonel. En 1767, elle fut portée à cent huit hommes. Chacun des douze postes de garde comptait trois hommes. Les gardes-pompes montaient la garde durant vingt-quatre heures tous les trois jours.

La Révolution supprime les ordres mendiants et transforme la compagnie des gardes-pompes en compagnie des pompes publiques dotées d'un drapeau et d'un effectif de deux cent soixante-dix hommes. Le décret du 27 février 1795 (9 ventôse an III) augmente encore le corps, le portant à trois cent soixante-seize hommes divisés en trois compagnies et répartis entre trente corps de garde. L'arrêté consulaire du 6 juillet 1801 (17 messidor an IX) place la gestion du service sous la responsabilité du préfet de la Seine et son exécution sous celle du préfet de police.

L'incendie de l'ambassade d'Autriche, le 1er juillet 1810, en présence de l'Empereur, décide Napoléon Ier à réformer une institution qui n'avait pu éviter le désastre et la mort de l'épouse de l'ambassadeur. Le décret du 18 septembre 1811 crée une organisation qui s'est en partie maintenue jusqu'à nos jours. Le bataillon de sapeurs-pompiers est soumis aux règles militaires et reçoit un uniforme à peu près semblable à celui des troupes du génie. Désormais les sapeurs-pompiers sont encasernés pour empêcher l'absentéisme qui avait été cause de la catastrophe de 1810.

L'extension de la ville et des tâches des sapeurs-pompiers sous le second Empire justifie le décret du 5 décembre 1866 qui transforme le bataillon en régiment. La nouvelle organisation est mise en place le 1er janvier 1867. Plus de mille cinq cents hommes sont répartis entre deux bataillons, onze casernes et cinq postes de secours. Cette structure dure un siècle. Le décret du 28 février 1967 crée la brigade de sapeurs-pompiers de Paris dont le domaine couvre Paris et les trois départements limitrophes des Hauts-de-Seine, de la Seine-Saint-Denis et du Val-de-Marne. De moins de cinq mille en 1967, les effectifs de sapeurs-pompiers ont progressé jusqu'à six mille sept cent soixante hommes en 1984, date de parution de la dernière édition de l'ouvrage fondamental d'Aristide Arnaud, *Pompiers de Paris*, qui dresse en un millier de pages un tableau historique de cette institution.

• *Voir aussi* EAU ; INCENDIE ; POMPE A INCENDIE.

PONT

Située sur l'île de la Cité, Lutèce est d'abord un passage sur la Seine. Afin d'empêcher Labienus de s'en emparer, les *Parisii* incendièrent les ponts en bois qui reliaient l'île aux deux rives. Ils furent reconstruits par les Romains et se situaient dans l'axe du *cardo* antique, c'est-à-dire des actuelles rues Saint-Jacques et Saint-Martin, préfigurant par leur emplacement les actuels Petit Pont et pont Notre-Dame.

Lors du siège de Paris par les Normands en 885-886, deux ponts défendus par des tours sont mentionnés par Abbon. Le Petit Pont se trouvait toujours à la même place, celle qu'il occupe encore aujourd'hui, au débouché de la rue Saint-Jacques, mais le Grand Pont ou pont de Charles le Chauve avait été reconstruit à une date inconnue légèrement à l'ouest de l'emplacement de l'actuel pont au Change. Ces ponts furent sans doute plusieurs fois réparés ou reconstruits ensuite. En 1280, une crue emporte le Grand Pont qui est rebâti en pierre et surmonté d'habitations. En 1296, une nouvelle crue emporte les deux ponts. Le Grand Pont est réédifié un peu plus à l'est que le précédent et Philippe le Bel y installe en 1304 les changeurs, ce qui lui vaut le nom de pont aux Changeurs ou au Change.

Ce pont ne porte plus les moulins qui occupaient les arches du Grand Pont, installés désormais sur une passerelle édifiée à l'emplacement du Grand Pont de Charles le Chauve et reposant sans doute sur ses piles. Ce pont aux Meuniers a statut de voie privée et dessert treize moulins au milieu du XVIe siècle. Mal entretenu par le chapitre de Notre-Dame, qui en est propriétaire, il s'effondre, le 23 décembre 1596, entraînant dans la mort de nombreuses personnes. Un capitaine des archers de la Ville, Charles Marchand, obtient l'autorisation de le reconstruire à ses frais. Achevé en 1609 et nommé pont Marchand ou pont aux Oiseaux, il part de la rue Saint-Denis, comme le Grand Pont, mais aboutit un peu en aval, devant la tour de l'Horloge, formant un angle aigu avec le pont au Change. «Il formait une rue large de six mètres, bordée de chaque côté par une trentaine de maisons en charpente et à deux étages. Chaque maison avait pour enseigne un oiseau : au Merle Blanc, au Coulon, au Rossignolet, au Coq hardi,

PONT DES CHAMPS-ÉLYSÉES

au Coq héron, etc. » Il fut détruit par un incendie le 21 octobre 1621.

Au début du XIVe siècle, une passe-relle relie la Cité à la rue Saint-Martin, à l'emplacement du Grand Pont datant de l'époque gallo-romaine où se trou-vaient, dès le IXe siècle, des moulins dits de Mibray (mi-bras). Cette Plan-che-Mibray est remplacée, le 30 mai 1413, par un nouveau pont en bois, le pont Notre-Dame. Emporté par la Seine en 1499, il est reconstruit en pierre entre 1500 et 1514, sur les direc-tives d'un moine italien, frère Joconde, et du maître d'œuvre Jean de Dayac. Il porte soixante-huit maisons en briques et en pierres, numérotées comme celles de 1413, embryon du numérotage des maisons qui ne se généralisera qu'à la fin du XVIIIe siècle (voir NUMÉROTAGE DES MAISONS).

En 1378, un second pont sur le petit bras de la Seine est commencé. Achevé en 1387, le pont Saint-Michel sera d'abord appelé Pont Neuf puis Petit Pont Neuf. Comme les autres ponts de cette époque, il est couvert de maisons, et sera emporté par les crues et recons-truit plusieurs fois. Ses premiers ha-bitants sont des teinturiers, fripiers et tapissiers, remplacés à partir du XVIIe siècle par des parfumeurs et des libraires.

Jusqu'à la fin du XVIe siècle, Paris ne possède que ces quatre ponts, deux sur chaque rive. L'accroissement de la ville et de ses activités engendre des encombrements insupportables sur ces ponts rétrécis par les maisons. En 1578, Henri III pose la première pierre d'un nouveau pont. Nommé Pont Neuf, il est aujourd'hui le plus ancien des ponts de Paris et faillit s'appeler le « pont aux pleurs », car, durant la cérémonie, le roi portait le deuil de deux de ses mignons tués en duel. Les guerres de Religion retarderont son achèvement qui n'aura lieu qu'en 1604. Premier pont dépourvu de maisons, il devient vite un endroit à la mode, promenade où baladins, jongleurs et une foule de petits métiers installent leurs tréteaux, merciers, bouquinistes, arracheurs de dents... Il sera orné de la statue équestre d'Henri IV en 1635, voisinant avec la pompe de la Samaritaine. Son dernier avatar fut son emballage par Christo en 1985.

En quelques années, la Ville va doubler le nombre de ses ponts, passant de cinq en 1604 à dix en 1635. C'est d'abord le pont de la Tournelle — qui doit son nom à une des tours de l'enceinte de Philippe Auguste — qui relie en 1620 l'île Saint-Louis (alors encore nommée Notre-Dame) à la rive gauche. Pont de bois emporté plusieurs fois par les eaux, il est reconstruit en pierre en 1654 et frappé d'un droit de péage de 2 deniers par piéton, 6 par cavalier et 12 par carrosse. En 1626, un second pont, le pont au Double, permet de relier l'Hôtel-Dieu à son annexe récemment édifiée sur la rive gauche. Pour financer les travaux de l'hôpital, il est grevé d'un péage d'un double denier tournois, d'où son nom. Il est doublé, à partir de 1646, par une passerelle reliant aussi l'Hôtel-Dieu à ses annexes, la passerelle Saint-Charles entre le Petit Pont et le pont au Double qui sert de promenoir aux malades et ne disparaîtra qu'en 1878. Le troisième pont date de 1630, c'est un pont en bois dit pont Saint-Landry qui unit les deux îles de la Cité et Saint-Louis. Peu solide, il manque de se rompre sous une procession en 1634. Reconstruit en 1717, il est peint au minium qui, selon la croyance du temps, devait protéger le bois, ce qui lui vaut d'être appelé le pont Rouge. Il subira diverses transformations, le pont métallique actuel datant de 1970 étant sa huitième version. En 1632, le quatrième pont est construit en bois peint au minium : c'est le pont Barbier, du nom de son constructeur, dit aussi pont Rouge, pont des Tuileries, pont Sainte-Anne et finalement pont Royal lors de sa reconstruction en pierre en 1689. Architecte et spéculateur, Christophe Marie lotit l'île Saint-Louis et entreprend de la relier par un pont portant son nom à la rive droite. Il lui faudra plus de vingt ans, de 1614 à 1635, pour l'achever. Ce cinquième pont est en pierre et porte deux rangées de maisons à trois étages. Il s'écroulera en partie en 1658, causant la mort de cent vingt personnes. Mentionnons pour mémoire le tout petit pont Grammont unissant la rive droite à l'île Louviers. Le minuscule bras de Seine qu'il enjambe sera comblé en 1841 et deviendra le boulevard Morland.

Pendant un siècle et demi, Paris se contentera de ces dix ponts. Le développement des faubourgs Saint-Honoré et Saint-Germain exige pourtant la construction au moins d'un nouveau pont en aval pour les mettre en communication. Faute de moyens financiers, le projet, lancé en 1725, ne commence à être réalisé qu'en 1788 sous la direction de Perronet. La Bastille rasée, une partie de ses pierres sert à édifier ce pont baptisé Louis-XVI à son inauguration en 1791, devenu l'année suivant le pont de la Révolution et, depuis 1795, le pont de la Concorde.

Napoléon décide dès 1801 la construction de trois ponts. C'est d'abord un pont au péage d'un sou réservé aux piétons, la plus ancienne architecture métallique en France, réalisé entre 1802 et 1804. Situé entre l'Institut et le Louvre alors nommé Palais des arts, il prend le nom de pont des Arts. Le pont d'Austerlitz, fameuse victoire de 1805, est terminé en 1807. Reliant les faubourgs Saint-Antoine et Saint-Marcel, c'est un pont à l'anglaise, le dernier cri de la technique de l'époque, avec cinq arches de fonte reposant sur des piles de pierre. Le pont d'Iéna, commencé en 1806, est ouvert à la circulation en

1813. Louis XVIII le sauve en 1815 de la destruction par Blücher qu'offense son nom évoquant une victoire sur la Prusse en 1806.

Entre 1827 et 1834, sept nouveaux ponts sont livrés à la circulation. Le pont de Grenelle, construit entre 1825 et 1827, est situé hors des limites d'alors de la capitale, face au village de Grenelle. La passerelle de Grève, pont suspendu réservé aux piétons, inaugurée en 1828, est rebaptisée après l'insurrection de juillet 1830 du nom d'un jeune homme tué à la tête des émeutiers en brandissant un drapeau tricolore, Arcole. Il deviendra en 1854 un pont accessible aux voitures à arche unique en fer. Ouvert en 1828, le pont de l'Archevêché rappelle qu'à proximité s'élevait l'archevêché saccagé en 1831 et démoli peu après. En 1829 est construit le premier pont suspendu, le pont d'Antin devenu le pont des Invalides. Le pont de Bercy remplace en 1832 un bac. Il est parfois aussi nommé pont de la Gare, rappel de la « gare d'eau », port existant à proximité sous le règne de Louis XV. Le pont Louis-Philippe, du nom du souverain régnant, est terminé en un an et ouvert à la circulation en 1834. La même année est inauguré le pont du Louvre rebaptisé depuis du Carrousel.

Du second Empire datent quatre ponts. Le pont National, le premier pont en amont, d'abord pont Napoléon III, est construit en 1853 pour la route et le chemin de fer, car il relie les fortifications de l'enceinte de Thiers. Le pont de l'Alma, la première victoire sur les Russes dans la guerre de Crimée, est inauguré en 1856. La passerelle de Solférino permet aux piétons de la rive gauche d'accéder au jardin des Tuileries. Elle date de 1859 et rappelle une victoire remportée cette même année en Italie. Le pont-viaduc d'Auteuil ou du Point-du-Jour, de 1866, sera remplacé exactement cent ans plus tard par le pont du Garigliano.

La dernière phase de construction se situe entre 1876 et 1905. La jeune troisième République offre huit ponts aux Parisiens. Le pont Sully de 1876 remplace les deux passerelles pour piétons de Damiette et de Constantine, de 1836, qui reliaient l'île Saint-Louis aux deux rives. Le pont de Tolbiac est de 1882, le pont Mirabeau célébré par Apollinaire de 1895, le somptueux pont Alexandre-III est contemporain de l'Exposition universelle de 1900, de même que le pont de chemin de fer de Grenelle-Passy et la passerelle Debilly destinés aux visiteurs de cette exposition. En 1905 sont ouverts le pont de Passy, aujourd'hui de Bir-Hakeim, et le viaduc d'Austerlitz réservé au métropolitain.

Les deux dernières réalisations, deux ponts construits en 1968 et 1969, complètent le boulevard périphérique et sont destinés aux automobilistes.

PORC

Voir COCHON.

PORCELAINE

Quelques fabriques de porcelaine sont attestées aux alentours de Paris à la fin du XVIIe siècle, mais elles ne fabriquent que des objets en pâte tendre, car on n'a pas encore découvert de gisement de kaolin en Europe. Au début du XVIIIe siècle, on trouve mention d'un établissement dans la rue de la Ville-l'Évêque, tenu par des manufacturiers installés à Saint-Cloud. Une autre manufacture est établie dans la rue de Charonne. On pense que le marchand-mercier Hébert, au 12, rue de la Roquette, fabriquait aussi de la porcelaine tendre.

La première fabrique de porcelaine dure fonctionnant avec du kaolin importé d'Allemagne est créée à Strasbourg au début du XVIIIe siècle. La découverte de gisements en Limousin en 1769 est à l'origine du développement de la porcelaine parisienne. Il n'existait auparavant que la manufacture royale de Vincennes puis de Sèvres, dotée d'un privilège en 1745. L'arrêt de 1766 avait ordonné aux entrepreneurs de manufactures de porcelaine de faire leur soumission devant le lieutenant général de police ou l'intendant de la généralité de Paris. Entre 1768 et 1781, dix-huit soumissions sont enregistrées, dont treize à Paris et Clignancourt (XVIIIe arrondissement actuel) et cinq à Étiolles, Mennecy, Bourg-la-Reine, Sceaux et Vincennes. La première manufacture parisienne enregistrée est celle de Pierre-Antoine Hannong, le 26 mai 1773, suivi, la même année, par Souroux au faubourg Saint-Antoine, Locré, rue de la Fontaine-au-Roi, Morelle au faubourg Saint-Antoine, Advenier et Lamarre au Gros-Caillou. Viennent ensuite : Lassia, rue de Reuilly, en 1774 ; Deruelle à Clignancourt, en 1775 ; Lebeuf, rue Thiroux, en 1776 ; Mignon au Pont-aux-Choux, en 1777 ; Gamont, rue de Gramont, en 1778 ; Dihl, rue de Bondy, en 1781. Pour se protéger des tracasseries suscitées par la manufacture royale de Sèvres, les manufacturiers se placent sous le patronage de membres de la famille royale. Le comte de Provence, frère du roi, délivre un brevet à la manufacture de Clignancourt. Son frère cadet, le comte d'Artois, patronne une manufacture de la rue du Faubourg-Saint-Denis et place celle de Guérhard et Dihl, rue de Bondy, sous la protection de son fils âgé de six ans, le duc d'Angoulême. Le duc d'Orléans protège celle de la rue Amelot. La manufacture de la rue Thiroux (actuellement rue Caumartin) est dite manufacture de la Reine, car Marie-Antoinette lui a accordé son patronage.

Si la Révolution met un terme aux privilèges de la manufacture royale de Sèvres et permet aux autres entreprises de se développer, elle en ruine beaucoup aussi, car la majeure partie de la clientèle fortunée a émigré. Certaines entreprises bénéficièrent de commandes sous l'Empire : Dagoty, Dihl, Darte frères, Caron et Lefebvre firent partie des fournisseurs agréés de la nouvelle Cour. Le retour de la paix en 1815 amène l'ouverture des frontières et la concurrence de la porcelaine anglaise. Le déclin de l'industrie de la porcelaine à partir de 1820 est très marqué. En 1850, il n'y a plus à Paris que dix-sept fabricants dont quatre seulement emploient plus de dix ouvriers, huit travaillant seuls ou avec un unique ouvrier. On dénombre cependant cent cinquante-huit décorateurs sur porcelaine, installés de part et d'autre des boulevards Saint-Martin et Saint-Denis, non loin des magasins de vente des boulevards des Italiens, de Bonne-Nouvelle, des rues Bleue et de Paradis. Sous le second Empire, l'industrialisation de la production se développe en province, tandis que Paris se spécialise dans la décoration, la recherche de procédés nouveaux et la commercialisation. Aujourd'hui encore, le commerce de la porcelaine est concentré dans la rue de Paradis. Les ouvrages de base sur le sujet sont dus à Régine de Plinval de Guillebon, notamment *Porcelaine de Paris*, ainsi qu'à Adrien Lesur et Tardy, auteurs d'un irremplaçable *Les Porcelaines françaises* qui donne de précieuses indications sur les décors, les couleurs, les marques de fabrique et une liste des fabricants avec leur classement par rues pour la capitale.

PORT

Jusqu'au XIXe siècle, une simple déclivité, une plage ou grève au bord de la Seine suffisaient pour débarquer les marchandises destinées à la capitale. La médiocrité des routes, l'étroitesse des rues de Paris, faisaient de la voie fluviale le moyen le plus rapide, le plus pratique et le moins cher d'acheminer les approvisionnements. Les fouilles du parvis Notre-Dame ont mis au jour le quai gallo-romain de Lutèce sur la rive sud de l'île de la Cité. Mais la rive droite du fleuve, plus basse, bordant le bras le plus large et le plus rapide de la Seine, a de meilleurs atouts que la rive gauche encaissée, dominée par la forte pente de la montagne Sainte-Geneviève.

Le port antique disparu, c'est d'ailleurs sur la berge septentrionale de la Cité que se trouvent dès le Haut Moyen Âge les ports Notre-Dame et Saint-Landry, au nord-est de l'île, à l'emplacement de l'actuel quai aux Fleurs. C'est en face que se développe un peu plus tard, au XIe siècle, le port de la Grève, à l'emplacement aujourd'hui de la place de l'Hôtel-de-Ville.

À l'apogée du commerce fluvial traditionnel, au milieu du XVIIIe siècle, Paris possède une vingtaine de ports. Sur la rive droite, d'amont en aval, on trouve le port de la Rapée où sont contrôlés les bateaux de vin avant qu'on leur indique un port de déchargement ; puis, à proximité immédiate, le port au Plâtre où l'on charge les pierres à plâtre extraites des carrières de Montmartre ou des Buttes-Chaumont, où l'on décharge le bois à brûler et le bois de charpente. L'île Louviers, encore séparée de la rive droite par un petit bras de la Seine comblé en 1841 (devenu le boulevard Morland), constitue un entrepôt de bois de chauffage dont les empilements sont nommés des théâtres. En face de l'île, sur la rive droite, est le port au Charbon où l'on débarque le charbon de terre. Le port Saint-Paul (actuel quai des Célestins) reçoit les coches d'eau et les bateaux de voyageurs. Il est flanqué d'un port de marchandises où sont débarqués le fer de Champagne, les vins de Bourgogne, de Champagne, d'Auvergne, les liqueurs et eaux-de-vie. C'est là aussi qu'on achète le charbon de bois à bord des bateaux qui y accostent. Juste après le pont Marie, le port au Foin, comme son nom l'indique, est le marché du foin en bottes. Juste avant la place de Grève, sur le quai des Ormes, le port au Blé joue un rôle vital dans l'approvisionnement : c'est là qu'on décharge et vend sur le carreau le blé, l'orge, l'avoine et les farines. Au port de la Grève abordent les bateaux transportant charbon de bois et chaux. En aval du Pont Neuf, sur le quai de l'École,

sont débités les bûches et les fagots coupés dans les forêts de Compiègne et de Villers-Cotterêts. Au pied du Louvre, le port Saint-Nicolas reçoit les marchandises les plus diverses en provenance de l'étranger et de la basse Seine : huiles, savons, oranges, morues, harengs, huîtres, poivre, vins de Languedoc et d'Espagne, etc. Un peu plus loin, à la descente du pont Royal, les passagers peuvent s'embarquer pour Sèvres ou Saint-Cloud.

Moins bien lotie, la rive gauche a son port le plus amont devant la Salpêtrière, servant surtout au déchargement du bois de charpente. Le port Saint-Bernard est utilisé par la Halle aux vins. Celui de la Tournelle est réservé aux vins les plus réputés, Bourgogne, Sancerre, Auvergne. Le port des Miramiones (ouest du quai actuel de la Tournelle) est un vaste dépôt de matériaux de construction, ardoises, tuiles, briques. On y vend aussi du foin, du charbon de bois et, en automne, des pommes et des châtaignes. Navigable uniquement pour les trains de bois flotté, le petit bras de la Seine n'abrite aucun port. C'est à une centaine de mètres à l'ouest du Pont Neuf que se trouve le port des Théatins où accostent les bateaux de bois à brûler et de charbon de bois. Au-dessous du pont Royal, le port de la Grenouillère (actuel quai d'Orsay) est réservé au débâclage des trains de bois flotté. À la sortie de la ville, l'île Maquerelle ou des Cygnes (aujourd'hui rattachée à la rive, entre la rue Jean-Nicot et le Champ-de-Mars) ne reçoit que des bois de médiocre qualité. C'est là qu'on « déchire » les bateaux hors d'usage pour les transformer en bois de chauffage. L'activité des ports parisiens est strictement réglementée au XVIIIe siècle : ils sont ouverts de six heures du matin à six heures du soir du 1er avril au 31 octobre, de sept heures du matin à cinq heures du soir durant les cinq autres mois.

Dès le milieu du XVIIIe siècle, afin de

répondre à un trafic fluvial croissant rapidement, un projet de «gare à bateaux», préfiguration des modernes ports à bassins, est prévue sur la rive gauche, au port de la Salpêtrière. C'est la Gare d'eau qui a donné son nom à l'actuel quai de la Gare. Entreprise en 1769, interrompue durant la Révolution et l'Empire, continuée à partir de 1827, elle ne fut jamais achevée et a laissé la place à une autre gare, de chemin de fer cette fois, celle d'Austerlitz.

A partir de 1840, la régularisation du cours de la Seine grâce à des barrages mobiles et la canalisation permettent de faire circuler sur le fleuve des bateaux à vapeur de fort tonnage. De 2 millions de tonnes d'arrivages en 1840, on passe à près de 4 à la fin du second Empire, plus de 5 en 1880, plus de 15 à la veille de la Première Guerre mondiale. A partir de 1931, le transport par eau s'effondre et ne représente plus en 1939 que la moitié de celui de 1914, environ 7,5 millions de tonnes. Le port de Paris passe au cinquième rang des ports français derrière Strasbourg, Marseille, Rouen et Le Havre. Paris intramuros est progressivement dépossédé de ses activités portuaires au profit de ses extensions en banlieue : Gennevilliers, Villeneuve-le-Roi, Ivry, Boulogne-Billancourt.

Le redressement se fera sous la cinquième République, avec notamment la création, en 1970, du Port autonome de Paris. En 1992, c'est le premier port fluvial de France, assurant le cinquième du transport global de marchandises de l'Île-de-France avec 22 millions de tonnes et 70 % de l'approvisionnement de la capitale en matériaux de construction. Représentant la moitié du trafic fluvial français et un chiffre d'affaires de 220 millions de francs, il a doublé la superficie de ses zones portuaires depuis 1970, passant de 400 à 800 hectares. Il possède trois cents points d'appui de taille très variable, dont deux cent vingt à caractère privé, avec plus de 70 kilomètres de quais. Mais le port de Paris n'est plus dans Paris.

PORTE

Les murailles d'Ancien Régime, correspondant aux enceintes de Philippe Auguste, de Charles V, aux bastions ajoutés sous Charles IX et Louis XIII, étaient percées de portes qui ont été déplacées lors du report des fortifications vers l'extérieur, ce qui fait qu'une porte a pu garder son nom et se situer jusqu'à quatre endroits différents. Il y avait également des ouvertures beaucoup plus petites et éphémères, nommées poternes, dont l'emplacement a varié selon qu'on les ouvrait ou les rebouchait : seules seront évoquées ici celles qui ont servi longtemps et dont la situation est bien connue. Voici la liste des portes et principales poternes, dans l'ordre alphabétique, rive droite, puis rive gauche.

Rive droite :

Poterne Barbeau ou *Barbelle*. Signalée seulement par Sauval au XVIIe siècle, elle se situait dans l'enceinte de Philippe Auguste, en bord de Seine, près de la tour Barbeau, sur le quai, un peu à l'ouest du débouché de la rue des Jardins-Saint-Paul. Le même nom était parfois aussi porté par la poterne des Barrés, d'où un doute sur cette poterne.

Poterne ou *porte Barbette*. Portant le nom du prévôt des marchands Étienne Barbette, qui possédait un logis à proximité vers 1300, elle fait partie de l'enceinte de Philippe Auguste et se trouve rue Vieille-du-Temple, légèrement au sud du croisement avec la rue des Francs-Bourgeois. Elle fut détruite vers 1530.

Poterne des Barrés, dite aussi de l'Ave-Maria, Barbeau, Barbelle, des Béguines. Elle doit son nom au voisinage du couvent des Carmes qui portaient un manteau blanc barré de noir. Percée dans la muraille de Philippe Auguste, elle s'élevait rue de l'Ave-Maria, un peu à l'ouest de la rue des Jardins-Saint-Paul. Elle ne figure plus sur un plan gravé vers 1560 et fut sans doute détruite sous François Ier.

Porte Baudoyer ou *Baudets.* Elle aurait appartenu à une enceinte antérieure à celle de Philippe Auguste et se serait dressée à l'emplacement de la porte du même nom. Une seconde porte Baudoyer fut percée dans la muraille de Philippe Auguste, au niveau du lycée Charlemagne et de la rue Saint-Antoine. Pour élargir cette rue, elle fut abattue dès le XVe siècle.

Poterne de la rue Beaubourg, dite aussi Nicolas-Huidelon ou Hydron déformé plus tard en Vigneron. Détruite sous François Ier, elle aurait été percée dans l'enceinte de Philippe Auguste pour la commodité des habitants du Beau Bourg, rue Beaubourg.

Poterne du Bourg-l'Abbé. Percée pour les habitants de ce bourg dans la muraille de Philippe Auguste, elle se trouvait rue du Bourg-l'Abbé, entre les portes Saint-Martin et Saint-Denis, un peu au sud de la rue aux Ours.

Porte des Célestins, dite aussi des Barres, confondue à tort avec la poterne des Barrés. Dans l'enceinte de Charles V, elle se situait sur le quai, face à la rue du Petit-Musc, devant le couvent des Célestins.

Poterne du Chaume ou *de Braque.* Elle est percée dans la muraille de Philippe Auguste, au croisement des rues du Chaume (des Archives), des Francs-Bourgeois et Rambuteau. Elle fut démolie vers 1535.

Poterne au Comte ou *à la Comtesse-d'Artois,* dite aussi de Bourgogne ou de Nicolas-Arrode. A proximité de l'hôtel d'Artois, c'était une simple baie percée dans le mur de Philippe Auguste, rue Montorgueil, au croisement avec la rue Étienne-Marcel.

Porte de la Conférence. Située quai des Tuileries, à la hauteur du grand bassin, elle daterait de 1566 et devrait son nom au fait qu'elle menait à Suresnes où se déroula en 1593 la conférence entre Henri IV et les Ligueurs, peu avant le rétablissement de la paix

civile et religieuse. Reconstruite en 1632, elle disparut vers 1730.

Porte ou *poterne Coquillière,* dite aussi parfois de Behaigne ou de Flandre. Percée dans le mur de Philippe Auguste, au bout de la rue du même nom, près de l'hôtel de la famille Coquillier, elle fut abattue vers 1536.

Porte Gaillon. Entreprise en 1645 dans le rempart de Louis XIII, rue de La Michodière, elle ne fut jamais terminée et disparut vers 1700.

Porte ou *poterne du Louvre.* Contiguë au nord à la tour du Coin, face à la tour de Nesle, cette porte ou poterne fut ouverte postérieurement à la construction du mur de Philippe Auguste, sans doute pour relier le château du Louvre à la ville. Elle a disparu avant la fin du XVIe siècle.

Porte Montmartre. Il y a eu trois portes de ce nom. Celle de l'enceinte de Philippe Auguste, dite aussi porte Saint-Eustache, abattue par François Ier, se trouvait rue Montmartre, près de l'église Saint-Eustache. Celle de Charles V, un peu plus au nord, au niveau du croisement des rues Montmartre et d'Aboukir, fut démolie en 1634-1635 et remplacée par la troisième porte, sur la courtine bastionnée de Louis XIII, légèrement au sud de l'intersection des rues Montmartre et Feydeau. Elle fut détruite dès la fin du siècle, entre 1684 et 1700.

Porte ou *poterne Neuve.* Sur le quai du Louvre, près de la tour de Bois, dans l'axe de la rue Saint-Nicaise, elle fut bâtie en 1536 et détruite entre 1660 et 1670.

Porte Richelieu. Percée en 1635 dans l'enceinte bastionnée de Louis XIII, elle se trouvait rue de Richelieu, vers la rue Ménars, et disparut dès 1700-1701.

Porte Saint-Antoine. On compte quatre portes de ce nom. La première, dans la rue homonyme, près du lycée Charlemagne, s'est surtout appelée porte Baudoyer. La seconde fit partie de l'enceinte de Charles V mais, incorporée à la Bastille, perdit presque aussitôt sa fonction de porte. La troisième, au nord de la Bastille, construite aussi sous Charles V, débouchait dans la rue Saint-Antoine par l'actuelle rue de la Bastille et fut abattue en 1674 lorsqu'on restaura la quatrième, arc de triomphe à la romaine élevé en 1549 quelques dizaines de mètres plus à l'est et rhabillée au goût du jour par Blondel en 1672, qui fut détruite à la veille de la Révolution.

Porte Saint-Denis. La première, celle de l'enceinte de Philippe Auguste, située rue Saint-Denis, un peu au nord de la rue Étienne-Marcel, prit après la construction de la seconde le nom de porte des Peintres qui survit dans l'impasse voisine des Peintres. Elle fut détruite vers 1535. La deuxième, dans le mur de Charles V, se trouvait dans la même rue, à hauteur de la rue Sainte-Apolline, et disparut vers 1672, alors qu'à 80 mètres au nord on élevait la troisième porte, l'actuel arc de triomphe, dû à Blondel.

Porte Saint-Honoré. Des trois portes Saint-Honoré, la première date de Philippe Auguste et se trouvait dans la muraille à l'emplacement du portail de l'Oratoire, rue Saint-Honoré. Elle fut démolie vers 1535. La seconde porte, dite aussi des Aveugles à cause de la proximité de l'hospice des Quinze-Vingts, se situait vers l'actuelle place Colette et fut démolie vers 1636. La troisième, à l'extrémité occidentale de la rue Saint-Honoré, à l'alignement de la rue Royale, était attenante au bastion de Charles IX et fut construite entre 1631 et 1633, détruite entre 1730 et 1734.

Porte Saint-Louis. La petite poterne du Marais du début du XVIᵉ siècle est agrandie en 1654. Elle se situait face au pont aux Choux, dont la rue homonyme conserve le souvenir, près du boulevard Beaumarchais. Elle fut abattue peu avant 1760.

Porte Saint-Martin. La première porte s'ouvrait dans l'enceinte de Philippe Auguste, rue Saint-Martin, au nord de la rue aux Ours. Elle fut démolie en 1530. La seconde, celle de Charles V, dite bastide Saint-Martin, se trouvait dans la même rue, mais au niveau de la rue Meslay. Elle disparut entre 1630 et 1652. La troisième, celle de l'enceinte des Fossés-Jaunes, élevée en 1614, fut remplacée en 1673 par l'arc de triomphe de Pierre Bullet, situé à une trentaine de mètres plus au nord et qui existe encore.

Poterne Saint-Paul. Cette ouverture dans la muraille de Philippe Auguste se trouvait au niveau de l'actuelle rue Charlemagne, un peu à l'ouest de la rue des Jardins-Saint-Paul. Elle fut percée postérieurement au règne de Philippe Auguste et semble avoir disparu après 1530.

Porte Sainte-Anne, des Poissonniers ou *Poissonnière.* Située à l'extrémité septentrionale de la rue Poissonnière, alors chemin des Poissonniers, à la hauteur de la rue de la Lune, elle fut commencée en 1647 et démolie vers 1700.

Porte du Temple. Située rue du Temple, à proximité du passage Sainte-Avoie, cette porte de l'enceinte de Philippe Auguste communiquait avec le Temple. Elle fut démolie vers 1535. La seconde porte du même nom s'ouvrait dans l'enceinte de Charles V à l'extrémité de la rue du Temple, vers la rue Meslay, et fut détruite vers 1683.

Rive gauche :

Porte Buci, Bussy ou *Saint-Germain-des-Prés.* Dans l'enceinte de Philippe Auguste, vendue par les religieux de Saint-Germain-des-Prés à Simon de Buci en 1350 ou 1352, elle se trouvait rue Saint-André-des-Arts, un peu à l'est du carrefour de Buci. Elle fut détruite en 1672 ou 1673.

Porte Dauphine. A l'extrémité de la rue du même nom, elle fut élevée en 1639 et démolie dès 1673.

Porte de Nesle ou *Philippe-Hamelin.* D'abord simple poterne de l'hôtel de Nesle de l'enceinte de Philippe Auguste, quai de Conti, elle n'eut qu'un rôle très mineur et fut abattue un peu après la tour du même nom, vers 1684.

Porte Papale ou *Sainte-Geneviève.* Peut-être antérieure au mur de Philippe Auguste, cette porte devait son nom au passage du pape Eugène III, au XIIᵉ siècle, et serait une des portes de l'abbaye ou du bourg Sainte-Geneviève. Simple baie dans l'enceinte, presque toujours signalée comme murée, elle disparut vers 1680.

Porte Saint-Bernard ou *de la Tournelle.* Elle fut sans doute ouverte au XVᵉ siècle dans l'enceinte de Philippe Auguste, à la limite des quais Saint-Bernard et de la Tournelle. Elle fut rhabillée par Blondel en 1670 et disparut à la veille de la Révolution.

Porte Saint-Germain-des-Prés, des Cordèles ou *des Frères-Mineurs.* Cette porte de l'enceinte de Philippe Auguste, qu'il ne faut pas confondre avec la porte de Buci, se situe dans l'actuelle rue de l'École-de-Médecine, près du couvent des Cordeliers. Lorsque les religieux de l'abbaye de Saint-Germain-des-Prés eurent vendu l'ancienne porte Saint-Germain à Simon de Buci, vers 1350 ou 1352, ils reportèrent sur la porte des Frères-Mineurs, qui leur appartenait aussi, le nom de Saint-Germain-des-Prés. Cette porte fut démolie en 1672.

Porte Saint-Jacques. Dans le mur de Philippe Auguste, cette porte se trouvait au débouché de la rue Saint-Jacques sur le versant sud de l'actuelle rue Soufflot. C'était la principale porte de la rive gauche. Elle fut démolie en 1684.

Porte Saint-Marcel, Bordelle ou *Bordet.* Située rue Descartes, près de la rue de Fourcy, cette porte de la muraille de Philippe Auguste fut édifiée entre 1200 et 1212 et porta d'abord le nom d'un notable parisien du voisinage, Pierre de Bordelles. Elle fut détruite en 1686.

Porte Saint-Michel, Gibard ou *d'Enfer.* C'est légèrement au nord de l'intersection du boulevard Saint-Michel (alors rue de la Harpe) et de la rue Monsieur-le-Prince que s'élevait cette porte de la muraille de Philippe Auguste. Elle fut détruite en 1684.

Porte Saint-Victor. Percée dans l'enceinte de Philippe Auguste, elle se situait rue Saint-Victor (c'est-à-dire au 2, rue des Écoles), entre la rue d'Arras et la rue des Fossés-Saint-Victor (aujourd'hui du Cardinal-Lemoine). Elle fut détruite en 1684.

• *Voir aussi* **BARRIÈRE** ; **ENCEINTES.**

PORTE COCHÈRE

La porte cochère, haute et cintrée pour permettre l'entrée des carrosses, ouvrant à deux battants, est l'indice d'un statut social élevé, noblesse ou bourgeoisie fortunée. Elle donne à peu près exclusivement accès à des hôtels particuliers. Sébastien Mercier, en 1782, dans son *Tableau de Paris,* décrit avec esprit le prestige dont jouissent les portes cochères et les avantages que cela comporte pour les habitants de ces lieux respectés : « Il est presque ignoble de ne pas demeurer en porte cochère. Fût-elle bâtarde, elle a un air de décence que n'obtient jamais une allée. Celle-ci conduirait à l'appartement le plus commode, qu'elle serait proscrite, fût-elle encore large, propre et bien éclairée. Il y a des portes cochères obscures, embarrassées par des équipages, où l'on risque de donner de l'estomac dans le timon et dans l'essieu. Eh bien, l'on préfère ce passage étroit à cette voie roturière qu'on appelle allée. Les femmes du bon ton ne vont point visiter ceux qui sont logés ainsi. Les portes cochères sont fort utiles à ceux qui ont des dettes. Les exploits s'arrêtent à la loge du portier ; les huissiers ne vont pas plus loin ; et quand ils en viennent à une saisie, l'exécution n'a lieu que sur les misérables effets qui garnissent la loge. L'huissier pénètre l'allée jusqu'au septième étage, et il ne franchit jamais le seuil de la porte cochère. Voilà de singuliers usages, et qui n'en règnent pas moins : que l'on s'étonne encore après cela de la défaveur des allées bourgeoises. »

• *Voir aussi* CONCIERGE.

PORTEUR D'EAU

En 1292, alors qu'il n'existe que quatre fontaines à Paris, cinquante-huit porteurs d'eau sont mentionnés dans le livre de la taille. Les Auvergnats dominent cette profession de gagne-petit qui sillonnent les rues au cri de :

Qui veut de l'eau ? A chacun duit,
C'est un des quatre élémens !

C'est surtout aux fontaines qu'ils puisaient leur eau, la Seine leur étant interdite entre la place Maubert et le Pont Neuf, « à cause de l'infection et impureté des eaux qui y croupissent ». Jusqu'à la fin du XVIIe siècle, le porteur d'eau se sert d'une bretelle ou courroie de cuir passant derrière son cou et terminée par deux crochets où il pend ses seaux de hêtre léger sur lesquels flotte une nageoire, morceau de bois rond destiné à limiter le mouvement de l'eau durant la marche. Au XVIIIe siècle, un cerceau de châtaignier maintient l'écartement des seaux désormais fermés de couvercles. Au XIXe siècle, la bretelle fut remplacée par un balancier de bois, la courbe. Les plus aisés s'attelaient à des tonneaux montés sur roues, ce qui leur permettait d'accroître très fortement les quantités transportées.

Profession turbulente, les porteurs d'eau tentaient sans cesse de s'assurer le monopole des fontaines en rudoyant les usagers et en se prévalant d'un service public qu'ils prétendaient assurer. Les rixes avec les bourgeois et les domestiques sont innombrables et réprimées par des ordonnances de police dont la fréquence atteste l'inefficacité.

La profession fut strictement réglementée par une ordonnance de frimaire an XII (décembre 1803). Les tonneaux tirés à bras ou par des chevaux durent arborer un numéro d'immatriculation, porter les nom et prénom, le domicile du porteur, avoir une jauge et être tenus en bon état de propreté, s'approvisionner exclusivement aux fontaines marchandes (payantes). En pratique, les porteurs d'eau continuèrent à perturber l'ordre, s'agglutinant aux fontaines publiques pour en évincer les autres usagers et pour pouvoir tenir tête par leur nombre à la police.

Durs au travail, ces Auvergnats amassaient peu à peu une petite fortune. Maxime Du Camp nous apprend que, vers 1870, ils achetaient un franc les 1 000 litres d'eau à la fontaine marchande et les revendaient 5 francs. Le prix d'un fonds de porteur d'eau pouvait atteindre celui d'un débit de vin. Cette profession disparut rapidement avec la généralisation de l'eau dans les immeubles : son chiffre d'affaires était de 700 000 francs par an en 1860, il n'était plus que de 40 000 francs en 1882. Il restait pourtant dix fontaines marchandes en 1905, mais les ventes étaient insignifiantes.

• *Voir aussi* FONTAINE.

PORTIER

Voir CONCIERGE.

POSTE

Des messageries ont existé depuis la plus haute Antiquité. Dans ses *Commentaires sur la guerre des Gaules*, Jules César constate que « les nouvelles et les ordres étaient transmis d'un point à un autre avec une telle rapidité que ce qui venait d'être fait à Cenabum [Orléans] fut connu le même jour chez les Arvernes [en Auvergne] ». Au Moyen Âge, le roi, la Chambre des comptes, l'Université, la Ville, les corps de métiers, etc., disposent de messagers à pied ou à cheval. En 1477, Louis XI structure ses services pour assurer un meilleur acheminement des dépêches royales. C'est de cette date qu'on fait partir traditionnellement la naissance de la poste moderne, qui n'est alors que la poste aux chevaux. Le premier contrôleur général des postes, Guillaume Fouquet de La Varanne, est nommé en 1595. On se limitera ici aux aspects parisiens de la poste, et l'on renverra pour l'histoire nationale de cette institution à la magistrale étude d'Eugène Vaillé sur la poste sous l'Ancien Régime.

Des services réguliers étaient assurés de Paris vers la province et le règlement royal du 9 avril 1644 avait établi un tarif pour le port des lettres. En 1650, quatre bureaux de départ du courrier sont attestés, rue aux Ours pour la Picardie, la Flandre et l'Angleterre, devant le grand portail de l'église Saint-Eustache pour l'Ouest, rue Saint-Jacques, à la poste aux chevaux, pour le Sud-Ouest, le Sud-Est, l'Espagne, l'Italie, au Marché Neuf pour la Champagne et l'Allemagne. Mais il n'existe aucune liaison interne pour les Parisiens qui n'ont d'autre ressource que de porter eux-mêmes leurs lettres ou les faire porter par des domestiques.

La correspondance de l'écrivain Pellisson révèle qu'un de ses collègues de l'Académie française, Jean-Jacques Renouard, comte de Villayer, fut le premier à avoir l'idée d'une poste locale. Il obtint, raconte Pellisson, par lettres royales du 18 juillet 1653, « un privilège ou don du roi pour pouvoir seul establir des boestes dans divers quartiers de Paris et [...] ensuite établir un bureau au Palais où l'on vendoit pour un sou pièce certains billets imprimés d'une marque qui lui étoit particulière. Ces billets ne portoient autre chose, sinon : "port payé", le jour du mois de l'an 1653 ou 1654. Pour s'en servir, il falloit remplir le blanc de la date du jour ou du mois où vous écriviez à votre ami et les faire jeter ensemble dans la boeste [...]. Il y avoit des gens qui avoient ordre de l'ouvrir trois fois par jour et de porter les billets où ils s'adressoient. Outre le billet de port payé que l'on mettoit sur la lettre pour la faire partir, celui qui escrivoit avoit soin, s'il vouloit réponse, d'envoyer un autre billet de port payé dans sa lettre.» Le prix du billet de port

payé était de «un sol marqué». Ce service nouveau commença à fonctionner le 8 août 1653, mais fut très vite abandonné, les Parisiens n'en ayant pas vu l'intérêt et ne l'ayant pratiquement pas utilisé.

Paris continua donc à ne pas avoir de poste locale. Il y avait, en 1692, six boîtes aux lettres dans la ville : rue Saint-Jacques (au coin de la rue du Plâtre, face à la vieille poste aux chevaux) ; au milieu de la place Maubert ; faubourg Saint-Germain (devant l'abbaye, rue Bourbon-le-Château) ; rue Saint-Honoré (près des Quinze-Vingts, vis-à-vis la rue Saint-Nicaise) ; rue Saint-Martin (au coin de la rue aux Ours) ; rue Saint-Antoine (devant la rue Geoffroy-Lasnier). L'administration de la poste aux lettres se trouvait rue des Déchargeurs (entre les rues de la Limace et des Mauvaises-Paroles disparues lors du percement de la rue de Rivoli). Une septième boîte aux lettres fut installée en 1723 dans la cour du Palais, près de la Conciergerie. En 1738, le Bureau général des postes fut transféré de la rue des Déchargeurs à l'hôtel de Longueville, à proximité immédiate de la poste aux chevaux, rue des Poulies, face à la colonnade du Louvre. Le dégagement de celle-ci entraîne la destruction de l'hôtel de la poste, qui est transférée en 1758, rue Plâtrière, à l'hôtel d'Armenonville. A cette époque, Paris est divisé en huit offices ou bureaux postaux comptant chacun dix facteurs. Ils sont situés rue de Buci (au coin de la rue Saint-André-des-Arts), place Maubert, rue des Deux-Ponts (dans l'île Saint-Louis), rue Saint-Antoine (face à la rue Geoffroy-Lasnier), rue Saint-Martin (au coin de la rue aux Ours), rue Saint-Honoré (près des Quinze-Vingts), aux Halles (rue Montorgueil) et au faubourg Saint-Germain (rue du Bac).

Il incombait à Claude-Humbert Piarron de Chamousset, médecin parisien, conseiller maître à la Chambre des comptes, précurseur de la mutualité et possesseur d'une grande fortune, de reprendre l'idée de Villayer. Se fondant sur la réussite de la «penny post» de Londres, il obtient de Louis XV, le 5 mars 1758, des lettres patentes lui concédant l'établissement d'une Petite Poste à l'intérieur de Paris. Malgré l'hostilité de la ferme générale des postes et du Parlement, la déclaration royale du 8 juillet 1759 impose l'«établissement d'une Poste de Ville à Paris». Elle commence à fonctionner le 9 juin 1760. Le tarif est de 2 sols par lettre et il y a, au début, trois distributions par jour. Les facteurs sont répartis à raison de seize pour chacun des neuf bureaux, ouverts l'été de cinq heures du matin à dix heures du soir, et l'hiver de six heures et demi du matin à dix heures du soir. Les bureaux de la Petite Poste sont installés : place de l'École (près du Pont Neuf), cloître de la Couture-Sainte-Catherine, rue de Montmorency (près de la rue Saint-Martin), rue Neuve-des-Petits-Champs (en face des écuries du duc d'Orléans), rue d'Antin, rue du Bac, rue du Petit-Lyon (près de la foire Saint-Germain), place de l'Estrapade, rue Poissonnière. En 1780, cinq des neuf directeurs de ces bureaux étaient des femmes. La Petite Poste connaît alors un énorme succès et compte de vingt à trente facteurs par bureau. On dénombre plus de cinq cents boîtes à lettres, à raison de cinquante-cinq à soixante par secteur. Petite et grande banlieues sont desservies jusqu'au-delà des limites actuelles de Paris.

Prise d'émulation, la Grande Poste multipliait les boîtes aux lettres pour le courrier à destination de la province et de l'étranger : il y en avait trente-huit en 1780. Le 28 juin 1780, elle obtenait l'autorisation d'englober la Petite Poste. En 1787, est publié le premier calendrier-almanach des postes, les *Étrennes du facteur*. On compte alors deux cents facteurs parisiens effectuant dix tournées chaque jour. L'emplacement des bureaux de poste change fréquemment.

On en trouvera mention dans le précieux livre de Georges Brunel, *La Poste à Paris*.

Le 16 décembre 1799 (25 frimaire an VIII), le bail des fermiers de la poste aux lettres est résilié et celle-ci est érigée en régie confiée à cinq administrateurs. Ce système assure la mainmise du ministère des Finances sur la poste qui devient une administration avec à sa tête un directeur général qui est Lavalette jusqu'à la chute de l'Empire. Désormais, l'histoire de la poste aux lettres à Paris se confond presque avec celle de la poste en général. Des petites messageries sont créées en 1824, des bureaux annexes en 1842, des bureaux de gares en 1855. On trouvera dans le tome premier de *Paris, ses organes, ses fonctions et sa vie*, de Maxime Du Camp, une description très vivante et détaillée de la poste parisienne sous le second Empire. Devenu beaucoup trop exigu, l'hôtel des Postes de la rue Plâtrière (rebaptisée en 1868 Jean-Jacques-Rousseau) fut démoli et reconstruit sur place, en bordure de la rue du Louvre, où il se trouve toujours. Le premier coup de pioche fut donné le 20 décembre 1880 et l'hôtel des Postes était inauguré le 1er janvier 1885. Les postes se sont enrichies successivement du télégraphe, du pneumatique, du téléphone, aujourd'hui du Télex, du fax, etc. Mais cela relève de l'histoire générale de la poste. Un Musée postal, créé en 1878, a été installé en 1908 dans l'hôtel de Martignac, 107, rue de Grenelle, puis au 34, boulevard de Vaugirard. Il est impossible de dresser, dans les limites de cet article, la liste des bureaux de poste. On consultera l'ouvrage de Georges Brunel déjà cité, *La Poste à Paris* que l'on complétera avec celui de Jacques Morel, *Les Établissements postaux parisiens de 1863 à 1985*, publié par la direction des postes de Paris (140, boulevard du Montparnasse), en 1986. Il existe une très abondante littérature philatélique sur les oblitérations postales de la capitale que l'on peut consulter à la bibliothèque du 34, boulevard de Vaugirard.

• *Voir aussi* BALLON POSTAL ; POSTE AUX CHEVAUX ; POSTE PAR PIGEON ; POSTE PNEUMATIQUE.

POSTE AÉRIENNE
Voir BALLON POSTAL.

POSTE AUX CHEVAUX

Créée en 1477 pour le courrier du roi, la poste aux chevaux n'est connue à Paris dans un bâtiment déterminé qu'à partir de 1537, à l'enseigne de Saint-Étienne, à l'angle des rues d'Enfer (Henri-Barbusse) et des Francs-Bourgeois (Monsieur-le-Prince). C'est Étienne Loiseau qui est alors le maître de poste de Paris. En 1552, il vend sa charge à Jean-Antoine Lombard, dit Brusquet, qui avait succédé à Triboulet comme bouffon de François Ier. En 1571, à sa mort, la poste aux chevaux déménage vers le 30 de la rue Saint-Jacques, à l'enseigne du Chapeau Rouge. Vers 1650, elle quitte cet endroit, y laissant une boîte à lettres, et s'installe à proximité de la poste aux lettres, non loin de Saint-Germain-l'Auxerrois, rue Tirechappe (absorbée par la rue du Pont Neuf sous le second Empire). En 1694, elle se déplace de 200 mètres vers l'ouest, face à la colonnade du Louvre, rue des Poulies. En 1759, ses bâtiments sont achetés par le roi et démolis pour achever le dégagement du Louvre. En plus de ses fonctions postales, le maître de poste de Paris assurait le service quotidien de la malle de la Cour, de Paris à Versailles. La poste aux chevaux se déplace alors d'une centaine de mètres vers l'est et s'établit sur la rue des Fossés-Saint-Germain (Perrault) avec une entrée secondaire sur la rue Jean-Tison. Mais le maître de poste Michel-Louis Poulain, héritant de la mauvaise gestion de sa mère, fait faillite en 1782. Pour la première fois sans maître de poste titulaire, la poste aux chevaux est gérée par les Entrepreneurs des voitures de la Cour, installés dans la Maison des coches de la rue Contrescarpe (rue Mazet actuelle).

La loi des 23-24 août 1790 établit une nouvelle administration : « Les postes aux lettres, postes aux chevaux, et messageries continueront à être séparées quant à l'exploitation, mais, pour que ces établissements puissent s'entraider et ne pas se nuire, ils seront réunis dès à présent sous les soins du Commissaire des Postes nommé par le roi pour remplir les fonctions du ci-devant Intendant des Postes et Messageries. A dater du 1er janvier 1792, l'Administration générale des postes aux lettres, postes aux chevaux et messageries sera régie par un Directoire des Postes, composé d'un Président et de quatre Administrateurs non intéressés dans le produit. Les maîtres de poste aux chevaux continueront à être pourvus de brevets du roi. »

La Révolution est une sombre époque pour la poste aux chevaux : manque de chevaux à cause des réquisitions de l'armée, tracasseries policières, insécurité sur les routes mal entretenues. L'État mauvais payeur aggrave encore la situation du maître de poste de Paris qui n'a plus la malle de la Cour pour rétablir ses finances. En 1795, devant la désorganisation profonde de la poste aux chevaux, le gouvernement finit par réagir et par indemniser le maître de poste Lanchère, lui accordant 62 000 livres pour la perte de soixante-deux chevaux et plus de 100 000 livres pour combler le déficit de recettes accumulé depuis 1792. Le 5 mai 1795 (16 floréal an III), le Comité des Postes et Messageries, constatant « que le relais du citoyen Lanchère est réduit à cent neuf chevaux dont vingt sont estropiés ou malades et qu'il est de la plus grande urgence que la poste de Paris soit montée de cent quarante chevaux comme elle était ci-devant, afin de ne pas exposer le service des malles et des courriers à manquer, octroie trois cent mille livres au citoyen Lanchère pour l'aider à remonter son relais de trente chevaux et l'approvisionner en fourrage». D'avril à août 1795, Lanchère obtient plus d'un million de livres pour rétablir la situation de la poste aux chevaux.

Réorganisée par la loi du 9 décembre 1798 (19 frimaire an VII), la poste aux chevaux doit, cette même année, quitter l'hôtel du Cheval Blanc de la rue Contrescarpe, vendu comme bien national, pour un très bref séjour aux écuries d'Orléans, car, dès 1800, la poste aux chevaux est établie face à l'église Saint-Germain-des-Prés (aujourd'hui rue Bonaparte). L'Empire est une époque difficile pour un service dont la principale tâche est de fournir des chevaux aux courriers d'un chef d'État toujours sur les champs de bataille. Le gendre de Lanchère, Dailly, reprend la poste aux chevaux en 1814. Il l'installe en août 1830 au 2 de la rue Pigalle. Le chemin de fer condamne à mort la poste aux chevaux. La malle-poste meurt à petit feu et Adolphe Dailly figure pour la dernière fois en 1871-1872 dans l'*Almanach national* avec le titre de maître de poste de Paris. La poste aux chevaux avait déménagé une dernière fois en 1864 du 2 au 67-69 de la rue Pigalle. On peut lire avec profit le livre de Madeleine Fouché, *La Poste aux chevaux de Paris*, paru en 1975.

• *Voir aussi* **POSTE.**

POSTE PAR PIGEON

Dès la fin d'août 1870, un avocat nommé Ségalas suggérait à l'Administration l'organisation d'un colombier dans la tour de l'administration générale des Postes et Télégraphes, au 103 de la rue de Grenelle. De Vougy, directeur des Télégraphes, tint compte de cette proposition et lorsque Paris fut investie par les troupes allemandes, le 19 septembre 1870, l'association des colombophiles parisiens, «l'Espérance», devint un des rouages essentiels de la vie postale pour la durée du siège. Complément indispensable des ballons postaux, qui quittent la capitale mais ne peuvent y revenir, les pigeons voyageurs font le chemin inverse, de la province vers Paris. Ils portent des pigeongrammes mis au point par Lafollye, inspecteur des lignes télégraphiques d'Indre-et-Loire et photographe amateur astucieux qui a fait faire des réductions photographiques au 1/300 des dépêches destinées aux Parisiens. Un décret du 4 novembre 1870 du gouvernement de la Défense nationale siégeant à Tours a fixé les conditions d'utilisation par les particuliers de la correspondance avec Paris par pigeons voyageurs : une taxe de 50 centimes par mot est exigée et le nombre maximum de mots par dépêche est limité à vingt. Un pigeon peut porter jusqu'à deux mille dépêches. Le 5 décembre, un procédé de réduction photomicroscopique mis au point par Dagron entre en service, permettant de confier à un seul oiseau plus de soixante mille télégrammes.

• *Voir aussi* **BALLON POSTAL** ; **PIGEON.**

POSTE PNEUMATIQUE

Le succès du télégraphe électrique est à l'origine de la poste pneumatique. Ainsi que le notent les docteur Rykner et René Gobillot dans *La Poste pneumatique de Paris*, «à Paris les différents bureaux de quartiers sont reliés par fil au bureau central de la rue de Grenelle, appelé alors "Grenelle-Saint-Germain". Celui-ci a pour mission de répartir vers les différents bureaux parisiens les télégrammes provenant de la province et de l'étranger. De même, il centralise les dépêches provenant de ces bureaux avant de les acheminer. Du fait du développement de ce nouveau moyen de communication, les lignes électriques s'avèrent très rapidement insuffisantes et l'encombrement devient tel que de nouveaux moyens doivent être recherchés. Ainsi, en 1865, le service est assuré entre les bureaux de la place de la Bourse et Grenelle-Saint-Germain par des voitures légères à deux roues, qui, avec un bon cheval, peuvent effectuer ce voyage de trois kilomètres en douze minutes. Un départ a lieu tous les quarts d'heure. Cette solution ne peut cependant être raisonnablement généralisée et on songe à utiliser une "pression atmosphérique souterraine" à l'intérieur d'une conduite reliant les deux stations. Le développement d'un tel réseau apparaît dès ce moment comme la solution du problème de la distribution des dépêches à courte distance, d'autant qu'elle avait été expérimentée en Angleterre dès 1853. L'administration des télégraphes décide donc en 1866, à titre d'essai, de construire à ciel ouvert une ligne de tubes entre la place de la Bourse et le Grand Hôtel (boulevard des Capucines). Cette ligne de mille cinquante mètres de long est alimentée par de l'air comprimé obtenu grâce à la pression de l'eau de la ville dans des cuves spéciales.» Ce réseau se développe rapidement et quarante bureaux de poste sont desservis en 1879 par 71 kilomètres de lignes. Il est alors décidé de permettre au public d'expédier des dépêches par tube à l'intérieur des limites d'avant 1860. Ces dépêches doivent être rédigées sur des formulaires spéciaux timbrés ainsi que le stipule le décret du 25 janvier 1879 qui entre en vigueur le 1er mai.

La poste pneumatique connaît un succès immédiat : 743 565 dépêches durant la première année. De 1882 à 1884, le réseau s'étend à l'ensemble des vingt arrondissements, englobant du XIIe au XXe. En 1888, il couvre 200 kilomètres et dessert tous les bureaux de poste parisiens. Huit ateliers de force motrice alimentent les lignes en air comprimé.

A partir de 1907, le réseau s'étend à la banlieue. Il atteint sa longueur maximale en 1934 avec environ 450 kilomètres de tubes : soixante-huit lignes en tubes d'acier de 65 millimètres, sur 301 kilomètres, dix-neuf lignes en tubes d'acier de 80 millimètres pour 126 kilomètres, 25 kilomètres de canalisations en fonte de 100 à 300 millimètres de diamètre.

En 1965, une modernisation est esquissée avec le remplacement des tubes d'acier par des lignes en chlorure de polyvinyle. Mais l'administration des P.T.T. recule devant la dépense, invoque la concurrence du téléphone, le déficit chronique du réseau pneumatique et, finalement, signe l'acte de décès de ce moyen de communication, le 30 mars 1984.

• *Voir aussi* POSTE.

POTERNE
Voir PORTE.

POTIER
Voir ARGILE.

POUBELLE
C'est semble-t-il à Caen qu'a été conçu, pour la première fois en France, l'emploi de boîtes à ordures ménagères. En 1699, la municipalité mit à la disposition de la population des petits paniers destinés à recevoir les immondices, mais cette innovation ne paraît pas s'être diffusée en dehors de la ville. En 1800, la municipalité de Lyon instaura un système de boîtes ou seaux métalliques dont les habitants étaient impérativement invités à se servir pour faciliter la tâche des boueurs. Le règlement de police de Grenoble du 8 mars 1864 prévoit que les habitants «devront faire usage de seaux en métal ou de caisses en bois munies d'une anse, d'une capacité suffisante pour les besoins de la maison, mais qui ne pourra excéder celle de cinquante litres». C'est à Eugène Poubelle, né à Caen, préfet de l'Isère en 1872-1873, que devait revenir l'immortelle gloire de donner son nom aux boîtes à ordures ménagères. Moins de trois mois après sa nomination à la tête de la préfecture de la Seine, il promulguait un arrêté, le 16 janvier 1884, instituant des boîtes à ordures ménagères en fer galvanisé ou en bois doublé de tôle, ayant une capacité de 40 litres au minimum et de 120 litres au maximum. S'il est de

forme circulaire, le récipient ne doit pas avoir plus de 55 centimètres de diamètre ; s'il est rectangulaire, les dimensions ne peuvent excéder 50 centimètres de large sur 80 de long. Les récipients seront peints, galvanisés, munis de deux anses ou poignées. Ils porteront l'indication de la rue et du numéro de l'immeuble. Il était prévu trois boîtes à usages différents : la première pour les coquilles d'huîtres, les débris de verre et de faïence, etc. ; la deuxième pour les ordures fermentescibles, animales et végétales ; la troisième pour les ordures non putréfactibles, papier, chiffons, etc. C'est seulement en 1993 que sont apparues les boîtes à couvercle bleu réservées au papier. Constamment améliorées, les poubelles parisiennes sont parmi les moins bruyantes et les plus performantes du monde. Sur la voie publique, un effort important a été également entrepris, surtout à partir des années 1980. On y distingue actuellement trois types de « réceptacles de propreté » : la borne de propreté, dont la base est fixée au sol ; la corbeille, fixée sur un mur, un pied ou sur le mobilier urbain ; la maxiborne, réceptacle de grande capacité abritant un bac roulant collecté mécaniquement. Depuis 1987, le nombre des réceptacles de propreté sur la voie publique a été porté de huit mille à vingt mille.

• *Voir aussi* ÉGOUT ; NETTOIEMENT.

POULBOT
Voir GAMIN.

POUPÉE

Dans *Le Roman bourgeois*, paru en 1666, Antoine Furetière fait état d'une coutume qui semble avoir pris naissance dans les salons des Précieuses. C'est chez Mlle de Scudéry qu'était habillée la poupée censée porter la mode nouvelle : il y avait la « grande pandore » arborant la tenue féminine d'apparat et la « petite pandore » portant le déshabillé du matin. Ces poupées transmettaient les canons officiels de la mode aux bourgeoises de Paris,

aux dames de province et à l'étranger. L'abbé Prévost signale dans ses *Contes et Aventures* que, durant la guerre de succession d'Espagne (1701-1713), alors que la France et l'Angleterre s'affrontaient, « par une galanterie qui n'est pas indigne de tenir rang dans l'histoire, les ministres des deux Cours accordaient, en faveur des dames, un passeport inviolable à la poupée ; et pendant les hostilités furieuses qui s'exerçaient de part et d'autre, elle était ainsi la seule chose qui fût respectée par les armes ». Sous le règne de Louis XVI, c'est de la boutique de Rose Bertin, modiste préférée de Marie-Antoinette, que partait cette fameuse poupée, comme le note Sébastien Mercier dans son *Tableau de Paris* : « C'est de Paris que les profondes inventrices en ce genre donnent des lois à l'univers. La fameuse poupée, le mannequin précieux, affublé des modes les plus nouvelles, enfin le "prototype inspirateur" passe de Paris à Londres tous les mois, et va de là répandre ces grâces dans toute l'Europe. Il va au nord et au midi : il pénètre à Constantinople et à Pétersbourg ; et le pli qu'a donné une main française, se répète chez toutes les nations, humbles observatrices du goût de la rue Saint-Honoré ! » Il ajoute : « J'ai connu un étranger qui ne voulait pas croire à la poupée de la rue Saint-Honoré, que l'on envoie régulièrement dans le Nord, y porter le modèle de la coiffure nouvelle ; tandis que le second tome de cette même poupée va au fond de l'Italie, et de là se fait jour jusque dans l'intérieur du sérail. Je l'ai conduit, cet incrédule, dans la fameuse boutique ; et il a vu de ses propres yeux, et il a touché ; et en touchant, il semblait douter encore, tant cela lui paraissait vraiment incroyable ! »

• *Voir aussi* COUTURE (haute).

PRÉ

Le plus célèbre des prés parisiens était le Pré aux Clercs, d'abord nommé le Pré Saint-Germain, car, avant de dépendre de l'Université, il avait fait partie du domaine de l'abbaye de Saint-Germain-des-Prés. Il s'étendait de cette abbaye jusqu'à l'emplacement du Palais-Bourbon sous le nom de grand Pré aux Clercs et, au nord de l'abbaye, à l'emplacement de la rue des Beaux-Arts, sous le nom de petit Pré aux Clercs. Le canal dit de la Petite Seine séparait les deux prés. Le Pré aux Clercs fut le rendez-vous des protestants durant le troisième quart du XVIe siècle et servit aussi de terrain de rencontre aux duellistes. Un Pré aux Enfants, assez étendu, se trouvait le long de la Bièvre, face aux Gobelins. Les Champeaux, prairie ou petits champs, furent occupés à la fin du XIIe siècle par les Halles. Le Pré Catelan se trouve au bois de Boulogne et porte le nom d'un capitaine des chasses de Louis XIV, gouverneur des châteaux de Madrid et de la Muette. Subsistent dans la toponymie parisienne une rue du Pré (XVIIIe arrondissement), d'abord dite rue du Pré-Maudit, des bestiaux y ayant péri de maladie, et la rue des Prairies (XXe).

• *Voir aussi* CHAMP ; COUTURE ; EN-CLOS.

PRÉFET DE LA SEINE ET PRÉFET DE PARIS

Liste des préfets de la Seine, à partir de l'*Almanach de Paris* :

1. Frochot, Nicolas Thérèse Benoît, comte (du 2.III.1800 au 23.XII.1812)
2. Chabrol de Volvic, Gilbert Joseph Gaspard, comte de (du 23.XII.1812 au 20.III.1815)
3. Bondy, Pierre Marie Taillepied, comte de (du 20.III.1815 au 3.VII.1815)
4. Chabrol de Volvic, Gilbert Joseph Gaspard, comte de (du 7.VII.1815 au 30.VII.1830)
5. Laborde, Alexandre Louis Joseph, comte de (du 30.VII.1830 au 20.VIII.1830)
6. Barrot, Camille Hyacinthe Odilon (du 20.VIII.1830 au 21.II.1831)
7. Bondy, Pierre Marie Taillepied, comte de (du 21.II.1831 au 22.VI.1833)

8. Rambuteau, Claude Philibert Barthelot, comte de (du 22.VI.1833 au 24.II.1848)
9. Trouvé-Chauvel, Ariste Jacques (du 19.VII.1848 au 25.X.1848)
10. Recurt, Adrien Barnabé Athanase (du 27.X.1848 au 20.XII.1848)
11. Berger, Jean-Jacques (du 20.XII.1848 au 22.VI.1853)
12. Haussmann, Georges Eugène, baron (du 22.VI.1853 au 5.I.1870)
13. Chevreau, Henri (du 5.I.1870 au 10.VIII.1870)
14. Say, Jean-Baptiste Léon (du 5.VI.1871 au 6.XII.1872)
15. Calmon, Marc-Antoine (du 7.XII.1872 au 24.V.1873)
16. Duval, Émile Gustave Ferdinand (du 28.V.1873 au 25.I.1879)
17. Hérold, Ferdinand (du 25.I.1879 au 1.I.1882)
18. Floquet, Charles Thomas (du 5.I.1882 au 31.X.1882)

LE PRÉFET HAUSSMANN EN 1867

19. Oustry, Louis (du 31.X.1882 au 19.X.1883)
20. Poubelle, Eugène René (du 19.X.1883 au 23.V.1896)
21. Selves, Justin Germain Casimir de (du 23.V.1896 au 27.VI.1911)
22. Delanney, Marcel (du 30.VI.1911 au 27.IV.1918)
23. Autrand, Auguste (du 27.IV.1918 au 5.X.1922)
24. Juillard, Hippolyte (du 5.X.1922 au 2.VIII.1924)
25. Naudin, Armand (du 2.VIII.1924 au 15.IX.1925)
26. Bouju, Paul (du 15.IX.1925 au 19.II.1929)
27. Renard, Georges Édouard Alexandre (du 19.II.1929 au 6.II.1934)
28. Villey-Desméserets, Achille Joseph Henri (du 6.II.1934 au 13.X.1940)
29. Magny, Charles-Paul (du 13.X.1940 au 19.VIII.1942)
30. Bouffet, René Eugène François (du 19.VIII.1942 au 19.VIII.1944)
31. Flouret, Marcel (du 19.VIII.1944 au 17.IX.1946)
32. Verlomme, Roger-Édouard (du 17.IX.1946 au 9.VII.1950)
33. Haag, Paul Maurice Louis (du 15.IX.1950 au 6.X.1955)
34. Pelletier, Émile-Amédée (du 6.X.1955 au 1.VI.1958)
35. Benedetti, Jean-Baptiste Antoine (du 13.X.1958 au 1.X.1963)
36. Haas-Picard, Raymond (du 1.X.1963 au 16.IX.1966)
37. Doublet, Maurice (du 16.IX.1966 au 31.XII.1967)

Préfets de Paris

38. Doublet, Maurice (du 1.I.1968 au 21.II.1969)
39. Diebolt, Marcel Auguste (du 21.II.1969 au 10.XI.1971)
40. Verdier, Jean-Élie Yves (du 10.XI.1971 au 7.XI.1974)
41. Taulelle, Jean (du 3.XII.1974 au 23.III.1977)
42. Lanier, Lucien (du 23.III.1977 au 8.VIII.1981)
43. Vochel, Lucien (du 8.VIII.1981 au 20.VII.1984)
44. Philip, Olivier (du 14.IX.1984 au 1.I.1991)

45. Sautter, Christian (du 1.I.1991 au 23.VI.1993)
46. Aurousseau, Jean-Claude (depuis le 23.VI.1993)

PRÉFET DE POLICE

Liste des préfets de police à partir de l'*Almanach de Paris* :

1. Dubois, Louis Nicolas Pierre Joseph (du 8.III.1800 au 14.X.1810)
2. Pasquier, Étienne Denis (du 14.X.1810 au 13.V.1814)
3. Beugnot, Jacques Claude (du 13.V.1814 au 27.XII.1814)
4. André, Antoine Balthazar Joseph d' (du 27.XII.1814 au 14.III.1815)
5. Bourrienne, Louis Antoine Fauvelet de Charbonnière de (du 14.III.1815 au 20.III.1815)
6. Réal, Pierre François (du 20.III.1815 au 3.VII.1815)
7. Courtin, Eustache Marie Pierre Marc Antoine (du 3.VII.1815 au 9.VII.1815)
8. Decazes, Élie (du 9.VII.1815 au 29.IX.1815)
9. Anglès, Jules Jean-Baptiste (du 29.IX.1815 au 20.XII.1821)
10. Delavau, Guy (du 20.XII.1821 au 6.I.1828)
11. Debelleyme, Louis-Marie (du 6.I.1828 au 13.VIII.1829)
12. Mangin, Jean Henri Claude (du 13.VIII.1829 au 30.VII.1830)
13. Bavoux, Jacques François Nicolas (du 30.VII.1830 au 1.VIII.1830)
14. Girod de l'Ain, Louis Gaspard Amédée (du 1.VIII.1830 au 7.XI.1830)
15. Treilhard, Achille Libéral (du 7.XI.1830 au 26.XII.1830)
16. Baude, Jean-Jacques (du 26.XII.1830 au 21.II.1831)
17. Vivien, Alexandre François Auguste (du 21.II.1831 au 17.IX.1831)
18. Saulnier, Sébastien Louis (du 17.IX.1831 au 15.X.1831)
19. Gisquet, Henri Joseph (du 15.X.1831 au 10.IX.1836)
20. Delessert, Abraham Gabriel Marguerite (du 10.IX.1836 au 24.II.1848)
21. Sorbier, Marie-Joseph (du 24.II.1848 au 28.II.1848)
22. Caussidière, Marc (du 29.II.1848 au 18.V.1848)

23. Trouvé-Chauvel, Ariste Jacques (du 18.V.1848 au 19.VII.1848)
24. Ducoux, François-Joseph (du 19.VII. 1848 au 14.X.1848)
25. Gervais, Guillaume François (du 14.X.1848 au 20.XII.1848)
26. Rebillot, Chéry (du 20.XII.1848 au 8.XI.1849)
27. Carlier, Pierre Charles Joseph (du 8.XI.1849 au 26.X.1851)
28. Maupas, Charlemagne Émile de (du 26.X.1851 au 23.I.1852)
29. Blot, Sylvain (du 23.I.1852 au 27.I. 1852)
30. Pietri, Pierre-Marie (du 27.I.1852 au 16.III.1858)
31. Boittelle, Symphorien Casimir Joseph (du 16.III.1858 au 21.II.1866)
32. Pietri, Joseph-Marie (du 21.II.1866 au 4.IX.1870)
33. Kératry, Émile de (du 4.IX.1870 au 11.X.1870)
34. Adam, Edmond (du 11.X.1870 au 2.XI.1870)
35. Cresson, Ernest (du 2.XI.1870 au 11.II.1871)
36. Choppin, Albert (du 11.II.1871 au 16.III.1871)
37. Valentin, Louis-Ernest (du 16.III. 1871 au 17.XI.1871)
38. Renault, Léon (du 17.XI.1871 au 9.II.1876)
39. Voisin, Félix (du 9.II.1876 au 17.XII.1877)
40. Gigot, Albert (du 17.XII.1877 au 4.III.1879)
41. Andrieux, Louis (du 4.III.1879 au 16.VII.1881)
42. Camescasse, Jean-Ernest (du 16.VII. 1881 au 23.IV.1885)
43. Gragnon, Arthur Jean (du 23.IV. 1885 au 17.XI.1887)
44. Bourgeois, Léon (du 17.XI.1887 au 10.III.1888)
45. Loze, Henry (du 10.III.1888 au 11.VII.1893)
46. Lépine, Louis (du 11.VII.1893 au 14.X.1897)
47. Blanc, Charles (du 14.X.1897 au 23.VI.1899)
48. Lépine Louis (du 23.VI.1899 au 29.III.1913)
49. Hennion, Célestin (du 29.III.1913 au 2.IX.1914)
50. Laurent, Émile (du 2.IX.1914 au 3.VI.1917)

51. Hudelo, Louis (du 3.VI.1917 au 23.XI.1917)
52. Raux, Fernand (du 23.XI.1917 au 13.V.1921)
53. Leullier, Robert (du 13.V.1921 au 9.VII.1922)
54. Naudin, Armand (du 9.VII.1922 au 2.VIII.1924)
55. Morain, Alfred (du 2.VIII.1924 au 14.IV.1927)
56. Chiappe, Jean (du 14.IV.1927 au 4.II.1934)
57. Bonnefoy-Sibour, Adrien (du 4.II. 1934 au 17.III.1934)
58. Langeron, Roger (du 17.III.1934 au 27.II.1941)
59. Marchand, Camille (du 27.II.1941 au 14.V.1941)
60. Bard, François (du 14.V.1941 au 1.VI.1942)
61. Bussière, Amédée (du 1.VI.1942 au 19.VIII.1944)
62. Luizet, Charles (du 19.VIII.1944 au 20.III.1947)
63. Ziwès, Armand (du 20.III.1947 au 9.V.1947)
64. Léonard, Roger (du 9.V.1947 au 12.IV.1951)
65. Baylot, Jean (du 12.IV.1951 au 13.VII.1954)
66. Dubois, André-Louis (du 13.VII. 1954 au 12.XI.1955)
67. Genebrier, Roger (du 12.XI.1955 au 16.XII.1957)
68. Lahillonne, André (du 16.XII.1957 au 15.III.1958)
69. Papon, Maurice (du 15.III.1958 au 27.XII.1966)
70. Grimaud, Maurice (du 27.XII.1966 au 13.IV.1971)
71. Lenoir, Jacques (du 13.IV.1971 au 2.VII.1973)
72. Paolini, Jean (du 2.VII.1973 au 3.V. 1976)
73. Somveille, Pierre (du 3.V.1976 au 8.VIII.1981)
74. Périer, Jean (du 8.VIII.1981 au 9.VI. 1983)
75. Fougier, Guy (du 9.VI.1983 au 17.VII.1986)
76. Paolini, Jean (du 17.VII.1986 au 16.VIII.1988)
77. Verbrugghe, Pierre (du 16.VIII.1988 au 21.IV.1993)
78. Massoni, Philippe (depuis le 21.IV. 1993)

PRÉNOM

Avant que les feuilletons télévisés imposent la mode des prénoms anglo-saxons, il subsistait des tendances régionales, souvent en liaison avec les saints vénérés localement, par exemple Martial ou Léonard en Limousin. A Paris, la destruction de l'état civil dans l'incendie de l'Hôtel de Ville en 1871 limite fortement l'étude des prénoms locaux.

Une étude des comptes domaniaux entre 1424 et 1457 a livré deux mille cinq cents prénoms et révélé une écrasante prépondérance des Jean, Jeannet, Jeannot, Jeanne, Jeanneton, etc., au nombre de 873, alors que les Pierre, Pierrot, Perrette ne sont que 224 et les Guillaume, Guillemette, 211, soit 52 % de la population concentrés sur ces trois prénoms. On trouve 69 Thomas, 68 Colin, 57 Étienne, 56 Simon, 44 Denis, 41 Robert, autant d'Henri, 31 Gilles, 30 Nicolas, 28 Michel, 22 Philippe, 21 Hugues, 16 Renaud, 15 Thibaut, 13 Antoine, 12 Gérard, 9 Louis, autant de Germain, 7 Gervais et Marguerite ou Margot, 4 Georges, 2 Alain et Isabelle ou Isabeau, un seul Albert ou Yves, aucune Marie.

Une enquête de 1985 révèle le classement suivant pour le XIXᵉ siècle : 178 Jean (7,8 %), 175 Louis (7,7 %), 124 Charles (5,4 %), 109 Pierre (4,8 %), 100 Eugène (4,4 %), 96 Henri (4,2 %), 81 Georges (3,5 %), 75 Émile (3,3 %) et autant de François, 68 Auguste (3,1 %). Pour les femmes, un très grand nombre de Marie (434, soit 20,9 %), 122 Louise (5,9 %), 95 Jeanne (4,6 %), 59 Joséphine ou Eugénie (2,8 %), 47 Marguerite (2,3 %), 40 Henriette (1,9 %), 39 Augustine (1,9 %), 32 Blanche et 31 Anne (1,5 %). Si les Jean sont fréquents dans la France entière, la proportion des Louis et des Charles est exceptionnellement forte dans la capitale. Il serait intéressant de faire des études complémentaires pour cerner l'évolution des prénoms entre ces deux époques éloignées.

• *Voir aussi* ÉTAT CIVIL.

PRESSE

La presse s'est constituée lentement et difficilement en France, la monarchie redoutant qu'elle mette en cause le pouvoir et suscitant obstacles, contraintes, censure et contrôles étroits. Le *Mercure français*, qui parut annuellement de 1611 à 1648, peut être considéré comme l'ancêtre de la presse en France. Mais le premier véritable périodique paraît en janvier 1631 sous le titre de *Nouvelles ordinaires de divers endroits*. Théophraste Renaudot lance, le 31 mai 1631, la *Gazette*, qui, bénéficiant d'un privilège royal, absorbe bientôt son prédécesseur et concurrent et devient en 1762 l'organe officiel du ministère de Affaires étrangères sous le titre de *Gazette de France*. Cet hebdomadaire est rejoint en 1665 par le *Journal des savants* et en 1672 par le *Mercure galant* devenu *Mercure de France* en 1724. D'autres publications périodiques apparaissent durant le XVIIIᵉ siècle, certaines clandestines comme les *Nouvelles ecclésiastiques*, feuille janséniste distribuée sous le manteau dans la capitale de 1728 à 1803. Le premier journal quotidien français et parisien est le *Journal de Paris* dont la parution débute le 1ᵉʳ janvier 1777. Après une soudaine explosion entre 1789 et 1792, la presse est mise à nouveau sous le boisseau par la Terreur républicaine puis par le despotisme napoléonien. Néanmoins, les périodiques spécialisés se multiplient, journaux de mode, périodiques pour enfants, revues médicales, historiques, scientifiques, professionnelles. Paris est le centre principal de cette énorme activité à caractère plus national que parisien qu'il est impossible d'étudier ici : hebdomadaires politiques, magazines d'information, presse économique, financière, sportive, féminine, programmes de télévision... Les grands groupes de presse se font et se défont régulièrement, les recettes publicitaires jouent un rôle vital et l'aspect parisien de tout cela est insignifiant, même si les manœuvres et les intrigues se situent dans les cercles de pouvoirs de la capitale.

• *Voir aussi* JOURNAL.

PRÉVÔT DE PARIS

Le prévôt de Paris est un officier royal chargé de représenter le souverain dans la vicomté et prévôté de Paris et de percevoir les droits appartenant au roi dans la ville. Jusqu'à ce que Louis IX réforme la charge à son retour de croisade, la prévôté est affermée par adjudication à des bourgeois de Paris et partagée entre deux officiers exerçant, l'un le pouvoir judiciaire, l'autre le pouvoir financier. Étienne Boileau semble être le premier prévôt qui exerce sa charge comme fonctionnaire royal avec un traitement identique aux baillis du royaume.

Liste des prévôts depuis Étienne Boileau à partir de l'*Almanach de Paris* :

1. Étienne Boileau (1261-1270)
2. Renaud Barbou (1270-1275)
3. Jean le Saunier (1275-1277)
4. Maci de Moriers (1277)
5. Nicolas de Rozoy (1277)
6. Guy du Més (1277-1281)
7. Gilles de Compiègne (1281-1285)
8. Oudart de la Neuville (1285-1287)
9. Renaud le Gras (1287)
10. Pierre Laymie (1287-1289)
11. Jean de Montigny (1289-1291)
12. Jean de Marle (1291-1292)
13. Guillaume de Hangest (1292-1296)
14. Jean de Saint-Liénart (1296-1297)
15. Robert Mauger (1297-1298)
16. Guillaume Thibout (1298-1302)
17. Pierre le Jumeau (1302-1304)
18. Pierre de Dicy (1304-1306)
19. Fremin de Cocquerel (1306-1308)
20. Pierre le Féron (1308-1309)
21. Jean Ploiebaut (1309-1316)
22. Henri de Taperel (1316-1321)
23. Gille Haquin (1321-1322)
24. Jean Loncle (1322-1325)
25. Hugues de Crusy (1325-1330)
26. Jean de Milon (1330-1334)
27. Pierre Belagent (1334-1339)
28. Guillaume Gormont (1339-1349)
29. Alexandre de Crèvecœur (1349-1354)
30. Guillaume Staise (1354-1359)
31. Jean de Meudon (1359-1361)
32. Jean Bernier (1361-1367)
33. Hugues Aubriot (1367-1381)
34. Guillaume de Saint-Germain (1381)
35. Audoin Chauveron (1381-1389)
36. Jean de Folleville (1389-1401)
37. Guillaume de Tignonville (1401-1408)
38. Pierre des Essarts (1408-1410)
39. Bruneau de Saint-Clair (1410-1411)
40. Pierre des Essarts (1411-1413)
41. Robert de La Heuse (1413)
42. Tanguy du Châtel et Bertrand de Montauban (1413)
43. André Marchant (1413-1415)
44. Tanguy du Châtel (1415-1418)
45. Jean de Villiers de L'Isle-Adam (1418)
46. Guy de Bar, dit Le Veau de Bar (1418-1419)
47. Jacques Lamban de Semeuse (1418)
48. Robert de Montjeu (1419)
49. Gilles de Clamecy (1419-1420)
50. Jean Du Mesnil (1420-1421)
51. Gaucher Jayet (1421)
52. Jean de la Baume-Montrevel (1421)
53. Pierre de Marigny (1421)
54. Hugues Restoré (1421)
55. Pierre Le Verrat (1421-1422)
56. Simon de Champluisant (1422)
57. Jacques de Luxembourg (1422)
58. Simon Morhier (1422-1436)
59. Philippe de Ternant (1436-1437)
60. Ambroise de Loré (1437-1446)
61. Jean Dauvet (1446)
62. Jean d'Estouteville (1446-1447)
63. Robert d'Estouteville (1447-1461)
64. Jacques de Villiers de L'Isle-Adam (1461-1465)
65. Robert d'Estouteville (1465-1479)
66. Jean de Saint-Romain (1479)
67. Jacques d'Estouteville (1479-1509)
68. Jacques de Coligny (1509-1512)
69. Gabriel d'Alègre (1513-1526)
70. Jean de La Barre (1526-1534)
71. Jean d'Estouteville (1534-1542)
72. Antoine III Du Prat (1542-1554)
73. Antoine IV Du Prat (1554-1588)
74. Édouard Molé (1588-1594)
75. Jacques d'Aumont (1594-1612)
76. Louis Séguier (1612-1653)
77. Nicolas Fouquet (1653)
78. Pierre Séguier (1653-1670)
79. Armand Du Camboust (1670-1683)
80. Achille de Harlay (1683-1685)
81. Charles-Denis de Bullion (1685-1722)

82. Gabriel-Jérôme de Bullion (1722-1755)
83. Alexandre de Ségur (1755-1766)
84. Alexandre-Gabriel-Henri-Bernard de Boulainvilliers (1766-1789)

PRÉVÔT DES MARCHANDS

C'est au retour du roi de la croisade que la municipalité parisienne est réorganisée et prend sa forme pour cinq siècles. Les jurés des marchands de l'eau deviennent des échevins et leur chef, le prévôt de la marchandise de l'eau, prend le titre de prévôt des marchands de Paris.

Liste des prévôts des marchands d'après l'*Almanach de Paris* :

1. Evroïn de Valenciennes (1263-1268)
2. Jean Augier (1268-1270)
3. Raoul de Pacy (1270-1276)
4. Guillaume Pizdoue (1276-1280)
5. Guillaume Bourdon (1280-1289)
6. Jean Arrode (1289-1293)
7. Jean Popin (1293-1296)
8. Guillaume Bourdon (1296-1298)
9. Étienne Barbette (1298-1304)
10. Guillaume Pizdoue (1304-1314)
11. Étienne Barbette (1314-1321)
12. Jean Gencien (1321-1328)
13. Jean La Pie (1328-1330)
14. Adam Loncel ou Boucel (1330-1331)
15. Jean Gencien (1331-1332)
16. Adam Boucel (1332-1334)
17. Guillaume Pizdoue (1334-1336)
18. Guillaume Ami (1336-1338)
19. Jean La Pie (1338-1343)
20. Jean Pizdoue (1343-1352)
21. Jean de Pacy (1352-1354)
22. Étienne Marcel (1354-1358)
23. Gencien Tristan (1358)
24. Jean Culdoë (1358-1359)
25. Jean Desmarets (1359-1364)
26. Jean Culdoë le Jeune (1364-1371)
27. Jean Fleury (1371-1381)
28. Guillaume Bourdon (1381-1383)
    Pas de prévôt des marchands de 1383 à 1412
29. Pierre Gencien (1412-1413)
30. André d'Espernon (1413)
31. Pierre Gencien (1413-1415)
32. Philippe de Breban (1415-1417)
33. Étienne de Bonpuits (1417)
34. Guillaume Cirasse (1417-1418)
35. Noël Marchand (1418-1420)
36. Hugues Le Coq (1420-1429)
37. Guillaume Sanguin (1429-1431)
38. Hugues Rapiout (1431-1434)
39. Hugues Le Coq (1434-1436)
40. Michel de Laillier (1436-1438)
41. Pierre des Landes (1438-1444)
42. Jean Baillet (1444-1450)
43. Jean Bureau (1450-1452)
44. Dreux Budé (1452-1456)
45. Mathieu de Nanterre (1456-1460)
46. Henri de Livres (1460-1466)
47. Michel de La Grange (1466-1468)
48. Nicolas de Louviers (1468-1470)
49. Denis Hesselin (1470-1474)
50. Guillaume Le Comte (1474-1476)
51. Henri de Livres (1476-1484)
52. Guillaume de La Haye (1484-1486)
53. Jean du Drac (1486-1490)
54. Pierre Poignant (1490-1492)
55. Jacques Piédefer (1492-1494)
56. Nicolas Violle (1494-1496)
57. Jean de Montmiral (1496-1498)
58. Jacques Piédefer (1498-1499)
59. Nicolas Potier (1499-1502)
60. Germain de Marle (1502-1504)
61. Eustache Luillier (1504-1506)
62. Dreux Raguier (1506-1508)
63. Pierre Le Gendre (1508-1510)
64. Robert Turquain (1510-1512)
65. Roger Barme (1512-1514)
66. Jean Brulart (1514-1516)
67. Pierre Cleutin (1516-1518)
68. Pierre Lescot (1518-1520)
69. Antoine Le Viste (1520-1522)
70. Guillaume Budé (1522-1524)
71. Jean Morin (1524-1526)
72. Germain de Marle (1526-1528)
73. Gaillard Spifame (1528-1530)
74. Jean Luillier (1530-1532)
75. Pierre Violle (1532-1534)
76. Jean Tronson (1534-1538)
77. Augustin de Thou (1538-1540)
78. Étienne de Montmiral (1540-1542)
79. André Guillart (1542-1544)
80. Jean Morin (1544-1546)
81. Louis Gayant (1546-1548)
82. Claude Guyot (1548-1552)
83. Christophe de Thou (1552-1554)
84. Nicolas de Livres (1554-1556)
85. Nicolas Perrot (1556-1558)
86. Martin de Bragelongne (1558-1560)
87. Guillaume de Marle (1560-1564)
88. Claude Guyot (1564-1566)
89. Nicolas de Neufville (1566-1570)
90. Claude Marcel (1570-1572)

91. Jean Le Charron (1572-1576)
92. Nicolas Luillier (1576-1578)
93. Claude d'Aubray (1578-1580)
94. Augustin II de Thou (1580-1582)
95. Étienne de Neuilly (1582-1586)
96. Nicolas Hector (1586-1588)
97. Michel Marteau (1588-1589)
98. Jean Drouart (1589)
99. Michel Marteau de La Chapelle (1589-1590)
100. Charles Boucher (1590-1592)
101. Jean Luillier (1592-1594)
102. Martin Langlois (1594-1598)
103. Jacques Danès (1598-1600)
104. Antoine Guyot (1600-1602)
105. Martin de Bragelongne (1602-1604)
106. François Miron (1604-1606)
107. Jacques Sanguin (1606-1612)
108. Gaston de Grieu (1612-1614)
109. Robert Miron (1614-1616)
110. Antoine Bouchet de Bouville (1616-1618)
111. Henri de Mesmes (1618-1622)
112. Nicolas de Bailleul (1622-1628)
113. Christophe Sanguin (1628-1632)
114. Michel Moreau (1632-1638)
115. Oudart Le Féron (1638-1641)
116. Christophe Perrot (1641)
117. Macé Boulanger (1641-1644)
118. Jean Scarron (1644-1646)
119. Hiérome Le Féron (1646-1650)
120. Antoine Le Fèvre (1650-1654)
121. Alexandre de Sève (1654-1662)
122. Daniel Voisin (1662-1668)
123. Claude Le Peletier (1668-1676)
124. Auguste Robert de Pomereu (1676-1684)
125. Henri de Fourcy (1684-1692)
126. Claude Bosc (1692-1700)
127. Charles Boucher (1700-1708)
128. Jérôme Bignon (1708-1716)
129. Charles Trudaine (1716-1720)
130. Pierre Antoine de Castagnère (1720-1725)
131. Nicolas Lambert (1725-1729)
132. Michel Étienne Turgot (1729-1740)
133. Félix Aubery (1740-1743)
134. Louis Basile de Bernage (1743-1758)
135. Jean-Baptiste Éric Camus de Pontcarré (1758-1764)
136. Armand Jérôme Bignon (1764-1772)
137. Jean-Baptiste François de La Michodière (1772-1778)
138. Antoine Louis François Le Fèvre de Caumartin (1778-1784)
139. Louis Le Peletier (1784-1788)
140. Jacques de Flesselles (1788-1789)
• *Voir aussi* ÉCHEVIN.

PRIEURÉ
Voir COUVENTS.

PRISON
La plus ancienne prison attestée à Paris est celle dite de Glaucin (*carcer Glaucini*), située au temps de l'administration romaine dans la partie sud de l'île de la Cité, près du Petit Pont. Saint Denis et ses compagnons, Eleuthère et Rustique, y auraient séjourné vers 250. L'incendie de 586 la détruisit et elle fut remplacée par une autre prison (*carcer* en latin, qui a donné « chartre » en français) qui devait se situer au nord de l'île (vers l'actuel marché aux fleurs) ainsi qu'en témoignent les noms des églises voisines, Saint-Denis-de-la-Chartre et Saint-Symphorien-de-la-Chartre. Jusqu'aux Codes civil et criminel, au début du XIXᵉ siècle, l'emprisonnement n'était pas une peine, mais une mesure préventive en attendant le jugement. Seuls les tribunaux ecclésiastiques pouvaient prononcer des peines d'emprisonnement pour les clercs.

La prison du roi est située au Châtelet où siège le prévôt. On y dénombre une quinzaine de grandes salles d'incarcération, celles situées dans les étages supérieurs étant plus appréciées et de pension plus coûteuse que les cachots sans air ni lumière de la Fosse, de la Gourdaine, du Puits ou de l'Oubliette, à peine éclairés par un soupirail au ras du sol et extrêmement humides.

Palais du gouverneur romain puis des rois de France, occupé par le Parlement, le Palais de justice possédait aussi, à la Conciergerie, une prison où étaient enfermés les inculpés en cours de jugement. Marie-Antoinette y fut incarcérée durant son procès. La Conciergerie a continué à servir de prison temporaire jusqu'en 1914.

A cheval sur le débouché du Petit Pont sur la rive gauche, le Petit Châtelet servait d'annexe au Grand Châtelet, depuis la fin du xive siècle. Il fut démoli en 1782.

Séjour occasionnel des prisonniers politiques importants, la Bastille, construite à partir de 1370, devint exclusivement une prison d'État sous Richelieu qui nomma gouverneur Charles Leclerc Du Tremblay, frère de son «éminence grise», le père Joseph. Contrairement à la légende noire forgée au xviiie siècle, la Bastille était une prison de luxe par rapport aux autres et le nombre des captifs n'y excéda jamais quarante. Le 14 juillet 1789, il n'y eut que sept pensionnaires à délivrer : quatre faussaires, deux fous de noble lignage, les comtes de Whyte de Malleville et de Solages et un certain Tavernier, à moitié fou, impliqué dans l'attentat de Damiens et enfermé depuis trente ans.

Le donjon de Vincennes servit aussi de prison d'État pour des personnes de marque dont le séjour s'apparentait davantage à une résidence surveillée qu'à une incarcération. Le donjon fut fermé, par souci d'économie, le 26 mai 1784 et ses trois hôtes transférés à la Bastille : c'étaient, outre le marquis de Sade, les deux comtes insanes déjà cités. Il redevint occasionnellement prison politique sous la Monarchie de Juillet, la deuxième République et le second Empire.

La création de l'Hôpital général le 27 avril 1656 et la politique d'enfermement des indigents et des mendiants menée sous Louis XIV aboutirent à la constitution de deux nouveaux centres de détention dans les hospices de la Salpêtrière (pour les femmes) et de Bicêtre (pour les hommes). En 1684, une maison de force fut aménagée à la Salpêtrière pour recevoir deux cents à trois cents condamnées. Elle fut fermée en décembre 1794 et remplacée par la prison de Saint-Lazare. La création de la maison de force de Bicêtre remonte à la même époque. Les conditions de détention y étaient très sévères et il y eut

plusieurs mutineries durant le xviiie siècle. Elle comptait près de huit cents places et environ cinq cents détenus à la veille de la Révolution. Remplacée par la prison de la Grande Roquette, Bicêtre fut fermée le 24 décembre 1836 et partiellement démolie.

Après la suppression des justices seigneuriales en 1674, l'administration royale s'attribua plusieurs des lieux de détention utilisés par les haut-justiciers. Le principal était le For-l'Évêque, quai de la Mégisserie, où il avait été installé en 1222. De faibles dimensions (35 mètres sur 9 environ), la prison pouvait contenir environ deux cents personnes. Mais, au xviiie siècle, on en dénombra jusqu'à cinq cents horriblement entassés. Elle fut démolie en 1783.

L'abbaye de Saint-Germain-des-Prés possédait aussi son lieu de détention. La prison de l'Abbaye se situait à l'emplacement du 166, boulevard Saint-Germain. Reconstruite vers 1635, c'était un carré de 15 mètres de côté avec des cachots s'enfonçant jusqu'à 10 mètres sous terre. Louis XIV la transforma en prison militaire. C'est là que débutèrent les massacres de septembre 1792. Redevenue prison militaire après la Révolution, l'Abbaye fut détruite en 1857 et remplacée par la prison du Cherche-Midi.

En 1780, l'hôtel de la famille de La Force (rue du Roi-de-Sicile) fut transformé en prison de la Grande Force à laquelle s'adjoignit en 1785 la Petite Force (22, rue Pavée) mitoyenne. On y transféra les détenus du For-l'Évêque. Ces deux établissements furent détruits en 1845.

La geôle du prieur de Saint-Martin-des-Champs se trouvait près de son échelle de justice, cour Saint-Martin (carrefour des rues Réaumur et de Turbigo). Elle fut remplacée en 1575 par une prison nouvelle en bordure de la rue Saint-Martin, au débouché de la rue Grenéta. Devenue prison royale en 1674, elle déménagea en 1720 pour s'installer à côté de la tour du Vertbois. C'était un dépôt pour les filles publiques. Elle disparut en 1785 et fut remplacée par la Petite Force.

Le prieuré Saint-Éloi de la Cité avait une petite geôle près de son tribunal et une autre, plus importante, la « grange Saint-Éloi », jouxtant l'église Saint-Paul, destinée aux habitants du quartier Saint-Paul qui relevaient de sa juridiction. Elle fut vendue en 1797 et détruite.

Il y avait, enfin, un dépôt pour les condamnés aux galères, qui quittaient Paris en convoi deux fois par an. Saint Vincent de Paul obtint vers 1624 leur transfert des cachots de la Conciergerie vers une maison qu'il louait près de l'église Saint-Roch, puis, en 1632, leur installation dans le château de la Tournelle (1, quai de la Tournelle). Il fut rasé en 1790 et les galériens furent transférés dans le voisinage, au collège des Bernardins. Durant les massacres de septembre, la foule égorgea soixante-dix galériens, trois seulement échappèrent à la mort. Les forçats furent ensuite rassemblés à Bicêtre.

Jusqu'à leur suppression en 1674, il y avait dix-huit juridictions seigneuriales et autant de prisons : celle du prévôt des marchands, celles de l'évêque au nombre de deux, For-l'Évêque pour les laïcs, Officialité pour les clercs, celles des chapitres de Notre-Dame, de Saint-Benoît, de Saint-Marcel et de Saint-Merri, celles des abbayes Sainte-Geneviève, Saint-Germain-des-Prés, Saint-Magloire, Saint-Victor et de Montmartre, celles des prieurés de Saint-Denis-de-la-Chartre, de Saint-Éloi, de Saint-Martin-des-Champs et du Temple, celles de la commanderie de Saint-Jean-de-Latran et de la maison de Saint-Lazare.

La prison du prévôt des marchands se trouvait dans la rue de l'Écorcherie (actuellement avenue Victoria). Elle fut transférée à l'intérieur de l'Hôtel de Ville construit par le Boccador sous François Ier. Outre la prison du

For-l'Évêque, déjà citée, prison laïque de l'évêque, celui-ci disposait d'un autre lieu de détention destiné aux clercs devant comparaître devant le tribunal de l'official. C'était une tour enclavée entre la sacristie de Notre-Dame et la chapelle du palais épiscopal. La prison du chapitre de Notre-Dame, d'abord située dans le cloître, fut déplacée au début du XIVe siècle près de l'église Saint-Pierre-aux-Bœufs (rue d'Arcole). La prison du chapitre de Saint-Benoît jouxtait le cloître (à l'angle des rues Saint-Jacques et des Écoles). Celle de Saint-Marcel se trouvait à l'intérieur du cloître, celle de Saint-Merri à proximité du cloître (24, rue du Cloître-Saint-Merri). La prison de l'abbaye Saint-Germain-des-Prés, reprise par le roi, a déjà été évoquée. Celle de Sainte-Geneviève était à l'intérieur de l'enclos de l'abbaye. Celle de Saint-Magloire se dissimulait dans le cul-de-sac de Beaufort, derrière l'église Saint-Leu. La prison de Saint-Victor était double : la tour d'Alexandre, rue Saint-Victor et une petite geôle dans l'enclos. La prison de l'abbaye de Montmartre, dite For-aux-Dames, était rue de la Heaumerie (entre les rues Saint-Denis et de Rivoli, vers le boulevard de Sébastopol). La prison du prieuré de Saint-Denis-de-la-Chartre se trouvait à l'emplacement actuel de l'Hôtel-Dieu. Celle de Saint-Éloi à la grange Saint-Éloi, rue Saint-Paul, déjà citée, de même que celle de Saint-Martin-des-Champs. La prison du prieuré du Temple et celle de la commanderie de Saint-Jean-de-Latran se situaient dans leurs enclos respectifs. La maison de Saint-Lazare (107, rue du Faubourg-Saint-Denis) avait un double usage : centre de redressement pour enfants et de correction pour ecclésiastiques. C'était une prison de luxe au prix de pension élevé. Jusqu'en 1935, cette prison fonctionna comme lieu de détention pour femmes.

Il faut également citer un certain nombre de prisons privées où des personnes étaient incarcérées à la demande et aux frais de leur famille ou par autorité de justice. Sainte-Pélagie (13-15, rue Lacépède et rue du Puits-de-l'Ermite), les Madelonnettes (rue des Fontaines-du-Temple), le couvent des Filles de Saint-Michel (rue Lhomond), le couvent de Sainte-Valère (à l'angle de la rue de Grenelle et de l'esplanade des Invalides), la maison de discipline de Mlle Douay (rue Tournefort) et celle de Marie de Sainte-Colombe (4-6, rue de Picpus, où sa mère fit enfermer le jeune Saint-Just qui lui avait volé son argenterie). Seules Sainte-Pélagie et les Madelonnettes survécurent à la Révolution : la première comme prison pour jeunes gens détenus à la demande de leurs parents, puis pour les débiteurs insolvables et les opposants politiques jusqu'à sa destruction en 1895, les Madelonnettes pour les jeunes filles internées à la demande de leurs parents et pour les femmes perdues de dettes jusqu'à sa démolition en 1868.

Sous la Terreur, en 1793 et 1794, la justice révolutionnaire utilisa toutes les prisons existantes et en ouvrit de nouvelles dans les bâtiments conventuels désaffectés, les Carmes (70, rue de Vaugirard), Port-Royal rebaptisé Port-Libre (121-125, boulevard de Port-Royal), le donjon du Temple pour la famille royale, le palais du Luxembourg, la pension du docteur Belhomme (157-161, rue de Charonne), etc.

Au XIXe siècle sont construits de nouveaux établissements pénitentiaires : la Petite Roquette (143, rue de la Roquette), prison pour femmes construite en 1831 et démolie en 1974, la Grande Roquette (166-168, rue de la Roquette), destinée aux hommes et particulièrement aux condamnés à mort, ouverte en 1837 et détruite en 1900, Mazas (23-25, boulevard Diderot), inaugurée le 19 mai 1850, prison modèle où est expérimenté le système cellulaire, démolie en 1898, la prison militaire du Cherche-Midi (38, rue du Cherche-Midi), ouverte en 1853 et démolie en 1966. Il ne subsiste plus qu'une prison à Paris, celle de la rue de la Santé (au 42), édifiée entre 1861 et 1867. Les principales prisons de Paris et de sa région sont désormais en banlieue, à Fresnes et à Fleury-Mérogis.

PRIVILÉGIÉ (lieu)

Dans son *Dictionnaire historique des arts, métiers et professions exercés dans Paris depuis le XIIIe siècle*, Alfred Franklin mentionne des endroits nommés « lieux privilégiés » où les artisans ne dépendaient pas des corporations et de leurs réglementations et où ils pouvaient s'établir sans justifier d'apprentissage, de chef-d'œuvre ni de maîtrise. Ces très anciennes immunités provenaient de seigneuries ecclésiastiques ou laïques. Les principaux lieux privilégiés se situaient dans le cloître et sur le parvis de Notre-Dame, dans les cours Saint-Benoît et du Temple, dans les enclos de Saint-Germain-des-Prés, de Saint-Martin-des-Champs, de Saint-Denis-de-la-Chartre, des Quinze-Vingts, de la Trinité, de Saint-Jean-de-Latran et dans le fief de cette commanderie, son hôtel (dit hôtel Zone), les maisons en dépendant dans les rues des Bourguignons, des Charbonniers, des Lyonnais et de Lourcine. Étaient également lieux privilégiés, le faubourg Saint-Antoine, dépendant de l'abbaye du même nom, les galeries du Louvre où œuvraient les artisans et artistes sous la protection du roi, la manufacture des Gobelins, les palais et hôtels des princes du sang et les collèges dont les portiers pouvaient exercer librement une activité artisanale. Les communautés de métiers acceptaient difficilement cette situation, déclaraient déchus « de leurs maîtrises et honneurs » les maîtres qui s'y établissaient et prétendaient à un droit de visite qu'elles avaient les plus grandes difficultés à exercer. Elles prenaient des mesures discriminatoires infamantes : une sentence du 1er août 1614 du prévôt de Paris, renouvelée à plusieurs reprises, reconnaissait aux jurés des orfèvres le droit «de faire arrêter dans les rues ceux des compagnons orfèvres qu'ils sauront travailler dans les lieux privilégiés». Aucun objet fabriqué dans un lieu privilégié ne pouvait être livré hors de ses limites. L'acheteur devait donc emporter son acquisition. S'il voulait la faire prendre par un de ses domestiques ou de ses enfants, il devait donner «à icelui un certificat signé de sa main, comme quoi il a acheté tel ouvrage chez tel ouvrier ou tel marchand, pour son usage et non pour celui d'autrui, que la personne qui accompagne ledit ouvrage se nomme tel, et est véritablement son enfant ou son domestique étant actuellement à ses gages ; ce qu'ils sont tenus d'affirmer véritable, en étant requis […]. Autrement, lesdits ouvrages seront saisis et confisqués, le soi-disant domestique emprisonné.» La production des lieux privilégiés était notoirement de qualité inférieure à celle soumise au contrôle des communautés de métiers. Un arrêt du Conseil d'État du 28 novembre 1716, renouvelé les 2 janvier et 12 octobre 1717, ordonna à «toutes personnes qui ont ou prétendent avoir des privilèges ou affranchissements de maîtrises, franchises, etc., de représenter leurs titres de concession ou de confirmation». A la suite de cet arrêt et de l'enquête qui s'ensuivit, plusieurs lieux privilégiés se virent retirer leurs immunités, mais la plupart subsistèrent jusqu'à la Révolution.

• *Voir aussi* MÉTIER.

PROCÈS D'ANIMAUX

Considérant les animaux comme des êtres moraux, perfectibles et responsables de leurs actes, les hommes du Moyen Âge instruisaient des procès contre les bêtes accusées de délits. A Paris et aux environs, un certain nombre de procès d'animaux sont attestés. Ainsi la justice de Saint-Martin-des-Champs condamne-t-elle entre 1317 et 1332 deux truies qui avaient at-

taqué des enfants et un cheval qui avait tué un homme. Les truies furent attachées aux fourches patibulaires du prieuré. Quant au cheval, son propriétaire l'avait conduit hors de la juridiction des religieux. Il dut payer la valeur de l'animal reconnu coupable et fournir «une figure de cheval» qui fut pendue aux fourches. En 1497, au village de Charonne, une truie avait dévoré le menton d'un enfant. Le juge ordonna qu'elle soit assommée, ses chairs dépecées et jetées aux quatre points cardinaux, le propriétaire et son épouse étant astreints à faire un pèlerinage à Notre-Dame de Pontoise, «où étant le jour de la Pentecôte, ils crieront "Merci !" De quoi ils rapporteront certificat.» Le XVIIe siècle poursuivit les procès d'animaux : condamnation d'une vache à Paris en 1609, d'une jument en 1647. En novembre 1793, le tribunal révolutionnaire condamna à mort pour «manœuvres contre-révolutionnaires» un invalide et son chien qu'il avait dressé à aboyer contre les «habits bleus» républicains. La dernière fois qu'un animal a comparu devant un tribunal, comme témoin, non comme accusé, remonte à une trentaine d'années seulement. Jean Vartier narre l'affaire dans les *Procès d'animaux* : «Makao, jeune singe cercopithèque, s'était sauvé de l'appartement de ses maîtres et, sans quitter les hauteurs, s'était retrouvé dans un confortable studio, en l'absence de ses occupants. Il avait alors croqué un bâton de rouge à lèvres, mis en pièces quelques bibelots de prix et emporté un écrin qui fut retrouvé vide. Les "cambriolés" précisèrent dans leur plainte que l'écrin contenait à l'origine une bague de valeur. Le propriétaire du singe, responsable des pertes provoquées par la fugue de son «élève», soutint à la barre que Makao était absolument incapable d'ouvrir un boîtier et que si on l'avait retrouvé vide, c'est qu'il était vide au départ. "Qu'on nous amène Makao, nous allons bien voir", ordonna le juge, en vertu de son pouvoir discrétionnaire. A Makao, M. le juge tendit toute une série d'écrins qu'il ouvrit avec la même dextérité. La thèse de son maître était ruinée. Il fut condamné à pleine réparation.» Cela se passait le 24 janvier 1962, devant le tribunal d'instance du XVIIe arrondissement.

Jusqu'à la Révolution étaient également matière à procès les relations sexuelles entre animaux et humains. Un procureur du roi, Simon Gueulette, a copié toutes les affaires instruites entre 1540 et 1692. La sentence était toujours la mort, l'exécution de l'animal précédant celle de l'être humain et se déroulant sous ses yeux. Les rapports entre chrétiens et juifs étaient également assimilés à la bestialité et condamnés de même : le Parisien Jean Allard, qui vivait avec une juive qui lui donna sept enfants, subit avec elle le sort réservé aux zoophiles.

• *Voir aussi* ANIMAL DOMESTIQUE ; ANIMAL SAUVAGE.

PROCESSION

Il est impossible d'énumérer les innombrables processions organisées au Moyen Âge et même jusqu'en 1789, souvent en fonction des événements, naissance ou deuil princier, victoire militaire, sécheresse, inondation, peste ou autre maladie, etc. La principale procession du Moyen Âge avait lieu le jour de la Saint-Denis, à l'ouverture de la foire du Lendit, près de l'abbaye de Saint-Denis. L'évêque de Paris, accompagné d'autres prélats, des chanoines de Notre-Dame et de la Sainte-Chapelle, du clergé des paroisses de la Cité, se rendait sous les voûtes du Châtelet où le rejoignaient les autres paroisses de la ville, suivies des ordres religieux. Grands et Petits Augustins, Cordeliers, Jacobins, Bernardins, etc. Venaient ensuite les confréries et maîtrises avec leurs syndics, jurés, compagnons et apprentis. Arrivaient enfin les bourgeois, prévôt des marchands et échevins en tête, les membres du Parlement, des cours du Trésor, du Châtelet. Une autre procession se formait sur la montagne Sainte-Geneviève où les écoliers — on dirait aujourd'hui étudiants — s'assemblaient sous les enseignes de leurs nations, en compagnie du recteur, des maîtres ès arts, des «suppôts» de l'Université et d'une foule hétéroclite et turbulente. La procession se rendait à Saint-Denis par la «grant chaussée de Monsieur Saint-Denis», c'est-à-dire la rue du Faubourg-Saint-Denis.

La cérémonie de descente et de remise des corps saints ou reliques du trésor de Saint-Denis se faisait généralement en présence du roi, au moment de son départ pour la guerre ou à son retour victorieux. Ainsi, en 1509, à l'occasion de la publication de la paix de Cambrai, il y eut plusieurs processions : l'une autour de la Cité contemplée par les ambassadeurs des pays étrangers depuis les fenêtres de l'Âne rouge, maison proche du cloître de Notre-Dame, tandis que les autres se déroulaient autour de l'abbaye de Saint-Denis, où l'Évangile fut dit, à la messe, selon la coutume des fêtes solennelles, en grec et en latin.

En 1530, pour célébrer la libération de ses enfants, otages à Madrid, à la signature du traité de Cambrai, François Ier assiste à toute une série de processions étalées durant tout le mois de juillet. Le 31 se déroule la procession des «capses» et «fiertes» de saint Sébastien qui n'avait pas eu lieu depuis cinquante ans. La foule était telle, nous dit une relation du temps, que «toutes les hostelleries et bonnes maisons estaient si pleines qu'elles ne suffisaient à recepvoir la multitude dudit peuple qui y venait à pied, à cheval et en basteaux par la rivière d'Aixne». L'immense procession comptait notamment trois cents pèlerins de Saint-Jacques et les quatre cents archers de la confrérie de Saint-Sébastien, habillés de hocquetons rouge et blanc, aux couleurs de la ville, qui finirent leur procession par un grand banquet à l'abbaye de Saint-Médard.

C'est dans une atmosphère beaucoup plus tendue que se déroule la procession du 21 janvier 1535, contre les progrès de la Réforme à Paris : le prévôt de Sainte-Geneviève en tête, suivi des autres paroisses portant leurs reliques, se rendent à Notre-Dame. Puis, accompagnés des chanoines et du chœur de la cathérale, ils repartent, avec des reliques supplémentaires, et se dirigent vers Saint-Germain-l'Auxerrois où se trouvent déjà les reliques de la Sainte-Chapelle, la couronne d'épines et des fragments de la vraie Croix. Ils sont rejoints au Louvre par le roi, la reine, le Dauphin et toute la Cour. Ensemble, ils repartent vers Notre-Dame, emmenés par cinq cents Cordeliers, suivis par la reine à cheval avec une soixantaine de dames, puis par les Jacobins, les Augustins, les Carmes, les religieux, les curés des paroisses, les licenciés et docteurs en théologie, les moines de Sainte-Geneviève et de Saint-Marcel, les chanoines et le chœur de la chapelle royale et de la cathérale, les gentilshommes de la Cour, six évêques, quatre cardinaux, trois fils du roi, l'évêque de Paris tenant le saint sacrement, enfin François Ier à pied, tête nue, une torche à la main, encadré par le cardinal de Lorraine et le premier président du Parlement, suivis des conseillers et des juges vêtus de rouge, le corps de Ville fermant la marche. Après dîner, six condamnés enfermés au Châtelet sont brûlés : trois aux Halles, trois à la Croix du Trahoir, tous personnages importants ayant affiché des opinions réformées.

Célèbre aussi est la procession des pénitents du vendredi 25 mars 1583. Confrérie érigée par Henri III à l'imitation de celle d'Avignon, elle est peuplée de mignons du roi qui y a aussi convié des gentilshommes de la Cour, des membres du Parlement et les bourgeois les plus notables. Nommés aussi flagellants ou battus, ces pénitents

quittent deux par deux le couvent des Grands-Augustins pour se rendre à Notre-Dame, affublés de cagoules blanches, le roi parmi eux, « sans garde ni différence ». Il plut toute la journée, pas seulement de l'eau mais aussi des quolibets, les Parisiens n'ayant guère apprécié ces démonstrations excessives de piété et d'humilité masochiste. La dernière de ces processions, très critiquées même par le clergé, eut lieu le 21 juillet 1587, sous la direction du cardinal de Bourbon, abbé de Saint-Germain-des-Prés, suivi par les Capucins, les Augustins, les prêtres de Saint-Sulpice : les sept châsses de Saint-Germain sont portées par des hommes en chemise, encadrés par d'autres élevant des flambeaux ardents, tandis que les cardinaux de Bourbon et de Vendôme, arborant la pourpre, encadrent le roi en habit de pénitent blanc.

Les incessantes processions de la Ligue ont fait l'objet d'illustrations et sont bien connues. Elles réunissaient des milliers de moines, de religieux, d'étudiants en théologie armés d'épées, de piques, de mousquets, et sont dénoncées par le chroniqueur Pierre de l'Estoile pour leur côté « enragé » et la licence des mœurs, « filles, femmes et garçons marchaient pesle mesle ensemble tout nuds ».

Au siècle suivant, les processions s'assagissent et se limitent aux jubilés et à la traditionnelle procession de la châsse de sainte Geneviève. Mme de Sévigné la décrit dans une lettre du 19 juillet 1675 : « Savez-vous que c'est une belle chose que cette procession ? Tous les différents religieux, tous les prêtres des paroisses, tous les chanoines de Notre-Dame et M. l'archevêque pontificalement, qui va à pied, bénissant à droite et à gauche, jusqu'à la métropole ; il n'a cependant que la main gauche et, à la droite, c'est l'abbé de Sainte-Geneviève, nu-pieds, précédé de cent cinquante religieux, nu-pieds aussi, avec sa crosse et sa mitre, comme l'archevêque, et bénissant de même, mais modestement et dévotement, et à jeun, avec un air de pénitence, qui fait voir que c'est lui qui va dire la messe dans Notre-Dame. Le Parlement en robes rouges et toutes les compagnies supérieures suivaient cette châsse, qui est brillante de pierreries, portée par vingt hommes habillés de blanc, nu-pieds. On laisse en otage à Sainte-Geneviève le prévôt des marchands et quatre conseillers jusqu'à ce que ce précieux trésor y soit revenu.»

Une des plus originales est la procession des captifs organisée par les religieux de la Sainte-Trinité ou Mathurins. Celle du 20 mai 1635 exhibe quarante-deux captifs rachetés aux Barbaresques, accompagnés par les pères rédempteurs et quatre-vingts membres de la confrérie de Notre-Dame de Bonne-Délivrance, «pieds nus, revestus d'aubes de belle toile de lin et bien tirées avec fraizes, ayant couronnes de laurier en teste et portant chascun un gros cierge de cire blanche, et au cierge attachée une targette en ovale de demypied de hault, sur laquelle estait peinte une croix rouge et bleue couronnée entre deux branches de laurier».

Les questions de préséance provoquaient fréquemment des incidents parfois graves. A la procession des Rogations de 1635, les Bénédictins de Saint-Martin-des-Champs, hostiles à la réforme de Richelieu qui avait uni Saint-Maur, Cluny et Saint-Vanne, «provoquèrent un incident en guidant la procession des Rogations par un itinéraire inaccoutumé : deux bedeaux s'assomment à coup de crucifix, les moines combattent dans la rue, aucune des deux processions n'ayant voulu céder le pas à l'autre».

Au XVIIIᵉ siècle, la querelle janséniste et les interventions des curés, jaloux de leurs droits, entraînent une décadence des processions : en 1735, le curé de Saint-André-des-Arts obtient l'interdiction de la procession des Grands Augustins hors de leur cloître ; en 1737, les chanoines de Saint-

Étienne-des-Grés font interdire la procession de Notre-Dame-de-Bonne-Délivrance, sous prétexte qu'elle engendre des désordres.

A la veille de la Révolution, de leur interdiction provisoire et de leur déclin définitif, les processions ont encore un succès populaire certain. Témoin cet étudiant de Nancy présent à Paris, le 7 juin 1787, qui écrit : «Nous ne fîmes autre chose que courir Paris pour voir les processions. L'affluence du monde est telle qu'une fois engagé dans une rue, il est impossible de revenir sur ses pas. Nous vîmes défiler sous nos fenêtres [hôtel d'Artois, rue Montmartre] la procession de Saint-Eustache, la plus riche de la capitale. La livrée des principaux seigneurs de la paroisse est en tête de la procession avec de grands flambeaux ; suivent immédiatement, cent chapiers couverts des ornements les plus riches, ainsi que soixante à quatre-vingts prêtres ; l'on ne voit qu'or et argent briller de tous côtés.»
• *Voir aussi* **PÈLERINAGE** ; **SAINT**.

PROMENADE

Flâner, se promener à travers Paris est sans doute une tradition ancienne. Dans son *Histoire et Physiologie des boulevards de Paris*, Honoré de Balzac a donné une remarquable rétrospective des principales promenades des Parisiens, mettant en valeur le glissement vers l'ouest de cette «activité» de désœuvrés : «La vie de Paris, sa physionomie a été en 1500 rue Saint-Antoine, en 1600 à la place Royale, en 1700 au Pont Neuf, en 1800 au Palais-Royal. Enfin le boulevard a eu ses destinées lui-même. Le boulevard ne fit pressentir ce qu'il serait un jour qu'en 1800. De la rue du Faubourg-du-Temple à la rue Charlot où grouillait tout Paris, sa vie s'est transportée en 1815 au boulevard du Panorama [Montmartre]. En 1820, elle s'est fixée au boulevard dit de Gand [des Italiens], et maintenant elle tend à remonter de là vers la Madeleine.» Cette nomenclature omet toutefois quelques jardins et endroits ombragés qui attiraient la foule des dimanches : les jardins des Tuileries et du Luxembourg, le Mail de l'Arsenal et le Cours-la-Reine, le Jardin des Plantes, dès le XVIIᵉ siècle. La promotion sociale des Champs-Élysées se fera progressivement, du début du XVIIIᵉ siècle à la fin du XIXᵉ. Sébastien Mercier observait, au début des années 1780, dans le *Tableau de Paris*, le conformisme de la promenade : «Les Parisiens ne se promènent point, ils courent, ils se précipitent. Le plus beau jardin se trouve désert à telle heure, à tel jour, parce qu'il est d'usage ce jour-là de faire foule ailleurs. On ne voit pas la raison de cette préférence exclusive ; mais cette convention tacite s'observe exactement.» La promenade est bien déchue depuis que l'automobile règne sur Paris : c'est un acte de courage, voire de témérité, que de consacrer une partie de son temps libre à tenter de se promener au milieu de monstres rugissants en respirant un air pollué par les pots d'échappement. La plupart des Parisiens ont choisi de rester chez eux le dimanche ou d'aller passer le «week-end» hors de la ville.

• *Voir aussi* BADAUD ; WEEK-END.

PROSPECT

Voir HAUTEUR DES IMMEUBLES ; RUE (largeur de la).

PROSTITUTION

Le «plus vieux métier du monde» a sans doute été pratiqué à Paris dès l'époque gallo-romaine. L'Église n'a d'autre solution que d'enfermer les prostituées dans des couvents : c'est l'origine des Filles-Dieu, établies en 1225 par l'évêque de Paris dans la rue Saint-Denis, à l'emplacement du 229-239, près de la porte de la ville. Le très pudibond Louis IX, bien peu charitable quoique sanctifié, ordonne en 1254 que les filles publiques soient expulsées de la capitale. Cette mesure s'avérant inapplicable, le Parlement ordonne en

1272 la fermeture des bordels. Tout aussi peu réaliste, cette disposition est remplacée en 1360 par une interdiction aux prostituées de porter les mêmes parures que les femmes dites honnêtes. Cette ordonnance est si peu respectée qu'il faut la renouveler en 1415, 1419, 1420, 1426. Le *Dict des rues de Paris* de Guillot, écrit vers 1300, ne mentionne pas moins de trente «rues chaudes» et le livre de la taille pour 1292 mentionne quelques noms de prostituées : «Florée du Bocage, Ysabeau l'Espinète, Gila la Boiteuse, Agnès aux Blanches Mains, Marie la Noire, Péronelle aux Chiens qui racole dans la rue des Poulies, Édeline l'Enragée qui exerce dans la rue Richebourg», etc. Dans son *Traité de la police*, Nicolas Delamare cite une ordonnance du 18 septembre 1367 du prévôt par laquelle aurait été fixé l'emplacement des premiers bordels : «A l'abreuvoir de Macon, en la Boucherie, en la rue Froid-Mantel, près du Clos-Bruneau, en la cour Robert-de-Paris, en Tiron, en la rue Chapon, en Champfleury, en la rue Trousse-Putain, rue Brisemiche», etc. Les «bordeaux», dits aussi «clapiers», devaient arborer une enseigne, être propres et bien entretenus. La Cour donnait l'exemple de la débauche avec ses prostituées de luxe et l'on estimait qu'il y en avait, sous le règne de François Iᵉʳ, dans la première moitié du XVIᵉ siècle, entre six mille et sept mille dans Paris pour une population de cent cinquante mille âmes.

Les guerres de Religion et la surenchère de moralisme entre protestants et catholiques provoquent une fermeture des lieux de prostitution à partir de 1560. Il ne subsiste qu'un seul «clapier», celui de la rue du Hurleur, qui finit par être fermé par lettres patentes du 12 février 1565. Ce puritanisme de surface a de graves conséquences, les bordels clandestins se multipliant sans contrôle et devenant des repaires de brigands et des foyers de syphilis. Henri III, qui abhorrait le sexe féminin,

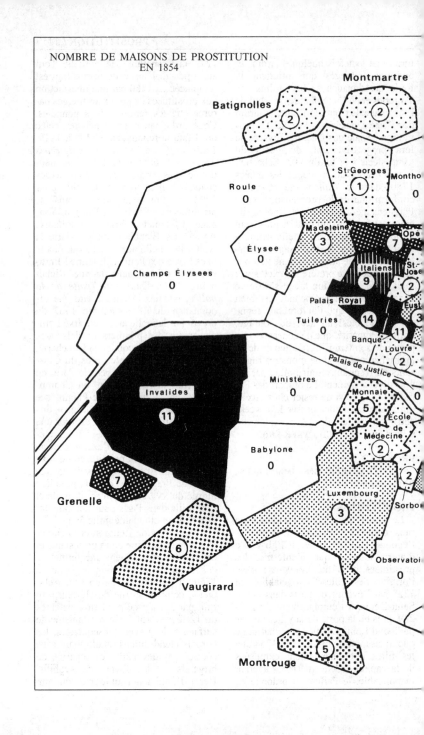

NOMBRE DE MAISONS DE PROSTITUTION
EN 1854

Montmartre

Batignolles

2

2

St-Georges

Montho

1

0

Roule
0

Madeleine

Ope

3

7

Élysee
0

Italiens

St-
Jose

Champs Élysees
0

9

2

Palais Royal

Eust

14

3

Tuileries
0

11

Banque

Louvre

Palais de Justice

2

Ministères
0

Monnaie

5

Invalides

École
de
Médecine

11

2

Babylone
0

2

7

Luxembourg

Grenelle

3

Sorbo

6

Observatoi

Vaugirard

0

5

Montrouge

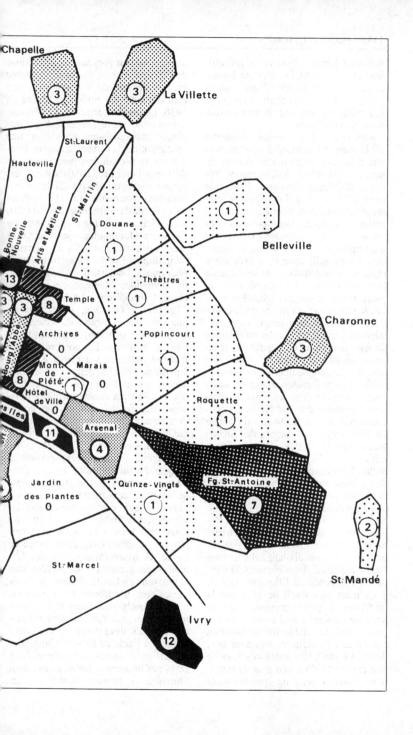

maintient l'interdiction de la prostitution et encourage les amours homosexuelles. C'est Henri IV qui, faisant confiance à sa virilité et aux conseils de son médecin, autorise la réouverture des maisons d'amour.

Aux XVIIe et XVIIIe siècles, fréquenter les bordels est considéré comme normal et grands seigneurs et princes du sang ne s'en privent pas, le régent Philippe d'Orléans donnant l'exemple entre 1715 et 1720. Le voyageur allemand Nemeitz note à cette époque qu'il existe quelques maisons closes somptueuses : « Il y a certaines maisons qui ont l'apparence d'être de bonne condition. La magnificence et la propreté y règnent partout, mais ce ne sont que de fameux bordels où Madame a sur la paille de jeunes garces, quelquefois aussi des femmes mariées toutes prêtes pour de l'argent. » Ces « sérails » permettaient aux amateurs timides ou réservés de faire leur choix en regardant par un judas ou en consultant le « livre des beautés », catalogue illustré des pensionnaires. Les proxénètes amenaient aussi leurs protégées dans les « petites maisons » galantes des faubourgs. Un mémoire adressé au lieutenant de police en 1762 estime le nombre des prostituées exerçant à Paris à six ou sept mille, dont mille quatre cents occasionnelles. Le mouchard de la police Restif de La Bretonne, dans son livre, *Le Pornographe*, porte à vingt mille le nombre des prostituées en exercice à la veille de la Révolution. Le ministre de la Police, Fouché, avance le chiffre de trente mille en 1802. En 1810, le préfet de police estime que sur dix-huit mille femmes faisant négoce de leurs charmes, la moitié est composée de filles entretenues.

Ce n'est qu'à partir de 1816 que la préfecture de police organise son système de recherche et d'inscription des prostituées. Les tableaux de contrôle conservés aux archives montrent que, de 1816 à 1842, le nombre des filles de joie augmente d'un peu plus de vingt-deux mille à près de quarante-trois

mille, doublant presque. Le spécialiste de l'époque, Parent-Duchâtelet, semble bien en dessous de la réalité avec une estimation de dix mille prostituées en 1836. La pudibonderie de la bourgeoisie entraîne un regroupement géographique des maisons closes et une spécialisation de certains quartiers. Haut lieu de la prostitution jusqu'au règne de Louis-Philippe, le Palais-Royal est progressivement déserté. Si les « ambulantes » racolent sur les trottoirs au cœur de la ville, rues Saint-Denis, Saint-Honoré, Sainte-Anne, rue du Faubourg-Montmartre, les lanternes rouges des maisons dites de tolérance se multiplient dans les quartiers périphériques : boulevards de Charonne, de Belleville, Ménilmontant, Rochechouart, prolifèrent à La Villette, à La Chapelle, à Grenelle, Montparnasse, place du Trône et cours de Vincennes, et, pour les officiers, à proximité de l'École militaire. Le nombre de ces maisons « closes » a tendance à baisser à partir de 1850, de deux cents environ à cent quarante-cinq en 1870 et cent dix en 1880. La concurrence des brasseries de femmes fait un tort considérable aux « maisons » ; car il est plus facile d'exercer discrètement la prostitution dans ces lieux. En 1888, il n'y a plus que soixante-treize bordels et cinquante-neuf en 1892, ce qui s'explique aisément si l'on tient compte qu'en 1882, cent trente brasseries employaient huit cent quatre-vingts serveuses fort serviables et qu'il y en avait deux cent trois avec mille cent employées en 1888. Chef de la police de sûreté, G. Macé évoque dans ses *Mémoires* ce glissement du bordel vers la brasserie : « Les maîtresses de "tolérances" ont transformé leurs maisons, pour se soustraire à l'action de la préfecture. Les gros numéros sont remplacés par des devantures de boutiques fermées à l'aide de fonds de bouteilles ou garnies de verres multicolores [...]. Dans ces brasseries, les filles circulent librement en se permettant toutes les privautés, et les clients rivalisent de zèle avec les servantes : l'immoralité ne connaît pas de limite. »

On ne dénombrait plus, en 1922, que vingt-huit maisons à «gros numéros», souvent des établissements de luxe, comme le «Chabanais», le «4» rue de Hanovre et le «One Two Two» du 122 de la rue de Provence. Le coup de grâce est porté aux maisons closes par la loi du 13 avril 1946, dite loi Marthe Richard, qui les condamne à la fermeture. Le proxénétisme hôtelier ne tarde pas à régresser à son tour, mais les prostituées trouvent une parade en achetant des studios qui leur servent de chambres de «passe». La prostitution tend à s'internationaliser : pour 477 Françaises arrêtées en 1990, on compte 65 Algériennes, 61 Colombiennes, 54 Équatoriennes, 33 Portugaises, 24 Ghanéennes, etc. Les principales zones de prostitution sont, en 1990, la rue Saint-Denis et ses environs, la rue Joubert et les alentours de la place de la Madeleine, où les «passes» se font en studio, la place de Clichy, le boulevard Ney, les boulevards extérieurs le long des XVIe et XVIIe arrondissements, l'avenue Foch, les bois de Boulogne et de Vincennes ainsi que le cours de Vincennes.

Depuis les années 1970, la prostitution masculine s'est beaucoup développée ainsi que la pédophilie. Le bois de Boulogne est devenu le haut lieu du racolage masculin des travestis et transsexuels. Brésiliens au début, les prostitués «hommes» sont au moins cinq cents, si l'on ne compte que les travestis. Équatoriens et Colombiens ont évincé aujourd'hui les Brésiliens et subissent une vive concurrence des ressortissants d'Afrique du Nord, mais aussi, de plus en plus, en provenance d'Asie du Sud-Est. La répression de la prostitution est confiée à la brigade de répression du proxénétisme (B.R.P.), dite «La Mondaine», qui fait partie de la Direction de la police judiciaire (P.J.).
• *Voir aussi* **FOLIE** ; **SYPHILIS**.

PUITS

Jusqu'à la fin du XVIIIe siècle, les Parisiens s'abreuvent à peu près exclusivement de l'eau de la Seine et de celle des puits. Ceux-ci sont alimentés par une nappe phréatique qui se confond avec la nappe alluviale. Située à moins de 5 mètres de profondeur, sauf sous la montagne Sainte-Geneviève où elle s'enfonce jusqu'à près de 30 mètres, cette eau est facile d'accès et les puits sont innombrables dans la capitale. On peut citer les plus célèbres : le puits d'Amour attesté dès 1252 à l'intersection des rues de la Grande et de la Petite-Truanderie ; le puits Certain, creusé en 1572 à l'angle de la rue Fromentel (actuelle rue de Lanneau) et de l'impasse Chartière ; la place du Puits-de-l'Ermite rappelle un puits foré à la fin du XVIe siècle par un certain Adam l'Ermite, maître tanneur. Les pouvoirs publics veillent à l'entretien de ces puits et les cureurs de puits ou puitiers, membres de la corporation des vidangeurs, figurent parmi les petits métiers de Paris. *Les Cris de Paris* les mentionnent avec ce quatrain :

A curer le puys
C'est peu de praticque,
La gaigne est petite,
Plus gaigner ne puis.

La seule indication précise que l'on possède sur le nombre des puits date du recensement effectué au moment du siège de 1870 par le Service des Eaux. Il y en avait alors trente mille, près d'un par maison. Les premières analyses, effectuées sous le second Empire, avaient révélé que leur eau était tout à fait impropre à la consommation. Le titre hydrotimétrique de 40 degrés constituait la limite pour l'eau potable, or il atteignait presque partout 150 à 200 degrés. La teneur en ammoniaque et en azote de potassium (salpêtre) était en moyenne de 700 grammes par mètre cube, plus forte que dans un égout. Il est indéniable que les puits ont joué un rôle considérable dans la propagation des épidémies, notamment du choléra au XIXe siècle.

• *Voir aussi* EAU ; FONTAINE ; PORTEUR D'EAU.

PUITS ARTÉSIEN

Des expériences d'extraction de l'eau à grande profondeur ont été tentées dans le bassin parisien dès le XVIIIe siècle. Le président au Parlement Crozat de Thugny fit jaillir vers 1750 de l'eau provenant d'environ 32 mètres de profondeur dans sa maison de campagne de Clichy. En 1775, l'eau manquant au puits de l'École militaire, Le Turc, professeur d'architecture dans cet établissement, fit venir d'Artois un sondeur qui fit jaillir de 20 mètres de profondeur un véritable geyser de 8 à 10 mètres de haut. Une expérience semblable eut lieu en 1780 au Vauxhall de la rue de Bondy et atteignit une profondeur de 40 mètres. C'est à la même profondeur qu'on réussit à extraire en 1822 de l'eau pour l'abattoir de Grenelle.

Convaincu par l'étude géologique du bassin parisien qu'on pourrait trouver de l'eau en abondance à des profondeurs plus importantes, François Arago fut soutenu par le vicomte Héricart de Thury, ingénieur et agronome, membre éminent de la Société de Géographie, auteur en 1828 d'un *Programme d'un concours pour le percement de puits forés suivant la méthode artésienne*. Le conseil municipal décide, dans sa séance du 28 septembre 1832, l'affectation de 18 000 francs au forage de trois puits artésiens.

Choisi à l'emplacement de l'abattoir de Grenelle, au carrefour des actuelles rues Valentin-Haüy et Bouchut, le premier puits est conçu par Emmery de Septfontaines sur les indications d'Arago et d'Héricart de Thury. L'exécution du travail est confiée à un serrurier-mécanicien d'Épinay-sur-Seine, Georges Mulot, qui avait atteint sans résultat 167 mètres de profondeur sur un forage à Suresnes dans la propriété du baron de Rothschild.

Ce technicien particulièrement obs-

tiné commence son travail le 29 novembre 1833. Malgré d'énormes difficultés, d'innombrables incidents, l'entreprise réussit : le 26 février 1841, alors qu'on a atteint 538 mètres, une puissante colonne d'eau jaillit et inonde une partie des abattoirs jusqu'à ce qu'on l'oriente vers l'égout voisin. Cet eau à 30 degrés alors qu'on était en plein hiver provoqua un grand enthousiasme chez les Parisiens. Décoré par la Ville et par le roi, Mulot fut aussi honoré par les chansonniers et les poètes. Le débit initial de la nappe était de 39 litres par seconde, soit plus d'un million de litres par jour. La détérioration du tubage le fit tomber à 5 litres par seconde en 1903.

Le forage d'un second puits à Passy fut entrepris le 15 septembre 1855 par l'ingénieur allemand Kind qui avait déjà travaillé au Creusot. Le 31 mars 1857, l'écrasement des tubes de tôle à 52 mètres de profondeur réduisit à néant un forage qui avait atteint 528 mètres. Les conducteurs des Ponts et Chaussées reprirent et achevèrent l'entreprise. L'eau jaillit le 24 septembre 1861 de 586,50 mètres de profondeur avec un débit quotidien de 20 millions de litres.

Encouragée par ces résultats, la Ville décida le creusement de deux nouveaux puits à la Butte-aux-Cailles et à La Chapelle. L'arrêté préfectoral du 19 juin 1863 confie l'entreprise au successeur de Mulot, Saint-Just Dru, pour la Butte-aux-Cailles, et à Laurent et Degousée fils pour le projet de la place Hébert. Commencés rue Bobillot, non loin de la place Verlaine actuelle, le 14 juillet 1863, les travaux furent interrompus par la guerre de 1870 et des différends entre l'entrepreneur et la municipalité. Ils ne reprirent qu'en 1892, sous la conduite de l'ingénieur Paulin Arrault. L'eau ne jaillit qu'en 1904, à la profondeur de 582 mètres. Ses 6 millions de litres quotidiens servirent à la piscine et à l'établissement de bains-douches construit en 1924 à cet endroit. Les travaux s'avérèrent aussi difficiles, place Hébert. Commencés aussi en 1863, ils furent interrompus en 1874 par un éboulement. Les travaux reprirent en 1883 et l'eau fut atteinte en 1888 à 719 mètres de profondeur. Ce puits servit aussi à alimenter une piscine municipale construite en 1894-1895 entre la rue des Fillettes et l'impasse Pené (voir PISCINE).

D'autres puits furent forés. La raffinerie Say, boulevard de la Gare, fit creuser en 1869 par Paulin Arrault un puits atteignant 580 mètres et débitant 6 millions de litres par jour destinés à l'usine. En novembre 1926 eut lieu le dernier forage parisien, dans le quartier de Vaugirard, au 17 de la rue Blomet. L'eau jaillit le 9 janvier 1929 d'une profondeur de 590 mètres et servit à la piscine mise en service à cet endroit en 1931.

Quoique bactériologiquement très pure, l'eau des puits artésiens est impropre à la consommation en raison de sa température élevée et surtout de sa saveur.

Entre 1841 et 1938, deux cent quatre-vingt-huit puits artésiens ont été creusés dans le bassin parisien et l'abaissement du niveau hydrostatique les a taris peu à peu. Un décret-loi de 1935 a strictement limité la prolifération des forages. La prospection pétrolière après la Seconde Guerre mondiale a révélé l'existence de ressources immenses, estimées à 500 milliards de mètres cubes. Cette eau est aujourd'hui utilisée en banlieue parisienne pour le chauffage d'ensembles immobiliers et réinjectée dans le sous-sol.

• *Voir aussi* GÉOLOGIE ; PUITS.

QUAI

C'est sans doute dès le Ier siècle que Lutèce a possédé son premier quai, découvert lors des fouilles du parvis Notre-Dame. Les différents quais de Paris seront évoqués ici de l'amont vers l'aval.

Sur la rive gauche, la capitale débute avec le quai de la Gare. Existant à l'origine sous forme de chemin de halage au XVIIe siècle, il a pris le nom d'un projet de gare d'eau ou de port lancé en 1762 et jamais achevé. Il est occupé par les ports de la Gare et de Tolbiac. Le quai d'Austerlitz, créé vers la fin du XVIIIe siècle, d'abord quai de l'Hôpital en raison de la proximité de la Pitié-Salpêtrière, a été baptisé dès 1806 du nom du pont voisin célébrant la victoire napoléonienne du 2 décembre 1805. Le quai Saint-Bernard fut, du XVIe au XVIIIe siècle, un lieu de baignades et l'on raconte qu'Henri IV s'y baigna avec le futur Louis XIII, son fils. C'est là que furent longtemps débarquées les futailles destinées à la halle aux vins qui le bordait. Depuis 1975, le quai a été transformé en promenade-musée où trônent des sculptures contemporaines. Le quai de la Tournelle (de la tour homonyme de l'enceinte de Charles V) date de 1340 et fut longtemps le port aux bûches et aux tuiles. Il prit son nom actuel en 1750 et fut aussi transformé en jardin-promenade en 1980. Le quai de Montebello rappelle le maréchal Lannes, tué à Essling en 1809. Il occupe une partie de l'ancien port aux bûches. Le quai Saint-Michel, dont la construction fut décidée dès 1561, ne date que de 1812, un autre projet de 1767 n'ayant pas davantage abouti. Il dissimule derrière son mur la voie ferrée du R.E.R. C'est au prévôt Étienne Barbette qu'on doit la construction en 1313 du quai des Grands-Augustins, du nom du couvent qui le borde, afin de permettre à Philippe le Bel d'accéder facilement de son palais de la Cité à l'hôtel de Nesle. Celui de Conti date seulement de 1662, à l'occasion de la construction du collège des Quatre-Nations (aujourd'hui l'Institut). L'origine du quai Malaquais se situe vers 1552. Il a pris le nom du port voisin de Mal-Acquet («Mal-Acquis»). Une fraction de ce quai a pris le nom de Voltaire, car le philosophe

QUAI DES ORFÈVRES

mourut à l'hôtel de Villette situé à cet endroit. Le quai Anatole-France a pris ce nom en 1947, par dissociation du quai d'Orsay, le plus long de Paris, entrepris en 1708 par le prévôt des marchands, Charles Boucher d'Orsay. C'était auparavant le quai de la Grenouillère, un chemin de halage et d'accès au village et au port du Gros-Caillou. Achevé sous le premier Empire seulement, le quai d'Orsay nécessita de très gros travaux, notamment le rattachement à la rive gauche de l'île des Cygnes. Partie occidentale du quai d'Orsay, le quai Branly a pris le nom de ce physicien en 1941. Le quai de Grenelle n'a été construit qu'en 1836. Il est suivi par le quai André-Citroën qui commémore depuis 1958 l'industriel de l'automobile dont les usines le longeaient. Décidément voué à l'industrie, ce quai a été nommé de Javel entre 1843 et 1958, car on y fa-

briquait alors un produit désinfecta[nt] l'eau de Javel.

Sur la rive droite, Paris débute [en] amont avec le quai de Bercy. Formé [en] 1672, il accueillait dès la fin du XVIᵉ s[iè]cle le bois flotté destiné à la capita[le.] A partir du début du XIXᵉ siècle, il [fut] utilisé comme port de débarquem[ent] des barriques de vin destinées à l'ent[re]pôt voisin. Le quai de la Rapée, du n[om] d'une maison de la Rapée du XVIᵉ s[iè]cle, apparaît sur les plans de la fin [du] XVIIIᵉ siècle comme un entrepôt [de] pierre, de plâtre et de matériaux [de] construction divers. Son voisin, le q[uai] Henri-IV, fut créé en 1843 avec [le] rattachement de l'île Louviers, dé[pôt] de bois, à la rive droite. Le quai [des] Célestins rappelle qu'il y eut, à pro[xi]mité, un couvent de moines célestins [qui] réunit le quai Saint-Paul de 1430 en[vi]ron et un fragment du quai des Orm[es] construit vers 1370, dont la maje[ure] partie, associée au quai de la Grève, constitue aujourd'hui le quai de l'Hôtel-de-Ville. Le quai de Gesvres a absorbé le quai Le Pelletier qui était situé entre la place de Grève (de l'Hôtel-de-Ville) et la rue Saint-Martin. Nommé d'abord quai Neuf puis de la Tannerie avant de prendre le nom de Claude Pelletier, prévôt des marchands de 1668 à 1676, il occupait l'emplacement de la Tuerie où les bouchers de Saint-Jacques égorgeaient leurs bêtes. Le quai de Gesvres proprement dit, plus à l'ouest, porte le nom de Louis Potier, marquis de Gesvres, qui assuma les frais de sa construction en 1642-1643, et se situe à l'emplacement de l'écorcherie des animaux abattus à proximité. Le quai de la Mégisserie, un des plus anciens, date de 1369. Il prit d'abord le nom de quai de la Saunerie à cause du grenier à sel voisin. Il était édifié sur l'emplacement de la Vallée de Misère ou de la Poulaillerie. C'est là que travaillaient les mégissiers qui traitaient les peaux écorchées dans le voisinage. Le caractère nauséabond de leur activité les fit reléguer dès 1673 sur les bords de la Bièvre. Le quai du Louvre est formé de la réunion de trois quais : d'est en ouest, les quais de l'École, de Bourbon et du Louvre proprement dit, réunis en 1868. Chemin de halage à l'origine, ces quais datent du XVIᵉ siècle et ont été reconstruits en 1810. Le quai des Tuileries resta une route longeant la terrasse du « Bord-de-l'Eau » des Tuileries jusqu'à la construction du quai en 1806. Le quai de la Conférence faisait aussi partie de la route menant à Saint-Cloud en suivant la Seine. Il fut aussi maçonné sur ordre de Napoléon Iᵉʳ. Le quai de New-York a plusieurs fois changé de nom : quai des Bonshommes ou Minimes-de-Chaillot, quai de la Savonnerie (manufacture de tapis voisine), quai de la Conférence en 1769, quai de Chaillot ou chemin de Paris à Versailles, quai Debilly en 1807 pour honorer ce général tué à Iéna, quai de Tokyo en 1918,

de New-York depuis 1945. C'est le long de ce quai que Fulton fit son premier essai de navigation à vapeur, le 9 août 1803. Le quai de Passy, du nom du village voisin, a pris le nom du président des États-Unis tué en 1963 à Dallas, J.F. Kennedy. Ancien chemin de halage, le quai d'Auteuil a reçu en 1937 le nom de l'aviateur Louis Blériot.

Les quais de l'île Saint-Louis datent de son lotissement et de sa construction entre 1615 et 1650. D'Anjou et de Bourbon face à la rive droite, de Béthune et d'Orléans face à la rive gauche, ils évoquent les princes du sang et le principal ministre d'Henri IV, Maximilien de Béthune, duc de Sully. Face à la rive droite, les quais aux Fleurs et de la Corse de l'île de la Cité n'en constituaient qu'un seul à l'origine. Construit en 1769 à l'emplacement de l'ancien port Saint-Landry, il fut dit Desaix (1800), Napoléon (1804), de la Cité (1816), Napoléon (1834), aux Fleurs (1873) et, depuis 1929, sa partie occidentale est devenue le quai de Corse. Le quai de l'Horloge a été bâti entre 1580 et 1611. Il a porté divers noms : quai du Grand-Cours-d'Eau, des Morfondus, des Lunettes (c'était le quartier des opticiens), du Nord (sous la Révolution). Il doit son nom à la plus ancienne horloge de la capitale. Face à la rive gauche, le quai de l'Archevêché rappelle l'existence, à proximité, du palais des archevêques de Paris, pillé et incendié en 1831. Commencé en 1803 sous le nom de Catinat, un général de Louis XIV, terminé en 1813, il porte son nom actuel depuis 1815. Sa pointe amont, aujourd'hui square de l'Île-de-France, fut au XIIIᵉ siècle la Motte-aux-Papelards, au XIVᵉ le Terrail puis le Terrain. Le quai du Marché-Neuf ne fut commencé qu'en 1808 et prit son aspect actuel en 1860. Son emplacement était auparavant occupé par un extraordinaire amoncellement de maisons anciennes, souvent en encorbellement au-dessus du fleuve. Ce n'est qu'en 1580 que commença l'aménagement du quai des Orfèvres, en même temps que la construction du Pont Neuf. Achevé en 1643, il prit le nom des orfèvres qui y avaient installé leurs boutiques. Il fut entièrement refait durant la seconde moitié du XIXᵉ siècle, en même temps qu'on reconstruisait le Palais de justice.

Le rôle économique de ces quais a été évoqué sous l'article « Port ».

• *Voir aussi* PORT.

QUARTIER

Dès le Bas-Empire ou le Haut Moyen Âge, la ville de Paris semble avoir été divisée en trois unités naturelles : l'île de la Cité, cœur fortifié de l'agglomération, et, de part et d'autre, les rives droite et gauche. Selon Anne Lombard-Jourdan, auteur de *Paris, genèse d'une ville*, il y avait quatre quartiers en 1190, à la veille de la construction de l'enceinte de Philippe Auguste : la Cité et trois groupes d'habitations sur la rive droite, Saint-Jacques-la-Boucherie, la Verrerie, la Grève, la rive gauche, possession des abbayes de Saint-Germain-des-Prés et de Sainte-Geneviève, n'étant pas mentionnée. A partir du XIIIᵉ siècle, Paris se décompose traditionnellement en trois grandes unités : l'île de la Cité, la Ville ou rive droite, l'Université ou rive gauche.

L'édification de la muraille de Philippe Auguste porte le nombre des quartiers à huit, avec deux nouveaux sur la rive droite, Saint-Germain-l'Auxerrois et Sainte-Opportune, deux autres sur la rive gauche : Saint-André-des-Arts et Maubert. Charles V fait construire une nouvelle enceinte entre 1358 et 1383 qui ne concerne que la rive droite fortement agrandie, ce qui suscite sur celle-ci la constitution de huit nouveaux quartiers. Ce sont, d'ouest en est, Saint-Honoré, Saint-Eustache, les Halles, Saint-Denis, Saint-Martin, Sainte-Avoye, Saint-Gervais, Saint-Antoine.

Paris possède une double division. Le Bureau de la Ville, la municipalité, utilise ses seize circonscriptions pour son administration, avec un quartenier ou quartinier pour chaque quartier, assisté par des cinquanteniers et des dizainiers ou dizeniers. Le Châtelet et le prévôt royal possèdent leur propre cadre et répartissent l'activité de leurs agents, commissaires et sergents, affectés à des tâches de police et de salubrité, entre seize quartiers qui ne coïncident pas avec ceux de la Ville. Alors que les quartiers de police possèdent un territoire bien matérialisé par des chaussées à entretenir et des espaces habités à surveiller, les quartiers de l'administration municipale semblent plutôt définis par un lien personnel entre le quartenier et la population. D'ailleurs, jusqu'à l'édit du 1ᵉʳ août 1588, ce sont les noms des quarteniers qui servent à désigner les quartiers et non des appellations topographiques. La délimitation des quartiers est encore compliquée par le fait que les quarteniers, chargés du recouvrement de l'impôt, disposent d'un territoire fiscal qui déborde largement les limites de la ville. Ainsi, en 1571, le faubourg Saint-Honoré est rattaché au quartier du même nom, le faubourg Saint-Lazare au quartier Saint-Denis, le faubourg Saint-Martin, dit aussi Saint-Laurent, au quartier Saint-Martin, le faubourg Saint-Victor et le bourg Saint-Médard au quartier de la Grève, le faubourg Saint-Marcel au quartier Maubert, le faubourg Saint-Jacques au quartier de la Cité, le faubourg Saint-Germain au quartier Saint-Germain ou de la Harpe, dit aussi Saint-André-des-Arts. Le rôle des taxes pour les « boues et lanternes » de 1637 a permis de dresser une cartographie très complexe de ces seize quartiers à la dénomination très variable. Des documents de 1673, 1680, 1684, confirment cette complexité de découpage et de toponymie.

C'est pour simplifier ce découpage que sont pris l'édit de décembre 1701, l'arrêt du Conseil du 14 février 1702 et la Déclaration du roi du 12 décembre 1702 qui définissent vingt quartiers de police sur lesquels se calque la division de la municipalité, quatre nouveaux offices de quarteniers étant créés. Jean de La Caille a publié en 1714 un atlas en vingt planches de cette nouvelle division qui met en évidence la simplification du tracé des limites. Le quartier de la Cité regroupe les îles de la Cité, Notre-Dame ou Saint-Louis et Louviers. La rive droite passe de treize à quatorze quartiers. Ce sont, d'ouest en est, le Palais-Royal (remplaçant Saint-Honoré), le Louvre ou Saint-Germain-l'Auxerrois, Montmartre, Saint-Eustache, les Halles, Sainte-Opportune, Saint-Denis, Saint-Jacques-la-Boucherie, la Grève (avec Saint-Gervais), Saint-Martin, Sainte-Avoye ou la Verrerie, Saint-Paul ou la Mortellerie, Saint-Antoine, le Temple ou le Marais. Les deux quartiers de la rive gauche passent à cinq : Saint-Germain-des-Prés, Luxembourg, Saint-André-des-Arts, Saint-Benoît, Maubert. Ces quartiers englobent désormais les deux villages du Roule et de Chaillot et quatorze faubourgs : Saint-Honoré, Richelieu, Montmartre, Saint-Denis, Saint-Lazare, Saint-Martin, Saint-Laurent, du Temple, Saint-Antoine, Saint-Victor, Saint-Marcel, Saint-Jacques, Saint-Michel, Saint-Germain.

En 1789, pour servir de cadre aux élections aux États généraux, est élaborée une division en soixante districts :

1. Saint-Eustache. — 2. Saint-Philippe-du-Roule. — 3. Capucins-Saint-Honoré. — 4. Saint-Honoré. — 5. Saint-Jacques-la-Boucherie. — 6. Saint-Laurent. — 7. Capucins du Marais. — 8. Cordeliers. — 9. Saint-Lazare. — 10. Mathurins. — 11. Saint-Nicolas-des-Champs. — 12. Jacobins-Saint-Honoré. — 13. Filles-Dieu. — 14. Petit-Saint-Antoine. — 15. Petits-Pères. — 16. Feuillants. — 17. Saint-Gervais. — 18. Saint-Merri. — 19. Capucins d'Antin. — 20. Carmes-Déchaussés. — 21. Prémontrés. — 22. Enfants-Rouges. — 23. Saint-Nicolas-du-Chardonnet. — 24. Saint-Germain-l'Auxerrois. — 25. Pères-de-Nazareth. — 26. Saint-Séverin. — 27. Sainte-Élisabeth. — 28. Saint-Louis-la-Couture. — 29. Saint-Victor. — 30. Sainte-Opportune. — 31. Oratoire. —

32. Barnabites. — 33. Popincourt (ou Charonne). — 34. Carmélites ou Saint-Sépulcre. — 35. Saint-Roch. — 36. Blancs-Manteaux. — 37. Saint-Magloire. — 38. Bonne-Nouvelle. — 39. Saint-Martin-des-Champs. — 40. Saint-Leu ou la Jussienne. — 41. Saint-Jean-en-Grève. — 42. Saint-Germain-des-Prés. — 43. Récollets. — 44. Saint-Joseph. — 45. Sainte-Marguerite. — 46. Saint-Jacques-du-Haut-Pas. — 47. Sorbonne ou Université. — 48. Saint-André-des-Arts. — 49. Petits-Augustins. — 50. Val-de-Grâce. — 51. Notre-Dame. — 52. Saint-Jacques-de-l'Hôpital. — 53. Théatins. — 54. Saint-Louis-en-l'Île. — 55. Jacobins-Saint-Dominique. — 56. Enfants-Trouvés-Saint-Antoine. — 57. Saint-Marcel. — 58. Minimes. — 59. Filles-Saint-Thomas. — 60. Saint-Étienne-du-Mont.

Dès mai 1790, cette division est remplacée par quarante-huit sections, circonscriptions électorales établies à partir du nombre des citoyens actifs. La nouvelle nomenclature est nettement laïcisée par rapport aux districts. Elle va varier entre 1790 et 1795 :

1. Tuileries. — 2. Champs-Élysées. — 3. Roule (*1793*, République). — 4. Palais-Royal (*1792*, Butte-des-Moulins ; *1794*, Montagne). — 5. Place Vendôme (*1792*, Piques). — 6. Bibliothèque (*1792*, *1793*, Le Peletier). — 7. Grange-Batelière (*1792*, Mirabeau ; *1793*, Mont-Blanc). — 8. Louvre (*1793*, Museum). — 9. Oratoire (*1793*, Gardes-françaises). — 10. Halle-aux-Blés. — 11. Postes (*1792*, Contrat Social). — 12. Mail (*1793*, Guillaume Tell). — 13. Fontaine Montmorency (*1791*, Molière ; *1794*, Brutus). — 14. Bonne-Nouvelle. — 15. Ponceau (*1792*, Amis de la Patrie). — 16. Mauconseil (*1793*, Bon-Conseil). — 17. Marché des Innocents (*1792*, Halles). — 18. Lombards. — 19. Arcis. — 20. Faubourg Montmartre. — 21. Faubourg Poissonnière. — 22. Bondy. — 23. Temple. — 24. Popincourt. — 25. Montreuil. — 26. Quinze-Vingts. — 27. Gravilliers. — 28. Faubourg Saint-Denis (*1793*, Faubourg du Nord). — 29. Beaubourg (*1792*, Réunion). — 30. Enfants-Rouges (*1792*,

Marais; *1793*, Homme Armé). — 31. Roi-de-Sicile (*1792*, Droits de l'Homme). — 32. Hôtel de Ville (*1792*, Maison Commune; *1794*, Fidélité). — 33. Place Royale (*1792*, Fédérés; *1795*, Indivisibilité). — 34. Arsenal. — 35. Île Saint-Louis (*1792*, Fraternité). — 36. Notre-Dame ou l'Île (*1792*, Cité; *1793*, Raison). — 37. Henri IV (*1792*, Pont Neuf; *1793*, Révolutionnaires). — 38. Invalides. — 39. Fontaine de Grenelle. — 40. Quatre-Nations (*1793*, Unité). — 41. Théâtre-Français (*1792*, Marseille; *1793*, Marat et Marseille). — 42. Croix-Rouge (*1793*, Bonnet Rouge ou Liberté; *1794*, Ouest). — 43. Luxembourg (*1793*, Mutius Scaevola). — 44. Thermes de Julien (*1792*, Beaurepaire; *1793*, Régénérée; *1794*, Chalier). 45. Sainte-Geneviève (*1792*, Panthéon). — 46. Observatoire. — 47. Jardin des Plantes (*1793*, Sans-culottes). — 48. Gobelins (*1792*, Finistère).

En 1795, les quarante-huit sections sont transformées en autant de quartiers regroupés par quatre au sein de douze arrondissements. Ils portent en 1859 les noms suivants :

Iᵉʳ ARRONDISSEMENT

1. Tuileries
2. Champs-Élysées
3. Roule
4. Place Vendôme

IIᵉ ARRONDISSEMENT

5. Chaussée-d'Antin
6. Palais-Royal
7. Feydeau
8. Faubourg Montmartre

IIIᵉ ARRONDISSEMENT

9. Faubourg Poissonnière
10. Saint-Eustache
11. Montmartre
12. Mail

IVᵉ ARRONDISSEMENT

13. Saint-Honoré
14. Louvre
15. Marchés
16. Banque

Vᵉ ARRONDISSEMENT

17. Bonne-Nouvelle
18. Porte-Saint-Martin
19. Faubourg Saint-Denis

20. Montorgueil

VIᵉ ARRONDISSEMENT

21. Temple
22. Lombards
23. Porte-Saint-Denis
24. Saint-Martin-des Champs

VIIᵉ ARRONDISSEMENT

25. Arcis
26. Mont-de-Piété
27. Sainte-Avoye
28. Marché Saint-Jean

VIIIᵉ ARRONDISSEMENT

29. Quinze-Vingts
30. Faubourg Saint-Antoine
31. Popincourt
32. Marais

IXᵉ ARRONDISSEMENT

33. Cité
34. Île Saint-Louis
35. Arsenal
36. Hôtel de Ville

Xᵉ ARRONDISSEMENT

37. Invalides
38. Saint-Thomas-d'Aquin
39. Monnaie
40. Faubourg Saint-Germain

XIᵉ ARRONDISSEMENT

41. Luxembourg
42. Palais de Justice
43. École de médecine
44. Sorbonne

XIIᵉ ARRONDISSEMENT

45. Jardin des Plantes
46. Place Maubert
47. Observatoire
48. Saint-Marcel

Au 1ᵉʳ janvier 1860, avec l'annexion de la zone de banlieue située à l'intérieur des fortifications, Paris reçoit son organisation actuelle en vingt arrondissements et quatre-vingts quartiers :

Iᵉʳ ARRONDISSEMENT (Louvre)

1. Saint-Germain-l'Auxerrois
2. Halles
3. Palais-Royal
4. Place Vendôme

IIᵉ ARRONDISSEMENT (Bourse)

5. Gaillon

6. Vivienne
7. Mail
8. Bonne-Nouvelle

IIIe ARRONDISSEMENT (Temple)

9. Arts-et-Métiers
10. Enfants-Rouges
11. Archives
12. Sainte-Avoye

IVe ARRONDISSEMENT (Hôtel de Ville)

13. Saint-Merri
14. Saint-Gervais
15. Arsenal
16. Notre-Dame

Ve ARRONDISSEMENT (Panthéon)

17. Saint-Victor
18. Jardin des Plantes
19. Val-de-Grâce
20. Sorbonne

VIe ARRONDISSEMENT (Luxembourg)

21. Monnaie
22. Odéon
23. Notre-Dame-des-Champs
24. Saint-Germain-des-Prés

VIIe ARRONDISSEMENT (Palais Bourbon)

25. Saint-Thomas-d'Aquin
26. Invalides
27. École Militaire
28. Gros-Caillou

VIIIe ARRONDISSEMENT (Élysée)

29. Champs-Élysées
30. Faubourg du Roule
31. Madeleine
32. Europe

IXe ARRONDISSEMENT (Opéra)

33. Saint-Georges
34. Chaussée-d'Antin
35. Faubourg Montmartre
36. Rochechouart

Xe ARRONDISSEMENT (Entrepôt)

37. Saint-Vincent-de-Paul
38. Porte-Saint-Denis
39. Porte-Saint-Martin
40. Hôpital Saint-Louis

XIe ARRONDISSEMENT (Popincourt)

41. Folie-Méricourt
42. Saint-Ambroise
43. Roquette
44. Sainte-Marguerite

XIIe ARRONDISSEMENT (Reuilly)

45. Bel-Air
46. Picpus
47. Bercy
48. Quinze-Vingts

XIIIe ARRONDISSEMENT (Gobelins)

49. Salpêtrière
50. Gare
51. Maison-Blanche
52. Croulebarbe

XIVe ARRONDISSEMENT (Observatoire)

53. Montparnasse
54. Parc de Montsouris
55. Petit-Montrouge
56. Plaisance

XVe ARRONDISSEMENT (Vaugirard)

57. Saint-Lambert
58. Necker
59. Grenelle
60. Javel

XVIe ARRONDISSEMENT (Passy)

61. Auteuil
62. La Muette
63. Porte-Dauphine
64. Chaillot

XVIIe ARRONDISSEMENT (Batignolles-Monceau)

65. Ternes
66. Plaine de Monceau
67. Batignolles
68. Épinettes

XVIIIe ARRONDISSEMENT (Butte-Montmartre)

69. Grandes-Carrières
70. Clignancourt
71. Goutte-d'Or
72. La Chapelle

XIXe ARRONDISSEMENT (Buttes-Chaumont)

73. La Villette
74. Pont-de-Flandre
75. Amérique
76. Combat

XXe ARRONDISSEMENT (Ménilmontant)

77. Belleville
78. Saint-Fargeau
79. Père-Lachaise
80. Charonne

• *Voir aussi* CINQUANTENIER; DIZAINIER; QUARTINIER.

QUARTINIER

Dans chaque quartier, une assemblée composée de cinquanteniers et de dizainiers assistés de notables locaux élit le responsable de cette subdivision territoriale, le quartenier ou quartinier. Celui-ci dresse la liste des notables qui, avec les cinquanteniers et les dizainiers, élisent au scrutin secret quatre bourgeois chargés de participer au scrutin à l'Hôtel de Ville pour le choix des échevins et du prévôt des marchands. Les quartiniers établissent les rôles d'imposition et commandent la milice bourgeoise du quartier. L'assemblée de quartier perd progressivement le droit de choisir le quartinier, le titulaire résignant sa charge au profit d'un de ses proches avec l'accord du Conseil de Ville. L'évolution est achevée en 1538 quand les quartiniers se constituent en corps avec un doyen à leur tête. Des lettres patentes du 17 mai 1562 dépouillent les quartiniers de leur fonction dans la milice. Un règlement du 24 janvier 1568 confirme cette dépossession. Les dizainiers sont remplacés par des capitaines commandant une dizaine rebaptisée compagnie et ces compagnies sont regroupées en colonnes ou «colonelles», une ou deux par quartier selon l'importance de la population, commandées par des colonels. Ayant perdu leurs attributions militaires puis électorales, réduits à un simple rôle d'apparat, les quartiniers perdent tout prestige: au milieu du XVIIIᵉ siècle, leurs charges ne valent guère plus de 400 livres.
• *Voir aussi* CINQUANTENIER; DIZAINIER; ÉCHEVIN; PRÉVÔT DES MARCHANDS; QUARTIER.

R

RADIO

C'est à Paris que la radio française prend naissance. L'inventeur et constructeur Eugène Ducretet, assisté d'Ernest Roger, fait les premières expériences dans son laboratoire de la rue Claude-Bernard en 1897. Du 26 octobre au 7 novembre 1898, il effectue les premières démonstrations entre le Panthéon et le troisième étage de la tour Eiffel, distants de 4 kilomètres. En janvier 1904, le capitaine Ferrié, travaillant pour l'armée de terre, installe au sommet de cette tour un poste de radiotélégraphie militaire. Les lieutenants Jeance et Colin communiquent en 1908 en radiotéléphonie avec le mont Valérien (10 kilomètres), puis Villeneuve-Saint-Georges (25 kilomètres) et Dieppe (150 kilomètres). La radio fait véritablement ses débuts dans la vie des Français en 1921. Le 26 novembre, à l'occasion des fêtes qu'organise la Société des ingénieurs électriciens pour le centenaire des travaux d'Ampère, les participants au banquet à l'hôtel Lutétia entendent trois airs de musique provenant de la station émettrice de Sainte-Assise (Seine-Port, Seine-et-Marne), où opère la Compagnie générale de télégraphie sans fil d'Émile Girardeau. Une de ses filiales, la Société française radioélectrique (S.F.R.), commence à émettre depuis les sous-sols du siège de la société mère, boulevard Haussmann, et, en novembre 1922, la station expérimentale de Levallois débute ses programmes quotidiens sous le nom de Radiola. On trouve l'histoire détaillée de cette époque dans l'*Histoire générale de la radio et de la télévision en France* de Christian Brochand. Le 19 janvier 1923 naît Paris-P.T.T., poste de l'École supérieure des P.T.T. Le journal *Le Petit Parisien* crée sa propre station le 12 mars 1924. En mars 1926, sans autorisation, Lucien Lévy fonde Radio-L.L. qui deviendra Radio-Cité en 1935. C'est rue Damrémont, puis à Romainville, que s'installe en décembre 1926 Radio-Vitus, fondée par Fernand Vitus. Radiola devient Radio-Paris dès 1923, la radio du *Petit Parisien* devient Poste parisien. En 1945, la radio devient un monopole d'État qui n'a été aboli qu'en 1982 et une foule de stations de radio parisiennes se crée alors, dont l'énumération et l'existence souvent mouvementée dépassent les dimensions de ce livre.

RAMONEUR

Le ramoneur est resté durant des siècles un des personnages du décor parisien. Il est presque toujours originaire de Savoie ou du Piémont, les deux régions étant unies sous un même souverain. Vers 1535, Rabelais l'évoque dans *Pantagruel* :

Puis verrez des Piémontoys,
A peine saillys de l'escaille
Crians : ramona hault et bas
Vos cheminées sans escaille.

Arrivant à Paris à l'âge de la puberté, ces petits ramoneurs ont souvent de la peine à vivre et, quand le travail manque, ils vendent de menus objets, quincaillerie, objets de cristal taillé, etc. Pourchassés par les commerçants et la police, ils adressent une requête en 1716 au jeune Louis XV, qui confirme leurs origines d'outre-Alpes davantage que de Savoie : «Les pauvres ramoneurs de cheminées et colporteurs des villages de Craveggia, Malescho et Villetto, en Lombardie, nous ont très humblement fait remontrer qu'étant les seuls dans notre royaume qui fassent ce métier, lequel ne leur suffit pas pour vivre, ils se sont appliqués de tous temps à porter et vendre du cristal taillé, de la quincaillerie et autres marchandises mêlées.» En 1732, l'abbé de Pontbriand créa l'École des Savoyards pour apprendre la lecture et l'écriture à ces jeunes ramoneurs. En 1777, Villemin ouvrit, dans les vingt quartiers de la capitale, autant de bureaux où se tenaient jour et nuit des ramoneurs prêts à répondre à tout appel ou à exécuter des abonnements d'entretien. Le nombre de ces bureaux fut réduit à sept en 1787 et le tarif fixé ainsi : 8 sous pour les cheminées du rez-de-chaussée et de l'entresol, 6 pour celles du premier étage, 5 pour les deuxième et troisième, 4 sous enfin à partir du quatrième étage. Sébastien Mercier consacre un chapitre aux «Savoyards» dans son *Tableau de Paris*, rédigé vers 1782, et s'apitoie sur leur sort : «Il est bien cruel de voir un pauvre enfant de huit ans, les yeux bandés et la tête couverte d'un sac, monter des genoux et du dos dans une cheminée étroite et haute de cinquante pieds ; ne pouvoir respirer qu'au sommet périlleux ; redescendre comme il est monté, au risque de se

rompre le col, pour peu que la vétusté du plâtre forme un vide sous son frêle point d'appui ; et la bouche remplie de suie, étouffant presque, les paupières chargées, vous demander cinq sols pour prix de son danger et de ses peines.» Il ajoute, s'en prenant à l'entreprise de Villemin : «C'est ainsi que se ramonent toutes les cheminées de Paris ; et des régisseurs n'ont enrégimenté ces petits malheureux, que pour gagner encore sur leur médiocre salaire.» Au XIXᵉ siècle, Savoyard est devenu synonyme de ramoneur et l'on peut lire vers 1870 dans le *Grand Dictionnaire universel du XIXᵉ siècle* de Pierre Larousse, à l'article «Savoyard» : «Fumiste, ramoneur, de la Savoie fournissant un grand nombre d'hommes et d'enfants exerçant ce métier.» Les statistiques confirment cette origine savoyarde ou piémontaise : en 1860, lorsque la Savoie est rattachée à la France, Chambéry, avec dix-neuf mille habitants, n'est que la deuxième ville à population savoyarde, Paris en comptant quarante-deux mille. Le chauffage électrique ou au gaz ne salissant pratiquement pas les conduits de cheminée, le métier de ramoneur est aujourd'hui en voie d'extinction. La plupart des entreprises qui existent encore et apposent des affichettes dans les immeubles pour annoncer leur passage portent encore des noms à consonance italienne, attestant du monopole de fait des Savoyards et Piémontais dans cette profession.
• *Voir aussi* **CHEMINÉE**.

RAVALEMENT

Contrairement à une légende tenace, ce n'est pas la loi dite Malraux du 4 août 1962 qui a instauré l'obligation du ravalement des façades des maisons à Paris. Elle était déjà inscrite à l'article 5 du décret-loi du 26 mars 1852, relatif aux rues de la capitale : «Les façades des maisons seront constamment tenues en bon état de propreté. Elles seront grattées, repeintes ou badigeonnées au moins une fois

tous les dix ans, sur l'injonction qui sera faite aux propriétaires par l'autorité municipale. Les contrevenants seront passibles d'une amende qui ne pourra excéder cent francs.» Un état de roulement pour le nettoiement des façades a été dressé par un arrêté du préfet de la Seine du 5 juillet 1890. D'après cet arrêté, les vingt arrondissements sont répartis en dix groupes de deux arrondissements, un de ses groupes devant être ravalé chaque année. Le ravalement décennal a été confirmé par les lois des 15 février 1902 et 7 avril 1903 sur la protection de la santé publique et par l'arrêté préfectoral du 22 juin 1904, pris en exécution de ces deux lois. L'article 100 de cet arrêté portant règlement sanitaire de Paris stipule : «Toutes les façades sur rue ou sur cour sont mises en état de propreté au moins tous les dix ans. Si ces façades sont enduites en plâtre, elles seront repeintes ou badigeonnées après nettoyage.» L'article 101 va encore plus loin : «Les façades sur courettes et cours de cuisines, les parois peintes des allées, vestibules, escaliers à l'usage commun, seront lessivées au moins tous les dix ans. Si ces façades sont enduites en plâtre, elles seront peintes ou blanchies à la chaux.»
• *Voir aussi* NETTOIEMENT.

RECOMMANDARESSE
Voir BUREAU DE PLACEMENT.

REGARD

Un des vestiges les plus originaux du réseau ancien d'approvisionnement d'eau de la rive droite de Paris est constitué par les regards, sortes de puits aménagés au-dessus des conduites d'eau, en général à une bifurcation, pour faciliter la surveillance et la réparation du réseau souterrain ou pour établir des robinets de distribution. Ainsi les eaux de Belleville se rassemblaient-elles au regard de la Lanterne (en bordure du square Compans). Outre ce regard, particulièrement spectaculaire,

l'aqueduc de Belleville en a conservé deux autres, le regard des Messiers (17, rue des Cascades) et le regard de la Roquette (36-38, rue de la Mare).

L'aqueduc du Pré-Saint-Gervais comptait treize regards dont quatre subsistent : les regards du Trou-Morin (au Pré-Saint-Gervais, à l'angle de la rue Édouard-Vaillant et de la sente des Cornettes), le regard des Maussins (remonté aujourd'hui boulevard Sérurier), le regard des Bernages (au Pré-Saint-Gervais, rue Alexander-Fleming), le regard central dit fontaine du Pré-Saint-Gervais (place de la mairie de cette ville).

La source de Savies à Belleville avait son propre aqueduc. Il en reste le regard des Petites-Rigoles (47, rue de l'Ermitage), le regard Saint-Martin (42, rue des Cascades).

Propriétaire des sources de la place des Fêtes actuelle, l'hôpital Saint-Louis acheminait l'eau par le regard Saint-Louis, dit aussi de la Chambre des Chirurgiens, à la hauteur du 169, rue de Belleville, qui a disparu.
• *Voir aussi* AQUEDUC.

REGRAT

Sébastien Mercier dénonce le regrat dans un chapitre de son *Tableau de Paris* : «Le regrat est encore ce qui tue la partie indigente des habitants de la capitale. Cette malheureuse portion achète les denrées beaucoup plus cher, et n'a que le rebut des autres citoyens. N'ayant pas le moyen de faire quelques modiques avances pour ses provisions annuelles, elle paie le double de ce que valent les choses. Tout augmente d'un tiers au moins pour cette classe infortunée qui est obligée d'avoir recours à de petits marchands qui revendent en détail ce qu'ils ont déjà acheté en détail.» L'existence des regrattiers est attestée dès le XIIᵉ siècle et ils constituent une communauté ayant ses statuts dans le *Livre des métiers* vers 1270. Ils sont approvisionnés par les agriculteurs de banlieue, vendent par toutes petites quantités et n'ont pas le droit de détenir des denrées en réserve chez eux. On en compte cent vingt dans le livre de la taille de 1292 et leur nombre est fixé à trois mille par un arrêt de 1694. Il est alors possible de s'établir regrattier à la seule condition d'avoir obtenu une « lettre de regrat ». Un arrêt du 3 septembre 1709 énumère ce que cette lettre permet de vendre « à petits poids et à petites mesures » : sel, foin, paille, bière, cidre, bois, mottes à brûler, poisson de mer ou d'eau douce, tripes et viandes cuites de toutes sortes, herbes potagères ou médicinales, œufs, beurre, fromage, melons, pommes, poires et autres fruits, graisse, saindoux, levures, couennes de lard, charbon, cendre gravelée, verjus, vinaigre, chandelles, lait, crème, glace, tripoli, pipes de tabac, sablon, empois, blanc d'Espagne, noix et cerises confites.

RELIQUE

Il est écrit dans l'*Apocalypse* : « Je vis sous l'autel les âmes de ceux qui avaient souffert la mort pour la parole de Dieu. » S'inspirant de cette phrase, les chrétiens se mirent dès le IVe siècle à recueillir les reliques des martyrs de l'Église pour les abriter dans les autels des lieux de culte. Grégoire de Tours raconte que Radegonde, épouse de Clotaire Ier, envoya des clercs acquérir des reliques, dont un fragment de la vraie croix. Déjà le chroniqueur du VIe siècle dénonce le trafic de ces choses saintes. L'évêque Ragnemod, successeur de saint Germain en 576, soupçonnant d'imposture un homme qui offre de lui vendre des reliques de saints espagnols, les fait examiner et constate qu'en fait de reliques, il s'agit de dents de taupe, de squelettes de souris, d'ongles et de graisse d'ours. Étudiant un catalogue de reliques du Xe siècle conservées à Notre-Dame, Léopold Delisle y trouve le cilice de Saint-Denis, des fragments de la tête et du genou ainsi que la barbe et le cilice de saint Germain, le cilice de saint

Éloi, une pierre du Saint-Sépulcre, une des pierres ayant servi à lapider saint Étienne. Les croisades permettent à ce lucratif commerce de prospérer encore mieux.

En 1239, le dernier empereur latin de Constantinople, Baudouin de Courtenay, vient solliciter l'aide de saint Louis et offre de lui vendre la couronne d'épines du Christ. Quoique les abbayes de Saint-Denis et de Saint-Germain-des-Prés aient déjà en leur possession deux de ces couronnes, le pieux et crédule roi de France achète cette troisième pour 20 000 livres d'or fin. Trop heureux d'avoir trouvé un naïf à escroquer, Baudoin lui vend en 1247 le reste des reliques conservées à Constantinople, comprenant notamment une grande partie de la vraie croix, du sang du Christ, les langes dans lesquels il fut enveloppé en sa petite enfance, la nappe de la Cène, du lait de la Vierge, le fer de la lance qui servit à frapper Jésus sur la croix, l'éponge vinaigrée qui lui fut présentée, un morceau du saint suaire, la verge de Moïse, un bout du crâne de saint Jean-Baptiste, etc. Pour abriter ces trésors, Louis IX fit édifier la Sainte-Chapelle. Les rois de France avaient coutume de s'entourer de reliques et aucun serment n'était plus solennel que celui qui était prêté sur des reliques. Celles-ci étaient aussi considérées comme un préservatif contre la foudre et on en remplissait une boîte de plomb ensuite placée dans une concavité de la flèche de l'église que l'on voulait protéger.

Le culte des reliques survit au protestantisme. Anne d'Autriche en était très friande. Son fils, Louis XIV, portait jour et nuit des reliques suspendues au cou. Le clergé de Sainte-Opportune tirait de substantiels revenus d'une côte de cette sainte. Nicolas Gosset, auteur en 1655 de *Vie et Miracles de sainte Opportune*, note : « Le prêtre qui la garde l'applique à la gorge d'un chacun qui se présente, pour protestation contre l'esquinancie ; aux aisselles, contre les maux de côté et fièvres continues; et sur l'estomac, aux uns pour estre préservés de l'oppression, aux énergumènes pour estre délivrés du démon, et aux femmes enceintes pour une heureuse couche.»

A la Révolution, les reliques, symboles de la superstition, sont en péril et Louis XVI, pour les sauver de la destruction, se fait remettre celles de la Sainte-Chapelle et les envoie à Saint-Denis. Mais, à la chute de la monarchie, la municipalité les remet à la Convention qui les dépouille de l'or, de l'argent, des perles et pierres semi-précieuses qui les enchâssaient. Les reliques une fois privées de tout ce qui avait valeur vénale aux yeux des républicains, un orfèvre du nom d'Auguste obtient qu'on les lui donne pour sa pieuse épouse. Durant la Terreur, craignant d'être poursuivi pour leur détention, il les cacha dans un jardin qu'il possédait à L'Haÿ-les-Roses. Après le rétablissement du culte par Bonaparte, Auguste décida d'offrir les reliques à Notre-Dame, mais il ne put retrouver les restes sacrés qu'il avait enfouis. Un dénommé Oudry remit à l'archevêque de Paris la couronne d'épines qu'il avait réussi à dérober, et un sieur Bonvoisin donna un fragment de la vraie croix. Un autre fragment de la vraie croix fut aussi récupéré. Mais la plupart des reliques furent détruites par le feu sur la place de Grève, où furent brûlés les cœurs des princes et princesses de la famille royale conservés depuis Anne d'Autriche au Val-de-Grâce et les reliques de sainte Geneviève, patronne de la capitale. On trouve l'imposante liste des reliques conservées à Paris avant 1793 dans les *Variétés parisiennes* d'Alfred Franklin.
• *Voir aussi* PÈLERINAGE ; SAINT.

REPAS (heure du)

L'heure des repas a plusieurs fois varié à Paris. Alfred Franklin a évoqué cette question et cité les textes sur ce sujet dans les *Variétés gastronomiques*

de sa série *La Vie privée d'autrefois*. L'heure variait selon les saisons et la règle était de suivre le cours du soleil. A la fin du XIIIe siècle, par exemple, les ouvriers foulons déjeunaient chez leur maître au point du jour avant de se mettre au travail. Ils dînaient à une heure qui n'est point fixée et quittaient l'atelier à six heures en hiver et neuf en été pour prendre leur souper. Christine de Pisan signale que Charles V, roi de 1364 à 1380, se levait entre six et sept heures, allait entendre la messe à huit, puis déjeunait à dix heures. A la même époque, le chevalier de La Tour Landry recommande à ses filles d'entendre la messe à jeun, puis de prendre leur repas entre six et neuf heures du matin selon la saison. Les statuts de 1384 des tondeurs de drap stipulent que les ouvriers déjeunent à neuf heures, dînent à une heure et quittent leur travail au soleil couchant. Il est mentionné qu'ils ont droit, au milieu de la journée, à une «demi-heure pour boire», temps de pause, sorte de goûter entre dîner et souper. On peut en conclure que, du XIIIe au XVe siècle, les Parisiens déjeunaient entre six et dix heures du matin suivant la saison, dînaient entre midi et une heure, soupaient vers sept ou huit heures. Ces horaires variaient suivant les familles et, bien entendu, selon les ressources, car, ainsi que l'écrivait Rabelais, «le riche se doibt repaistre quand il aura faim, le povre quand il aura de quoy». Son contemporain, l'ambassadeur vénitien Lippomano, notait que les Parisiens étaient «très désordonnés dans leur manière de manger» et qu'il leur arrivait de se nourrir «quatre ou cinq fois par jour sans règle ni heure fixe».

Au XVIIe siècle, les textes confirment que bourgeois et nobles dînent à midi et soupent entre sept et huit heures. La règle est générale et le mot «midi» est synonyme de dîner et l'on nomme «cherche-midi» les parasites qui se présentent à l'heure du repas dans l'espoir d'être conviés à le partager. L'édition de 1701 du *Dictionnaire* de Furetière en fournit une preuve : « Le midi est l'heure ordinaire du dîner. Il faut aller trouver les gens entre onze heures et midi […]. Chercher midi quand il n'est qu'onze heures se dit des écornifleurs qui viennent avant l'heure du dîner pour ne le manquer pas. On les appelle aussi "démons de midi". On appelle aussi "chercheurs de midi" ceux qui vont dans les maisons à midi pour tâcher de dérober quelque chose quand le couvert est mis. »

Les progrès de l'éclairage urbain, la multiplication des spectacles bouleversent les horaires des repas au long du XVIIIe siècle. En 1714, la princesse Palatine mentionne qu'elle dîne vers une heure et assiste au souper du vieux Louis XIV vers onze heures du soir. On nomme « soupe sept heures » les gens qui ont conservé les anciennes coutumes. Vers 1735, le dîner est repoussé à trois heures de l'après-midi, le souper restant fixé entre dix et onze heures du soir. Le *Dictionnaire critique, pittoresque et sentencieux, propre à connaître les usages du siècle*, paru en 1768, précise que les artisans dînent dès neuf heures, les provinciaux à midi, les Parisiens à deux heures, les gens d'affaires à deux heures et demie, les grands seigneurs à trois heures. Vers 1780, dans son *Tableau de Paris*, Sébastien Mercier observe : « On ne dîne plus qu'à trois heures, et les repas sont devenus très courts. Qui oserait arriver dans une maison pour souper avant neuf heures et demie ? » Ailleurs, il écrit : « A trois heures, on voit peu de monde dans les rues parce que chacun dîne […]. A onze heures, nouveau silence. C'est l'heure où l'on achève de souper. »

La Révolution balaie ces usages. Alfred Franklin observe : « Vers 1800, une révolution complète a eu lieu dans l'heure des repas. Suivant que l'on s'est plus ou moins affranchi des anciennes coutumes, on dîne à cinq ou six heures. Mais un repas jusque-là fort né-

gligé a pris une grande "importance", c'est le déjeuner, et il est servi vers midi. En revanche, le souper a disparu : "Les trois quarts de Paris, dit Pujoulx, ne soupent plus, et la moitié de ces trois quarts a pris cette habitude par économie." » N'est-ce pas tout simplement parce que le deuxième repas se prend plus tard ? En somme, le XIXe siècle est revenu aux heures du XVIIe. Les noms seuls sont modifiés : l'antique dîner est devenu le déjeuner, et le souper s'appelle maintenant le dîner.

RÉSEAU EXPRESS RÉGIONAL
Voir MÉTROPOLITAIN.

RÉSERVOIR

Pour stocker l'eau, la Ville a disposé et dispose d'un certain nombre de réservoirs importants. Les plus anciens ont disparu comme le réservoir des Filles-du-Calvaire (à l'emplacement du 100, rue Amelot), construit en 1737 et détruit en 1811. Rambuteau fit installer six réservoirs de 10 millions de litres chacun sous la Monarchie de Juillet : 11, rue Racine, 14, rue de l'Estrapade, place du Panthéon, 87, rue de Vaugirard, Saint-Victor près des Arènes, Charonne (133, rue de Bagnolet).

Le second Empire accomplit avec Belgrand et Haussmann une œuvre bien plus considérable : un énorme réservoir en fer à cheval de 2 hectares sur les hauteurs de Ménilmontant, le réservoir de Belleville pour recevoir les eaux de la Dhuis, à proximité du cimetière de Belleville, le réservoir de Passy (rue Paul-Valéry). Une réalisation grandiose sera achevée après la chute de Napoléon III : pour les eaux de la Vanne, on emménage le monumental réservoir de Montsouris, le plus grand bassin couvert du monde lors de son inauguration en 1874. La rue Azaïs longe une autre grande réalisation, le réservoir de Montmartre, construit entre 1887 et 1889.

Aujourd'hui, l'ensemble des réservoirs correspond à un peu plus d'une journée de consommation, dépassant légèrement le milliard de litres. Le nord de la capitale est alimenté par Montmartre, l'est par Ménilmontant, Belleville, Les Lilas (construit entre 1961 et 1964). Le réservoir de Grenelle est peu important, de même que ceux de Charonne et de Passy. Des réservoirs pour la capitale ont été installés à Villejuif, L'Haÿ-les-Roses, Saint-Cloud.

• *Voir aussi* EAU.

RESTAURANT

Invention parisienne, le restaurant a été précédé par les tavernes médiévales, mais, au début du XVIIIᵉ siècle, celles-ci sont désertées par la clientèle raffinée qui fait venir un traiteur à domicile. L'Allemand Nemeitz, de passage à Paris en 1718, donne une description qui explique cette désaffection : « Les tables d'hôte sont insupportables aux étrangers, mais ils n'en ont pas d'autres. Il faut manger au milieu de douze inconnus, après avoir pris un couvert. Celui qui est doué d'une politesse timide ne peut venir à bout de dîner pour son argent. Le centre de la table, vers ce qu'on appelle les pièces de résistance, est occupé par des habitués qui s'emparent de ces places importantes et ne s'amusent pas à débiter les anecdotes du jour. Armés de mâchoires infatigables, ils dévorent au premier signal. Malheur à l'homme lent à mâcher ses morceaux ! Placé entre ces avides et lestes cormorans, il jeûnera pendant le repas. En vain il demandera sa vie aux valets qui servent. La table sera vide avant qu'il ait rien pu en obtenir. »

Le restaurant, tel que nous le connaissons aujourd'hui, est donc un énorme progrès sur cette foire d'empoigne. Le terme sert d'abord à désigner des bouillons, des plats revigorants à base de viande et d'œuf. Ces « restaurants », présentés sur une carte, servis à des tables individuelles, semblent être apparus en 1765, rue des

Poulies, près du Louvre, chez un certain Boulanger. Les « débits de restaurants » se multiplient rapidement, mais le premier véritable restaurant chic, à la mode, est la Taverne anglaise du Palais-Royal où Antoine Beauvilliers, ancien chef de cuisine du comte de Provence, reçoit la clientèle dans un cadre raffiné, avec tables en acajou, lustres en cristal, nappes de damas, garçons bien habillés, une cave et une nourriture de qualité supérieure. Il a ouvert son entreprise au début de 1786 et, dès le 8 juin, un arrêté du prévôt de Paris autorise traiteurs et restaurateurs à recevoir des clients et à donner à manger jusqu'à onze heures du soir en hiver et minuit en été.

L'essor des restaurants est contemporain de celui de la gastronomie. Dès 1791, Méot, ancien chef de cuisine du duc d'Orléans, concurrence Beauvilliers, tout près du Palais-Royal, à l'ancienne chancellerie d'Orléans, dans un décor somptueux où il présente cent plats ainsi qu'une carte de vingt-deux sortes de vin rouge et vingt-sept de vin blanc. Le Palais-Royal se remplit vite de restaurants : Huré, le Couvert espagnol, Février où est assassiné le député régicide Le Peletier de Saint-Fargeau, le 20 janvier 1793, la Grotte flamande, Véry, Masse, etc. Seul a subsisté jusqu'à nos jours le café de Chartres devenu le Grand Véfour. La cuisine régionale s'implante dans la capitale avec les Frères provençaux, établis rue Sainte-Anne, à l'angle de la rue Louvois, qui initient les Parisiens à la bouillabaisse et à la brandade de morue. Le premier *Almanach des Gourmands* de Grimod de La Reynière recense en 1804 les meilleures tables parisiennes.

Sous la Restauration, c'est le Rocher de Cancale, à l'angle de la rue Mandar, qui occupe le sommet de la hiérarchie et Balzac raconte en détail un festin dans cet établissement dans *La Cousine Bette*. Sur la place du Châtelet se trouve Le Veau qui tète aux célèbres pieds de mouton. Le traiteur Doyen exerce dans la discrétion aux Champs-Élysées, tandis que le boulevard du Temple affiche La Galiote et le Cadran bleu. Les Grands Boulevards triomphent sous la Monarchie de Juillet avec Tortoni, le Café de Paris, le Café Riche, le Café Hardy devenu en 1841 la Maison dorée, le Café Anglais fréquenté par les personnages de *La Comédie humaine*, Rastignac et Nucingen. A côté de ces établissements prestigieux, il existe des centaines d'autres restaurants, certains n'étant que des gargotes. Sous le second Empire, le Café anglais est le rendez-vous des noceurs et son cabinet du «Grand Seize» abrite le souper des Trois Empereurs de 1867. Connaissent aussi le succès : Durand à la Madeleine, Voisin à l'angle des rues Cambon et Saint-Honoré, Magny et sa Petite Marmite de la rue Mazet, Foyot près du Sénat, Maire, inventeur du homard Thermidor, à l'angle des boulevards de Strasbourg et Saint-Denis. Le boucher Duval fonde en 1867, pour les revenus modestes, les «bouillons» qui se perpétueront avec les Dupont et Chartier.

La troisième République de la Belle Époque possède un nombre impressionnant d'établissements renommés : Laurent aux Champs-Élysées, le Pavillon d'Armenonville et celui de la Cascade au bois de Boulogne, Weber rue Royale, Prunier rue Duphot, Drouant place Gaillon, Lapérouse quai des Grands-Augustins, la Tour d'argent quai de la Tournelle, Marguery près du théâtre du Gymnase, Lucas puis Francis Carton à la Madeleine. La rue Royale est célèbre avec Maxim's, les Champs-Élysées sur le Fouquet's et le Pavillon de l'Élysée. La tradition culinaire se poursuit durant le XXe siècle et une multitude de guides recensent les principaux restaurants, cotés, hiérarchisés avec des fourchettes et des toques. Les guides Michelin ou Gault et Millau sont parmi les plus connus d'entre eux.
• *Voir aussi* GASTRONOMIE.

RÉVERBÈRE
Voir LANTERNE.

RHINOCÉROS
Voir ANIMAL SAUVAGE.

ROI (résidence du)
Les souverains mérovingiens et carolingiens n'ont résidé que rarement à Paris, se logeant alors dans l'ancien palais du gouverneur romain, le palais de la Cité, actuel Palais de justice. Le premier des souverains capétiens, Hugues Capet (987-996), réside au palais de la Cité lors de ses rares séjours à Paris, en 989, 992 et en 994-995. Son fils, Robert le Pieux, s'il ne vient pas souvent, fait cependant restaurer le palais. Son successeur, Henri Ier (1031-1060), semble avoir davantage vécu à Paris où il fait continuer les travaux du Palais. Philippe Ier (1060-1108) continue la tradition des rois voyageant sans trêve à travers leurs domaines. C'est avec Louis VI le Gros (1108-1137) que les rois commencent à s'intéresser plus particulièrement à Paris et à en faire leur lieu de résidence principal. Avec Philippe Auguste (1180-1223), la monarchie s'établit définitivement à Paris, qui devient la capitale et le roi se fait bâtir une nouvelle résidence, le Louvre, édifié entre 1190 et 1202. Les rois vont résider désormais, selon leur préférence, au palais de la Cité ou au Louvre. Charles V (1364-1380) va ajouter une nouvelle résidence par des achats successifs entre la Seine et la rue Saint-Antoine, constituant, sous la protection de la Bastille, un ensemble de bâtiments nommé hôtel Saint-Paul ou Saint-Pol. C'est là que le roi fou, Charles VI (1380-1422), termine son existence. Ses successeurs résident rarement à Paris, préférant leurs châteaux du Val de Loire. C'est François Ier qui, en 1528, décide le retour de la monarchie à Paris et fait commencer les travaux de reconstruction du Louvre. Entre-temps, l'hôtel des Tournelles (à l'emplacement de la place des Vosges),

propriété du duc d'Orléans, était devenu résidence royale avec l'accession au trône en 1498 de Louis d'Orléans (Louis XII). L'hôtel des Tournelles est peu utilisé et la mort d'Henri II dans ses murs, en 1559, décidera sa veuve, Catherine de Médicis, à ordonner sa démolition. Légué au roi par Richelieu, le Palais-Cardinal va devenir le Palais-Royal lorsque le jeune Louis XIV et la Cour s'y installent, le 7 octobre 1643. Indéfendable, le Palais-Royal est envahi par la foule dès le début de la Fronde. Le roi et sa mère le fuient dans la nuit du 5 au 6 janvier 1649 pour n'y jamais revenir. A leur retour dans la capitale, le 21 octobre 1652, c'est au Louvre qu'ils s'installent. Le 10 février 1671, Louis XIV quitte définitivement Paris pour Versailles. Le jeune Louis XV ne reviendra que du 30 décembre 1715 au 15 juin 1722 et s'établira alors dans le palais qu'avait fait construire, entre 1565 et 1572, Catherine de Médicis, les Tuileries. Les Tuileries redeviendront le siège de la monarchie, le 6 octobre 1789, lorsque Louis XVI sera ramené de Versailles et le resteront jusqu'à sa chute, le 10 août 1792. Bonaparte, Louis XVIII, Charles X résideront aussi aux Tuileries et Louis-Philippe quitte le Palais-Royal, le 1er octobre 1831, pour s'y installer. Napoléon III sera le dernier souverain sur le trône de France et le dernier occupant des Tuileries, incendiées par les Communards en mai 1871. Des six résidences des rois de France ne subsistent que les deux plus anciennes, le Palais de justice et le Louvre, et la plus récente, le Palais-Royal, toutes profondément altérées par rapport à leur aspect primitif.

ROMAN

Paris figure très tôt dans la littérature et l'empereur romain Julien, nommé à tort l'Apostat, évoque déjà la ville vers 360. Pierre Citron est l'auteur d'une remarquable étude sur la poésie de Paris. Le roman n'a pas été étudié dans une perspective exhaustive et historique et l'on dispose, certes, d'une multitude de travaux, de qualité fort inégale, sur le Paris de Balzac, de Stendhal, de Hugo ou de Zola, mais d'aucune vue d'ensemble comparable à celle de Citron. Il est vrai que la ville que dépeignent les romanciers des XVIIe et XVIIIe siècles est tellement abstraite que ses descriptions dans *Le Grand Cyrus* de Madeleine de Scudéry ou dans *Manon Lescaut* de l'abbé Prévost ne présentent absolument aucun intérêt pour l'historien, le sociologue ou l'ethnologue. Il faut attendre le Bourguignon Restif de La Bretonne et son œuvre aussi abondante que filandreuse pour que Paris acquière une certaine consistance romanesque. Mais c'est Balzac qui apparaît indéniablement comme le premier romancier de talent qui prenne Paris pour cœur de son œuvre. A. Bellessort peut écrire : «Pour Balzac, Paris vit comme un énorme roman dont il ne cesse de tourner passionnément les pages ; il avait le sentiment qu'il trouvait en Paris un collaborateur digne de lui : ses rues étaient des personnes humaines.» Victor Hugo a aussi célébré la ville à diverses époques, une cité mi-réelle mi-imaginaire, qu'il décrit au XVe siècle dans *Notre-Dame de Paris* et durant les années 1830 dans *Les Misérables. Les Mystères de Paris* d'Eugène Sue contribuent aussi à la confusion du fantastique et du réel. Dans la seconde moitié du XIXe siècle, Paris devient un des poncifs de la littérature française, avec Flaubert et son *Éducation sentimentale*, Jules Vallès, les Goncourt, Alphonse Daudet, Guy de Maupassant, Joris-Karl Huysmans et Zola. Au XXe siècle, c'est peindre sa province natale qui devient original, chaque écrivain y allant de son roman sur Paris : Proust, Duhamel, Roger Martin du Gard, Carco, Mac Orlan, Colette, etc. Il serait souhaitable qu'on s'attelle enfin à une série de volumes de synthèse sur Paris dans la littérature française, en s'inspirant de l'excellent exemple de

Jean Meral, auteur d'un *Paris dans la littérature américaine* qui recense, dans l'ordre chronologique, près de deux cents œuvres entre 1824 et 1978.
• *Voir aussi* POÉSIE ; SALON LITTÉ-RAIRE.

RÔTISSEUR

A l'origine des rôtisseurs se trouvent les «cuisiniers-oyers» qui préparaient des viandes bouillies ou rôties d'oie, volaille particulièrement appréciée des Parisiens, d'où leur nom, mais aussi de bœuf, de veau, de mouton, de porc, de poulet, de pigeon, etc. Au XVe siècle, les rôtisseurs se séparent des cuisiniers et apparaissent sous une rubrique indépendante dans la montre de 1467. L'ambassadeur vénitien Lippomano écrit en 1557 : «Les rôtisseurs et les pâtissiers, en moins d'une heure, vous arrangent un dîner, un souper pour dix, pour vingt, pour cent personnes. Le rôtisseur vous donne la viande, le pâtissier les pâtés.» Sébastien Mercier fait l'éloge des rôtisseurs de la rue de la Huchette à la veille de la Révolution : «A toute heure du jour, on y trouve des volailles cuites ; les broches ne désemparent pas le foyer toujours ardent. Un tourne-broche éternel entretient la torréfaction. La fournaise des cheminées ne s'éteint que pendant le carême.» On dénombrait alors plus de trois cents rôtisseurs dont la confrérie était placée sous le patronage de la Vierge, célébrée le jour de l'Assomption, mais il existait aussi une confrérie vouée à saint Laurent, rôti sur un gril.
• *Voir aussi* CUISINIER.

ROUTE (point de départ)
Voir POINT ZÉRO.

RU

La ville et le béton ont fait disparaître les rus ou ruisseaux qui arrosaient Paris. De Montreuil dévalait le petit ru du même nom, appelé parfois le ru de Fécamp, car les abbés de Fécamp possédaient une maison de cam-pagne à proximité, sur le chemin de Paris à Charenton, qui se jetait dans la Seine à la Rapée. Ce qui subsiste coule aujourd'hui en égout entre le boulevard Soult et le quai de Bercy. Des noms de rues perpétuent son souvenir : rue de Fécamp, rue des Meuniers, rue de la Planchette (sur laquelle on le franchissait), rue des Fonds-Verts (évoquant son humidité verdoyante).

Le ru de Ménilmontant n'était, en fait, que le bras mort de la Seine qui coulait au pied des collines, suivant approximativement le tracé du canal Saint-Martin (bassin de l'Arsenal et boulevard Richard-Lenoir), puis les rues du Château-d'Eau, des Petites-Écuries, Richer, de Provence, de la Pépinière, La Boétie, Marbeuf, avant de rejoindre le fleuve vers le pont de l'Alma. Figurant sur les anciens plans de Paris, ce bras a fini par devenir le déversoir de toutes les eaux de ruissellement de la rive droite et prendre le nom évocateur de Grand Égout, dont la couverture sera décidée en 1737. On l'a parfois pris pour une mystérieuse rivière souterraine, la Grange-Batelière, et il a peut-être servi de base à la légende du lac sous l'Opéra.

Sur la rive gauche, la Seine reçoit quatre cours d'eau. Le ru de Saint-Germain naissait au bas de Montrouge, traversait l'emplacement du cimetière du Montparnasse et se jetait dans le fleuve près de l'Institut. Le ru du Bac suivait à peu près la rue du même nom. Le ru de Vaugirard prenait aussi sa source à Montrouge, près de l'église, suivait les rues d'Alésia, de Vouillé, de Dombasle, de la Convention jusqu'à la Seine. Le quatrième était une véritable rivière, la Bièvre ; son cours est décrit dans le chapitre premier, p. 8.
• *Voir aussi* EAU ; ÉGOUT ; VOIRIE.

RUE

Voir NOM DES RUES ; NOMBRE DES RUES ; NUMÉROTAGE DES MAISONS et le chapitre «Architecture et urbanisme», page 501 et suiv.

RUE (aspect de la)

On ignore presque tout de la Lutèce gallo-romaine, mais les résultats des fouilles et ce que l'on a mis au jour dans des sites mieux conservés permettent d'imaginer une ville aux rues droites, larges, pourvues d'un caniveau et parfois d'égouts, abondamment approvisionnée en eau par l'aqueduc d'Arcueil-Cachan. Ce confort, cet urbanisme sont anéantis par l'âge barbare, les grandes invasions. Durant le Haut Moyen Âge, Paris est une agglomération insignifiante dans laquelle s'effacent progressivement les vestiges de l'Antiquité, notamment le dallage des rues, dont on a retrouvé des vestiges sous la rue Saint-Antoine.

La renaissance de la ville se produit durant le XIIe siècle. Mais l'espace disponible demeure limité par le souci de sécurité et le corset des enceintes fortifiées. Ainsi, dans l'île de la Cité, noyau de la ville, l'entassement de l'habitat est extraordinaire et les voies de communications, rues, ruelles, venelles, culs-de-sac, placettes représentent à peine le cinquième de l'espace total. Autour de la place de Grève, même encombrement : la ruelle du Paon-Blanc permet tout juste le passage d'un homme à condition qu'il ne soit pas obèse. Les rues les plus larges se situent à la « croisée de Paris ». Ce sont les Grand-Rue Saint-Martin et Grand-Rue Saint-Honoré, pavées parmi les premières sur ordre de Philippe Auguste. Une charte de 1222 fixe la largeur de la seconde à 18 pieds (moins de 6 mètres) afin de permettre à deux charrettes de s'y croiser. Pour éviter que les charrois n'endommagent les façades, les propriétaires des immeubles faisaient sceller des bornes de pierre en bordure de la chaussée, qui servaient en outre de montoirs aux cavaliers. Ces écueils défensifs finissaient par gêner sérieusement la circulation et, en 1554, le Parlement rendit un arrêt de règlement prescrivant la suppression des « selles, pilles, taudis, escoffrets, bancs,

chevalets, escabelles, tronches et autres avances ». Les maisons à piliers de bois ou de pierre sur lesquels repose le premier étage rétrécissent aussi la rue de même que les auvents, saillies, encorbellements. Ainsi les religieux des Blancs-Manteaux ont-ils fait construire un auvent de quatre pieds (1,30 mètre) pour abriter de la pluie une « ymaige » (peinture) précieuse.

Les immondices contribuent à l'encombrement de la rue. En règle générale, la rue possède un caniveau central par où les eaux pluviales ou ménagères et les déjections sont censées s'écouler vers la rivière. Il n'y a pas de trottoir avant la fin du XVIIIe siècle et le meilleur moyen d'éviter les immondices du caniveau et les dangers de la circulation consiste à tenir le haut du pavé, c'est-à-dire à raser les murs des maisons. Diego raconte, dans le *Gil Blas* de Lesage, écrit vers 1713 : « Je ne pus sortir de chez mon maître avant la nuit qui, pour mes péchés, se trouva très obscure. Je marchais à tâtons dans la rue, et j'avais fait peut-être la moitié de mon chemin lorsque d'une fenêtre on me coiffa d'une cassolette, qui ne chatouillait pas l'odorat. Je puis même dire que je n'en perdis rien, tant je fus bien ajusté. » Au Moyen Âge, le fait était banal, car on pratiquait le « tout à la rue », et la tradition rapporte que saint Louis, se rendant au petit matin à un office en l'église des Cordeliers, reçut sur la tête le contenu d'un vase de nuit jeté de la chambre d'un étudiant.

L'enquête de 1636 sur la voirie parisienne donne de la ville une description répugnante. Les abords de l'ancienne porte Saint-Honoré (entre le Palais-Royal et les guichets du Louvre) étaient d'une saleté insupportable. Lucien Hoche, historien de la rue Saint-Honoré, écrit : « Les abords même du Louvre étaient plus mal tenus encore qu'au siècle précédent : ceux de l'ancienne (2e) porte Saint-Honoré étaient devenus presque inhabitables, et ceci nous explique pourquoi cette partie de la grande rue fut en effet la dernière à se garnir de constructions. La cause de cette défaveur n'était pas d'ordre spéculatif, tant s'en faut ; quand on démolit la vieille porte de Charles V, une boucherie s'installa sur l'endroit qu'elle occupait : à cette boucherie était adjointe une tuerie où l'on assommait les bêtes (même les porcs, que l'on ne saignait pas alors) ; là, toutes les opérations accessoires, notamment la dépouille des animaux, se faisaient à la face du soleil. Ce que pouvait être cette rue au sol saturé de graisse et de sang, quelles exhalaisons elle émettait dans la saison chaude, on peut le deviner.»

Pour ajouter à la confusion, aucun écriteau n'indiquait le nom des rues, aucun numéro n'identifiait les maisons. Une foule d'enseignes servaient de repères pour les demeures aussi bien que les boutiques. Afin d'être mieux aperçus, les commerçants surenchérissaient sur la taille de ces enseignes qui contribuaient un peu plus à obstruer la rue et représentaient un danger pour les têtes des passants, surtout lorsque le vent soufflait fort. L'éclairage nocturne faisait presque entièrement défaut jusqu'aux mesures prises par La Reynie en 1667. A la nuit tombée, la ville était livrée aux malandrins de tout acabit et se transformait en coupe-gorge. Mlle de Scudéry écrivait à Godeau, le 4 novembre 1650 : «Depuis un mois ou six semaines, on vole si insolemment dans les rues de Paris qu'il y a eu plus de quarante carrosses de gens de qualité arrêtés par ces messieurs les voleurs, qui vont à cheval et presque toujours quinze à vingt ensemble.»

Lucien Hoche fait observer, très pertinemment, qu'«en général, dans le vieux Paris, l'aspect extérieur d'un immeuble permet d'apprécier d'un coup d'œil la condition de ceux qui l'habitent. L'hôtel du grand seigneur ou du financier s'annonce par sa porte cochère que surmontent le plus souvent les armes du propriétaire ; Mme la présidente de Nesmond "fut, nous dit

Saint-Simon, la première femme de son estat qui ait fait escrire sur sa porte hostel de Nesmond [...]. On en rit, on s'en scandalisa, mais l'écriteau demeura, et est devenu l'exemple et le père de tous ceux qui, de toute espèce, ont peu à peu inondé Paris." En place de porte cochère, les simples demeures bourgeoises n'ont, pour la plupart, qu'une porte bâtarde, ou petite porte : "Votre carrosse, écrit Scarron au maréchal d'Albret, le 13 octobre 1659, rendoit ma petite porte vénérable à tous les habitants de la rue Saint-Louis, et plusieurs portes cochères lui portoient envie. Le seul carrosse du Rincy retient encore mes voisins dans le respect." La petite porte donne accès à un corridor au fond duquel s'élève l'escalier de la maison. A quoi sert trop souvent ce corridor, presque toujours béant sur la rue et dans lequel le jour ne pénètre pas ?» Pudibond, Lucien Hoche se borne à citer Sébastien Mercier : «Ce que les allées ont de vraiment incommode, c'est que tous les passants y lâchent leurs eaux et qu'en rentrant chez soi, l'on trouve au bas de son escalier un pisseur qui vous regarde et ne se dérange pas. Ailleurs on le chasserait ; ici le public est maître des allées pour les besoins de nécessité.» Déjà, le 25 août 1718, la princesse Palatine se plaignait à sa correspondante : «La foule des gens qui pissent dans les rues cause une odeur si détestable qu'il n'y a pas moyen d'y tenir.»

Il faut attendre le XIXe siècle, et singulièrement Napoléon III et Haussmann, pour que la rue prenne un aspect plus ordonné et plus propre. Trottoirs, éclairage au gaz, égouts souterrains, nouvelles artères larges et aérées, souvent plantées d'arbres et munies de vespasiennes, donnent à la rue un aspect agréable et qui donne au passant, qui n'a plus à craindre de se salir ou d'être écrasé, l'envie de flâner et de se transformer en badaud. Encore ce tableau n'est-il pas aussi idyllique qu'on pourrait le croire. Dans un ouvrage publié en 1881, *Les Odeurs de Paris*, on lit : « La voie publique est le grand réceptacle d'une foule de détritus et de matières en état de décomposition : c'est le principal foyer où se développent et se propagent les mauvaises odeurs et le méphitisme ; c'est le réservoir commun, par excellence, où se prennent la plupart des maladies engendrées par l'insalubrité locale. » L'auteur incrimine évidemment les dizaines de milliers de chevaux des fiacres et des omnibus qui, « par leur nombre toujours croissant et la quantité de leurs éjections, contribuent principalement à ce genre d'infection de la voie publique. Qui n'a remarqué aux bords des stations d'omnibus et de petites voitures les cloaques infects qui se trouvent à l'état permanent ? »

Trente ans plus tard, ces plaintes n'étaient plus justifiées. Depuis 1910, ce ne sont plus les crottes de cheval qui empuantissent la rue mais les gaz d'échappement des automobiles. Il n'est pas sûr que ce soit un progrès pour le Parisien. La rue a cessé d'être un lieu de vie pour devenir un carrousel à voitures bruyant et puant. Une photographie de Paris à partir des années 1960 révèle un monde métallique à quatre roues d'où le piéton est pratiquement banni. La rue s'est transformée en chaussée, en voie automobile.

• *Voir aussi* ALIGNEMENT ; ENSEIGNE ; MAISON ; NUMÉROTAGE DES MAISONS ; PAVÉ ; RUE (largeur de la) ; TROTTOIR ; VOIRIE.

RUE (largeur de la)

Il n'existe aucune réglementation générale sur la largeur des rues de Paris avant le règne de Louis XVI. Les rues médiévales ont des dimensions très variables : certaines venelles font à peine 60 centimètres de large, mais la vaste rue Saint-Antoine dépasse 20 mètres de large et la rue Saint-Honoré atteint près de 15 mètres. Au XVIIᵉ siècle, le Conseil du roi impose une largeur minimale aux nouvelles voies. Une statistique,

établie par Michel Fleury et François Monnier pour cent onze voies ouvertes entre 1666 et 1792, fait apparaître deux époques tranchées, avant et après la déclaration royale du 18 juillet 1724. Dans la période antérieure à cette date, les nouvelles rues font de 4 à 5 toises de large, soit entre 7,80 et 9,75 mètres. Après s'impose le gabarit à 5 toises qui est la largeur prescrite pour les voies ordinaires des faubourgs.

C'est cette largeur minimale de 5 toises ou 30 pieds qui est rendue obligatoire par la déclaration royale du 8 juillet 1783 que complètent les lettres patentes du 25 août 1784. Ces textes établissent un rapport, un prospect entre largeur de la voie et hauteur des immeubles riverains qui sera modifié au cours du XIXᵉ siècle et transformé en gabarit par le décret du 13 août 1902 (VOIR HAUTEUR DES IMMEUBLES).

Le plan d'alignement du 14 janvier 1797 (25 nivôse an V) divise les rues de la capitale en cinq classes : la première est formée de voies de 14 mètres de large, les autres ont 12, 10, 8 et 6 mètres de largeur. Avec Rambuteau et Haussmann, l'élargissement de la voie publique va faire disparaître des pans entiers du vieux Paris. Le réseau créé sous le second Empire se caractérise par sa largeur, toutes les voies principales ayant au moins 18 et souvent plus de 20 mètres. Cette tendance s'est encore accrue au XXᵉ siècle avec le triomphe de l'automobile.

• *Voir aussi* ALIGNEMENT ; ENSEIGNE ; MAISON ; NUMÉROTAGE DES MAISONS ; PAVÉ ; RUE (aspect de la) ; TROTTOIR ; VOIRIE.

RUE (revêtement de la)

Voir PAVÉ.

RUE (tracé de la)

On trouvera dans *Le Tracé des rues de Paris* de Bernard Rouleau une étude approfondie dont il n'est possible de donner ici qu'un faible aperçu. Des traces des chemins antérieurs à la présence romaine peuvent être signalées. Ainsi, Michel Roblin évoque-t-il « cette route qui conduisait, à l'aube de l'âge des métaux, du pays du cuivre, de l'étain et du fer à celui de l'ambre et des fourrures », à propos du grand axe parisien nord-sud de la rue Saint-Martin et de la rue Saint-Jacques. Ce tracé très ancien, que Roger Dion compare au fil tendu sur la carte et nomme « la ligne Bapaume-Orléans », n'est pas le seul chemin préromain. La cité gauloise était également reliée à Sens et à la vallée supérieure de la Seine par deux routes, une sur chaque rive, qu'évoque Jules César dans ses *Commentaires* à propos de la campagne de son lieutenant Labienus contre Camulogène. Sur la rive gauche, cette route devait franchir la Bièvre au seul gué existant, passage obligé encore attesté au XIIIe siècle, à l'emplacement duquel Haussmann a fait se rejoindre les nouvelles rues Monge et Claude-Bernard. On peut donc reconstituer ainsi le chemin de la rive gauche : avenue de Choisy, avenue des Gobelins, rues Mouffetard, Descartes, de la Montagne-Sainte-Geneviève, place Maubert, rues Lagrange et Galande jusqu'au Petit Pont. A l'ouest du Petit Pont, Lutèce était reliée à Chartres, Dreux, la Basse Seine ou la Loire, soit par la rue du Four et la rue de Sèvres, soit par la rue de Vaugirard, soit par « le chemin d'Issy » dont les rues de Chevreuse et Raymond-Losserand seraient des vestiges. Sur la rive droite, la route de Melun à Lutèce passait par le confluent de la Marne et de la Seine à Charenton, suivait les rues de Charenton et Saint-Antoine. Au niveau de la place de la Bastille, elle était rejointe par la route de Meaux qui empruntait la rue du Faubourg-Saint-Antoine. Vers le nord, le chemin gaulois partait du Grand Pont, suivait les rues Saint-Martin, du Faubourg-Saint-Martin, de Flandre, profitant du petit « col » de La Chapelle entre les collines de Montmartre et de Belleville. On peut supposer que, pour éviter les nombreux méandres de la Seine, la route de Lutèce à Rouen passait par Saint-Denis. Bernard Rouleau émet l'hypothèse que cette route se détachait de la précédente au niveau de la gare de l'Est et obliquait vers le nord-ouest par la rue Philippe-de-Girard. La rue Saint-Honoré pouvait constituer un autre itinéraire vers la Basse Seine, par le Roule, Neuilly, Nanterre et Saint-Germain-en-Laye. Il y aurait eu, enfin, un chemin de Saint-Cloud longeant la Seine.

Si le tracé des routes prégauloises et gauloises relève de l'hypothèse, des vestiges archéologiques fondent l'existence des voies romaines. Michel Roblin observe que « presque toujours la route romaine fut établie à l'emplacement de la route gauloise ; son itinéraire est resté le même, la construction seule a différé ». Outre les itinéraires anciens déjà mentionnés, les Romains ont ouvert une nouvelle voie convergeant vers le passage de la Bièvre, la rue Lhomond reliant le forum à la place d'Italie. L'axe de la ville, le « cardo », était constitué par la rue Saint-Martin prolongée par la rue Saint-Jacques, parallèlement à laquelle se trouvait une autre voie, formée par le boulevard Saint-Michel (à l'origine la rue de la Harpe), qui longeait les thermes de Cluny, le théâtre de la rue Racine, le forum et les thermes de la rue Gay-Lussac. On peut supposer deux rues transversales (*decumani*) au cardo : des fragments de la plus septentrionale ont été retrouvés sous les rues Monsieur-le-Prince, Racine et au coin de la rue des Écoles et du boulevard Saint-Michel. Peut-être conduisait-elle aux arènes. Le *decumanus* du sud était plus important et longeait le forum. Ses traces ont été retrouvées sous la rue Cujas. Au nord de la Seine, négligé par les Romains, à part les chemins gaulois repris et dallés par eux, on ne peut guère signaler que la rue Saint-Denis dont la date d'origine est controversée :

mérovingienne selon De Pachtere, romaine selon Jullian et Roblin.

Le Haut Moyen Âge se caractérise par le déclin accentué de la ville, son repli partiel sur l'île, l'emprise des monastères et de leurs vastes domaines sur la rive gauche, le cœur romain de la ville ruiné par les grandes invasions. Des clos où est cultivée la vigne se constituent, effaçant la majeure partie du quadrillage romain dont ne subsistent que les grands axes déjà cités. En revanche, la rive droite se développe et devient le centre économique de Paris grâce à ses ports, dont la Grève est le plus célèbre. C'est sans doute du XIe siècle que datent les rues de Jouy, Charlemagne, peut-être aussi la rue du Figuier, ainsi que les transversales menant à la Seine : rues Saint-Paul, des Nonnains-d'Hyères, Geoffroy-l'Asnier.

La construction des enceintes de Philippe Auguste (1190-1220) puis de Charles V (1358-1383) conditionne le développement du réseau des rues par l'emplacement des portes qui en permettent le franchissement. C'est à la charnière des XIIe et XIIIe siècles, sous le règne de Philippe Auguste et un peu au-delà pour la rive gauche, que se créent la plupart des voies qui subsistent aujourd'hui, ayant échappé aux destructions haussmanniennes. Sur la rive gauche, les créations sont modestes, les clos des abbayes entravant la multiplication des voies : la création de la rue Saint-Victor est liée à celle du couvent du même nom et se situe en dehors du rempart. Sur la rive droite, le processus est beaucoup plus important. La création des Halles aux Champeaux engendre un développement en éventail. Dans le Marais, qui se peuple, naissent ou se développent les rues des Jardins-Saint-Paul, des Francs-Bourgeois, plus à l'ouest, les rues du Jour, de l'Oratoire, Mauconseil, Tiquetonne, Jean-Jacques-Rousseau, etc.

A partir du XVIe siècle, ce qui caractérise le réseau viaire parisien, c'est, à l'intérieur du noyau urbain ancien, l'élargissement des rues existantes pour faciliter la circulation ; à l'extérieur, l'énorme extension des faubourgs et le développement d'une nouvelle voirie. Il est impossible d'en parler en détail. Les éléments les plus spectaculaires sont la création de boulevards à l'emplacement des enceintes supprimées, et la formation de larges voies d'accès à la capitale : avenues de Versailles, des Champs-Élysées, de Clichy, de Saint-Ouen, rue de Rochechouart, rue de Meaux, cours de Vincennes. Sur la rive gauche, la rue d'Enfer supplante la rue Saint-Jacques vers 1730, rejoignant l'avenue du Maine, elle-même greffée sur le boulevard du Montparnasse, élément des boulevards du Midi. Les lotissements engendrent des voies plus modestes mais en nombre non négligeable aux XVIIe et XVIIIe siècles.

La nationalisation des biens du clergé en 1790, la confiscation des biens des émigrés, mettent à la disposition de l'État et de la municipalité une quantité considérable de biens nationaux que le projet de la Commission des Artistes, sous la Convention, utilise pour proposer une série d'aménagements grandioses qui ne peuvent voir le jour, faute de moyens. L'Empire commencera à les mettre à exécution : rue de Rivoli, rues de la Paix, de Castiglione, rue d'Assas et avenue de l'Observatoire, achèvement de la rue Soufflot.

La Restauration utilise les biens nationaux non vendus pour d'importants lotissements (voir LOTISSEMENT) où le système polycentrique ou polyétoilé domine largement, annonçant ainsi la politique d'Haussmann. Rambuteau, conscient des problèmes inextricables posés par une ville encore largement médiévale, hésite à prendre des décisions. C'est à Napoléon III et à Haussmann qu'il reviendra de trancher dans le tissu urbain, d'imposer « le système d'éclaircie forcée » que constitue le nouveau réseau surimposé sur l'ancien. Le réseau du second Empire est caractérisé par la largeur des voies et leur organisation radiale, complément indispensable du dégagement périphérique créé par les boulevards au siècle précédent. Au cœur même de la ville est créée, au Châtelet, la croisée de Paris : Champs-Élysées, rue de Rivoli, rues Saint-Antoine et du Faubourg-Saint-Antoine, cours de Vincennes d'ouest en est, boulevards de Strasbourg, de Sébastopol, boulevard Saint-Michel du nord au sud. Il est impossible d'énumérer, même sommairement, les voies créées sous le second Empire et la troisième République — qui ne fit qu'achever l'œuvre entreprise. Voir le chapitre « Urbanisme », p. 501. Les créations du XXe siècle ont surtout été conçues pour la circulation automobile, notamment l'anneau du boulevard périphérique, qui ne mérite pas le nom de rue. L'essentiel des créations de rues se fait depuis les années 1970 dans le cadre de vastes opérations de lotissement et de restructuration de quartiers entiers, surtout dans l'est et le sud parisiens.

• *Voir aussi* ENCEINTES ; VOIRIE.

RUISSEAU
Voir RU.

S

SAGE-FEMME

Les sages-femmes ont certainement été présentes à Paris dès les origines de la ville, mais les premières qui apparaissent dans les textes sont celles que mentionne le livre de la taille de 1292, et qui habitent rue Saint-Martin et rue des Écouffes. En 1377 et en 1379, la duchesse de Bourgogne fait venir à Dijon pour l'accoucher «Asseline la ventrière», femme de Robert Alexandre, bourgeois de Paris. En 1378, le seul établissement public où l'on procède à des accouchements, l'Hôtel-Dieu, possède une «ventrière des accouchiez» nommée Juliette. En 1385, une certaine Jeanne Dupuis s'y intitule «maistresse des accouchiées». Jusqu'à la révolution de 1789, l'Hôtel-Dieu restera l'unique maternité parisienne, où se rendent les indigentes et les femmes soucieuses de dissimuler leur grossesse. La plupart des femmes accouchent chez elles, assistées ou non par une sage-femme. Dans les *Origines de la maternité de Paris*, Henriette Carrier a énuméré les maîtresses sages-femmes de l'Hôtel-Dieu de 1378 à 1775. Il existait des ventrières ou matrones jurées attachées au tribunal du Châtelet et chargées d'expertises pour les grossesses et pour inspecter les femmes se plaignant d'avoir été violées. Elles intervenaient aussi en médecine légale. Les aspirantes sages-femmes passaient un examen devant le médecin, les deux chirurgiens et les deux matrones jurées du Châtelet. Si elles étaient admises, elles prêtaient serment entre les mains du prévôt de Paris et recevaient l'autorisation d'apposer sur leur maison «enseignes de saiges femmes, comme ont les autres : qui sont une femme portant un enfant, et un petit garçon portant un cierge, ou un berceau avec une fleur de lys, si bon leur semble». Des cours d'obstétrique étaient donnés à partir de 1620 par la maîtresse sage-femme de l'Hôtel-Dieu, mais ils étaient réservés aux six ou sept «apprentisses» de l'hôpital. Une déclaration royale de septembre 1664 confia aux chirurgiens l'instruction des sages-femmes, le doyen de la faculté de médecine ayant le privilège de présider les examens. Les statuts accordés aux chirurgiens en novembre 1699 leur attribuèrent la réception des sages-femmes, alors au nombre d'une cinquantaine, et elles furent, dès lors, «agrégées» à la communauté des chirurgiens.

La profession de sage-femme semble avoir été fort lucrative. Malgré les interdits religieux, les sages-femmes ont fréquemment pratiqué des avortements et les procès pour avortement, souvent mêlé à l'accusation d'empoisonnement ou de sorcellerie, sont assez fréquents.

Mais, il existe une source moins dangereuse de profits. De nombreuses femmes désireuses de cacher des naissances non désirées ont recours aux sages-femmes pour accoucher dans le secret et se débarrasser du nouveau-né, placé en nourrice ou abandonné au seuil d'une église. Sébastien Mercier consacre un chapitre de son *Tableau de Paris* à ces pratiques vers 1780 : « Quand une fille est devenue mère, elle n'avertit personne, malgré l'édit d'Henri II. Elle dit qu'elle va à la campagne ; mais elle n'a pas besoin de sortir de la ville, même du quartier, pour se cacher et faire ses couches. Chaque rue offre une sage-femme qui reçoit les filles grosses. Un même appartement est divisé en quatre chambres égales au moyen de cloisons, et chacune habite sa cellule, et n'est point vue de sa voisine. L'appartement est distribué de manière qu'elles demeurent inconnues l'une à l'autre pendant deux à trois mois ; elles se parlent sans se voir. On ne peut forcer la porte d'une sage-femme que par des ordres supérieurs. La fille attend là le moment de sa délivrance ; un mois ou six semaines, selon qu'elle a bien ou mal calculé. Elle sort après la quinzaine, et rentre dans sa famille et dans la société. Elle a pu accoucher dans une rue voisine, voyant de sa fenêtre celles de son père sans que celui-ci s'en doute, et voilà ce que la province ne saurait concevoir. La sage-femme se charge de tout, présente l'enfant au baptême, le met en nourrice ou aux Enfants-Trouvés, selon la fortune du père et les craintes de la mère [...]. Ces sages-femmes tirent le plus d'argent qu'elles peuvent des infortunées qui viennent chercher leurs secours ; ils ne sont pas désintéressés ; il n'en coûte guère moins de douze livres par jour [...]. On compte à Paris deux cents maîtresses sages-femmes ; il y naît environ vingt mille enfants : divisez. »

Le règlement du 22 février 1802 institue une École des sages-femmes à l'hospice de la Maternité, installé dans l'ancien couvent de Port-Royal. Marie-Louise Lachapelle, dont la mère avait été la dernière maîtresse sage-femme de l'Hôtel-Dieu, obtint l'attribution des bâtiments de l'école de l'Oratoire à cette nouvelle école. Quatre-vingts élèves y furent admises dès la première année. Cette école est la plus ancienne des actuelles écoles de sages-femmes.
• *Voir aussi* CHIRURGIEN ; ENFANT TROUVÉ ; MATERNITÉ.

SAILLIE

Après celle qui concerne l'alignement, la législation sur les saillies est la plus ancienne. Elle complète et corrobore les textes sur l'alignement en réglementant tout ce qui dépasse et empiète sur la voie publique. Cela peut, en effet, représenter au sol un obstacle à la circulation et, en hauteur, le risque de chute sur l'espace public doit être pris en considération.

La déclaration royale du 14 mai 1554 rappelle que la tolérance des saillies est principalement due à la complaisance des officiers chargés d'empêcher leur construction, qui se laissent corrompre. Le 16 juin 1554, un arrêt de règlement du Parlement prohibe les saillies sur la voie publique. Une ordonnance rendue en 1560, durant les états d'Orléans, prévoit la « réformation des saillies » dans toutes les villes du royaume. Le 29 décembre 1564, des lettres patentes ordonnent d'abattre les saillies des maisons.

Le texte le plus connu et le plus précis figure dans l'article 4 de l'édit de décembre 1607 sur la voirie. Il stipule : « Deffendons à nostre dict grand-voyer ou ses commis de permettre qu'il soit fait aulcunes saillies, advances et pans de bois aux bâtiments neufs, et mesme à ceux où il y en a à présent de construitz les réédifier, ny faire ouvrages qui les puissent conforter, conserver et soutenir, ny faire aucun encorbellement en avance pour porter aucun mur, pan de bois ou autres choses en saillie.» Cet édit instaure l'aplomb comme règle absolue.

L'arrêt du Conseil du 19 novembre 1666 confirme cette interdiction, suivie par les ordonnances du Bureau des finances du 1er avril 1697 et du 14 décembre 1725. L'arrêt du Parlement du 11 mai 1735 contient en annexe un tarif très détaillé des taxes dues pour les infractions : bornes, marches, ouvertures de caves, montoirs à cheval, auvents, enseignes, ainsi que les tourelles, encoignures, cages de menuiserie, sièges d'aisance. Les tolérances sont de 8 pouces (un peu plus de 20 centimètres) de saillie pour les seuils et les bornes, de 2 pouces (5 centimètres) pour les éventaires et de 2 pieds (un peu plus de 60 centimètres) pour les auvents. L'ordonnance du 29 mars 1776 limite la saillie des corniches à 8 pouces ainsi que la profondeur de leur encastrement.

L'ordonnance du 24 décembre 1823 définit les saillies permises pour les grands balcons (80 centimètres), petits balcons, seuils et socles (22), tuyaux de descente (16), appuis de fenêtres (8). Les grands balcons ne sont autorisés que sur des façades de plus de 10 mètres de large et à une hauteur au-dessus de la chaussée supérieure à 6 mètres.

Un long décret du 22 juillet 1882 réajuste jusque dans le moindre détail les autorisations de saillies sur la voie publique. Le seul élément timidement nouveau est la possibilité «d'établir des constructions légères qui ne dépasseront pas la saillie des balcons, à condition que celles-ci présentent les garanties nécessaires de solidité», c'est-à-dire qu'elles reposent sur le balcon et soient démontables. Cette modeste possibilité est largement exploitée par les Parisiens et les loges vitrées se multiplient sur les balcons.

Le décret du 13 août 1902, afin d'atténuer la monotonie des façades, augmente nettement les gabarits autorisés. L'article 22 accroît notamment les possibilités de constructions fermées en encorbellement, dites «bow-windows». Alors qu'elles pouvaient occuper, selon la loi de 1882, le tiers de la largeur de la façade, elles peuvent désormais s'étendre sur le tiers de la surface de celle-ci.

Ce décret n'a été modifié, dans le sens d'une plus grande liberté, qu'avec le règlement d'urbanisme annexé au Plan directeur d'urbanisme de Paris approuvé par décret du 6 février 1967.
• *Voir aussi* ALIGNEMENT ; RUE (tracé de la).

SAINT

Paris possède un certain nombre de saints dont l'existence est étroitement liée à la ville. Ce sont d'abord les quatre «grands» du début : Denis, le premier évêque, martyrisé vers 250, inhumé à Montmartre ; Marcel, né à Paris, septième évêque, mort vers 435, dont le tombeau aux Gobelins fit l'objet d'un véritable culte ; Geneviève, née à Nanterre, qui protégea la Cité des Huns, morte vers 502 et inhumée dans la basilique appelée à prendre son nom ; Germain, évêque de Paris à partir de 555, inhumé en 576 dans la basilique Saint-Vincent-et-Sainte-Croix, future Saint-Germain-des-Prés. Des premiers temps de la chrétienté datent aussi Rustique et Eleuthère, compagnons de martyre de Denis ; Eugène, autre compagnon de Denis ; Clotilde (vers 474-545), épouse de Clovis ; l'ermite Séverin (mort vers 540) dont l'oratoire se serait trouvé à l'emplacement de l'église homonyme ; Droctovée, disciple de saint Germain et premier abbé de Saint-Germain-des-Prés.

Au VIIe siècle, les saints mérovingiens abondent : Céran (mort après 614), évêque de Paris, inhumé à Sainte-Geneviève ; Landry (mort vers 661), évêque de Paris, fondateur présumé de l'Hôtel-Dieu, dont la dépouille fut transférée de Saint-Germain-l'Auxerrois à l'église portant son nom ; Merri (mort vers 700) dont l'ermitage devint l'église Saint-Merri; Éloi (588-660), natif de Limoges, patron des orfèvres parisiens, maître de la monnaie de Paris sous Clotaire II, fondateur de l'abbaye Saint-Martial dans la Cité, dont la première abbesse, une Syrienne, Aure (morte vers 666), est considérée comme la seconde patronne de Paris après Geneviève; Bathilde (morte vers 680), épouse de Clovis II.

L'Église devenant beaucoup plus restrictive, une fois son calendrier rempli de saints plus ou moins fictifs, les canonisations sont rares après le VIIe siècle. Aux seize élus cités ne s'ajoutent que six noms entre le XIIIe et le XIXe siècle : Guillaume de Bourges (mort en 1209, canonisé en 1217), patron de l'Université de Paris, et le roi Louis IX (mort en 1270 et canonisé en 1297) au XIIIe siècle; puis, au XVIIe siècle, Marie de l'Incarnation, ex-Barbe Acarie (morte en 1618, béatifiée en 1791), qui introduisit en France les carmélites déchaussées, Louise de Marillac (morte en 1660, canonisée en 1934), fondatrice des sœurs de la Charité avec Vincent de Paul (mort en 1660, canonisé en 1737) qui créa les lazaristes ou congrégation de la mission; enfin, au XIXe siècle, Catherine Labouré (morte en 1875, canonisée en 1947), sœur de la Charité du couvent de la rue du Bac, sujette aux apparitions de Notre-Dame qui l'engagea à faire frapper la célèbre médaille miraculeuse.

Calendrier des saints parisiens : 3 janvier, sainte Geneviève; 11 janvier, saint Guillaume de Bourges; 29 janvier, sainte Bathilde; 10 mars, saint Droctovée; 15 mars, sainte Louise de Marillac; 18 avril, sainte Marie de l'Incarnation; 28 mai, saint Germain de Paris; 3 juin, sainte Clotilde; 10 juin, saint Landry; 19 juillet, saint Vincent de Paul; 25 août, saint Louis IX; 29 août, saint Merri; 27 septembre, saint Céran; 5 octobre, sainte Aure; 9 octobre, saints Denis, Rustique et Eleuthère; 3 novembre, saint Marcel; 15 novembre, saint Eugène; 27 no-

vembre, saint Séverin; 28 novembre, sainte Catherine Labouré; 1er décembre, saint Éloi.

• *Voir aussi* PÈLERINAGE ; PROCESSION.

SAINT PATRON DE CONFRÉRIE

Voir CONFRÉRIE (saint patron de).

SALON ARTISTIQUE

L'article 25 des statuts de l'Académie de peinture prévoyait la tenue périodique d'expositions des œuvres de ses membres. Le premier de ces Salons se tient officiellement en avril 1667, après deux essais peu concluants en 1664 et 1665. Le Salon est biennal, mais sa périodicité est assez irrégulière dès 1673, pour des raisons financières. A partir de 1673 et jusqu'en 1791, le Salon est ouvert le 25 août, jour de la Saint-Louis, en hommage au roi. Le premier livret est imprimé dès 1673. L'exposition, après s'être tenue dans la cour du Palais-Royal, dans la grande galerie du Louvre à partir de 1699, se fixe dans le salon Carré de ce palais — d'où le nom de « salon » — et déborde au cours du XVIIIe siècle dans la galerie d'Apollon. Exposant jusqu'à huit cents œuvres d'art en 1791, lorsqu'il est ouvert à tous et non plus réservé aux académiciens, le Salon est à l'origine de la critique d'art. Diderot publie en 1759 son premier « Salon » dans la *Correspondance littéraire*. La tradition du Salon se poursuit au XIXe siècle, mais elle est contestée dès 1863 par les artistes dont les œuvres ont été écartées par le jury chargé de la sélection, qui organisent le premier Salon des Refusés. Les créations d'une Société nationale des beaux-arts en opposition avec l'Académie, puis d'une Société des artistes indépendants en 1884 remettent en cause la caution de l'État au Salon qui est abandonnée en 1885. Désormais, le marché de l'art fait l'objet de très nombreuses expositions, souvent organisées par les principaux négociants ou par des écoles soucieuses de se distinguer, les impressionnistes

ayant donné en premier l'exemple. Au XVIIIe siècle déjà, l'Académie de Saint-Luc, constituée par les peintres parisiens, s'était rebiffée contre la prétention de l'Académie au monopole de l'art et des expositions, et avait organisé ses propres salons, sept au total de 1751 à 1774, avec également des catalogues imprimés. Ces Salons se tinrent en 1751, dans le couvent des Augustins, en 1752, 1753 et 1756 à l'Arsenal, en 1762 et 1764 à l'hôtel d'Aligre, en 1774 dans l'ancien hôtel Jabach de la rue Neuve-Saint-Merry. L'Académie de Saint-Luc fut supprimée en 1776.
• *Voir aussi* PEINTRE.

SALON LITTÉRAIRE

C'est au début du XVIIe siècle que naît le salon littéraire, généralement sous l'impulsion de dames de la haute société qui réunissent autour d'elles les plus beaux parleurs et les talents littéraires et même scientifiques de l'époque. Le premier de ces «bureaux d'esprit» est constitué par Catherine de Vivonne, marquise de Rambouillet, dont l'hôtel de la rue Saint-Thomas-du-Louvre reçut tout ce qui comptait entre 1608 et 1665 et dont l'apogée se situe entre 1624 et 1648. A l'imitation de sa Chambre bleue, salons, alcôves et ruelles se multiplièrent. En 1661, dans son *Dictionnaire des Précieuses*, Somaize recense huit cents précieuses ou «alcôvistes» dont il donne les adresses. Les salons les plus prestigieux sont alors ceux de Mmes de Saint-Martin, André, de Belvalle, de La Suze, de Fiesque, de Chavigny, de La Calprenède, de Bouillon, Cornuel, du Plessis-Guénégaud, de Coulanges, de Richelieu, de Mlle de Montpensier, mais le plus littéraire de tous était celui de Mlle de Scudéry, auteur du *Grand Cyrus* et de *Clélie*, avec la fameuse carte du Tendre, dont l'hôtel se trouvait rue de Beauce, au Marais. Vers la fin du XVIIe siècle brillent les salons de Mme de La Sablière, de Mmes de Sablé, de La Fayette, ainsi que celui de Ninon de Lenclos.

A la mort de Louis XIV, les salons parisiens prennent un nouvel essor et ajoutent à leur fonction littéraire un rôle politique, critiquant vivement la politique de Versailles, tout en diffusant les idées des Lumières à travers toute l'Europe. Il y a la duchesse du Maine dans son château de Sceaux, Mmes de Lambert, de Tencin, Geoffrin, Du Deffand, d'Épinay, Helvétius, Necker.

La Révolution porte un coup décisif aux salons littéraires en détruisant la société qui les animait. Le XIXe siècle connaîtra quelques cénacles littéraires, dont celui de Nodier à la bibliothèque de l'Arsenal est le plus célèbre, mais la séparation entre vie mondaine et vie littéraire est accomplie et les salons cessent d'être des bureaux d'esprit et de création.
• *Voir aussi* TOUT-PARIS.

SALON MONDAIN
Voir TOUT-PARIS.

SAMEDI
Voir WEEK-END.

SANISETTE
Voir TOILETTES PUBLIQUES.

SAPEUR-POMPIER
Voir POMPIER.

SAPIN DE NOËL
Voir NOËL (sapin de).

SCEAU
Voir ARMOIRIES.

SECTION
Voir QUARTIER.

SEIGNEURIE

Paris n'a pas échappé au système seigneurial et à la féodalité. Mais il est extrêmement difficile de dresser un tableau précis dans ce domaine en mutation permanente. A côté du roi, deux seigneurs ecclésiastiques occupaient une place dominante, l'évêque et l'abbé de

Saint-Germain-des-Prés, mais, lorsque l'édit de 1674 supprime les justices seigneuriales dans la capitale, on dénombre vingt-cinq autres seigneurs parisiens possédant justice, censive et voirie et un peu plus d'une centaine qui ne sont pas justiciers. Il y avait même deux francs-alleux, la terre de Hault-Don ou Hautomne et, rue Saint-Antoine, « une maison où pend pour enseigne Saint Nicolas ». Les seigneuries ecclésiastiques, plus durables et mieux connues que les laïques, grâce aussi à l'étude de Tanon, étaient les suivantes : chapitre de Notre-Dame, évêque de Paris, abbayes Saint-Germain-des-Prés, Sainte-Geneviève, Saint-Victor, Saint-Magloire, de Montmartre, de Tiron, de Saint-Denis, prieurés de Saint-Denis-de-la-Chartre, Saint-Éloi, Saint-Lazare, Saint-Martin-des-Champs, grand prieuré de France du Temple, commanderie de Saint-Jean-de-Latran, églises Saint-Benoît, Saint-Marcel, Saint-Merri. Les villages annexés en 1860 étaient souvent divisés en plusieurs seigneuries : trois à Belleville, deux à La Villette. Parmi les seigneurs laïcs qui ont pu se maintenir jusqu'au XVIIIᵉ siècle, il faut citer ceux des fiefs de la Butte (la Villeneuve-aux-Gravois), du Marché Pallu et de Gloriette, Marcoignet, du Roule, de La Trémoille, de Joigny, Tirechappe, Popin, de la Grange Batelière (la plus vaste des seigneuries laïques intra-muros) et, hors les murs, le grand fief de Bercy possédé par les Malon. Un extrême morcellement rend la cartographie précise de ces seigneuries à peu près impossible. Leur compétence, jusqu'à la suppression de 1674, concerne la voirie, la police, notamment de la vie économique (foires et marchés, poids et mesures, métiers et corporations) et la justice.

• *Voir aussi* FIEF ; JUSTICE SEIGNEU-RIALE.

SEL

Seul ou presque seul assaisonnement présent sur les tables au Moyen Âge, le sel était très apprécié. Celui que les Parisiens consommait venait surtout de Bretagne, notamment des salines de Guérande et de Bourgneuf. Principalement acheminé par mer, il remontait la Seine : son commerce explique en partie les accords commerciaux entre marchands de Rouen et de Paris. La monarchie décida de tirer profit de ce produit indispensable et s'en arrogea le monopole par l'ordonnance du 20 mars 1342, qui fut très mal accueillie. Le monopole de la vente du sel et l'impôt sur ce condiment, la gabelle, ne s'imposèrent à Paris qu'en 1383. Les riches Parisiens comprirent très vite le profit qu'ils pouvaient tirer du commerce du sel, commerce sans grand risque et à profit garanti, jouissant, en outre, de la protection des agents de la gabelle. L'ordonnance du 24 janvier 1372 fait obligation à tout marchand apportant du sel à Paris de le déposer au grenier à sel royal. Il fut d'abord installé dans un édifice situé entre le Grand Châtelet et la rue de la Saunerie (à l'emplacement de la façade de l'actuel Théâtre du Châtelet). Au début du XVᵉ siècle, la « maison de la marchandise du sel » fut transférée dans la rue Saint-Germain-l'Auxerrois, entre la place des Trois-Maries (rue du Pont Neuf) et la rue de l'Arche-Marion (rues des Bourdonnais). En 1697, à l'emplacement de la maison de l'abbaye de Joyenval (rues des Orfèvres et Saint-Germain-l'Auxerrois), l'architecte Jacques de La Joue édifia un grenier à sel qui subsiste partiellement aujourd'hui. Sur la façade étaient sculptés un soleil rayonnant, les armes de l'abbaye de Joyenval et celles de Paul Godet Des Marais, évêque de Chartres dont dépendait l'abbaye, ce qui valut au grenier à sel les noms de « grenier au soleil », « grenier l'abbaye » et « grenier l'évêque ». Le grenier à sel était toujours installé entre le Grand Châtelet et Saint-Germain-l'Auxerrois car le port au sel se situait à cet endroit, dit aussi Vallée de Misère et quai de la Mégisserie. La gabelle fut abolie à la Révolution. La multiplication des salines et la découverte d'énormes gisements de sel gemme en Lorraine firent du sel un produit bon marché à partir du XIXᵉ siècle. Un tribunal, dit Grenier à sel du lieu où il se réunissait, jugeait des infractions à la gabelle. Au XVIIIᵉ siècle, il comptait treize membres et se réunissait trois fois par semaine. L'administration des gabelles, terriblement impopulaire, était pléthorique, Louis XIV ayant multiplié les offices pour renflouer les finances de l'État. Il y avait notamment des commissaires-vérificateurs des rôles des gabelles, des compteurs de salines ou mesureurs de sel, des contrôleurs au partage du minot de sel, des courtiers de sel, des étalonneurs et visiteurs des mesures qui étaient mesureurs de sel, des gabeliers ou gabelous, des greneriers, des porteurs de sel ou hénouarts, des radeurs, des sergents, etc.

• *Voir aussi* IMPÔT LOCAL ; OCTROI.

SERGENT DE VILLE

L'ordonnance de police du 12 mars 1829 institue le corps des sergents de ville de Paris, les premiers policiers de la capitale à être dotés d'un uniforme, à vrai dire très proche de la tenue civile : habit ou redingote de drap bleu avec des boutons aux armes de la Ville. Le jour, les sergents de ville n'ont pas le droit à une arme et ne portent qu'une canne à pomme blanche. La nuit, ils sont autorisés à se munir d'un sabre, remplacé en 1830 par une épée d'uniforme. Recruté en général parmi les anciens sous-officiers, le corps des sergents de ville est porté de cent initialement à trois cent dix-huit en 1839. Sa fidélité à Louis-Philippe lui vaut d'être dissous en février 1848 par la deuxième République. Il est recréé le 8 avril 1849, à raison d'une brigade de quarante hommes pour chacun des douze arrondissements. Le recrutement continue à se faire à 80 % parmi les anciens sous-officiers. Les effectifs s'ac-

croissent fortement sous le second Empire et atteignent cinq mille sept cent soixante-huit hommes en 1867. A nouveau sanctionné pour sa fidélité, à Napoléon III cette fois-ci, le corps des sergents de ville est licencié le 7 septembre 1870 et remplacé par celui des gardiens de la paix.

• *Voir aussi* GARDE DE PARIS ; GARDIEN DE LA PAIX.

SERVICE DES EAUX
Voir EAUX (service des).

SIÈGE

Il est difficile de distinguer le siège, encerclement d'une ville avec le plus souvent des tentatives pour la prendre d'assaut, et le blocus visant à paralyser ses activités et à affamer sa population. Clovis a-t-il fait le siège ou a-t-il établi un blocus de Paris vers 486 ou 487 ? Il est impossible de le préciser pour l'époque mérovingienne. De même, les textes ne permettent pas de connaître avec précision l'attitude des Normands lorsqu'ils paraissent sous les murs de la cité. Le seul siège attesté est celui de 885-886. A l'automne 978, l'empereur Othon II assiège aussi la ville durant deux mois. En 1358 et 1359, il s'agit davantage d'un blocus que d'un siège en règle. De 1411 à 1418, la guerre rôde autour de la capitale, entravant son ravitaillement, mais aucune armée ne vient mettre ostensiblement le siège sous les murs de la ville. Jeanne d'Arc tente un assaut en 1429, puis renonce. En 1435-1436, c'est encore un blocus visant à accélérer le ralliement de Paris au roi. En 1465, le comte de Charolais et les conjurés de la ligue du Bien public tentent un assaut, puis se retirent sans insister. L'importance des effectifs de la milice bourgeoise, plusieurs dizaines de milliers d'hommes, est dissuasive. De 1589 à 1591, les rois, Henri III puis Henri IV, établissent un blocus. Henri IV fait plusieurs tentatives, le 1ᵉʳ novembre 1589, le 7 mai 1590, dans la nuit du 10 au 11 septembre 1590 et le 20 janvier 1591. Toutes se soldent par des échecs. La ville se donnera à lui après sa conversion au catholicisme. Durant la Fronde, entre 1648 et 1652, Paris subit un blocus mais non un siège, même si une véritable bataille se livre sous les murs de la Bastille, le 2 juillet 1652. Le 30 mars 1814, c'est une bataille de Paris qui est livrée par l'armée de l'Empire agonisant aux troupes alliées, mais non un siège, impossible à soutenir, la ville n'ayant plus de murailles depuis près d'un siècle et demi. D'octobre 1870 à janvier 1871, les nouvelles fortifications, érigées entre 1841 et 1845, vont servir une unique fois à tenir en respect les Allemands. C'est le seul siège qui mérite ce nom, avec ceux des Normands en 885-886 et d'Henri IV de 1589 à 1591, le seul à se terminer par une capitulation et le défilé de l'ennemi victorieux dans la ville.

• *Voir aussi* ENCEINTES.

SINGE
Voir ANIMAL SAUVAGE.

SIX-CORPS

Les plus puissantes corporations parisiennes constituent une sorte d'aristocratie bourgeoise à la fin du XIVe siècle et obtiennent de la municipalité de représenter le commerce de la ville lors des cérémonies officielles. Au XVIIe siècle, il était reconnu qu'à l'origine ces corporations étaient au nombre de quatre seulement : drapiers, épiciers, pelletiers et merciers. Ils furent rejoints par les changeurs et les orfèvres. En 1431, quand Henri VI d'Angleterre vint se faire couronner à Paris, il fut escorté par les corps privilégiés qui se présentèrent dans l'ordre suivant : drapiers, épiciers, changeurs, orfèvres, merciers, pelletiers et bouchers. Ces derniers ont joué un grand rôle politique durant les troubles entre 1410 et 1420 comme principal soutien du parti bourguignon. Celui-ci s'étant allié aux Anglais, les bouchers sont à l'honneur sous l'occupation anglaise de la capitale. Ils paient cette collaboration d'une éviction définitive à la victoire de Charles VII. En 1504, à l'entrée de la reine Anne de Bretagne dans la ville, les Six-Corps se présentent dans cet ordre : drapiers, épiciers, pelletiers, merciers, changeurs et orfèvres. L'ordre primitif est rétabli. En 1514, lors de l'entrée de la reine Marie d'Angleterre, les changeurs, en pleine décadence, renoncent à tenir leur rang et laissent les bonnetiers prendre leur place et assumer leur part des frais de la fête. En 1517, à l'entrée de la reine Claude, les teinturiers apparaissent comme septième corps. Ils disparaissent dès mars 1531, lors de l'entrée de la reine Éléonore. L'ordre est partiellement bouleversé, les merciers passant devant les pelletiers, les bonnetiers devant les orfèvres. Les merciers garderont le troisième rang jusqu'à la Révolution malgré les protestations des pelletiers rétrogradés. Les marchands de vin, érigés en septième corps par Henri III en 1585, sont rejetés par les six autres corps et la monarchie doit transiger : un arrêt de 1610 décide qu'ils font partie des corps privilégiés mais qu'ils marcheront en dernier dans les cérémonies et n'auront pas le droit de porter le dais. Lors de l'entrée de Louis XIV, en août 1660, les marchands de vin sont autorisés à occuper le septième rang, mais coiffés de toques bordées d'argent alors que les six premiers corps arborent des toques bordées d'or. Le nombre de nefs dans les armoiries correspondait au rang de chacun des corps privilégiés : une nef d'argent pour les drapiers, deux pour les épiciers, trois pour les merciers, quatre pour les pelletiers, cinq pour les bonnetiers, six pour les orfèvres, sept pour les marchands de vin. Vexés, les pelletiers et les orfèvres déclarèrent préférer garder leurs anciennes armoiries plutôt que d'arborer quatre et six nefs. L'édit d'août 1776, réorganisant les corporations, maintint six corps privilégiés à la tête du commerce parisien, mais bouleversa les professions pour élargir le recrutement : d'abord venaient drapiers et merciers regroupés en premier des Six-Corps ; puis les épiciers ; en troisième position, bonnetiers, pelletiers et chapeliers ; ensuite, orfèvres, batteurs d'or et tireurs d'or ; en cinquième place, fabricants d'étoffes de gaze et tissutiers-rubaniers ; enfin, au sixième rang, les marchands de vin. Ces nouveaux Six-Corps disparurent à la Révolution qui supprima les corporations par le décret du 17 mars 1791.

• *Voir aussi* **BONNETIER** ; **BOUCHER** ; **CHANGEUR** ; **CHAPELIER** ; **DRAPIER** ; **ÉPICIER** ; **MARCHAND DE VIN** ; **MERCIER** ; **ORFÈVRE** ; **PELLETIER**.

SORCELLERIE

On doit rendre hommage à la justice parisienne et singulièrement au Parlement pour son attitude réservée à l'égard de la sorcellerie. On trouve dans les interrogatoires une définition précise du sorcier : « estre sorcier, c'est de s'estre donné à l'esprit malin ». Le sorcier se donne au diable comme le travailleur se donne à un maître. Seuls seront donc considérés comme relevant de la sorcellerie celles et ceux qui auront fait périr quelqu'un par envoûtement, c'est-à-dire par une magie maléfique. Sont exclus de la catégorie des sorciers les empoisonneuses comme la Voisin ou la Brinvilliers. Le plus ancien procès de sorcellerie est celui de Jeanne de Brigue, dite la Cordière, condamnée par le Parlement et brûlée le 19 août 1391. Ce tribunal juge très rarement de délits de sorcellerie commis à Paris — ce qui semble indiquer que la justice parisienne répugne à déterminer le crime de sorcellerie. Il est cependant couramment saisi en appel de procès jugés, car son immense ressort couvre presque toute la France du nord, près de la moitié du pays. Très vite les juges se convainquent que les vrais cas de sorcellerie sont rarissimes

et que la plupart des accusés déférés à leur cour sont ou des charlatans ou inculpés à tort. Même lorsqu'ils reconnaissent le fait de sorcellerie, les magistrats distinguent deux aspects : le diabolique et le maléfique. Le diabolique, le fait d'avouer avoir participé au sabbat, est assimilé au blasphème, mais n'est pas punissable de mort : deux femmes ayant reconnu, sans aucune contrainte, des expériences sabbatiques furent condamnées en janvier 1624 au fouet et à neuf ans de bannissement. Quant aux maléfices, la cour les assimile progressivement au charlatanisme. L'importante affaire des sorciers de Moulins se termine par une condamnation aux galères et trois bannissements. En comparaison des barbares procédures en usage en Allemagne ou en Espagne, le parlement de Paris fait preuve d'une extraordinaire mansuétude, ayant modérément recours à la question : un tiers des cas entre 1540 et 1587, 18 % des cas entre 1587 et 1610, moins de 2 % des inculpés entre 1610 et 1670. Le pourcentage des condamnés à mort se situe autour de douze entre 1540 et 1610 et tombe à deux et demi pour la période postérieure. Chaque époque de condamnations à mort plus nombreuses que d'ordinaire (huit en 1587, sept en 1598, onze en 1608-1609, cinq en 1623-1624) est interrompue sans délai avec la découverte d'abus de justice et des sanctions prises à l'encontre des magistrats trop enclins à condamner. Visiblement, les juges du Parlement avaient peine à croire au délit de sorcellerie et ne sévissaient que pour rassurer une opinion publique, surtout rurale, obsédée par les affaires de ce type. La dernière condamnation à mort fut portée le 14 juillet 1625. L'esprit des Lumières brillait en avance au Parlement et un siècle et demi plus tard, dans son *Tableau de Paris*, Mercier s'indignait : « Mes lecteurs apprendront, avec quelque étonnement je pense, que le 7 novembre 1781 (il n'y a point ici faute de date, j'en avertis), on brûla à Séville une femme accusée d'avoir eu commerce avec le diable.» Les magistrats parisiens avaient accoutumé les habitants de la ville à ne plus croire à ces sornettes. Les principaux travaux sérieux et récents sur la sorcellerie et le parlement de Paris sont dus à Alfred Soman.

• *Voir aussi* ALCHIMIE.

SOUS-SOL
Voir CARRIÈRE ; ÉGOUT ; FOSSILE ; GÉOLOGIE ; NAPPE PHRÉATIQUE ; PIERRE.

SOUTERRAIN
Au Moyen Âge, dans les régions dépourvues de défenses naturelles comme les reliefs et les forêts, les populations cherchaient refuge en cas de danger dans des souterrains qu'elles avaient creusés. A Paris, ville fortifiée, une telle protection n'était pas nécessaire. Il faut attendre les progrès techniques, la guerre aérienne, nucléaire, chimique, pour que le Parisien soit ramené au niveau du paysan beauceron et soit contraint de se terrer pour échapper à la mort. La Première Guerre mondiale surprend civils comme militaires et ne laisse pas le temps d'aménager le sous-sol ; les raids aériens épisodiques ne justifient d'ailleurs pas des travaux coûteux. Mais la paix revenue, ministères, administrations, écoles, hôpitaux, prévoyant un autre conflit, prennent les devants et commencent à aménager leur sous-sol, tirant profit des immenses carrières dont est truffé le sous-sol parisien. Le premier véritable abri antiaérien construit par la municipalité ne date que de 1938 : il est installé à 20 mètres de profondeur dans les carrières souterraines situées sous la place Denfert-Rochereau. Le Sénat se dote d'un abri en 1939. Mais ce sont les forces d'occupation allemandes qui développent abris et ateliers antiaériens. Le sous-sol de l'hôtel Majestic, avenue Kléber, est équipé pour héberger le

poste de commandement principal de la capitale. Des galeries en partent, le reliant à l'hôtel Astoria des Champs-Élysées, aux installations de la place de l'Étoile et au central téléphonique du 17 de la rue La Pérouse. Les stations les plus profondes du métropolitain sont aussi utilisées. A la station des Buttes-Chaumont est établi le poste de commandement de l'armée allemande pour le nord de Paris. Les stations Place-des-Fêtes et Botzaris deviennent des usines de fabrication de pièces de rechange pour les avions de guerre construits et assemblés dans les carrières de Meudon. Le plus remarquable de ces dispositifs souterrains est situé sous le lycée Montaigne et la faculté de pharmacie. Les carrières sont consolidées et équipées pour de longs séjours souterrains, avec portes blindées, toilettes chimiques, installations électrique autonomes, couloirs de liaison entre le Sénat, le lycée Montaigne, les rues Notre-Dame-des-Champs, Joseph-Bara, de Vaugirard, Madame, Bonaparte, d'Assas. D'autres postes de commandement souterrain perfectionnés étaient établis dans les caves du palais de Chaillot, rue des Feuillantines, au 66 du boulevard de l'Hôpital, etc. La Résistance a aussi utilisé le sous-sol parisien. Le réseau du Musée de l'Homme se réunissait dans les carrières du quartier de Chaillot ou de Passy. Le «colonel» Rol-Tanguy, commandant les Forces françaises de l'intérieur (F.F.I.) de la région parisienne, installa quelque temps son poste de commandement dans les locaux de la Direction des égouts, rue Schœlcher, puis dans l'abri antiaérien sous le lion de Belfort, place Denfert-Rochereau, construit en 1938 et qui ne figurait pas sur le plan des carrières détenu par les autorités d'occupation. Depuis 1960, quelques abris antiatomiques ont été construits, le premier sous le marché Saint-Honoré.

Le sous-sol parisien a aussi été utilisé par des populations marginales, pourchassées par la police. Vagabonds, voleurs, criminels ont, à certaines époques, transformé les carrières en véritables cours des miracles. C'est sans doute à leur présence que peut être attribuée la redoutable réputation de Vauvert et de ses carrières. Chassés de cet endroit vers le milieu du XIIIᵉ siècle par l'installation des chartreux, ces malfaiteurs se replièrent sur les carrières de Montsouris qui ne tardèrent pas à acquérir une triste célébrité. Le même phénomène se produisit à Belleville où les carrières d'Amérique étaient le refuge de la pègre locale.

L'existence de l'octroi a suscité un autre usage du sous-sol, la contrebande souterraine. Émile Gerards, historien du *Paris souterrain*, note : « Les contrebandiers apprirent à connaître les chemins des carrières et mirent à profit les galeries souterraines, qui leur offraient des routes sûres où les gabelous importuns ne s'aventuraient jamais. On essaya bien de réprimer leurs agissements de ce côté en fermant les entrées des carrières dans Paris, mais ces entrées n'étaient pas toutes connues, et d'ailleurs, les fraudeurs en perçaient d'autres chez leurs complices. » Dans une note du 16 décembre 1706, le lieutenant général de police rapporte « qu'il a visité les maisons et terrains voisins de la Salpêtrière où les Fermiers généraux se plaignaient que la contrebande trouve des passages tout ouverts pour pénétrer dans Paris ». La création de l'inspection des carrières en 1777 gêne considérablement ce trafic. Émile Gerards remarque à nouveau : « Les contrebandiers, gênés dans l'exercice de leur profession, cherchèrent d'autres moyens de pénétrer dans Paris. Ne pouvant plus passer par les carrières, ils creusèrent de véritables chemins de taupes entre le toit des exploitations souterraines et le sol des boulevards extérieurs, dans les bancs marneux qui surmontent le calcaire grossier. C'étaient de longs boyaux

dont les extrémités aboutissaient dans les caves de maisons situées de part et d'autre de l'enceinte. On a retrouvé par hasard quelques-unes de ces galeries de contrebande, en perçant des puits pour le service de la consolidation des carrières. L'une d'entre elles, découverte en 1815, partait de l'ancien numéro 23 du boulevard de la Glacière, passait sous le mur d'octroi et aboutissait dans l'intérieur de la ville par la cave de la maison qui portait le numéro 16 du boulevard Saint-Jacques. Elle avait quatre-vingt-quatre mètres de longueur. Une deuxième galerie de contrebande, certainement antérieure à 1817, fut rencontrée et remblayée lors de la consolidation du boulevard de l'Hôpital. Elle partait de la maison qui portait autrefois le numéro 103 du boulevard et aboutissait dans une propriété située au numéro 29 de la rue du Marché-aux-Chevaux [actuellement rue Duméril]. Sa longueur totale était de deux cent huit mètres. »

Il convient, pour finir, d'évoquer un dernier emploi du sous-sol parisien. Paris recèle la plus grande nécropole souterraine du monde : dans l'ossuaire de Denfert-Rochereau sont soigneusement rangés sur un hectare les ossements de six millions de Parisiens. C'est là qu'ont été transférés entre 1787 et 1814 les débris mortuaires de tous les cimetières de Paris. Le 7 avril 1786, les Catacombes furent consacrées par les abbés Asseline, Maillet et Mottret et des milliers de tombereaux commencèrent le transport des restes de plus de trente générations de Parisiens.

• *Voir aussi* CARRIÈRE ; ÉGOUT.

SQUARE
Voir JARDIN.

STATUE
La statuaire parisienne est surabondante, diverse dans ses thèmes et ses époques. Les jugements sur cette foule de statues, qui s'offrent aux yeux des

Parisiens un peu partout, ont varié, ainsi que le note Patrice Boussel : «Après la guerre de 1914-1918, de nombreux hommes de goût ont déploré la "statuomanie" parisienne. Après la guerre de 1939-1945, d'autres amateurs d'art ont regretté l'envoi à la fonte, par les autorités d'occupation, de nombreuses statues de bronze qui ornaient la capitale.» La statuaire sur la voie publique — la seule traitée ici — a d'abord eu un rôle tutélaire et religieux. A l'imitation des Grecs et des Romains, les chrétiens ont installé à certains carrefours, sur les façades des maisons, notamment de celles se trouvant à une intersection de voies, des statues ou statuettes de personnages particulièrement vénérés et, à Paris, singulièrement de la Vierge, patronne de la Cité, la cathédrale étant placée sous le vocable de Notre-Dame. Ces «madones de carrefour» portaient chacune un nom et faisaient parfois des miracles. Notre-Dame de la Carolle de la rue aux Ours — qui devait son nom au fait que la jeunesse venait danser près de l'endroit où elle se tenait — fut poignardée le 3 juillet 1417 par un soldat ivre et se mit à saigner. Une fête annuelle commémorait l'événement jusqu'à la Révolution et la foule brûlait un mannequin revêtu d'un uniforme de garde suisse, car la tradition imputait, à tort, le crime à un soldat suisse. Ces statues étaient encore assez nombreuses à la fin du XIXᵉ siècle pour que parût en 1899 une brochure au titre involontairement humoristique qui les recensait : «Les Vierges de Paris, leur domicile, numéro et nom des rues qu'elles habitent.» Ces statues ont aujourd'hui disparu, volées par des amateurs ou mises à l'abri dans des musées. Statistiquement, les lions arrivent en seconde position, immédiatement après les Vierges. Seule la ville de Londres peut prétendre exhiber davantage d'effigies de cet animal que Paris. Partout des lions gardent les monuments publics ou même des édifices

privés, soutiennent des balcons ou offrent leur gueule comme heurtoir de porte ou déversoir de l'eau des fontaines.

La statuaire commémorative a commencé modestement au début du XVIIᵉ siècle, à l'imitation de l'Italie. C'est Marie de Médicis qui, s'inspirant des statues élevées à Florence aux membres de sa famille, décide de faire installer une statue de son défunt époux, Henri IV, sur le Pont Neuf. Le cardinal de Richelieu est à l'origine de la seconde statue, représentant Louis XIII sur la place Royale (des Vosges). Le vaniteux Louis XIV multiplia son effigie équestre ou pédestre, place des Victoires, dans la cour de l'Hôtel de Ville et place Louis-le-Grand (Vendôme), mais ce dernier projet ne fut pas achevé. Louis XV orna la place portant son nom (de la Concorde) de 1763 à 1792. Car, au lendemain du 10 août 1792 et de la chute de la royauté, ces symboles du despotisme monarchique furent détruits, à l'exception de la statue pédestre de Louis XIV dans la cour de l'Hôtel de Ville, qui avait été inaugurée le 14 juillet 1689. La municipalité invoqua le fait qu'elle l'avait payée de ses deniers un siècle auparavant pour s'opposer à la destruction de ce bien «communal».

La Révolution n'eut ni le temps ni l'argent pour couvrir la ville de statues des grands hommes, comme elle en affichait l'ambition. Seules des effigies temporaires en plâtre virent le jour. D'abord hostile à l'édification de statues à son effigie, de crainte d'être un jour déboulonné comme les monarques de la dynastie déchue, Napoléon Iᵉʳ finit par céder aux courtisans mais choisit, prudemment, de jucher son image au sommet de la colonne Vendôme, ce qui ne lui évita pas d'être enlevée le 8 avril 1814. La Restauration se borna à remplacer les statues détruites d'Henri IV, de Louis XIII et de Louis XIV. Elle n'eut pas le temps de réaliser son projet d'aligner le long des

Champs-Élysées les statues monumentales de «tous les personnages qui se sont le plus illustrés dans les sciences, les lettres et les arts». Louis-Philippe renonça à se faire statufier, mais orna la place de la Concorde de huit femmes assises symbolisant les principales villes de France, installa quatre évêques autour de la fontaine de la place Saint-Sulpice et jucha Molière au-dessus de celle de la rue de Richelieu. Au haut des colonnes du Trône, il fit placer Philippe Auguste et Louis IX. Ces deux symboles de la monarchie veillent aujourd'hui sur la place de la Nation qu'orne le monumental ensemble de bronze du «Triomphe de la République», ironie de l'histoire!

Napoléon III se montre aussi très prudent, renonçant à se faire statufier, mais met en valeur le premier Empire: Napoléon Ier retrouve le sommet de la colonne Vendôme, mais travesti en empereur romain, les maréchaux Ney et Moncey se dressent avenue de l'Observatoire et place de Clichy, le prince Eugène de Beauharnais et sa mère, l'impératrice Joséphine, sont également statufiés. Mais, au total, on ne comptait que onze statues monumentales à Paris en 1870. La troisième République va se charger de peupler ce désert. Elle commence modestement avec trois personnages seulement jusqu'en 1880: Voltaire en 1872 au square Monge, Jeanne d'Arc sur la place des Pyramides en 1874 et Charlemagne en 1879 sur le parvis Notre-Dame. La statufication s'accélère avec vingt-trois monuments entre 1880 et 1890: Diderot à deux reprises, Voltaire une nouvelle fois, Beaumarchais, Alexandre Dumas père, Rousseau, Sedaine, François Villon, le musicien Berlioz, les savants Claude Bernard, Broca, Pinel, des hommes politiques républicains comme Ledru-Rollin et Léon Gambetta, Étienne Marcel, symbole de la révolte de la bourgeoisie parisienne contre la monarchie, un héros de la guerre du Tonkin, le sergent Bobillot. A partir de

1890, les sculpteurs ne savent plus où donner du ciseau: trente-quatre statues entre 1890 et 1900, cinquante et une de 1900 à 1910. Le Journal du 26 juin 1910 traduit l'écœurement des Parisiens devant cette prolifération: «Il y a trop de statues dans Paris. Maintes statues sont un défi à l'opinion […]. Presque toutes ont été placées au petit bonheur […]. Quelle est la statue moderne qui se trouve à sa place et qui embellit Paris?» Frédéric Masson écrit avec esprit: «Vis-à-vis des statues, je dis comme Marat: il m'en faut trois cent mille têtes. Je rêverais de mannequins mâles et femelles en costume romain et à chefs mobiles: on changerait les têtes qui auraient cessé de plaire. Quant à Paris, c'est bien simple: pour avoir une statue ou un buste à Paris, il faudrait y être né; on diminuerait l'encombrement de neuf dixièmes; on évacuerait tous les autres sur leur patelin natal qui s'en trouverait décoré, embelli et distingué. Et si ça ne suffit pas, une jolie petite secte iconoclaste me paraît indiquée.»

Cette avalanche de critiques calme les ardeurs «statufiantes» du Conseil municipal: treize statues seulement érigées entre 1910 et 1914. Après la Première Guerre mondiale, la manie du ciseau reprend mais avec modération: les sculpteurs ont tous de quoi s'occuper avec les monuments aux morts dont chaque commune entend se doter. «L'hystérie sculpturale» dénoncée en 1910 touche à un moindre degré la capitale. Durant l'occupation nazie, le gouvernement de Vichy ordonne la récupération des métaux non ferreux et la loi du 11 octobre 1941 stipule: «Il sera procédé à l'enlèvement des statues et monuments en alliages cuivreux sis dans les lieux publics et les locaux administratifs, afin de remettre les métaux constituants dans le circuit de la production industrielle.» L'État pétainiste s'acharna à éliminer les représentants de la gauche radicale et franc-maçonne, mais il étendit aussi ses destructions à l'extrême droite nationaliste, condamnant à la fusion ses représentants les plus éminents, Paul Déroulède en tête. Depuis 1945, les statues ont recommencé à proliférer, mais la circulation automobile les contraint à se réfugier dans les squares et les jardins publics. On trouve une nomenclature de qualité dans l'ouvrage de June Hargrove, *Les Statues de Paris*, publié en 1989.

• *Voir aussi* CARIATIDE.

STATURE
Voir TAILLE.

SUCRE
Pendant des siècles, l'Europe n'a guère connu que le miel pour sucrer les mets. Le sucre apparaît lentement au Moyen Âge, produit de luxe importé d'Orient par le port égyptien d'Alexandrie. Au XIIIe siècle, il est mentionné dans la préparation des médicaments, aux XIVe et XVe siècles, le « sucre cafetin ou sucre blanc » constitue une friandise très recherchée. Au XVe siècle, on commence à le cultiver en Europe, en Crète, en Sicile, dans le sud de l'Espagne. Il est introduit en Provence au début du XVIIe siècle, mais reste un produit de luxe jusqu'à sa production massive, à la fin de ce même siècle, dans les îles des Antilles que se disputent âprement Espagnols, Français et Anglais. Au début du XIXe siècle, alors que Napoléon Ier s'efforce de promouvoir la production de sucre de betterave, la consommation de sucre des Français se situe entre 1 et 2 kilogrammes par personne. L'essor de la consommation est lié à celui de la production de sucre de betterave dans les plaines de Beauce, de Brie, de Picardie, etc. La consommation par habitant est estimée à un peu plus de 3,5 kilos vers 1845. Elle atteint 8 kilos à partir des années 1870. Le sucre fait désormais partie de l'alimentation ordinaire des Parisiens et des Français.

• *Voir aussi* BOULANGER ; OUBLIE ; PAIN ; PÂTISSIER ; PLAISIR.

SYPHILIS
Arrivée en automne 1496 à Paris, rapportée de Naples par les soldats de Charles VIII, la syphilis ou « grosse vérole » crée une véritable panique dans la ville. Un arrêt du Parlement du 6 mars 1497 ordonne le renvoi dans leurs pays d'origine de tous les étrangers atteints par ce fléau. Une ordonnance du prévôt de Paris du 25 juin 1498 menace de jeter dans la Seine ceux qui ne seraient pas partis. Les gens aisés ont ordre de rester enfermés chez eux jusqu'à leur complète guérison. Ceux qui n'ont pas de ressources sont sommés d'aller se faire soigner à l'hôpital, où le traitement ne commence qu'après qu'ils ont subi la peine du fouet. Mais la plupart des hôpitaux, craignant la contagion, répugnent à admettre ces malades d'un nouveau genre. Les autorités décident alors de remettre en état la léproserie abandonnée dite de Saint-Germain (située à l'emplacement du square Boucicaut) et d'y enfermer les vérolés en 1508. On leur adjoindra ensuite des aliénés, installés dans de petites habitations qui vaudront à l'hôpital le nom de Petites-Maisons. Les enfants atteints de syphilis y seront aussi logés. A la veille de la Révolution, Tenon y recensait trente-deux lits pour « vénériens ». Dix-huit étaient réservés à des particuliers moyennant une pension de 165 livres. Le reste était affecté aux militaires des gardes-françaises et des gardes suisses. En 1801, les Petites-Maisons devinrent l'hospice des Ménages et furent réservées aux vieux ménages et aux veufs et veuves de plus de soixante ans. Depuis le 12 mars 1792, les syphilitiques étaient installés au 111 du boulevard de Port-Royal, dans l'ancien noviciat des capucins. L'hôpital eut une clientèle importante et de bons résultats, si bien qu'il fallut louer en 1809 une maison voisine pour y loger

soixante pensionnaires en état de payer une pension. En 1836, l'ouverture de l'hôpital de Lourcine, dit ensuite Broca, permit d'y envoyer les femmes malades, l'établissement du boulevard de Port-Royal, désormais baptisé hôpi-tal du Midi, étant réservé aux hommes. En 1892, il prenait le nom du médecin Ricord, qui y avait travaillé pendant trente ans.

• *Voir aussi* ÉPIDÉMIE ; HÔPITAL ; PROSTITUTION.

TABAC

Introduit à la cour de France en 1559 par Jean Nicot, qui le nomma «herbe à la reine» en l'honneur de Catherine de Médicis, le tabac conquiert rapidement la France et Paris. Au début du XVIIᵉ siècle, il est consommé «en fumée, en poudre ou en machicatoire», c'est-à-dire qu'on le fume, le prise ou le chique. Les soldats de Napoléon ramenèrent d'Espagne en 1815 la mode du cigare et les cigarettes se propagèrent à partir de 1842, date du début de leur fabrication par la manufacture du Gros-Caillou. Une taxe sur le tabac est instituée dès 1621. Sous le règne de Louis XIII apparaissent des cabarets appelés «tabacs». Certains de ces établissements pratiquaient le prix fixe : moyennant un tarif, à tant par tête, on y fournissait à discrétion des pipes, du tabac et des consommations alcoolisées, de sorte, écrit le *Dictionnaire de Trévoux*, «que ceux qui fument et boivent beaucoup ne payent pas plus que ceux qui font moins de consommation». Ces tabacs furent ensuite nommés «tabagies» et «estaminets».

Le *Dom Juan* de Molière s'ouvre par ce monologue de Sganarelle, tenant à la main une tabatière : «Quoi que puisse dire Aristote et toute la Philosophie, il n'est rien d'égal au tabac : c'est la passion des honnêtes gens, et qui vit sans tabac n'est pas digne de vivre. Non seulement il réjouit et purge les cerveaux humains, mais encore il instruit les âmes à la vertu, et l'on apprend avec lui à devenir honnête homme.» Mais Louis XIV manifeste une répugnance profonde pour le tabac et on fume en cachette à la Cour. Il apprécie toutefois les profits qu'on peut tirer de cette herbe. En 1674, il institue un monopole de la vente du tabac qu'il concède en ferme. Celle-ci rapporte 500 000 livres au début et atteint 1 500 000 livres à la fin de son règne. Napoléon y ajoute en 1810 le monopole de la fabrication et de la culture.

Cette même année, il installe à Paris la première manufacture d'État dans les bâtiments de la fabrique de tabac de Philippon, située entre la rue de l'Université et le quai d'Orsay. Dès 1812, plus de mille deux cents ouvriers et ouvrières y travaillent. Une école d'ingénieurs des tabacs issus de Polytechnique y est installée. Plusieurs fois agrandie et modernisée, la manufacture a été démolie en 1909 et remplacée par celle d'Issy-les-Moulineaux. La direction générale de la Société nationale d'exploitation industrielle du tabac et des allumettes (SEITA) se trouve cependant toujours au 53, quai d'Orsay et un musée du tabac est installé au 12, rue Surcouf. Les cigares de qualité supérieure, à partir de tabac cubain, étaient produits à la manufacture de Reuilly (319, rue de Charenton), créée en 1857. La fabrication fut arrêtée en 1969 et les bâtiments ont été rasés en 1976. Une manufacture fut ouverte à Pantin en 1877. Vers 1900, on dénombrait à Paris mille cent bureaux de tabac dont la concession était réservée aux veuves, mères ou filles d'anciens serviteurs de l'État. Les pages jaunes de l'*Annuaire du téléphone* de Paris pour 1994 en recensent à peine plus de trois cents.

TAILLE

Science totalement négligée et mal vue en France, car associée abusivement au racisme, l'anthropologie physique ne fournit pratiquement pas de données sur l'apparence des Parisiens au long des siècles précédents. A de trop rares études sur la couleur des yeux et des cheveux s'ajoute une poignée de travaux sur la stature. La taille des hommes, plus facile à établir de façon précise que des couleurs souvent subjectives, serait pourtant facile à étudier grâce aux dossiers des personnels des armées. Jacques Houdaille a utilisé des dossiers conservés aux Archives nationales qui avaient servi à établir des cartes de sûreté entre 1792 et 1794, pour approcher la taille des Parisiens sous la Révolution, dans un article publié dans la revue *Population* en janvier-février 1983. Il a constaté des statures élevées, ce qui l'a amené à se demander si ces personnes n'étaient pas restées chaussées pour passer sous la toise. Pour près de quatre mille hommes, il obtient, dans les trois sections de Popincourt, du Panthéon et de l'Observatoire, des tailles moyennes comparables, atteignant 1,68 mètre ou 1,675 mètre. Les Parisiens semblaient donc avoir une stature élevée, liée à une origine majoritairement du Nord, de Picardie, de Champagne et de Normandie. Pour l'ensemble de la France, la taille moyenne était de 1,65 mètre en

1880 et de 1,70 mètre en 1960. Les données collectées en 1829 par Louis Villermé dans les *Annales d'hygiène* confirment les résultats d'Houdaille, et le travail de Guy Soudjian sur la stature des jeunes Parisiens sous le second Empire, paru dans la revue *Ethnologie française* en 1979, fait apparaître en 1868-1869, pour plus de neuf mille conscrits, une taille moyenne de 1,665 mètre.

• *Voir aussi* CHEVEUX (couleur des); YEUX (couleur des).

TAPISSERIE

Il existait, au Moyen Âge, trois types de tapissiers : les tapissiers sarrasinois fabriquaient des tapis à l'imitation de l'Orient musulman (sarrasin), les tapissiers nostrés des tissus ras, proches de nos moquettes, et les tapissiers de haute-lisse, les seuls qui nous intéressent ici, des tapisseries. La plus ancienne tapisserie tissée à Paris qui subsiste est l'*Apocalypse* (aujourd'hui au musée d'Angers), qui fut fabriquée entre 1377 et 1380 dans les ateliers de Nicolas Bataille. La suite des *Neuf Preux* (aux Cloisters de New York) proviendrait aussi d'ateliers parisiens et aurait été fabriquée vers 1385. La guerre de Cent Ans provoque le déclin de Paris et les grandes tapisseries se font au XVe siècle à Arras, Tournai, puis Bruxelles. Revenue à Paris avec François Ier, la monarchie y relance la production, installant même des artisans de la capitale à Fontainebleau pour y tisser la tenture de la galerie de François Ier (aujourd'hui à Vienne). En 1551, Henri II favorise l'ouverture d'un atelier important dans l'enclos de l'hôpital de la Trinité, rue Saint-Denis. Henri IV aussi favorise la profession, chargeant en 1597 Girard Laurent de diriger un atelier de tapisserie installé dans la maison professe des jésuites de la rue Saint-Antoine. Au retour des jésuites, cet atelier est transféré dans la Grande Galerie du Louvre. En 1608, Henri IV crée un autre atelier au faubourg Saint-Marcel, dont il confie la direction à des lissiers qu'il a fait venir de Flandre. Louis XIII commande des cartons à Pierre-Paul Rubens et à Simon Vouet pour les tapisseries destinées au palais du Luxembourg et au Louvre. En 1628, le roi favorise l'implantation d'une nouvelle manufacture de tapisserie au faubourg Saint-Germain (rue de la Planche, entre les rues actuelles de la Chaise, du Bac et de Varenne). Depuis 1627 existent les ateliers de la Savonnerie à Chaillot. En 1662, Louis XIV ayant confisqué les ateliers de tapisserie de Nicolas Fouquet à Maincy, Colbert décide de réunir les ateliers de la Trinité, de Saint-Marcel, de Saint-Germain et du Louvre et de former une unique et grande manufacture aux Gobelins, afin de développer une industrie puissante pouvant faire concurrence à la production flamande. Le dernier atelier indépendant, celui de Pierre Damour, avait fermé en 1657 et la tapisserie n'était plus qu'une énorme entreprise royale, livrée au goût de Le Brun, peintre académique qui n'avait aucun sens des couleurs. C'est un art abâtardi, copiant souvent de façon plus que médiocre les modèles flamands, qui se perpétue sur près de trois siècles. Grâce à la mainmise imbécile de l'État sur la tapisserie, les cent cinquante mille lissiers français du XVIIe siècle ne sont plus que deux mille cinq cents en 1920 et il n'existe plus un seul peintre cartonnier à cette date. La tapisserie n'est plus qu'un stupide tableau fait en laine, même lorsqu'il reproduit Manet, Cézanne ou Gauguin. Il faut attendre les années 1930 pour que se manifeste un renouveau sous l'impulsion de Jean Lurçat.

TAXE

Voir IMPÔT LOCAL ; OCTROI ; SEL.

TAXI

Après la chaise à porteurs et le fiacre, le taxi est la troisième forme de voiture publique apparue à Paris.

D'abord nommé « fiacre automobile », il se développe en même temps que ce nouveau mode de traction. Les deux premiers fiacres automobiles entrent en service en 1898. Ils sillonnent les rues en compagnie de mille trois cent neuf autres véhicules à moteur, alors qu'on dénombre près de onze mille cinq cents fiacres hippomobiles. Ils sont au nombre de dix-huit durant l'Exposition universelle de 1900, puis disparaissent jusqu'en 1903 : on en dénombre huit cette année-là. Ils ne sont plus que deux en 1904, alors que le nombre des voitures particulières a été multiplié par dix-huit depuis 1898 et que les autobus sont passés de vingt-deux à trois cent soixante-neuf durant ces sept années. L'année 1905 marque le véritable essor avec trente-neuf fiacres automobiles. Ils sont quatre cent dix-sept dès l'année suivante, mille quatre cent soixante-cinq à la fin de 1907 dans un flux circulatoire de près de cinquante mille véhicules à moteur qui évincent inexorablement les chevaux. La maison Renault, dont l'usine s'élève dans l'île Seguin, à Billancourt, est le principal fabricant de fiacres automobiles, suivie par Georges-Richard-Unic, Darracq, Delahaye, Clément-Bayard, Duhanot, Ours, Chenard et Walker, etc. De grandes compagnies sont déjà constituées : la Compagnie française des automobiles de place dispose d'un parc de plus de mille voitures Renault, la Compagnie des autos-fiacres en possède près de cinq cents, la Compagnie des services Meteor possède cent voitures Unic, la Compagnie des taxautos électriques exploite cent voitures Krieger à traction électrique, la Compagnie générale des automobiles taximètres possède aussi cent voitures Chenard et Walker.

À leur apparition, les fiacres automobiles sont soumis à la même réglementation que les fiacres hippomobiles. La tutelle des préfets de police et de la Seine est étroite, car les cochers ont une déplorable réputation. Circulation, stationnement, délivrance des autorisations d'exercer la profession sont subordonnés à un ensemble de textes précis. S'y ajoutera pour les taxis le respect du Code de la route. Depuis le 9 mars 1898, les voitures de place sont équipées de compteurs horokilométriques destinés à éviter les contestations lors du paiement de la course. Nommés taxamètres, ils sont rebaptisés taximètres le 17 octobre 1904 et sont à l'origine du nom des taxis. Les fonctionnaires de la préfecture de police chargés de la surveillance des taxis sur la voie publique sont surnommés «boers». L'origine de ce mot est discutée. S'agit-il d'une déformation de l'argot «bourre» signifiant «policier», «flic»? Mais la prononciation en deux syllabes: «bo-er», paraît écarter cette hypothèse. Apparus alors que les Britanniques avaient les plus grandes difficultés en Afrique du Sud pour soumettre les Boers de l'Orange et du Transvaal, les taxis auraient-ils emprunté le terme à ces populaires et rusés combattants, le policier des taxis ayant la réputation de posséder une science consommée de l'art du camouflage, d'être extrêmement mobile et rapide dans ses interventions, prenant à l'improviste le chauffeur de taxi en infraction? Il existe une troisième version: les Russes blancs fuyant le communisme ont constitué les gros bataillons de chauffeurs entre les deux guerres mondiales et ce sont eux qui auraient nommé les policiers «boyards» à cause de leur poigne et de leur sévérité. La commission devant laquelle comparaissent les taxis pris en infraction porte aussi un nom énigmatique: c'est la «cotelette». Serait-ce que les contrevenants étaient questionnés, interrogés sans relâche, comme des côtelettes retournées sur le gril? Ou cela s'explique-t-il plus simplement par le fait que la commission de discipline siège au 36 de la rue des Moulins, à proximité des anciens abattoirs de Vaugirard?

Dès 1911, le triomphe du taxi est assuré: on compte sept mille véhicules circulant dans la capitale. Le 22 février 1907, la première femme, Mme Decourcelle, a obtenu le double diplôme de «cochère» et de «chauffeuse». Cette même année, les usines Renault fabriquent trois mille châssis conçus spécialement pour le taxi et commencent à en exporter vers Londres. La GAT et la Compagnie parisienne de automobiles de place font appel aux voitures Clément-Bayard. L'essor rapide de la profession, l'importance des grandes compagnies, qui possèdent plus de la moitié du parc, sont à l'origine de la plus longue grève de l'histoire des taxis parisiens, cent quarante-quatre jours, du 27 novembre 1911 au 18 avril 1912, célébrée par Aragon dans *Les Cloches de Bâle*, qui se termine par la défaite des conducteurs qui se voient refuser le statut de salariés. En septembre 1914, les taxis entrent dans l'histoire lorsque Gallieni, gouverneur militaire de Paris, réquisitionne mille cent véhicules et leurs chauffeurs pour acheminer vers le front, dans le secteur de Nanteuil-le-Haudouin, cinq mille hommes de la septième division d'infanterie qui vont jouer un rôle décisif dans la bataille de la Marne. C'est le directeur de la compagnie de taxis G7, le comte Walewski, qui aurait eu l'idée de l'opération et qui reçut plus de 70 000 francs de l'État pour la location de ses véhicules.

Au lendemain de la Grande Guerre, le nombre des taxis s'accroît fortement. La crise économique ne fait qu'augmenter les effectifs d'artisans libres ou d'employés, chômeurs cherchant à retrouver un emploi dans cette profession: on dénombre vingt et un mille taxis en 1931. Les effectifs retomberont à quatorze mille en 1937. Durant l'occupation allemande, on verra des véhicules à gazogène et surtout des vélos-taxis. En 1946, Paris n'a plus que trois mille taxis automobiles. Mais ils sont dix mille dès 1949. Les «radio-taxis» apparaissent en 1956. En 1993, on dénombre dix-sept mille cinq cents chauffeurs, dont mille femmes, exploitant quinze mille véhicules. Près de neuf mille sont artisans ou affiliés à un groupement d'intérêt économique comme le GESCOP. Les autres sont salariés de cinq cents sociétés ou locataires de leur outil de travail. Ils transportent environ cent millions de clients dans l'année, soit plus de trois cent cinquante mille par jour. Chaque voiture parcourt environ 150 kilomètres dans une journée, dont 50 à vide. Les usagers disposent de cinq cent cinquante stations dont cent vingt-deux sont équipées de bornes d'appel téléphonique.

• *Voir aussi* COCHER ; TRANSPORT (moyen de).

TÉLÉGRAPHE

C'est Claude Chappe, assisté de ses frères Pierre-François et René, qui a conçu et mis au point le télégraphe optique. La première expérience officielle a lieu le 12 juillet 1793. Un message est transmis du parc de Ménilmontant à Saint-Martin-du-Tertre par l'intermédiaire d'un relais à Écouen, couvrant une distance de 40 kilomètres environ. Daunou et Lakanal ont assisté à l'opération et transmettent un rapport favorable à la Convention. Claude Chappe est nommé «ingénieur télégraphe» et une ligne est organisée en toute hâte pour transmettre les nouvelles de la guerre sur la frontière du Nord, aux portes de Lille. Les essais de la ligne du Nord débutent le 30 avril 1794 et sont terminés le 16 juillet. Trop éloigné du siège de la Convention, le télégraphe a été transféré dès juin 1794 de Belleville au Louvre, où les bras du télégraphe surmontent le pavillon de l'Horloge. Écouen n'étant plus visible de cet endroit, un relais a dû être implanté sur l'église Saint-Pierre de Montmartre. Les bureaux et ateliers de fabrication du télégraphe sont installés au 9 de la rue de l'Université. La tête de la ligne Paris-Strasbourg, d'abord prévue sur le pavillon des Tuileries, est finalement installée en 1798 sur la tour inachevée de Saint-Sulpice. La ligne Paris-Brest, ouverte en 1799, a pour point de départ l'ancien Garde-Meuble devenu ministère de la Marine, place de la Concorde.

Utilisé exclusivement à des fins militaires ou politiques, le télégraphe n'est vraiment organisé en réseau que sous Louis-Philippe. En 1842, l'administration du télégraphe quitte la rue de l'Université pour le bâtiment qui lui a été construit au 103 de la rue de Grenelle, dont la partie centrale est surmontée d'une tour carrée terminée par un poste hexagonal. A son apogée, en 1844, le réseau du télégraphe aérien s'étend sur 5 000 kilomètres, compte cinq cent trente-quatre stations et relie vingt-neuf villes à Paris. Un message va de Paris à Toulon en vingt minutes, de Lille à Paris en deux minutes, mais il est impossible de faire des liaisons de nuit.

Mais alors que les Britanniques utilisaient l'invention de Chappe au bénéfice de l'économie (cours de la Bourse, arrivées et départs de navires, etc.), la bureaucratie française se réservait le monopole du télégraphe, la seule information d'intérêt (?) économique transmiset étant le résultat du tirage de la loterie nationale. Au début de 1830, un inventeur, Alexandre Ferrier de Tourrettes, proposa un procédé permettant au télégraphe de fonctionner de nuit. Il sollicita ensuite l'autorisation de créer une ligne privée à vocation commerciale reliant France et Angleterre. Alphonse Foy, directeur des télégraphes d'État, émit un avis très hostile, le 31 juillet 1831 : «L'existence de cette communication télégraphique porterait nécessairement atteinte au privilège que possède aujourd'hui le gouvernement d'être instruit le premier de toutes les nouvelles importantes.» Cela ne dissuada pas Ferrier de créer, le 24 janvier 1832, l'Entreprise générale des télégraphes publics de jour et de nuit. Il se proposa de construire une ligne Paris-Le Havre, ce port n'étant pas desservi par le télégraphe d'État. Foy fit échouer l'entreprise. Le 7 janvier 1833, Ferrier récidive en fondant l'Entreprise des télégraphes publics. Le poste de départ est au 14, boulevard Montmartre, à proximité de la Bourse. Le second relais se dresse au 15 de la place du Tertre, à Montmartre. Ensuite, par Cormeilles-en-Parisis et Pontoise, la ligne se dirige vers Rouen. Malgré d'incessantes tracasseries administratives, la ligne entra en service en juillet 1833 et le *Journal de Rouen* du 31 juillet indiquait : «L'on a pu, ces jours derniers, apprécier les bons effets pratiques du télégraphe de jour et de nuit entre Rouen et Paris.» Sur intervention du préfet, le président de la chambre de commerce de Rouen, principal client pour les cours de la Bourse de Paris, retira l'autorisation d'affichage de ces cours et l'entreprise dut s'arrêter dès décembre. En 1836, Ferrier parvint à mettre sur pied une ligne Bruxelles-Paris. Le gouvernement réagit en faisant voter le monopole étatique des transmissions télégraphiques en mars et avril 1837.

En 1844 commencent les premiers essais de télégraphe électrique et les premières dépêches sont échangées le 18 mai 1845 entre Paris et Rouen. La télégraphie sans fil s'impose à partir de 1899 et la tour Eiffel devient le berceau français de la T.S.F. Une fois de plus, l'initiative individuelle est réprimée au profit de l'État : Victor Popp, fondateur de la Société française des télégraphes et téléphones sans fil, installée au 21 de la place de la Madeleine le 17 juillet 1901, est condamné le 18 décembre 1902 et ses installations mises sous scellés.

• *Voir aussi* RADIO.

TÉLÉGRAPHIE SANS FIL
Voir RADIO.

TÉLÉPHONE
Alors que le téléphone connaît aussitôt un essor extraordinaire aux États-Unis, il faudra près d'un siècle pour qu'il devienne un moyen de communication commode et bon marché en France. En 1879, l'administration des Postes a accepté de concéder le futur réseau à des compagnies privées. Il s'en constitue trois qui fusionnent rapidement dans la Société générale du téléphone. La S.G.T. installe son réseau dans les égouts de Paris, solution rapide, économique et donnant un accès facile aux installations et aux immeubles. Dès 1884, elle établit des liaisons interurbaines, reliant la Bourse de Paris à celle de Marseille. Mais l'État décide alors de ne pas renouveler la concession de dix ans et de mettre la main sur le téléphone. En conséquence, la S.G.T. cesse d'investir dès 1884, laissant à l'administration des Postes-Télégraphes-Téléphones (P.T.T.) un réseau de vingt mille abonnés en 1889. La gestion des P.T.T. s'avère vite catastrophique. Lorsque la Ville de Paris lui intente un procès, en 1906, l'opinion, déjà alarmée par la dramatique insuffisance du téléphone, découvre avec stupeur que l'administration du téléphone ne possède aucun plan du réseau et ignore même où sont situés les câbles. Toute une série d'incidents entre 1908 et 1910 mettent en évidence l'incurie de cette administration. Le dimanche 20 septembre 1908, le central Gutenberg, sur lequel est concentrée la presque totalité des postes des quartiers d'affaires du centre, comptant dix-huit mille abonnés, prend feu à cause d'un court-circuit. Les quatre premiers arrondissements sont privés de téléphone pendant plusieurs mois, notamment les agents de change de la Bourse. En janvier 1910, l'inondation affecte gravement le réseau qui n'est remis en état qu'au mois de mai. Une commission d'enquête sur la lenteur de ces travaux remet un rapport accablant : «Faute de ressources en matériel et en personnel, le réseau de Paris n'a pas été, depuis

plusieurs années, l'objet d'un entretien régulier. » En conclusion, le rapport dénonce « des méthodes d'économie au jour le jour qui se traduisent ensuite par des pertes désastreuses ». Une série de grandes grèves entre 1906 et 1909 — alors que les fonctionnaires n'ont pas le droit de grève — révèle le mécontentement d'un personnel aussi mal traité que les abonnés. A partir de 1910, il est évident que le téléphone est en crise. Ce problème, national et non plus parisien, va durer jusqu'en 1975. Entre 1975 et 1982, le nombre de lignes téléphoniques supplémentaires installées chaque année variera entre un million et demi et deux millions, alors qu'on n'en avait créé que quarante mille entre 1928 et 1953 et qu'il n'y avait qu'un million sept cent mille abonnés en 1953.

• *Voir aussi* **TÉLÉGRAPHE** ; **TÉLÉPHONE (indicatif du)**.

TÉLÉPHONE (indicatif du)

Jusqu'en 1913, les abonnés au téléphone étaient dotés de numéros à quatre chiffres. Cette année-là apparaissent les noms des centraux téléphoniques auxquels ils sont rattachés :

Série 100 : Gutenberg
Série 200 : Central
Série 300 : Louvre
Série 400 : Nord
Série 500 : Wagram
Série 600 : Passy
Série 700 : Saxe
Série 800 : Gobelins
Série 900 : Roquette
Série 1000 : Archives.

En 1928 débute l'automatisation du réseau avec le central Carnot. Le numéro de téléphone du Parisien est désormais composé des trois premières lettres du nom du central (CAR pour Carnot) suivies de quatre chiffres. Ce système va durer jusqu'au 1er octobre 1963. A cette date, les trois lettres de l'indicatif du centre téléphonique sont remplacées par les chiffres correspondant aux lettres sur le cadran de l'appareil : ALEsia devient 253, DANton 326, LECourbe 532, etc. Voici la liste des indicatifs « littéraux » à la veille de leur disparition, avec l'indication de l'arrondissement ou de la commune de banlieue où se trouve le central, car la circonscription de Paris est alors constituée de l'ensemble du département de la Seine, plus Meudon, Sèvres, Saint-Cloud et les aéroports du Bourget, d'Orly et de Villacoublay :

ALÉsia : Montrouge
ALMa : VIIIe
ANJou : VIIIe
ARChives : IIIe
AUTeuil : XVIe
AVIation : Le Bourget
AVRon : Montreuil
BABylone : VIe
BAGatelle : XVIe
BALzac : VIIIe
BATignolles : XVIIIe
BELle-Épine : Choisy-le-Roi
BERny : Antony
BLOmet : XVe
BOIleau : Rueil
BOLivar : Xe
BOSsuet : Charenton
BOTzaris : Xe
BREteuil : VIIe
BROssolette : Levallois
BUFfon : Saint-Maur
CARnot : XVIIe
CENtral : Ier
CHArlebourg : La Garenne-Colombes
CHÉnier : Saint-Denis
CLIgnancourt : XVIIIe
COMbat : Xe
DAGuerre : Nogent-sur-Marne
DANton : Ve
DAUmesnil : Vincennes
DÉFense : Courbevoie
DIDerot : XIIe
DORian : XIIe
ÉLYsées : VIIIe
ENTrepôt : Charenton
ÉTOile : XVIIe
EURope : VIIIe
FLAndre : Aubervilliers
FLOrian : Sceaux
FONtenoy : VIIe
GALvani : XVIIe

GOBelins : Ve
GOUnod : Boulogne-Billancourt
GRAvelle : Saint-Maur
GRÉsillons : Asnières
GUTenberg : Ier
INValides : VIIe
ITAlie : Ivry
JASmin : XVIe
JUSsieu : Ve
KELlermann : Ve
KLÉber : XVIe
LABorde : VIIIe
LAFfitte : IXe
LAMartine : IXe
LAVoisier : Montreuil
LECourbe : XVe
LITtré : VIe
LONgchamp : Suresnes
LOUvre : Ier
MAC-Mahon : XVIIe
MAIllot : Neuilly-sur-Seine
MARcadet : XVIIIe
MÉDicis : Ve
MÉNilmontant : XXe
MERmoz : Neuilly-sur-Seine
MIChelet : Clamart
MIRabeau : XVIe
MOLitor : Boulogne-Billancourt
MONtmartre : XVIIIe
NATion : XIIe
NORd : Xe
OBErkampf : XXe
OBServatoire : Meudon-Bellevue
ODÉon : Ve
OPÉra : VIIIe
ORNano : XVIIIe
PASsy : XVIe
PELletan : Montrouge
PEReire : Levallois
PIGalle : IXe
PLAine : Saint-Denis
POIncaré : XVIe
POMpadour : Champigny
PORt-Royal : Ve
PROvence : IXe
PYRénées : XXe
RAMeau : Ivry
REDoute : Asnières
RENan : Clamart
RICheliieu : VIIIe
ROBinson : Sceaux
ROQuette : XXe
SABlons : Neuilly-sur-Seine
SÉGur : VIIe

SÉVigné : Le Raincy
SOLférino : VIIe
STAde : La Garenne-Colombes
SUFfren : VIIe
TAItbout : IXe
TOUrelle : Vincennes
TREmblay : Nogent-sur-Marne
TRInité : IXe
TROcadéro : XVIe
TRUdaine : IXe
TURbigo : IIIe
VAL-d'Or : Boulogne-Billancourt
VAUgirard : XVe
VICtor : XVe
VILlette : Pantin
VOLtaire : XXe
WAGram : XVIIe

La dernière révolution du téléphone parisien eut lieu le 25 octobre 1985 lorsque le numéro de téléphone est passé de sept à huit chiffres, l'adjonction du 4 devant les sept chiffres déjà existants correspondant à Paris. Dans sa *Géographie humoristique de Paris*, André Siegfried a consacré un chapitre à un «Essai d'une sociologie téléphonique de Paris». Il y écrit notamment : «Posséder sérieusement sa carte téléphonico-sociale de Paris serait plus utile qu'accumuler des dates ou des chiffres statistiques. Cette carte téléphonico-sociale de Paris, essayons donc d'en établir quelques éléments. "Invalides" me dites-vous ? J'imaginerai aussitôt quelque noble du vieux Faubourg, un peu poussiéreux peut-être, mais si racé, ou bien quelque grand bourgeois du boulevard Saint-Germain, ou bien encore tel grand docteur ou avocat de ce quartier bien pensant, bref, des gens à la fois bien apparentés, sérieux, pas trop riches mais quand même avec suffisamment de revenus. "Littré", c'est encore cela, mais avec une nuance, car "Littré" tire déjà sur les quartiers universitaires, sur l'édition, sur ce VIe arrondissement, de passé prestigieux, patrie des vieux livres, des galeries de tableaux voisines de l'École des beaux-arts, des plus anciennes (et plus récentes) traditions littéraires… "Ségur", "Suffren", évoquent

au bout du fil un général… Si vous me donnez comme téléphone "Trinité", "Taitbout" ou "Provence", je parierai bien naturellement que vous êtes banquier (plus particulièrement assureur si c'est "Trinité"). Je pourrai même deviner votre spécialité dans le commerce si vous dites "Central", "Turbigo" ou "Gutenberg". "Richelieu", "Louvre", "Opéra" signifieront, dans cette activité, une nuance marquée… M'appelez-vous d'"Oberkampf", de "Voltaire", de "Roquette"? Je vous supposerai lié à la tradition de nos vieux métiers, avec sans doute quelque nostalgie des barricades et un vieux fond de cette psychologie parisienne qui relève à la fois de Thorez et d'Henri Rochefort.»
• *Voir aussi* TÉLÉPHONE.

TÉLÉVISION

C'est à Paris qu'a lieu la première démonstration de télévision en France, avec du matériel de l'Écossais Baird, à l'Olympia, le 3 novembre 1930. Le 14 avril 1931, l'équipe française de René Barthélemy réalise la première démonstration publique de transmission par radio d'images de télévision : les images sont émises dans un laboratoire de Montrouge et transmises sur un écran situé dans l'amphithéâtre de l'École supérieure d'électricité de Malakoff. La première expérience française de télévision parlante a lieu le 25 avril 1932 dans l'auditorium du Poste parisien. La première démonstration publique de télécinéma est faite par Henri Defrance au Lido des Champs-Élysées en février 1933. Des émissions régulières ont commencé dès décembre 1931 sous l'égide du poste de radio Paris-P.T.T., bientôt imité par d'autres postes de radio parisiens, notamment Vitus. Un petit studio réservé à la télévision est installé par l'administration des Postes au 87 de la rue de Grenelle en 1933. Le ministre Georges Mandel décide de promouvoir ce nouveau moyen de communication et fait organiser, le 26 avril 1935, au 103 de la rue de Grenelle, la première émission officielle de la télévision française. Mais tout cela ne touche qu'un faible public, le nombre des récepteurs étant estimé entre cinq cents et mille. Monopole d'État en 1945, la télévision, étroitement contrôlée par l'État, qui la fait servir sa propagande, se développera lentement et n'aura jamais qu'un caractère national, la télévision locale restant impossible jusqu'à l'abolition du monopole en 1982. L'ouvrage fondamental sur ce sujet est dû à Christian Brochand, *Histoire générale de la radio et de la télévision en France.*

TEMPS

Voir CALENDRIER ; CLIMAT ; HEURE ; MÉTÉOROLOGIE.

THÉ

Consommé en Chine et en Extrême-Orient, le thé n'est connu des Européens qu'à partir du XVIe siècle. Missionnaires et voyageurs le mentionnent dans leurs récits, mais l'importation et l'usage de cette tisane sont tardifs. Introduit en Angleterre vers 1652, il fait en France l'objet de thèses de médecine et l'on ne voit guère que quelques originaux fortunés s'en abreuver : Scarron dès 1659, Mme de La Sablière qui le mélange avec du lait, la princesse de Tarente qui en consomme douze tasses par jour aux dires de Mme de Sévigné, Racine, l'évêque érudit d'Avranches, Daniel Huet. Le chocolat et le café font au thé une concurrence victorieuse et son prix élevé lui fait préférer les décoctions traditionnelles de sauge et de plantes des Alpes baptisées « thé suisse ». En 1766, sur les 17 400 000 livres de thé importées en Europe, la France n'en consomme que 2 100 000, moins que le Danemark. A la veille de la Révolution de 1789, il y avait trois arbustes à thé à Paris : au Jardin des Plantes, chez le duc de Cossé et chez un amateur nommé Janssen. On nommait alors « thé de Hollande » ou « thé d'Angleterre » une variété de thé de qualité inférieure mêlée à de la racine d'iris réduite en poudre.

La vente du thé, d'abord réservée aux apothicaires, est transférée par l'édit de juillet 1705 aux limonadiers qui obtiennent le privilège de débiter cette boisson. L'importation, monopole du sieur Damame en 1692-1693, avec celle du café et du chocolat, est attribuée à la Compagnie des Indes en 1723, mais la faiblesse de la consommation empêchera cette entreprise de s'enrichir comme le fit l'Angleterre : l'impôt sur le thé rapportait 700 000 livres sterling au Trésor royal en 1784, mais lui avait coûté l'indépendance des États-Unis d'Amérique.

Aujourd'hui encore, le thé n'est guère consommé en France. Seuls les Britanniques et les Hollandais se sont habitués à cette infusion. Avec environ 3 kilogrammes par an et par habitant, la Grande-Bretagne en consomme environ deux mille tasses par tête, la France moins de quatre-vingts avec 170 grammes par personne et par an.

• *Voir aussi* CAFÉ ; CHOCOLAT ; LIMONADIER.

THÉÂTRE

C'est dans les églises que le théâtre a pris naissance, s'installant d'abord dans le chœur puis sur le parvis pour jouer des mystères, miracles et autres sujets religieux. La plus ancienne attestation connue à Paris date de 1380, un document mentionnant clairement qu'il est alors de tradition de représenter chaque année la *Passion* du Christ. En 1381, les comptes de Charles VI font état d'une représentation de la *Passion* devant le roi à l'hôtel Saint-Paul. En 1398, sanctionnant des abus et des désordres, le prévôt de Paris soumet les représentations à une autorisation préalable. Le 4 décembre 1402, un groupe de comédiens amateurs regroupés dans une Confrérie de la Passion obtient des lettres royales l'autorisant à se produire en public. Les confrères de la Passion

sont installés dans une salle au rez-de-chaussée de l'hôpital de la Trinité, rue Saint-Denis, où ils restent jusqu'en 1539. Ils doivent quitter en 1543 l'hôtel de Flandre promis à la démolition et achètent une dépendance de l'hôtel de Bourgogne (23, rue Étienne-Marcel) à l'angle des rues Mauconseil et Neuve-Saint-François. La représentation de mystères ayant été interdite par l'Église en 1548, la confrérie loue sa salle de l'hôtel de Bourgogne à diverses troupes, des Anglais dirigés par Jean Sehais, les célèbres Gelosi italiens, la troupe de Valleran Le Conte… De nombreuses troupes se produisent aussi épisodiquement dans les salles de jeu de paume, facilement transformables en théâtres : ainsi l'Illustre-Théâtre, fondé par Madeleine Béjart et Molière, se produit-il en 1643 au jeu de paume des Métayers, près de la porte de Nesle, et en 1645 dans le jeu de la Croix-Noire (32, quai des Célestins). Les confrères de la Passion intentent sans cesse des procès à ces troupes, sous prétexte que leur salle de l'hôtel de Bourgogne détient le monopole des représentations. Ce privilège leur sera finalement enlevé en 1677 et transféré à l'Hôpital général qui percevra les redevances dues par les comédiens.

Depuis 1644, le théâtre de l'hôtel de Bourgogne n'est d'ailleurs plus l'unique salle permanente de spectacles de la capitale. Le jeu de paume du Marais, rue Vieille-du-Temple, où ont été montées les pièces de Corneille, *Le Cid, Horace, Cinna, Polyeucte*, détruit par un incendie le 15 janvier 1644, a été remplacé dès octobre par une véritable salle de théâtre qui fait subir une rude concurrence aux comédiens de l'hôtel de Bourgogne. Il existe aussi une autre salle, très vaste, celle du Petit-Bourbon, où sont montés les premiers opéras, des ballets royaux. Sa démolition est ordonnée en 1660 en vue de l'édification de la colonnade du Louvre, mais elle est remplacée dès 1662 par la salle dite des Machines installée dans la partie septentrionale des Tuileries, d'une acoustique détestable, à qui l'on doit les appellations théâtrales techniques de côté «Jardin» et côté «Cour» pour distinguer les côtés de la scène, selon qu'ils se trouvent vers le jardin des Tuileries ou vers la cour. Il y a aussi, au Palais-Royal, un vaste théâtre aménagé dès 1630 sur ordre de Richelieu et agrandi en 1641. Molière s'y installe et le fait restaurer en 1660 et Lully profite de sa mort, en février 1673, pour confisquer la salle au profit de son Opéra. De petits théâtres éphémères s'ouvrent régulièrement chaque année lors des foires Saint-Germain ou Saint-Laurent. En 1760 commence l'essor du boulevard du Temple, dit plus tard «boulevard du crime» à cause des mélodrames qui y sont représentés; Nicolet y ouvre le théâtre des Grands Danseurs du roi, futur théâtre de la Gaîté, suivi en 1770 par l'Ambigu-Comique, le théâtre des Élèves de l'Opéra ou du Lycée dramatique fondé en 1784. Le théâtre des Variétés amusantes, d'abord installé rue de Bondy, est transféré en 1790 à l'angle de la rue de Richelieu et du Palais-Royal, alors que, depuis 1784, au nord-ouest de ce même Palais-Royal, l'architecte Victor Louis a édifié une salle utilisée d'abord par les comédiens du comte de Beaujolais puis par la Montansier. Les Comédiens italiens sont installés depuis 1783 dans la salle Favart proche et l'Odéon, sur la rive gauche où il se dresse encore, date de 1782.

Redoutant à juste titre qu'un nombre trop élevé de salles soit difficile à contrôler et que des pièces puissent nuire à son image, Napoléon Ier, par décret du 29 juillet 1807, réduit à huit, outre le Théâtre-Français, les théâtres de la capitale : Opéra, Opéra-Comique, Odéon (dit alors théâtre de l'Impératrice), Vaudeville, Variétés, Ambigu, Gaîté, Opéra-Buffa. Les théâtres vont lentement se multiplier durant la Restauration et la Monarchie de Juillet

pour atteindre la vingtaine vers 1852, au début du second Empire. Ces salles sont concentrées sur la rive droite (vingt contre trois sur la rive gauche) et sur les Grands Boulevards. Outre les théâtres préservés en 1807, existent alors le théâtre des Italiens, le Théâtre Lyrique, le Gymnase, le théâtre du Palais-Royal, la Porte-Saint-Martin, le théâtre impérial du Cirque, les Folies-Dramatiques, les Délassements Comiques, le théâtre Beaumarchais, le théâtre Comte, les Funambules, le Lazary. Ont survécu jusqu'à nos jours le théâtre de la Porte-Saint-Martin (ouvert en 1802, fermé en 1807, rouvert en 1814), le Gymnase (ouvert en 1820), le théâtre du Palais-Royal (créé en 1831).

Les grands travaux d'Haussmann bouleversent la géographie théâtrale. Une partie du boulevard du Temple disparaît avec le Théâtre Lyrique, le Cirque impérial, la Gaîté, les Folies-Dramatiques, les Délassements Comiques, le théâtre Lazary. Théâtre Lyrique et Cirque impérial sont reconstruits face à face sur la place du Châtelet, la Gaîté se reloge près du square des Arts-et-Métiers, les Folies s'installent rue de Bondy, les Délassements rue de Provence. Les Funambules s'éteignent après une brève installation sur le boulevard de Strasbourg. Le Vaudeville de la place de la Bourse tombe aussi sous la pioche des démolisseurs mais se reloge à l'angle de la Chaussée d'Antin et du boulevard des Italiens. Onze nouveaux théâtres apparaissent sous le second Empire, dont les plus prestigieux sont le théâtre de l'Athénée (rue Scribe, remplacé en 1893 par l'Athénée-Comique de la rue Boudreau), le théâtre Antoine (ouvert aussi en 1866 sous le nom de théâtre des Menus-Plaisirs au 14 du boulevard de Strasbourg), les Bouffes-Parisiens (ouverts dès 1855 par Jacques Offenbach aux Champs-Élysées durant l'été, passage Choiseul en hiver), le théâtre des Champs-Élysées (ouvert en 1862, devenu le théâtre Marigny). L'annexion des communes périphériques en 1860 accroît la liste des théâtres parisiens des salles de la proche banlieue : théâtre de Bercy (cour Margaux), théâtre du Montparnasse (31, rue de la Gaîté), théâtre de Grenelle (rue du Théâtre), théâtre des Batignolles (rue des Batignolles), théâtre Montmartre (rue Dancourt), théâtre de Belleville (rue de Belleville). Ces théâtres périphériques ne sortiront de l'ostracisme mondain qui les frappe que dans les années 1930 ou même 1950, quand les Batignolles auront pris le nom de théâtre des Arts-Hébertot, lorsque le théâtre Montmartre s'appellera l'Atelier de Dullin, et que Gaston Baty aura pris la direction du théâtre Montparnasse. La trentaine de salles de 1870 croît jusqu'à quarante-trois en 1905. Certains théâtres vont disparaître, mais la plupart se sont maintenus jusqu'à nos jours. Il y a même de nouvelles créations : les Mathurins (1905), la Comédie Caumartin et le théâtre Michel (1906), le théâtre Édouard VII (1910), le théâtre Mogador (1919), La Potinière (1920), les théâtres Daunou et des Nouveautés (1921), La Michodière (1923), le théâtre de la Madeleine (1924), le théâtre Saint-Georges (1926), les théâtres Récamier et des Ambassadeurs (1930), sans oublier les noms prestigieux du Vieux-Colombier (1913) de Jacques Copeau et le théâtre des Champs-Élysées (1922). La crise des années 1930 cause plusieurs disparitions et entrave les créations, limitées à deux : la grande salle du Palais de Chaillot liée à l'Exposition internationale de 1937 et le théâtre Pigalle (1934), fruit du mécénat d'Henri de Rothschild.

Des quarante-trois salles de 1905, on est passé à cent dix-huit en 1990, alors que l'on va partout répétant que le théâtre est en crise. Il est impossible de les énumérer ici : l'ouvrage de référence sur ce sujet est constitué par *Les Théâtres de Paris*, études réunies par Geneviève Latour et Florence Claval et publiées en 1991.

• *Voir aussi* BOULEVARD ; COMÉDIE-FRANÇAISE ; FOIRE ; JEU DE PAUME ; OPÉRA ; OPÉRA-COMIQUE.

THÉÂTRE-FRANÇAIS
Voir COMÉDIE-FRANÇAISE.

THIERS (enceinte de)
Voir ENCEINTES.

TITI
Voir GAMIN.

TIVOLI
Voir PARC D'ATTRACTIONS.

TOILETTES PRIVÉES
Le contenu du pot de chambre déversé dans la rue par la fenêtre, voilà le mode le plus répandu d'évacuation de l'urine et des excréments jusqu'au XVIᵉ siècle et au-delà. La fosse d'aisances est un perfectionnement rarissime. Au XVIᵉ siècle, la mode veut qu'on installe les commodités au sommet de la maison. Comme le note le médecin Louis Savot : « Le siège et ouverture des privés sera au galetas, d'autant que s'il était plus bas, la puanteur se pourrait plus aisément répandre par le corps de logis : ce qui ne peut arriver sitôt, quand ils sont situés aux lieux les plus hauts, le propre de l'odeur étant de gagner toujours le haut. Ils ne laisseront pourtant d'avoir un soupirail ou ventouse qui passera outre la couverture. » François Blondel confirme cet agencement dans son *Cours d'architecture* : « L'on pourvoit à la netteté et à la commodité des maisons particulières par la construction de fosses d'aisances qui doivent être assez profondes, bien voûtées, bâties de gros murs [...]. Leurs sièges doivent être au plus haut du bâtiment, c'est-à-dire autant éloignés qu'il se peut des appartements que l'on habite. » Quelquefois, les privés sont rejetés à l'extrémité la plus reculée de l'hôtel particulier au Marais. Parfois en saillie dans les étages et orientés vers la cour, clos d'une porte en bois, ces cabi-

nets consistent en une lunette de bois fermant à l'aide d'un tampon.

Au XVIIIe siècle, on construit généralement les immeubles avec deux cabinets, l'un au rez-de-chaussée, l'autre au dernier étage habité. A la veille de la Révolution, dans son *Tableau de Paris*, Louis Sébastien Mercier s'indigne de la saleté des cabinets : « Les trois quarts des latrines sont sales, horribles dégoûtantes : les Parisiens, à cet égard, ont l'œil et l'odorat accoutumés aux saletés. Les architectes, gênés par l'étroit emplacement des maisons, ont jeté leurs tuyaux au hasard, et rien ne doit plus étonner l'étranger, que de voir un amphithéâtre de latrines perchées les unes sur les autres, contiguës aux escaliers, à côté des portes, tout près des cuisines, et exhalant de toutes parts l'odeur la plus fétide. Les tuyaux trop étroits s'engorgent facilement, on ne les débouche pas ; les matières fécales s'amoncellent en colonnes, s'approchent du siège d'aisance ; le tuyau surchargé crève ; la maison est inondée ; l'infection se répand, mais personne ne déserte : les nez parisiens sont aguerris à ces revers empoisonnés. »

Il existe pourtant, à cette époque, des lieux agréables. Un demi-siècle auparavant, l'architecte J.-F. Blondel les décrit dans *De la distribution des maisons de plaisance et de la décoration des édifices en général* (1737) : « A côté de cette chambre à coucher est un petit cabinet où sont pratiqués des lieux à soupape qui sont très propres à être placés à côté des grands appartements parce qu'ils ne donnent jamais de mauvaises odeurs. Les cabinets où sont ces lieux s'appellent aussi cabinets à soupape. Ils se décorent très joliment et l'on a coutume de renfermer le siège dans une banquette de marqueterie ou de menuiserie, laquelle se met dans une niche en forme d'alcôve, aux deux côtés de laquelle sont de petites portes, dont l'une sert de dégagement pour entrer dans la garde-robe qui est derrière, et l'autre

peut servir d'armoire pour y serrer les eaux de senteur. »

Sous le règne de Louis XVI, la famille royale et les personnes les plus fortunées se font installer des « lieux à l'anglaise ». Voici la description de ceux de l'hôtel de Vergès, au faubourg Saint-Honoré : « Le siège est en menuiserie pareillement peint en marbre, la cuvette intérieure en marbre, ledit siège garni de ses robinets avec rosettes en cuivre doré [...]. En face du siège est une cuvette supportée par un pied en forme de coquille, le tout en marbre ; au-dessus, un robinet en col de cygne et sa rosette, le tout en cuivre doré. » Mais les cabinets « à l'anglaise » mettront très longtemps à se généraliser.

En effet, sous le second Empire encore, les architectes, qui se donnent tant de peine à utiliser la gamme décorative pour orner les façades, n'accordent aucune importance à l'emplacement et à l'agencement des cabinets auxquels le bourgeois aisé préfère toujours son pot de chambre. Quant aux immeubles populaires, voici comment l'hygiéniste Fonssagrives décrit en 1871 leurs lieux : « Des bassins béants et sans couvercle, des sièges constamment souillés, un sol qui porte la trace d'une incurie quasi dégradante, des murs salpétrés et recouverts d'un essaim hideux de mouches stercoraires, des exhalaisons ammoniacales qui irritent la gorge et les yeux, une obscurité à peu près complète, une humidité persistante, des odeurs fétides qui se répandent par les vents mous et pluvieux dans toutes les parties de la maison. »

Au début du XXe siècle, la situation ne s'était guère améliorée. Dans ses souvenirs d'ouvrier, René Michaud décrit les toilettes collectives de son immeuble : « La porte à peine entrouverte, l'odeur s'engouffrait dans les logements, se mêlant aux relents de cuisine, aux remugles de lessive chaude, de charbon gras et d'urine, empestant ces réduits où s'entassaient des familles faméliques qui proliféraient d'abondance. »

Pourtant, dès 1883, le savant Émile Trélat s'est prononcé en faveur d'appareils conçus de façon : « 1° à tout expédier promptement au-dehors de l'appartement et de la maison ; 2° à opérer instantanément leur propre nettoyage chaque fois qu'ils ont servi ; 3° à fonctionner comme obturateurs parfaits lorsqu'ils sont en repos ; 4° à diluer les matières solides qu'ils doivent éconduire ». Inventés une fois de plus par les Anglais, ce sont les W.C. à chasse d'eau.

Vers la même époque s'introduit aussi à Paris un autre progrès, le papier hygiénique, inventé aux États-Unis par Joseph Cayetty. Il passera longtemps pour un raffinement exceptionnel dans l'esprit des Parisiens.

L'État finit par s'immiscer dans l'intimité des Parisiens avec l'arrêté préfectoral du 8 août 1894, réglementant l'assainissement de la capitale. Quatre articles concernent les cabinets d'aisances :

« Article 1 : Dans toute maison à construire, il devra y avoir un cabinet d'aisances par appartement, par logement ou par série de trois chambres louées séparément. Ce cabinet devra toujours être placé soit dans l'appartement ou logement, soit à proximité du logement ou des chambres desservies et, dans ce cas, fermé à clé.

« Article 2 : Tout cabinet d'aisances devra être muni de réservoir ou d'appareils branchés sur la canalisation, permettant de fournir, dans ce cabinet, une quantité d'eau suffisante pour assurer le lavage complet des appareils d'évacuation et entraîner rapidement les matières jusqu'à l'égout public.

« Article 3 : L'eau ainsi livrée dans les cabinets d'aisances devra arriver dans les cuvettes de manière à fournir une chasse vigoureuse.

« Article 4 : Toute cuvette de cabinet d'aisances sera munie d'un appareil formant fermeture hydraulique permanente. »

La mise en place du tout-à-l'égout sera un dernier progrès et les toilettes privées atteindront la propreté désirée par leurs propriétaires et usagers.

• *Voir aussi* FOSSE D'AISANCES ; TOUT-A-L'ÉGOUT.

TOILETTES PUBLIQUES

« Vespasienne : grand vase en terre cuite, haut comme une amphore, semblable à un tonneau coupé, que Vespasien établit comme urinoir à Rome, et pour lequel il perçut une taxe. Par imitation, urinoir public établi à Paris, sous forme de petite guérite ou de colonne. » Ainsi s'exprime Littré dans son immortel *Dictionnaire*.

Le Moyen Âge et les Temps modernes n'auront pas le raffinement de la Rome antique et le Parisien loin de son domicile ne pourra longtemps se soulager qu'en posant culotte au bord de la Seine ou dans un jardin public, aux Tuileries ou au Palais-Royal. A la veille de la Révolution, Louis Sébastien Mercier, dans son *Tableau de Paris*, consacre un chapitre aux latrines publiques. En voici le début : « Elles [les latrines publiques] manquent à la ville. On est fort embarrassé dans ces rues populeuses quand le besoin vous presse ; il faut aller chercher un privé au hasard dans une maison inconnue. Vous tâtez aux portes et avez l'air d'un filou, quoique vous ne cherchiez point à prendre.

« Autrefois, le jardin des Tuileries, le palais de nos rois, était un rendez-vous général. Tous les chieurs se rangeaient sous une haie d'ifs, et là ils soulageaient leurs besoins. Il y a des gens qui mettent de la volupté à faire cette sécrétion en plein air : les terrasses des Tuileries étaient inabordables par l'infection qui s'en exhalait. M. le comte d'Angiviller, en faisant arracher ces ifs, a dépaysé les chieurs qui venaient de loin tout exprès. On a établi des latrines publiques, où chaque particulier satisfait son besoin pour la pièce de deux sols ; mais si vous vous trouvez au faubourg Saint-Germain, et que vos viscères soient relâchés, aurez-vous le temps d'aller trouver l'entrepreneur? L'un se précipite dans une allée sombre, et se sauve ensuite; et l'autre est obligé, au coin d'une borne, d'offenser la pudeur publique; tel autre se sert d'un fiacre ou d'une vinaigrette; il transforme le siège de la voiture en siège d'aisance; ceux qui se sentent encore des jambes, courent à demi-courbés au bord de la rivière.

«Aujourd'hui les quais qui forment une promenade et qui sont un embellissement de la ville, révoltent également l'œil et l'odorat.»

Lieutenant général de police, Sartine fait poser en 1771 des «barils d'aisances» aux coins de quelques rues. Dans ses *Mémoires secrets*, Bachaumont évoque, à la date du 6 septembre 1769, un projet du contrôleur général des finances, Laverdy: «C'était celui d'établir des brouettes à demeure à différents coins des rues, où il y aurait des lunettes, qui se trouveraient prêtes à recevoir ceux que des besoins urgents presseraient tout à coup.» Serait-ce ce projet que Sartine aurait réalisé?

Homme d'affaires avisé, le duc d'Orléans a fait établir douze cabinets d'aisances au Palais-Royal. Ils rapportent gros à leur propriétaire à 2 sous le siège avec papier gratuit. En 1807, *Le Pariséum* signale des garde-robes hydrauliques ou «water-closets» installées au palais du Tribunat et dont l'utilisation coûte 3 sous. Bazot, en 1816, dans le *Nouveau Conducteur des étrangers dans Paris*, signale quelques toilettes publiques, au Palais-Royal, rue Vivienne face au Trésor public, aux jardins du Luxembourg et des Tuileries. En 1819, dans la nouvelle édition de son guide, il souligne les qualités des toilettes du Palais-Royal: «Des cabinets d'une propreté extrême, des glaces, une jolie femme au comptoir, des préposés pleins de zèle, tout enchante les sens et le client donne dix, vingt fois plus qu'on ne lui demande.» D'après un article d'avril 1841 de la *Revue générale de l'architecture et des travaux publics*, il semblerait que les premiers essais de vespasiennes publiques auraient été faits sur les boulevards au printemps 1830. Mais ces colonnes à double usage, affichage publicitaire et urinoirs, auraient servi de matériau pour élever les barricades de l'insurrection de juillet 1830. Gisquet, dans ses *Mémoires*, prétend avoir installé des urinoirs publics durant son passage à la préfecture de police, entre 1831 et 1836. Mais c'est à Rambuteau, préfet de la Seine de 1833 à 1848, que revient sans contestation la gloire d'avoir installé les premiers cabinets d'aisances publics. Il réunit dès 1835 une commission pour examiner la question des urinoirs et écrit, le 19 juillet 1839, au préfet de police Delessert: «J'ai autorisé, à titre d'essai, la construction de colonnes à affiches avec urinoir intérieur sur les boulevards Montmartre et des Italiens.» L'écrivain populaire Paul de Kock en donne une description: «On a élevé sur les boulevards, à des distances peu éloignées, des espèces de colonnes de dix à douze pieds de haut qui se terminent par une boule et une pointe menaçant le ciel: ce genre d'architecture rappelle les minarets d'Orient et je ne vois pas en quoi nos nouvelles colonnes peuvent avoir l'intention de nous rappeler le Turcs.» Le poète Barthélemy célèbre ce triomphe de la décence:

[...] *sur nos boulevards, des tourelles de*
[*pierre*
Dispensent la pudeur de baisser la
[*paupière.*

En avril 1843, la ville dispose déjà de quatre cent soixante-huit urinoirs. Outre le modèle déjà décrit, il existe des urinoirs en tôle et en fonte ou constitués de deux plaques de lave d'Auvergne recouvertes d'un émail verdâtre. Les abords de ces lieux deviennent rapidement dangereux à la tombée de la nuit. Les prostituées y racolent et les cabinets des Halles sont un centre de prostitution masculine. Les pickpockets y sévissent. On pense enfin au sexe dit faible et, en 1859, Boisgontier et Baron conçoivent des pavillons à son usage. Voici comment le spirituel historien des *Lieux*, l'immortel Roger-Henri Guerrand, les décrit : «Une structure vitrée à utiliser pour l'affichage était séparée par un intervalle de 15 centimètres d'une boiserie abritant deux loges. Pour permettre à l'air de circuler, la toiture était séparée du corps de l'édicule. Un petit hall permettait à trois personnes de séjourner à l'intérieur sans être exposées à attendre sur la voie publique que les deux cabinets soient libres.»

Sous la troisième République, la Ville adjuge de nombreuses constructions d'urinoirs de modèles variés. Le plus classique est l'urinoir en fonte à deux stalles affrontées de l'architecte Demouza. Sur les boulevards, le modèle commun a trois stalles et une resserre à outils pour les employés de la voirie. Il existe des modèles géants à cinq ou six places. Les vespasiennes font l'objet de surenchères électorales, les élus municipaux s'affrontant pour le choix des emplacements. On atteindra quatre mille places à la veille de la Grande Guerre. Le conseiller municipal Adolphe Chérioux fait alors le point. Outre les cent douze chalets de nécessité pour dames, il distingue trois sortes de vespasiennes : urinoirs lumineux à deux et trois stalles concédés à la Société parisienne de publicité, au nombre de 806 ; urinoirs de la Ville à deux stalles en fonte, 398 ; urinoirs isolés et adossés en ardoise, appartenant aussi à la Ville, 415.

Mais la roche Tarpéienne est proche du Capitole des pissotières. Devenu sujet de littérature dans *Topaze* ou *Clochemerle*, l'urinoir offusque de plus en plus la moralité publique. Promoteur de la construction sociale, Henry Sauvage, dans *La Boutique à treize*, en 1923, les juge sinistres : «Oh ! que les urinoirs sont tristes ! Péristyles d'un mauvais lieu où l'on n'entre qu'en se

cachant ; carapaces d'insectes géants, hérissés de piques et de dards ; labyrinthes à deux ou trois places d'où filtrent d'âcres odeurs ! Le soir, lanternes sourdes à la lueur si tremblotante ; souricières pour prendre les hommes ; mausolées lugubres et pleins de mystères ! Pourquoi donc êtes-vous si tristes, ô urinoirs ?»

Remplacés rarement par des constructions en sous-sol, les urinoirs disparaissent les uns après les autres. Le 21 décembre 1959, le conseil municipal décide la destruction de tous les édicules de surface. En mars 1961, une nouvelle délibération a lieu et maître Fayssat, élu d'Auteuil, fait l'éloge de la satisfaction des besoins naturels et enlève par son éloquence un sursis pour les vespasiennes qui continuent à disparaître par vétusté.

Il faudra l'élection d'un maire pour que le déclin soit enrayé et que, le 28 janvier 1980, le Conseil de Paris autorise l'installation des premières «sanisettes», merveille technique évoquant l'habitacle des cosmonautes, modèle unisexe dont tout le monde peut aujourd'hui bénéficier à condition de ne pas être claustrophobe.

• *Voir aussi* **TOILETTES PRIVÉES**.

TOIT

La Lutèce gallo-romaine utilisait pour la couverture de ses toits le système gréco-romain de la tuile plate (*tegula*) et du couvre-joint à profil demi-circulaire ou en dièdre (*imbrex*). Le Haut Moyen Âge simplifie la couverture en ne conservant que le couvre-joint, facile à fabriquer, qui va devenir la «tuile romaine» ou «tuile canal» qui se perpétuera dans de nombreuses régions, notamment dans le Midi. Au Moyen Âge, les maisons parisiennes possèdent des toits à forte pente et à deux versants, perpendiculaires à la rue qu'ils dominent de leurs hauts pignons. Cependant, le toit en appentis, parallèle à la rue, est aussi figuré sur les plans de la ville du XVIᵉ siècle. La couverture est, à l'origine, en chaume et en bardeaux de bois. Le chaume a vraisemblablement régressé dès le XIIᵉ siècle à cause des risques d'incendie. Mais les bardeaux, dits « essaunes », planchettes taillées et non sciées, continuent à être attestés dans de nombreux comptes et expliquent que le métier de couvreur ait d'abord été partie du métier de charpentier. Ce n'est qu'en 1327 que les couvreurs constituent une corporation distincte. C'est l'époque où la tuile, matériau plus cher mais plus solide et moins exposé aux risques d'incendie, commence à se répandre. L'ardoise est réservée aux couvertures coûteuses, luxueuses, des églises ou d'édifices comme les collèges ou les hôpitaux. Le plomb est utilisé pour les gouttières, pour protéger le haut des murs et certaines parties de la toiture. Cela explique que les plombiers aient fait partie de la corporation des couvreurs jusqu'en 1546. Découvrant les toits de Paris en 1540, l'architecte italien Sebastiano Serlio s'étonne de la hauteur des toits ardoisés et des lucarnes qui les ornent. Aux XVIᵉ et XVIIᵉ siècles, le mur gouttereau sur rue s'impose au détriment du pignon qui finit par être interdit. La tuile, beaucoup moins chère, continue à dominer. Elle est en partie fabriquée aux alentours immédiats de la capitale, ainsi que l'atteste le nom du palais des Tuileries, à partir des gisements d'argile. L'ardoise vient de loin, d'Anjou et parfois de Mézières et de Charleville. L'ordonnance de 1784, en établissant un alignement à partir duquel une hauteur de façade doit être respectée, en rapport avec la largeur de la rue, donne une nouvelle importance à la toiture. La ligne séparant la façade de la toiture est matérialisée par la corniche portant l'égout du toit. Au-delà de cette corniche, le volume du toit est ainsi isolé et reçoit un traitement réglementaire particulier, dans un gabarit qui est défini par un plan oblique, incliné à 45 degrés avec un plafond de hauteur variant suivant la largeur des voies. La hauteur entre la corniche et le faîtage ne peut dépasser 15 pieds (4,87 mètres) puis 5 mètres à partir de 1859 pour une hauteur de façade de 17,54 mètres (9 toises) dans les rues d'une largeur variant entre 9,75 mètres et 20 mètres. Cela veut dire qu'il est possible de loger cinq étages « carrés » (non mansardés) et un étage sous comble. L'immeuble dit « haussmannien », apparu dès 1845, correspond à ces critères. Les constructeurs adoptent souvent le comble brisé à la Mansart, avec entrait relevé et un angle d'amorce de la toiture allant jusqu'à 70 degrés afin de loger plus aisément la lucarne. Le brisis est situé à une hauteur suffisante pour qu'on puisse tenir debout aisément. La toiture se termine par un terrasson couvert en zinc, établi au-dessus d'un comble perdu. Le zinc est apparu vers 1840 en concurrence avec l'ardoise et le rouge des toits parisiens s'estompe au profit des gris qui caractérisent encore aujourd'hui Paris vu d'avion. Vers 1900 apparaissent les premières terrasses que les architectes du « mouvement moderne » vont privilégier, Le Corbusier en faisant même un des « cinq points d'une architecture nouvelle ». Le toit-terrasse, souvent aménagé en jardin, recrée la verdure dans une ville de plus en plus minérale. Depuis 1945, presque tous les immeubles construits possèdent des toits-terrasses, mais très souvent envahis par des appareils de ventilation mécanique qui les dénaturent et les rendent inaccessibles aux activités de loisirs. On trouve une excellente synthèse sur les toitures à Paris dans *De toits en toits. Les toits de Paris*, paru sous la direction de François Leclercq et de Philippe Simon à l'occasion d'une exposition sur ce sujet au pavillon de l'Arsenal de septembre à décembre 1994.

• *Voir aussi* ALIGNEMENT ; ARGILE ; GOUTTIÈRE ; HAUTEUR DES IMMEUBLES ; MAISON ; PIGNON ; PLOMBIER.

TOUT-A-L'ÉGOUT

Jusqu'au second Empire, les déjections sont stockées dans des fosses d'aisances ou, rarement désormais, jetées par la fenêtre. Le processus du tout-à-l'égout s'amorce avec l'article 6 du décret-loi du 26 mars 1852 qui stipule : «Toute construction nouvelle dans une rue pourvue d'égouts devra être disposée de manière à y conduire ses eaux pluviales et ménagères. La même disposition sera prise pour toute maison ancienne en cas de grosses réparations, en tout cas avant dix ans.» Ce texte est complété par l'arrêté préfectoral du 2 juillet 1867 : «Les propriétaires des immeubles en bordure sur la voie publique pourront faire écouler les eaux vannes de leurs fosses d'aisances dans les égouts de la ville, d'une manière directe.»

En 1871, un ingénieur des Ponts et Chaussées, Alfred Durand-Claye (1841-1888), affecté depuis 1866 au Service des Eaux, des Égouts et de l'Assainissement de la Ville, dénonce les fosses d'aisances fixes — il y en a alors soixante mille — qui ne peuvent être améliorées et dégagent des odeurs pestilentielles. Il propose de les faire se déverser dans les égouts : «L'introduction libérale de l'eau dans les maisons et sur la voie publique devient peu à peu, de toutes parts, la loi primordiale de l'assainissement municipal. C'est à ce titre que le développement complet d'un large réseau d'égouts s'impose comme le seul procédé compatible avec l'enlèvement rapide et hygiénique de tout le *caput mortuum* des grandes cités ; c'est à ce titre que l'isolement dans les fosses des matières de vidanges, leur transport barbare à la tonne, leur traitement odieux à chaud sont avec raison poursuivis par une réprobation unanime ; c'est à ce titre que le vieil exemple d'Édimbourg et de Milan a créé les terrains municipaux d'épuration d'Angleterre et d'Allemagne et créera, plus tard, les vastes espaces d'utilisation agricole, tout en permettant de suite l'assainissement complet de la cité entre ses murs et dans sa banlieue.»

Afin de ne pas transformer la Seine en cloaque, on épand les matières fécales et les eaux usées d'abord sur un terrain de 6 puis de 200 hectares à Gennevilliers. Hostile au projet, Pasteur est émerveillé par la taille et la qualité des légumes poussant sur les champs d'épandage. En 1876, de nouveaux champs sont mis en service dans les garennes de la forêt de Saint-Germain.

Durand-Claye disparaît à la veille du triomphe. Ce n'est que le 4 avril 1889 qu'une loi déclare d'utilité publique son projet, avec un aqueduc, celui d'Achères, acheminant les eaux usées de la capitale sur 799 hectares de terrains domaniaux de la forêt de Saint-Germain. Malgré l'opposition des propriétaires d'immeubles, peu disposés à payer la nouvelle taxe municipale de vidange, le tout-à-l'égout triomphe pour le plus grand bien de la santé et de l'odorat des Parisiens.

• *Voir aussi* EAU ; ÉGOUT ; FOSSE D'AISANCES ; TOILETTES PRIVÉES ; TOILETTES PUBLIQUES.

TOUT-PARIS

Au XVIIIe siècle s'impose la séparation entre la cour de Versailles et la ville, qui implique non seulement une distance entre Versailles et Paris, mais aussi une fracture entre l'espace monarchique public, la Cour, et les salons où se retrouve la bonne société parisienne. Au XIXe siècle, la scission entre l'entourage du souverain et cette société se prolonge pour diverses raisons : la rigide et triste Cour impériale n'est nullement un endroit où il fasse bon vivre ; Louis XVIII et Charles X ne pensent qu'à restaurer une cour d'Ancien Régime pourtant bien morte ; l'avènement de Louis-Philippe opère une séparation de corps entre le nouveau roi et l'aristocratie légitimiste du faubourg Saint-Germain qui refuse de se rendre à la Cour. Ainsi se constitue «le monde», qui regroupe la «bonne société». Dans ses *Mémoires*, Abel de

Rémusat note : « Mon père n'allait pas dans le monde », voulant dire que son père ne fréquentait pas les salons de la bonne société. Celle-ci va se transformer en « Tout-Paris ». Littré date l'expression de 1820. En 1837, *Le Siècle* définit le Tout-Paris comme « un bataillon sacré » de quatre cents à cinq cents personnes, « dandys, gens de lettres, merveilleuses, bas-bleus et célébrités de tout genre », qui se retrouvent pour les soirées de l'Opéra, les premières de théâtre, les réceptions à l'Académie, les courses de chevaux, etc. Dans *La Muse du département*, Balzac parle des « deux mille personnes qui se croient tout Paris ». Dans une pièce de théâtre, *Les Trois Quartiers*, le Tout-Paris regroupe « les gens distingués ». Le Tout-Paris se répartit vers 1840 entre une vingtaine de salons de sensibilités bien différentes regroupés dans quatre quartiers bien déterminés : la Chaussée-d'Antin des banquiers et hommes d'affaires, une société dynamique, moderne, où les nouveaux riches côtoient les actrices ; le Marais et son ancienne et compassée noblesse de robe, sévère et économe ; le faubourg Saint-Honoré, où prédominent les aristocrates de tendance libérale et les étrangers des ambassades, presque toutes regroupées à cet endroit ; le faubourg Saint-Germain, fief de l'aristocratie fidèle aux Bourbons déchus en 1830. La saison mondaine allait de décembre à Pâques. Dans le courant de mai, le Tout-Paris commençait à déserter la capitale pour ses châteaux de province. De juillet à septembre inclus, la vie mondaine de Paris émigrait à la campagne, au bord de la mer ou dans les villes d'eau. Le Tout-Paris existe encore, se confondant partiellement avec la « jet-society » internationale et se distinguant aujourd'hui beaucoup plus par ses dépenses tapageuses, un train de vie excentrique, que par les salons d'esprit, qui n'ont pas survécu à la Grande Guerre de 1914-1918.
• *Voir aussi* SALON LITTÉRAIRE.

TRAITEUR

Comme les charcutiers et les restaurateurs, les traiteurs sont issus de la corporation des cuisiniers. Ils sont attestés pour la première fois à l'occasion de la confirmation de leurs premiers statuts par Henri IV en mars 1599. Ils portent alors le nom de « queux-cuisiniers-porte-chappes ». Le mot « queux » signifie « cuisinier » et l'expression « porte-chappes », observe Alfred Franklin, « vient de ce que, pour livrer en ville les mets apprêtés chez eux, ils les protégeaient par un couvercle de fer blanc appelé chappe ». Les statuts mentionnent qu'ils ont pour métier la préparation des « nopces, festins et banquets, tant en leur maison qu'en autres lieux ». Les nouveaux statuts d'août 1663 ajoutent aux trois titres précédents celui de « traiteurs », qui les met en concurrence avec les cabaretiers et rôtisseurs, qui ont aussi le droit de donner à manger chez eux. A la veille de la Révolution, on comptait deux cent huit traiteurs dont la confrérie était placée sous le patronage de la Vierge, fêtée le jour de la Nativité.
• *Voir aussi* GASTRONOMIE ; RESTAURANT.

TRAMWAY

C'est aux États-Unis qu'est mis au point vers 1830 le chemin de fer américain ou tramway, moyen de transport concurrent des omnibus. La première ligne régulière fut mise en place à New York en 1832. Les voitures étaient munies de roues à bandages, comme les omnibus, et roulaient dans des rails au profil en « U » faisant saillie au-dessus de la chaussée, ce qui provoquait de si nombreux accidents qu'il fallut renoncer et enlever les rails.

C'est un ingénieur français résidant à New York, Loubat, qui reprend l'idée du tramway en 1852 en remplaçant les rails proéminents par des rails à gorge s'encastrant dans la chaussée et ne dépassant pas le niveau du sol. Il obtient l'autorisation de construire une voie unique entre la place de la Concorde et la barrière de Passy, à l'extrémité du quai Debilly. Le premier essai, le 21 novembre 1853, suscite l'enthousiasme et une concession est accordée à Loubat le 18 février 1854, prévoyant une ligne traversant Paris d'ouest en est, de Boulogne à Vincennes. En 1856, le « chemin de fer américain » — c'est ainsi qu'on nomme alors le tramway — est racheté par la Compagnie générale des omnibus (C.G.O.) qui a obtenu le monopole des transports parisiens. Celle-ci ne fait rien pour le développer et le tramway demeure longtemps une curiosité, disposant d'une unique ligne de la Concorde au rond-point de Boulogne. En banlieue, cependant, deux lignes sont ouvertes en 1855 et 1857, de Rueil à Port-Marly et de Sèvres à Versailles.

Il faut attendre 1869 pour que le rail soit à nouveau à l'honneur dans le transport urbain parisien : une locomotive tirant deux voitures de vingt-huit places transporte en une heure les danseurs du bal du Bataclan, boulevard du Prince-Eugène (nommé maintenant Voltaire) à Champigny-sur-Marne. Mais elle est vite fermée, alors que prospère la ligne Le Raincy-Montfermeil, ouverte la même année. La situation se débloque cependant en 1873 au détriment de la trop conservatrice Compagnie générale des omnibus qui perd son monopole : dix lignes Paris-banlieue sont concédées à deux compagnies, Tramways Nord et Tramways Sud, créées par des banques belge et britannique. La C.G.O. se décide alors à agir et ouvre dès 1873 la ligne Louvre-Vincennes conçue en 1853 par Loubat, puis une ligne circulaire longeant les fortifications. En 1878, quarante lignes sont exploitées, pour moitié par la C.G.O.

Le 8 novembre 1875, cinq jours seulement après l'ouverture de sa première ligne, la Compagnie des Tramways Sud a expérimenté la traction à vapeur entre la porte de Châtillon et Saint-Germain-des-Prés. La première ligne au monde de tramway urbain à vapeur est ouverte le 9 août 1876, sur le trajet Gare Montparnasse-Place Valhubert (Gare d'Austerlitz). Trop coûteuse, la vapeur est abandonnée dès 1878 et l'on en revient à la traction par des chevaux. Pourtant, des progrès techniques notables ont été réalisés avec les locomotives sans foyer et les tramways à air comprimé. Avec un important retard sur Berlin, qui l'utilise depuis 1881, Paris se rallie au tramway électrique en avril 1892, sur la ligne Saint-Denis-Madeleine. Mais, en 1898, alors que s'annonce l'Exposition universelle de 1900 et ses millions de visiteurs, la capitale est encore dominée par la traction hippomobile : quarante-huit lignes d'omnibus et trente-quatre lignes de tramways utilisant des chevaux qui tirent mille deux cent cinquante-six voitures, alors que quatre cent quatre-vingt-dix véhicules circulent sur trente-six lignes de tramways mécaniques.

L'évolution décisive a lieu entre 1900 et 1914. La concurrence du chemin de fer métropolitain et des omnibus automobiles provoque une rapide éviction des chevaux et l'obligation pour les tramways de se moderniser. En 1914, ils sont tous à traction électrique et leur matériel a été entièrement renouvelé entre 1910 et 1914. Le réseau des tramways parisiens couvre toute la capitale à l'exception des Champs-Élysées, de l'avenue de l'Opéra et des Grands Boulevards. L'apogée des tramways est très brève, car l'automobile les détrône très vite, les conducteurs de voitures individuelles les accusant de gêner la circulation. Dès 1929, le Conseil municipal prononce la condamnation du tramway à l'intérieur de Paris et décide son remplacement par l'autobus. Le 15 mai 1937, le dernier tramway accomplit son ultime voyage de la porte de Vincennes à la porte de Saint-Cloud. La disparition du tramway est perçue alors comme une victoire du progrès, incarné par l'automobile.

• *Voir aussi* **TRANSPORT** (moyen de).

TRANSPORT (moyen de)
Voir AÉROSTAT ; AUTOBUS ; AUTO-
MOBILE ; AVION ; BALLON POSTAL ; BA-
TEAU A VAPEUR ; BATEAU-MOUCHE ;
CARROSSE ; CHAISE A PORTEURS ; CHE-
MIN DE FER ; CHEMIN DE FER DE CEIN-
TURE ; CHEVAL ; COCHE D'EAU ; FIA-
CRE ; MÉTROPOLITAIN ; OMNIBUS ; TAXI ;
TRAMWAY.

TRIBUNAL DE COMMERCE
Voir JUGE-CONSUL.

TRIPLÉS
Voir FÉCONDITÉ.

TROIS NOMBRES
On appelle « Trois Nombres » au
XVIᵉ siècle les trois « compagnies de la
ville » ou « compagnies bourgeoises »
de soixante arbalétriers, cent vingt archers et cent arquebusiers — trois
nombres différents — qui constituent
un des éléments du maintien de l'ordre
public à Paris du XVᵉ siècle à la Révolution, à côté du guet et de la milice
municipale. On les nomme aussi « archers de la ville ». Ces trois compagnies furent ramenées, en février 1566,
à un effectif de cent hommes chacune.
Des lettres patentes du 14 décembre
1769 les divisèrent en quatre compagnies, la nouvelle unité étant dite de
« fusiliers », afin d'aligner les effectifs
sur ceux des compagnies d'infanterie
française. A cette occasion, les archers
ou « gardes » de la ville se virent attribuer le rang de gendarmerie et de maréchaussée de France. En 1770, les
officiers étaient au nombre de quatre
capitaines dont le capitaine-général-co-
lonel commandant, outre sa compagnie, les trois autres, quatre lieutenants
dont le lieutenant-colonel, un major,
quatre sous-lieutenants, un aide-major,
quatre porte-drapeaux ou enseignes,
trois cornettes et autant de guidons,
la nouvelle compagnie de fusiliers
n'ayant ni cornette ni guidon. Les bas-
officiers et la troupe étaient constitués
d'un sergent-major, quatre sergents
d'inspection, vingt-quatre sergents de

compagnie, vingt-quatre caporaux et
vingt-quatre appointés. Ne recevant
pas de solde, les archers ou gardes de la
ville bénéficiaient d'avantages com-
pensatoires : exemption de tout impôt
ou taxe, sel gratuit, autorisation de vendre dix queues de vin par an sans payer
aucun droit. Il incombe aux Trois
Nombres de participer au maintien de
l'ordre dans la capitale, de prendre parfois la garde aux portes et sur les quais,
d'assurer la sécurité de personnes de
marque, ambassadeurs étrangers, hauts
personnages et parfois même le roi.
Mais une de leurs tâches essentielles
consistait à encadrer les cérémonies officielles et à contenir la foule lors de
ces processions ou réceptions, ce qui
explique que leur uniforme, fréquemment modifié, était presque somptueux,
ainsi qu'en témoigne cette description,
lors de l'entrée de Louis XIV et de
Marie-Thérèse d'Autriche dans la capitale en 1660 : « Les trois cens archers
de la ville, quatre à quatre, ayans tous
des pistollets à l'arçon de la selle, la carabine haute, des plumes blanches,
leurs cravates renouées avec un ruban
couleur de feu et la casaque bleue
d'une mesme parure, avec des galons
et boutons d'argent, et les armes de la
ville en broderie devant et derrière. » A
la Révolution, les archers de la ville demandèrent en vain leur intégration dans
la garde nationale, puis dans la gendarmerie. Ceux qui étaient encore assez
jeunes pour porter les armes furent versés en 1792 dans la gendarmerie des
tribunaux ou dans les compagnies nouvelles de gendarmerie à pied. P. Tubert
a écrit en 1927 la seule étude sur cette
institution sous le titre : *Archers du
vieux Paris. Les Trois « Nombres ».*
• *Voir aussi* ARBALÉTRIER ; ARCHER ;
ARQUEBUSIER.

TROTTOIR
« Absolument inconnus jusqu'à ce
jour dans les rues de la capitale, malgré
l'exemple de Londres, l'on vient enfin
d'en commencer un des deux côtés de

la nouvelle route du Théâtre-Français; mais la faute que l'on a commise, c'est d'y avoir mis mal à propos des bornes qui empêchent les cochers de faire filer les roues de leurs voitures le long du trottoir. Ils les évitent soigneusement, crainte d'accrocher; ce qui fait qu'au lieu du passage aisé de trois voitures, il n'en peut filer que deux.» Cet extrait du chapitre 438, intitulé «trottoirs», du *Tableau de Paris* de Sébastien Mercier est aisé à dater. C'est, en effet, en 1781 qu'a été décidée la construction de trottoirs le long de la rue nouvellement percée du Théâtre-Français (aujourd'hui de l'Odéon), afin de protéger les piétons se rendant au spectacle. Il faut citer, comme précurseurs des trottoirs, les banquettes établies de chaque côté du Pont Neuf à son ouverture en 1607, mais ces ancêtres du trottoir ne servaient guère aux piétons, car ils étaient utilisés pour étaler des marchandises. De même avait-on pourvu la rue de Tournon, en application d'une ordonnance d'août 1782, d'une rangée de bornes derrière lesquelles les passants étaient à l'abri des voitures, mais c'était plutôt un espace protégé qu'un trottoir surélevé.

Le second trottoir est établi rue de Louvois, où il est prévu d'ouvrir un théâtre, en 1788. Il longe les maisons, est large de 4 pieds (plus de 1,20 mètre) et haut de 10 à 12 pouces (une trentaine de centimètres), avec une bordure en pierre pour le soutenir. Jean-Joseph de Laborde, un des créateurs du quartier de la Chaussée-d'Antin, avait obtenu des lettres patentes du 8 avril 1786 l'autorisant à créer des trottoirs dans la rue Le Peletier qu'il souhaitait percer. En septembre 1793, la dame Pinon et le sieur Thévenin, ayant demandé la permission de prolonger cette rue, virent l'autorisation municipale subordonnée à l'ouverture de trottoirs continuant ceux qui existaient déjà. En 1794, la Commission municipale des travaux publics autori-

sait le percement de deux rues à l'emplacement de l'hôtel Richelieu, à condition que l'une d'elles, la rue de Port-Mahon, serait bordée de trottoirs. Le 4 mai 1795, cette même commission permettait au propriétaire d'une maison, sise à l'angle des rues d'Angoulême et du Faubourg-du-Temple, d'installer le long de la façade un trottoir de 1,50 mètre de large.

A peine en poste, le préfet de la Seine, Frochot, s'efforça de multiplier les trottoirs, mais l'abondance de portes cochères constituait une difficulté presque insurmontable, les trottoirs s'interrompant brusquement à l'entrée de chacune d'elles. En 1823, le préfet Chabrol se lamentait et constatait «le défaut presque absolu de trottoirs commodes et convenablement construits». Enfin, en 1826, il obtint un crédit de 10 000 francs du Conseil municipal pour encourager les particuliers à établir des trottoirs devant leur domicile et les exempta de l'entretien de ceux-ci. Testée sur les rues Saint-Honoré et de Richelieu, l'entreprise rencontra la faveur de la presque totalité des propriétaires. La subvention fut portée à 100 000 francs et les trottoirs se multiplièrent. A partir de 1836, la lave d'Auvergne qui servait de pavement fut remplacée par du bitume, beaucoup moins coûteux. En 1840, la plupart des rues possédaient des trottoirs. Il avait été dépensé pour cela plus de 3 millions de francs dont la moitié en primes d'encouragement. Des règles strictes avaient été établies pour la largeur des trottoirs qui dépendait de la largeur de chaque rue. Une ordonnance du 8 août 1829 consacrait un chapitre entier à la construction et à la réparation de ces trottoirs.

Haussmann s'efforça de les embellir de dalles en liais ou en roche, les dota de bordures en granit de 15 à 30 centimètres de hauteur. Vers 1910, l'accroissement de la circulation et la généralisation des transports automobiles ont rendu le trottoir indispensable à la sauvegarde du piéton ainsi que le note l'ingénieur londonien Trustler : « Il n'y a pas bien longtemps que les trottoirs étaient une matière d'importance tout à fait secondaire ; mais depuis l'apparition des automobiles et des poids lourds, il est devenu nécessaire de songer à sauvegarder plus efficacement les piétons. »

• *Voir aussi* **BORNE** ; **PAVÉ**.

T.S.F.
   Voir **RADIO**.

TUILE
   Voir **ARGILE** ; **TOIT**.

URINOIR

Voir **TOILETTES PUBLIQUES.**

USAGE

L'unification du droit qui a suivi la révolution de 1789 a fait disparaître les coutumes locales, notamment la coutume de Paris et ses particularités. Toutefois, le 25 juillet 1840, des commissions, composées des juges de paix et présidées par le chef du tribunal civil, furent instituées dans chaque arrondissement, à l'effet de réunir et codifier les usages locaux survivant à la promulgation du Code civil. En 1852, les juges de paix de Paris constituèrent un «cahier d'informations» pour les usages de la Ville de Paris. Il a été révisé, mis à jour et édité par leurs successeurs de la Commission des usages de Paris en 1891. Une nouvelle édition a été publiée en 1899. Ces deux brochures sont divisées en six chapitres : distances à observer entre les héritages pour les plantations, distances et ouvrages intermédiaires requis pour certaines constructions, clôtures, louage de domestiques et ouvriers, baux verbaux et locations en garni, réparations locatives. On y apprend, par exemple, que «qui veut faire cheminée et âtre, contre le mur mitoyen, doit faire contremur de tuileaux ou autre chose suffisante, de demi-pied d'épaisseur». Pour les baux verbaux et locations en garni, il est précisé qu'un usage différent s'est «introduit dans une partie du quartier latin, particulièrement dans les Ve et VIe arrondissements (quartier des écoles) où les mutations de logements garnis sont très fréquentes. Il est admis que les logeurs ou leurs locataires peuvent réciproquement se donner congé au cours de chaque période de location et que le congé, donné avant midi, à quatre jours de la huitaine ou de la quinzaine, fait tomber la location, à l'expiration des quatre jours de la huitaine, de la quinzaine franche, suivant que la location a été faite à la huitaine, à la quinzaine ou au mois.» Il est dit ailleurs que «le secouage des tapis dans les cours intérieures est autorisé le matin jusqu'à neuf heures en été et jusqu'à dix heures en hiver», et qu'il est d'usage «que l'escalier des maisons reste éclairé jusqu'à dix heures ou minuit, suivant l'importance de la location et le quartier dans lequel est située la maison». Certains usages vont jusque dans les plus intimes détails des relations entre propriétaires et locataires : «L'entretien des robinets d'eau est à la charge du propriétaire, à moins qu'il ne soit établi que le dégât provient du fait du locataire.»

• *Voir aussi* **COUTUME.**

VACHERIE
Voir LAIT.

VARIOLE

Pendant des siècles, la variole a constitué un véritable fléau et l'explosion démographique des continents asiatique et africain est largement liée à son éradication récente. Ses ravages étaient comparables à ceux de la peste : en 1614, une pandémie particulièrement virulente aurait fait disparaître un Européen sur cinq. Les épidémies de 1719 et de 1723 tuent quatorze mille et vingt mille Parisiens. Louis de Bourgogne et son frère, Charles de Berry, en meurent en 1712 et en 1714, ce qui porte le jeune Louis XV sur le trône en 1715 ; il mourra à son tour de la variole en 1774. Quarante jours après son décès, le 18 juin 1774, Louis XVI, ses frères, les comtes de Provence et d'Artois, et la comtesse d'Artois étaient inoculés selon la technique des frères Sutter, de Londres. Mais il faut attendre Jenner, en 1798, pour que les techniques de vaccination fassent un progrès décisif. Des essais sont aussitôt tentés avec du «fluide vaccin» venant d'Angleterre, le 17 avril 1799, par Pinel à la Salpêtrière. Le duc de La Rochefoucauld-Liancourt, dès son retour d'Angleterre, où il avait émigré après la chute de la monarchie, fonde un Comité de vaccine, le 2 juin 1800, et s'adjoint les services du docteur Guillotin. Le consul Lebrun s'inscrit le premier sur la liste des souscripteurs pour l'inoculation de la vaccine. Guillotin a ouvert une «maison de vaccination», le 29 avril 1800, au Montparnasse. Le préfet de la Seine, Frochot, s'associe à cette campagne, faisant ouvrir, rue du Battoir-Saint-André-des-Arts (Serpente) un «Hospice spécial pour l'inoculation de la vaccine». En 1803, Chaptal, ministre de l'Intérieur, fonde la Société pour l'extinction de la petite vérole en France par la propagation de la vaccine. Napoléon donne l'ordre de faire vacciner tous les soldats pour vaincre les réticences populaires et fait immuniser le roi de Rome encore bébé. Dès lors, la partie est gagnée. La variole ne tue plus que quatre-vingt-deux personnes à Paris en 1890, vingt en 1910. Les dernières épidémies dans la capitale ont eu lieu en 1942, 1947 et 1948, importées d'Afrique du Nord, et ont été jugulées très rapidement, la presque totalité de la population étant vaccinée en exécution de la loi de 1902 qui a rendu cette vaccination obligatoire chez l'enfant en bas âge.

• *Voir aussi* ÉPIDÉMIE.

VAUXHALL
Voir PARC D'ATTRACTIONS.

VESPASIENNE
Voir TOILETTES PUBLIQUES.

VÉTÉRINAIRE

Jusqu'au milieu du XVIIIe siècle, il n'existe pas de vétérinaire. Ce sont les maréchaux-ferrants qui sont chargés de soigner les animaux malades. La communauté des bouchers assure l'inspection sanitaire des bêtes et des viandes. Une épidémie décimant les chiens en 1763, c'est aux médecins que les autorités s'adressent pour en trouver la cause et le moyen de soigner les animaux. La plus ancienne école vétérinaire d'Europe voit le jour à Lyon en 1762. Son succès est à l'origine de la fondation en 1767 de celle d'Alfort, non loin de Paris. Dans cette ville, outre la question de la qualité des viandes, se pose le problème de la morve, maladie du cheval transmissible à l'homme. Le 16 avril 1825, une ordonnance de police fait mention pour la première fois d'un «expert vétérinaire» de la préfecture, justement à propos des maladies contagieuses des chevaux. L'ordonnance de police du 17 février 1831 confie à «l'artiste vétérinaire de notre préfecture» la surveillance de tous les animaux atteints de maladies contagieuses. Une nouvelle ordonnance de police prescrit en 1842 la visite par des vétérinaires des

lieux où se trouvent des animaux. Le 27 octobre 1875, le préfet de police propose la création d'un service sanitaire de cinq vétérinaires qui auraient pour mission d'inspecter les animaux aux marchés aux chevaux, à la fourrière, dans les entreprises de transport, etc. Il faut attendre l'arrêté du 26 janvier 1883, complété par les instructions préfectorales des 15 novembre 1883, 24 mai 1886, 9 octobre 1886, pour que soit organisée l'inspection sanitaire des animaux au marché aux bestiaux de La Villette, confiée à cinq vétérinaires inspecteurs de la boucherie. Le 23 juin 1884, un arrêté préfectoral crée le service départemental des épizooties avec quatre vétérinaires sanitaires. En 1890, il existe trois services vétérinaires à la préfecture de police : le service des épizooties, l'inspection de la boucherie de Paris et du département de la Seine, le service sanitaire du marché aux bestiaux de La Villette. Ils fusionnent à la suite de l'arrêté préfectoral du 16 juillet 1895 qui institue l'Inspection vétérinaire sanitaire de Paris et du département de la Seine, rassemblant soixante-quatre vétérinaires. Le rapport d'activité établi l'année suivante permet de constater l'étendue et l'importance de leurs tâches : dans une centaine d'étables ont été signalés des cas de tuberculose bovine, de péripneumonie, de fièvre aphteuse, de gale des moutons. Plus de treize mille chevaux, atteints par la morve ou le farcin, ont été soignés ou abattus, près de cinq cents cas de rage ont été signalés, deux tonnes de viande de cheval impropre à la consommation ont été saisies, etc. En 1906, l'Inspection voit son domaine étendu à la volaille, au gibier, aux poissons, mollusques et crustacés, en 1919 aux œufs, en 1942 au lait et aux produits laitiers.
• *Voir aussi* ANIMAL DOMESTIQUE.

VIANDE

Avec le pain et le vin, la viande était l'élément essentiel de l'alimentation des Parisiens qui, semble-t-il, ont toujours consommé davantage de viande que le reste des Français. Les bouchers ont été une des plus anciennes corporations constituées et une des plus puissantes de la capitale. La Grande Boucherie, près du Châtelet, est attestée dès 1157 et la chapelle Saint-Jacques voisine prendra le nom de Saint-Jacques-la-Boucherie au XIIIᵉ siècle. Tant que la population de la capitale demeura en dessous de deux cent mille âmes, l'approvisionnement se fit à partir des campagnes environnantes, Vexin, pays de France (plaine de Saint-Denis), Valois, Brie, Beauce. Mais, dès le XIIIᵉ siècle, on voit des bêtes de boucherie arriver du Perche et de la Normandie et le *Dit des marchands* fait l'éloge de ceux qui vont jusqu'en Bretagne acheter des porcs, des bœufs et des vaches. Les moutons paissent les friches et les chaumes d'Île-de-France et ne semblent pas venir de régions bien lointaines. Le marché au bétail se tient à proximité de la porte Saint-Honoré. Les animaux cheminaient lentement jusqu'à la ville, ce qui fait que les marchands de bétail étaient très vulnérables en période d'insécurité. La guerre compromettait gravement l'approvisionnement en viande de la ville. Aussi, durant la première moitié du XVᵉ siècle, alors que le conflit entre factions des Armagnacs et des Bourguignons et contre les Anglais ravage les campagnes du bassin parisien, la municipalité fait-elle de louables efforts pour assurer aux Parisiens des arrivées de bétail à peu près régulières. Guillebert de Metz estime les besoins hebdomadaires en viande de la capitale à cette époque à quatre mille moutons, deux cent quarante bœufs, cinq cents veaux et six cents porcs.

Dans la seconde moitié du XVIᵉ siècle, le renchérissement de la viande est noté par J.-P. Babelon dans *Paris au XVIᵉ siècle* (page 305) : « On peut considérer que jusque vers 1540 la viande n'était pas un produit de luxe, qu'elle servait à l'alimentation des travailleurs manuels tant son prix était accessible aux salaires modestes. Tout change dans la seconde moitié du siècle. La population s'est augmentée, et les prix ont pourtant monté de façon telle que les classes modestes sont amenées à renoncer à la viande de boucherie. La crise économique entraîne alors une baisse relative de l'arrivage des bestiaux, sensible à partir de 1560-1570. Le mouton l'emporte, dont l'élevage se répand en région parisienne. Le phénomène est si important que l'élevage des bovins, qui avait été l'un des secteurs de la renaissance agricole au lendemain de la guerre de Cent Ans, a tendance ensuite à reculer en région parisienne devant l'extension des cultures céréalières. Au début du siècle, les bêtes venaient souvent des domaines des établissements religieux de la capitale qui écoulaient ainsi leurs surplus (Île-de-France, Brie, Pays de Bray, Vexin). Bientôt il faudra les chercher plus loin, en Beauce, en Picardie, en Nivernais. On sait que le bétail est amené sur pied dans le centre de Paris ; il paye une taxe dite du pied fourché qui est au début du siècle de 7,50 % du prix de la bête. Ce prix suit la courbe suivante : le bœuf sur pied est vendu au début du siècle de six à neuf livres ; entre quatorze et vingt-deux livres vers 1545-1550 et plus de quarante livres vers 1590. L'augmentation est, on peut le voir, considérable dès 1545. Le mouton, aux mêmes dates, coûte vingt à vingt-cinq sous tournois, trente-cinq à cinquante sous tournois, entre soixante et quatre-vingts. Le veau, moins consommé généralement, est un peu plus cher que le mouton. Malgré l'édit de 1551, la viande est toujours vendue à la pièce, et non à la livre. Pourtant, on connaît quelques prix de détail : au milieu du siècle, la livre de bœuf valait un sol tournois, celle de mouton un sol quatre deniers. Le profit réel du boucher est estimé à quinze ou vingt pour cent.»

On possède une série d'estimations de la consommation de viande de Paris

aux XVIIᵉ et XVIIIᵉ siècles, en 1634, 1637, 1688, 1713, 1722 et à la veille de la révolution de 1789. Elles sont citées et étudiées par Armand Husson dans *Les Consommations de Paris*. Les 50 000 bœufs dévorés par les Parisiens en 1634 sont 60 000 dès la fin du XVIIᵉ siècle et 70 000 à la veille de 1789, mais il faut alors leur ajouter plus de 10 000 vaches. La consommation de veaux progresse de 70 000 à 120 000 durant ce même siècle et demi. Celle de moutons stagne entre 350 000 et 400 000 environ. Quant aux porcs, on en immole à peu près 25 000 en 1634 et près de 40 000 durant les années 1780. Durant ce siècle et demi, la population a augmenté d'environ 50 %. Il semble donc que la consommation des Parisiens n'ait guère évolué aux XVIIᵉ et XVIIIᵉ siècles. Jean Chagniot écrit, dans *Paris au XVIIIᵉ siècle* (page 276) : «Les meilleurs morceaux du bœuf et du veau ne figurent qu'exceptionnellement au menu des foyers populaires. Ceux-ci doivent se contenter du mouton et du porc, plus accessibles, ou encore des tripes et des abats. Les charcutiers métamorphosent le cochon en une foule d'articles d'autant plus appréciés que leur prix est abordable : saucisse, andouilles, boudins, cervelas, langues, petit salé surtout, sont "le renfort journalier des dîners et soupers des demi-bourgeois". Vers 1785, la livre de tripes coûte neuf sous seulement, le cervelas et la "réjouissance», un mélange de viande, d'os et de légumes, deux fois plus. Les reliefs des tables aristocratiques, dont la livrée a déjà prélevé la meilleure part, sont mis en vente par des regrattiers spécialisés.»

Durant les trois premiers quarts du XIXᵉ siècle, Armand Husson, dans *Les Consommations de Paris*, constate «que le nombre des bestiaux abattus pour la consommation de Paris s'élève en même temps que le chiffre de la population, indépendamment de l'augmentation notable du rendement qu'on remarque pour les périodes antérieures à la conversion, et qui est dû à l'accroissement successif du poids des animaux» (page 210). En étudiant la consommation moyenne annuelle par habitant, il arrive à la conclusion que le Parisien de 1772 et celui de 1872 absorbaient à peu près la même quantité de viande, 60 kilos par an, et constate qu'il y a eu un fléchissement jusqu'à 50 kilos entre 1831 et 1850. Étudiant l'alimentation de l'ouvrier parisien à la veille de 1870, Husson souligne l'importance qu'y tient la viande : l'ouvrier qui «a déjeuné d'un morceau de pain blanc accompagné d'une tranche de charcuterie, qu'il divise en très petites portions, trouve, dans son repas du soir, la soupe salutaire et le régime réconfortatif de la viande de boucherie et des légumes assaisonnés au lard et à la graisse».

L'approvisionnement en viande de Paris n'a cessé depuis de se diversifier, notamment grâce aux progrès des transports frigorifiques. Dès 1887, dans *L'Estomac de Paris*, Coffignon mentionne les viandes d'Argentine et de Nouvelle-Zélande. Aujourd'hui, les diététiciens ont même tendance à critiquer une consommation de viande qu'ils jugent excessive.

• *Voir aussi* **BOUCHER-BOUCHERIE** ; **BOUCHERIE CHEVALINE.**

VIGNE

La culture de la vigne a commencé voilà deux mille ans en Île-de-France et à Paris. Introduite par les Romains, elle occupa une partie importante du territoire actuel de la capitale. L'empereur Julien citait vers 360 les vignes et les vins de Lutèce. Les grands propriétaires gallo-romains furent relayés dès le Haut Moyen Âge par les moines qui développèrent le vignoble. Les abbayes de Saint-Denis et de Saint-Germain-des-Prés, le chapitre de Notre-Dame possédaient d'immenses domaines où ils cultivaient la vigne, source de profits élevés. Le mont Valérien, Montmartre, la montagne Sainte-Geneviève étaient recouverts de ceps. Les clos Bruneau, Galande, etc., rappellent le souvenir de ce vaste vignoble. C'est au XVIIe siècle que le vignoble des environs de Paris connaît son apogée. Dans la capitale même, les vignes sont détruites peu à peu pour laisser place à des maisons et des rues nouvelles. Mais l'expansion se poursuivit jusqu'à la Révolution à la périphérie pour abreuver les gosiers de la grande ville. En 1789, les départements nouvellement créés de Seine et de Seine-et-Oise possédaient 25 000 hectares de vignoble pouvant atteindre des rendements de 150 hectolitres à l'hectare, car les vignerons, assurés de vendre leur production à la clientèle populaire, négligeaient la qualité au profit de la quantité, remplaçant les bons cépages de blanc par des vins rouges de plus en plus médiocres que les Parisiens venaient boire dans les guinguettes installées à la périphérie de la ville, hors des limites de l'octroi qui renchérissait considérablement vins et alcools (voir GUINGUETTE). L'oïdium à partir de 1830, le mildiou vers 1880, puis le phylloxéra vinrent à bout du vignoble de l'Île-de-France. La moitié des vignes avaient disparu dès 1850 et, vers 1900, la viticulture ne concernait plus que 6 000 hectares autour de Paris. La guerre de 1914 fut fatale à la plupart des exploitations, abandonnées faute de bras. La quasi-totalité des vignes avaient disparu vers 1960, l'urbanisation de la banlieue venant s'ajouter aux causes de déclin antérieures. Les journalistes parisiens célébraient déjà comme des curiosités les dernières vignes de la capitale vers 1910 : treilles des rues Lamarck, Damrémont, Lepic, Cortot à Montmartre où le peintre Maurice Neumont se flattait de récolter 60 kilos de raisin. Près du pont de l'Europe, un aiguilleur avait planté quelques ceps. On trouvait encore une petite vigne dans une annexe de l'Assemblée nationale et au jardin du Luxembourg, dans la cour de Rohan, à Auteuil, Passy, Belleville, Montsouris, Grenelle, Vaugirard, etc. La vigne la plus originale se situait sur un toit du Louvre. En 1933, les Montmartrois relancèrent la culture de leur vigne et plantèrent deux mille cinq cents pieds. Depuis 1985, on vendange le Clos des Morillons du parc Georges-Brassens. Depuis 1979, rue Léon-Frot, dans le quartier de Charonne, Jacques Mélac fait sa vendange. Le parc floral de Vincennes, le parc de Belleville ont suivi l'exemple et des particuliers entretiendraient plus de trois cents ceps dans des jardins, sur des balcons ou des terrasses. Au début de décembre 1994, une campagne de plantation a été lancée dans certains quartiers, un cep de vigne étant donné pour chaque bouteille vide jetée dans les poubelles à verre.

VILLAGE

Plusieurs annexions de villages ont eu lieu antérieurement à la grande annexion du 1er janvier 1860 à Paris des onze communes limitrophes. Parfois abrégé en Pincourt, le fief et village de Popincourt doit son nom à son propriétaire, président au Parlement au XVe siècle. Il fut réuni au faubourg Saint-Antoine sous Louis XIII et était déjà largement bâti dès 1672 sur son axe principal, les rues Popincourt et de la Folie-Méricourt. La seigneurie de Chaillot constituait un second village, attesté dès le VIe siècle sous le nom de «Nimio» qui devint Nijon ou Nigeon. Ce fief donna naissance à deux villages, Auteuil (annexé en 1860) et Chaillot qui finit par absorber Nigeon. Louis XI donna en 1474 la seigneurie de Chaillot à Philippe de Commines. En 1659, Chaillot devint un faubourg de Paris sous le nom de «faubourg de la Conférence», du nom de la porte qu'il fallait franchir pour s'y rendre. Ce faubourg fut incorporé dans Paris en

1787, avec la construction du mur des Fermiers généraux, mais sa partie occidentale ne fit partie de la capitale qu'en 1860. Le village du Roule était un fief de l'évêque, qui se divisait en Bas-Roule, débutant à la porte Saint-Honoré (rue Royale), et Haut-Roule, qui se confond avec ce qu'on nomme les Ternes. Le Bas-Roule devint un faubourg de Paris en 1722 et un poste d'octroi, dit de la «fausse porte Saint-Honoré», fut établi au niveau du 114 de la rue du Faubourg-Saint-Honoré, nom que prit alors la rue du Faubourg-du-Roule. Le hameau des Ternes resta en dehors de la ville et continua à faire partie de la paroisse de Villiers-la-Garenne avant d'être rattaché à Neuilly à la Révolution, puis à Paris, en 1860 seulement. Le village de Montmartre perdit en 1787 sa partie méridionale, englobée dans la capitale par le mur des Fermiers généraux. On donne à tort le nom de village à deux simples lieux-dits. Le village d'Austerlitz, sur le quai du même nom, hameau constitué vers l'époque de cette victoire (1805), fut réuni à Paris dès 1819. Curieusement, il subsiste sur certains plans, non à son emplacement initial, mais au-delà du boulevard de la Gare. Quant au village d'Orsel, créé en 1802 à Montmartre par un propriétaire qui lui donna son nom, ce n'est qu'un lotissement privé. Le village suisse mérite encore moins cette appellation. La Croix-Faubin et Monceaux n'ont jamais été que des hameaux, de même que la Goutte d'Or.

VIN

Le vin occupait une place essentielle dans le commerce parisien. Les marchands de l'eau de Paris sont attestés pour la première fois en 1121 dans un acte par lequel Louis VI leur fait remise du droit de 60 sous qu'il percevait sur chaque bateau chargé de vin arrivant dans la capitale à l'époque des vendanges. En 1192, Philippe Auguste réglemente le commerce du vin à Paris.

En raison de l'accroissement de la ville et de l'augmentation du nombre de bourgeois, il leur accorde qu'aucune personne amenant du vin par voie d'eau ne puisse le décharger à Paris s'il n'est pas marchand de cette ville. Ce vin est déchargé au port de la Grève et acheminé à l'Étape aux Halles des Champeaux. A partir de 1413, les Halles sont abandonnées au profit du port de l'Étape de la Grève, où deux pontons lui sont affectés, l'un pour les vins «français», c'est-à-dire d'Île-de-France et de Champagne, l'autre pour ceux de Bourgogne. Le vin est conduit aux celliers des acheteurs. Ceux des marchands de vin sont particulièrement nombreux à proximité immédiate de la Grève : sur dix-huit marchands de vin dont l'adresse est connue grâce au rôle d'impôt de 1421, onze demeurent entre le pont Notre-Dame et l'hôtel Saint-Paul. Les religieux, les nobles et les bourgeois s'approvisionnaient largement grâce aux vignobles qu'ils possédaient aux alentours, à Suresnes, Nanterre, Neuilly, Vitry, Bourg-la-Reine, Belleville, Montmartre, etc. Les vins «français» les plus estimés étaient ceux de Vanves, Meudon, Clamart, Chaillot, Argenteuil, Suresnes. Au début du XVe siècle, Guillebert de Metz prétendait que Paris consommait sept cents tonneaux par jour et exagérait fortement le nombre des tavernes en l'estimant à quatre mille, alors que le compte du celleriage de 1457 ne cite que trois cent sept vendeurs de vin à taverne, dont environ deux cents taverniers professionnels. En effet, le commerce du vin était ouvert à toutes sortes de gens qui n'étaient pas négociants en vins et les propriétaires de vignes tenaient souvent taverne pour écouler leur production : on pouvait boire aussi bien au couvent des carmes que chez un procureur ou un orfèvre.

Au XVIe siècle, Jean-Pierre Babelon, dans la *Nouvelle Histoire de Paris. Paris au XVIe siècle*, constate l'envol des prix du vin et des profits : «Les gains furent tels que le nombre des marchands de vin parisiens par rapport aux vignerons et aux marchands des régions productrices augmenta considérablement (d'un tiers à plus de deux tiers). On essaya de la taxation pour maintenir les cours, on tenta aussi de réduire le nombre des marchands (édits de mars et ordonnance du 21 novembre 1577) sans y parvenir. Le pouvoir tenta aussi de briser le monopole des gros marchands, en prescrivant le contrôle des entrées par les jurés-vendeurs (lettres patentes du 8 mars 1557) et en imposant le déchargement, non plus à la Grève, mais au port Saint-Paul (1566). Toutes ces mesures, reprises dans l'arrêt du Parlement du 14 août 1577, ne purent stopper la hausse, mais elles bâtirent le cadre dans lequel allait s'exercer ensuite le commerce du vin sous l'Ancien Régime. Parallèlement, la montée de la consommation liée à l'augmentation de la population a incité le roi à prélever sur elle des taxes de plus en plus fructueuses, les aides. Le vin était à la fin du siècle la marchandise la plus imposée à Paris. »

Au XVIIIe siècle, les riches diversifient leur consommation, s'efforçant d'adapter les crus aux plats. L'inventaire des caves révèle un vaste assortiment : aux bourgognes et bordeaux s'ajoutent des crus secondaires variés, allant du Cahors au Tavel, et des vins exotiques comme le malaga, le xérès, les vins de Chypre. Le peuple, gros consommateur, voit d'un mauvais œil l'accroissement des aides, beaucoup plus rapide que celui du coût de la vie. En 1638, la taxe est de 3 livres par muid. En 1680, elle atteint 15 livres pour le vin arrivant par terre et 18 s'il arrive par voie d'eau. En 1765, les aides sont respectivement de 48 livres par terre et de 52 par eau. En un peu plus de deux siècles, les aides ont été multipliées par deux cents alors que le prix du vin n'a fait que décupler. Ainsi que le note Marcel Lachiver dans *Vins, vignes et vignobles* (page 350), «à la veille de la Révolution, un muid de vin, qui coûtait à peine trente livres en période d'abondance, voyait son prix tripler rien qu'en franchissant le mur d'enceinte de Paris; il y avait là de quoi alimenter une révolution!»

Pour échapper au paiement de ces taxes exorbitantes, à la limite extérieure du périmètre fiscal de la ville, avaient proliféré les guinguettes. Dans les faubourgs nouveaux de la Petite-Pologne, des Porcherons, de la Nouvelle-France, à Belleville, Charonne, etc., on trouve ces cabarets où l'on peut boire du vin hors taxe à 3,5 sous la pinte alors qu'il coûte 12 à 15 sous à l'intérieur de la ville. Belleville écoule à elle seule 30 000 hectolitres par an. Marcel Lachiver écrit encore (page 351): «C'est un véritable fleuve de vin que les paroisses du plat pays écoulent vers les barrières; la prospérité d'Argenteuil repose sur cette forme particulière de commercialisation et de consommation. Pour comparer, imaginons ce que serait aujourd'hui la consommation du vin, du champagne ou des alcools si les restaurants et les cafés les vendaient trois ou quatre fois moins cher passé le périphérique!»

Abolis à la Révolution, ces droits d'octroi détestés sont rétablis sous le Directoire, mais fortement diminués pour les vins et alcools. Sous l'Empire, la consommation de vin croît nettement plus vite que celle de viande. Roger Dion note dans son *Histoire de la vigne et du vin en France*: «En cas de cherté du pain, de la viande et des autres comestibles, le Parisien se dédommage sur le vin; il s'en nourrit et cela le console.» Cette politique de prudente taxation se poursuit sous la Restauration et la Monarchie de Juillet. Frégier note en 1840 dans *Des classes dangereuses de la population dans les grandes villes* que le vin est «chose de première nécessité» et Louis Lurine, en 1844, dans *Les Rues de Paris*, nomme le débitant d'alcool «le marchand de consolation».

Cette tendance se prolonge sous le second Empire. Dans *Les Consommations de Paris*, Armand Husson observe que Paris est le principal débouché de la viticulture française et que le vin constitue une part essentielle des droits d'octroi. Il estime qu'en 1854, il est consommé pour deux dixièmes par la bourgeoisie, trois dixièmes par les restaurants, l'autre moitié étant débitée aux comptoirs des quatre mille quatre cent huit marchands de vin. Il y ajoute la consommation aux barrières, qu'il estime au tiers de la consommation des communes limitrophes. En 1872, Paris dans ses frontières d'aujourd'hui compte onze mille trois cent quarante-six débits de boissons et la consommation des Parisiens avoisine 4 millions d'hectolitres, soit près de 60 litres par habitant et par an.

Malgré la crise du phylloxéra, le vin a continué à couler à flots au début de la troisième République. Ce n'est guère qu'après la guerre de 1914-1918 qu'ont commencé à se développer les campagnes contre l'alcool. Aujourd'hui, le Parisien, s'il consomme moins qu'au siècle dernier, boit des vins de meilleure qualité en quantités encore honorables malgré les taxes de l'État et le terrorisme anti-alcool d'un certain nombre de puissantes organisations qui ont fait interdire toute publicité en faveur des boissons alcoolisées à la télévision et au cinéma.

• *Voir aussi* VIN (MARCHANDS DE); PORTEUR D'EAU; VIGNE.

VIN (marchands de)

Profession nombreuse mais hétéroclite, les marchands de vin sont mentionnés vers 1270 dans le *Livre des métiers* d'Étienne Boileau sous l'appellation de «taverniers». Leur corporation était placée sous le patronage de saint Nicolas. Les marchands de vin en gros vendaient surtout à l'Étape, au port de la Grève. Les marchands au détail vendaient à «broche», au broc. Jusqu'à la fin du XVIIe siècle, il était in-

terdit de consommer chez eux le vin qu'on y achetait : à la grille extérieure de leur boutique existait une ouverture par laquelle le client tendait son pot et par laquelle on le lui rendait rempli ; c'est ce que les ordonnances nomment la vente à «huis coupé et pot renversé». En revanche, chez les taverniers, qui vendaient «à pot», le vin pouvait être bu sur place. Chez les cabaretiers, qui vendaient «à assiette», la table était couverte d'une nappe et il était possible de boire et de manger certains mets. L'expression «un des douze» ou «un de la cave des douze» désignait un des marchands de vin «suivant la Cour», c'est-à-dire les seuls autorisés à vendre du vin en bouteille à la Cour et aux gens qui en faisaient partie. Vingt-cinq cabaretiers «suivant la Cour» donnaient à boire et à manger aux membres de la Cour et à leur suite et étaient dits «des vingt-cinq» ou «de la cave des vingt-cinq». Henri III érigea en 1585 les marchands de vin en septième Corps, mais les Six-Corps refusèrent d'admettre ces nouveaux venus, qu'ils qualifiaient de «bizarre assemblage, un ramas de toutes sortes de gens», ajoutant que «la fraude et la tromperie sont les caractères inséparables du négoce des marchands de vin». Les lettres patentes d'octobre 1587 désignaient la corporation sous le nom de «marchands de vin en gros-taverniers-cabaretiers». Celles de juin 1611 ajoutèrent le titre d'«hôteliers». Dans son *Dictionnaire du commerce*, Savary estimait en 1725 le nombre des marchands de vin à mille cinq cents, soit un pour trois cent cinquante Parisiens environ.
• *Voir aussi* SIX-CORPS ; VIGNE ; VIN.

VITRE

Pendant des siècles, les Parisiens n'eurent d'autre solution, pour se protéger du froid à l'intérieur des maisons, que de garnir les châssis de leurs fenêtres de petits carreaux en parchemin, en papier huilé, en canevas ou en toile cirée, ce qui diminuait fortement l'éclairage naturel des pièces. Seules les églises, le roi et quelques grands seigneurs pouvaient s'offrir le luxe de munir leurs fenêtres de vitraux et de verrières. Le verre à vitre ne commence à se généraliser dans les hôtels particuliers des plus riches que vers le milieu du XVIᵉ siècle. Les premiers statuts des vitriers datent de juin 1467. On ne compte alors que sept maîtres à Paris. Ces statuts recommandent que «tout voirre, tant blanc comme peint, soit bien et deuement serty, joinct et mis en plomb». A partir du XVIIᵉ siècle, on utilise un procédé plus simple et moins coûteux pour poser les vitres : «Le vitrier, après avoir placé le carreau de vitre, le fixe avec quatre pointes de fer qu'il cloue par derrière, et il colle ensuite tout autour des bandes de papier», note l'abbé Jaubert en 1773, dans le *Dictionnaire des arts et métiers*. Le mastic, déjà connu, ne s'imposera qu'à cette époque, car, note l'abbé Jaubert, il présente un grand inconvénient : «Lorsque le mastic est bien sec, il adhère tellement qu'il est impossible d'enlever les carreaux sans en briser une grande quantité.» On compte environ trois cents verriers à la veille de la Révolution. En hommage à Venise, patrie européenne du verre, leur corporation est placée sous le patronage de saint Marc.

VOIE PUBLIQUE (revêtement de la)
Voir PAVÉ.

VOIRIE

Les origines de la voirie parisienne sont obscures, Perrot le reconnaît déjà dans son *Dictionnaire de voirie* publié en 1782. Le domaine de la voirie est vaste, ainsi qu'en fait foi l'énumération de Perrot : «une portion de la police, qui a pour objet la liberté et utilité des chemins, rues, passages, monts, ports, la décoration des villes et la sûreté des maisons et édifices». On distingue généralement la grande voirie, inspection et entretien des rues, alignement et exécution des règlements, de la petite voirie, qui consiste à accorder les permissions d'installer des auvents, de planter des bornes, de suspendre des enseignes, etc. L'arrêt du Parlement du 18 janvier 1661 a attribué la grande voirie aux trésoriers de France et la petite voirie au voyer de l'archevêque (voir VOYER). La voirie comporte l'enlèvement des boues et immondices accumulées sur la voie publique et leur déchargement dans des dépôts d'ordures désignés à cet effet par les autorités publiques : par extension de sens, ces dépôts ont pris le nom de « voiries » (voir NETTOIEMENT).

Avec le Consulat, la voirie se restreint à la surveillance et à l'entretien de la voie publique. L'*Almanach national* de 1801 mentionne un « Service de la voirie d'alignement » à la Direction des travaux publics de la Commune de Paris. Ce service est assuré par quatre inspecteurs généraux, qui s'intitulent « commissaires-voyers » puis « architectes-voyers » à partir de 1895. En 1909, la voirie se décompose en trois sous-directions de la Construction, des Affaires foncières et de l'Aménagement.

Quoiqu'elle ait perdu ses attributions de nettoiement, la voirie est une direction d'une très grande importance au XIXᵉ et surtout au XXᵉ siècle, en raison de l'importance démesurée prise par la circulation automobile et de la prolifération des réseaux dans le sous-sol, eau et égouts, gaz, électricité, téléphone, câbles de télévision, etc.

En 1978, pour coordonner et gérer les travaux sur la voie publique, a été créée la subdivision des plans de voirie. Désormais, chaque intervention sur la voie publique exige l'établissement de plans de voirie, afin d'éviter d'éventuels accidents ou même des catastrophes que pourraient provoquer des tranchées sectionnant des conduites d'eau, d'électricité ou de gaz. Réalisés à l'échelle du 1/200, ces plans sont de deux sortes : les plans de surface avec alignements, trottoirs, arbres, mobilier urbain, affleurement des réseaux souterrains, etc. ; les plans du sous-sol qui indiquent précisément tous les réseaux et ouvrages souterrains. Ces plans sont mis à jour à peu près tous les deux ans.

La voirie représente actuellement près de 2 400 hectares d'espace public, dont environ 1 300 kilomètres de voies.

• *Voir aussi* PAVÉ ; RUE (aspect de la) ; RUE (tracé de la) ; TROTTOIR ; VOYER.

VOITURE

Voir AUTOMOBILE ; CARROSSE.

VOLIÈRE

Les rois de France ont eu dès le début le désir de s'entourer d'animaux sauvages et exotiques enfermés dans des ménageries et des volières. Ils eurent dans leur palais de la Cité puis au Louvre ; Charles V ordonne, le 5 juin 1378, de payer 20 francs à Gobin Days qui s'occupe des rossignols du château du Louvre, mais cela ne l'empêche pas de créer une seconde volière dans l'hôtel Saint-Paul qu'il habite, éclairée de « neuf miroirs enchâssés en bois et grands de demi pied en quarré ». A cette époque, le roi n'était pas le seul à posséder une volière et les textes font mention d'au moins trois autres appartenant au duc de Berry, frère de Charles V, en l'hôtel de Nesle, au prévôt de Paris, Hugues Aubriot, rue de Jouy, et à un riche bourgeois nommé Charlot. Passionné par les oiseaux, Louis XIII créera pour son favori, Albert de Luynes, la charge de maître de la volerie du cabinet avant de le faire grand fauconnier puis connétable. La grande volière du Louvre fut alors reconstruite du côté de la Seine, face aux appartements du roi, et une nouvelle fut créée, également le long du quai, mais aux Tuileries. Il y en avait une troisième à Fontainebleau. L'amour des oiseaux s'étendait alors à toute l'aristocratie et le poète Claude Gauchet prévoyait une volière pour chaque « logis d'un gentilhomme » :

Pour s'esplucher aux rais d'un Phoebus
[*gratieux,*
Alors qu'au temps d'hiver il esclaire les
[*cieux.*

Vers la fin du XVIIᵉ siècle, le roi entretint jusqu'à six volières : deux à Saint-Germain-en-Laye, une à Fontainebleau, une autre à Versailles, une autre au Louvre et la dernière aux Tuileries, confiée à Mlle de Guise qui portait le titre de « capitaine de la grande volière du roi aux Tuileries ».

• *Voir aussi* MÉNAGERIE ; OISEAU, OISELIER.

VOYER

Deux voyers importants sont attestés à Paris sous l'Ancien Régime. Le voyer de l'évêque possède des attributions débordant largement la voirie (voir VOIRIE), car il exerçait la justice au nom de l'évêque pour les affaires de sang, de rapt, d'incendie, de vol, de rupture de ban, de chasse, de péages, de charrois par eau et par terre, de chevauchée, d'ost et de gîte. L'arrêt du Parlement du 18 janvier 1661 lui confia la petite voirie, l'administration royale se réservant la grande voirie.

Le voyer du roi apparaît sous le règne d'Henri Iᵉʳ (1031-1060) et semble contemporain du prévôt. Comme la prévôté, la voirie est affermée au début à de riches bourgeois. Vers 1234-1236, Guillaume Barbette semble avoir cumulé les charges de prévôt et de voyer royal. Le voyer autorise l'ouverture des rues, les emprises sur la voie publique, auvents, étalages, bornes, saillies diverses, fait dégager les voies des encombrements.

La voirie cesse d'être affermée vers le milieu du XIIIᵉ siècle. Un mémoire du XVᵉ siècle affirme : « La voierie de Paris si est une justice par soi et une garde et ne touche en riens à la prévosté de Paris, car le roy la vend à vie de homme ou donne. » Cet office viager devient vite héréditaire : Guillaume

Barbette, sans doute le dernier fermier, devenu garde à vie, est remplacé par Simon Barbette, puis Étienne Barbette. En 1270, Jean Sarrazin, qui lui succède, est le mari de la veuve d'Étienne Barbette. A la mort de Jean Sarrazin, c'est son gendre, Étienne Barbette le jeune, qui lui succède. En 1275, le roi oblige le voyer à lui rendre la moitié de la voirie et la voirie royale est partagée entre le prévôt du roi et le voyer jusqu'à la mort, en 1363, de Jean des Essars, dont la famille a racheté les droits d'Étienne Barbette, à qui elle était peut-être apparentée.

La voirie est, dès lors, exercée par de petits voyers et des maîtres des œuvres placés sous l'autorité du prévôt du roi. Selon les ordonnances de novembre 1548 et du 14 mai 1554, les maîtres des œuvres exécutaient les ordres des petits voyers qui faisaient eux-mêmes leur rapport aux juges royaux qui possédaient la connaissance des affaires de voirie en vertu de l'ordonnance de mai 1413. Les offices de petits voyers étaient exercés par les receveurs de Paris.

Le 22 février 1603, Guillaume Hubert, receveur et voyer de Paris, cède par contrat la charge de voyer à Sully, déjà grand voyer de France et surintendant des bâtiments du roi. Le 24 mai 1603, Henri IV confirme à son ministre favori la charge de voyer de Paris. L'édit de février 1626 réunit au domaine royal les droits de l'office de voyer de Paris, pour les donner à ferme aux trésoriers de France ; cependant Sully puis son fils, continuent à exercer leur fonction jusqu'à l'édit de mai 1635. Les trésoriers de France n'ont guère l'occasion de gérer l'office de voyer plus d'une petite quarantaine d'années, car l'édit de mars 1693 établit pour la ville et les faubourgs de Paris quatre offices de commissaires généraux de la voirie.

Après la Révolution, la voirie est confiée au Service de la voirie d'alignement qui fait partie de la Direction des travaux publics de la commune de Paris. Ce service est dirigé par quatre inspecteurs généraux qui prennent le titre de commissaires-voyers en 1802, puis celui d'architectes-voyers en 1895. En 1953, la création d'une Direction de l'urbanisme fait apparaître un architecte-voyer général. Depuis 1982, le corps des architectes-voyers dispose d'un statut particulier. On compte une soixantaine d'architectes-voyers répartis entre les différentes directions techniques, dont plus du quart travaillent à la Direction de l'aménagement urbain.

L'historien Sauval signale que le voyer épiscopal « tenoit anciennement sa justice en la Planche Mibray, en la maison qui faisait le coin du pont Notre-Dame ». Les seigneurs possédant la haute justice exerçaient également les droits de voirie sur les territoires dépendant de leur juridiction jusqu'à l'édit de février 1674 supprimant les justices seigneuriales à Paris.

• *Voir aussi* **VOIRIE**.

WAUXHALL
Voir **PARC D'ATTRACTIONS**.

WEEK-END

Si la semaine anglaise s'est généralisée à la suite des lois sociales de 1936 instituant les quarante heures de travail hebdomadaire, l'extension du temps de repos au samedi et au dimanche réunis ne date pas de cette époque. Le week-end a progressé de pair avec les transports : trains de plaisir dès les années 1850, bicyclette puis automobile ont contribué au départ des citadins de la capitale. Ce besoin de fuite peut s'expliquer par l'extension de l'agglomération urbaine et le souci de retrouver la nature, mais il est antérieur à la constitution de la grande ville au million, puis aux deux millions d'habitants. Sébastien Mercier le discerne déjà dans la

cité d'environ six cent mille âmes de la veille de la Révolution. Il écrit vers 1782 dans le *Tableau de Paris* : « Au reste, les dimanches et fêtes s'annoncent par la fermeture des boutiques. On voit sortir de bonne heure les petits bourgeois tout endimanchés, qui se hâtent d'aller à la grand-messe pour avoir le reste du jour à eux. Ils arrangent un dîner à Passy, à Auteuil, à Vincennes, ou au bois de Boulogne [...]. Les bourgeois aisés sont partis dès la veille pour leur petite maison de campagne, voisine de la barrière. Ils y ont mené leur femme, leur grande fille et leur garçon de boutique, quand on est content de lui, ou quand il a su plaire à Madame. On a porté la veille, dans un fiacre bien plein, toute la provision, et un pâté de Le Sage. C'est le jour des gaudrioles. »

• *Voir aussi* **DIMANCHE** ; **LUNDI**.

YEUX (couleur des)

On dispose de très peu de données fiables sur l'aspect physique des Parisiens et ses variations au cours des siècles. Il est difficile d'accorder du crédit aux notations de voyageurs ou d'écrivains et seules des observations faites par des anthropologues sur de vastes échantillons de la population permettraient de se faire une idée à peu près exacte de l'apparence des Parisiens à diverses époques. Ce n'est pas le cas, l'anthropologie physique ayant toujours été une discipline négligée en France. En novembre-décembre 1970, dans la revue *Population*, Jacques Houdaille a présenté les résultats de quatre enquêtes sur la couleur des yeux et des cheveux d'échantillons assez réduits (de quelques centaines à quatre mille) de la population parisienne. Il semble que le pourcentage des yeux bleus ne se soit pas sensiblement modifié entre 1810 et 1951, oscillant autour du quart, les yeux bruns et noirs représentant à peu de chose près la même proportion ; la moitié des yeux se situant dans des nuances de gris et de vert. Un sous-échantillon de six cents soldats nés avant 1785 compte 29 % d'yeux bleus, ce qui tendrait à indiquer qu'avant la Révolution plus de Parisiens étaient issus des régions du Nord que dans les générations suivantes.

• *Voir aussi* **CHEVEUX (couleur des)** ; **TAILLE**.

ZINC
Voir **TOIT**.

ZONE
Construite entre 1841 et 1845, l'enceinte dite de Thiers était bordée dès l'origine, sur sa frange extérieure, dans la zone herbue du glacis militaire, de maisons de fortune édifiées de planches recouvertes de papier goudronné, entourées de jardinets où étaient cultivés quelques légumes. Les premiers habitants de la zone militaire furent des chiffonniers, bientôt suivis par d'humbles artisans en quête de place pour installer de petits ateliers, des revendeurs puis des fabricants et marchands de meubles neufs. Des industriels s'approprièrent de vastes espaces pour y édifier des entrepôts et même des usines. Des « mastroquets » s'y ouvrirent pour étancher la soif de ces populations. Chassés durant le siège de 1870-1871, ces pauvres, ces « purotins des fortifs », selon l'expression d'Aristide Bruant, se réinstallent vers 1880 dans cet anneau de 35 kilomètres, large de 250 mètres seulement et couvrant 444 hectares. Des estimations d'une haute fantaisie attribuent jusqu'à cinq cent mille habitants à cette zone. Une enquête de 1913 du préfet de la Seine n'en compte pas plus de vingt mille, une autre de 1926 la porte à quarante-deux mille trois cents âmes. Des cartes postales montrent des vaches broutant le talus de l'enceinte, ainsi que des ânes et des chèvres près de Levallois.

La zone a une population réputée dangereuse. Les prostituées y exercent leur métier sous la surveillance des maquereaux, regroupés en bandes sous le nom de « loups de la Butte », de « monte-en-l'air des Batignolles », etc. La presse les a popularisés sous le nom d'Apaches et le procès du souteneur Manda en 1902 a créé la légende de Casque d'or, immortalisée par le film de Jacques Becker. Mais, la plupart des habitants étaient de pauvres gens qui s'efforçaient de vivre ou de survivre en exerçant les métiers les plus humbles. On rencontrait surtout des chiffonniers, mais aussi, ainsi que le note Patrice Boussel dans le *Dictionnaire de Paris*, « au long des fortifs on pouvait encore rencontrer le ramasseur de crottes de chien destinées à la mégisserie, le "docteur" de la zone, un chiffonnier qui avait acquis sa science en lisant les ouvrages trouvés dans les boîtes à ordures et qui soignait gratuitement le pasteur Anderson qui, dans sa roulotte, enseignait la morale et la lecture aux gamins de l'endroit ». Le dimanche, les ouvriers des faubourgs y venaient pique-niquer. En 1908, un rapport de la préfecture évalue à dix mille les Parisiens qui viennent s'y prélasser dans l'odeur des frites et des moules. Des bohémiennes tiraient les cartes ou lisaient dans les lignes de la main, des chanteurs ambulants vendaient leurs chansons, on voyait des marchands de berlingots, de ballons en baudruche, le marchand de « plaisir », sorte de gaufrette appelée aussi parfois « oublie » (voir OUBLIE ; PLAISIR).

La loi du 19 avril 1926 déclasse l'enceinte fortifiée, décide sa démolition et le lotissement de son emplacement et de la zone. Des habitations à bon marché y sont édifiées en quantité et une partie est réservée à la construction d'une cité universitaire internationale. On trouve une étude détaillée sur les projets et les réalisations dans l'ouvrage de Jean-Louis Cohen et André Lortie, *Des fortifs au périf*. Dans *Faubourgs de Paris*, Eugène Dabit note en 1933 : « Sur les terrains vagues de la Butte-Montmartre et des Grandes-Carrières, où j'allais jouer, s'élèvent des constructions rigides et désolantes comme des casernes, des fabriques, des banques, des garages. Le terrain "vaut de l'or"! Les maisons se touchent, se soutiennent, font la haie, cachent le soleil. » Il existe quelques taches de verdure, des squares ou des jardins, des installations sportives. La loi du 7 février 1953 sonne l'hallali des derniers espaces libres et complète la prolifération d'une médiocre architecture à bon marché. Les habitants vont avoir bientôt à subir l'infernal anneau du périphérique automobile, son bruit et sa pollution.

Une fois morte, la zone a été transformée par le mythe, exaltée comme un lieu de la marginalité, de la liberté, mais aussi de la misère. Le cinéma lui a consacré, entre autres, *Les Musiciens du ciel* de Georges Lacombe, avec Michèle Morgan, et un court métrage documentaire intitulé *La Zone*, Fritz Lang l'a reconstituée en studio pour *Liliom*, René Clair a tourné en 1957 *Porte des Lilas*, inspiré du roman de René Fallet, *La Grande Ceinture*. Céline, Cendrars, Auguste Le Breton ont mis la zone dans une grande partie de leur œuvre. Aujourd'hui, c'est la banlieue tout entière qui incarne ce mythe de pauvreté, de violence, d'insécurité que représentait la zone pour le bourgeois. La fièvre obsidionale des classes moyennes n'a pas disparu. Pour l'hôtel de la Zone, voir PRIVILÉGIÉ (lieu).

• *Voir aussi* APACHE ; CHIFFONNIER ; ENCEINTES (ENCEINTE DE THIERS) ; PROSTITUTION.

ZOO

Voir MÉNAGERIE ; VOLIÈRE.

CINQUIÈME PARTIE

GUIDE DE RECHERCHES

CARTOGRAPHIE

ICONOGRAPHIE

FILMOGRAPHIE
par Isabelle Fierro

DISCOGRAPHIE

TABLE DES CHAPITRES

INDEX THÉMATIQUE
Renvois au § (chiffres arabes) ou au chapitre (chiffre romain)

PHARMACIE : 74, 89
PHOTOGRAPHIE : XIII
PLACE : 99
PLAN : XII
PLANTE : 19
POIDS : 9
POLICE : 36, 39
POLITIQUE : IV
POLLUTION : 16, 40
POMPIER : 36
PONT : 96
POPULATION : 35, 62
PORT : 38
POSTE : 38
PRÉFET DE PARIS : 6, 32, 33
PRÉFET DE POLICE : 6, 36
PRÉHISTOIRE : 23
PRESSE : 80
PRÉVÔT DES MARCHANDS : 33
PRÉVÔT DU ROI : 32, 36
PRISON : 36
PRIX : 72
PROCESSION : 44
PROMENADE : 70
PROSTITUTION : 66
PROTESTANTISME : 48
PROVINCIAL : 62
PUBLICATION OFFICIELLE : 6

Q - R

QUAI : 96
QUARTIER : 95

RADIO : 38
RECENSEMENT : 35, 62
RÉGION PARISIENNE : 32
RELIEF : 12
RELIGION : VI
RELIURE : 79
RESTAURANT : 69
RIVIÈRE : 13
ROCHE : 14
RU : 13
RUE : 8, 37, 99

S

SAINT : 44
SALAIRE : 72
SALON : 64, 83
SANS-CULOTTE : 29
SANTÉ : 40
SCEAU : 9
SCIENCE : 90
SCULPTURE : 81, 82, 84

SECTE : 50
SÉCURITÉ SOCIALE : 40
SEINE : 13
SÉISME : 18
SEXUALITÉ : 61
SIGILLOGRAPHIE : 9
SOCIÉTÉ : VIII
SOCIÉTÉ HISTORIQUE : 10
SOCIÉTÉ SAVANTE : 86
SOL : 12, 15
SORCELLERIE : 50, 66
SOUS-SOL : 15, 39
SOUTERRAIN : 15
SPECTACLE : 68-70
SPORT : 70
SQUARE : 37, 98
STATISTIQUE : 6, 62, 71
SUBSISTANCES : 39
SYNDICAT : 64

T

TAPISSERIE : 73, 85
TAXI : 73
TECHNIQUE : 90
TÉLÉGRAPHE : 38
TÉLÉPHONE : 38
TÉLÉVISION : 38
THÉÂTRE : 68
TOILETTE : 65
TOPOGRAPHIE : 11-13, XI
TOPONYMIE : 9
TOURISME : 74
TRAMWAY : 38
TRANSPORT : 38, 73
TRAVAUX PUBLICS : 37
TREMBLEMENT DE TERRE : 18
TRIBUNAL RÉVOLUTIONNAIRE : 29

U - V - Z

UNIVERSITÉ : 54, 57
URBANISME : 37, 91, 92

VAGABONDAGE : 66
VÊTEMENT : 65
VIE QUOTIDIENNE : 61, 65
VIEILLESSE : 61
VIN : 74
VOIE PUBLIQUE : 37, 40
VOIRIE : 37, 40

ZOOLOGIE : 20

CHAPITRE PREMIER

Lieux de travail

1. ARCHIVES

A. Archives de Paris

Les Communards ont privé les Parisiens de leur mémoire en mai 1871 lorsqu'ils ont mis le feu à l'Hôtel de Ville, détruisant les archives de la municipalité qui y étaient conservées. Les documents qui subsistent et les archives postérieures à l'incendie sont communiqués aux Archives de Paris et de l'ancien département de la Seine installées depuis 1989 au 18, boulevard Sérurier (XIXᵉ).

Deux états des fonds ont été établis par M. Barroux et H. Lemoine : *Archives du département de la Seine et de la Ville de Paris. État par séries des documents antérieurs au mois de juin 1871* (1925), et *État méthodique des documents antérieurs au mois de juin 1871* (1925). On possède deux guides récents qui permettent de se repérer dans ces archives : *Les Archives de l'Île-de-France. Guide des recherches* (1989), et C. Demeulenaere-Douyère, *Guide des sources de l'état civil parisien* (1982). On trouve sur place des inventaires ronéotypés ou dactylographiés. Quelques séries ont fait l'objet d'inventaires imprimés, donc consultables dans les grandes bibliothèques, notamment parmi les « usuels » de la Bibliothèque historique de la Ville de Paris. C'est le cas pour la série B6 du Tribunal de commerce, qui couvre l'époque 1560-1800 : M. Barroux, *Archives du département de la Seine et de la Ville de Paris. Répertoire du fonds de la juridiction consulaire de Paris B6* (1927). Des épaves des archives fiscales subsistent dans la série C2. Voir J. Guérout, *Rôles de la taille de l'élection de Paris conservés aux Archives nationales (sous-série Z1G) et dans les Archives départementales, avec un relevé des sources complémentaires (paroisses fiscales et communes correspondantes du xviiiᵉ siècle à nos jours)* (1981). Une partie des fonds de l'enregistrement a aussi subsisté. La sous-série C6 contient des registres des insinuations du Châtelet de Paris : E. Coyecque et H. Prost, *Répertoire des fonds des insinuations de Paris et des bureaux des domaines de banlieue (C6)* (1926). Voir aussi sur ce sujet le supplément de G. Bailhache à l'intérieur du *Guide des recherches dans les fonds d'enregistrement de l'Ancien Régime* (1958), sous la direction de G. Vilar-Berrogain. Les documents de l'époque révolutionnaire ont fait l'objet d'un inventaire par M. Barroux, *Inventaire sommaire des Archives de la Seine. Partie municipale. Période révolutionnaire, fonds de l'administration générale de la Commune, série D* (1892-1901, 2 vol.).

B. Archives nationales

Heureusement pour les historiens de Paris, ceux qui, à la Révolution, firent le tri des archives d'Ancien Régime, privilégièrent les Archives nationales au détriment des départements et des municipalités. Grâce à ce choix, dans les salles du Centre d'accueil et de recherche des Archives nationales (CARAN, 11, rue des Quatre-Fils, Paris IIIe), le chercheur peut consulter plusieurs fonds ayant un intérêt direct pour l'histoire de la capitale.

On dispose d'instruments de travail pour se repérer dans cet immense dépôt : *Les Archives nationales. État général des fonds* (1978-1988, 5 vol.), *Les Archives nationales. État des inventaires* (1985-1991, 4 vol.). Ne sont répertoriés ici que les guides et les principaux inventaires et répertoires d'archives. Les publications de documents d'archives figurent sous l'institution ou le sujet concerné. Parmi les guides, il faut citer : M. ANTOINE, *Le Fonds du Conseil d'État du roi aux Archives nationales. Guide des recherches* (1955); M. RAMBAUD, *Les Sources de l'histoire de l'art aux Archives nationales* (1955); *Guide des recherches dans les fonds judiciaires de l'Ancien Régime* (1958); G. VILAR-BERROGAIN, directeur de *Guide des recherches dans les fonds d'enregistrement sous l'Ancien Régime* (1958); D. GALLET-GUERNE, *Les Sources de l'histoire littéraire aux Archives nationales* (1961); G. BERNARD, *Guide des recherches sur l'histoire des familles* (1981); J. CHARON-BORDAS, *Les Sources de l'histoire de l'architecture religieuse aux Archives nationales de la Révolution à la Séparation (1789-1905)* (1994).

Les fonds d'archives d'Ancien Régime concernant Paris sont nombreux. En voici une liste non exhaustive avec les principaux inventaires imprimés.

Série E, Conseil du roi : les décisions concernant Paris sont immergées dans la masse du royaume.

Série G, administrations financières et spéciales : une foule de documents sur la Ferme générale, les aides, les domaines, les eaux et forêts, les loteries, le Contrôle général des finances, l'agence générale du clergé, les rentes de l'Hôtel de Ville, etc.

Sous-série H2, Bureau de la Ville de Paris, intendance et généralité de Paris : l'édition des *Registres des délibérations du Bureau de la ville de Paris* a été établie depuis les origines (1499) jusqu'en 1632 et pour les années 1789-1790.

Sous-série H3, ancienne université de Paris et collèges : contient une grande partie des archives de l'université d'Ancien Régime depuis 1425 et celles des collèges depuis 1305; il subsiste aussi des archives anciennes à la bibliothèque de la Sorbonne, à celle de la faculté de médecine et au lycée Louis-le-Grand.

Sous-série H5, établissements religieux : comptabilité et titres de fondation de rentes; contient notamment les archives de la congrégation des Filles de la Charité du faubourg Saint-Denis et de l'abbaye de Saint-Antoine, qui ont fait l'objet de répertoires numériques manuscrits, mais aussi les comptes des chapitres et des paroisses du diocèse et des abbayes d'hommes et de femmes.

Séries J et JJ, trésor des chartes : consulter l'inventaire paru dans *Le Cabinet historique*, t. 3 à 5 (1857-1859).

Séries K et KK, monuments historiques : nombreux documents, surtout comptables, sur Paris, mais aussi les ordonnances du prévôt des marchands, etc.

Séries L et LL, monuments ecclésiastiques : évêché puis archevêché de Paris, collégiales, paroisses, abbayes.

Séries M et MM, ordres militaires et hospitaliers, universités et collèges, titres nobiliaires : documents sur l'ordre du Temple, les hôpitaux et maladreries de l'ordre de Saint-Lazare, la Sorbonne, la faculté de droit, les collèges, les congrégations. Sous-série 01, maison du roi : une foule de documents sur l'art, les académies, une masse d'informations sur l'histoire et la topographie de Paris.

Séries P et PP, Chambre des comptes et comptabilité : contient ce qui a échappé aux destructions et aux incendies de 1737 et 1871.

Série Q, domaines : grande série d'histoire et de topographie parisiennes (Q1 1090-1363), avec le Terrier du roi (Q1 1099) et les titres domaniaux de la Ville (Q1 1134-1163).

Série S, biens des établissements religieux supprimés : beaucoup de documents sur les institutions ecclésiastiques de Paris, consulter notamment M. Le Roc'h-Morgère et M. Bimbenet-Privat, *Le Temporel du chapitre de Notre-Dame de Paris et de ses filles (S1 à 942). Inventaire* (1990).

Série TT, affaires et biens des protestants : indications éparses sur les réformés du xvie siècle à la Révolution.

Série U, extraits, copies et mémoires intéressant diverses juridictions, etc. : contient une table alphabétique des matières des olim et des registres du Conseil du parlement de Paris, plus de cinq cents volumes d'extraits de ces registres, etc.

Série V, institutions et personnels administratifs et judiciaires : lettres de provisions d'offices accordées aux membres du parlement de Paris.

Série X, parlement de Paris : pour se repérer dans cette énorme série, on peut consulter M. Dillay, « Instruments de recherche du fonds du parlement de Paris dressés au greffe de la juridiction », dans *Archives et bibliothèques*, t. 3, 1937-1938, p. 13-30, 82-92, 190-199, et E. Campardon, *Répertoire numérique des archives du parlement de Paris, série X* (1889, réimpression et mise à jour en 1977).

Série Y, Châtelet de Paris et prévôté d'Île-de-France : plus de dix-huit mille registres et dossiers de la justice parisienne, pour lesquels on peut utiliser H. Stein, *Répertoire numérique des archives du Châtelet de Paris* (1898), A. Tuetey, *Inventaire analytique des livres de couleur et bannières du Châtelet de Paris* (1899-1907, 2 vol.), D. Gallet-Guerne et H. Gerbaud, *Les Alignements d'encoignures à Paris. Permis délivrés par le Châtelet de 1668 à 1789 (Y 9505A à 9507B). Inventaire* (1979), M. Bimbenet-Privat, *Ordonnances et sentences de police du Châtelet de Paris, 1668-1787. Inventaire des articles Y 9498 à 9499* (1992), H. Gerbaud, M. Bimbenet-Privat et J. Dion, *Châtelet de Paris. Répertoire numérique de la série Y*, tome premier, *Les Chambres, Y1 à 10718 et 18603 à 18800* (1993), et d'autres ouvrages encore.

Série Z, juridictions spéciales et ordinaires : Cour des aides, Cour des monnaies, Bureau des finances et chambre du domaine de la généralité de Paris, archives de l'élection de Paris et du Bureau de la Ville, des greffiers des bâtiments, du grenier à sel, etc., avec trois inventaires principaux, S. Clémencet, « Les archives de l'officialité de Paris », p. 177-183 de *Huitième Centenaire de Notre-Dame de Paris (congrès des 30 mai-3 juin 1964). Recueil de travaux sur l'histoire de la cathédrale et de l'église de Paris* (1967), O. Krakovitch, *Greffiers des bâtiments de Paris. Procès-verbaux d'expertise. Règne de Louis XIII (1610-1643), Z1J 256 à 261. Inventaire* (1980), J. Guérout, *Rôles de la taille de l'élection de Paris conservés aux Archives nationales (sous-série Z1G) et dans les Archives départementales, ... Inventaire* (1981).

Série ZZ, notariats et tabellionages, Bureau des saisies réelles, Bureau des consignations : consulter M. LANGLOIS, «Une source d'histoire parisienne : les archives du Bureau des saisies réelles», dans *Paris et Île-de-France*, t. 29 (1979), p. 171-225 et M. DILLAY, M. LANGLOIS et H. GERBAUD, *Les Archives du Bureau des saisies réelles (ZZ2 1 à 1085). Inventaire* (1982).

L'époque contemporaine possède un cadre de classement différent de l'Ancien Régime et revêt de l'importance pour l'histoire de Paris surtout dans les années antérieures à l'incendie de 1871. On la traitera donc sommairement. La série la plus importante est celle du ministère de l'Intérieur (série F). Signalons : F1a* 2 000, plans d'alignement des rues de Paris (1817-1880); F1 c, esprit public ; F2, administration départementale ; F3, administration municipale ; F5 et F6, comptabilités départementale et communale ; F7, police générale ; F8, police sanitaire ; F11, subsistances ; F12, commerce et industrie ; F13, bâtiments civils ; F14, travaux publics ; F15, hospices et secours ; F16, prisons ; F17, instruction publique ; F18, imprimerie, librairie, censure, voir O. KRAKOVITCH, *Les Pièces de théâtre soumises à la censure (1800-1830)* (1982) ; F19, cultes ; F20, statistique ; F21, beaux-arts ; F31, contributions directes, dont cadastre de Paris, M. LE MOËL, *Catalogue général des cartes, plans et dessins d'architecture. Répertoire des plans cadastraux de Paris cotés F31 3 à 72, levés de 1809 à 1854* (1969). 0, Maison du Roi et de l'Empereur : bâtiments et mobilier de la Couronne, manufacture des Gobelins, théâtres royaux. Q2, domaines : biens nationaux vendus à la municipalité, rentes nationales sur Paris. W, juridictions extraordinaires : tribunal révolutionnaire. Z3, juridictions spéciales : tribunal criminel des Dix et tribunaux criminels provisoires créés en 1791 pour remplacer le Châtelet et le Parlement. AF, archives du pouvoir exécutif (1789-1815) : nombreux dossiers sur Paris. AJ13, archives de l'Opéra de Paris de 1704 à 1940 et de divers théâtres lyriques. AJ15, archives du Muséum d'histoire naturelle. AJ16, archives de l'académie de Paris de 1809 à 1940. AJ17, archives de l'Imprimerie nationale de Louis XIV à 1952. AJ19, archives du mobilier de la Couronne et des Menus Plaisirs. AJ37, Conservatoire de musique, etc. AJ52, École des beaux-arts. AJ53, École des arts décoratifs. 55AJ, archives du théâtre de l'Odéon des origines à 1976. 56AJ, archives de l'agence d'architecture du Panthéon. 61AJ, archives de l'École normale supérieure de 1809 à 1977. 62AJ, archives de l'École nationale des langues orientales vivantes de 1764 à 1944. 64AJ, agence d'architecture du Louvre et des Tuileries. 67AJ, agence d'architecture des Invalides. Série BB, ministère de la Justice : listes d'émigrés, rapports de police sur Paris (1795-1804), affaires criminelles de la Seine (1795-1816), etc. J.C. FARCY, *Guide des archives judiciaires et pénitentiaires, 1800-1958* (1990).

Enfin, les Archives nationales possèdent des fonds divers dont l'importance ne saurait être sous-estimée. En premier lieu, le Minutier central détient les archives des notaires de Paris et de l'ancien département de la Seine. Ses dizaines de millions d'actes constituent une source primordiale pour l'histoire parisienne sous toutes ses formes : art, architecture, topographie, vie sociale et économique, etc. On trouve une bonne description de ses fonds dans le tome 4 de l'*État des inventaires* et le tome 5 de l'*État général des fonds* des Archives nationales. Parmi les autres séries : ABXXVIII, thèses et diplômes, contenant notamment les thèses dactylographiées des élèves de l'École nationale des chartes ; AP, archives personnelles et familiales, lire C. DE TOURTIER-BONAZZI et S. D'HUART, *Archives privées. État des fonds de la série AP, tome premier (1 à 315 AP)* (1973), qui mentionne les fonds les plus divers : papiers des éditeurs Pagnerre et Barba, des familles Bertier de Sauvigny ou d'Ormesson, des architectes Le Père, Hittorff, Bélanger, etc. ; AQ, archives d'entreprises, lire B. GILLE, puis I. GUÉRIN-BROT, *État sommaire des archives d'entreprises conservées aux Archives nationales* (1957-1977, 2 vol.), qui recense des archives de banques, de compagnies d'assurances, des Grands Magasins, des librairies Champion, Hachette, etc. ; AR, archives de presse, *Le Matin, L'Œuvre,* agences Havas et France-Presse, ... ; AS, archives d'associations : Société «La Vieillesse», dite des charrons et forgerons de la ville de Paris, Union des caisses d'assurance sociale de la région parisienne, Conférence de Saint-Vincent-de-Paul, ... le clou étant constitué par le fonds de l'Institut français d'histoire sociale, créé en 1949, qui est à la fois dépôt d'archives, bibliothèque et centre de documentation, dont les ressources sont sommairement analysées par D. FAUVEL-RUIF, «L'Institut français d'histoire sociale, ses archives manuscrites et imprimées», dans *La Gazette des archives,* 133 (1986), p. 161-165. Pour les cartes et plans, voir le tome 4 de *Les Archives nationales. État des inventaires,* p. 200-216, et, plus loin, la section consacrée à cette catégorie de documents. Pour la sigillographie, voir le tome 4, p. 238-247 de *Les Archives nationales. État des inventaires.*

Une mention spéciale doit être faite du Centre de topographie parisienne, dont le fichier par rues, doit constituer une véritable matrice cadastrale de Paris, couvrant l'histoire des maisons des origines jusqu'à la fin de l'Ancien Régime.

C. Autres dépôts d'archives

Archives de la préfecture de police (1 *bis*, rue des Carmes, V^e). Voir J. CHARON-BORDAS, *Inventaire de la série B4 de la préfecture de police* (1962). On peut y consulter notamment les registres d'écrous de la Conciergerie du Palais (AB 1 à 133).

Archives de l'Assistance publique (7, rue des Minimes, IIIe). L'histoire des hôpitaux et hospices parisiens s'écrit largement à partir de ce dépôt qui dispose aussi d'une importante bibliothèque. Il existe des inventaires anciens : H. BORDIER et L. BRIÈLE, *Les Archives hospitalières de Paris* (1877), L. BRIÈLE et E. COYECQUE, *Archives de l'Hôtel-Dieu de Paris, 1157-1300* (1894), J.B. MAROT, *Collection des inventaires sommaires des archives hospitalières antérieures à 1790. Quinze-Vingts* (1867), L. BRIÈLE, *Administration générale de l'Assistance publique à Paris. Inventaire sommaire des archives hospitalières antérieures à 1790* (1882-1886, 3 vol., et supplément, 1888-1889).

Archives historiques de l'archevêché de Paris (8, rue de la Ville-l'Évêque, VIIIe). Leur consultation est utile pour l'étude du catholicisme dans la capitale.

Archives de l'Institut de France (23, quai Conti, VIe). On y trouve les archives de différentes académies constituant l'Institut et celles de l'Académie d'architecture (1671-1793).

Archives de l'Opéra de Paris (place Charles-Garnier, IXe). Consulter *Archives de l'Opéra de Paris. Inventaire sommaire* (1988). Ce sont les archives restées à la bibliothèque du Palais Garnier, dont une partie remonte au milieu du XVIIIe siècle. Celles qui ont été versées aux Archives nationales (série AJ13) ont été inventoriées en 1978 par B. LABAT-POUSSIN.

On pourrait encore citer les archives de multiples autres institutions, École polytechnique, SNCF, etc. On en trouvera mention plus loin, en tête des sections consacrées à ces organismes.

2. BIBLIOTHÈQUES

A. Répertoires de bibliothèques

Paris possède un vaste choix de bibliothèques et de centres de documentation. La fréquentation d'un certain nombre de ces établissements est indispensable à quiconque souhaite entreprendre des études approfondies sur cette ville. Les personnes dont l'intérêt n'est qu'occasionnel et anecdotique peuvent se satisfaire des ressources de la cinquantaine de bibliothèques constituant le réseau municipal.

Il y a plusieurs nomenclatures de bibliothèques. Au *Répertoire des bibliothèques et organismes de documentation* (1971), bien fait mais vieilli malgré un *Supplément* (1978), on doit ajouter la consultation malaisée du récent et médiocre *Papyrus. Répertoire des bibliothèques et centres de documentation. 1992-1993* de N. BAGHDADI, N. SUZUKI et M.C. SECHET (1992). Le premier couvre la France entière, le second se limite à l'Île-de-France. La Bibliothèque publique d'information du Centre Georges-Pompidou fait aussi paraître un bon répertoire : *Oriente Express. Répertoire des bibliothèques et centres de documentation parisiens* (5e éd. en 1993). Si l'on recherche des manuscrits ayant trait à l'histoire de Paris, il est possible d'avoir recours au *Catalogue général des manuscrits des bibliothèques publiques de France*, dont la publication, commencée en 1849, se poursuit aujourd'hui, et qui vient d'être doté d'index par Michel POPOFF.

B. Bibliothèque nationale

Première bibliothèque de France et l'une des plus importantes dans le monde, la Bibliothèque nationale, dite maintenant de France (dont les locaux de la rue de Richelieu, de l'Arsenal et de l'Opéra vont se compléter de bâtiments nouveaux, quai d'Austerlitz), possède la presque totalité de la production imprimée française (livres et périodiques), de très riches fonds de manuscrits, de cartes et de plans, d'estampes, de photographies, de partitions de musique, de monnaies et médailles, etc.

Dans cet océan de documents, ceux qui concernent Paris se trouvent immergés dans une masse difficile à maîtriser. Pour les imprimés, livres et périodiques existent des catalogues par auteurs, titres et sujets, manuscrits, imprimés ou informatisés, dans lesquels il est malaisé de repérer ce qui est consacré à Paris. Il faut toutefois signaler un utile instrument de travail : les ouvrages traitant de l'histoire de France sont inventoriés sous la cote «L» dans un catalogue imprimé puis multigraphié (1855-1895, 16 vol. et 15 vol. de tables des ouvrages anonymes), continué sur fiches jusqu'à nos jours. Près d'un million de livres, brochures et périodiques sont recensés dans un cadre systématique de plus de mille subdivisions. Certaines permettent l'accès aux publications spécifiquement parisiennes : Lc21, publications des sociétés historiques locales ; Lc31, annuaires locaux ; Lf34, Châtelet ; Lf200, sapeurs pompiers de Paris ; Li31, mœurs et coutumes par localité ; Lj9, archéologie des villes ; surtout, Lk7, histoire locale, près de deux mille notices sur Paris dans le catalogue de 1863.

Au département des Estampes et de la Photographie, dont les fonds sont répartis en séries méthodiques, peuvent être consultées aisément les séries « Q » (Histoire de France dans l'ordre chronologique), et « V » (Topographie), cette dernière réunissant plusieurs milliers d'images sous la rubrique de Paris. Il ne faut pas négliger les catalogues des collections Destailleur, De Vinck, Hennin, riches en documents parisiens.

Au département des Cartes et Plans, utiliser les fichiers topographiques et l'inventaire de L. VALLÉE, *Catalogue des plans de Paris et des cartes de l'Île-de-France* (1908), dont les cotes sont maintenant périmées, les fonds ayant été reclassés après son impression.

Le très riche département des Manuscrits, enrichi des confiscations de l'époque révolutionnaire, bibliothèques de couvents et d'émigrés, comprend plusieurs collections pouvant concerner l'histoire parisienne. On peut citer : *Inventaire de la collection Anisson sur l'histoire de l'imprimerie et de la librairie principalement à Paris du XIIIᵉ au XVIIIᵉ siècle* (1899-1900, 2 vol.), par E. COYECQUE, et l'*Inventaire des papiers manuscrits du cabinet de Robert de Cotte, premier architecte du roi (1656-1735) et de Jules-Robert de Cotte (1683-1767)*, par P. MARCEL. Il existe aussi le « fichier Laborde », soixante-six mille fiches rédigées pour suppléer à la disparition de l'état civil parisien en 1871, concernant principalement des artistes. Enfin, l'important « cabinet des Titres » peut être utilisé pour les recherches biographiques et généalogiques. Constitué au XIXᵉ siècle à partir des archives des juges d'armes Pierre et Charles D'HOZIER, il contient les pièces provenant du travail de ces deux généalogistes, chargés par le roi d'établir les preuves de noblesse. Ce fonds, comprenant les manuscrits français 26485 à 33264, se divise en six séries et possède une table manuscrite en dix volumes. Il est complété par une copie de l'Armorial général dressé par d'Hozier en exécution de l'édit de 1696.

C. *Bibliothèque administrative et historique de la Ville de Paris*

Installée à l'Hôtel de Ville, la Bibliothèque administrative de la Ville de Paris possède de riches collections sur l'histoire de la capitale. Sa consultation est indispensable pour tout ce qui concerne l'histoire administrative de la capitale, car elle complète la Bibliothèque historique dans ce domaine. Elle possède un fichier de biographies et une remarquable collection d'annuaires administratifs.

Dédiée à l'histoire de la capitale, la Bibliothèque historique de la Ville de Paris (24, rue Pavée, IVᵉ), détient l'essentiel de la production imprimée — livres et revues — consacrée à cette ville. Il existe deux séries de fichiers par auteurs et par sujets, la première pour les livres, la seconde formée par le dépouillement des articles de plus de cinq cents périodiques. Elle possède aussi des collections de photographies et de cartes postales et un fonds de plans d'une exceptionnelle richesse, incluant le plan parcellaire de Paris. Elle abrite la bibliothèque de l'Association des régisseurs de théâtre, ses archives et plus de deux mille mises en scène dramatiques et lyriques. Outre un fonds de manuscrits classé systématiquement, la bibliothèque possède de précieuses collections de manuscrits et d'imprimés de Gustave Flaubert, de Jules Michelet et de George Sand, ainsi que les archives de Jules Claretie et Philarète Chasles et la bibliothèque de Guillaume Apollinaire.

D. *Autres bibliothèques*

Pour les questions historiques, deux bibliothèques sont particulièrement riches, la bibliothèque de l'École nationale des chartes (19, rue de la Sorbonne, Vᵉ) pour le Moyen Âge, la bibliothèque Marmottan (15-19, rue Salomon-Reinach à Boulogne-Billancourt) pour le premier Empire. Depuis quelques années, le Centre d'histoire de la Maison de La Villette (211, avenue Jean-Jaurès, XIXᵉ) réunit de la documentation imprimée, photographique et sonore (entrevues) sur le XIXᵉ arrondissement et sur la capitale en général. La Fondation nationale des sciences politiques (27, rue Saint-Guillaume, VIIᵉ), à la fois bibliothèque et centre de documentation, conserve tout ce qui a trait à la vie politique française au XXᵉ siècle. La Bibliothèque généalogique (3, rue de Turbigo, IIIᵉ) est destinée à ceux qui s'intéressent à la filiation des Parisiens. Pour la numismatique, outre le cabinet des Médailles de la Bibliothèque nationale, ne pas oublier l'hôtel de la Monnaie (11, quai de Conti, VIᵉ).

Les questions religieuses peuvent être étudiées à la riche bibliothèque de l'Institut catholique (21, rue d'Assas, VIᵉ), à la Bibliothèque du protestantisme français (54, rue des Saints-Pères, VIIᵉ), à la bibliothèque du Centre de documentation juive contemporaine (17, rue Geoffroy-l'Asnier, IVᵉ), au Grand Orient de France (16, rue Cadet, IXᵉ) où sont réunis archives, bibliothèque et musée.

Pour l'éducation et l'enseignement, se rendre à l'Institut national de la recherche pédagogique (29, rue d'Ulm, Vᵉ), qui possède bibliothèque et centre de documentation. La bibliothèque interuniversitaire de la Sorbonne (47, rue des Écoles, Vᵉ) possède des fonds encyclopédiques importants, mais est réservée aux professeurs et aux étudiants, et les livres sur Paris sont perdus dans la masse. Elle conserve une partie des archives de l'université de Paris sous l'Ancien Régime.

Pour la vie littéraire, artistique et scientifique, il existe un nombre important de lieux de travail. L'Institut de France (23, quai de Conti, VIᵉ), avec sa bibliothèque et ses archives, offre des trésors variés. La bibliothèque de l'Arsenal (1, rue de Sully, IVᵉ) possède un très important fonds littéraire, notamment théâtral, accompagnant les archives théâtrales d'Auguste Rondel. La bibliothèque de la Société des auteurs et compositeurs dramatiques (9, rue Ballu, IXᵉ) détient les archives de cette société et un important fonds théâtral. On trouve à la bibliothèque-musée de la Comédie-Française (98, galerie de Beaujolais, Iᵉʳ) les archives de cette institution, des mises en scène, des maquettes, des affiches, etc. La bibliothèque de l'Opéra (1, place Charles-Garnier, IXᵉ) est consacrée à l'art lyrique, musique et danse, et déborde vers le cirque. Aux Musées nationaux, à la Bibliothèque Centrale et aux Archives (34, quai du Louvre, Iᵉʳ) se trouve la très riche bibliothèque des conservateurs de musée. La bibliothèque de l'École du Louvre (4, quai des Tuileries, Iᵉʳ) est consacrée aux beaux-arts, à l'architecture, à la muséologie. La bibliothèque de l'École nationale supérieure des beaux-arts (17, quai Malaquais, VIᵉ) couvre l'histoire des arts et de l'architecture et conserve les archives de l'Académie de peinture et de sculpture (1648-1793). Une grande bibliothèque des arts est prévue dans les locaux dégagés par le déménagement des livres et des périodiques de la Bibliothèque nationale de France lorsqu'ils quitteront, à la fin de 1997, la rue de Richelieu pour le quai d'Austerlitz. La bibliothèque des Arts décoratifs et l'Union française des arts du costume (107-109, rue de Rivoli, Iᵉʳ) se consacrent aux beaux-arts, aux arts décoratifs et à la mode, accumulant livres, iconographie, échantillons de tissus et de papiers peints. Bibliothèque municipale, la Bibliothèque Forney (1, rue du Figuier, IVᵉ) est vouée aux métiers d'art et à l'artisanat et dispose de fonds exceptionnellement riches, très largement parisiens. Pour les sciences, il faut au moins citer le Conservatoire national des arts et métiers (292, rue Saint-Martin, IIIᵉ), l'École nationale supérieure des mines de Paris (60, boulevard Saint-Michel, VIᵉ), le Muséum national d'histoire naturelle (38, rue Geoffroy-Saint-Hilaire, Vᵉ), la Bibliothèque interuniversitaire de Médecine (12, rue de l'École-de-Médecine, VIᵉ) où sont conservées les archives de l'École de médecine d'Ancien Régime, la Bibliothèque de l'Académie de chirurgie (26, boulevard Raspail, VIIᵉ), la bibliothèque de l'Académie nationale de médecine (16, rue Bonaparte, VIᵉ).

Enfin, pour les questions sociales et économiques, on peut s'adresser à l'Institut national de la statistique et des études économiques, Bibliothèque centrale (18, boulevard Adolphe-Pinard, XIVᵉ) et à son Observatoire économique de Paris (195, rue de Bercy, XIIᵉ), à l'Institut national d'études démographiques (27, rue du Commandeur, XIVᵉ), au Centre de documentation économique de la Chambre de commerce et d'industrie de Paris (27, avenue de Friedland, VIIIᵉ), au Centre d'études, de documentation, d'information et d'action sociales (CEDIAS) au Musée social (5, rue Las-Cases, VIIᵉ), au CNRS-INIST (Institut national de l'information scientifique et technique) (54, boulevard Raspail, VIᵉ), qui possède des banques de données informatisées dans tous les domaines.

3. MUSÉES

Quelques guides récents permettent de mieux connaître les musées de Paris : G. COSTAZ, *Guide des deux cents musées de Paris et de l'Île-de-France* (1978), D. BERNARD-FOLLIOT, *Guide des musées de Paris et de la banlieue* (Guide bleu, 1978), *Paris* (Guide bleu, 1990, avec répertoire détaillé des musées, p. 643-881). On se contente ici d'énumérer, dans l'ordre alphabétique, les principaux musées, en rappelant que ceux qui sont consacrés à peu près exclusivement à Paris sont les musées de l'Assistance publique, Carnavalet et d'Histoire de la préfecture de police. Musée de l'Arc de triomphe (place de l'Étoile, VIIIᵉ), petit musée consacré au monument et aux événements qui s'y sont déroulés. Musée de l'Armée (hôtel des Invalides, VIIᵉ), premier musée de France pour l'histoire militaire, flanqué d'une riche bibliothèque. Musée des Arts décoratifs (107, rue de Rivoli, Iᵉʳ), toutes les formes des arts appliqués, avec des reconstitutions d'intérieurs parisiens. Musée des Arts de la Mode (109, rue de Rivoli, Iᵉʳ), la vitrine de la haute couture parisienne. Musée national des Arts et Traditions populaires (6, avenue du Mahatma-Gandhi, XVIᵉ), peu de choses sur Paris. Musée de l'Assistance publique (47, quai de la Tournelle, Vᵉ), capital pour la connaissance des hôpitaux parisiens. Maison de Balzac (47, rue Raynouard, XVIᵉ), rare vestige du Passy campagnard du XVIIIᵉ siècle, cette maison conserve des souvenirs de Balzac et abrite une bibliothèque consacrée à ses œuvres. Musée Carnavalet (23, rue de Sévigné, IIIᵉ), musée historique de la ville de Paris où se trouve aussi un cabinet d'estampes d'une richesse exceptionnelle. Musée du Cinéma (palais de Chaillot, place du Trocadéro, XVIᵉ). Musée de Cluny (6, place Paul-Painlevé, Vᵉ), musée du Moyen Âge conservant quelques vestiges de sculptures parisiennes. Musée Cognacq-Jay (8, rue Elzévir, IIIᵉ), une place importante accordée au Paris du XVIIIᵉ siècle. Musée Delacroix (6, rue de Furstemberg, VIᵉ), l'atelier du peintre avec des toiles, des aquarelles, des lithographies de l'artiste. Musée Édith-Piaf (5, rue Crespin-du-Gast, XIᵉ), voué au culte de la chanteuse parisienne. Musée de la Franc-Maçonnerie (16, rue Cadet, IXᵉ), important pour l'histoire de la maçonnerie française et parisienne. Musée de l'Histoire de France (60, rue des Francs-Bourgeois, IIIᵉ), émanation des Archives nationales. Musée d'Histoire de la préfecture de police (1 *bis*, rue des Carmes, V^e), documents et iconographie des procès célèbres. Musée de l'Histoire du protestantisme français (54, rue des Saints-Pères, VIe), possède des documents sur les protestants à Paris. Musée de la Légion d'honneur et des ordres de chevalerie (2, rue de Bellechasse, VIIe). Musée du Louvre (palais du Louvre, Ier), le plus grand musée du monde, disposant d'une bibliothèque, d'archives et d'un cabinet de dessins. Musée Marmottan (2, rue Louis-Boilly, XVIe), collections consacrées principalement au premier Empire. Musée de la Mode et du Costume (palais Galliera, 10, avenue Pierre Ier de Serbie, XVIe), issu de la section des costumes du musée Carnavalet, il possède plus de dix mille vêtements du XVIIIe siècle à nos jours. Musée de la Monnaie (11, quai de Conti, VIe), monnaies et médailles de France. Musée de Montmartre (12, rue Cortot, XVIIIe), riche iconographie, affiches et porcelaines de la manufacture de Clignancourt. Il existe aussi un musée de cire, l'Historial de Montmartre (11, rue Poulbot, XVIIIe). Musée des Monuments français (palais de Chaillot, place du Trocadéro, XVIe), quelques moulages et maquettes de monuments parisiens. Musée Nissim de Camondo (63, rue de Monceau, VIIIe), des boiseries et du mobilier parisiens. Musée de Notre-Dame (10, rue du Cloître-Notre-Dame, IVe), consacré à la cathédrale. Musée de l'Opéra (1, place Charles-Garnier, IXe). Musée d'Orsay (62, rue de Lille, VIIe), nombreuses toiles du XIXe siècle représentant Paris, plan-relief du quartier de l'Opéra, fontes décoratives de Guimard, etc. Musée du Petit Palais (avenue Winston-Churchill, VIIIe), appartient à la Ville et contient de nombreuses toiles figurant la capitale. Musée de la Poste (34, boulevard de Vaugirard, XVe), histoire de la poste des origines à nos jours, avec le siège de Paris, les ballons postaux, les boules de Moulins, une bibliothèque spécialisée complétant les collections. Musée national des Techniques (270, rue Saint-Martin, IIIe). Maison de Victor Hugo (6, place des Vosges, IVe), souvenirs de l'écrivain, cabinet d'estampes et bibliothèque. Musée de la Vie romantique (16, rue Chaptal, IXe).

CHAPITRE II

Instruments de travail généraux

4. BIBLIOGRAPHIES

L'histoire et la vie de Paris touchent à beaucoup de domaines. Dans chaque chapitre (géographie, histoire, administration...) seront mentionnés les principaux instruments bibliographiques généraux ou spécialisés qu'il faut connaître et savoir utiliser. On se borne ici à signaler globalement les principales bibliographies générales et spécialisées.

Viennent en premier lieu les banques de données informatisées FRANCIS-CNRS (Centre national de la recherche scientifique)-INIST (Institut national de l'information scientifique et technique) du 54, boulevard Raspail. Il existe vingt banques, de l'art et l'archéologie aux sciences en passant par la religion, le langage, l'éducation, la sociologie.

On ne cite que pour mémoire la très médiocre *Bibliographie d'histoire des villes de France* (1967) de P. DOLLINGER, P. WOLFF et S. GUENÉE.

Ne sont donc mentionnées maintenant ici que les bibliographies consacrées exclusivement à Paris :

BARROUX (M.), *Essai de bibliographie critique des généralités de l'histoire de Paris* (1908). Ouvrage ancien mais excellent. Donne jusqu'en 1907, dans un cadre méthodique, plus de huit cents références commentées. A compléter par :

BARROUX (M.), *Le Département de la Seine et la Ville de Paris. Notions générales et bibliographiques pour en étudier l'histoire* (1910). Remarquable étude, accompagnée d'une excellente bibliographie critique de la géographie, de l'histoire de Paris et de ses historiens, des institutions municipales et de la topographie de la ville.

Il faut aussi signaler la collection d'un historien de Paris :

Catalogue de la bibliothèque de M. Edgar Mareuse (1928, 2 vol.). Par sa richesse — plus de douze mille titres dont près de la moitié concernent Paris — l'équivalent d'une bibliographie, dont la consultation est facilitée par un cadre systématique.

Les travaux des sociétés d'histoire de Paris ont été recensés et signalés dans les deux répertoires suivants :

HENRIOT (G.) et DE LA MONNERAYE (J.), « Répertoire des travaux publiés par les sociétés d'histoire de Paris, depuis leur fondation jusqu'au 31 décembre 1911 », dans *Bulletin de la Bibliothèque et des travaux historiques* (1914, t. 8-9).

GUILLO (S.), *Répertoire des travaux publiés par les sociétés d'histoire de Paris du 1er janvier 1912 au 31 décembre 1980* (1987). La suite est en préparation.

Pour terminer, il faut aussi citer des bibliographies par époques et par quartiers qui peuvent encore servir malgré leur ancienneté, ainsi que des publications périodiques plus ou moins éphémères :

DUFOUR (V.), *Bibliographie artistique, historique et littéraire de Paris avant 1789* (1882).

LACOMBE (P.), *Bibliographie parisienne. Tableaux de mœurs, 1600-1880* (1887).

TOURNEUX (M.), *Bibliographie de l'histoire de Paris pendant la Révolution française* (1890-1913, 5 vol.).

LE SENNE (E.), *Essai de bibliographie historique de Montmartre avant 1800* (1902), continué par :

LE SENNE (E.), « Essai de bibliographie historique de Montmartre avant 1830 », dans *Le Vieux Montmartre* (t. 4, 1906-1910, p. 1-32, 173-176), et :

ARTUS (M.), « Essai de bibliographie de la presse montmartroise. Journaux et canards », dans *Le Vieux Montmartre* (t. 3, 1901-1905, p. 300-354).

DENISE (L.), *Bibliographie historique... et iconographique du Jardin des Plantes* (1903).

RUELLE (C.-E.), *Essai d'une bibliographie de la montagne Sainte-Geneviève et de ses abords* (1903), d'abord paru dans *Bulletin de la montagne Sainte-Geneviève* (t. 3, 1899-1902, p. 242-280).

MAR (L.) et GUILLOIS (A.), « Bibliographie et iconographie du XVIe arrondissement », dans *Bulletin de la Société historique d'Auteuil* (t. 1 à 4, 1892-1903).

« Bibliographie de l'histoire de Paris et de l'Île-de-France », dans *Bulletin de la Société de l'histoire de Paris* (1874-1925).

« Bibliographie. Paris et la région parisienne », paraissant chaque mois de 1947 à 1957 dans le *Bulletin de la Chambre de commerce de Paris*, remplacé par :

Économie régionale. Bibliographie mensuelle sélectionnée, publiée par la Bibliothèque de la Chambre de commerce de Paris de 1957 à 1969.

Bulletin bibliographique mensuel (de documentation parisienne), 1957-1978, qui présente toutes les publications concernant Paris à partir des collections de la Bibliothèque administrative et de la Bibliothèque historique de la Ville de Paris.

«Bibliographie analytique des publications d'histoire et d'archéologie concernant Paris et la région parisienne», parue de 1961 à 1971 dans *Fédération des sociétés historiques et archéologiques de Paris et de l'Île-de-France. Bulletin*.

5. ANNUAIRES ET LIVRES D'ADRESSES

Indispensables pour la localisation des Parisiens, des commerces et des administrations, les annuaires et livres d'adresses, trop souvent méconnus, mériteraient d'être utilisés plus fréquemment comme source historique. A.B. BÉNARD, dans *Les Annuaires parisiens de Montaigne à Didot, 1500 à 1900* (1897), en attribue l'invention à Montaigne. Isaac de Laffemas ne parvint pas à concrétiser l'idée de Montaigne, et Théophraste Renaudot, en 1630, se limita à un «Inventaire d'adresses» manuscrit, consultable à son bureau d'adresses de la rue de la Calandre, près du Palais de Justice.

En fait, le premier livre d'adresses imprimé en France est l'*Almanach royal*, qui paraît à partir de 1683 ; il concerne surtout l'administration et couvre la France entière. Le premier annuaire parisien est publié par Abraham DU PRADEL : *Les Adresses de la ville de Paris, avec le trésor des almanachs, livre commode...* Il ne paraît que deux fois, en 1691 et 1692. On trouvera ses successeurs énumérés par A.B. Bénard, déjà cité, qui est très insuffisant et doit être complété par le *Catalogue de l'histoire de France* (t. 4, 1857) de la Bibliothèque nationale, subdivision Lc31, «annuaires locaux», sous la rubrique «Paris» (Lc31.365 à 444) et subdivision Lc30, «annuaires départementaux», sous la rubrique «Seine» (Lc30.419 à 429). Parmi les plus importants, on peut mentionner :

— *Almanach de Paris, contenant la demeure, les noms et qualités des personnes de condition dans la ville et fauxbourgs de Paris...*, qui paraît de 1772 à 1790 et s'enrichit à partir de 1782 d'un second volume consacré aux adresses des commerçants.

— *Almanach du commerce de la ville de Paris*, édité à partir de 1797 par DUVERNEUIL et J. DE LA TYNNA. En 1819, cet annuaire professionnel devient la propriété de Sébastien BOTTIN. Intitulé en 1840 *Almanach-Bottin du commerce de Paris*, il continue à paraître actuellement.

— L'*Annuaire du téléphone* existe depuis 1882, divisé dès l'origine en deux parties alphabétiques de noms de personnes et de professions. Il a porté plusieurs titres : *Société générale des téléphones. Liste des abonnés* (5 novembre 1882 - mai 1889) ; Direction générale des Postes et Télégraphes, *Liste des abonnés au réseau téléphonique de Paris*, devenue en 1908 l'*Annuaire officiel des abonnés aux réseaux téléphoniques de la région de Paris*, qui comporte en outre une section «rues» depuis 1906.

Il existe quelques bibliographies et répertoires d'une grande utilité :

GRAND-CARTERET (J.), *Les Almanachs français* (1896). C'est une bibliographie des almanachs, annuaires, calendriers, livres d'adresses, etc., édités à Paris à partir de 1599 et jusqu'en 1895, avec de précieux index.

SAFFROY (G.), *Bibliographie des almanachs et annuaires administratifs, ecclé-*

siastiques et militaires français de l'Ancien Régime et des almanachs et annuaires généalogiques du XVIᵉ siècle à nos jours (1959).

LAMBERT (M.), *Répertoire national des annuaires français, 1958-1968, et Supplément signalant les annuaires reçus en 1969* (par la Bibliothèque nationale) (1970), avec un *Supplément* pour 1969-1971 paru en 1972.

— Le Centre de documentation économique de la Chambre de commerce et d'industrie de Paris publie un *Répertoire d'annuaires français et listes d'adresses susceptibles d'intéresser le commerce et l'industrie*, la 11ᵉ édition parue en 1992 sous le titre de *Répertoire des annuaires professionnels français*.

6. PUBLICATIONS OFFICIELLES

Les publications officielles sont souvent d'accès difficile pour le profane. Leur abondance est telle qu'une simple énumération est impossible, même limitée à Paris. On en trouvera une liste très incomplète dans la publication de la Documentation française : *Répertoire des publications officielles (séries et périodiques)* (1979-1980, 3 vol.).

Les publications officielles parisiennes commencent à être mieux connues grâce aux travaux de M. Pierre CASSELLE, directeur de la Bibliothèque administrative, à qui l'on doit notamment un article de base, « Imprimeurs et publications des administrations parisiennes (XVIᵉ-XIXᵉ siècles) », dans *Paris et Île-de-France*, 37 (1986), p. 185-245, et la *Bibliographie des publications officielles de la Ville de Paris et du département de la Seine (1800-février 1848)* (1991), continuée pour 1848-1859 (1995).

A. Conseil municipal

Les procès-verbaux du Conseil municipal, demeurés manuscrits, ont disparu dans l'incendie de 1871. On peut se rabattre sur des publications à caractère privé pour combler très partiellement cette lacune :

— *Journal municipal de la Ville de Paris et du département de la Seine (30 décembre 1841-15 avril 1842).*

— *Gazette municipale de la Ville de Paris et du département de la Seine*, publiée par J.-L. HAVARD (1er avril 1843-décembre 1849), fusionnée au 1er janvier 1850 avec *la Revue municipale* de Louis LAZARE (1er juin 1848-1er avril 1851, nos 1 à 71), qui devient :

— *Gazette municipale. Revue municipale* (16 avril 1851-20 décembre 1857, nos 72 à 251), puis :

— *Revue municipale et Gazette réunies* (1er janvier 1858-26 février 1862, nos 252 à 402).

Il faut aussi signaler deux publications rétrospectives réalisées par l'Imprimerie municipale en 1885 :

— *Conseil municipal de Paris. Ordre du jour depuis le 24 février 1864 à 1885* (8 vol.).

— *Conseil municipal de Paris. Feuilletons des affaires soumises au Conseil depuis le 2 décembre 1864 à 1885* (7 vol.).

Le 3 mars 1879, les frères J.A. et J.E. CHARLES DE MOURGUES, imprimeurs de la Ville et de la préfecture de la Seine, lancent un *Bulletin de la Ville de Paris*, « journal hebdomadaire administratif, littéraire, commercial et financier », qui disparaît le 24 décembre 1883, la municipalité ayant enfin créé son propre organe :

— *Bulletin municipal officiel de la Ville de Paris* (BMO), qui paraît depuis le 1er juillet 1882.

Le Conseil municipal fait aussi publier :

— *Conseil municipal de Paris. Rapports et documents*, depuis 1871.

— *Conseil municipal de Paris. Procès-verbaux*, depuis le 4 août 1871, disparu en 1942, devenu :

— *Bulletin municipal officiel de la Ville de Paris. Débats des assemblées de la Ville de Paris et du département de la Seine*, du 5 février 1946 au 28 décembre 1964. Il s'intitule depuis le 17 octobre 1967 :

— *Bulletin municipal officiel de la Ville de Paris. Débats du Conseil de Paris.*

— *Conseil municipal de Paris. Délibérations*, paraissant à partir du 13 janvier 1880, devenu en 1954 :

— *Bulletin municipal officiel de la Ville de Paris. Délibérations.*

Il faut aussi mentionner :

— *Conseil municipal de Paris. Commission du budget*, créé en 1880, et :

— *Ville de Paris. Conseil municipal. Ordre du jour de la séance...*, créé le 21 juin 1945, devenu le 6 octobre 1967 *Conseil de Paris. Ordre du jour de la séance...*

B. Conseil général

De 1800 à 1834, le Conseil général de la Seine a fait fonction de Conseil municipal de Paris. L'impression des procès-verbaux du Conseil général de la Seine débute en 1838 :

— *Conseil général du département de la Seine. Session de 1838*, qui contient les mémoires du préfet et les rapports des commissions à partir de 1846. En 1946, la publication devient :

— *Bulletin municipal officiel de la Ville de Paris. Débats des assemblées de la Ville de Paris et du département de la Seine. Conseil général de la Seine*, devenu en 1964 :

— *Bulletin municipal officiel de la Ville de Paris. Délibérations du Conseil de Paris en Conseil municipal et en Conseil général. Conseil général.* Cette publication s'est transformée en 1982 en :

— *Bulletin départemental officiel. Département de Paris.*

Il existe aussi :

— *Conseil général de la Seine... Ordre du jour de la séance...*

C. Documents financiers

On trouve une bonne approche des publications financières parisiennes au début de G. MASSA-GILLE, *Histoire des emprunts de la Ville de Paris, 1814-1875* (1973). Pour la municipalité, paraît depuis 1818 :

— *Budget de la Ville de Paris pour l'exercice 1818, et compte de ses recettes et dépenses pendant l'exercice 1816.* Le compte devient une publication distincte à partir de l'exercice de 1834 :

— *Compte général des recettes et des dépenses de la Ville de Paris pour l'exercice 1834.*

En 1833 commence l'impression du :

— *Projet de budget de la Ville de Paris.*

Pour la Seine, les séries imprimées débutent en 1829 :

— *Département de la Seine. Comptes et budgets publiés en 1829, en exécution de l'art. 6 de la loi du 17 août 1828.*

Les comptes forment une série distincte du budget à partir de 1839 pour l'exercice 1837 :

— *Département de la Seine. Comptes des recettes et des dépenses de l'exercice 1837, publiés en 1839.*

Pour le district de la Région de Paris, puis pour la Région d'Île-de-France, le budget et les comptes sont publiés depuis 1962.

D. Préfectures

La première publication est due à une initiative privée, celle d'Adolphe TRÉBUCHET :

— *Bulletin administratif et judiciaire de la préfecture de police et de la Ville de Paris, journal publié avec l'autorisation spéciale du préfet de la Seine et du préfet de police...*, qui débute en janvier-février 1835 et se transforme en :

— *Recueil administratif du département de la Seine... concernant la police et l'administration départementale et communale...* (1836-1839).

Les véritables publications officielles sont inaugurées avec :

— *Recueil des actes administratifs de la préfecture du département de la Seine* (1844-1942).

Une édition abrégée des années 1844 à 1870 a été publiée en 10 volumes en 1875-1876 : *Recueil des actes administratifs de la préfecture du département de la Seine. Extraits.*

— *Recueil des actes administratifs de la préfecture de la Seine et de la préfecture de police* (1943-1967).

— *Recueil des actes administratifs. Bulletin officiel d'information de la préfecture de Paris et de la préfecture de police* (depuis 1968).

Pour la région parisienne, devenue Île-de-France en 1976 :

— *Préfecture de la région parisienne. Recueil des actes administratifs* (1962-1966), devenu :

— *Préfecture de la région parisienne. Bulletin d'information et recueil des actes administratifs*, puis :

— *Région parisienne. Recueil des actes administratifs de la préfecture et Bulletin officiel du district*, enfin, depuis juillet 1982 :

— *Recueil des actes administratifs de la région d'Île-de-France.*

E. Statistiques

Il faut absolument connaître et utiliser B. GILLE, *Les Sources statistiques de l'histoire de France, des enquêtes du XVIIᵉ siècle à 1870* (1964). Le premier grand recueil de statistiques parisiennes a été entrepris sur l'ordre de Chabrol, préfet de la Restauration :

— *Recherches statistiques sur la Ville de Paris et sur le département de la Seine* (1823-1860, 6 vol.). Les informations que cet ouvrage contient remontent parfois au XVIIᵉ siècle.

Viennent ensuite des publications à caractère périodique :

— *Bulletin de statistique municipale (Ville de Paris)* (1865-1879).

— *Tableaux mensuels de statistique municipale de la Ville de Paris* (1885-1900), devenu :

— *Recueil trimestriel de statistique municipale de la Ville de Paris* (1901-1903).

— *Bulletin hebdomadaire* (puis *décadaire* en 1920 et *bimensuel* en 1939) *de statistique démographique* (1880-1941).

Il existe un monument de la statistique parisienne, truffé de statistiques rétrospectives et d'articles fondamentaux :

— *Annuaire statistique de la Ville de Paris et des commune suburbaines de la Seine* (1880-1967). Après une interruption, il a été remplacé par le très médiocre :

— *Annuaire statistique*, que fait paraître depuis 1977 la préfecture de Paris.

On cite enfin, sans souci d'exhaustivité, une série de publications statistiques consacrées à Paris :

— *Aéroports de Paris. Statistiques de trafic.*

— *Annuaire économique de Paris*, publié par la préfecture.

— *Annuaire statistique*, publié par l'académie de Paris.

— *Bulletin de la construction à Paris*, publié par la Direction de la construction et du logement de la Ville de Paris.

— *Mairie de Paris. Observatoire des déplacements.*

— *Bulletin technique.*

— *Notes de conjoncture* de la préfecture de Paris.

— *Paris : chiffres*, dernier avatar dégénéré de l'*Annuaire statistique*, qu'il ne faut pas confondre avec l'épisodique :

— *Paris en chiffres*, qu'édite la Mairie de Paris.

— *Recueil de données statistiques sur les professions de santé à Paris*, œuvre de la Caisse primaire d'assurance maladie.

— *Régie autonome des transports parisiens. Statistiques annuelles.*

Pour le département de la Seine, signalons :

— *Bulletin bimensuel* (puis *mensuel*) *de statistique départementale* (1942-1956), suivi par :

— *Département de la Seine. La conjoncture économique dans le département présentée par le préfet de la Seine* (1956-1964), remplacé par :

— *Tableau mensuel de la conjoncture économique présenté par le préfet de la Seine* (1964-1969).

Enfin, dans les nombreuses publications régionales, on retiendra :

— *Institut national de la statistique et des études économiques. Direction régionale de Paris. Bulletin régional de statistique* (1953-1971), devenu :

— *Aspects statistiques de la région parisienne* (1971-1980), devenu :

— *Aspects économiques de l'Île-de-France* (1981-1988), puis :

— *Regards sur l'Île-de-France*, depuis 1988.

Cette publication possède un supplément annuel :

— *La Situation démographique, économique et sociale* (1953-1970), qui devient :

— *Bilan annuel* (1971-1980), puis :

— *Tableaux économiques de l'Île-de-France* jusqu'en 1984, et redevient en 1985 :

— *Bilan annuel.*

L'INSEE fait aussi paraître :

— *Les Cahiers d'Aspect*, supplément à *Aspects économiques de l'Île-de-France* (1980-1987), devenu en 1988 :

— *Dossiers Île-de-France.*

— *La Conjoncture en Île-de-France* (1981-1982), qui a remplacé une publication de la préfecture de Région :

— *Conjoncture économique : les activités en Île-de-France* (1975-1979), puis est devenu :

— *Conjoncture commerciale* et *Conjoncture industrielle* de 1982 à 1987, avant de se réunifier dans :

— *Conjoncture en Île-de-France* (1987-1990).

— *L'Île-de-France à la page,* revue mensuelle de l'INSEE, a commencé à paraître en avril 1987.

On doit à la préfecture de la région Île-de-France :

— *La Lettre du préfet de région* (1987-1990), devenue :

— *L'Île-de-France au futur. La Lettre du préfet de Région,* en 1991.

Citons enfin, sans prétendre à l'exhaustivité :

— *L'Artisanat en région Île-de-France. Tableau de bord,* publié par la Chambre des métiers régionale.

— *Caisse régionale d'assurance maladie d'Île-de-France. Indicateur statistique.*

— *Le Commerce extérieur de l'Île-de-France. Résultats,* publication de la Direction interrégionale des douanes d'Île-de-France.

— *Effectif des salariés. Région Île-de-France,* dû au Groupement des ASSEDIC de la région parisienne.

— *Mémento. Données chiffrées,* de la Direction régionale des affaires sanitaires et sociales.

— *Note d'information de la Direction régionale des impôts.*

— *Note financière annuelle Île-de-France* de la Banque de France.

— *Réseau de mesure de la pollution de l'air en Île-de-France (AIRPARIF).*

— *Les Transports de voyageurs en Île-de-France,* publié par la Direction régionale de l'équipement.

7. GUIDES

Les guides se caractérisent par leurs dimensions modestes et leur aspect plutôt maniable. Ce sont, avant tout, des livres que l'on tient à la main lorsqu'on visite une ville. *La Guide des chemins de France* (1552) de Charles ESTIENNE semble avoir été le plus ancien ouvrage de langue française à porter ce titre. On mentionne traditionnellement comme premier guide de Paris l'ouvrage en latin de l'Allemand Eustathius VON KNOBELSDORF, *Lutetiae descriptio* (1543, réimpression en 1978). Pour les guides du XVIe siècle à la fin du XVIIIe siècle, il faut se référer à M. DUMOLIN, « Notes sur les vieux guides de Paris », dans *Mémoires de la Société de l'histoire de Paris,* 47 (1924), p. 209-285.

On doit également utiliser le *Catalogue de l'histoire de France* de la Bibliothèque nationale, tome 8 (1863), subdivision Lk7 Paris, « descriptions générales » (p. 452-477, cotes Lk7. 5980 à 6479), dont le cadre dépasse largement la notion de guide.

En résumé, les principaux guides anciens sont ceux de :

CORROZET (G.), *Les Antiquitez, histoires et singularitez de Paris* (1550), qui a eu de nombreuses éditions, remaniées notamment par Nicolas Bonfons, avec une refonte par son fils :

BONFONS (P.), *Les Fastes, antiquitez et choses plus remarquables de Paris* (1605).

Vient ensuite :

DU BREUL (J.), *Le Théâtre des antiquités de Paris* (1612, avec un supplément en 1614 et une nouvelle édition en 1639, aussi avec supplément).

MALINGRE (C.), *Les Antiquités de la ville de Paris* (1640), est une autre édition de Du Breul avec des additions. Le format encombrant de Du Breul et de Malingre place ces ouvrages à la limite de ce qu'on peut nommer un guide.

DECHUYES, *La Guide de Paris* (1647), le premier guide de la capitale à porter ce titre.

BRICE (G.), *Description nouvelle de ce qu'il y a de plus remarquable dans la ville de Paris* (1684, réimpression de la 9e éd. de 1752 en 1971).

LE MAIRE (C.), *Paris ancien et nouveau...* (1685-1698, 3 vol.).

LIGER (L.), *Le Voyageur fidèle, ou le Guide des étrangers dans la ville de Paris* (1715).

NEMEITZ (J.C.), *Séjour de Paris...* (1727, 2 tomes).

ANTONINI (A.), *Mémorial de Paris et de ses environs* (1732).

Son importance fait qu'il est difficile de parler de guide pour :

PIGANIOL DE LA FORCE (J.A.), *Description historique de la ville de Paris et de ses environs* (1742, 8 vol., il est vrai de petit format, 10 vol. dans l'édition de 1765).

DEZALLIER D'ARGENVILLE (A.N.), *Voyage pittoresque de Paris* (1749, 6e éd. en 1778 et réimpression en 1813).

L.V. THIÉRY est l'auteur d'une publication annuelle, liste d'adresses et guide sommaire des lieux à visiter, *Almanach du voyageur à Paris*, qui a paru chaque année de 1782 à 1790. Il a été publié en 1784 sous le titre *Le Voyageur à Paris, extrait du Guide des amateurs et des étrangers, contenant une description de tous les monuments...* (2 vol.), annonciateur du *Guide des amateurs et des étrangers voyageurs à Paris* (1787, 2 vol.).

Il est impossible de mentionner les centaines de guides de Paris parus aux XIXe et XXe siècles. On se borne à l'énumération de ceux du siècle dernier qui ont connu le plus grand nombre d'éditions :

MARCHANT (F.M.), *Le Nouveau Conducteur de l'étranger à Paris* (29 éd. entre 1811 et 1851).

— *Picture of Paris*, puis *Galignani's Picture of Paris, Galignani's New Paris Guide, Galignani's Illustrated Paris Guide*, par les éditeurs parisiens de langue anglaise A. et W. Galignani, paraissant de 1814 à 1900, avec une nouvelle édition presque tous les ans.

— *Le Conducteur parisien*, édité chez J. Moronval de 1817 à 1853, qui fait aussi paraître chaque année, de 1816 à 1831, *Le Pariséum moderne*.

MONTÉMONT (A.), *Guide universel de l'étranger dans Paris* (publié chez Garnier de 1843 à 1875).

À partir de l'Exposition universelle de 1855, la production de guides explose, les grandes maisons d'édition étrangères (Baedeker en Allemagne, Cassel en Angleterre, etc.) proposant aussi des guides constamment tenus à jour. En France, dans les innombrables publications, on se limite à signaler les grandes entreprises :

— *Guide Bijou* chez Susse à partir de 1861.

— *Guide parisien* e *Nouveau Guide de l'étranger dans Paris*, à partir de 1863, dans la collection des guides Joanne chez Hachette.

— *Paris en poche*, dans la collection des guides pratiques chez Conty à partir de 1863.

Au XXe siècle, ce sont les Guides bleus et verts qui dominent la production française. En cette fin de siècle, il paraît chaque année des dizaines de guides de Paris à peu près sur tous les sujets : magasins, restaurants, hôtels, spectacles, boîtes de nuit, monuments, Paris littéraire, Paris des artistes, Paris religieux, et même *Le Paris de l'introuvable* (1994). Lorsqu'ils présentent un réel intérêt, ils sont mentionnés dans les chapitres suivants au sujet concerné.

8. DICTIONNAIRES

On se limite ici aux ouvrages généraux, à caractère topographique ou biographique, dont le classement alphabétique justifie l'appellation de « dictionnaire ».

A. Dictionnaires topographiques

Les simples nomenclatures, listes de rues ou de monuments, sans explication historique ou architecturale, n'ont pas été retenues. La liste des dictionnaires présentant quelque intérêt est présentée dans l'ordre chronologique :

COLLETET (F.), *La Ville de Paris...* (1677, plusieurs éditions jusqu'en 1722).

HÉBERT, *Dictionnaire pittoresque et historique, ou Description d'architecture, peinture... et dates des établissemens et monumens de Paris,* ... (1766, 2 vol.).

HURTAUT (P.T.N.), MAGNY (P.), *Dictionnaire historique de la ville de Paris et de ses environs* (1779, 4 vol., réimpression en 1973).

LA TYNNA (J. de), *Dictionnaire topographique, étymologique et historique des rues de Paris...* (1812, 2e éd. en 1816).

ROQUEFORT (B. de), *Dictionnaire historique et descriptif des monuments religieux, civils et militaires de la ville de Paris* (1826).

— *Dictionnaire de poche de Paris et de ses environs* (1826, édité chez Baudouin).

BÉRAUD (A.N.), DUFEY (P.J.), *Dictionnaire historique de Paris, contenant la description détaillée de ses places, rues,* ... (1828, 2 vol., nouvelle éd. en 1832).

LELEUX (J.A.), *Dictionnaire historique et topographique de Paris* (1838).

LAZARE (F. et L.), *Dictionnaire administratif et historique des rues et monuments de Paris* (1844-1849, 2 vol., 2e éd. en 1855, 3e éd. ébauchée en 1879 et ne dépassant pas la lettre B, réimpression de la 2e éd. sous la dir. de M. FLEURY en 1994).

LAZARE (F. et L.), *Nomenclature des rues, boulevards, quais, impasses, passages, monuments de la ville de Paris* (1860).

LOCK (F.), *Dictionnaire topographique et historique de l'ancien Paris* (1867).

LEMONNYER (J.), *Dictionnaire de Paris pratique* (1867).

— Ville de Paris, *Nomenclature des voies publiques et privées* (1re éd. en 1877, 8e éd. en 1972, 9e éd. en cours, la nomenclature officielle, donnant des informations précises sur l'ouverture, le classement, l'alignement, le nivellement, le numérotage, l'historique et l'origine du nom des voies parisiennes).

PINCHARD (J.), *Le Compteur kilométrique parisien, ou Dictionnaire étymologique, historique et descriptif des rues et monuments de Paris* (1890).

PESSARD (G.), *Nouveau Dictionnaire historique de Paris* (1904, 2 vol.).

— *Petit Dictionnaire de Paris. J'explique tout ce qu'on voit à Paris, alphabétiquement* (1910).

HILLAIRET (J.), *Dictionnaire historique des rues de Paris* (1963, 2 vol. et supplément, 9ᵉ éd. en 1991, ouvrage fondamental couvrant très largement l'histoire de Paris).

— *Dictionnaire de Paris* (publié chez Larousse en 1964, contenant des articles aussi bien sur les monuments que sur les institutions, le commerce, la culture, les bouquinistes ou les clochards).

— *Dictionnaire des monuments de Paris* (paru chez Hervas en 1992, axé sur l'architecture des édifices).

B. Dictionnaires biographiques

La vie des Parisiens se confondant largement avec celle des autres Français, il n'existe pas vraiment de dictionnaire biographique exclusivement consacré aux habitants de la capitale. On doit donc rappeler les principaux dictionnaires biographiques. Les deux premiers se disent universels mais sont à dominante française. On les désigne généralement sous le nom de leur éditeur, L.G. MICHAUD ou F. HOEFER :

— *Biographie universelle ancienne et moderne, ...* (1811-1828, 85 vol. ; nouvelle éd., 1854-1865, 45 vol.).

— *Nouvelle Biographie générale depuis les temps les plus reculés jusqu'à nos jours, ... Publiée sous la direction de M. le docteur Hoefer* (1853-1866, 46 vol.).

On peut tenter de les compléter, pour les personnages du XIXᵉ siècle, par :

VAPEREAU (G.), *Dictionnaire universel des contemporains* (6 éd. entre 1858 et 1895, la dernière étant la meilleure et la plus complète).

Ces répertoires vieillis ne sont que très partiellement remplacés par :

— *Dictionnaire de biographie française*, qui a commencé à paraître en 1933 sous la direction de J. BALTEAU, M. BARROUX et M. PRÉVOST, puis J.C. ROMAN D'AMAT et H. TRIBOUT DE MOREMBERT. En 1994, l'entreprise n'en était qu'au 18ᵉ volume, fascicule 107, « Jumelle-Kubnick ».

Les éditions K.G. Saur ont réalisé, à partir de 180 dictionnaires biographiques anciens, une édition sur microfiches cumulant les biographies d'environ 140 000 Français. Le choix des œuvres, établi avec l'aide d'A. FIERRO, exclut malheureusement, pour des raisons techniques, la *Biographie universelle* de MICHAUD. Sauf exception, pour des questions de droits de reproduction, on ne dépasse pas l'année 1914. Les 1 065 microfiches de cet *Index biographique français* sont pourvues d'une table alphabétique imprimée parue en 4 vol. en 1993.

Il faut enfin citer, pour les contemporains encore en vie, les notices du *Who's Who in France*, publié tous les deux ans depuis 1953.

Il existe une bibliographie recensant les biographies collectives de contemporains imprimées entre 1789 et 1985 :

FIERRO (A.), *Bibliographie analytique des biographies collectives imprimées de la France contemporaine* (1986). On y trouvera les dictionnaires biographiques classés par époque, par profession, par département et province. Par exemple, le *Dictionnaire des individus condamnés à mort pendant la Révolution française* de L.M. PRUDHOMME, ou le *Dictionnaire de la Commune* de B. NOËL, dans la première partie ; ou des dictionnaires de ministres, députés, fonctionnaires, ecclésiastiques, artistes, gens de lettres, ... dans la deuxième. Enfin, dans la section géographique, sous la rubrique « Seine et Paris » (nᵒˢ 2273-2321), figurent des recueils réservés aux habitants de la capitale. Ce sont, la plupart du temps, des publications assez médiocres, souvent consacrées aux députés, sénateurs, conseillers généraux et municipaux. On retiendra, à titre d'exemple et aussi en raison de leurs qualités, les notices suivantes :

— Paris, Bibliothèque administrative, *Les Maires de Paris* (1977).

— Paris, Bibliothèque administrative, *Les Préfets de la Seine et les préfets de Paris, 1800-1977, ...* notices bibliographiques établies par P. Casselle (1977).

— *Dictionnaire biographique du Conseil municipal de Paris et du Conseil général de la Seine,* publié sous la direction de M. FLEURY et B. GILLE, première partie, *1800-1830* (Aguesseau-Godefroy) (1972).

— Paris, Commission des travaux historiques, sous-commission de recherches d'histoire municipale contemporaine, *Notes biographiques sur les membres des assemblées municipales parisiennes et des conseils généraux de la Seine de 1800 à nos jours...,* première partie, *1800-1871. Notices provisoires sur les conseillers municipaux de Paris, les conseillers généraux de la Seine, les membres de la commission municipale et départementale (1800-1870) et les membres de la Commune de 1871,* deuxième partie, *Conseillers municipaux et généraux, 1871-1956* (1957, 2 vol.).

SOBOUL (A.), MONNIER (R.), *Répertoire du personnel sectionnaire parisien de l'an II* (1985).

LEDOUX-LEBARD (D.), *Les Ébénistes parisiens au XIXᵉ siècle (1795-1889). Leurs œuvres et leurs marques* (1984, qui annule les éd. de 1951 et 1965).

LE BIHAN (A.), *Francs-Maçons et ateliers parisiens de la Grande Loge de France au XVIIIᵉ siècle (1760-1795)* (1973).

TARDIEU (A.), *Dictionnaire iconographique des Parisiens, c'est-à-dire liste générale des personnes nées à Paris dont il existe des portraits gravés et lithographiés, avec une chronique de chaque nom cité* (1885).

La bibliographie d'A. Fierro ne concernant que l'époque postérieure à 1789, elle ne recense pas les recueils biographiques consacrés à l'Ancien Régime, comme, par exemple, les travaux prosopographiques de François BLUCHE :

— *Les Magistrats du parlement de Paris au XVIIIᵉ siècle, 1715-1771* (1960, nouvelle éd. augmentée en 1986).

— *Les Magistrats de la Cour des monnaies de Paris au XVIIIᵉ siècle, 1715-1790* (1966).

— *Les Magistrats du Grand Conseil au XVIIIᵉ siècle, 1690-1791* (1966).

N'y figurent pas non plus le *Dictionnaire des journalistes, 1600-1789* (1976), sous la direction de J. SGARD, ni les travaux de P. RENOUARD sur les imprimeurs et libraires des XVᵉ et XVIᵉ siècles, non plus que le récent et excellent :

DUGAST (A.), PARIZET (I.), *Dictionnaire par noms d'architectes des constructions élevées à Paris aux XIXᵉ et XXᵉ siècles,* première série, *Période 1876-1899* (1990-1996, 4 vol.).

Ne pas oublier que certains dictionnaires, limités par leur sujet ou leur époque, peuvent être publiés sous forme d'articles. Toujours pour Paris sous l'Ancien Régime, on peut citer :

BLUCHE (F.), « Les officiers du Bureau des finances de Paris au XVIIIᵉ siècle, 1693-1791 », dans *Bulletin de la Société de l'histoire de Paris et de l'Île-de-France,* 1970, p. 147-215.

DESCIMON (R.), « Qui étaient les Seize ? Étude sociale de deux cent vingt-cinq cadres laïcs de la Ligue radicale parisienne, 1585-1594 », dans *Paris et Île-de-France,* 34 (1983), p. 7-300.

1230 GUIDE DE RECHERCHES

On trouvera dans les sections les concernant les dictionnaires thématiques d'architectes, d'éditeurs, d'imprimeurs, etc. Pour les dictionnaires généalogiques, voir la section suivante, « Sciences auxiliaires de l'histoire ».

9. SCIENCES AUXILIAIRES DE L'HISTOIRE

Les livres et articles traitant des sciences auxiliaires de l'histoire sont signalés dans la première partie de la *Bibliographie annuelle de l'histoire de France* qui paraît depuis 1953. Les disciplines qu'il est d'usage de nommer « sciences auxiliaires de l'histoire » doivent être connues et maîtrisées, surtout pour les époques antérieures au XVIIᵉ siècle. Il faut savoir déchiffrer les inscriptions (épigraphie), les manuscrits (paléographie), distinguer les documents faux des authentiques et identifier les types d'actes (diplomatique), se débrouiller dans les fonds d'archives (archivistique), connaître les systèmes de datation (comput) et les types de poids et mesures (métrologie) des différentes époques, être capable de démêler les généalogies familiales, savoir identifier les noms de personnes et de lieux (onomastique) et connaître leur étymologie, reconnaître les armoiries (héraldique), les monnaies et les médailles (numismatique), dater et identifier un sceau (sigillographie).

A. Épigraphie

Étude des inscriptions, généralement gravées dans la pierre ou sur le métal, l'épigraphie peut se ramener à trois types de documents. Il existe des instruments de consultation pratique dans tous les cas.

Pour les inscriptions gallo-romaines, on dispose de DUVAL (P.M.), *Les Inscriptions antiques de Paris* (1961).

Pour les inscriptions des églises de Paris et de son diocèse, existent : *Inscriptions de la France du Vᵉ au XVIIIᵉ siècle*, recueillies par F. de GUILHERMY. *Ancien Diocèse de Paris* (1873-1885, 5 vol.), et *Épitaphier du vieux Paris, recueil général des inscriptions funéraires des églises, couvents, collèges, hospices, cimetières et charniers, depuis le Moyen Âge jusqu'à la fin du XVIIIᵉ siècle*, par Émile RAUNIÉ, puis Hélène VERLET (commencé en 1890, en cours d'achèvement, 8 vol. parus).

Pour les XIXᵉ et XXᵉ siècles, on a recours à LE VAYER (P.), *Recueil des inscriptions parisiennes (1881-1891)* (1891) et à la publication de la préfecture de Paris, *Les Plaques commémoratives des rues de Paris*, étude réalisée par Michel HÉNOCQ (1981).

B. Paléographie

Le déchiffrement des écritures est facilité par :

PROU (M.), *Manuel de paléographie latine et française* (1896, 4ᵉ éd. en 1924).

PROU (M.), *Recueil de fac-similés d'écritures du Vᵉ au XVIIᵉ siècle* (1904).

POULLE (E.), *Paléographie des écritures en France du XVᵉ au XVIIᵉ siècle : recueil de fac-similés de documents parisiens* (1966, 2 vol.).

AUDISIO (G.), BONNOT-RAMBAUD (I.), *Lire le français d'hier. Manuel de paléographie moderne* (1991).

Ces volumes contiennent de solides bibliographies. Comme dictionnaire d'abréviations, on se borne à signaler, pour le Moyen Âge, le très classique et constamment réimprimé :

CAPPELLI (A.), *Dizionario di abbreviature latine ed italiane.*

C. Diplomatique

Pour la diplomatique ou étude des actes publics et privés, lire :

GIRY (A.), *Manuel de diplomatique* (1894, réimpr. 1925).

BOÜARD (A. DE), *Manuel de diplomatique française et pontificale* (1929-1948, 2 vol. et albums de planches).

TESSIER (G.), *Diplomatique royale française* (1962).

GUYOTJEANNIN (O.), PYCKE (J.), TOCK (B.M.), *Diplomatique médiévale* (1993).

D. Archivistique

Le complexe classement des archives peut être compris grâce à l'emploi de nombreux instruments, dont certains ont déjà été énumérés à propos des archives (§ 1). Sur la réglementation des archives, consulter *La Pratique archivistique française* (1993). On trouvera une bibliographie courante dans l'excellente *Gazette des archives*, publication trimestrielle créée en 1947, qui a consacré notamment des numéros spéciaux récents à des sujets tels que :

«Les archives des partis politiques», 148 (1990).

«Les instruments de recherche aujourd'hui», 152-153 (1991).

«Fonds judiciaires et recherche historique», 158-159 (1992).

«Archives religieuses et recherche historique», 165 (1994).

«Archives de la santé», 167 (1994).

E. Comput

Le comput est l'art d'établir le calendrier. En effet, la date du début de l'année a plusieurs fois varié et il faut en tenir compte pour rétablir la date exacte en fonction du calendrier grégorien actuellement en vigueur. Le *Manuel de diplomatique* d'A. GIRY évoque cette question. Il faut savoir que l'année à débuté :

— sous les Carolingiens (jusqu'en 987), le 25 décembre ;

— au début de la dynastie capétienne (987), le 1er janvier ou le 1er mars ou le 25 mars ;

— à partir du XIe siècle et jusqu'en 1564, le jour de Pâques. Ainsi, par exemple, pour un acte daté du 30 mars 1364, il est indispensable de connaître la date de Pâques : si cette fête a eu lieu avant le 30 mars, la date est bien 1364, si elle a eu lieu après le 30 mars, il faut corriger la datation et indiquer «1365 n.s.» (nouveau style). En 1582 est entré en vigueur l'actuel calendrier grégorien. Pour établir la concordance entre calendriers grégorien et julien, il a fallu supprimer dix jours : le lendemain du 9 décembre 1582 est ainsi devenu le 20 décembre. Les orthodoxes n'ont pas accepté la réforme du calendrier, d'où le décalage qu'on constate encore aujourd'hui.

On trouvera une précieuse liste des dates de Pâques, entre autres, dans CAPPELLI (A.), *Cronologia, cronografia e calendario perpetuo* (1899, nombreuses réimpressions). Pour le calendrier républicain, dit abusivement «révolutionnaire», décrété le 5 octobre 1793 et appliqué rétrospectivement au 22 septembre 1792, en vigueur jusqu'au 31 décembre 1805, il faut utiliser des tables de concordance. La meilleure et la plus pratique se trouve dans CARON (P.), *Manuel pratique pour l'étude de la Révolution française* (1912, nouv. éd. en 1947).

Pour la chronologie, voir plus loin, § 22.

F. Métrologie

La métrologie, ou étude des poids et mesures, a fait l'objet d'une bibliographie remarquable mais ancienne : BURGUBURU (P.), « Essai de bibliographie métrologique universelle », dans *Le Bibliographe moderne* (1926-1931) et paru en volume en 1932. Il existe une bibliographie courante dans les *Cahiers de métrologie* publiés par le CNRS depuis 1983. Une excellente synthèse méthodologique et bibliographique a été établie par Olivier GUYOTJEANNIN, « Métrologie française d'Ancien Régime. Guide bibliographique sommaire », dans *La Gazette des archives*, 139 (1987), avec un supplément dans le n° 154 (1991).

Il faut porter une grande attention aux anciens poids et mesures, qui ont fréquemment varié dans le temps et l'espace. On peut citer comme ouvrages de base :

MACHABEY (A.), *La métrologie dans les musées de province et sa contribution à l'histoire des poids et mesures en France depuis le XIIIe siècle* (1962).

ZUPKO (R.E.), *French Weights and measures before the Revolution. A dictionary of provincial and local units* (1978).

— *Introduction à la métrologie historique* (1988), sous la direction de B. GARNIER, J.C. HOCQUET et D. WORONOFF.

Pour Paris, il faut aussi signaler le travail demeuré inédit d'Yvonne BÉZARD sur les « Anciennes mesures de la région parisienne », conservé sous forme dactylographiée aux Archives nationales (18 AQ 2).

G. Généalogie

Il est difficile de séparer la généalogie parisienne de celle du reste du pays. Les recherches sur les familles parisiennes sont compliquées par la destruction des archives de l'état civil antérieures à 1860. Il existe deux bibliographies générales de première qualité :

SAFFROY (G.), *Bibliographie généalogique, héraldique et nobiliaire de la France* (1968-1979, 4 vol. et supplément en 1983).

ARNAUD (E.), *Répertoire de généalogies françaises imprimées* (1978-1982, 3 vol.).

Parmi les instruments généraux, on peut retenir :

AUBERT DE LA CHESNAYE-DESBOIS (F.A.), *Dictionnaire de la noblesse* (1757-1767, 7 vol. ; 2e éd., 1770-1786, 15 vol. ; 3e éd., 1863-1876, 19 vol. ; réimpression, 1980, 10 vol.).

RÉVÉREND (A.), *Armorial du premier Empire* (1894-1897, 4 vol.), suivi de *Titres, anoblissements et pairies de la Restauration, 1814-1830* (1901-1906, 6 vol.) ainsi que de *Titres et confirmations de titres, 1830-1908* (1909). On peut aussi consulter la réimpression de ces trois ouvrages parue sous le titre : *Les Famille titrées et anoblies au XIXe siècle* (1974, 6 vol.).

TULARD (J.), *Napoléon et la noblesse d'Empire, avec la liste complète des membres de la noblesse impériale, 1808-1815* (1979).

CHAIX D'EST-ANGE, *Dictionnaire des familles françaises anciennes ou notables à la fin du XIXe siècle* (1903-1929, 20 vol., interrompu à la lettre G).

Les Archives nationales ont fait paraître plusieurs guides :

BERNARD (G.), *Guide des recherches sur l'histoire des familles* (1981).

BERNARD (G.), *Les Familles juives en France, XVIe siècle-1815. Guide des recherches biographiques et généalogiques* (1990).

DUBOST (J.F.), *Les Étrangers en France, XVIᵉ siècle-1789. Guide des recherches aux Archives nationales* (1993).

Concernent plus particulièrement Paris :

MEURGEY DE TUPIGNY (J.), *Guide des recherches généalogiques aux Archives nationales... Avec une étude sur les recherches biographiques aux Archives de la Seine*, par François de Vaux de Foletier (1953).

DEMEULENAERE-DOUYÈRE (C.), *Guide des sources de l'état civil parisien* (1982).

Les éditions Christian font paraître la revue généalogique *Gé-Magazine* et ont publié un *Guide des recherches généalogiques à Paris* (1984).

Les chercheurs parisiens ont à leur disposition la Bibliothèque généalogique (3, rue de Turbigo).

H. Onomastique

Il existe une excellente bibliographie des noms de lieux et de personnes en France :

MULON (M.), *L'Onomastique française. Bibliographie des travaux publiés jusqu'en 1960* (1977, notices 6119 à 6231 pour Paris, avec un supplément de 1960 à 1985, notices 11712 à 11765 ; utiliser aussi les index qui sont très bien faits). Cette bibliographie est due à un conservateur des Archives nationales où elle est tenue à jour.

Les études d'onomastique parisienne sont rares. Il faut citer l'excellent travail du Suédois Karl MICHAELSSON, *Études sur les noms de personnes français d'après les rôles de la taille parisiens (1292-1313)* (1936), suivi de « Les noms d'origine dans le rôle de taille parisien de 1313 », paru dans *Symbolae philologicae Gothoburgenses*, 56 (1950), p. 357-401.

I. Héraldique

L'art du blason est assez bien étudié. On dispose d'une importante bibliographie dans :

SAFFROY (G.), *Bibliographie généalogique, héraldique et nobiliaire de la France* (1968-1979, 4 vol. et supplément en 1983).

Des éléments bibliographiques sont aussi disponibles dans *Cahiers d'héraldique* publiés par le CNRS depuis 1974, et dans *Revue française d'héraldique et de sigillographie*, qui paraît depuis 1938.

On doit à Michel PASTOUREAU les ouvrages de base actuels, qui comportent d'importantes bibliographies :

— *Les Armoiries* (1976).

— *Traité d'héraldique* (1979, 2ᵉ éd. revue et augmentée en 1993).

Il a aussi dirigé, avec Michel POPOFF, la confection de l'excellent guide : *Les Armoiries, lecture et identification* (1994, qui contient aussi une bonne bibliographie par régions notamment).

Sont plus spécifiquement parisiens :

COËTLOGON (A. DE), TISSERAND (L.M.), *Les Armoiries de la ville de Paris* (1874-1875, 2 vol.).

DUBUISSON (P.P.), *Armorial des principales maisons et familles du royaume et particulièrement de celles de Paris et de l'Isle-de-France... avec l'explication de tous les blasons...* (1757, 2 vol., réimpression en 1974).

DUBUISSON (P.P.), *Armorial de la Cour des aydes de Paris* (1761).

BEAUMONT (P.F.), *Armorial de la ville de Paris* (1977, nouvelle édition complétée de l'ouvrage inachevé de 1735).

HOZIER (C. D'), *Armorial de la généralité de Paris* (1965-1967, 4 vol.).

FRANKLIN (A.), «Les armoiries des corporations ouvrières de Paris», dans *Mémoires de la Société de l'histoire de Paris*, 10 (1883), p. 127-178.

J. Numismatique

Monnaies, médailles et jetons ont fait l'objet de nombreuses études. Depuis 1836 existe la *Revue numismatique* qui tient un «bulletin bibliographique» et possède des tables à jour en 1989. Il faut rappeler des ouvrages anciens mais encore utiles :

ENGEL (A.), SERRURE (R.), *Répertoire des sources imprimées de la numismatique française* (1887-1889, 3 vol.).

BLANCHET (A.), *Les Trésors de monnaies romaines et les invasions germaniques en Gaule* (1900).

BLANCHET (A.), *Traité des monnaies gauloises* (1905).

BLANCHET (A.), DIEUDONNÉ (A.), *Manuel de numismatique française* (1912-1936, 4 vol.).

ENGEL (A.), SERRURE (R.), *Traité de numismatique du Moyen Âge* (1891-1905, 3 vol.).

ENGEL (A.), SERRURE (R.), *Traité de numismatique moderne et contemporaine* (1897-1899, 2 vol.).

MAZEROLLE (F.), *Les Médailleurs français du XVe siècle au milieu du XVIIIe* (1902, 2 vol.).

KAISER-GUYOT (M.T.), KAISER (R.), *Documentation numismatique de la France médiévale : collections de monnaies et sources de l'histoire monétaire* (1982, très bon manuel avec bibliographie).

Pour Paris proprement dit, il faut citer :

— *L'Histoire de Paris depuis deux mille ans* (1950, exposition à la Monnaie de Paris).

COLBERT DE BEAULIEU (J.B.), *Les Monnaies gauloises des «Parisii»* (1970).

LAFAURIE (J.), «Les monnaies mérovingiennes en région parisienne», dans *Paris et Île-de-France*, 32 (1981), p. 161-184.

GILLET (L.), *Nomenclature des médailles concernant l'histoire de Paris ayant figuré aux divers salons depuis 1699, ainsi que des peintures, dessins et sculptures intéressant la numismatique parisienne* (1906, paru en 1905 dans la *Gazette numismatique française*).

BABELON (J.P.), JACQUIOT (J.), *Histoire de Paris d'après les médailles, de la Renaissance au XXe siècle* (1951).

FORGEAIS (A.), *Collection de plombs historiés trouvés dans la Seine* (1862-1866, 5 vol.).

FORGEAIS (A.), *Numismatique des corporations parisiennes...* (1874).

DAFFRY DE LA MONNOYE (A.), *Les Jetons de l'échevinage parisien* (1878).

ROUYER (J.), «Les jetons municipaux de Paris du XVe siècle au XVIIIe siècle» (1878, extrait des *Mélanges de numismatique*, 2e série, t. 3).

On peut, accessoirement, citer :

ADVIELLE (V.), «Les jetons du VIe arrondissement», dans *Bulletin de la Société historique du VIe arrondissement*, 3 (1900), p. 154-157.

SAUNIER (C.), «Médailles concernant le VIe arrondissement», dans *Bulletin de la Société historique du VIe arrondissement*, 4 (1901), p. 175-184.

MIROT (L.), «Monnaies de guerre de la région parisienne», dans *Bulletin de la Société de l'histoire de Paris*, 1918, p. 115-127.

K. Sigillographie

La bibliographie de l'étude des sceaux a été récemment établie :

GANDILHON (R.), PASTOUREAU (M.), *Bibliographie de la sigillographie française* (1982, Île-de-France, n°s 1609 à 1703, et Paris, n°s 1704 à 1757, consulter aussi l'index). Cette bibliographie est tenue à jour dans la *Revue française d'héraldique*.

Il faut citer comme ouvrages de base :

— *Corpus des sceaux français du Moyen Âge*, tome premier, *Les Sceaux des villes*, par B. BEDOS (1980).

GANDILHON (R.), *Sigillographie des universités de France*, (1952).

— *Les Émanations du Grand Sceau de France et les origines de sceaux du Parlement et du Châtelet* (1971, exposition au Palais de Justice).

COËTLOGON (A. DE), TISSERAND (L.M.), *Les Armoiries de la ville de Paris, sceaux, emblèmes, couleurs, devises, livrées et cérémonies publiques* (1874, 2 vol.).

MEURGEY DE TUPIGNY (J.), «Sigillographie parisienne. Catalogue des sceaux parisiens» (n°s 370-581, p. 71-78 de *L'Histoire de Paris depuis deux mille ans*, 1950, exposition à la Monnaie de Paris).

DESMAZE (C.), *Les Métiers de Paris d'après les ordonnances du Châtelet, avec les sceaux des artisans* (1874, réimpression en 1975).

Accessoirement, citons quelques articles :

CORBIERRE (A.J.), «Les sceaux du Châtelet», dans *Le Centre de Paris*, 1913-1923, p. 29-32.

CORBIERRE (A.J.), «Les sceaux de Montmartre», dans *Le Vieux Montmartre*, 1911-1918, p. 153-160.

BLANCHET (A.), «Sceaux de marchands et artistes parisiens (fin du XIVe-commencement du XVe siècle) (Documents conservés à Londres)», dans *Bulletin de la Société de l'histoire de Paris*, 1932, p. 52-77.

10. REVUES ET SOCIÉTÉS HISTORIQUES

Deux études recensent les revues et sociétés historiques se consacrant à Paris et à l'Île-de-France :

TERROINE (A.), «Les sociétés savantes de la région parisienne», n° 1, 1960, de *Fédération des sociétés historiques et archéologiques de Paris et de l'Île-de-France. Bulletin.*

BERTONI (A.), WALTISPERGER (C.), «Les publications périodiques des sociétés historiques et archéologiques en Île-de-France», dans *Paris et Île-de-France*, 31 (1980).

Les publications des sociétés savantes se consacrant principalement à Paris sont les suivantes :

— *Bulletin de la Société de l'histoire de Paris et de l'Île-de-France*, qui paraît depuis 1874 et a aussi publié 51 vol. de *Mémoires* entre 1875 et 1930, qui ont reparu à partir de 1949 sous le nouveau titre de :

— *Mémoires de la Fédération des sociétés historiques et archéologiques de Paris et de l'Île-de-France*, devenus en 1952 *Paris et Île-de-France. Mémoires publiés par la Fédération des sociétés historiques et archéologiques de Paris et de l'Île-de-France.*

— *Bulletin du Comité d'histoire et d'archéologie du diocèse de Paris*, publication qui n'a existé que de 1883 à 1885.

— *Bulletin de la Société des amis des monuments parisiens*, paru de 1885 à 1900.

— *Commission municipale du Vieux Paris. Procès-verbaux*, paraissant depuis 1898.

— *Bulletin de la Bibliothèque et des travaux historiques*, 10 numéros publiés entre 1906 et 1915, reparution épisodique depuis 1986.

— *Société d'iconographie parisienne*, 1908-1910 et 1929-1937, 8 vol.

— *Bulletin de la Société d'études historiques, géographiques et scientifiques de la région parisienne*, 1927-1964, devenu *Études de la région parisienne* de 1964 à sa disparition en 1975.

— *Bulletin folklorique d'Île-de-France*, publié par la Fédération folklorique d'Île-de-France de 1938 à 1973, accompagné de :

— *Mémoires de la Fédération folklorique d'Île-de-France*, dont 5 vol. ont paru entre 1938 et 1956.

— *Bulletin du musée Carnavalet*, parution irrégulière depuis 1948.

— *Fédération des sociétés historiques et archéologiques de Paris et de l'Île-de-France. Bulletin*, paraissant depuis 1960, publiant aussi des *Mémoires* déjà cités plus haut, qui s'intitulent aussi :

— *Fédération des sociétés historiques et archéologiques de Paris et de l'Île-de-France. Mémoires*, de 1949 à 1952, avant de devenir, au tome 5 (1953), *Paris et Île-de-France.*

— *Cahiers de la Rotonde*, publiés par la Commission du Vieux Paris depuis 1978.

— *Cahiers du Centre d'études et de recherches sur Paris et l'Île-de-France* (CREPIF), depuis 1983.

Il convient de citer, pour terminer, les publications de sociétés savantes d'arrondissements parisiens, dans l'ordre numérique de ces arrondissements :

— *Le Centre de Paris* (Ier et IIe, puis X^e), depuis 1913.

— *La Cité* (IVe, puis IIIe, XIe et XIIe), de 1902 à 1939, puis de 1954 à 1969 et à partir de 1982.

— *Bulletin de la montagne Sainte-Geneviève*, 1895-1938, devenu en 1939 *La Montagne Sainte-Geneviève (et ses abords)* (V^e et XIIIe).

— *Bulletin de la Société historique du VIe arrondissement de Paris*, depuis 1898.

— *Bulletin de la Société d'histoire et d'archéologie du VIIe arrondissement de Paris*, puis *des VIIe et XVe arrondissements de Paris*, de 1906 à 1939.

— *Bulletin de la Société historique et archéologique du VIIIe arrondissement*, puis *des VIIIe et XVIIe arrondissements de Paris*, de 1899 à 1939.

— *Bulletin de la Société historique et archéologique des XIe, XIIe et XXe arrondissements, le Faubourg Saint-Antoine*, publication mort-née, 2 fascicules en 1899.

— *Société historique et archéologique du XIIIe arrondissement*, depuis 1959.

— *Les Trois-Monts. Bulletin de la Société historique et archéologique du XIVe arrondissement*, de 1927 à 1935.

— *Annuaire du XIVᵉ arrondissement de Paris*, puis *Annuaire de la Société historique du XIVᵉ arrondissement de Paris*, puis *Revue d'histoire du XIVᵉ arrondissement de Paris*, depuis 1955.

— *Bulletin de la Société historique d'Auteuil et de Passy* (XVIᵉ), depuis 1892.

— *Le Vieux Montmartre, bulletin de la Société d'histoire et d'archéologie du XVIIIᵉ arrondissement* (IXᵉ et XVIIIᵉ), depuis 1886.

On trouve le dépouillement des publications des sociétés historiques parisiennes dans :

— HENRIOT (G.), LA MONNERAYE (J. DE), « Répertoire des travaux publiés par les sociétés d'histoire de Paris depuis leur fondation jusqu'au 31 décembre 1911 », qui constitue les numéros 8-9 (1914) du *Bulletin de la Bibliothèque et des travaux historiques*, déjà cité.

GUILLO (S.), *Répertoire des travaux publiés par les sociétés d'histoire de Paris du 1ᵉʳ janvier 1912 au 31 décembre 1980* (1987).

CHAPITRE III

Géographie

11. GÉNÉRALITÉS

Par « géographie », on entend ici la géographie physique. La géographie humaine est répartie entre les chapitres VIII (Société) et IX (Économie). On peut utiliser la riche bibliothèque de géographie de l'université de Paris-I (191, rue Saint-Jacques). Les *Annales de géographie* ont commencé à faire paraître en 1891 une bibliographie devenue en 1932 la *Bibliographie géographique internationale*, actuellement publiée dans la base FRANCIS du CNRS.

La synthèse la plus récente est parue dans la « Nouvelle Histoire de Paris » : BEAUJEU-GARNIER (J.), *Paris : hasard ou prédestination ? Une géographie de Paris* (1993), qui contient une abondante bibliographie.

On signale ici seulement les ouvrages les plus importants, les atlas étant mentionnés au chapitre XII (Cartographie).

Pourquoi Paris ? Une métropole dans son environnement naturel (1986), très courte mais excellente synthèse présentée par l'Association des géologues du bassin de Paris.

BASTIÉ (J.), *Géographie du Grand Paris* (1984).

BEAUJEU-GARNIER (J.), *Atlas et géographie de Paris et de la région parisienne* (1977, 2 vol.).

Atlas de Paris et de la région parisienne, établi sous la direction de J. BEAUJEU-GARNIER et J. BASTIÉ (1967), qui, outre l'atlas, comporte un volume de textes explicatifs de près de 1 000 pages.

DION (R.), « Le site de Paris dans ses rapports avec le développement de la ville », dans *Paris. Croissance d'une capitale* (1961), p. 17-39.

DION (R.), « Paris dans la géographie. Le site et la croissance de la ville », dans la *Revue des Deux Mondes*, 1ᵉʳ janvier 1951, p. 5-30 (réimprimé dans *Portraits de Paris*).

12. RELIEF

L'histoire du relief parisien a été assez peu étudiée, souvent dans les ouvrages de géographie générale (§ 11). On aura surtout recours aux atlas et aux cartes (voir chapitre XII). La base, ancienne mais solide, demeure « Carte du sol naturel. Altitudes du sol actuel et du sol naturel aux points où les coupes de terrain ont été relevées et utilisées pour l'établissement de la carte », dans *Commission du Vieux Paris. Procès-verbaux*, 1910, annexe à la séance de mars, 17 p. et plan. Il existe de rares monographies sur les buttes, le relief étant généralement rapidement étudié et l'essentiel du texte étant consacré à l'activité humaine, notamment pour les buttes aux Cailles, Chaumont, Montmartre, des Moulins, Saint-Roch et la montagne Sainte-Geneviève. Citons cependant les ouvrages vieillis de :

MOURA (B.), *La Butte des Moulins, sa naissance, sa vie et sa mort* (1876).

MOURA (B.), *La Butte des Moulins* (1877).

FOURNIER (E.), *Histoire de la butte des Moulins* (1877).

13. COURS D'EAU

La Seine, la Bièvre et les divers ruisseaux ou rus de la capitale ont fait l'objet d'études, surtout la Seine. On peut s'adresser à l'Agence financière de bassin Seine-Normandie (service de documentation, 10-12, rue du Capitaine-Ménard). Il est utile de consulter le récent ouvrage de L. BEAUMONT-MAILLET, *L'Eau à Paris* (1991) et sa bibliographie.

Pour la Seine, l'ouvrage fondamental reste l'ancien :

BELGRAND (E.), *La Seine, le bassin parisien aux âges antéhistoriques* (1869, nouvelle éd. en 1883, 2 vol. dont un de cartes).

Parmi les ouvrages récents, qui traitent plutôt des hommes que du fleuve, on peut retenir :

BARBOT DE SAINT-MICHEL (R.), *La Seine à Paris* (1985).

BEAUDOUIN (F.), *Paris/Seine...* (1989, nouvelle éd. en 1993).

— *Seine amont. État du secteur. Possibilités d'aménagement* (1993, 9 fascicules publiés par l'Institut d'aménagement et d'urbanisme de la Région Île-de-France).

Un détail : la Ville de Paris a acquis le site des sources de la Seine en 1863.

Pour la Bièvre, il existe un ouvrage ancien mais solide :

DUPAIN (S.), *La Bièvre* (1886).

On peut aussi utiliser :

GRIMAULT (A.), « Rapport... sur le canal de la Bièvre », dans *Commission du Vieux Paris. Procès-verbaux*, 1936, p. 77-82 et 86-104.

Il existe aussi des ouvrages anecdotiques :

DELVAU (A.), *Au bord de la Bièvre* (1873).

HUYSMANS (J. K.), *La Bièvre* (1890, plusieurs éditions, réimpression en 1983).

BÉRY (A.), *La Bièvre autrefois et aujourd'hui* (1911).

Parmi les publications récentes, signalons :

DESGUINE (A.), *Recherches sur la Bièvre à Cachan, Arcueil et Gentilly* (1976).

— *Petit Guide vert de la vallée de la Bièvre* (1982).

PIZZORNI-ITIÉ, *La Bièvre de Buc... à Paris. Une promenade autrefois* (1984).

OUDIN-CARON (S.), *La Haute Vallée de la Bièvre. Recherche de solutions pour la protection des espaces sensibles* (1987, publication de l'IAURIF).

La Bibliothèque historique de la Ville de Paris (24, rue Pavée) possède un recueil de documents relatifs à la Bièvre (Rés. f° 10354) et un autre de photographies de la rivière en 1906 (904125).

Les petits cours d'eau, rus de Montreuil, dit aussi de Fécamp, de Ménilmontant, de Saint-Germain, du Bac, de Vaugirard, sont évoqués à l'article « ru » du dictionnaire contenu dans ce volume et n'ont fait l'objet d'aucune étude approfondie. Voir L. BEAUMONT-MAILLET, *L'Eau à Paris*, déjà cité, et sa bibliographie. Voir le même ouvrage pour les sources et les eaux souterraines, ainsi que le paragraphe 15.

14. GÉOLOGIE ET PALÉONTOLOGIE

L'étude des roches et des fossiles est l'apanage de la Société géologique de France (77, rue Claude-Bernard). Il est indispensable de consulter le *Bulletin d'information des géologues du bassin de Paris*. Parmi leurs publications, il faut signaler « Les roches au service de l'homme. Géologie et préhistoire du Bassin parisien », mémoire hors série n° 7 (1989) de ce *Bulletin*. Quelques établissements sont particulièrement riches dans ces domaines : l'université de Paris-VI, UFR Sciences de la terre (4, place Jussieu), le Muséum national d'histoire naturelle avec sa bibliothèque centrale (38, rue Geoffroy-Saint-Hilaire), et l'Institut de paléontologie humaine (1, rue René-Panhard).

On se limitera ici à l'énumération des travaux les plus récents :

SOYER (R.), « Géologie de Paris », dans *Mémoires pour servir à l'explication de la carte détaillée de la France* (1953, bibliographie très importante).

POMEROL (C.), FEUGUEUR (L.), *Guides géologiques régionaux. Bassin de Paris, Île-de-France* (1968, 2e éd. en 1974, nouvelle éd. en 1979 par P. DIFFRE et C. POMEROL, sous le titre : *Paris et environs. Les roches, l'eau et les hommes*).

POMEROL (C.), *Découverte géologique de Paris et de l'Île-de-France* (1988).

Pour la recherche d'hydrocarbures, utiliser :

JELISEJEFF (A.), *Historique résumé de la recherche pétrolière dans le bassin de Paris* (avril 1986, mémoire interne Total-CFP).

Signalons comme curiosité bibliographique pouvant encore rendre des services :

COMBES (Paul), fils, « Contribution à la bibliographie géologique et préhistorique de Paris », dans le n° 6 (1913) du *Bulletin de la Bibliothèque et des travaux historiques*.

Les fossiles ont été abondamment étudiés et la littérature sur ce sujet est très abondante dès le XIXe siècle. *La Seine* d'E. BELGRAND (1883) contenait déjà une annexe sur la conchyliologie due à J.R. BOURGUIGNAT. On se contente de citer :

SOYER (R.), FURON (R.), *Catalogue des fossiles tertiaires du bassin de Paris* (1947) et de conseiller la consultation des *Cahiers de paléontologie* qui contiennent de précieuses études, telle celle de :

LE CALVEZ (Y.), *Contribution à l'étude des foraminifères paléogènes du bassin de Paris* (1970).

15. SOL ET SOUS-SOL

Le sol et le sous-sol de Paris ont été bien étudiés, en raison notamment du danger présenté par les carrières. On peut s'adresser à l'Inspection générale des carrières (1, place Denfert-Rochereau). La base est encore constituée par des études anciennes remarquables :

BELGRAND (E.), *Les Travaux souterrains de Paris* (1872-1887, 5 vol. et atlas).

DUNKEL (J.T.), *Topographie et consolidation des carrières sous Paris, avec une description géologique et hydrologique du sol...* (1885).

GERARDS (E.), *Les Catacombes de Paris. Histoire des carrières souterraines de Paris* (1892).

GERARDS (E.), *Les Anciennes Carrières sous Paris* (1903).

GERARDS (E.), *Paris souterrain* (1909, réimpression en 1991 de ce travail exceptionnel).

KUNSTLER (C.), *Paris souterrain* (1953).

BARROIS (M.), *Le Paris sous Paris* (1964).

VERPRAET (G.), *Paris, capitale souterraine* (1964).

VIRÉ (M.), *Les Anciennes Carrières de calcaire grossier à Paris* (1978).

MARVY (J.), VACHAT (J.C.), «Anciennes carrières de la région parisienne», dans FILLIAT (G.), *La Pratique des sols et fondations* (1981).

LACORDAIRE (S.), *Histoire secrète de Paris souterrain* (1982).

SUTTEL (R.), *Catacombes et carrières de Paris* (1986).

— «Le sous-sol de Paris et de l'Île-de-France». Actes du colloque des 14 et 21 janvier 1988, publiés dans le n° 23 (juin 1988) des *Cahiers du CREPIF*.

SALETTA (P.), *A la découverte des souterrains de Paris* (1990).

Pour les eaux souterraines :

LEMOINE (P.), HUMERY (R.), SOYER (R.), «Les forages profonds du bassin de Paris : la nappe artésienne des sables verts», n° 11 (1939) de la nouvelle série des *Mémoires du Muséum national d'histoire naturelle*.

MÉGNIEN (C.), *Atlas des nappes aquifères de la région parisienne* (1970).

Voir aussi, plus loin, § 39, pour l'eau, les égouts, l'hygiène, et le chapitre XII pour les atlas et plans des carrières.

Pour terminer, on peut citer, quoiqu'il n'ait qu'un rapport lointain avec le sujet :

LEMERCIER (A.), *Liste complète des inscriptions gravées dans les catacombes de Paris* (1978).

— *Le Paris souterrain de Félix Nadar, 1861* (1982).

GLOWCZEWSKI (B.), MATTENDI (J.F.), *La Cité des cataphiles. Mission anthropologique dans les souterrains de Paris* (1983).

16. CLIMATOLOGIE

L'étude des climats, c'est-à-dire de la variation du temps sur de longues périodes, la climatologie, se distingue de la météorologie, discipline qui a pour objet l'étude des phénomènes atmosphériques en vue, principalement, de la prévision du temps. La première est tournée vers le passé, la seconde vers l'avenir. C'est pourquoi on a jugé bon de les répartir entre deux divisions distinctes malgré les liens qui les unissent.

Le principal lieu de travail, dans les deux cas, doit être la bibliothèque et le centre de documentation de Météo France (2, avenue Rapp et 1, quai Branly). Il existe une excellente bibliographie sur le sujet :

DETTWILLER (J.), «Bibliographie sur le climat de Paris», supplément n° 5 (1968) de la *Bibliographie signalétique hebdomadaire sélectionnée de la Direction de la Météorologie nationale*, qu'il faut dépouiller à partir de 1967-1968. On doit porter une attention spéciale à deux revues, *La Météorologie* et les *Cahiers du Centre de recherches en climatologie*.

Pour les ouvrages de synthèse, on se limite à :

LE ROY LADURIE (E.), *Histoire du climat depuis l'an mille* (1967, nouvelle éd. en 1983 en 2 vol.).

ALEXANDRE (P.), *Le Climat en Europe au Moyen Âge. Contribution à l'histoire des variations climatiques de 1000 à 1425, d'après les sources narratives de l'Europe occidentale* (1987).

Pour Paris proprement dit, il faut citer :

JAUBERT (J.), *Climatologie de la région de Paris* (1898).

MAURAIN (C.), *Le Climat parisien* (1947).

PÉDELABORDE (P.), *Le Climat du Bassin parisien* (1957-1958, 2 vol., qui contient une très importante bibliographie).

GRISOLLET (H.), «Climatologie de Paris et de la région parisienne», n° 45 (1958) du *Mémorial de la Météorologie nationale*.

DETTWILLER (J.), «Évolution séculaire du climat à Paris. Influence de l'urbanisation», n° 52 (1970) du *Mémorial de la Météorologie nationale*.

CALVET (C.), «Climatologie de la région parisienne», n° 5 (1984) des *Données et Statistiques* de la Direction de la Météorologie nationale.

CANTAT (O.), *Télédétection spatiale et microclimats : le cas de la région d'Île-de-France* (1987).

Il ne faut pas négliger l'influence du temps sur la santé, mise en évidence par les médecins dès le XVIIIe siècle :

DU MESNIL DU BUISSON (E.), *Première Contribution à l'étude de l'influence du degré d'urbanisation et du déroulement des saisons sur les taux de mortalité dans la région parisienne* (1957).

De nombreux articles sur ce thème ont paru dans les *Annales des services techniques d'hygiène de la Ville de Paris*. Les principales études actuelles sont dues à Gisèle et Pierre ESCOURROU, dont on trouvera une partie des travaux énumérés dans la bibliographie de J. BEAUJEU-GARNIER, *Paris : hasard ou prédestination ? Une géographie de Paris* (1993). On peut trouver une synthèse dans :

ESCOURROU (G.), *Le Climat et la Ville* (1991).

Essentiel sur ce sujet est :

— «Climat, pollution, santé à Paris et en Île-de-France», n° 22 (1988) des *Cahiers du CREPIF*.

17. MÉTÉOROLOGIE

La prévision du temps incombe en France à Météo France, qui fut successivement le Bureau central météorologique, l'Office national météorologique et la Météorologie nationale, dont l'histoire a été esquissée dans :

FIERRO (A.), *Histoire de la météorologie* (1991). On a déjà indiqué au § 16 (Climatologie) l'adresse de sa bibliothèque et de son centre de documentation, et mentionné la *Bibliographie* (1968) de J. DETTWILLER. On peut avoir accès aux informations des ordinateurs de Météo France sur le Minitel (36 15 code Météo).

Tentative de connaissance du temps futur immédiat, prévisions à cinq jours, la météorologie se fait au quotidien dans des publications telles que :

— *Bulletin quotidien d'études* et *Bulletin quotidien de renseignements* du BCM à Météo France.

— *Annales du Bureau central météorologique de France* (1878-1921).

— *Bulletin mensuel de l'Office national météorologique de France* (1921-1934), puis *Bulletin annuel de l'ONM* (1935-1936).

— *Bulletin annuel de l'Établissement central météorologique* (depuis 1946).

Les données météorologiques spécifiques à Paris ont été publiées dans :

— *L'atmosphère, recueil de documents météorologiques publiés par les soins de l'observatoire de la tour Saint-Jacques à Paris* (1893), remplacé en 1896 par :

— *Bulletin publié par l'observatoire de la tour Saint-Jacques et l'observatoire municipal de Montsouris.*

— *Bulletin de statistique municipale (Ville de Paris)* (voir § 6E).

— *Annuaire statistique de la Ville de Paris* (voir § 6E).

— *Annales des services techniques d'hygiène de la Ville de Paris* (voir § 16).

— *Annuaire météorologique et agricole de l'observatoire de Montsouris*, puis *Annuaire de l'observatoire municipal de Paris, dit observatoire de Montsouris*, qui a commencé à paraître en 1874.

Les observations météorologiques antérieures à 1874 ont fait l'objet de rares études pour Paris :

Cotte (L.), «Climat de Paris», dans *Observations de physique de l'Académie des sciences*, 66 (1808), p. 192-194, pour les années 1765-1808.

Angot (A.), «Premier catalogue des observations météorologiques faites en France depuis l'origine jusqu'en 1850», dans *Annales du Bureau central météorologique*, 1895, p. 89-146, solution de substitution pour Paris.

18. CALAMITÉS NATURELLES

Les calamités naturelles peuvent se répartir en trois catégories. La première regroupe des intempéries, phénomènes météorologiques extrêmes : pluie ou chute de neige très forte, sécheresse prolongée, froid ou chaleur à caractère exceptionnel, vent violent se transformant en tempête ou tornade. La bibliothèque de Météo France (§ 16 et 17) est le lieu privilégié pour les recherches sur les phénomènes de ce type, et l'unique bibliographie sur ce sujet est celle de J. Dettwiller, *Bibliographie sur le climat de Paris* (1968), qui compte sept parties dont quatre consacrées aux précipitations, à la température, au vent et à la pression atmosphérique. On renvoie à cette bibliographie pour les nombreux articles qu'elle recense et on se borne ici à ajouter deux références importantes :

Peignot (G.), *Essai chronologique sur les hivers les plus rigoureux depuis 396 avant J.-C. jusqu'en 1820 inclusivement, suivi de quelques recherches sur les effets les plus singuliers de la foudre depuis 1676 jusqu'en 1821* (1821).

— «Les hivers prenant aux Rois seront toujours les plus froids», n° 2 (1987) de *De mémoire d'homme*, publication des services d'archives de Seine-et-Marne. Ces deux ouvrages couvrent un domaine géographique qui dépasse Paris mais donnent une idée, le second surtout, des études souhaitables dans ce domaine.

La deuxième catégorie de catastrophes naturelles est une conséquence immédiate des phénomènes météorologiques. Les inondations constituent la calamité naturelle qui a le plus impressionné et affecté matériellement les Parisiens. C'est donc le domaine où la bibliographie est la plus abondante. On doit se référer aux ouvrages cités à propos des cours d'eau (§ 13). Pour les inondations proprement dites, l'ouvrage de base, quoique ancien, est :

Champion (M.), *Les Inondations en France depuis le VIe siècle jusqu'à nos jours* (1858-1864, 6 vol. dont le 1er est consacré à la Seine ; voir aussi la statistique chronologique du vol. 6).

On rappellera quelques titres antérieurs à cet ouvrage, en raison de leur importance :

BONAMY (P.N.), «Mémoire sur l'inondation de la Seine à Paris, au mois de décembre 1740, comparée aux inondations précédentes...» dans *Mémoires de l'Académie royale des inscriptions et belles-lettres*, 17 (1751), p. 275-708.

BRALLE, *Précis des faits et observations relatifs à l'inondation qui a eu lieu dans Paris, en frimaire et nivôse de l'an X...* (1803).

LAMBERT (C.), *Paris tel qu'il a été, tel qu'il est et tel qu'il sera dans dix ans, avec une notice chronologique des principales inondations depuis Clovis jusqu'à nos jours...* (1808).

ÉGAULT (P.), *Mémoire sur les inondations de Paris* (1814).

Dans l'abondante production postérieure à l'œuvre de Champion, on retiendra :

BELGRAND (E.), «Les grands débordements de la Seine à Paris de 1649 à 1802», dans *Annuaire de la Société météorologique de France*, 1864, p. 264-280.

POËTE (M.), «Les anciennes inondations à Paris, particulièrement sur le territoire du VIe arrondissement», dans *Bulletin de la Société historique du VIe arrondissement*, 12 (1909), p. 130-147.

La crue de 1910 a donné lieu à une énorme littérature dont les pièces principales sont :

— *Rapports et documents divers de la Commission des inondations* du ministère de l'Intérieur (1910).

— *Rapport général au nom de la Commission municipale et départementale des inondations*, présenté par L. Dausset (1911).

Mais il existe aussi une abondante production illustrée de photographies :

— *Crue de la Seine. Paris inondé, janvier 1910* (1910).

— *L'Inondation. Paris et ses environs* (1910).

— *Paris dans l'eau* (1910).

— *Les Inondations de Paris* (1910).

— *Paris inconnu. L'inondation de 1910* (1910).

— *Paris inondé et sa banlieue* (1910).

— *Paris inondé* (1910).

— *La Seine dans Paris* (1910).

Cette inondation a aussi suscité plusieurs études rétrospectives :

BORD (G.), *Les Inondations du bassin de la Seine, 1658-1910* (1910).

— «Les inondations de Paris à travers les âges», dans *La Cité*, 5 (1910), p. 115-160.

PAWLOWSKI (A.), RADOUX (A.), *Les Crues de Paris, VIe-XXe siècle* (1910).

CLOUZOT (E.), «Les inondations de Paris du VIe au XXe siècle», dans *La Géographie*, 23 (1911), p. 81-100.

HOCHE (L.), *Contribution à l'histoire de Paris. Paris occidental...* (1912, 3 vol., contenant dans le vol. 2, appendice 1, p. 463-494, une bonne synthèse intitulée «Les inondations de Paris»).

AUBERT (G.), «Les inondations de 1910 dans la région parisienne», dans *Bulletin de la Société d'études historiques, géographiques et scientifiques de la région parisienne*, 18 (1931), p. 1-10 ; et 19 (1931), p. 1-11.

Les travaux récents sont peu nombreux :

VERNET (A.), «L'inondation de 1296-1297 à Paris», dans *Fédération des sociétés historiques et archéologiques de Paris et de l'Île-de-France. Mémoires*, 1 (1949), p. 47-56.

CHARTIER (M.M.), «Les crues de la Seine à Paris et en amont», dans *Actes du 93ᵉ congrès national des sociétés savantes. Section de géographie*, Tours, 1968, p. 93-98.

LORION (A.), «Les inondations de la Seine sous le Consulat et l'Empire», dans *Revue de l'institut Napoléon*, 127 (1973), p. 59-62.

— *Les Inondations de la Seine à Paris en 1910* (1985, exposition du musée Carnavalet).

LE SAUX (A.), «Les inondations en région d'Île-de-France, prévenir ou pallier», dans *Cahiers de l'IAURIF*, 91 (1989), p. 47-64.

LACOUR-VEYRANNE (C.), *Les Colères de la Seine* (1994).

La troisième catégorie de calamités naturelles, constituée par les tremblements de terre, ne menace guère Paris. Il existe pourtant un Institut de physique du globe (place Jussieu), dont le département de sismologie procède à des mesures des mouvements de l'écorce terrestre.

19. BOTANIQUE

Pour la botanique, on doit travailler à la bibliothèque centrale du Muséum national d'histoire naturelle (38, rue Geoffroy-Saint-Hilaire). Le Muséum collabore avec l'Institut d'aménagement et d'urbanisme de la région d'Île-de-France (IAURIF) au fonctionnement d'Ecothek, système d'information sur l'environnement en Île-de-France. On peut lire sur ce sujet : *Ecothek, l'information sur la faune et la flore* (1981, étude réalisée par M. MARTINET, P. TUDURI et P. BOYER sous la direction de R. DELAVIGNE).

Le XIXᵉ siècle est riche en travaux botaniques sur Paris et ses environs immédiats :

BAUTIER (A.), *Tableau analytique de la flore parisienne* (1827, 20ᵉ éd. en 1885).

CHEVALLIER (F.F.), *Flore générale des environs de Paris* (1826-1827, 3 parties en 2 vol., 2ᵉ éd. en 1836).

COSSON (E.), GERMAIN (E.), *Synopsis analytique de la flore des environs de Paris...* (1845).

LEFÉBURE DE FOURCY (M.E. DE), *Vade-mecum des herborisations parisiennes* (1859, 6ᵉ éd. en 1891).

ROGER (A.), *Promenades d'un naturaliste aux environs de Paris... suivies d'un Guide du naturaliste, de notes et de tableaux sur la flore et la faune parisiennes* (1866).

BONNET (E.), *Petite Flore parisienne* (1883).

LANESSAN (J.L. DE), *Flore de Paris* (1884).

VALLOT (J.), *Essai sur la flore du pavé de Paris limité aux boulevards extérieurs...* (1884).

CHATIN (A.), «Les plantes montagnardes de la flore parisienne», dans *Bulletin de la Société de botanique de France*, 34 (1887).

BAINIER (G.), *Flore des rues, des habitations et des jardins de Paris. Plantes microscopiques photographiées...* (1889, 3 vol.).

BAILLON (M.), *Les Herborisations parisiennes...* (1890).

YRIARTE (C.), *Les Fleurs et les jardins de Paris* (1893).

CHARGUERAUD (A.), *Les Arbres de la ville de Paris* (1896).

CURÉ (J.), *Les Jardiniers de Paris et leur culture à travers les siècles* (1900).

JEANPERT (H.E.), *Vade-mecum du botaniste dans la région parisienne* (1911, réimpression en 1977).

Citons aussi quelques ouvrages récents :

BOURNERIAS (M.), *Guide des groupements végétaux de la région parisienne* (1968).

FETERMAN (G.), *Découvrir la nature à Paris* (1991).

DUBOIS (P.J.), LESAFFRE (G.), *Guide de la nature. Paris et banlieue* (1994).

La Direction des parcs, jardins et espaces verts de la Ville de Paris a publié :

— *Les Arbres remarquables des promenades et jardins de la ville de Paris* (1983).

— *Gestion sylvicole des zones boisées du bois de Boulogne* (1988).

— *Gestion sylvicole des zones boisées du bois de Vincennes* (1988).

Le Muséum national d'histoire naturelle publie une série d'*Animation pédagogique et culturelle* depuis 1986, qui présente les richesses du Jardin des Plantes.

On n'oubliera pas de se reporter aussi à la série consacrée aux jardins (§ 98).

20. ZOOLOGIE

Pour la zoologie comme pour la botanique (§ 19), on doit travailler à la bibliothèque du Muséum et utiliser le système Ecothek. On peut citer deux ouvrages généraux du XIXe siècle :

ROGER (A.), *Promenades d'un naturaliste aux environs de Paris... suivies d'un Guide du naturaliste, de notes et de tableaux sur la flore et la faune parisiennes* (1866).

MAINDRON (M.), *Les Hôtes d'une maison parisienne : animaux domestiques, commensaux et parasites vivant dans nos maisons* (1891).

Une étude historique solide sur l'homme et l'animal à Paris des origines à 1789 est l'œuvre de :

FRANKLIN (A.), *La Vie privée d'autrefois... Les animaux* (1897-1899, 2 vol.).

On peut la compléter par des travaux récents :

— *Pense-Bêtes. L'histoire d'une cohabitation entre l'homme et l'animal à Paris* (1990, exposition à la Maison de La Villette).

KETE (K.), *The Beast in the boudoir. Petkeeping in nineteenth century Paris* (1994, qui comporte une abondante bibliographie).

DUBOIS (P.J.), *Guide de la nature. Paris et banlieue* (1994).

Les insectes ont été très tôt étudiés :

GEOFFROY (E.L.), *Histoire abrégée des insectes qui se trouvent aux environs de Paris...* (1762, 2 vol.).

FOURCROY (A.F. DE), *Entomologia parisiensis, sive Catalogus insectorum quae in agro parisiensi reperiuntur...* (1785).

WALCKENAER (C.A.), *Faune parisienne. Insectes...* (1802).

ROBINEAU-DESVOIDY (J.B.), *Histoire naturelle des diptères des environs de Paris* (1863, 2 vol.).

Les oiseaux ont fait aussi l'objet de bons travaux et jouissent actuellement d'un regain d'intérêt :

PAQUET (R.), *Ornithologie parisienne, ou Catalogue des oiseaux sédentaires et de passage qui vivent à l'état sauvage dans l'enceinte de la ville de Paris* (1874).

HAREAU (R.G.), *Les Pigeons de Paris* (1962).

NORMAND (N.), LESAFFRE (G.), *Les Oiseaux de la région parisienne et de Paris* (1978).

LESAFFRE (G.), *Oiseaux de Paris* (1989, excellente initiation avec une cassette de chants d'oiseaux et des adresses d'organismes, notamment Paris-Nature au Parc floral).

Il existe depuis quelques années des guides pratiques pour les animaux domestiques, donnant les adresses des vétérinaires, des établissements de toilettage, des centres d'hébergement pour animaux, des associations de protection, etc. :

BERGER (M.), *Paris-chien. Paris-chienne. Le livre que chaque chien doit offrir à son maître* (1985).

SACASE (C.), *Paris toutes bêtes* (1987).

Le cheval, moyen de locomotion omniprésent jusqu'en 1900, a fait l'objet d'une thèse comportant une énorme bibliographie à jour en 1983 et couvrant tous les aspects de la vie chevaline :

BOUCHET (G.), *Le Cheval à Paris de 1850 à 1914* (1993). On peut y ajouter l'article de G. BOUCHET, « Le cheval dans les transports publics parisiens vers 1900 », p. 9-17 de *Métropolitain. L'autre dimension de la ville* (1988, exposition à la Bibliothèque historique de la Ville de Paris).

CHAPITRE IV

Politique

21. GÉNÉRALITÉS

L'étude de l'histoire politique de Paris se confond partiellement avec celle de la France. On s'efforcera cependant ici de centrer les références sur la capitale afin de ne pas alourdir un guide de recherches déjà volumineux. Seront donc passées sous silence les histoires de France, histoires générales des villes et même de l'Île-de-France lorsqu'elles n'apportent rien de neuf à l'histoire de Paris.

A. Bibliographie

L'instrument de base est la *Bibliographie annuelle de l'histoire de France*, publiée par le CNRS à partir de l'année 1953, dans un cadre systématique. Les limites chronologiques, du Ve siècle à 1939, ont été élargies à 1958 depuis 1964. Cette bibliographie est aussi accessible dans le cadre du fichier FRANCIS par le biais du Centre de documentation en sciences humaines (54, boulevard Raspail). On dispense le lecteur de l'énumération des instruments de travail antérieurs, incomplets, difficiles d'exploitation et largement périmés. On trouve d'excellentes informations sur toutes les bibliographies historiques dans BARBIER (F.), *Bibliographie de l'histoire de France* (1987).

B. Sources

Il est impossible d'énumérer les sources de l'histoire de Paris, un volume entier n'y suffirait pas. On se reportera notamment à la division « archives » (§ 1). L'instrument de travail fondamental, quoique ancien, est CLOUZOT (E.), *Répertoire des sources manuscrites de l'histoire de Paris* (1915-1916, 3 vol.). Il faut aussi connaître, couvrant la France entière, sous la direction de MOLINIER (A.), *Les Sources de l'histoire de France* (1901-1935), 18 vol. se répartissant entre MOLINIER (A.), *Des origines aux guerres d'Italie*, HAUSER (H.), *Le XVIᵉ siècle*, BOURGEOIS (E.) et ANDRÉ (L.), *Le XVIIᵉ siècle*. Une édition refondue est en cours, mais n'a pas dépassé la première série, avec DUVAL (P.M.), *La Gaule jusqu'au milieu du Vᵉ siècle* (1971, 2 vol.). Consulter aussi STEIN (H.), *Bibliographie générale des cartulaires français ou relatifs à l'histoire de France* (1907, p. 394-407 pour Paris).

C. Histoires générales

La base est aujourd'hui constituée par la « Nouvelle Histoire de Paris », qui a débuté en 1970 et compte une vingtaine de volumes. Elle couvre l'histoire de la ville des origines à 1873, avec une lacune entre 481 et 886. Les volumes traitant de la fin du XIXᵉ et du XXᵉ siècle sont en préparation de même qu'un ouvrage sur l'architecture à Paris. Ces livres sont pourvus de copieuses bibliographies qui simplifient les recherches. Ce sont :

DUVAL (P.M.), *De Lutèce oppidum à Paris, capitale de la France* (1993).

BOUSSARD (J.), *De la fin du siège de 885-886 à la mort de Philippe Auguste* (1976).

CAZELLES (R.), *De la fin du règne de Philippe Auguste à la mort de Charles V, 1223-1380* (1972, nouv. éd. en 1994).

FAVIER (J.), *Paris au XVᵉ siècle, 1380-1500* (1974).

BABELON (J.P.), *Paris au XVIᵉ siècle* (1986).

PILLORGET (R.), *Paris sous les premiers Bourbons, 1594-1661* (1988).

DETHAN (G.), *Paris au temps de Louis XIV, 1660-1715* (1990).

CHAGNIOT (J.), *Paris au XVIIIᵉ siècle* (1988).

RHEINHARD (M.), *La Révolution, 1789-1799* (1971).

TULARD (J.), *La Révolution* (1989).

TULARD (J.), *Le Consulat et l'Empire, 1800-1815* (1970, nouvelle éd. mise à jour en 1983).

BERTIER DE SAUVIGNY (G. DE), *La Restauration, 1815-1830* (1977).

VIGIER (P.), *Paris pendant la Monarchie de Juillet, 1830-1848* (1991).

GIRARD (L.), *La Deuxième République et le second Empire, 1848-1870* (1981).

RIALS (S.), *De Trochu à Thiers, 1870-1873* (1985).

Des volumes thématiques étoffent cette série :

LAVEDAN (P.), *Histoire de l'urbanisme à Paris* (1975, nouvelle éd. mise à jour en 1993).

HÉRON DE VILLEFOSSE (R.), *Solennités, fêtes et réjouissances parisiennes* (1980).

BEAUJEU-GARNIER (J.), *Paris : hasard ou prédestination ? Une géographie de Paris* (1993).

L'histoire et les historiens de Paris du XVIᵉ siècle à l'aube du XXᵉ ont fait l'objet d'un copieux chapitre (p. 40-161) de bonne qualité dans BARROUX (M.), *Le Département de la Seine et la Ville de Paris. Notions générales et bibliographiques pour en étudier l'histoire* (1910). On renvoie à ce livre pour toutes les histoires générales de Paris antérieures à 1900. Pour le XXᵉ siècle, on se limite à quelques ouvrages de qualité ou à des synthèses commodes :

LEMOINE (H.), *Manuel d'histoire de Paris* (1924).

POËTE (M.), *Une vie de cité. Paris de sa naissance à nos jours* (1924-1931, 4 vol.).

DUBECH (L.), ESPEZEL (P. D'), *Histoire de Paris* (1928-1931, 2 vol.).

BARROUX (R.), *Paris des origines à nos jours et son rôle dans l'histoire et la civilisation* (1951).

HÉRON DE VILLEFOSSE (R.), *Histoire de Paris* (1955, nouvelle éd. en 1965).

— *Colloques des Cahiers de civilisation*, se décomposant en : *Paris, croissance d'une capitale* (1961), *Paris, fonctions d'une capitale* (1962) et *Paris, présent et avenir d'une capitale* (1964).

FRANCASTEL (P.), *Une destinée de capitale : Paris* (1968).

— *Histoire de l'Île-de-France et de Paris*, publiée sous la dir. de M. MOLLAT (1971).

— *Paris de la préhistoire à nos jours* (1985).

22. CHRONOLOGIE

Les ouvrages consacrés à l'énumération des faits parisiens sous une forme chronologique brute sont peu nombreux :

MALINGRE (C.), *Les Annales générales de la ville de Paris* (1640).

DUPLESSIS (T.), *Nouvelles Annales de Paris jusqu'au règne de Hugues Capet* (1753, suite de Malingre).

SIMOND (C.), *Paris de 1800 à 1900 d'après les estampes et les mémoires du temps* (1900-1901, 3 vol.).

HAUSSER (E.), *Paris au jour le jour. Les événements vus par la presse, 1900-1919* (1968).

— *Almanach de Paris*, par M. FLEURY, G.M. LEPROUX, F. MONNIER, J. TULARD, A. FIERRO (1990, 2 vol., chronologie des origines à 1989, le seul ouvrage couvrant la chronologie de la capitale dans sa totalité).

On trouve aussi des éléments de chronologie parisienne dans :

— *Chronique parisienne*, publiée dans le *Bulletin de la Société de l'histoire de Paris* pour les années 1878-1880, 1889, 1898-1923.

— « Éphémérides du IVᵉ arrondissement. Il y a cent ans. En 1806, 1807, 1808, 1809, 1810 et 1811 », par G. HARTMANN, dans *La Cité*, 3 à 6 (1906-1911).

— « Éphémérides du XVIᵉ arrondissement » du XVIᵉ au XXᵉ siècle, dans *Bulletin de la Société historique d'Auteuil*, 3 à 7 (1898-1912).

— « Annales du XVIᵉ arrondissement » de 1900 à 1905, par H. DE FORGES DE MONTAGNAC et E. POTIN, dans *Bulletin de la Société historique d'Auteuil*, 4 et 5 (1901-1906).

Pour les questions de comput, voir chapitre II, § 9E.

23. PRÉHISTOIRE

Si l'on désire s'initier à cette période, on peut consulter *La Préhistoire française* (1976, 3 vol. publiés par le CNRS). La bibliographie est assez facile à faire grâce aux deux revues du CNRS, *Gallia* et *Gallia Préhistoire*, paraissant depuis 1943 et 1958, où l'on trouve des chroniques annuelles par circonscription (voir Île-de-France) des fouilles préhistoriques et archéologiques pour l'époque s'étirant des origines à l'an 800 de l'ère chrétienne. On peut aussi utiliser les *Cahiers de la Rotonde*, qui se limitent à Paris et à ses environs immédiats et paraissent depuis 1978. Citons pour mémoire le vénérable travail de Paul COMBES fils, «Contribution à la bibliographie géologique et préhistorique de Paris», parue dans le n° 6 (1913) du *Bulletin de la Bibliothèque et des travaux historiques.*

Une bibliographie détaillée et à jour en 1959 peut être consultée à la fin de :

DUVAL (P.M.), *Paris antique des origines au IIIᵉ siècle* (1961), qu'il faut compléter par :

DUVAL (P.M.), *De Lutèce oppidum à Paris capitale de la France* (1993, volume de la «Nouvelle Histoire de Paris», dont la bibliographie s'étend jusqu'à l'arrivée des Francs, à la fin du Vᵉ siècle).

Ces deux ouvrages constituent, en outre, les monographies de base sur la ville préromaine et romaine. On peut y ajouter les brèves synthèses :

DUVAL (P.M.), «Lutèce gauloise et gallo-romaine», dans *Paris, croissance d'une capitale* (1961).

DUVAL (P.M.), *Résumé du Paris antique* (1972).

A l'œuvre de P.M. Duval, il faut ajouter deux ouvrages récents et de qualité :

— «Paris de la préhistoire au Moyen Âge», dans le *Bulletin du musée Carnavalet* (1990).

VELAY (P.), *De Lutèce à Paris. L'île et les deux rives* (1992).

Parmi l'abondante production limitée à une époque ou à un sujet, on se tiendra à :

DURVILLE (G.), FITTE (P.), *L'Ancêtre néolithique des Parisiens* (1940).

NOUGIER (L.R.), *Le Peuplement préhistorique, ses étapes entre Loire et Seine* (1950).

BAILLOUD (G.), *Le néolithique dans le Bassin parisien* (1964, 2ᵉ suppl. à *Gallia Préhistoire*).

COLBERT DE BEAULIEU (J.B.), *Les Monnaies gauloises des « Parisii »* (1970).

SCHMIDER (B.), *Les industries lithiques au paléolithique supérieur en Île-de-France* (1971, 6ᵉ suppl. à *Gallia Préhistoire*).

MOHEN (J.P.), *L'Âge du bronze dans la région de Paris. Catalogue synthétique des collections conservées au musée des Antiquités nationales* (1977).

GAUCHER (G.), *Sites et cultures de l'âge du bronze dans le Bassin parisien* (1981, 15ᵉ suppl. à *Gallia Préhistoire*).

BRUN (P.), *La Civilisation des champs d'urnes. Étude critique dans le Bassin parisien* (1986).

La dernière découverte importante date de 1991 :

— *Les Pirogues néolithiques de Bercy. Fouilles archéologiques de 1991-1992* (1992, exposition à la mairie du XIIᵉ arrondissement).

24. ANTIQUITÉ GALLO-ROMAINE (– 58-481)

Aux instruments bibliographiques déjà cités (§ 23), *Gallia, Gallia Préhistoire, Cahiers de la Rotonde*, on ajoute ici *L'Année philologique*, consacrée à l'Antiquité classique, qui paraît tous les ans depuis 1928. On rappelle (§ 23) que des bibliographies détaillées figurent dans les deux ouvrages fondamentaux pour l'histoire de Paris à cette époque :

DUVAL (P.M.), *Paris antique des origines au IIIᵉ siècle* (1961).

Duval (P.M.), *De Lutèce oppidum à Paris capitale de la France* (1993, «Nouvelle Histoire de Paris»).

Il existe deux brèves synthèses :

Duval (P.M.), «Lutèce gauloise et gallo-romaine», dans *Paris, croissance d'une capitale* (1961).

Duval (P.M.), *Résumé du Paris antique* (1972).

On doit au même auteur deux autres ouvrages importants qu'il faut connaître et utiliser :

Duval (P.M.), *Les Dieux de la Gaule* (1957, 2e éd. en 1976).

Duval (P.M.), *Les Sources de l'histoire de France des origines à la fin du XVe siècle... La Gaule jusqu'au milieu du Ve siècle* (1971, 2 vol.).

En archéologie et épigraphie, les instruments de travail ne manquent pas :

Grenier (A.), *Manuel d'archéologie gallo-romaine* (1931-1960, 4 tomes en 7 vol.).

Espérandieu (E.), *Recueil des bas-reliefs, statues et bustes de la Gaule romaine* (1907-1955, 14 vol.; pour Paris : 4 (1911), nos 3131 à 3206, 9 (1925), p. 341, 10 (1928), no 7631, 14 (1955), nos 8331 à 8338).

Duval (P.M.), *Les Inscriptions antiques de Paris* (1961).

Durand-Lefebvre (M.), *Marques de potiers gallo-romains trouvées à Paris et conservées principalement au musée Carnavalet* (1963).

— *Les Bronzes antiques de Paris. Catalogue d'art et d'histoire du musée Carnavalet*, sous la dir. de P. Velay (1989).

Pour l'histoire proprement dite de Lutèce/Paris sous la domination romaine, outre les deux ouvrages fondamentaux de P.M. Duval cités au début, on peut avoir recours à :

Poëte (M.), *L'Enfance de Paris : formation et croissance de la ville, des origines jusqu'au temps de Philippe Auguste* (1908).

Pachtere (F.G. de), *Paris à l'époque gallo-romaine : étude faite à l'aide des papiers et des plans de Th. Vacquer* (1912). Les dossiers de Vacquer sont conservés à la Bibliothèque historique de la Ville de Paris et décrits dans *Bulletin de la Bibliothèque et des travaux historiques* (1909), p. 1-34.

Jullian (C.), *Le Paris des Romains. Les arènes. Les thermes* (1924).

Desguine (A.), *Au sujet de l'aqueduc romain de Lutèce, dit d'Arcueil-Cachan* (1948).

Roblin (M.), *Le Terroir de Paris aux époques gallo-romaine et franque...* (1951, 2e éd. augmentée en 1971).

Brühl (C.), *«Palatium» und «civitas». Studien zur Profantopographie spätantiker «civitates» vom 3. bis zum 13. Jahrhundert*, volume 1, *Gallien* (1975, Paris aux p. 6-33, traduction française sous presse en mars 1995).

— *Lutèce. Paris de César à Clovis* (1984, exposition au musée Carnavalet et au musée national des Thermes et de l'hôtel de Cluny).

Schmidt (J.), *Lutèce. Paris, des origines à Clovis* (1986).

Lombard-Jourdan (A.), *«Montjoie et Saint-Denis». Le centre de la Gaule aux origines de Paris et de Saint-Denis* (1989).

— «Paris de la préhistoire au Moyen Âge», dans *Bulletin du musée Carnavalet* (1990).

Velay (P.), *De Lutèce à Paris. L'île et les deux rives* (1992).

25. MÉROVINGIENS ET CAROLINGIENS (481-987)

Cette époque n'est traitée dans la « Nouvelle Histoire de Paris » qu'à partir de 885. Les travaux sont très dispersés et, pour Paris et ses environs, dominés par les recherches de Michel Fleury, réparties sur de nombreuses publications périodiques. On trouvera une bibliographie complète de ces travaux dans M. FLEURY, *Si le roi m'avait donné Paris sa grand'ville* (1994). Rappelons que la revue *Gallia* (§ 23) et sa bibliographie couvrent l'histoire de France jusqu'en 800 et qu'on peut aussi avoir recours à la *Bibliographie annuelle de l'histoire de France* (§ 21) qui débute au Ve siècle ainsi qu'aux *Cahiers de la Rotonde* (§ 23) que dirige M. Fleury.

Les principaux travaux, parfois anciens, sont :

MOURIN (E.), *Les Comtes de Paris, histoire de l'avènement de la troisième race* (1869).

BOURGEOIS (E.), *Hugues l'Abbé, margrave de Neustrie et archichapelain de France à la fin du IXe siècle* (1885).

LASTEYRIE (R. DE), *Cartulaire général de Paris, ou Recueil de documents relatifs à l'histoire et à la topographie de Paris...*, tome 1, *528-1180* (1887).

FAVRE (E.), *Eudes, comte de Paris et roi de France, 882-898* (1893).

LOT (F.), « La grande invasion normande de 856-862 », dans *Bibliothèque de l'École des chartes*, 1908, p. 5-62 (réimprimé dans *Recueil des travaux historiques* de F. LOT, t. 2, p. 713-770).

POËTE (M.), *L'Enfance de Paris : formation et croissance de la ville, des origines jusqu'au temps de Philippe Auguste* (1908).

LEVILLAIN (L.), « Les comtes de Paris à l'époque franque », dans *Le Moyen Âge* (1941).

DHONDT (J.), *Études sur la naissance des principautés territoriales en France, IXe-Xe siècles* (1948).

DION (R.), *Paris dans les récits historiques et légendaires du IXe au XIIe siècle* (1949).

ROBLIN (M.), *Le Terroir de Paris aux époques gallo-romaine et franque* (1951, nouvelle éd. augmentée en 1971).

FLEURY (M.), « Paris du Bas Empire au début du XIIIe siècle », dans *Paris, croissance d'une capitale* (1961).

BRÜHL (C.), *« Palatium » und « civitas ». Studien zur Profantopographie spätantiker « civitates » vom 3. bis zum 13. Jahrhundert*, volume 1, *Gallien* (1975, Paris, p. 6-33, traduction en cours d'impression en mars 1995).

BOUSSARD (J.), *De la fin du siège de 885-886 à la mort de Philippe Auguste* (1976, vol. de la « Nouvelle Histoire de Paris » avec abondante bibliographie).

LOMBARD-JOURDAN (A.), *Paris, genèse de la ville. La rive droite de la Seine des origines à 1223* (1976, nouvelle éd. avec un titre légèrement différent en 1985).

— « Paris mérovingien », exposition au musée Carnavalet en 1981-1982, publiée dans *Bulletin du musée Carnavalet*, 1980 (*sic*).

LAFAURIE (J.), « Les monnaies mérovingiennes », dans *Paris et Île-de-France*, 32 (1981), p. 161-184.

LOMBARD-JOURDAN (A.), *« Montjoie et Saint-Denis ». Le centre de la Gaule aux origines de Paris et de Saint-Denis* (1989).

— « Paris de la préhistoire au Moyen Âge », dans *Bulletin du musée Carnavalet* (1990).

26. MOYEN ÂGE (987-1498)

A. *Généralités*

On trouvera une abondante bibliographie dans les trois volumes de la « Nouvelle Histoire de Paris » couvrant cette époque :

Boussard (J.), *De la fin du siège de 885-886 à la mort de Philippe Auguste* (1976).

Cazelles (R.), *De la fin du règne de Philippe Auguste à la mort de Charles V, 1223-1380* (1972, nouvelle éd. avec bibliographie mise à jour en 1994).

Favier (J.), *Paris au XVᵉ siècle, 1380-1500* (1974).

Citons aussi des recueils de sources :

Le Roux de Lincy (A.J.V.), Tisserand (L.M.), *Paris et ses historiens aux XIVᵉ et XVᵉ siècles* (1867).

Lasteyrie (R. de), *Cartulaire général de Paris, ou Recueil de documents relatifs à l'histoire et à la topographie de Paris...*, tome 1 (seul paru), *528-1180* (1887).

Stein (H.), *Bibliographie générale des cartulaires français...* (1907, Paris p. 394-407).

Parmi les ouvrages généraux, on se limite à :

Poëte (M.), *L'Enfance de Paris : formation et croissance de la ville, des origines jusqu'au temps de Philippe Auguste* (1908).

Champion (P.), *La Vie de Paris au Moyen Âge*, 1, *L'Avènement de Paris* (1933) ; 2, *Splendeurs et misères de Paris* (1934).

Dion (R.), *Paris dans les récits historiques et légendaires du IXᵉ au XIIᵉ siècle* (1949).

Fleury (M.), « Paris du Bas-Empire au début du XIIIᵉ siècle », p. 73-96 de *Paris, croissance d'une capitale* (1961).

Brühl (C.), *« Palatium » und « Civitas ». Studien zur Profantopographie spätantiker « civitates » vom 3. bis zum 13. Jahrhundert*, volume 1, *Gallien* (1975, Paris, p. 6-33, traduction en cours d'impression en mars 1995).

— *Études sur l'histoire de Paris et de l'Île-de-France*, tome 2 des *Actes du 100ᵉ congrès national des Sociétés savantes*, Paris, 1975, Section de philologie et d'histoire jusqu'à 1610.

Lombard-Jourdan (A.), *Paris, genèse de la ville. La rive droite de la Seine des origines à 1223* (1976, nouvelle éd. avec un titre légèrement différent en 1985).

Lombard-Jourdan (A.), *« Montjoie et Saint-Denis ». Le centre de la Gaule aux origines de Paris et de Saint-Denis* (1989).

— « Paris de la préhistoire au Moyen Âge », dans *Bulletin du musée Carnavalet* (1990).

B. *Ouvrages consacrés à une époque*

• De Hugues Capet à Philippe Auguste (987-1223)

L'ouvrage de base demeure le volume de la « Nouvelle Histoire de Paris » avec son importante bibliographie :

BOUSSARD (J.), *De la fin du siège de 885-886 à la mort de Philippe Auguste* (1976).

On doit rappeler l'importance de deux ouvrages anciens et deux contributions récentes :

LOT (F.), *Études sur le règne de Hugues Capet et la fin du Xᵉ siècle* (1903).

HALPHEN (L.), *Paris sous les premiers Capétiens, 987-1223. Étude de topographie historique* (1909).

BAUTIER (R.H.), «Quand et comment Paris devint capitale», dans *Bulletin de la Société de l'histoire de Paris et de l'Île-de-France*, 1979, p. 17-46.

BAUTIER (R.H.), «Paris au temps d'Abélard», dans les *Actes du colloque Abélard en son temps*, 14-19 mai 1979, p. 22-77.

• De Louis VIII à Charles V (1223-1380)

L'ouvrage fondamental demeure le volume de la «Nouvelle Histoire de Paris» avec sa bibliographie mise à jour en 1994 :

CAZELLES (R.), *De la fin du règne de Philippe Auguste à la mort de Charles V, 1223-1380* (1972, nouvelle éd. en 1994).

On peut citer :

GÉRAUD (H.), *Paris sous Philippe le Bel d'après des documents originaux...* (1837).

VIARD (J.), *Documents parisiens du règne de Philippe VI de Valois, 1328-1350, extraits des registres de la Chancellerie de France* (1889-1900, 2 vol.).

DELACHENAL (R.), *Histoire de Charles V* (1909-1931, 5 vol., capital).

CAZELLES (R.), *La Société politique et la crise de la royauté sous Philippe de Valois* (1958).

AVOUT (J. D'), *31 juillet 1358 : le meurtre d'Étienne Marcel* (1960).

TIMBAL (P.C.), dir., *La Guerre de Cent Ans à travers les registres du Parlement, 1337-1369* (1961).

FOURQUIN (G.), *Les Campagnes de la région parisienne à la fin du Moyen Âge, du milieu du XIIIᵉ au début du XIVᵉ siècle* (1964).

— *Le Siècle de saint Louis* (1970).

— *Septième Centenaire de la mort de saint Louis. Actes des colloques de Royaumont et de Paris*, 21-27 mai 1970 (1976).

FAVIER (J.), *Philippe le Bel* (1978).

SIVERY (G.), *Saint Louis et son siècle* (1983).

CAZELLES (R.), *Étienne Marcel, champion de l'unité française* (1984).

DEVIOSSE (J.), *Jean le Bon* (1985).

SIVERY (G.), *Blanche de Castille* (1990).

AUTRAND (F.), *Charles V* (1994).

• De Charles VI à Charles VIII (1380-1498)

Comme toujours, la base est l'excellent volume de la «Nouvelle Histoire de Paris» avec sa bibliographie :

FAVIER (J.), *Paris au XVᵉ siècle, 1380-1500* (1974).

Parmi les ouvrages de qualité, on peut retenir :

LONGNON (A.), *Paris pendant la domination anglaise, 1420-1436. Documents extraits des registres de la Chancellerie de France* (1878).

COVILLE (A.), *Les Cabochiens et l'ordonnance de 1413* (1888).

MIROT (L.), *Les Insurrections urbaines au début du règne de Charles VI, 1380-1383* (1905).

THOMPSON (G.L.), *Anglo-Burgundian Regime in Paris, 1420-1436* (1984).

THOMPSON (G.L.), *Paris and its people under English rule : the Anglo-Burgundian regime, 1420-1436* (1991).

GUENÉE (B.), *Un meurtre, une société : l'assassinat du duc d'Orléans, 23 novembre 1407* (1992).

27. RENAISSANCE (1498-1610)

Il faut se référer en premier lieu aux volumes de la «Nouvelle Histoire de Paris» et à leur bibliographie :

BABELON (J.P.), *Paris au XVIe siècle* (1986).

PILLORGET (R.), *Paris sous les premiers Bourbons, 1594-1661* (1988).

On peut aussi avoir recours à :

COYECQUE (E.), *Recueil d'actes notariés relatifs à l'histoire de Paris et de ses environs au XVIe siècle* (1905-1923, 2 vol., de 1498 à 1555).

CHAMPION (P.), *Paris au temps de la Renaissance* (1935-1936, 2 vol., règnes de François Ier et d'Henri II).

CHAMPION (P.), *Paris sous les derniers Valois* (1942, 2 vol.).

Pour la Saint-Barthélemy (1572), consulter :

LA FERRIÈRE-PERCY (H. DE), *La Saint-Barthélemy, la veille, le jour, le lendemain* (1892).

ERLANGER (Ph.), *24 août 1572, le massacre de la Saint-Barthélemy* (1961).

La Ligue (1585-1594) fait l'objet d'études récentes :

YARDENI (M.), «Le mythe de Paris comme élément de propagande à l'époque de la Ligue», dans *Paris et Île-de-France*, 20 (1969), p. 49-63.

MOUSNIER (R.), «Les structures administratives, sociales, révolutionnaires de Paris au temps de la seconde Ligue, 1585-1594», dans M.T. Jones-Davies, *Les Cités au temps de la Renaissance* (1977).

BARNAVI (E.), *Le Parti de Dieu, étude sociale et politique des chefs de la Ligue parisienne* (1980).

DESCIMON (R.), «Qui étaient les Seize? Étude sociale de deux cent vingt-cinq cadres laïcs de la Ligue radicale parisienne, 1585-1594», dans *Paris et Île-de-France*, 34 (1983), p. 7-300.

BARNAVI (E.), DESCIMON (R.), *La Sainte Ligue, le juge et la potence : l'assassinat du président Brisson, 15 novembre 1591* (1985).

On dispose d'un ouvrage solide sur la mort d'Henri IV :

MOUSNIER (R.), *L'Assassinat d'Henri IV* (1964).

28. DE LOUIS XIII A LA RÉVOLUTION (1610-1789)

Une fois de plus, les ouvrages de la «Nouvelle Histoire de Paris» constituent la base de toute recherche en raison de leurs bibliographies développées. Ce sont :

PILLORGET (R.), *Paris sous les premiers Bourbons, 1594-1661* (1988).

DETHAN (G.), *Paris au temps de Louis XIV, 1660-1715* (1990).

CHAGNIOT (J.), *Paris au XVIIIe siècle* (1988).

On peut citer des bibliographies spécialisées utiles mais dépassant le cadre parisien :

MOREAU (C.), *Bibliographie des mazarinades* (1850-1851, 3 vol. avec un supplément en 1862 dans le *Bulletin du bibliophile*, et un nouveau supplément, dû à E. LABADIE, dans le même *Bulletin* en 1904).

CONLON (P.M.), *Prélude au siècle des Lumières : bibliographie chronologique de 1680 à 1715* (1970-1975, 6 vol.), prolongé par :

CONLON (P.M.), *Le Siècle des Lumières en France : répertoire chronologique* (1963-1993, 12 vol. pour 1716-1760, bibliographie de la production imprimée).

On dispose de bien peu de travaux sur la vie politique à Paris sous la monarchie absolue :

FRANKLIN (A.), *La Cour de France et l'assassinat du maréchal d'Ancre* (1913).

POËTE (M.), *Une première manifestation d'union sacrée : Paris devant la menace étrangère en 1636* (1916).

COURTEAULT (H.), *La Fronde à Paris* (1930).

MOUSNIER (H.), *Paris au XVIIᵉ siècle* (1963, 3 fasc.).

RANUM (O.), *Paris in the age of absolutism, an essay* (1968, traduction en 1973 : *Les Parisiens au XVIIᵉ siècle*).

BERNARD (L.), *The Emerging City. Paris in the age of Louis XIV* (1970).

MOUSNIER (R.), *La Plume, la Faucille et le Marteau. Institutions en France du Moyen Âge à la Révolution* (1970, un chapitre sur Paris capitale politique au XVIIᵉ siècle).

MOUSNIER (R.), *Paris capitale au temps de Richelieu et de Mazarin* (1978).

FARGE (A.), REVEL (J.), *Logiques de la foule. L'affaire des enlèvements d'enfants. Paris, 1750* (1988).

CARRIER (H.), *La Presse de la Fronde, 1648-1653. Les mazarinades* (1989-1991, 2 vol.).

LACHIVER (M.), *Les Années de misère : la famine au temps du Grand Roi* (1991, cet ouvrage sur les vingt-cinq dernières années du règne de Louis XIV dépasse le cadre de Paris mais doit être cité ici en raison de ses qualités et de son énorme bibliographie).

29. LE XIXᵉ SIÈCLE (1789-1914)

A. La Révolution (1789-1799)

Si la bibliographie de l'histoire politique de Paris sous l'Ancien Régime est très faible, il y a pléthore pour l'époque révolutionnaire, durant laquelle la capitale a joué un rôle prépondérant. Il n'est pas question, dans les limites de cet ouvrage, d'évoquer les publications ayant trait à la Révolution en général, un volume n'y suffirait pas. On se centre strictement sur Paris en renvoyant aux bibliographies. On doit, en premier lieu, avant d'entreprendre des études sur cette époque, avoir lu l'exceptionnel :   .

CARON (P.), *Manuel pratique pour l'étude de la Révolution française*, 1912. Consulter la nouvelle édition de 1947 qui donne un historique des études sur cette période, analyse les sources manuscrites et imprimées, les grands instruments bibliographiques, présente les synthèses, offre un appendice méthodologique et une concordance des calendriers grégorien et républicain. Citons ensuite les deux synthèses de la « Nouvelle Histoire de Paris » et leurs copieuses bibliographies :

REINHARD (M.), *La Révolution, 1789-1799* (1971).

TULARD (J.), *La Révolution* (1989).

Viennent ensuite des bibliographies consacrées à l'époque révolutionnaire en général :

MONGLOND (A.), *La France révolutionnaire et impériale, annales de bibliographie méthodique...* (1930-1978, 10 vol., arrêté en 1812).

MARTIN (A.), WALTER (G.), *Bibliothèque nationale. Département des Imprimés. Catalogue de l'histoire de la Révolution française. Écrits de la période révolutionnaire* (1936-1969, 6 tomes en 7 vol., catalogue de tous les imprimés publiés entre 1789 et 1799 et conservés à la Bibliothèque nationale, avec indication des cotes ; le tome 4 est consacré aux ouvrages anonymes et le tome 5 constitue un précieux catalogue des journaux et almanachs).

WALTER (G.), *Répertoire de l'histoire de la Révolution française : travaux publiés de 1800 à 1940* (1941-1951, 2 vol.), continué par :

FIERRO (A.), *Bibliographie de la Révolution française 1940-1988* (1990, 2 vol.).

FIERRO (A.), *Bibliographie critique des mémoires sur la Révolution écrits ou traduits en français* (1988).

On trouve aussi une abondante bibliographie dans J. TULARD, J.F. FAYARD, A. FIERRO, *Histoire et dictionnaire de la Révolution française* (1987).

La bibliographie des travaux sur la Révolution est tenue à jour dans la *Bibliographie annuelle de l'histoire de France* (§ 21) et dans les *Annales historiques de la Révolution française*.

Il existe aussi des bibliographies purement parisiennes :

TOURNEUX (M.), *Bibliographie de l'histoire de Paris pendant la Révolution française* (1890-1913, 5 vol.).

TUETEY (A.), *Répertoire général des sources manuscrites de l'histoire de Paris pendant la Révolution française* (1890-1914, 11 vol.).

Il faut citer un excellent guide :

LA BATUT (G. DE), *Les Pavés de Paris. Guide illustré de Paris révolutionnaire* (1937, 2 vol.).

Les recueils de documents sont particulièrement nombreux ; citons :

SCHMIDT (A.), *Paris pendant la Révolution, d'après les rapports de la police secrète, 1789-1800* (1880-1894, 4 vol.).

La célébration du premier centenaire de 1789 a suscité une énorme série de publications :

— *Collection de documents relatifs à l'histoire de Paris pendant la Révolution française et l'époque contemporaine*, publiée sous le patronage du conseil municipal (1887-1907, 43 vol.).

A part ceux qui sont énumérés ci-dessous, ces volumes ont été dispersés un peu plus loin selon l'époque et le sujet concernés. Mentionnons ici seulement :

MELLIÉ (E.), *Les Sections de Paris pendant la Révolution française (21 mai 1790-19 vendémiaire an IV). Organisation, fonctionnement* (1898).

BRETTE (A.), *Histoire des édifices où ont siégé les assemblées parlementaires de la Révolution et de la Première République* (1902, un seul vol. paru pour 1789-1793).

LACROIX (S.), *Le Département de Paris et de la Seine pendant la Révolution* (1904, auteur qui a aussi publié les actes de la Commune en 16 vol.).

Pour les ouvrages généraux, on s'est limité au strict minimum :

RUDÉ (G.), *The Crowd in the French Revolution* (1959).

REINHARD (M.), *Paris pendant la Révolution* (1962-1966, 3 vol.).

Cobb (R.), *Paris and its provinces, 1792-1802* (1975).

Genty (M.), *Paris, 1789-1795, l'apprentissage de la citoyenneté* (1987).

— *Paris et la Révolution... Actes du colloque de Paris-I,* 14-16 avril 1989 (1989).

— «La Révolution en Île-de-France. Actes du VIᵉ colloque de la Fédération des sociétés historiques et archéologiques de Paris et de l'Île-de-France», Versailles, 22-23 avril 1989, vol. 41 (1990) de *Paris et Île-de-France.*

Ouvrages par époque.

• Les débuts de la Révolution :

Égret (J.), *La Pré-Révolution française, 1787-1788* (1962).

Monin (H.), *L'État de Paris en 1789. Études et documents sur l'Ancien Régime à Paris* (1889).

Robiquet (P.), *Le Personnel municipal de Paris pendant la Révolution. Période constitutionnelle* (1890, du 14 juillet 1789 au 10 août 1792).

Chassin (C. L.), *Les Élections et les cahiers de Paris en 1789...* (1888-1889, 4 vol.).

Charavay (E.), *Assemblée électorale de Paris... Procès-verbaux de l'élection...* (1890-1905, 3 vol., élections des administrateurs, juges, curés, etc., de Paris entre le 18 novembre 1790 et le 17 frimaire an II).

• La prise de la Bastille :

Durieux (J.), *Les Vainqueurs de la Bastille* (1910).

Chauvet (P.), *1789, l'insurrection parisienne et la prise de la Bastille* (1946).

Mistler (J.), *Le 14 juillet* (1963).

Godechot (J.), *La Prise de la Bastille* (1965).

• Les 5-6 octobre 1789 :

Leclercq (H.), *Les Journées d'octobre et la fin de l'année 1789* (1924).

Mazé (J.), *Les Journées révolutionnaires d'octobre* (1939).

Dominique (P.), *Paris enlève le roi* (1972).

Michalik (K.), *Der Marsch der Pariser Frauen nach Versailles am 5. und 6. Oktober 1789 : eine Studie zur weiblichen Partizipationsformen in der Frühphase der französischen Revolution* (1990).

• Les clubs :

Aulard (A.), *La Société des Jacobins. Recueil de documents pour l'histoire du Club des Jacobins de Paris* (1889-1897, 6 vol.).

Fribourg (A.), *Le Club des Jacobins en 1790, d'après de nouveaux documents* (1910).

Brinton (C.), *Les Jacobins* (1931).

Walter (G.), *Les Jacobins* (1946).

Kennedy (M.L.), *The Jacobin Clubs in the French Revolution, the first years* (1982).

Maintenant (L.P.), *Les Jacobins* (1984).

Bougeart (A.), *Les Cordeliers* (1891).

Mathiez (A.), *Le Club des Cordeliers pendant la crise de Varennes et le massacre du Champ-de-Mars* (1910).

Challamel (A.), *Les Clubs contre-révolutionnaires* (1895).

• Les sans-culottes :

GUÉRIN (D.), *La lutte des classes sous la Première République. Bourgeois et bras nus* (1946).

SOBOUL (A.), *Les Sans-culottes parisiens en l'an II* (1958, plusieurs fois réimprimé).

TÖNNESON (K.D.), *La Défaite des sans-culottes* (1959).

ROSE (R.B.), *The Enragés, Socialists of the French Revolution ?* (1965).

GUÉRIN (D.), *La Révolution française et nous* (1969).

MONNIER (R.), *Le Faubourg Saint-Antoine, 1789-1815* (1981).

BIANCHI (S.), *La Révolution culturelle de l'an II, élites et peuple, 1789-1799* (1982).

BURSTIN (M.), *Le Faubourg Saint-Marcel à l'époque révolutionnaire* (1983).

SOBOUL (A.), MONNIER (R.), *Répertoire du personnel sectionnaire parisien de l'an II* (1985).

— *Annales historiques de la Révolution française*, numéro spécial (1986) consacré aux sociétés populaires.

• La garde nationale et les volontaires :

CLIFFORD (D.L.), « The National Guard and the Parisian community, 1789-1790 », dans *French historical studies*, 1990, p. 849-878.

CHASSIN (C.L.), HENNET (L.), *Les Volontaires nationaux pendant la Révolution* (1889-1906, 3 vol.).

HERLAUT (A.P.), « La levée des volontaires pour la Vendée à Paris », dans *Annales historiques de la Révolution française*, 1931, p. 383-398, 496-514.

• La justice :

CAMPARDON (E.), *Le Tribunal révolutionnaire de Paris* (1866, 2 vol.).

WALLON (H.), *Histoire du Tribunal révolutionnaire de Paris, avec le journal de ses notes* (1880-1882, 6 vol., éd. abrégée en 1899).

LENÔTRE (G.), *Le Tribunal révolutionnaire* (1908).

SABATIÉ (A.C.), *La Justice pendant la Révolution. Le Tribunal révolutionnaire de Paris...* (1914).

CASTELNAU (J.), *Le Tribunal révolutionnaire* (1950).

GODFREY (J.L.), *Revolutionary justice, a study of the organisation, personnel and procedure of the Paris tribunal* (1951).

WALTER (G.), *Actes du Tribunal révolutionnaire* (1968).

• La chute de la monarchie, la Commune de Paris, l'élimination des Girondins, la Terreur ont fait l'objet d'une très abondante littérature. On fait ici un choix draconien en renvoyant aux bibliographies citées au début. Le 10 août 1792 et la Commune :

— *Procès-verbaux de la Commune de Paris, 10 août 1792-1er juin 1793*, éd. par M. TOURNEUX (1894).

SAGNAC (P.), *La Révolution du 10 août 1792* (1909).

BRAESCH (F.), *La Commune du 10 août 1792. Étude sur l'histoire de Paris du 10 juin au 2 décembre 1792* (1911).

GAUTHEROT (G.), *La Journée du 10 août 1792* (1912).

MATHIEZ (A.), *Le 10 août* (1932).

EUDE (M.), *Études sur la Commune robespierriste* (1937).

GARDIE (A.), *La Commune de Paris, 10 août 1792-9 thermidor an II* (1940).

SAINTE-CLAIRE DEVILLE (P.), *La Commune de l'an deux* (1946).
REINHARD (M.), *Le 10 août* (1969).

• Les massacres de septembre 1792 :
GRENTE (J.), *Les Massacres de Septembre à Paris* (1919).
GAUTHEROT (G.), *Histoire politique des massacres de Septembre* (1927).
WALTER (G.), *Les Massacres de Septembre* (1932).
CARON (P.), *Les Massacres de Septembre* (1935).
BLUCHE (F.), *Septembre 1792. Logiques d'un massacre* (1986).
ABEL (A.M.), POISSON (M.), LEVILLAIN (P.), « Éléments de bibliographie » (sur les massacres de septembre 1792), dans *Revue de l'Institut catholique de Paris*, 44 (1992), p. 139-175.

• Le procès et la mort de Louis XVI :
BORD (G.), *La Vérité sur la mort de Louis XVI* (1885).
VAISSIÈRE (P. DE), *La Mort du roi, 21 janvier 1793* (1910).
SOBOUL (A.), *Le Procès de Louis XVI* (1966).
GIRAULT DE COURSAC (P. et P.), *Enquête sur le procès du roi Louis XVI* (1982).
On peut y rattacher :
HÉRISSAY (J.), *L'Assassinat de Le Peletier de Saint-Fargeau* (1934).

• La chute des Girondins :
WALLON (H.), *La Révolution du 31 mai et le fédéralisme en 1793, ou la France vaincue par la Commune de Paris* (1886, 2 vol.).
PERROUD (C.), *La Proscription des Girondins* (1917).
LENÔTRE (G.), *La Proscription des Girondins* (1927).
— *Actes du colloque Girondins et Montagnards*, 1975 (paru en 1980).
SLAVIN (M.), *The Making of an insurrection : Parisian sections and the Gironde* (1986).

• L'époque de la Terreur :
MORTIMER-TERNAUX (L.), *Histoire de la Terreur* (1863-1881, 8 vol.).
DAUBAN (C.A.), *La Démagogie en 1793 à Paris* (1868).
DAUBAN (C.A.), *Paris en 1794 et en 1795. Histoire de la rue, du club, de la famine...* (1869).
CARON (P.), *Paris pendant la Terreur. Rapports des agents secrets du ministère de l'Intérieur...* (1910-1978, 7 vol.).
GREER (D.), *The Incidence of the Terror* (1935).
WALTER (G.), *Histoire de la Terreur* (1937).
CALVET (H.), *Un instrument de la Terreur : le Comité de salut public ou de surveillance du département de Paris, 8 juin 1793-21 messidor an II* (1941).

• La chute de Robepierre :
HAMEL (E.), *Thermidor d'après les sources originales et les documents authentiques* (1891).
SAVINE (A.), BOURNAND (F.), *Le 9 Thermidor* (1907).
LENÔTRE (G.), *Le 9 et le 10 thermidor an II* (1908).
GODARD (A.), *Le Procès du 9 Thermidor* (1912).
BARTHOU (L.), *Le 9 Thermidor* (1926).
SAUREL (L.), *Le Jour où finit la Terreur* (1972).
BERL (E.), *Le 9 Thermidor* (1965).
WALTER (G.), *Le 9 Thermidor* (1974).

• La Convention thermidorienne :

COBB (R.), RUDÉ (G.), «Le dernier mouvement populaire de la Révolution à Paris : les journées de germinal et de prairial an III», dans *Revue historique*, 1955, p. 250-281.

TÖNNESSON (K.), *La Défaite des sans-culottes : mouvement populaire et réaction bourgeoise en l'an III* (1959).

ZIVY (H.), *Le Treize vendémiaire an IV* (1898).

• Le Directoire :

AULARD (A.), *Paris pendant la réaction thermidorienne et sous le Directoire. Recueil de documents pour l'histoire de l'esprit public à Paris* (1898-1905, 5 vol.).

VANDAL (A.), *L'Avènement de Bonaparte* (1903, 2 vol.).

BALLOT (C.), *Le Coup d'État du 18 fructidor an V. Rapports de police et documents divers...* (1906).

BAINVILLE (J.), *Le 18-Brumaire* (1925).

MEYNIER (A.), *Les Coups d'État du Directoire* (1927-1928, 3 vol.).

THIRY (J.), *Le Coup d'État du 18-Brumaire* (1947).

OLLIVIER (A.), *Le 18-Brumaire* (1959).

BESSAND-MASSENET (P.), *Le 18-Brumaire* (1965).

WOLOCH (I.), *The Jacobin legacy, the democratic movement under the Directory* (1970).

SURATTEAU (J.), *Les Élections de l'an VI et le coup d'État du 22 floréal* (1971).

TULARD (J.), *Le 18-Brumaire* (1973).

GENDRON (F.), *La Jeunesse dorée sous Thermidor* (1983).

BERTAUD (J.P.), *Le 18-Brumaire* (1987).

B. Le Consulat et l'Empire (1799-1815)

Parmi les nombreux instruments bibliographiques, mentionnons :

MONGLOND (A.), *La France révolutionnaire et impériale : annales de bibliographie méthodique et description des livres illustrés* (1930-1978, 10 vol., répertoire de la production imprimée jusqu'en 1812).

CALDWELL (R.J.), *The Era of Napoleon* (1991, bibliographie de près de 50 000 titres).

— La *Revue de l'Institut Napoléon* tient à jour la bibliographie sur cette époque qui figure aussi dans la *Bibliographie annuelle de l'histoire de France*.

On trouve une synthèse pratique et excellente de cette énorme production bibliographique faite par J. Tulard à la fin de :

FIERRO (A.), PALLUEL-GUILLARD (A.), TULARD (J.), *Histoire et dictionnaire du Consulat et de l'Empire* (1995).

Utiliser aussi :

TULARD (J.), *Nouvelle Bibliographie critique des mémoires sur l'époque napoléonienne écrits ou traduits en français* (1991, qui annule l'éd. de 1971).

Pour Paris, la «Nouvelle Histoire de Paris» fournit l'instrument de travail fondamental :

TULARD (J.), *Le Consulat et l'Empire* (1983, qui annule la 1re éd. de 1970).

Les principaux ouvrages ayant trait à Paris sont :

PENANSTER (H. DE), *Une conspiration en l'an XI et en l'an XII* (1896).

LANZAC DE LABORIE (L. DE), *Paris sous Napoléon* (1905-1913, 8 vol.).

AULARD (A.), *Paris sous le Consulat. Recueil de documents pour l'histoire de l'esprit public à Paris...* (1903-1909, 4 vol.).

HAUTERIVE (E. D'), *La Police secrète du premier Empire. Bulletins quotidiens adressés par Fouché à l'Empereur...* (1908-1964, 5 vol.).

HUE (G.), *Un complot de police sous le Consulat* (1909).

AULARD (A.), *Paris sous le premier Empire. Recueil de documents pour l'histoire de l'esprit public à Paris...* (1912-1923, 3 vol. parus jusqu'en 1808).

MASSON (F.), *La Vie et les conspirations du général Malet* (1921).

LORÉDAN (J.), *La Machine infernale* (1924).

LORT DE SÉRIGNAN (A. DE), *Le Général Malet* (1925).

POISSON (G.), *Napoléon et Paris* (1964).

GUERRINI (M.), *Napoléon et Paris. Trente ans d'histoire* (1967).

TULARD (J.), *Paris et son administration, 1800-1830* (1976).

RIGOTARD (J.), *La Police parisienne de Napoléon* (1990).

C. La Restauration (1815-1830)

La « Nouvelle Histoire de Paris » offre le texte et la bibliographie de base par le spécialiste de cette époque :

BERTIER DE SAUVIGNY (G. DE), *La Restauration, 1815-1830* (1977).

On doit au même auteur une « Bibliographie additionnelle, 1974-1990 », dans *Historiens et géographes*, 332 (1991), p. 145-150.

Pour les souvenirs des contemporains, consulter :

BERTIER DE SAUVIGNY (G. DE), FIERRO (A.), *Bibliographie critique des mémoires sur la Restauration écrits ou traduits en français* (1988).

On ajoutera très peu de titres, la bibliographie étant bien maîtrisée pour cette période :

BERTIER DE SAUVIGNY (G. DE), *La Restauration* (1974, nouv. éd. mises à jour en 1983 et 1990).

BERTIER DE SAUVIGNY (G. DE), *La Révolution de 1830 en France* (1970).

BORY (J.L.), *La Révolution de Juillet* (1972).

TULARD (J.), *Paris et son administration, 1800-1830* (1976).

D. La Monarchie de Juillet

On dispose d'une bonne bibliographie et d'une étude dans la « Nouvelle Histoire de Paris » :

VIGIER (P.), *Paris pendant la Monarchie de Juillet, 1830-1848* (1991).

On peut toujours consulter avec profit :

THUREAU-DANGIN (P.), *Histoire de la Monarchie de Juillet* (1884-1892, 7 vol., ancien mais solide).

CRÉMIEUX (A.), *La Révolution de février, étude critique des journées des 21, 22, 23 et 24 février 1848* (1912).

PERREUX (G.), *Au temps des sociétés secrètes. La propagande républicaine au début de la Monarchie de Juillet* (1931).

LUCAS-DUBRETON (J.), *La Grande Peur de 1832 (le choléra et l'émeute)* (1932).

GIRARD (L.), *Étude comparée des mouvements révolutionnaires en France en 1830, 1848 et 1870-1871* (1960-1961, 4 fascicules).

CARPENTIER DE CHANGY (H.), *Le Parti légitimiste sous la Monarchie de Juillet* (1980, 4 vol.).

BERTIER DE SAUVIGNY (G. DE), *La Révolution parisienne de 1848 vue par les Américains* (1984).

E. Deuxième République et second Empire (1848-1870)

Comme toujours, la bibliographie et le texte de base se trouvent dans la « Nouvelle Histoire de Paris » :

GIRARD (L.), *La Deuxième République et le second Empire, 1848-1870* (1981).

On peut aussi avoir recours à :

CARON (P.), « Les sources manuscrites parisiennes de l'histoire de la révolution de 1848 et de la Deuxième République », dans *Revue d'histoire moderne et contemporaine*, 6 (1904-1905), p. 85-119.

• On doit signaler comme sources imprimées des débuts agités de la Deuxième République :

— *Procès-verbaux du Gouvernement provisoire et de la Commission du pouvoir exécutif, 24 février-22 juin 1848* (1950).

— *Rapport de la Commission d'enquête sur l'insurrection qui a éclaté dans la journée du 23 juin et sur les événements du 15 mai* (1848, 3 vol.).

— *Les Murailles révolutionnaires de 1848* (2 vol. de reproductions d'affiches).

Sur la Deuxième République en général :

GIRARD (L.), *La Deuxième République, 1848-1851* (1968).

AGULHON (M.), *1848 ou l'Apprentissage de la République, 1848-1852* (1973).

AGULHON (M.), *Les Quarante-Huitards* (1975).

AMANN (P.H.), *Revolution and mass democracry. The Paris club movement in 1848* (1975).

• Sur le second Empire :

DANSETTE (A.), *Histoire du second Empire* (1961-1976, 3 vol.).

— *Les Élections de 1869*, études présentées par L. GIRARD (1960, Belleville aux p. 3-36 et le VIIe arrondissement aux p. 37-76).

DANSETTE (A.), *L'Attentat d'Orsini* (1964).

DALOTEL (A.), FAURE (A.), FREIERMUTH (J.C.), *Aux origines de la Commune : le mouvement des réunions publiques à Paris, 1868-1870* (1980).

F. La Troisième République de 1870 à 1914

Pour la guerre, la chute de l'Empire, la Commune et les débuts de la République, se référer à la « Nouvelle Histoire de Paris » :

RIALS (S.), *De Trochu à Thiers, 1870-1873* (1985, qui contient une énorme bibliographie).

• Il existe une bibliographie excellente mais ancienne de la guerre de 1870 :

PALAT (B.E.), *Bibliographie générale de la guerre de 1870* (1896).

Les travaux sur la guerre datent souvent du XIXe siècle, ce qui n'enlève rien à leur valeur :

DUCROT (A.A.), *La Défense de Paris, 1870-1871* (1875-1878, 4 vol.).

DUQUET (A.), *Guerre de 1870-1871. Paris...* (1890-1899, 8 vol.).

PALAT (B.E.), *Histoire de la guerre de 1870-1871* (1893-1908, 15 vol.).

DUVEAU (G.), *Le Siège de Paris...* (1939).

GUILLEMIN (H.), *Cette curieuse guerre de 1870. Thiers, Trochu, Bazaine* (1956).

GUILLEMIN (H.), *L'Héroïque Défense de Paris, 1870-1871* (1959).

GUILLEMIN (H.), *La Capitulation, 1871* (1960).

AUDOIN-ROUZEAU (S.), *1870, la France dans la guerre* (1990).

ROTH (F.), *La Guerre de 70* (1990).

• La Commune a fait l'objet de bibliographies de qualité inégale :

SCHELER (L.), «Bibliographie de la Commune», dans *Europe*, 64-65 (1951).

ROUGERIE (J.), HAUPT (G.), «Bibliographie de la Commune de 1871, travaux parus de 1940 à 1961», dans *Le Mouvement social*, 37 et 38 (1961).

JEAN-LÉO, *Bibliographie de la Commune de 1871, 1871-1970* (1970).

DUBIEF (H.), *Pour le centenaire de la Commune de Paris. Bibliographie commentée* (1971).

Recueils de documents sur la Commune :

— «Enquête parlementaire sur l'insurrection du 18 mars», dans *Annales de l'Assemblée nationale, séances et annexes*, tomes 9 et 10 (1872).

— «Enquête parlementaire sur les actes du gouvernement de la Défense nationale», dans *Annales de l'Assemblée nationale, séances et annexes*, tomes 20 à 26 (1874).

— *Les 31 Séances officielles de la Commune de Paris* (1871, réimpression en 1970).

BOURGIN (G.), HENRIOT (G.), *Procès-verbaux de la Commune de 1871 : édition critique* (1924-1945, 2 vol.).

La littérature sur la Commune est surabondante et d'une très grande partialité :

BOURGIN (G.), *Histoire de la Commune* (1907, nombreuses rééditions).

BOURGIN (G.), *Les Premières Journées de la Commune* (1928).

LISSAGARAY (P.O.), *Histoire de la Commune de 1871* (1929).

FABRE (M.A.), *Vie et mort de la Commune* (1939).

FABRE (M.A.), *Les Drames de la Commune* (1944).

DANSETTE (A.), *Les Origines de la Commune de 1871* (1944).

BRUHAT (J.), DAUTRY (J.), TERSEN (E.) dir., *La Commune de 1871* (1960).

CHOURY (M.), *Les Origines de la Commune, Paris livré* (1960, nouvelle éd. en 1973).

DAUTRY (J.), SCHELER (L.), *Le Comité central des vingt arrondissements de Paris (septembre 1870-mai 1871), d'après les papiers inédits de Constant Martin et les sources imprimées* (1960).

GIRARD (L.), *Étude comparée des mouvements révolutionnaires en France en 1830, 1848 et 1870-1871* (1960-1961, 4 fascicules).

WINOCK (M.), AZÉMA (J.P.), *Les Communards* (1964).

LEFEBVRE (H.), *La Proclamation de la Commune, 26 mars 1871* (1965).

OLLIVIER (A.), *Anatomie des révolutions, la Commune, 1871* (1966).

GUÉRIN (A.), *La Commune* (1966).

DECOUFLÉ (A.C.), *La Commune de Paris (1871), révolution populaire et pouvoir révolutionnaire* (1969).

ZELLER (A.), *Les Hommes de la Commune* (1969).

CHOURY (M.), *Le Paris communard* (1970).

SORIA (G.), *La Grande Histoire de la Commune* (1970-1971, 5 vol.).

EDWARDS (S.), *The Paris Commune, 1871* (1971).

GUILLEMIN (H.), *L'Avènement de M. Thiers. Réflexions sur la Commune* (1971).

HORNE (A.), *The Terrible Year : the Paris Commune 1871* (1971).

ROUGERIE (J.), *Paris libre, 1871* (1971).

— *Colloque universitaire pour la commémoration du centenaire de la Commune de 1871, tenu à Paris les 21, 22 et 23 mai 1971. Actes* (1972).

RIHS (C.), *La Commune de Paris, 1871, sa structure et ses doctrines* (2ᵉ éd., 1973).

ROUGERIE (J.), *1871, jalons pour une histoire de la Commune...* (1973).

NOËL (B.), *Dictionnaire de la Commune* (2ᵉ éd. en 1978, 2 vol.).

ROUGERIE (J.), *Procès des communards* (2ᵉ éd. en 1978).

THOMAS (E.), *Les « Pétroleuses »* (2ᵉ éd. en 1980).

SERMAN (W.), *La Commune de Paris, 1871* (1986).

• Les volumes de la « Nouvelle Histoire de Paris » consacrés à la Troisième République sont en cours de rédaction. Il faut se contenter d'ouvrages généraux :

CHASTENET (J.), *Histoire de la IIIᵉ République* (1954-1965, 7 vol., nouvelle éd. en 1970, 9 vol., sous le titre *Cent Ans de République*).

BONNEFOUS (G.), *Histoire politique de la IIIᵉ République* (1956-1987, 8 vol.).

BERSTEIN (S.), MILZA (P.) dir., *Histoire de la France au xxᵉ siècle* (1990-1992, 4 vol.).

RÉMOND (R.), *Les Droites en France* (1982, puis 1987 : 1ʳᵉ éd. en 1954 sous le titre *La Droite en France*).

SIRINELLI (J.F.) dir., *Histoire des droites en France* (1992, 3 vol.).

RIOUX (J.P.), *Nationalisme et conservatisme. La Ligue de la Patrie française* (1977).

WEBER (E.), *L'Action française* (1985).

NGUYEN (V.), *Origines de l'Action française : intelligence et politique vers 1900* (1991).

WINOCK (M.) dir., *Histoire de l'extrême droite en France* (1993).

BERSTEIN (S.), *Histoire du parti radical* (1980-1982, 2 vol.).

LIGOU (D.), *Histoire du socialisme en France, 1871-1961* (1962).

LEFRANC (G.), *Le Mouvement socialiste sous la IIIᵉ République, 1875-1940* (1963).

MAITRON (J.), *Histoire du mouvement anarchiste en France* (1975, 2 vol.).

• Pour Paris proprement dit, on est bien mal loti. Signalons :

LEFÈVRE (A.), *Histoire de la Ligue d'union républicaine des droits de Paris* (1881).

GAILLARD (J.), « Les papiers de la Ligue républicaine des droits de Paris », dans *Le Mouvement social*, 56 (1966).

LE TEXIER (R.), *Le Fol Été du fort Chabrol* (1990).

On trouvera des éléments bibliographiques complémentaires, notamment des mémoires et des thèses dactylographiés, dans :

NIVET (P.), *Le Conseil municipal de Paris de 1944 à 1977* (1994).

30. LE XXᴱ SIÈCLE (1914-1995)

A. *La Troisième République de 1914 à 1940*

En attendant les prochains volumes de la «Nouvelle Histoire de Paris» consacrés aux IIIᵉ et IVᵉ Républiques, on est contraint d'avoir recours aux ouvrages politiques généraux cités précédemment (§ 29 F), auxquels on ajoutera quelques titres :

PROST (A.), *Les Anciens Combattants et la société française, 1914-1939* (1977, 3 vol.).

KRIEGEL (A.), *Les Communistes français, 1920-1970* (1985).

BERSTEIN (S.), *La France des années 30* (1988).

GIBELIN (M.), *Juin 36* (1972, 2 vol.).

LEFRANC (G.), *Histoire du Front populaire* (1965, nouvelle éd. en 1974).

BODIN (L.), TOUCHARD (J.), *Front populaire, 1936* (1985).

BRUNET (J.P.), *Histoire du Front populaire, 1934-1938* (1991).

Pour Paris plus spécialement :

BERSTEIN (S.), *Le 6 février 1934* (1975), ainsi que divers travaux dactylographiés mentionnés par :

NIVET (P.), *Le Conseil municipal de Paris de 1944 à 1977* (1994).

B. *L'Occupation et la Libération (1940-1945)*

Retenons quelques ouvrages généraux :

NOGUÈRES (H.), *Histoire de la Résistance en France* (1967-1981, 5 vol.).

ARON (R.), *Histoire de l'épuration* (1967-1975, 4 vol.).

ORY (P.), *Les Collaborateurs, 1940-1945* (1976).

ORY (P.), *La France allemande* (1977).

AMOUROUX (H.), *La Grande Histoire des Français sous l'Occupation, 1939-1945* (1977-1993, 10 vol.).

ROUSSO (H.), *La Collaboration : les noms, les thèmes, les lieux* (1987).

Pour Paris, on dispose d'une série d'ouvrages de qualité :

ASTIER (E. D'), *De la chute à la libération de Paris, 25 août 1944* (1965).

LÉVY (C.), TILLARD (P.), *La Grande Rafle du Vel' d'Hiv', 16 juillet 1942* (1967, nouvelle éd. en 1992).

FINGER (B.), KAREL (W.), *Opération «Vent printanier», 16-17 juillet 1942 : la rafle du Vél' d'Hiv'* (1992).

MICHEL (H.), *La Libération de Paris* (1980).

MICHEL (H.), *Paris allemand* (1981).

MICHEL (H.), *Paris résistant* (1982).

BOURGET (P.), *Paris année 44 : occupation, libération, épuration* (1984).

C. *La Quatrième République (1945-1958)*

Rappelons les ouvrages généraux mentionnés à la fin du paragraphe 29 F et les textes dactylographiés recensés dans :

NIVET (P.), *Le Conseil municipal de Paris de 1944 à 1977* (1994, excellent travail, la seule histoire de Paris détaillée pour cette époque).

L'Année politique fournit un cadre chronologique annuel à partir de 1944, auquel on ajoute quelques titres généraux :

ELGEY (G.), *La République des illusions, 1945-1951* (1965).

PURTSCHET (C.), *Le Rassemblement du peuple français, 1947-1953* (1965).

CHAPSAL (J.), *La Vie politique en France depuis 1940* (1966, nouvelle éd. en 1972).

WILLIAMS (P.), *La Vie politique sous la IVe République* (1971).

GOGUEL (F.), *Chroniques électorales, la IVe République* (1981).

RIOUX (J.P.), *La France de la IVe République* (1980-1983, 2 vol.).

CHARLOT (J.), *Le Gaullisme d'opposition, 1946-1958* (1983).

BECKER (J.J.), *Histoire politique de la France depuis 1945* (3e éd. en 1992).

D. La Cinquième République (1958-1995)

Quelques ouvrages sur la vie politique générale :

CHARLOT (J.), *L'Union pour la nouvelle République* (1967).

CHARLOT (J.), *Le Gaullisme* (1970).

CHAPSAL (J.), *La Vie politique sous la Ve République* (1981).

GOGUEL (F.), *Chroniques électorales* (1981-1983, 3 vol.).

PONCEYRI (R.), *Gaullisme électoral et Ve République, les élections en France depuis 1958 et la mutation du système politique* (1985, 2 vol.).

SCHONFELD (W.R.), *Ethnographie du PS et du RPR* (1985).

BRECHON (P.), DERVILLE (J.), LECOMTE (P.), *Les Cadres du RPR* (1987).

PORTELLI (H.), *La Politique en France sous la Ve République* (1987).

BERSTEIN (S.), *La France de l'expansion. La République gaullienne, 1958-1969* (1989).

MAYER (N.), PERRINEAU (P.) dir., *Le Front national à découvert* (1989).

YSMAL (C.), *Les Partis politiques sous la Ve République* (1989).

BORELLA (F.), *Les Partis politiques dans la France d'aujourd'hui* (1990).

PORTELLI (H.), *Le Parti socialiste* (1992).

DUHAMEL (O.), *La Gauche et la Ve République* (1993).

AVRIL (P.), *La Ve République* (1994).

Quelques travaux consacrés exclusivement aux événements parisiens :

EINAUDI (J.L.), *La Bataille de Paris, 17 octobre 1961* (1991).

PAPON (M.), *Les Chevaux du pouvoir : 1958-1967, le préfet de police du général de Gaulle ouvre ses dossiers* (1988, version du préfet de l'époque sur les événements).

DANSETTE (A.), *Mai 68* (1971).

GRIMAUD (M.), *En mai, fais ce qu'il te plaît* (1977, version du préfet de police sur mai 1968).

CAPDEVIELLE (J.), MOURIAUX (R.), *Mai 68, l'entre-deux de la modernité* (1988).

WEBER (H.), *Vingt ans après, que reste-t-il de 1968 ?* (1988).

JOFFRIN (L.), *Mai 1968, histoire des événements* (1988).

AMBROISE-RENDU (M.), *Paris-Chirac : prestige d'une ville, ambition d'un homme* (1987, la meilleure des biographies du maire de Paris).

Et, bien entendu, l'excellent :

NIVET (P.), *Le Conseil municipal de Paris de 1944 à 1977* (avec son irremplaçable bibliographie et l'énumération de ses sources d'archives).

CHAPITRE V

Administration et services publics

31. GÉNÉRALITÉS

C'est la Bibliothèque administrative de la Ville de Paris, à l'Hôtel de Ville, qui constitue le centre privilégié de recherches sur l'administration parisienne, avec ses collections de manuscrits, d'imprimés, de périodiques administratifs et historiques, ses fichiers de réglementation parisienne, de dépouillements de revues pour la documentation juridique, administrative, économique, sociale, politique, biographique. Les publications officielles et statistiques (§ 6) sont dépouillées et aisément consultables. Les Archives de Paris (§ 1 A) constituent le second lieu de travail, suivies par les Archives de la préfecture de police et de l'Assistance publique (§ 1 C). Les Archives nationales (§ 1 B) possèdent également des fonds d'autant plus précieux que la majeure partie des archives parisiennes a été anéantie dans l'incendie allumé par les Communards en mai 1871.

On peut citer deux colloques récents qui apportent d'importantes contributions à l'histoire de l'administration de la capitale :

— *Les Institutions parisiennes à la fin de l'Ancien Régime et sous la Révolution française*, colloque tenu à l'Hôtel de Ville, le 13 octobre 1989 (1989).

— *L'Administration de Paris, 1789-1977* (1979).

32. L'ÎLE-DE-FRANCE ET LA SEINE

A. Généralités

Le territoire dépendant administrativement de Paris sous l'Ancien Régime a varié fréquemment suivant les époques et selon les juridictions. On étudiera plus loin (§ 36 B), la prévôté et vicomté de Paris, assimilée à un bailliage, sous sa forme parisienne du prévôt royal du Palais et de son administration du Châtelet. Ces institutions régionales, le Parlement excepté, ont été assez négligées. Pour l'époque antérieure au XIIe siècle, on renvoie à :

LEVILLAIN (L.), «Les comtes de Paris à l'époque franque», dans *Le Moyen Âge*, 1941, p. 139-206.

LEMARIGNIER (J.F.), *Le Gouvernement royal aux premiers temps capétiens, 987-1108* (1965).

Pour les travaux généraux sur les circonscriptions administratives d'Ancien Régime, on se limite à :

LEMARIGNIER (J.F.), *La France médiévale, institutions et sociétés* (1970).

GUENÉE (B.), «La géographie administrative de la France à la fin du Moyen Âge : élections et bailliages», dans *Le Moyen Âge*, 67 (1961), p. 293-323 (contient une abondante bibliographie).

CAROLUS-BARRÉ (L.), «Les baillis de Philippe III le Hardi», dans *Annuaire-Bulletin de la Société de l'histoire de France*, 1966-1967, p. 109-244.

GUÉROUT (J.), «La question des territoires des bailliages royaux. L'exemple de la "prévôté et vicomté" de Paris (XIIIe-XVIIIe siècle)», dans *Actes du 100e congrès national des Sociétés savantes*, Paris, 1975, Section de philologie et d'histoire jusqu'à 1610, p. 7-18.

MAILLARD (F.), « L'extension de la prévôté de Paris et des châtellenies de l'Île-de-France au XIVᵉ siècle », dans *Actes du 100ᵉ congrès national des Sociétés savantes*, Paris, 1975, Section de philologie et d'histoire jusqu'à 1610, p. 19-58.

LAPEYRE (A.), « L'étendue de la vicomté de Paris au commencement du XIVᵉ siècle », dans *Revue de l'histoire de Versailles et de Seine-et-Oise*, 1935, p. 146-186.

Ne pas négliger des ouvrages plus anciens, comme :

DUPONT-FERRIER (G.), *Les Officiers royaux des bailliages et sénéchaussées et les institutions monarchiques locales en France à la fin du Moyen Âge* (1902).

BRETTE (A.), *Atlas des bailliages ou juridictions assimilées ayant formé une unité électorale en 1789...* (1904).

DELISLE (L.), *Chronologie des baillis et sénéchaux royaux depuis les origines jusqu'à l'avènement de Philippe de Valois* (1904).

DUPONT-FERRIER (G.), *Gallia regia, ou État des officiers royaux des bailliages et sénéchaussées de 1328 à 1515...* (1942-1966, prévôté et vicomté de Paris au tome 4, p. 290-408, 7 vol. au total).

B. Le gouverneur

L'Île-de-France et Paris possédaient un gouverneur aux attributions militaires, grand personnage qui semble avoir exercé un rôle surtout honorifique. La liste de ces grands personnages figure à la fin du vol. 1 de l'*Almanach de Paris* (§ 22, « Chronologie »). La bibliographie du sujet est inexistante. Citons seulement :

LONGNON (A.), « L'Île-de-France, son origine, ses limites, ses gouverneurs », dans *Mémoires de la Société de l'histoire de Paris et de l'Île-de-France*, 1 (1874), p. 1-43.

C. L'intendant

Les intendants apparaissent progressivement vers le milieu du XVIᵉ siècle, d'abord à titre temporaire, comme représentants de l'administration fiscale et financière. Leur circonscription, la généralité de Paris, est divisée en élections. Une excellente synthèse avec d'abondantes notes bibliographiques a été établie par :

MARTIN (F.), « L'intendance de Paris », p. 29-58 de *Les Institutions parisiennes à la fin de l'Ancien Régime et sous la Révolution française*, colloque tenu à l'Hôtel de Ville, le 13 octobre 1989 (1989).

La cartographie des généralités a été dressée récemment :

ARBELLOT (G.), GOUBERT (J.P.), MALLET (J.), PALAZOT (Y.), *Carte des généralités, subdélégations et élections en France à la veille de la Révolution* (1986, qui contient une bonne bibliographie).

Il faut aussi signaler une très bonne carte de l'élection de Paris en 1758, due à J.M. Moriceau et reproduite dans :

GUÉROUT (J.), *Rôles de la taille de l'élection de Paris conservés aux Archives nationales* (1981).

Des études plus anciennes méritent d'être consultées :

DANCOSSE (C.), *La Généralité de Paris divisée en ses vingt-deux élections, ...* (1710).

BOISLISLE (A. DE), «Les intendants de la généralité de Paris», dans *Mémoires de la Société de l'histoire de Paris et de l'Île-de-France*, 7 (1880), p. 271-298.

BOISLISLE (A. DE), *Mémoires des intendants sur l'état des généralités*, tome 1, Paris (1881).

HANOTAUX (G.), *Origines de l'institution des intendants des provinces d'après des documents inédits* (1884).

ARDASCHEFF (P.), *Les Intendants de province sous Louis XVI* (1909).

DELAUME (G.), *Le Bureau des finances de la généralité de Paris* (1966; antérieurs aux intendants, les trésoriers des finances finiront par leur être subordonnés).

GRUDER (V.R.), *The Royal Provincial Intendants, a governing elite in eighteenth century France* (1968, importante bibliographie).

BLUCHE (F.), «Les officiers du Bureau des finances de Paris au XVIIIe siècle, 1693-1791», dans *Bulletin de la Société de l'histoire de Paris et de l'Île-de-France*, 1970, p. 147-215.

PETRACCHI (A.), *Intendenti e prefetti. L'intendente provinciale nella Francia d'Antico Regime* (1971, pour l'époque des origines, 1551-1648).

BLUCHE (F.), «Le personnel de l'élection de Paris, 1715-1791», dans *Paris et Île-de-France*, 26-27 (1975-1976), p. 321-373.

SMEDLEY-WEILL (A.), *Archives nationales. Correspondance des intendants avec le contrôleur général des Finances, 1677-1689 : naissance d'une administration, sous-série G 7, inventaire analytique* (tome 3, 1991, p. 352-413, généralité de Paris entre 1681-1689).

L'intendant de Paris n'a pas de résidence officielle et héberge ses bureaux à son domicile :

MARTIN (F.), «L'habitat parisien des Bertier de Sauvigny, intendants de Paris au XVIIIe siècle», dans *Bulletin de la Société de l'histoire de Paris et de l'Île-de-France*, 1974-1975, p. 109-129.

D. Le Parlement

Le ressort du parlement de Paris couvrait près de la moitié du royaume et il exerçait une influence prépondérante au point de vue politique comme pour la jurisprudence sur les autres institutions de province. Le parlement de Paris doit donc être considéré davantage comme une institution nationale que comme une administration parisienne ou d'Île-de-France. Dans l'énorme bibliographie du sujet, on ne retiendra que l'essentiel. En premier lieu des guides sur ses immenses archives, leur composition et le fonctionnement général de l'institution :

— *Guide des recherches dans les fonds judiciaires de l'Ancien Régime* (1958).

AUBRY (M.T.), LANGLOIS (M.), REYDELLET (C.), «Les parlements de France et leurs archives», dans *Gazette des archives*, 125-126 (1989), p. 125-143.

— «Fonds judiciaires et recherche historique», dans *Gazette des archives*, 158-159 (1992), p. 181-290.

• Principaux inventaires :

CAMPARDON (E.), *Répertoire numérique des archives du parlement de Paris, série X* (1889, réimpression avec mise à jour en 1977).

Il faut signaler que la série U contient une table alphabétique des matières des olim et des registres du Conseil du Parlement, plus de cinq cents volumes d'extraits, etc. La série V possède les lettres de provisions d'offices des membres du Parlement.

Doivent être consultés :

STEIN (H.), *Inventaire analytique des ordonnances enregistrées au parlement de Paris jusqu'à la mort de Louis XII* (1908).

MEURGEY (J.), *Une table des olim et des registres du Conseil du parlement de Paris, composée par l'avocat Vincent au début du XVIIIe siècle* (1929).

DILLAY (M.), «Les "registres secrets" des chambres des enquêtes et des requêtes du parlement de Paris», dans *Bibliothèque de l'École des chartes*, 108 (1949-1950), p. 75-123.

• Publications de documents dans l'ordre chronologique des époques traitées :

BOUTARIC (E.), *Actes du parlement de Paris,* 1re série, 1254-1328 (1863-1867, 2 vol.).

FURGEOT (H.), *Actes du parlement de Paris,* 2e série, 1328-1350 (1920-1975, 3 vol.).

LABAT-POUSSIN (B.), LANGLOIS (M.), LANHERS (Y.), *Actes du parlement de Paris. Parlement criminel. Règne de Philippe VI de Valois. Inventaire analytique des registres X2A 2 à 5* (1987).

LANGLOIS (C.V.), *Textes relatifs à l'histoire du parlement de Paris depuis les origines jusqu'en 1314* (1888).

— *Confessions et jugements de criminels au parlement de Paris, 1319-1350* (1971, éd. par M. Langlois et Y. Lanhers).

TIMBAL (P.C.) dir., *La Guerre de Cent Ans à travers les registres du parlement, 1337-1369* (1961).

CLÉMENCET (S.), FRANÇOIS (M.), *Lettres reçues et envoyées par le parlement de Paris, 1376-1596. Inventaire analytique* (1961).

TUETEY (A.), *Testaments enregistrés au parlement de Paris sous le règne de Charles VI* (1880).

— *Journal des principales audiences du Parlement, avec les arrêts qui y ont été rendus...* (1757, 7 vol. pour 1622-1722).

FLAMMERMONT (J.), *Remontrances du parlement de Paris au XVIIIe siècle* (1888-1898, 3 vol.).

• Le ressort du Parlement :

— *Dictionnaire des paroisses du ressort du parlement de Paris* (1776).

• La jurisprudence du Parlement :

AUBERT (F.), «Les requêtes du Palais (XIIIe-XVIe siècle). Style des requêtes du Palais au XVe siècle», dans *Bibliothèque de l'École des chartes*, 69 (1908), p. 581-642.

DU BREUIL (G.), *Stilus curie Parlamenti.* Nouvelle éd. critique par F. Aubert (1909).

• L'histoire du Parlement a été largement étudiée. On trouve ici un choix des principales publications, classées dans l'ordre chronologique des époques concernées :

DUCOUDRAY (G.), *Les Origines du parlement de Paris et la justice aux XIIIe et XIVe siècles* (1902).

AUBERT (F.), *Histoire du parlement de Paris de l'origine à François Ier, 1250-1515* (1894, 2 vol.).

AUBERT (F.), « Nouvelles recherches sur le parlement de Paris. Période d'organisation », dans *Nouvelle Revue historique de droit français et étranger*, 39 (1916), p. 62-109 et 229-290.

AUBERT (F.), *Le Parlement de Paris de Philippe le Bel à Charles VII* (1890).

MAUGIS (E.), *Histoire du parlement de Paris de l'avènement des rois Valois à la mort d'Henri IV* (1913-1916, 3 vol.).

GLASSON (E.), *Le Parlement de Paris, son rôle politique depuis le règne de Charles VII jusqu'à la Révolution* (1901, 2 vol.).

AUBERT (F.), « Le parlement et la ville de Paris au XVIe siècle », dans *Revue des études historiques*, 1905, p. 225-247, 337-357, 453-487.

AUBERT (F.), « Le parlement de Paris au XVIe siècle », dans *Nouvelle revue historique de droit français et étranger*, 1905-1906.

AUBERT (F.), « Recherches sur l'organisation du parlement de Paris au XVIe siècle », dans *Nouvelle revue historique de droit français et étranger*, 1912.

GUÉRIN (P.), « Délibérations politiques du parlement et arrêts criminels au milieu de la première guerre de religion, 1562 », dans *Mémoires de la Société de l'histoire de Paris et de l'Île-de-France*, 40 (1913), p. 1-116.

MOOTE (A.L.), *The Revolt of the judges : the parlement of Paris and the Fronde, 1643-1652* (1971).

HAMSCHER (A.N.), *The Parlement of Paris after the Fronde, 1653-1673* (1976).

HARDY (J.D.), *Judicial politics in the Old Regime. The parlement of Paris during the Regency* (1967).

ANDREWS (R.M.), *Law, magistrature and crime. Old Regime Paris, 1735-1789* (1994).

ROGISTER (J.), *Louis XV and the Parlement of Paris, 1737-1755* (1995).

VILLERS (R.), *L'Organisation du parlement de Paris et des conseils supérieurs d'après la réforme de Maupeou, 1771-1774* (1937).

LAFON (J.), « La fin du parlement de Paris », p. 229-246 d'*Études d'histoire du droit parisien* (1976).

STONE (B.), *The Parlement of Paris, 1774-1789* (1981).

SHENNAN (J.H.), *The Parlement of Paris* (1968, synthèse des origines à 1789, bonne bibliographie).

• L'attitude du Parlement à l'égard de la sorcellerie :

MANDROU (R.), *Magistrats et sorciers en France au XVIIe siècle. Une analyse de psychologie historique* (1968).

SOMAN (A.), *Sorcellerie et justice criminelle. Le parlement de Paris, XVIe-XVIIIe siècle* (1992).

• Le personnel du Parlement :

AUTRAND (F.), *Naissance d'un grand corps de l'État : les gens du parlement de Paris, 1345-1454* (1981).

BLUCHE (F.), « L'origine des magistrats du parlement de Paris au XVIIIe siècle », dans *Paris et Île-de-France*, 5-6 (1953-1954), p. 7-412.

BLUCHE (F.), *Les Magistrats au parlement de Paris au XVIIIe siècle, 1715-1771* (1960 ; nouvelle éd. augmentée en 1986).

FÉLIX (J.), *Les Magistrats du parlement de Paris, 1771-1790* (1990).

DELACHENAL (R.), *Histoire des avocats au parlement de Paris, 1300-1600* (1885).

CHAVANON (J.), «A travers le Palais de Justice. Grève d'avocats sous Henri IV», dans *La Cité*, 5 (1910), p. 169-180.

POIROT (A.), *Le Milieu socio-professionnel des avocats du parlement de Paris à la veille de la Révolution, 1760-1790* (1977, 2 vol.).

KOENIG (L.), *La Communauté des procureurs au parlement de Paris aux xviie et xviiie siècles* (1937).

FABRE (A.), *Les Clercs du Palais, recherches historiques sur les bazoches des parlements...* (1875).

E. Le préfet de la Seine

Devenu préfet de Paris en 1964, le préfet de la Seine est, depuis 1800, le représentant du pouvoir central dans la capitale, à côté du préfet de police (§ 36).

Son rôle parisien étant beaucoup plus important que sa fonction dans les communes de la Seine, on l'évoquera à propos de la ville (§ 33 D). Rappelons ici la brillante synthèse biographique de :

CASSELLE (P.), *Les Préfets de la Seine et les préfets de Paris, 1800-1977* (1977).

F. Le Conseil général

Se reporter aux paragraphes 6 B pour les publications officielles et 33 F pour les biographies de conseillers généraux. La plupart des textes ayant trait au Conseil général sont mêlés à ceux qui étudient le Conseil municipal ; ils figureront donc aux paragraphes 33 A et F. On ne trouvera ici que quelques titres consacrés spécialement à l'institution du Conseil général :

LANFANT (H.), *Le Conseil général de la Seine, 1791-1902. Lois, décrets, rapports officiels et documents divers relatifs à l'organisation et aux attributions de l'assemblée départementale...* (1903).

— Conseil général de la Seine, *Catalogue des rapports et propositions imprimés et table par ordre alphabétique des noms d'auteurs* (1923-1941, 3 vol. pour l'époque 1875-1940).

ROUSSIER (M.), *Le Conseil général de la Seine sous le Consulat* (1960).

G. La région parisienne et l'Île-de-France

Créée en 1964, la région parisienne est devenue l'Île-de-France. La bibliographie sur la région est énorme et émane des institutions, assemblées et administrations régionales ainsi que de l'Institut d'aménagement et d'urbanisme de la région d'Île-de-France (IAURIF). Quelques titres seulement sont retenus ici :

— *Les Problèmes administratifs de la région parisienne*, table ronde de l'Association française de science politique, 29-30 avril 1966 (1966).

VAUJOUR (J.), *Le Plus Grand Paris. L'avenir de la région parisienne et ses problèmes complexes* (1970).

— *Paroisses et communes de France. Dictionnaire d'histoire administrative et démographique. Région parisienne* (1974).

FRANC (M.), *Les Institutions de la région parisienne : du district à l'Île-de-France* (1977).

— «Les circonscriptions administratives dans Paris et l'Île-de-France», n° 10 (1985) des *Cahiers du CREPIF*, p. 115-231.

GIRAUD (M.), *Notre Île-de-France, région capitale* (1985).

— *Bilan de la mandature 1982-1988*, par le Comité économique et social de la région d'Île-de-France (1988).

— *L'Île-de-France, un nouveau territoire* (1989).

— *L'Île-de-France au futur. Esquisse du nouveau schéma directeur de l'Île-de-France*, par la préfecture de région (1991).

ZYLBERBERG (L.), *De la région de Paris à l'Île-de-France, construction d'un espace politique* (1992, thèse de doctorat sur microfiches).

33. LA MUNICIPALITÉ

Le prévôt royal de Paris et le préfet de police sont traités aux paragraphes 36 B et D, dans la section consacrée au maintien de l'ordre.

A. Généralités

On évoque successivement les ouvrages d'histoire générale, puis par époque, enfin les lois et règlements.

• D'abord un dictionnaire et quelques travaux fondamentaux :

LAZARE (F. et L.), *Dictionnaire administratif et historique des rues et monuments de Paris* (1844-1849, 2ᵉ éd. en 2 vol. en 1855, 3ᵉ éd. en 1879 ébauchée jusqu'à la lettre B, réimpression de la 2ᵉ éd. sous la direction de M. FLEURY en 1994).

LAZARE (L.), *Bibliothèque municipale. Paris et son administration ancienne et moderne. Études historiques et administratives* (1856).

RITTIEZ (F.), *L'Hôtel de Ville et la bourgeoisie de Paris. Origines, mœurs, coutumes et institutions municipales, depuis les temps les plus reculés jusqu'à 1789* (1862).

FÉLIX (M.), *Le Régime administratif du département de la Seine et de la Ville de Paris* (1922, plusieurs éd. augmentées, la dernière en 1957-1959 en 4 vol., par P. BEAUSSIER, F. DEBIDOUR, E. LAPARRA, et d'autres).

MONNIER (F.), «Tableau de l'administration parisienne d'Ancien Régime», dans *Bulletin de la Société de l'histoire de Paris et de l'Île-de-France*, 1989, p. 29-93.

MONNIER (F.), « Vision d'ensemble de l'administration parisienne d'Ancien Régime», p. 123-143 de *Les Institutions parisiennes à la fin de l'Ancien Régime et sous la Révolution française*, colloque tenu à l'Hôtel de Ville, le 13 octobre 1989 (1989).

GAY (J.), «Les institutions parisiennes à la fin de l'Ancien Régime», p. 87-122 de *Les Institutions parisiennes à la fin de l'Ancien Régime et sous la Révolution française*, colloque tenu à l'Hôtel de Ville, le 13 octobre 1989 (1989).

TULARD (J.), «Liberté ou tutelle de l'État? Le débat autour du statut administratif de Paris, 1789-1889», dans *L'Administration de Paris, 1789-1977* (1977), p. 33-41.

ESPEZEL (P. D'), *Histoire administrative et municipale de Paris et du département de la Seine de 1789 à nos jours* (1958).

• Histoire par époques :

LECARON (F.), «Les origines de la municipalité parisienne», dans *Mémoires de la Société de l'histoire de Paris et de l'Île-de-France*, 7 (1880), p. 79-171 ; 8 (1881), p. 161-272.

ROBIQUET (P.), *Histoire municipale de Paris depuis les origines jusqu'à l'avènement de Henri III* (1880).

PICARDA (E.), *Les Marchands de l'eau. Hanse parisienne et compagnie française* (1901).

VIDIER (A.), «Les origines de la municipalité parisienne», dans *Mémoires de la Société de l'histoire de Paris et de l'Île-de-France*, 49 (1927), p. 250-291.

HUISMAN (G.), *La Juridiction de la municipalité parisienne de saint Louis à Charles VII* (1912).

VIARD (J.), *L'Échevinage parisien et la royauté sous Philippe VI de Valois* (1913).

AUBERT (F.), «Le parlement et la ville de Paris au XVIe siècle», dans *Revue des études historiques*, 1905, p. 225-247, 337-357, 453-487.

DESCIMON (R.), «Les assemblées de l'Hôtel de Ville de Paris (mi-XVIe-mi-XVIIIe siècle)», p. 39-54 de *L'Administration locale en Île-de-France*, tome 38 (1987) de *Paris et Île-de-France*.

ROBIQUET (P.), *Paris et la Ligue sous le règne de Henri III. Études d'histoire municipale et politique* (1886).

MOUSNIER (R.), «Les structures administratives, sociales, révolutionnaires de Paris au temps de la seconde Ligue, 1585-1594», dans Jones (M.T.), *Les Cités au temps de la Renaissance* (1977).

ROBIQUET (P.), *Histoire municipale de Paris. Règne de Henri IV* (1904).

CARSALADE DU PONT (H. DE), *La Municipalité parisienne à l'époque d'Henri IV* (1971).

MAGNE (E.), *Paris sous l'échevinat au XVIIe siècle* (1960).

CASTELNAU (J.T. DE), *Le Paris de Louis XIII, 1610-1643* (1928).

BORDES (M.), *L'Administration provinciale et municipale en France au XVIIIe siècle* (1972).

GAY (J.L.), «L'administration de la capitale entre 1770 et 1789. La tutelle de la royauté et ses limites», dans *Paris et Île-de-France*, 8 (1956), p. 299-370 ; 9 (1957-1958), p. 283-363 ; 10 (1959), p. 181-247 ; 11 (1960), p. 363-403 ; 12 (1961), p. 135-218.

— *Les Institutions parisiennes à la fin de l'Ancien Régime et sous la Révolution française*, colloque tenu à l'Hôtel de Ville, le 13 octobre 1989 (1989).

MONIN (H.), *L'État de Paris en 1789. Études et documents sur l'Ancien Régime à Paris* (1889).

— *L'Administration de Paris, 1789-1977*, actes du colloque tenu au Conseil d'État, le 6 mai 1978 (1979).

SAUTEL (G.), «Les institutions parisiennes sous la Révolution française», p. 145-177 de *Les Institutions parisiennes à la fin de l'Ancien Régime et sous la Révolution française*, colloque tenu à l'Hôtel de Ville, le 13 octobre 1989 (1989).

MELLIÉ (E.), *Les Sections de Paris pendant la Révolution française (21 mai 1790-19 vendémiaire an IV). Organisation, fonctionnement, ...* (1898).

LACROIX (S.), *Le Département de Paris et de la Seine pendant la Révolution (février 1791-ventôse an VIII)* (1904).

BRAESCH (F.), *La Commune du 10 août 1792. Étude sur l'histoire de Paris du 10 juin au 2 décembre 1792* (1911).

GARRIGUES (G.), *Les Districts de Paris pendant la Révolution française* (1931).

BOULOISEAU (M.), «Les comités de surveillance d'arrondissement de Paris sous la réaction thermidorienne», dans *Annales historiques de la Révolution française*, 1933, p. 317-337 et 441-453 ; 1934, p. 233-249 ; 1936, p. 42-60 et 204-217.

EUDE (M.), *Études sur la Commune robespierriste* (1937).

GARDIE (A.), *La Commune de Paris, 10 août 1792-9 thermidor an II* (1940).

CALVET (H.), *Un instrument de la Terreur à Paris : le Comité de salut public ou de surveillance du département de Paris, 8 juin 1793-21 messidor an II* (1941).

SAINTE-CLAIRE DEVILLE (P.), *La Commune de l'an II* (1946).

DES CILLEULS (A.), *Histoire de l'administration parisienne au XIXe siècle* (1900, 3 vol.).

TULARD (J.), *Paris et son administration, 1800-1830* (1976).

SAY (H.E.), *Études sur l'administration de la ville de Paris et du département de la Seine* (1846).

LAZARE (L.), *Publications administratives* (1862-1868, 12 vol.).

LAZARE (L.), *Bibliothèque municipale. Paris, son administration ancienne et moderne. Études historiques et administratives* (1856).

LAZARE (L.), *La France et Paris* (1872).

DES CILLEULS (A.), *L'Administration parisienne sous la Troisième République* (1910).

BLOCK (M.), PONTICH (H. DE) dir., *Administration de la ville de Paris et du département de la Seine* (1884).

ARTIGUES (G.), *Du régime municipal de Paris* (1898).

LAVALLÉE (A.), «Le régime administratif du département de la Seine et de la Ville de Paris» (1901, extrait de la *Revue générale d'administration*).

MARTIN (L.), *Encyclopédie municipale de la Ville de Paris* (1904, 2 vol.).

MAÎTRE (E.), *Organisation municipale de Paris* (1909).

RAYMOND-LAURENT, *Paris et sa vie municipale. Vers le plus grand Paris* (1931, nouvelle éd. en 1937).

LEGARET (J.), *Le Statut de Paris* (1956-1959, 2 vol.).

GRIOTTERAY (A.), *L'État contre Paris* (1962).

CORNU (M.), *La Conquête de Paris* (1972).

ÉTIENNE (M.), *Le Statut de Paris* (1975).

DOUBLET (M.), *Paris en procès* (1976).

GOYARD (C.), «Le statut actuel de Paris : analyse juridique», dans *L'Administration de Paris, 1789-1977* (1979), p. 11-32.

CHARDON (B.), *Gouverner les villes géantes. Paris, Londres, New York* (1983).

BERTRAND (M.J.), «Les principes des découpages administratifs actuels dans Paris», dans *Cahiers du CREPIF*, 10 (1985), p. 145-184.

RENAUD (J.P.), *Paris, un État dans l'État ?* (1993).

• La législation et la réglementation concernant Paris sont abondantes et anciennes :

— *Ordonnances de la prévosté des marchans et eschevinaige de la ville de Paris* (1501).

— *Ordonnances royaulx de la juridicion de la prévosté des marchans et eschevinaige de la Ville de Paris...* (1528, autres éd. en 1556, 1582, 1595, 1608, 1620, 1644).

CHARAVAY (E.) éd., *Assemblée électorale de Paris... Procès-verbaux de l'élection...* (1890-1905, 3 vol. pour 1789-1793).

LACROIX (S.) éd., *Actes de la Commune de Paris pendant la Révolution* (1894-1914, séries de 7 et 8 vol. pour 1789-1792, 3 vol. d'index parus en 1899, 1920, 1955).

TOURNEUX (M.) éd., *Procès-verbaux de la Commune de Paris, 10 août 1792-1er juin 1793* (1894).

KAREIEV (N.I.) éd., *Documents inédits sur l'histoire des sections de Paris* (1912).

SOBOUL (A.), *Les Papiers des sections de Paris (1790-an IV). Répertoire sommaire* (1950).

LE BERQUIER (J.), *La Commune de Paris. Limites et organisation nouvelle...* (1860).

LE BERQUIER (J.), *Administration de la Commune de Paris et du département de la Seine, ou traité pratique des lois et règlements qui régissent à Paris et dans le département de la Seine l'administration municipale et l'administration générale, la police, le commerce...* (1861).

— *Ville de Paris. Organisation municipale et départementale. Législation antérieure et législation actuelle* (1870, publication du ministère de l'Intérieur de l'Empire).

BOURGIN (G.), HENRIOT (G.) éd., *Procès-Verbaux de la Commune de 1871* (1924-1945, 2 vol.).

— *Les 31 Séances officielles de la Commune de Paris* (1871, réimpression en 1970).

— *Recueil de lois et décrets sur l'administration communale et départementale, comprenant les textes spéciaux à l'administration de la ville de Paris et du département de la Seine* (1881, éd. mises à jour en 1885, 1888, 1893, 1904, compilées par A. SOUVIRON et H. DE PONTICH).

— *Recueil des lois, ordonnances, décrets et règlements relatifs aux alignements, à l'expropriation pour cause d'utilité publique spécialement dans les voies de Paris*, dressé sous la direction d'A. ALPHAND par A. DEVILLE et L. REZ (1886).

— *Recueil des règlements concernant le service des alignements et des logements insalubres dans la Ville de Paris*, dressé sous la dir. d'A. ALPHAND par G. JOURDAN (1887).

— *Ville de Paris. Recueil des lettres patentes, ordonnances royales, décrets et arrêtés préfectoraux concernant les voies publiques*, publié sous la dir. d'A. ALPHAND par A. DEVILLE et E. HOCHEREAU (1886, 2 suppléments en 1889 et 1902).

— *Archives de la Seine. Fonds des mairies des douze anciens arrondissements municipaux de Paris. Inventaire des lois, décrets, ordonnances royales, arrêtés, ... depuis la réorganisation administrative de l'an VIII jusqu'au 31 décembre 1859* (1896).

MASSAT (P.), *Manuel de la législation administrative spéciale à la ville de Paris et au département de la Seine...* (1901).

— *Catalogue des rapports et propositions imprimés et table par ordre alphabétique des noms d'auteurs*, publié par le Conseil municipal (1915-1941, 5 tomes en 2 vol. pour 1871-1940).

Dans la masse des publications administratives actuelles, on retiendra :

— *Organisation et attributions des services du département de la Seine et de la Ville de Paris*, paraissant depuis 1924.

DAUPHIN-MEUNIER (M.C.), *Guide des services préfectoraux de la Seine. Préfecture de la Seine. Préfecture de police. Assistance publique. Crédit municipal* (1960).

— *Préfecture de Paris. Annuaire administratif*, paraissant depuis 1966.

— *Mairie de Paris. Direction de l'administration générale. La Ville en organigrammes* (1987).

Les publications officielles du Conseil municipal, du Conseil général, des préfectures de police et de la Seine puis de Paris sont recensées sommairement au paragraphe 6. On trouve une liste des centres de documentation de l'administration dans :

— *Guide des centres d'information et de documentation des administrations. Paris et Île-de-France*, publié par la Documentation française (1982).

B. Le prévôt des marchands

La liste des prévôts des marchands figure dans la partie « Dictionnaire » de ce livre. Une vingtaine d'entre eux ont fait l'objet de biographies détaillées, le plus étudié étant, bien sûr, Étienne Marcel. On se limite ici à quelques ouvrages consacrés à des prévôts ayant joué un rôle important :

TISSERAND (L.M.), *Étienne Marcel, prévôt des marchands, 1354-1358* (1874, précédé d'une introduction sur les prévôts antérieurs à Étienne Marcel).

AVOUT (J. D'), *31 juillet 1358, le meurtre d'Étienne Marcel* (1960).

CAZELLES (R.), *Étienne Marcel, champion de l'unité française* (1984).

BATIFFOL (L.), *Jean Jouvenel, prévôt des marchands de la ville de Paris, 1360-1431* (1894 ; il fut garde de la prévôté en 1389 et non prévôt).

MOUTON (L.), *La Vie municipale au XVIᵉ siècle : Claude Marcel, prévôt des marchands* (1930).

MICHAUD (C.), « Claude Marcel, prévôt des marchands et receveur du clergé », p. 295-320 de *Études européennes. Mélanges offerts à Victor-Lucien Tapié* (1973).

MIRON DE L'ESPINAY (A.), *François Miron et l'administration municipale de Paris sous Henri IV de 1604 à 1606* (1885).

TRUDON DES ORMES (A.), « Notes sur les prévôts des marchands et échevins de la ville de Paris au XVIIIᵉ siècle », dans *Mémoires de la Société de l'histoire de Paris et de l'Île-de-France*, 38 (1911), p. 107-223.

C. Le Bureau de la Ville

On dispose d'une belle série de publications des délibérations du Bureau de la Ville :

— *Registres des délibérations du Bureau de la Ville*, publiés par le Service historique (commencé en 1883, 20 vol. publiés allant de 1499 à 1632).

— *Registres de l'Hôtel de Ville de Paris pendant la Fronde, 1648-1652*, éd. par H. LE ROUX DE LINCY et L. DOUËT D'ARCQ (1846-1848, 3 vol.).

— *Registres des délibérations du Bureau de la Ville de Paris, 1789-1790*, éd. par M. BIMBENET-PRIVAT et O. KRAKOVITCH (1990).

BIMBENET-PRIVAT (M.), *L'Administration parisienne à la veille de la Révolution. Délibérations du Bureau de la Ville de Paris, 1784-1790. Inventaire des minutes H 1954 à 1961* (1989).

Sur l'échevinage au sens large :

PICOT (G.), «Recherches sur les quartiniers et dixainiers de la ville de Paris», dans *Mémoires de la Société de l'histoire de Paris et de l'Île-de-France*, 1 (1875), p. 132-166.

VIARD (J.), *L'Échevinage parisien et la royauté sous Philippe VI de Valois* (1913).

MAGNE (E.), *Paris sous l'échevinage au XVIIe siècle* (1960).

DIEFENDORF (B.), *Paris city councillors in the sixteenth century : the politics of patrimony* (1983).

DESCIMON (R.), «Les assemblées de l'Hôtel de Ville de Paris, mi-XVIe, mi-XVIIe siècle», dans *Paris et Île-de-France*, 38 (1987), p. 39-54.

D. Le préfet de la Seine et de Paris

Le préfet de la Seine, de Paris à partir de 1964, est le représentant du pouvoir central dans la capitale avec le préfet de police (§ 36 D). On dispose d'une précieuse étude d'ensemble, donnant une excellente bibliographie :

CASSELLE (P.), *Les Préfets de la Seine et les préfets de Paris, 1800-1977...* (1977, publié par la Bibliothèque administrative).

On trouvera dans les généralités (§ 33 A) tous les éléments nécessaires sur le rôle et l'histoire de la préfecture.

La liste des préfets figure dans la partie «Dictionnaire». Il existe quelques biographies plus ou moins détaillées. On retient ici les meilleures :

PASSY (L.C.P.), *Histoire administrative (1789-1815). Frochot, préfet de la Seine* (1868).

LAMEYRE (G.), *Haussmann, préfet de Paris* (1958).

— *L'Œuvre du baron Haussmann, préfet de la Seine, 1853-1870* (1954).

MALET (H.), *Le Baron Haussmann et la rénovation de Paris* (1973).

DES CARS (J.), PINON (P.), *Paris-Haussmann, «le pari d'Haussmann»* (1991).

Et les mémoires de :

RAMBUTEAU (C. DE), *Mémoires du comte de Rambuteau*, publiés par son petit-fils (1905).

HAUSSMANN (G.E.), *Mémoires* (1890-1893, 3 vol.).

Pour le XXe siècle, on peut retenir les Mémoires du préfet entre 1925 et 1929 :

BOUJU (P.), *Quarante Mois à l'Hôtel de Ville* (1930).

Sur les attributions, les services et les locaux de la préfecture de la Seine, consulter :

MAGNE DE La LONDE (E.), *Les Attributions du préfet de la Seine* (1902).

— *Monographies des services départementaux. Cabinet du préfet. Personnel. Beaux-Arts. Secrétariat général. Secrétariat du Conseil général. Service du matériel. Affaires départementales. Enseignement. Aliénés. Finances. Enfants assistés* (1906, publication du Conseil général couvrant près de 1 000 pages).

BARROUX (M.), «L'hôtel de l'administration départementale de la Seine, de 1791 à 1803», dans *Bulletin de la Société de l'histoire de Paris et de l'Île-de-France*, 32 (1905), p. 39-56.

La Bibliothèque administrative tient à jour le manuscrit de l'«Historique des services» de la préfecture de la Seine.

E. Le maire

On trouvera le rôle du maire dans les généralités (§ 33 A). Il existe une brève mais excellente nomenclature historique dans :

CASSELLE (P.), *Les Maires de Paris* (1977, publication de la Bibliothèque administrative qui donne des notices biobibliographiques des maires entre 1789 et 1871).

Les maires ont été peu étudiés, sauf le premier, Bailly, qui a laissé des Mémoires :

BAILLY (J.S.), *Mémoires de Bailly...* (1821-1823, 3 vol.).

DELISLE DE SALES (J.B.C.), *Sylvain Bailly, maire de Paris et membre de ses trois académies...* (1809).

ARAGO (F.), *Biographie de Jean-Sylvain Bailly...* (1852).

NOURRISSON (J.F.), *Bailly* (1876).

FERNAND-LAURENT, *Jean-Sylvain Bailly, premier maire de Paris* (1927).

BRUCKER (G.A.), *Jean-Sylvain Bailly, revolutionary mayor of Paris* (1950).

SMITH (E.B.), « Jean-Sylvain Bailly, astronomer, mystic, revolutionary, 1736-1793 », dans *Transactions of the American philosophical society*, 44 (1954), p. 427-538.

MARTIN-SALHORGNE (J.), « Un Haut-Marnais, maire de Paris sous la Convention, le docteur Nicolas Chambon de Montaux », dans *Cahiers haut-marnais*, 68-69 (1962), p. 1-46.

FOURNERON (I.), *Pache, maire de Paris, et l'administration des subsistances (février-septembre 1793)* (1991, mémoire de maîtrise cité en l'absence de tout travail imprimé de qualité sur ce maire).

Jacques Chirac a fait l'objet d'une abondante littérature, le plus souvent très médiocre, versant dans l'hagiographie ou le dénigrement systématique. On n'en retiendra que :

AMBROISE-RENDU (M.), *Paris-Chirac : prestige d'une ville, ambition d'un homme* (1987).

GIESBERT (F.O.), *Jacques Chirac* (1987).

LIFFRAN (H.), *Les Paris de Chirac* (1988).

HAEGEL (F.), *Un maire à Paris. Mise en scène d'un nouveau rôle politique* (1994).

F. Le conseil municipal

On dispose d'un certain nombre de publications, sortes de « trombinoscopes » des conseillers municipaux, se résumant souvent à un portrait photographique et à une brève notice biographique. A. FIERRO, dans *Bibliographie analytique des biographies collectives imprimées de la France contemporaine* (§ 8 B), et P. NIVET, dans *Le Conseil municipal de Paris de 1944 à 1977* (1994), mentionnent les moins mauvaises, notamment :

PARIA (A.), *Les Élus du département de la Seine. Le Conseil général, le Conseil municipal de Paris...* (1872).

PÉTROT (A.), *Les Conseillers municipaux de Paris et les conseillers généraux de la Seine. Biographies* (1876).

LA BARRIÈRE (C. DE), MOCQUANT (L.), *Le Nouveau Conseil municipal de Paris. Biographies et programmes des 80 conseillers municipaux élus en mai 1884* (1884).

BLOCH (L.), *Conseillers et maires de la Seine, biographies des conseillers municipaux* (1889).

— *Le Conseil municipal. Nos édiles. Annuaire illustré municipal et administratif de la ville de Paris et du département de la Seine* (a paru de 1895 à 1941).

RENAULT (G.), GUITTARD (P.), *Édilité parisienne. Portraits et biographies des 80 conseillers municipaux de Paris* (1904).

— Paris, Commission des travaux historiques, sous-commission de recherches d'histoire municipale contemporaine, *Notes biographiques sur les membres des assemblées municipales parisiennes et des conseils généraux de la Seine de 1800 à nos jours...*, première partie, *1800-1871. Notices provisoires sur les conseillers municipaux de Paris, les conseillers généraux de la Seine, les membres de la Commission municipale et départementale (1800-1870) et les membres de la Commune de 1871,* deuxième partie, *Conseillers municipaux et généraux. 1871-1956* (1957, 2 vol.).

— *Le Conseil municipal de Paris* (publication à feuillets mobiles ayant débuté en 1959).

— *Ville de Paris. Notices de Mmes et MM. les conseillers municipaux de Paris, les conseillers généraux de la Seine, suivis des services des préfectures de la Seine et de police* (1960, nouvelle éd. en 1965).

PRONTEAU (J.), *Notices biographiques de Henri Cardin, Jean-Baptiste d'Aguesseau, Louis Joseph Charles Amable d'Albert de Luynes, Étienne Jean François Charles d'Aligre, Gabriel Thomas Marie d'Arjuzon...* (1960).

— *Dictionnaire biographique du Conseil municipal de Paris et du Conseil général de la Seine. Publié sous la dir. de M. Fleury et B. Gille,* première partie, *1800-1830 (Aguesseau-Godefroy)* (1972).

On peut ajouter :

ROUSSIER (M.), « Le Conseil municipal de Paris, 1800-1870 », dans *Bulletin de la Société de l'histoire de Paris et de l'Île-de-France,* 1966, p. 109-121.

PENNETIER (C.), VIET-DEPAULE (N.), « Pour une prosopographie des élus locaux de la Seine, 1919-1940 : premier bilan d'une enquête », dans *Paris et Île-de-France,* 38 (1987), p. 205-215.

A peu près rien sur le personnel municipal :

ROBIQUET (P.), *Le Personnel municipal de Paris pendant la Révolution. Période constitutionnelle* (1890, du 14 juillet 1789 au 10 août 1792).

Les textes produits par le Conseil municipal et ses règlements :

— *Conseil municipal de Paris. Catalogue des rapports et propositions imprimés et table par ordre alphabétique des noms d'auteurs* (1915-1941), 5 tomes en 2 vol. pour les années 1871 à 1940.

— *Lois et arrêtés régissant le Conseil municipal de Paris, la Commission administrative du département de la Seine, ainsi que les mairies des arrondissements de Paris* (1942).

— *Règlement intérieur du Conseil municipal* (1960).

— *Recueil des principaux textes concernant le Conseil municipal de la ville de Paris et le Conseil général du département de la Seine* (1963).

— *Le Conseil municipal de Paris* (1965).

— *Agenda de la Ville de Paris, 1983-1989* (1985, faisant suite à l'*Agenda du Conseil de Paris*).

On dispose de quelques travaux sur l'histoire du Conseil municipal :

BERNHEIM (P.), *Le Conseil municipal de Paris de 1789 à nos jours* (1937).

NIVET (P.), *Le Conseil municipal de Paris de 1944 à 1977* (1994).

Ces deux ouvrages fondamentaux sont accompagnés d'une série d'études ponctuelles :

ROUSSIER (M.), « Le Conseil municipal de Paris, 1800-1870 », dans *Bulletin de la Société de l'histoire de Paris et de l'Île-de-France*, 1966, p. 109-121.

ROUSSIER (M.), « Aperçus sur le fonctionnement du Conseil municipal de Paris au XIXᵉ siècle, 1800-1870 », p. 425-434 d'*Études d'histoire du droit parisien* (1970).

ROUSSIER (M.), « Le Conseil municipal de Paris et le retour des Bourbons, 1814-1815 », dans *Bulletin de la Société de l'histoire de Paris et de l'Île-de-France*, 1962, p. 91-109.

VIGIER (P.), « Élections municipales et prise de conscience politique sous la Monarchie de Juillet », p. 276-286 de *La France au XIXᵉ siècle, études historiques. Mélanges offerts à C.H. Pouthas* (1973).

GAILLARD (J.), « Le Conseil municipal et le municipalisme parisien, 1871-1890 », dans *Bulletin de la Société de l'histoire de Paris et de l'Île-de-France*, 1982, p. 7-14.

OFFERLÉ (M.), « Des communards aux conseillers municipaux : le socialisme à l'Hôtel de Ville dans les débuts de la IIIᵉ République », dans *Romantisme*, 30 (1980), p. 102-105.

— *Quand Paris dansait avec Marianne* (1989, exposition au Grand Palais, étudiant notamment le mécénat du Conseil municipal de 1879 à 1889).

Deux thèses de droit anciennes mais encore utiles :

CHRÉTIEN (H.), *De l'organisation du Conseil municipal de Paris* (1906).

POTONNIÉE (P.), *La Constitution du Conseil municipal de Paris* (1924).

Il ne faut pas oublier d'utiliser les publications officielles (§ 6 A).

G. L'Hôtel de Ville

• Le siège de la municipalité a fait l'objet de travaux nombreux :

DES CILLEULS (A.), « Le Parloir-aux-Bourgeois de Paris », dans *Mémoires de la Société de l'histoire de Paris et de l'Île-de-France*, 22 (1895), p. 1-66.

LE ROUX DE LINCY (A.J.V.), *Histoire de l'Hôtel de Ville de Paris* (1846).

CALLIAT (V.), *Hôtel de Ville de Paris mesuré, dessiné et gravé par Calliat* (1856).

BULLEMONT (A. DE), *Catalogue raisonné des peintures, sculptures et objets d'art qui décoraient l'Hôtel de Ville de Paris avant sa destruction* (1871).

TISSERAND (L.M.), *La Première Bibliothèque de l'Hôtel de Ville de Paris, 1760-1797, ...* (1873).

VACHON (M.), *L'Ancien Hôtel de Ville de Paris, 1533-1871* (1882).

VEYRAT (G.), *Les Statues de l'Hôtel de Ville* (1892, réimpression en 1988 sous le titre : *Les Sentinelles de l'Hôtel de Ville*).

VACHON (M.), *Le Nouvel Hôtel de Ville de Paris, 1872-1900* (1900).

VACHON (M.), *L'Hôtel de ville de Paris, 1535-1905* (1905).

LAMBEAU (L.), *L'Hôtel de Ville de Paris* (1908).

LAMBEAU (L.), *L'Hôtel de Ville de Paris depuis les origines jusqu'en 1871. Recueil iconographique...* (1920).

BRIÈRE (G.), DUMOLIN (M.), JARRY (P.), *Les Tableaux de l'Hôtel de Ville de Paris* (1937).

— *L'Ancien Hôtel de Ville de Paris et la place de Grève* (1975, exposition au musée Carnavalet).

— *Hôtel de Ville de Paris. Storia ed arte della sede municipale parigina* (1976, exposition à Rome).

— *Livre du centenaire de la reconstruction de l'hôtel de ville, 1882-1982* (1982, exposition à l'Hôtel de Ville).

LÉVÊQUE (J.J.), *L'Hôtel de Ville de Paris, une histoire, un musée* (1983).

— *Paris, l'Hôtel de Ville et la Révolution* (1989, exposition à l'Hôtel de Ville).

• Pour les mairies d'arrondissement :

— *Le Triomphe des mairies. Grands décors républicains à Paris, 1870-1914* (1986, exposition au Petit Palais), et l'article fondamental :

LE LOUP (L.), «Un aspect de l'architecture administrative au XIXᵉ siècle : les mairies d'arrondissement de Paris», dans *Paris et Île-de-France*, 34 (1983), p. 339-407.

34. LES FINANCES

Il faut se reporter au paragraphe 6 C, «Publications officielles, documents financiers» pour les budgets et comptes de la municipalité depuis 1816. On trouvera aussi une approche historique des questions financières dans la plupart des ouvrages mentionnés dans les «généralités» (§ 33 A) sur l'administration municipale.

A. *Généralités*

Quelques ouvrages de base axés sur les questions financières municipales :

MARTIN-SAINT-LÉON (F.L.), *Résumé statistique des recettes et des dépenses de la ville de Paris... de 1797 à 1840, suivi d'un supplément de 1841 à 1850* (1843-1850), 2 vol., complété en 1856 par l'administration avec un résumé pour les années 1841-1850 et des tableaux récapitulatifs de 1797 à 1855).

BAILLEUX DE MARISY (A.), «La Ville de Paris, ses finances et ses travaux publics depuis le commencement du siècle», dans *Revue des Deux Mondes*, 15 octobre 1863, p. 775-826.

SAY (L.), *Examen critique de la situation financière de la ville de Paris* (1866).

DES CILLEULS (A.), «Organisation et mouvement des finances parisiennes sous l'Ancien Régime et jusqu'à nos jours», dans *Bulletin des sciences économiques et sociales du Comité des travaux historiques et scientifiques*, 1893, p. 158-169 (résumé qu'il faut compléter par les travaux du même auteur et d'autres sur l'administration parisienne en général, § 33 A).

CHEREST (A.C.), *Le Bilan de la Commune* (1896).

CADOUX (G.), *Les Finances de la Ville de Paris de 1798 à 1900...* (1900).

BAILLE (L.), *La Guerre et la politique financière de la ville de Paris*, 1914-1921 (1922).

CARSALADE DU PONT (H. DE), «Les comptes de la municipalité parisienne à l'époque d'Henri IV», p. 397-413 d'*Études d'histoire du droit parisien* (1970).

GAY (J.L.), «Les questions financières et l'administration de Paris de 1770 à 1789», p. 415-424 d'*Études d'histoire du droit parisien* (1970).

B. *Les recettes*

• La taille :

VIDIER (A.) éd., «Extraits de comptes royaux concernant Paris. I. Journal du

Trésor, 1298-1301 », dans *Bulletin de la Société de l'histoire de Paris et de l'Île-de-France*, 38 (1911), p. 256-297.

MICHAELSSON (K.), *Le Livre de la taille de Paris l'an 1296* (1958).

MICHAELSSON (K.), *Le Livre de la taille de Paris l'an 1297* (1962).

MICHAELSSON (K.), *Le Livre de la taille de Paris l'an de grâce 1313* (1951).

GUEROUT (J.), «Note sur les rôles de la taille de l'élection de Paris, 1740-1790», dans *Bulletin de la Société de l'histoire de Paris et de l'Île-de-France*, 1960-1961, p. 109-120.

GUEROUT (J.), «La taille dans la région parisienne au XVIIIᵉ siècle d'après les fonds de l'élection de Paris aux Archives nationales», dans *Paris et Île-de-France*, 13 (1962), p. 145-358.

FAVIER (J.), *Les contribuables parisiens à la fin de la guerre de Cent Ans. Les rôles d'impôts de 1421, 1423 et 1438* (1970).

VONGLIS (B.), «L'établissement de la taille par commissaire et son contentieux dans l'élection de Paris, 1761-1788», p. 253-373 d'*Études d'histoire du droit parisien* (1970).

GUEROUT (J.), «Fiscalité, topographie et démographie à Paris au Moyen Âge», dans *Bibliothèque de l'École des chartes*, 130 (1972), p. 33-129, 383-465.

GUEROUT (J.), *Rôles de la taille de l'élection de Paris conservés aux Archives nationales (sous-série Z1G) et dans les Archives départementales, avec un relevé des sources complémentaires (paroisses fiscales et communes correspondantes du XVIIIᵉ siècle à nos jours)* (1981).

• Quelques titres sur l'octroi :

SAY (H.), *Paris, son octroi, ses emprunts* (1847).

SAIN (F.), *Étude sur l'octroi de Paris* (1853).

MARTIN (J.), *Éléments du contentieux de l'octroi de Paris, suivi des circulaires administratives, articles de lois, décrets, ordonnances et actes divers s'y rapportant* (1862).

SAINT-JULIEN (A. DE), BIENAYMÉ (G.), *Histoire des droits d'entrée et d'octroi à Paris* (1877).

MAYET (C.), *Voyage autour de l'octroi de Paris* (1901).

FEUGÈRE (E.), *L'Octroi de Paris, histoire et législation* (1904).

LAVAU (A. DE), *L'Octroi de Paris* (1904).

FRÉMY (E. DE), «L'enceinte de Paris construite par les fermiers généraux et la perception des droits d'octroi de la Ville, 1784-1789», dans *Bulletin de la Société d'histoire de Paris et de l'Île-de-France*, 1912, p. 115-148.

— *Administration de l'octroi de Paris. Manuel de l'employé* (1933).

GAY (J.), «L'octroi parisien», p. 185-203 de *L'administration locale en Île-de-France*, tome 38 (1987) de *Paris et Île-de-France*.

• A peu près rien sur les autres taxes :

GUILMOTO (G.), *Étude sur les droits de navigation sur la Seine de Paris à La Roche-Guyon, du XIᵉ au XVIIIᵉ siècle* (1889).

FOUCAUD (F.), *Étude sur les taxes municipales parisiennes* (1907).

• Sur le personnel :

BLUCHE (F.), «Les officiers du Bureau des finances de Paris au XVIIIᵉ siècle, 1693-1791», dans *Bulletin de la Société de l'histoire de Paris et de l'Île-de-France*, 1970, p. 147-215.

BLUCHE (F.), «Les officiers du grenier à sel de Paris au XVIIIe siècle», dans *Paris et Île-de-France*, 21 (1970), p. 293-336.

ROGER (J.M.), «Les receveurs de Paris au XIVe siècle», dans *Actes du 102e congrès national des Sociétés savantes*, 1977, Comité des travaux historiques et scientifiques, Section de philologie et d'histoire, p. 13-55.

C. Les dépenses

Se reporter aux comptes publiés (§ 6 C) et aux «généralités» (§ 33 A) qui donnent l'essentiel. On signale seulement un ouvrage technique utile :

SEVRAT (E.), *Manuel pratique de liquidation des dépenses municipales de la Ville de Paris, ou Vade-Mecum du liquidateur et du régisseur de l'administration communale parisienne* (1898).

D. Les emprunts

L'ouvrage fondamental est :

MASSA-GILLE (G.), *Histoire des emprunts de la Ville de Paris, 1814-1875* (1973, importante bibliographie). On se limitera à ajouter :

SAY (H.), *Paris, son octroi, ses emprunts* (1847).

CAUWÈS (P.), «Les commencements du crédit public en France : les rentes sur l'Hôtel de Ville au XVIe siècle», dans *Revue d'économie politique*, 1895, p. 97-123, 828-865 ; 1896, p. 407-479.

LÉVY (A.), *Études sur les emprunts de la Ville de Paris* (1896).

FARGE (R.), *Étude sur la dette communale* (1899).

DUPONT-FERRIER (P.), *Le Marché financier de Paris sous le second Empire* (1925).

GOUBERT (J.), *Technique des emprunts de la Ville de Paris* (1938).

E. Le domaine

Le domaine a fait l'objet de quelques études :

LAZARD (L.), *Inventaire sommaire de la collection Lazare-Montassier conservée aux Archives de la Seine* (1899).

LAZARD (L.), *Préfecture de la Seine. Archives départementales. Répertoire alphabétique du fonds des domaines* (1904-1917, 2 vol.).

MONIN (H.), LAZARD (L.), *Sommier des biens nationaux de la Ville de Paris conservé aux Archives de la Seine* (1920, 2 vol. publiés pour 9 des 12 arrondissements ; index paru en 1976).

— *Comptes du domaine de la Ville de Paris* (1948-1958, 2 vol. parus pour 1424-1489).

DES CILLEULS (A.), HUBERT (J.), *Le Domaine de la Ville de Paris dans le présent et dans le passé* (1885-1891, 2 vol.).

GENTY (Y.N.), *Le Domaine de la Ville de Paris au XVIIIe siècle* (1986).

F. La Chambre des comptes

La Chambre des comptes constitue aussi une source importante pour l'histoire des finances parisiennes.

• On ne peut donner ici que de brefs éléments de bibliographie :

VIARD (J.), «La Chambre de comptes sous le règne de Philippe VI de Valois», dans *Bibliothèque de l'École des chartes*, 93 (1932), p. 331-359.

JASSEMIN (H.), *La Chambre des comptes de Paris au XVᵉ siècle, précédé d'une étude sur ses origines* (1933).

PETITJEAN (J.), *La Chambre des comptes de Paris au XVIᵉ siècle* (1873).

BOISLISLE (A.M. DE), *Chambre des comptes de Paris. Pièces justificatives pour servir à l'histoire des premiers présidents, 1506-1791* (1873), à compléter avec : CONSTANT D'YANVILLE (H.), *Chambre des comptes de Paris. Essais historiques et chronologiques...* (1866-1875, 2 vol.).

• Sur le destin complexe des archives :

BRUEL (A.), *Répertoire numérique des archives de la Chambre des comptes de Paris* (1896).

• Sur les registres disparus, notamment dans l'incendie de 1737, on doit consulter :

— *Essai de restitution des plus anciens mémoriaux de la Chambre des comptes de Paris* (1899, par J. Petit et d'autres collaborateurs).

LANGLOIS (C.V.), *Registres perdus des archives de la Chambre des comptes de Paris* (1916).

MIROT (A.) *Répertoire critique des anciens inventaires d'archives, série P, Chambre des comptes de Paris* (1931).

NORTIER (M.), «Le sort des archives dispersées de la Chambre des comptes de Paris», dans *Bibliothèque de l'École des chartes*, 123 (1965), p. 460-537.

• Sur la Cour des comptes, qui a succédé au début du XIXᵉ siècle à la Chambre des comptes, lire :

— *Cent cinquantenaire de la Cour des comptes* (1957, exposition à l'hôtel de Rohan).

— *La Cour des comptes* (1984).

35. L'ÉTAT CIVIL, LES RECENSEMENTS

L'état civil parisien pose problème, car les registres et leurs doubles ont été détruits dans les incendies de l'Hôtel de Ville et du Palais de Justice allumés par les Communards en mai 1871. Une Commision de reconstitution a fonctionné de 1872 à 1897. On lui doit la reconstitution du tiers environ des six millions d'actes détruits. Les dossiers et fichiers sont consultables aux Archives de Paris. La Bibliothèque nationale possède, au département des Manuscrits, le «Fichier Laborde», qui compte soixante-six mille fiches concernant en majeure partie des artistes parisiens.

On dispose de guides de recherches :

BARROUX (M.), *Les Sources de l'ancien état civil parisien. Répertoire critique* (1898).

MEURGEY DE TUPIGNY (J.), *Guide des recherches généalogiques aux Archives nationales... Avec une étude sur les recherches biographiques aux Archives de la Seine*, par F. DE VAUX DE FOLETIER (1953).

DEMEULENAERE-DOUYÈRE (C.), *Archives de Paris. Guide des sources de l'état civil parisien* (1982, excellent, pratique et exhaustif, avec une orientation bibliographique).

DEMEULENAERE-DOUYÈRE (C.), «L'état-civil parisien avant 1860», dans *Annales de généalogie et d'héraldique*, 1985, p. 57-79.

Les recensements de la population n'ont débuté qu'en 1801, avec une périodicité quinquennale (voir le chapitre « Paris et Parisiens »). Couvrant la France entière, ils ont fait l'objet, pour Paris, d'exploitation et de publication partielle (voir § 6 E, « Statistiques ») :

— *Recherches statistiques sur la Ville de Paris et sur le département de la Seine* (1823-1860, 6 vol. dont les informations remontent jusqu'au XVIIe siècle).

BERTILLON (J.), *Des recensements de la population, de la nuptialité, de la natalité et de la mortalité à Paris pendant le XIXe siècle et les époques antérieures* (1907, annexe à l'*Annuaire statistique de la Ville de Paris*, qui donne des indications chiffrées à partir de 1670).

L'*Annuaire statistique de la Ville de Paris et des communes suburbaines de la Seine* (1880-1967) donne les résultats des dénombrements, les recensements de 1881, 1886 et 1896 ayant fait l'objet de publications spéciales. L'Institut national d'études démographiques (INED, 27, rue du Commandeur), l'Institut national de la statistique et des études économiques (INSEE, bibliothèque centrale au 18, boulevard Adolphe-Pinard, et Observatoire économique de Paris au 195, rue de Bercy), l'Atelier parisien d'urbanisme (APUR, 17, boulevard Morland) peuvent fournir des données statistiques et des informations bibliographiques. On peut citer, à titre d'exemple, parmi les meilleures publications émanant de ces organismes :

— INSEE, *Données statistiques sur la population et les logements de la Ville de Paris, répartition par îlots* (1957, pour le recensement de 1954).

— APUR, *La Population de Paris* (3 fascicules pour le recensement de 1968).

36. LE MAINTIEN DE L'ORDRE

En l'absence de guide et de bibliographie consacrés à ce sujet, on doit se rabattre sur une foule d'instruments plus ou moins bons.

A. Droit et jurisprudence, la coutume de Paris

Il ne faut pas hésiter à se référer aux recueils anciens :

— *Texte des coustumes de la Prévosté et Vicomté de Paris* (1650).

— *Coustumes de la Prévosté et Vicomté de Paris, avec les notes de M.C. Du Molin...* (dernière éd. en 1678), suivi par bien d'autres commentateurs, Pithou, Claude de Ferrière, Sauvan d'Aramon notamment.

L'étude de base est :

OLIVIER-MARTIN (F.), *Histoire de la coutume de la prévôté et vicomté de Paris* (1922-1930, 2 tomes en 3 vol.).

On peut y ajouter :

OLIVIER-MARTIN (F.), *La Coutume de Paris, trait d'union entre le droit romain et les législations modernes* (1925).

B. Le Châtelet

• Textes et jurisprudence :

— *Recueil des privilèges, octrois, concessions et règlement des commissaires enquêteurs et examinateurs du Châtelet de Paris* (1589).

— *Le Vray Style du Chastelet de Paris* (1623).

— *Précis des règlements des commissaires conseillers du roi au Châtelet de Paris* (1688).

— *Nouveau Stile du Châtelet de Paris* (1771).

DUPLÈS-AGIER (H.), *Registre criminel du Châtelet de Paris du 6 septembre 1389 au 18 mai 1392* (1861-1864, 2 vol.).

MORTET (C.), « Le livre des constitucions demenées el Chastelet de Paris », dans *Mémoires de la Société de l'histoire de Paris et de l'Île-de-France*, 10 (1883), p. 1-99.

OLIVIER-MARTIN (F.), « Sentences civiles du Châtelet de Paris » (1395-1505), publiées d'après les registres originaux, dans *Nouvelle Revue historique de droit français et étranger*, 37 (1913), p. 758-804 ; 38 (1914), p. 61-104, 461-523, 611-641.

• Inventaires d'archives :

STEIN (H.), *Répertoire numérique des Archives du Châtelet de Paris* (1898).

TUETEY (A.), *Inventaire analytique des livres de couleur et bannières du Châtelet de Paris* (1899-1907, 2 vol.).

CAMPARDON (E.), TUETEY (A.), *Inventaire des registres des insinuations du Châtelet de Paris. Règnes de François Ier et de Henri II* (1906).

BIMBENET-PRIVAT (M.), *Archives nationales. Ordonnances et sentences de police du Châtelet de Paris, 1668-1787. Inventaire analytique des articles Y 9498 et 9499* (1992).

GERBAUD (H.), BIMBENET-PRIVAT (M.), DION (J.), *Châtelet de Paris. Répertoire numérique de la série Y, tome premier, Les Chambres, Y1 à 10718 et 18603 à 18800* (1993).

On trouve l'histoire du Châtelet largement traitée dans les volumes déjà cités, mais on peut chercher des éléments supplémentaires dans :

GÉRARD (C.), *Histoire du Châtelet et du parlement de Paris, leur fondation, leurs juridictions, sièges...* (1847).

DESMAZE (C.), *Le Châtelet de Paris...* (1870).

TANON (L.), *L'Ordre du procès civil au XIVe siècle au Châtelet de Paris* (1886).

GLASSON (E.), « Le Châtelet de Paris et les abus de sa procédure aux XIVe et XVe siècles... » dans *Comptes rendus de l'Académie des sciences morales et politiques*, 40 (1893), p. 45-92.

BATIFFOL (L.), « Le Châtelet de Paris vers 1400 », dans *Revue historique*, 61 (1895), p. 225-264 ; 62 (1896), p. 225-235 ; 63 (1897), p. 42-55 et 266-283.

CAROLUS-BARRÉ (L.), « L'organisation de la juridiction gracieuse à Paris dans le dernier tiers du XIIIe siècle : l'officialité et le Châtelet », dans *Le Moyen Âge*, 69 (1963), p. 417-435.

AUBRY (G.), *La Jurisprudence criminelle du Châtelet de Paris sous le règne de Louis XVI* (1971).

THOMAS (Y.), « Note sur la Chambre de police du Châtelet de Paris à l'époque de Louis XVI, 1774-1789 », dans *Revue historique de droit français et étranger*, 1976, p. 361-378.

• Sur les prévôts de Paris :

BORRELLI DE SERRES (L.L.), « Une légende administrative, la réforme de la prévôté de Paris et Étienne Boileau », dans le vol. 1, p. 531-572 de ses *Recherches sur divers services publics du XIIIe au XVIIe siècle* (1895).

PÉRIER (A.), « Hugues Aubriot, prévôt de Paris », dans *Mémoires de la Société bourguignonne de géographie et d'histoire*, 24 (1908), p. 1-248.

CHAUVERON (R. DE), *Des Maillotins aux Marmousets. Audouin Chauveron, prévôt de Paris sous Charles VI* (1992).

• Sur le personnel du Châtelet :

SALLE (J.A.), *Traité des fonctions, droits et privilèges des commissaires au Châtelet de Paris* (1759, 2 vol.).

JEGADEN (R.), «La communauté des notaires au Châtelet de Paris au XVIIe siècle», dans *Revue historique de droit français et étranger*, 1951, p. 342-382 ; 1952, p. 356-387.

ROSSET (P.), «Les conseillers au Châtelet de Paris de la fin du XVIIe siècle, étude d'histoire sociale», dans *Paris et Île-de-France*, 21 (1970), p. 173-292 ; 22 (1971), p. 233-302 ; 23-24 (1972-1973), p. 145-197.

ROGER (J.M.), «Les lieutenants du prévôt de Paris au XIVe siècle», dans *Actes du 100e congrès national des Sociétés savantes,* Section de philologie et d'histoire jusqu'à 1610, 1975, p. 101-128.

QUILLIET (B.), *Les Corps d'officiers de la prévôté et vicomté de Paris et de l'Île-de-France de la fin de la guerre de Cent Ans au début des guerres de religion, étude sociale* (1982, 2 vol.).

ROSSET (P.), «Les conseillers au Châtelet de Paris à la fin du XVIIe siècle, 1661-1700, répertoire nominatif», dans *Bibliothèque de l'École des chartes*, 143 (1985), p. 117-158.

LIMON (M.F.), *Les Notaires au Châtelet de Paris sous le règne de Louis XV, étude institutionnelle et sociale* (1992).

• Sur l'hôtel du prévôt :

SELLIER (C.), *Anciens hôtels de Paris. Nouvelles recherches historiques, topographiques et artistiques...* (1910, l'hôtel du prévôt aux p. 31-80).

C. Autres juridictions

• Les justices seigneuriales :

TANON (L.), *Registre criminel de la justice de Saint-Martin-des-Champs à Paris au XIVe siècle, 1060-1674,* (1877).

TANON (L.), «Les justices seigneuriales de Paris au Moyen Âge», dans *Nouvelle revue historique de droit français et étranger*, 1882, p. 448-511, 551-607.

TANON (L.), *Histoire des justices des anciennes églises et communautés monastiques de Paris* (1883).

CURZON (H. DE), *La Maison du Temple de Paris* (1888).

LEMERCIER (P.), *Les Justices seigneuriales de la région parisienne de 1580 à 1789* (1933).

LOMBARD-JOURDAN (A.), «Fiefs et justices parisiens au quartier des Halles», dans *Bibliothèque de l'École des chartes*, 134 (1976), p. 301-388.

• La juridiction consulaire :

BARROUX (M.), *Archives du département de la Seine et de la Ville de Paris. Répertoire du fonds de la juridiction consulaire de Paris, B6* (1927).

DENIÈRE (G.), *La Juridiction consulaire de Paris, 1563-1792, sa création, ses luttes, son administration intérieure, ses usages et ses mœurs* (1872).

LEGRAND (V.), *Juges et Consuls* (de Paris), *1563-1905* (1905).

LECLERC (G.), *La Juridiction consulaire à Paris pendant la Révolution* (1909).

DUPIEUX (P.), «Les attributions de la juridiction consulaire de Paris, 1563-1792», dans *Bibliothèque de l'École des chartes*, 95 (1934), p. 116-148.

• Le tribunal révolutionnaire :

CAMPARDON (E.), *Le Tribunal révolutionnaire de Paris* (1866, 2 vol.).

WALLON (H.), *Histoire du Tribunal révolutionnaire de Paris* (1880-1882, 6 vol.).

SABATIÉ (A.C.), *La Justice pendant la Révolution. Le Tribunal révolutionnaire de Paris...* (1914).

CASTELNAU (J.), *Le Tribunal révolutionnaire* (1950).

GODFREY (J.L.), *Revolutionary Justice, a study of the organisation, personnel and procedure of the Paris tribunal* (1951).

WALTER (G.), *Actes du Tribunal révolutionnaire* (1968).

• Sujets divers :

CASENAVE (A.M.), *Étude sur les tribunaux de Paris de 1789 à 1800* (1873, tome 1 seul paru, consacré à l'Ancien Régime).

SELIGMAN (E.), *La Justice en France pendant la Révolution, 1789-1792* (1901, largement consacré à Paris, abondante bibliographie).

DOUARCHE (A.), *Les Tribunaux civils de Paris pendant la Révolution* (1905-1907, 3 vol.).

FABRE (J.), *La Justice à Paris pendant le siège et la Commune, 1870-1871* (1910).

ANDREWS (R.M.), « The justice of peace in revolutionary Paris », dans *Past and Present*, 1971, p. 56-105.

MÉTAIRIE (G.), « Les juges de paix parisiens sous le Consulat et l'Empire », dans *Bulletin de la Société de l'histoire de Paris et de l'Île-de-France*, 1983, p. 199-239.

MÉTAIRIE (G.), « L'épuration des justices de paix parisiennes, 1790-an VIII », dans *Bulletin de la Société de l'histoire de Paris et de l'Île-de-France*, 1989, p. 141-155.

D. La police

Les archives parisiennes de la police se trouvent aux Archives nationales (Ancien Régime) et aux Archives de la préfecture de police (1 *bis*, rue des Carmes) qui détiennent aussi, pour l'époque antérieure à 1789, les registres d'écrous de la Conciergerie du Palais de Justice (AB 1 à 133). On trouvera aussi des documents et de l'iconographie sur les affaires célèbres au Musée d'Histoire de la préfecture de police (16 *bis*, rue des Carmes). Les publications administratives de la préfecture de police sont signalées au paragraphe 6 D, les statistiques au paragraphe 6 E. Pour les archives, on doit consulter :

BORDAS-CHARON (J.), *Inventaire de la série BA des archives de la préfecture de police* (1962, inventaire précédé d'une note sur les archives de la préfecture de police par H. TULARD).

On trouve notamment dans ce dépôt la « Collection Lamoignon », fichier par matières recensant tous les textes officiels relatifs à la police parisienne de 1182 à 1762 et renvoyant à une copie de ceux-ci constituant une collection de 52 volumes.

• Il existe des bibliographies de la police :

LE CLÈRE (M.), *Bibliographie critique de la police et de son histoire* (1980, 2e éd. revue et très augmentée en 1991).

SALOMON (J.C.), *Bibliographie historique des institutions policières françaises* (1986, multigraphié).

LOUBET DEL BAYLE (J.L.), *Guide des recherches sur la police* (1987, multigraphié).

• Histoires générales de la police :

PEUCHET (J.), *Mémoires tirés des archives de la police de Paris pour servir à l'histoire de la morale et de la police depuis Louis XIV jusqu'à nos jours* (1838, 6 vol.).

RAISSON (H.), *Histoire de la police de Paris, 1667-1844* (1844).

FRÉGIER (H.A.), *Histoire de l'administration de la police de Paris depuis Philippe Auguste jusqu'aux États généraux de 1789...* (1850, 2 vol.).

VERMOREL (A.), *Les Mystères de la police* (1864, 3 vol.).

TASSON (L.), *Le Guet de Paris* (1878).

STEED (P.J.), *The Police of Paris* (1957, des origines à 1944).

— *L'État et sa police en France, 1789-1914* (1979).

CARROT (G.), *Histoire de la police française* (1992).

• Histoire par époques :

CLÉMENT (P.), *La Police sous Louis XIV* (1866).

PITON (C.) éd., *Paris sous Louis XIV. Rapports des inspecteurs de police au roi* (1908-1914, 5 vol.).

CHAGNIOT (J.), « Le problème du maintien de l'ordre à Paris au XVIIIᵉ siècle », dans *Bulletin de la Société d'histoire moderne*, 1974, p. 32-45.

HERVÉ (J.C.), « L'ordre de Paris au XVIIIᵉ siècle : les enseignements du Recueil de règlements de police », dans *Revue d'histoire moderne et contemporaine*, 34 (1987), p. 185-214.

WILLIAMS (A.), *The Police of Paris, 1718-1789* (1979).

LARCHEY (L.) éd., *Journal des inspecteurs de M. de Sartines, 1761-1764* (1863).

BOISLISLE (A. DE), *La Police de Paris sous Louis XV* (1898).

GAZIER (A.) éd., « La police de Paris en 1770. Mémoire inédit... », dans *Mémoires de la Société de l'histoire de Paris et de l'Île-de-France*, 5 (1878), p. 1-131 (mémoire du commissaire au Châtelet J.B.C. Le Maire).

MONTBAS (H. DE), *La Police parisienne sous Louis XVI* (1949).

ANGLADE (E.), *Coup d'œil sur la police depuis son origine jusqu'à nos jours* (1847, 2ᵉ éd. en 1852, couvre la période 1789-1850).

COBB (R.), *The Police and the People : French popular protest, 1789-1820* (1970).

TULARD (J.), « La légion de police de Paris sous la Convention thermidorienne et le Directoire », dans *Annales historiques de la Révolution française*, 1964, p. 38-64.

DESMAREST (P.M.), *Témoignages historiques, ou Quinze Ans de haute police sous le Consulat et l'Empire* (1833).

HUE (G.), *Un complot de police sous le Consulat : la conspiration de Ceracchi et Aréna, vendémiaire an IX* (1909).

HAUTERIVE (E. D'), *La Police secrète du premier Empire. Bulletins quotidiens adressés par Fouché à l'Empereur...* (1908-1964, 5 vol.).

HAUTERIVE (E. D'), *Napoléon et sa police* (1943).

CANLER (L.), *Mémoires de Canler, ancien chef du service de sûreté* (1862, nouvelle éd. en 1968, souvenirs entre 1810 et 1858).

VIRMAÎTRE (C.), *Paris-Police* (1886, de 1831 à 1885).

CHENU (A.), *Les Montagnards de 1848* (1850 : on nommait « montagnards » les policiers révolutionnaires du 25 février au 18 mai 1848).

CLAUDE (A.F.), *Mémoires de M. Claude, chef de la police de la Sûreté sous le second Empire* (1881-1885, 10 vol.).

HAMON (L.), *Police et criminalité. Impressions d'un vieux policier* (1900, du second Empire à 1894).

CATTELAIN (P.), *Mémoires inédits du chef de la Sûreté sous la Commune* (1909).

MACÉ (G.), *Le Service de la Sûreté, par son ancien chef* (1884).

GORON (M.F.), *Les Mémoires de Goron, ancien chef de la Sûreté* (1898, 4 vol. ; il était chef de la Sûreté entre 1887 et 1894).

RAYNAUD (E.), *Souvenirs de police : au temps de Ravachol* (1923).

RAYNAUD (E.), *Souvenirs de police : au temps de Félix Faure* (1925).

RAYNAUD (E.), *Souvenirs de police : la vie intime des commissariats* (1926).

MOREL (P.), *La Police à Paris* (1907).

MONTARRON (M.), *L'Histoire vraie des brigades du Tigre* (1974).

LAURIOT (A.), *La Police à Paris et en province* (1924).

ZIMMER (L.), *Un septennat policier : dessous et secrets de la police républicaine* (1967).

BELIN (J.), *Trente Ans de Sûreté nationale* (1950).

MASSU (G.), *Aveux quai des Orfèvres* (1950).

ANGELI (C.), GILLET (P.), *La Police de la politique, 1944-1954* (1967).

OTTAVIOLI (P.), *Échec au crime, trente ans quai des Orfèvres* (1985).

VIÉ (J.E.), *Mémoires d'un directeur des Renseignements généraux* (1988, de 1951 à 1968).

MESIMI (R.), *Mémoire de flic* (1990).

On trouvera une abondante bibliographie et une bonne mise au point dans :

CARROT (G.), *Le Maintien de l'ordre en France depuis la fin de l'Ancien Régime jusqu'en 1968* (1984, 2 vol., nouvelle éd. en 1990).

CARROT (G.), *Le Maintien de l'ordre en France au xxe siècle* (1990).

• Les règlements de police :

— *Ordonnances du roy sur le faict de la police...* (1578 ; republié en 1836 dans les *Archives curieuses de l'histoire de France* de CIMBER et DANJOU, 1re série, t. 9, p. 177-236).

DELAMARE (N.), *Traité de la police* (1705-1719, 3 vol. ; 4e vol. en 1738 par LECLER DU BRILLET).

PEUCHET (J.), *Collection des lois, ordonnances et règlements de police depuis le xiiie siècle jusqu'à l'année 1818* (1818-1819, 8 vol. ; seule parue la 2e partie, pour 1667-1789).

GUICHARD (A.C.), *Dictionnaire de la police administrative et judiciaire et de la police criminelle* (1796, indispensable pour l'époque intermédiaire de la Révolution).

ELOUIN (M.), TRÉBUCHET (A.), LABAT (E.), *Nouveau Dictionnaire de police* (1835, 2 vol.).

— *Collection officielle des ordonnances de police, 1800 à 1880* (1880-1882.

4 vol., le 3ᵉ contenant les textes de 1415 à 1800 encore utiles dans l'administration de la police ; cette édition annule la 1ʳᵉ éd. en 7 vol. de 1844-1874).

— *Table méthodique des ordonnances et arrêtés du préfet de police* (1908, pour 1881-1907).

RAULT (J.), PHÉLIPOT (H.), *Petit Manuel de police à l'usage des gardiens de la paix de la Ville de Paris...* (1902).

• La lieutenance de police :

— Musée de la préfecture de police, *Commémoration du tricentenaire de la création de la lieutenance de police, 1667-1967* (1967).

SAINT-EDME (M.B.), *Biographie des lieutenants généraux...* (1829).

CHASSAGNE (M.), *La Lieutenance générale de police à Paris* (1906).

THUILLAT (L.), *Nicolas de La Reynie, premier lieutenant général de police de Paris* (1930).

SAINT-GERMAIN (J.), *La Reynie et la police au Grand Siècle* (1962).

ARGENSON (R. DE VOYER D'), *Notes intéressantes pour l'histoire des mœurs et de la police de Paris à la fin du règne de Louis XIV* (1866, éd. par L. Larchey ; lieutenant général de 1697 à 1718).

ARGENSON (R. DE VOYER D'), *Rapports inédits du lieutenant de police René d'Argenson, 1697-1715* (1891, éd. par P. Cottin).

BOISLISLE (A. DE) éd., *Lettres de M. de Marville, lieutenant général de police, au ministre Maurepas, 1742-1747* (1896-1905, 3 vol.).

PILLORGET (S.), *Claude-Henri Feydeau de Marville, lieutenant général de police de Paris, 1740-1747* (1978).

SARS (M. DE), *Le Noir, lieutenant de police, 1732-1807* (1948 ; lieutenant général de 1774 à 1785).

On trouve un bon résumé dans :

CHAGNIOT (J.), « La lieutenance générale de police de Paris à la fin de l'Ancien Régime », p. 13-28 de *Les Institutions parisiennes à la fin de l'Ancien Régime et sous la Révolution française*, colloque tenu à l'Hôtel de Ville le 13 octobre 1989 (1989).

• Le personnel de police :

GUYON (L.), *Biographies des commissaires de police et des officiers de paix de la ville de Paris...* (1826).

KAPLAN (S.L.), « Notes sur les commissaires de police de Paris au XVIIIᵉ siècle », dans *Revue d'histoire moderne et contemporaine*, 28 (1981), p. 669-686.

MONNIER (R.), « Un nouveau magistrat municipal, le commissaire de police de l'an II », dans *Bulletin de la Société de l'histoire de Paris et de l'Île-de-France*, 1985, p. 195-227.

REY (A.), FÉRON (L.), *Ville de Paris. Histoire du corps des gardiens de la paix* (1896).

• La préfecture de police, les préfets :

ARVENGAS (J.), « Dubois, premier préfet de police... », dans *Revue du Nord*, 1957, p. 125-145.

PASQUIER (E.D.), *Histoire de mon temps. Mémoires du chancelier Pasquier* (1895, 6 vol. ; préfet de 1810 à 1814).

BEUGNOT (J.), *Mémoires* (1866, 2 vol. ; préfet en 1814).

BERTIN (M.), *Biographie de M. de Belleyme, préfet de police...* (1863 ; préfet en 1828-1829).

HUART (S. D'), « Le dernier préfet de police de Charles X, Claude Mangin », dans *Actes du 84e congrès national des Sociétés savantes*, Dijon, 1959, Section d'histoire moderne et contemporaine, p. 605-613.

GISQUET (H.), *Mémoires de M. Gisquet, ancien préfet de police, écrits par lui-même* (1840, 4 vol. ; préfet de 1831 à 1836).

TRIPIER-LEFRANC (J.), *M. Gabriel Delessert, préfet de police* (1854 ; préfet de 1836 à 1848).

CAUSSIDIÈRE (M.), *Mémoires* (1849, 2 vol. ; préfet en 1848).

CHENU (A.), *Les Conspirateurs... Les sociétés secrètes... La préfecture de police sous Caussidière...* (1850).

MAUPAS (C.E. DE), *Mémoires sur le second Empire* (1884-1885, 2 vol. ; préfet en 1851-1852).

WRIGHT (V.), « Les préfets de police sous le second Empire », dans *L'État et sa police en France* (1979).

CRESSON (E.), *Cent Jours de siège à la préfecture de police, 2 novembre 1870-11 février 1871* (1901).

ANDRIEUX (L.), *Souvenirs d'un préfet de police* (1885, 2 vol. ; préfet de 1879 à 1881).

CAMESCASSE (V.), *Souvenirs, Douai au XIXe siècle, salons parlementaires sous la IIIe République* (1924 ; souvenirs de l'épouse du préfet de 1881 à 1885).

LÉPINE (L.), *Mes souvenirs* (1929 ; préfet entre 1893 et 1913).

BERLIÈRE (J.M.), *Le Préfet Lépine : vers la naissance de la police moderne* (1993).

LANGERON (R.), *Juin 1940* (1946 ; préfet entre 1934 et 1941).

PAPON (M.), *Les Chevaux du pouvoir : 1958-1967, le préfet de police du général de Gaulle ouvre ses dossiers* (1988).

GRIMAUD (M.), *En mai, fais ce qu'il te plaît* (1977 ; préfet entre 1966 et 1971).

• La préfecture de police en général :

— *1950. Paris et sa police. Exposition du cent cinquantenaire de la préfecture de police* (1950, au musée Galliera).

— *La Préfecture de police des origines à nos jours* (1994, exposition à la préfecture de police).

Depuis 1871 sont publiés chaque année les *Rapports sur le budget de la préfecture de police*. Depuis 1963 paraît *Liaisons. Bulletin d'information de la préfecture de police*. Quelques ouvrages sur la préfecture de police :

WRIGHT (V.), « La préfecture de police pendant le XIXe siècle », dans *L'Administration de Paris, 1789-1977*, p. 109-122.

RIGOTARD (J.), *La Police parisienne de Napoléon, la préfecture de police* (1990).

TULARD (J.), *La Préfecture de police sous la Monarchie de Juillet...* (1964).

MOUNEYRAT (E.), *La Préfecture de police* (1906).

RAYNAUD (E.), *La Préfecture de police* (1918).

LEVILLAIN (M.), *Histoire de l'organisation des services actifs de la préfecture de police* (1970, 2 vol. multigraphiés).

• Les bâtiments incendiés en 1871 :

LABAT (E.), *Hôtel de la Présidence, actuellement Hôtel de la Préfecture de police (hôtel du bailliage du Palais). Recherches historiques* (1844).

E. Les prisons

Une abondante littérature mais souvent médiocre impose un choix sévère :

CARRA (J.L.), *Mémoires historiques et authentiques sur la Bastille...* (1789, 3 vol.).

NOUGARET (J.B.), *Histoire des prisons de Paris et des départements. Mémoires pour l'histoire de la Révolution* (1797, 4 vol.).

SAINT-EDME (E.T. Bourg, dit), *Description historique des prisons de Paris pendant et depuis la Révolution* (1828, 2 vol.).

MAURICE (B.), *Histoire politique et anecdotique des prisons de la Seine...* (1840).

JOIGNEAUX (P.), *Les Prisons de Paris, par un ancien détenu* (1841).

ALHOY (M.), LURINE (L.), *Les Prisons de Paris* (1846).

GRIVEL (L.J.J.), *La Prison du Luxembourg sous le règne de Louis-Philippe. Impressions et souvenirs* (1862).

RAVAISSON (F.) éd., *Archives de la Bastille* (1866-1904, 19 vol.).

SIRVEN (A.), *Les Prisons politiques : Sainte-Pélagie* (1868).

DAUBAN (C.A.), *Les Prisons de Paris sous la Révolution* (1870).

AMODRU (L.), *La Roquette* (1878).

GUILLOT (A.), *Paris qui souffre. La basse geôle du Grand Châtelet et les morgues modernes* (1887).

MOREAU (G.), *Le Monde des prisons* (1887).

GUILLOT (A.), *Paris qui souffre. Les prisons de Paris et les prisonniers* (1890).

BOURNON (F.), *La Bastille...* (1893).

FAURE (J.B.), *Souvenirs de la Roquette* (1893).

LAURENT (A.), *Les Prisons du vieux Paris* (1893).

COURET (E.), *Le Pavillon des princes. Histoire complète de la prison politique de Sainte-Pélagie depuis sa fondation jusqu'à nos jours* (1895).

FUNCK-BRENTANO (F.), *Légendes et archives de la Bastille* (1898).

FUNCK-BRENTANO (F.), *La Bastille des comédiens, le For l'Évêque* (1903).

FUNCK-BRENTANO (F.), *Les Lettres de cachet à Paris, étude suivie d'une liste des prisonniers de la Bastille, 1659-1789* (1903).

POTTET (E.), *Histoire de Saint-Lazare, 1122-1912* (1912).

MARICOURT (A. DE), *Prisonniers et prisons de Paris pendant la Terreur* (1924).

BIZARD (L.), *Souvenirs d'un médecin de la préfecture de police et des prisons de Paris, 1914-1918* (1925).

BIZARD (L.), CHAPON (J), *Histoire de la prison de Saint-Lazare du Moyen Âge à nos jours* (1925).

FOSSEYEUX (M.), « Les maisons de correction à Paris sous l'Ancien Régime », dans *Bulletin de la Société de l'histoire de Paris et de l'Île-de-France*, 1929, p. 36-47.

ANCELET-HUSTACHE (J.), *Les Sœurs des prisons* (1934 ; la Petite-Roquette et Saint-Lazare).

PÉRIER DE TÉRAL (G.), « La maison d'arrêt des Oiseaux, d'après les souvenirs de captivité du président de Dompierre d'Hornoy », dans *Paris et Île-de-France*, 4 (1952), p. 97-284.

HILLAIRET (J.), *Gibets, piloris et cachots du vieux Paris* (1956).

BASTIEN (G.), « Les prisons de l'Hôtel de Ville, 1515-1794 », dans *Seine et Paris*, 72 (1974).

DEMEULENAERE-DOUYÈRE (C.), « La prison Mazas : création et organisation », dans *Bulletin de la Société de l'histoire de Paris et de l'Île-de-France*, 1980, p. 175-185.

FIZE (M.), *Une prison dans la ville, histoire de la « prison-modèle » de la Santé* (1983-1984, 2 vol.)

VIGIÉ (M.), « Administrer une prison au XVIIIe siècle : l'exemple de la tour Saint-Bernard à Paris », dans *Bulletin de la Société de l'histoire de Paris et de l'Île-de-France*, 1985, p. 143-171.

HAMELIN (F.), *Femmes dans la nuit, l'internement à la Petite-Roquette et au camp des Tourelles, 1939-1944* (1988).

Le bourreau est négligé par les historiens :
DELARUE (J.), *Le Métier de bourreau du Moyen Âge à aujourd'hui* (1979).

LECHERBONNIER (B.), *Bourreaux de père en fils, les Sanson, 1688-1847* (1989).

F. Officiers ministériels

• Les notaires (voir aussi § 78) :

Le minutier central aux Archives nationales conserve les dizaines de millions d'actes des notaires de Paris et de l'ancien département de la Seine, qui constituent une source de première importance pour l'histoire parisienne sous toutes ses facettes. On trouve une bonne description de ces fonds dans le tome 4 de l'*État des inventaires* des Archives nationales et dans le tome 5 de l'*État général des fonds*. La Chambre des notaires de Paris (12, avenue Victoria) et la revue des notaires, *Le Gnomon*, ne doivent pas être oubliées. Quelques titres à retenir dans une production abondante d'articles historiques, souvent dus à J.P. POISSON, historien du notariat :

COYECQUE (E.), « Chez quelques notaires de la ville de Paris au XVIe siècle », dans *Bulletin de la Société de l'histoire de Paris et de l'Île-de-France*, 1910, p. 218-244.

FOIRET (F.), *Une corporation parisienne pendant la Révolution, les notaires* (1912).

CÉLESTIN (N.), « Le notariat parisien sous l'Empire », dans *Revue d'histoire moderne et contemporaine*, 1970, p. 694-708.

POISSON (J.P.), « Le rôle socio-économique du notariat au XVIIIe siècle : quatre offices parisiens en 1749 », dans *Annales. Économies, sociétés, civilisations*, 1972, p. 758-775.

POISSON (J.P.), « L'activité notariale à Paris en 1751. Premières données statistiques globales », dans *Journal de la Société de statistique de Paris*, 1979, p. 52-61.

POISSON (J.P.), « Matériaux et orientation pour une étude du notariat parisien pendant la Révolution française », dans *Le Gnomon*, 60 (1988), p. 25-45.

— *Colloque Université/Notariat.* « Notariat, justice et révolution »…, vendredi 10 mars 1989, dans *Le Gnomon*, 67 (1989), p. 3-111.

• Les commissaires-priseurs n'ont guère été étudiés. Ils possèdent un centre de documentation à l'hôtel Drouot (9, rue Drouot). Citons deux ouvrages :

— *Les Commissaires-Priseurs de Paris et l'Hôtel des Ventes* (1951, exposition à l'hôtel des Ventes/Drouot).

— *La Compagnie des commissaires-priseurs de Paris* (1980, exposition à l'Hôtel Drouot).

G. *L'armée*

• Paris n'ayant pas vraiment possédé de garnison sous l'Ancien Régime, il y a peu à dire sur l'armée :

— *Recueil des chartes... des [gardes] de la Ville de Paris* (édité par DROUART puis par HAY, consulter l'édition de 1770 pour les textes régissant ce corps).

TASSON (L.), *Le Guet de Paris* (1878, des origines à 1733).

CUDET (F.), *Histoire des corps de troupe qui ont été spécialement chargés du service de la Ville de Paris depuis son origine jusqu'à nos jours* (1887).

CHASSIN (C.L.), HENNET (L.), *Les Volontaires nationaux pendant la Révolution* (1899-1906, 3 vol. ; les 27 bataillons de Paris levés en 1791-1792).

LACOLLE (N.), *Histoire des gardes françaises, 1563-1789* (1901).

FANET (V.), « Paris militaire au XVIIIᵉ siècle. Les casernes », dans *Mémoires de la Société de l'histoire de Paris et de l'Île-de-France*, 31 (1904), p. 289-309.

TUBERT (P.), *Archers du vieux Paris, les trois « nombres ». Étude sur les anciennes compagnies bourgeoises des 60 arbalétriers, des 120 archers et des 100 arquebusiers de la ville de Paris* (1927).

HERLAUT (A.P.), « La levée des volontaires pour la Vendée à Paris », dans *Annales historiques de la Révolution française*, 1931, p. 383-398 et 496-514.

L'ouvrage fondamental est :

CHAGNIOT (J.), *Paris et l'armée au XVIIIᵉ siècle, étude politique et sociale* (1985).

Sur la garde nationale :

COMTE (C.), *Histoire de la garde nationale de Paris* (1827, nouvelle éd. avec H. Raisson en 1831).

LABÉDOLLIÈRE (E. DE), *Histoire de la garde nationale...* (1848).

LASSALLE (A. DE), *L'Hôtel des Haricots, maison d'arrêt de la garde nationale* (1864).

GIRARD (L.), *La Garde nationale, 1814-1871* (1964).

CARROT (G.), *La Garde nationale, une institution de la nation, 1789-1871* (1982).

CLIFFORD (D.L.), « The National Guard and the Parisian community, 1789-1790 », dans *French historical studies*, 1990, p. 849-878.

H. *Les pompiers*

Les pompiers ont été bien étudiés dans :

ARNAUD (A.), *Pompiers de Paris* (1958, éd. mise à jour en 1985).

On peut quand même rappeler :

DES CILLEULS (A.), *La Garde républicaine et les sapeurs-pompiers de Paris. Origines et histoire* (1900).

37. L'ÉQUIPEMENT

On trouvera une partie de la littérature consacrée à l'équipement et aux travaux publics dans le paragraphe 91, consacré à l'urbanisme. Les carrières ont déjà été traitées au paragraphe 15, « Sol et sous-sol ». La bibliographie du sujet se trouve largement dans P. LAVEDAN, *Histoire de l'urbanisme à Paris* (1975, texte et bibliographie mis à jour en 1993).

A. Généralités

La plupart des études historiques sont mentionnées au paragraphe 91, «Urbanisme». On se limite ici à quelques titres :

LECARON (F.), «Essai sur les travaux publics de la Ville de Paris au Moyen Âge», dans *Mémoires de la Société de l'histoire de Paris et de l'Île-de-France*, 3 (1876), p. 82-125.

LASTEYRIE (R. DE), «Fragments de comptes relatifs aux travaux de Paris en 1366», dans *Mémoires de la Société de l'histoire de Paris et de l'Île-de-France*, 4 (1877), p. 270-301.

MONNIER (F.), *Les Marchés de travaux publics dans la généralité de Paris au XVIIIᵉ siècle* (1984).

BAILLEUX DE MARISY (A.), «La Ville de Paris, ses finances et ses travaux publics depuis le commencement du siècle», dans *Revue des Deux Mondes*, 15 octobre 1863, p. 775-826.

— *Les Travaux de Paris, 1789-1889. Atlas* dressé sous la dir. d'A. ALPHAND (1889, très important).

DEBOFLE (P.), «Les travaux publics à Paris au XIXᵉ siècle. Hommes et programmes, 1800-1914», dans *L'Administration à Paris, 1789-1977* (1979), p. 43-77.

• Il existe une énorme littérature sur les grands travaux dans la capitale sous Napoléon III. On en trouvera un aperçu dans la bibliographie de :

GIRARD (L.), *La Politique des travaux publics sous le second Empire* (1952).
On peut y ajouter :
PINKNEY (D.H.), *Napoléon III and the rebuilding of Paris* (1972).
MALET (H.), *Le Baron Haussmann et la rénovation de Paris* (1973).
GAILLARD (J.), *Paris, la ville, 1852-1870, l'urbanisme parisien à l'heure d'Haussmann* (1977).
GAY (J.), *L'Amélioration de l'existence à Paris sous le règne de Napoléon III. L'administration des services à l'usage du public* (1986).
— *Paris et ses réseaux : naissance d'un mode de vie urbain, XIXᵉ-XXᵉ siècles* (1990).

• L'administration et ses textes :
— *Prix de règlement applicable aux travaux de bâtiments exécutés en 1860-1868 pour le compte de l'administration municipale*, établi par la préfecture de la Seine (1860-1868, 3 vol., continué en 3 vol. pour 1873-1883).
— Préfecture de la Seine. Direction des travaux de Paris. *Recueil de règlements* (1875).
— «Services techniques de la Ville de Paris. Direction des travaux», n° 160 (1927) de *Science et Industrie*, puis numéro hors série de 1931.
— «La Direction générale des services techniques de Paris», numéro hors série de juin 1958 de la revue *Travaux*.
BASSOMPIERRE-SEWRIN (V.), *De la préparation et de l'exécution des travaux d'architecture de la Ville de Paris* (1900, thèse de droit).
— *Des grands chantiers... hier. Photographie, dessin, outils de l'architecte et*

de l'ingénieur autour de 1900 dans les collections de la Bibliothèque adminis-
trative de la Ville de Paris (1988, exposition au musée de la SEITA).

B. L'eau

Il existe une bibliographie très sommaire dans la brochure *L'Eau à Paris*
(1979) publiée par les bibliothèques de la ville de Paris. Se reporter aux paragraphes 13 («Cours d'eau») et 15 («Sol et sous-sol») et notamment à
l'admirable :

BELGRAND (E.), *Les Travaux souterrains de Paris* (1872-1887, 5 vol. et atlas).
Lire aussi :

— Préfecture du département de la Seine. Administration de la Ville de Paris.
Direction des eaux et égouts. *Recueil des règlements sur les eaux de Paris* (1875,
règlements de 1392 à 1874).

— Ville de Paris. Direction des travaux. *Recueil de pièces concernant les
eaux, les canaux et l'assainissement* (1880-1886, 3 vol.).

• Sur le service des eaux :

BELGRAND (E.), *Historique du Service des eaux depuis l'année 1854 jusqu'à
l'année 1874* (1875).

BEHRMANN (G.), *Exposition universelle de 1900... Notice sur le Service des
eaux et de l'assainissement de Paris* (1900).

KOCH (P.), «La Direction technique des eaux et de l'assainissement de la Ville
de Paris», supplément à *Travaux*, n° 180 *bis* (1949), nouvelle éd. en 1958.

• Histoire de l'approvisionnement en eau :

GIRARD (P.S.), *Recherches sur les eaux publiques de Paris...* (1812, ancien
mais solide).

FIGUIER (L.), *Les Eaux de Paris...* (1862).

DES CILLEULS (A.), «Les anciennes eaux de Paris du XIIIᵉ au XVIIIᵉ siècle»,
dans *Revue générale d'administration*, mars, avril, mai 1911, p. 257-274, 400-
417, 19-27.

CHERRIÈRE (?), «L'eau à Paris au XVIᵉ siècle», dans *La Cité*, 1912, p. 349-387.

MONTORGUEIL (G.), *Les Eaux et les fontaines de Paris* (1928).

MOUSSET (A.), *Les Francine, créateurs des eaux de Versailles, intendants des
eaux et fontaines de France de 1623 à 1784* (1930).

BOUCHARY (J.), *L'Eau à Paris à la fin du XVIIIᵉ siècle : la Compagnie des eaux
de Paris et l'entreprise de l'Yvette* (1946).

DIFFRE (P.), «Historique de l'alimentation en eau de la capitale», dans *Bulletin
du BRGM*, n° 4, 1967, consacré à l'eau.

JACQUEMET (G.), «Les porteurs d'eau de Paris au XIXᵉ siècle», dans *Études de
la région parisienne*, 29 (janvier 1971), p. 1-4; 30 (avril 1971), p. 11-17;
31 (juillet 1971), p. 8-17; 32 (octobre 1971), p. 12-21.

— *L'Eau à Paris* (1978, exposition à l'Hôtel de Ville).

GOUBERT (J.P.), *La Conquête de l'eau* (1986).

BERCHE (C.), «De l'eau à tous les étages», p. 303-321 de *L'Administration
locale en Île-de-France*, tome 38 (1987) de *Paris et Île-de-France*.

CEBRON DE LISLE (P.), «Les eaux et les égouts à Paris, évolution technique»,
p. 101-136 de *Paris et ses réseaux : naissance d'un mode de vie urbain, XIXᵉ-
XXᵉ siècles* (1990).

CSERGO (J.), «L'eau à Paris au XIXᵉ siècle : approvisionnement et consommation domestique», p. 137-152 de *Paris et ses réseaux : naissance d'un mode de vie urbain, XIXᵉ-XXᵉ siècles* (1990).

BARBIER (J.M.), «L'eau potable à Paris», p. 163-171 de *Paris et ses réseaux : naissance d'un mode de vie urbain, XIXᵉ-XXᵉ siècles* (1990).

DOUARD (P.), «Évolution récente de la question de l'eau à Paris», p. 181-185 de *Paris et ses réseaux : naissance d'un mode de vie urbain, XIXᵉ-XXᵉ siècles* (1990).

— Compagnie des eaux de Paris, «Expérience et innovation au service de la capitale», p. 187-191 de *Paris et ses réseaux : naissance d'un mode de vie urbain, XIXᵉ-XXᵉ siècles* (1990).

CUJARD (J.Y.), «Évolution des techniques dans le domaine des réseaux d'eau», p. 193-197 de *Paris et ses réseaux : naissance d'un mode de vie urbain, XIXᵉ-XXᵉ siècles* (1990).

DRUART (D.), «Paris et Pont-à-Mousson, une histoire en commun : la ville de Paris et les canalisations en fonte», p. 199-203 de *Paris et ses réseaux : naissance d'un mode de vie urbain, XIXᵉ-XXᵉ siècles* (1990).

BEAUMONT-MAILLET (L.), *L'Eau à Paris* (1991).

CEBRON DE LISLE (P.), *L'Eau à Paris au XIXᵉ siècle* (1991, thèse multigraphiée).

C. Les égouts

Voir aussi le paragraphe 15 («Sol et sous-sol»). On trouve la réglementation dans :

— *Assainissement. Recueil des ordonnances et arrêtés depuis 1374 jusqu'à 1864* (1865).

— *Recueil de règlements sur l'assainissement* (1872).

— Ville de Paris. Direction des travaux. *Recueil de pièces concernant les eaux, les canaux et l'assainissement* (1880-1886, 3 vol.).

• Les structures du service :

BECHMANN (G.), *Exposition universelle de 1900... Notice sur le Service des eaux et de l'assainissement de Paris* (1900).

KOCH (P.), «La Direction technique des eaux et de l'assainissement de la Ville de Paris», supplément à la revue *Travaux* nᵒ 180 *bis* (1949), nouvelle éd. en 1958.

• Quelques ouvrages choisis :

PARENT-DUCHÂTELET (A.J.B.B.), *Essai sur les cloaques ou égouts de la Ville de Paris...* (1824, ancien mais excellent).

LEMOINE (H.), «Les égouts de Paris du XVIIIᵉ siècle à 1825», dans *Revue de la Chambre syndicale de maçonnerie, ciments et béton armé de la Ville de Paris et du département de la Seine*, 1929-1930.

KNAEBEL (G.), *Premières Indications pour une histoire de la technique et du réseau des égouts de Paris au XIXᵉ siècle* (1978).

JACQUEMET (G.), «L'urbanisme parisien : la bataille du tout-à-l'égout à la fin du XIXᵉ siècle», dans *Revue d'histoire moderne et contemporaine*, 26 (1979), p. 504-548.

CEBRON DE LISLE (P.), «Les eaux et les égouts à Paris, évolution technique», p. 101-136 de *Paris et ses réseaux : naissance d'un mode de vie urbain, XIXᵉ-XXᵉ siècles* (1990).

MÉRAUD (D.), « L'assainissement de l'agglomération parisienne », p. 173-180 de *Paris et ses réseaux : naissance d'un mode de vie urbain, XIXe-XXe siècles* (1990).

REID (D.), *Paris sewers and sewermen, realities and representations* (1991).

D. La voie publique

Il existe une série d'utiles traités sur la voirie :

LECLER DU BRILLET, *Traité de la voirie* (1738, tome 4 du *Traité de la police* de Delamare).

PERROT (A.P.), *Dictionnaire de voirie* (1782).

COURCELLE (L.), *Traité de la voirie* (1900).

S'y ajoutent des recueils de règlements :

BERNARD (A.), *Recueil des clauses connues sous le nom de réserves domaniales... pour l'élargissement ou le percement des voies publiques dans la ville de Paris depuis l'année 1790, suivi d'un atlas indiquant la situation des immeubles grevés* (1883, 3e éd. en 1897).

ALPHAND (A.), DEVILLE (A.), HOCHEREAU (E.), *Recueil des lettres patentes, ordonnances royales, décrets et arrêtés préfectoraux concernant les voies publiques...* (1886-1901, 3 vol. donnant la législation de 1270 à 1901).

TAXIL (L.), *Recueil d'actes administratifs et de conventions aux servitudes spéciales d'architecture* (1905).

GALLET-GUERNE (D.), GERBAUD (H.), *Les Alignements d'encoignures à Paris. Permis délivrés par le Châtelet de 1668 à 1789 (Y 9505A à 9507B). Inventaire...* (1979).

• Les structures administratives :

VANNEUFVILLE (G.), « La Direction technique de la voirie parisienne. La voie publique » (1949), supplément à la revue *Travaux*, n° 180 *bis*.

CLAIRGEON (P.), « Service de la voie publique » (1958), supplément à *Travaux*.

• L'histoire administrative de la voirie a été peu étudiée :

LÉON (P.), *Paris, histoire de la rue* (1947).

CAZELLES (R.), « La réunion au domaine royal de la voirie de Paris, 1270-1363 », dans *Bulletin de la Société de l'histoire de Paris et de l'Île-de-France*, 1963, p. 45-60.

BOULET-SAUTEL (M.), « Une responsabilité de l'État sous l'Ancien Régime, dossiers parisiens », p. 100-117 de *La Responsabilité à travers les âges* (1989).

GOURLET (J.), « Aujourd'hui la voirie », p. 87-91 de *Paris et ses réseaux : naissance d'un mode de vie urbain, XIXe-XXe siècles* (1990).

LAMBOLEY (C.), « La gestion de la circulation de Paris », p. 343-348 de *Paris et ses réseaux : naissance d'un mode de vie urbain, XIXe-XXe siècles* (1990).

• Le pavage et le revêtement de la voie publique :

DUPAIN (S.), *Notice historique sur le pavé de Paris, depuis Philippe Auguste jusqu'à nos jours...* (1881, ancien mais toujours valable).

BROWN (V.), *Le Pavage en bois à Paris* (1892).

BIETTE (L.), *Les Revêtements des voies publiques de Paris* (1926).

GUILLERME (A.), « Le pavé de Paris », p. 59-82 de *Paris et ses réseaux : naissance d'un mode de vie urbain, XIXe-XXe siècles* (1990).

• Sur le nettoiement et l'assainissement des voies publiques existe une abondante littérature. Sur la réglementation d'abord :

— *Assainissement. Recueil des ordonnances et arrêtés depuis 1374 jusqu'à 1864* (1865).

— *Recueil de règlements sur l'assainissement* (1872).

— Ville de Paris. Direction des travaux. *Recueil de pièces concernant les eaux, les canaux et l'assainissement* (1880-1886, 3 vol.).

— *Règlements sanitaires départemental et de la Ville de Paris* (1972, publié par les préfectures de Paris et de police).

• Sur le service du nettoiement :

VANNEUFVILLE (G.), «La Direction technique de la voirie parisienne» (1949), supplément à la revue *Travaux*, n° 180 *bis*, nouvelle éd. en 1958.

• L'histoire de la voirie :

CHEVALLIER (A.), «Notice historique sur le nettoiement de la Ville de Paris depuis 1184», dans *Annales d'hygiène publique et de médecine légale*, 42 (1849).

FRANKLIN (A.), *Étude sur la voirie et l'hygiène publique à Paris depuis le XIIe siècle* (1873).

GIRARD (L.), *Le Nettoiement de Paris* (1923).

BOURGEOIS-GAVARDIN (J.), *Les Boues de Paris sous l'Ancien Régime. Contribution à l'histoire du nettoiement urbain aux XVIIe et XVIIIe siècles* (1985, 2 vol. multigraphiés).

SILGUY (C. DE), *La Saga des ordures du Moyen Âge à nos jours* (1989).

GUERRAND (R.H.), «Le problème de l'évacuation des déchets solides à Paris au XIXe siècle», p. 153-162 de *Paris et ses réseaux : naissance d'un mode de vie urbain, XIXe-XXe siècles* (1990).

JUGIE (J.H.), *Poubelle-Paris, 1883-1896 : la collecte des ordures ménagères à la fin du XIXe siècle* (1993).

• L'éclairage public :

FOURNIER (E.), *Les Lanternes, histoire de l'ancien éclairage à Paris* (1854).

THOMAS (E.), *Histoire de l'éclairage depuis les temps les plus reculés jusqu'à nos jours* (1890).

MARÉCHAL (H.), *L'Éclairage à Paris, étude technique...* (1894).

LÉON (P.), *Du monopole de l'éclairage et du chauffage par le gaz à Paris* (1901).

DEFRANCE (E.), *Histoire de l'éclairage des rues de Paris* (1904).

HERLAUT (A.), «L'éclairage des rues à Paris à la fin du XVIIe et au XVIIIe siècle», dans *Mémoires de la Société de l'histoire de Paris et de l'Île-de-France*, 43 (1916), p. 129-265.

BOUTTEVILLE (E.), *L'Éclairage public à Paris* (1925).

HERLAUT (A.), *L'Éclairage de Paris à l'époque révolutionnaire* (s.d., vers 1928).

VANNEUFVILLE (G.), «La Direction technique de la voirie parisienne. L'éclairage public. Les distributions d'énergie» (1949), supplément à la revue *Travaux*, n° 180 *bis*.

ULMER (B.), *Les Écritures de la nuit. Un siècle d'illuminations et de publicité lumineuse. Paris Ville lumière* (1987), ouvrage de vulgarisation, comme le suivant :

GAILLARD (M.), *Paris Ville lumière* (1994).

• La très complexe question du numérotage des maisons doit être abordée à partir de ces ouvrages :

TAXIL (L.), Ville de Paris, 1903. Commission du Vieux Paris, *Tableau établissant la concordance entre le numérotage actuel d'un certain nombre de maisons de l'ancien Paris et les différents numérotages que ces mêmes maisons ont portés à diverses époques...* (1903, annexe au procès-verbal de la séance du 12 novembre 1903).

PRONTEAU (J.), *Les Numérotages des maisons de Paris du XVe siècle à nos jours...* (1966).

• Pour les anciens modes d'inscriptions, les changements de dénominations des rues, utiliser :

CLOUET D'ORVAL (G.), « Les anciennes inscriptions des noms de rues de Paris, 1728-1806 », dans *Paris et Île-de-France*, 20 (1969), p. 127-274 (contient un répertoire des anciennes inscriptions gravées au XVIIIe siècle).

• Le mobilier urbain :

BERTY (A.), « Les enseignes de Paris avant le XVIIe siècle », dans *Revue archéologique*, 1855, p. 1-9.

FOURNIER (E.), *Histoire des enseignes des rues de Paris* (1884).

BOURNON (F.), *La Voie publique et son décor* (1909).

FEGDAL (C.), *Les Vieilles Enseignes de Paris* (1913).

VIMONT (M.), « Les enseignes des maisons de la rue Saint-Denis. Essai de classement topographique », dans *Le Centre de Paris,* 2 (1925), p. 45-108 ; à compléter par :

VIMONT (M.), « Essai sur les différents numérotages des maisons de la rue Saint-Denis », dans *Le Centre de Paris*, 2 (1930), p. 247-272.

COTTARD (R.L.), « Enseignes d'hier et d'aujourd'hui », dans *Quatorzième Arrondissement*, 1975, p. 21-45 ; 1976, p. 21-23 ; 1977, p. 5-14.

— *Paris, la rue : le mobilier urbain parisien du second Empire à nos jours* (1976, exposition à la Bibliothèque historique de la Ville de Paris).

E. Parcs, jardins et espaces verts

La Direction des parcs, jardins et espaces verts mène une action dynamique, mais est mal connue et à peine étudiée. La plupart des travaux publiés portent sur l'aménagement d'un ou de plusieurs jardins, voire sur l'ensemble des espaces verts de la capitale, mais ne traitent pas de l'action de l'administration. On trouvera ces études au paragraphe 98, consacré aux espaces verts. On peut se reporter à :

GANAY (E. DE), *Bibliographie de l'art des jardins* (1989).

On se limite ici à une poignée de titres :

ALPHAND (J.C.), ERNOUF (A.A.), *Les Promenades de Paris* (1867-1873, 2 vol. ; essentiel pour le second Empire).

LANCRENON (F.), *Le Problème des espaces verts dans la ville de Paris* (1964).

— *Propositions pour une politique de l'arbre à Paris*, par la Direction des parcs, jardins et espaces verts (1988).

— *Parcs et promenades de Paris* (1989, exposition au pavillon de l'Arsenal).
— *Les Espaces verts et boisés de la région d'Île-de-France. Inventaire des terrains ouverts au public. Ville de Paris, décembre 1990* (1992, publication de l'Institut d'aménagement et d'urbanisme de la région d'Île-de-France).

DEBIÉ (F.), *Jardins de capitales : une géographie des parcs et jardins publics de Paris, Londres, Vienne et Berlin* (1992).

BAROZZI (J.), *Guide des 400 jardins publics de Paris* (1992).

38. LES ENTREPRISES PUBLIQUES

A. Les transports en commun terrestres

• On doit mentionner en premier lieu quelques recueils de textes juridiques :

HUBAULT (E.), *Services de transport en commun à Paris et dans le département de la Seine... Recueil annoté de documents législatifs et administratifs...* (1889).

HUBAULT (E.), *Omnibus et tramways de Paris et du département de la Seine. Recueil annoté de documents législatifs et administratifs...* (1894).

HUBAULT (E.), *Omnibus, tramways, métropolitain. Recueil annoté de lois, décrets, ordonnances, arrêtés, décisions concernant les transports en commun dans Paris et le département de la Seine* (1902).

• L'histoire générale des transports en commun terrestres :

MARTIN (A.), *Étude historique et statistique sur les moyens de transport dans Paris...* (1894, d'une qualité exceptionnelle, les transports en commun du XVIIᵉ siècle à 1890 avec une excellente cartographie, un monument irremplacé).

LUCAS (C.), *Les Transports en commun à Paris. Étude économique et sociale* (1911).

BOURGEOIS (P.), *Les Transports urbains du grand Paris...* (1927, thèse de droit).

LAGARRIGUE (L.), *Cent Ans de transports en commun dans la région parisienne* (1956, 4 vol. dont 2 de plans de 1662 à 1955).

MERLIN (P.), *Les Transports parisiens, étude de géographie économique et sociale* (1967).

MERLIN (P.), *Les Transports à Paris et en Île-de-France* (1982).

BOUVIER (P.), *Technologie, travail, transports. Les transports parisiens de masse, 1900-1985* (1985).

GAILLARD (M.), *Histoire des transports parisiens de Blaise Pascal à nos jours* (1988, ouvrage de vulgarisation).

LARROQUE (D.), « Le réseau et le contexte : le cas des transports collectifs urbains, 1880-1939 », p. 299-341 de *Paris et ses réseaux : naissance d'un mode de vie urbain, XIXᵉ-XXᵉ siècles* (1990).

GAILLARD (M.), *De Madeleine-Bastille à Météor. Histoire des transports parisiens* (1992, vulgarisation).

• Les transports hippomobiles :

MONMERQUÉ (L.J.N.), *Les Carrosses à cinq sols ou les omnibus du XVIIᵉ siècle* (1828).

DUCLOU (M.R.), *Les Carrosses à cinq sols* (1950).

CAUSSE (B.), *Les Fiacres de Paris aux XVIIᵉ et XVIIIᵉ siècles* (1972).

Ducaux (F.J.), *Notice sur la Compagnie impériale des voitures de Paris, depuis son origine jusqu'à ce jour* (1859).

Bouchet (G.), «La traction hippomobile dans les transports publics parisiens, 1855-1914», dans *Revue historique*, 549 (1984), p. 125-134.

Bouchet (G.), *Le Cheval à Paris de 1850 à 1914* (1993).

• Les tramways :
— *Guide officiel des autobus-tramways* (1930).
Robert (J.), *Les Tramways parisiens* (1959, 3ᵉ éd. très développée en 1992).

• Le métropolitain :
Bouchet (J.), *Les Rapports administratifs de la Ville de Paris et du département de la Seine avec la Compagnie du chemin de fer métropolitain* (1941, thèse de droit).

Guerrand (R.H.), *Mémoires du métro* (1960).

Robert (J.), *Notre métro* (1968, 2ᵉ éd. très augmentée en 1983).

Guerrand (R.H.), *L'Aventure du métropolitain* (1986).

— *Métropolitain. L'autre dimension de la ville* (1988, exposition à la Bibliothèque historique de la Ville de Paris, accompagnée d'un colloque).

Braun (C.), Pitte (J.R.), «Un Paris oublié : les dessous du métro aérien», p. 83-86 de *Paris et ses réseaux : naissance d'un mode de vie urbain, XIXᵉ-XXᵉ siècles* (1990).

Jacquemin (J.M.), *La Ligne de Sceaux au fil du temps* (1990).

• Le chemin de fer est volontairement passé sous silence, car il concerne la France entière et non Paris. Les gares seront évoquées dans le chapitre consacré à l'urbanisme et à l'architecture. On se contente ici de citer les lignes de grande et de petite ceinture qui intéressent plus particulièrement la capitale :

Carrière (B.), *La Saga de la Petite Ceinture* (1991).
— *La Petite Ceinture de Paris* (1991).
Carrière (B.), *L'Aventure de la Grande Ceinture* (1992).

B. Les transports par eau

On dispose de peu d'études sur les rapports entre la batellerie et l'administration. On citera :

Maury (F.), *Le Port de Paris depuis un siècle* (1903, thèse de droit, publiée en 1904 sous le titre : *Le Port de Paris, hier et demain*).

Lemarchand (M.G.), *Rapport au nom de la 6ᵉ Commission, sur le régime de la Seine, Paris-port de mer et l'outillage du port de Paris* (1911).

Beaudouin (F.), *Paris et la batellerie du XVIIᵉ au XXᵉ siècle* (1979, exposition au Musée de la Batellerie et à la Bibliothèque publique d'information). F. Beaudouin a produit de nombreux articles sur la batellerie.

Les deux textes récents fondamentaux sont :

Merger (M.), «La Seine dans la traversée de Paris et ses canaux annexes : une activité portuaire à l'image d'une capitale, 1800-1939», p. 349-386 de *Paris et ses réseaux : naissance d'un mode de vie urbain, XIXᵉ-XXᵉ siècles* (1990).

Millard (J.), *Paris, histoire d'un port : du Port de Paris au Port autonome de Paris* (1994).

C. Le transport aérien

Les aéroports de Paris se situent hors de la ville et n'ont guère été étudiés au point de vue historique. Aussi doit-on se contenter d'un nombre infime de références :

Postel (C.), *L'Aéroport de Paris, ...* (1953).

— *Issy, berceau de l'aviation* (1982, exposition à Issy-les-Moulineaux).

Fayard (J.F.), «Un siècle dans le ciel de Paris», p. 411-413 de *Paris et ses réseaux : naissance d'un mode de vie urbain, XIXe-XXe siècles* (1990).

Poilâne (L.), «Des réseaux qui n'existent que sur le papier», p. 414-422 de *Paris et ses réseaux : naissance d'un mode de vie urbain, XIXe-XXe siècles* (1990).

D. Postes et télécommunications

Le musée de la Poste (34, boulevard de Vaugirard) possède un centre de documentation où il est agréable de travailler. Il existe une bonne bibliographie et une solide histoire de la poste :

Nougaret (P.), *Bibliographie critique de l'histoire postale française...* (1970).

Vaillé (E.), *Histoire générale des postes françaises* (1947-1955, 6 vol.).

Il est assez difficile aujourd'hui de distinguer l'activité postale parisienne de celle du reste du pays. On se limite ici à ce qui concerne uniquement la capitale :

Steenackers (F.F.), *Les Télégraphes et les postes pendant la guerre de 1870-1871* (1883).

Brunel (G.), *La Poste à Paris depuis sa création jusqu'à nos jours* (1920).

Laurent (B.), *La Commune de 1871. Les postes, les ballons, les télégraphes...* (1934).

Valuet (R.), *Paris et sa poste* (1957).

Allard (R.), Legendre (J.), *Histoire postale de la Seine* (1966).

Chamboissier (L.), *La Poste à Paris pendant le siège et sous la Commune, 1870-1871* (1969, réimpression de l'éd. de 1919).

Debuchy (V.), *Les Ballons du siège de Paris* (1973).

Fouché (M.), *La Poste aux chevaux de Paris et ses maîtres de postes à travers les âges* (1975).

Rykner (?), Gobillot (R.), *La Poste pneumatique de Paris* (1975).

Poujol (T.), «Le réseau d'air comprimé : une stratégie ambitieuse mais un destin parisien», p. 279-296 de *Paris et ses réseaux : naissance d'un mode de vie urbain, XIXe-XXe siècles* (1990).

Morel (J.), *Les Établissements postaux parisiens de 1863 à 1985* (1986).

La littérature philatélique est très abondante. On la trouvera sans peine en vente chez les marchands de timbres (rue Drouot notamment) et on pourra la consulter à la bibliothèque du Musée de la Poste. On se limite ici à quelques titres significatifs :

Rochette (A.), Pothion (J.), *Catalogue des marques postales et oblitérations de Paris, 1700-1876* (1re éd. en 1958).

Aurand (M.), *Contribution à l'étude des oblitérations de Paris, 1876-1900* (vers 1960).

Bremard (P.), *Catalogue des oblitérations mécaniques. Paris, région parisienne* (1969).

Lux (P.), *Les Recettes auxiliaires de Paris, 1894-1972. Historique, sommaire et catalogue de leurs cachets* (1973).

Pour le téléphone, l'essentiel de la bibliographie est cité dans :

Carré (P.A.), «Téléphoner à Paris, de l'Exposition universelle de 1878 à la veille du second conflit mondial », p. 387-399 de *Paris et ses réseaux : naissance d'un mode de vie urbain, XIXᵉ-XXᵉ siècles* (1990).

Pour le téléphone mobile, lire :

GRISET (P.), « Les ondes hertziennes et la capitale », p. 401-409 de *Paris et ses réseaux : naissance d'un mode de vie urbain, XIXᵉ-XXᵉ siècles* (1990).

La radio et la télévision viennent de faire l'objet d'un solide travail :

BROCHAND (C.), *Histoire générale de la radio et de la télévision en France* (1994, 2 vol.).

E. Gaz, électricité, chauffage urbain

Ici encore, la bibliographie est très sélective et axée sur la capitale :

COCHIN (D.), *La Compagnie du gaz et la Ville de Paris* (1883).

MARÉCHAL (H.), *L'Éclairage à Paris, étude technique* (1894).

LÉON (P.), *Du monopole de l'éclairage et du chauffage par le gaz à Paris* (1901, thèse de droit).

BESNARD (H.), *L'Industrie du gaz à Paris depuis ses origines* (1942).

MALÉGARIE (C.), *L'Électricité à Paris* (1947).

— Compagnie parisienne de chauffage urbain, *Le Chauffage urbain à Paris* (1955).

FIERRO (A.), « Se chauffer à Paris au XIXᵉ siècle », p. 207-212 de *Paris et ses réseaux : naissance d'un mode de vie urbain, XIXᵉ-XXᵉ siècles* (1990).

WILLIOT (J.P.), « Nouvelle ville, nouvelle vie : croissance et rôle du réseau gazier parisien au XIXᵉ siècle », p. 213-232 de *Paris et ses réseaux : naissance d'un mode de vie urbain, XIXᵉ-XXᵉ siècles* (1990).

VINCIGUERRA (L.), « Le réseau de chauffage urbain de Paris », p. 233-239 de *Paris et ses réseaux : naissance d'un mode de vie urbain, XIXᵉ-XXᵉ siècles* (1990).

BELTRAN (A.), « Création et développement du réseau électrique parisien, 1878-1939 », p. 241-257 de *Paris et ses réseaux : naissance d'un mode de vie urbain, XIXᵉ-XXᵉ siècles* (1990).

VAUTIER (P.), « Les réseaux d'électricité parisiens », p. 259-277 de *Paris et ses réseaux : naissance d'un mode de vie urbain, XIXᵉ-XXᵉ siècles* (1990).

BERLANSTEIN (L.R.), *Big Business and industrial conflict in nineteenth century France : a social history of the Parisian Gas Company* (1991).

39. L'APPROVISIONNEMENT

La réglementation de l'approvisionnement de Paris en denrées alimentaires et bois de chauffage est ancienne et complexe. On trouvera une partie de la bibliographie déjà énumérée aux paragraphes 34 B (« Recettes ») et 36 D (où figurent les traités de la police qui incluent la police des subsistances). Préalablement à toute étude approfondie sur cette question complexe, il faut avoir lu :

OLIVIER-MARTIN (F.), *La Police économique de l'Ancien Régime* (1988, réimpression de cours polycopiés).

On peut consulter quelques recueils de textes non cités au paragraphe 36 D :

DUPIN (A.M.), *Code du commerce de bois et de charbon, pour l'approvisionnement de Paris, ...* (1817, 2 vol.).

ROUSSEAU (P.), *Fanal de l'approvisionnement de Paris en combustibles et bois de construction...* (1839).

Rousseau (P.), *Dictionnaire de l'approvisionnement de Paris en combustibles, en bois de construction et autres marchandises* (2ᵉ partie du *Fanal*, 1841).

Lespinasse (R. de), Bonnardot (F.), *Les Métiers et les corporations de la ville de Paris*, volume 1, *Ordonnances générales, métiers d'alimentation* (1886).

Caron (P.) éd., *La Commission des subsistances de l'an II, procès-verbaux et actes* (1925).

Principaux travaux sur l'approvisionnement :

Biot (J.B.), *Lettres sur l'approvisionnement de Paris et sur le commerce des grains* (1835).

Husson (A.), *Les Consommations de Paris* (1856, nouvelle éd. totalement modifiée en 1875).

Cochut (A.), « Le pain à Paris », dans *Revue des Deux Mondes*, 14 août 1863, p. 964-975, et 15 septembre 1863, p. 400-435.

Biollay (L.), « Les anciennes halles de Paris », dans *Mémoires de la Société de l'histoire de Paris et de l'Île-de-France*, 3 (1876), p. 293-355.

Coffignon (A.), *Paris vivant. L'estomac de Paris* (1887).

— Préfecture de la Seine. Bureau de l'approvisionnement, *Notes sur les abattoirs, entrepôts, halles, marchés et établissements divers concourant à l'approvisionnement de Paris* (1889).

Bienaymé (G.), « La fiscalité alimentaire et gastronomique à Paris », dans *Journal de la Société de statistique de Paris*, 1890, p. 40-60.

Chassaigne (M.), « Essai sur l'ancienne police de Paris. L'approvisionnement », dans *Revue des études historiques*, 1906, p. 225-256 et 337-369.

Des Cilleuls (A.), « L'approvisionnement de Paris en céréales dans le passé et le présent », dans *Revue générale d'administration*, juin à août 1910, p. 141-155, 268-281, 385-408.

Facque (R.), *Les Halles et marchés alimentaires de Paris* (1911).

Cherrière (?), « La lutte contre l'incendie sur la Seine, les ports et les quais de Paris sous l'Ancien Régime », p. 117-225 de *Mémoires et documents pour servir à l'histoire du commerce et de l'industrie en France* (1912, 2ᵉ série).

Cherrière (?), « La lutte contre l'incendie dans les halles, les marchés et les foires de Paris sous l'Ancien Régime », p. 107-321 de *Mémoires et documents pour servir à l'histoire du commerce et de l'industrie en France* (1913, 3ᵉ série).

Cherrière (?), « Le marché Sainte-Catherine », dans *La Cité*, 1915, p. 5-35.

Brochin (M.), *Les Règlements sur les marchés des blés de Paris sous l'Ancien Régime* (1917).

Herlaut (A.), « La disette de pain à Paris en 1769 », dans *Mémoires de la Société de l'histoire de Paris et de l'Île-de-France*, 45 (1918), p. 5-100.

Évrard (F.), « Une enquête du parlement de Paris sur la récolte de 1788 », dans *La Révolution française*, 1919, p. 38-53, 135-170, 221-230.

Bondois (P.M.), « Les difficultés du ravitaillement parisien. Le commerce des beurres et des œufs sous l'Ancien Régime », p. 214-320 de *Mémoires et documents pour servir à l'histoire du commerce et de l'industrie en France* (1924, 8ᵉ série).

Vincent (F.), *Histoire des famines à Paris* (1946).

Meuvret (J.), « Le commerce des grains et farines à Paris et les marchands parisiens à l'époque de Louis XIV », dans *Revue d'histoire moderne et contemporaine*, 1956, p. 169-203.

RUDÉ (G.), «La taxation populaire de mai 1775 à Paris et dans la région parisienne», dans *Annales historiques de la Révolution française*, 1956, p. 139-179.

MARTINEAU (J.), *Les Halles de Paris, des origines à 1789* (1960).

BERGERON (L.), «Approvisionnement et consommation à Paris sous le premier Empire», dans *Paris et Île-de-France*, 14 (1963), p. 197-232.

COBB (R.), *Terreur et subsistances, 1793-1795* (1965).

DARNTON (R.), «Le lieutenant de police J.P. Lenoir, la guerre des farines et l'approvisionnement de Paris», dans *Revue d'histoire moderne et contemporaine*, 16 (1969), p. 611-624.

BOURQUIN (M.H.), *L'Approvisionnement de Paris en bois de la Régence à la Révolution* (1969, thèse multigraphiée dont un résumé se trouve p. 159-228 d'*Études d'histoire du droit parisien*, 1970).

GINDIN (C.), «Le pain de Gonesse à la fin du XVIIe siècle», dans *Revue d'histoire moderne et contemporaine*, 1972, p. 414-434.

LEMOYNE DE FORGES (P. et J.M.), *Aspects actuels de l'administration parisienne : la police dans la région parisienne, la réalisation du marché de Rungis* (1972).

LÉRI (J.M.), «Aspect administratif de la construction des marchés de la ville de Paris, 1800-1850», dans *Bulletin de la Société de l'histoire de Paris et de l'Île-de-France*, 1976-1977, p. 171-190.

KAPLAN (S.L.), «Réflexions sur la police du monde du travail, 1700-1815», dans *Revue historique*, 261 (1979), p. 17-77.

PETERSEN (S.), *Lebensmittelfrage und revolutionäre Politik in Paris, 1792-1793...* (1979).

KELLER (A.), *Die Getreideversorgung von Paris und London in der zweiten Hälfte des 17. Jahrhunderts* (1983).

KAPLAN (S.L.), *Le Pain, le Peuple et le Roi* (1986).

LACHIVER (M.), «L'approvisionnement de Paris en viande au XVIIe siècle», dans *La France d'Ancien Régime. Mélanges Pierre Goubert* (1984), p. 345-354.

MEUVRET (J.), *Le problème des subsistances à l'époque de Louis XIV* (1987-1988, 4 vol.).

KAPLAN (S.L.), *Les Ventres de Paris. Pouvoir et approvisionnement dans la France d'Ancien Régime* (1988, traduction de *Provisioning Paris*, 1984).

FIERRO (A.), «Se chauffer à Paris au XIXe siècle», dans *Paris et ses réseaux : naissance d'un mode de vie urbain, XIXe-XXe siècles* (1990), p. 207-212.

FOURNERON (I.), *Pache, maire de Paris, et l'administration des subsistances, février-septembre 1793* (1991, mémoire de maîtrise dactylographié).

CHEMLA (G.), *Les Ventres de Paris : les Halles, La Villette, Rungis, l'histoire du plus grand marché du monde* (1994).

40. SANTÉ ET ASSISTANCE

A. *Généralités*

L'histoire de l'assistance, des soins et de la prévention des maladies s'écrit largement à partir des archives de l'Assistance publique (7, rue des Minimes), qui disposent aussi d'une importante bibliothèque. Il faut également connaître les trésors du musée de l'Assistance publique (47, quai de la Tournelle).

Le *Bulletin de la Société française d'histoire des hôpitaux*, créé en 1959, contient une bibliographie courante d'histoire hospitalière. Pour les questions actuelles, dépouiller une autre revue, *L'Hôpital à Paris*.

• Inventaires d'archives et de bibliothèques :

MAROT (J.B.), *Collection des inventaires sommaires des archives hospitalières antérieures à 1790. Quinze-Vingts* (1867).

BRIÈLE (L.), *Récolement des archives de l'administration générale de l'Assistance publique qui ont échappé à l'incendie de mai 1871* (1876, nouvelle éd. plus développée en 1904).

BORDIER (H.), BRIÈLE (L.), *Les Archives hospitalières de Paris* (1877).

BRIÈLE (L.), *Administration générale de l'Assistance publique à Paris. Inventaire sommaire des archives hospitalières antérieures à 1790* (1882-1886, 3 vol. et 2 fascicules de suppléments en 1888-1889).

BOINET (A.), *Catalogue des manuscrits de la bibliothèque de l'Assistance publique et de l'hospice des Quinze-Vingts* (1908).

FOSSEYEUX (M.), *Catalogue des manuscrits des archives de l'Assistance publique. Nouvelle série* (1913).

CANDILLE (M.), *Catalogue des plans et dessins d'architecture du fonds de l'ancien Hôtel-Dieu de Paris, avec quatre études critiques sur les inventaires des archives de l'Assistance publique* (1973).

POINSOTTE (V.), « Les archives révolutionnaires de l'Assistance publique à Paris », dans *Bulletin de la Société française d'histoire des hôpitaux*, 59 (1989), p. 25-39.

• Collections de documents :

BRIÈLE (L.), *Collection de documents pour servir à l'histoire des hôpitaux de Paris* (1881-1887, 4 vol.).

TUETEY (A.), *L'Assistance publique à Paris pendant la Révolution* (1895-1897, 4 vol.).

TUETEY (A.), « Procès-verbaux du Comité des hôpitaux, 15 avril-3 octobre 1791 », dans *Bulletin d'histoire économique de la Révolution*, 1914-1916, p. 67-151.

• Collections d'objets d'art :

FOSSEYEUX (M.), *Inventaire des objets d'art appartenant à l'administration générale de l'Assitance publique à Paris* (1910).

— *Collections de l'Assistance publique à Paris* (1973, exposition à Port-Royal).

— *Trésors et chefs-d'œuvre de l'Assistance publique* (1977, exposition au Musée de l'Assistance publique).

— *Musée de l'Assistance publique de Paris* (1981).

• Réglementation :

— *Code de l'Hôpital général de Paris, ...* (1786).

— *Table alphabétique, chronologique et analytique des règlements relatifs à l'administration générale des hôpitaux, hospices, enfants trouvés et secours de la Ville de Paris* (1815).

— *Code administratif des hôpitaux civils, hospices et secours à domicile de la Ville de Paris* (1824-1825, 3 vol.).

— *Recueil des lois, ordonnances et décrets applicables à l'administration générale de l'Assistance publique à Paris* (1887).

BLOCH (C.), *L'Assistance publique. Instruction. Notes sur la législation et l'administration de l'Assistance de 1789 à l'an VIII. Recueil des principaux textes. Notes sur les sources aux Archives nationales* (1909).

QUET (J.), *L'Aide-mémoire de l'hospitalier. Recueil des règlements et décisions formant le statut du personnel hospitalier des hôpitaux de Paris, 1903-1936* (1937).

• Annuaires administratifs :

— *Annuaire des maisons de santé de l'Assistance publique*, paraissant à partir de 1903.

— *Annuaire de l'administration générale de l'Assistance publique à Paris*, paraissant à partir de 1958.

B. Histoire générale des hôpitaux et de l'assistance

Quelques ouvrage concernant au moins un siècle :

IMBERT (J.) dir., *Histoire des hôpitaux en France* (1982, l'indispensable synthèse).

POCQUET (B.), *Essai sur l'Assistance publique, son histoire, ses principes, son organisation actuelle* (1877).

VALLERY-RADOT (P.), *Paris d'autrefois. Ses vieux hôpitaux. Deux siècles d'histoire hospitalière* (1937, consacré aux années 1602 à 1836).

VALLERY-RADOT (P.), *Nos hôpitaux parisiens. Un siècle d'histoire hospitalière de Louis-Philippe à nos jours* (1948, suite du précédent pour 1837-1948).

— *Cent Ans d'Assistance publique à Paris, 1849-1949* (1949).

— *Vincent de Paul* (1960, exposition au Musée de l'Assistance publique sur l'hôpital à Paris de 1660 à 1960).

ACKERKNECHT (E.H.), *Medicine at the Paris hospital, 1794-1848* (1967).

IMBERT (J.), «L'Assistance publique à Paris de la Révolution à 1977», dans *L'Administration de Paris, 1789-1977* (1979), p. 79-107.

• Des origines à 1789 :

MACKAY (D.L.), *Les Hôpitaux et la charité à Paris au XIIIe siècle* (1923).

LE GRAND (L.), «Les Maisons-Dieu et léproseries du diocèse de Paris au milieu du XIVe siècle», dans *Mémoires de la Société de l'histoire de Paris et de l'Île-de-France*, 24 (1897), p. 61-365 ; 25 (1898), p. 47-178.

COYECQUE (E.), «L'Assistance publique à Paris au milieu du XVIe siècle», dans *Bulletin de la Société de l'histoire de Paris et de l'Île-de-France*, 15 (1888), p. 105-118.

FOSSEYEUX (M.), «L'assistance parisienne au milieu du XVIe siècle», dans *Mémoires de la Société de l'histoire de Paris et de l'Île-de-France*, 43 (1916), p. 83-128.

HOHL (C.), «Les épidémies au XVIe siècle : les transformations de l'organisation hospitalière parisienne», dans *Annuaire-Bulletin de la Société des études historiques*, 1959-1961, p. 20 (thèse de l'École des chartes).

LÉGIER-DESGRANGES (H.), *Hospitaliers d'autrefois : l'Hôpital général de Paris, 1656-1790* (1952).

ESTIENNE (J.), «L'Hôpital général des pauvres de Paris aux XVIIe et XVIIIe siècles», dans *Revue de l'Assistance publique à Paris*, 1953, p. 255-287, 383-396, 519-540, 737-754.

TENON (J.R.), *Mémoires sur les hôpitaux de Paris* (1788, un témoignage capital).

BLOCH (C.), *L'Assistance et l'État en France à la veille de la Révolution (généralités de Paris, Rouen, Alençon, Orléans, Châlons, Soissons, Amiens), 1764-1790* (1908).

• La Révolution et l'Empire :

PARTURIER (L.), *L'Assistance à Paris sous l'Ancien Régime et pendant la Révolution. Étude sur les diverses institutions dont la réunion a formé l'administration générale de l'Assistance publique à Paris* (1897).

MAC AULIFFE (L.), *La Révolution et les hôpitaux, années 1789, 1790, 1791* (1901).

DREYFUS (F.), *L'Assistance sous la Législative et la Convention, 1791-1795* (1905).

TUETEY (A.), « L'Œuvre du département des Hôpitaux de la municipalité parisienne en 1790 », dans *Bulletin d'histoire économique de la Révolution*, 1914-1916, p. 1-66 ; continué, p. 67-151, par l'édition des *Procès-verbaux du Comité des hôpitaux, 15 avril-3 octobre 1791*.

IMBERT (J.), *Le Droit hospitalier de la Révolution et de l'Empire* (1954).

GIBON (B.), *Le Budget des hôpitaux parisiens sous les assemblées révolutionnaires* (1967, multigraphié).

GIBON-LARQUET (B.), « Les hôpitaux de Paris sous la Révolution », p. 435-444 d'*Études d'histoire du droit parisien* (1970).

IMBERT (J.), « Les institutions d'assistance à la fin de l'Ancien Régime et sous la Révolution française », p. 59-75 de *Les Institutions parisiennes à la fin de l'Ancien Régime et sous la Révolution* (1989).

— *La Révolution française et les hôpitaux parisiens* (1989, exposition au Musée de l'Assistance publique).

— *La Protection sociale sous la Révolution française* (1990).

WEINER (D.B.), *The Citizen-patient in revolutionary and imperial Paris* (1993).

• De 1814 à 1914 :

MEDING (H.), *Paris médical... Renseignements historiques sur les hôpitaux...* (1852-1853, 2 vol.).

HUSSON (A.), *Étude sur les hôpitaux* (1862).

— *Administration générale de l'Assistance publique à Paris. L'Assistance publique en 1900* (1900).

— *Paris médical. Assistance et enseignement* (1900).

FLEURY (A.), *De l'Assistance publique à Paris* (1901).

MARESCOT DU THILLEUL (E.), *L'Assistance publique à Paris. Ses bienfaiteurs et sa fortune mobilière* (1904, 2 vol.).

DREYFUS (F.), *L'Assistance sous la Seconde République, 1848-1851* (1907).

PEISER (G.), *L'Administration de l'Assistance publique à Paris en 1848 et au début de 1849* (1955, multigraphié).

GAILLARD (J.), « Assistance et urbanisme dans le Paris du second Empire », dans *Recherche*, 29 (1977), p. 395-420.

BORSA (S.), MICHEL (C.R.), *La Vie quotidienne des hôpitaux en France au XIXe siècle* (1985).

• Depuis 1914 :

BERTOGNE (M.), *L'Administration générale de l'Assistance publique à Paris. Ses services économiques. Ses personnels hospitalier et ouvrier* (1934).

PILLU (J.), *L'Organisation de l'administration générale de l'Assistance publique à Paris* (1934).

CHEVERRY (R.), *Les Services économiques de l'Assistance publique à Paris* (1947).

GARDIE (A.), «Cinquante ans d'histoire de l'Assistance publique à Paris», dans *Le Concours médical*, 1973, p. 99-128.

Pour la Sécurité sociale, on trouvera un index des articles publiés par le Comité d'histoire de la Sécurité sociale dans *Bulletin d'histoire de la Sécurité sociale*, 1989, p. 59-162. Consulter aussi :

— *Colloque sur l'histoire de la Sécurité sociale. Actes des 113e et 114e congrès nationaux des Sociétés savantes*, 1988 et 1989 (1989-1990, 2 vol.).

• Les bâtiments :

— *Plans des hôpitaux et hospices civils de la Ville de Paris levés par ordre du Conseil général de l'administration de ces bâtiments* (1820).

HUSSON (A.), *Étude sur les hôpitaux considérés sous le rapport de leur construction, ...* (1862).

TOLLET (C.), *Les Édifices hospitaliers depuis leur origine* (1882, 2e éd. en 1892).

TOLLET (C.), *Les Hôpitaux modernes au XIXe siècle. Description des principaux hôpitaux français...* (1894).

FOSSEYEUX (M.), *Les Grands Travaux hospitaliers à Paris au XIXe siècle* (1912).

CANDILLE (M.), *Catalogue des plans et dessins d'architecture de l'ancien Hôtel-Dieu de Paris...* (1973).

— *La Politique de l'espace parisien à la fin de l'Ancien Régime* (1975, concerne largement les créations d'hôpitaux entre 1748 et 1788).

SAINTE FARE GARNOT (N.), MARTEL (P.), *L'Architecture hospitalière au XIXe siècle. L'exemple parisien* (1988, exposition au musée d'Orsay).

— *Paris d'hospitalité* (1990, exposition au pavillon de l'Arsenal).

C. Monographies d'hôpitaux et hospices

Il existe une masse d'études sur les hôpitaux que l'on trouvera signalées dans les fichiers de la bibliothèque de l'Assistance publique. On se contente d'en signaler quelques-uns :

FOUCHÉ (N.), *Le Mouvement perpétuel. Histoire de l'hôpital américain de Paris, des origines (1906) à nos jours* (1991).

FOURNEL (C.), *L'Hôpital Beaujon, histoire depuis son origine jusqu'à nos jours...* (1884).

RICHARD (E.), *Histoire de l'hôpital de Bicêtre, 1250-1791* (1889 ; quoique situé hors de Paris, Bicêtre a fait partie de l'Hôpital général sous l'Ancien Régime et doit donc figurer parmi les établissements de la capitale).

DELAMARE (J.), DELAMARE-RICHE (T.), *Le Grand Renfermement. Histoire de l'hospice de Bicêtre, 1657-1974* (1990).

PERCHAUX (E.), *Histoire de l'hôpital de Lourcine* (1890, aujourd'hui hôpital Broca).

COCHIN (J.D.M.), *L'Hôpital Cochin. La laïcisation, 1780-1885* (1890).

MESUREUR (A.), FOSSEYEUX (M.), *Administration générale de l'Assistance publique à Paris. Les grandes fondations. La Fondation Debrousse* (1908).

LAMBEAU (L.), «La maison royale de l'Enfant-Jésus, actuellement hôpital des

Enfants-Malades, rue de Sèvres, 149 (1694-1908)», dans *Commission du Vieux Paris. Procès-verbaux*, 1907, p. 347-412.

LAMBEAU (L.), «L'hôpital des Enfants-Trouvés du faubourg Saint-Antoine, 1674-1903», dans *Commission du Vieux Paris, Procès-verbaux* (1903), annexe à la séance du 10 décembre, p. 319-376.

BRIÈLE (L.), *Notes pour servir à l'histoire de l'Hôtel-Dieu de Paris* (1870).

ROUSSELET (A.), *Notes sur l'ancien Hôtel-Dieu de Paris relatives à la lutte des administrateurs laïques contre le pouvoir spirituel... de 1505 à 1789...* (1888).

COYECQUE (E.), *L'Hôtel-Dieu de Paris au Moyen-Âge...* (1889-1891, 2 vol.).

BRIÈLE (L.), COYECQUE (E.) éd., *Archives de l'Hôtel-Dieu de Paris, 1157-1300...* (1894).

DIEULAFOY (G.), *Clinique médicale de l'Hôtel-Dieu de Paris* (1898).

CHEVALIER (A.), *L'Hôtel-Dieu de Paris et les sœurs augustines, 650 à 1810* (1901).

FOSSEYEUX (M.), *L'Hôtel-Dieu de Paris au XVIIe et au XVIIIe siècle* (1912).

— *Dix Siècles d'histoire hospitalière parisienne, l'Hôtel-Dieu de Paris, 651-1650* (1961, exposition au Musée de l'Assistance publique).

CANDILLE (M.), *Étude du «Livre de vie active de l'Hôtel-Dieu de Paris» de Jehan Henry, XVe siècle* (1964).

HOHL (C.), «Alimentation et consommation à l'Hôtel-Dieu de Paris, aux XVe-XVIe siècles», p. 181-208 du tome 1 du *Bulletin philologique et historique jusqu'à 1610 du Comité des travaux historiques et scientifiques*, Actes du 93e congrès national des Sociétés savantes, Tours, 1968.

COURY (C.), *L'Hôtel-Dieu de Paris. Treize siècles de soins, d'enseignement et de recherche* (1969).

Pour les Incurables, voir Laënnec et Villemin.

FEULARD (H.), *L'Hôpital Laënnec, ancien hospice des Incurables, 1634-1884. Notice historique* (1884).

BRIÈLE (L.), *De l'origine de l'hospice des Incurables...* (1885).

DUCAUD BOURGET (F.), *L'Hôpital Laënnec, ci-devant hospice des Incurables* (1964).

Maison de la Couche, voir paragraphe 40 D, Enfants trouvés.

CARRIER (H.), *Origines de la Maternité de Paris. Les maîtresses sages-femmes et l'office des accouchées de l'ancien Hôtel-Dieu, 1378-1796* (1888).

DELAUNAY (P.), *La Maternité de Paris. Port-Royal de Paris. Port-Libre. L'hospice de la Maternité. L'école des sages-femmes et ses origines, 1625-1907. Notes et documents* (1909).

GERVAIS (R.), *Histoire de l'hôpital Necker, 1778-1885* (1885).

BINDEL (V.), «Les origines de l'hôpital Necker : l'hospice de charité de Saint-Sulpice, 1778-1792», dans *Bulletin de la Société historique et archéologique des VIIe et XVe arrondissements*, 6 (1935-1939), p. 184-196.

GUILLIER (O.), *Histoire de l'hôpital Notre-Dame de Pitié, 1612-1882* (1882).

SIMON (N.), *La Pitié-Salpêtrière* (1986). Voir aussi Salpêtrière.

LE GRAND (L.), «Les Quinze-Vingts, depuis leur fondation jusqu'à leur translation au faubourg Saint-Antoine, XIIIe-XVIIIe siècle», dans *Mémoires de la Société de l'histoire de Paris et de l'Île-de-France*, 13 (1886), p. 107-260; 14 (1887), p. 1-208.

BAURIT (M.), *Les Quinze-Vingts du XIIIe au XVIIe siècle* (1956).

ROBINET (M.), *Inventaire général des archives des Quinze-Vingts* (1962).

BEUTLER (C.), « Étude de la consommation dans une communauté parisienne entre 1500 et 1640, d'après les registres de comptabilité de l'Hostel des Quinze-Vingts », dans *Paris et Île-de-France*, 26-27 (1975-1976), p. 73-122.

CAILLEAUX (D.), BREM (A.M. DE) éd., *Les Quinze-Vingts. Archives et patrimoine* (1989, exposition à l'Hôtel de Ville).

GARSONNIN (M.), *Histoire de l'hôpital Saint-Antoine et de ses origines...* (1891).

— Administration générale de l'Assistance publique, *L'Hôpital Saint-Antoine, 1795-1900* (1910).

ANASTASSIOU (P.), *De l'abbaye à l'hôpital : Saint-Antoine* (1988).

BERTHELÉ (J.), « La vie intérieure d'un hospice du XIVe au XVIe siècle, l'hospice du Saint-Esprit-en-Grève à Paris », dans *L'Hôpital et l'aide sociale*, 1961-1962 (série d'articles résumant une thèse d'École des chartes de 1882).

BARON (F.), « Enlumineurs, peintres et sculpteurs parisiens des XIVe et XVe siècles d'après les archives de l'hôpital Saint-Jacques aux Pèlerins », dans *Bulletin archéologique du Comité des travaux historiques et scientifiques*, 1970, p. 77-115.

BARON (F.), « Le décor sculpté et peint de l'hôpital Saint-Jacques aux Pèlerins », dans *Bulletin monumental*, 1975, p. 29-72.

— *Hôpital Saint-Joseph de Paris* (1948).

BOULLÉ (J.), « Recherches historiques sur la Maison de Saint-Lazare de Paris depuis sa fondation jusqu'à la cession qui en fut faite en 1632 aux prêtres de la Mission », dans *Mémoires de la Société de l'histoire de Paris et de l'Île-de-France*, 3 (1876), p. 126-191.

ROBIQUET (J.), *Saint-Lazare* (1938).

ROGER-MILÈS (L.), *La Cité de misère* (1891, l'hôpital Saint-Louis vers 1890).

DOGNY (M.), *Histoire de l'hôpital Saint-Louis depuis sa fondation jusqu'au XIXe siècle* (1911).

SABOURAUD (R.), *L'Hôpital Saint-Louis* (1937).

SAINTE FARE GARNOT (P.N.), *L'Hôpital Saint-Louis* (1986).

BRIÈLE (L.), *L'Hôpital de Sainte-Catherine en la rue Saint-Denis, 1184-1790* (1890).

HENRY (M.), *La Salpêtrière sous l'Ancien Régime* (1922).

GUILLAIN (G.), MATHIEU (P.), *La Salpêtrière* (1925).

LARGUIER (L.), *La Salpêtrière* (1939).

SAINTE FARE GARNOT (P.N.), « Évolution du plan masse de la Salpêtrière. Du Petit Arsenal à l'Hôpital général, 1634-1671 », dans *Bulletin de la Société de l'histoire de Paris et de l'Île-de-France*, 1984, p. 57-71.

SIMON (N.), *La Pitié-Salpêtrière* (1986).

TESSON (L.), « L'hôpital de la Trinité », dans *Commission du Vieux Paris. Procès-verbaux*, 1916, p. 197-212.

BRAUN (R.), « L'enclos de la Trinité », dans *Le Centre de Paris*, 3 (1936), p. 31-53.

ALBERT-ROUCHAC (G.), *Le Val-de-Grâce* (1939).

RIEUX (J.), HASSENFORDER (J.), *Centenaire de l'École d'application du service de santé militaire, 1850-1950. Histoire du service de santé militaire et du Val-de-Grâce* (1951).

— *Le Val-de-Grâce et l'École d'application du service de santé militaire* (1957).

GATIGNOL (P.), MARTOS (C.), RODRIGUEZ (J.), *Du couvent des Récollets à l'hôpital Villemin. Destinées d'un bâtiment parisien, 1604-1989* (1990).

D. Charité et bienfaisance

• Avant 1789 :

MARTIN (J.), *La Police et le règlement du Grand Bureau des pauvres de la Ville et fauxbourgs de Paris...* (1580, plusieurs éditions aux XVIIe et XVIIIe siècles).

FOSSEYEUX (M.), «Les premiers budgets municipaux d'assistance : la taxe des pauvres au XVIe siècle», dans *Revue d'histoire de l'Église de France* (1934), p. 407-452.

ALLETZ (P.A.), *Tableau de l'humanité et de la bienfaisance, ou Précis historique des charités qui se font dans Paris...* (1769).

BRUNET (E.), *La Charité paroissiale à Paris au XVIIe siècle d'après les règlements des compagnies de charité* (1906).

CAHEN (L.), *Le Grand Bureau des pauvres de Paris au milieu du XVIIIe siècle...* (1904).

BARRÈS (H. DE), *Les Secours publics à Paris sous Louis XIV* (1909).

FOSSEYEUX (M.), «Les écoles de charité à Paris sous l'Ancien Régime et dans la première partie du XIXe siècle», dans *Mémoires de la Société de l'histoire de Paris et de l'Île-de-France*, 39 (1912), p. 225-366.

FOSSEYEUX (M.), «L'assistance aux prisonniers à Paris sous l'Ancien Régime», dans *Mémoires de la Société de l'histoire de Paris et de l'Île-de-France*, 48 (1925), p. 110-129.

• La Révolution :

LALLEMAND (L.), *La Révolution et les pauvres* (1898).

FOSSEYEUX (M.), «Les comités de bienfaisance à Paris sous la Révolution», dans *Annales révolutionnaires*, 1912, p. 192-205, 344-358.

• Les XIXe et XXe siècles :

CASSIN (E.), *Almanach philanthropique, ou Tableau des sociétés et institutions de bienfaisance... de la ville de Paris* (1829).

LE COMTE (J.), *La Charité à Paris* (1861).

— *Manuel des œuvres et institutions religieuses et charitables de Paris* (1867, nombreuses éditions postérieures).

DU CAMP (M.), *La Charité privée à Paris* (1887, souvent réédité avec mises à jour, comme le suivant).

DU CAMP (M.), *Paris bienfaisant* (1888).

LE MANSOIS-DUPREY (M.), *L'Œuvre sociale de la municipalité parisienne, 1871-1891* (1892).

PÉAN DE SAINT-GILLES (A.M.), *La Maison philanthropique de Paris. Histoire de cent dix ans, 1780-1890* (1892).

— *Paris charitable et prévoyant. Tableau des œuvres et institutions du département de la Seine* (1897).

PLANTET (E.), *La Charité à Paris au XIXe siècle* (1900).

RHONÉ (A.), *Les Bureaux de bienfaisance parisiens* (1912).

MAUGER (A.), *Simples Notes sur l'organisation des secours publics à Paris* (1905).

FOSSEYEUX (M.), *Les Maisons de secours à Paris dans la première moitié du XIXe siècle* (1913).

— Office central des œuvres de bienfaisance, *Paris charitable et bienfaisant* (1912, souvent réédité).

SHAPIRO (A.L.), *Housing the poors of Paris, 1850-1902* (1985).

• Statistiques :

— Administration générale de l'Assistance publique à Paris, *Renseignements statistiques sur la population indigente de Paris d'après les recensements opérés depuis l'an X jusqu'au 31 décembre 1861* (1862, un nouveau volume après chaque recensement).

• Ateliers de charité, ateliers nationaux :

THOMAS (E.), *Histoire des ateliers nationaux* (1848).

PLAISANT (J.B.E.), *L'Administration des ateliers de charité, 1789-1790* (1906).

FORADO-CUNEO (Y.), «Les ateliers de charité de Paris pendant la Révolution française», dans *La Révolution française*, 86 (1933), p. 317-342 ; 87 (1934), p. 29-61 et 103-123.

MAC KAY (D.C.), *The National Workshops, a study in the French Revolution of 1848* (1933).

• Secours à domicile :

— Administration générale de l'Assistance publique à Paris, *Règlement administratif sur le secours à domicile dans la Ville de Paris* (1860, plusieurs éditions postérieures).

— *Assistance à domicile. Recueil des lois, décrets, ordonnances, règlements et arrêtés sur le service des secours à domicile de la Ville de Paris* (1880).

NIELLY (H.), *L'Assistance publique à domicile à Paris* (1891).

DES CILLEULS (A.), *Des secours à domicile dans la Ville de Paris* (1892).

GUYOT D'AMFREVILLE (R.), *Des secours à domicile dans Paris* (1899).

BONNET (H.), *Paris qui souffre. La misère à Paris. Les agents de l'assistance à domicile* (1908).

BREUIL (H.), *Assistance aux vieillards à Paris de 1789 à 1905* (1908).

• Enfants trouvés et orphelins :

TERME (J.F.), MONTFALCON (J.B.), *Histoire statistique et morale des enfants trouvés* (1837).

DESLYS (C.), *Les Enfants trouvés de Paris* (1885).

LALLEMAND (L.), *Histoire des enfants abandonnés et délaissés...* (1885).

COFFIGNON (A.), *Paris vivant, l'enfant à Paris* (1889).

LAMBEAU (L.), «L'hôpital des Enfants-Trouvés du faubourg Saint-Antoine, 1674-1903», dans *Commission du Vieux Paris, procès-verbaux*, 1903, annexe à la séance du 10 décembre, p. 319-376.

BOUSSAULT (F.), *L'Assistance aux enfants abandonnés à Paris, du XVIe au XVIIIe siècle* (1907).

DUPOUX (A.), *Sur les pas de Monsieur Vincent. Trois cents ans d'histoire parisienne de l'enfance abandonnée* (1958).

BAVOUX (P.), «Enfants trouvés et orphelins du XIVe au XVIe siècle à Paris», dans *Actes du 97e congrès national des Sociétés savantes*, Nantes, 1972, Section de philologie et d'histoire jusqu'à 1610, p. 359-370.

DELASSELLE (C.), «Les enfants abandonnés à Paris au XVIIIe siècle», dans *Annales. Économies, sociétés, civilisations*, 1975, p. 187-218.

— *Monsieur Vincent et les enfants trouvés* (1976, exposition aux Quinze-Vingts).

SERGENT (N.), *L'Hôpital des Enfants-Trouvés de Paris et la réinsertion sociale des enfants trouvés, 1751-1789* (1976, mémoire multigraphié).

LAPLAIGE (D.), *Paris et ses «sans famille».* Les solutions apportées à l'enfance orpheline et abandonnée du département de la Seine de 1793 à 1869, par la charité privée et l'Assistance publique (1983, thèse multigraphiée).

CAPUL (M.), *Les Enfants placés sous l'Ancien Régime* (1989-1990, 2 vol.).

• Nourrices :

GARDANE (J.J.), *Détail de la nouvelle direction du Bureau des nourrices de Paris...* (1775).

DAVENNE (H.J.B.), *Instruction sur le service de la Direction municipale des nourrices de la Ville de Paris* (1855).

RIVIÈRE (E.), «Les nourrices et leurs bureaux de placement parisiens, 1184-1792. La "déclaration du roy" de 1715», dans *Bulletin de la Société historique du VIᵉ arrondissement de Paris*, 17 (1914-1915), p. 106-148.

GALLIANO (P.), «Le fonctionnement du Bureau parisien des nourrices à la fin du XVIIIᵉ siècle», dans *Actes du 93ᵉ congrès national des Sociétés savantes*, Tours, 1968, Section d'histoire moderne et contemporaine, p. 67-93.

RISLER (D.), *Nourrices et meneurs de Paris au XVIIIᵉ siècle* (1976, mémoire multigraphié).

FAŸ-SALLOIS (F.), *Les Nourrices à Paris au XIXᵉ siècle* (1980).

PASSION (L.), «Législation et prophylaxie de l'abandon à Paris au début du XXᵉ siècle», dans *Histoire, économie et société*, 1983, p. 475-493.

• Le mont-de-piété :

DUVAL (E.), *Manuel de législation, d'administration et de comptabilité concernant le mont-de-piété de Paris* (1886, 2ᵉ éd. en 1910).

COUTAUD-DELPECH (E.), *Le Rôle social du mont-de-piété, les projets de réforme, contribution à l'étude du crédit populaire* (1909).

RAIGA (E.), *Le Mont-de-piété de Paris* (1912).

MARLIO (J.), *Étude sur l'organisation et le fonctionnement du mont-de-piété de Paris* (1913).

— *Le Charme désuet d'une institution parisienne : du mont-de-piété au Crédit municipal* (1991, exposition à l'Hôtel de Ville).

E. L'hygiène publique

L'organisation et les textes officiels :

BOURGUIN (F.) éd., *Tables générales de la législation sanitaire française, 1790-1955* (1957, 3 vol.).

MOLÉON (J.G.V. DE), *Rapports généraux sur la salubrité publique,* deuxième partie, *Rapports généraux sur les travaux du Conseil de salubrité de la Ville de Paris et du département de la Seine, depuis 1802 jusqu'à l'année 1826* (1828, 2 vol.).

CHAUTEMPS (E.), *L'Organisation sanitaire de Paris. Rapport présenté au Conseil municipal de Paris* (1888).

JOLTRAIN (A.), *Hygiène et assistance publiques. Les services sanitaires de la Ville de Paris et du département de la Seine...* (1893).

GUILLERMOND (G.), *Les Services d'hygiène de la ville de Paris en 1908* (1908).

— *Règlements sanitaires départemental et de la Ville de Paris* (1972, publié par les préfectures de Paris et de police).

On peut aussi consulter avec profit le n° 167 (1994) de *La Gazette des archives*, consacré aux archives de la santé.

L'assainissement a déjà été traité (§ 37). On trouvera de nombreuses études dans les *Annales des services techniques d'hygiène de la Ville de Paris*, qui ont commencé à paraître en 1913. Quelques titres sur l'hygiène urbaine :

PARENT-DUCHÂTELET (A.J.B.), « Des chantiers d'équarrissage de la ville de Paris... », dans *Annales d'hygiène publique et de médecine légale*, 8 (1832), p. 5-153.

— *Hygiène publique* (1836, 2 vol.).

FRANKLIN (A.), *Étude sur la voirie et l'hygiène publique à Paris* (1873).

COLIN (L.), *Paris, sa topographie, son hygiène, ses maladies* (1885).

DU MESNIL (O.), *L'Hygiène à Paris : l'habitation du pauvre...* (1890).

GARET (M.), *Le Régime spécial de la Ville de Paris en matière d'hygiène* (1906, thèse de droit).

COSTE (R.E.G.), *Historique de l'hygiène urbaine à Paris, des origines à 1789* (1937, thèse de médecine).

MAILLARD (C.), *Les Précieux Édicules. Les vespasiennes de Paris* (1967).

GASNIER (T.), *Le Silence des organes. Analyse du discours hygiéniste : la réforme des latrines parisiennes, 1820-1910* (1984).

GUYOT (B.), *Étude des problèmes posés par les étrons de chiens à Paris* (1987).

La pollution de l'eau et les nuisances industrielles font l'objet d'une surveillance et d'une réglementation qui débordent le cadre parisien. La pollution atmosphérique est observée par AIRPARIF (8, rue Crillon). Elle a fait l'objet de nombreux articles, notamment de G. ESCOURROU, dont on peut trouver une synthèse dans son livre *Le Climat et la Ville* (1991). On peut y ajouter :

DU MESNIL DU BUISSON (E.), *Première Contribution à l'étude de l'influence du degré d'urbanisation et du déroulement des saisons sur les taux de mortalité dans la région parisienne* (1957).

— *Climat, pollution, santé à Paris et en Île-de-France*, n° 22 (1988) des *Cahiers du CREPIF*.

Lire aussi :

GRISOLLET (H.), « Histoire administrative et scientifique du Service d'études de la Ville de Paris », dans *La Météorologie*, juillet-septembre 1950.

La littérature sur les maladies contagieuses et sur les épidémies est très importante, particulièrement pour le choléra. On se limite à quelques titres :

AUDIN-ROUVIÈRE (J.M.), *Essai sur la topographie physique et médicale de Paris, ...* (an II/1794).

MENURET DE CHAMBAUD (J.J.), *Essai sur l'histoire médico-topographique de Paris, ou Lettres sur le climat de Paris* (1804).

LACHAISE (C.), *Topographie médicale de Paris* (1822).

ROCH (E.), *Paris malade* (1832-1833, 2 vol.).

— *Rapport sur la marche et les effets du choléra-morbus dans Paris et les communes rurales de la Seine* (1834).

CHÉREAU (A.), *Étude sur les épidémies parisiennes...* (1837, étude historique).

BLONDEL (F.), *Rapport sur les épidémies cholériques de 1832 et 1849 (de 1853 et 1854) dans les établissements dépendant de l'administration générale de l'Assistance publique de la Ville de Paris* (1850-1855, 2 vol.).

MEDING (H.), *Essai sur la topographie médicale de Paris* (1852).

COLIN (L.), *Paris, sa topographie, son hygiène, ses maladies* (1885).

VICENTE (M.), *Le Paludisme à Paris* (1901, 2 vol.).

FOSSEYEUX (M.), « Les épidémies de peste à Paris », dans *Bulletin de la Société française d'histoire de la médecine*, 12 (1913), p. 115-141.

FOSSEYEUX (M.), *Il y a cent ans. Paris médical en 1830* (1930).

HARTMANN (G.), *Les Ravages du choléra dans le quartier de l'Hôtel de Ville en 1832* (1933).

CHEVALIER (L.) dir., *Le Choléra. La première épidémie du XIXe siècle* (1958, fondamental).

POULET (J.), « Épidémiologie, sociologie et démographie de la première épidémie parisienne de choléra », dans *Histoire des sciences médicales*, 4 (1970), p. 145-159.

SELLIER (J.), *Le Choléra à Paris au XIXe siècle. Essai de topologie biologique* (1973).

LECA (A.P.), *Et le choléra s'abattit sur Paris, 1832* (1982).

DELAPORTE (F.), *Le Savoir de la maladie, essai sur le choléra à Paris* (1990).

Pour le point sur la situation actuelle, on consultera :

— *La Santé des Parisiens. Bilan de santé d'une capitale* (1993).

Pour la fin du XIXe siècle, la *Gazette médicale de Paris* (ayant paru de 1830 à 1916) donne un « état sanitaire de la Ville de Paris ».

CHAPITRE VI

La religion

41. GÉNÉRALITÉS

Il est paru récemment un ouvrage pratique sur la religion à Paris aujourd'hui, qui recense les lieux de culte, mais aussi les dépôts d'archives, bibliothèques et centres de documentation :

CLÉMENÇOT (P.), DUMITRESCU (F.), SINCE (F.), *Guide pratique du Paris religieux* (1994).

On peut aussi consulter :

— « Paris et ses religions au XXe siècle » (1990, exposition à la mairie du IVe arrondissement, constituant un numéro hors série des *Cahiers du CREPIF*).

Pour les sources de l'histoire religieuse, utiliser :

LEGRAND (L.), *Les Sources de l'histoire religieuse de la Révolution aux Archives nationales* (1914).

BOURGIN (G.), *Les Sources manuscrites de l'histoire religieuse de la France moderne...* (1925).

CHARON-BORDAS (J.), *Les Sources de l'histoire de l'architecture religieuse aux Archives nationales, de la Révolution à la Séparation, 1789-1905* (1905).

— « Archives religieuses et recherche historique », n° 165 (1994) de *La Gazette des archives*.

42. CATHOLICISME, GÉNÉRALITÉS

Outre les Archives nationales, sont importantes pour l'histoire du catholicisme dans la capitale les Archives historiques de l'archevêché de Paris (8, rue de la Ville-l'Évêque). On trouvera une bibliographie d'histoire religieuse dans la *Revue d'histoire ecclésiastique* (créée en 1900) et dans la *Revue d'histoire de l'Église de France* (fondée en 1910). Lire aussi deux bonnes initiations :

CARRIÈRE (V.), *Introduction aux études d'histoire ecclésiastique locale* (1934-1940, 3 vol.).

WACHÉ (B.), *Initiation aux sources archivistiques de l'histoire du catholicisme français* (1992).

On n'énumérera pas ici les nombreuses histoires de l'Église ou du catholicisme en France, ouvrages de synthèse qui n'apportent rien à l'histoire de Paris. On citera cependant quelques ouvrages utiles :

— *Gallia christiana* (1715-1870, 16 vol., le tome 7 consacré au diocèse de Paris).

CABROL (F.), LECLERCQ (H.), *Dictionnaire d'archéologie chrétienne et de liturgie* (1903-1953, 15 tomes en 30 vol.).

VACANT (A.), MANGENOT (E.), AMANN (E.), *Dictionnaire de théologie catholique* (1903-1972, 15 tomes en 30 vol. et 3 vol. de tables).

— *Dictionnaire d'histoire et de géographie ecclésiastiques* (paraissant depuis 1912, atteint la lettre H).

NAZ (R.), *Dictionnaire de droit canonique* (1935-1965, 7 vol.).

— *Histoire de l'Église*, sous la dir. d'A. FLICHE et V. MARTIN ; à partir de 1938, relayée par :

— *Nouvelle Histoire de l'Église*, sous la dir. de L.J. ROGIER, R. AUBERT, M.D. KNOWLES (1935-1975, 5 vol.).

— *Catholicisme. Hier, aujourd'hui, demain*, sous la dir. de G. JACQUEMET (paraissant depuis 1947, arrivé à la lettre S).

43. LE DIOCÈSE

A. Recueils généraux

MOLINIER (A.) éd., *Recueil des historiens de la France. Obituaires de la province de Sens*, tome 1, *Diocèses de Sens et de Paris* (1902).

LONGNON (A.) éd., *Recueil des historiens de la France. Pouillés de la province de Sens* (1904).

BEAUNIER (DOM), *La France ecclésiastique*, tome 1, *Province ecclésiastique de Paris* (1905).

ARTONNE (A.), GULZARD (L.), PONTAL (O.) éd., *Répertoire des statuts synodaux des diocèses de l'ancienne France, du XIIIᵉ à la fin du XVIIIᵉ siècle* (1963, 2ᵉ éd. en 1968).

PONTAL (O.), *Les Statuts de Paris et le synodal de l'Ouest (XIIIᵉ siècle). Les statuts synodaux du XIIIᵉ siècle* (1971).

LEMAÎTRE (J.L.) éd., *Répertoire des documents nécrologiques français* (1980, diocèse de Paris, p. 553-636), à compléter avec :

RAUNIÉ (E.), VERLET (H.) éd., *Épitaphier du Vieux Paris, recueil général des inscriptions funéraires des églises, couvents, collèges, hospices, cimetières, char-*

niers, depuis le Moyen Âge jusqu'à la fin du XVIIIe siècle (commencé en 1890, 8 vol. parus).

— *Répertoire des visites pastorales de la France*, première série, *Ancien Régime* (1977-1983, 5 vol. ; Paris figure dans le tome 3).

B. Histoire du diocèse

DUBOIS (G.), *Historia ecclesiae Parisiensis* (1690-1710, 2 vol., ancien mais bon).

LEBEUF (J.), *Dissertations sur l'histoire civile et ecclésiastique de Paris* (1739-1743, 3 vol.).

LEBEUF (J.), *Histoire de la ville et de tout le diocèse de Paris* (1754-1758, 15 vol. ; nouvelle éd. par H. COCHERIS, 1863-1870, 4 vol. ; utiliser l'édition par A. AUGIER et F. BOURNON, 1883, 5 vol., les *Rectifications et additions* par F. BOURNON de 1890 à 1901, 4 fascicules, et la *Table analytique* par A. AUGIER et F. BOURNON en 1893).

AUDOLLENT (G.), *La Création de l'archevêché de Paris* (1922).

FRIEDMANN (A.), *Paris, ses rues, ses paroisses, du Moyen Âge à la Révolution* (1959).

VIOLLE (B.), *Paris, son Église, ses églises* (1982, 2 vol.).

— *Histoire des diocèses de France. Le diocèse de Paris*, sous la dir. de B. PLONGERON (1987, un seul volume paru jusqu'en 1789, ouvrage de base avec une bonne bibliographie).

Pour les synodes, consulter l'ancien :

HARLAY (F. DE), *Synodicon ecclesiae Parisiensis* (1674), et :

LE BRAS (G.), « Synodes et conciles parisiens », p. 61-72 de *Huitième Centenaire de Notre-Dame de Paris*, congrès des 30 mai-3 juin 1964 (1967).

C. Les évêques

• Histoire globale des évêques :

AVENEL (G. D'), *Les Évêques et archevêques de Paris depuis saint Denys jusqu'à nos jours...* (1878, 2 vol., mauvais).

JAUNAY (L.), *Histoire des évêques et archevêques de Paris* (1884).

DEPOIN (J.), « Essai sur la chronologie des évêques de Paris de 768 à 1138 », dans *Bulletin historique et philologique du Comité des travaux historiques et scientifiques*, 1906, p. 216-246.

MICHAUD-QUANTIN (P.), « Les évêques de Paris dans la seconde moitié du XIIe siècle », p. 23-33 de *Huitième Centenaire de Notre-Dame de Paris*, congrès des 30 mai-3 juin 1964 (1967).

DUBOIS (J.), « Les évêques de Paris, des origines à l'avènement de Hugues Capet », dans *Bulletin de la Société de l'histoire de Paris et de l'Île-de-France*, 1969, p. 33-97.

• Biographies :

MORTET (V.), « Maurice de Sully, évêque de Paris, 1160-1196, étude sur l'administration épiscopale pendant la seconde moitié du XIIe siècle », dans *Mémoires de la Société de l'histoire de Paris et de l'Île-de-France*, 16 (1889), p. 105-318.

VALOIS (N.), *Guillaume d'Auvergne, évêque de Paris, 1228-1249. Sa vie et ses ouvrages* (1880).

CLÉMENT-SIMON (G.), « Documents sur Guillaume de Chanac, évêque de Paris et patriarche d'Alexandrie», dans *Bulletin historique et philologique du Comité des travaux historiques et scientifiques*, 1903, p. 49-59.

GARAND (M.C.), «La carrière religieuse et politique d'Étienne Poncher, évêque de Paris, 1503-1519», p. 291-343 de *Huitième Centenaire de Notre-Dame de Paris*, congrès des 30 mai-3 juin 1964 (1967).

BLET (P.), «L'Église de Paris et les Gondi», p. 345-357 de *Huitième Centenaire de Notre-Dame de Paris*, congrès des 30 mai-3 juin 1964 (1967).

MARRETTE (B.), *François Harlay de Champvallon, archevêque de Paris, 1671-1695* (1985, mémoire multigraphié).

BARTHÉLEMY (E.), *Le Cardinal de Noailles d'après sa correspondance inédite, 1651-1728* (1886).

FOSSEYEUX (M.), «Le cardinal de Noailles et l'administration du diocèse de Paris, 1695-1729», dans *Revue historique*, 1913, p. 261-284; 1914, p. 34-54.

REGNAULT (E.), *Christophe de Beaumont, archevêque de Paris, 1703-1781* (1882, 2 vol.).

DUCHÊNE (J.), *Monseigneur Leclerc de Juigné, 1728-1811, archevêque de Paris de 1782 à 1801* (1993, thèse sur microfiches, résumée dans *Paris et Île-de-France*, 46 [1995], p. 91-193).

LIMOUZIN-LAMOTHE (R.), *Monseigneur de Quélen, archevêque de Paris* (1955-1957, 2 vol.).

LIMOUZIN-LAMOTHE (R.), LEFLON (J.), *Monseigneur Denys Augustin Affre, archevêque de Paris, 1793-1848* (1971).

D. L'évêché

• Les bâtiments :
MORTET (V.), *Étude historique et archéologique sur la cathédrale et le palais épiscopal de Paris du VIᵉ au XIIᵉ siècle* (1888).

MARMOTTAN (P.), «Le palais de l'archevêché sous Napoléon, sa transformation de 1809 à 1815», dans *La Cité*, 1921, p. 161-200 et 241-260.

• Les biens et revenus de l'évêché :
BRETTE (A.) éd., *Atlas de la censive de l'archevêché dans Paris* (1903).

LA MONNERAYE (J. DE), éd., *Terrier de la censive de l'archevêché de Paris* (1981, tome 2 de l'*Atlas*).

FOSSEYEUX (M.), «Les revenus de l'archevêché de Paris au XVIIᵉ siècle», dans *Bulletin de la Société de l'histoire de Paris et de l'Île-de-France*, 1925, p. 148-167.

BRUSSIER (H.), «Le mouvement des mutations foncières d'après le fonds des ensaisinements du chapitre cathédral de Notre-Dame de Paris, 1518-1609», dans *Paris et Île-de-France*, 37 (1986), p. 153-184.

LE ROC'H-MORGÈRE (M.), BIMBENET-PRIVAT (M.), *Le Temporel du chapitre de Notre-Dame de Paris et de ses filles (S 1 à 942). Inventaire* (1990).

• L'officialité :
TANON (C.L.), *Histoire des justices des anciennes églises et communautés ecclésiastiques de Paris* (1883).

PETIT (J.), MARICHAL (P.) éd., *Registre des causes civiles de l'officialité épiscopale de Paris, 1384-1387* (1919).

POMMERAY (L.), *L'officialité archidiaconale de Paris aux XVᵉ et XVIᵉ siècles, sa composition, sa compétence criminelle* (1933).

CAROLUS-BARRÉ (L.), « L'organisation de la juridiction gracieuse à Paris, dans le dernier tiers du XIIIe siècle : l'officialité et le Châtelet », dans *Le Moyen Âge*, 69 (1963), p. 417-435.

TIMBAL (P.C.), « Évêque de Paris et chapitre de Notre-Dame : la juridiction dans la cathédrale du Moyen Âge », p. 115-140 de *Huitième Centenaire de Notre-Dame de Paris*, congrès des 30 mai-3 juin 1964 (1967).

CLÉMENCET (S.), « Les archives de l'officialité de Paris », p. 177-183 de *Huitième Centenaire de Notre-Dame de Paris*, congrès des 30 mai-3 juin 1964 (1967).

BARROUX (R.), « L'évêque de Paris et l'administration municipale jusqu'au XIIe siècle », dans *Revue d'histoire de l'Église de France*, 46 (1966), p. 5-17.

LOT (H.), « Une querelle de l'évêque et du chapitre de Notre-Dame de Paris au XIIIe et au XIVe siècle », dans *Bibliothèque de l'École des chartes*, 1985, p. 149-162.

• Les visites :

TIMBAL (P.C.), « Les visites canoniques dans le diocèse de Paris », p. 73-113 de *Huitième Centenaire de Notre-Dame de Paris*, congrès des 30 mai-3 juin 1964 (1967).

TIMBAL (P.C.), AUZARY (B.), « Visites décanales faites dans l'archidiaconé de Paris en 1468-1470 », dans *Revue d'histoire de l'Église de France*, 62 (1976), p. 361-374.

44. LA RELIGIOSITÉ

A. Saints et calendrier

• Les saints parisiens :

HUNKLER (T.F.), *Vies des saints du diocèse de Paris...* (1833, 2 vol.).

DU BOURG (A.), *Nos saints de Paris* (1916).

— « Les saints de Paris », no 11 (novembre 1986) de *Sources vives*.

• Les reliques :

FRANKLIN (A.), *Variétés parisiennes* (1901, les reliques aux p. 167-226).

• Le calendrier :

PERDRIZET (P.), *Le Calendrier parisien à la fin du Moyen Âge d'après le bréviaire et les livres d'heures* (1933).

GARREAU (A.), *Calendrier parisien, ou Mémoires des saints personnages de l'Église de Paris pour chaque jour de l'année* (1951).

B. Processions et pèlerinages

FOSSEYEUX (M.), « Processions et pèlerinages parisiens sous l'Ancien Régime », dans *Bulletin de la Société de l'histoire de Paris et de l'Île-de-France*, 1944-1945, p. 19-43.

HÉRON DE VILLEFOSSE (R.), *Pèlerinages parisiens* (1947).

CROUZET (D.), « Recherches sur les processions blanches, 1583-1584 », dans *Histoire, économie et société*, 1982, p. 511-563.

DUCHÊNE (J.), *Processions et cérémonies religieuses à Paris aux XVIIe et XVIIIe siècles* (1984, mémoire multigraphié).

C. Confréries

On trouvera une bibliographie très détaillée dans *Images de confréries pari-*

siennes (1992, exposition à la Bibliothèque historique de la Ville de Paris).
Quelques titres seulement :

LEROUX DE LINCY (A.J.V.), «Recherches sur la grande confrérie Notre-Dame
aux prêtres et aux bourgeois de la ville de Paris», dans *Mémoires et dissertations
sur les antiquités nationales...*, 7 (1844).

BORDIER (H.), «La confrérie des pèlerins de Saint-Jacques et ses archives»,
dans *Mémoires de la Société de l'histoire de Paris et de l'Île-de-France*, 1
(1874), p. 186-228 ; 2 (1875), p. 330-397.

LE MASSON (J.B.), *Le Calendrier des confréries de Paris* (1875).

VIDAL (A.), *La Chapelle Saint-Julien-des-Menestriers et les menestrels à
Paris* (1878).

PINET (E.), *La Compagnie des porteurs de la châsse de sainte Geneviève,
1525-1902* (1903).

OMONT (H.), «Documents nouveaux sur la grande confrérie Notre-Dame aux
prêtres et aux bourgeois de Paris», dans *Mémoires de la Société de l'histoire de
Paris et de l'Île-de-France*, 32 (1905), p. 1-88.

GASTON (J.), «Les images des confréries parisiennes avant la Révolution»
(1910, paru en 1909 dans le tome 2 de la *Société d'iconographie parisienne*, qui
a publié un supplément en 1932).

LOMBARD-JOURDAN (A.), «La confrérie parisienne des pèlerins de Saint-
Michel-du-Mont», dans *Bulletin de la Société de l'histoire de Paris et de
l'Île-de-France*, 1986-1987, p. 105-178.

D. Prédication

GOUSSAULT (J.), «Les prédicateurs au XVIIe siècle d'après Mme de Sévigné»,
dans *Revue apologétique*, 1926.

LONGÈRE (J.), *Œuvres oratoires de maîtres parisiens au XIIe siècle. Étude
historique et doctrinale* (1975, 2 vol.).

BÉRIOU (N.), «La prédication au béguinage de Paris pendant l'année liturgique
1272-1273», dans *Recherches augustiniennes*, 13 (1978), p. 105-229.

FETIS (C.), *Les Prédicateurs de carême de Notre-Dame de Paris au XVIIe siècle*
(1984, maîtrise multigraphiée).

LE LEUX (M.C.), «Les prédicateurs jésuites et leur temps, à travers les sermons
prononcés dans le Paris religieux du XVIIIe siècle, 1729-1762», dans *Histoire,
économie et société*, 1989, p. 21-43 (résumé d'un mémoire de maîtrise de 1986).

AVRAY (D.L. D'), *The Preaching of the friars. Sermons diffused from Paris
before 1300* (1988).

E. Divers

PISANI (P.), *Histoire religieuse du faubourg Saint-Germain* (1920, 2 vol.).

PLONGERON (B.), *La Vie quotidienne des hommes de Dieu, des Lumières à la
Révolution* (1987).

COLODIET (F.), *L'Objet religieux dans le foyer parisien dans la seconde moitié
du XVIIe siècle d'après les inventaires après décès* (1982, mémoire multigraphié).

LE CHANU (P.), *Objets d'art et objets de piété dans les inventaires après décès
parisiens, 1580-1630* (1982, mémoire multigraphié).

45. LES PAROISSES

A. Généralités

Il y a peu de travaux généraux sur les paroisses et leurs églises :

BRUNET (E.), *La Charité paroissiale à Paris au XVIIᵉ siècle d'après les règlements des compagnies de charité* (1906).

MERMET (P.), *L'Organisation des paroisses de Paris au lendemain du Concordat de 1801* (1947, diplôme d'études supérieures multigraphié).

DANIEL (Y.), *L'Équipement paroissial d'un diocèse urbain. Paris, 1802-1956* (1957).

DANIEL (Y.), LE MOUEL (G.), *Paroisses d'hier, paroisses de demain* (1957).

FRIEDMANN (A.), *Paris, ses rues, ses paroisses, du Moyen Âge à la Révolution. Origine et évolution des circonscriptions paroissiales* (1959, l'étude la plus complète et la meilleure).

FRIEDMANN (A.), « La fonction religieuse de Paris », p. 7-38 de *Paris. Fonctions d'une capitale* (1962).

VIOLLE (B.), *Paris, son Église et ses églises* (1982, 2 vol.).

B. Les curés

La foisonnante production à caractère hagiographique a été éliminée au profit des rares travaux de qualité :

LA FOSSE (J. DE), *Journal d'un curé ligueur de Paris sous les trois derniers Valois, 1557-1590* (1866, éd. par E. DE BARTHÉLEMY).

VALOIS (C.), « Un des chefs de la Ligue à Paris : Jacques Cueilly, curé de Saint-Germain-l'Auxerrois », dans *Mémoires de la Société de l'histoire de Paris et de l'Île-de-France*, 36 (1909), p. 83-118.

PASQUIER (E.), *Un curé de Paris pendant les guerres de religion, René Benoist, le pape des Halles, 1521-1608* (1913).

LEBIGRE (A.), *La Révolution des curés. Paris, 1588-1594* (1980).

DIEFENDORF (B.B.), « Simon Vigor, a radical preacher in 16th century Paris », dans *Sixteenth-Century Journal*, 1987, p. 399-410.

FERTÉ (J.), *Saint-Étienne-du-Mont à la mi-XVIIᵉ siècle, mémoires d'un curé génovéfain, ...* (1964, 2 vol., mémoires de Beurrier).

GOLDEN (R.M.), *The Godly Rebellion, Parisian curés and the religious Fronde, 1652-1662* (1981).

PISANI (P.), « Pierre Brugière, curé constitutionnel à Paris, 1730-1803 », dans *Revue d'histoire de l'Église de France*, 1913, p. 28-46.

CONSTANT (R.P.), « Un dominicain curé de Paris : le père Laurent Fernbach, 1755-1832 », dans *Études historiques*, 1930, p. 255-284.

MARCADÉ (A.), *Un curé de Paris pendant la Terreur, Michel Malbeste, 1754-1841* (1943).

PLONGERON (B.), « Les prêtres abdicataires parisiens », dans *Actes du 89ᵉ congrès national des Sociétés savantes*, Lyon, 1964, Section d'histoire moderne et contemporaine, tome 1, p. 27-62, paru aussi p. 7-42 de *Les Prêtres abdicataires pendant la Révolution française* (1965).

ROBERT (O.), *Les Curés constitutionnels de Paris sous la Révolution. Essai de typologie* (1970, mémoire multigraphié).

DAINVILLE-BARBICHE (S. DE), « Le clergé paroissial de Paris à la fin de l'Ancien Régime, 1789-1791 », dans *Annuaire-bulletin de la Société de l'histoire de France*, 1989-1990, p. 65-221.

C. Les églises, ouvrages d'ensemble

DUMOLIN (M.), OUTARDEL (G.), *Les Églises de France. Paris et la Seine* (1936).

CHRIST (Y.), *Les Églises parisiennes, actuelles et disparues* (1947).

CHRIST (Y.), *Églises de Paris* (1956).

BOINET (A.), *Les Églises parisiennes* (1958-1964, 3 vol., le meilleur ouvrage).

— *Recueil général des monuments sculptés en France pendant le Haut Moyen Âge, IVe-Xe siècle*, tome premier, HUBERT (J.), *Paris et son département* (1978).

VIOLLE (B.), *Paris, son Église et ses églises* (1982, 2 vol.).

BRUNEL (G.), DESCHAMPS-BOURGEON (M.L.), GAGNEUX (Y.), *Dictionnaire des églises de Paris, catholique-orthodoxe-protestant* (1995).

D. Monographies de paroisses

Presque toutes les églises possèdent leur brochure descriptive plus ou moins développée et d'une qualité variant énormément. On se limite aux ouvrages les meilleurs et les plus développés, renvoyant aux collections touristiques pour les paroisses non signalées. Les paroisses sont classées dans l'ordre alphabétique.

La littérature sur Notre-Dame est énorme. Le travail récent d'A. ERLANDE-BRANDENBURG, *Notre-Dame de Paris* (1991), dresse une excellente synthèse et fournit une bonne bibliographie qui permet de se limiter ici aux titres les plus importants :

GUÉRARD (B.) éd., *Cartulaire de Notre-Dame de Paris* (1850, 4 vol.).

CHARTIER (F.L.), *L'Ancien Chapitre de Notre-Dame de Paris et sa maîtrise, d'après des documents capitulaires, 1326-1790, avec un appendice musical...* (1897).

AUBERT (M.), *Notre-Dame de Paris* (1909, plusieurs éditions, la dernière en 1950).

VIDIER (A.), «Les marguilliers laïcs de Notre-Dame de Paris, 1204-1790», dans *Mémoires de la Société de l'histoire de Paris et de l'Île-de-France*, 40 (1913), p. 117-402 ; 41 (1914), p. 131-343.

— *Les Grandes Heures de Notre-Dame de Paris, huit siècles d'histoire* (1951, exposition en 1947 à la chapelle de la Sorbonne).

— *Les Vitraux de Notre-Dame et de la Sainte-Chapelle de Paris* (1959).

— *Notre-Dame de Paris, 1163-1963* (1963, exposition à la Sainte-Chapelle).

— *Huitième Centenaire de Notre-Dame de Paris*, congrès des 30 mai-3 juin 1964 (1967).

— «La musique à Notre-Dame de Paris», n° 16 (février 1985) de *Revue internationale de musique française*.

WRIGHT (C.), *Music and Ceremony at Notre-Dame of Paris, 500-1550* (1989).

CASABIANCA (L.M.), *Histoire de la paroisse Notre-Dame de Bonne-Nouvelle* (1908).

ARVENGAS (J.), *Histoire de l'église Notre-Dame-de-Grâce de Passy* (1988).

FLACHOT (A.), *La Salette du Haut Vaugirard. Origine et histoire* (1986, sous le vocable de Notre-Dame).

DUPLESSY (E.), *Notre-Dame de Lorette. Le quartier, la paroisse, l'église* (1894).

COGNAT (J.), *Notice historique sur Notre-Dame-des-Champs* (1885).

BALTHASAR (C.G.), *Histoire religieuse de l'église Notre-Dame-des-Victoires de Paris et de l'archiconfrérie du Très Saint et Immaculé Cœur de Marie* (1855).

LAMBERT (E.), BUIRETTE (A.), *Histoire de l'église Notre-Dame-des-Victoires depuis sa fondation jusqu'à nos jours* (1872).

DESLANDRES (P.), *Un siècle à Notre-Dame-des-Victoires* (1936).

MARCEL (A.), GARIN (J.), *Histoire de la paroisse Saint-Ambroise de Popincourt* (1909).

AMADOU (R. et C.), « Saint-Ephrem-des-Syriens, du collège des Lombards à nos jours », dans *Paris et Île-de-France*, 37 (1986), p. 7-146.

FAUDET (P.A.), MAS-LATRIE (L. DE), *Notice historique sur la paroisse de Saint-Étienne-du-Mont* (1840).

FERTÉ (J.), *Saint-Étienne-du-Mont à la mi-XVIIe siècle, mémoires d'un curé génovéfain...* (1964, 2 vol., mémoires de Beurrier).

GAUDREAU (L.), *Notice descriptive et historique sur l'église et la paroisse Saint-Eustache de Paris...* (1855).

SOUTIF (L.), « Une société du culte catholique à Paris pendant la première Séparation : la paroisse de Saint-Eustache de 1795 à 1802 », dans *Revue des questions historiques*, 1908, p. 145-177 et 509-561.

MIROT (L.), « Un inventaire des fondations de la paroisse Saint-Eustache au XVe siècle », dans *Mémoires de la Société de l'histoire de Paris et de l'Île-de-France*, 45 (1918), p. 101-170.

BAURIT (M.), HILLAIRET (J.), *Saint-Germain-l'Auxerrois, église collégiale, royale et paroissiale. L'église, la paroisse, le quartier* (1955).

DELMAS (E.), *Essai historique sur le chapitre de Saint-Germain-l'Auxerrois de Paris, VIIe-XVIIIe siècle* (1965).

HERVÉ (G.), *Les Comptes de la communauté de Saint-Germain-l'Auxerrois de Paris au XIVe siècle* (1991, mémoire multigraphié).

DUMOUCHEL (B.), « L'église Saint-Germain-le-Vieux », dans *Bulletin de la Société de l'histoire de Paris et de l'Île-de-France*, 1990, p. 20-44.

BROCHARD (L.), *Saint-Gervais. Histoire du monument* (1938).

BROCHARD (L.), *Saint-Gervais. Histoire de la paroisse* (1950).

GASTON (J.), *Une paroisse parisienne avant la Révolution : Saint-Hippolyte* (1908).

LE MAÎTRE (J.L.), éd., *L'Obituaire du chapitre collégial Saint-Honoré de Paris* (1987).

MEURGEY (J.), *Histoire de la paroisse Saint-Jacques-de-la-Boucherie, des origines à 1600* (1926).

FRITSCH-PINAUD (L.), « La vie paroissiale à Saint-Jacques-de-la-Boucherie au XVe siècle », dans *Paris et Île-de-France*, 33 (1982), p. 7-97.

GRENTE (J.), *Une paroisse de Paris sous l'Ancien Régime, Saint-Jacques-du-Haut-Pas, 1566-1793* (1897).

GRENTE (J.), *Une paroisse de Paris sous la Terreur, Saint-Jacques-du-Haut-Pas* (1909).

MAGNIN (M.), *Une église de Paris, Saint-Joseph artisan, 1866-1966* (1968).

LE BRUN (A.), *L'Église Saint-Julien-le-Pauvre...* (1889).

GATHELIER (N.), *Saint-Julien-le-Pauvre* (1984, mémoire multigraphié).

REBUFAT (J.), *Histoire de la paroisse Saint-Lambert de Vaugirard* (1930).

BROCHARD (L.), *Histoire de la paroisse et de l'église Saint-Laurent à Paris* (1923).

VIMONT (M.), *Histoire de l'église et de la paroisse Saint-Leu-Saint-Gilles à Paris* (1932).

COLLAS (C.), *Une paroisse de Paris : Saint-Louis d'Antin et son territoire* (1932).

REUTERSWÄRD (P.), *The Two Churches of the hôtel des Invalides. A History of their Design* (1965, Saint-Louis des Invalides).

JESTAZ (B.), *L'Hôtel et l'église des Invalides* (1990).

COLLIGNON (L.), *Histoire de la paroisse de Saint-Louis-en-l'Île* (1888).

JOLY (M.), *Saint-Marcel-lez-Paris, collégiale et seigneurie* (1949, thèse de droit canonique multigraphiée).

MANNEVILLE (C.), «Une église de Paris, Saint-Médard», dans *Bulletin de la montagne Sainte-Geneviève*, 4 (1903-1904), p. 3-298.

BRONGNIART (M.), *La Paroisse Saint-Médard au faubourg Saint-Marceau* (1951).

CADIER (L.), COUDERC (C.) éd., «Cartulaire et censier de Saint-Merry de Paris», dans *Mémoires de la Société de l'histoire de Paris et de l'Île-de-France*, 18 (1891), p. 101-271.

BALOCHE (C.), *Église Saint-Merry de Paris. Histoire de la paroisse et de la collégiale, 700-1910* (1911, 2 vol.).

BAUTIER (R.H.), «L'abbaye de Saint-Pierre et Saint-Merry de Paris, du VIIIe au XIIe siècle», dans *Bibliothèque de l'École des chartes*, 118 (1960), p. 5-19.

PASCAL (J.B.E.), *Notice sur la paroisse de Saint-Nicolas-des-Champs à Paris...* (1841).

SCHOENHER (P.), *Histoire du séminaire de Saint-Nicolas-du-Chardonnet, 1612-1908* (1909-1911, 2 vol.).

— *«Radiographie d'une paroisse»*. Enquête psychosociale sur la communauté chrétienne de la paroisse Saint-Séverin-Saint-Nicolas (1972, 2 fascicules multigraphiés).

BIEHLER (P.), *Saint-Nicolas-du-Chardonnet, son histoire, ses œuvres d'art...* (1979).

LE CLÈRE (M.), «Saint-Nicolas-du-Chardonnet : de l'église et du séminaire à la maison de la Mutualité», dans *Bulletin de la Société de l'histoire de Paris et de l'Île-de-France*, 1986-1987, p. 81-104.

— *Saint-Paul-Saint-Louis, les jésuites à Paris* (1985, exposition au Musée Carnavalet) ; voir aussi le paragraphe 46.

AUBERT (L.), *Le Petit Montrouge et l'église Saint-Pierre* (1938).

BABELON (J.P.), *L'Église Saint-Roch à Paris* (1972, nouvelle éd. en 1991).

GONDRÉ (A.), PERRAUD (P.), *Notice historique et descriptive sur l'église Saint-Séverin à Paris* (1900).

DÉMY (A.), *Essai historique sur l'église Saint-Séverin* (1903).

— *«Radiographie d'une paroisse»*. Enquête psychosociale sur la communauté chrétienne de la paroisse Saint-Séverin-Saint-Nicolas (1972, 2 fascicules multigraphiés).

SOREL (A.), *Le Couvent des carmes et le séminaire de Saint-Sulpice pendant la Terreur* (1864).

HAMEL (C.), *Histoire de l'église Saint-Sulpice* (1900, 2e éd. en 1909).

— *Saint-Sulpice pendant la guerre et la Commune* (1909).

LEMESLE (G.), *L'Église Saint-Sulpice* (1931).

CHANCEREL (R.), «L'église Saint-Sulpice et la Révolution», dans *Bulletin de la Société historique du VIᵉ arrondissement de Paris*, 34 (1934), p. 22-140.

SPECTOR (J.J.), *The Murals of Eugène Delacroix at Saint-Sulpice* (1967).

DUMOUCHEL (B.), «L'église Saint-Symphorien-en-la-Cité, 1206-1868», dans *Bulletin de la Société de l'histoire de Paris et de l'Île-de-France*, 1986-1987, p. 61-79.

PIERRE (V.), *L'Église Saint-Thomas-d'Aquin pendant la Révolution, 1791-1802...* (1887).

CORNUDET (L.), *Histoire de la paroisse Saint-Thomas-d'Aquin* (1913).

DOISY (H.), *Les Débuts d'une grande paroisse. Saint-Vincent-de-Paul* (1942).

LENIAUD (J.M.), PERROT (F.), *La Sainte-Chapelle* (1991, ouvrage fondamental qui efface les précédents et contient une bonne bibliographie).

VIDIER (A.), «Notes et documents sur le personnel, les biens et l'administration de la Sainte-Chapelle du XIIIᵉ au XVᵉ siècle», dans *Mémoires de la Société de l'histoire de Paris et de l'Île-de-France*, 28 (1901), p. 213-383.

VIDIER (A.), éd., «Le trésor de la Sainte-Chapelle. Inventaires», dans *Mémoires de la Société de l'histoire de Paris et de l'Île-de-France*, 34 (1907), p. 199-324; 35 (1908), p. 189-339; 36 (1909), p. 245-385; 37 (1910), p. 185-369.

BRENET (M.), *Les Musiciens de la Sainte-Chapelle du Palais. Documents inédits* (1910).

— *Les Vitraux de Notre-Dame et de la Sainte-Chapelle de Paris* (1959).

COURCEL (R. DE), *La Basilique de Sainte-Clotilde* (1957).

FALIÈRES-LAMY (A.), «La basilique Sainte-Clotilde-Sainte-Valère à Paris, architecture et sculpture», dans *Paris et Île-de-France*, 40 (1989), p. 207-255.

PELLEREAU (P.), *Histoire de l'église Sainte-Jeanne-de-Chantal* (1989).

— *La paroisse Sainte-Marguerite au faubourg Saint-Antoine* (1914).

DUMOUCHEL (B.), «L'église Sainte-Marie-Madeleine ou la Madeleine-en-la-Cité», dans *Bulletin de la Société de l'histoire de Paris et de l'Île-de-France*, 1988, p. 21-46.

GUILLOT (M.), «La collégiale parisienne [de Sainte-Opportune]», p. 341-372 de *L'Abbaye d'Almenèches-Argentan et sainte Opportune, sa vie et son culte* (1970).

46. LES COUVENTS

A. Ouvrages généraux

DAUMET (G.), «Notices sur les établissements religieux anglais, écossais et irlandais fondés à Paris avant la Révolution», dans *Mémoires de la Société de l'histoire de Paris et de l'Île-de-France*, 37 (1910), p. 1-184; 39 (1912), p. 1-225.

BIVER (P. et M.L.), *Abbayes, monastères et couvents de Paris, des origines à la fin du XVIIIᵉ siècle* (1970).

BIVER (P. et M.L.), *Abbayes, monastères et couvents de femmes à Paris, des origines à la fin du XVIIIᵉ siècle* (1975, ouvrage fondamental ainsi que le précédent).

VIOLLE (B.), *Paris, son Église et ses églises* (1982, 2 vol.).

— *Les Cisterciens à Paris* (1986, exposition au Musée Carnavalet).

— *Les Ordres mendiants à Paris* (1992, exposition au Musée Carnavalet).

B. Monographies de couvents

LAMBEAU (L.), « L'Abbaye-aux-Bois de Paris, 1638-1906 », dans *Commission du Vieux Paris. Procès-verbaux*, 1906, p. 237-315 ; 1920, annexe au procès-verbal de la séance du 31 janvier.

FRÉCHET (G.), « Les antonins à Paris, des origines à la réforme de 1619 », dans *Paris et Île-de-France*, 40 (1989), p. 7-34.

CÉDOZ (F.M.T.), *Un couvent de religieuses* [augustines] *anglaises à Paris de 1634 à 1884* (1891).

CHEVALIER (A.), *L'Hôtel-Dieu de Paris et les sœurs augustines, 650 à 1810* (1901).

— *Institut des religieuses augustines de l'Hôtel-Dieu de Paris, VIIe au XXe siècle* (1924).

— *Les Religieuses augustines hospitalières de l'Hôtel-Dieu de Paris, 651-1957* (1958).

FREMY (E.), « Le monastère des Petits-Augustins de Paris », dans *Bulletin d'histoire et d'archéologie du diocèse de Paris*, 1883, p. 138-196.

LE GRAND (L.), « Les béguines de Paris », dans *Mémoires de la Société de l'histoire de Paris et de l'Île-de-France*, 20 (1893), p. 295-357.

— *Histoire et vocation d'une chapelle. Les bénédictines de la rue Monsieur* (1950).

KWANTEN (E.), « Le collège Saint-Bernard à Paris », dans *Revue d'histoire ecclésiastique*, 43 (1948), p. 443-472.

— *Histoire de la congrégation du Bon-Secours de Paris, depuis sa fondation jusqu'à nos jours, 1824-1902* (1908, 2 vol.).

MAUZAIZE (J.), *Histoire des frères mineurs capucins de la province de Paris, 1601-1660...* (1965).

MAUZAIZE (J.), « Une fondation royale de l'ancien Paris : le couvent des capucins de la rue Saint-Honoré », dans *Bulletin de la Société de l'histoire de Paris et de l'Île-de-France*, 1985, p. 49-96.

ROUSSEAU (F.), « Le premier monastère des carmélites en France : le couvent de l'Incarnation, faubourg Saint-Jacques », dans *Mémoires de la Société de l'histoire de Paris et de l'Île-de-France*, 44 (1917), p. 1-106.

ERIAU (J.B.), *L'Ancien Carmel du faubourg Saint-Jacques, 1604-1792* (1929).

SOREL (A.), *Le Couvent des carmes et le séminaire de Saint-Sulpice pendant la Terreur* (1864).

LAMBEAU (L.), « Les carmes déchaussés de la rue de Vaugirard... », dans *Commission du Vieux Paris. Procès-verbaux*, annexe au procès-verbal de la séance du 29 juin 1918.

HALLAYS (A.), *Le Couvent des carmes, 1613-1913* (1913).

FOSSEYEUX (M.), « La maison des Cent-Filles ou de la Miséricorde au faubourg Saint-Marceau, 1623-1795 », dans *Bulletin de la Société de l'histoire de Paris et de l'Île-de-France*, 1923, p. 61-73.

— *La Chartreuse de Paris* (1987, exposition au Musée Carnavalet).

DUMOLIN (M.), « Les petites cordelières », dans *Bulletin de la Société d'histoire et d'archéologie des VIIe et XVe arrondissements de Paris*, 5 (1925-1934), p. 389-402.

BEAUMONT-MAILLET (L.), *Le Grand Couvent des cordeliers de Paris, étude historique et archéologique du XIIIe siècle à nos jours* (1975).

BERNARD (E.), *Les Dominicains dans l'université de Paris, ou le grand couvent des jacobins de la rue Saint-Jacques* (1883).

MOREAU-RENDU (S.), *Le Couvent Saint-Jacques, évocation de l'histoire des dominicains de Paris* (1961).

MABILLE (F.), «Les feuillantines de Paris, 1622-1792», dans *Bulletin de la montagne Sainte-Geneviève*, 3 (1899-1902), p. 207-232.

CIPRUT (E.J.), «L'église du couvent des feuillants, rue Saint-Honoré…», dans *Gazette des beaux-arts*, 1957, p. 37-52 (cet auteur a écrit de nombreux articles sur les églises parisiennes).

BAUNARD (L.), *La Vénérable Louise de Marillac, Mlle Le Gras, fondatrice des Filles de la Charité de Saint-Vincent de Paul* (1898).

VACQUIER (J.), «Les Filles de la Croix, dites sœurs de Saint-André, établies à Paris, 90 et 92, rue de Sèvres», dans *Bulletin de la Société d'histoire et d'archéologie des VIIe et XVe arrondissements de Paris*, 5 (1925-1934), p. 120-157.

LORBER (G.), *Les Filles de la Croix, dominicaines de Paris, 1627-1927* (1927).

BABONNEIX (L.), «Le couvent des Filles du Calvaire», dans *La Cité*, 1931, p. 333-355.

— *Un Cloître dominicain de Paris : les Filles de Saint-Thomas. Leur histoire, leur vie intérieure, XVIIe et XVIIIe siècles* (1927).

FOSSEYEUX (M.), «Les hospitalières de la place Royale», dans *La Cité*, 1918, p. 265-279.

MÉNORVAL (S. DE), *Les Jésuites de la rue Saint-Antoine* (1872).

BLOND (L.), *La Maison professe des jésuites de la rue Saint-Antoine à Paris, 1580-1762* (1957).

— *Saint-Paul-Saint-Louis, les jésuites à Paris* (1985, exposition au Musée Carnavalet).

DUCHESNE (G.), «Histoire de l'abbaye royale de Longchamp, fondée en 1255…», dans *Bulletin de la Société historique d'Auteuil et de Passy*, 5 (1904-1906), p. 7-43 et 147-165.

— Mathurins, voir Trinitaires.

KRAKOVITCH (O.), «Le couvent des minimes de la place Royale», dans *Paris et Île-de-France*, 30 (1979), p. 87-258.

KRAKOVITCH (O.), «La vie intellectuelle dans les trois couvents minimes de la place Royale, de Nigeon et de Vincennes…», dans *Bulletin de la Société de l'histoire de Paris et de l'Île-de-France*, 1982, p. 23-175.

KRAKOVITCH (O.), «Le couvent des minimes de Passy», dans *Paris et Île-de-France*, 40 (1989), p. 37-105.

BARTHÉLEMY (E. DE) éd., *Recueil des chartes de l'abbaye royale de Montmartre* (1883).

GUILHERMY (F. DE), *Montmartre, …* (1906).

MAUZIN (J.), «Les comptes de la dépositaire et du receveur de l'abbaye de Montmartre, 1758-1790», dans *Le Vieux Montmartre*, 1926-1931, p. 197-224.

DUMOLIN (M.), «Notes sur l'abbaye de Montmartre», dans *Bulletin de la Société de l'histoire de Paris et de l'Île-de-France*, 1931, p. 145-238 et 244-325.

ROUSSEAU (F.), «Histoire de l'abbaye de Pentemont, depuis sa translation à Paris jusqu'à la Révolution», dans *Mémoires de la Société de l'histoire de Paris et de l'Île-de-France*, 45 (1918), p. 171-227.

DUMOLIN (M.), «Note topographique sur le couvent de Pentemont», dans *Bulletin de la Société d'histoire et d'archéologie des VIIe et XVe arrondissements de Paris*, 5 (1925-1934), p. 84-95 (précédé, p. 72-83, d'un article de F. Rousseau sur le même couvent).

— *Port-Royal* (1984, exposition à la mairie du Ve arrondissement, bibliographie ; l'histoire de ce couvent se confond largement avec celle du jansénisme).

Gazier (C.), *Histoire du monastère de Port-Royal* (3e éd. en 1929).

Gatignol (P.), *Du couvent des récollets à l'hôpital Villemin. Destinées d'un bâtiment parisien, 1604-1989* (1990).

Andigné (M.F. d'), « Le Sacré-Cœur, congrégation située au coin de la rue de Varenne, 77, et du boulevard des Invalides », dans *Commission du Vieux Paris. Procès-verbaux*, 1907, p. 311-344.

Bonnardot (H.), *L'Abbaye royale de Saint-Antoine-des-Champs de l'ordre de Cîteaux, étude topographique et historique* (1882).

Lehmann (N.), *Les Dames de l'Union chrétienne de Saint-Chaumont, 1630-1948* (1949).

Bouillart (J.), *Histoire de l'abbaye royale de Saint-Germain-des-Prés...* (1724).

Longnon (A.) éd., *Polyptyque de l'abbaye de Saint-Germain-des-Prés* (1886-1895, 2 vol.).

Du Bourg (Dom), « La vie monastique dans l'abbaye de Saint-Germain-des-Prés », dans *Revue des questions historiques*, 1905, p. 406-459.

Poupardin (R.) éd., *Recueil des chartes de l'abbaye de Saint-Germain-des-Prés, des origines au début du XIIIe siècle* (1909-1930, 3 vol.).

Lefèvre-Pontalis (E.), « Étude historique et archéologique sur l'église de Saint-Germain-des-Prés », dans *Congrès archéologique de France*, 82e session, 1919, p. 301-366.

Foiret (F.), « Le bailliage de l'abbaye de Saint-Germain-des-Prés, 1563-1674 et 1691-1790 », dans *Bulletin de la Société historique du VIe arrondissement de Paris*, 23 (1922), p. 37-93.

— *Travaux publiés à l'occasion du quatorzième centenaire de la fondation de l'abbaye de Saint-Germain-des-Prés*, constituant le tome 9 (1957-1958) de *Paris et Île-de-France*.

— *Mémorial du XIVe centenaire de l'abbaye de Saint-Germain-des-Prés. Recueil de travaux sur le monastère et la congrégation de Saint-Maur* (1959).

Ribadeau-Dumas (F.), *Histoire de Saint-Germain-des-Prés, abbaye royale* (1958).

— *Saint-Germain-des-Prés, 1558-1958* (1958, exposition aux Archives nationales).

Dérens (J.), « Les origines de Saint-Germain-des-Prés. Nouvelle étude sur les deux plus anciennes chartes de l'abbaye », dans *Journal des savants*, 1973, p. 28-60.

Marchasson (Y.), « Le palais abbatial de Saint-Germain-des-Prés. Quelques grands moments d'une longue et riche histoire », dans *Nouvelles de l'Institut catholique de Paris*, octobre 1978, p. 3-78.

Ultée (M.), *The Abbey of Saint-Germain-des-Prés in the XVIIIth century* (1981).

Boullée (J.), « Recherches historiques sur la maison de Saint-Lazare de Paris, depuis sa fondation jusqu'à la cession qui en fut faite, en 1632, aux prêtres de la Mission », dans *Mémoires de la Société de l'histoire de Paris et de l'Île-de-France*, 3 (1876), p. 126-191.

POTTET (E.), *Histoire de Saint-Lazare, 1122-1912* (1912).

BIZARD (L.), CHAPON (J.), *Histoire de la prison de Saint-Lazare du Moyen Âge à nos jours* (1925).

ANCELET-HUSTACHE (J.), *Les Sœurs des prisons. La Petite-Roquette, Saint-Lazare* (1934).

MERLET (R.), «Les origines du monastère de Saint-Magloire de Paris», dans *Bibliothèque de l'École des chartes*, 56 (1895), p. 237-273.

TERROINE (A.), FOSSIER (L.) éd., *Chartes et documents de l'abbaye de Saint-Magloire* (1966-1976, tomes 2 et 3 seuls parus, de 1280 au début du XVᵉ siècle).

MARRIER (M.), *Monasterii regalis Sancti Martini de Campis parisiensis ordinis cluniciensis historia* (1637).

DEPOIN (J.) éd., *Liber testamentorum Sancti Martini de Campis* (1904).

DEPOIN (J.), *Recueil des chartes et documents de Saint-Martin-des-Champs* (1912-1921, 5 vol.).

MOLINIER (E.), «Inventaire du trésor de l'église du Saint-Sépulcre de Paris, 1379», dans *Mémoires de la Société de l'histoire de Paris et de l'Île-de-France*, 9 (1882), p. 239-286.

DUMOLIN (M.), «Les chanoinesses du Saint-Sépulcre ou Dames de Bellechasse», dans *Bulletin de la Société de l'histoire de Paris et de l'Île-de-France*, 1936, p. 10-28.

LAMBEAU (L.), «Le couvent des Hospitalières de Saint-Thomas-de-Villeneuve, rue de Sèvres, 25-27 (1698-1907)», dans *Commission du Vieux Paris. Procès-verbaux*, 1907, p. 231-268 et 300-305.

BERNOVILLE (G.), *Dans le sillage de Monsieur Vincent : les religieuses de Saint-Thomas-de-Villeneuve, 1661-1953* (1953).

FRANKLIN (A.), *Histoire de la bibliothèque de l'abbaye de Saint-Victor à Paris* (1865).

BONNARD (F.), *Histoire de l'abbaye royale et de l'ordre des chanoines réguliers de Saint-Victor de Paris* (1904-1908, 2 vol.).

GUT (C.), «Les actes de Maurice de Sully relatifs aux possessions parisiennes de Saint-Victor, 1180-1196», p. 35-52 de *Huitième Centenaire de Notre-Dame de Paris*, congrès des 30 mai-3 juin 1964 (1967).

GRANDRUE (C. DE), *Le Catalogue de la bibliothèque de l'abbaye de Saint-Victor de Paris de Claude de Grandrue, 1514* (1983).

— *L'Abbaye parisienne de Saint-Victor au Moyen Âge* (1991, 13ᵉ Colloque d'humanisme médiéval de Paris).

SHOEBEL (M.), *Archiv und Besitz der Abtei St. Viktor in Paris* (1991).

L'ESPRIT (A.), «Le prieuré Sainte-Catherine du Val des Écoliers», dans *La Cité*, 1914, p. 241-272 et 357-384.

RENARD (M.), «La fortune du prieuré Sainte-Croix-de-la-Bretonnerie sous l'Ancien Régime», dans *Paris et Île-de-France*, 36 (1985), p. 97-130.

FÉRET (P.), *L'Abbaye de Sainte-Geneviève et la congrégation de France* (1883, 2 vol.).

GIARD (R.), «Étude sur l'histoire de l'abbaye de Sainte-Geneviève de Paris jusqu'à la fin du XIIIᵉ siècle», dans *Mémoires de la Société de l'histoire de Paris et de l'Île-de-France*, 30 (1903), p. 41-126.

GITEAU (C.), «Les sculptures de l'abbaye de Sainte-Geneviève de Paris. Moyen Âge», dans *Paris et Île-de-France*, 12 (1961), p. 7-55.

PETZET (M.), *Soufflots Sainte-Geneviève und der französische Kirchenbau des 18. Jahrhunderts* (1961).

GAZIER (C.), *Après Port-Royal. L'ordre hospitalier des sœurs de Sainte-Marthe de Paris, 1713-1918* (1923).

CURZON (H. DE), *La Maison du Temple de Paris, histoire et description* (1888).

DARRICAU (R.), *Les Clercs réguliers théatins à Paris : Sainte-Anne-la-Royale, 1644-1793* (1961, d'abord paru dans *Regnum Dei. Collectanea theatina*, 10 (1954), p. 165-204 ; 11 (1955), p. 98-126 ; 13 (1957), p. 257-277 ; 14 (1958), p. 13-58 ; 15 (1959), p. 19-68 et 96-214).

PICARD (E.), *Les Théatins à Paris, 1644-1790. Une acculturation manquée?* (1977, thèse multigraphiée).

MOREAU-RENDU (S.), *Les Captifs libérés. Les trinitaires et Saint-Mathurin de Paris* (1974).

BERTOUT (A.), *Les Ursulines de Paris sous l'Ancien Régime* (1936).

JEGOU (M.A.), *Les Ursulines du faubourg Saint-Jacques à Paris, 1607-1662* (1981).

MIGNOT (C.), *Le Val-de-Grâce, l'ermitage d'une reine* (1994, excellent, donne une bonne bibliographie).

LE COUTURIER (E.), *La Visitation* (1935).

DUMOLIN (M.), «Les visitandines de la rue du Bac», dans *Bulletin de la Société de l'histoire de Paris et de l'Île-de-France*, 1936, p. 28-41.

47. HISTOIRE DU CATHOLICISME

A. Des origines à 1500

La bibliographie consacrée à Paris est plutôt maigre :

GRIFFE (E.), *La Gaule chrétienne à l'époque romaine* (1947-1965, 3 vol., nouvelle éd. de 1964 à 1966).

LOMBARD (A.), «Du nouveau sur les origines chrétiennes de Paris : une relecture de Fortunat», dans *Paris et Île-de-France*, 32 (1981), p. 125-160.

DUBOIS (J.), BEAUMONT-MAILLET (L.), *Sainte Geneviève de Paris* (1982).

DUBOIS (J.), «Saint Germain, évêque de Paris (552-576), pasteur itinérant pour la gloire des saints», dans *Bulletin de la Société de l'histoire de Paris et de l'Île-de-France*, 1985, p. 27-47.

HEINZELMANN (M.), POULIN (J.C.), *Les Vies anciennes de sainte Geneviève de Paris. Études critiques* (1986).

VIELLARD-TROIEKOUROFF (M.), FOSSARD (D.), CHÂTEL (E.), LAMY-LASSALE (C.), «Les anciennes églises suburbaines de Paris, IVe-XIe siècle», dans *Paris et Île-de-France*, 11 (1960), p. 17-282.

DUBOIS (J.), «L'emplacement des premiers sanctuaires de Paris», dans *Journal des savants*, 1968, p. 5-44.

LEFÈVRE (S.), «La reconstitution des monastères après les invasions normandes en Île-de-France», dans *Paris et Île-de-France*, 32 (1981), p. 299-314.

MORTET (V.), «Maurice de Sully, évêque de Paris, 1160-1196. Étude sur l'administration épiscopale pendant la seconde moitié du XIIe siècle», dans *Mémoires de la Société de l'histoire de Paris et de l'Île-de-France*, 16 (1889), p. 105-318.

VALOIS (N.), *Guillaume d'Auvergne, évêque de Paris, 1228-1249. Sa vie et ses ouvrages* (1880).

GRASSOREILLE (G.), « Histoire politique du chapitre de Notre-Dame-de-Paris pendant la domination anglaise », dans *Mémoires de la Société de l'histoire de Paris et de l'Île-de-France*, 9 (1882), p. 109-192.

MIROT (L.), « Le procès de maître Jean Fusoris, chanoine de Notre-Dame de Paris, 1415-1416. Épisode des négociations franco-anglaises durant la guerre de Cent Ans », dans *Mémoires de la Société de l'histoire de Paris et de l'Île-de-France*, 27 (1900), p. 137-287.

B. De 1500 à 1789

RENAUDET (A.), *Préréforme et humanisme à Paris pendant les premières guerres d'Italie, 1494-1517* (1916, 2e éd. en 1953).

RENAUDET (A.), « Paris de 1494 à 1517. Église et Université, réformes religieuses, culture et critique humaniste », dans *Courants religieux et humanisme à la fin du XVe et au début du XVIe siècle. Colloque de Srasbourg, 9-11 mai 1957* (1959).

GARAND (M.C.), « La carrière religieuse et politique d'Étienne Poncher, évêque de Paris, 1503-1519 », dans « VIIIe centenaire de Notre-Dame de Paris », numéro spécial de la *Revue d'histoire de l'Église de France*.

RICHET (D.), « Aspects socio-culturels des conflits religieux à Paris dans la seconde moitié du XVIe siècle », dans *Annales. Économies, sociétés, civilisations*, 1977, p. 764-783.

LEBIGRE (A.), *La Révolution des curés, Paris, 1588-1594* (1980, voir § 45 B pour les biographies des curés ligueurs).

DAGENS (J.), *Bérulle et les origines de la restauration catholique, 1575-1611* (1952).

GOLDEN (R.M.), *The Godly Rebellion, Parisian curés and the religious Fronde, 1652-1662* (1981).

MARRETTE (B.), *François Harlay de Champvallon, archevêque de Paris, 1671-1695* (1985, mémoire multigraphié).

FOSSEYEUX (M.), « Le cardinal de Noailles et l'administration du diocèse de Paris, 1695-1729 », dans *Revue historique*, 1913, p. 261-289 ; 1914, p. 34-54.

REGNAULT (E.), *Christophe de Beaumont, archevêque de Paris, 1703-1781* (1882, 2 vol.).

DUCHÊNE (J.), « Le pontificat parisien de Mgr de Juigné, de mars 1782 à mars 1789 », dans *Paris et Île-de-France*, 46 (1995), p. 91-193.

Quelques titres dans l'abondante littérature sur le jansénisme :

ORCIBAL (J.), *Jean Duvergier de Hauranne, abbé de Saint-Cyran, et son temps, 1581-1638* (1958).

ADAM (A.), *Du mysticisme à la révolte : les jansénistes au XVIIe siècle* (1968).

TAVENEAUX (R.), *La Vie quotidienne des jansénistes aux XVIIe et XVIIIe siècles* (1973).

— *Deux Siècles de jansénisme à travers les documents du fonds Port-Royal d'Utrecht* (1974).

MICHEL (M.J.), « Clergé et pastorale jansénistes à Paris, 1669-1730 », dans *Revue d'histoire moderne et contemporaine*, 27 (1979), p. 177-197.

MOUSSET (A.), *L'Étrange Histoire des convulsionnaires de Saint-Médard* (1953).

KREISER (B.R.), *Miracles, convulsions and ecclesiastical politics in early 18th century Paris* (1978).

MAIRE (C.L.), *Les Convulsionnaires de Saint-Médard ; miracles, convulsions et prophéties à Paris au XVIIIᵉ siècle* (1985).

DAINVILLE (F. DE), « La carte du jansénisme à Paris en 1739, d'après les papiers de la nonciature », dans *Bulletin de la Société de l'histoire de Paris et de l'Île-de-France*, 1969, p. 113-124.

BONTOUX (F.), « Paris janséniste au XVIIIᵉ siècle : les *Nouvelles ecclésiastiques* », dans *Paris et Île-de-France*, 7 (1955), p. 205-220.

PRÉCLIN (E.), *Les jansénistes du XVIIIᵉ siècle et la Constitution civile du clergé* (1929).

C. La Révolution et l'Empire (1789-1815)

LACOMBE (P.), *Essai d'une bibliographie des ouvrages relatifs à l'histoire religieuse de Paris pendant la Révolution* (1884).

DELARC (O.J.M.), *L'Église de Paris pendant la Révolution française, 1789-1801* (1895-1898, 3 vol.).

ROBINET (J.F.E.), *Le Mouvement religieux à Paris pendant la Révolution* (1896-1898, 2 vol. ; s'arrête en septembre 1793).

GRENTE (J.), *Le Culte catholique à Paris, de la Terreur au Concordat* (1903).

MEURET (J.), *Le Chapitre de Notre-Dame de Paris en 1790* (1904).

PISANI (P.), *L'Église de Paris et la Révolution* (1908-1911, 4 vol.).

BOUSSOULADE (J.), *L'Église de Paris du 9 Thermidor au Concordat* (1950).

HÉRISSAY (J.), *La Vie religieuse à Paris sous la Terreur, 1792-1794* (1952).

HÉRISSAY (J.), *Les Aumôniers de la guillotine* (1954).

BOUSSOULADE (J.), *Moniales et hospitalières dans la tourmente révolutionnaire : les communautés de religieuses de l'ancien diocèse de Paris de 1789 à 1801* (1962).

PLONGERON (B.), *Les Réguliers de Paris devant le serment constitutionnel. Sens et conséquences d'une option, 1789-1801* (1964).

— *L'Église de Paris sous la Révolution et le Consulat, 1789-1802* (1970, exposition au musée de Notre-Dame de Paris).

VOVELLE (M.), *Religion et Révolution : la déchristianisation de l'an II* (1976).

VIGUERIE (J. DE), *Christianisme et Révolution* (1986).

LEFLON (J.), *Monsieur Émery, l'Église concordataire et impériale* (1946).

LENIAUD (J.M.), *L'Administration des cultes pendant la période concordataire* (1988).

D. Époque contemporaine

L'étude du catholicisme à Paris aux XIXᵉ et XXᵉ siècles a été à peine abordée. Il faut se reporter à des ouvrages généraux et à leurs bibliographies :

DANSETTE (A.), *Histoire religieuse de la France contemporaine* (1948, 2ᵉ éd. en 1965).

CHOLVY (G.), HILAIRE (Y.M.), *Histoire religieuse de la France contemporaine* (1985-1989, 3 vol.).

On peut aussi utiliser quelques ouvrages limités à une époque ou à un thème :

DUROSELLE (J.B.), *Les Débuts du catholicisme social en France, 1822-1870* (1951).

POUTHAS (C.H.), *L'Église et les questions religieuses sous la monarchie constitutionnelle* (1942).

PIERRARD (P.), *L'Église et les ouvriers en France, 1840-1940* (1984).

PALANQUE (J.R.), *Catholiques libéraux et gallicans en France face au concile du Vatican, 1867-1870* (1962).

GADILLE (J.), *La Pensée et l'action politique des évêques français au début de la IIIe République, 1870-1883* (1967, 2 vol.).

LIMOUZIN-LAMOTHE (R.), *Mgr de Quélen, archevêque de Paris...* (1955-1957, 2 vol.).

LIMOUZIN-LAMOTHE (R.), LEFLON (J.), *Mgr Denys Auguste Affre, archevêque de Paris, 1793-1848* (1971).

DANIEL (Y.), *La religion est perdue à Paris* (1978, Paris en 1849).

DARBOY (G.), *Statistique religieuse du diocèse de Paris. Mémoire sur l'état présent du diocèse* (1856).

DANIEL (Y.), *Aspects de la pratique religieuse à Paris* (1952).

— *Le Recensement de la pratique religieuse dans la Seine, 14 mars 1954* (vers 1959, étude de l'INSEE).

FRIEDMANN (A.), «La fonction religieuse de Paris», dans *Paris, fonctions d'une capitale* (1961).

On trouvera l'histoire du diocèse au quotidien dans sa publication, la *Semaine religieuse de Paris*, créée en 1853, devenue en 1969 *Présence et dialogue*, avec un supplément intitulé *Église de Paris* (1969-1971) puis *Paris*.

48. LE PROTESTANTISME

A. Généralités

L'histoire de la Réforme peut être étudiée plus spécialement à la Bibliothèque du protestantisme français (54, rue des Saints-Pères). Le musée d'Histoire du protestantisme français (54, rue des Saints-Pères) recèle de nombreux documents. D'autres sont recensés dans :

KRAKOVITCH (O.), SENTILHES (A.), *Les Réformés à la fin du XVIe siècle. Relevés de documents dans les fonds d'archives* (1972).

Les recherches biographiques et généalogiques sont compliquées par la persécution dont firent l'objet les protestants. On peut s'aider de :

THIERRY DU PASQUIER (J.), «Les sources de généalogie protestante parisienne», dans *Centre de généalogie protestante*, 14, janvier-mars 1981.

BERNARD (G.), *Les familles protestantes en France. Guide des recherches biographiques et généalogiques* (1987).

La bibliographie du protestantisme français est signalée dans le *Bulletin de la Société de l'histoire du protestantisme français*, qui paraît depuis 1852. On peut aussi se référer à la *Bibliographie de la Réforme*, volume 4, *France, Angleterre, Suisse* (1963).

On peut également utiliser plusieurs histoires générales :

LÉONARD (E.G.), *Histoire générale du protestantisme* (1961-1964, 3 vol. ; 2e éd. en 1980-1982).

JUNDT (A.), *Histoire résumée de l'Église luthérienne de France* (1935).

WOLFF (P.), *Histoire des protestants en France* (1977).

On y ajoutera des titres couvrant une époque ou un sujet plus restreint :

RICHARD (M.), *La Vie quotidienne des protestants sous l'Ancien Régime* (1966).

LIGOU (D.), *Le Protestantisme en France de 1598 à 1715* (1968).

MOURS (S.), ROBERT (D.), *Le Protestantisme en France du XVIIIe siècle à nos jours, 1685-1970* (1972).

ROBERT (D.), *Les Églises réformées en France, 1800-1830* (1961).

ENCREVÉ (A.), *Les Protestants en France de 1800 à nos jours, histoire d'une réintégration* (1985).

Trois catalogues d'expositions :
— *Les Débuts de la Réforme en France* (1959, hôtel de Rohan).
Coligny, Protestants et catholiques en France au XVIe siècle (1972, hôtel de Rohan).
— *Les Huguenots* (1985, hôtel de Rohan).

B. Les protestants parisiens

• Ouvrages généraux :

PANNIER (J.), *Promenades dans le vieux Paris protestant* (1921-1926, 2 fascicules).

GUITON (W.H.), *La Réforme à Paris, XVIe-XVIIe siècles* (1931).

HOURTICQ (D.), LECOMTE (R.), POUJOL (P.), *Le Paris protestant de la Réforme à nos jours* (1959).

GASTAMBIDE (J.), *Parisien et protestant. Pourquoi ?* (1967).

• Des débuts à l'édit de Nantes (1598) :

COQUEREL (A.), « Précis de l'histoire de l'Église réformée de Paris... Première époque, 1512-1594 » (1862, extrait de la *Nouvelle Revue de théologie*).

COQUEREL (A.), « L'Église sous l'édit de Nantes, 1594-1685 », dans *Bulletin de la Société de l'histoire du protestantisme français*, 15 (1866), 16 (1867) et 18 (1869).

DOUMERGUE (E.), « Paris protestant au XVIe siècle, 1509-1572 », dans *Bulletin de la Société de l'histoire du protestantisme français*, 1896, p. 11-45, 57-71, 113-132.

WEISS (N.), « Lieux d'assemblées huguenotes à Paris avant l'édit de Nantes, 1524-1598 », dans *Bulletin de la Société de l'histoire du protestantisme français*, 1899, p. 138-171.

WEISS (N.), *Jean Du Bellay, les protestants et la Sorbonne, 1529-1535* (1904).

WEISS (N.), *La Chambre ardente. Étude sur la liberté de conscience en France sous François Ier et Henri II, 1540-1550, suivie d'environ cinq cents arrêts inédits rendus par le parlement de Paris de mai 1547 à mars 1550* (1889).

GUÉRIN (P.), « Délibérations politiques du Parlement et arrêts criminels au milieu de la première guerre de religion, 1562 », dans *Mémoires de la Société de l'histoire de Paris et de l'Île-de-France*, 40 (1913), p. 1-116.

BOUCHER (J.), « Les incarcérations à la Conciergerie de Paris pour fait de religion, 1567-1570 », dans *Les Réformes. Enracinement socioculturel*, colloque à Tours en 1982 (1985).

• De l'édit de Nantes à sa révocation (1685) :

PANNIER (J.), *L'Église réformée de Paris sous Henri IV* (1911).

PANNIER (J.), *L'Église réformée de Paris sous Louis XIII* (1922-1932, 2 vol.).

DOUEN (O.), *La Révocation de l'édit de Nantes à Paris d'après des documents inédits* (1894, 3 vol.).

— *La Révocation de l'édit de Nantes et le protestantisme français en 1685*, colloque en 1985 (1986).

• De 1685 à la Révolution (1789) :

LODS (A.), *L'Église réformée de Paris de la révocation à la Révolution* (1889).

JAHAN (E.), *La Confiscation des biens des religionnaires fugitifs de la révocation de l'édit de Nantes à la Révolution* (1959).

GRÈS-GAYER (J.), « Le culte de l'ambassade de Grande-Bretagne à Paris au début de la Régence », dans *Bulletin de la Société de l'histoire du protestantisme français*, 1984, p. 29-46.

GRÈS-GAYER (J.), « 1715-1720 : les admissions dans la communauté anglicane de Paris », dans *Bulletin de la Société de l'histoire du protestantisme français*, 1985, p. 379-404.

• De la Révolution à 1995 :

LODS (A.), *L'Église réformée de Paris pendant la Révolution* (1889).

LAGNY (G.), *Le Réveil de 1830 à Paris et les origines des diaconesses de Reuilly* (1958).

DECOPPET (A.), *Paris protestant, ses églises, ses pasteurs...* (1876).

PUAUX (F.), *Les œuvres du protestantisme français au XIXᵉ siècle* (1893).

ENCREVÉ (A.), « Une paroisse protestante de Paris, l'Oratoire de 1850 à 1860 », dans *Bulletin de la Société de l'histoire du protestantisme français*, 1969, p. 43-78, 207-224, 329-350.

POUJOL (P.), *Souvenirs protestants parisiens, 1931-1940* (1969).

• L'Église luthérienne :

REICHARD (G.), *Notice historique sur l'Église de la confession d'Augsbourg à Paris* (1867).

LODS (A.), *L'Église luthérienne de Paris pendant la Révolution* (1892).

WEBER (A.), *Un centenaire : l'Église évangélique luthérienne de Paris, 1808-1908* (1908).

DRIANCOURT-GIROD (J.), *Les Luthériens à Paris du début du XVIIᵉ au début du XIXᵉ siècle, 1626-1809* (1990, thèse multigraphiée).

DRIANCOURT-GIROD (J.), *L'Insolite Histoire des luthériens de Paris de Louis XIII à Napoléon* (1992, résumé de la thèse).

DRIANCOURT-GIROD (J.), *Ainsi priaient les luthériens : la vie religieuse, la pratique et la foi des luthériens de Paris aux XVIIᵉ et XVIIIᵉ siècles* (1992).

BRUNEL (G.), DESCHAMPS-BOURGEON (M.L.), GAGNEUX (Y.), *Dictionnaire des églises de Paris, catholique-orthodoxe-protestant* (1995).

49. LE JUDAÏSME

A. *Généralités*

Le Centre de documentation juive contemporaine possède une bibliothèque (17, rue Geoffroy-l'Asnier) où il est possible de travailler. La *Revue des études juives* (créée en 1880) et la *Revue de la pensée juive* (fondée en 1949) fournissent des indications sur les productions concernant le judaïsme français. Il existe une bonne bibliographie :

BLUMENKRANZ (B.), *Bibliographie des juifs en France* (1961, nouvelle éd. en 1974).

On doit au même auteur une *Histoire des juifs en France* (1972) et la publication de *Documents modernes sur les juifs, XVIᵉ-XXᵉ siècles* (1979).

On peut encore citer :

FEUERWERKER (D.), *L'Émancipation des juifs en France, de l'Ancien Régime à la fin du second Empire* (1976).

Il existe un excellent guide de recherches :

BERNARD (G.), *Les Familles juives en France, XVIe siècle-1815. Guide des recherches biographiques et généalogiques* (1990).

B. La communauté juive parisienne

Il existe une histoire générale, ancienne mais de bonne qualité :

KAHN (L.), *Histoire de la communauté israélite de Paris* (1884-1889, 5 vol.).

Sous ce titre ont aussi été publiés : *Les Juifs sous Louis XV, 1721-1760* (1892), *Les Juifs de Paris au XVIIIe siècle, d'après les archives de la lieutenance générale de police à la Bastille* (1894), *Les Juifs de Paris pendant la Révolution* (1898).

ROBLIN (M.), « Les cimetières juifs de Paris au Moyen Âge », dans *Paris et Île-de-France*, 4 (1952), p. 7-19.

CATANE (M.), « Les noms des juifs de Paris au Moyen Âge », dans *Actes du 100e congrès national des Sociétés savantes*, Paris, 1975, Section de philologie et d'histoire jusqu'à 1610, p. 157-168.

NAHON (G.), « La communauté juive de Paris au XIIIe siècle. Problèmes topographiques, démographiques et institutionnels », dans *Actes du 100e congrès national des Sociétés savantes*, Paris, 1975, Section de philologie et d'histoire jusqu'à 1610, p. 143-156.

HILDENFINGER (P.) éd., *Documents sur les juifs à Paris au XVIIIe siècle* (1913).

ANCHEL (R.), *Napoléon et les juifs* (1928).

PIETTE (C.), *Les Juifs de Paris, 1808-1840. La marche vers l'assimilation* (1983).

PHILIPPE (B.), *Les Juifs de Paris à la Belle Époque* (1992).

BENVENISTE (A.), *Le Bosphore à la Roquette : la communauté judéo-espagnole à Paris, 1914-1940* (1989).

WEINBERG (D.H.), *Les Juifs à Paris de 1933 à 1939* (1974).

GREEN (N.), *Les Travailleurs immigrés juifs à la Belle Époque. Le « Pletzl » de Paris* (1985).

ADLER (J.), *The Jews of Paris and the final solution. Communal response and internal conflicts, 1940-1944* (1987).

KASPI (A.), *Les Juifs pendant l'Occupation* (1991).

ROBLIN (M.), *Les Juifs de Paris. Démographie, économie, culture* (1952).

HAYMANN (E.), *Paris judaïca* (1979).

— *Être juif à Paris. Journées d'études, 2-3 et 4 mars 1983...* (1984).

50. CULTES DIVERS

A. Autres religions et sectes

Les religions récemment implantées à Paris n'ont pratiquement pas été étudiées. Pour le bouddhisme, l'islam, se reporter au paragraphe 41, où l'on trouvera aussi des éléments sur la religion orthodoxe, qui a fait l'objet d'une unique étude :

KNIAZEFF (A.), *L'Institut Saint-Serge* (1974).

Voir aussi :

BRUNEL (G.), DESCHAMPS-BOURGEON (M.L.), GAGNEUX (Y.), *Dictionnaire des églises de Paris, catholique-orthodoxe-protestant* (1995).

LA RELIGION 1341

Pour les religions d'importance modeste, ce qui leur vaut l'appellation de « sectes », voir :

CHARLÉTY (S.), *Histoire du saint-simonisme, 1825-1864* (1896).

GEYRAUD (P.), *Les Petites Églises de Paris* (1937).

GEYRAUD (P.), *Les Société secrètes de Paris* (1938).

GEYRAUD (P.), *Les Religions nouvelles de Paris* (1939).

GEYRAUD (P.), *L'Occultisme à Paris* (1953).

GEYRAUD (P.), *Petites Églises, religions nouvelles, sociétés secrètes de Paris* (1954).

B. La franc-maçonnerie

Au Grand Orient de France (16, rue Cadet) se trouvent archives, bibliothèque et musée très riches en ce qui concerne la maçonnerie française et parisienne. On a beaucoup écrit, surtout des idioties, sur la franc-maçonnerie. On se limite ici à quelques ouvrages de base.

• Sur la franc-maçonnerie française en général :

CHEVALLIER (P.), *Les Ducs sous l'acacia, ou les Premiers Pas de la franc-maçonnerie française, 1725-1743* (1964).

FAUCHER (J.A.), RICKER (A.), *Histoire de la franc-maçonnerie en France* (1967).

CHEVALLIER (P.), *Histoire de la franc-maçonnerie française* (1974-1975, 3 vol.).

FAUCHER (J.A.), *Histoire de la Grande Loge de France, 1738-1980* (1981).

• Sur la franc-maçonnerie à Paris :

AMIABLE (L.), *Une loge maçonnique d'avant 1789, la R.L. Les Neuf Sœurs* (1897).

CHEVALLIER (P.), « Nouvelles recherches sur les francs-maçons parisiens et lorrains, 1709-1785 », dans *Annales de l'Est*, 1966, p. 127-179.

LE BIHAN (A.), *Francs-Maçons parisiens du Grand Orient de France, fin du XVIIIe siècle* (1966).

LE BIHAN (A.), *Loges et chapitres de la Grande Loge et du Grand Orient de France, seconde moitié du XVIIIe siècle* (1967).

LE BIHAN (A.), *Francs-Maçons et ateliers parisiens de la Grande Loge de France au XVIIIe siècle, 1760-1795* (1973).

DIET (I.), « Pour une compréhension élargie de la sociabilité maçonnique à Paris à la fin du XVIIIe siècle », dans *Annales historiques de la Révolution française*, 283 (1991), p. 31-48.

C. Cultes révolutionnaires et anticléricalisme

Quelques jalons d'une abondante production :

AULARD (A.), *Le Culte de la Raison et le culte de l'Être suprême, 1793-1794, essai historique* (1892).

MATHIEZ (A.), *Les Origines des cultes révolutionnaires, 1789-1792* (1904).

MATHIEZ (A.), *La Théophilanthropie et le culte décadaire, 1796-1801. Essai sur l'histoire religieuse de la Révolution* (1904).

HAU (C.), *Le Messie de l'an XII et les fareinistes* (1955).

Une synthèse pratique sur l'anticléricalisme, mais vu dans une optique cléricale :

RÉMOND (R.), *L'Anticléricalisme en France de 1815 à nos jours* (1976).

D. La sorcellerie et la magie

Davantage encore que la franc-maçonnerie, les pratiques de magie et de sorcellerie ont fait l'objet d'une littérature d'une consternante nullité. Depuis peu, on commence à s'y intéresser de façon intelligente. Pour Paris, il faut signaler le remarquable travail d'Éloïse MOZZANI, auteur de :

— *Magie et superstitions de l'Ancien Régime à la Restauration* (1988).

— «Sorcellerie et magie à Paris sous la Révolution», dans *Bulletin de la Société de l'histoire de Paris et de l'Île-de-France* (1989), p. 113-134.

Elle a fait paraître en 1995 *Le Livre des superstitions* dans la collection «Bouquins» de Robert Laffont.

CHAPITRE VII

L'éducation

51. GÉNÉRALITÉS

A. Lieux et instruments de travail

La bibliothèque interuniversitaire de la Sorbonne (47, rue des Écoles) possède un fonds encyclopédique très important, mais elle est réservée aux professeurs et aux étudiants, et les livres sur Paris sont perdus dans cette masse. La bibliothèque de l'Institut national de la recherche pédagogique (29, rue d'Ulm) est spécialisée dans l'éducation et l'enseignement et dispose de l'essentiel des ouvrages intéressant l'éducation en France et à Paris.

On trouvera un état des recherches et de bons éléments de bibliographie dans :

JULIA (D.), «Les sources de l'histoire de l'éducation et leur exploitation», dans *Revue française de pédagogie*, 27 (avril-juin 1974), p. 22-42.

TRÉNARD (L.), «Histoire des sciences de l'éducation (période moderne)», dans *Revue historique*, 1977, p. 429-472.

Paraissant depuis 1978, la revue de l'Institut national de la recherche pédagogique, *Histoire de l'éducation*, publie chaque année un numéro spécial consacré à la *Bibliographie d'histoire de l'éducation française*.

On doit absolument connaître et utiliser :

CHARMASSON (T.) dir., *L'Histoire de l'enseignement, XIXe-XXe siècles : guide du chercheur* (1986).

On trouvera une description de tous les périodiques pédagogiques dans :

CASPARD-KARYDIS (P.), CHAMBON (A.), *La Presse d'éducation et d'enseignement, XVIIIe siècle-1940. Répertoire analytique* (1981-1991, 4 vol.).

B. Ouvrages de synthèse

Une abondante et récente production permet de s'initier aux questions d'enseignement et d'éducation :

FOURRIER (C.), *L'Enseignement français de l'Antiquité à la Révolution. Précis d'histoire des institutions scolaires par les textes juridiques* (1964).

FOURRIER (C.), *L'Enseignement français de 1789 à nos jours. Précis d'histoire des institutions scolaires* (1965).

SNYDERS (G.), *La Pédagogie en France aux XVIIe et XVIIIe siècles* (1965).

• Sur les différentes facultés :

VENTRE-DENIS (M.), *Les Sciences sociales et la faculté de droit de Paris sous la Restauration : un texte précurseur, l'ordonnance du 24 mars 1819* (1985).

GUIGUE (A.), *La Faculté des lettres de l'université de Paris depuis sa fondation (17 mars 1908) jusqu'au 1er janvier 1935* (1935).

CHARLE (C.), *Dictionnaire biographique des universitaires aux XIXe et XXe siècles* (1985-1986, 2 vol. pour la faculté des lettres de 1809 à 1939).

CORLIEU (A.), *Centenaire de la faculté de médecine de Paris, 1794-1894* (1896).

PRÉVOST (A.), *La Faculté de médecine de Paris, ses chaires, ses annexes et son personnel enseignant, de 1794 à 1900* (1900).

PRÉVOST (A.), *L'École de santé de Paris, 1794-1809* (1901).

DURAND-FARDEL (R.), *L'Internat en médecine et en chirurgie des hôpitaux et hospices civils de Paris, centenaire de l'internat, 1802-1902* (1902).

VELT (B.), *Une grande œuvre sociale : l'école de puériculture de la faculté de médecine de Paris...* (1936).

GALINOWSKY (A.), *L'Enseignement à la faculté de médecine de Paris au début de la Troisième République et le décret du 20 juin 1878* (1979).

HUGUET (F.), *Les Professeurs de la faculté de médecine de Paris. Dictionnaire biographique, 1794-1939* (1991).

— *Centenaire de l'école supérieure de pharmacie de l'université de Paris, 1803-1903...* (1904).

— *La Faculté de pharmacie, 1882-1982* (1982).

CHARLE (C.), TELKES (E.), *Les Professeurs de la faculté des sciences de Paris. Dictionnaire biographique, 1901-1939* (1989).

La brièveté de cette bibliographie est compensée par l'existence d'une synthèse récente :

TUILIER (A.), *Histoire de l'université de Paris et de la Sorbonne* (1994, 2 vol.).

58. L'ENSEIGNEMENT TECHNIQUE ET PROFESSIONNEL

Très négligé en France, l'enseignement technique et professionnel a été peu étudié :

GRÉARD (O.), *Des écoles d'apprentis. Mémoire adressé à M. le préfet de la Seine* (1872).

COUGNY (G.), *L'Enseignement professionnel des beaux-arts dans les écoles de la ville de Paris* (1888).

LAMBEAU (L.), *L'Enseignement professionnel à Paris... Recueil annoté contenant les discussions, délibérations, rapports du Conseil municipal de Paris...* (1898-1900, 5 vol.).

— *Monographie de l'école Estienne* (1900).

BOISON (J.), *L'Enseignement technique des industries du meuble* (1905).

— *L'Enseignement artistique et professionnel de la Ville de Paris en 1925* (1925, synthèse publiée à l'occasion de l'Exposition internationale des arts décoratifs).

BEAULIEU (A.), *L'Enseignement technique en France, en particulier dans la région parisienne* (1939).

LEGOUX (Y.), *Du compagnon au technicien : l'école Diderot et l'évolution des qualifications, 1873-1972* (1972).

TROGER (V.), *Les Centres de formation professionnelle, 1940-1945. Naissance des lycées professionnels* (1987).
— *Cent Années de création. 1886-école Boulle-1986* (1988).

59. LES GRANDES ÉCOLES

Davantage nationaux que parisiens, les grands établissements scolaires supérieurs seront juste évoqués avec une bibliographie réduite souvent aux ouvrages les plus récents. Le classement se fait par ordre alphabétique des noms des écoles :

BODIGUEL (J.L.), *Les Anciens Élèves de l'ENA* (1978).
— *L'École nationale d'administration a quarante ans* (1985).
— *1794-1994. Le Conservatoire national des arts et métiers au cœur de Paris* (1994).

SAUER (M.), *L'Entrée des femmes à l'École des beaux-arts* (1990).

GENÊT-DELACROIX (M.C.), *Art et État sous la Troisième République : le système des Beaux-Arts, 1870-1940* (1992).

SÈGRE (M.), *L'Art comme institution : l'École des beaux-arts, XIXᵉ-XXᵉ siècles* (1993).
— *L'École centrale. Origines et destinées de l'École centrale des arts et manufactures de Paris, 1829-1979* (1981).

DUBIN (C.), *Chronique de l'École centrale, 1829-1979* (1981).

NOAILLES (P.), *L'École centrale de Paris* (1984).
— *École nationale des chartes. Livre du centenaire, 1821-1921*, tome 1, *L'École, son histoire, son œuvre* (1921).

SUEUR (M.), *Deux Siècles au Conservatoire national d'art dramatique* (1986).

CONSTANT (P.), *Le Conservatoire national de musique et de déclamation...* (1900).

DEMERLIAC (G.), «Le Conservatoire de musique de Paris de 1871 à 1905, tradition et renouveau», p. 53-58 d'*École nationale des chartes. Positions des thèses soutenues par les élèves de la promotion 1994.*

BAILLEHACHE (M. DE), *L'École militaire et le Champ-de-Mars* (1896).

LAULAN (R.), *L'École militaire de Paris. Le monument, 1751-1788...* (1950).
— *Le Centenaire de l'École normale, 1795-1895* (1895).

LUC (J.N.), BARBÉ (A.), *Des normaliens : histoire de l'École normale supérieure de Saint-Cloud* (1982).

SMITH (R.J.), *The École normale supérieure and the Third Republic* (1982).

DUFAY (F.), *Les Normaliens* (1993).

PINET (G.), *Histoire de l'École polytechnique* (1887).
— *École polytechnique. Le livre du centenaire, 1794-1894* (1894-1897, 3 vol.).

CALLOT (J.P.), *Histoire de l'École polytechnique* (1958, nouv. éd. en 1982).

LANGINS (J.), *The École polytechnique, 1794-1804 : from encyclopaedic school to military institution* (1979).

SHINN (T.), *Savoir scientifique et pouvoir social. L'École polytechnique, 1794-1914* (1980).

FOURCY (A.), *Histoire de l'École polytechnique* (1987).

LANGINS (J.), *La République avait besoin de savants : les débuts de l'École polytechnique* (1987).

BILLOUX (C.), « Les archives de l'École polytechnique », dans *La Gazette des archives*, 145 (1989), p. 125-135.

— *Histoire et prospective de l'École polytechnique* (1993).

LESOURNE (J.) dir., *Les Polytechniciens dans le siècle, 1894-1994* (1994).

— *Le Paris des polytechniciens. Des ingénieurs dans la ville* (1994).

PICON (A.), *L'Invention de l'ingénieur moderne : l'École des ponts et chaussées, 1747-1851* (1992).

Tous ces établissements possèdent de riches bibliothèques où l'on trouvera toute la documentation existant sur chacun d'eux.

60. LE COLLÈGE DE FRANCE

Créé pour tenter de compenser la sclérose de l'université parisienne, le Collège de France figure dans la bibliographie à jour en 1975 de :

GUENÉE. (S.), *Bibliographie de l'histoire des universités françaises des origines à la Révolution* (1978-1981, 2 vol., p. 472-484 et 503-506).

On se limite à l'adjonction d'une référence apparemment oubliée :

LEFRANC (A.), *Histoire du Collège de France depuis ses origines jusqu'à la fin du premier Empire* (1893), et aux principales publications postérieures à 1975 :

— *450ᵉ Anniversaire de la fondation du Collège de France, 1530-1980. Compte-rendu de la réunion extraordinaire des professeurs, le 26 octobre 1980* (1981).

REVERDIN (O.), *Les Premiers Cours de grec au Collège de France ou l'enseignement de Pierre Danis d'après un document inédit* (1984).

CHARLE (C.), « Le Collège de France », p. 389-424 du vol. 3 du tome 2 de *Les Lieux de mémoire. La Nation* (1986).

CHAPITRE VIII

La société

La vie des Parisiens est traitée dans des milliers de volumes et des dizaines de milliers d'articles de revues. Il est indispensable d'offrir au lecteur un choix sévère dans cette énorme production de qualité très variable. Outre les volumes de la « Nouvelle Histoire de Paris » (§ 21 C) qui abordent tous les aspects de la vie sociale et quotidienne, on signale ici des ouvrages brossant un tableau précis et souvent pittoresque de la vie de la capitale à diverses époques : cela va de la série « La vie quotidienne » chez Hachette au volumineux et très solidement documenté Maxime DU CAMP, *Paris, ses organes, ses fonctions, sa vie...*, en passant par le remarquable *Paris Guide* rédigé à l'occasion de l'Exposition universelle de 1867 et bien d'autres types de publications.

Une grande partie de la matière première de l'histoire de la vie sociale et quotidienne se trouve dispersée dans les archives, mais aussi dans les annuaires des spectacles, de la vie mondaine, dans les souvenirs des contemporains. Un effort de recensement de ces derniers a été récemment entrepris et a déjà abouti à la publication de :

FIERRO (A.), *Bibliographie critique des mémoires sur la Révolution écrits ou traduits en français* (1988).

TULARD (J.), *Nouvelle Bibliographie critique des mémoires sur l'époque napoléonienne écrits ou traduits en français* (1991, qui annule la *Bibliographie critique* parue en 1971).

BERTIER DE SAUVIGNY (G. DE), FIERRO (A.), *Bibliographie critique des mémoires sur la Restauration écrits ou traduits en français* (1988).

Arnaud de Maurepas a préparé un ouvrage du même type pour le XVIIIe siècle et Geneviève Massa-Gille s'est attelée à la même tâche pour la Monarchie de Juillet.

Il existe une bibliographie excellente mais ancienne qui dispense d'énumérer la production antérieure à 1880, à quelques exceptions près :

LACOMBE (P.), *Bibliographie parisienne. Tableaux de mœurs, 1600-1880* (1887).

On trouvera aussi une bibliographie bien faite à jour en 1950 ou en 1960 dans les œuvres d'Alexandre Cioranesco, devenu ensuite Cioranescu :

CIORANESCU (A.), *Bibliographie de la littérature française du XVIe siècle* (1959, à jour en 1950).

CIORANESCU (A.), *Bibliographie de la littérature française du XVIIe siècle* (1965-1967, 3 vol., à jour en 1960).

CIORANESCU (A.), *Bibliographie de la littérature française du XVIIIe siècle* (1969, 3 vol., à jour en 1960).

Sur la société française en général, il est renvoyé à une poignée d'ouvrages récents :

SORLIN (P.), *La Société française*, tome 1 : *1840-1914* (1969).

MANDROU (R.), *Introduction à la France moderne : essai de psychologie collective, 1500-1640* (1974).

ZELDIN (T.), *Histoire des passions françaises, 1845-1945* (1978-1979, 5 vol. ; nouvelle éd. en 1980-1981).

LEQUIN (Y.) dir., *Histoire des Français, XIXe-XXe siècles* (1983-1985, 3 vol.).

ARIÈS (Ph.), DUBY (G.) dir., *Histoire de la vie privée* (1985-1987, 5 vol.).

61. HISTOIRE GÉNÉRALE

Très peu d'auteurs se sont aventurés à traiter la vie parisienne dans son ensemble, la plupart se cantonnant à une époque. Un ouvrage de large vulgarisation mérite d'être cité :

MILLEY (J.), BRELINGARD (J.), *La Vie parisienne à travers les âges* (1965, 4 vol.).

Il ne faut pas négliger la série ancienne mais solide :

FRANKLIN (A.), *La Vie privée d'autrefois. Arts et métiers, modes, mœurs, usages des Parisiens du XIIe au XVIIe siècle, d'après des documents originaux ou inédits* (1887-1902, 27 vol.).

A. La vie à différentes époques

• Des origines à la fin du XVIe siècle :

DUVAL (P.M.), *La Vie quotidienne en Gaule pendant la paix romaine (Ier-IIIe siècles)* (1952).

CHAMPION (P.), *La Vie de Paris au Moyen Âge* (1933-1934, 2 vol.).

SPRINGER (A.), *Paris au XIIIe siècle* (1860).

GÉRAUD (H.), *Paris sous Philippe le Bel* (1837).

LE ROUX DE LINCY (A.J.V.), TISSERAND (L.M.), *Paris et ses historiens aux XIVe et XVe siècles* (1867).

FRANKLIN (A.), *Paris et les Parisiens au XVIe siècle. Paris physique, Paris social, Paris intime* (1921).

CHAMPION (P.), *Notre vieux Paris. Paris au temps de la Renaissance* (1935-1936, 2 vol.).

CHAMPION (P.), *Notre vieux Paris. Paris sous les derniers Valois* (1942, 2 vol.).

— «Paris au XVIe siècle et sous le règne de Henri IV», dans *Bulletin du Musée Carnavalet*, 1979.

• Le XVIIe siècle :

LARCHEY (L.), MABILLE (E.) éd., *Notes de René d'Argenson, lieutenant général de police, intéressantes pour l'histoire des mœurs et de la police de Paris à la fin du règne de Louis XIV* (1866).

COTTIN (P.) éd., *Rapports inédits du lieutenant de police René d'Argenson, 1697-1715* (1891).

FRANKLIN (A.), *La Vie privée autrefois... La vie de Paris sous Louis XIV* (1898).

PITON (C.) éd., *Paris sous Louis XIV. Rapports des inspecteurs de police au roi* (1908-1914, 5 vol.).

PICQUET (?), *Paris sous Louis XIV* (1913).

CROUSAZ-CRÉTET (P. DE), *Paris sous Louis XIV* (1922, 2 vol.).

BATIFFOL (L.), *Le Louvre sous Henri IV et Louis XIII, la vie de la cour de France au XVIIe siècle* (1930).

BATIFFOL (L.), *La Vie de Paris sous Louis XIII...* (1932).

MAGNE (E.), *Images de Paris sous Louis XIV* (1939).

MAGNE (E.), *La Vie quotidienne au temps de Louis XIII* (1942).

MAGNE (E.), *Paris sous l'échevinage au XVIIe siècle* (1960).

MOUSNIER (R.), *Paris au XVIIe siècle* (1963, 3 fascicules multigraphiés).

WILHELM (J.), *La Vie quotidienne au Marais au XVIIe siècle* (1966).

RANUM (O.), *Paris in the age of absolutism, an essay* (1968).

DENIEUL-CORMIER (A.), *Paris à l'aube du Grand Siècle* (1971).

BERNARD (L.), *The Emerging City. Paris in the age of Louis XIV* (1970).

RANUM (O.), *Les Parisiens au XVIIe siècle* (1973).

WILHELM (J.), *La Vie quotidienne des Parisiens au temps du Roi-Soleil, 1660-1715* (1977).

MOUSNIER (R.), *Paris capitale au temps de Richelieu et de Mazarin* (1978).

FOISIL (M.), *La Vie quotidienne au temps de Louis XIII* (1992).

• De 1715 à 1789 :

MERCIER (L. S.), *Tableau de Paris* (1783-1789, 12 vol. ; source de premier choix en raison de la qualité et de l'abondance des informations).

RESTIF DE LA BRETONNE (N.E.), *Les Nuits de Paris...* (1788-1794 ; très inférieur à Mercier, beaucoup de ragots et d'affabulations).

COGNEL (F.), *La Vie parisienne sous Louis XVI* (1882).

FRANKLIN (A.), *La Vie privée autrefois... La vie de Paris sous la Régence* (1897).

FRANKLIN (A.), *La Vie privée autrefois... La vie de Paris sous Louis XV* (1899).

FRANKLIN (A.), *La Vie privée autrefois... La vie de Paris sous Louis XVI* (1902).

PITON (C.) éd., *Paris sous Louis XV. Rapports de police au roi...* (1906).

KUNSTLER (C.), *La Vie quotidienne sous Louis XVI* (1950).

GAXOTTE (P.), *Paris au XVIIIe siècle* (1968, 2e éd. en 1982).

— *La Vie quotidienne à Paris dans la seconde moitié du XVIIIe siècle* (1973, exposition aux Archives nationales).

MEYER (J.), *La Vie quotidienne en France au temps de la Régence* (1979).

BLUCHE (F.), *La Vie quotidienne au temps de Louis XVI* (1980).

GARRIOCH (D.), *Neighbourhood and community in Paris, 1740-1790* (1986).

FARR (E.), *Before the deluge : Parisian society in the reign of Louis XVI* (1994).

• La Révolution :

MERCIER (L.S.), *Le Nouveau Paris* (1798, 6 vol., tableau de Paris sous le Directoire).

SCHMIDT (W.A.), *Paris pendant la Révolution d'après les rapports de la police secrète, 1789-1800* (1880-1894, 4 vol.).

BIRÉ (E.), *Paris en 1793* (1888).

BABEAU (A.), *Paris en 1789* (1889, plusieurs rééditions, la dernière en 1989).

MONIN (H.), *L'État de Paris en 1789* (1889).

BIRÉ (E.), *Paris pendant la Terreur* (1890).

ISAMBERT (G.), *La Vie à Paris pendant une année de la Révolution, 1791-1792* (1896).

AULARD (A.), *Paris pendant la réaction thermidorienne et sous le Directoire. Recueil de documents pour l'histoire de l'esprit public à Paris...* (1898-1902, 5 vol.).

ALMÉRAS (H. D'), *La Vie parisienne sous la Révolution et le Directoire* (1909).

CARON (P.), continué par CALVET (H.), et EUDE (M.), *Paris pendant la Terreur. Rapports des agents secrets du ministre de l'Intérieur* (1910-1964, 6 vol.).

ROBIQUET (P.), *La Vie quotidienne au temps de la Révolution* (1938).

BERTAUT (J.), *Les Parisiens sous la Révolution* (1953).

REINHARD (M.), *Paris pendant la Révolution* (1963, 3 fascicules multigraphiés).

BERTAUD (J.P.), *La Vie quotidienne au temps de la Révolution* (1983).

COUTY (M.), *La Vie aux Tuileries pendant la Révolution* (1988).

• Le Consulat et l'Empire :

PRUDHOMME (L.), *Miroir historique, politique et critique de l'ancien et du nouveau Paris et du département de la Seine* (1807, 6 vol. ; description de qualité par un contemporain).

BERTIN (E.), *La Société du Consulat et de l'Empire* (1890).

MASSON (F.), *Napoléon chez lui : la journée de l'Empereur aux Tuileries* (1894).

BROC (H. DE), *La Vie en France sous le premier Empire* (1895).

AULARD (A.), *Paris sous le Consulat. Recueil de documents pour l'histoire de l'esprit public à Paris...* (1903-1909, 4 vol.).

STENGER (G.), *La Société française pendant le Consulat* (1903-1907, 5 vol.).

LANZAC DE LABORIE (L. DE), *Paris sous Napoléon* (1905-1913, 8 vol.).

ALMÉRAS (H. D'), *La Vie parisienne sous le Consulat et l'Empire* (1909).

AULARD (A.), *Paris sous le premier Empire. Recueil de documents pour l'histoire de l'esprit public à Paris* (1912-1923, 3 vol. parus jusqu'en 1808).

BERTAUT (J.), *La Vie à Paris sous le premier Empire* (1943).

ROBIQUET (J.), *La Vie quotidienne au temps de Napoléon* (1944).

TULARD (J.), *La Vie quotidienne en France sous Napoléon* (1978).

• De 1815 à 1879 :

— *Paris Guide* (1867, 2 vol. : tableau détaillé de Paris en 1867).

DU CAMP (M.), *Paris, ses organes, ses fonctions et sa vie dans la seconde moitié du XIXᵉ siècle* (1869-1875, 6 vol. ; excellente description des activités et des institutions parisiennes sous le second Empire).

JACKSON (C.), *The Court of the Tuileries, from the Restoration to Louis-Philippe* (1883, 2 vol.).

IMBERT DE SAINT-AMAND (A.L.), *La Cour de Louis XVIII* (1890).

IMBERT DE SAINT-AMAND (A.L.), *La Cour de Charles X* (1892).

ALMÉRAS (H. D'), *La Vie parisienne sous la Restauration* (1910).

ALMÉRAS (H. D'), *La Vie parisienne sous le règne de Louis-Philippe* (1911).

FLEURY (M.), SONOLET (L.), *La Société du second Empire...* (1911-1924, 4 vol.).

ALMÉRAS (H. D'), *La Vie parisienne sous la Révolution de 1848* (1921).

ALMÉRAS (H. D'), *La Vie parisienne pendant le siège et sous la Commune* (1927).

ARISTE (P. D'), *La Vie et le monde du boulevard, 1830-1870* (1930).

BAC (F.), *La Cour des Tuileries sous le second Empire* (1930).

BAC (F.), *Intimités du second Empire. La Cour et la Ville* (1931).

ALMÉRAS (H. D'), *La Vie parisienne sous le second Empire* (1933).

WILHELM (J.), *La Vie à Paris sous le second Empire et la Troisième République* (1947).

ALLEM (M.), *La Vie quotidienne sous le second Empire* (1948).

— *La Vie parisienne au temps de Guys, Nadar, Worth* (1959, exposition au Musée Jacquemart-André).

THUILLIER (G.), *La Vie quotidienne dans les ministères au XIXᵉ siècle* (1976).

GAILLARD (J.), *Paris, la ville, 1852-1870...* (1977).

— *Paris sous la Restauration* (1980, exposition aux Archives nationales).

VIGIER (P.), *La Vie quotidienne en province et à Paris pendant les journées de 1848* (1982).

MANEGLIER (H.), *Paris impérial, la vie quotidienne sous le second Empire* (1990).

KAMPMEYER-KÄDING (M.), *Paris unter dem Zweiten Kaiserreich : das Bild der Stadt in Presse, Guidenliteratur und populärer Graphik* (1990).

YGAUNIN (J.), *Paris à l'époque de Balzac et dans* La Comédie humaine. *La ville et la société* (1992).

MARCHAND (B.), *Paris, histoire d'une ville, XIXᵉ-XXᵉ siècles* (1993).

• De 1880 à 1995 :

BURNAND (R.), *La Vie quotidienne en France de 1870 à 1900* (1947).

CHOMBART DE LAUWE (P.H.), *Paris et l'agglomération parisienne* (1952, 2 vol.).

CHOMBART DE LAUWE (P.H.), *Paris, essais de sociologie, 1952-1964* (1965).

VILLOTEAU (P.), *La Vie parisienne à la Belle Époque* (1968).

MERLIN (P.), *Vivre à Paris, 1980* (1971).

— *La Belle Époque, 1900-1910* (1972, exposition aux Archives nationales).

HAUMONT (A.), «Paris, la vie quotidienne», n°s 3982-3983 de *Notes et études documentaires* (1973).

LE BOTERF (H.), *La Vie parisienne sous l'Occupation, 1940-1944* (1978, 4 vol.).

— *Les Parisiens au fil des jours, 1900-1960* (1979, exposition à la Bibliothèque historique de la Ville de Paris).

— *Paris et les Parisiens pendant la Grande Guerre, 1914-1918* (1984, exposition aux Archives nationales).

OSTER (D.), GOULEMOT (J.), *La Vie parisienne. Anthologie des mœurs parisiennes du XIXe siècle* (1989).

— *Catalogue de l'exposition «Récits d'enfance dans le nord-est parisien», 1900-1960*, organisée à la Maison de La Villette (1991).

MARCHAND (B.), *Paris, histoire d'une ville, XIXe-XXe siècles* (1993).

B. Les âges de la vie

• La naissance et l'enfance, ouvrages généraux :

ARIÈS (P.), *L'Enfant et la vie familiale sous l'Ancien Régime* (1960).

CRUBELLIER (M.), *L'Enfance et la jeunesse dans la société française, 1800-1950* (1979).

KNIBIEHLER (Y.), FOUQUET (C.), *L'Histoire des mères du Moyen Âge à nos jours* (1980).

ALEXANDRE-BIDON (D.), CLOSSON (M.), *L'Enfant à l'ombre des cathédrales* (1985).

CAPUL (M.), *Les Enfants placés sous l'Ancien Régime* (1989-1990, 2 vol.).

RICHÉ (P.), ALEXANDRE-BIDON (D.), *L'Enfance au Moyen Âge* (1994).

• L'enfance parisienne :

HAUSSONVILLE (O. D'), *L'Enfance à Paris* (1879).

COFFIGNON (A.), *Paris vivant. L'enfant à Paris* (1889).

FRANKLIN (A.), *La Vie privée autrefois... L'enfant* (1895-1896, 2 vol.).

RENOUX (G.), *L'Assistance aux enfants du premier âge à Paris au XVIe et au XVIIe siècles* (1924).

• L'adolescence n'a guère été étudiée :

LEDOUX (V.), «Étude anthropométrique, psychométrique et sociale d'un groupe d'adolescents parisiens», numéro spécial, 2e série, 10e année, du *Bulletin de l'Institut national d'étude du travail et d'orientation professionnelle*.

MAUPEOU-ABBOUD (N. DE), *Les Blousons bleus : étude sociologique des jeunes ouvriers de la région parisienne* (1968).

DARNTON (R.), *Bohème littéraire et révolution...* (1983).

GENDRON (F.), *La Jeunesse dorée sous Thermidor* (1983).

SEIGEL (J.), *Bohemian Paris : culture, politics and the boundaries of bourgeois life, 1830-1930* (1986).

CARON (J.C.), *La Jeunesse des écoles à Paris, 1815-1848* (1989, 4 vol. multigraphiés), repris dans :

CARON (J.C.), *Générations romantiques : les étudiants de Paris et le Quartier latin, 1814-1851* (1991).

• L'âge mûr se confond avec l'activité économique et sociale en général.

• La vieillesse et la mort ont été mises récemment à la mode. Voir à ce sujet :

SURRE-GARCIA (A.), «L'émigration occitane», dans *Ethnologie française*, avril-juin 1980, p. 208-209.

SELIM (M.), «Quelques aspects de la migration féminine basque à Paris», dans *Ethnologie française*, avril-juin 1980, p. 197-200.

• Le Sud-Est est à peine mieux loti :
BUINOUD (A.), *Les Savoyards à Paris* (1910).

BARBICHON (G.), COLLOMB (G.), «Sur le thème du petit ramoneur savoyard», dans *Ethnologie française*, avril-juin 1980, p. 177-180.

LEMONNIER (P.), «Un groupe de Savoyards à Paris : les commissionnaires de l'hôtel Drouot», dans *Ethnologie française*, avril-juin 1980, p. 181-184.

D. Les étrangers

La revue *Hommes et migrations* publie une bibliographie sur l'immigration étrangère dans chacun de ses numéros mensuels. On dispose d'un excellent guide de recherches :

DUBOST (J.F.), *Les Étrangers en France (XVIe siècle-1789). Guide de recherches aux Archives nationales* (1993).

• Quelques titres généraux :
MATHOREZ (J.), *Les Étrangers en France sous l'Ancien Régime : histoire de la formation de la population française* (1919-1921, 2 vol.).

MAUCO (G.), *Les Étrangers en France* (1932).

BANINE (?), *La France étrangère* (1968).

ANGLADE (J.), *La Vie quotidienne des immigrés en France de 1919 à nos jours* (1976).

SCHOR (R.), *L'Opinion française et les étrangers, 1919-1939* (1985).

— *Histoire de la population française* (1988, 4 vol.).

LEQUIN (Y.) dir., *La Mosaïque France : histoire des étrangers et de l'immigration en France* (1988).

NOIRIEL (G.), *Le Creuset français : histoire de l'immigration, XIXe-XXe siècles* (1988).

• Les étrangers à Paris dans leur ensemble :
BERTILLON (J.), *Origine des habitants de Paris. Lieu de naissance des habitants de Paris en 1833 et en 1891. Les étrangers à Paris, leur origine et leurs professions* (1895).

SCHIRMACHER (K.), *La Spécialisation du travail par nationalités à Paris* (1908).

BONARDI (P.), *De quoi se compose Paris* (1927).

MAUCO (G.), «Les étrangers dans le département de la Seine», dans *Bulletin de la Société d'études historiques, géographiques et scientifiques de la région parisienne*, 3e trimestre 1932, p. 1-17.

GRANDJONC (J.), «Les étrangers à Paris sous la Monarchie de Juillet et la seconde République», dans *Population*, mars 1974, p. 61-88.

GUILLON (M.), «La répartition des étrangers en région parisienne», dans *Aspects statistiques de l'Île-de-France*, INSEE, supplément trimestriel, no 3, *Études*, décembre 1978, p. 47-97.

MERLINO-HEILBRONNER (S.), LISSARRAGUE (R.), *Paris sans frontières* (1982).

GUILLON (M.), DE RUDDER (V.), TABOADA-LEONETTI (I.), *Pratiques urbaines et transformations sociales dans trois quartiers pluriethniques* (1985).

Ma-Mung (E.), Guillon (M.), « Les commerçants étrangers dans l'agglomération parisienne », dans *Revue européenne des migrations internationales*, décembre 1986, p. 105-134.

De Rudder (V.), Guillon (M.), *Autochtones et immigrés en quartier populaire, du marché d'Aligre à l'îlot Chalon* (1987).

Kramer (L.S.), *Threshold of a new world. Intellectuals and the exile experience in Paris, 1830-1848* (1988).

Kaspi (A.), Marès (A.) dir., *Le Paris des étrangers depuis un siècle* (1989).

— *Cent Ans d'immigration. Étrangers d'hier, Français d'aujourd'hui*, cahier 131 (1991) des « Travaux et documents » de l'INED.

Guillon (M.), *Étrangers et immigrés en Île-de-France*. « *Publications* ». *Synthèse des travaux* (1992, doctorat d'État sur microfiches, important).

— *Rassemblance. Un siècle d'immigration en Île-de-France* (1993, exposition à l'Écomusée de Fresnes).

• Les différentes nationalités :

Africains du Nord :

— « L'immigration marocaine dans la Seine, causes et aspects socio-économiques », n° 100 (1964) des *Cahiers nord-africains*.

Ben Sassi (T.), *Les Travailleurs tunisiens dans la région parisienne* (1968).

Michel (A.), *The Modernization of North African families in the Paris area* (1974).

Costa-Lascoux (J.), Témine (E.) éd., *Les Algériens en France. Genèse et devenir d'une migration* (1980).

Mestiri (E.), *Le Maghreb à Paris et en France* (1983).

— *Maghrébins en France, émigrés ou immigrés ?* (1984).

— *Les Nord-Africains en France*, actes du colloque « Des étrangers qui font aussi la France », Assemblée nationale, 7-8 juin 1984 (1984).

Mazouz (M.), *Les Marocains en Île-de-France* (1988).

Rimani (S.), *Les Tunisiens en France : une forte concentration parisienne* (1988).

Ma-Mung (E.), Simon (G.), Guillon (M.), *Commerçants maghrébins et asiatiques en France : agglomération parisienne et villes de l'Est* (1990).

Stora (B.), *Ils venaient d'Algérie. L'immigration algérienne en France, 1912-1992* (1992).

Africains noirs :

— *Les Africains noirs en France*, n°s 1131 et 1132, avril et mai 1990, de *Hommes et migrations*.

Jedynak (P.), « Les familles noires africaines de Paris : le quartier de la place de la Réunion », dans *Revue européenne des migrations internationales*, 1990, p. 83-98.

Allemands :

Bamberger (L.), *La Colonie allemande à Paris* (1867).

Holzhausen (P.), *Les Allemands à Paris sous le Consulat* (1914).

Schwend (O.), « *Album amicorum* » : *la colonie allemande de Paris au début du XVIIe siècle* (1968).

Becker (W.), *Paris und die deutsche Malerei, 1750-1840* (1971).

— *Émigrés français en Allemagne, émigrés allemands en France, 1685-1945* (1983, exposition à l'Institut Goethe).

Peterson (W.F.), *The Berlin liberal press in exile : a history of the Pariser Tageblatt-Pariser Tageszeitung, 1933-1940* (1987).

Jeanblanc (H.), *Les Libraires, imprimeurs et « maîtres de lecture » d'origine allemande à Paris de 1811 à 1871* (1991, thèse de doctorat sur microfiches).

Foster (E.), *Les Artistes peintres et graveurs allemands en exil à Paris, 1933-1939* (1991, thèse de doctorat sur microfiches).

Gabriel (A.L.), *The Paris Studium. Robert of Sorbon and his legacy. Interuniversity exchange between the German Cracow and Louvain universities and that of Paris in the late medieval and humanistic periode. Selected studies* (1992).

Américains :

— *Les Années vingt. Les écrivains américains à Paris et leurs amis, 1920-1930* (1959, exposition au Centre culturel américain).

Bizardel (Y.), *American Painters in Paris* (1960).

Bizardel (Y.), *Les Américains à Paris pendant la Révolution* (1972).

Petit (S.), *Les Américains de Paris* (1975).

Bizardel (Y.), *Les Américains à Paris sous Louis XVI et pendant la Révolution* (1978).

Ford (H.), *Published in Paris. American and British writers, printers and publishers in Paris, 1920-1939* (1975).

Rood (K.L.) éd., *American Writers in Paris, 1920-1939* (1980).

Bertier de Sauvigny (G. de), *La France et les Français vus par les voyageurs américains, 1814-1848* (1982-1985, 2 vol.).

Alsop (S.M.), *Les Américains à la cour de Louis XVI* (1983).

Méral (J.), *Paris dans la littérature américaine* (1983).

Bertier de Sauvigny (G. de), *La Révolution parisienne de 1848 vue par les Américains* (1984).

Morton (B.N.), *Americans in Paris. An anecdotal street guide* (1984).

Fabre (M.), *La Rive noire. De Harlem à la Seine* (1985).

Carpenter (H.), *Au rendez-vous des génies. Écrivains américains à Paris dans les années vingt* (1990).

Fink (L.M.), *American Art at the nineteenth-century Paris salons* (1990).

Hansen (A.J.), *Expatriate Paris. A cultural and literary guide to Paris of the 1920* (1990).

Mear (O.), *La Communauté américaine à Paris, 1960-1972. Attitudes et réactions* (1992, thèse de doctorat sur microfiches).

Weinberg (H.B.), *The Lure of Paris. Nineteenth century American painters and their French teachers* (1991).

Wiser (W.), *The Great Good Place : American expatriate women in Paris* (1991).

Delanoé (N.), *Le Raspail vert. L'American Center à Paris, 1934-1994 : une histoire des avant-gardes franco-américaines* (1994).

Anglais :

Babeau (A.), *Les Anglais en France après la paix d'Amiens* (1898).

Boutet de Monvel (R.), *Les Anglais à Paris, 1800-1850* (1911).

— *Huit Siècles de vie britannique à Paris* (1948, exposition au Musée Galliera).

FORD (H.), *Published in Paris. American and British writers, printers and publishers in Paris, 1920-1939* (1975).

LAPIE (P.O.), *Les Anglais à Paris, de la Renaissance à l'Entente cordiale* (1976).

ERDMAN (D.V.), *Commerce des Lumières : John Oswald and the British in Paris, 1790-1793* (1986).

LERIBAULT (C.), *Les Anglais à Paris au XIXᵉ siècle* (1994, exposition au Musée Carnavalet).

Belges :

STAQUET (W.), *La Présence belge à Paris, de Clovis à André Castelot* (1992).

Chinois :

JANIN (J.), «Chinatown, Paris treizième», dans *Études*, novembre 1985, p. 461-473.

GUILLON (M.), TABOADA-LEONETTI (I.), *Le Triangle de Choisy. Un quartier chinois à Paris. Cohabitation pluriethnique, territorialisation communautaire et phénomènes minoritaires dans le XIIIᵉ arrondissement* (1986).

VENTURINI (E.), VIDAL (D.), *Portraits de Chinatown : le ghetto imaginaire* (1987).

LIVE (Y.S.), «Les Chinois de Paris depuis le début du siècle. Présences urbaines et activités économiques», dans *Revue européenne des migrations internationales*, 1992, nᵒ 3, p. 155-173.

— *Chinois de France, un siècle de présences de 1900 à nos jours* (1994, exposition à l'Arche de la Défense).

Écossais :

FRANCISQUE-MICHEL (X.), *Les Écossais en France et les Français en Écosse* (1862, 2 vol.).

— *Souvenirs du collège des Écossais* (1962, exposition au collège des Écossais).

— *La Vieille Alliance France-Écosse* (1989, exposition à la fondation Mona-Bismarck).

Espagnols :

HERMET (G.), *Les Espagnols en France : immigration et culture* (1967).

TABOADA-LEONETTI (I.), *Les Immigrés des beaux quartiers : la communauté espagnole dans le XVIᵉ arrondissement de Paris* (1987).

Hongrois :

GABRIEL (A.L.), *The University of Paris and its Hungarian students and masters during the reign of Louis XII and François I* (1986).

Irlandais :

SWORDS (L.) éd., *The Irish-French Connection, 1578-1978* (1978).

SWORDS (L.), *Soldiers, scholars, priests : a short history of the Irish college, Paris* (1985).

Italiens :

PITON (C.), *Les Lombards en France et à Paris* (1892-1893, 2 vol. consacrés aux XIIIᵉ et XIVᵉ siècles).

MIROT (L.), *Études lucquoises. La colonie lucquoise à Paris du XIIIᵉ au XVᵉ siècle* (1930).

TRAGLIA (G.), *Italiani sul Boulevard* (1937).

CARBONE (S.), *Fonti per la storia del Risorgimento italiano negli archivi nazionali di Parigi. I refugiati italiani, 1815-1830* (1962).

MILZA (P.) dir., *Les Italiens en France de 1914 à 1940* (1986).

— *Gli Italiani a Parigi* (1989, exposition à Savone).

Marocains, voir Africains du Nord.

Polonais :
PONTY (J.), *Les Travailleurs polonais en France, 1919-1939.*

BRUNEL (G.), *Guide des sources de l'histoire de la Pologne et des Polonais dans les archives françaises* (annoncé pour 1995).

Portugais :
MATOS (L. DE), *Les Portugais à l'université de Paris entre 1500 et 1550* (1950).

CUNHA (M. DE CÉU), *Portugais de France. Essai sur une dynamique de double appartenance* (1988).

Suisses :
CHÂTELAIN (E.), *Les Étudiants suisses à l'École pratique des hautes études* (1891).

CASTELLA DE DELLEY (R.), *Le Régiment des gardes suisses de France du 3 mars 1616 au 10 août 1792* (1967).

— *Les Grandes Heures de l'amitié franco-suisse* (1967, exposition aux Archives nationales).

BODIN (J.), *Les Suisses au service de la France, de Louis XI à la Légion étrangère* (1988).

— *Les Gardes suisses et leurs familles aux XVIIᵉ et XVIIIᵉ siècles en région parisienne*, colloque de Rueil-Malmaison (1988).

Tunisiens, voir Africains du Nord.

Turcs :
OZTURK (K.), « Les Turcs dans la confection à Paris », dans *Hommes et migrations*, novembre 1988, p. 21-28.

Vietnamiens :
LEYNAUD (B.), *L'Insertion des réfugiés de l'Asie du Sud-Est à Paris et en Île-de-France* (1989).

63. LES CLASSES SOCIALES

A. Lieux et instruments de travail

On dispose d'un guide récent et de bonne qualité :
DREYFUS (M.), *Les Sources de l'histoire ouvrière, sociale et industrielle en France (XIXᵉ-XXᵉ siècles). Guide documentaire* (1987).

On peut le compléter avec :
DREYFUS (M.), ROBERT (J.L.), « La classe ouvrière en France durant la Seconde Guerre mondiale : sources et fonds d'archives, orientation bibliographique », dans *Bulletin de l'Institut d'histoire du temps présent*, 1991, nᵒ 4, p. 15-54.

La Bibliothèque historique de la Ville de Paris, la Bibliothèque nationale, les Archives de Paris et les Archives nationales constituent les lieux de recherche traditionnels. Il faut ajouter le Centre d'études, de documentation, d'information et d'action sociales (Musée social, 5, rue Las-Cases). L'Institut français d'histoire sociale, créé en 1949, partie des Archives nationales, est à la fois dépôt d'archives, bibliothèque et centre de documentation axé principalement sur l'histoire des mouvements sociaux. On trouve une analyse sommaire de ses ressources dans :

FAUVEL-RUIF (D.), « L'Institut français d'hitoire sociale, ses archives manuscrites et imprimées », dans *La Gazette des archives*, 133 (1986), p. 161-165.

Utiliser aussi :

HILDESHEIMER (F.), JOLY (B.), *État sommaire des archives d'associations conservées aux Archives nationales : série AS, fonds coté 1 à 75 AS* (1990).

Les actes notariés constituent une source précieuse pour l'histoire sociale. Lire :

— *Les Actes notariés, source de l'histoire sociale, XVIᵉ-XIXᵉ siècles*, actes du colloque de Strasbourg de mars 1978 (1979).

Parmi les nombreux inventaires, on citera :

CARON (E.), *A travers les minutes des notaires parisiens, 1559-1577* (1900).

COYECQUE (E.), *Recueil d'actes notariés relatifs à l'histoire de Paris et de ses environs au XVIᵉ siècle* (1905-1923, 2 vol.).

JURGENS (M.), *Documents du minutier central des notaires de Paris. Inventaires après décès* (1982, tome 1 seul paru pour 1483-1547).

Il faut rappeler l'existence de :

LACOMBE (P.), *Bibliographie parisienne. Tableaux de mœurs, 1600-1880* (1887 ; les mœurs recouvrant ici également la vie sociale).

La bibliographie courante figure dans :

— *Bibliographie annuelle de l'histoire de France* (depuis 1953).

— *Revue d'histoire économique et sociale* (depuis 1908).

— *Histoire, économie et société* (depuis 1982).

B. Ouvrages généraux

La difficile question des classes sociales et de leur évolution est abordée dans une synthèse récente :

— *Histoire économique et sociale de la France* (1970-1982, 4 tomes en 8 vol. comportant une importante bibliographie).

On se contentera d'ajouter :

PUMAIN (D.), SAINT-JULIEN (T.), *Les Dimensions du changement urbain. Évolution des structures socio-économiques du système urbain français de 1954 à 1975* (1978).

Ouvrages généraux sur la société parisienne :

CHEVALIER (L.), *La Formation de la population parisienne au XIXᵉ siècle* (1950).

CHOMBART DE LAUWE (P.H.) dir., *Paris et l'agglomération parisienne* (1952, 2 vol.).

CHEVALIER (L.), « La statistique et la description sociale de Paris », dans *Population*, 1954, p. 621-652.

DAUMARD (A.), FURET (F.), *Structures et relations sociales à Paris au milieu du XVIIIᵉ siècle* (1961).

BELLEVILLE (G.), *Morphologie de la population active à Paris. Étude des catégories socio-professionnelles par arrondissements et par quartiers* (1962).

POURCHER (G.), *Le Peuplement de Paris. Origine régionale, composition sociale, attitudes et motivations* (1964).

CHOMBART DE LAUWE (P.H.), *Paris, essais de sociologie, 1952-1964* (1965).

CHEVALIER (L.), *Les Parisiens* (1967, nouvelle éd. en 1985).

FREYSSENET (M.), RETEL (J.), REGAZZOLA (T.), *Ségrégation spatiale et déplacements sociaux dans l'agglomération parisienne de 1954 à 1968* (1971).

VIGUERIE (J. DE), SAIVE-LEVER (E.), «Essai de géographie socio-professionnelle de Paris dans la première moitié du XVIIe siècle», dans *Revue d'histoire moderne et contemporaine*, 1973, p. 424-429.

MOUSNIER (R.), *Recherches sur la stratification sociale à Paris aux XVIIe et XVIIIe siècles : l'échantillon de 1634, 1635, 1636* (1976). R. Mousnier a dirigé toute une série de mémoires consacrés aux structures sociales de quartiers de Paris entre 1637 et 1785 qui ont été publiés en microfiches par Hachette.

MOUSNIER (R.), «Les structures administratives, sociales, révolutionnaires de Paris au temps de la seconde Ligue, 1585-1594», dans *Les Cités au temps de la Renaissance* (1977).

— «Division sociale parisienne. Premier bilan d'une recherche collective», n° 3, 1975, des *Cahiers universitaires de la recherche urbaine*.

PINÇON-CHARLOT (M.), RENDU (P.), *Espace des équipements collectifs et ségrégation sociale* (1981).

CHALVON-DEMERSAY (S.), *Le Triangle du XIVe : des nouveaux habitants dans un vieux quartier de Paris* (1984).

LÉVY (J.), «Paris, carte d'identité. Espace géographique et sociologie politique», p. 175-197 de *De la géographie urbaine à la géographie sociale. Sens et non-sens de l'espace* (1984).

PINÇON-CHARLOT (M.), PRÈTECEUILLE (E.), RENDU (P.), *Ségrégation urbaine : classes sociales et équipements collectifs en région parisienne* (1986).

DESCIMON (R.) «Paris on the eve of Saint-Bartholomew : taxation, privilege and social geography», p. 69-104 de *Cities and social change in early modern France* (1989).

C. Les élites d'Ancien Régime

Les recherches biographiques et généalogiques depuis 1950 ont permis de mieux cerner le monde des juristes et des financiers :

BLUCHE (F.), «L'origine des magistrats du parlement de Paris au XVIIIe siècle», dans *Paris et Île-de-France*, 5-6 (1953-1954), p. 7-412.

VENARD (M.), *Bourgeois et paysans au XVIIe siècle. Recherche sur le rôle des bourgeois parisiens dans la vie agricole au sud de Paris, au XVIIe siècle* (1957).

WILDENSTEIN (G.), *Le Goût pour la peinture dans le cercle de la bourgeoisie parisienne autour de 1700, ...* (1958).

ROCHE (D.), VOVELLE (M.), «Bourgeois, rentiers, propriétaires ; éléments pour la définition d'une catégorie sociale à la fin du XVIIIe siècle», dans *Actes du 84e congrès national des Sociétés savantes*, Dijon, 1959, Section d'histoire moderne et contemporaine, p. 419-452.

BLUCHE (F.), *Les Magistrats du parlement de Paris au XVIIIe siècle, 1715-1771* (1960, nouvelle éd. augmentée en 1986).

ROCHE (D.), «Recherches sur la noblesse parisienne au milieu du XVIIIe siècle : la noblesse du Marais», dans *Actes du 86e congrès national des Sociétés savantes*, Montpellier, 1961, Section d'histoire moderne et contemporaine, p. 541-578.

DURAND (Y.), «L'habitat parisien des fermiers généraux», dans *Bulletin de la Société de l'histoire de Paris et de l'Île-de-France*, 1962, p. 66-90.

WILDENSTEIN (G.), *Le Goût pour la peinture dans la bourgeoisie parisienne entre 1550 et 1610* (1962).

CHARMEIL (J.P.), *Les Trésoriers de France à l'époque de la Fronde* (1964).

BLUCHE (F.), *Les Magistrats de la Cour des monnaies de Paris au XVIIIe siècle, 1715-1790* (1966).

BLUCHE (F.), *Les Magistrats du Grand Conseil au XVIIIe siècle, 1690-1791* (1966).

DURAND (Y.), *Les Fermiers généraux au XVIIIe siècle* (1971).

CHAUSSINAND-NOGARET (G.), *Gens de finance au XVIIIe siècle* (1972).

BLUCHE (F.), «Les magistrats des cours parisiennes au XVIIIe siècle, hiérarchie et situation sociale», dans *Revue historique de droit français et étranger*, 1974, p. 87-106.

QUILLIET (B.), «La situation sociale des avocats du parlement de Paris à l'époque de la Renaissance», dans *Espace, idéologie et société au XVIe siècle* (1975).

POIROT (A.), *Le Milieu socio-professionnel des avocats du parlement de Paris à la veille de la Révolution, 1760-1790* (1977, 2 vol.).

LAPEYRE (A.), SCHEURER (R.), *Les Notaires et secrétaires du roi sous les règnes de Louis XI, Charles VIII et Louis XII. Notices personnelles et généalogies* (1978, 2 vol.).

AUTRAND (F.), *Naissance d'un grand corps de l'État : les gens du parlement de Paris, 1345-1454* (1981).

DIEFENDORF (B.B.), *Paris city councillors in the sixteenth century, the politics of patrimony* (1973).

HUPPERT (G.), *Bourgeois et gentilshommes : la réussite sociale en France au XVIe siècle* (1983).

DESSERT (D.), *Argent, pouvoir et société au Grand Siècle* (1984).

FÉLIX (J.), *Les Magistrats du parlement de Paris, 1771-1790* (1990).

BELL (D.A.), *Lawyers and politics in eighteenth-century Paris, 1700-1790* (1991).

D. Les notables depuis 1789

ROUSSELET (M.), *La Magistrature sous la Monarchie de Juillet* (1937).

PERROT (M.), *Le Mode de vie des familles bourgeoises* (1961, nouvelle éd. en 1982).

TUDESQ (A.J.), *Les Grands Notables en France, 1840-1849. Étude historique d'une psychologie sociale* (1964, 2 vol.).

CHARLE (C.), *Les Hauts Fonctionnaires en France au XIXe siècle* (1980).

ROYER (J.P.), MARTINAGE (R.), LECOQ (P.), *Juges et notables au XIXe siècle* (1982).

MARTIN-FUGIER (A.), *La Bourgeoisie* (1983).

BERTHOLET (D.), *Le Bourgeois dans tous ses états. Le roman familial de la Belle Époque* (1987).

DAUMARD (A.), *Les Bourgeois et la bourgeoisie en France depuis 1815* (1987).

LE WITA (B.), *Ni vue ni connue : approche ethnographique de la culture bourgeoise* (1988).

Peu de travaux sur Paris :

MARNATA (F.), *Les Loyers des bourgeois de Paris, 1860-1958* (1961).

DAUMARD (A.), *La Bourgeoisie parisienne de 1815 à 1848* (1963, éd. abrégée en 1970 sous le titre *Les Bourgeois de Paris au xixe siècle*).

LE YAOUANG (J.), «La mobilité sociale dans le milieu boutiquier parisien au xixe siècle», dans *Le Mouvement social*, juillet-septembre 1979, p. 89-112.

PINÇON (M.), PINÇON-CHARLOT (M.), *Dans les beaux quartiers* (1989).

MARTIN-FUGIER (A.), *La Vie élégante et la formation du Tout-Paris, 1815-1848* (1990).

E. Le peuple

• Quelques ouvrages généraux, concernant souvent largement Paris :

FRÉGIER (H.A.), *Des classes dangereuses de la population dans les grandes villes et des moyens de les rendre meilleures* (1840, 2 vol.).

LEVASSEUR (E.), *Histoire des classes ouvrières et de l'industrie en France de 1789 à 1870* (1903-1904, 2 vol.).

FESTY (O.), *Le Mouvement ouvrier au début de la Monarchie de Juillet, 1830-1834* (1908).

LÉVI (P.), *Histoire de la classe ouvrière en France de la Révolution à nos jours...* (1927).

DUVEAU (G.), *la Vie ouvrière en France sous le second Empire...* (1946).

LABROUSSE (E.), *Le Mouvement ouvrier et les idées sociales en France de 1815 à 1848* (1948).

AGUET (J.P.), *Contribution à l'histoire du mouvement ouvrier français : les grèves sous la Monarchie de Juillet, 1830-1847* (1954).

PERROT (M.), *Les Ouvriers en grève : France, 1871-1914* (1974).

• Sur le peuple parisien :

DURAND (?), *De la condition des ouvriers de Paris de 1789 jusqu'en 1841* (1841).

VINÇARD (P.), *Les Ouvriers de Paris* (1851).

LAZARE (L.), *Études municipales. Les quartiers pauvres de Paris* (1869-1870, 3 vol.).

DU MAROUSSEM (P.R.), *La Question ouvrière* (1891-1894, 4 vol.).

BRAESCH (F.), «Essai de statistique de la population ouvrière de Paris vers 1791», dans *La Révolution française*, 63 (1912), p. 289-321.

VAUTHIER (G.), «Les ouvriers de Paris sous l'Empire», dans *Revue des études napoléoniennes*, 2 (1913), p. 426-451.

JAFFÉ (G.M.), *Le Mouvement ouvrier à Paris pendant la Révolution française, 1789-1791* (1924).

PITSCH (M.), *La Vie populaire à Paris au xviiie siècle* (1949).

AUMONT (M.), *Femmes en usine à Paris, les ouvrières de la métallurgie parisienne* (1953).

PINKNEY (D.H.), «The crowd in the French Revolution of 1830», dans *American historical review*, octobre 1964, p. 1-17.

CHEVALIER (L.), *Classes laborieuses et classes dangereuses à Paris pendant la première moitié du xixe siècle* (1958 ; 2e éd. en 1969).

GOSSEZ (R.), *Les Ouvriers de Paris*, livre premier, *l'Organisation, 1848-1851...* (1967).

PARENT-LARDEUR (F.), *Les Demoiselles de magasin* (1970).

KAPLOV (J.), *Les Noms des rois : les pauvres de Paris à la veille de la Révolution* (1974).

CANFORA-ARGANDON (E.), GUERRAND (R.H.), *La Répartition de la population, les conditions de logement des classes ouvrières à Paris au XIXᵉ siècle* (1976).

GEREMEK (B.), *Le Salariat dans l'artisanat parisien aux XIIIᵉ-XVᵉ siècles* (1982).

RETEL (J.O.), *Éléments pour une histoire du peuple de Paris au XIXᵉ siècle* (1978).

FARGE (A.), *Vivre dans la rue : une anthropologie de Paris au XVIIIᵉ siècle* (1979).

SIBALIS (M.D.), *The Workers of Napoleonic Paris, 1800-1815* (1979).

— *Le Monde ouvrier parisien de 1830 à 1884* (1981, exposition aux Archives nationales).

ROCHE (D.), *Le Peuple de Paris : essai sur la culture populaire au XVIIIᵉ siècle* (1981).

FAURE (A.), « Les déménagements dans la classe ouvrière, 1890-1914 », p. 103-119 de *Changer de région, de métier, changer de quartier. Recherches en région parisienne* (1982).

ROMON (C.), « Le monde des pauvres à Paris au XVIIIᵉ siècle », dans *Annales. Économies, sociétés, civilisations*, 1982, p. 729-763.

MULLER (R.), *Habitants et anciens habitants de la zone à Paris* (1983, mémoire multigraphié).

RUDÉ (G.), *La Foule dans la Révolution française* (1983, trad. d'un texte anglais paru en 1959).

BERLANSTEIN (L.R.), *The Working People of Paris, 1871-1914* (1984).

BRENNAN (T.), *Public Drinking and popular culture in eighteenth-century Paris* (1988).

FARGE (A.), *Logiques de la foule. L'affaire des enlèvements d'enfants, Paris, 1750* (1988).

REID (D.), *Paris sewers and sewersmen : realities and representations* (1991).

PIETTE (C.), « La misère à Paris dans la première moitié du XIXᵉ siècle : contribution à la critique des statistiques officielles », dans *Canadian Journal of history*, 1992, p. 235-275.

• Sur la classe particulière des domestiques :

GUIRAL (P.), THUILLIER (G.), *La Vie quotidienne des domestiques en France au XIXᵉ siècle* (1978).

MARTIN-FUGIER (A.), *La Place des bonnes : la domesticité féminine à Paris en 1900* (1979).

GUTTON (J.P.), *Domestiques et serviteurs dans la France de l'Ancien Régime* (1981).

MORAUD (Y.), *La Conquête de la liberté de Scapin à Figaro : valets, servantes et soubrettes de Molière à Beaumarchais* (1981).

MAZA (S.C.), *Servants and masters in eighteenth-century France. The uses of loyalty* (1983).

SABATTIER (J.), *Figaro et son maître : maîtres et domestiques à Paris au XVIIIᵉ siècle* (1984).

PETITFRÈRE (C.), *L'Œil du maître. Maîtres et serviteurs de l'époque classique au romantisme* (1987).

REMAURY (B.) dir., *Dictionnaire de la mode au XXe siècle* (1994).

C. Les soins du corps

FRANKLIN (A.), *La Vie privée d'autrefois... Les soins de toilette* (1887).

CORBIN (A.), *Le Miasme et la Jonquille. L'odorat et l'imaginaire social, XVIIIe-XIXe siècles* (1982).

VIGARELLO (G.), *Le Propre et le Sale. L'hygiène du corps depuis le Moyen Âge* (1984).

RIVAL (N.), *Histoire anecdotique du lavage et des soins corporels* (1986).

CORBIN (A.), *Le Temps, le Désir et l'Horreur, essais sur le XIXe siècle* (1991).

D. Le logement

Le Musée des Arts décoratifs (107, rue de Rivoli) s'occupe de toutes les formes des arts appliqués et possède des reconstitutions d'intérieurs parisiens. La bibliothèque Forney (1, rue du Figuier) possède des fonds importants sur le logement. Quelques titres seulement sur le logement en général :

GUERRAND (R.H.), *Les Origines du logement social en France* (1966).

GOUBERT (J.P.), *La Conquête de l'eau* (1986).

GUERRAND (R.H.), *Les Lieux, histoire des commodités* (1986).

GOUBERT (J.P.) *Du luxe au confort* (1988).

Pour le logement dans la capitale, les Archives de Paris ont publié récemment un précieux inventaire :

BOUROKA (N.), MELLIES (C.), LEROI (P.), *État des fonds détaillé des archives du service de l'habitation* (1992).

Éléments de bibliographie :

DU MESNIL (O.), *L'Hygiène à Paris : l'habitation du pauvre* (1890).

GRASILIER (L.), « La question des loyers au temps de la Ligue et de la Fronde », dans *La Nouvelle Revue*, 1er avril, 15 avril et 1er mai 1916, respectivement p. 161-174, 279-287, 45-54.

LA MONNERAYE (J. DE), *La Crise du logement à Paris pendant la Révolution* (1928).

DUON (G.), « Évolution de la valeur vénale des immeubles parisiens de 1840 à 1940 », dans *Journal de la Société de statistique de Paris*, 1943, p. 169-192.

MARNATA (F.), *Les Loyers des bourgeois de Paris, 1860-1958* (1961).

JURGENS (M.), COUPERIE (P.), « Le logement à Paris aux XVIe et XVIIe siècles. Une source, les inventaires après décès », dans *Annales. Économies, sociétés, civilisations*, 1962, p. 488-500.

DAUMARD (A.), *Maisons de Paris et propriétaires parisiens au XIXe siècle, 1809-1880* (1965).

PERRIN (G.), « L'entassement de la population dans le Paris de la Révolution : la section des Lombards », p. 61-76 de *Contributions à l'histoire démographique de la Révolution française*, 2e série, 1965.

LE ROY LADURIE (E.), « Le mouvement des loyers parisiens de la fin du Moyen Âge au XVIIIe siècle », p. 116-129 de *Le Territoire de l'historien* (1973).

WILHELM (J.), « The Parisian interior in the XVIIth and XVIIIth centuries », dans *Apollo*, 1975, n° 158, p. 282-301.

CANFORA-ARGANDON (E.), GUERRAND (R.H.), *La Répartition de la population, les conditions de logement des classes ouvrières à Paris au XIXe siècle* (1976, données du recensement de 1891, multigraphié).

— *Le Parisien chez lui au XIXᵉ siècle, 1814-1914* (1976, exposition aux Archives nationales).

PINÇON (M.), *Les HLM : structure sociale de la population logée. Agglomération de Paris, 1968* (1976, 2 vol. multigraphiés).

COUTRAS (J.), HAMET (F.), *Le Peuplement des logements parisiens : décohabitation et surpeuplement de 1954 à 1975* (1977).

— *Crise du logement et mouvements sociaux urbains. Enquête sur la région parisienne* (1978).

COUTRAS (J.), « A propos d'un parc... le parc logements. Crise du logement et évolution socio-démographique à Paris depuis 1850 », dans *Acta geographica*, 46 (1981), p. 11-30.

MERLIN (P.), *Pour une véritable priorité au logement social à Paris. Rapport au ministre de l'Urbanisme et du Logement* (1982).

TARICAT (J.), VILLARS (M.), *Le Logement à bon marché. Chronique, Paris 1850-1930* (1982).

BRUN (J.), CHAUVIRÉ (Y.), « La ségrégation sociale, observations critiques sur la notion et essais de mesure à partir de l'exemple de Paris, 1962-1975 », p. 102-133 de *Géographie sociale*, colloque de géographie sociale, Lyon, 14-16 octobre 1982 (1983).

DENEUX (J.F.), « Structure sociale et parc logements à Paris, approche quantitative », p. 172-185 de *Géographie sociale*, colloque de géographique sociale, Lyon, 14-16 octobre 1982 (1983).

MULLER (R.), *Habitants et anciens habitants de la zone à Paris* (1983, mémoire multigraphié).

— *Paris, population et logements, situation 1982 et évolution récente : analyse des résultats du recensement de 1982* (1984, étude multigraphiée de l'APUR).

SHAPIRO (A.L.), *Housing the poor of Paris, 1850-1902* (1985).

BERCHE (C.), « De l'eau à tous les étages », p. 303-321 de *L'Administration locale en Île-de-France*, tome 38 (1987) de *Paris et Île-de-France*.

AUDRY (J.M.), *Les Densités résidentielles à Paris et dans quelques grandes villes françaises et étrangères* (1987).

BERCOVICI (R.), « Dans l'intimité des Parisiens (1840-1881) avec les inventaires après décès », dans *Inventaires après décès et ventes de meubles...*, séminaire au congrès de Berne, 1986 (1988).

FIÉVET-ROSENCZVEIG (E.), *Les Logements vacants à Paris et en proche couronne* (1988, 2 fascicules multigraphiés).

PARDAILHÉ-GALABRUN (A.), *La Naissance de l'intime, trois mille foyers parisiens, XVIIᵉ-XVIIIᵉ siècles* (1988, très important).

AUDRY (J.M.), *Le Parc de logements à Paris* (1989, multigraphié).

FIERRO (A.), « Se chauffer à Paris au XIXᵉ siècle », p. 207-212 de *Paris et ses réseaux. Naissance d'un mode de vie urbain, XIXᵉ-XXᵉ siècles* (1990).

AUDRY (J.M.), « Paris : qui possède les logements ? », dans *Cahiers de l'IAURIF*, 93 (juin 1990), p. 67-80.

MASSOT (A.), « Qui achète des logements à Paris ? » dans *Cahiers de l'IAURIF*, 93 (juin 1990), p. 81-90.

MASSOT (A.), « Logements parisiens : pourquoi la hausse ? », dans *Cahiers de l'IAURIF*, 94 (septembre 1990), p. 9-20.

MERLIN (P.), *La famille éclate, le logement s'adapte* (1990).

Mérot (A.), *Retraites mondaines. Aspects de la décoration intérieure à Paris au cours du XVIIᵉ siècle* (1990).

Riche (C.), «Les chambres de bonne à Paris», dans *Cahiers de l'IAURIF*, 93 (juin 1990), p. 91-98.

Rosenczveig (E.), «Les logements vacants dans l'agglomération parisienne», dans *Cahiers de l'IAURIF*, 93 (juin 1990), p. 99-108.

Tutin (C.), «Structure urbaine et conjoncture immobilière : pourquoi les prix montent-ils à Paris?», p. 314-336 de *L'Île-de-France en mouvement*, colloque des 23-24 novembre 1990 à Montpellier (1990).

Dumont (M.J.), *Le Logement social à Paris, 1850-1930. Les habitations à bon marché* (1991).

Audry (J.M.), *Premiers Résultats du recensement de 1990 à Paris ; le dénombrement de la population et des logements* (1991).

Sowa (G.), *Die Wohnungsfrage in Paris, 1853-1959 : politische, sozio-ökonomische und ideologische Aspekte der Wohnungsversorgung an der Seine von Napoléon III. bis de Gaulle* (1991).

Lucan (J.) éd., *Eau et gaz à tous les étages : Paris, cent ans de logement* (1992, exposition au pavillon de l'Arsenal).

E. Le langage

L'ouvrage fondamental est l'énorme :

Brunot (F.), Bruneau (C.), *Histoire de la langue française des origines à nos jours* (1966-1973 pour la nouvelle éd., 13 tomes en 22 vol.).

Le «Trésor général de la langue française», en cours de parution, publie notamment des *Matériaux pour l'histoire du vocabulaire français. Datations et documents lexicographiques*, dont le tome 23 (1983) est consacré aux *Abréviations du français familier, populaire et argotique*, réunies par K.E.M. George et pourvues d'une bonne bibliographie, notamment sur l'argot parisien. On n'évoque que pour mémoire :

Simoni-Aurembou (M.R.), *Atlas linguistique et ethnographique de l'Île-de-France, Orléanais, Perche, Touraine* (1973-1978, 2 vol.), qui ne concerne pas Paris.

Bibliographie sélective :

Nisard (C.), *Étude sur le langage populaire ou patois de Paris et de sa banlieue...* (1872).

Nisard (C.), *De quelques parisianismes populaires...* (1876).

Rigaud (L.), *Dictionnaire du jargon parisien...* (1878).

Koschwitz (E.), *Les Parlers parisiens...* (1893).

Rosset (T.), *Les Origines de la prononciation moderne étudiées au XVIIᵉ siècle d'après les remarques des grammairiens et les textes en patois de la banlieue parisienne...* (1911).

Sainéan (L.), *Le Langage parisien au XIXᵉ siècle...* (1920).

Bauche (H.), *Le Langage populaire. Grammaire, syntaxe et dictionnaire du français tel qu'on le parle dans le peuple de Paris...* (1929).

Matoré (G.), *Le Vocabulaire et la société sous Louis-Philippe* (1951).

Klein (J.R.), *Le Vocabulaire des mœurs de la «vie parisienne» sous le second Empire. Introduction à l'étude du langage boulevardier* (1976).

Simoni-Aurembou (M.R.) éd., *Parlers et jardins de la banlieue de Paris au*

XVIIIᵉ siècle (Montreuil, Bagnolet, Vincennes, Charonne). Documents lexicaux... (1982).

Sewell (W.H.), *Gens de métier et révolutions. Le langage du travail de l'Ancien Régime à 1848* (1983).

Albert-Lévy (?), Pinet (G.), *L'Argot de l'X* (1984).

66. LA DÉLINQUANCE

Les divers aspects de la délinquance figurent dans la table par sujets de :

Le Clère (M.), *Bibliographie critique de la police et de son histoire* (1980 ; préférer la 2ᵉ éd. revue et très augmentée en 1991). On renvoie à ce travail pour la foule des travaux anciens ou mineurs. La liste qui suit se limite aux ouvrages importants ou omis par M. Le Clère. D'abord la délinquance et son milieu :

Chevalier (L.), *Classes laborieuses et classes dangereuses à Paris pendant la première moitié du XIXᵉ siècle* (1958, 2ᵉ éd. en 1969).

Stanciu (V.V.), *La Criminalité à Paris...* (1968).

Geremek (B.), «La lutte contre le vagabondage à Paris aux XIVᵉ et XVᵉ siècles», p. 213-236 du tome 2 des *Ricerche storiche ed economiche in memoria di Corrado Barbagallo* (1970).

Langlois (M.), Lanhers (Y.) éd., *Confessions et jugements de criminels au parlement de Paris, 1319-1350* (1971).

— «Crime et criminalité en France sous l'Ancien Régime, XVIIᵉ-XVIIIᵉ siècles», n° 33 (1971) des *Cahiers des Annales*, qui contient une série d'articles concernant Paris, notamment, p. 187-261, celui de P. Pétrovitch, «Recherches sur la criminalité à Paris dans la seconde moitié du XVIIIᵉ siècle».

Farge (A.), *Délinquance et criminalité : le vol d'aliments à Paris au XVIIIᵉ siècle* (1974).

Geremek (B.), *Les Marginaux parisiens aux XIVᵉ et XVᵉ siècles* (1976).

Goubert (P.), «Errants, mendiants et vagabonds à Paris et autour de Paris au XVIIIᵉ siècle», dans *Clio parmi les hommes* (1976).

Pugibet (A.M.), *Contribution à l'étude de la criminalité à Paris au XVIIIᵉ siècle. Étude du vol de linge, 1710-1735* (1976, microfiches éditées par Hachette).

Farge (A.), «Le mendiant, un marginal ? Les résistances aux archers de l'Hôpital dans le Paris du XVIIIᵉ siècle», dans *Les Marginaux dans l'histoire, Cahier Jussieu*, n° 5 (1979), p. 312-329.

Farge (A.), Zysberg (A.), «Les théâtres de la violence à Paris au XVIIIᵉ siècle», dans *Annales. Économies, sociétés, civilisations*, 1979, p. 984-1015.

Farge (A.), *Vivre dans la rue : une anthropologie de Paris au XVIIIᵉ siècle* (1979).

Farge (A.), Foucault (M.), *Le Désordre des familles : lettres de cachet des archives de la Bastille* (1982).

Passion (L.), «Conjoncture et géographie du crime à Paris sous le second Empire», dans *Paris et Île-de-France*, 33 (1982), p. 187-224.

Romon (C.), «Mendiants et policiers à Paris au XVIIIᵉ siècle», dans *Histoire, économie et société*, 1982, p. 259-295.

Quétel (C.), *De par le Roy. Essai sur les lettres de cachet* (1983).

— *Livres blancs des comités de sécurité et de prévention de la délinquance des arrondissements de Paris* (1984).

FARGE (A.), *La Vie fragile : violence, pouvoirs et solidarités à Paris au XVIIIe siècle* (1986).

LEBIGRE (A.), *Les Dangers de Paris au XVIIe siècle. L'assassinat de Jacques Tardieu, lieutenant criminel au Châtelet, et de sa femme, 24 août 1655* (1991).

GUENÉE (B.), *Un meurtre, une société : l'assassinat du duc d'Orléans, 23 novembre 1407* (1992).

SOMAN (A.), *Sorcellerie et justice criminelle : le parlement de Paris, XVIe-XVIIIe siècles* (1992).

ANDREWS (R.M.), *Law, magistracy and crime. Old Regime Paris, 1735-1789* (1994).

• Littérature sur la prostitution :

PARENT-DUCHÂTELET (A.), *La Prostitution dans la ville de Paris* (1836, 2 vol., ouvrage excellent qui a connu plusieurs éditions, la dernière en 1981, annotée par A. CORBIN).

SAUVAL (H.), *La Chronique scandaleuse de Paris* (1883 ; nouvelle éd. en 1910, *Histoire des mauvais lieux de Paris au XVIIe siècle*, intéressant et peu connu).

HÉRON DE VILLEFOSSE (R.), *Histoire et géographie galantes de Paris* (1957).

CORBIN (A.), *Les Filles de noce. Misère sexuelle et prostitution, XIXe et XXe siècles* (1978).

CHEVALIER (L.), *Montmartre du plaisir et du crime* (1981).

CHEVALIER (L.), *Histoires de la nuit parisienne 1940-1960* (1982).

HARSIN (J.), *Policing Prostitution in nineteenth-century Paris* (1985).

BENABOU (E.M.), *La Prostitution et la police des mœurs au XVIIIe siècle* (1987).

PÉRIER-DAVILLE (D.), *Dossier noir du Minitel rose* (1989).

BOUDARD (A.), ROMI, *L'Âge d'or des maisons closes* (1990).

CELLARD (J.), *Les Petites Marchandes de plaisir* (1990).

ROGER (N.), *La Prostitution sous le règne de Louis XIV à Paris, 1661-1715* (1991, thèse sur microfiches).

SOLÉ (J.), *L'Âge d'or de la prostitution, de 1870 à nos jours* (1993 ; ouvrage général comportant une abondante bibliographie).

• Homosexualité et prostitution masculines :

COUROUVE (C.), *Les Gens de la manchette, 1720-1750* (1978).

HENNIG (J.L.), *Les Garçons de passe. Enquête sur la prostitution masculine* (1978).

HAHN (P.), *Nos ancêtres les pervers. La vie des homosexuels sous le second Empire* (1979).

REY (M.), « Du péché au désordre : police et sodomie à Paris au XVIIIe siècle », dans *Revue d'histoire moderne et contemporaine*, 1982, p. 113-124.

LEVER (M.), *Les Bûchers de Sodome. Histoire des « infâmes »* (1985).

67. FÊTES ET CÉRÉMONIES PUBLIQUES

L'ouvrage de base est un volume de la « Nouvelle Histoire de Paris » :

HÉRON DE VILLEFOSSE (R.), *Solennités, fêtes et réjouissances parisiennes* (1980).

On renvoie à son abondante bibliographie pour ne mentionner ici que les ouvrages les plus importants ou postérieurs à 1979.

• Tout d'abord, une poignée d'ouvrages généraux :
HÉRON DE VILLEFOSSE (R.), *Les Grandes Heures de Paris de l'aube des temps à l'ère industrielle* (1978).
— *Le Spectacle et la fête au temps de Balzac* (1978, exposition à la Maison de Balzac).
— *Paris des illusions : un siècle de décors éphémères, 1820-1920* (1984, exposition à la Bibliothèque historique de la Ville de Paris).
DUCHEMIN (A.M.), *Paris en fêtes* (1985).

• Les fêtes cycliques :
GAIGNEBET (C.), *Le Carnaval, essais de mythologie populaire* (1974).
ISAMBERT (F.A.), *La Fin de l'année : étude sur les fêtes de Noël et du nouvel an à Paris* (1976).
FAURE (A.), *Paris carême-prenant : du carnaval à Paris au XIXᵉ siècle, 1800-1914* (1978).
— *Le Charivari*, actes de la table ronde de Paris, 25-27 avril 1977 (1981).
HEERS (J.), *Fêtes des fous et carnavals* (1983).
— *Carnavals et fêtes d'hiver* (1984, exposition au Centre Georges-Pompidou).
— *Crèches et traditions de Noël* (1986, exposition au Musée national des Arts et Traditions populaires).
ISHERWOOD (R.M.), *Farce and Fantasy : popular entertainment in eighteenth-century Paris* (1986).
— *Benjamin Roubaud et le Panthéon charivarique* (1988, exposition à la Maison de Balzac).

• Fêtes et cérémonies princières :
GUENÉE (B.), LEHOUX (F.), *Les Entrées royales françaises de 1328 à 1515* (1968).
GRAHAM (V.E.), MCALLISTER JOHNSON (W.), *The Paris entries of Charles IX and Elisabeth of Austria, 1571* (1974).
ERLANDE-BRANDENBURG (A.), *Le Roi est mort. Étude sur les funérailles, les sépultures et les tombeaux des rois de France jusqu'à la fin du XIIIᵉ siècle* (1975).
WAQUET (F.), *Les Fêtes royales sous la Restauration, ou l'Ancien Régime retrouvé* (1981).
— *Fête et pouvoir à Paris et en Île-de-France, XVIIᵉ-XVIIIᵉ siècles* (1985, exposition aux Archives nationales).
BRYANT (L.M.), *The King and the city in the Parisian royal entry ceremony : politics, ritual and art in the Renaissance* (1986).
GIESEY (R.E.), *Le Roi ne meurt jamais. Les obsèques royales dans la France de la Renaissance* (1987).
MAMONE (S.), *Paris et Florence, deux capitales du spectacle pour une reine, Marie de Médicis* (1990).
RUMEAU (M.H.), *Les Valeurs politiques et sociales à travers les grandes fêtes officielles à Paris aux XVIIᵉ et XVIIIᵉ siècles* (1990, mémoire multigraphié).
BROWN (E.A.R.), *The Monarchy of Capetian France and royal ceremonial* (1991).

• Fêtes civiques :
DOMMANGET (M.), *Histoire du 1ᵉʳ Mai* (1953).

OZOUF (M.), « Le cortège et la ville. Les itinéraires parisiens des fêtes révolutionnaires », dans *Annales. Économies, sociétés, civilisations*, 1971, p. 889-916.
OZOUF (M.), *La Fête révolutionnaire, 1789-1799* (1976).
SANSON (R.), *Les 14 Juillet (1789-1975) : fête et conscience nationale* (1976).
— *Les Fêtes de la Révolution*, colloque de Clermont-Ferrand en juin 1974 (1977).
BIVER (M.L.), *Fêtes révolutionnaires à Paris* (1979).
PETTENA (G.), *Effimero urbano e città : le feste della Parigi rivoluzionaria* (1979).
— *Fêtes et Révolution* (1989, exposition à la mairie du XVIe arrondissement.
BOIS (J.P.), *Histoire des 14 Juillet, 1789-1919* (1991).

68. SPECTACLES

L'ouvrage de référence demeure le volume de la « Nouvelle Histoire de Paris » :
HÉRON DE VILLEFOSSE (R.), *Solennités, fêtes et réjouissances parisiennes* (1980). Sa bibliographie est à jour en 1979.

A. Foires, parcs d'attractions, cirques

Les foires annuelles, Saint-Lazare, Saint-Laurent, Saint-Germain, Saint-Ovide... ont très tôt ajouté à leur fonction commerciale un rôle ludique et constitué une occasion de réjouissances pour les Parisiens. On en trouvera la bibliographie dans le volume de la « Nouvelle Histoire de Paris » déjà cité et on y ajoutera seulement une référence omise et quelques ouvrages plus récents, par ailleurs médiocres, sur les fêtes foraines :
CHERRIÈRE (?), *La Lutte contre l'incendie dans les halles, les marchés et les foires de Paris sous l'Ancien Régime* (1913).
LÉPIDIS (C.), *Marchés et foires* (1982).
ROSOLEN (A.), MOUROUX (L.), *De la foire au pain d'épice à la foire du Trône* (1985).
PY (C.), FERENCZI (C.), *La Fête foraine d'autrefois. Les années 1900* (1987).
Les foires-expositions, les expositions universelles et les salons commerciaux, qui ont remplacé les foires au XIXe siècle, ont été assez peu étudiés. Les expositions universelles et internationales ont été l'occasion d'abondantes publications en 1855, 1867, 1878, 1889, 1900, 1925, 1931, 1937, qui sont signalées, ainsi que la maigre bibliographie globale du sujet, dans :
— *Le Livre des expositions universelles, 1851-1989* (1983, exposition au Musée des Arts décoratifs), qu'on peut compléter avec :
BOUIN (P.), CHANUT (C.P.), *Histoire française des foires et des expositions universelles* (1980).
ORY (P.), *Les Expositions universelles de Paris* (1982).
— *Paris 1937. Cinquantenaire de l'Exposition internationale des arts et des techniques de la vie moderne* (1987, exposition au Musée d'Art moderne).
MAINARDI (P.), *Art and Politics of the Second Empire : the Universal Expositions of 1855 and 1867* (1989).
Les « Tivoli », « Vauxhall » et parcs d'attractions qui ont succédé aux foires ont fait l'objet de fort peu d'études :

LANGLOIS (G.A.), *Folies, Tivolis et attractions, les premiers parcs de loisirs parisiens* (1991), qui donne la bibliographie du sujet.

Ajoutons une attraction tombée dans l'oubli, le panorama et le diorama :

BAPST (G.), *Essai sur l'histoire des panoramas et des dioramas* (1891).

OTTERMANN (S.), *Das Panorama. Die Geschichte eines Massenmediums* (1980).

— *Panorama phenomenon. Mesdag panorama* (1990).

COMMENT (B.), *Le XIXᵉ Siècle des panoramas* (1993).

— *Sehnsucht. Das Panorama als Massenunterhaltung des 19. Jahrhunderts* (1993).

Il existe une «International Panorama and Diorama Society» qui publie une *Newsletter* depuis 1985.

Le cirque mériterait davantage d'études. Il existe une bibliographie ancienne mais bonne qui indique les principales revues montées dans les cirques et hippodromes parisiens :

DELANNOY (J.C.), *Bibliographie française du cirque* (1944).

On peut la compléter avec l'imposante bibliographie internationale :

STOTT (R.T.), *Circus and allied arts, a world bibliography, 1500-1957...* (1958-1962, 3 vol.).

La production postérieure à 1957 est faible :

ADRIAN (?), *Histoire illustrée des cirques parisiens d'hier et d'aujourd'hui* (1957).

ADRIAN (?), *Attractions sensationnelles : les «casse-cou» du cirque et du music-hall* (1962).

— *Forains d'hier et d'aujourd'hui. Un siècle d'histoire des forains, des fêtes et de la vie foraine* (1968).

WILD (N.), RÉMY (T.), *Le Cirque. Iconographie. Catalogue* (1969).

AUGUET (R.), *Histoire et légende du cirque* (1974).

RENNERT (J.), *Cent Ans d'affiches du cirque* (1974).

DUPAVILLON (C.), *Architectures du cirque, des origines à nos jours* (1982).

MÉDRANO (J.), *Une vie de cirque* (1983).

B. *Théâtres*

L'histoire des théâtres parisiens se confond largement avec celle du théâtre français. Il est impossible de donner ici une bibliographie de ce spectacle dans son ensemble. On renvoie aux instruments de travail cités au chapitre IX, dans le paragraphe 87. On peut citer des catalogues de bibliothèques de collectionneurs faisant office de bibliographies :

LACROIX (P.), *Bibliothèque dramatique de Monsieur de Soleinne. Catalogue* (1843-1845, 5 vol. et une table alphabétique par C. BRUNET en 1914).

RONDEL (A.), *Catalogue analytique sommaire de la collection théâtrale Rondel, ...* (1932).

Il faut y ajouter des instruments spécifiques à Paris :

DEMEULENAERE-DOUYÈRE (C.), «Les sources de l'histoire des spectacles aux Archives de Paris», dans *Bulletin de la Société de l'histoire de Paris et de l'Île-de-France*, 1981, p. 217-227.

PARFAIT (F. et C.), *Histoire du théâtre français depuis son origine jusqu'à présent...* (1745-1749, 15 vol., répertoire chronologique de 1402 à 1721).

PARFAIT (F. et C.), ABGUERRE (G. D'), *Dictionnaire des théâtres de Paris* (1756, 7 vol.).

TISSIER (A.), *Les Spectacles à Paris pendant la Révolution. Répertoire analytique, chronologique et bibliographique : de la réunion des États généraux à la chute de la royauté, 1789-1792* (1992).

WICKS (C.B.), *The Parisian Stage, alphabetical indexes of plays and authors* (1950-1979, 5 vol. ; toutes les pièces jouées entre 1800 et 1900).

• Il existe une histoire récente du théâtre en France :

JOMARON (J. DE) dir., *Le Théâtre en France* (1988-1989, 2 vol.).

Sur le public et les aspects économiques :

DESCOTES (M.), *Le Public de théâtre et son histoire* (1964).

LEROY (D.), *Histoire des arts du spectacle en France. Aspects économiques, politiques et esthétiques, de la Renaissance à la Première Guerre mondiale* (1990).

• Ouvrages sur le théâtre à Paris à différentes époques :

Des origines à 1789 :

DESPOIS (E.), *Le Théâtre français sous Louis XIV* (1874).

CAMPARDON (E.), *Les Spectacles de la foire... depuis 1695 jusqu'à 1791* (1877, 2 vol.).

AURIAC (E. D'), *Théâtre de la foire. Recueil de pièces représentées aux foires de Saint-Germain et Saint-Laurent, précédé d'un Essai historique sur les spectacles forains* (1878).

PETIT DE JULLEVILLE (L.), *Les Mystères* (1880, 2 vol.).

DESNOIRESTERRES (G.), *La Comédie satirique au XVIIIe siècle. Histoire de la société française par l'allusion, la personnalité et la satire au théâtre* (1885).

ALBERT (M.), *Les Théâtres de la foire, 1660-1789* (1900).

RIGAL (E.), *Le Théâtre français avant la période classique, fin du XVIe et commencement du XVIIe siècle* (1901).

BERNARDIN (N.M.), *La Comédie italienne en France et les théâtres de la foire et du boulevard, 1570-1791* (1902).

ALMÉRAS (H. D'), ESTRÉE (P. D'), *Les Théâtres libertins au XVIIIe siècle* (1905).

CLARETIE (L.), *Histoire des théâtres de société* (1906).

AGHION (M.), *Le Théâtre à Paris au XVIIIe siècle* (1926).

— *Le Théâtre à Paris au XVIIIe siècle. Conférences du Musée Carnavalet* (1930).

MÉLÈSE (P.), *Répertoire analytique des documents contemporains d'information et de critique concernant le théâtre à Paris sous Louis XIV, 1659-1715* (1934).

MÉLÈSE (P.), *Le Théâtre et le public à Paris sous Louis XIV, 1659-1715* (1934).

MOORE (A.P.), *The Genre poissard and the French stage of the eighteenth century* (1935).

HARVEY (H.G.), *The Theatre of the Basoche. The contribution of the law societies to French mediaeval comedy* (1941).

LANCASTER (H.C.), *Sunset : a history of Parisian drama in the last years of Louis XIV, 1701-1715* (1945).

LANCASTER (H.C.), *French Tragedy in the time of Louis XV and Voltaire, 1715-1774* (1950, 2 vol.).

— *Théâtre et fêtes à Paris. XVIe et XVII^esiècles. Dessins du Musée national de Stockholm* (1956, exposition au musée Carnavalet).

LOUGH (J.), *Paris theatre audiences in the seventeenth and eighteenth centuries* (1957).

DEIERKAUF-HOLSBOER (S.W.), *L'Histoire de la mise en scène dans le théâtre français à Paris de 1600 à 1673* (1960).

BRENNER (C.D.), *The Théâtre-Italien, its repertory, 1716-1793* (1961).

LAGRAVE (H.), *Le Théâtre et le public à Paris de 1715 à 1750* (1972 ; excellent, très importante bibliographie).

ROUGEMONT (M. DE), *La Vie théâtrale en France au XVIIIe siècle* (1988).

La Révolution (1789-1799) :

ESTRÉE (P. D'), *Le Théâtre sous la Terreur* (1913).

HÉRISSAY (J.), *Le Monde des théâtres pendant la Révolution, 1789-1800, d'après des documents inédits* (1922).

CARLSON (M.), *Le Théâtre de la Révolution française* (1970).

ROOT-BERNSTEIN (M.), *Boulevard theatre and Revolution in eighteenth-century Paris* (1984).

RADICCHIO (G.), SAJOUS D'ORIA (M.), *Les Théâtres de Paris pendant la Révolution* (1990, exposition à la Bibliothèque historique de la Ville de Paris).

Le XIXe siècle :

WELSCHINGER (H.), *La Censure sous le premier Empire...* (1882).

GUILLIN (R. DE), *Du droit des pauvres sur les spectacles à Paris* (1900).

ALBERT (M.), *Les Théâtres des boulevards, 1789-1848* (1902).

DES GRANGES (C.M.), *La Comédie et les mœurs sous la Restauration et la Monarchie de Juillet, 1815-1848* (1904).

LABARTHE (G.), *Le Théâtre pendant les jours du siège et de la Commune, juillet 1870 à juin 1871* (1910).

LECOMTE (L.H.), *Napoléon et le monde dramatique* (1912).

CAIN (G.), *Anciens Théâtres de Paris. Le boulevard du Temple, les théâtres du Boulevard* (1920).

PILLU (G.), BÉCHET (H.), *Les Impôts sur les spectacles, droit des pauvres, taxe d'État, taxe municipale* (1928).

ALLÉVY (M.A.), *La Mise en scène en France dans la première moitié du XIXe siècle* (1938, très importante bibliographie).

BABLET (D.), *Le Décor de théâtre de 1870 à 1914* (1965).

THOMASSEAU (J.M.), *Le Mélodrame sur les scènes parisiennes de « Coelina » (1800) à « L'Auberge des Adrets » (1823)* (1974).

DEBOFLE (P.), « Théâtre et société à Paris sous la Restauration », dans *Bulletin de la Société de l'histoire de Paris et de l'Île-de-France*, 1974-1975, p. 213-240.

— *Le Spectacle et la fête au temps de Balzac* (1978, exposition à la Maison de Balzac).

GASCAR (P.), *Le Boulevard du crime* (1980).

KRAKOVITCH (O.), *Les Pièces de théâtre soumises à la censure, 1800-1830. Inventaire des manuscrits des pièces (F18 581 à 668) et des procès-verbaux des censeurs (F21 966 à 995)* (1982).

KRAKOVITCH (O.), « Hugo censuré, la liberté au théâtre au XIXe siècle » (1985, extrait d'une thèse multigrahiée de 1979 sur *La Censure théâtrale de 1830 à 1850*).

PIERRE (C.), *Le Magasin de musique à l'usage des fêtes nationales et du Conservatoire* (1895).

DANDELOT (A.), *La Société des concerts du Conservatoire de 1828 à 1897. Les grands concerts symphoniques de Paris* (1898).

PIERRE (C.), *Musique des fêtes et cérémonies de la Révolution française* (1899).

PIERRE (C.), *Le Conservatoire national de musique et de déclamation...* (1900).

PIERRE (C.), *Les Hymnes et chansons de la Révolution* (1904).

TIERSOT (J.), *Les Fêtes et les chants de la Révolution française* (1908).

CŒUVROY (A.), *Histoire des concerts Colonne* (1929).

FLEISCHMANN (T.), *Napoléon et la musique* (1965).

COPPOLA (P.), *Dix-Sept Ans de musique à Paris, 1922-1939* (1982, réimpression de l'édition de 1944).

LESURE (F.) dir., *La Musique à Paris en 1830-1831* (1983).

— «La musique à Paris en 1900», n° 12, 1983, de *Revue internationale de musique française*.

FAUQUET (J.M.), *Les Sociétés de musique de chambre à Paris de la Restauration à 1870* (1986).

BLOOM (P.) éd., *La Musique à Paris dans les années 1830,* actes de la conférence internationale sur la musique à Smith College, avril 1982 (1987).

SALINGER (N.) dir., *Orchestre de Paris* (1987).

BRODY (E.), *Paris, the musical kaleidoscope, 1870-1925* (1988).

GOURDON (A.M.) éd., *Les Publics des grandes salles polyvalentes : Palais des sports, Palais des congrès, Bercy, le Zénith* (1991).

— *Les Orgues de Paris* (1992).

BERNARD (E.), *Le Concert symphonique à Paris de 1861 à 1914 : Pasdeloup, Colonne, Lamoureux* (à paraître).

D. Bals

La production est généralement anecdotique et vieillie. On peut retenir :

DELVAU (A.), *Les Cythères parisiennes : histoire anecdotique des bals de Paris* (1864).

BOULENGER (J.), *De la valse au tango. La danse mondaine du premier Empire à nos jours* (1920).

WARNOD (A.), *Les Bals de Paris* (1922).

FLAMENT (A.), *Le Bal du Pré-Catelan* (1946).

GASNAULT (F.), *Guinguettes et lorettes, bals publics et danse sociale à Paris entre 1830 et 1870* (1986).

E. Music-hall, café-concert

Il faut se précipiter sur l'importante bibliographie de :

RICHARD (L.), *Cabaret, cabarets. Origine et décadence* (1991).

On se limite à quelques titres :

BOST (P.), *Le Cirque et le Music-Hall* (1931).

— *Histoire du cirque et du music-hall* (1954).

ADRIAN, *Attractions sensationnelles. Les «casse-cou» du cirque et du music-hall* (1962).

— *Le Café-Concert, 1870-1914* (1977, exposition au Musée des Arts décoratifs).

MERLIN (O.), *Quand le Bel Canto régnait sur le boulevard* (1978).

CARADEC (F.), WEILL (A.), *Le Café-Concert* (1980).

CHEVALIER (L.), *Montmartre du plaisir et du crime* (1980).

CHEVALIER (L.), *Histoires de la nuit parisienne* (1982).

HÉLIAN (J.), *Les Grands Orchestres de music-hall en France. Souvenirs et témoignages* (1984).

SALLÉE (A.), CHAUVEAU (P.), *Music-Hall et Café-Concert* (1985, ouvrage important avec, p. 114-189, un dictionnaire historique des cafés-concerts et music-halls de Paris).

PACINI (P.), *Moulin-Rouge é Caf'conc. Manifesti e grafica, 1884-1904* (1989).

CONDEMI (C.), *Les Cafés-Concerts, histoire d'un divertissement, 1849-1914* (1992).

F. Cinéma

Jusqu'à ces dix dernières années, il y a eu très peu de travaux sur le cinéma à Paris, ce qui fait que la bibliographie est plutôt maigre :

FLEURY (F.), «Les cinémas parisiens, un aspect de la vie urbaine», dans *Urbanisme et habitation*, 1953, p. 30-56.

DOUCHET (J.), NADEAU (G.), *Paris cinéma. Une ville vue par le cinéma de 1895 à nos jours* (1987).

CHENEBAULT (C.), GAUSSEL (M.), *Guide des cinémas à Paris* (1992).

CHAMPION (V.), LEMOINE (B.), TERREAUX (C.), *Les Cinémas de Paris, 1945-1995* (1995).

— *Paris Grand-Écran. Splendeurs des salles obscures, 1895-1945* (1995, exposition au Musée Carnavalet).

69. CAFÉS ET RESTAURANTS

La bibliographie du sujet jusqu'à 1979 figure dans le volume de la «Nouvelle Histoire de Paris» :

HÉRON DE VILLEFOSSE (R.), *Solennités, fêtes et réjouissances parisiennes* (1980).

On y ajoutera celle de l'excellent :

RICHARD (L.), *Cabaret, cabarets. Origine et décadence* (1991).

Quelques titres importants et récents :

BOUCHARD (F.X.), DETHIER (J.), *Cafés français* (1977).

BOISSEL (P.), *Café de la Paix, 1862 à nos jours, cent vingt ans de vie parisienne* (1980).

— *Cafés, bistrots et compagnie* (1981, exposition au Centre Georges-Pompidou).

DIWO (J.), *Chez Lipp* (1981).

DEMEULENAERE-DOUYÈRE (C.), «Thérèse, Frédéric, Eugène et les autres, ou la destinée d'une famille de "gens de bouche" à Paris dans la première moitié du XIXᵉ siècle», dans *Bulletin de la Société de l'histoire de Paris et de l'Île-de-France*, 1983, p. 259-280.

COURTINE (R.), *La Vie parisienne* (1984-1987, 3 vol.).

OBERTHUR (M.), *Cafés and cabarets of Montmartre* (1984).

AUBY (D.), SFEZ (G.), *Au Vénitien de Paris : les cafés de Paris* (1986).

MALKI-THOUVENEL (B.), *Cabarets, cafés et bistrots de Paris. Promenades dans les rues et dans le temps* (1987).

BRENNAN (T.), *Public Drinking and popular culture in eighteenth-century Paris* (1988).

DRU (L.), ASLAN (C.), *Les Cafés* (1988).

GAIN (R.), *Les Plus Beaux Restaurants de Paris* (1989).

SCHLUP (M.), *Auberges et cabarets d'autrefois, 1500-1850* (1989).

BARBARY DE LANGLADE (J.), *Maxim's, cent ans de vie parisienne* (1990).

GIRVEAU (B.), *La Belle Époque des cafés et des restaurants* (1990).

LANGLE (H.M.), *Le Petit Monde des cafés et débits parisiens au XIXᵉ siècle. Évolution de la sociabilité citadine* (1990).

NOURRISSON (D.), *Le Buveur du XIXᵉ siècle* (1990).

BOLOGNE (J.C.), *Histoire des cafés et des cafetiers* (1993).

• Les cafés littéraires :

LEMAIRE (G.G.), *Les Cafés littéraires* (1987).

FITCH (N.R.), *Literary Cafés of Paris* (1989).

• Les cafés-théâtres :

DA COSTA (B.), *Histoire du café-théâtre* (1978).

MERLE (P.), *Le Café-Théâtre* (1985).

70. JEUX ET SPORTS

Des éléments de bibliographie figurent dans le volume de la «Nouvelle Histoire de Paris» :

HÉRON DE VILLEFOSSE (R.), *Solennités, fêtes et réjouissances parisiennes* (1980).

L'indigence de la littérature sur les sports et les jeux à Paris contraint à un élargissement du champ de la recherche bibliographique à la France entière dans bien des cas.

A. Sports

CHAPUS (E.), *Les Sports à Paris* (1854).

KARR (A.), *Le Canotage en France* (1858).

FOURNIER (E.), *Le Jeu de paume, son histoire et sa description...* (1862).

TAVERNIER (A.E.), *Amateurs et salles d'armes de Paris* (1886).

SAINT-ALBIN (A. DE), *Les Sports à Paris* (1889).

NANTEUIL (E. DE), SAINT-CLAIR (G. DE), DELAHAYE (C.), *La Paume et le Lawn-Tennis* (1898).

JUSSERAND (J.), *Les Sports et les jeux d'exercice dans l'ancienne France* (1901).

HOCHE (L.), «Pluvinel et les académies», p. 871-929 du tome 2 de *Contribution à l'histoire de Paris... La rue Saint-Honoré*, du même auteur (1912, 2 tomes en 3 vol.).

DUHAMEL (G.), *Le Football français, ses débuts* (1931).

LUZE (A. DE), *La Magnifique Histoire du jeu de paume* (1933).

— *Atlas des équipements sportifs et socio-éducatifs* (1962, 2 vol. pour Paris et l'Île-de-France).

— *Inventaire des équipements sportifs et socio-éducatifs du district de la région de Paris...* (1962).

— *Jeux et Sports* (1967).

LADEGAILLERIE (J.), LEGRAND (E.), *L'Éducation physique aux XIXᵉ et XXᵉ siècles* (1971).

SPIVAK (M.), «Amoros et l'introduction de la gymnastique à Paris», dans *Bulletin de la Société de l'histoire de Paris et de l'Île-de-France*, 1974-1975, p. 241-253.

CHEVIT (F.), REY (O.), *Le Roman vrai du Paris Saint-Germain* (1977).

BRAESCH (F.), DANIEL (C.), SCHEUBEL (R.), *Le Phénomène Racing* (1978).

— *Sport et société de 1870 à 1914* (1979, exposition aux Archives nationales).

EHRENBERG (A.) éd., *Aimez-vous les stades? Les origines historiques des politiques sportives en France, 1870-1930* (1980).

DELAMARRE (G.), *Les Grandes Heures de Roland-Garros* (1981).

HOLT (R.), *Sport and society in modern France* (1981, bonne bibliographie).

— *Deux Siècles d'architecture sportive à Paris...* (1984, exposition à la mairie du XXᵉ arrondissement).

PRIOLLAUD (N.) éd., *Le Sport à la une* (1984, importante bibliographie sur les écrivains et le sport).

MORLINO (B.), *Les Défis du Racing. Un siècle de football parisien, 1885-1987* (1986).

ARNAUD (P.) dir., *Les Athlètes de la République. Gymnastique, sport et idéologie républicaine, 1870-1914* (1987).

— *Les Archives du football. Sport et société en France, 1880-1980* (1989).

BESSY (O.), *De nouveaux espaces pour le corps. Approche sociologique des salles de « mise en forme » et de leur public. Le marché parisien* (1990, thèse sur microfiches).

BIGET (P.), *La Lutte parisienne, renaissance d'un vieux sport* (1990).

GAY-LESCOT (J.L.), *Sport et éducation sous Vichy, 1940-1944* (1991).

• Les jeux Olympiques :

— Comité olympique français, *Les Jeux de la VIIIᵉ Olympiade. Paris, 1924... Rapport officiel* (1924).

— *Les Jeux Olympiques* (1976, exposition des bibliothèques de la Ville de Paris).

B. Jeux

FOURNEL (V.), *Le Vieux Paris. Fêtes, jeux et spectacles* (1887).

ALLEMAGNE (H.R. D'), *Les Cartes à jouer du XIVᵉ au XXᵉ siècle* (1906).

MARQUISET (A.), *Jeux et joueurs d'autrefois, 1789-1837* (1917).

DU BLED (V.), *Histoire anecdotique et psychologie des jeux de cartes, dés, échecs* (1919).

— *La Loterie racontée par l'image... Histoire abrégée des blanques, tontines et loteries faites en France de 1539 à 1933* (1936, exposition au Musée Carnavalet).

— *Jeux et jouets d'autrefois* (1961, exposition à l'Institut pédagogique national).

— *Jeux et sports* (1967).

HEERS (J.), *Fêtes, jeux et joutes dans les sociétés d'Occident à la fin du Moyen Âge* (1971).

— *Le Jeu au XVIIIᵉ siècle*, colloque d'Aix-en-Provence, 30 avril-2 mai 1971 (1976, pas d'article sur Paris).

VERDON (J.), *Les Loisirs en France au Moyen Âge* (1980).

— *Les Jeux à la Renaissance*, actes du XXIIIe colloque international d'études humanistes de Tours, juillet 1980 (1982).

CLARE (L.), *La Quintaine, la course de bague et le jeu de têtes. Étude historique et ethnolinguistique d'une famille de jeux équestres* (1983).

GRUSSI (O.), *La Vie quotidienne des joueurs sous l'Ancien Régime à Paris et à la cour* (1985, éléments de bibliographie).

C. Promenades

TOURNEUX (M.), *Paris au XVIIIe siècle. Les promenades à la mode* (1888).

POËTE (M.), *La Promenade à Paris au XVIIe siècle* (1913).

PARDAILHÉ-GALABRUN (A.), « Les déplacements des Parisiens dans la ville aux XVIIe et XVIIIe siècles », dans *Histoire, économie et société*, 1983, p. 205-253.

PASSION (L.), « Marcher dans Paris au XIXe siècle », p. 27-43 de *Paris et ses réseaux. Naissance d'un mode de vie urbain, XIXe-XXe siècles* (1990).

CHAPITRE IX

L'économie

Tous les volumes de la « Nouvelle Histoire de Paris » (voir § 21 C) traitent de l'économie parisienne et donnent une bibliographie qui mérite d'être utilisée.

71. GÉNÉRALITÉS

A. Lieux et instruments de travail

La bibliothèque Forney (1, rue du Figuier) est spécialisée dans la documentation sur l'artisanat, les métiers, les techniques et possède un catalogue matières imprimé. Le Conservatoire national des arts et métiers (292, rue Saint-Martin) possède une bibliothèque très riche dans le domaine des techniques. Les sources d'informations statistiques sont disponibles à l'Observatoire économique de Paris de l'Institut national de la statistique et des études économiques (195, rue de Bercy). Le Centre de documentation économique de la Chambre de commerce et d'industrie de Paris (27, avenue de Friedland) ne doit pas être négligé. Le Centre national de la recherche scientifique-Institut de l'information scientifique et technique (CNRS-INIST, 54, boulevard Raspail) dispose des banques de données informatisées FRANCIS.

La documentation économique est énorme, dispersée, souvent d'accès difficile (documents multigraphiés plus ou moins confidentiels, banques de données à l'accès restreint, etc.). La masse de ces publications a découragé les bibliographes depuis le début des années 1970. On peut citer comme instruments disparus :

— *Bibliographie. Paris et la région parisienne*, de parution mensuelle de 1947 à 1957 à l'intérieur du *Bulletin de la Chambre de commerce de Paris*, remplacé par *Économie régionale. Bibliographie mensuelle sélectionnée*, publiée par la bibliothèque de la Chambre de commerce de Paris de 1957 à 1969, à laquelle a succédé une banque de données informatisée.

Il faut citer une bibliographie précieuse mais difficilement accessible, car multigraphiée :

PLINVAL SALGUES (R. DE), *Bibliographie analytique des expositions industrielles et commerciales en France depuis l'origine jusqu'en 1867* (1960).

Un guide de recherches d'une qualité exceptionnelle vient de paraître :

FÉLIX (J.), *Économie et finances sous l'Ancien Régime. Guide du chercheur, 1523-1789* (1995).

B. Les statistiques

Voir aussi paragraphe 6 F. Il existe un excellent inventaire pour les documents peu connus de l'Ancien Régime :

GRENIER (J.Y.), *Séries économiques françaises, XVIᵉ-XVIIIᵉ siècles* (1985, recensement des documents statistiques publiés).

Il existe quelques recueils très importants au XIXᵉ siècle :

— *Recherches statistiques sur la Ville de Paris et le département de la Seine*, publiées par le préfet de la Seine (1821-1860, 6 vol.).

— *Statistique de l'industrie à Paris*, résultant de l'enquête faite par la Chambre de commerce de Paris pour les années 1847 et 1848 (1851).

— *Statistique de l'industrie à Paris*, résultant de l'enquête faite par la Chambre de commerce de Paris pour l'année 1860 (1864).

— *Enquête sur les conditions du travail en France pendant l'année 1872. Département de la Seine* (1875).

— *La Petite Industrie. Salaires et durée du travail. Alimentation à Paris. Vêtement* (1893-1896, 2 vol.).

On peut y ajouter :

BERTILLON (J.), *Atlas de statistique graphique de la ville de Paris* (1888-1889, 2 vol.).

C. Ouvrages généraux sur l'économie française

AVENEL (G. D'), *Le Mécanisme de la vie moderne* (1902-1911, 5 vol.).

CHABERT (A.), *Essai sur le mouvement des revenus et de l'activité économique en France de 1798 à 1820* (1949).

COMBE (P.), *Niveau de vie et progrès technique en France depuis 1860* (1956).

— *Histoire générale du travail* (1961-1962, 4 vol.).

BOUVIER (J.), FURET (F.), GILLET (M.), *Le Mouvement du profit en France au XIXᵉ siècle, matériaux et études* (1965).

— *Histoire économique et sociale de la France* (1970-1982, 4 tomes en 8 vol., importante bibliographie).

PUMAIN (D.), SAINT-JULIEN (T.), *Les Dimensions du changement urbain. Évolution des structures socio-économiques du système urbain français de 1954 à 1975* (1978).

BOUVIER-AJAM (M.), *Histoire du travail en France, des origines à la Révolution* (1981, 2ᵉ éd.).

ASSELAIN (J.C.), *Histoire économique de la France du XVIIIᵉ siècle à nos jours* (1984, 2 vol.).

SIVERY (G.), *L'Économie du royaume de France au siècle de saint Louis, vers 1180-vers 1315* (1984).

WEBER (H.), *Le Parti des patrons. Le CNPF, 1946-1990* (1986, nouvelle éd. en 1991).

HINCKER (F.), *La Révolution française et l'économie. Décollage ou catastrophe?* (1989).

BAYARD (F.), GUIGNET (P.), *L'Économie française aux XVIᵉ-XVIIᵉ-XVIIIᵉ siècles* (1991).

BUTEL (P.), *L'Économie française au XVIIIᵉ siècle* (1993).

D. Ouvrages généraux sur l'économie parisienne

Le chapitre IV, «Histoire politique» (§ 21 à 30), contient de nombreux ouvrages comprenant une partie économique importante. Un exemple :

LANZAC DE LABORIE (L. DE), *Paris sous Napoléon* (1905-1913, 8 vol.), consacre son volume 6 au monde des affaires et du travail.

L'histoire économique récente a fait l'objet de nombreux travaux :

CHOMBART DE LAUWE (P.), *Paris et l'agglomération parisienne* (1952, 2 vol.).

GILLE (B.), «Fonctions économiques de Paris», p. 115-151 de *Paris. Fonctions d'une capitale* (1962).

— *L'Attraction de Paris sur sa banlieue* (1964).

BEAUJEU-GARNIER (J.), BASTIÉ (J.) dir., *Atlas de Paris et de la région parisienne* (1967-1971, 2 vol.).

BEAUJEU-GARNIER (J.), BASTIÉ (J.), *Paris et la région parisienne. Atlas pour tous* (1972).

BEAUJEU-GARNIER (J.), *Place, vocation et avenir de Paris et de sa région* (1975).

BEAUJEU-GARNIER (J.), *Atlas et géographie de Paris et de la région d'Île-de-France* (1977, 2 vol.).

— Agence Jean Ricour Conseil, *Atlas économique de l'Île-de-France* (1981).

SAUTREUIL (C.), *Desserrement ou migration? Le transfert des sièges sociaux en banlieue parisienne* (1981), thèse multigraphiée résumée dans *Acta geographica*, 49 (1982), p. 1-10.

BASTIÉ (J.), *Géographie du Grand Paris* (1984).

— «Les implantations de firmes étrangères à Paris et en Île-de-France et les fonctions de la région dans le tissu économique français», n° 11 (juin 1985) des *Cahiers du CREPIF*.

— «La maîtrise de l'énergie dans la ville», n° 16 (sepembre 1986) des *Cahiers du CREPIF*.

— *Emplois, entreprises et équipements en Île-de-France. Une géographie de la turbulence* (1987).

RONSAC (J.J.), *Géographie de l'emploi et du déséquilibre actifs-emplois en Île-de-France, évolution 1975-1982* (1987).

ROUSSET-DESCHAMPS (M.), CAZES (C.), *Paris et sa région en France et dans le monde* (1988).

CARREZ (J.F.), *Le Développement des fonctions tertiaires supérieures internationales à Paris et en Île-de-France et dans le réseau des métropoles régionales* (1990).

DAMETTE (F.), BECKOUCHE (P.), *La Métropole parisienne. Système productif et organisation de l'espace* (1990).

— *Paris et ses réseaux. Naissance d'un mode de vie urbain, XIXᵉ-XXᵉ siècles* (1990).

— «L'opposition Paris-province : un faux débat à l'heure de l'Europe?», n° 34 (mars 1991) des *Cahiers du CREPIF*.

TABARD (N.), *Quantification économique de l'espace, région Île-de-France* (1991).

BEAUJEU-GARNIER (J.), *Paris : hasard ou prédestination ? Une géographie de Paris* (1993, importante bibliographie dans ce volume de la « Nouvelle Histoire de Paris »).

72. PRIX ET SALAIRES

Intimement mêlés, prix et salaires sont traités dans une seule séquence :

AVENEL (G. D'), *Histoire économique de la propriété, des salaires, des denrées et de tous les prix en général depuis l'an 1200 jusqu'en l'an 1800* (1894-1912, 6 vol.).

CARON (P.) éd., « Une enquête sur les prix après la suppression du maximum », dans *Bulletin trimestriel de la Commission de recherche et de publication des documents relatifs à la vie économique de la Révolution*, 1910, p. 1-134 et 303-412.

— Ministère du Travail et de la Prévoyance sociale. Statistique générale de la France, *Salaires et coût de l'existence à diverses époques, jusqu'en 1910* (1911).

ACONIN (M.), *Le Prix des objets de première nécessité depuis cinquante ans* (1912).

MARCH (L.), *Mouvement des prix et des salaires pendant la guerre* (1925).

LABROUSSE (E.), *Esquisse du mouvement des prix et des revenus en France au XVIIIe siècle* (1933, 2 vol.).

HAUSER (H.), *Recherches et documents sur l'histoire des prix en France de 1500 à 1800* (1936).

LEFEBVRE (G.), « Le mouvement des prix et les origines de la Révolution française », dans *Annales historiques de la Révolution française*, juillet-août 1937, p. 289-329 (réimprimé dans *Études sur la Révolution* en 1954).

MEUVRET (J.), « Les mouvements des prix de 1661 à 1715 et leurs répercussions », dans *Journal de la Société de statistique de Paris*, 1944, p. 109-119.

CHABERT (A.), *Essai sur les mouvements des prix et des revenus en France de 1798 à 1820* (1945).

BERTRAND (J.), *La Taxation des prix sous la Révolution française* (1949).

SHEPARD (W.F.), *Price control and the reign of Terror, France, 1793-1795* (1953).

JEANNENEY (J.M.), *Essai sur le mouvement des prix en France depuis la stabilisation monétaire, 1925-1935* (1936).

FOURASTIÉ (J.) éd., *Documents pour l'histoire et la théorie des prix. Séries statistiques...* (1958-1962, 2 vol.).

MARC (A.), *L'Évolution des prix depuis cent ans* (1958).

FONTAINE (C.), *Les Mouvements de prix et leur dispersion, 1892-1963. Essai d'analyse et documents statistiques* (1966).

LHOMME (J.), « Le pouvoir d'achat de l'ouvrier français au cours d'un siècle, 1840-1940 », dans *Le Mouvement social*, avril-juin 1968, p. 41-69.

FOURASTIÉ (J.) dir., *Documents pour l'élaboration d'indices du coût de la vie en France de 1910 à 1965* (1970, excellent).

LABROUSSE (E.) éd., *Le Prix du froment en France au temps de la monnaie stable, 1726-1913* (1970).

SONENSCHER (M.), *Work and wages. Natural law, politics and the eighteenth-century French trades* (1989).

Travaux consacrés exclusivement à Paris :

BENOISTON DE CHATEAUNEUF (L.F.), *Recherches sur les consommations de tout genre de la ville de Paris en 1817, comparées à ce qu'elles étaient en 1789* (1820; 2ᵉ éd. en 1821).

DUCHATELLIER (A.R.), *Essai sur les salaires et les prix de consommation de 1802 à 1830* (1830).

HAUSSONVILLE (O. D'), « La vie et les salaires à Paris », dans *Revue des Deux Mondes*, 15 avril 1883, p. 815-867.

BIENAYMÉ (G.), « Le coût de la vie à Paris à diverses époques », dans *Journal de la Société de statistique de Paris*, 1895, p. 57-68, 355-360 ; 1896, p. 375-390 ; 1897, p. 83-90 ; 1898, p. 369-382 ; 1899, p. 366-385 ; 1901, p. 93-108, 293-310 ; 1902, p. 87-103 ; 1903, p. 20-30, 49-57, 142-145.

BAULANT (M.), MEUVRET (J.), *Prix des céréales extraits de la Mercuriale de Paris, 1520-1698* (1960-1962, 2 vol.).

SINGER-KÉREL (J.), *Le Coût de la vie à Paris de 1840 à 1954* (1961, excellent).

ROUGERIE (J.), « Remarques sur l'histoire des salaires à Paris au XIXᵉ siècle », dans *Le Mouvement social*, janvier-mars 1968, p. 71-108.

BAULANT (M.), « Le salaire des ouvriers du bâtiment à Paris de 1400 à 1726 », dans *Annales. Économies, sociétés, civilisations*, 1971, p. 463-483.

LACHIVER (M.), « Prix des grains à Paris et à Meulan dans la seconde moitié du XVIᵉ siècle, 1573-1586 », dans *Annales. Économies, sociétés, civilisations*, janvier-février 1971, p. 140-150.

BAULANT (M.), « Prix et salaires de Paris au XVIᵉ siècle, sources et résultats », dans *Annales. Économies, sociétés, civilisations*, 1976, p. 954-995.

73. ARTISANAT

La littérature sur l'histoire de l'artisanat est peu importante, souvent médiocre et difficile à repérer. On la trouve principalement à la bibliothèque Forney (§ 71). Chaque chambre de métiers possède son annuaire, qu'il est utile de consulter. En 1964 a été créé un :
— *Annuaire national officiel de l'artisanat français. Paris-Seine*, édité sous le patronage de la Chambre des métiers de la Seine.

• Principaux ouvrages :

BOILEAU (E.), *Le Livre des métiers* (éd. G.B. DEPPING en 1837, éd. R. DE LESPINASSE et F. BONNARDOT en 1879).

DESMAZE (C.), *Les Métiers de Paris d'après les ordonnances du Châtelet, avec les sceaux des artisans* (1874).

FAGNIEZ (G.), *Études sur l'industrie et la classe industrielle à Paris au XIIIᵉ et au XIVᵉ siècle* (1877, excellent malgré son ancienneté).

LESPINASSE (R. DE), *Les Métiers et corporations de la Ville de Paris* (1886-1897, 3 vol.).

DU MAROUSSEM (P.), *La Question ouvrière* (1891-1894, 4 vol. ; charpentiers, ébénistes, fabricants de jouets, …).

BOUCHOT (H.), *Histoire anecdotique des métiers avant 1789* (1892).

HUSSON (F.), *Artisans français* (1902-1906, 9 vol.).

GUIFFREY (J.), « Les Gobelins, teinturiers en écarlate au faubourg Saint-Marcel », dans *Mémoires de la Société de l'histoire de Paris et de l'Île-de-France*, 31 (1904), p. 1-92.

MANNEVILLE (C.), « Les Canaye, teinturiers en écarlate à Saint-Marcel-lez-

Paris», dans *Bulletin de la montagne Sainte-Geneviève*, 5 (1905-1908), p. 262-293.

FRANKLIN (A.), *Dictionnaire historique des arts, métiers et professions exercés dans Paris depuis le XIIIᵉ siècle* (1905-1906, réimpression en 1977 ; toujours utile).

COUDERC (C.), «Les comptes d'un grand couturier parisien du XVᵉ siècle», dans *Bulletin de la Société de l'histoire de Paris et de l'Île-de-France*, 1911, p. 118-192.

GUIFFREY (J.), «La communauté des maîtres peintres» nᵒ 9 (1915) de la nouvelle série des *Archives de l'art français*.

GUENEAU (L.), «Paris, les industries et le commerce de la soie et des soieries à la fin de l'Ancien Régime», dans *Revue d'histoire moderne*, 1 (1926), p. 280-303 et 424-443.

SAMOYAULT-VERLET (C.), *Les Facteurs de clavecins parisiens, notices biographiques et documents, 1550-1773* (1966).

GEREMEK (B.), *Le Salariat dans l'artisanat parisien aux XIIIᵉ-XIVᵉ siècles* (1968, nouvelle éd. en 1982).

KAPLAN (S.L.), «Réflexions sur la police du monde du travail, 1700-1815», dans *Revue historique*, 261 (1979), p. 17-77.

DELAHAYE (G.R.), «Aspects de l'économie du haut Moyen Âge en Gaule : les sarcophages de pierre mérovingiens décorés exhumés à Paris», dans *Paris et Île-de-France*, 32 (1981), p. 185-234.

GAYAT (S.), *L'Artisanat dans la zone centrale de l'agglomération parisienne* (1983).

HAINE (M.), *Les Facteurs d'instruments de musique à Paris au XIXᵉ siècle...* (1985).

THILLAY (A.), *Le Faubourg Saint-Antoine et ses métiers, 1636-1716* (1985, mémoire multigraphié).

GÉTREAU (F.) éd., *Instrumentistes et luthiers parisiens, XVIIᵉ-XIXᵉ siècles* (1988).

LEPROUX (G.M.), *Recherches sur les peintres-verriers parisiens de la Renaissance* (1988).

MONTAGNÉ-VILLETTE (S.) éd., *Espaces et travail clandestins* (1991).

— «L'avenir de l'artisanat à Paris et en Île-de-France», nᵒ 39 (juin 1992) des *Cahiers du CREPIF*.

GOURDEN (J.M.), *Le Peuple des ateliers. Les artisans au XIXᵉ siècle* (1992).

Il est impossible de donner, profession par profession, la bibliographie de l'artisanat parisien. On se limite à quatre exemples.

• D'abord la menuiserie et l'ébénisterie :

DU MAROUSSEM (P.), *La Question ouvrière* (1891-1894, 4 vol. ; le 1ᵉʳ sur les charpentiers, le 2ᵉ sur les ébénistes du faubourg Saint-Antoine, le 3ᵉ sur le jouet).

SALVERTE (F. DE), *Les Ébénistes du XVIIIᵉ siècle, leurs œuvres et leurs marques* (1923, 6ᵉ éd. en 1975).

GARRENC (P.), «L'évolution de l'industrie du meuble dans l'agglomération parisienne», dans *Bulletin de la Société d'études historiques, géographiques et scientifiques de la région parisienne*, 67 (avril 1950), p. 2-14.

LEDOUX-LEBARD (D.), *Les Ébénistes parisiens, 1795-1830, leurs œuvres et leurs marques...* (1951 ; 2ᵉ éd. en 1965, 3ᵉ éd. en 1984 qui annule les précédentes et couvre les années 1795-1889).

— *Grands Ébénistes parisiens du XVIIIe siècle, 1740-1790* (1955, exposition au Musée des Arts décoratifs).

GARRENC (P.), *L'Industrie du meuble* (1958).

MEUVRET (J.), *Les Ébénistes du XVIIIe siècle français* (1963).

VERLET (P.), *L'Art du meuble à Paris au XVIIIe siècle* (1968).

JANNEAU (G.), *Les Ateliers parisiens d'ébénistes et de menuisiers aux XVIIe et XVIIIe siècles* (1975).

ROUX (S.), « Le travail et les métiers du bois à Paris du XIIIe au XVe siècle », p. 239-250 de *Le Bois et la Ville du Moyen Âge au XXe siècle* (1991).

• Les orfèvres et bijoutiers :

NOCQ (H.), *Le Poinçon de Paris. Répertoire des maîtres orfèvres de la juridiction de Paris depuis le Moyen Âge jusqu'à la fin du XVIIIe siècle* (1926-1931, 5 vol., réimpression en 1967).

BIMBENET-PRIVAT (M.), « Le commerce de l'orfèvrerie à Paris au XVIe siècle : structures et stratégies, 1547-1589 », dans *Bulletin de la Société de l'histoire de Paris et de l'Île-de-France*, 1983, p. 17-96.

ARMINJON (C.), BEAUPUIS (J.), BILIMOFF (M.), *Dictionnaire des poinçons de fabricants d'ouvrages d'or et d'argent de Paris et de la Seine, 1798-1838* (1991).

BIMBENET-PRIVAT (M.), *Les Orfèvres parisiens de la Renaissance, 1506-1620* (1992, ouvrage capital, avec la figuration des poinçons, plus de deux mille notices biographiques et une importante bibliographie).

• La tapisserie :

HAVARD (H.), VACHON (M.), *Les Manufactures nationales : les Gobelins, la Savonnerie, Sèvres, Beauvais* (1889).

GERSPACH (E.), *La Manufacture nationale des Gobelins* (1892).

GUIFFREY (J.), « Les manufactures parisiennes de tapisseries au XVIIe siècle », dans *Mémoires de la Société de l'histoire de Paris et de l'Île-de-France*, 19 (1892), p. 43-292.

GERSPACH (E.), *Répertoire détaillé des tapisseries des Gobelins exécutées de 1662 à 1892* (1893).

FENAILLE (M.), *État général des tapisseries de la manufacture des Gobelins depuis son origine jusqu'à nos jours* (1904-1907, 3 vol.).

GUIFFREY (J.), *Les Manufactures nationales de tapisserie. Les Gobelins et Beauvais* (1905).

SOUCHAL (G.), *Études sur la tapisserie parisienne* (1965).

• Cochers puis taxis :

DUCLOU (M.R.), *Les Carrosses à cinq sols* (1950).

CAUSSE (B.), *Les Fiacres de Paris aux XVIIe et XVIIIe siècles* (1972).

PAPAYANIS (N.), « Un secteur des transports parisiens : le fiacre, de la libre entreprise au monopole, 1792-1955 », dans *Histoire, économie, société*, 4 (1986), p. 559-572.

GERRITSEN (D.), *Crise professionnelle, crise économique : le taxi parisien, 1965-1985* (1987).

ROUXEL (C.), *La Grande Histoire des taxis français* (1989).

74. COMMERCE

On trouvera dans le chapitre IV (« Politique », § 21-30), un grand nombre d'ouvrages traitant la question du commerce parisien. Un exemple :

Du Camp (M.), *Paris, ses organes, ses fonctions et sa vie dans la seconde moitié du XIXᵉ siècle* (1869-1875, 6 vol.), consacre le volume 2 au commerce. Voir aussi la juridiction consulaire (§ 36 C). Il est impossible d'aborder ici toutes les branches du négoce.

Un choix sévère a dû être pratiqué :

Desmaze (C.), *Les Métiers de Paris, d'après les ordonnances du Châtelet...* (1894).

Bailly (A.), *Code des usages professionnels. Us et coutumes des métiers, région de Paris* (1901).

Picarda (E.), *Les Marchands de l'eau. Hanse parisienne et compagnie française* (1901).

Franklin (A.), *Dictionnaire historique des arts, métiers et professions exercés dans Paris depuis le XIIIᵉ siècle* (1905-1906, réimpression en 1977, encore utile).

Gaillard-Bancel (M. de), *Les Anciennes Corporations de métiers et la lutte contre la fraude dans le commerce et la petite industrie* (1913).

— *Histoire du commerce de Paris* (1953, exposition de la Chambre de commerce de Paris).

Lanoizelée (L.), *Les Bouquinistes des quais de Paris* (1956).

Herbin (P.), «Ébauche d'une géographie commerciale de Paris», dans *Vendre*, nº 345 (novembre 1958), p. 37-52, et nº 346 (décembre 1958), p. 97-113.

Gille (B.) éd., *Documents sur l'état de l'industrie et du commerce de Paris et du département de la Seine, 1778-1810...* (1963).

Tirat (J.Y.), «Les voituriers par eau parisiens au milieu du XVIIᵉ siècle», dans *Dix-Septième Siècle*, 1962, p. 43-66.

Lorenz (P.) dir., *Métiers disparus* (1968).

Bourquin (M.H.), *L'Approvisionnement de Paris en bois de la Régence à la Révolution* (1969, excellente thèse multigraphiée, résumée p. 159-228 d'*Études d'histoire du droit parisien*, recueil paru en 1970).

Cazelles (R.), «La rivalité commerciale de Paris et de Rouen au Moyen Âge. Compagnie française et compagnie normande», dans *Bulletin de la Société de l'histoire de Paris et de l'Île-de-France*, 1969, p. 99-112.

Delobez (A.), *Le Commerce de gros à Paris* (1972, 3 fascicules multigraphiés, Atelier parisien d'urbanisme).

Favier (J.), *Le Commerce fluvial dans la région parisienne au XVᵉ siècle. Le registre des compagnies françaises, 1449-1467* (1975).

Boissier (J.), «Une source pour l'histoire des forêts et du commerce du bois : les enquêtes du Bureau de la Ville», dans *Paris et Île-de-France*, 28 (1977), p. 115-148.

Demorgon (M.), *Analyse de la fonction commerciale à Paris* (1977, 2 vol., thèse multigraphiée).

Faure (A.), «L'épicerie parisienne au XIXᵉ siècle, ou la corporation éclatée», dans *Le Mouvement social*, numéro spécial sur l'atelier et la boutique, 1979, p. 113-130.

— Chambre de commerce et d'industrie de Paris, *Le Grand Commerce à Paris et dans la petite couronne* (1982).

— Chambre de commerce et d'industrie de Paris, *Le Petit Commerce à Paris* (1983).

Lacordaire (S.), *Les Inconnus de la Seine. Paris et les métiers de l'eau du XIIIᵉ au XIXᵉ siècle* (1985).

NORD (P.G.), *Paris shopkeepers and the politics of resentment* (1986).
— *Les décors des boutiques parisiennes* (1987).

• L'alimentation, les Halles et marchés :

BENOISTON DE CHATEAUNEUF (L.F.), *Recherches sur les consommations de tous genres de la ville de Paris en 1817, comparées à ce qu'elles étaient en 1789* (1820).

BIOT (J.B.), *Lettres sur l'approvisionnement de Paris et sur le commerce des grains* (1835).

SYLVESTRE (A.J.), *Histoire des professions alimentaires dans Paris et ses environs* (1853).

HUSSON (A.), *Les Consommations de Paris* (1856, nouvelle éd. totalement différente en 1875, très important, avec des données remontant souvent au XVIIᵉ siècle).

BALTARD (V.), CALLET (F.), *Monographie des Halles centrales de Paris* (1863, 2ᵉ éd. en 1873, l'aspect architectural des Halles).

COCHUT (A.), «Le pain à Paris», dans *Revue des Deux Mondes*, 14 août 1863, p. 964-975 ; 15 septembre 1863, p. 400-435.

BIOLLAY (L.), «Les anciennes Halles de Paris», dans *Mémoires de la Société de l'histoire de Paris et de l'Île-de-France*, 3 (1876), p. 293-355.

COFFIGNON (A.), *Paris vivant. L'estomac de Paris...* (1887, pittoresque).
— Préfecture de la Seine. Direction des affaires municipales. Bureau de l'approvisionnement, *Notes sur les abattoirs, entrepôts, halles, marchés et établissements divers concourant à l'approvisionnement de Paris* (1889, contient un historique des marchés avant 1789).

PASSY (L.), «Napoléon. L'approvisionnement de la ville de Paris et la question des subsistances sous le Consulat et l'Empire», dans *Comptes rendus de l'Académie des sciences morales et politiques*, 47 (1897), p. 558-616 et 777-820, ainsi que dans *Mélanges scientifiques et littéraires*, 1896, 3ᵉ série, p. 1-112.

DES CILLEULS (A.), «L'approvisionnement de Paris en céréales dans le passé et dans le présent», dans *Revue générale d'administration*, juin à août 1910, p. 141-155, 268-281, 385-408.

FACQUE (R.), *Les Halles et marchés alimentaires de Paris* (1911).

CHERRIÈRE (?), «Le marché Sainte-Catherine», dans *La Cité*, 1915, p. 5-35.

BROCHIN (M.), *Les Règlements sur les marchés des blés de Paris sous l'Ancien Régime* (1917).

HERLAUT (A.), «La disette de pain à Paris en 1709», dans *Mémoires de la Société de l'histoire de Paris et de l'Île-de-France*, 45 (1918), p. 5-100.

BONDOIS (P.M.), «Les difficultés du ravitaillement parisien. Le commerce des beurres et des œufs sous l'Ancien Régime», p. 214-320 de *Mémoires et documents pour servir à l'histoire du commerce et de l'industrie en France* (1924, 8ᵉ série).

VIGOUREUX (C.), «Le commerce des grains à Paris au temps jadis», dans *Le Centre de Paris*, 2 (1932), p. 286-392.

CALVET (H.), *L'Accaparement à Paris sous la Terreur...* (1933).

GARNIER (E.), *L'Agriculture dans le département de la Seine et le marché parisien du point de vue ravitaillement alimentaire* (1939).

MEYNARD (P.), *Les Modes de vente des fruits et légumes aux Halles centrales de Paris* (1942).

BAURIT (M.), *Les Halles de Paris, des Romains à nos jours* (1956).

MEUVRET (J.), « Le commerce des grains et farines à Paris et les marchands parisiens à l'époque de Louis XIV », dans *Revue d'histoire moderne et contemporaine*, 1956, p. 169-203.

MARTINEAU (J.), *Les Halles de Paris, des origines à 1789* (1960).

PHILIPPE (R.), « Une opération pilote : l'étude du ravitaillement de Paris au temps de Lavoisier », dans *Annales. Économies, sociétés, civilisations*, 1961, p. 564-568, et p. 60-67 de *Pour une histoire de l'alimentation* (1970).

— Chambre de commerce et d'industrie de Paris, *Distribution des commerces alimentaires dans la région parisienne* (1962).

BERGERON (L.), « Approvisionnement et consommation à Paris sous le premier Empire », dans *Paris et Île-de-France*, 14 (1963), p. 197-232.

REINHARD (M.), *Ravitaillement et Révolution* (1963, 3 vol.).

COBB (R.), *Terreur et subsistances, 1793-1795* (1965).

CHASTEL (A.), « L'aménagement du marché central de Paris, de la réformation des Halles du XVIe siècle à celle du XIXe siècle », dans *Bulletin monumental*, 1969, p. 7-26 et 69-106 (topographie et architecture).

GINDIN (C.), « Le pain de Gonesse à la fin du XVIIe siècle », dans *Revue d'histoire moderne et contemporaine*, 1972, p. 414-434.

HÉRON DE VILLEFOSSE (R. DE), *Les Halles, de Lutèce à Rungis* (1973).

BRICOURT (M.), LACHIVER (M.), QUERUEL (J.), « La crise des subsistances des années 1740 dans le ressort du parlement de Paris d'après le fonds Joly de Fleury de la Bibliothèque nationale de Paris », dans *Annales de démographie historique*, 1975, p. 281-333.

GOUDEAU (J.C.), *Le Transfert des Halles à Rungis* (1975).

LÉRI (J.M.), « Aspect administratif de la construction des marchés de la ville de Paris, 1800-1850 », dans *Bulletin de la Société de l'histoire de Paris et de l'Île-de-France*, 1976-1977, p. 187-190.

CHEMLA (G.), *Les Conséquences du transfert des Halles à Rungis* (1977, mémoire multigraphié).

PEYSSON (J.M.), « Le mur d'enceinte des fermiers généraux et la fraude à la fin de l'Ancien Régime », dans *Bulletin de la Société de l'histoire de Paris et de l'Île-de-France*, 1982, p. 225-240.

KELLER (A.), *Die Getreideversorgung von Paris und London in der zweiten Hälfte des 17. Jahrhunderts* (1983).

PEYSSON (J.M.), *Le Mur d'enceinte des fermiers généraux, 1784-1791. Politique, économie, urbanisme* (1984, thèse multigraphiée).

KAPLAN (S.L.), *Le Pain, le Peuple et le Roi. La bataille du libéralisme sous Louis XVI* (1986).

MEUVRET (J.), *Le Problème des subsistances à l'époque de Louis XIV* (1987-1988, 4 vol.).

KAPLAN (S.L.), *Les Ventres de Paris. Pouvoir et approvisionnement dans la France d'Ancien Régime* (1988).

— Chambre de commerce et d'industrie de Paris, *Le commerce alimentaire de petite surface à Paris* (1991).

CHEMLA (G.), *Les Ventres de Paris. Les Halles, La Villette, Rungis, l'histoire du plus grand marché du monde* (1994, bibliographie).

Voir aussi paragraphe 39, « L'approvisionnement ».

• La boucherie a été assez bien étudiée :

BOURGIN (H.), « Essai sur une forme d'industrie. L'industrie de la boucherie à Paris au XIXᵉ siècle », dans *L'Année sociologique*, 1903-1904, p. 1-117.

BOURGIN (H.), *L'Industrie de la boucherie à Paris pendant la Révolution* (1911).

HÉRON DE VILLEFOSSE (R.), « La Grande Boucherie de Paris », dans *Bulletin de la Société de l'histoire de Paris et de l'Île-de-France* (1928), p. 39-73, et dans *La Cité* (1934-1935), p. 366-398.

DURBEC (J.A.), « La Grande Boucherie de Paris. Note historique d'après des archives privées, XIIᵉ-XVIIᵉ siècle », dans *Bulletin philologique et historique (jusqu'en 1715) du Comité des travaux historiques et scientifiques*, 1955-1956, p. 65-125.

LACHIVER (M.), « L'approvisionnement de Paris en viande au XVIIIᵉ siècle », p. 345-354 de *La France d'Ancien Régime. Mélanges Pierre Goubert* (1984).

• La production et la consommation de vin ont été étudiées magistralement dans :

DION (R.), *Histoire de la vigne et du vin en France* (1959, nouvelle éd. en 1977), à quoi il faut ajouter :

LACHIVER (M.), *Vins, vignes et vignerons : histoire du vignoble français* (1988).

Sur Paris et sa région, peu d'études :

LORENZI (J.), « Le commerce du vin à Paris au Moyen Âge », dans *La Cité* (1936-1937), p. 239-267.

MICHEL (M.E.), « Recherches sur la "compagnie française" au XVIᵉ siècle d'après le commerce vinicole parisien », dans *Paris et Île-de-France*, 15 (1964), p. 43-73.

— *La Vigne et le vin en Île-de-France*, tome 35 (1984), de *Paris et l'Île-de-France*, où figure :

ZÉPHIRIN (Y.), « La première halle au vin de Paris, 1664-1812 », p. 251-264.

• Études sur les grands magasins :

FRANKLIN (A.), *La Vie privée d'autrefois... Les magasins de nouveautés* (1894-1898, 4 vol.).

LAUDET (F.), *La Samaritaine* (1933).

DASQUET (M.), *Le Bon Marché* (1955).

GILLE (B.), « Recherches sur l'origine des grands magasins parisiens. Note d'orientation », dans *Paris et Île-de-France*, 6 (1955), p. 251-264.

YDEWALLE (C. D'), *Au Bon Marché* (1965).

RENOY (G.), *Paris naguère : les grands magasins* (1978).

MARREY (B.), *Les Grands Magasins des origines à 1933* (1979).

MILLER (M.), *The Bon Marché : bourgeois culture and the department store, 1869-1920* (1981).

FARAUT (F.), *Histoire de la Belle Jardinière* (1987).

MILLER (M.), *Au Bon Marché* (1987).

BOURIENNE (V.), « Boucicaut, Chauchard et les autres. Fondateurs et fondation des premiers grands magasins parisiens », dans *Paris et Île-de-France*, 40 (1989), p. 257-335.

DU CLOSEL (J.), *Les Grands Magasins français cent ans après* (1989).

• Hôtellerie et tourisme :

WATTS (S.), *Le Ritz, la vie intime du plus prestigieux hôtel du monde* (1968).

HÉRON de VILLEFOSSE (R.), *Histoire et tradition de l'hôtel Intercontinental à Paris* (1979).

GERBOD (P.), «Les touristes étrangers à Paris dans la première moitié du XIXᵉ siècle», dans *Bulletin de la Société de l'histoire de Paris et de l'Île-de-France*, 1983, p. 241-257.

LAGADEC (D.), STARKMAN (N.), «Des étoiles plein la ville : Paris, capitale européenne de l'hôtellerie», dans *Cahiers de l'IAURIF*, 77 (mars 1986), p. 95-104.

— Chambre de commerce et d'industrie de Paris, *L'Hôtellerie parisienne : bilan et perspectives* (1987).

— «Paris et l'Île-de-France, terres de rencontres, congrès, salons, tourisme d'affaires», nº 30 (avril 1990) des *Cahiers du CREPIF*.

CHEMLA (G.), «Hôtellerie de luxe et tourisme d'affaires à Paris», dans *Cahiers du CREPIF*, nº 30 (avril 1990), p. 79-114.

THENOT (M.C.), *L'Hôtellerie de tourisme à Paris et en Île-de-France, 1984-1990* (1991, publication de l'APUR).

ÉTIENNE (B.), GAILLARD (M.), *Palaces et grands hôtels* (1992).

PAUCHANT (E.), BARRÈRE (A.D.), *Plan d'aménagement du tourisme parisien* (1992).

• Apothicaires et pharmaciens :
DORVEAUX (P.), *Inventaire des archives de la compagnie des marchands apothicaires de Paris et du collège de pharmacie de Paris dressé en 1786* (1893, paru aussi dans *Revue des bibliothèques*).

RIVIÈRE (E.), «Les apothicaires parisiens au XVIᵉ siècle», dans *Comptes rendus de l'Association française pour l'avancement des sciences... Congrès de Nîmes*, 1912.

GUITARD (E.H.), «Les apothicaires privilégiés de Paris sous l'Ancien Régime», p. 271-319 de *Mémoires et documents pour servir à l'histoire du commerce et de l'industrie en France*, 4ᵉ série (1916).

GUITARD (E.H.), «Les apothicaires privilégiés de Paris sous l'Ancien Régime. Note complémentaire», p. 53-65 de *Mémoires pour servir à l'histoire du commerce et de l'industrie en France*, 6ᵉ série (1921).

ESTACHY (P.), *Les Apothicaires des lieux privilégiés de Paris* (1943, thèse de pharmacie).

BOUVET (M.), «Les apothicaires échevins de Paris», dans *Revue d'histoire de la pharmacie*, 1952, p. 433-446.

• Les petits métiers de la rue :
FRANKLIN (A.), *La Vie privée d'autrefois... L'annonce et la réclame. Les cris de Paris...* (1887).

FOURNEL (V.), *Les Cris de Paris...* (1888).

TOMEL (G.), *Petits Métiers parisiens* (1898).

SAVIGNY DE MONCORPS (vicomte de), *Petits Métiers et cris de Paris* (1905, paru dans *Bulletin du bibliophile* où a été publié un supplément en 1906, p. 309-328, contenant une bibliographie des imprimés et des estampes).

CASTELNAU (J.), *Les Petits Métiers de Paris* (1952).

FOURNIER (A.), *Métiers curieux de Paris...* (1953).

MASSIN (?), *Les Cris de la ville. Commerces ambulants et petits métiers de la rue* (1978).

— *Petits Métiers, Paris 1900. Huit cents cartes postales* (1982, exposition dans les mairies des XVᵉ et XVIIᵉ arrondissements).

GOURDEN (J.M.), *Les Petits Métiers parisiens et leurs fonctions au XIXe siècle. L'exemple des marchands de quatre-saisons* (1983, thèse multigraphiée).

BERTHEAU (G.), *Vieux Métiers et pratiques oubliées à Paris, dans la région parisienne et ailleurs* (1988).

COSTES (L.), «Les petits commerçants du métro parisien», dans *Revue européenne des migrations internationales*, 3 (1988), p. 57-71.

BAILHÉ (C.), SACRISTE (A.), *Paris au temps des marchands de coco* (1989).

BERROUET (L.), LAURENDON (G.), *Métiers oubliés de Paris. Dictionnaire littéraire et anecdotique* (1994).

75. BANQUE, CRÉDIT, ASSURANCES

• Quelques références indispensables concernant la France entière :

BIGO (R.), *La Caisse d'Escompte (1776-1793) et les origines de la Banque de France* (1927).

MARION (M.), *Histoire financière de la France* (1927-1931, 6 vol.).

RAMON (G.), *Histoire de la Banque de France* (1929).

HARSIN (P.), *Crédit public et banque d'État en France du XVIe au XVIIIe siècle* (1933).

DAUPHIN-MEUNIER (A.), *La Banque de France* (1937).

GILLE (B.), *La Banque et le crédit en France de 1815 à 1848* (1959).

LÜTHY (H.), *La Banque protestante en France de la révocation de l'édit de Nantes à la Révolution* (1959-1961, 2 vol.).

FAVREAU (R.), «Les changeurs du royaume sous le règne de Louis XI», dans *Bibliothèque de l'École des chartes*, 1964, p. 216-251.

LÉVY (C.F.), *Capitalisme et pouvoir au siècle des Lumières* (1969-1980, 3 vol.).

CHAUSSINAND-NOGARET (G.), *Gens de finance au XVIIIe siècle* (1972, nouvelle éd. en 1993).

DAUMARD (A.) dir., *Les Fortunes françaises au XIXe siècle... Enquête sur la répartition et la composition des capitaux privés à Paris, Lyon, Lille, Bordeaux et Toulouse, d'après l'enregistrement des déclarations de succession* (1973).

HINCKER (F.), *Expériences bancaires sous l'Ancien Régime* (1974).

FAURE (E.), *La Banqueroute de Law, 17 juillet 1720* (1977).

PLESSIS (A.), *La Banque de France sous le second Empire* (1982-1985, 3 vol.).

BRUGUIÈRE (M.), *Gestionnaires et profiteurs de la Révolution. L'administration des finances françaises de Louis XVI à Bonaparte* (1986).

BAYARD (F.), *Le Monde des financiers au XVIIe siècle* (1988).

• L'argent à Paris :

BAYARD (E.), *La Caisse d'épargne et de prévoyance de Paris, origine, histoire, législation, 1818-1890* (1892).

PITON (C.), *Les Lombards en France et à Paris* (1892-1893, 2 vol.).

CAUWÈS (P.), «Les commencements du crédit public en France : les rentes sur l'Hôtel de Ville au XVIe siècle», dans *Revue d'économie politique*, 1895, p. 97 *sqq.* et p. 825 *sqq.* ; 1896, p. 407 *sqq.*

PICARDA (E.), *Les Marchands de l'eau, hanse parisienne et compagnie française* (1901).

DUPONT-FERRIER (P.), *Le Marché financier de Paris sous le second Empire* (1925).

BOUCHARY (J.), *Le Marché des changes à Paris à la fin du XVIIIe siècle, 1778-1800* (1937).

BOUCHARY (J.), *Les Compagnies financières à Paris à la fin du XVIIIe siècle* (1940-1942, 2 vol.).

BOUCHARY (J.), *Les Manieurs d'argent à Paris à la fin du XVIIIe siècle* (1941-1943, 3 vol.).

BOUCHARY (J.), *L'Eau à Paris à la fin du XVIIIe siècle : la Compagnie des eaux de Paris et l'entreprise de l'Yvette* (1946).

COLLING (A.), *La Prodigieuse Histoire de la Bourse* (1949).

SCHNAPPER (B.), *Les Rentes au XVIe siècle, histoire d'un instrument de crédit* (1957).

MAGEN (A.), «De l'intervention de la municipalité parisienne en matière monétaire pendant le premier tiers du XVIIe siècle», dans *Revue historique du droit français et étranger*, 1960, p. 430-448 et 549-577.

ANTONETTI (G.), *Une Maison de banque à Paris au XVIIIe siècle, Greffulhe-Montz et Cie, 1789-1792* (1963).

MEYNIARD (L.), *Les Hommes d'affaires du second Empire. Recherches sur les élites économiques parisiennes du second Empire* (1964, mémoire de maîtrise multigraphié).

BERGERON (L.), «Profits et risques dans les affaires parisiennes à l'époque du Directoire et du Consulat», dans *Annales historiques de la Révolution française*, 1966, p. 359-389.

ROOVER (R. DE), «Le marché monétaire de Paris, du règne de Philippe le Bel au début du XVe siècle», dans *Comptes rendus de l'Académie des inscriptions et belles-lettres*, 1968, p. 548-558.

FAVIER (J.), «Une ville entre deux vocations, la place d'affaires de Paris au XVe siècle», dans *Annales. Économies, sociétés, civilisations*, 1973, p. 1245-1279.

BERGERON (L.), *Banquiers, négociants et manufacturiers parisiens du Directoire à l'Empire* (1978).

— Chambre de commerce et d'industrie de Paris, *La Place financière de Paris : atouts et handicaps face aux défis internationaux* (1988, 2 vol.).

SULZER (J.R.), *Rapport et avis sur Paris, place financière internationale* (1990, rapport au Comité économique et social de la région d'Île-de-France).

— «La Caisse des dépôts et consignations, 175 ans», numéro spécial, novembre 1991, de *Revue d'économie financière*.

76. INDUSTRIE

L'industrie française à travers quelques ouvrages de base (voir aussi § 71 C) :

DES CILLEULS (A.), *Histoire et régime de la grande industrie en France aux XVIIe et XVIIIe siècles* (1898).

LEVASSEUR (E.), *Histoire des classes ouvrières et de l'industrie en France avant 1789* (1900-1901, 2 vol.).

LEVASSEUR (E.), *Histoire des classes ouvrières et de l'industrie en France de 1789 à 1870* (1903-1904, 2 vol.).

SCHMIDT (C.), *L'Industrie. Instruction, recueil de textes et notes* (1910, l'industrie de 1788 à 1803).

BOURGIN (G. et H.), *Le Régime de l'industrie en France de 1814 à 1830. Recueil de textes* (1912-1913, 3 vol.).

BOURGIN (G. et H.), *L'Industrie sidérurgique en France au début de la Révolution* (1920).

BALLOT (C.), *L'Introduction du machinisme dans l'industrie française* (1923).

BOISSONNADE (P.), *Le Socialisme d'État. L'industrie et les classes industrielles en France durant les deux premiers siècles de l'absolutisme, 1453-1661* (1927).

BOISSONNADE (P.), *Colbert, le triomphe de l'étatisme. La fondation de la suprématie industrielle de la France, la dictature au travail, 1661-1683* (1932).

VIENNET (O.), *Napoléon et l'industrie française : la crise de 1810-1811* (1947).

MARKOVITCH (T.J.), « Les cycles industriels en France au XIXe siècle », dans *Le Mouvement social*, 63, avril-juin 1968, p. 11-39.

— *Le Guide du patrimoine industriel, scientifique et technique* (1990).

Pour Paris, outre § 71 B et C :

FAGNIEZ (G.), *Études sur l'industrie et la classe industrielle à Paris au XIIIe et au XIVe siècle* (1877, encore utile malgré son ancienneté).

— Ministère du Commerce, Office du travail, *Salaires et durée du travail dans l'industrie française*, tome 1, *Seine* (1893).

— Ministère du Commerce, Office du travail, *La Petite Industrie, salaires et durée du travail* (1893-1896, 2 vol., l'alimentation et le vêtement à Paris).

— Ministère du Commerce, Office du travail, *L'Industrie du chiffon à Paris* (1903).

POËTE (M.), « Les débuts d'un grand siècle de l'évolution urbaine. Introduction de la grande industrie à Paris », dans *La Vie urbaine*, 1919, p. 413-456.

BESNARD (M.), *L'Industrie du gaz à Paris depuis ses origines* (1942).

GAILLARD (J.), « Les usines Cail et les ouvriers métallurgistes de Grenelle », dans *Le Mouvement social*, octobre 1960-mars 1961, p. 35-53.

BRÉGUET (C.), « La maison Bréguet », dans *Annuaire de la Société historique du XIVe arrondissement de Paris*, 1962, p. 65-92.

GILLE (B.), *Documents sur l'état de l'industrie et du commerce de Paris et du département de la Seine, 1778-1810, publiés avec une étude sur les essais d'industrialisation de Paris sous la Révolution et l'Empire* (1963).

GOLDBERG (S.), « La sous-traitance dans l'industrie des métaux : les problèmes qu'elle soulève pour l'aménagement de la région parisienne », n° 2 (juin 1965) des *Cahier de l'IAURP*.

BASTIÉ (J.), « Paris, ville industrielle », nos 3690-3691, 1970, de *Notes et études documentaires*.

DEMORGON (M.), BIARD (J.P.), *L'Évolution récente de l'industrie parisienne* (1971-1972, 2 vol. multigraphiés publiés par l'Atelier parisien d'urbanisme, APUR).

LAMBERT (M.), *Recherches statistiques sur la grande industrie à Paris et dans le département de la Seine de 1815 à 1848* (1973, mémoire de maîtrise multigraphié).

— *Évolution de la géographie industrielle de Paris et de sa proche banlieue* (1976, 3 vol. dont un atlas ; très important, bonne bibliographie).

DEMANGEAT (D.), *Mobilité des entreprises industrielles en région parisienne* (1981, 2 vol. multigraphiés).

COHEN (J.), «Les transformations de l'industrie et de la localisation des emplois dans l'agglomération parsienne», dans *Annales de géographie*, 554, août 1990, p. 385-405.

PLINVAL DE GUILLEBON (R. DE), *Faïence et porcelaine de Paris, XVIIIe-XIXe siècles* (1995, travail fondamental contenant toute la bibliographie de cette industrie).

77. CONSTRUCTION, IMMOBILIER

On se reportera aussi à la bibliographie sur le logement (§ 65 D). Le sujet a été peu traité :

HALBWACHS (M.), *Les Expropriations et le prix des terrains à Paris, 1860-1900* (1909).

— Direction municipale des travaux du cadastre de Paris. Commission des contributions directes. *Le Livre foncier de Paris* (1900-1911, 2 vol.).

COHEN (G.), *Le Logement dans les villes : la crise parisienne* (1913).

BOURDILLIAT (?), DROUET (A.), *Recueil des ventes foncières des terrains nus dans la région parisienne réalisées de 1885 à 1933 au Palais de Justice et à la Chambre des notaires de Paris* (1934, 2 vol.).

DUON (G.), «Évolution de la valeur vénale des immeubles parisiens de 1840 à 1940», dans *Journal de la Société de statistique de Paris*, 1943, p. 169-192.

FLAUS (L.), «Les fluctuations de la construction d'habitations urbaines», dans *Journal de la Société de statistique de Paris*, 1949, p. 185-221.

BASTIÉ (J.), «Capital immobilier et marché immobilier parisien», dans *Annales de géographie*, 373, mai-juin 1960, p. 225-250.

DAUMARD (A.), *Maisons de Paris et propriétaires parisiens au XIXe siècle, 1809-1880* (1965).

DEMORGON (M.), *L'Implantation des bureaux neufs à Paris de 1962 à 1968* (1969, 4 vol. multigraphiés publiés par l'APUR).

RIOU (J.), *Propriété foncière et processus d'urbanisation. Deux quartiers parisiens de la «Belle Époque»* (1973, étude du Centre de sociologie urbaine sur les quartiers Saint-Lambert et de la Porte-Dauphine entre 1890 et 1919).

— *Atlas immobilier de Paris : évolution de l'offre dans les différents arrondissements du 1er janvier 1966 au 1er janvier 1974* (1974).

JACQUEMET (G.), «Lotissements et construction dans la proche banlieue parisienne, 1820-1840», dans *Paris et Île-de-France*, 25 (1974), p. 207-256 (Neuilly, Passy, Les Batignolles, Romainville).

GRISON (C.), «1882-1930, deux crises immobilières dans l'agglomération parisienne», dans *Revue d'économie et de droit immobilier*, 16 (1977), p. 960-990. Grison a soutenu en 1957 une thèse sur *L'Évolution du marché du logement dans l'agglomération parisienne du milieu du XIXe siècle à nos jours*.

DILLAY (M.), LANGLOIS (M.), GERBAUD (H.), *Les Archives du Bureau des saisies réelles, ZZ2 1 à 1085* (1983).

— *Europe 93 : quels bureaux pour l'Île-de-France? L'immobilier tertiaire : pour qui? Combien? Où?*, colloque du 11 mai 1990 dans *Cahiers du CREPIF*, 32 (septembre 1990).

BOUROKA (N.), MELLIES (C.), LEROI (P.), *État des fonds détaillé des archives des services de l'habitation* (1992, aux Archives de Paris).

Les investissements des Parisiens hors de la capitale :

ANACHE (M.), *Les Propriétaires parisiens de résidences secondaires dans 248 communes du Bassin parisien* (1970).

78. PROFESSIONS LIBÉRALES

Les professions libérales ont été peu étudiées. Pour l'époque antérieure à 1789, on peut trouver des informations dans un ouvrage ancien mais solide :

FRANKLIN (A.), *Dictionnaire historique des arts, métiers et professions exercés dans Paris depuis le XIIIᵉ siècle* (1905-1906, réimpression en 1977).

• Avocats et avoués :

GAUDRY (A.J.), *Histoire du barreau de Paris* (1864, 2 vol.).

BATAILLARD (C.), *Les Origines de l'histoire des procureurs et des avoués depuis le Vᵉ siècle jusqu'au XVᵉ* (1868).

FABRE (A.), *Les Clercs du Palais, recherches historiques sur les Bazoches des parlements...* (1875).

NUSSE (E.), *Histoire des procureurs et des avoués, 1483-1816* (1882, 2 vol.).

DELACHENAL (R.), *Histoire des avocats au parlement de Paris, 1300-1600* (1885).

TOULEMON (A.), *Barreau de Paris et barreaux de province* (1966).

FITZSIMMONS (M.P.), *The Parisian Order of barristers and the French Revolution* (1987).

• Médecins (voir aussi § 54, 57, 89) :

LACHAISE (C.), *Les Médecins de Paris jugés par leurs œuvres, ou Statistique scientifique et morale des médecins de Paris* (1845).

METTAIS (H.), *Souvenirs d'un médecin de Paris* (1873).

CORLIEU (A.), « Les médecins de Paris de 1792 à 1794 », dans *France médicale*, 1902, p. 97-119 et 141-142.

FOSSEYEUX (M.), *Il y a cent ans, Paris médical en 1830* (1930).

BERTIN (M.), « Chronique de démographie médicale », dans *Le Concours médical*, 8 juillet 1961, p. 3876-3878 ; 15 juillet 1961, p. 3950-3955 ; 22 juillet 1961, p. 4023-4025 (évolution du nombre des médecins dans la Seine de 1893 à 1960, répartition par arrondissements et quartiers...).

BERTIN (M.), « Dentistes, sages-femmes et médecins à Paris et dans le département de la Seine », dans *Le Concours médical*, 5 mai 1962, p. 2847-2853 (évolution du nombre des chirurgiens-dentistes depuis 1894, leur répartition...).

BERTIN (M.), « Le corps médical de Paris et du District parisien », dans *Cahiers de sociologie et de démographie médicales*, avril-juin 1962, p. 19-44.

MILLEPIERRES (P.), *La Vie quotidienne des médecins au temps de Molière* (1964).

HUARD (P.), IMBAULT-HUART (M.J.), « Concepts et réalités de l'éducation et de la profession médico-chirurgicales pendant la Révolution », dans *Journal des savants*, avril-juin 1973, p. 126-150.

LEHOUX (F.), *Le Cadre de vie des médecins parisiens aux XVIᵉ et XVIIᵉ siècles* (1976).

GELFAND (T.), *Professionalizing Modern Medicine : Paris surgeons and medical science and institutions in the eighteenth century* (1980).

MAILLE-VIROLE (C.), « La naissance d'un personnage : le médecin parisien à la fin de l'Ancien Régime », p. 153-179 de *La Médicalisation de la société française, 1770-1830* (1982).

GAILLARD (J.), « La formation d'une élite : les médecins parisiens sous le second Empire », dans *Bulletin du Centre d'histoire de la France contemporaine*, n° 4, 1983, p. 51-63.

COURY (B.), « Contribution à l'histoire sociale des praticiens parisiens à la fin du Moyen Âge, aspects méthodologiques », dans *Sources. Travaux historiques*, 1er trimestre 1986, p. 13-28.

DARMON (P.), *La Vie quotidienne du médecin parisien en 1900* (1988).

• Notaires (voir aussi § 36 F) :

COLLET (C.), OUDARD (A.), *L'Évolution du notariat parisien au cours de l'époque contemporaine, 1900-1960* (1961).

POISSON (J.P.), « Le notariat parisien à la fin du XVIIIe siècle », dans *Dix-Huitième Siècle*, 1975, n° 7, p. 105-127.

POISSON (J.P.), « Le notariat parisien à la fin du XVIIIe siècle : matériaux et orientations pour une étude socio-économique et des idées politiques », dans *Le Gnomon*, août 1984, p. 33-37, et mars 1985, p. 5-17.

POISSON (J.P.), *Notaire et société* (1985).

— *Notariat, justice et révolution*, colloque du 10 mars 1989, n° 67 (mai 1989) du *Gnomon*.

— *Notaires, notariat et société sous l'Ancien Régime*, colloque du 15-16 décembre 1989 (1990).

MOREAU (A.), *Les Métamorphoses du scribe. Histoire du notariat français* (1989).

MOREAU (A.), *Essai sur la nature et l'évolution de la fonction notariale, 1789-1980. Le notariat français à partir de sa codification* (1991).

79. IMPRIMERIE, ÉDITION, LIBRAIRIE

Confondues en une seule profession à l'origine, imprimerie, édition et librairie disposent d'instruments bibliographiques nombreux et de qualité. La bibliographie courante est donnée par la *Bibliographie annuelle de l'histoire de France* depuis 1953 ; par le *Bulletin du bibliophile* de 1834 à 1962 et depuis 1970 ; par la *Revue française d'histoire du livre* depuis 1970. Parmi les bibliographies rétrospectives, on se limite à :

DELALAIN (P.), *Essai de bibliographie de l'histoire de l'imprimerie typographique et de la librairie en France* (1903).

LEPREUX (G.), *Gallia typographica, ou Répertoire bibliographique et chronologique de tous les imprimeurs de France depuis les origines de l'imprimerie jusqu'à la Révolution* (1909-1914, 8 vol., dont 2 consacrés à Paris et à l'Île-de-France).

KOLB (A.), *Bibliographie des französischen Buches im 16. Jahrhundert* (1966, avec supplément en 1971 pour les travaux parus entre 1965 et 1970).

• Un choix d'ouvrages sur le livre en France :

CLAUDIN (A.), *Histoire de l'imprimerie en France aux XVe et XVIe siècles* (1900-1915, 11 vol., s'arrête en 1510).

MELLOTTÉE (P.), *Histoire économique de l'imprimerie*, tome 1, *L'Imprimerie sous l'Ancien Régime, 1439-1789* (1905).

CHAUVET (P.), *Les Ouvriers du livre en France de 1789 à la constitution de la Fédération du livre* (1956).

— Bibliographie de la France. Journal de l'imprimerie et de la librairie. *L'Édition française*, numéro du cent cinquantenaire (1961).

— *Livre et société dans la France du XVIIIe siècle* (1965-1970, 2 vol.).

CHAUVET (P.), *Les Ouvriers du livre et du journal. La Fédération française des travailleurs du livre* (1971).

— *Histoire de l'édition française* (1983-1986, 4 vol., nouvelle éd. en 1989-1991, importante bibliographie).

FOUCHÉ (P.), *L'Édition française sous l'Occupation, 1940-1944* (1987, 2 vol.).

MOLLIER (J.Y.), *L'Argent et les Lettres. Histoire du capitalisme d'édition, 1880-1920* (1988).

DEPRET (N.), *Le Livre, édition et librairie* (1991).

GERSMANN (G.), *Im Schatten der Bastille. Die Welt der Schriftsteller, Kolporteure und Buchhändler am Vorabend der französischen Revolution* (1993).

• Instruments de travail consacrés à Paris :

BOUCHEL (L.), *Recueil des statuts et règlements des marchands libraires, imprimeurs et relieurs de la ville de Paris* (1620).

— *Code de la librairie et imprimerie de Paris...* (1744).

LOTTIN (A.M.), *Catalogue chronologique des libraires et des libraires imprimeurs de Paris depuis l'an 1470, ...* (1789, 2 tomes).

OMONT (H.), « Inventaire sommaire des archives de la Chambre syndicale de la librairie et imprimerie de Paris, mss. fr. 21813-22060 de la Bibliothèque nationale », dans *Bulletin de la Société de l'histoire de Paris et de l'Île-de-France*, 1886, p. 151-159 et 174-187.

RENOUARD (P.), *Imprimeurs parisiens, libraires, fondeurs de caractères et correcteurs d'imprimerie depuis l'introduction de l'imprimerie à Paris (1470) jusqu'à la fin du XVIe siècle...* (1898, 2e éd. avec additions et tables par J. Veyrin-Forrer et B. Moreau en 1965).

COYECQUE (E.) éd., *Inventaire de la collection Anisson sur l'histoire de l'imprimerie et de la librairie, principalement à Paris, du XIIIe au XVIIIe siècle* (1899-1900, 2 vol.).

DELALAIN (P.), *L'Imprimerie et la librairie à Paris de 1789 à 1813* (1900, suite de la liste de Lottin de 1789, que continue une liste de 1811 à 1870 publiée dans la *Bibliographie de la France* en 1899).

RENOUARD (P.), *Les Marques typographiques parisiennes des XVe et XVIe siècles* (1926-1928, 2 vol.).

HOPKINSON (C.), *A dictionary of Parisian music publishers, 1700-1950* (1954).

— *Imprimeurs et libraires parisiens du XVIe siècle. Ouvrage publié d'après les manuscrits de Philippe Renouard*, par le Service des travaux historiques de la Ville de Paris avec le concours de la Bibliothèque nationale (commencé en 1964, 4 vol. parus jusqu'à la fin de la lettre B).

MOREAU (B.), *Inventaire chronologique des éditions parisiennes du XVIe siècle d'après les manuscrits de Philippe Renouard* (commencé en 1972, 4 vol. parus pour 1501-1535).

DEVRIÈS (A.), LESURE (F.), *Dictionnaire des éditeurs de musique français* (1979, 2 vol., des origines à 1820).

PRÉAUD (M.), GRIVEL (M.), CASSELLE (P.), LE BITOUZÉ (C.), *Dictionnaire des éditeurs d'estampes à Paris sous l'Ancien Régime* (1987).

• Choix d'ouvrages récents :

BEACH (S.), *Shakespeare and Company* (1962).

BUCHET (E.), *Les Auteurs de ma vie ou Ma vie d'éditeur* (1969).

HEARTZ (D.), *Pierre Attaignant, royal printer of music. A historical study and bibliographical catalogue* (1969).

MARTIN (H.J.) dir., *Livre, pouvoir et société à Paris au XVII͏ᵉ siècle, 1599-1701* (1969, 2 vol.).

SAUVY (A.), *Livres saisis à Paris entre 1698 et 1701* (1972).

PARENT (A.), *Les Métiers du livre à Paris au XVI͏ᵉ siècle, 1535-1560* (1974).

BOILLAT (G.), *La Librairie Bernard Grasset et les lettres françaises* (1974-1988, 2 vol. parus pour 1907-1919).

REED (G.E.), *Claude Barbin, libraire à Paris sous le règne de Louis XIV* (1974).

PALLIER (D.), *Recherches sur l'imprimerie à Paris pendant la Ligue, 1585-1594* (1975).

DEVRIÈS (A.), *Édition et commerce de la musique gravée à Paris dans la première moitié du XVIII͏ᵉ siècle. Les Boivin et les Leclerc* (1976).

MARCHANDISE (J.), *La Librairie Hachette de 1826 à 1976...* (1977).

CASSELLE (P.), « Pierre-François Basan, marchand d'estampes à Paris », dans *Paris et Île-de-France*, 33 (1982), p. 99-185.

FOUCHÉ (P.), *Au Sans-Pareil* (1983).

ASSOULINE (P.), *Gaston Gallimard, un demi-siècle d'édition française* (1984).

MOLLIER (J.Y.), *Michel et Calmann Lévy ou la naissance de l'édition moderne, 1836-1891* (1984).

GRIVEL (M.), *Le Commerce de l'estampe à Paris au XVII͏ᵉ siècle* (1986).

— *Un éditeur et son siècle : Pierre-Jules Hetzel, 1814-1886*, colloque, Nantes, 9-11 mai 1986 (1988).

FELKAY (N.), « Un éditeur de la Restauration, Pierre-François Ladvocat, 1791-1854 », dans *Bulletin de la Société de l'histoire de Paris et de l'Île-de-France*, 1986-1987, p. 339-352.

FELKAY (N.), *Balzac et ses éditeurs, 1822-1837. Essai sur la librairie romantique* (1987).

BOTHOREL (J.), *Bernard Grasset, vie et passion d'un éditeur* (1989).

VERNY (F.), *Le Plus Beau Métier du monde* (1990).

DARNTON (R.), *Édition et sédition. L'univers de la littérature clandestine au XVIII͏ᵉ siècle* (1991).

LAMY (J.C.), *René Julliard* (1992).

• Les relieurs :

THOINAN (E.), *Les Relieurs français, 1500-1800* (1893).

FLÉTY (J.), *Dictionnaire des relieurs français ayant exercé de 1800 à nos jours...* (1988).

MALAVIEILLE (S.), *Reliures et cartonnages d'éditeur en France au XIX͏ᵉ siècle, 1815-1865* (1985).

80. LA PRESSE

C'est à Paris qu'est née la presse française avec *La Gazette* de Théophraste Renaudot qui commence à paraître en 1631. La majeure partie des publications périodiques du pays sont issues de la capitale et il est impossible d'en donner un aperçu, même sommaire, dans le cadre restreint de ce travail. On se limitera donc aux instruments de travail indispensables et aux principaux ouvrages historiques. Les catalogues de bibliothèques couvrent la France entière. Est vieilli mais encore utile :

RAUX (H.F.), *Répertoire de la presse et des publications périodiques françaises* (1958, 6e éd. en 2 vol. en 1981).

On peut actuellement interroger le catalogue collectif national informatisé pour savoir où consulter un titre.

A. Bibliographies et dictionnaires

• Instrument important mais vieilli :

HATIN (E.), *Bibliographie historique et critique de la presse périodique française...* (1865), complément de son *Histoire politique et littéraire de la presse en France* (1859-1861, 8 vol.).

• La presse avant 1789 a fait l'objet de travaux fondamentaux de Jean Sgard :

SGARD (J.), *Bibliographie de la presse clasique, 1600-1789* (1984).

SGARD (J.) dir., *Dictionnaire des journaux, 1600-1789* (1991, 2 vol.).

SGARD (J.) dir., *Dictionnaire des journalistes, 1600-1789* (1976, supplément en 1980).

• On trouve des informations sur la presse révolutionnaire dans les tomes 2 et 3 de :

TOURNEUX (M.), *Bibliographie de l'histoire de Paris pendant la Révolution française* (1890-1913, 5 vol.).

• La liste et la cote des journaux à la Bibliothèque nationale figurent dans :

WALTER (G.), *Catalogue de l'histoire de la Révolution française*, tome 5, *Journaux et Almanachs* (1940).

Il faut y ajouter :

RETAT (P.), *Les Journaux de 1789. Bibliographie critique* (1988).

ELYADA (O.), *Presse populaire et feuilles volantes de la Révolution à Paris, 1789-1792, inventaire méthodique et critique* (1991).

• Pour finir, deux répertoires spécialisés :

CASPARD (P.) dir., *La Presse d'éducation et d'enseignement, XVIIIe siècle-1940. Répertoire analytique* (1981-1991, 4 vol.).

CARRIER (H.), *La Presse de la Fronde, 1648-1653. Les mazarinades* (1989-1991, 2 vol.).

• Pour la presse parisienne exclusivement :

IZAMBARD (H.), *La Presse parisienne, statistique bibliographique et alphabétique de tous les journaux, revues et canards politiques, nés, morts, ressuscités ou métamorphosés à Paris, depuis le 22 février 1848 jusqu'à l'Empire* (1853).

LEMONNYER (J.), *Les Journaux de Paris pendant la Commune, revue bibliographique complète...* (1871).

• Utiliser aussi dans les domaines spécialisés :

PLACE (J.M.), VASSEUR (A.), *Bibliographie des revues et journaux littéraires des XIXe et XXe siècles* (1973-1976, 3 vol.).

LEBEL (G.), « Bibliographie des revues et périodiques d'art parus en France de 1746 à 1914 », dans *Gazette des beaux-arts*, 6e série, 38 (1951), p. 8-66.

CHÈVREFILS DESBIOLLES (Y.), *Les Revues d'art à Paris, 1905-1940* (1993).

B. Histoire de la presse

L'ouvrage de référence doit être :

BELLANGER (C.) dir., *Histoire générale de la presse française* (1969-1976, 5 vol.).

Il contient de très importantes bibliographies qu'on doit utiliser. Elles couvrent aussi bien les sources d'archives et les collections des bibliothèques que le droit de la presse, les débats parlementaires, les techniques d'impression, les journalistes, l'histoire des journaux et des revues. On se borne ici à compléter et à mettre à jour cet indispensable instrument de travail qui accompagne un bon texte historique :

FRÉDÉRIX (F.), *Un siècle de chasse aux nouvelles : de l'agence Havas à l'Agence France-Presse, 1835-1957* (1959).

DERIEUX (E.), TEXIER (J.C.), *La Presse quotidienne française* (1974, monographie de tous les quotidiens).

BERCOFF (A.), *L'Autre France, l'Underpresse* (1975).

BORIS (C.), *Les Tigres de papier, crise de la presse et autocritique du journalisme* (1975).

CABANIS (A.), *La Presse sous le Consulat et l'Empire* (1975).

DARDIGNA (A.M.), *Femmes femmes sur papier glacé* (1975).

PIGASSE (J.P.), *La Difficulté d'informer. Vérités sur la presse économique* (1975).

BOEGNER (P.), *« Oui, patron »... La fabuleuse histoire de Jean Prouvost qui, de Paris-Soir à Paris-Match, a créé le premier empire de presse français* (1976).

CENSER (J.R.), *Prelude to power. The Parisian radical press, 1789-1791* (1976).

LAMBRICHS (N.), *La Liberté de la presse en l'an IV. Les journaux républicains* (1976).

DARDIGNA (A.M.), *La Presse féminine, fonction idéologique* (1978).

ALBERT (P.), « La presse française », n° 4469 (29 mai 1978) de *Notes et études documentaires.*

ALBERT (P.), *Histoire de la presse politique nationale au début de la Troisième République, 1871-1879* (1980, 2 vol. ; thèse excellente avec une importante bibliographie).

POPKIN (J.D.), *The Right-Wing Press in France, 1792-1800* (1980).

DIOUDONNAT (P.M.), *L'Argent nazi à la conquête de la presse française, 1940-1944* (1981).

— *La Presse dans le centre de Paris, 1830-1851* (1981, exposition dans les mairies des IIe et XIIe arrondissements).

SPIRLET (J.M.), *L'Enfant et la Presse* (1981).

— *Le Journalisme d'Ancien Régime*, table ronde du CNRS (1982).

ALBERT (P.), « La presse française », nos 4729-4730 (12 septembre 1983) des *Notes et études documentaires.*

PALMER (M.B.), *Des petits journaux aux grandes agences. Naissance du journalisme moderne, 1863-1914* (1983).

LÉRI (J.M.) dir., *La Presse à Paris, 1851-1881* (1983, exposition à la Bibliothèque historique de la Ville de Paris et à la mairie du IIe arrondissement).

BERTAUD (J.P.), *Les Amis du Roi. Journaux et journalistes royalistes en France de 1789 à 1792* (1984).

— *Le Livre d'or du centenaire, 1884-1984* (1984, centenaire de l'Association des journalistes parisiens).

PELLISSIER (P.), *Émile de Girardin, prince de la presse* (1985).

MURRAY (W.J.), *The Right-Wing Press in the French Revolution, 1789-1792* (1986).

FOURMENT (A.), *Histoire de la presse des jeunes et des journaux d'enfants, 1768-1988* (1987).

— *Modes et textiles, 1785-1985. Deux cents ans de périodiques à la Bibliothèque Forney* (1987).

— *La Diffusion et la lecture des journaux de langue française sous l'Ancien Régime*, actes du colloque international de Nimègue, 3-5 juin 1987 (1988).

GOUGH (H.), *The Newspaper Press in the French Revolution* (1988).

LABROSSE (C.), RÉTAT (P.), *Naissance du journal révolutionnaire, 1789* (1989).

MANÉVY (A.), *Les Journalistes de la liberté et la naissance de l'opinion, 1789-1793. Récit-essai sur les risques d'écrire* (1989).

RÉTAT (P.) éd., *La Révolution du journal, 1788-1794* (1989).

POPKIN (J.D.), *Revolutionary News. The press in France, 1789-1799* (1990).

SGARD (J.), «La presse militante au XVIIIe siècle : les gazettes ecclésiastiques», dans *Cahiers de textologie*, 1990, n° 3, p. 7-34.

CHARON (J.M.), *La Presse en France de 1945 à nos jours* (1991).

HESSE (C.), *Publishing and cultural politics in revolutionary Paris, 1789-1810* (1991).

HUTEAU (J.), ULLMANN (B.), *AFP, une histoire de l'Agence France-Presse, 1944-1990* (1991).

C. Les journaux et revues

Classement dans l'ordre alphabétique des titres :

— *Actuel par* Actuel (1977).

EGEN (J.), *Messieurs du* Canard (1973).

— *Le Charivari. Die Geschichte einer Pariser Tageszeitung im Kampf um die Republik, 1832 bis 1882* (1984).

EGEN (J.), *La Bande à* Charlie (1976).

— *La Croix, un siècle d'histoire, 1883-1983* (1983).

— *Cent Ans d'histoire de* La Croix, colloque, Paris, mars 1987 (1988).

SIRITZKY (S.), ROTH (F.), *Le Roman de* L'Express, *1953-1978* (1979).

JAMET (M.), *Les Défis de* L'Express (1981).

PÉRIER DAVILLE (D.), *Main basse sur* Le Figaro (1976).

HAMELET (M.P.), *Un prolétaire au* Figaro. *De Pierre Brisson à Robert Hersant* (1987).

BRISSON (J.F.), *Fils de quelqu'un. Le souvenir de Pierre Brisson et les «trente glorieuses» du* Figaro (1990).

GOMBAULT (C.), *Un journal, une aventure. Des relations avec le pouvoir ici et ailleurs* (1982, France-Soir).

SOULE (R.), *Lazareff et ses hommes* (1992, France-Soir).

ANDRIEU (R.), *Choses dites, 1958-1979. Vingt Ans rédacteur en chef à* L'Humanité (1979).

SAMUELSON (F.M.), *Il était une fois* Libération. *Reportage historique* (1979).

PERRIER (J.C.), *Le Roman vrai de* Libération (1994).

1422

RACHMAN (O.A.), *Un périodique libéral sous la Restauration : le* Mercure *du xixᵉ siècle, avril 1823-mars 1826, suivi du Répertoire daté et annoté* (1984).

THÉBAUD (F.), *Le Temps du* Miroir, *une autre idée du football et du journalisme* (1982, *Miroir-Sprint*).

LEGRIS (M.), Le Monde *tel qu'il est* (1976).

THIBAU (J.), Le Monde. *Histoire d'un journal. Un journal dans l'histoire* (1978).

JEANNENEY (J.N.), JULLIARD (J.), Le Monde *de Beuve-Méry ou le métier d'Alceste* (1979).

SABLIER (E.), *La Création du* Monde (1984).

PADIOLEAU (J.G.), Le Monde *et le* Washington Post, *précepteurs et mousquetaires* (1985).

GREILSAMER (L.), *Hubert Beuve-Méry, 1902-1989* (1990).

BEUVE-MÉRY (H.), *Paroles écrites. Mémoires* (1991).

GAULTIER-VOITURIEZ (O.), *Archives* Le Monde. *M08 : versement complémentaire* (1993, à la Fondation nationale des sciences politiques).

RIOUX (L.), Le Nouvel Observateur *des bons et des mauvais jours* (1982).

PETERSON (W.F.), *The Berlin Liberal Press in exile : a history of the* Pariser Tageblatt-Pariser Tageszeitung, *1933-1940* (1987).

GRAFTEAUX (S.), *Le Marbre et la Plume. Le conflit du* Parisien Libéré (1975).

— *Livre blanc* (1976, édité par la direction du *Parisien Libéré*).

— *Le Putsch d'Amaury* (1976, édité par la Fédération du livre).

BROGLIE (G. DE), *Histoire politique de la* Revue des Deux Mondes *de 1829 à 1979* (1979).

CHAPITRE X

Arts, lettres, sciences

81. HISTOIRE DE L'ART, GÉNÉRALITÉS

Il est difficile de cerner l'histoire de l'art pour la ramener à ses aspects parisiens. On doit se rabattre sur des instruments généraux. Comme bibliographie, il faut signaler :

— *Répertoire d'art et d'archéologie*, paraissant depuis 1910.

Il y a plusieurs dictionnaires d'artistes :

BÉNÉZIT (E.), *Dictionnaire critique et documentaire des peintres, sculpteurs, dessinateurs et graveurs de tous les temps et de tous les pays* (utiliser l'édition de 1976 en 10 vol.).

THIEME (U.), BECKER (F.), *Allgemeines Lexicon der bildenden Künstler von der Antike bis zur Gegenwart* (1909-1950, 37 vol.).

VOLLMER (H.), *Allgemeines Lexicon der bildenden Künstler des 20. Jahrhunderts* (1953-1962, 6 vol.).

BLÄTTEL (H.), *Dictionnaire international, peintres miniaturistes, peintres sur porcelaine, silhouettistes* (1992).

Guide de recherches et inventaires d'archives :

RAMBAUD (M.), *Les Sources de l'histoire de l'art aux Archives nationales*, avec une étude sur les sources de l'histoire de l'art aux Archives de la Seine par G. Bailhache et M. Fleury (1955).

RAMBAUD (M.), *Documents du Minutier central concernant l'histoire de l'art, 1700-1750* (1964-1971, 2 vol.).

WILDENSTEIN (D.), *Documents inédits sur les artistes français du xviiie siècle conservés au Minutier central des notaires de la Seine aux Archives nationales* (1966).

FLEURY (M.A.), *Documents du Minutier central concernant les peintres, les sculpteurs et les graveurs au xviie siècle, 1600-1650* (1969).

GRODECKI (C.), *Histoire de l'art au xvie siècle, 1540-1600. Documents du Minutier central des notaires de Paris* (1985-1986, 2 vol.).

Il ne faut pas oublier que la bibliothèque Forney possède un fonds important sur les beaux-arts et les arts décoratifs. La bibliothèque d'Art et d'Archéologie a été récemment transférée à la Bibliothèque nationale.

Il existe deux répertoires de revues d'art :

LEBEL (G.), «Bibliographie des revues et périodiques d'art parus en France de 1746 à 1914», dans *Gazette des beaux-arts*, 6e série, 38 (1951), p. 8-64.

CHÈVREFILS DESBIOLLES (Y.), *Les Revues d'art à Paris, 1905-1940* (1993).

82. ARTISTES PARISIENS

Sans aller jusqu'au niveau de la notice biographique individuelle — cela représenterait plusieurs volumes de bibliographie —, il faut citer les principaux instruments permettant d'étudier les artistes de la capitale. Il faut notamment connaître le «fichier Laborde», conservé en partie à la Bibliothèque nationale, au département des Manuscrits (nouvelles acquisitions françaises 12038-12215), à la Bibliothèque d'Art et d'Archéologie (depuis peu installée à la Bibliothèque nationale), une dernière partie se trouvant à la Bibliothèque interuniversitaire de Médecine (12, rue de l'École-de-Médecine) pour les médecins et chirurgiens. Lire :

LABORDE (A. DE), *Notice sur le fichier Laborde. Don fait à des bibliothèques publiques parisiennes de fiches intéressant les artistes des xvie, xviie et xviiie siècles* (1927).

Principaux ouvrages sur les artistes parisiens :

HERLUISON (H.T.M.), *Actes d'état civil d'artistes français...* (1873).

GUIFFREY (J.), «La maîtrise des peintres à Saint-Germain-des-Prés. Réceptions et visites, 1548-1644», dans *Nouvelles Archives de l'art français*, 1876, p. 93-123.

GUIFFREY (J.), «Scellés et inventaires d'artistes», dans *Nouvelles Archives de l'art français* (1883-1885, 3 vol.).

TRUDON DES ORMES (A.), «État civil d'artistes fixés à Paris à la fin du xviiie siècle», dans *Bulletin de la Société de l'histoire de Paris et de l'Île-de-France*, 1899, p. 115-129.

LAZARD (L.), «Inventaire alphabétique des documents relatifs aux artistes parisiens, conservés aux Archives de la Seine», dans *Bulletin de la Société de l'histoire de Paris et de l'Île-de-France*, 1906, p. 68-114.

TRUDON DES ORMES (A.), «Contribution à l'état civil des artistes fixés à Paris de 1746 à 1778», dans *Mémoires de la Société de l'histoire de Paris et de l'Île-de-France*, 33 (1906, p. 1-64.

GUIFFREY (J.), *Artistes parisiens du XVIe et du XVIIe siècle : donations, contrats de mariage, testaments, inventaires, ... tirés des insinuations du Châtelet de Paris* (1915).

CHAMPION (P.), *Paris et les artistes du Moyen Âge*, dans *Revue de Paris*, 1er août 1933, p. 532-559.

LEROY (A.), *La Vie familière et anecdotique des artistes français du Moyen Âge à nos jours* (1941).

WILHELM (J.), *Les Peintres du paysage parisien du XVe siècle à nos jours* (1944).

POISSON (G.), *La Vie parisienne vue par les peintres* (1953).

BIZARDEL (Y.), *American Painters in Paris* (1960).

CHAPIRE (J.), *La Ruche* (1960).

ANGRAND (P.), *Naissance des artisans indépendants, 1884* (1965).

EASTON (M.), *Artists and writers in Paris. The bohemian idea, 1803-1867* (1964).

LETHÈVE (J.), *La Vie quotidienne des artistes français au XIXe siècle* (1968).

WARNOD (J.), *Le Bateau-Lavoir, 1892-1914* (1975).

CRESPELLE (J.P.), *La Vie quotidienne à Montmartre au temps de Picasso, 1900-1910* (1978).

POISSON (J.P.), «Pour une étude sociale des milieux artistiques : les artistes parisiens de la première moitié du XVIIe siècle», dans *Paris et Île-de-France*, 29 (1978), p. 131-170.

RACHLINE (M.), *Paris et ses peintres* (1980).

PONS (B.), *De Paris à Versailles, 1699-1736. Les sculpteurs ornemanistes parisiens et l'art décoratif des Bâtiments du roi* (1983).

BARON (F.), «Les arts précieux à Paris aux XIVe et XVe siècles d'après les archives de l'hôpital Saint-Jacques-aux-Pèlerins. Répertoire des artistes et des travaux», dans *Comité des travaux historiques et scientifiques, Section d'archéologie, Bulletin*, 1984-1985, p. 59-141.

CROW (T.E.), *Painters and public life in eighteenth-century Paris* (1985).

WARNOD (J.), *Le Bateau-Lavoir* (1986).

LEPROUX (G.M.), *Recherches sur les peintres verriers parisiens de la Renaissance, 1540-1620* (1988).

MILNER (J.), *The Studios of Paris. The capital of art in the late nineteenth century* (1988).

PERL (J.), *Paris without end. On French art since world war I* (1988).

WARNOD (J.), *Les Artistes de Montparnasse. La Ruche* (1988).

GONZALES (C.), MARTI (M.), *Pintores españoles en Paris, 1850-1900* (1989).

MILLROTH (T.), STACKMAN (P.), *Svenska konstnareri i Paris* (1989).

BRUNHAMMER (Y.), TISE (S.), *Les Artistes décorateurs, 1900-1942* (1990).

MILNER (J.), *Ateliers d'artistes. Paris, capitale des arts à la fin du XIXe siècle* (1990, traduction de l'ouvrage de 1988).

CHATELUS (J.), *Peindre à Paris au XVIIIe siècle* (1991).

LACAMBRE (G.), *Les Ateliers d'artistes* (1991).

SEIGEL (J.), *Paris bohème, 1830-1930. Culture et politique aux marges de la vie bourgeoise* (1991).

WEINBERG (H.B.), *The Lure of Paris. Nineteenth century American painters and their French teachers* (1991).

CLARK (T.J.), *Le Bourgeois absolu. Les artistes et la politique en France de 1848 à 1851* (1992).

CIORANESCU (A.), *Bibliographie de la littérature française du XVIIIe siècle* (1969, 3 vol., à jour en 1960).

THIEME (H.P.), *Bibliographie de la littérature française de 1800 à 1930* (1933, 3 vol.), complétée par :

DREHER (S.), ROLLI (M.), *Bibliographie de la littérature française, 1930-1939* (1948), et :

DREVET (M.), *Bibliographie de la littérature française, 1940-1949* (1954).

TALVART (H.), PLACE (J.), *Bibliographie des auteurs de langue française, 1801-1927* (1928-1976, arrêtée au tome 22, notice Morgan, avec index général).

RANCŒUR (R.), *Bibliographie de la littérature française du Moyen Âge à nos jours* (1947-1981, en volume annuel à partir de 1953, paraissant en supplément de la *Revue d'histoire littéraire de la France*, médiocre).

On doit lui préférer :

KLAPP (O.), *Bibliographie der französischen Literaturwissenschaft* (un volume annuel depuis 1960).

Utiliser aussi :

PLACE (J.M.), VASSEUR (A.), *Bibliographie des revues et journaux littéraires des XIXe et XXe siècles* (1973-1976, 3 vol.).

• Les ressources des archives :

GALLET-GUERNE (D.), *Les Sources de l'histoire littéraire aux Archives nationales* (1961).

JURGENS (M.), FLEURY (M.A.), *Documents du Minutier central concernant l'histoire littéraire, 1650-1700* (1960).

JURGENS (M.), MAXFIELD-MILLER (E.), *Cent ans de recherches sur Molière, sur sa famille et sur les comédiens de sa troupe* (1963).

JURGENS (M.), *Documents du Minutier central des notaires de Paris. Ronsard et ses amis, à partir des dépouillements de X. Pamfilova* (1985).

• Un dictionnaire à utiliser :

— *Dictionnaire des lettres françaises*, sous la dir. de Mgr GRENTE : *Moyen Âge* (1964), *XVIe Siècle* (1951), *XVIIe Siècle* (1954), *XVIIIe Siècle* (1960, 2 vol.), *XIXe Siècle* (1971-1972, 2 vol.).

• Principaux ouvrages récents sur la littérature parisienne et sur Paris :

BOUSSEL (P.), *Les Restaurants dans La Comédie humaine* (1950).

GALLOTTI (J.), *Le Paris des poètes et des romanciers* (1955).

— « Le Paris de Balzac », dans le tome 16 (1955) de l'édition de l'*Œuvre de Balzac*, publiée sous la dir. d'Albert BÉGUIN.

— *Les Années vingt. Les écrivains américains à Paris et leurs amis, 1920-1930* (1959, exposition au Centre culturel américain).

CITRON (P.), *La Poésie de Paris dans la littérature française de Rousseau à Baudelaire* (1961, 2 vol., travail d'une qualité exceptionnelle).

DONNARD (J.H.), *Balzac, les réalités économiques et sociales dans La Comédie humaine* (1961).

RIÈSE (L.), *Les Salons littéraires parisiens du second Empire à nos jours* (1962).

EASTON (M.), *Artists and writers in Paris. The bohemian idea, 1803-1867* (1964).

— *Paris in literature* (1964).

RASER (G.B.), *Guide to Balzac's Paris. An analytical subject index* (1964).

MACCHIA (G.), *Il Mito di Parigi. Saggi e motivi francesi* (1965).

MINDER (R.), «Paris in der neueren französischen Literatur, 1770-1890», dans *Akademie der Wissenschaften, Abhandlungen der Klasse der Literatur*, 1965, 2.

MAX (S.), *Les Métamorphoses de la grande ville dans Les Rougon-Macquart* (1966).

LABRACHERIE (P.), *La Vie quotidienne de la bohème littéraire au XIXe siècle* (1967).

PICHOIS (C.), *Baudelaire à Paris* (1967).

KRANOWSKI (N.), *Paris dans les romans d'Émile Zola* (1968).

LIDSKY (P.), *Les Écrivains contre la Commune* (1970, 2e éd. en 1982).

TOURTEAU (J.J.), *D'Arsène Lupin à San Antonio. Le roman policier français de 1900 à 1970* (1970).

STIERLE (K.), «Baudelaire "Tableaux parisiens" und die Tradition des "tableau de Paris"», dans *Poetica*, 6 (1974), p. 285-322.

FORD (H.), *Published in Paris. American and British writers, printers and publishers in Paris, 1920-1939* (1975).

WITTKOPP (G. et J.F.), *Paris, Prisma einer Stadt. Eine illustrierte Kulturgeschichte* (1978).

— *Le Paris de Balzac* (1978, exposition à la Bibliothèque historique de la Ville de Paris).

MEYER (A.), *Représentations sociales et littéraires, centre et périphérie, Paris, 1908-1939* (1979).

ROOD (K.L.) éd., *American Writers in Paris, 1920-1939* (1980).

JÜTTNER (S.), «Grossstadtmythen. Paris-Bilder des 18. Jahrhunderts. Eine Skizze», dans *Deutsche Vierteljahresschrift für Literaturwissenschaft und Geistesgeschichte*, 55 (1981), p. 173-203.

— «Le Paris de Gérard de Nerval», n° 4 (numéro spécial), 1981, des *Cahiers Gérard de Nerval*.

REICHEL (N.), *Der Dichter in der Stadt. Poesie und Grossstadt bei französischen Dichtern des 19. Jahrhunderts* (1982).

ESNEVAL (A. D'), «Proust devant les jardins de Paris», dans *Bulletin de la Société de l'histoire de Paris et de l'Île-de-France*, 1983, p. 303-315.

MÉRAL (J.), *Paris dans la littérature américaine* (1983, travail remarquable avec une importante bibliographie).

— *Paris au XIXe siècle. Aspects d'un mythe littéraire* (1984).

DEGOUT (B.), «Les cours publics organisés par la Société des bonnes-lettres, 1821-1830», dans *Bulletin de la Société de l'histoire de Paris et de l'Île-de-France*, 1986-1987, p. 431-500.

GUICHARDET (J.) éd., *Errances et parcours parisiens de Rutebeuf à Crevel* (1986).

GUICHARDET (J.), *Balzac archéologue de Paris* (1986).

— *Paris et le phénomène des capitales littéraires*, actes du 1er congrès du Centre de recherche en littérature comparée, 22-26 mai 1984 (1986, 2 vol.).

LITTLEWOOD (I.), *Paris, a literary companion* (1987).

GUERRAND (R.H.), «Le métro dans l'art et la littérature», p. 175-185 de *Métropolitain. L'autre dimension de la ville* (1988, exposition à la Bibliothèque historique de la Ville de Paris).

WIEDEMANN (C.) éd., *Rom-Paris-London. Erfahrung und Selbsterfahrung deutscher Schriftsteller und Künstler in den fremden Metropolen* (1988).

OSTER (D.), GOULEMOT (J.), *La Vie parisienne. Anthologie des mœurs parisiennes du XIXᵉ siècle* (1989).

CARPENTER (H.), *Au rendez-vous des génies. Écrivains américains à Paris dans les années vingt* (1990).

CHAILLOU (M. et M.), *Petit guide pédestre de la littérature française au XVIIᵉ siècle, 1600-1660* (1990).

OSTER (D.), GOULEMOT (J.) dir., *L'Image de Paris dans la littérature de la deuxième moitié du XIXᵉ siècle*, colloque du 17 novembre 1989 à la Fondation Singer-Polignac (1990).

HANSEN (A.J.), *Expatriate Paris. A cultural and literary guide to Paris of the 1920s* (1990).

— *Paris dans la littérature française de 1780 à 1914*, nº 42 (mai 1990) des *Cahiers de l'Association internationale des études françaises*.

CORBINEAU-HOFFMANN (A.), *Brennpunkt der Welt. C'est l'abrégé de l'univers. Grosstadterfahrung und Wissensdiskurs in der pragmatischen Parisliteratur, 1780-1830* (1991).

DARNTON (R.), *Édition et sédition. L'univers de la littérature clandestine au XVIIIᵉ siècle* (1991).

SEIGEL (J.), *Paris bohème, 1830-1930. Culture et politique aux marges de la vie bourgeoise* (1991).

AUSSEUR (C.), *Guide littéraire des monuments de Paris* (1992).

CLÉBERT (J.P.), *Les Hauts Lieux de la littérature à Paris* (1992).

— «Paris sur la sellette» (vu par les écrivains du terroir), nᵒˢ 273-276 (numéro spécial, 1992) de la *Revue régionaliste des Pyrénées*.

PICHOIS (C.), AVICE (J.P.), *Baudelaire-Paris* (1992, exposition à la Bibliothèque historique de la Ville de Paris).

PRENDERGAST (C.), *Paris and the nineteenth century* (1992).

— *Stendhal, Paris et le mirage italien*, actes du colloque de la Bibliothèque historique de la Ville de Paris (1992).

YGAUNIN (J.), *Paris à l'époque de Balzac et dans* La Comédie humaine. *La ville et la société* (1992).

STIERLE (K.), *Der Mythos von Paris. Zeichen und Bewusstsein der Stadt*, (1993).

DELANOE (N.), *Le Raspail vert. L'American Center à Paris, 1934-1994. Une histoire des avant-gardes franco-américaines* (1994).

88. BIBLIOTHÈQUES ET LECTURE PUBLIQUE

Voir, au début du paragraphe 87, les bibliographies de Cioranescu.

• Ouvrages généraux sur la lecture publique :

THIESSE (A.M.), *Le Roman du quotidien : lecteurs et lectures populaires à la Belle Époque* (1984).

CHARTIER (R.), PAIRE (A.) dir., *Pratiques de la lecture* (1985).

CHARTIER (R.), *Lectures et lecteurs dans la France d'Ancien Régime* (1987).

LYONS (M.), *Le Triomphe du livre. Une histoire sociologique de la lecture dans la France du XIXᵉ siècle* (1987).

RICHTER (N.), *La Lecture et ses institutions, 1700-1918* (1987).

RICHTER (N.), *La Lecture et ses institutions. La lecture publique, 1919-1989* (1989).

ALLEN (J.S.), *In the Public Eye : a history of reading in modern France, 1800-1940* (1991).

• Un ouvrage fondamental sur l'histoire des bibliothèques :
— *Histoire des bibliothèques françaises* (1989-1991, 3 vol.).

• Principaux travaux sur les bibliothèques parisiennes :
FRANKLIN (A.), *Les Anciennes Bibliothèques de Paris...* (1867-1874, 3 vol.).
TISSERAND (L.M.), *La Première Bibliothèque de l'Hôtel de ville de Paris, 1760-1797...* (1873).
SAINT-ALBIN (E. DE), *Les Bibliothèques municipales de la Ville de Paris* (1896).
FRANKLIN (A.), *Histoire de la bibliothèque Mazarine...* (1901).
OMONT (H.), « La seconde bibliothèque de la ville de Paris et ses deux premiers bibliothécaires », dans *Mémoires de la Société de l'histoire de Paris et de l'Île-de-France*, 49 (1927), p. 1-17.
DOUCET (R.), *Les Bibliothèques parisiennes au XVIᵉ siècle* (1956).
SAMARAN (C.), « Les archives et la bibliothèque du chapitre de Notre-Dame », dans *Revue d'histoire de l'Église de France*, 1964, p. 88-107.
— *La Librairie de Charles V* (1968, exposition à la Bibliothèque nationale).
TRAPENARD (A.), « Origines et développement des bibliothèques de Paris », dans *Bulletin de la Société de l'histoire de Paris et de l'Île-de-France*, 1970, p. 217-232.
AUTRAND (F.), « Culture et mentalité. Les librairies des gens du Parlement au temps de Charles VI », dans *Annales. Économies, sociétés, civilisations*, 1973, p. 1219-1244.
MARION (M.), *Recherches sur les bibliothèques privées à Paris au milieu du XVIIIᵉ siècle* (1978, important).
GRANDRUE (C. DE), *Le Catalogue de la bibliothèque de l'abbaye de Saint-Victor de Paris, de Claude de Grandrue, 1514* (1983).
OUY (G.), « La bibliothèque médiévale de Saint-Victor », dans *La Montagne Sainte-Geneviève*, 1983, p. 63-77.
— *Lectures et lecteurs au XIXᵉ siècle. La bibliothèque des Amis de l'instruction*, actes du colloque du 10 décembre 1984 (1985).

• Les cabinets de lecture :
PICHOIS (C.), « Pour une sociologie des faits littéraires, les cabinets de lecture à Paris durant la première moitié du XIXᵉ siècle », dans *Annales. Économies, sociétés, civilisations*, 1959, p. 521-534.
PARENT-LARDEUR (F.), *Lire à Paris au temps de Balzac. Les cabinets de lecture à Paris, 1815-1830* (1982).

89. MÉDECINE, CHIRURGIE, PHARMACIE

Voir aussi les paragraphes 54 et 57 sur l'enseignement de la médecine à l'université, la fin du paragraphe 74 pour les pharmaciens et le paragraphe 78 pour la profession médicale. Les principales bibliothèques :
Académie nationale de médecine (16, rue Bonaparte).
Académie de chirurgie (26, boulevard Raspail).
Bibliothèque interuniversitaire de médecine (12, rue de l'École-de-Médecine),

la plus riche, qui possède les archives de l'École de médecine d'Ancien Régime et le fichier Laborde de médecins et chirurgiens parisiens (voir le début du § 82).

• Un ouvrage de base :

PECKER (A.) dir., *La Médecine à Paris du XIIIᵉ au XXᵉ siècle* (1984).

Il donne une bonne bibliographie, contient un dictionnaire biographique, s'intéresse aux musées, bibliothèques et archives de médecine, chirurgie, dentisterie, pharmacie.

On peut lui adjoindre :

LÉONARD (J.), « La santé et les soins corporels : ethnologie, sociologie et histoire, XVIIᵉ-XXᵉ siècle », dans *Bulletin de la section d'histoire moderne et contemporaine du Comité des travaux historiques et scientifiques*, 14 (1984), p. 37-58.

• Médecine et chirurgie à Paris :

FRANKLIN (A.), *La Vie privée d'autrefois... Les médecins* (1892), *Les chirurgiens* (1893), *Variétés chirurgicales* (1894).

DELAUNAY (P.), *Le Monde médical parisien au XVIIIᵉ siècle* (1906).

FOSSEYEUX (M.), *Le Paris médical en 1830* (1930).

LÉVI-VALENSI (J.), *La Médecine et les médecins français au XVIIIᵉ siècle* (1933).

DELAUNAY (P.), *La Vie médicale aux XVIᵉ, XVIIᵉ et XVIIIᵉ siècles* (1935).

LAULAN (R.), « Le service de santé à l'École royale militaire de Paris, 1753-1787 », dans *Paris et Île-de-France*, 4 (1952), p. 63-96.

BESOMBES (A.), DAGEN (G.), *Pierre Fauchard, père de l'art dentaire moderne, 1678-1761, et ses contemporains* (1961).

ACKERKNECHT (E.H.), *Medicine at the Paris hospital, 1794-1848* (1967 ; traduction française en 1986 : *La Médecine hospitalière à Paris, 1794-1848*).

IMBAULT-HUART (J.M.), *L'École pratique de dissection de Paris de 1750 à 1822* (1975).

LEHOUX (F.), *Le Cadre de vie des médecins parisiens aux XVIᵉ et XVIIᵉ siècles* (1976).

GELFAND (T.), *Professionalizing modern medicine : Paris surgeons and medical science institutions in the eighteenth century* (1980).

TOMACHOT (M.A.), *Chirurgie et chirurgiens parisiens au XVIIIᵉ siècle* (1982, thèse multigraphiée).

Pour la pharmacie, voir aussi le paragraphe 37 pour l'enseignement à l'université et la fin du paragraphe 74 pour l'activité commerciale. Un instrument de travail indispensable :

— *Index des travaux d'histoire de la pharmacie de 1913 à 1963. Répertoire des auteurs et des sujets d'articles et d'ouvrages, soit publiés, soit analysés dans les revues ou éditions des 51 premières années de la « Société d'histoire de la pharmacie »* (1968, publié par ladite Société). A compléter par :

— *Revue d'histoire de la pharmacie. Index alphabétique. Années 1964-1983* (1984).

• Un choix de titres :

FRANKLIN (A.), *La Vie privée d'autrefois... Les apothicaires et les médicaments* (1891).

BOUVET (M.), *La Pharmacie hospitalière à Paris de 1789 à 1815* (1943).

LEURQUIN (P.), *Contribution à l'histoire de la pharmacie à Paris, des origines à 1536* (1943).

LEGRIS (S.), *Contribution à l'étude de la pharmacie à Paris sous Louis XIV, 1643-1715* (1944).

MOUILHAC (G.), *Contribution à l'étude de la pharmacie à Paris de 1536 à 1589* (1944).

CORNU (J.J.), *Contribution à l'histoire de la pharmacie : Paris, station thermale* (1952).

DEHILLERIN (B.), GOUBERT (J.P.), «A la conquête du monopole pharmaceutique : le Collège de pharmacie de Paris», p. 233-248 de *La Médicalisation de la société française, 1770-1830* (1982).

90. SCIENCES ET TECHNIQUES

Voir le paragraphe 59 pour les grandes écoles et le paragraphe 86 pour l'Académie des sciences. Quelques bibliothèques :

Médiathèque de la Cité des sciences et de l'industrie de La Villette (30, avenue Corentin-Cariou).

Bibliothèque du Conservatoire national des arts et métiers (292, rue Saint-Martin).

Bibliothèque du Muséum national d'histoire naturelle (38, rue Geoffroy-Saint-Hilaire).

Bibliothèque de l'Observatoire de Paris (61, avenue de l'Observatoire).

Institut Henri-Poincaré (11, rue Pierre-et-Marie-Curie).

École nationale supérieure des mines de Paris (60, boulevard Saint-Michel).

La bibliographie générale figure dans :

RUSSO (F.), *Éléments de bibliographie de l'histoire des sciences et des techniques* (1953, utiliser l'édition de 1969).

La bibliographie courante est donnée par le CNRS avec sa base FRANCIS.

• Deux manuels historiques de base :

DAUMAS (M.) dir., *Histoire générale des techniques* (1962-1979, 5 vol.).

TATON (R.) dir., *Histoire générale des sciences* (consulter la 2e éd. 1966-1988, 3 tomes en 4 vol.).

Ne pas négliger un ouvrage plus modeste mais remarquable :

GILLE (B.) dir., *Histoire des techniques* (1978, volume de l'«Encyclopédie de la Pléiade»).

• Les ouvrages indispensables concernant le Muséum d'histoire naturelle :

BIDAL (A.M.), «Inventaire des archives du Muséum national d'histoire naturelle. Première partie : série A, Archives du Jardin du roi», dans *Archives du Muséum national d'histoire naturelle*, 6e série, 11 (1934), p. 175-320.

LAISSUS (Y.), «Les archives scientifiques du Muséum national d'histoire naturelle», dans *La Gazette des archives*, no 145, 1989, p. 106-114.

— *Centenaire de la fondation du Muséum d'histoire naturelle* (1893).

— Muséum national d'histoire naturelle, *Exposition du troisième centenaire* (1935).

LAISSUS (Y.), «Le Muséum national d'histoire naturelle, trois siècles d'histoire», dans *Revue de l'enseignement supérieur*, 1962, no 2, p. 287-341.

LAISSUS (Y.), «Le Jardin du roi», p. 53-76 d'*Enseignement et diffusion des sciences en France au XVIIIe siècle* (1964).

• Quelques références sur l'Observatoire :

WOLF (C.), *Histoire de l'Observatoire de Paris de sa fondation à 1793* (1902).
— *Trois siècles d'astronomie, 1667-1967* (1967).

LAGARDE (L.), «Histoire du problème du Méridien origine en France», dans *Revue d'histoire des sciences*, 32 (1979), p. 291-304.

DÉBARBAT (S.), GRILLOT (S.), LÉVY (J.), *L'Observatoire de Paris, son histoire, 1667-1967* (1984).

CHAPITRE XI

Urbanisme, architecture et topographie

Architecture, urbanisme et topographie de Paris sont traités dans des milliers de volumes. Il y a une excellente bibliographie d'ensemble dans le volume de la «Nouvelle Histoire de Paris» :

LAVEDAN (P.), *Histoire de l'urbanisme à Paris* (1975, nouvelle édition mise à jour en 1993 par J. BASTIÉ, avec une bibliographie également mise à jour par A. FIERRO). Cet ouvrage comporte une importante introduction méthodologique qu'il est indispensable d'avoir lu. Les autres volumes de la «Nouvelle Histoire de Paris» (§ 21 C) ne doivent pas être négligés, car ils traitent tous, pour l'époque concernée, de l'urbanisme et de l'architecture de la capitale. Un volume consacré à l'architecture parisienne est en cours de rédaction par Georges Poisson.

Afin de ne pas gonfler exagérément ce chapitre, on a traité ailleurs de divers types d'ouvrages, d'équipements ou édifices : dictionnaires topographiques (§ 8), préfectures (§ 33 D), Hôtel de Ville et mairies (§ 33 G), prisons (§ 36 E), casernes (§ 36 G), eau (§ 37 B), égouts (§ 37 C), voie publique (§ 37 D), hôpitaux et hospices (§ 40 C), églises et couvents catholiques (§ 45 C et D, 46 A et B), temples protestants (§ 48 B), synagogues (§ 49 B), églises orthodoxes (§ 50 A), écoles, collèges, lycées, université (§ 52 à 59), logement (§ 65 D), activités de la construction et de l'immobilier (§ 77), salles de spectacles (§ 68), cafés et restaurants (§ 69), installations de sport (§ 70)... On renvoie aussi aux chapitres spéciaux consacrés à la cartographie (§ 101 à 105) et à l'iconographie (§ 106 à 110).

91. LIEUX ET INSTRUMENTS DE TRAVAIL

Un bon guide des sources de l'histoire de l'architecture à Paris recense une quarantaine de lieux de travail :

RUYSSEN (G.), *Les Fonds parisiens d'archives de l'architecture. Guide d'orientation* (1980, 2e éd. revue et augmentée en 1982).

On le complétera avec :

— *Les Archives d'architecture du xxe siècle (127, rue de Tolbiac)* (1990).

— *Archives et histoire de l'architecture*, actes du colloque des 5-6-7 mai 1988 à Paris-La Villette (1990).

— *ABC des archives d'architecture. Rapport préliminaire* (1991, 2 vol.).

— *Archives d'architecture du xxe siècle*, tome premier (1991).

Aux Archives nationales est rattaché le Centre de topographie parisienne du

CNRS dont le fichier par rues et par immeubles doit constituer une véritable matrice cadastrale de Paris couvrant l'histoire des bâtiments des origines jusqu'à la fin de l'Ancien Régime, rendant périmé le vieux « fichier Poëte » du début du xxᵉ siècle (voir Archives nationales, *État des inventaires*, t. 1, p. 131). Quelques inventaires d'archives sont particulièrement précieux pour l'histoire de l'urbanisme et de l'architecture :

LAZARD (L.), *Inventaire sommaire de la collection Lazare-Montassier conservée aux Archives de la Seine* (1899).

MARCEL (P.), *Inventaire des papiers manuscrits du cabinet de Robert de Cotte, premier architecte du roi (1656-1735), et de Jules-Robert de Cotte (1683-1767)* (1906, conservés au département des Manuscrits de la Bibliothèque nationale).

HÉBERT (M.), THIRION (J.), OLIVIER (S.), *Catalogue général des cartes, plans et dessins d'architecture,* tome premier, *Série N. Paris et le département de la Seine* (1958).

LE MOËL (M.), *Catalogue général des cartes, plans et dessins d'architecture. Répertoire des plans cadastraux de Paris cotés F13 3 à 72, levés de 1809 à 1854* (1969, conservés, comme ceux du volume précédent, aux Archives nationales).

CANDILLE (M.), *Catalogue des plans et dessins d'architecture du fonds de l'ancien Hôtel-Dieu de Paris* (1973, conservés aux archives de l'Assistance publique, 7, rue des Minimes).

GALLET-GUERNE (D.), GERBAUD (H.), *Les Alignements d'encoignures à Paris. Permis délivrés par le Châtelet de 1668 à 1789 (Y 9504A à 9507B). Inventaire...* (1979, aux Archives nationales).

KRAKOVITCH (O.), *Greffiers des bâtiments de Paris. Procès-verbaux d'expertises. Règne de Louis XIII (1610-1643), Z1J 256 à 261. Inventaire* (1980, aux Archives nationales).

DILLAY (M.), LANGLOIS (M.), GERBAUD (H.), *Les Archives du Bureau des saisies réelles, ZZ2 1 à 1085* (1983, aux Archives nationales).

BIMBENET-PRIVAT (M.), *Greffiers des bâtiments de Paris. Procès-verbaux d'expertises. Règne de Louis XIV, 1643-1660, Z1J 261 à 269* (1987, aux Archives nationales).

BOUROKA (N.), MELLIES (C.), LEROI (P.), *État des fonds détaillé des archives de l'habitation* (1992, aux Archives de Paris).

GALLET-GUERNE (D.), BIMBENET-PRIVAT (M.), *Balcons et portes cochères à Paris, permis de construire délivrés par les trésoriers de France, sous-série Z1F, 1637-1789* (1992, aux Archives nationales).

La bibliographie de l'urbanisme et de l'architecture est largement dispersée dans des revues spécialisées. Il existe des bibliographies courantes de leurs articles, notamment l'*Avery Index to architectural periodicals*, publié aux États-Unis, mais, si l'on veut se cantonner à la production française, il est plus aisé d'utiliser :

LAGARDÈRE (L.), *L'Architecture dans les collections de périodiques de la bibliothèque Forney* (1990), qui recense plus de deux cents titres. On y ajoutera quelques titres qui ne relèvent pas de l'architecture proprement dite, mais sont cependant bien utiles :

— *Bulletin municipal officiel de la Ville de Paris* (paraissant depuis 1882 et contenant notamment les demandes en autorisation de bâtir).

— *Commission municipale du Vieux Paris. Procès-verbaux* (paraissant depuis

1898, organe de protection des bâtiments historiques contre les promoteurs).

Voir :

— *La Commission du Vieux Paris et le patrimoine de la Ville, 1898-1980* (1980, exposition à la mairie du XIXe arrondissement).

— Préfecture de la Seine, *Commission des sites, perspectives et paysages du département de la Seine*, puis *de Paris* (paraissant depuis 1953).

— *Paris-Projet*, revue de l'Atelier parisien d'urbanisme (APUR) depuis 1958.

— *Cahiers de la Rotonde*, publiés par la Commission du Vieux Paris depuis 1978.

— *Cahiers du CREPIF*, paraissant depuis 1983.

— *Cahiers du pavillon de l'Arsenal*, créés en 1989.

— *Cahiers du patrimoine architectural de Paris*, créés en 1993.

Recueils de textes réglementaires :

— Service municipal de Paris, *Assainissement. Recueil des ordonnances et arrêtés depuis 1374 jusqu'en 1864* (1865).

— Préfecture de la Seine, *Recueil de règlements sur l'assainissement* (1872).

BERNARD (A.), *Recueil des clauses connues sous le nom de réserves domaniales, imposées aux acquéreurs de biens nationaux, ... pour l'élargissement ou le percement des voies publiques dans Paris depuis 1791...* (1883, 3e éd. en 1897).

DEVILLE (A.), REZ (L.), *Recueil des lois, ordonnances, décrets et règlements relatifs aux alignements, à l'expropriation pour cause d'utilité publique, spécialement dans les voies de Paris...* (1886).

ALPHAND (A.), DEVILLE (A.), HOCHEREAU (E.), *Recueil des lettres patentes, ordonnances royales, décrets et arrêtés préfectoraux concernant les voies publiques... de Paris* (1886 et 2 vol. de suppléments, 1888 et 1901, pour les années 1270-1901).

JOURDAN (G.), *Recueil de règlements concernant le service des alignements et des logements insalubres dans la ville de Paris...* (1887, nouvelle éd. en 1890 et 1900).

TAXIL (L.), *Recueil d'actes administratifs et de conventions relatifs aux servitudes spéciales d'architecture, ...* (1905).

— *Code de l'urbanisme* (Dalloz, 1973, 2e éd. en 1980).

GILLI (J.P.), CHARLES (H.), *Les Grands Arrêts du droit de l'urbanisme* (Sirey, 1973, 2e éd. en 1981).

— *Protection du patrimoine historique et esthétique de la France. Textes législatifs et réglementaires* (1991, n° 1345 du *Journal officiel*).

Choix de traités :

LAMARE (N. DE), *Traité de la police...* (1705-1738, 4 vol. ; le dernier, par Lecler Du Brillet, est consacré à la voirie).

PERROT (A.P.), *Dictionnaire de voirie* (1782).

DELALLEAU (C.), *Traité de l'expropriation pour cause d'utilité publique* (1828, 2 vol., 6e éd. en 1866).

PEYRONNY (J.C. DE), DELAMARRE (E.), *Commentaire théorique et pratique des lois d'expropriation pour cause d'utilité publique* (1859).

MORIN (C.), *Voirie. De l'alignement, ou régime des propriétés privées bordant le domaine public, suivi d'un code de l'alignement* (1888).

BASSOMPIERRE-SEWRIN (U.), *De la préparation et de l'exécution des travaux d'architecture de la Ville de Paris* (1900, thèse de droit).

COURCELLE (L.), *Traité de voirie* (1900).

JUILLERAT (P.), *Une institution nécessaire : le casier sanitaire des maisons* (1906).

LAISNEY (F.), *Règle et règlement. La question du règlement dans l'évolution de l'urbanisme parisien, 1600-1902* (1989).

92. URBANISME

Une bibliographie à jour en 1993 figure dans le volume de la « Nouvelle Histoire de Paris » :

LAVEDAN (P.), *Histoire de l'urbanisme à Paris* (1975, nouvelle éd. mise à jour en 1993, texte de J. BASTIÉ, bibliographie d'A. FIERRO).

Voir aussi la bibliographie de l'histoire politique (§ 21 à 30), qui déborde souvent largement sur l'urbanisme. On se limite ici à quelques titres en rappelant les ouvrages fondamentaux de la « Nouvelle Histoire de Paris » (abrégé ici « NHP »).

• Antiquité et Moyen Âge :

DUVAL (P.M.), *De Lutèce oppidum à Paris capitale de la France* (1993, NHP).

BRÜHL (C.), *« Palatium » und « Civitas ». Studien zur Profantopographie spätantiker Civitates vom 3. zum 13. Jahrhundert*, volume 1, *Gallien* (1975).

LOMBARD-JOURDAN (A.), *Paris. Genèse de la « ville » : la rive droite de la Seine, des origines à 1223* (1976, nouvelle éd. en 1985).

BOUSSARD (J.), *De la fin du siège de 885-886 à la mort de Philippe Auguste* (1976, NHP).

CAZELLES (R.), *De la fin du règne de Philippe Auguste à la mort de Charles V, 1223-1380* (1972, nouvelle éd. en 1994 avec une iconographie renouvelée et une bibliographie mise à jour, NHP).

FAVIER (J.), *Paris au XVᵉ siècle, 1380-1500* (1974, nouvelle édition en préparation, NHP).

• Renaissance :

BABELON (J.P.), *Paris au XVIᵉ siècle* (1986, NHP).

THOMPSON (D.), *Renaissance Paris, architecture and growth, 1475-1600* (1984).

BALLON (H.), *The Paris of Henri IV, architecture and urbanism* (1991).

• XVIIᵉ et XVIIIᵉ siècles :

PILLORGET (R.), *Paris sous les premiers Bourbons, 1594-1661* (1988, NHP).

DETHAN (G.), *Paris au temps de Louis XIV, 1660-1715* (1990, NHP).

CHAGNIOT (J.), *Paris au XVIIIᵉ siècle* (1988, NHP).

FORTIER (B.), dir., *La Politique de l'espace parisien à la fin de l'Ancien Régime* (1975).

• 1789-1914 :

REINHARD (M.), *La Révolution, 1789-1799* (1971, NHP).

TULARD (J.), *La Révolution, 1789-1799* (1989, NHP).

TULARD (J.), *Le Consulat et l'Empire, 1800-1815* (1970, nouvelle éd. mise à jour en 1983, NHP).

BERTIER DE SAUVIGNY (G. DE), *La Restauration, 1815-1830* (1977, NHP).

VIGIER (P.), *Paris pendant la Monarchie de Juillet, 1830-1848* (1991, NHP).

GIRARD (L.), *La Deuxième République et le Second Empire* (1981, NHP).

RIALS (S.), *De Trochu à Thiers, 1870-1873* (1985, NHP).

• A compléter par :

— *Paris et ses réseaux : naissance d'un mode de vie urbain, XIXᵉ-XXᵉ siècles*, colloque à la Vidéothèque en 1990 (1990).

FIERRO (A.) dir., *Patrimoine parisien, 1789-1799. Destructions, créations, mutations* (1989, exposition à la mairie du XVᵉ arrondissement et à la Bibliothèque historique de la Ville de Paris).

GAILLARD (J.), *Paris la Ville (1852-1870). L'urbanisme parisien à l'heure d'Haussmann...* (1977).

LONDEI (E.F.), *La Parigi di Haussmann. La transformazione urbanistica di Parigi durante il Secondo Impero* (1982).

GAY (J.), *L'Amélioration de l'existence à Paris sous le règne de Napoléon III* (1986).

— *Les Grandes Gares parisiennes au XIXᵉ siècle* (1987).

DES CARS (J.), PINON (P.), *Paris-Haussmann, « le pari d'Haussmann »* (1991).

EARLS (I.A.), *Napoléon III, l'architecte et l'urbaniste de Paris, le conservateur du patrimoine* (1991).

EVENSON (N.), *Paris. Les héritiers d'Haussmann. Cent ans de travaux et d'urbanisme, 1878-1978* (1983).

PENZO (P.P.), *Parigi dopo Haussmann : urbanistica e politica alla fine dell'Ottocento, 1871-1900* (1990).

• Depuis 1914 :

BEAUJEU-GARNIER (J.), *Paris : hasard ou prédestination ? Une géographie de Paris* (1993, NHP).

COHEN (J.L.), FORTIER (B.) dir., *Paris, la ville et ses projets* (1989, 3ᵉ éd. en 1992).

— « Metropolis. Paris 2000 », n° 83 (15 juillet 1989) d'*Architecture*.

— *Métropole 90* (1990, exposition au pavillon de l'Arsenal).

EVENO (C.) dir., *Paris perdu. Quarante ans de bouleversements de la ville* (1991).

FERMIGIER (A.), *La Bataille de Paris : des Halles à la Pyramide, chroniques d'urbanisme* (1991).

BERGER (M.), RHEIN (C.), *L'Île-de-France et la recherche urbaine* (1992, 2 vol.).

— « La Ville et le Patrimoine », n° 41 (décembre 1992) des *Cahiers du CREPIF*.

LACAZE (J.P.), *Paris, urbanisme d'État et destin d'une ville* (1994).

93. ARCHITECTURE

Voir les paragraphes 91 et 92 pour les instruments de travail, notamment les volumes de la « Nouvelle Histoire de Paris », dont la clé de voûte est :

LAVEDAN (P.), *Histoire de l'urbanisme à Paris* (1975, mise à jour en 1993 par J. BASTIÉ pour le texte et A. FIERRO pour la bibliographie).

Cette bibliographie et le chapitre méthodologique de l'ouvrage permettent de limiter les références à quelques titres :

GALLET (M.), *Demeures parisiennes. L'époque de Louis XVI* (1964).

BABELON (J.P.), *Demeures parisiennes sous Henri IV et Louis XIII* (1965, 2ᵉ éd. en 1977, 3ᵉ éd. en 1991).

Le Moël (M.), «Archives architecturales parisiennes en Suède», p. 105-192 de *L'Urbanisme de Paris et l'Europe, 1600-1680* (1969).

Roux (S.), «La construction courante à Paris du milieu du XIVᵉ siècle à la fin du XVᵉ siècle», p. 175-189 de *La Construction au Moyen Âge, histoire et archéologie* (1973).

Boudon (F.), «Tissu urbain et architecture : l'analyse parcellaire comme base de l'histoire architecturale», dans *Annales. Économies, sociétés, civilisations*, 1975, p. 773-818.

— *Familièrement inconnues... Architectures, Paris, 1848-1914* (1976, exposition au Bon Marché).

— *Le Bâti ancien en Île-de-France* (1980-1983, 2 vol. d'initiation intelligente).

Bertrand (M.J.), *Architecture de l'habitat urbain* (1980).

Chemetov (P.), Marrey (B.), *Architectures Paris, 1848-1914* (1980).

Delorme (J.C.), *L'École de Paris. Dix architectes et leurs immeubles, 1905-1937* (1981).

Loyer (F.), *Paris XIXᵉ siècle. L'immeuble et l'espace urbain* (1981, 4 fascicules multigraphiés).

— *L'Art urbain à travers l'histoire de l'architecture parisienne*, table ronde à la Sorbonne, 11 octobre 1982, publiée dans *Cahiers du CREPIF*, 1 (avril 1983), p. 147-221.

— «Protection et mise en valeur du patrimoine architectural et urbain : Paris», dans *Paris-Projet*, 23-24 (1983), p. 171-337.

— *Deux siècles d'architecture sportive à Paris* (1984, exposition dans les mairies des XVIIᵉ et XXᵉ arrondissements).

Béhar (M.), Salama (M.), *Paris nouvelle/new architecture. Guide* (1985).

Chaslin (F.), *Les Paris de François Mitterrand : histoire des grands projets d'architecture* (1985).

— «La maison parisienne au siècle des Lumières», n° 12 (septembre 1985) des *Cahiers du CREPIF*.

Martin (H.), *Guide de l'architecture moderne à Paris, 1900-1990* (1986, nouvelle éd. en 1991).

Delorme (J.C.), *Les Villas d'artistes à Paris...* (1987).

Lemoine (B.), Rivoirard (P.), *Paris. L'architecture des années 30* (1987).

Loyer (F.), *Paris XIXᵉ siècle. L'immeuble et la rue* (1987, refonte du travail de 1981, nouvelle éd. en 1994).

— *Des grands chantiers... hier. Photographie, dessin : outils de l'architecte et de l'ingénieur autour de 1900 dans les collections de la Bibliothèque administrative de la Ville de Paris* (1988, exposition au musée de la SEITA).

Borsi (F.), Godoli (E.), *Paris Art nouveau. Architecture et décoration* (1989).

Chemetov (P.), Dumont (M.J.), Marrey (B.), *Paris-banlieue, 1919-1939. Architectures domestiques* (1989).

Gargiani (R.), *Parigi. Architetture tra Purismo e Beaux-Arts, 1919-1939* (1989).

Goy-Truffaut (F.), *Paris façade* (1989 ; façades entre 1840 et 1914).

Marrey (B.), *Le Fer à Paris, architectures* (1989).

Dugast (A.), Parizet (I.), *Dictionnaire, par noms d'architectes, des constructions élevées à Paris aux XIXᵉ et XXᵉ siècles*, 1ʳᵉ série, période 1876-1899... (1990-1995, 4 vol., important).

LE MOËL (M.), *L'Architecture privée à Paris au Grand Siècle* (1990).

GABRIEL (A.), *Guide de l'architecture des monuments de Paris* (1991).

MARREY (B.), DUMONT (M.J.), *La Brique à Paris* (1991).

— *Dictionnaire des monuments de Paris* (1992).

LUCAN (J.), *Eau et gaz à tous les étages : Paris, cent ans de logement* (1992).

NEBOUT (J.), *Les Cariatides de Paris* (1992).

CHARON-BORDAS (J.), *Les Sources de l'histoire de l'architecture religieuse aux Archives nationales de la Révolution à la Séparation, 1789-1905* (1994).

HOYET (J.M.) dir., *Guide. L'architecture contemporaine à Paris* (1994).

LECLERCQ (F.), SIMON (P.), *De toits en toits. Les toits de Paris* (1994, exposition au pavillon de l'Arsenal).

PÉROUSE DE MONTCLOS (J.M.), *Guide du patrimoine. Paris* (1994, excellent).

ELEB (M.), DEBARRE (A.), *L'Invention de l'habitation moderne. Paris, 1880-1914* (1994).

94. ENCEINTES, LIMITES

BONNARDOT (A.), *Dissertations archéologiques sur les anciennes enceintes de Paris* (1852-1853, encore utile).

GRIMAULT (A.), « Communication… sur deux limites de Paris, 1638 et 1674 », dans *Commission du Vieux Paris. Procès-verbaux*, 1924, p. 7-20.

GRIMAULT (A.), « Rapport… sur le tracé du rempart de Paris, entre la place des Victoires et le Théâtre-Français », dans *Commission du Vieux Paris. Procès-verbaux*, 1924, p. 100-116.

GRIMAULT (A.), « Les limites de la ville et des faubourgs de Paris et le bornage fait en exécution des déclarations du roi en 1724, 1726 et 1728 », dans *Commission du Vieux Paris. Procès-verbaux*, annexe à la séance du 28 mai 1932.

PRONTEAU (J.), Rapport sur les conférences : « Le travail des limites de la ville et faubourgs de Paris, 1724-1729 ; Histoire de l'extension de Paris au XVIIIe siècle ; Notes sur l'ancien périmètre fiscal et le mur des fermiers généraux », dans *École pratique des hautes études. Sciences historiques et philologiques, Annuaire*, 1966-1967, p. 378-387.

LE HALLÉ (G.), *Les Fortifications de Paris* (1986).

— *L'Enceinte et le Louvre de Philippe Auguste* (1988).

— « Fortifications et patrimoine militaire en Île-de-France », n° 48 (septembre 1994) des *Cahiers du CREPIF*.

• Les Grands Boulevards ont fait l'objet d'une abondante littérature, axée sur la vie sociale et les spectacles, que l'on trouve dans le chapitre VIII consacré à la société. On se limite ici à un ouvrage récent donnant une bibliographie :

— *Les Grands Boulevards* (1985, exposition au Musée Carnavalet).

• Le mur des fermiers généraux, boulevards extérieurs :

DELVAU (A.), *Histoire anecdotique des barrières de Paris* (1865).

FRÉMY (E.), « L'enceinte de Paris construite par les fermiers généraux et la perception des droits d'octroi de la Ville, 1784-1791 », dans *Bulletin de la Société de l'histoire de Paris et de l'Île-de-France*, 1912, p. 115-148.

VALMY-BAYSSE (J.), *La Curieuse Histoire des boulevards extérieurs, 1786-1950* (1950).

FLEURY (M.), «Le mur d'enceinte des fermiers généraux et la rotonde de La Villette, histoire du bâtiment», dans *Commission du Vieux Paris. Procès-verbaux*, 5 janvier 1970, p. 5-18.

PEYSSON (J.M.), «Le mur d'enceinte des fermiers généraux et la fraude à la fin de l'Ancien Régime», dans *Bulletin de la Société de l'histoire de Paris et de l'Île-de-France*, 1982, p. 225-240.

PEYSSON (J.M.), *Le Mur d'enceinte des fermiers généraux, 1784-1791. Politique, économie, urbanisme* (1984, thèse multigraphiée).

• La zone, boulevard des maréchaux et périphérique :

FERNANDEZ (M.), *La Zone, mythe et réalité* (1983, multigraphié).

MULLER (R.), *Habitants et anciens habitants de la zone à Paris* (1983, mémoire multigraphié).

SALOMON (M.), VOISIN (J.), *Transformations urbaines de la ceinture de Paris et boulevard périphérique...* (1989).

COHEN (J.L.), LORTIE (A.), *Des fortifs au périf, Paris, les seuils de la ville* (1991).

SARDAIN (M.F.), *Les Servitudes militaires et les fortifications de Paris, 1836-1919* (1993, mémoire multigraphié).

95. ARRONDISSEMENTS, QUARTIERS, FIEFS...

Le regroupement selon les arrondissements actuels, division bien connue des Parisiens, a été choisi pour classer les références. On rappelle préalablement un certain nombre d'ouvrages qui couvrent la ville entière et pratiquent une répartition interne par quartiers ou arrondissements :

BERTY (A.), LEGRAND (H.), TISSERAND (L.M.), *Topographie historique du Vieux Paris* (1866-1897, 6 vol.).

LAZARE (L.), *Études municipales. Les quartiers pauvres de Paris* (1869).

LAZARE (L.), *Les Quartiers de l'est de Paris et les communes suburbaines* (1870).

HOFFBAUER (F.), *Paris à travers les âges...* (1875-1882, 14 fascicules de vulgarisation de qualité).

LASTEYRIE (R. DE), *Cartulaire général de Paris, ou Recueil de documents relatifs à l'histoire et à la topographie de Paris...* (1887).

MARTIN (A.), *Paris. Promenades dans les vingt arrondissements* (1890, 20 vol., un par arrondissement).

ROCHEGUDE (F. DE), *Guide pratique à travers le vieux Paris...* (1903, éd. revue par M. DUMOLIN en 1923).

ROCHEGUDE (F. DE), *Promenades dans toutes les rues de Paris, par arrondissements* (1910, 20 vol.).

DUMOLIN (M.), *Études de topographie parisienne* (1929-1931, 3 vol.).

HILLAIRET (J.), *Évocation du vieux Paris* (1952-1954, 3 vol.).

FOUQUIÈRES (A. DE), *Mon Paris et ses Parisiens* (1953-1959, 5 vol., VIIIᵉ, XVIᵉ, XVIIᵉ et XVIIIᵉ arrondissements).

HILLAIRET (J.), *Connaissance du vieux Paris* (1956, 3 vol., éd. en livre de poche en 1963).

PRONTEAU (J.), «Construction et aménagement des nouveaux quartiers de Paris, 1820-1826», dans *Histoire des entreprises*, 1958, p. 5-32.

PILLORGET (R.), VIGUERIE (J. DE), «Les quartiers de Paris aux XVIIᵉ et

XVIIIᵉ siècles», dans *Revue d'histoire moderne et contemporaine*, 1970, p. 253-277.

DESCIMON (R.), NAGLE (J.), «Les quartiers de Paris du Moyen Âge au XVIIIᵉ siècle, évolution d'un espace plurifonctionnel», dans *Annales. Économies, sociétés, civilisations*, 1979, p. 956-983.

QUILLIET (B.), «Les fiefs parisiens et leurs seigneurs laïcs au XVIIIᵉ siècle», dans *Histoire, économie et société*, 1982, p. 565-580.

— «La vie des quartiers», dans *Cahiers du CREPIF*, nᵒ 2 (septembre 1983), p. 7-62.

ROBLIN (M.), *Quand Paris était à la campagne : origines rurales et urbaines des vingt arrondissements* (1985).

ROULEAU (B.), *Villages et faubourgs de l'ancien Paris ; histoire d'un espace urbain* (1985).

— *Vie et histoire...* (1985-1988, un volume par arrondissement, publié chez Hervas).

ROULEAU (B.), «Le rôle et l'évolution du parcellaire dans la transformation d'un quartier périphérique de Paris», dans *Cahiers du CREPIF*, 19 (1987), p. 38-50.

ROULEAU (B.), «Parcellaire et tissu urbain dans les quartiers périphériques de Paris», dans *Villes en parallèle*, 12-13 (1988), p. 146-163.

— Mairie de Paris, *Nouveaux quartiers de Paris, 1983-1989* (1989).

— «Les quartiers de Paris du Moyen Âge au début du XXᵉ siècle, recherches nouvelles», nᵒ 38 (1992) dans *Cahiers du CREPIF*.

— *Le Guide du promeneur...* (publication d'un volume par arrondissement entreprise en 1993 par Parigramme).

• Iᵉʳ arrondissement :
Voir aussi le paragraphe 74 pour le commerce aux Halles et la revue *Le Centre de Paris* (§ 10).

MOURA (B.), *La Butte des Moulins. Sa naissance, sa vie et sa mort* (1876).

MOURA (B.), *La Butte des Moulins* (1877).

FOURNIER (E.), *Histoire de la butte des Moulins* (1877).

PITON (C.), *Comment Paris s'est transformé... Le quartier des Halles* (1891).

BOISLISLE (A. DE), «Le quartier Saint-Honoré et les origines du Palais-Cardinal», dans *Mémoires de la Société de l'histoire de Paris et de l'Île-de-France*, 36 (1909), p. 1-46.

— *Le Premier Arrondissement de Paris* (1939).

PERRIN (G.), «L'entassement de la population dans le Paris de la Révolution : la section des Lombards», p. 61-76 de la 2ᵉ série de *Contributions à l'histoire démographique de la Révolution française* (1965).

BABELON (J.P.), «Les relevés d'architecture du quartier des Halles avant les destructions de 1852-1854...», dans *Gazette des beaux-arts*, 70 (juillet-août 1967), p. 1-44.

BABELON (J.P.), FLEURY (M.), SACY (J.S. DE), *Richesses d'art du quartier des Halles, maison par maison* (1967).

BABELON (J.P.), FLEURY (M.), SACY (J.S. DE), «Rapport... sur le complément au Casier archéologique de la Commission pour le quartier des Halles», dans *Commission du Vieux Paris. Procès-verbaux*, supplément au *Bulletin municipal officiel*, nᵒ 42 (28 février 1968), p. 3-38.

CHASTEL (A.), «L'aménagement du marché central de Paris, de la réformation des Halles du XVIᵉ siècle à celle du XIXᵉ siècle », dans *Bulletin monumental*, 1969, p. 7-26 et 69-106.

Lavedan (P.), *La Question du déplacement de Paris et du transfert des Halles, au Conseil municipal, sous la Monarchie de Juillet* (1969).

Loyer (F.), « Les Halles. Les transformations successives du quartier à travers l'histoire », dans *Paris-Projet*, n° 1 (juillet 1969), p. 4-15.

Sacy (J.S. de), *Le Quartier des Halles* (1969, nouvelle éd. en 1978).

Saint-Girons (S.), *Les Halles, guide historique et pratique* (1971).

Boudon (F.), « Urbanisme et spéculation à Paris au XVIIIᵉ siècle : le terrain de l'hôtel de Soissons », dans *Journal of the Society of architectural historians*, 32 (1973), p. 267-307.

Héron de Villefosse (R.), *Les Halles, de Lutèce à Rungis* (1973).

Boudon (F.), « Une ville nouvelle dans un quartier ancien. L'organisation parcellaire et le nouvel urbanisme du quartier des Halles dans la deuxième moitié du XIXᵉ siècle », dans *Actes du 100ᵉ congrès national des Sociétés savantes*, Paris, 1975, Comité des travaux historiques et scientifiques, Section d'archéologie et d'histoire de l'art, p. 295-308.

Zetter (R.), « Les Halles : a case study of large scale redevelopment in central Paris », dans *Town Planning Review*, 46 (1975), p. 267-295.

Boudon (F.), Chastel (A.), Couzy (H.), Hamon (F.), *Système de l'architecture urbaine. Le quartier des Halles à Paris* (1977, 2 vol.).

Lemoine (B.), *Les Halles de Paris* (1980).

Fontgalland (J. de), Guinamard (L.), *Le Louvre et son quartier, 800 ans d'histoire architecturale* (1984).

— « Les Halles : achèvement d'un projet », nᵒˢ 25-26 (1985) de *Paris-Projet*.

Christ (Y.), Léri (J.M.), *Vie et histoire du Iᵉʳ arrondissement* (1988).

Michel (C.), *Les Halles, la renaissance d'un quartier, 1966-1988* (1988).

Large (P.F.), *Des Halles au Forum : métamorphose au cœur de Paris* (1992).

• IIᵉ arrondissement :

Voir la revue *Le Centre de Paris* (§ 10) et la récente bibliographie :

Guilbaud (E.), *Le Deuxième Arrondissement de Paris. Topographie et architecture. Bibliographie* (1992, étude du Groupe de recherche en art, histoire, architecture et littérature, GRAHAL, multigraphié).

— *De la place des Victoires à l'Opéra, promenade historique à travers le IIᵉ arrondissement* (1978, exposition à la mairie du IIᵉ arrondissement).

Gaillard (L.), *A la découverte du IIᵉ arrondissement. Ses rues, ses habitants célèbres* (1988).

Jacob (A.), Babelon (J.P.), Monfrin (J.), *Vie et histoire du IIᵉ arrondissement* (1988).

Montagné-Villette (S.), *Le Sentier, un espace ambigu* (1990).

Taguet (S.), *La Perception du quartier Montorgueil-Saint-Denis* (1992, multigraphié).

Leborgne (D.), *Le Guide du promeneur. 2ᵉ arrondissement* (1995).

• IIIᵉ arrondissement :

Voir la revue *La Cité* (§ 10). Le quartier du Marais, à cheval sur le IIIᵉ et le IVᵉ, figure dans le IVᵉ arrondissement.

Sellier (C.), *Monographie historique et archéologique d'une région de Paris, le quartier Barbette* (1899).

CANET (M.), *Paris, le IIIe arrondissement. Histoire, géographie, économie, tourisme* (1982).

SOREL (P.), *Vie et histoire du IIIe arrondissement* (1986).

DÉRENS (I.), *Le Guide du promeneur. 3e arrondissement* (1994).

• IVe arrondissement :
Voir la revue *La Cité* (§ 10).

MIROT (L.), « Les origines de l'hôtel Sully et la censive du prieuré de la Couture-Sainte-Catherine dans la rue Saint-Antoine », dans *Bulletin de la Société de l'histoire de Paris et de l'Île-de-France*, 1911, p. 77-95.

DUMOLIN (M.), « Le fief d'Autonne », dans *La Cité*, 1927, p. 181-202.

— « Quartier du Marais, conjoncture économique, 1860-1956 », dans *Conjoncture économique*, 1959, p. 487-512.

BOURGEON (J.L.), « L'île de la Cité pendant la Fronde. Structure sociale », dans *Paris et Île-de-France*, 13 (1962), p. 23-144.

IBANÈS (J.), « La population de la place des Vosges et de ses environs en 1791 », p. 71-97 de la 1re série de *Contributions à l'histoire démographique de la Révolution française* (1962).

— *Le Marais, âge d'or et renouveau* (1962, exposition au Musée Carnavalet).

ROCHE (D.), « Recherches sur la noblesse parisienne au milieu du XVIIIe siècle : la noblesse du Marais », p. 541-578 de *Comité des travaux historiques et scientifiques, Actes du 86e congrès national des Sociétés savantes, Montpellier, 1961*, Section d'histoire moderne et contemporaine.

KLEINDIENST (T.), « La topographie et l'exploitation des "Marais de Paris" du XIIe au XVIIe siècle », dans *Paris et Île-de-France*, 14 (1963), p. 7-167.

WILHELM (J.), *La Vie quotidienne au Marais au XVIIe siècle* (1966, nouvelle éd. en 1977).

CHRIST (Y.), SACY (J.S. DE), SIGURET (P.), *Le Marais* (1967, autres éditions en 1974, 1980).

HILLAIRET (J.), *L'Île Saint-Louis* (1967).

KJELLBERG (P.), *Le Guide du Marais* (1967, nouvelle éd. en 1976, *Le Nouveau Guide...* en 1986).

HILLAIRET (J.), *L'Île de la Cité* (1969).

ROUSSEAU-VIGNERON (F.), « La section de la place des Fédérés pendant la Révolution », p. 155-216 de la 3e série de *Contributions à l'histoire démographique de la Révolution française* (1970).

— *Île Saint-Louis* (1980, exposition au Musée Carnavalet).

CHRIST (Y.), SACY (J.S. DE), SIGURET (P.), *L'Île Saint-Louis, l'île de la Cité, le quartier de l'ancienne Université* (1984).

BRUNHOFF (J. DE), *La Place Dauphine et l'île de la Cité* (1987).

— *L'Île de la Cité* (1987, exposition à la mairie du IVe arrondissement, importante bibliographie).

— *Le Marais, mythe et réalité* (1987, exposition à l'hôtel Sully, avec une bonne bibliographie).

FIERRO (A.), LÉRI (J.M.), JACOB (A.), *Vie et histoire du IVe arrondissement* (1988).

LE MOËL (M.), DÉRENS (J.) dir., *La Place de Grève* (1991, exposition à l'Hôtel de Ville).

BRASSART (I.), CUVILLIER (Y.), *Le Guide du promeneur. 4e arrondissement* (1993).

GADY (A.), *Le Marais. Guide historique et architectural* (1994).

• V^e arrondissement :

DENIS (L.), *Bibliographie historique... et iconographique du Jardin des Plantes* (1903).

RUELLE (C.E.), *Essai d'une bibliographie de la montagne Sainte-Geneviève et de ses abords* (1903, d'abord publié dans le tome 3, 1899-1902, du *Bulletin de la montagne Sainte-Geneviève*).

REY (A.), « Recherches historiques et topographiques sur le territoire du fief d'Albiac », dans *Commission du Vieux Paris. Procès-verbaux*, 1904, p. 21-30.

— *Le Quartier universitaire et la vie des étudiants à travers les âges* (1926, exposition à la bibliothèque Sainte-Geneviève).

WIRIOT (E.), *Paris de la Seine à la Cité universitaire. Le quartier Saint-Jacques et les quartiers voisins...* (1930).

DUMOLIN (M.), « La censive du collège des Bernardins », dans *Bulletin de la Société de l'histoire de Paris et de l'Île-de-France*, 1935, p. 25-96.

NOIR (J.), *Le Ve Arrondissement de Paris à travers les siècles* (1935).

BASTIÉ (J.), ROUYER (P.), « L'îlot insalubre Maubert (partie orientale). Étude immobilière, démographique, économique », dans *La Vie urbaine*, 2 (1966), p. 97-145.

ROUX (S.), « L'habitat urbain au Moyen Âge, le quartier de l'Université de Paris », dans *Annales. Économies, sociétés, civilisations*, 1969, p. 1196-1219.

AMIEL (C.), *Flânons ensemble dans le Ve arrondissement* (1977).

— *La Montagne Sainte-Geneviève. Deux mille ans d'art et d'histoire* (1981, exposition à la mairie du Ve arrondissement).

— *Le Grand Siècle au Quartier latin* (1982, exposition à la mairie du Ve arrondissement).

CHRIST (Y.), SACY (J.S. DE), SIGURET (P.), *L'Île Saint-Louis, l'île de la Cité, le quartier de l'ancienne université* (1984).

— *Port-Royal* (1984, exposition à la mairie du Ve arrondissement).

— *Paris et son université. Le Quartier latin de Philippe Auguste à nos jours* (1985, exposition à la mairie du Ve arrondissement).

LE MOËL (M.), *Vie et histoire du Ve arrondissement* (1987).

CARON (J.C.), *Générations romantiques : les étudiants de Paris et le Quartier latin, 1814-1851* (1991).

TREBAOL (I.), *Colloque sur les quartiers de Paris aujourd'hui : le quartier Mouffetard* (1992, multigraphié).

Voir aussi le *Bulletin de la montagne Sainte-Geneviève* (§ 10).

• VIe arrondissement :

Le Quartier latin est traité dans le Ve arrondissement. Voir aussi le *Bulletin de la Société historique du VIe arrondissement de Paris* (§ 10).

MOUTON (L.), « Histoire d'un coin du Pré-aux-Clercs et de ses habitants. Du manoir de Jean Bouyn à l'École des beaux-arts », dans *Bulletin de la Société historique du VIe arrondissement de Paris*, 13 (1910), p. 40-62, 155-215 ; 14 (1911), p. 128-191.

FOIRET (F.), « Le lotissement de l'enclos de l'abbaye de Saint-Germain-des-Prés », dans *Bulletin de la Société historique du VIe arrondissement de Paris*, 27 (1926), p. 52-71.

— *Le Sixième Arrondissement à travers les âges* (1937).

LEHOUX (F.), *Le Bourg Saint-Germain-des-Prés depuis ses origines jusqu'à la fin de la guerre de Cent Ans* (1951).

GUTTON (A.), « L'aménagement de l'Institut de France et le quartier de Saint-Germain-des-Prés », dans *La Vie urbaine*, 1963, p. 113-148.

LEVRON (J.), *Paris se souvient. Plaques commémoratives du VIe arrondissement* (1972).

— *Le Sixième se penche sur son passé* (1976, exposition à la mairie du VIe arrondissement).

JACOB (A.), LÉRI (J.M.), *Vie et histoire du VIe arrondissement* (1986).

— *Saint-Germain-des-Prés, 1945-1950* (1989, exposition au pavillon des Arts).

SABRIÉ (M.L.), *Le Nouveau Montparnasse : de la porte Océane à la Seine* (1990).

DREYFUSS (B.), *Le Guide du promeneur. 6e arrondissement* (1994).

• VIIe arrondissement :
Voir le *Bulletin de la Société d'histoire et d'archéologie du VIIe arrondissement de Paris* (§ 10).

PISANI (P.), *Histoire religieuse du faubourg Saint-Germain* (1920, 2 vol.).

BERTAUT (J.), *Le Faubourg Saint-Germain sous la Restauration* (1935, devenu en 1949 *sous l'Empire et la Restauration*).

— *Le Septième Arrondissement, pages d'histoire* (1937).

CATHEU (F. DE), « Le développement du faubourg Saint-Germain du XVIe au XVIIIe siècle », dans *Bulletin de la Société de l'histoire de Paris et de l'Île-de-France*, 1958, p. 21-40.

BOURQUIN-CUSSENOT (P.), *Le Gros-Caillou. Histoire d'un quartier de Paris* (1963).

BOURQUIN-CUSSENOT (P.), *Saint-Thomas-d'Aquin. Histoire d'un quartier de Paris* (1965).

GŒURY (J.C.), « Évolution démographique et sociale du faubourg Saint-Germain », p. 25-60 de la 2e série de *Contribution à l'histoire démographique de la Révolution française* (1965).

CHRIST (Y.), SACY (J.S. DE), SIGURET (P.), *Le Faubourg Saint-Germain* (1966, nouvelle éd. en 1976).

ZUNZ (O.), « Étude d'un processus d'urbanisation : la question du Gros-Caillou à Paris », dans *Annales. Économies, sociétés, civilisations*, 1970, p. 1024-1065.

— « Le septième arrondissement », dans *Paris-Projet*, 6 (1971), p. 2-28.

— *Le Septième à la Belle Époque* (1978, exposition au Musée Rodin).

MANTELET (M.), *De la rue de la Comète au nouveau quartier de Breteuil* (1983, exposition à la mairie du VIIe arrondissement).

GOURNAY (B.), LAMY-LASSALLE (C.), BAUDE (D.), *Vie et histoire du VIIe arrondissement* (1986).

BARBIER (E.T.), TRUCHIS DE LAYS (M.T. DE), GOURNAY (B.), LAMY-LASSALLE (C.), *Paris VIIe* (1992).

PRASTEAU (J.), *Les Grandes Heures du faubourg Saint-Germain* (1992).

• VIIIe arrondissement :
Voir le *Bulletin de la Société historique et archéologique du VIIIe arrondissement* (§ 10).

BONNARDOT (H.), *Monographie du VIIIe arrondissement de Paris* (1880).

ARISTE (P. D'), ARRIVETZ (M.), *Les Champs-Élysées, études topographique, historique et anecdotique jusqu'à nos jours* (1913).

DUMOLIN (M.), «Les origines de la Culture-l'Évêque», dans *Bulletin de la Société de l'histoire de Paris et de l'Île-de-France*, 1931, p. 112-128.

DUPUIS (R.), «La Chartreuse et le quartier Beaujon», dans *Bulletin de la Société de l'histoire de Paris et de l'Île-de-France*, 1935, p. 97-132.

— *Le Huitième Arrondissement, souvenirs d'hier et d'aujourd'hui* (1938).

DÉTREZ (A.), *Le Faubourg Saint-Honoré de Louis XIV au second Empire* (1953).

HÉRON DE VILLEFOSSE (R.), *Le Cœur battant de Paris* (1968).

— *De Bagatelle à Monceau, 1778-1978. Les folies du XVIIIᵉ siècle à Paris* (1978, exposition à Bagatelle).

BARRIELLE (J.F.), CASTIEAU (T.), LENORMAND-ROMAIN (A.), *Champs-Élysées, faubourg Saint-Honoré, plaine Monceau* (1982).

SAULIEU (C. DE), *Paris. Le VIIIᵉ arrondissement. Histoire, géographie, économie, tourisme* (1983).

JACOB (A.), LÉRI (J.M.), *Vie et histoire du VIIIᵉ arrondissement* (1987).

JOUFFRE (V.N.), «Le quartier du Roule et les spéculations aux Champs-Élysées», dans *Cahiers du CREPIF*, 18 (mars 1987), p. 49-60.

— *Les Champs-Élysées et leur quartier* (1988, exposition à la mairie du VIIIᵉ arrondissement).

MONCAN (P. DE), *Le Triomphe du VIIIᵉ* (1988).

• IXᵉ arrondissement :

Voir *Le Vieux Montmartre* (§ 10).

MENTIENNE (M.), *Le Fief de la Grange-Batelière de l'an 1200 à 1847* (1910).

— *Le Neuvième Arrondissement, Paris d'hier et d'aujourd'hui* (1939).

MAILLARD (A.), *Les Origines du vieux Montmartre et des plus anciennes rues des XVIIIᵉ et IXᵉ arrondissements* (1959).

GŒURY (A.), «La section Grange-Batelière pendant la Révolution», p. 93-153 de la 3ᵉ série de *Contributions à l'histoire démographique de la Révolution française* (1970).

— *La Nouvelle-Athènes. Le quartier Saint-Georges de Louis XV à Napoléon III* (1984, exposition au Musée Renan-Scheffer).

PINON (P.), *Lotissements spéculatifs et formes urbaines. Le quartier de la Chaussée-d'Antin à la fin de l'Ancien Régime* (1986).

VAN DEPUTTE (J.), *Vie et histoire du IXᵉ arrondissement* (1986).

• Xᵉ arrondissement :

Voir *Le Centre de Paris* (§ 10).

— *Le Faubourg Poissonnière* (1986, exposition à la mairie du Xᵉ arrondissement).

BEAUMONT-MAILLET (L.), *Vie et histoire du Xᵉ arrondissement* (1988).

RONZEVALLE (E.), *Paris Xᵉ. Histoire, monuments, culture* (1993).

• XIᵉ arrondissement :

A cheval sur les XIᵉ et XIIᵉ arrondissements, le faubourg Saint-Antoine est regroupé dans le XIᵉ. Voir la revue *La Cité* (§ 10).

DESCOMBES (L.), *Recherches sur le faubourg Saint-Antoine* (1905).

VIAL (H.), «La Roquette. La seigneurie et le fief de la Grande-Chambrerie…», dans *Bulletin de la Société de l'histoire de Paris et de l'Île-de-France*, 1908, p. 86-113.

LECOQ (T.), «Souvenirs de la vie d'un quartier de Paris au XIXe siècle, la Ville-d'Angoulême», dans *La Vie urbaine*, 1928, p. 1001-1015.

PRAT (J.H.), *Histoire du faubourg Saint-Antoine* (1963).

SÉVEGRAND (M.), «La section de Popincourt pendant la Révolution», p. 9-91 de la 3e série de *Contributions à l'histoire démographique de la Révolution française* (1970).

ÉTIENNE (G.), «La Villeneuve du Temple à Paris aux XIIIe et XIVe siècles», p. 87-99 d'*Actes du 100e congrès national des Sociétés savantes*, Paris, 1975, Section de philologie et d'histoire jusqu'à 1610.

MONNIER (R.), *Le Faubourg Saint-Antoine, 1789-1815* (1981).

PRONTEAU (J.), «Le lotissement de la "couture" extérieure du Temple à Paris et la formation de la nouvelle ville d'Angoulême, 1777-1792», dans *Bulletin de la Société de l'histoire de Paris et de l'Île-de-France*, 1981, p. 47-115.

— *Du faubourg du Temple au faubourg Saint-Antoine. Promenade historique dans le XIe arrondissement* (1985, exposition salle de la Roquette).

DELANOÉ (H.), *Le Faubourg Saint-Antoine. Rapport préliminaire* (1986).

LEBORGNE (D.), CHADYCH (D.), *Vie et histoire du XIe arrondissement* (1987).

MICHEL (D.), RENOU (D.), *Le Guide du promeneur. XIe arrondissement* (1993).

• XIIe arrondissement :

Le faubourg Saint-Antoine a été regroupé dans le XIe arrondissement. Voir la revue *La Cité* (§ 10).

BOISLISLE (A. DE), «Topographie historique de la seigneurie de Bercy, par Charles-Henri de Malon», dans *Mémoires de la Société de l'histoire de Paris et de l'Île-de-France*, 8 (1881), p. 1-94.

HENRIOT (G.), «Le fief de Reuilly», dans *Bulletin de la Société de l'histoire de Paris et de l'Île-de-France*, 1909, p. 192-201.

LAMBEAU (L.), *Histoire des communes annexées à Paris en 1859. Bercy* (1910).

HILLAIRET (J.), *Le XIIe arrondissement* (1972).

DORIAN (C. et F.), DEYHERASSARY (J.M.), *Phénomènes urbains à Saint-Éloi* (1973, maîtrise multigraphiée).

— *Du faubourg Saint-Antoine au bois de Vincennes. Promenade historique dans le XIIe arrondissement* (1983, exposition à la mairie du XIIe arrondissement).

MOURAUX (L.), *Bercy* (1983).

RUDDER (V. DE), *Autochtones et immigrés en quartier populaire : du marché d'Aligre à l'îlot Chalon* (1987).

FIERRO (A.), *Vie et histoire du XIIe arrondissement* (1988).

SABRIÉ (M.L.), *Le Quartier Bercy-Gare de Lyon : Paris s'éveille à l'est* (1989).

COURAUD (C), *C'était hier... Le XIIe arrondissement* (1990).

CHIPAULT (I.), FIERRO (A.), *Paris XIIe* (1992).

CRÉTIN (P.), *La Vie de quartier : ZAC Reuilly-Diderot* (1992, multigraphié).

— *Résistance, 1940-1944, dans le XIIe arrondissement de Paris* (1992).

CHADYCH (D.), *Le Guide du promeneur. 12e arrondissement* (1995).

• XIIIe arrondissement :

Voir les revues *Bulletin de la montagne Sainte-Geneviève* et *Société historique et archéologique du XIIIe arrondissement*, ainsi que la bibliographie ancienne :

RUELLE (C.E.), *Essai d'une bibliographie de la montagne Sainte-Geneviève et de ses abords* (1903, d'abord publié dans le tome 3, 1899-1902, du *Bulletin de la montagne Sainte-Geneviève*).

DORÉ (P.), *Notice administrative, historique et municipale sur le XIIIe arrondissement...* (1860).

LECOQ (M.), *Sur les rives de la Bièvre. Histoire du quartier, de la paroisse et des œuvres de la Maison Blanche* (vers 1955).

ROBLIN (M.), «De Lourcines à la Tombe-Issoire», dans *Paris et Île-de-France*, 15 (1964), p. 7-42.

COING (H.), *Rénovation urbaine et changement social : l'îlot n° 4, Paris XIIIe* (1966).

LEMAY (C.), *Étude de l'évolution d'un quartier : Croulebarbe, XIIIe arrondissement* (1967, thèse multigraphiée).

ROBLIN (M.), «Les origines rurales du XIIIe arrondissement de Paris», dans *Paris et Île-de-France*, 20 (1969), p. 7-48.

— *Du bourg Saint-Marcel aux Gobelins. Monographie du XIIIe arrondissement* (1971).

AUDEFROY (J.), *La Fondation du Val-de-Bièvre. Essai d'interprétation architecturale de l'histoire* (1977).

— *La Résistance dans le XIIIe arrondissement de Paris* (1977).

— *Le XIIIe Arrondissement de Paris, du Front populaire à la Libération* (1977).

DANSEL (M.), ARNOUX (A. D'), *Histoire des arrondissements de Paris. Paris XIIIe* (1978).

— *Butte-aux-Cailles. Gobelins. Évolution de deux quartiers de Paris. Éléments de recherche* (1978, étude de l'Institut d'urbanisme).

— *Paris sur Bièvre. Promenade historique à travers le XIIIe arrondissement* (1980, exposition à la mairie du XIIIe arrondissement).

CONTÉ (G.), *Éléments pour une histoire de la Commune dans le XIIIe arrondissement, 5 mars-25 mai 1871* (1981).

BURSTIN (H.), *Le Faubourg Saint-Marcel à l'époque révolutionnaire, structure économique et composition sociale* (1983).

GUILLON (M.), TABOADA-LEONETTI (I.), *Le Triangle de Choisy. Un quartier chinois à Paris...* (1986).

— *Notre XIIIe* (1986).

LÉVÊQUE (J.L.), *Vie et histoire du XIIIe arrondissement* (1987).

ROULEAU (B.), «Le rôle et l'évolution du parcellaire dans la transformation d'un quartier périphérique de Paris», dans *Cahiers du CREPIF*, 19 (1987), p. 38-50.

CONTÉ (G.), *C'était hier... Le 13e arrondissement* (1992, excellente bibliographie, notamment sur les romans et souvenirs évoquant cet arrondissement).

— *Treizième arrondissement, une ville dans Paris* (1993, exposition à la mairie du XIIIe arrondissement).

• XIVe arrondissement :
Tout ce qui concerne Montparnasse a été regroupé ici. Voir aussi les revues *Les Trois Monts, Annuaire du XIVe arrondissement de Paris, Revue d'histoire du XIVe arrondissement de Paris* (§ 10).

ÉMILE-BAYARD (J.), *Montparnasse hier et aujourd'hui* (1927).

WIRIOT (E.), *Paris de la Seine à la Cité universitaire. Le quartier Saint-Jacques et les quartiers voisins...* (1930).

RENOU (G.), *Histoire de Montrouge des origines à nos jours et du Petit-Montrouge, de Montparnasse et de Plaisance...* (1932).

AUBERT (L.), *Le Petit-Montrouge et l'église Saint-Pierre* (1938).

PERROY (G.), *Histoire du XIVe arrondissement de Paris* (1952).

MAGNIEN (J.), *Notre vieux Montrouge* (1961).

— *Centenaire du XIVe arrondissement de Paris. Exposition « Du passé à l'avenir »...* (1961, à la mairie du XIVe).

ROBLIN (M.), *De Lourcines à la Tombe-Issoire*, dans *Paris et Île-de-France*, 15 (1964), p. 7-42.

COTTARD (R.L.), « Charmes et survivances des anciens lieux-dits du XIVe arrondissement », dans *Quatorzième arrondissement*, 1966, p. 2-22.

BOURQUIN-CUSSENOT (P.), *Montparnasse. Histoire d'un quartier de Paris* (1967).

COTTARD (R.L.), « Commémorations oubliées, ou les célébrités et événements du XIVe arrondissement non célébrés par les plaques », dans *Quatorzième arrondissement*, 1968, p. 5-23.

HOFFMANN (M.), DAUVOIS (D.), *Le XIVe Arrondissement historique et pittoresque* (1980).

CHALVON-DEMERSAY (S.), *Le Triangle du XIVe : des nouveaux habitants dans un vieux quartier de Paris* (1984).

COTTARD (R.L.), « L'évolution du XIVe arrondissement de 1860 à nos jours : terroir, peuplement et habitat », dans *Quatorzième arrondissement*, 1984-1985, p. 9-48.

— *Port-Royal* (1984, exposition à la mairie du Ve arrondissement).

CERF (M.), *La Commune dans le XIVe arrondissement* (1986).

— *De Montparnasse à Montsouris. Itinéraire historique dans le XIVe arrondissement* (1986, exposition à la mairie du XIVe arrondissement).

COTTARD (R.L.), *Vie et histoire du XIVe arrondissement* (1988).

LEMOINE (B.), *La Cité universitaire de Paris* (1990).

SABRIÉ (M.L.), *Le Nouveau Montparnasse : de la porte Océane à la Seine* (1990).

— *Colloque sur la vie de quartier dans le Paris d'aujourd'hui : le quartier Daguerre* (1992, CREPIF, multigraphié).

LE NAUENNEC (S.), *ZAC Guilleminot-Vercingétorix : la vie du quartier* (1992, CREPIF, multigraphié).

BOBIN (S.), *Je me souviens du 14e arrondissement* (1993).

• XVe arrondissement :

Voir le *Bulletin de la Société d'histoire et d'archéologie des VIIe et XVe arrondissements de Paris* (§ 10).

LAMBEAU (L.), *Histoire des communes annexées à Paris en 1859. Vaugirard* (1912).

LAMBEAU (L.), *Histoire des communes annexées à Paris en 1859. Grenelle* (1914).

PHAURE (J.), *Du village de Grenelle au XVe arrondissement* (1957).

JOUBERT (X.), *Vaugirard et Grenelle au fil des siècles. Histoire du XVe arrondissement* (1960).

RIOU (A.), *Propriété foncière et processus d'urbanisation*, 1, *Deux quartiers* parisiens de la «Belle Époque» (1973, quartiers Saint-Lambert et Porte-Dauphine).

Morel (A.), *1944-1974. 30 ans après. Ce qu'a été la Résistance clandestine et ce que furent les combats de la libération du XVe arrondissement* (1974, multigraphié).

— «L'aménagement des terrains Citroën», dans *Paris-Projet*, 17 (1977), p. 64-107.

Caillois (R.), *Petit guide du XVe arrondissement à l'usage des fantômes* (1977).

— «L'aménagement des anciens abattoirs de Vaugirard», dans *Paris-Projet*, 18 (1978), p. 106-141.

Saragoussi (A.), *Les Métamorphoses du XVe arrondissement de Paris* (1978, thèse multigraphiée).

Borveau (A.), *Notre XVe. Histoire et description sommaire...* (1983, multigraphié).

— *De Vaugirard à Grenelle. Promenade historique dans le XVe arrondissement* (1984, exposition à la mairie du XVe arrondissement).

Panouille (J.P.), *Étude dans une perspective historique des effets et des incidences des politiques et des plans de développement officiels de Paris sur l'environnement et le tissu social de l'un des arrondissements, le XVe* (1984).

Leborgne (D.), *Vie et histoire du XVe arrondissement* (1986).

Eynolhagh (M.), *Un paysage urbain : le Front de Seine, sa transformation et sa perception* (1987, mémoire multigraphié).

Lampert (T.), *L'Évolution du plus grand arrondissement de Paris, le XVe* (1987, multigraphié).

Carpentier (C.), *La ZAC Citroën-Cévennes : un exemple de la politique d'aménagement et d'urbanisme menée par la Ville de Paris* (1988, mémoire multigraphié).

Claval (F.), *Le Guide du promeneur. 15e arrondissement* (1994).

• XVIe arrondissement :

Voir le *Bulletin de la Société historique d'Auteuil et de Passy* (§ 10).

Laffitte (J.), *Un Coin de Paris. Le XVIe arrondissement dans le passé...* (1898).

— «Éphémérides du XVIe arrondissement», dans *Bulletin de la Société historique d'Auteuil et de Passy*, 3 (1898-1900), p. 228, 282-284 ; 4 (1901-1903), p. 30, 219-220, 244-248, 274-276, 334 ; 5 (1904-1906), p. 45-47, 88, 136, 258, 300 ; 7 (1910-1912), p. 35-36.

Maïstre (H.), Forges de Montagnac (H. de), Potin (E.), «Annales du XVIe arrondissement de 1900 à 1905», dans *Bulletin de la Société historique d'Auteuil et de Passy*, 4 (1901-1903), p. 6-7, 103-104, 152, 187, 225-226, 254-255, 282, 351 ; 5 (1904-1906), p. 54-55, 93, 145-146, 218, 303.

Doniol (A.), *Histoire du XVIe arrondissement de Paris* (1902).

— Société historique d'Auteuil et de Passy, *Première exposition d'histoire et d'archéologie du XVIe arrondissement* au musée Guimet, du 1er au 27 juin 1904 (1905).

Dumolin (M.), «Le Vieux Chaillot», dans *Bulletin de la Société historique d'Auteuil et de Passy*, 12 (1931-1947), p. 111-121 et 175.

Fayol (A.), *Auteuil au cours des âges* (1931, plusieurs fois réédité).

Fossier (R.), «Voies et chemins de Passy», dans *Paris et Île-de-France*, 8 (1956), p. 41-65.

Riou (A.), *Propriété foncière et processus d'urbanisation*, 1, *Deux quartiers parisiens de la «Belle Époque»* (1973, quartiers Saint-Lambert et Porte-Dauphine).

Hillairet (J.), *La Colline de Chaillot* (1977).

Hillairet (J.), *Le Village d'Auteuil* (1978).

Dansel (M.), Arnoux (A. d'), *Histoire des arrondissements de Paris. Paris 16e* (1978).

— *Chaillot, Passy, Auteuil. Promenade historique dans le XVIe arrondissement* (1982, exposition à la mairie du XVIe arrondissement, à Bagatelle et au Musée Carnavalet).

Siguret (P.), *Chaillot, Passy, Auteuil, le bois de Boulogne. Le XVIe arrondissement* (1982).

— *Le XVIe Arrondissement, mécène de l'Art nouveau, 1895-1914* (1984, exposition à la mairie du XVIe).

Siguret (P.), Lemoine (B.), *Vie et histoire du XVIe arrondissement* (1986).

Taboada-Leonetti (I.), *Les Immigrés des beaux quartiers : la communauté espagnole dans le XVIe arrondissement de Paris* (1987).

— *Le XVIe. Chaillot, Passy, Auteuil, métamorphoses de trois villages* (1991).

• XVIIe arrondissement :

Voir le *Bulletin de la Société historique et archéologique des VIIIe et XVIIe arrondissements de Paris*.

Babize (E.), *Le XVIIe Arrondissement à travers les âges* (1930).

Barrielle (J.F.), Casteau (T.), Lenormand-Romain (A.), *Champs-Élysées, faubourg Saint-Honoré, plaine Monceau* (1982).

Granboulan-Féral (S.), «Aspects de l'architecture dans la plaine Monceau à la fin du XIXe siècle», dans *Bulletin de la Société de l'histoire de Paris et de l'Île-de-France*, 1982, p. 241-277.

Adamowicz (S.), *Paris 17e arrondissement, historique et pittoresque* (1985).

Granboulan-Féral (S.), Gesa (R.), Lemoine (A.), Trouilleux (R.), *Vie et histoire du XVIIe arrondissement* (1985).

— *Des Ternes aux Batignolles. Promenade historique dans le XVIIe arrondissement* (1986, exposition à la mairie du XVIIe arrondissement).

Bonin (S.), *Je me souviens du 17e arrondissement* (1994).

• XVIIIe arrondissement :

Voir la revue *Le Vieux Montmartre* (§ 10) et la bibliographie ancienne de :

Le Senne (E.), *Essai d'une bibliographie historique de Montmartre avant 1800* (1902, poursuivi jusqu'en 1830 dans *Le Vieux Montmartre*, 1906-1910).

Lazard (L.), «Les ateliers de charité de Montmartre, 1789-1791», dans *Le Vieux Montmartre*, 1895-1896, p. 169-179 et 203-210.

Monin (H.), «Le banquet du Château-Rouge, 9 juillet 1847», dans *Le Vieux Montmartre*, 1895-1896, p. 277-324.

Monin (H.), «Montmartre en novembre et décembre 1848. Affiches officielles, banquet du 19 novembre au Château-Rouge», dans *Le Vieux Montmartre*, 1897-1900, p. 90-101.

Guilhermy (F. de), *Montmartre* (1906).

MAUZIN (J.), «Les artistes à Montmartre. Pierre Deruelle et Alexandre Moitte, entrepreneurs de la manufacture de porcelaine de Clignancourt, 1767-1800», dans *Le Vieux Montmartre*, 1921-1925, p. 77-102.

MAUZIN (J.), «Montmartre pendant la Révolution», dans *Le Vieux Montmartre*, 1921-1925, p. 181-266; 1926-1931, p. 137-189.

MAUZIN (J.), «Les chevaliers du noble jeu de l'arc de Montmartre et de Saint-Sébastien», dans *Le Vieux Montmartre*, 1921-1925, p. 291-324.

LAMBEAU (L.), *Histoire des communes annexées à Paris en 1859. La Chapelle-Saint-Denis* (1923).

MAUZIN (J.), «Ordonnances et visites de police à Montmartre au XVIIIe siècle», dans *Le Vieux Montmartre*, 1926-1931, p. 81-114.

LESOURD (P.), *La Butte sacrée. Montmartre des origines au XXe siècle* (1937).

LA MONNERAYE (J. DE), «Montmartre vers 1540 d'après les terriers des seigneuries de Montmartre et de Clignancourt», dans *Paris et Île-de-France*, 8 (1956), p. 67-101.

MAILLARD (A.), *Les Origines du vieux Montmartre et des plus anciennes rues des XVIIIe et IXe arrondissements. Reconstitution de la butte au XVe siècle...* (1959).

LESOURD (P.), *Montmartre* (1973).

MAILLARD (L.), *Les Moulins de Montmartre et leurs meuniers* (1981).

LÉRI (J.M.), *Montmartre* (1983).

CHEVALIER (L.), *Les Ruines de Subure, Montmartre de 1939 aux années 80* (1985).

MOUSNIER (J.), *Paris 18e arrondissement, historique et pittoresque* (1985).

BREITMAN (M.), CULOT (M.) dir., *La Goutte-d'Or, faubourg de Paris* (1988).

LAGARDE (P. DE), FIERRO (A.), *Vie et histoire du XVIIIe arrondissement* (1988).

— «La Goutte-d'Or», dans *Hommes et migrations*, n° 1122 (mai 1989), p. 1-31.

TOUBON (J.C.), MESSAMAH (K.), *Centralité immigrée: le quartier de la Goutte-d'Or...* (1990, 2 vol.).

• XIXe arrondissement :

Les références concernant Belleville ont été regroupées dans le XXe arrondissement.

LAMBEAU (L.), *Histoire des communes annexées à Paris en 1859. La Villette* (1926).

ROUQUET (A.), *La Villette. Vie d'un quartier de Paris* (1930).

— «La Villette, aménagement des anciens abattoirs et des abords du bassin», dans *Paris-Projet*, 15-16 (1976), p. 4-109.

GRAVEREAU (A.), *Chère Villette. Histoire d'un quartier de Paris* (1977).

NIEDERMAN (S.), *Une opération d'urbanisme : l'abattoir de La Villette* (1979, mémoire multigraphié).

PRIN (G.), *Paris XIXe. Quartier Pont-de-Flandre. Quel avenir ?* (1984, multigraphié).

FIERRO (A.), *Vie et histoire du XIXe arrondissement* (1987).

PONTHIEU (G.), PHILIPP (E.), *La Villette. Les années 30. Un certain âge d'or* (1987).

PÉROUSE (J.F.), «Résidence et activité des étrangers dans un quartier rénové :

l'exemple du quartier Combat, dans le nord-est parisien», dans *Strates*, 3, 1988, p. 41-62.

ROBERT (J.P.), *Promenades dans le Paris ancien. Le XIXe arrondissement* (1992).

PHILIPP (E.), *Le Guide du promeneur. 19e arrondissement* (1994).

• XXe arrondissement :

LAZARE (L.), *Les Quartiers pauvres de Paris. Le XXe arrondissement* (1870).

DALLY (P.), *Belleville, histoire d'une localité parisienne pendant la Révolution* (1912).

LAMBEAU (L.), *Histoire des communes annexées à Paris en 1859. Charonne* (1916-1921, 2 vol.).

LEPIDIS (C.), JACOMIN (E.), *Belleville mon village. Histoire de Belleville* (1975).

DANSEL (M.), *Histoire des arrondissements de Paris. Paris 20e* (1977).

JACQUEMET (G.), «La violence à Belleville au début du XXe siècle», dans *Bulletin de la Société de l'histoire de Paris et de l'Île-de-France*, 1978, p. 141-167.

— *De Belleville à Charonne. Promenade historique à travers le XXe arrondissement* (1979, exposition à la mairie du XXe arrondissement et au Musée Carnavalet).

JACQUEMET (G.), «Voirie, transports et équipement urbain à Belleville de 1860 à 1914», dans *Paris et Île-de-France*, 33 (1982), p. 225-253.

JACQUEMET (G.), *Belleville au XIXe siècle : du faubourg à la ville* (1984).

LACORDAIRE (S.), *Vie et histoire du XXe arrondissement* (1987).

MONNIER (R.), «La Société populaire de Belleville», dans *Paris et Île-de-France*, 41 (1990), p. 141-155.

DARRIUS (S.), *Enquête sur les quartiers de Paris : la ZAC des Amandiers dans le XXe arrondissement* (1992, multigraphié).

SIMON (P.), «Belleville, un quartier d'intégration», dans *Migrations et Société*, janvier-février 1992, p. 45-68.

DUBOIS (A.M.), *Le Guide du promeneur. 20e arrondissement* (1993).

96. ÎLES, PONTS ET QUAIS

Voir aussi le paragraphe 13 pour les généralités sur la Seine et la Bièvre. L'île de la Cité et l'île Saint-Louis figurent au paragraphe 95, dans le IVe arrondissement.

A. Les îles

Les deux «grandes» îles de la Cité et Saint-Louis étant traitées dans le cadre du IVe arrondissement (§ 95), on se limite ici à des îles secondaires et à des îlots disparus :

BERTY (A.), *Les Trois Îlots de la Cité compris entre les rues de la Licorne, aux Fèves, de la Lanterne, du Haut-Moulin et de Glatigny* (1860, d'abord paru dans la *Revue archéologique*).

DELABY (C.), «L'île Louviers», dans *La Cité*, 1 (1902-1903), p. 405-430.

PITON (C.), «L'île Louviers», dans *La Cité*, 4 (1908-1909), p. 597-603.

MOUTON (L.), «Le quai Malaquais : l'îlot de la Butte», dans *Bulletin de la Société historique du VIᵉ arrondissement*, 16 (1913), p. 38-80 et 227-262.

AUBAULT DE LA HAULTE-CHAMBRE (G.), *Les Îles parisiennes* (1922).

PRASTEAU (J.), *Îles de Paris* (1957).

B. Les ponts

LE ROUX DE LINCY (A.J.V.), «Recherches historiques sur la chute et la reconstruction du pont Notre-Dame à Paris, 1499-1510», dans *Bibliothèque de l'École des chartes*, 1845-1846, p. 32-51.

BERTY (A.), «Recherches sur l'origine et la situation du Grand Pont de Paris, du pont aux Changeurs, du pont aux Meuniers et de celui de Charles le Chauve», dans *Revue archéologique*, 1855, p. 193-220.

FOURNIER (E.), *Histoire du Pont Neuf* (1862, 2 vol.).

FÉLINE-ROMANY (?), *Notice historique sur les ponts de Paris* (1865, d'abord paru dans *Annales des Ponts et Chaussées*, 8, 1864).

DUPAIN (S.), *Notice historique sur le pont Notre-Dame* (1882).

DESPIERRES (G.), «Construction du pont Royal de Paris, 1685-1688», dans *Mémoires de la Société de l'histoire de Paris et de l'Île-de-France*, 22 (1895), p. 179-224.

TAXIL (L.), «Une opération de voirie au XVIIIᵉ siècle : démolition des maisons construites sur les ponts de Paris et établissement de quais en bordure de la Seine», dans *Commission du Vieux Paris. Procès-verbaux*, annexe au procès-verbal de la séance du 10 novembre 1909.

DUPLOMB (C.), *Histoire générale des ponts de Paris* (1911-1913, 2 vol.).

HOCHE (L.), *Contribution à l'histoire de Paris...* (1912, 3 vol. ; l'appendice 3 est consacré aux ponts de Paris).

MARMOTTAN (P.), *Le Pont d'Iéna* (1917).

TESSON (L.), «Communication... sur le pont au Double», dans *Commission du Vieux Paris. Procès-verbaux*, 1917, p. 70-84 et dans *La Cité*, 1918, p. 197-223.

LAMBEAU (L.), «Rapport concernant la conservation du pont Marie et relatant les phases principales de son histoire», dans *Commission du Vieux Paris. Procès-verbaux*, 26 juin 1920, p. 147-179.

L'ESPRIT (A.), «Le pont de la Tournelle et le registre de l'Inspection générale de la navigation», dans *Bulletin de la montagne Sainte-Geneviève*, 7 (1920), p. 27-62.

BOUCHER (F.), *Le Pont Neuf* (1925-1926, 2 vol.).

DUBLY (H.L.), *Ponts de Paris à travers les siècles* (1957).

EGBERT (V.W.), *On the bridges of mediaeval Paris. A record of early fourteenth century life* (1974).

BELOT (V.R.), *Le Pont Neuf* (1978).

— *Pont Neuf, 1578-1978* (1978, exposition à la mairie du Iᵉʳ arrondissement).

MISLIN (M.), *Die überbauten Brücken von Paris, ihre Bau- und Stadtbaugeschichtliche Entwicklung im 12.-19. Jahrhundert* (1979, thèse multigraphiée).

GAILLARD (M.), *Quais et ponts de Paris* (1982).

METMAN (Y.), *Le Registre ou plumitif de la construction du Pont Neuf* (1987).

BEAUDOUIN (F.), *Paris/Seine* (1989).

GAILLARD (M.), *Quais et ponts de Paris. Guide historique* (1993).

— *Les Ponts de Paris* (1991, exposition à Tokyo).
— VAN DEPUTTE (J.), *Ponts de Paris* (1994, bonne synthèse pourvue d'une bibliographie).

C. Les quais

HOFFBAUER (F.), *Les Rives de la Seine à travers les âges* (1904).

CHERRIÈRE (?), «La lutte contre l'incendie sur la Seine, les ports et les quais de Paris sous l'Ancien Régime», p. 117-225 de *Mémoires et documents pour servir à l'histoire du commerce et de l'industrie en France* (1912, 2ᵉ série).

MOUTON (L.), «Le quai Malaquais», dans *Bulletin de la Société historique du VIᵉ arrondissement*, 16 (1913), p. 38-80 et 227-262 ; 20 (1918), p. 16-48 ; 21 (1919-1920), p. 21-74 ; 37 (1937), p. 75-177 ; 38 (1938), p. 91-147.

BOISSON (M.), *Le Quai d'Orléans et l'île Saint-Louis* (1932).

LÉRI (J.M.), *Les Berges de la Seine. Politique d'urbanisme de la Ville de Paris, 1769-1848* (1981, exposition à la Bibliothèque historique de la Ville de Paris).

GAILLARD (M.), *Quais et ponts de Paris* (1982, nouvelle éd. en 1993).

KRUTA (V.), «Le quai gallo-romain de l'île de la Cité (fouilles du parvis Notre-Dame), 1980», dans *Cahiers de la Rotonde*, 6, 1983, p. 7-17.

PERRY (S.), BERTRAND (E.), *La Seine et ses berges à Paris intra-muros* (1984, mémoire multigraphié).

SAINT-PAUL (E.), «Le quai Malaquais au XVIIᵉ siècle, formation d'un paysage urbain», dans *Bulletin de la Société de l'histoire de Paris et de l'Île-de-France*, 1984, p. 21-45.

POLITIS (N.), «Aménagement des berges de la Seine et canaux dans Paris», dans *Cahiers du CREPIF*, 14 (mars 1986), p. 31-43.

— *Le Faubourg Saint-Germain : le quai Voltaire* (1990).

97. CIMETIÈRES

Un recueil indispensable :
— *Épitaphier du vieux Paris, recueil général des inscriptions funéraires des églises, couvents, collèges, hospices, cimetières et charniers depuis le Moyen Âge jusqu'à la fin du XVIIIᵉ siècle* (commencé en 1890 par E. RAUNIÉ, continué par H. VERLET, 8 vol. parus).

Un choix de quelques titres :

DUFOUR (V.), *Monographies parisiennes. Les charniers des églises de Paris* (1866-1884, 3 vol.).

DUFOUR (V.), *La Danse macabre des Saints-Innocents de Paris... Étude sur le cimetière, le charnier...* (1874).

— *Cimetières des anciennes communes annexées. Plans cadastraux des concessions perpétuelles et trentenaires* (1885-1888, 95 feuilles au 1/200).

SELLIER (C.), LAZARD (L.), «Les cimetières de Montmartre avant et pendant la Révolution. Le cimetière de Montmartre depuis la Révolution», dans *Le Vieux Montmartre*, 1895, p. 73-95 et 96-99.

WEISS (N.), «Cimetières protestants parisiens, 1, Le cimetière de Saint-Marcel ou des Poules, 1685-1717», dans *Bulletin de la Société de l'histoire du protestantisme français*, 1902, p. 94-99.

VIAL (H.), «Cimetières protestants parisiens, 2, Le cimetière des protestants étrangers à la porte Saint-Martin», dans *Bulletin de la Société de l'histoire du protestantisme français*, 1902, p. 259-280.

PANNIER (J.), «Le cimetière des protestants de Paris, rue des Saints-Pères, au XVIIe siècle», dans *Bulletin de la Société de l'histoire du protestantisme français*, 1906, p. 249-254.

LAMBEAU (L.), «Cimetière paroissial de Saint-Gervais et ses charniers», dans *La Cité*, 3 (1906-1907), p. 547-566 et 629-672.

BERTIN (G.), «Le cimetière d'Auteuil», dans *Bulletin de la Société historique d'Auteuil et de Passy*, 6 (1907-1909), p. 43-46, 84-101, 107-120, 154-160, 187-193, 217-228, 249-255, 283-288, 321-337.

BERTIN (G.), *Le Cimetière d'Auteuil...* (1910).

LAMBEAU (L.), «L'ancien cimetière Saint-Paul et ses charniers...», dans *Commission du Vieux Paris. Procès-verbaux*, annexe à la séance du 9 novembre 1910.

LAMBEAU (L.), «Le cimetière de Picpus, 1794-1921», dans *Commission du Vieux Paris. Procès-verbaux*, annexe à la séance du 28 mai 1921.

LEMOINE (H.), «Les cimetières de Paris de 1760 à 1825», dans *Bulletin de la Société de l'histoire de Paris et de l'Île-de-France*, 1924, p. 78-110.

ALBERT (P.), *Histoire du cimetière du Père La Chaise* (1937).

ROBLIN (M.), «Les cimetières juifs de Paris au Moyen Âge», dans *Fédération des sociétés historiques et archéologiques de Paris et de l'Île-de-France, Mémoires*, 4 (1952), p. 7-19.

HILLAIRET (J.), *Les 200 Cimetières du vieux Paris* (1958).

VAQUIER (A.), «Le cimetière de la Madeleine et le sieur Descloseaux», dans *Paris et Île-de-France*, 12 (1961), p. 97-134.

COTTARD (R.L.), «Le cimetière de Montrouge et ses hôtes», dans *Revue d'histoire du XIVe arrondissement*, 1970, p. 7-20.

MARIEL (P.), *Guide pittoresque et occulte des cimetières parisiens* (1972).

DANSEL (M.), *Au Père-Lachaise. Son histoire, ses secrets, ses promenades* (1973).

FOISIL (M.), «Les attitudes devant la mort au XVIIIe siècle ; sépultures et suppression de sépultures dans le cimetière parisien de Saint-Eustache», dans *Revue historique*, avril-juin 1974, p. 303-330.

LE CLÈRE (M.), *Cimetières et sépultures de Paris. Guide historique et pratique* (1978, «Les Guides bleus»).

PÉRIN (P.), «Les cimetières mérovingiens de Paris», dans *Paris et Île-de-France*, 32 (1981), p. 73-124.

LANGLADE (V. DE), *Ésotérisme, médiums et spirites au Père-Lachaise* (1982).

PIÉRARD (M.L.), *Le Cimetière Montparnasse. Son histoire, ses promenades, ses secrets* (1983).

ETLIN (R.A.), *The Architecture of death. The transformation of the cemetery in eighteenth-century Paris* (1984).

CULBERTSON (J.), RANDALL (T.), *Permanent Parisians. An illustrated guide to the cemeteries of Paris* (1986).

DANSEL (M.), *Les Cimetières de Paris. Promenade insolite, pittoresque et capricieuse* (1987).

LANGLADE (V. DE), *Histoire du Père-Lachaise* (1988).

BAROZZI (J.), *Guide des cimetières parisiens* (1990).

LE CLÈRE (M.), *Guide des cimetières de Paris* (1990).

FLEURY (M.), LEPROUX (G.M.) dir., *Les Saints-Innocents* (1990, exposition à la mairie du Ier arrondissement).

JACQUIN-PHILIPPE (J.), *Les Cimetières artistiques de Paris* (1993).

98. ESPACES VERTS

Se référer aussi au paragraphe 37 E, consacré à l'administration des espaces verts par la municipalité, dont la bibliographie ne figure pas ici. On rappelle qu'il existe une bonne bibliographie :

GANAY (E. DE), *Bibliographie de l'art des jardins* (1989).

HÉNARD (R.), *Paris : les jardins et les squares* (1911).

— *Promenades et jardins de Paris, depuis le XVᵉ siècle jusqu'en 1830* (1913, exposition à la Bibliothèque historique de la Ville de Paris).

HUSTIN (A.), *La Création du jardin du Luxembourg par Marie de Médicis* (1916).

MENTIENNE (M.), *La Forêt de Vincennes aux temps royaux* (1923).

COLEMAN (M.), *Les Jardins de Paris* (1929).

GOSSET (L.), *Jardins et promenades de Paris* (1929).

CORBEL (H.), *Petite Histoire du bois de Boulogne* (1931).

HÉRON DE VILLEFOSSE (R.), *Prés et bois parisiens* (1934).

— *Le Bois de Boulogne* (1937, exposition à Bagatalle).

HILLAIRET (J.), *Paris et ses arbres* (1958).

VALLÉE (C.), *Places et jardins de Paris* (1962).

CHAMPIGNEULLE (B.), *Promenades dans les jardins de Paris, ses bois et ses squares* (1965).

— *Histoire du bois de Boulogne* (1969, exposition à Bagatelle).

DIVORNE (F.), *Éléments de recherche pour une politique des espaces verts à Paris* (1970, 2 vol., étude de l'APUR).

MORICE (B.), *Les Jardins du Luxembourg* (1970).

PROUTÉ (P.), *Les Jardins du Luxembourg* (1977).

— *De Bagatelle à Monceau, 1778-1978. Les folies du XVIIIᵉ siècle à Paris* (1978, exposition à Bagatelle et au musée Carnavalet).

BEYLIER (H.), « Le jardin du palais de l'Élysée aux XVIIIᵉ et XIXᵉ siècles », dans *Bulletin de la Société de l'histoire de Paris et de l'Île-de-France*, 1980, p. 135-158.

CLAYSSEN (D.), *Jardins secrets de Paris* (1980).

LÉVÊQUE (J.J.), *Guide des parcs et jardins de Paris et de la région parisienne* (1980).

SELVAGGI (J.), BURTE (J.N.), BOUCHACOURT (D.), *Le Jardin du Luxembourg* (1980).

— *Grandes et petites heures du parc Monceau* (1981, exposition au Musée Cernuschi).

LÉVÊQUE (J.J.), *Jardins de Paris* (1982).

— *Jardins de Paris* (1984, exposition à Bagatelle).

— « Jardins parisiens », dans *Monuments historiques*, n° 142 (décembre 1985-janvier 1986), p. 3-96.

SOPRANI (A.), *Jardins de Paris* (1986).

CHEMLA (G.), *L'Aménagement du parc de La Villette* (1987, thèse multigraphiée).

COX (M.), *Jardins privés de Paris* (1989).

— *Parcs et promenades de Paris* (1989, exposition au pavillon de l'Arsenal).

PATERSON (I.), *Le Jardin du Luxembourg* (1989).

HEMPHILL (M.L.), *A l'ombre du jardin Shakespeare du Pré-Catelan, bois de Boulogne* (1990).

LANGLOIS (G.A.), *Folies, tivolis et attractions, les premiers parcs de loisirs parisiens* (1991).

LE DANTEC (D. et J.P.), *Splendeur des jardins de Paris* (1991).

NOURRY (L.M.), GIVRY (J.), *Le Jardin du Luxembourg* (1991).

BAROZZI (J.), *Guide des 400 jardins publics de Paris* (1992).

— *Cent jardins à Paris et en Île-de-France* (1992, exposition à la mairie du XVIe arrondissement).

DEBIÉ (F.), *Jardins de capitales : une géographie des parcs et jardins publics de Paris, Londres, Vienne et Berlin* (1992, excellente bibliographie).

— *Les Jardins du baron Haussmann* (1992, exposition au Louvre des Antiquaires).

99. PLACES ET RUES

Voir aussi aux paragraphes 93 et 95 les ouvrages généraux concernant les voies et places de la capitale. Il existe une liste officielle publiée par la Ville de Paris :

— *Nomenclature des voies publiques et privées* (1881, 8e éd. en 1972, 9e éd. en préparation).

• Ouvrages généraux sur les rues de Paris :

LAZARE (F. et L.), *Dictionnaire administratif et historique des rues et monuments de Paris* (1844, supplément en 1849, nouvelle éd. en 1855).

BERTY (A.), «Les rues de l'ancien Paris», dans *Revue archéologique*, 14 (1857), p. 257-276.

LEFEUVE (C.), *Les Anciennes Maisons de Paris. Histoire de Paris rue par rue, maison par maison* (1875, 5e éd. en 5 vol. ; 1re éd. en 4 vol., 1857-1864).

LACOMBE (P.), «Les noms des rues de Paris sous la Révolution», dans *Revue de la Révolution*, 7 (1886), p. 100-111, 223-233, 280-291.

COUSIN (J.), «De la nomenclature des rues de Paris», dans *Mémoires de la Société de l'histoire de Paris et de l'Île-de-France*, 26 (1899), p. 1-24.

BOURNON (F.), *La Voie publique et son décor* (1909).

ROCHEGUDE (F. DE), *Promenades dans toutes les rues de Paris, par arrondissement* (1910, 20 vol.).

HALBWACHS (M.), *La Population et le tracé des voies à Paris depuis un siècle* (1928).

DUMOLIN (M.), *Études de topographie parisienne* (1929-1931, 3 vol.).

LÉON (P.), *Histoire de la rue* (1947).

FRIEDMANN (A.), *Paris, ses rues, ses paroisses, du Moyen Âge à la Révolution* (1959).

HILLAIRET (J.), *Dictionnaire historique des rues de Paris* (1963, 2 vol., nouvelles éd. avec supplément en 1976 et 1981, un grand classique).

BRAIBANT (C.), MIROT (A.), LE MOËL (M.), *Guide historique des rues de Paris* (1965).

ROULEAU (B.), *Le Tracé des rues de Paris. Formation, typologie, fonctions...* (1967, nouvelles éd. en 1975 et 1988).

HEID (M.), *Les Noms de rues à Paris à travers l'histoire, problèmes linguistiques et sociologiques* (1972, excellent).

MARREY (B.), *Guide de l'art dans la rue au XXᵉ siècle, Paris et sa banlieue* (1974).

— *Paris, la rue : le mobilier urbain parisien du second Empire à nos jours* (1976, exposition à la Bibliothèque historique de la Ville de Paris).

STÉPHANE (B.), *Le Dictionnaire des noms de rues* (1977).

GEIST (J.F.), *Le Passage, un type architectural du XIXᵉ siècle* (1989).

LEMOINE (B.), *Les Passages couverts en France* (1989).

MONCAN (P. DE), MAHOUT (C.), *Guide des passages de Paris* (1991).

MONCAN (P. DE), MAHOUT (C.), *Les Passages de Paris* (1991).

• Monographies dans l'ordre alphabétique des rues et places :

HARTMANN (G.), «La rue Aubry-le-Boucher», dans *La Cité*, 6, (1911), p. 26-40.

DUPLOMB (C.), *La Rue du Bac...* (1894).

— *Le Faubourg Saint-Germain. La rue du Bac...* (1991, exposition au musée de la Légion d'honneur).

LEMOINE (H.), *Le Démolisseur de la Bastille. La place de la Bastille, son histoire de 1789 à nos jours* (1930).

— *Sous les pavés, la Bastille. Archéologie du mythe révolutionnaire* (1989, exposition à l'hôtel de Sully).

Voir aussi le paragraphe 100.

VAQUIER (A.), «Contribution à l'histoire de la rue de Bondy», dans *Paris et Île-de-France*, 10 (1959), p. 249-326.

FROMAGEOT (P.), «La rue de Buci, ses maisons et ses habitants», dans *Bulletin de la Société historique du VIᵉ arrondissement*, 6 (1903), p. 42-96, 202-234; 7 (1904), p. 74-102, 132-191; 8 (1905), p. 81-139, 245-279; 9 (1906), p. 68-98.

VINCK (C. DE), «La place du Carrousel», dans *Société d'iconographie parisienne*, 1931, p. 1-74.

MAINDRON (E.), VIRÉ (C.), *Le Champ-de-Mars, 1751-1889* (1889, nouvelle éd. en 1899).

AUGÉ DE LASSUS (L.), *Les Champs-Élysées* (1906).

ARISTE (P. D'), ARRIVETZ (M.), *Les Champs-Élysées, étude topographique, historique et anecdotique jusqu'à nos jours* (1913).

Voir aussi le paragraphe 95, VIIIᵉ arrondissement :

DUMOLIN (M.), «Notes sur les rues du Marais. La rue Charlot», dans *La Cité*, 1930, p. 165-196.

FROMAGEOT (P.), «La rue du Cherche-Midi et ses habitants depuis ses origines jusqu'à nos jours», dans *Bulletin de la Société historique du VIᵉ arrondissement*, 11 (1908), p. 223-256; 12 (1909), p. 66-108, 166-274; 13 (1910), p. 89-138, 216-283; 14 (1911), p. 80-127, 288-303; 15 (1912), p. 43-113, 158-240; 16 (1913), p. 104-175.

SZAMBIEN (W.), «La rue des Colonnes, une spéculation immobilière à l'époque révolutionnaire», dans *Bulletin de la Société de l'histoire de Paris et de l'Île-de-France*, 1986-1987, p. 303-338.

SZAMBIEN (W.), *De la rue des Colonnes à la rue de Rivoli* (1992).

GRANET (S.), *La Place de la Concorde* (1960).

GRANET (S.), *Images de Paris. La place de la Concorde* (1963).

— *De la place Louis XV à la place de la Concorde* (1982, exposition au Musée Carnavalet).

DUCROS (J.), *La Place de la Concorde à Paris...* (1986, paru dans les numéros 35, 37, 38 de la revue *L'Art et la Mer*).

LEMERLE (J.L.), *Histoire de l'Automobile Club de France et de ses hôtels, place de la Concorde* (1987).

MENU (B.), *L'Obélisque de la Concorde* (1987).

BRUNHOFF (J. DE), *La Place Dauphine et l'île de la Cité* (1987).

Rue du Faubourg-Saint-Honoré :

CHASTEL (A.), MALLET (F.), «L'îlot de la rue du Roule et ses abords», dans *Paris et Île-de-France*, 16-17 (1965-1966), p. 7-129.

— *La Rue du faubourg Saint-Honoré* (1994).

GADY (A.) dir., *La Rue des Francs-Bourgeois au Marais* (1992).

MONTALANT (D.), *En remontant l'avenue Frochot* (1994).

— *Le Faubourg Saint-Germain : la rue de Grenelle* (1980, exposition à la SEITA).

QUICHERAT (J.), «La rue et le château Hautefeuille», dans *Mémoires de la Société des antiquaires de France*, 42 (1881), p. 9-44.

BAILLIÈRE (H.), «La rue Hautefeuille», dans *Bulletin de la Société historique du VIe arrondissement*, 3 (1900), p. 167-366.

FLAMENT (A.), *Les Grandes Heures de Paris, l'Hôtel de Ville et la place de Grève* (1966).

LE MOËL (M.), DÉRENS (J.), *La Place de Grève* (1991, exposition à l'Hôtel de Ville), voir aussi § 33.

MITRAUD (S.), *La Rue des Postes, actuellement rue Lhomond, et ses alentours* (1933).

— *La Rue de Lille* (1983, exposition à l'Institut néerlandais).

BABIZE (E.), «La place Malesherbes et l'hôtel Gaillard», dans *Bulletin de la Société historique et archéologique des VIIIe et XVIIe arrondissements*, 1936-1938, p. 299-312.

PITON (C.), «La rue Michel-le-Comte», dans *La Cité*, 1913, p. 197-261.

FAY (H.M.), JARRY (P.), «Le Grand-Jeûneur et les échoppes du parvis Notre-Dame», dans *Bulletin de la Société de l'histoire de Paris et de l'Île-de-France*, 1930, p. 29-46, et dans *La Cité*, 1931, p. 356-373.

PRONTEAU (J.), «Étude sur le parvis Notre-Dame à Paris...», dans *École pratique des hautes études. IVe section. Sciences historiques et philologiques. Annuaire*, 1973-1974, p. 537-565.

FLEURY (M.), KRUTA (V.), *La Crypte archéologique du parvis Notre-Dame* (1990).

DAUMARD (A.), «L'avenue de l'Opéra de ses origines à la guerre de 1914», dans *Bulletin de la Société de l'histoire de Paris et de l'Île-de-France*, 1967-1968, p. 157-195.

REBOUX (P.), *La Rue de la Paix* (1927).

GAUTIER (G.), *Rue de la Paix* (1980).

BELLAN (G.), RIVIÈRE (R.), *Architectures parisiennes, la rue Réaumur* (1986, exposition à la mairie du IIe arrondissement).

HILLAIRET (J.), *La Rue de Richelieu* (1966).

Szambien (W.), *De la rue des Colonnes à la rue de Rivoli* (1992).

Lambeau (L.), « La rue Saint-Antoine dans le passé… », dans *Commission du Vieux Paris. Procès-verbaux*, annexe à la séance du 25 octobre 1924.

Lambeau (L.), « La rue Saint-Antoine », dans *La Cité*, 1930, p. 54-65 ; 1931, p. 384-397, 457-473 ; 1932, p. 112-141, 203-230.

Hillairet (J.), *La Rue Saint-Antoine* (1970).

Vimont (M.), *Histoire de la rue Saint-Denis de ses origines à nos jours* (1936, 3 vol.).

Fleury (M.), « Découverte de vestiges de voies romaines sous la rue Saint-Denis », dans *École pratique des hautes études. IVe section. Sciences historiques et philologiques. Annuaire*, 1975-1976, p. 629-640.

— *Le Faubourg Saint-Germain. La rue Saint-Dominique* (1984, exposition au Musée Rodin).

Hénard (R.), *La Rue Saint-Honoré…* (1908-1909, 2 vol.).

Hoche (L.), *Contribution à l'histoire de Paris… La rue Saint-Honoré* (1912, 3 vol.).

Huart (L.), *Quand on a vingt ans. Histoire de la rue Saint-Jacques* (1834).

Verwaest (J.), *Ma vieille rue Saint-Jacques. Histoire et souvenirs* (1953).

Lemoine (H.), « La rue Saint-Martin, des origines à nos jours », dans *La Cité*, 1929, p. 313-344, 393-437.

Pinon (P.), « Les lotissements de la rue Taitbout et du couvent des capucins de la Chaussée d'Antin à la fin du XVIIIe siècle », dans *Bulletin de la Société de l'histoire de Paris et de l'Île-de-France*, 1986-1987, p. 223-302.

Dumolin (M.), Mirot (L.), « Les deux rues de Thorigny », dans *La Cité*, 1928, p. 65-90, 145-182 ; 1933, p. 297-309.

— *Le Faubourg Saint-Germain. Rue de l'Université* (1987, exposition à l'Institut néerlandais).

— *Le Faubourg Saint-Germain. La rue de Varenne* (1981, exposition au Musée Rodin).

Boislisle (A. de), « Notices historiques sur la place des Victoires et sur la place de Vendôme », dans *Mémoires de la Société de l'histoire de Paris et de l'Île-de-France*, 15 (1888), p. 1-272.

Dumolin (M.), « La place Vendôme », dans *Commission municipale du Vieux Paris. Procès-verbaux*, annexe à la séance du 26 mars 1927.

Saint-Simon (F. de), *La Place Vendôme…* (1982).

— *La Place Vendôme d'hier et d'aujourd'hui* (1985, exposition à l'Espace Vendôme).

— *La Place des Victoires et ses abords* (1983, exposition à la mairie du Ier arrondissement).

Lambeau (L.), *La Place Royale…* (1906).

Lambeau (L.), « Communications… relatives à la place Royale et au lotissement du parc des Tournelles », dans *Commission du Vieux Paris. Procès-verbaux*, 1908, p. 19-31, 76-81.

Lambeau (L.), « L'iconographie de la place Royale », dans *La Cité*, 5 (1910), p. 373-391 (supplément à l'inventaire paru dans *Correspondance historique*, 1906-1907).

Dumolin (M.), « Les propriétaires de la place Royale, 1605-1789 », dans *La Cité*, 1925, p. 273-316 ; 1926, p. 1-30.

SAINT-SIMON (F.), *La Place des Victoires* (1984).

LE MOËL (M.), *Paris, la place Royale, place des Vosges* (1986).

100. HÔTELS, MAISONS, MONUMENTS CIVILS

Voir aussi les ouvrages généraux, aux paragraphes 93 et 95.

• On rappelle aussi quelques titres :

LEFEUVE (C.), *Les Anciennes Maisons de Paris sous Napoléon III* (1857-1864, 4 vol., nouvelle éd. en 5 vol. en 1875).

BRETTE (A.), *Histoire des édifices où ont siégé les assemblées parlementaires de la Révolution française et de la Première République...* (1902, tome premier seul paru).

ROCHEGUDE (F. DE), *Maisons historiques ou curieuses et anciens hôtels...* (1903).

CONTET (F.), *Les Vieux Hôtels de Paris* (1908-1937, 22 vol.).

SELLIER (C.), *Anciens Hôtels de Paris...* (1910).

DUMOLIN (M.), *Études de topographie parisienne* (1929-1931, 3 vol.).

JARRY (P.), *Cénacles et vieux logis parisiens* (1930).

LEMOINE (H.), *Les Écuries du roi sous l'Ancien Régime* (1934).

JARRY (P.), *Vieilles Demeures parisiennes* (1945).

PILLEMENT (G.), *Les Hôtels de Paris* (1945, 2 vol.).

PILLEMENT (G.), *Les Hôtels du Marais* (1948).

PILLEMENT (G.), *Les Hôtels du faubourg Saint-Germain* (1950).

PILLEMENT (G.), *Les Hôtels de l'île Saint-Louis, de la Cité, de l'Université et du Luxembourg* (1951).

BABELON (J.P.), *Demeures parisiennes sous Henri IV et sous Louis XIII* (1965).

POISSON (G.), *Les Monuments de Paris* (1966).

PILLEMENT (G.), *Paris disparu* (1966).

— « La maison parisienne au siècle des Lumières », n° 12 (septembre 1985), des *Cahiers du CREPIF*.

DELORME (J.C.), *Les Villas d'artistes à Paris* (1987).

ROUSSET-CHARNY (G.), *Les Palais parisiens de la Belle Époque* (1990).

— *Dictionnaire des monuments de Paris* (1992).

• Édifices dans l'ordre alphabétique :

BABELON (J.P.), « De l'hôtel d'Albret à l'hôtel d'O. Étude topographique d'une partie de la Culture-Sainte-Catherine », dans *Bulletin de la Société de l'histoire de Paris et de l'Île-de-France*, 1970, p. 87-145.

BABELON (J.P.), « Les hôtels de Sandreville, d'Alméras et de Poussepin... », dans *Bulletin de la Société de l'histoire de Paris et de l'Île-de-France*, 1972-1973, p. 63-107.

— *L'Hôtel de Hollande (rue Vieille-du-Temple, n° 47)*, dans *La Cité*, 3 (1906-1907), p. 93-119.

SELLIER (C.), « Rapport... sur l'hôtel "de Hollande"... », dans *Commission du Vieux Paris. Procès-verbaux*, 1905, p. 174-193.

DUMOLIN (M.), « Communication... sur l'origine du nom de l'hôtel de Hollande, ou des Ambassadeurs de Hollande... », dans *Commission du Vieux Paris. Procès-verbaux*, 1933, p. 77-84.

DUMOLIN (M.), *Le Nom de l'hôtel de Hollande...*, dans *La Cité*, 1934, p. 20-33.

BRENOT (P.), *Un vieil hôtel du Marais, du XIVᵉ au XXᵉ siècle* (1939, hôtel dit des Ambassadeurs de Hollande).

BABELON (J.P.), «Une œuvre mal connue de Pierre Bullet, l'hôtel Amelot de Chaillou», dans *Bulletin monumental*, 136 (1978), p. 325-339.

ROUX (P. DE), *L'Hôtel Amelot et l'hôtel de Varangeville* (1947, hôtel Amelot de Gournay).

— Angoulême (hôtel d'), voir Bibliothèque historique...

RIVOLLET (G.), *L'Arc de triomphe et les oubliés de la gloire* (1969).

DILLANGE (M.), *L'Arc de triomphe et le Carrousel* (1983).

Archives nationales :

DONIOL (H.), *L'Ancien Hôtel de Rohan* (1883).

JOUIN (H.), *L'Ancien Hôtel de Rohan...* (1889).

GUIFFREY (J.), «Documents sur l'ancien hôtel Soubise, aujourd'hui palais des Archives nationales...», dans *Mémoires de la Société de l'histoire de Paris et de l'Île-de-France*, 42 (1915), p. 39-141.

MIROT (L.), «Notes et documents pour servir à l'histoire de l'hôtel de Rohan-Soubise», dans *Annuaire-Bulletin de la Société de l'histoire de France*, 1919.

LANGLOIS (C.V.), *Les Hôtels de Clisson et de Guise et de Rohan-Soubise* (1922).

BABELON (J.P.), *Histoire et description des bâtiments des Archives nationales* (1958, 2ᵉ éd. en 1969).

FRANCŒUR (N.), *L'Hôtel de la chancellerie d'Orléans, ancien hôtel d'Argenson* (1984).

LECESTRE (L.), «Notice sur l'Arsenal royal de Paris jusqu'à la mort de Henri IV», dans *Mémoires de la Société de l'histoire de Paris et de l'Île-de-France*, 42 (1915), p. 185-281 ; 43 (1916), p. 1-82.

BATIFFOL (L.), «Le mail de l'Arsenal au XVIIIᵉ siècle», dans *Bulletin de la Société de l'histoire de Paris et de l'Île-de-France*, 1929, p. 5-22, et dans *La Cité*, 1930, p. 1-20.

BATTIFOL (L.), «La construction de l'Arsenal au XVIIIᵉ siècle et Germain Boffrand», dans *Bulletin de la Société de l'histoire de Paris et de l'Île-de-France*, 1931, p. 78-97, et dans *La Cité*, 1932, p. 1-28.

BABELON (J.P.), «Le palais de l'Arsenal à Paris. Étude architecturale et essai de répertoire iconographique critique», dans *Bulletin monumental*, 1967, p. 267-310.

BABELON (J.P.), «L'hôtel d'Assy, 58 *bis*, rue des Francs-Bourgeois», dans *Paris et Île-de-France*, 14 (1963), p. 169-196 ; 16-17 (1965-1966), p. 231-240.

SELLIER (C.), *L'Hôtel d'Aumont* (1903).

GADY (A.), «Une relecture monumentale de l'hôtel d'Aumont», dans *Bulletin de la Société de l'histoire de Paris et de l'Île-de-France*, 1994.

DUCHESNE (H.G.), *Le Château de Bagatelle, 1715-1908* (1909).

LEROY (A.), *Bagatelle et ses jardins* (1956).

— *De Bagatelle à Monceau, 1778-1978. Les folies du XVIIIᵉ siècle à Paris* (1978, exposition à Bagatelle).

— *La Folie d'Artois* (1988, Bagatelle).

— *Hommage à Richard Wallace. Le Trianon de Bagatelle* (1988, exposition à Bagatelle).

RAVAISSON (F.) éd., *Archives de la Bastille* (1866-1904, 19 vol.).

BOURNON (F.), *La Bastille...* (1893).

FUNCK-BRENTANO (F.), *Les Lettres de cachet à Paris, étude suivie d'une liste des prisonniers de la Bastille, 1659-1789* (1903).

FUNCK-BRENTANO (F.), *Légendes et archives de la Bastille* (1909).

LEMOINE (H.), *Le Démolisseur de la Bastille...* (1930).

PETITFILS (J.C.), *La Vie quotidienne à la Bastille du Moyen Âge à la Révolution* (1975).

COTTRET (M.), *La Bastille à prendre...* (1986).

CHAUSSINAND-NOGARET (G.), *La Bastille est prise* (1988).

— *Sous les pavés, la Bastille...* (1989, exposition à l'hôtel de Sully).

QUÉTEL (C.), *La Bastille. Histoire vraie d'une prison légendaire* (1989), voir aussi § 36.

HAMMER (K.), *Hôtel Beauharnais* (1983).

JOUFFRE (V.N.), *Hôtel de Beauvais, étude historique et archéologique* (1994).

VINCIENNE (O.), «La maison de santé Belhomme, légende et réalité», dans *Paris et Île-de-France*, 36 (1985), p. 135-208.

— Institut français d'architecture, *Bibliothèque de France. Premiers volumes* (1989).

Bibliothèque historique de la Ville de Paris :

GIRARD (J.), «L'hôtel d'Angoulême (ou de Lamoignon) et ses abords», dans *La Cité*, 1928, p. 183-206.

SURIREY DE SAINT-REMY (H. DE), *La Bibliothèque historique de la Ville de Paris, hôtel de Lamoignon* (1969).

GIRARD (J.), «L'hôtel Biron», dans *Bulletin de la Société d'histoire et d'archéologie des VIIe et XVe arrondissements*, 5 (1925-1934), p. 347-372.

CATHEU (F. DE), «L'hôtel Biron», dans *Connaissance des arts*, 1977, p. 71-97.

MAUZIN (J.), «La maison du docteur Blanche à Montmartre (rue de Norvins, 22)», dans *Le Vieux Montmartre*, 1887, p. 18-25.

CRAUZAT (E. DE), «La Folie Cendrin (maison du docteur Blanche)», dans *Le Vieux Montmartre*, 1906-1910, p. 221-245.

LE MOËL (M.), *L'Hôtel de Boisgelin* (1979).

MARMOTTAN (P.), «Communication sur l'hôtel Botterel-Quintin-d'Aumont, 44, rue des Petites-Écuries», dans *Commission du Vieux Paris. Procès-verbaux*, 1921, p. 69-105.

RICHARD (J.M.), «Documents des XIIIe et XIVe siècles relatifs à l'hôtel de Bourgogne (ancien hôtel d'Artois), tirés du trésor des chartes d'Artois», dans *Bulletin de la Société de l'histoire de Paris et de l'Île-de-France*, 17 (1890), p. 137-159.

MARMOTTAN (P.), «Communication sur l'hôtel Bourrienne», dans *Commission du Vieux Paris. Procès-verbaux*, 1923, p. 14-34.

DUPUIS (R.), «L'hôtel de Bragance, rue de Courcelles», dans *Bulletin de la Société historique et archéologique des VIIIe et XVIIe arrondissements*, 1928-1939, p. 184-200.

BABELON (J.P.), «L'hôtel de Breteuil-Fontenay, 56, rue des Francs-Bourgeois», dans *Bulletin de la Société de l'histoire de Paris et de l'Île-de-France*, 1964, p. 90-107.

MAZE (J.), *Histoire de deux vieilles maisons : l'hôtel de Brienne et le couvent Saint-Joseph* (1927).

MOREAU (C.A.), *L'Hôtel de Brienne* (1964).

DUPUIS (R.), «L'hôtel de Brunoy, faubourg Saint-Honoré», dans *Bulletin de la Société historique et archéologique des VIIIe et XVIIe arrondissements*, 1928-1939, p. 219-238.

Musée Carnavalet, voir le paragraphe 83.

DUMOLIN (M.), «Communication... sur l'hôtel de Cavoye, rue des Saints-Pères», dans *Commission du Vieux Paris. Procès-verbaux*, 1927, p. 6-18.

Folie Cendrin, voir Blanche (maison du docteur).

— «L'hôtel de Chanaleilles devient la plus somptueuse demeure de Paris», dans *Connaissance des arts*, novembre 1960, p. 74-84.

Chancellerie d'Orléans, voir Argenson.

Hôtel de Charost :
BEAL (M.), CONFORTH (J.), *L'Ambassade de Grande-Bretagne à Paris* (1992).

Châtelet, voir le paragraphe 36 B.

BOYER (F.), «Un lotissement à Paris au XVIIIe siècle : de l'hôtel de Choiseul à la Comédie-Italienne», dans *La Vie urbaine*, 1962, p. 241-261.

SUANIER (C.), «L'hôtel de Choiseul-Praslin, aujourd'hui Caisse nationale d'épargne», dans *Bulletin de la Société historique du VIe arrondissement*, 14 (1911), p. 237-287.

Hôtel de Clisson, voir Archives nationales.

NORMAND (C.), *L'Hôtel de Cluny* (1888).

MONTREMY (F. DE), «Le lieu-dit les Thermes et l'hôtel de Cluny», dans *Paris et Île-de-France*, 7 (1955), p. 53-148.

BABONNEIX (L.), «L'hôtel des Amoureuses», dans *Le Centre de Paris*, 2 (1924), p. 10-44 (hôtel de Coigny).

VAN GELUWE (L.), «L'hôtel Colbert de Villacerf», dans *La Cité*, 3 (1906-1907), p. 578-621.

DUMOLIN (M.), «L'hôtel de Condé», dans *Bulletin de la Société historique du VIe arrondissement*, 26 (1925), p. 18-57.

JOUDIOU (G.), «Deux réalisations de Pierre Contant d'Ivry à Paris et en Île-de-France : les hôtels Crozat, place Vendôme, 1743-1747 ; le château de Chamarande et son parc, 1739-1742», dans *Bulletin de la Société de l'histoire de Paris et de l'Île-de-France*, 1985, p. 115-142.

LAMBEAU (L.), «Deux hôtels de la place Royale : hôtel de La Rivière-Canillac-Villedeuil, hôtel Dangeau», dans *Mémoires de la Société de l'histoire de Paris et de l'Île-de-France*, 38 (1911), p. 273-358.

MOUTON (L.), «Histoire d'un coin du Pré-aux-Clercs : du manoir de Jean Bouyn à l'École des beaux-arts», dans *Bulletin de la Société historique du VIe arrondissement*, 1910, p. 40-155 ; 1911, p. 128-191.

CORDIER (H.), *Un coin de Paris, l'École des langues orientales vivantes, 2, rue de Lille* (1913).

FARCY (G.), *Monographie de l'École militaire de Paris* (1890).

LAULAN (R.), «Les chapelles de l'École militaire et la vie religieuse dans l'ancien hôtel royal», dans *Bulletin de la Société de l'histoire de Paris et de l'Île-de-France*, 1933, p. 108-185.

Laulan (R.), « La construction de l'École militaire », dans *Bulletin de la Société d'histoire et d'archéologie des VIIe et XVe arrondissements*, 6 (1935-1939), p. 102-131, 139-153.

Laulan (R.), « Fondation de l'École royale militaire », dans *Bulletin de la Société de l'histoire de Paris et de l'Île-de-France*, 1936, p. 42-66.

Laulan (R.), *L'École militaire* (1950).

Quelques ouvrages récents sur la tour Eiffel :

Braibant (C.), *Histoire de la tour Eiffel* (1964).

Friedman (M.), *Mémoires de la tour Eiffel* (1983).

Bures (C. de), *La Tour de 300 mètres* (1988).

Des Cars (J.), Caracalla (J.P.), *La Tour Eiffel, un siècle d'audace et de génie* (1989).

Frémy (D.), *Quid de la tour Eiffel* (1989).

— *1889. La Tour Eiffel et l'Exposition universelle* (1989, exposition au Musée d'Orsay).

Une poignée d'ouvrages sur les bâtiments de l'Élysée :

Poisson (G.), *L'Élysée, histoire d'un palais* (1979, 2e éd. en 1988).

Coural (J.), *Le Palais de l'Élysée. Histoire et décor* (1994).

Étoile, voir Arc de triomphe.

Évreux (hôtel d'), voir Crozat (hôtel).

Hartmann (G.), « Hôtel Fieubet », dans *Commission du Vieux Paris. Procès-verbaux*, 1917, p. 183-202.

Dumolin (M.), « Le lotissement de l'hôtel de Flandre », p. 341-400 du tome 2 d'*Études de topographie parisienne* (1929-1931, 3 vol.).

Lorion (A.), « Autour d'un vieil hôtel parisien, l'hôtel de Fleury », dans *Paris et Île-de-France*, 12 (1961), p. 75-95.

Babize (E.), « La place Malesherbes et l'hôtel Gaillard », dans *Bulletin de la Société historique et archéologique des VIIIe et XVIIe arrondissements*, 1936-1938, p. 299-312.

— *L'Hôtel de Galliffet* (1994).

Babelon (J.P.), « L'hôtel dit "du Grand Veneur" et ses abords... », dans *Bulletin de la Société de l'histoire de Paris et de l'Île-de-France*, 1978, p. 97-139.

Babelon (J.P.), « L'hôtel de Guénégaud des Brosses,... », dans *Paris et Île-de-France*, 15 (1964), p. 75-112.

Guise (hôtel de), voir Archives nationales.

Deming (A.K.), *La Halle au blé de Paris* (1984).

Sellier (C.), « La tourelle de la rue Vieille-du-Temple (l'hôtel Hérouet) », dans *Bulletin de la Société de l'histoire de Paris et de l'Île-de-France*, 1887, p. 148-164.

Feldmann (D.), *Maison Lambert, Maison Hesselin und andere Bauten von Louis Levau auf der île Saint-Louis* (1976, thèse multigraphiée).

Hollande (hôtel de), voir Ambassadeurs de Hollande.

Hôtel de Ville, voir le paragraphe 33 G.

— *L'Institut de France et l'hôtel de la Monnaie* (1990).

BURNAND (R.), *L'Hôtel royal des Invalides, 1670-1789* (1913).

— *Les Invalides, trois siècles d'histoire* (1975).

JESTAZ (B.), *L'Hôtel et l'église des Invalides* (1990).

Jardin des Plantes, voir Muséum.

CALLET (A.), «Le jeu de paume de l'île Saint-Louis», dans *La Cité*, 1917, p. 292-304.

PAUL-ALBERT (E.P.), «L'hôtel de Laigue...», dans *Bulletin de la Société d'histoire et d'archéologie des VIIe et XVe arrondissements*, 5 (1925-1934), p. 221-268.

— *Le Cabinet de l'Amour de l'hôtel Lambert* (1972, exposition au Musée du Louvre).

Lamoignon (hôtel de), voir Bibliothèque historique...

RICE (H.C.), *L'Hôtel de Langeac* (1947).

LAMBEAU (L.), «Deux hôtels de la place Royale : hôtel La Rivière-Canillac-Villedeuil, hôtel Dangeau», dans *Mémoires de la Société de l'histoire de Paris et de l'Île-de-France*, 38 (1911), p. 273-358.

SERGENT (J.), *L'Hôtel Lauzun* (1956).

LAMBEAU (L.), «L'hôtel de La Vieuville, rue Saint-Paul», dans *Commission du Vieux Paris. Procès-verbaux*, 1907, p. 55-155, 425-426.

BERTIN (G.E.), «Notice sur l'hôtel de La Vrillière et de Toulouse...», dans *Mémoires de la Société de l'histoire de Paris et de l'Île-de-France*, 28 (1901), p. 1-36.

MANNEVILLE (C.), «L'hôtel de Charles Le Brun», dans *Bulletin de la montagne Sainte-Geneviève*, 1912, p. 234-262.

Pour le musée du Louvre, voir le paragraphe 83. Pour le château :

HAUTECŒUR (L.), *Le Louvre et les Tuileries* (1924, 2 vol.).

HAUTECŒUR (L.), *Histoire du Louvre* (1928, 2e éd. en 1953).

CHRIST (Y.), *Le Louvre et les Tuileries. Histoire architecturale d'un double palais* (1949).

AULANIER (C.), *Histoire du palais et du musée du Louvre* (1950-1968, 10 vol.).

HILLAIRET (J.), *Le Palais du Louvre* (1955).

CHASTEL (A.), PÉROUSE DE MONTCLOS (J.M.), «L'aménagement de l'accès oriental du Louvre», dans *Les Monuments historiques de la France*, nouvelle série, vol. 13, fascicule 3, juillet-septembre 1966, p. 176-249.

BABELON (J.P.), «Les travaux de Henri IV au Louvre et aux Tuileries», dans *Paris et Île-de-France*, 29 (1978), p. 55-130.

FONTGALLAND (J. DE), GUINAMARD (L.), *Le Louvre et son quartier, 800 ans d'histoire architecturale* (1982, exposition à la mairie du Ier arrondissement).

JACQUIN (E.), «La seconde République et l'achèvement du Louvre», dans *Bulletin de la Société de l'histoire de Paris et de l'Île-de-France*, 1986-1987, p. 375-401.

— *L'Enceinte et le Louvre de Philippe Auguste* (1988, exposition à la mairie du Ier arrondissement).

QUONIAM (P.), GUINAMARD (L.), *Le Palais du Louvre* (1988).

BRESC-BAUTIER (G.), *Mémoires du Louvre* (1989).

FLEURY (M.), KRUTA (V.), *Le Château du Louvre* (1989).

DAUFRESNE (J.C.), *Le Louvre et les Tuileries. Architectures de fêtes et d'apparat. Architectures éphémères* (1994).

RADET (E.), *Lully, homme d'affaires, propriétaire et musicien, notes et croquis, à propos de son hôtel de la rue Sainte-Anne et de son mausolée aux Petits-Pères* (1891).

HUSTIN (A.), *Le Luxembourg. Son histoire domaniale, architecturale, décorative et anecdotique...* (1910-1911, 2 vol.).

MORICE (B.), *Le Palais du Luxembourg et ses métamorphoses* (1975).

BAUDOUIN-MATUSZEK (M.N.) dir., *Marie de Médicis et le palais du Luxembourg* (1991, exposition à la mairie du XVᵉ arrondissement).

CHATENET (M.), *Le Château de Madrid* (1981, 3 vol.).

MARMOTTAN (P.), «L'hôtel Marbeuf, 31, rue du Faubourg-Saint-Honoré...», dans *Commission du Vieux Paris. Procès-verbaux*, annexe à la séance du 29 mars 1924.

DUPUIS (R.), «Deux vieux hôtels du faubourg du Roule. I. L'hôtel de Marigny. II. L'hôtel de Saint-Priest», dans *Bulletin de la Société historique et archéologique des VIIIᵉ et XVIIᵉ arrondissements*, 1928-1939, p. 43-83.

PRADEL DE LAMASE (M. DE), *L'Hôtel de la Marine, le monument et l'histoire* (1924).

LE MOËL (M.), «L'hôtel de Marle au Marais», dans *Gazette des beaux-arts*, avril 1970, p. 213-224.

CHRISTOPHE (R.), *L'Hôtel de Massa* (1968).

MAHIEU (B.), *L'Hôtel de Matignon* (1952).

BABELON (J.P.), «L'hôtel de Mayenne», dans *Commission du Vieux Paris. Procès-verbaux*, novembre 1970, p. 16-35.

JAMES (F.C.), «L'hôtel de Mayenne avant son acquisition par Charles de Lorraine», dans *Bulletin de la Société de l'histoire de Paris et de l'Île-de-France*, 1970, p. 43-85.

PROD'HOMME (J.G.), CRAUZAT (E. DE), *Paris qui disparaît. Les Menus-Plaisirs du roi, l'École royale et le Conservatoire de musique* (1929).

BABELON (J.P.), HOHL (C.), «L'hôtel de Miramion et la pharmacie centrale des hôpitaux de Paris, 45 à 53, quai de la Tournelle», dans *Bulletin de la Société française d'histoire des hôpitaux*, 21 (1969), p. 5-79.

MAZEROLLE (F.), *L'Hôtel des Monnaies* (1907).

BLANCHET (A.), «Communication... sur l'hôtel des Monnaies», dans *Commission du Vieux Paris. Procès-verbaux*, 1919, p. 4-15.

— *L'Institut de France et l'hôtel de la Monnaie* (1990, exposition à la Monnaie).

FOIRET (F.), «L'hôtel de Montmor», dans *La Cité*, 1914, p. 310-339 (dit aussi hôtel de Montholon).

MIROT (L.), «L'hôtel et les collections du connétable de Montmorency», dans *Bibliothèque de l'École des chartes*, 79 (1918), p. 311-413; 80 (1919), p. 152-229.

DUMOLIN (M.), «L'hôtel des Mousquetaires gris», dans *Bulletin de la Société d'histoire et d'archéologie des VIIᵉ et XVᵉ arrondissements*, 5 (1925-1934), p. 10-19.

DENISE (L.), *Bibliographie historique et iconographique du Jardin des*

URBANISME, ARCHITECTURE ET TOPOGRAPHIE 1471

Plantes, Jardin royal des plantes médicinales et Muséum d'histoire naturelle (1903).

FALLS (W.), « Buffon et l'agrandissement du Jardin du roi... », dans *Archives du Muséum national d'histoire naturelle*, 6ᵉ série, 10 (1933), p. 129-200.

LAISSUS (Y.), « Le Jardin du roi », p. 287-341 d'*Enseignement et diffusion des sciences en France au XVIIIᵉ siècle* (1964).

BARTHÉLEMY (G.), *Les Jardiniers du roi. Petite histoire du Jardin des Plantes...* (1979).

— *Le Belvédère du labyrinthe. Une opération de retour de l'invisible au visible au Jardin des Plantes* (1985), voir aussi le paragraphe 90.

CORDIER (H.), « Annales de l'hôtel de Nesle », dans *Mémoires de l'Académie des inscriptions et belles-lettres*, 41 (1920), p. 19-158.

THUREAU (G.), « Le petit hôtel de Nivernais », dans *Bulletin de la Société historique du VIᵉ arrondissement*, 18 (1916), p. 46-104.

MIROT (L.), « L'hôtel de Jean Le Mercier (hôtel de Nouvion), rue de Paradis au Marais », dans *Mémoires de la Société de l'histoire de Paris et de l'Île-de-France*, 46 (1919), p. 157-222.

BABELON (J.P.), « De l'hôtel d'Albret à l'hôtel d'O. Étude topographique d'une partie de la Culture-Sainte-Catherine », dans *Bulletin de la Société de l'histoire de Paris et de l'Île-de-France*, 1970, p. 87-145.

— Orléans (chancellerie d'), voir Argenson (hôtel d').

JENGER (J.), *Orsay, de la gare au musée : histoire d'un grand projet* (1987).

COUTANT (H.), *Le Palais-Bourbon au XVIIIᵉ siècle* (1905).

MARMOTTAN (P.), « Contribution à l'histoire du Palais-Bourbon, 1796-1810, ... », dans *Commission du Vieux Paris. Procès-verbaux*, 1920, p. 239-259.

DEMOGET (G.), « Notice sur le Palais-Bourbon », dans *Société d'iconographie parisienne*, nouvelle série, 1929, p. 25-42.

— *Le Faubourg Saint-Germain : Palais-Bourbon, sa place* (1987, exposition à l'Institut néerlandais).

GOURNAY (I.), *Le Nouveau Trocadéro* (1985, Palais de Chaillot).

BORRELLI DE SERRES (L.L.), « L'agrandissement du Palais de la Cité sous Philippe le Bel », dans *Mémoires de la Société de l'histoire de Paris et de l'Île-de-France*, 38 (1911), p. 1-106.

STEIN (H.), *Le Palais de Justice et la Sainte-Chapelle de Paris. Notice historique et archéologique* (1912, nouvelle éd. en 1927).

VILLAIN (G.), « Le Palais, études et essais, contribution à son histoire », dans *Commission du Vieux Paris. Procès-verbaux*, annexe à la séance du 16 décembre 1922.

GUEROUT (J.), « Le Palais de la Cité des origines à 1417, essai topographique et archéologique », dans *Mémoires de la Société de l'histoire de Paris et de l'Île-de-France*, 1 (1949), p. 57-212 ; 2 (1950), p. 21-204 ; 3 (1951), p. 7-101.

BABELON (J.P.), *Le Palais de Justice, la Conciergerie, la Sainte-Chapelle* (1966).

CHAMPIER (V.), SANDOZ (G.R.), *Le Palais-Royal d'après des documents inédits, 1629-1900* (1900, 2 vol.).

AUGÉ DE LASSUS (L.), *La Vie au Palais-Royal...* (1904).

HÉRON DE VILLEFOSSE (R.), *L'Anti-Versailles, ou le Palais-Royal de Philippe-Égalité* (1974).

— *Le Palais-Royal* (1988, exposition au Musée Carnavalet).

THIRY (A.), «L'hôtel Peirenc de Moras, puis de Boullongne, 23, place Vendôme», dans *Bulletin de la Société de l'histoire de Paris et de l'Île-de-France*, 1979, p. 51-84.

DÉRENS (I.), «Les hôtels Peyrenc de Moras et Pujol, puis Bergeret de Frouville et de La Haye», dans *Bulletin de la Société de l'histoire de Paris et de l'Île-de-France*, 1994.

BABELON (J.P.), «Les hôtels de Sandreville, d'Alméras et de Poussepin. Étude topographique et architecturale...», dans *Bulletin de la Société de l'histoire de Paris et de l'Île-de-France*, 1972-1973, p. 63-107.

Pujol (hôtel), voir Peyrenc de Moras (hôtel).

BABELON (J.P.), «L'hôtel de Rambouillet» dans *Paris et Île-de-France*, 11 (1960), p. 313-361.

LE MOËL (M.), «Le mythe de l'hôtel de la Reine Blanche», dans *Cahiers de la Rotonde*, 11 (1988), p. 49-100.

DUMOLIN (M.), «Contribution à l'histoire du faubourg Saint-Germain : l'hôtel de la Reine Marguerite», dans *Commission du Vieux Paris. Procès-verbaux*, annexe à la séance du 27 novembre 1926 et p. 101-219 du tome 1 d'*Études de topographie parisienne* (1929-1931, 3 vol.).

VIGOUREUX (C.), «L'hôtel de Richelieu et le pavillon de Hanovre», dans *Le Centre de Paris*, 2 (1928), p. 189-236.

Rohan (hôtel de), voir Archives nationales.

PONS (B.), BAULEZ (C.), *L'Hôtel de Roquelaure* (1988).

SILLERY (J.), *Monographie de l'hôtel de Sagan* (1909).

LE MOËL (M.), «Sources d'archives pour une restauration de l'hôtel de Saint-Aignan», dans *Cahiers de la Rotonde*, 6 (1983), p. 35-70.

BOURNON (F.), «L'hôtel royal de Saint-Pol», dans *Mémoires de la Société de l'histoire de Paris et de l'Île-de-France*, 6 (1879), p. 54-179.

MIROT (L.), «La formation et le démembrement de l'hôtel Saint-Pol...», dans *La Cité*, 1916, p. 269-319.

Saint-Prest (hôtel de), voir Fleury (hôtel de).

DUPUIS (R.), «Deux vieux hôtels du faubourg du Roule. I. L'hôtel de Marigny. II. L'hôtel de Saint-Priest», dans *Bulletin de la Société d'histoire et d'archéologie des VIIIe et XVIIe arrondissements*, 1928-1939, p. 43-83.

BABELON (J.P.), «La maison du bourgeois gentilhomme, l'hôtel Salé», dans *Revue de l'art*, 68 (1985), p. 7-34.

BABELON (J.P.), «Les hôtels de Sandreville, d'Alméras et de Poussepin...», dans *Bulletin de la Société de l'histoire de Paris et de l'Île-de-France*, 1972-1973, p. 63-107.

SAINTE FARE GARNOT (N.), *Contribution à l'histoire de la maison de Scipion* (1985, multigraphié).

DUMOLIN (M.), «Communication... sur l'hôtel de Senneterre, 24, rue de l'Université», dans *Commission du Vieux Paris. Procès-verbaux*, 1926, p. 95-109 et p. 355-376, du tome premier d'*Études de topographie parisienne* (1929-1931, 3 vol.).

— *Histoire de l'hôtel de Sens et de la bibliothèque Forney* (1973, multigraphié).

— *Fondation Singer-Polignac* (1985).

Soubise (hôtel), voir Archives nationales.

LAMBEAU (L.), «Communication... sur l'hôtel Sully de la rue Saint-Antoine...», dans *Commission du Vieux Paris. Procès-verbaux*, 1902, p. 175-216.

PARENT DE CURZON (E.H.), *La Maison du Temple de Paris* (1888).

Toulouse (hôtel de), voir La Vrillière (hôtel de) et :
LAUDET (F.), *L'Hôtel de Toulouse* (1932).

Tour Eiffel, voir Eiffel (tour).

HAUTECŒUR (L.), *Le Louvre et les Tuileries* (1914, 2 vol.).

CHRIST (Y.), *Le Louvre et les Tuileries. Histoire architecturale d'un double palais* (1949).

HILLAIRET (J.), *Le Palais des Tuileries...* (1965).

BABELON (J.P.), «Les travaux de Henri IV au Louvre et aux Tuileries», dans *Paris et Île-de-France*, 29 (1978), p. 55-130.

— *Les Tuileries au XVIIIe siècle* (1988).

DAUFRESNE (J.C.), *Le Louvre et les Tuileries. Architectures de fêtes et d'apparat. Architectures éphémères* (1994).

ROUX (P. DE), *L'Hôtel Amelot et l'hôtel de Varangeville* (1947).

MURAT (A.), *La Colonne Vendôme* (1970).

SCHEFER (G.), «Historique de l'ancien hôtel de Verüe, rue du Cherche-Midi...», dans *Commission du Vieux Paris. Procès-verbaux*, p. 275 et en annexe à la séance de juin 1907.

— «L'hôtel de Vigny», n° 5 (1985) des *Cahiers de l'Inventaire*.

Villedeuil (hôtel de), voir La Rivière (hôtel de).

LAMBEAU (L.), «L'hôtel du marquis de Villette, maison mortuaire de Voltaire», dans *Commission du Vieux Paris. Procès-verbaux*, 1904, p. 231-287.

CHAPITRE XII

Cartographie

Aucune étude sérieuse de l'histoire parisienne ne peut être entreprise sans une approche cartographique. Il est impossible d'écrire un ouvrage de qualité sur les structures administratives, sur les paroisses, sur les collèges d'Ancien Régime ou les lycées du XIXe siècle, sur les classes sociales ou la vie économique, sur l'art, l'urbanisme, la voirie, l'architecture, sans adopter une double démarche. La première chose à faire est de situer les faits et les lieux étudiés sur des plans contemporains de la période concernée, lorsqu'il en existe. La seconde approche consiste, dans la mesure du possible, à cartographier l'objet de l'étude, car un plan, une carte, un croquis valent souvent mieux que dix pages d'explications plus ou moins diffuses. A peu près tous les phénomènes peuvent figurer sur un plan : la répartition des membres du Parlement sous l'Ancien Régime, des élèves de l'École nationale d'administration aujourd'hui, la localisation des graveurs ou des épiciers du XVIIe siècle, des sans-culottes sous la Révolution, des indigents au

XIXe siècle, les itinéraires des personnages de Balzac, la géographie des salles de théâtre ou de cinéma… L'étudiant comme le chercheur, l'érudit comme l'amateur découvriront que le temps consacré à l'élaboration d'une carte n'aura pas été perdu, car il leur aura permis de mieux saisir leur sujet et d'en faire une synthèse plus concise et vigoureuse.

101. COLLECTIONS ET INVENTAIRES

La liste des lieux de travail se trouve dans :
BRIEND (A.M.), CROYÈRE (C.), *Répertoire des cartothèques de France* (1991).

Les principaux fonds concernant Paris se trouvent à la Bibliothèque historique de la Ville de Paris (24, rue Pavée), à la Bibliothèque nationale, département des Cartes et Plans et, pour quelques plans, aux Estampes (58, rue de Richelieu), aux Archives de Paris (18, boulevard Sérurier) et aux Archives nationales (11, rue des Quatre-Fils). Il n'existe que des catalogues sur fiches pour les très riches fonds de la Bibliothèque historique et pour ceux des Archives de Paris. Pour les Archives nationales, utiliser :

HÉBERT (M.), THIRION (J.), OLIVIER (S.), *Catalogue général des cartes, plans et dessins d'architecture*, tome premier, *Série N. Paris et le département de la Seine…* (1958).

LE MOËL (M.), *Catalogue général des cartes, plans et dessins d'architecture. Répertoire de plans cadastraux de Paris* (1969).

On doit aussi consulter :
CANDILLE (M.), *Catalogue des plans et dessins d'architecture du fonds de l'ancien Hôtel-Dieu de Paris* (1973).

Il existe un bon inventaire pour la Bibliothèque nationale :
VALLÉE (L.), *Catalogue des plans de Paris et des cartes de l'Île-de-France, de la généralité, de l'élection, de l'archevêché, de la vicomté, … de l'Université, du grenier à sel et de la Cour des aydes de Paris conservés à la section des Cartes et Plans* (1908, dont les cotes sont périmées, les fonds ayant été reclassés depuis. Une nouvelle édition est en préparation).

Pour la cartographie actuelle, les lieux de production de plans sont nombreux et ne peuvent être tous énumérés ici. On en trouvera une liste aux pages 9-12 du n° 6, août 1984, des *Cahiers du Centre de recherches et d'études sur Paris et l'Île-de-France*, consacré à la cartographie parisienne. Consulter aussi JAOUEN (A.), BALLUT (A.), *La Cartographie en région Île-de-France, des origines à nos jours* (1985, publication multigraphiée de l'Institut d'aménagement et d'urbanisme de la région d'Île-de-France). Les principaux établissements de cartographie sont :

— l'Institut géographique national (IGN, 2, avenue Pasteur à Saint-Mandé). Créée en 1943, la cartothèque de l'IGN possède un fonds ancien provenant de l'Académie des sciences (1666-1793), du Dépôt de la guerre (1688-1887) et du Service géographique de l'armée (1887-1940). Mais le gros du demi-million de cartes provient de sa propre production et de celle des grands organismes éditeurs français contemporains :

— l'Institut national de la statistique et des études économiques (18, boulevard Adolphe-Pinard, XIVe, et, pour sa branche régionale d'Île-de-France, 7, rue Stephenson à Saint-Quentin-en-Yvelines).

— l'Atelier parisien d'urbanisme (APUR, 17, boulevard Morland, IVe).

— l'Institut d'aménagement et d'urbanisme de la région d'Île-de-France (IAURIF, 251, rue de Vaugirard, XVe).

On peut acquérir les cartes récentes fabriquées par l'Administration à la conservation du Plan de Paris (17, boulevard Morland, IVe).

En cette fin de XXe siècle, la cartographie dépend de plus en plus de nouvelles techniques et notamment des informations transmises par les satellites (Landsat ou Spot) qui, avec leurs radiomètres, traitent la surface terrestre comme un scanner. Lire sur ce sujet I. NASCIMENTO et C. THIBAULT, « La ville sous le regard des satellites », dans *Cahiers du CREPIF*, 28 (1989), p. 142-157.

102. PLANS ET ATLAS GÉNÉRAUX

A. Plans de restitution

La première tentative de cartographie historique rétrospective de Paris figure dans le *Traité de police* (1705-1738) de N. DELAMARE. Viennent ensuite les sept plans, de Lutèce à 1643, publiés en 1724 par Danet.

Si Paris n'a pas été cartographié avant le XVIe siècle, il existe cependant des plans de restitution plus ou moins fiables pour l'Antiquité et le Moyen Âge. C'est à la Commission du Vieux Paris qu'on doit les meilleurs de ces plans. La plupart sont dispersés dans ses *Procès-verbaux* ou dans les *Cahiers de la Rotonde*. Signalons, comme exemple : E.J.D. VALLET, « Plan du relief du sol antique de Paris », dans *Commission du Vieux Paris. Procès-verbaux* (1904, nouvelle éd. avec commentaire de G. VILLAIN en 1910, dans la même publication). On se reportera aussi aux plans figurant dans les volumes de la « Nouvelle Histoire de Paris », pour la cité gallo-romaine (P.M. DUVAL), le haut Moyen Âge (J. BOUSSARD), et la ville du XIIIe au XVe siècle (R. CAZELLES et J. FAVIER). Voir § 21 C. Parmi les autres plans de restitution, on retiendra :

— *Topographie historique du vieux Paris. Plan archéologique, depuis l'époque romaine jusqu'au début du XVIIe siècle*, dressés sous les auspices de la municipalité parisienne par A. LENOIR, avec la collaboration d'A. BERTY, T. VACQUER, G.T. PETROVITCH, E. HOCHEREAU (1880-1906, 19 planches). Nouvelle éd. par M. FLEURY en 1984).

LEGRAND (H.), *Paris en 1380* (1868, plan accompagné d'un long texte explicatif).

HALPHEN (L.), *Paris sous les premiers Capétiens (987-1223). Étude de topographie historique* (1909, contient un plan sommaire mais non dépourvu d'intérêt).

PACHTERE (F.G. DE), *Plan de Paris à l'époque gallo-romaine d'après un plan au 1/1 000 de Théodore Vacquer...* (plan au 1/3 000 annexé à *Paris à l'époque gallo-romaine...* 1912).

GRIMAULT (A.), FLEURY (M.), *Plan de Paris à l'échelle de 1/25 000. Anciennes enceintes et limites de Paris...* (1964, nouvelle éd. avec des corrections en 1973 et 1983).

LEURIDANT (J.), MALLET (J.A.), *Paris vers la fin du XIVe siècle. Plan restitué de Paris en 1380* (réalisé en 1975 par le laboratoire de cartographie thématique du CNRS).

B. Fac-similés

Les anciens plans de Paris sont rares et d'accès difficile, pour des raisons évidentes de conservation. On peut souvent se satisfaire d'une reproduction en fac-similé :

— *Atlas des anciens plans de Paris. Reproduction en fac-similé des originaux les plus rares et les plus intéressants pour l'histoire de la topographie parisienne...* (1880, 3 vol., 2ᵉ éd. en 1887, 3ᵉ éd. en 1900, 31 planches et 33 plans).

Michel FLEURY signale, dans son «Complément bibliographique» publié en tête de la réimpression (1994) d'A. BONNARDOT, *Études archéologiques sur les anciens plans de Paris*, deux collections de reproductions de qualité d'anciens plans de Paris faites par la maison d'édition Taride et Marcel Legoux aux Ateliers Saint-Martin de Nigelles. A la fin de février 1995 a été annoncée la parution du premier Photo-CD, *Paris au fil du temps*, plans anciens de Paris présentés par M. LE MOËL.

C. Plans du xvɪᵉ siècle

Les plans anciens sont parfois d'une interprétation malaisée. On les comprendra mieux après avoir lu :

DAINVILLE (F. DE), *Cartes anciennes de l'Église de France. Historique, répertoire, guide d'usage* (1956).

DAINVILLE (F. DE), *Le Langage des géographes. Termes, signes et couleurs des cartes anciennes, 1500-1800, ...* (1964).

La complexe question des premiers plans de Paris a été éclaircie par J. DÉRENS dans «Note sur les plans de Paris au xvɪᵉ siècle», dans *Bulletin de la Société de l'histoire de Paris et de l'Île-de-France*, 1980, p. 71-94. Il émet l'hypothèse d'un plan initial exécuté vers 1520-1530 et aujourd'hui perdu. On doit aussi mentionner quelques travaux anciens :

BONNARDOT (A.), *Études archéologiques sur les anciens plans de Paris des xvɪᵉ, xvɪɪᵉ et xvɪɪɪᵉ siècles* (1851, avec un *Appendice* en 1877. Réédition de l'ensemble en 1994 avec une introduction et un complément bibliographique par M. FLEURY).

FRANKLIN (A.), *Les Anciens Plans de Paris* (1878-1880, 2 vol.).

Le plus ancien état de Paris, antérieur à 1530, apparaît dans les plans dits de Münster et de Braun, car ils ont été publiés dans l'édition latine de la *Cosmographia* de S. MÜNSTER (parue à Bâle en 1550) et dans les *Civitates orbis terrarum* de G. BRAUN et F. HOGENBERG (ouvrage imprimé à Cologne en 1572, très proche du précédent mais plus précis).

Le plan de la Tapisserie, exécuté sur une tenture, sans doute vers 1540, sur ordre du prévôt des marchands Étienne de Montmirail, a été détruit durant la Révolution, sous prétexte qu'il était trop vétuste. Il en subsiste une copie réduite au 1/9 faite par Gaignières.

Le plan dit de la Gouache, une série de neuf feuilles de papier collées sur toile et peintes à la gouache, a disparu dans l'incendie de l'Hôtel de Ville en mai 1871. Il en subsiste une série de clichés sur verre conservés à la Bibliothèque historique de la Ville de Paris.

Gravé sur bois en 1550 par les imagiers parisiens TRUSCHET et HOYAU, le plan dit de Bâle (car l'unique exemplaire subsistant est conservé à la Bibliothèque universitaire de Bâle) a fait l'objet d'un excellent fac-similé avec une notice détaillée par J. DÉRENS, «Le plan de Paris par Truschet et Hoyau (1550), dit plan de Bâle», dans *Cahiers de la Rotonde*, 9 (1986).

Vers 1551 a été gravé sur cuivre un plan dit de Saint-Victor, du nom de l'abbaye où il était conservé jusqu'à son transfert après la Révolution au cabinet des Estampes de la Bibliothèque nationale. Il a été copié et modernisé par F. DE BELLEFOREST dans sa *Cosmographie universelle* (1575).

D. *Plans des XVIIe et XVIIIe siècles*

Au XVIIe siècle se succèdent les plans de Paris de F. QUESNEL (1608), de BENEDIT DE VASSALIEU (1609), de M. MERIAN (1615), de J. GOMBOUST (1652), d'A. JOUVIN DE ROCHEFORT (1672), de P. BULLET et N. BLONDEL (plusieurs éditions entre 1676 et 1710), de N. DE FER (1697), et bien d'autres de médiocre qualité qui ne valent pas la peine d'être mentionnés.

Durant le XVIIIe siècle, les plans en feuille unique se multiplient. On se borne ici à signaler ceux qui ont de l'importance par leurs dimensions et les nouveautés qu'ils enregistrent : plans de B. JAILLOT (1713), de G. DELISLE (1716), de J. DELAGRIVE (de 1723 à 1756), de C. ROUSSEL (1730). D'importance majeure est le grand plan de L. BRETEZ et C. LUCAS, dont les vingt feuilles ont été gravées entre 1734 et 1739. Commandé par le prévôt des marchands, il en porte le nom et est dit « plan de Turgot ». Plusieurs reproductions en fac-similé en ont été faites récemment.

Il faut attendre le XVIIIe siècle pour que soient publiés les premiers plans-atlas de la capitale, réunion en volume relié de planches pouvant être assemblées pour constituer un plan mural. On peut considérer comme leur prototype J. DE LA CAILLE, *Description de la ville et des fauxbourgs de Paris* (1714, 25 planches). Son exemple est suivi dans la seconde moitié du XVIIIe siècle par :

ROBERT DE VAUGONDY, *Tablettes parisiennes, qui contiennent le plan de la ville et des faubourgs de Paris* (1760, 11 planches).

DEHARME, *Plan de la ville et fauxbourgs de Paris divisé en vingt quartiers* (1763, 35 planches, nombreuses éditions jusqu'en 1788, avec la participation de Desnos).

DESNOS (L.C.), *Étrennes parisiennes* (1771, guide de Paris avec un plan général et 23 plans partiels).

JAILLOT, *Recherches critiques, historiques et topographiques sur la ville de Paris* (1772-1775, 21 fascicules en 5 vol., 25 planches ; 3e éd. en 1782 en 6 vol. ; réimpression en 5 vol. et atlas en 1977 par M. FLEURY).

On ne doit pas oublier qu'il existe de nombreux documents manuscrits que l'on trouvera mentionnés dans les inventaires (§ 101). On doit cependant citer le « Travail des limites de la ville et faubourgs de Paris » établi entre 1724 et 1729 pour tenter de maîtriser l'expansion urbaine. Ses 17 registres, conservés aux Archives nationales, ont été étudiés par J. PRONTEAU, « Le "Travail des limites de la ville et faubourgs de Paris", 1724-1729 : législation et application des textes », dans *École pratique des hautes études. IVe section, sciences historiques et philologiques. Annuaire*, 1977-1978, p. 707-745. Elle doit publier en 1998 un important ouvrage sur ce document.

On ne peut signaler tous les atlas manuscrits. La Bibliothèque historique de la Ville de Paris possède notamment un « Atlas du plan terrier de la terre et seigneurie de Chaillot » (1777, 8 planches) et un « Atlas de la terre et seigneurie de Charonne » (vers 1789, 30 planches).

E. *Plans et atlas depuis 1789*

Edme VERNIQUET réalise le premier plan géométrique de la capitale à partir d'un réseau de triangulation dessiné entre 1774 et 1791, publié en l'an IV

(1795/1796). Le cartographe et son œuvre ont fait l'objet d'une thèse par J. Pronteau, *Edme Verniquet, architecte et auteur du «grand plan de Paris»* (1986). Le plan a pour titre : *Plan de la ville de Paris, avec sa nouvelle enceinte, levé géométriquement sur la méridienne de l'Observatoire, par le citoyen Verniquet. Parachevé en 1791...* La page de titre porte : *Atlas du plan général...* Sous le nom de «plan des Artistes», le plan de Verniquet a été utilisé par l'éphémère Commission des Artistes (1793-1797) pour esquisser des projets d'aménagement rendus possibles par la confiscation des biens du clergé.

Pour la première moitié du XIXe siècle méritent d'être mentionnés :

Picquet (C.), *Plan routier de la ville de Paris et de ses faubourgs...* (1804, édition corrigée en 1809).

Maire (N.M.), *La Topographie de Paris, ou plan détaillé...* (1808, nouvelles éd. en 1813 et 1824).

Jacoubet (T.), *Plan général de la ville et des faubourgs de Paris...* (1825, d'après Verniquet, 6 feuilles).

Vasserot (P.), Bellanger (J.H.), *Plan détaillé de la ville de Paris...* (1827-1836, 155 feuilles au 1/1 000).

Perrot (A.M.), *Petit Atlas pittoresque des quarante-huit quartiers de la ville de Paris...* (1834, 48 planches. Réimprimé en 1960 et en 1987 avec une importante annotation par M. Fleury et J. Pronteau).

Jacoubet (T.), *Atlas général de la ville, des faubourgs et des monuments de Paris* (1836, 52 feuilles au 1/2 000).

Les grands travaux de cartographie parisienne débutent avec le second Empire. Ils ont été précédés par la carte dite de l'État-Major (1/80 000 ou 1/50 000, publiée à partir de 1820, couvrant toute la France et sans intérêt pour Paris) et par la *Carte des environs de Paris* (plusieurs éditions entre 1839 et 1887, en 36 feuilles au 1/20 000 ou 9 au 1/40 000). L'Administration a fait paraître à partir du second Empire des séries de cartes et de plans parfois nommées «Atlas», qui constituent une couverture cartographique de Paris mise à jour périodiquement, mais dont la forme matérielle ne correspond pas vraiment à la définition de l'atlas.

L'administration des Ponts et Chaussées fait paraître à partir de 1855 des éditions successives de l'*Atlas communal du département de la Seine*, et, de 1894 à 1905, l'*Atlas du département de la Seine* (105 feuilles, mais Paris n'y figure pas). La préfecture de la Seine dirige la confection d'une série de plans :

— *Plan général de la ville de Paris et de ses environs* (1866, 21 feuilles au 1/5 000).

— *Atlas municipal des vingt arrondissements de la ville de Paris* (1868, 16 feuilles au 1/5 000); nombreuses éditions avec mises à jour jusqu'à son remplacement par :

— *Atlas administratif de la ville de Paris*, dit aussi *Atlas municipal des vingt arrondissements de la ville de Paris* (qui paraît au 1/500 à partir de 1900 et tient lieu de plan cadastral — voir § 104 ; constamment tenu à jour).

On trouvera des atlas spécialisés dans la section suivante, «Cartographie thématique», au § 103.

Pour le XXe siècle, outre les instruments antérieurs tenus à jour, il existe quelques entreprises valant la peine d'être mentionnées :

Bournon (F.), *Paris-Atlas* (1900, réimprimé en 1989, ne mérite guère ce nom : c'est une étude sur les bâtiments de Paris accompagnée de plans d'arrondissements).

— *Plan de Paris* (1938, 38 feuilles au 1/2 500, dressé par R. MESTAIS sous la direction de P. DOUMERC, directeur général du Plan de Paris).

BEAUJEAU-GARNIER (J.), BASTIÉ (J.) dir., *Atlas de Paris et de la région parisienne* (1967-1971, atlas et volume de texte de près de 1 000 pages).

BEAUJEU-GARNIER (J.), BASTIÉ (J.), *Paris et la région parisienne. Atlas pour tous* (1972, version simplifiée du précédent).

BEAUJEU-GARNIER (J.), *Atlas et géographie de Paris et de la région parisienne* (1977, 2 vol., beaucoup plus une géographie qu'un véritable atlas).

— *Atlas des Parisiens* (1984, sans intérêt topographique).

— *Atlas démographique et social d'Île-de-France* (1989, sans intérêt cartographique).

FORTIER (B.), *La métropole imaginaire. Un atlas de Paris* (1989, abusivement nommé « atlas », cet ouvrage prétentieux et médiocre traite de l'architecture et de l'urbanisme).

— *Atlas des Franciliens* (1991-1993, 2 vol. parus, sans intérêt cartographique).

Signalons, pour terminer, les deux atlas de géographie historique consacrés à la formation et à l'extension de Paris :

COUPERIE (P.), *Paris au fil du temps. Atlas historique d'urbanisme et d'architecture* (1968).

PITTE (J.R.) dir., *Paris, histoire d'une ville* (1993).

103. CARTOGRAPHIE THÉMATIQUE

Au XIXᵉ siècle, les cartes thématiques se généralisent. Citons, à titre d'exemple, comme une des plus anciennes sur ce sujet, la carte de répartition des restaurants parisiens par PICQUET, insérée dans l'*Almanach des gourmands* (1806). Elles couvrent aujourd'hui tous les domaines de la vie parisienne.

Pour la géologie et la minéralogie, les premières cartes datent de la seconde moitié du XVIIIᵉ siècle. Sont actuellement disponibles des cartes au 1/25 000 du Bureau de recherches géologiques et minières (BRGM, installé à Orléans) et la carte géologique de Paris au 1/5 000 établie par l'Inspection générale des carrières. L'Institut national de la recherche agronomique publie une carte pédologique de la France au 1/250 000 (Paris, feuille NM 31-II). Le CNRS fait paraître une carte de la végétation au 1/200 000, etc. L'Atelier parisien d'urbanisme (APUR, 17, boulevard Morland) est le principal producteur de cartes pour Paris et les commercialise.

La table des matières (en réalité un index alphabétique par lieux et sujets) du *Catalogue des plans de Paris...* de L. VALLÉE (§ 101) signale les cartes thématiques jusqu'au début du XXᵉ siècle, d'« Abattoirs » à « Volailles » et « Zones concentriques », ce qui facilite grandement les recherches. On se limite ici au signalement des plans de qualité ou d'importance exceptionnelles.

• Administration :

— Le *Nouveau Plan de Paris en vingt quartiers* de N. DE FER (1701) est le plus ancien document à porter le découpage administratif de la ville.

— L'*Atlas administratif de la ville de Paris* de N.M. MAIRE (1821, 14 planches) est le premier atlas cautionné par l'administration préfectorale. Celle-ci prend en main sa cartographie sous le second Empire avec l'*Atlas muni-*

cipal puis *administratif* (§ 102 E), qui se poursuit aujourd'hui. On doit aussi signaler :

— *Paris en quatre-vingts quartiers, plan de numérotage des îlots* (1982).

— *Atlas des secteurs administratifs : paroisses, arrondissements, quartiers*, par M.J. Bertrand (1987).

• Aménagement : voir ci-dessous Urbanisme.

• Archéologie :
MICHEL (M.E.), ERLANDE-BRANDENBURG (A.), QUÉTIN (C.), *Carte archéologique de Paris*, sous la direction de M. FLEURY (1971, 1re série seule parue, 9 plans et 509 pages de textes).

• Bombardements entre 1914 et 1918 :
— *Carte et liste officielle des bombes d'avions et de zeppelins lancées sur Paris et sa banlieue...* (1919).

• Carrières :
— *Atlas souterrain de la ville de Paris*, par E. de FOURCY, puis A. JUNCKER (1855, 17 planches, plusieurs éditions).
— *Atlas des carrières souterraines de Paris*, dressé par E. GERARDS et publié par l'Inspection générale des carrières de la Seine (1895, 108 feuilles au 1/1 000). Cette publication se poursuit par des mises à jour permanentes.

• Censive de l'archevêché de Paris :
— *Atlas de la censive de l'archevêché dans Paris*, reproduction en fac-similé publiée par A. BRETTE (1906). Se prolonge avec la publication inachevée des notices par J. DE LA MONNERAYE (1981).

• Cimetières :
— *Cimetières des anciennes communes annexées. Plans cadastraux des concessions perpétuelles et trentenaires...* (1886, 15 feuilles au 1/200, à compléter par les 38 feuilles du Père-Lachaise, les 12 feuilles de Montmartre et les 30 feuilles de Montparnasse).

• Eaux :
— *Plan général des conduites d'eau de la ville de Paris et de ses environs* (1867, 21 feuilles au 1/5 000).
— *Atlas administratif des eaux de la ville de Paris* (1885).
— *Atlas municipal des eaux de la ville de Paris* (1897, 37 feuilles).
— *Atlas des nappes aquifères de la région parisienne*, établi par C. MÉGNIEN et autres, dans le cadre du BRGM (1970).

• Égouts :
— *Carte statistique des égouts de la ville de Paris*, par ACHIN (1839, plusieurs éditions de ce plan au 1/6 666).
— *Plan général des égouts de la ville de Paris et de ses environs* (1867, 21 feuilles au 1/5 000), remplacé par :
— *Atlas administratif des égouts de la ville de Paris*, qui se poursuit avec des mises à jour.

• Enceintes et limites :
GRIMAULT (A.), FLEURY (M.), *Anciennes enceintes et limites de Paris* (1964, au 1/25 000, nouvelles éditions avec corrections en 1973 et 1983).

• Gastronomie : voir ci-dessous Restaurants.

• Géologie :
— *Atlas géologique des vingt arrondissements de Paris*, dressé au 1/5 000 par
E. GERARDS de 1924 à 1926 pour l'Inspection générale des carrières, qui le tient
à jour.
— Le Bureau de recherches géologiques et minières (BRGM) tient à jour des
cartes géologiques de Paris au 1/25 000 et au 1/50 000.

• Hôpitaux :
— *Plans des hôpitaux et hospices civils de la ville de Paris*, levés par ordre du
Conseil général d'administration des hôpitaux (1820, 29 planches).

• Immobilier :
— *Atlas immobilier de Paris : évolution de l'offre dans les différents arrondissements* du 1ᵉʳ janvier 1966 au 1ᵉʳ janvier 1974.

• Maladies :
— *Cartogrammes et diagrammes relatifs à la population parisienne et à la
fréquence des principales maladies à Paris, 1865-1887*, par le Service de la
statistique municipale de la préfecture de la Seine (1889).

• Météorologie :
— *Atlas météorologique*, observations faites à la tour Saint-Jacques et à
Montsouris, continué par :
LÉVINE (J.), *Atlas météorologique de Paris* (1921, qui contient des données
remontant à 1700).

• Paroisses :
Les 42 paroisses apparaissent pour la première fois sur le plan de MÉNARD
(1720-1729) qui est peu précis. On doit lui préférer :
— *Plan des paroisses de Paris (1786)*, dressé par ordre de Mgr de Juigné, par
J. JUNIÉ (1904, 4 feuilles reproduisant le plan conservé aux Archives nationales.
Il ne faut pas le confondre avec l'*Atlas des plans de la censive de l'archevêché*,
de la même année 1786, également conservé aux Archives nationales et publié en
1906 par A. BRETTE, déjà cité sous «Censive».
— *Plan des paroisses de la ville de Paris*, par E. SÉVILLA et le Service muni-
cipal des pompes funèbres (1891, 69 feuilles).
BERTRAND (M.J.), *Atlas des secteurs administratifs : paroisses, arrondissements, quartiers* (1987).

• Population :
LOUA (T.), *Atlas statistique de la population de Paris* (1873, 41 cartes).
Voir aussi (§ 102 E), *Atlas des Parisiens, Atlas démographique et social d'Île-
de-France* (1989), *Atlas des Franciliens* (1989).

• Restaurants :
Lire PITTE (J.R.), «Paris, capitale de la gastronomie», p. 188-200 de *Cahiers
du Centre de recherches et d'études sur Paris et l'Île-de-France*, 6 (1984), qui
donne une synthèse cartographique.

• Révolutions :
Il existe toute une cartographie des phénomènes révolutionnaires à Paris, et

notamment des barricades, dont une des réussites est le travail de C. MOTTE, *Révolution de Paris, 1830. Plan figuratif des barricades* (1830, 12 feuilles).

• Sol naturel :
La base, ancienne mais solide, est constituée par «Carte du sol naturel. Altitudes du sol actuel et du sol naturel aux points où les coupes de terrain ont été relevées et utilisées pour l'établissement de la Carte», dans *Commission du Vieux Paris. Procès-verbaux*, 1910, annexe à la séance de mars, plan et 17 pages de commentaires.

• Statistique :
Atlas de statistique graphique de la ville de Paris, publié par la préfecture de la Seine (1889 et 1891, 2 vol.) qui contient aussi des statistiques rétrospectives remontant parfois jusqu'au début du XIXe siècle. Pour les statistiques concernant les voies et moyens de communication ainsi que le commerce, utiliser l'*Album de statistique graphique* publié par le ministère des Travaux publics à partir de 1879.

• Travaux :
Les Travaux de Paris, 1789-1889. Atlas, dressé sous la direction d'A. ALPHAND (1889, 16 planches au 1/16 000 donnant l'état des travaux de Paris durant un siècle, du point de vue des eaux, des égouts, de la voirie, auxquels ont été ajoutés les plans des transports en commun en 1889, des édifices construits de 1871 à 1889 et une reconstitution du «plan des Artistes» (voir au début de § 102 E).
Voir aussi :
BELGRAND (E.), *Les Travaux souterrains de Paris* (1872-1887, 5 vol. et atlas).

• Urbanisme :
Plan d'urbanisme directeur de Paris (1959, 2 vol. et 8 plans).
— *Essai de mise en valeur de l'espace parisien*, par le Centre de documentation et d'urbanisme (1964).
— *Schéma directeur de la Ville de Paris. Documents graphiques* (1968).
— *Vingt ans de transformations de Paris, 1954-1974*, étude réalisée sous la direction de J. BASTIÉ (1974).
— *Plan d'occupation des sols de la Ville de Paris* (1976).
Il existe une foule d'autres documents graphiques que l'on peut, en général, se procurer à l'APUR (17, boulevard Morland). Voir sur ce sujet les volumes de la «Nouvelle Histoire de Paris» :
LAVEDAN (P.), *Histoire de l'urbanisme à Paris* (1975 ; nouvelle éd. mise à jour avec bibliographie actualisée en 1993).
BEAUJEU-GARNIER (J.), *Paris : hasard ou prédestination ? Une géographie de Paris* (1993).

• Végétation :
Une *Carte de la végétation de la France* au 1/200 000 a été dressée par le CNRS. On peut aussi s'adresser à la Direction des parcs, jardins et espaces verts de la Ville.

104. CADASTRE

Les Archives nationales recèlent un grand nombre de plans précadastraux concernant des parcelles, des îlots, voire des quartiers de Paris, dispersés dans les fonds les plus divers, notamment au Minutier des notaires. On peut considérer le

Terrier du roi (Q1*1099), dressé vers 1710, comme un prototype lacunaire du cadastre. Ce n'est qu'avec la loi du 15 septembre 1807 qu'est entreprise une couverture cadastrale de Paris et de la France. Un premier cadastre a été établi sommairement de 1807 à 1821 sur le plan de Verniquet. Il a été repris de façon détaillée (à l'échelle du 1/200) de 1810 à 1854.

On trouve une bonne notice sur le cadastre dans *Les Archives de l'Île-de-France. Guide des recherches* (1989, p. 146), qui vaut la peine d'être partiellement reproduite ici :

Le cas de Paris est unique : la levée d'un cadastre complet n'y a jamais été réellement effectuée avant la mise en place d'un service du cadastre de Paris en 1974. La capitale ne dispose donc de documents cadastraux comparables à ceux du reste du territoire que pour les communes annexées en 1860. Les Archives nationales conservent cependant sous les cotes F31 1 à 96 des plans cadastraux provenant de la direction des contributions directes de la Seine et qui devraient donc à ce titre être normalement conservés aux Archives de Paris : deux atlas de plans cadastraux par quartiers (1807-1821), soixante-dix cartons de feuilles d'immeubles, vingt-quatre atlas de plans de maisons par îlots (1810-1836) ; il faut aussi joindre à cet ensemble une collection de deux cent neuf plans d'édifices civils et religieux levés entre 1807 et 1834.

L'instrument de recherche pour ce fonds est dû à Michel LE MOËL, *Archives nationales. Catalogue général des cartes, plans et dessins d'architecture. Répertoire des plans cadastraux de Paris* (1969). Les Archives de Paris, quant à elles, conservent des plans par masses de culture antérieurs au cadastre parcellaire et concernant des communes de l'ancien département de la Seine, dont Montmartre et La Villette. On trouve aussi dans la sous-série départementale 6P2 des plans cadastraux reliés en atlas (1808-1812) ou en feuilles (1805-1840) ainsi que des plans parcellaires et des tableaux d'assemblage. Quant aux matrices et états de section, qu'ils concernent les communes annexées à Paris en 1860 et les nouveaux arrondissements ainsi créés ou les autres communes de l'ancien département de la Seine, ils sont rangés dans la sous-série départementale 5P2 et en versements.

Pour Paris, les archives départementales possèdent encore des documents abusivement appelés «calepins du cadastre» et qui paraissent plutôt être des matrices-rôles fabriquées par les services des contributions directes. Leur exploitation ne saurait être assimilée à celle des matrices cadastrales. Ces documents, inventoriés dans la sous-série départementale 1P4, existent pour la période 1852-1900 sous la forme de cahiers dressés immeuble par immeuble et classés dans l'ordre alphabétique des rues. Ils constituent une source fondamentale pour l'étude de l'histoire foncière de Paris au XIXe siècle.

Il faut signaler encore aux Archives de Paris, dans la sous-série 2P4, des documents fragmentaires pour la période 1852-1925 : calepins d'établissements industriels, bulletins de constructions nouvelles (1900-1920), pouvant compléter utilement les dossiers de demande de permis de construire et les «calepins du cadastre» déjà cités. Enfin, la sous-série 3P4 possède quelques registres statistiques concernant les années 1869-1879, mais contenant des renseignements pouvant remonter jusqu'en 1846.

En l'absence de véritable cadastre, on peut avoir recours à un certain nombre de plans qui peuvent en tenir lieu. C'est le cas du plan au 1/1 000 par îlots, dressé entre 1827 et 1836 par Philibert VASSEROT et J.H. BELLANGER, sous le titre de *Plan détaillé de la ville de Paris.* Ses cent cinquante-cinq feuilles sont conservées aux Archives nationales et à la Bibliothèque historique de la Ville de Paris (exemplaires imprimés et manuscrits incomplets mais se complétant à peu près). Un double incomplet se trouve aussi au département des Manuscrits de la Bibliothèque nationale (manuscrit des Nouvelles Acquisitions françaises n° 20 687).

De 1831 à 1836, Théodore JACOUBET a fait lithographier cinquante-deux planches au 1/2 000 sous le titre d'*Atlas général de la ville, des faubourgs et des monuments de Paris*. Elles ne portent qu'une amorce de délimitation des parcelles en bordure de la voie publique, mais ce plan est superposable au plan parcellaire et peut donc servir dans un cadre cadastral.

Les feuilles du plan de VASSEROT et BELLANGER ont été remplacées par le «Plan de Paris», service créé en 1856 par HAUSSMANN et aujourd'hui installé au 17, boulevard Morland (préfecture de Paris). Il tient à jour depuis 1900 l'*Atlas administratif de la ville de Paris*, plan parcellaire à diverses échelles (1/500, 1/1 000 et 1/2 000), que complètent soixante-dix-sept mille fiches d'immeubles. La Bibliothèque historique de la Ville de Paris conserve un exemplaire de ce plan parcellaire, avec les éditions successives de chaque feuille.

Ce n'est qu'en 1974 qu'a été enfin mis en place un service du cadastre de Paris (6, rue Clisson, XIIIe, pour Paris-Sud; 6, rue Paganini, XXe, pour Paris-Est et Ouest; 38, rue de la République, à Montreuil, pour Paris-Centre). Le plan de Paris et le cadastre sont en cours de saisie sur une banque de données informatisées. Lire à ce sujet André PICARLE, «Le Plan de Paris», dans *Génie urbain*, avril 1988, p. 23-28.

On peut considérer comme des documents d'appoint au cadastre parisien les deux fonds possédés par la Bibliothèque historique de la Ville de Paris:

— plans d'expropriation (près de sept cents plans pour la seconde moitié du XIXe siècle);

— plans d'alignement (près de six cents plans concernant l'alignement de la voirie en exécution de textes réglementaires échelonnés entre 1820 et 1900).

La Bibliothèque historique possède aussi une partie des originaux manuscrits ayant servi à la gravure du plan de Verniquet.

105. ÎLE-DE-FRANCE

Il est indispensable de pouvoir situer Paris dans un cadre géographique et historique plus vaste que la ville. Ce très court résumé de la cartographie ancienne des environs de la capitale est rédigé dans cette intention. On doit consulter:

JAOUEN (A.), BALLUT (A.), *La Cartographie en région Île-de-France, des origines à nos jours* (1985, publication multigraphiée de l'Institut d'aménagement et d'urbanisme de la région d'Île-de-France, 251, rue de Vaugirard, qui produit actuellement une grande partie de la cartographie de la région).

On trouve la majeure partie des cartes anciennes d'Île-de-France recensées dans:

VALLÉE (L.), *Catalogue des plans de Paris et des cartes de l'Île-de-France...* (1908, voir § 101). Consulter sa «Table des matières» par noms de lieux et par sujets, notamment sous les entrées: archevêché, bailliages, châtellenies, diocèse, élections, environs de Paris, généralités, Île-de-France, prévôté, vicomté.

Rappelons (début de § 102 C) que la compréhension des cartes anciennes est facilitée par:

DAINVILLE (F. DE), *Cartes anciennes de l'Église de France. Historique, répertoire, guide d'usage* (1956).

DAINVILLE (F. DE), *Le Langage des géographes. Termes, signes et couleurs des cartes anciennes, 1500-1800...* (1964).

Les plus anciennes cartes délimitant l'Île-de-France apparaissent à la fin du XVIᵉ siècle avec *L'Isle de France* par F. GUILLOTERIUS (1598). Ces cartes couvrent le territoire du diocèse, du gouvernement, de la prévôté puis de la généralité. Elles consistent en général en une feuille unique dont l'échelle varie du 1/40 000 au 1/100 000. Les cartographes les plus célèbres des XVIIᵉ et XVIIIᵉ siècles sont N. SANSON, N. DE FER, B. JAILLOT, DESNOS, ESNAUTS et RAPILLY.

Il existe quelques cartes importantes de l'Île-de-France en plusieurs feuilles : celles de l'Académie des sciences (1674-1678, 9 feuilles), de J. DELAGRIVE (1730-1740, 9 feuilles). Paris et ses environs figurent sur une seule planche, la plus ancienne (1756), de la carte de France au 1/86 400, dite de Cassini.

Signalons une poignée de cartes importantes :

— *Carte des chasses du roi* (1764-1773, au 1/28 800, réimpression en 12 feuilles par l'IGN).

Lire, pour le cadastre d'Ancien Régime :

TOUZERY (M.), « Arpents, arpentage et arpenteurs dans l'élection de Paris à la fin du XVIIIᵉ siècle : le cadastre de Bertier de Sauvigny, 1776-1790 », dans *Bulletin de la Société de l'histoire de Paris et de l'Île-de-France*, 1983, p. 151-197.

— *Atlas du canton de Paris, divisé en ses douze municipalités avec ses environs...* par ROUSSEL (1796, 11 feuilles).

PERROT (A.M.), MONIN (C.V.), *Atlas pittoresque du département de la Seine...* (1836, 57 planches).

— *Carte agronomique des environs de Paris*, par DELESSE (vers 1860, au 1/40 000).

— *Atlas cantonal du département de la Seine*, dressé par O.T. LEFEBVRE pour la Commission de voirie vicinale (au 1/5 000, dressé en 1854, révisé en 1870, éditions postérieures au 1/25 000 et au 1/50 000).

— *Atlas communal du département de la Seine*, par O.T. LEFEBVRE (1855, au 1/5 000), le même que le précédent, devenu dans sa réédition par le Service des ponts et chaussées de la Seine :

— *Atlas du département de la Seine* (1894-1900, 105 feuilles au 1/5 000).

— *Schéma directeur d'aménagement et d'urbanisme de la Région de Paris* (1965 et ses éditions ultérieures par l'IAURIF).

— *Plan directeur d'urbanisme intercommunal* (1971, au 1/10 000 et au 1/20 000, publié par le ministère de l'Équipement et du Logement).

Ne pas oublier que chaque commune est tenue de posséder et de publier son Plan d'occupation des sols (POS).

Rappelons une dernière fois le rôle fondamental comme fabricant et vendeur de cartes de l'Institut d'aménagement et d'urbanisme de la région d'Île-de-France (IAURIF, 251, rue de Vaugirard).

CHAPITRE XIII

Iconographie

Très friand d'images, le xxe siècle finissant est loin de disposer des instruments indispensables à la maîtrise de cette catégorie de documents. Qu'il s'agisse de dessins, de miniatures, de peintures, de gravures, de photographies, d'affiches ou de cartes postales, la recherche par thèmes est difficile et aléatoire, cette remarque s'appliquant particulièrement à Paris.

On trouvera une brillante et indispensable initiation aux recherches iconographiques parisiennes aux pages 21-51 de Pierre LAVEDAN, *Nouvelle Histoire de Paris. Histoire de l'urbanisme à Paris* (1975, réimpression en 1993). Aux références qu'il cite, on doit ajouter les publications postérieures suivantes :

— *L'Histoire de Paris par la peinture*, sous la direction de G. DUBY, avec la collaboration de G. LOBRICHON (1988).

— *Images de confréries parisiennes* (1992, exposition à la Bibliothèque historique de la Ville de Paris).

106. DESSINS, MINIATURES, PEINTURES

Les inventaires de ces catégories de documents sont conçus en fonction des artistes ou selon l'ordre de cotation des fonds. Ainsi le département des Manuscrits de la Bibliothèque nationale (58, rue de Richelieu) présente-t-il des dizaines de milliers de clichés noir et blanc d'illustrations de ses manuscrits, mais leur classement est fait dans l'ordre des fonds (latin et français) et dans la succession des cotes et non par thèmes ; une recherche sur Paris y est donc impossible.

On peut cependant mentionner deux fonds particulièrement cohérents et importants pour l'iconographie de la capitale, qui possèdent un catalogue imprimé avec une table générale bien faite de noms de personnes et de lieux permettant de retrouver un grand nombre de dessins concernant Paris :

BOUCHOT (H.), *Bibliothèque nationale. Inventaire des dessins exécutés pour Roger de Gaignières et conservés aux départements des Estampes et des Manuscrits* (1891, 2 vol.).

— « Inventaire de la collection de dessins sur Paris formée par M.H. Destailleur et acquise par la Bibliothèque nationale », dans *Mémoires de la Société de l'histoire de Paris et de l'Île-de-France*, 17 (1890), p. 145-216.

Une visite des salles du Musée Carnavalet (23, rue de Sévigné) permet d'apprécier la richesse en objets et œuvres d'art à caractère documentaire figurant Paris à toutes les époques. Il n'existe pas de catalogue imprimé de ces trésors. Il faut donc faire appel au savoir des conservateurs, se référer aux articles du *Bulletin du Musée Carnavalet* et aux catalogues d'expositions de ce musée ayant Paris pour thème. Les dessins non exposés sont conservés au cabinet des Estampes du musée.

On fera une démarche identique pour le Musée du Louvre, dont les immenses richesses peuvent receler des éléments utiles à l'iconographie parisienne, ainsi que pour plusieurs autres musées de la capitale (§ 3).

De plus en plus recherchés, les dessins d'architecture sont rares et dispersés. Les lieux et instruments de travail ont déjà été recensés (§ 91).

107. ESTAMPES

Il faut travailler en priorité au cabinet des Estampes du Musée Carnavalet (23, rue de Sévigné), car il est très riche et classé topographiquement, ce qui facilite grandement les recherches, toutes les gravures sur un même monument figurant côte à côte dans le même portefeuille. Il existe plusieurs séries de portefeuilles, en fonction du format des documents conservés. Il n'y a pas d'inventaire imprimé des fonds.

La recherche au cabinet des Estampes et de la Photographie de la Bibliothèque nationale (58, rue de Richelieu) est facilitée par l'existence de microfilms reproduisant, arrondissement par arrondissement, puis rue par rue, les gravures représentant la capitale. A cette série « V » (Topographie) s'ajoute une série « Q » (Histoire de France) où figurent les documents iconographiques ayant trait à l'histoire nationale et qui se sont déroulés à Paris, particulièrement nombreux pour l'époque de la Révolution française notamment. Des documents concernant Paris peuvent ausi être recherchés dans les autres séries : costumes, métiers parisiens, etc. Il n'existe que deux inventaires imprimés concernant largement Paris :

DUPLESSIS (G.), *Inventaire de la collection d'estampes relatives à l'histoire de France, léguée en 1863 à la Bibliothèque nationale par M. Michel Hennin...* (1877-1884, 5 vol. dont un de tables).

— *Un siècle d'histoire de France par l'estampe, 1770-1871. Collection De Vinck. Inventaire analytique...* (1909-1979, 8 tomes en 9 vol.).

108. PHOTOGRAPHIES

La recherche des très nombreux fonds de photographies est facilitée par deux instruments de travail :

— *La Photographie en France. Guide pratique* (1993), énumère les institutions, les lieux d'exposition, le calendrier des manifestations, les établissements d'enseignement, les maisons d'édition, les agences, les laboratoires.

— *Le Répertoire des collections de photographies en France* (6ᵉ éd. en 1990), publié par la Documentation française à partir de la banque de données ICONOS, recense près de mille trois cents collections. Il existe un index analytique en fin de volume avec une rubrique consacrée à Paris.

Pour les origines de la photographie, il faut connaître un ouvrage fondamental publié dans le cadre d'une exposition au musée Carnavalet à l'occasion du cent cinquantième anniversaire de la proclamation de l'invention de la photographie en 1839 : *Paris et le daguerréotype* (1989).

Les fonds importants de la Bibliothèque historique de la Ville de Paris sont énumérés dans le *Bulletin de la Bibliothèque et des travaux historiques*, 11 (1986), intitulé « Les collections photographiques de la Bibliothèque historique ».

Cette bibliothèque héberge aussi depuis 1990 les archives photographiques du journal *France-Soir* qui ont fait l'objet d'une exposition et d'un premier volume d'inventaire :

— *Catalogue de l'exposition « Cinquante ans de photographie de presse, archives photographiques de Paris-Soir, Match, France-Soir »* (1990, exposition à la Bibliothèque historique de la Ville de Paris).

DAUM (L.), *Archives photographiques de* France-Soir. *Inventaire,* tome 1, *Dossiers thématiques relatifs à Paris et à ses environs, 1929-1981* (1990).

Plusieurs institutions se consacrent à la constitution de dossiers, très largement photographiques, des monuments parisiens. La Caisse nationale des monuments historiques et des sites (62, rue Saint-Antoine et 4, rue de Turenne) rassemble des dossiers de presse et des millions de photos ayant trait à l'architecture et à la restauration des monuments du passé. Beaucoup moins important, mais non dépourvu d'intérêt, est le fonds de la photothèque du Centre de recherches sur les monuments historiques (1, place du Trocadéro). A la Direction des monuments historiques et des palais nationaux (3, rue de Valois) peuvent être consultés dossiers de restauration, dessins et photos. La Direction du patrimoine (10-12, rue du Parc-Royal) possède livres, périodiques, plans et photos sur l'architecture et l'art français. En cours de développement, le pavillon de l'Arsenal (21, boulevard Morland) se spécialise dans l'architecture et l'urbanisme parisiens. Mais le grand trésor d'images d'architecture parisienne se trouve à la Rotonde de La Villette, dans les locaux de la Commission du Vieux Paris. En effet, dès sa création, en 1898, celle-ci a fait appel à la photographie pour conserver la trace de ce qui devait être restauré ou était condamné à la destruction. Ses *Procès-verbaux* imprimés reproduisent une infime partie de ses archives photographiques. Depuis 1916, elle tient aussi à jour un Casier archéologique contenant de très nombreux dossiers abondamment illustrés.

Depuis 1964, elle fait photographier tous les édifices faisant l'objet d'une autorisation de démolition. Lire sur ce sujet, *La Commission du Vieux Paris et le patrimoine de la Ville, 1898-1980* (1980).

109. CARTES POSTALES

La carte postale peut apporter des éléments non négligeables au point de vue topographique, sociologique, économique, culturel, etc. Elle attire de nombreux collectionneurs pour lesquels sont édités depuis une vingtaine d'années des catalogues avec la cotation des documents, l'adresse des marchands, etc. NEUDIN et FILDIER sont les principaux éditeurs de ces publications annuelles. Pour Paris, on dispose d'un excellent inventaire :

CARRÉ (A. et J.C.); *Répertoire Carré de cartes postales régionales de collection,* tome 1, *Paris-Île-de-France* (1989).

Grâce au dépôt légal, le département des Estampes et de la Photographie de la Bibliothèque nationale dispose de la totalité de la production française. La Bibliothèque historique de la Ville de Paris possède aussi une très importante collection axée sur Paris et sa banlieue et classée topographiquement. Henri LOUVET a écrit deux articles fondamentaux sur ce fonds, parus p. 51-65 de *Constitution d'un patrimoine parisien, la Bibliothèque historique depuis l'incendie de 1871* (1980, exposition à la Bibliothèque historique) et p. 40-44 du *Bulletin de la Bibliothèque et des travaux historiques,* 11 (1986), numéro intitulé « Les collections photographiques de la Bibliothèque historique ».

Les Archives de Paris (18, boulevard Sérurier) possèdent aussi une assez riche documentation iconographique où figurent de nombreuses cartes postales.

110. LIVRES ILLUSTRÉS

Il serait utile de dresser la bibliographie des ouvrages abondamment illustrés consacrés à Paris, car certains contiennent une iconographie originale. Cette bibliographie, qui comporterait plusieurs milliers de titres, reste encore à établir.

CHAPITRE XIV

Filmographie
par Isabelle Fierro

Les films ayant Paris pour thème ou comme décor sont très nombreux et difficiles à recenser en l'absence de bibliographie ou de catalogue. Le seul instrument de travail qui puisse être cité ne prétend pas à l'exhaustivité et commence à dater. C'est R. JEANNE et C. FORD, *Paris vu par le cinéma* (1969). Il faut y ajouter : Vidéothèque de Paris, *Catalogue 1993. De 1895 à 1993. Paris en images à travers 4 500 films* (1993). Comme instruments généraux, on retiendra seulement :

JEANNE (R.), FORD (C.), *Histoire du cinéma* (1947-1958, 5 vol.).

MITRY (J.), *Histoire du cinéma* (1967-1981, 5 vol.).

MITRY (J.), *Filmographie universelle* (1963-1978, 28 vol.).

MARMIN (M.), DE COMES (P.) dir., *Le Cinéma* (1982-1984, 10 vol.).

HUGUES (P. D'), MARMIN (M.) dir., *Le Cinéma français* (1984-1986, 3 vol.).

HUGUES (P. D'), *Almanach du cinéma, des origines à nos jours* (1992, 2 vol.).

Dans la collection « Bouquins » chez Robert Laffont :

TULARD (J.), *Dictionnaire du cinéma (Acteurs, producteurs, scénaristes, techniciens/Les réalisateurs)* (1982-1984, 2 vol., réédition 1995).

TULARD (J.), *Guide des films* (1990, 2 vol., réédition 1995).

LOURCELLES (J.), *Dictionnaire du cinéma. Les films* (1992).

On peut travailler à Paris à :

La Vidéothèque de Paris (Nouveau Forum des Halles, porte Saint-Eustache).

La Cinémathèque française (palais de Chaillot, 9, avenue Albert-de-Mun).

L'Institut des hautes études cinématographiques (IDHEC, 7, rue de Lübeck).

Ainsi qu'au :

Centre national de la cinématographie (CNC). Service des archives du film (7 *bis*, rue Alexandre-Turpault, 78390 Bois-d'Arcy).

La production de la télévision n'a pu être prise en compte en raison de son abondance. On peut s'adresser à l'Institut national de l'audiovisuel (INA), installé 4, avenue de l'Europe, à Bry-sur-Marne.

Les « Actualités » (Actualités françaises, Actualités Gaumont, Éclair, France Actualités, etc.) ont été éliminées pour la même raison, de même que les innombrables documentaires. On en trouvera une bonne partie dans le catalogue de la Vidéothèque de Paris.

La plupart des dictionnaires de films étant classés par titres, on a adopté ici un rangement chronologique qui permet de suivre l'évolution de la production. Les critères de datation varient suivant les instruments de référence et il peut y avoir un décalage d'un ou deux ans pour certaines œuvres.

1896 Le Coucher de la Parisienne (C. Pathé)
1899 L'Affaire Dreyfus (G. Méliès)
1902 Les Victimes de l'alcoolisme. L'Assommoir (F. Zecca)
1905 Les Apaches de Paris (?)
      Esmeralda (V. Josset)
1906 Le Fils du diable à Paris (C.L. Lépine et S. de Chomon)
1907 L'Affaire Dreyfus (F. Zecca)
      Le Comte de Monte-Cristo (W.N. Selig)
1908 L'Assommoir (A. Capellani)
1910 Étienne Marcel (?)
1911 L'Affaire du courrier de Lyon (A. Capellani)
      La Bastille (W. Humphrey)
      Camille Desmoulins (A. Calmettes et H. Pouctal)
      César Birotteau (E. Chautard)
      Fantômas (L. Feuillade)
      Madame Sans-Gêne (A. Calmettes)
      Les Misérables (A. Capellani)
      Notre-Dame de Paris (A. Capellani)
1912 Au ravissement des dames (A. Machin)
      Blanchette (H. Pouctal)
      La Bohème (A. Capellani)
      La Dame de chez Maxim's (E. Chautard)
      Ferragus (A. Calmettes)
      Histoire d'un crime (F. Zecca)
1913 Adrienne Lecouvreur (L. Mercanton et H. Desfontaines)
      Le Bossu (A. Heuzé)
      L'Enfant de Paris (L. Perret)
      Un obus sur Paris (H. Fescourt)
1914 Vautrin (C. Krauss)
1915 Les Petits Poulbots (H. Diamant-Berger)
      Thérèse Raquin (N. Martoglio)
      Les Vampires (L. Feuillade)
1916 Judex (L. Feuillade)
      Paris pendant la guerre (H. Diamant-Berger)
1917 Le Comte de Monte-Cristo (H. Pouctal)
      Le Coupable (A. Antoine)
      Une soirée mondaine (H. Diamant-Berger)
1919 Bel-Ami (A. Genina)
      Le Petit Café (R. Bernard)
1921 Blanchette (R. Hervil)
      Danton (D. Buchowetzki)
      Les Deux Orphelines (D.W. Griffith)
      Parisette (L. Feuillade)
      Le Père Goriot (J. de Baroncelli)
      Les Trois Mousquetaires (H. Diamant-Berger)
1922 L'Assommoir (M. de Marsan et C. Maudru)
      Le Cousin Pons (J. Robert)
      Crainquebille (J. Feyder)
      Montmartre (E. Lubitsch)

Les Mystères de Paris (C. Burguet)

1923 L'Affaire de la rue de Lourcine (H. Diamant-Berger)
L'Affaire du courrier de Lyon (L. Poirier)
Le Costaud des Épinettes (R. Bernard)
La Dame de Monsoreau (R. Le Somptier)
Fait divers (C. Autant-Lara)
Ferragus (G. Ravel et T. Lekain)
Notre-Dame de Paris (R. Wallace)
L'Opinion publique (C. Chaplin)
Paris qui dort (R. Clair)
Le Petit Chose (A. Hugon)
Le Petit Musicien de Paris (G. Roudès)
Scaramouche (R. Ingram)
Vidocq (J. Kemm)

1924 La Cité foudroyée (Luitz-Morat)
La Cousine Bette (M. de Rieux)
La Duchesse de Langeais (F. Lloyd)
Enfants de Paris (A.F. Bertoni)
Le Fantôme du Moulin-Rouge (R. Clair)
Le Lion des Mogols (J. Epstein)
Michael (C. Dreyer)
Paris (R. Hervil)
Paris la nuit (C. Keppens)

1925 L'Affiche (J. Epstein)
Le Bossu (J. Kemm)
Le Fantôme de l'Opéra (R. Julian)
Gribiche (J. Feyder)
La Maternelle (G. Roudès)
Les Misérables (H. Fescourt)
Napoléon (A. Gance)
Paris-New York (?)
Sous les ponts de Paris (M. Ausonia)
Le Voyage imaginaire (R. Clair)

1926 La Bohème (K. Vidor)
Destinée (H. Roussel)
Le Galérien (P. Wegener)
Histoire des Treize (P. Czinner)
Les Mansardes de Paris (M. Ausonia)
Ménilmontant (D. Kirsanoff)
Nana (J. Renoir)
Paris en cinq jours (P. Colombier)
Le P'tit Parigot (R. Le Somptier)
Rue de la Paix (H. Diamant-Berger)
Sa nièce de Paris (J. Ford)
Les Surprises de la T.S.F. (E. Lubitsch)

1927 Le Chasseur de chez Maxim's (N. Rimsky et R. Lion)
L'Heure suprême (F. Borzage)
Madame Récamier (G. Ravel)
Le Mannequin de Paris (?)

Les Mystères de la tour Eiffel (J. Duvivier)
Paris, Cabourg, Le Caire et l'amour (G. de Gravone)
La Reine des Folies-Bergères (R. Wiene)
Thérèse Rasquin (J. Feyder)

1928 A l'américaine (A. Hitchcock)
Anny... de Montparnasse (C. Lamac)
L'Argent (M. L'Herbier)
La Chanson de Paris (R. Wallace)
L'Effet d'un rayon de soleil sur Paris en 1928 (J. Gourguet)
Le Joueur de dominos de Montmartre (?)
Mon Paris (A. Guyot)
Moulin-Rouge (E.A. Dupont)
Les Nouveaux Messieurs (J. Feyder)
Paris cinéma (P. Chenal)
Paris-New York-Paris (R. Péguy)

1929 Au bonheur des dames (J. Duvivier)
L'Aventure de Luna-Park (A. Préjean)
Le Comte de Monte Cristo (H. Fescourt)
Le Crime de Sylvestre Bonnard (A. Berthomieu)
Études sur Paris (A. Sauvage)
Minuit place Pigalle (R. Hervil)
La Nouvelle Babylone (G. Kozintsev, L. Trauberg)
Nuits de prince (M. L'Herbier)
Paris-Girls (H. Roussel)
Paris Port (M. Sauvage)
Quartier latin (A. Genina)

1930 Ça... c'est Paris (A. Mourre)
Cendrillon de Paris (J. Hémard)
Danton (H. Behrendt)
Dreyfus (R. Oswald)
La Fin du monde (A. Gance)
Paris la nuit (H. Diamant-Berger)
Le Petit Café (L. Berger)
La Petite Lise (J. Grémillon)
Sous les toits de Paris (R. Clair)
Le Vagabond roi (L. Berger)

1931 Allô Berlin, ici Paris (J. Duvivier)
La Chienne (J. Renoir)
Le Cœur de Paris (J.B. Lévy, M. Epstein)
Dreyfus (M. Rosmer, F.W. Kraemer)
Faubourg Montmartre (R. Bernard)
Paris-Béguin (A. Genina)
Rive gauche (A. Korda)
Le Roi de Paris (L. Mittler)
Le Roi du cirage (P. Colombier)

1932 Adhémar Lampiot (Christian-Jaque)
Blonde Vénus (J. von Sternberg)
Boudu sauvé des eaux (J. Renoir)
Le Chasseur de chez Maxim's (K. Anton)

Le Crime de la rue Morgue (R. Florey)
Danton (A. Roubaud)
Les Deux Orphelines (M. Tourneur)
Haute pègre (E. Lubitsch)
L'Homme sans nom (G. Ucicky)
Mata Hari (G. Fitzmaurice)
La Maternelle (J. B. Lévy, M. Epstein)
La Tête d'un homme (J. Duvivier)
Les Trois Mousquetaires (H. Diamant-Berger)
Une heure avec vous (E. Lubitsch)
While Paris Sleeps (A. Dwan)
1933   L'Assommoir (G. Roudès)
Ces messieurs de la Santé (P. Colombier)
Ciboulette (C. Autant-Lara)
Crainquebille (J. de Baroncelli)
La Dame de chez Maxim's (A. Korda)
Dans les rues (V. Trivas)
Du haut en bas (G.W. Pabst)
Judex (M. Champreux)
Les Misérables (R. Bernard)
Quatorze Juillet (R. Clair)
Sérénade à trois (E. Lubitsch)
1934   Le Bossu (R. Stil)
Chansons de Paris (J. de Baroncelli)
La Crise est finie (R. Siodmak)
La Dame aux camélias (F. Rivers, A. Gance)
Les Filles de la concierge (J. Tourneur)
L'Héritier du bal Tabarin (J. Kemm)
Jeunesse (G. Lacombe)
Liliom (F. Lang)
Prince de minuit (R. Guissart)
Le Roi des Champs-Élysées (M. Nosseck)
Toboggan (H. Decoin)
La Veuve joyeuse (E. Lubitsch)
Zouzou (M. Allégret)
1935   Aux portes de Paris (C. Barrois)
Les Beaux Jours (M. Allégret)
Le Crime de Monsieur Lange (J. Renoir)
Divine (M. Ophuls)
Folies-Bergères (M. Achard)
Griseries (J. Cromwell)
Jérôme Perreau, héros des barricades (A. Gance)
Les Misérables (R. Boleslawski)
Les Mystères de Paris (F. Gandera)
Paris Camargue (J. Forrester)
Les Trois Mousquetaires (R.V. Lee)
1936   Les Aubes de Paris (G. Rochal)
Avec le sourire (M. Tourneur)
Aventure à Paris (M. Allégret)
Blanchette (P. Caron)

Désir (F. Borzage)
L'Homme du jour (J. Duvivier)
Jenny (M. Carné)
Jeunes Filles de Paris (C. Vermorel)
Ménilmontant (R. Guissart)
Moutonnet à Paris (R. Stil)
Paris (J. Choux)
Paris mes amours (A. Blondeau)
Rigolboche (Christian-Jaque)
Le Roman de Marguerite Gautier (G. Cukor)
La Vie parisienne (R. Siodmak)

1937 A Paris tous les trois (W. Ruggles)
Adieu Paris, bonjour New York (L. Jason)
L'Affaire du courrier de Lyon (M. Lehmann)
La Belle de Montparnasse (M. Cammage)
Le Chasseur de chez Maxim's (M. Cammage)
La Chaste Suzanne (A. Berthomieu)
Les Enfants de Paris (G. Roudès)
Les Gaietés de l'Exposition (E. Hajos)
Gavroche (T. Loukatchevitch)
L'Heure suprême (H. King)
La Marseillaise (J. Renoir)
Les Perles de la couronne (S. Guitry)
Rendez-Vous Champs-Élysées (J. Houssin)
Le Schpountz (M. Pagnol)
La Tour de Nesle (G. Roudès)
La Vie d'Émile Zola (W. Dieterle)
27, rue de la Paix (R. Pottier)

1938 Adrienne Lecouvreur (M. L'Herbier)
La Bête humaine (J. Renoir)
Café de Paris (Y. Mirande)
Carrefour (K. Bernhardt)
Chercheuses d'or à Paris (R. Enright)
La Coqueluche de Paris (H. Koster)
La Danse sur le volcan (H. Steinhoff)
L'Entraîneuse (A. Valentin)
Entrée des artistes (M. Allégret)
Eusèbe député (A. Berthomieu)
Les Gangsters de l'Expo (E.G. de Meyst)
Hôtel du Nord (M. Carné)
Lumières de Paris (R. Pottier)
Le Petit Chose (M. Cloche)
Place de la Concorde (C. Lamac)
Le Prince Bouboule (J. Houssin)
Remontons les Champs-Élysées (S. Guitry)
Le Roi des gueux (F. Lloyd)
Trois artilleurs à l'Opéra (A. Chotin)
Vidocq (J. Daroy)
Zaza (G. Cukor)

L'Homme de la tour Eiffel (B. Meredith)
Nous irons à Paris (J. Boyer)
La Porteuse de pain (M. Cloche)
Portrait d'un assassin (Roland-Bernard)
Rendez-Vous de juillet (J. Becker)
La Valse de Paris (M. Achard)
Vautrin (G. Frölich)

1950 Aventures à Pigalle (R. Leboursier)
La Belle que voilà (J.P. Le Chanois)
Caroline chérie (R. Pottier)
Lady Paname (H. Jeanson)
Pigalle-Saint-Germain-des-Prés (A. Berthomieu)
Quai de Grenelle (E.E. Reinert)
La Rose rouge (M. Pagliero)
Rue des Saussaies (R. Habib)
Sans laisser d'adresse (J.P. Le Chanois)
Sous le ciel de Paris (J. Duvivier)
Le Traqué (F. Tuttle)
Trois télégrammes (H. Decoin)

1951 Boîte de nuit (A. Rode)
Le Costaud des Batignolles (G. Lacourt)
Debureau (S. Guitry)
Dupont-Barbès (H. Lepage)
Édouard et Caroline (J. Becker)
Nuits de Paris (R. Baum)
Paris chante toujours (P. Montazel)
Paris est toujours Paris (L. Emmer)
Piédalu à Paris (J. Loubignac)
Rome-Paris-Rome (L. Zampa)
Seul dans Paris (H. Bromberger)
Si Paris l'avait su (T. Fischer, A. Darnborough)
Un Américain à Paris (V. Minnelli)
Un grand patron (Y. Ciampi)

1952 Adorables créatures (Christian-Jaque)
Agence matrimoniale (J.P. Le Chanois)
Avril à Paris (D. Butler)
Bonjour Paris (J. Image)
Brelan d'as (H. Verneuil)
Buridan, héros de la tour de Nesle (E. Couzinet)
Casque d'or (J. Becker)
Coiffeur pour dames (J. Boyer)
La Dame aux camélias (R. Bernard)
La Danseuse nue (P. Louis)
Les Dents longues (D. Gélin)
La Fête à Henriette (J. Duvivier)
Minuit… quai de Bercy (C. Stengel)
Moineaux de Paris (M. Cloche)
Monsieur Taxi (A. Hunebelle)
Plaisirs de Paris (R. Baum)

Rires de Paris (H. Lepage)
Rue de l'Estrapade (J. Becker)
Scaramouche (G. Sidney)
Week-End à Paris (G. Parry)

1953 Boum sur Paris (M. de Canonge)
C'est arrivé à Paris (J. Lavorel)
C'est la vie parisienne (A. Rode)
Le Chasseur de chez Maxim's (H. Diamant-Berger)
Le Comte de Monte-Cristo (R. Vernay)
Crainquebille (R. Habib)
L'Esclave (Y. Ciampi)
Femmes de Paris (J. Boyer)
Le Gamin de Paris (G. Jaffé)
Les Hommes préfèrent les blondes (H. Hawks)
Minuit Champs-Élysées (R. Blanc)
Monsieur et Madame Curie (G. Franju)
Moulin-Rouge (J. Huston)
Le Petit Garçon perdu (G. Seaton)
Soirs de Paris (J. Laviron)
Touchez pas au grisbi (J. Becker)
Les Trois Mousquetaires (A. Hunebelle)

1954 L'Air de Paris (M. Carné)
Bel Ami (L. Daquin)
La Belle Otéro (R. Pottier)
Cadet-Rousselle (A. Hunebelle)
Crimes au concert Mayol (P. Méré)
La Dernière Fois que j'ai vu Paris (R. Brooks)
Deux Anglais à Paris (R. Hamer)
Du rififi chez les hommes (J. Dassin)
Le Fantôme de la rue Morgue (R. del Ruth)
French Cancan (J. Renoir)
Nana (Christian-Jaque)
Napoléon (S. Guitry)
Razzia sur la chnouf (H. Decoin)
La Reine Margot (J. Dréville)
La Tour de Nesle (A. Gance)
Trois Jours de bringue à Paris (E. Couzinet)

1955 L'Affaire des poisons (H. Decoin)
Boulevards de Paris (M. Leisen)
Le Cavalier au masque (B.H. Humberstone)
Cette sacrée gamine (M. Boisrond)
Gervaise (R. Clément)
Les Hommes épousent les brunes (R. Sale)
L'Impossible Monsieur Pipelet (A. Hunebelle)
Lola Montès (M. Ophuls)
Mademoiselle de Paris (W. Kapps)
Marguerite de la nuit (C. Autant-Lara)
La Môme Pigalle (A. Rode)
Paris coquin (P. Gaspard-Huit)

Quatre jours à Paris (A. Berthomieu)
Rencontre à Paris (G. Lampin)
Si Paris nous était conté (S. Guitry)
Voici le temps des assassins (J. Duvivier)

1956 L'Aventurière des Champs-Élysées (R. Blanc)
Le Ballon rouge (A. Lamorisse)
Bob le flambeur (J.P. Melville)
Bonsoir Paris, bonjour l'amour (R. Baum)
Le Couturier de ces dames (J. Boyer)
Drôle de frimousse (S. Donen)
Élena et les hommes (J. Renoir)
En effeuillant la marguerite (M. Allégret)
Folies-Bergère (H. Decoin)
La Grosse Caisse (A. Joffé)
L'Homme à l'imperméable (J. Duvivier)
Mannequins de Paris (A. Hunebelle)
Meurtre à Montmartre (G. Grangier)
Notre-Dame de Paris (J. Delannoy)
Nuits de Montmartre (P. Franchi)
Paris Palace Hôtel (H. Verneuil)
Le Roi des vagabonds (M. Curtiz)
Scandale aux Champs-Élysées (R. Blanc)
La Traversée de Paris (C. Autant-Lara)
Les Vampires (R. Freda)

1957 A Paris tous les deux (G. Oswald)
L'Affaire Dreyfus (J. Ferrer)
Ariane (B. Wilder)
Ascenseur pour l'échafaud (L. Malle)
C'est une fille de Paname (H. Lepage)
Casino de Paris (A. Hunebelle)
Le Désert de Pigalle (L. Joannon)
En cas de malheur (C. Autant-Lara)
Les Girls (G. Cukor)
Les Misérables (J.P. Le Chanois)
Miss Pigalle (M. Cam)
Montparnasse 19 (J. Becker)
Paris clandestin (W. Kapps)
Paris music-hall (S. Cordier)
Porte des Lilas (R. Clair)
Pot-Bouille (J. Duvivier)
Printemps à Paris (J.C. Roy)
La P'tite Femme du Moulin-Rouge (B. Perrojo)
Quand la femme s'en mêle (Y. Allgégret)
Rafles sur la ville (P. Chenal)
Le Rouge est mis (G. Grangier)
Tabarin (R. Pottier)
Les Trois font la paire (S. Guitry)
Un jour à Paris (M. Moky)
Une nuit au Moulin-Rouge (J.C. Roy)

Une Parisienne (M. Boisrond)
Une simple histoire (M. Hanoun)

1958   Amour, autocar et boîtes de nuit (W. Kapps)
Archimède le clochard (G. Grangier)
Le Désordre et la Nuit (G. Grangier)
L'École des cocottes (J. Audry)
Énigme aux Folies-Bergère (J. Mitry)
Gigi (V. Minnelli)
Maigret tend un piège (J. Delannoy)
Mimi Pinson (R. Darène)
Opéra Mouffe (A. Varda)
Paris nous appartient (J. Rivette)
Parisien malgré lui (C. Mastrocinque)
Les Tricheurs (M. Carné)

1959   A bout de souffle (J.L. Godard)
A nous deux Paris (P. Kast)
Le Bossu (A. Hunebelle)
125, rue Montmartre (G. Grangier)
Le Chemin des écoliers (M. Boisrond)
Les Cousins (C. Chabrol)
Les Dragueurs (J.P. Mocky)
Du rififi chez les femmes (A. Joffé)
Les Jeux de l'amour (P. de Broca)
Nuits de Pigalle (G. Jaffé)
Pantalaskas (P. Paviot)
Quai du Point-du-Jour (J. Faurez)
Les Quatre Cents Coups (F. Truffaut)
Rue des Prairies (D. de La Patellière)
Le Signe du lion (E. Rohmer)
Vacances à Paris (B. Edwards)

1960   Les Bonnes Femmes (C. Chabrol)
Boulevard (J. Duvivier)
Le Capitan (A. Hunebelle)
Classe tous risques (C. Sautet)
Les Distractions (J. Dupont)
Le Président (H. Verneuil)
Terrain vague (M. Carné)
Le Trou (J. Becker)
Zazie dans le métro (L. Malle)

1961   A nous deux Paris (J.J. Vierne)
Les Amours de Paris (J. Poitrenaud)
Chronique d'un été (J. Rouch)
Le Comte de Monte-Cristo (C. Autant-Lara)
La Fille aux yeux d'or (J.G. Albicocco)
Horace 62 (A. Versini)
Les Lions sont lâchés (H. Verneuil)
Madame Sans-Gêne (Christian-Jaque)
Paris blues (M. Ritt)
Le Pavé de Paris (H. Decoin)

La Proie pour l'ombre (A. Astruc)
La Reine Margot (R. Lucot)
Le Rendez-Vous de minuit (R. Leenhardt)
Le Tracassin (A. Joffé)
Les Trois Mousquetaires (B. Borderie)
Un cœur gros comme ça (F. Reichenbach)
Un Martien à Paris (J.P. Daninos)
Une femme est une femme (J.L. Godard)
Vie privée (L. Malle)

1962 Arsène Lupin contre Arsène Lupin (E. Molinaro)
La Boulangère de Monceau (E. Rohmer)
Cartouche (P. de Broca)
Chat c'est Paris (*Gay Purree*, dessin animé) (A. Levitow)
Cléo de 5 à 7 (A. Varda)
Le Doulos (J.P. Melville)
Du mouron pour les petits oiseaux (M. Carné)
L'Empire de la nuit (P. Grimblat)
Le Fantôme de l'Opéra (T. Fisher)
Le Gentleman d'Epsom (G. Grangier)
Le Jour et l'Heure (R. Clément)
Jules et Jim (F. Truffaut)
Landru (C. Chabrol)
Les Mystères de Paris (A. Hunebelle)
Paris, je t'aime (G. Pérol)
Les Parisiennes (J. Poitrenaud, M. Boisrond, C. Barma, M. Allégret)
La parole est au témoin (J. Faurez)
Pourquoi Paris ? (D. de La Patellière)
La Punition (J. Rouch)
Vénus impériale (J. Delannoy)

1963 A la française (R. Parrish)
La Carrière de Suzanne (E. Rohmer)
Charade (S. Donen)
Deux têtes folles (R. Quine)
Dragées au poivre (J. Baratier)
Le Feu follet (L. Malle)
La Fille à la casquette (M. Shavelson)
Irma la douce (B. Wilder)
Judex (G. Franju)
Maigret voir rouge (G. Grangier)
Les Mauvaises Fréquentations (J. Eustache)
La Porteuse de pain (M. Cloche)
Les Tontons flingueurs (G. Lautner)
Un gosse de la butte (M. Delbez)

1964 Cyrano et d'Artagnan (A. Gance)
Déclic et des clacs (P. Clair)
Fantômas (A. Hunebelle)
Mata-Hari agent H 21 (J.L. Richard)
Paris Champagne (P. Armand)
Quand l'inspecteur s'emmêle (B. Edwards)

La Ronde (R. Vadim)
Le Tigre aime la chair fraîche (C. Chabrol)
La Tour de Nesle (F. Legrand)
1965 Brigitte et Brigitte (L. Moullet)
Cent briques et des tuiles (P. Grimblat)
Du rififi à Paname (D. de La Patellière)
On a volé la Joconde (M. Deville)
L'Or et le Plomb (A. Cuniot)
Paris au mois d'août (P. Granier-Deferre)
Paris secret (E. Logereau)
Paris vu par… (J. Douchet, J. Rouch, J.D. Pollet, E. Rohmer, J.L. Godard, C. Chabrol)
Pierrot le Fou (J.L. Godard)
Qui êtes-vous Polly Magoo? (W. Klein)
1966 A la belle étoile (P. Prévert)
Le Dimanche de la vie (J. Herman)
Du mou dans la gâchette (L. Grospierre)
Le Grand Restaurant (J. Besnard)
La Grande Vadrouille (G. Oury)
Joe Caligula (J. Benazeraf)
La Nuit des généraux (A. Litvak)
Paris brûle-t-il? (R. Clément)
La Prise du pouvoir par Louis XIV (R. Rossellini)
1967 Les Compagnons de la Marguerite (J.P. Mocky)
Lamiel (J. Aurel)
Maigret à Pigalle (M. Landi)
Le Pacha (G. Lautner)
Un idiot à Paris (S. Korber)
1968 L'amour c'est gai, l'amour c'est triste (J.D. Pollet)
Baisers volés (F. Truffaut)
Ballade pour un chien (G. Vergez)
La Bande à Bonnot (P. Fourastié)
Caroline chérie (D. de La Patellière)
Drôle de jeu (P. Kast)
La Grande Lessive (J.P. Mocky)
Paris n'existe pas (R. Benayoun)
La Vie, l'Amour, la Mort (C. Lelouch)
Vivre la nuit (M. Camus)
1969 Camarades (M. Karmitz)
Dernier domicile connu (J. Giovanni)
Élise ou la Vraie Vie (M. Drach)
L'Étau (A. Hitchcock)
Folies d'avril (S. Rosenberg)
La Folle de Chaillot (B. Forbes)
Petit à petit (J. Rouch)
Un fils unique (M. Polac)
1970 Le Bal du comte d'Orgel (M. Allégret)
Ça va ça vient (P. Barouh)
Le Cercle rouge (J.P. Melville)

Le Cinéma de papa (C. Berri)
Le Conformiste (B. Bertolucci)
1971 Les Bottes de sept lieues (F. Martin)
Étoile aux dents ou Poulou le magnifique (D. Berkani)
French Connection (W. Friedkin)
L'Humeur vagabonde (E. Luntz)
La Maison sous les arbres (R. Clément)
La Mandarine (E. Molinaro)
Max et les ferrailleurs (C. Sautet)
Nana (M. Ahlberg)
On n'arrête pas le printemps (R. Gilson)
Raphaël ou le Débauché (M. Deville)
1972 L'Attentat (Y. Boisset)
Le Dernier Tango à Paris (B. Bertolucci)
Pas folle la guêpe (J. Delannoy)
Quelque part, quelqu'un (Y. Bellon)
Tout le monde il est beau, tout le monde il est gentil (J. Yanne)
1973 Bel Ordure (J. Marbœuf)
Brève rencontre à Paris (R. Wise)
Le Concierge (J. Girault)
Gross Paris (G. Grangier)
La Maman et la Putain (J. Eustache)
Nuits rouges (G. Franju)
Lo Pais (G. Guérin)
Les Trois Mousquetaires (R. Lester)
Un homme qui dort (G. Perec, B. Queysanne)
1974 Céline et Julie vont en bateau (J. Rivette)
Les Chinois à Paris (J. Yanne)
Les Doigts dans la tête (J. Doillon)
Femmes, femmes (P. Vecchiali)
Les Gaspards (P. Tchernia)
Les Guichets du Louvre (M. Mitrani)
Les Lolos de Lola (B. Dubois)
1789 (A. Mnouchkine)
Out One : Spectre (J. Rivette)
Peur sur la ville (H. Verneuil)
Le Protecteur (R. Hanin)
Stavisky (A. Resnais)
Les Violons du bal (M. Drach)
Zig Zig (L. Szabó)
1975 Les Ambassadeurs (N. Ktari)
Le Bon et les Méchants (C. Lelouch)
Flic Story (J. Deray)
La Grande Récré (C. Pierson)
L'Ibis rouge (J.P. Mocky)
Kaseki (M. Kobayashi)
1976 Le Chasseur de chez Maxim's (C. Vital)
Le Locataire (R. Polanski)
Mado (C. Sautet)

La Marge (W. Borowczyk)
Monsieur Klein (J. Losey)
Nuit d'or (S. Moati)
L'une chante, l'autre pas (A. Varda)
1977 Des enfants gâtés (B. Tavernier)
Diabolo menthe (D. Kurys)
L'Imprécateur (J.L. Bertucelli)
Julie pot-de-colle (P. de Broca)
Louis Rossel et la Commune de Paris (S. Moati)
La Nuit de Saint-Germain-des-Prés (B. Swaim)
Tendre Poulet (P. de Broca)
La Vie parisienne (Christian-Jaque)
Le Vieux Pays où Rimbaud est mort (J.P. Lefebvre)
Violette et François (J. Rouffio)
1978 L'Argent des autres (C. de Chalonge)
Le Dossier 51 (M. Deville)
La Fille de Prague avec un sac très lourd (D. Jaeggi)
Les Lieux d'une fugue (G. Perec)
Molière (A. Mnouchkine)
Pareil, pas pareil (U. Peres)
Pierrot mon ami (F. Leterrier)
Que fait-on ce dimanche ? (L. Essid)
Le Sucre (J. Rouffio)
Une histoire simple (C. Sautet)
Violette Nozière (C. Chabrol)
1979 L'Amour mensonge (U. Peres)
Les Aventures du guidon futé (J.M. Durand)
Charles et Lucie (N. Kaplan)
Clair de femme (C. Costa-Gavras)
Comme une femme (C. Dura)
Le Comte de Monte-Cristo (D. de La Patellière)
Extérieur nuit (J. Bral)
I love you, je t'aime (G.R. Hill)
L'Œil du maître (S. Kurc)
Le Rose et le Blanc (R. Pansard-Besson)
1980 La Banquière (F. Girod)
La Boum (C. Pinoteau)
La Dame aux camélias (M. Bolognini)
Le Dernier Métro (F. Truffaut)
French Postcards (W. Huyck)
L'Homme fragile (C. Clouzot)
La Provinciale (C. Goretta)
Simone Barbès ou la Vertu (M.C. Treilhou)
Superman II (R. Lester)
Un mauvais fils (C. Sautet)
La Vraie Histoire de Gérard le chômeur (J. Lledo)
1981 Le Beau Mariage (E. Rohmer)
Céleste (P. Adlon)
Chassé-Croisé (A. Dombasle)

Colloque de Strasbourg, 9-11 mai 1957, Paris, Presses universitaires de France, 1959.

COURTOIS (Edme-Bonaventure), *Rapport fait à la Convention nationale au nom du Comité de sûreté générale, le 4 messidor de l'an III*, Paris, Imprimerie nationale, 1795.

DANSETTE (Adrien), *Histoire du second Empire*, Paris, Hachette, 1961-1972, 2 vol.

DANSETTE (Adrien), *Histoire religieuse de la France contemporaine*, éd. revue et corrigée, Paris, Flammarion, 1965.

DAUMARD (Adeline), *La Bourgeoisie parisienne de 1815 à 1848*, Paris, SEVPEN, 1963.

DETHAN (Georges), *Nouvelle Histoire de Paris. Paris au temps de Louis XIV (1660-1715)*, Paris, Association pour la publication d'une histoire de Paris/Diffusion Hachette, 1990.

Dictionnaire Napoléon, sous la dir. de Jean Tulard, Paris, Fayard, 1987.

Diocèse (Le) de Paris, sous la dir. de Bernard Plongeron, tome 1, *Des origines à la Révolution* (seul paru), Paris, Beauchesne, 1987.

DRIANCOURT-GIROD (Janine), *L'Insolite Histoire des luthériens de Paris de Louis XIII à Napoléon*, Paris, Albin Michel, 1992.

DU CAMP (Maxime), *Paris, ses organes, ses fonctions et sa vie dans la seconde moitié du XIXᵉ siècle*, Paris, Hachette, 1869-1875, 6 vol.

DUPÂQUIER (Jacques), *La Population française aux XVIIᵉ et XVIIIᵉ siècles*, Paris, Presses universitaires de France, 1979.

DUPEUX (Georges), *Le Front populaire et les élections de 1936*, Paris, Armand Colin, 1959.

DUPOUY (Auguste), *Géographie des lettres françaises*, Paris, Armand Colin, 1942.

DUVAL (Paul-Marie), *Nouvelle Histoire de Paris. De Lutèce oppidum à Paris capitale de la France*, Paris, Association pour la publication d'une histoire de Paris/Diffusion Hachette, 1993.

DUVAL (Paul-Marie), *Paris antique, des origines au IIIᵉ siècle*, Paris, Hermann, 1961.

DUVAL (Paul-Marie), *La Vie quotidienne en Gaule pendant la paix romaine (Iᵉʳ-IIIᵉ siècles apr. J.-C.)*, Paris, Hachette, 1953.

École (L') primaire à Paris, 1870-1914, Paris, Délégation à l'action artistique de la Ville de Paris, 1985.

EGRET (Jean), *Louis XV et l'opposition parlementaire (1715-1774)*, Paris, Armand Colin, 1970.

EGRET (Jean), *La Pré-Révolution française (1787-1788)*, Paris, Presses universitaires de France, 1962.

ELGEY (Georgette), *Histoire de la IVᵉ République*, tome 1, *La République des illusions (1945-1951)*, Paris, Fayard, 1965.

EVENSON (Norma), *Paris, les héritiers d'Haussmann. Cent ans de travaux et d'urbanisme (1878-1978)*, Grenoble, École nationale supérieure des Beaux-Arts/Presses universitaires de Grenoble, 1983.

FAGNIEZ (Gustave), *Études sur l'industrie et la classe industrielle à Paris aux XIIIᵉ et XIVᵉ siècles*, Paris, F. Vieweg, 1877.

FARGE (Arlette), REVEL (Jacques), *Logiques de la foule. L'affaire des enlèvements d'enfants. Paris, 1750,* Paris, Hachette, 1988.

FAUCHER (Jean-André), *Histoire de la Grande Loge de France (1738-1980)*, Paris, Albatros, 1981.

FAUCHER (Jean-André), RICKER (Achille), *Histoire de la franc-maçonnerie en France*, Paris, Nouvelles Éditions latines, 1967.

FAVIER (Jean), *Nouvelle Histoire de Paris. Paris au XVᵉ siècle (1380-1500)*, Paris, Association pour la publication d'une histoire de Paris/Diffusion Hachette, 1974.

FÉLIX (Maurice), *Le Régime administratif et financier de la ville de Paris et du département de la Seine*, éd. mise à jour par Paul Beaussier, François Debidour, Edgar Laparra..., Paris, La Documentation française, 1957-1959, 4 vol.

FLAMMERMONT (Jules), *Le Chancelier Maupeou et les parlements*, Paris, A. Picard, 1883.

FOHLEN (Claude), *La France de l'entre-deux-guerres (1917-1939)*, Paris, Casterman, 1966.

France (La) de Philippe Auguste. Le temps des mutations, actes du colloque international organisé par le CNRS, Paris, 29 septembre-4 octobre 1980, Paris, Éditions du CNRS, 1982.

FRÉGIER (Honoré-Antoine), *Des classes dangereuses de la population dans les grandes villes et des moyens de les rendre meilleures*, Paris, J.-B. Baillière, 1840, 2 vol.

FRÉNILLY (Auguste-François Fauveau, baron de), *Souvenirs*, éd. par Arthur Chuquet, Paris, Plon, 1909.

GAILLARD (Jeanne), *Paris. La Ville (1852-1870)*, Paris, Honoré Champion, 1976.

GAULLE (Charles de), *Mémoires de guerre*, Paris, Plon, 1954-1959, 3 vol.

GEISENDORF (Paul-F.), éd., *Le Livre des habitants de Genève*, Paris, E. Droz, 1957-1963, 2 vol.

GENDRON (François), *La Jeunesse sous Thermidor*, Paris, Presses universitaires de France, 1983.

GEREMEK (Bronislaw), *Les Marginaux parisiens aux XIVᵉ et XVᵉ siècles*, Paris, Flammarion, 1976.

GIRARD (Louis), *La Garde nationale (1814-1871)*, Paris, Plon, 1964.

GIRARD (Louis), *Nouvelle Histoire de Paris. La Deuxième République et le Second Empire (1848-1870)*, Paris, Association pour la publication d'une histoire de Paris/Diffusion Hachette, 1981.

GONCOURT (Edmond et Jules de), *Journal*, éd. Robert Ricatte, Paris, Robert Laffont, 1989, 3 vol.

GOUBERT (Pierre), *Louis XIV et vingt millions de Français*, Paris, Fayard, 1966.

GROUSSARD (Georges-André), *Chemins secrets*, Paris, Bader-Dufour, 1948.

HAEGEL (Florence), *Un maire à Paris. Mise en scène d'un nouveau rôle politique*, Paris, Presses de la Fondation nationale des Sciences politiques, 1994.

HAUSSER (Élisabeth), *Paris au jour le jour. Les événements vus par la presse (1900-1919)*, Paris, Éditions de Minuit, 1968.

HAUTECŒUR (Louis), *Histoire de l'architecture classique en France*, Paris, A. et J. Picard, 1950-1980, 10 vol.

HAUTERIVE (Ernest d'), *La Police secrète du premier Empire*, Paris, Perrin (vol. 1 à 3), 1908 et B. Clavreuil (vol. 4), 1963.

HÉRON DE VILLEFOSSE (René), *Étude historique sur la communauté de la Grande Boucherie de Paris au Moyen Âge*, thèse résumée dans *École nationale des chartes, positions des thèses*, 1926, p. 71-78. Repris et développé avec « La Grande Boucherie », dans *Bulletin de la Société de l'histoire de Paris et de l'Île-de-France*, 1928, p. 39-73.

Histoire générale de l'enseignement et de l'éducation en France, dir. Louis-Henri Parias, Paris, Nouvelle Librairie de France, 1981, 4 vol.

HUGO (Victor), *Choses vues*, Paris, J. Hetzel, 1887.

HUSSON (Armand), *Les Consommations de Paris*, Paris, Guillaumin, 1856 ; 2ᵉ éd., Paris, Hachette, 1875.

Institutions (Les) parisiennes à la fin de l'Ancien Régime et sous la Révolution française, colloque à l'Hôtel de Ville, 13 octobre 1989, Paris, Mairie de Paris, 1989.

KAHN (Léon), *Les Juifs à Paris depuis le VIᵉ siècle*, Paris, A. Durlacher, 1889.

KAPLAN (Steven Laurence), *Les Ventres de Paris. Pouvoir et approvisionnement dans la France d'Ancien Régime*, Paris, Fayard, 1988.

KOTZEBUE (August Friedrich Ferdinand von), *Souvenirs de Paris en 1804*, Paris, Barba, 1805, 2 vol.

KRIEGEL (Annie), *Les Juifs et le monde moderne*, Paris, Seuil, 1977.

LAISNEY (François), *Règle et règlement. La question du règlement dans l'évolution de l'urbanisme parisien (1600-1902)*, Paris, École d'architecture de Paris-Belleville, 1989.

LANGERON (Roger), *Paris, juin 1940*, Paris, E. Flammarion, 1946.

LANZAC DE LABORIE (Léon de), *Paris sous Napoléon*, Paris, Plon-Nourrit, 1905-1913, 8 vol.

LAVEDAN (Pierre), *Nouvelle Histoire de Paris. Histoire de l'urbanisme à Paris*, Paris, Association pour la publication d'une histoire de Paris/Diffusion Hachette, 1975, nouvelle éd. mise à jour par Jean Bastié et Alfred Fierro, 1993.

LAZARE (Louis), *Les Quartiers de l'est de Paris et les communes suburbaines*, Paris, Bureau de la « Bibliothèque municipale », 1870.

LEFRANC (Georges), *Histoire du Front populaire (1934-1938)*, Paris, Payot, 1965 ; 2ᵉ éd. augmentée en 1974.

LEHOUX (Françoise), *Le Bourg Saint-Germain-des-Prés depuis ses origines jusqu'à la fin de la guerre de Cent Ans*, Paris, l'auteur ; Mâcon, Imprimerie Protat, 1951.

LESPINASSE (René de), *Les Métiers et corporations de la ville de Paris*, Paris, Imprimerie nationale, 1886-1897, 4 vol.

L'ESTOILE (Pierre de), *Mémoires-Journaux*, éd. G. Brunet et autres, Paris, Librairie des bibliophiles/A. Lemerre, 1875-1896, 12 vol.

LISSAGARAY (Prosper-Olivier), *Histoire de la Commune de 1871*, Bruxelles, H. Kistemaekers, 1876.

LISTER (Martin), *Voyage à Paris en 1698*, Paris, Société des bibliophiles, 1873.

Livre (Le) des métiers d'Étienne Boileau, éd. G.B. Depping, Paris, Imprimerie Crapelet, 1837 ; autre éd. par René de Lespinasse : Paris, Imprimerie nationale, 1879.

LOMBARD-JOURDAN (Anne), *Aux origines de Paris. La genèse de la rive droite jusqu'en 1223*, Paris, CNRS, 1985.

LOYER (François), *Paris XIXᵉ siècle. L'immeuble et la rue*, Paris, Hazan, 1987 ; nouvelle éd. en 1994.

Lutèce. Paris de César à Clovis, exposition au musée Carnavalet et au musée national des Thermes et de l'hôtel de Cluny, 3 mai 1984-printemps 1985, Paris, Société des amis du musée Carnavalet, 1984.

MARAIS (Mathieu), *Journal et mémoires... sur la Régence et le règne de Louis XV (1715-1737)*, éd. M. de Lescure, Paris, Firmin-Didot frères, 1863-1868, 4 vol.

MARTIN (Alfred), *Étude historique et statistique sur les moyens de transport dans Paris*, Paris, Imprimerie nationale, 1894.

MASSON (Frédéric), *Le Sacre et le couronnement de Napoléon*, Paris, P. Ollendorff, 1908.

MAYEUR (Jean-Marie), *Les Débuts de la Troisième République (1871-1898)*, Paris, Seuil, 1973.

MERCIER (Louis-Sébastien), *Tableau de Paris*, Amsterdam, sans mention d'éditeur, 1782-1788, 12 vol.

MICHAËLSSON (Karl), *Études sur les noms de personnes français d'après les rôles de la taille parisiens (1292, 1296-1300, 1313)*, Uppsala, Almqvist und Wiksells, 1927.

MICHAËLSSON (Karl), éd., *Le Livre de la taille de Paris, l'an 1296,... 1297,... 1313*, Göteborg, Elanders Boktryckeri, 1951-1962, 3 vol.

MICHEL (Henri), *Paris allemand*, Paris, Albin Michel, 1981.

MICHEL (Henri), *Paris résistant*, Paris, Albin Michel, 1982.

MILLEY (Jacques), BRELINGARD (Désiré), MAZOYER (Louis), *La Vie parisienne à travers les âges*, Paris, Société continentale d'éditions modernes illustrées, 1965-1966, 6 vol.

MOLS (Roger), *Introduction à la démographie historique des villes d'Europe du XIVᵉ au XVIIIᵉ siècle*, Gembloux, J. Duculot, 1954-1956, 3 vol.

MOUSNIER (Roland), *Le Conseil du roi de Louis XII à la Révolution*, Paris, Presses universitaires de France, 1970.

MOUSNIER (Roland), *Paris au XVIIᵉ siècle*, Paris, Centre de documentation universitaire, 1961, 3 fascicules.

MOUSNIER (Roland), *La Plume, la Faucille et le Marteau. Institutions et société en France du Moyen Âge à la Révolution*, Paris, Presses universitaires de France, 1970.

MOUSNIER (Roland), *Recherches sur la stratification sociale à Paris aux XVIIᵉ et XVIIIᵉsiècles*, Paris, A. Pedone, 1976.

MOUSNIER (Roland), *La Vénalité des offices sous Henri IV et Louis XIII*, Rouen, éd. Maugrand, 1945.

NAPOLÉON Iᵉʳ, *Correspondance*, Paris, Imprimerie impériale, 1858-1869, 32 vol.

NIVET (Philippe), *Le Conseil municipal de Paris de 1944 à 1977*, Paris, Publications de la Sorbonne, 1994.

NORVINS (Jacques de), *Mémorial*, éd. L. de Lanzac de Laborie, Paris, Plon-Nourrit, 1896-1897, 3 vol.

PANNIER (Jacques), *L'Église réformée de Paris sous Henri IV*, Paris, Honoré Champion, 1911.

PANNIER (Jacques), *L'Église réformée de Paris sous Louis XIII*, Paris, Champion, 1922-1932, 3 vol.

PARDAILHÉ-GALABRUN (Annick), *La Naissance de l'intime*, Paris, Presses universitaires de France, 1988.

« Paris à l'école », *qui a eu cette idée folle ?*, sous la dir. d'A.-M. Châtelet, Paris, éditions du Pavillon de l'Arsenal/Picard éditeur, 1993.

Paris de la préhistoire à nos jours, sous la dir. de Marcel Le Clère, Saint-Jean-d'Angély, Bordessoules, 1985.

Paris, fonctions d'une capitale, Paris, Hachette, 1962.

Paris Guide, Paris, A. Lacroix Verboeckhoven et Cie, 1867, 2 vol.

Paris, la ville et ses projets, Paris, Babylone/Pavillon de l'Arsenal, 1988.

PATIN (Guy), *Lettres*, éd. J.-A. Reveillé-Parise, Paris, J.-H. Baillière, 1846, 3 vol.

PELLETAN (Camille), *Questions d'histoire. Le Comité central et la Commune*, Paris, M. Dreyfous, 1879.

PENANSTER (Huon de), *Une conspiration en l'an XI et en l'an XII*, Paris, Plon, 1896.

PÉRIVIER (Antonin), *Napoléon journaliste*, Paris, Plon, 1918.

PHILIPPE (Béatrice), *Les Juifs à Paris à la Belle Époque*, Paris, Albin Michel, 1992.

PIGAFETTA (Filippo), *Relation du siège de Paris par Henri IV*, Nogent-le-Rotrou, Imprimerie de Gouverneur, 1875.

PILLORGET (René), *Nouvelle Histoire de Paris. Paris sous les premiers Bourbons (1594-1661)*, Paris, Association pour la publication d'une histoire de Paris/Diffusion Hachette, 1988.

PISANI (Paul), *L'Église de Paris et la Révolution*, Paris, A. Picard, 1908-1911, 4 vol.

PONTEIL (Félix), *Les Institutions de la France de 1814 à 1870*, Paris, Presses universitaires de France, 1966.

POUTHAS (Charles-Henri), *La Population française pendant la première moitié du XIXe siècle*, Paris, Presses universitaires de France, 1956.

PRUDHOMME (Louis-Marie), *Miroir historique, politique et critique de l'ancien et du nouveau Paris*, Paris, Prudhomme fils, 1807, 6 vol.

RAISON-JOURDE (Françoise), *La Colonie auvergnate de Paris au XIXe siècle*, Paris, Imprimerie municipale, 1976.

RANUM (Orest), *Les Parisiens au XVIIe siècle*, Paris, Armand Colin, 1973.

Rapport sur la marche et les effets du choléra-morbus dans Paris et les communes rurales du département de la Seine... année 1832, Paris, Imprimerie royale, 1834.

REINHARD (Marcel), *Nouvelle Histoire de Paris. La Révolution (1789-1799)*, Paris, Association pour la publication d'une histoire de Paris/Diffusion Hachette, 1971.

RÉMOND (René), *La Droite en France. De la première Restauration à la Ve République*, Paris, Aubier, 1963.

RÉMUSAT (Charles de), *Mémoires de ma vie*, éd. Charles-H. Pouthas, Paris, 1958-1967, 5 vol.

RENAUD (Jean-Pierre), *Paris, un État dans l'État ?*, Paris, L'Harmattan, 1993.

RETZ (Jean-François-Paul de Gondi, cardinal de), *Mémoires*, éd. Maurice Allem et Édith Thomas, Paris, Gallimard, 1961.

RIALS (Stéphane), *Nouvelle Histoire de Paris. De Trochu à Thiers (1870-1873)*, Paris, Association pour la publication d'une histoire de Paris/Diffusion Hachette, 1985.

ROBIQUET (Paul), *Histoire municipale de Paris depuis les origines jusqu'à l'avènement de Henri III*, Paris, C. Reinwald, 1880.

ROBLIN (Michel), *Les Juifs de Paris. Démographie, économie, culture*, Paris, A. et J. Picard, 1952.

ROBLIN (Michel), *Le Terroir de Paris aux époques gallo-romaine et franque...*, Paris, A. et J. Picard, 1951.

ROBRIEUX (Philippe), *Histoire intérieure du parti communiste*, Paris, Fayard, 1980-1984, 4 vol.

RODRIGUÈS (Edgar), *Le Carnaval rouge*, Paris, Dentu, 1872.

ROEDERER (Pierre-Louis), *Mémoires sur la Révolution, le Consulat et l'Empire*, éd. Octave Aubry, Paris, Plon, 1942.

ROUGERIE (Jacques), *Paris libre, 1871*, Paris, Seuil, 1971.

RUAULT (Nicolas), *Gazette d'un Parisien sous la Révolution*, Paris, Librairie académique Perrin, 1975.

SAINT-SIMON (Louis de Rouvroy, duc de), *Mémoires*, éd. Yves Coirault, Paris, Gallimard, 1982-1988, 8 vol.

SAINTE-CLAIRE DEVILLE (Paul), *La Commune de l'an II*, Paris, Plon, 1946.

SAY (Henri), *Études sur l'administration de la ville de Paris et du département de la Seine*, Paris, Guillaumin, 1846.

SCHIRMACHER (Käthe), *La Spécialisation du travail par nationalités à Paris*, Paris, A. Rousseau, 1908.

Septième centenaire de la mort de saint Louis, actes des colloques de Royaumont et de Paris, 21-27 mai 1970, Paris, Les Belles-Lettres, 1976.

SÉVIGNÉ (Marie de Rabutin-Chantal, marquise de), *Lettres*, éd. Gérard Gailly, Paris, Gallimard, 1953-1957, 3 vol.

SIMON (Jules), *Le Gouvernement de M. Thiers (février 1871-24 mai 1873)*, Paris, Calmann Lévy, 1873, 2 vol.

SIMOND (Charles), *Paris de 1800 à 1900, d'après les estampes et les mémoires du temps...*, Paris, E. Plon-Nourrit, 1900-1901, 3 vol.

SOBOUL (Albert), MONNIER (Raymonde), *Répertoire du personnel sectionnaire parisien en l'an II*, Paris, Publications de la Sorbonne, 1985.

TAINE (Hippolyte), *Sa vie et sa correspondance*, Paris, Hachette, 1902-1907, 4 vol.

TALLEMANT DES RÉAUX (Gédéon), *Historiettes*, éd. L.J.N. de Monmerqué, Paris, Garnier, 1861, 10 vol.; autre éd. par Georges Mongrédien : Paris, Garnier, 1932-1934, 8 vol.

THUREAU-DANGIN (Paul), *Histoire de la Monarchie de Juillet*, Paris, E. Plon-Nourrit, 1884-1892, 7 vol.

TUDESQ (André-Jean), *Les Grands Notables en France (1840-1849)*, Paris, Presses universitaires de France, 1964, 2 vol.

TULARD (Jean), *Joseph Fiévée, conseiller secret de Napoléon*, Paris, Fayard, 1985.

TULARD (Jean), *Nouvelle Histoire de Paris. La Révolution*, Paris, Association pour la publication d'une histoire de Paris/Diffusion Hachette, 1989.

TULARD (Jean), *Nouvelle Histoire de Paris. Le Consulat et l'Empire*, Paris, Association pour la publication d'une histoire de Paris/Diffusion Hachette, 1970.

TULARD (Jean), FAYARD (Jean-François), FIERRO (Alfred), *Histoire et dictionnaire de la Révolution française*, Paris, Robert Laffont, 1987.

TULARD (Jean), FIERRO (Alfred), *Almanach de Paris, second volume, De 1789 à nos jours*, Paris, Encyclopaedia Universalis, 1990.

VALLERY-RADOT (Pierre), *Deux siècles d'histoire hospitalière, de Henri IV à Louis-Philippe (1602-1836). Paris d'autrefois. Ses vieux hôpitaux*, Paris, Dupont, 1937.

VANDAL (Albert), *L'Avènement de Bonaparte*, Paris, Plon-Nourrit, 1902-1903, 2 vol.

VÉRI (abbé Joseph-Alphonse de), *Journal*, éd. de Jehan de Witte, Paris, J. Tallandier, 1928-1930, 2 vol.

VIENNET (Odette), *Napoléon et l'industrie française. La crise de 1811*, Paris, Plon, 1947.

VIGIER (Philippe), *Nouvelle Histoire de Paris. Paris pendant la Monarchie de Juillet (1830-1848)*, Paris, Association pour la publication d'une histoire de Paris/Diffusion Hachette, 1991.

VILLÈLE (Joseph, comte de), *Mémoires et correspondance*, Paris, Perrin, 1888-1890, 5 vol.

WARNOD (André), *Visages de Paris*, Paris, Firmin-Didot, 1930.

WURMSER (André), *Fidèlement vôtre. Soixante ans de vie politique et littéraire*, Paris, Grasset, 1979.

ZAY (Jean), *Souvenirs et solitude*, Paris, René Julliard, 1945.

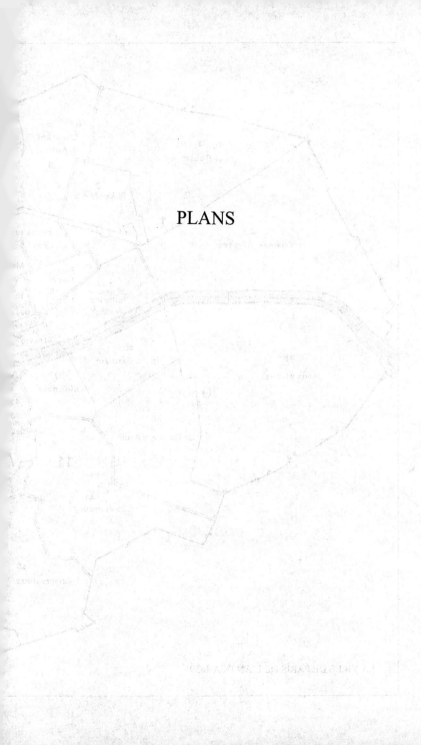

PLANS

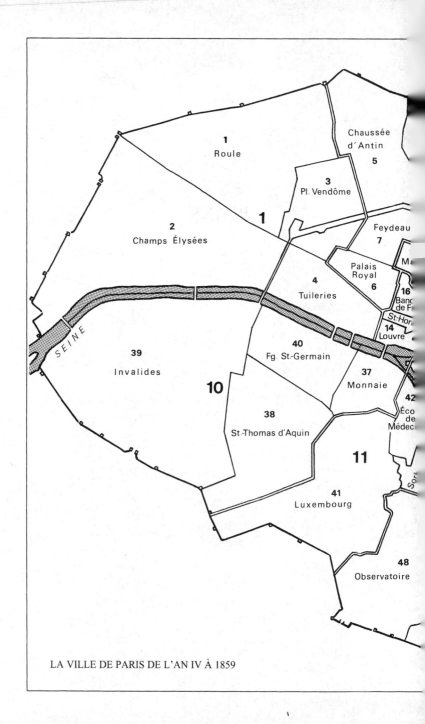

LA VILLE DE PARIS DE L'AN IV À 1859

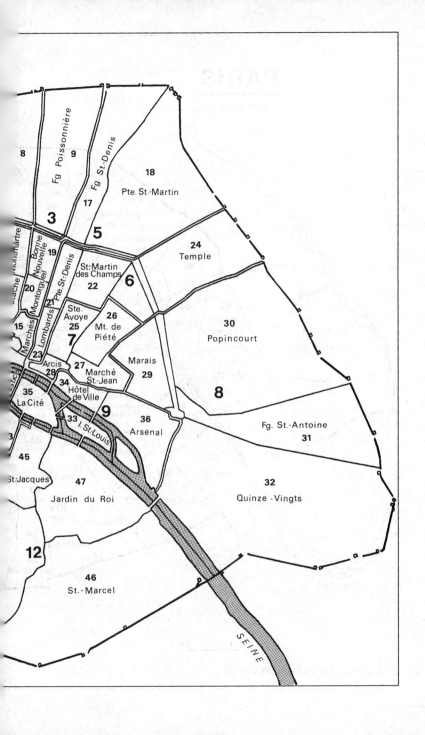

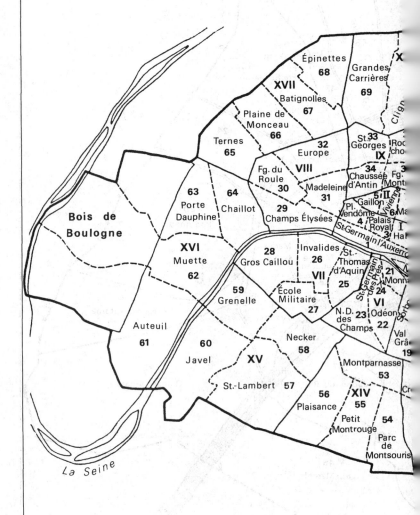

PARIS

DEPUIS 1860

Épinettes
68
Grandes
Carrières
69
X
Clign

XVII
Batignolles
67

Plaine de
Monceau
66

Ternes
65

Fg. du
Roule
30

VIII

32
Europe

St.33
Georges
IX
Roc
cho

34
Chaussée
d'Antin
Fg
Mont

63
Porte
Dauphine

64
Chaillot

29
Champs Élysées

Madeleine
31

II
5
Gaillon
6 Ma
Pl.
Vendôme
4 Palais
Royal
I
Ha
St-Germain l'Auxerro

**Bois de
Boulogne**

XVI
Muette
62

28
Gros Caillou

Invalides
26

St.-
Thomas
d'Aquin
VII
25

St-Germain
des Prés
21
Monn
24
VI

59
Grenelle

École
Militaire
27

N.D.
des
Champs
23
Odéon
22

Val
Grâ
19

Auteuil
61

60
Javel

XV

Necker
58

Montparnasse
53

Cr

St.-Lambert 57

56
Plaisance

XIV
55

Petit
Montrouge
54

Parc
de
Montsouris

La Seine

0   1   2km

LA VILLE DE PARIS DEPUIS 1860

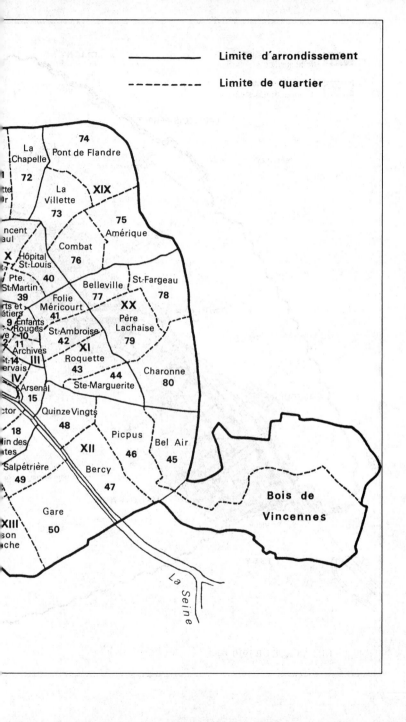

Limite d'arrondissement

Limite de quartier

74
La Chapelle
Pont de Flandre
72
La Villette
XIX
73
75
Amérique
ncent aul
Combat
X Hôpital St-Louis
76
Pte. St-Martin
40
39
Belleville
St-Fargeau
rts et étiers
Folie Méricourt
77
78
9 Enfants Rouges
41
XX
ve 10
St-Ambroise
Père Lachaise
2 11
42
79
Archives
XI
III
Roquette
t 14 ervais
43
IV
44
Charonne
Arsenal
Ste-Marguerite
80
15
ctor
Quinze Vingts
18
48
in des tes
Picpus
Bel Air
XII
46
45
Salpétrière
Bercy
49
47
XIII son che
Gare
50
Bois de Vincennes

La Seine

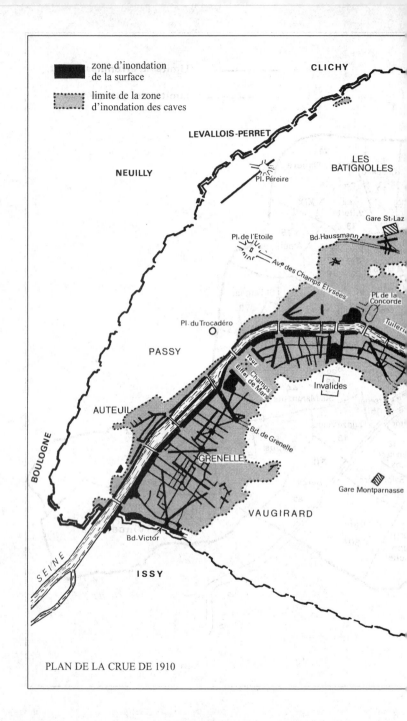

zone d'inondation
de la surface

limite de la zone
d'inondation des caves

CLICHY

LEVALLOIS-PERRET

NEUILLY

LES BATIGNOLLES

Pl. Péreire

Gare St-Laz

Pl. de l'Etoile

Bd. Haussmann

Ave des Champs Élysées

Pl. de la Concorde

Pl. du Trocadéro

Tuileri

PASSY

Tour Eiffel

Champs de Mars

Invalides

AUTEUIL

Bd. de Grenelle

GRENELLE

Gare Montparnasse

VAUGIRARD

BOULOGNE

Bd. Victor

SEINE

ISSY

PLAN DE LA CRUE DE 1910

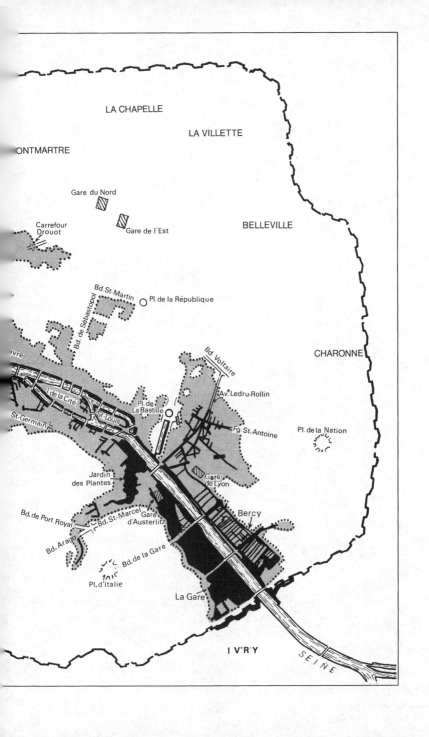

INDEX

DES PERSONNAGES
DES LIEUX
DES THÈMES

Les mots apparaissant en **gras** renvoient
à une entrée du « Dictionnaire »

A

I - J - K

TABLE DES MATIÈRES

PREMIÈRE PARTIE

LES ÉVÉNEMENTS
(Des origines à nos jours)

DEUXIÈME PARTIE

LES ACTIVITÉS DES PARISIENS

TROISIÈME PARTIE

CHRONOLOGIE
(Paris jour par jour)

QUATRIÈME PARTIE

DICTIONNAIRE

CINQUIÈME PARTIE

GUIDE DE RECHERCHES

PLANS

INDEX

ACHEVÉ D'IMPRIMER
SUR BOOKOMATIC
PAR MAURY EUROLIVRES
45300 MANCHECOURT

Imprimé en France